ACCESO GRATIS a la Lectura en la Nube

Para visualizar el libro electrónico en la nube de lectura envíe junto a su nombre y apellidos una fotografía del código de barras situado en la contraportada del libro y otra del ticket de compra a la dirección:

ebooktirant@tirant.com

En un máximo de 72 horas laborales le enviaremos el código de acceso con sus instrucciones.

DERECHO DE LOS BIENES PÚBLICOS

DERECHO DE LOS BIENES PÚBLICOS

3ª Edición

Director

JULIO V. GONZÁLEZ GARCÍA

Autores

CARMEN AGOUÉS MENDIZÁBAL
Profesora Titular de Derecho administrativo
Universidad del País Vasco

JOSÉ FRANCISCO ALIENZA GARCÍA
Catedrático de Derecho Administrativo
Universidad de Navarra

ESTANISLAO ARANA GARCÍA
Profesor Titular de Derecho Administrativo
Universidad de Granada

JAVIER BARCELONA LLOP
Profesor Titular de Derecho Administrativo
Universidad de Cantabria

DAVID BLANQUER CRIADO
Catedrático de Derecho Administrativo (UJI)
Letrado del Consejo de Estado (excedente)

MARÍA JOSÉ BOBES SÁNCHEZ
Profesora Titular interina de Derecho administrativo
Universidad Complutense de Madrid

RAFAEL CABALLERO SÁNCHEZ
Profesor Titular de Derecho administrativo
Universidad Complutense de Madrid

MATILDE CARLÓN RUIZ
Profesora Titular de Derecho administrativa. UCM
Letrada del Tribunal Constitucional

JUAN ANTONIO CARRILLO DONAIRE
Profesor Titular de Derecho Administrativo
Universidad Loyola

ELOY COLOM PIAZUELO
Profesor Titular de Derecho Administrativo
Universidad de Zaragoza

EVA DESDENTADO DAROCA
Profesora Titular de Derecho administrativo
Universidad de Alcalá de Henares

CARMEN FERNÁNDEZ RODRÍGUEZ
Profesora Titular de Derecho administrativo
Universidad Nacional de Educación a Distancia

ROSA M. GALÁN SÁNCHEZ
Profesora Titular de Derecho financiero y tributario
Universidad Complutense de Madrid

JULIO V. GONZÁLEZ GARCÍA
Catedrático de Derecho administrativo
Universidad Complutense de Madrid

PALOMA HERRANZ EMBID
Abogada, especialista en Derecho administrativo

RAQUEL MONTANER FERNÁNDEZ
Profesora Lectora de Derecho Penal
Universidad Pompeu i Fabra

MARÍA JESÚS MONTORO CHINER
Catedrática de Derecho administrativo
Universidad de Barcelona

BELÉN NOGUERA DE LA MUELA
Profesora Titular de Derecho administrativo
Universidad de Barcelona

ÍÑIGO ORTIZ DE URBINA GIMENO
Profesor Agregado de Derecho Penal
Universidad Pomepu i Fabra

CARMEN PLAZA MARTÍN
Profesora Titular de Derecho administrativo
Universidad de Castilla-La Mancha

LUIS POMED SÁNCHEZ
Letrado del Tribunal Constitucional

MARÍA DEL PINO RODRÍGUEZ GONZÁLEZ
Profesora Titular de Derecho administrativo
Universidad de Las Palmas de Gran Canaria

MARGARITA SERNA VALLEJO
Catedrática de Historia del Derecho
Universidad de Cantabria

Mª ASUNCIÓN TORRES LÓPEZ
Profesora Titular de Universidad
Universidad de Granada

MARÍA ZAMBONINO PULITO
Catedrática de Derecho administrativo
Universidad de Cádiz

tirant lo blanch

Valencia, 2015

© Julio V. González García y otros

© TIRANT LO BLANCH
 EDITA: TIRANT LO BLANCH
 C/ Artes Gráficas, 14 - 46010 - Valencia
 TELFS.: 96/361 00 48 - 50
 FAX: 96/369 41 51
 Email:tlb@tirant.com
 http://www.tirant.com
 Librería virtual: http://www.tirant.es
 DEPÓSITO LEGAL: V-1298-2015
 ISBN: 978-84-9086-020-5
 IMPRIME: RODONA Industria Gráfica, S.L.
 MAQUETA: Tink Factoría de Color

Si tiene alguna queja o sugerencia, envíenos un mail a: *atencioncliente@tirant.com*. En caso de
no ser atendida su sugerencia, por favor, lea en *www.tirant.net/index.php/empresa/politicas-de-
empresa* nuestro Procedimiento de quejas.

Índice

Capítulo I
LOS BIENES PÚBLICOS: FORMACIÓN DE SU RÉGIMEN JURÍDICO
MARGARITA SERNA VALLEJO
Catedrática de Historia del Derecho
Universidad de Cantabria

Capítulo II
CUESTIONES DEL RÉGIMEN GENERAL DEL DOMINIO PÚBLICO
JULIO V. GONZÁLEZ GARCÍA
Catedrático de Derecho administrativo
Universidad Complutense de Madrid

Capítulo III
BIENES PATRIMONIALES Y PATRIMONIO DE LAS ADMINISTRACIONES PÚBLICAS

JULIO V. GONZÁLEZ GARCÍA
Catedrático de Derecho administrativo
Universidad Complutense de Madrid

Capítulo IV
LOS BIENES COMUNALES
Eloy Colom Plazuelo
Profesor Titular de Derecho administrativo
Universidad de Zaragoza

Capítulo V
BIENES DE LOS ÓRGANOS CONSTITUCIONALES
Luis Pomed Sánchez
Letrado del Tribunal Constitucional

Capítulo VI
RÉGIMEN JURÍDICO GENERAL DEL PATRIMONIO DE LA ADMINISTRACIÓN INSTRUMENTAL
Estanislao Arana García
Catedrático de Derecho Administrativo
Universidad de Granada

Capítulo VII
RÉGIMEN GENERAL DE LAS OBRAS PÚBLICAS
Paloma Herranz Embid
Abogada especialista en Derecho administrativo

Capítulo VIII
URBANISMO Y BIENES PÚBLICOS
CARMEN AGOUES MENDIZÁBAL
Profesora Titular de Derecho administrativo
Universidad del País Vasco

Capítulo IX
PROPIEDAD PÚBLICA Y PROPIEDAD PRIVADA EN LAS ESTRATEGIAS DE PROTECCIÓN AMBIENTAL
JOSÉ FRANCISCO ALIENZA GARCÍA
Profesor Titular de Derecho Administrativo
Universidad Pública de Navarra

Capítulo X
LOS BIENES PÚBLICOS Y SU RÉGIMEN TRIBUTARIO
Rosa M. Galán Sánchez
Profesora Titular de Derecho Financiero y Tributario
Universidad Complutense de Madrid

Capítulo XI
PROTECCIÓN PENAL DE LOS BIENES PÚBLICOS

Íñigo Ortiz de Urbina Gimeno
Profesor Agregado de Derecho Penal
Universidad Pompeu i Fabra

Raquel Montaner Fernández
Profesora Lectora de Derecho Penal
Universitat Pompeu Fabra

Capítulo XII
EL MAR. DOMINIO PÚBLICO MARÍTIMO-TERRESTRE Y MEDIO MARINO

María Zambonino Pulito
Catedrática de Derecho Administrativo
Universidad de Cádiz

Capítulo XIII
EL DOMINIO PÚBLICO MARÍTIMO-TERRESTRE: LA PARTE TERRESTRE

María del Pino Rodríguez González
Profesora Titular de Derecho administrativo
Universidad de las Palmas de Gran Canaria

Capítulo XIV
EL DOMINIO PÚBLICO HIDRÁULICO
CARMEN PLAZA MARTÍN
Profesora Titular de Derecho Administrativo
Universidad de Castilla-La Mancha

Capítulo XV
RÉGIMEN JURÍDICO DE LOS MONTES

Mª José Bobes Sánchez
Profesora Titular Interina de Derecho Administrativo
Universidad Complutense de Madrid

Capítulo XVI
VÍAS PECUARIAS
Juan Antonio Carrillo Donaire
Profesor Titular de Derecho Administrativo
Universidad Loyola

Capítulo XVII
DOMINIO MINERO
ELOY COLOM PIAZUELO
Profesor Titular de Derecho Administrativo
Universidad de Zaragoza

Capítulo XVIII
RÉGIMEN JURÍDICO DEL PETRÓLEO Y DE LOS HIDROCARBUROS
Rafael Caballero Sánchez
Profesor Titular de Derecho Administrativo
Universidad Complutense de Madrid

Capítulo XIX
DOMINIO PÚBLICO VIARIO
Eva Desdentado Daroca
Profesora Titular de Derecho administrativo
Universidad de Alcalá de Henares

Capítulo XX

LAS INFRAESTRUCTURAS FERROVIARIAS EN LA NORMATIVA DEL SECTOR FERROVIARIO: ALGUNOS APUNTES DE SU ORDENACIÓN JURÍDICA A LA LUZ DE LAS TENDENCIAS LIBERALIZADORAS

María Jesús Montoro Chiner
Catedrática de Derecho administrativo
Universidad de Barcelona
Belén Noguera de la Muela
Profesora Titular de Derecho administrativo
Universidad de Barcelona

Capítulo XXI
ASPECTOS BÁSICOS DE LA ORDENACIÓN DE LAS OBRAS HIDRÁULICAS
JULIO V. GONZÁLEZ GARCÍA
Catedrático de Derecho administrativo
Universidad Complutense de Madrid

Capítulo XXII
EL DOMINIO PÚBLICO PORTUARIO
María Zambonino Pulito
Catedrática de Derecho Administrativo
Universidad de Cádiz

Capítulo XXIII
PATRIMONIO CULTURAL

Javier Barcelona Llop
Profesor Titular de Derecho Administrativo
Universidad de Cantabria

Capítulo XXIV
EL DOMINIO PÚBLICO INMATERIAL

Carmen Fernández Rodríguez
Profesora Titular de Derecho Administrativo
Universidad Nacional de Educación a Distancia

Capítulo XXV
EL PATRIMONIO UNIVERSITARIO

Mª Asunción Torres López
Profesora Titular de Universidad
Universidad de Granada

Capítulo XXVI
PATRIMONIO PÚBLICO EMPRESARIAL

Julio V. González García
Profesor Titular de Derecho administrativo
Universidad Complutense de Madrid

Capítulo XXVII
BIENES PÚBLICOS Y TELECOMUNICACIONES
MATILDE CARLÓN RUIZ
Profesora Titular de Derecho Administrativo
Universidad Complutense de Madrid

Capítulo XXVIII

LOS BIENES MILITARES Y LA INCIDENCIA DE LA DEFENSA NACIONAL EN LAS PROPIEDADES PRIVADAS

David Blanquer Criado
Catedrático de Derecho Administrativo (UJI)
Letrado del Consejo de Estado (excelente)

Presentación

JULIO GONZÁLEZ GARCÍA

La obra que el lector tiene en sus manos, *Derecho de los bienes públicos,* pretende proporcionar una visión panorámica de un sector del ordenamiento jurídico que ha experimentado un notable cambio desde que, en 1978, obtuviera su reconocimiento en un precepto ciertamente inusual en la práctica constitucional[1], el art. 132 de la Constitución española, que efectuó el reconocimiento de la existencia de cuatro categorías de bienes públicos, el dominio público, el patrimonio nacional, los bienes comunales y los bienes patrimoniales, amen de la inclusión dentro del dominio público estatal de una serie de bienes, concretamente los que tenían una situación más complicada, concretamente algunos de los que componen el dominio público marítimo-terrestre.

Esta obra comenzó a gestarse hace más de dos años, antes de que la carrera final de la legislatura 2000/04 modificara el régimen de algunas categorías de bienes públicos que aquí se encuentran analizados, entre otros la propia norma que se puede considerar de cabecera del régimen patrimonial, Ley 33/2003, de patrimonio de las administraciones públicas, publicada en el Boletín Oficial del Estado de 4 de noviembre de 2003, que tantos cambios ha introducido en el régimen patrimonial público.

La alteración normativa, como es conocido, no se quedó en esta disposición sino que afectó además a la Ley 43/2003, de 21 de noviembre, de Montes, la reciente Ley 32/2003, de 3 de noviembre, General de Telecomunicaciones, la Ley 39/2003, de 17 de noviembre, del sector ferroviario, la Ley 48/2003, de 26 de noviembre, de régimen económico y de prestación de servicios de los puertos de interés general, Ley 13/2003, reguladora del Contrato de concesión de obras públicas o, en fin, las modificaciones

---

[1]   Recientemente, la constitución uruguaya de 1967, en su versión modificada el 31 de octubre de 2004 ha incluido un precepto que guarda alguna similitud con el art. 132.2 de nuestra norma fundamental, el art. 47.2, que dispone que "las aguas superficiales, así como las subterráneas, con excepción de las pluviales, integradas en el ciclo hidrológico, constituyen un recurso unitario, subordinado al interés general, que forma parte del dominio público estatal, como dominio público hidráulico". Lo que tampoco resulta discutible es la inspiración que ha encontrado el constituyente uruguayo en nuestra ley de aguas.

del régimen tributario, continuas por otra parte. Y ello por no hablar de los sectores que habían adaptado su normativa en los años anteriores, como el del agua o el de los hidrocarburos; amén de reformas menores que había habido en casi todas las normas.

Como puede apreciarse, los últimos tiempos han resultado de cambios en el Derecho de los bienes públicos. La alteración del régimen de los bienes ha sido en este sentido considerable. En unos casos la ley anterior había quedado totalmente desfasada para hacer frente a las necesidades actuales. Además, ha habido un intento de flexibilizar, el régimen jurídico de los bienes para adaptarlo a supuestos atípicos que se estaban dando en la práctica y que carecían de respaldo normativo, por más que pudieran estar amparados por la el sometimiento al derecho privado de algunos contratos administrativos sobre bienes.

Flexibilización, que, no hace falta decirlo, no está exenta de problemas sobre todo cuando la nueva legislación ha sido extremadamente conservadora en el mantenimiento en casi los mismos términos de la tradicional diferenciación del dominio público y el patrimonio de las Administraciones públicas, algo que, sin duda, hubiera merecido un cambio. A ello se añade el factor, nada desdeñable, de cómo juegan los nuevos servicios liberalizados en relación con los bienes públicos, algo en donde también la normativa hubiera debido ser más precisa.

Más allá de estas cuestiones, y muchas otras que aparecerán en las páginas que siguen dentro del estudio de cada uno de los sectores, el recordatorio de la modificación que ha tenido en los últimos años el régimen de los bienes públicos realza la importancia de una visión general de este sector del ordenamiento, tal y como se ofrece aquí. Posiblemente constituye la visión más extensa que se ha proporcionado hasta ahora del Derecho de los bienes públicos, que incluyen materias hasta ahora obviadas para los administrativistas, como su sujeción fiscal.

Como coordinador del trabajo, no me queda sino agradecer a los autores el tiempo dedicado a escribir cada uno de los capítulos y a la editorial Tirant lo Blanch su máxima disponibilidad y flexibilidad para que finalmente pueda ver la luz en este momento.

Madrid, 18 de marzo de 2005

Introducción a la segunda edición

1. Tres años después, el lector tiene en sus manos la segunda edición del "Derecho de bienes públicos", algo que, como Director del trabajo, me llena de satisfacción. Una edición motivada por la excelente acogida que tuvo la primera y, asimismo, por los cambios que ha habido en este periodo, que han aconsejado proceder a una revisión profunda del trabajo. El paso del tiempo también ha hecho que se modifiquen aspectos analizados en la primera edición, en el intento de mejorar el volumen y cada una de las participaciones.

De entrada, la obra que tiene en sus manos dispone de un número superior de capítulos, cubriendo o bien regulaciones generales de los bienes públicos que no estaban en la primera edición —protección penal, medio ambiente y bienes públicos—, o bien, analizando sectores de los bienes públicos que no tuvieron acomodo en el 2005 —patrimonio público empresarial, dominio inmaterial, patrimonio universitario— o desgajando algunos capítulos por su importancia —obras hidráulicas, ordenación del mar...—. Pero, al mismo tiempo, es una edición en la que en aquellos capítulos cuyo título ha permanecido inalterado no se ha procedido a una mera reimpresión de la primera sino que los capítulos han sido objeto de una importante puesta al día por parte de los autores.

Esta última legislatura (2004/08) no ha sido muy prolífica en la ordenación global de bienes públicos. De hecho, no se ha aprobado ninguna norma que ordene de forma total un sector de los bienes públicos. El intento más cercano estuvo con la Ley de aguas, que parece que queda para la próxima legislatura. Eso no significa, sin embargo, que hayan sido cuatro años parcos en modificaciones, ya que se ha producido una reforma de aspectos concretos que han tenido un gran impacto en el derecho de bienes. Ha sido, al mismo tiempo, una legislatura en la que se ha proporcionado un giro medioambiental a algunos sectores demaniales, giro que está teniendo dificultades importantes de ser llevados a la práctica, como han mostrado algunas decisiones comunitarias.

2. Después de concluida esta segunda edición del trabajo, hay una idea que parece clara: los bienes públicos posiblemente se encuentren en este comienzo del siglo XXI en una encrucijada. Por un lado, se mantienen sus principios inspiradores de la regulación pero al mismo tiempo las nuevas corrientes de corte privatizador que están tan en boga colocan a dichos

principios en una tensión insuperable para lo cual el ordenamiento jurídico en muchas ocasiones se ha de distorsionar. Por ello, creo que esta introducción es un momento adecuado para escribir unas líneas sobre el particular.

La privatización, entendida en sus diversas perspectivas, está en la esencia de la acción pública actual, aunque en ocasiones se juegue con el lenguaje para expresar el fenómeno de otra forma. A los bienes públicos les ha afectado el fenómeno de manera especial. Es claro que los bienes públicos han sido el primer objeto de privatización, en la medida en que pasó a manos privadas lo mejor del patrimonio público empresarial en operaciones que sólo persiguieron la obtención de un rendimiento en el corto plazo —desde luego hoy esfumado y transformado en pingüe beneficio privado en el contexto de la revolución tecnológica—. Se ha privatizado el modo de construir infraestructuras con el fin —aparente y que sirve para encubrir otras finalidades— de eludir el déficit público lo que da pie a la utilización de figuras complejas para e incluso el ordenamiento jurídico permite figuras propias de las entidades privadas, como son ciertas modalidades de arrendamiento para que los entes públicos tengan sus sedes administrativas. Se proporcionan utilidades privadas *ex lege* a los bienes de dominio público —dificultando la aplicación de la regla de la imprescriptibilidad e inalienabilidad del demanio— y se busca mayor *eficiencia* en la explotación de los bienes públicos, con utilidades alternativas, que hace que en ocasiones parezcan de todo menos bienes públicos por su creciente explotación económica.

Se han privatizado los bienes públicos porque en multitud de ocasiones se ha transformado la persona encargada de gestionarlas, como ha ocurrido con las infraestructuras en donde entidades públicas empresariales o sociedades mercantiles públicas tienen el peso más relevante en su administración o en el proceso de construcción. Privatización en su vertiente de huida del Derecho público en el que se entremezcla flexibilidad, estabilidad presupuestaria y que, no podemos negarlo, nos conduce a una situación peculiar en el funcionamiento público por la utilización de una cierta dosis de ingeniería jurídica impulsada, sin lugar a dudas, por los gabinetes privados de asesoramiento de las Administraciones públicas y cuyas ventajas actuales —cuyas finalidades son algo torticeras— no deben hacer perder la perspectiva del riesgo en el medio y largo plazo, amén del incremento de costes.

3. Una segunda nota que caracteriza el régimen de los bienes es que estamos asistiendo a un *revival* de antiguas figuras, aunque con una orientación diferente a lo pretendido originariamente. El recurso al censo en-

fiteútico como instrumento en los nuevos procedimientos de provisión de infraestructuras es, en este sentido, característico de lo que se está señalando. Pero este uso de esas viejas figuras convive con la incorporación de elementos desconocidos hasta ahora en el Derecho de bienes y que conjuntamente proporcionan una cierta sensación de inseguridad jurídica.

Inseguridad derivada, además, del hecho de que la Ley 33/2003, de Patrimonio de las Administraciones Públicas dista mucho de proporcionar una respuesta integrada a estas realidades, integrando la perspectiva del interés general en figuras que tienen su razón de ser en el ordenamiento jurídico privado. Todo lo cual se ha incrementado por el impulso de las formas alternativas de construcción de infraestructuras, en un camino que resulta bastante problemático, como he tenido ocasión de exponer en otras ocasiones. Ciertamente, aquí el principio tradicional de prevalencia del servicio sobre el bien se aplica de forma tajante, dando lugar a situaciones difíciles de explicar desde un punto de vista teórico. Todo lo anterior es especialmente siginificativo, sobre todo teniendo en cuenta que lo más relevante hoy es el aspecto contractual, que también ha ido en esta línea privatizadora a la par que desreguladora, como muestra el modo de introducir la colaboración público privada que tanta transcendencia tiene en relación con los bienes públicos.

En esta línea, la LPAP, pese a ser reciente y haber sido promulgada en este contexto privatizador, tampoco ha conseguido proporcionar —ni siquiera adaptado a dicho condicionante económico-ideológico— ese toque de armonía del que el derecho de los bienes públicos carece, posiblemente, desde la acumulación de sectores heterogéneos en el dominio público, materializado con la aprobación del Código civil y todas las normas que le han rendido tributo. Posiblemente la incesante expansión del demanio esté conduciendo paulatinamente a la pérdida de sus criterios distintivos, dando la razón a lo que Nieto afirmara hace más de 40 años sobre la conveniencia de abandonar esta categoría[1].

4. Por ello, el resultado analizado desde la perspectiva de la ordenación de los bienes públicos conduce a la asistematicidad de su ordenación. Visto el fenómeno, posiblemente sea una manifestación de estos tiempos que dicen ser postmodernos y que obviamente ha de encontrar, como ha ocurrido en otros campos, su reflejo en el Derecho —tal como nos ha mostrado, en el campo del Derecho público, Chevallier desde Francia[2]— pero al

---

[1]   NIETO GARCÍA, A. *Los bienes comunales*, EDERSA, Madrid, 1964, p. 3.

[2]   CHEVALLIER, J., *L'État postmoderne*, LGDJ, Paris (2003).

operador jurídico no le queda por menos que expresar sus dificultades de entendimiento en el contexto actual y reclamar un paso más del legislador, para retomar una senda diferente.

Llegados a este punto sólo me queda, como Director del trabajo, agradecer a la Editorial Tirant lo Blanch su impulso y disponibilidad para la publicación del mismo y a los autores el trabajo realizado.

Madrid, 14 de abril de 2008

Capítulo I
Los bienes públicos: formación de su régimen jurídico

MARGARITA SERNA VALLEJO
Catedrática de Historia del Derecho
Universidad de Cantabria

SUMARIO: I. PRELIMINAR. II. LAS COSAS PÚBLICAS EN EL DERECHO ROMANO Y EN EL DERECHO DE LA RECEPCIÓN. 1. Res publicae, res communes omnium y res universitatis en el Derecho romano. 2. Las cosas públicas en el marco del Derecho de la Recepción. A) La incorporación de la división romana de las cosas comunes a los derechos bajomedievales y la aparición de la idea del patrimonio de la Corona. a) Cosas comunes: bienes de titularidad comunal. b) Bienes de la Corona. B) La reducción de las cosas comunes a dos categorías: dominio de la Corona y dominio municipal. III. DOMINIO PÚBLICO O NACIONAL Y DOMINIO MUNICIPAL EN LA LEGISLACIÓN REVOLUCIONARIA Y EN LA CODIFICACIÓN CIVIL FRANCESAS. 1. Dominio público o nacional: el Decreto de 22 de noviembre - 1 de diciembre de 1790 y el Código de 1804. 2. Los bienes municipales en la obra legislativa de la Revolución y en el Código civil. IV. LA TEORÍA DEL DOMINIO PÚBLICO EN LA DOCTRINA FRANCESA DESPUÉS DE LA CODIFICACIÓN. V. LA INCORPORACIÓN DE LA DOCTRINA FRANCESA DEL DOMINIO PÚBLICO AL DERECHO ESPAÑOL. 1. La influencia de Proudhon en la obra de Colmeiro a mediados del siglo XIX. 2. Las leyes sectoriales y la expansión de la categoría del dominio público. 3. La incorporación del concepto de dominio público al Código civil español. A) Los bienes públicos en los Proyectos de Código civil de 1836, 1851 y 1882. B) Dominio público y bienes patrimoniales en el Código civil de 1888-1889. 4. La introducción en España de la tesis de Hauriou de la mano de Fernández de Velasco. VI. EL PATRIMONIO PRIVADO DEL ESTADO: LOS BIENES DE LA CORONA Y LOS MONTES. 1. El Patrimonio de la Corona. 2. Los montes. VII. LOS BIENES COMUNALES EN LA LEGISLACIÓN LIBERAL.

I. PRELIMINAR

En el siglo XIX, en el marco del naciente Derecho administrativo, los legisladores y juristas europeos crearon o redefinieron numerosas instituciones y conceptos, entre otros, el de "bienes públicos", de manera que esta categoría, con el significado que se le otorga en nuestros días, arranca de aquel momento.

Esto no quiere decir que la mayor parte de los bienes que a partir de entonces reciben tal calificación no existieran con anterioridad o que no estuvieran sujetos a un régimen distinto del previsto para los bienes de los particulares. Desde muy antiguo hay constancia de su existencia y del particular tratamiento jurídico, diferente del fijado para los bienes de propiedad privada, del que han disfrutado en atención a sus características y a la función que han cumplido en las distintas sociedades. Pero sí significa que a partir del siglo XIX y a lo largo del XX, tras la configuración del concepto de propiedad liberal, se estableciera la diferencia entre bienes de dominio público y bienes privados de las diferentes administraciones; se planteara el debate acerca de la naturaleza jurídica de la relación existente entre la administración y los bienes públicos, demaniales y patrimoniales; y aumentaran, progresivamente, los bienes considerados como públicos.

La aproximación histórica a este tipo de bienes resulta oportuna porque el conocimiento del modo en que se llegó a establecer la categoría permite una mejor comprensión de la legislación en vigor sobre la materia. También porque ayuda a entender los motivos por los que el legislador utiliza los criterios de la afectación de los bienes a un uso o servicio público y su pertenencia a una administración para calificarlos como públicos. Y, por último, porque aclara las razones por las que estos bienes se sujetan a un régimen jurídico diferente del previsto para los bienes de los particulares.

Desde otra perspectiva, el conocimiento de las circunstancias en las que se formó el moderno concepto de bienes públicos en España ayuda a constatar que el régimen jurídico previsto en el ordenamiento español para estos bienes hunde sus raíces en el Derecho francés, de igual modo que sucede en relación con otras muchas materias.

II. LAS COSAS PÚBLICAS EN EL DERECHO ROMANO Y EN EL DERECHO DE LA RECEPCIÓN

El Derecho romano, y en particular el Derecho romano justinianeo, ha marcado de manera decisiva el pensamiento jurídico europeo como consecuencia de la renovada importancia que la compilación de Justiniano adquirió a partir del siglo XI y de la influencia que ejerció sobre los derechos de los diferentes Reinos europeos en el marco de la Recepción del Derecho Común. Esto explica que, en los siglos modernos y también en el XIX, los juristas que se ocuparon del régimen de las cosas públicas tuvieran siempre presente el tratamiento recibido por esta materia en el Derecho justinianeo.

1. *Res publicae, res communes omnium* y *res universitatis* en el Derecho romano

En el Derecho romano se contemplaban distintos estatutos jurídicos para las cosas. En unas oportunidades se establecían a través de leyes, en otras por medio de la labor desempeñada por los juristas. Ello permite distinguir, dentro de las *res humani iuris*, contrapuestas a las *res divini iuris*[1], entre las *res publicae*, las *res communes omnium* y las *res privatae* (*D.* 1.8.1). Y dentro de las cosas públicas, entre las *res publicae in uso publico* y las *res in patrimonio populi* o *in pecunio populi* o *in patrimonio fisci*[2].

Las *res publicae* en sentido estricto pertenecían al *populus Romanus*, es decir, a la comunidad organizada en Estado. Lo que no impedía que pudieran ser utilizadas por todos los ciudadanos de Roma, en tanto integrantes de esta colectividad, estando destinadas al uso público. De ahí que también recibieran el nombre de *res publicae in uso publico*.

Las *res publicae in uso publico* tenían tal consideración por su propia naturaleza, por derecho de gentes, como sucedía con el mar y sus costas (*D.* 1.8.4; *Inst.* III) y con los ríos de caudal permanente, fueran o no navegables (*D.* 1.8.5), o porque las autoridades las destinaran a un uso público mediante un edicto especial denominado *publicatio*. Las calles, vías, puentes, foros, plazas, teatros y termas se encontraban en esta situación.

Estos bienes disfrutaban de una protección especial por su consideración como *res extra commercium* (*D.* 18.1.6), lo que vetaba la posibilidad de que pudieran ser objeto de apropiación y, en general, de tráfico jurídico. Esta salvaguarda se completaba mediante distintos interdictos que garan-

---

[1]   La categoría comprendía las *res sacrae*, consagradas a los dioses superiores; las *res religiosae*, destinadas al culto de los dioses inferiores o Manes; y las *res sanctae*, consideradas por Gayo "en cierto modo de derecho divino". En este tercer grupo se incluían las puertas y los muros de las ciudades que, situados bajo el amparo de los dioses mediante una ceremonia especial, aunque no se consagraran a ellos, disfrutaban de una especial protección frente a los ataques de los que pudieran ser objeto. La protección se alcanzaba mediante la tipificación de su violación como delito, previéndose graves sanciones penales para los autores (*D.* 1.8.8. pr.; *D.* 1.8.8.2; *D.* 1.8.9.3; *D.* 1.8.11).

[2]   En época imperial, junto al *aerarium populi romani*, que comprendía las cosas pertenecientes al *populus Romani*, se institucionalizó el *fiscus Caesaris*, hacienda compuesta por los bienes que correspondían al príncipe, no como particular, sino en cuanto príncipe, motivo por el cual se transmitían a su sucesor en el cargo. A partir del momento en que el *fiscus* absorbió al erario, las *res in patrimonio populi* acabaron convirtiéndose en *res in patrimonio fisci*. Pertenecían a esta clase los esclavos del pueblo romano (*servi publici*), la tierra pública (*ager publicus*) y el botín de guerra. ZOZ 1999: 66-67.

tizaban su utilización por parte de todos los ciudadanos, impidiendo que se entorpeciera su uso público, que se destinaran a un uso privado o que sufrieran algún tipo de daño[3].

Por su parte, las *res in patrimonio populi* o *in pecunio populi* o *in patrimonio fisci* quedaban excluidas del uso público porque estaban destinadas al sostenimiento de los gastos del Estado, sin perjuicio de que también pertenecieran al pueblo romano. De otra parte, y de igual modo que sucedía con las *res privatae* de los particulares, formaban parte de las *res intra commercium*. Lo que hacía posible que pudieran ser objeto de tráfico jurídico (*D.* 18.1.72.1). En la práctica, quedaban sujetas a un régimen jurídico bastante similar al previsto para los bienes privados.

En lo que concierne a las *res communes omnium*, cabe anotar que un único jurista, Marciano, se refirió a ellas, incluyendo en la categoría el aire, el agua corriente (*aqua profuens*) y el mar con sus costas, por entender, conforme al Derecho natural, que estos bienes pertenecían a todos (*D.* 1.8.2; *Inst.* III). Por la misma razón consideraba que tales bienes quedaban excluidos del dominio de los particulares, de igual modo que sucedía con las cosas públicas. En su concepción cualquier hombre podía utilizar las *res communes omnium* en la medida de sus necesidades, con el único límite de no lesionar el mismo derecho reconocido a los demás individuos. La acción que procedía contra el que entorpeciera su uso era la *actio iniuriarum*.

En principio, sólo los bienes que pertenecían al pueblo romano tenían la consideración de *res publicae* (*D.* 50.16.15). Sin embargo, con el tiempo, las cosas de las que eran titulares las colonias y los municipios (*res universitatis*) y que estaban destinadas al uso público, como los teatros, foros, puertos y otros bienes semejantes, comenzaron a recibir el mismo tratamiento, de modo que estos bienes terminaron por quedar sujetos a un régimen jurídico análogo al de las *res publicae in uso publico* (*D.* 1.8.6.1).

---

[3]   Los interdictos previstos en el Derecho romano para el caso de que estos bienes tengan la consideración de cosas públicas a partir de un acto de carácter administrativo son los siguientes: *ne quid in loco publico facias* (*D.* 43.8); *quo minus loco publico* (*D.* 43.9); y *quo minus illi viam publicam* (*D.* 43.11). Los ríos de caudal permanente quedan amparados por los interdictos *ne quid in flumine publico ripave eius facias* (*D.* 43.12); *in flumine publico inve ripa eius facere* (*D.* 43.13); *quo minus illi in flumine publico* (*D.* 43.14); y *quo minus illi in flumine publico ripave eius opus facere* (*D.* 43.15).

2. Las cosas públicas en el marco del Derecho de la Recepción

El trato que las cosas públicas recibieron en el Derecho de la Recepción entre los siglos XI y XVIII evolucionó, al menos en algunos de sus aspectos, con el transcurso del tiempo. De manera que si inicialmente se distinguía entre las cosas comunes y las que pertenecían a la Corona, paulatinamente se introdujeron una serie de cambios que, finalmente, conllevaron la generalización de una nueva división de las cosas públicas en dos categorías: las que integraban el patrimonio de los municipios y las que conformaban el patrimonio de la Corona.

A este proceso contribuyeron varias circunstancias, siendo determinantes la configuración del patrimonio de la Corona, la pérdida de interés de la doctrina por las *res communes omnium* y la tendencia a incluir en el dominio de la Corona las cosas públicas no municipales.

A) La incorporación de la división romana de las cosas comunes a los derechos bajomedievales y la aparición de la idea del patrimonio de la Corona

A partir de la Baja Edad Media, con la Recepción del Derecho Común, la división romana de las cosas comunes encontró cabida en los ordenamientos jurídicos europeos. El proceso coincidió en el tiempo con la aparición de una nueva idea. La referida a la existencia de un patrimonio de la Corona.

a) Cosas comunes: bienes de titularidad comunal

A partir del siglo XI la división romana de las cosas se incorporó, con pequeñas matizaciones, a los derechos de los Reinos europeos. Esto explica que en los *iura propria* de los distintos territorios, frente a los bienes de propiedad privada, se identificaran otros bienes que se excluían del patrimonio de los particulares por su pertenencia a distintas universalidades, por la naturaleza y características que revestían y por el fin al que estaban destinados.

Dentro de este gran bloque de bienes, que no formaban parte del patrimonio privado de los individuos, se distinguía entre las cosas comunes a todos, las cosas públicas y las cosas de las ciudades. Diferenciándose, simultáneamente, entre los bienes que estaban dentro del comercio, lo que permitía su enajenación y adquisición por prescripción, y los que quedaban fuera del mismo, considerándose inalienables e imprescriptibles.

Los cielos, los astros, la luz, el aire y el mar se consideraban cosas comunes a todos los hombres, lo que nos permite establecer su correspondencia con la categoría romana de las *res communes omnium*. Se trataba de bienes de los que ninguna persona se podía apropiar dadas sus características físicas, bien derivadas de sus dimensiones, bien de su lejanía, y de cosas de las que no se podía privar a nadie porque su uso constituía una necesidad continua, no sólo para los hombres sino también para los demás seres vivos. De ahí su exclusión del tráfico comercial.

Las cosas públicas, identificables con las *res publicae in uso publico* del Derecho romano, eran aquéllas que, estando destinadas al uso de todos, no eran, a diferencia de lo que sucedía con las anteriores, imprescindibles para la vida de los hombres, aunque también estaban excluidas del tráfico mercantil como consecuencia del uso público al que quedaban afectas. Para la mayor parte de los autores, la propiedad de estos bienes no correspondía a nadie en particular, ni siquiera a los Reyes y Príncipes, quienes, no obstante, estaban obligados a garantizar su uso por parte de todos.

Dentro de estas cosas públicas se distinguía entre aquéllas que lo eran por su propia naturaleza, como los ríos, las riberas, los bosques, los pastos, y aquellas otras afectas a un uso público por voluntad humana.

Finalmente, también se consideraban comunes las cosas de las ciudades, distinguiéndose dos categorías. Las destinadas al uso común de los habitantes de cada ciudad o lugar que quedaban excluidas del comercio, como los muros, las fortificaciones[4], las casas de ayuntamiento, las plazas públicas, las fuentes, los caminos, las calles, las plazas, los bosques y los pastos. Y aquellas otras que, perteneciendo de igual modo al común de cada una de las poblaciones, estaban destinadas a producir rendimientos para el sostenimiento de los gastos de la comunidad, lo que justificaba su inclusión en el tráfico mercantil. Las ciudades las poseían a título de patrimonio privado.

Esta organización de las cosas públicas de clara inspiración romana influyó decisivamente en los juristas de la Corte de Alfonso X, quienes, des-

---

[4]   Apreciamos una diferencia importante entre lo previsto en el Derecho romano y lo establecido en alguno de los Derechos de la Recepción en relación con los muros y las fortificaciones. Si en el Derecho romano y en derechos como el castellano (*Partidas*, III, XXVIII, 15), estos bienes se consideran *res sanctae*, en el Derecho francés se incluían dentro de los bienes de las ciudades. DOMAT 1985:150.

pués de señalar lo que se entendía por señorío (*Partidas,* III, XXVIII, 1), diferenciaban entre los bienes que pertenecían a cada hombre, de los que cada uno podía disponer libremente (*Partidas,* III, XXVIII, 1 y 2); los que pertenecían comunalmente a ciertas colectividades (*Partidas,* III, XXVIII, 2, 3, 9 y 10); los bienes sobre los que los Emperadores y Reyes tenían señorío (*Partidas,* III, XXVIII, 11); y los que no podían formar parte de ningún patrimonio, como sucedía con las cosas sagradas y religiosas (*Partidas,* III, XXVIII, 2, 12, 13, 14 y 15).

Cosas comunes o comunales eran aquéllas que correspondían a la universalidad de los seres vivos (*Partidas,* III, XXVIII, 3), al conjunto de los hombres (*Partidas,* III, XXVIII, 6), o a los comunes de cada una de las ciudades. Y al mismo tiempo, los bienes de las ciudades se agrupaban en dos categorías atendiendo al modo en que se efectuaba su aprovechamiento. Se diferenciaba entre los bienes que eran utilizados por todos los moradores o vecinos de la población de manera libre y gratuita (*Partidas,* III, XXVIII, 6) y aquéllos otros que, aún perteneciendo igualmente al conjunto de vecinos, se utilizaban de manera particular por determinados individuos, fueran de la misma población a la que pertenecían los bienes, fueran de otra, a cambio de una contraprestación. De esta utilización, el común, titular de tales bienes, obtenía unas rentas que se empleaban para cubrir diferentes necesidades de la comunidad (*Partidas,* III, XXVIII, 10).

Cabe notar que en este contexto el sentido del término "comunal" nada tenía que ver con el que se atribuirá al mismo vocablo a partir del siglo XIX. La expresión "comunal" se utilizaba en esta situación como equivalente a "común" para indicar que determinados bienes pertenecían a una pluralidad más o menos grande de sujetos, a una comunidad que podía ser la de los seres vivos, la de los hombres o la integrada por los que formaban parte del común de una población. Nada se quería indicar en relación con el modo en que se realizaba su aprovechamiento. Desde esta perspectiva, tan comunales o comunes eran los bienes de los pueblos aprovechados en común por todos los vecinos, como los bienes de los pueblos que se disfrutaban tan sólo por algunos individuos a cambio de una contraprestación y que con el tiempo se denominarán bienes de propios[5].

---

[5]   Por este motivo no comparto la postura de aquellos autores, como es el caso de Muñoz Machado, que sobre la base del texto de las *Partidas* restringen los bienes comunes o comunales de los pueblos a los de uso o aprovechamiento comunal y dejan fuera los que con el tiempo se denominaran bienes de propios (MUÑOZ MACHADO 2004). De igual modo, tampoco participo de los análisis del tratamiento que reciben los bienes

Las técnicas empleadas para proteger los bienes que integraban los patrimonios de los municipios frente a las actuaciones de los propios vecinos y de los foráneos eran diversas. Su determinación variaba en función de si los bienes estaban destinados al uso público de todos los vecinos o de si, por el contrario, su utilización quedaba restringida a algunos sujetos a cambio del pago de una renta. En cualquier caso, por lo general, se procuraba proporcionar una mayor protección a los bienes de uso público y, especialmente, a algunos de ellos, como eran los bosques y los pastos, que a los que producían rentas a los pueblos y ciudades. La diferencia de trato se justificaba en el importante papel que cumplían los primeros en el marco de las economías locales.

En este sentido, cabe recordar que la mayor parte de los bienes de aprovechamiento común constituían para los pueblos una importante reserva de recursos económicos de muy distinta naturaleza. Se empleaban como pastizales para la alimentación del ganado; constituían la base para la fertilización de los campos de cultivo, bien a través del estiércol producido por el ganado dependiente de los pastizales comunales, bien mediante el uso directo de las materias orgánicas en descomposición generadas por los árboles y matorrales; y eran una reserva de energía y de materias primas porque en los montes se encontraban los productos necesarios para poner en marcha actividades industriales, como las desarrolladas en las ferrerías y en los astilleros, e incluso otras de carácter mercantil como la comercialización exterior de frutos, leña y carbón vegetal.

Todo esto justificaba que los bienes municipales de aprovechamiento comunal se consideraran inalienables e imprescriptibles, mientras que los bienes de los municipios cuyas rentas servían para el sostenimiento de los gastos de la comunidad quedaran dentro de la categoría de las *res intra commercium*. Esta consideración permitía su negociación en el tráfico mercantil y su prescripción por el transcurso de cuarenta años (*Partidas*, III, XXIX, 7), sin perjuicio de que a través de diversas disposiciones se establecieran algunas medidas para evitar su dilapidación, prohibiéndose, por ejemplo,

---

comunes en el texto alfonsino que insisten más en el modo en que se efectuaba su aprovechamiento que en la cuestión de su pertenencia a ciertas universalidades.
Atendiendo a la ubicación que en las *Partidas* tiene el régimen jurídico de las cosas comunes, a continuación de la definición de lo que se debe de entender por señorío, por tanto por propiedad, y al tenor literal del texto, cabe deducir que el criterio entonces utilizado por el legislador para determinar qué cosas eran comunes no era tanto el del modo en que se efectuaba su aprovechamiento como el de a quién correspondía su señorío.

su transmisión a título gratuito, y fijándose determinadas formalidades para proceder a su enajenación.

b) Bienes de la Corona

Al margen de que en los derechos de la Recepción se incorporara el esquema de las cosas comunes propio del Derecho romano, coincidiendo con el fortalecimiento de los diferentes Reinos y del poder de las monarquías de la Europa cristiana, surgió la idea del *dominium principis* o dominio de la Corona. Entendiéndose que formaban parte de este dominio los bienes que el Rey adquiría por herencia o por conquista, los cuales integraban su patrimonio personal, y también los que le pertenecían en tanto cabeza del Reino. Éstos estaban destinados al sostenimiento de los gastos del Reino y el monarca debía encargarse de su gestión.

Los glosadores y comentaristas se esforzaron por diferenciar entre el patrimonio particular del Príncipe y el patrimonio del Reino, intentando superar la confusión que existía entre ambos conceptos desde hacía siglos. En la práctica, sin embargo, continuó existiendo el mismo enredo entre unos y otros. Unas veces porque los propios monarcas incorporaban bienes de sus patrimonios particulares a los patrimonios de los Reinos. En otras porque disponían de los bienes del Reino como si se tratara de bienes propios, particulares.

En el dominio de la Corona se incluyeron medios corporales, muebles (joyas, créditos) e inmuebles (tierras, castillos, bosques). Y también ciertos bienes incorporales entre los que se encontraban los derechos feudales, los derechos fiscales y las regalías atribuidas en exclusiva al Rey para asegurar los intereses comunes del Reino. Derechos regalistas que si en ocasiones carecían de un objeto material concreto, como sucedía con los de juzgar, acuñar moneda y conceder títulos, en otras recaían sobre bienes materiales específicos como las aguas, los bosques, las minas y las salinas. La pertenencia de estos bienes a la Corona impedía su explotación por parte de los particulares sin contar con la previa autorización de la Corona. Una previsión que garantizaba importantes ingresos para la Hacienda.

El esfuerzo realizado por los juristas del Derecho Común en orden a separar el patrimonio privado del monarca y el patrimonio público tuvo su reflejo en las *Partidas*. El legislador castellano distinguía entre los bienes que el Rey heredaba, compraba o ganaba como un particular, y que integraban, por ello, su patrimonio personal; las otras cosas que perteneciendo al Reino se encontraban en poder del monarca para su protección y administración, categoría que comprendía básicamente bienes inmuebles (*Partidas,* II, XVII, 1); y por último, el patrimonio fiscal que englobaba las rentas públicas (*Partidas,* III, XXVIII, 11), una parte de las cuales se asignaban al monarca para sus gastos. El Rey podía disponer libremente sobre esta parte de las rentas aunque fueran imprescriptibles, de manera que, respecto de ellas, el Rey aparecía como verdadero propietario (*Partidas,* III, XXIX, 6).

El régimen jurídico al que se sujetaba cada uno de estos tres bloques era distinto, apreciándose diferencias incluso en el tratamiento dado a bienes pertenecientes a una misma categoría. Así sucede con los bienes particulares del Rey respecto de los cuales, en función del modo en que hubieran sido adquiridos, por herencia o por conquista, se reconocían al monarca distintas facultades de disposición.

Los bienes que componían el patrimonio de la Corona eran inalienables "porque las cosas que pertenescen al Rey o al Reyno, non se pueden enajenar por ninguna de estas razones"; imprescriptibles (*Partidas,* II, XVII, 1, in fine); e indivisibles (*Partidas,* II, XV, 5). Sin embargo, en la práctica, los monarcas se desprendieron de bienes del patrimonio de la Corona para poder recompensar favores, ayudas y servicios o para hacer frente a las necesidades derivadas de los enfrentamientos bélicos.

El incumplimiento de aquellas reglas obligó a la adopción de distintas medidas. Unas dirigidas a evitar la disminución del patrimonio de la Corona. Otras a procurar la recuperación de bienes que nunca debieron incorporarse a los patrimonios particulares.

Para frenar las transmisiones, las Cortes de Alcalá de 1348 prohibieron a los monarcas castellanos disponer en beneficio de extranjeros de cualquier parte del patrimonio de la Corona (*Ordenamiento de Alcalá,* XXVII, 3 = *NoR,* III, V, 6 y 79; en las Cortes de Valladolid de 1442 se recordó el carácter inalienable e imprescriptible de estos bienes (Petición I); y en algunos de los testamentos reales se incluyeron cláusulas dirigidas a la conservación del patrimonio real.

Y para procurar la recuperación de bienes del patrimonio de la Corona, algunos monarcas, como es el caso de Enrique IV en las Cortes de Ocaña de 1469 (*NR,* V, X, 4 = *NoR,* III, V, 9) y de los Reyes Católicos en 1480 (*NR,* V, X, 15 = *NoR,* III, V, 10 y 11) y en 1487 (*NR,* V, X, 20 = *NoR,* III, V, 12) revocaron donaciones de bienes del patrimonio de la Corona efectuadas por sus antepasados. Y el 17 de agosto de 1674 Carlos II ordenó a los fiscales del Consejo de Castilla que reclamaran todo lo enajenado de la Corona con perjuicio del real patrimonio para su reincorporación (*NoR,* VII, VIII, 8).

B) La reducción de las cosas comunes a dos categorías: dominio de la Corona y dominio municipal

El anterior esquema de las cosas públicas, lejos de permanecer estático, evolucionó en los siglos bajomedievales y modernos. De manera que, de la primitiva división de las cosas públicas en cosas comunes (de los seres vivos, de los hombres o de las ciudades) y cosas de la Corona, se llegó a su clasificación en bienes municipales y bienes de la Corona. Dos cambios justificaron la nueva división.

La primera modificación afectó a la categoría, heredada del Derecho romano, de las cosas comunes a los hombres. Algunos juristas comenzaron a considerar que estos bienes, excluidos del comercio, cuya utilización correspondía a todos los individuos y cuya guardia y custodia recaía en los reyes, formaban parte del dominio de la Corona. La tesis tuvo gran aceptación en Francia de la mano de distintos autores entre los que destacan Boutteiller, Bertrand d'Argentré, Loysel, Choppin, Philippe de Beaumanoir, Loyseau, Domat, Lefèvre de la Planche y Charles Lorry e influyó en la identificación que los revolucionarios franceses hicieron de las expresiones dominio público y dominio nacional en el momento en que abordaron la cuestión de las cosas públicas.

El segundo cambio incidió en las cosas comunes necesarias para la existencia del hombre y de los demás seres vivos en la Tierra que, por lo general, permanecían al margen de las inquietudes de los juristas. Los estudiosos del derecho se limitaban a mencionarlas en sus escritos, generalizándose la idea de que constituían un género distinto al de las cosas públicas y, por supuesto, diferente al de los bienes de los particulares, aunque fueran utilizadas por todos.

El progresivo desinterés de los juristas por estos bienes guarda relación con el hecho de que su disfrute no originaba la conflictividad que se derivaba de la utilización de las cosas comunes a los hombres y de los bienes de las ciudades. Y ello porque sus características físicas hacía imposible su apropiación y, por tanto, cualquier tipo de enfrentamiento por su propiedad.

De este modo, y sin perjuicio de que en ocasiones se siguiera recordando la división tripartita de las cosas comunes del Derecho romano, la clasificación de las cosas públicas quedó reducida a bienes de la Corona y bienes de las ciudades, después de que en la doctrina se dejara de prestar atención a las cosas comunes a los seres vivos y de que las cosas comunes a los hombres quedaran añadidas al dominio de la Corona, con el consiguiente crecimiento del patrimonio real.

Reducidas las cosas públicas a estas dos categorías, los juristas fijaron su atención en la naturaleza de la relación que existía entre el Rey y las cosas que formaban parte del dominio de la Corona. Y también en la que se articulaba entre los municipios y sus bienes.

En líneas generales y prescindiendo aquí de las importantes matizaciones apreciables en los planteamientos de los distintos autores, cabe afirmar que se adoptaron dos grandes actitudes ante este problema de indudable contenido jurídico. Una parte de la doctrina negó que los monarcas y los municipios fueran los titulares de un derecho de propiedad sobre los bienes que integraban el dominio de la Corona y el dominio municipal, mientras que otros defendieron que la relación jurídica existente entre estos bienes y los monarcas y los municipios era de propiedad.

III. DOMINIO PÚBLICO O NACIONAL Y DOMINIO MUNICIPAL EN LA LEGISLACIÓN REVOLUCIONARIA Y EN LA CODIFICACIÓN CIVIL FRANCESAS

Después de que los Estados Generales, reunidos en Versalles el 5 de mayo de 1789, se transformaran el 17 de junio en Asamblea Nacional y el 19 de julio en Asamblea Nacional Constituyente, se inició un nuevo período para la historia de Francia y de Europa, poniéndose en marcha un abanico de reformas con consecuencias en los más diversos aspectos de la vida social, política, jurídica, económica y cultural del continente. Los cambios alcanzaron al régimen jurídico de los bienes que hasta ese momento habían estado en manos de la Corona y de los municipios, aunque muchos de ellos usurpados por los señores.

1. Dominio público o nacional: el Decreto de 22 de noviembre - 1 de diciembre de 1790 y el Código de 1804

Adoptado el principio de la soberanía nacional, una de las primeras preocupaciones de la Asamblea Nacional Constituyente fue la de amoldar el tratamiento jurídico de los bienes del dominio de la Corona a la nueva situación. En este contexto, una comisión, nombrada el 2 de octubre de 1790 y compuesta por treinta y cinco miembros, entre los que destacaron por su trabajo Enjubault de la Roche y Barreré de Vieuzac, elaboraron una especie de "código de dominio", puesto en vigor por la *Loi relative aux domaines nationaux, aux échanges et concessions qui ont été faits, et aux apanages* de 22 de noviembre - 1 de diciembre de 1790. Una decisión que llama la atención si se tiene en cuenta que la misma Asamblea Nacional había previsto la venta del dominio de la Corona en el artículo 2 del Decreto de 19 de diciembre de 1789.

La modificación más importante de cuantas introdujo el texto legal fue la relativa a la transformación del dominio de la Corona en dominio de la Nación, una vez que ésta sustituyó al monarca como titular de la soberanía. A partir de entonces se utilizaron de manera indistinta, como sinónimos, los términos "dominio público" y "dominio nacional". Lo que no sorprende si se tienen en cuenta dos circunstancias. En primer lugar, que durante el Antiguo Régimen se había tendido a considerar que las cosas comunes a todos los hombres, identificables con la idea de dominio público, formaban parte del dominio de la Corona, tal y como se ha expuesto anteriormente. Y, en segundo lugar, que los términos "dominio de la Corona" y "dominio público" se habían empleado indistintamente para referirse a unos mismos bienes. Por todo ello, en el momento en que, por decisión del legislador, el dominio de la Corona se convirtió en dominio nacional, resultó consecuente identificar este dominio nacional con la idea del dominio público, más aún cuando el legislador revolucionario no diferenció distintas categorías en su seno.

La Nación aparecía como único sujeto capaz de enajenar, manifestación máxima del derecho de propiedad, los bienes del dominio nacional. De modo que todo acto de enajenación de estos bienes, efectuado sin su concurso, resultaba nulo.

De acuerdo con este planteamiento, se declaró que integraban el dominio público o nacional el conjunto de propiedades inmobiliarias y de derechos reales o mixtos pertenecientes a la Nación, con independencia de que, al tiempo de dictarse la disposición, la Nación disfrutase o no de su posesión (art. 1). Tal previsión se concretó en los artículos siguientes de la norma. En el artículo segundo se estableció que *les chemins publics, les rues et places des villes, les fleuves et rivières navigables, les rivages, lais et relais de la mer, les ports, les havres, les rades, etc., et en général toutes les portions du territoire national qui ne sont pas susceptibles d'une propriété privée, sont considérées comme des dépendances du domaine public.* En el tercero se incluyeron los bienes y herencias vacantes. Y en el quinto se añadieron los muros y las fortificaciones de las ciudades.

De otro lado, dentro del dominio de la Nación se comprendían también los contados bienes que se reservaban para el disfrute del monarca. Bienes que se consideraban inalienables e imprescriptibles y respecto de los cuales al monarca solo se le reconocía un derecho de disfrute[6].

Una novedad importante del texto revolucionario es la exclusión del ámbito del dominio público de los derechos feudales, abolidos en las tierras del Rey y en las señoriales, y de los derechos incorporales. Estos últimos se integraron a partir de entonces en la Hacienda pública.

Por lo que se refiere a la regla de la inalienabilidad del dominio público, la previsión de la norma que reconocía a la Nación capacidad para enajenar los bienes del dominio público no significaba que el texto suprimiera el principio de inalienabilidad del dominio nacional, que se sigue afirmando, pero sí la introducción de la posibilidad de que tal principio pudiera derogarse por la voluntad del legislador. Voluntad que, en última instancia, expresa la de la Nación, dirigida perpetuamente a preservar el interés general. En cualquier caso, la derogación sólo era posible siempre y cuando se dieran las condiciones previstas para que los bienes del dominio nacional pudieran ser enajenados (art. 8)[7].

Los autores han apuntado distintas razones para explicar esta previsión del Decreto de 1790. En unas ocasiones, se ha relacionado con la oportunidad de sacar provecho económico de al menos una parte importante de los bienes ahora integrados en el dominio nacional. En otras, se han referido motivos ideológicos tales como la necesidad de compatibilizar la existencia del dominio nacional con el modelo de propiedad privada defendido por los revolucionarios.

En todo caso, hacía tiempo que en Francia se había planteado el debate acerca de la conveniencia de mantener el principio de inalienabilidad de los bienes del dominio de la Corona. De hecho, ésta fue una de las cuestiones más discutidas en el seno del Comité.

Por lo que se refiere a la regla de la imprescriptibilidad del dominio público se determinó, de igual modo que en relación con la inalienabilidad,

---

[6]   La Ley de 21 de diciembre de 1789 ordenaba la venta del dominio de la Corona, con la excepción de los bosques y de los lugares reales cuyo disfrute se reservaba al monarca. Era ésta una novedad importante teniendo en cuenta que, históricamente, se había confundido el dominio particular del monarca y los bienes que éste administraba en nombre del Reino. Este dominio dejó de existir al tiempo de la desaparición de la institución monárquica y se restableció con Napoleón quien le confirió el contenido fijado en la Ley de 1789. Durante la Restauración se mantuvo en el mismo estado, siendo objeto, sin embargo, de algunas desmembraciones por la Ley de 2 de marzo de 1832.

[7]   En este mismo sentido MORAND-DEVILLER 2003: 14. En contrario PELLOUX 1932: 66-79 y AUBY y BON 1993: 5 y en España MUÑOZ MACHADO 2004: 813.

la posibilidad de su derogación. Fijándose la prescripción de los bienes del dominio nacional por el transcurso de cuarenta años en los casos en los que los decretos de la Asamblea Nacional permitieran la enajenación de tales bienes (art. 36).

Por lo que hace a la espinosa cuestión de la titularidad de los bienes que integraban el dominio nacional o público podemos afirmar que los autores de la Ley de 1790 consideraron que el principio del "dominio eminente" hacía a la Nación propietaria de los bienes y herencias vacantes y de todas las partes del territorio que, bien por su propia naturaleza, bien por su destino, no podían pertenecer a los particulares. Para realizar esta afirmación nos basamos en lo expuesto por los autores del texto en sus informes y trabajos preparatorios y en lo expresado en el preámbulo de la propia norma, así como en sus dos primeros capítulos. En el planteamiento del legislador francés se percibe la influencia de Grocio y de otros publicistas y el consiguiente distanciamiento respecto de lo sostenido por Loyseau y Lefèvre de la Planche.

Con posterioridad, los autores del Código civil también se ocuparon de los bienes públicos en los artículos 538 a 542, sin embargo, su interés en esta materia fue sólo accesorio. La creencia de que la materia habría de ser abordada en profundidad en el código de derecho público pendiente de redacción justifica que se limitaran a reproducir, en sus líneas generales, el contenido de la ley de 1790.

Por esta razón y siguiendo el esquema del texto de 1790, los autores del Código civil francés se refieren en los artículos 538 a 541 al dominio público. Dominio que comprende los caminos, carreteras, calles, ríos, cursos navegables, riberas, puertos, radas y, en general, todas las porciones del territorio francés no susceptibles de propiedad privada (art. 538), así como los bienes y herencias vacantes (art. 539), y las puertas, muros, fosos, murallas, fortalezas (art. 540) y fortificaciones (art. 541).

En el Código civil francés, de igual modo que había sucedido en el texto revolucionario de 1790, aún se prevé un concepto unitario de dominio público. No había llegado el momento de distinguir entre dominio público y bienes patrimoniales. Y la expresión "dominio público" sigue siendo sinónima de "dominio nacional".

2. *Los bienes municipales en la obra legislativa de la Revolución y en el Código civil*

Tras el triunfo de la Revolución, el legislador francés volvió a ocuparse de los bienes de los municipios que, perteneciendo al común de sus habitantes, se disfrutaban por el conjunto de los vecinos. Esto significa que sólo se planteó la reforma del régimen de los bienes comunes de aprovechamiento comunal pero no la de los bienes comunes que, por constituir una fuente de ingresos para los municipios, quedaban excluidos del uso comunal. Con el tiempo, estos bienes acabaron constituyendo la categoría del dominio patrimonial municipal.

La razón principal por la que el legislador sólo se preocupó de los primeros es muy clara. En Francia, de igual modo que en buena parte de Europa, existía entonces un amplio debate acerca de la conveniencia de rentabilizar económicamente los bienes comunes de aprovechamiento comunal por considerarse que estaban infrautilizados, lo que no sucedía en relación a los demás bienes comunes que ya constituían una fuente de ingresos.

Por otra parte, no se debe olvidar que, desde la Ley de 22 de noviembre - 1 de diciembre de 1790, los bienes municipales habían quedado reducidos de manera considerable por incluir, dentro del dominio público o dominio nacional, los caminos públicos, las calles y las plazas de las ciudades. Motivo por el cual, al margen de los bienes que constituían una fuente de renta para los municipios, los bienes de aprovechamiento comunal eran prácticamente los únicos bienes públicos conservados por las ciudades y los pueblos.

En esta situación, en el Comité de Agricultura y Comercio y, posteriormente, en el de Agricultura, se elaboraron distintos proyectos para abordar el problema de la escasa o nula productividad de buena parte de los comunales. Con ellos se intentó dar respuesta a las numerosas quejas planteadas por los campesinos. Sus reclamaciones se centraban en dos cuestiones fundamentales: la necesidad de recuperar los bienes de aprovechamiento comunal usurpados por los señores durante los siglos anteriores y propiciar el reparto de una parte importante de los bienes de aprovechamiento comunal entre la población rural con el fin de mejorar su explotación económica.

Los proyectos elaborados y algunas medidas legislativas adoptadas entre los años 1789-1791 no consiguieron modificar, en lo sustancial, el régimen de la propiedad comunal, de manera que, durante este período, la situación permaneció bloqueada. Es necesario esperar a 1792 para apreciar cambios reales y relevantes en relación a los bienes de aprovechamiento comunal.

En aquel año, un Decreto de 14 de agosto ordenó la división de los terrenos de aprovechamiento comunal, con la sola excepción de los bosques, entre los ciudadanos de cada municipio. La disposición se completó con el Decreto de 10-11 de junio de 1793 que delimitó el modo en que debían realizarse las divisiones. Y la Ley de 9 de Ventoso del año XII (29 de febrero de 1804) confirmó los repartos efectuados bajo la vigencia de estas normas a pesar de que su aplicación se suspendió por la Ley de 21 Prairial del año IV.

De otro lado, cabe recordar que la supresión del régimen feudal y la limitación del poder de las corporaciones, dos de los principios defendidos por los legisladores revolucionarios, tuvieron consecuencias antagónicas sobre los bienes de aprovechamiento comunal de los municipios. Para el desarrollo de estos principios, el legislador promulgó diferentes disposiciones que, en función del fin perseguido, contribuyeron a aumentar o a reducir el patrimonio de los municipios. Así, si las normas que procuraban la recuperación de los bienes comunes de los pueblos usurpados por los señores ayudaron a incrementar el patrimonio de los pueblos, las disposiciones dirigidas a limitar el poder de los entes locales y las orientadas a la supresión de las propiedades comunes condujeron a la disminución de los patrimonios locales.

La llegada de Napoleón al poder conllevó un cambio importante en la actitud del gobierno francés en relación a los bienes de aprovechamiento comunal. Cesó entonces todo debate ideológico en torno a su existencia o supresión y se determinó su régimen jurídico en el Código civil. El artículo 542, asumiendo en lo fundamental la definición de la propiedad comunal de la Ley de 10 de junio de 1793, permitió incluir dentro de la categoría de la propiedad comunal los bienes que constituían una fuente de renta para los municipios y también los que se aprovechaban comunalmente (art. 542). De modo que, en este contexto, el concepto de bien comunal guarda relación con la idea de comuna, base de la organización municipal francesa a partir de la Revolución. Solo significaba que los bienes comunales pertenecían a las comunas. Nada se indicaba acerca del modo en que se efectuaba su aprovechamiento.

IV. LA TEORÍA DEL DOMINIO PÚBLICO EN LA DOCTRINA FRANCESA DESPUÉS DE LA CODIFICACIÓN

Tras la entrada en vigor del Código civil francés, los primeros autores que interpretaron los artículos referidos a los bienes públicos entendieron que entre la Nación y los municipios y sus respectivos bienes existía una relación similar a la propiedad privada. De ahí que atribuyeran a las personas públicas un poder de disposición completo sobre sus bienes. Lo cual no les impidió considerar, simultáneamente, que algunos de estos bienes sólo podían pertenecer al Estado en atención al uso al que se destinaban. También que los bienes del Estado y de los municipios debían permanecer fuera del tráfico mercantil y, en consecuencia, sujetos a las reglas de inalienabilidad y de imprescriptibilidad mientras se encontraran afectos a un uso público. Un planteamiento que, sin embargo, se contradice con la facultad de disposición reconocida a las distintas administraciones sobre sus bienes.

De conformidad con esta interpretación, en la práctica, todos los bienes que formaban parte del dominio público y del dominio municipal quedaron sujetos a un mismo régimen jurídico, sin que se diferenciaran situaciones jurídicas distintas entre los diversos tipos de bienes del Estado y de los municipios.

Sin embargo, pronto empezó a tomar forma una nueva corriente doctrinal que distinguía entre el dominio público y el dominio privado de las personas públicas y cuyos defensores plantearon la necesidad de establecer unos criterios suficientemente precisos para diferenciar ambos patrimonios con claridad. Un aspecto de la cuestión sin duda relevante dadas las importantes consecuencias que habría de tener la inclusión de los bienes en una u otra categoría. Y al mismo tiempo abogaron por restringir la aplicación de los principios de inalienabilidad e imprescriptibilidad a los bienes que formaban parte del dominio público.

Los juristas defensores de esta tesis agruparon en dos bloques distintos los preceptos del Código civil francés referidos a los bienes públicos. De un lado, el 538 y el 540, relativos, en su opinión, al dominio público, integrado por bienes sobre los que no cabía la posibilidad de la propiedad privada, inalienables e imprescriptibles, situados, en consecuencia, fuera del comercio. Y de otro, los artículos 539 y 541 concernientes al dominio del Estado compuesto por bienes susceptibles de propiedad privada, enajenables y prescriptibles.

La sistematización más clara y más importante de esta nueva corriente doctrinal se debe a Víctor Proudhon, Decano de la Facultad de Derecho de Dijon, sin perjuicio de que quepa identificar a Jean-Marie de Pardessus como su precursor[8].

---

[8]   En 1806, Pardessus ya había distinguido entre el dominio público, inalienable, imprescriptible, y consagrado por naturaleza al uso de todos y al servicio general, y el dominio nacional compuesto por bienes susceptibles de apropiación privada, enajenables de acuerdo con las formalidades establecidas por las leyes, prescriptibles y productores

Desde otra perspectiva, sostenía que los bienes del Estado y de los municipios podían formar parte del dominio público nacional, del dominio privado de la Nación, del dominio público municipal o del dominio comunal de los municipios[9].

De modo que, conforme con el planteamiento del autor, el dominio público nacional comprendía las cosas destinadas al uso de todos (los caminos públicos, las carreteras o los ríos navegables), cuya propiedad no correspondía a nadie de manera exclusiva y respecto de las cuales el poder público tan sólo tenía la obligación de garantizar su disfrute al conjunto de la sociedad. Y el dominio privado del Estado incluía los bienes productivos del Estado, cuyos rendimientos se integraban en las arcas de la Hacienda[10].

Por lo que se refiere a los bienes de los municipios, el autor, siguiendo la estela de Pardessus, distinguía entre el dominio público municipal y el dominio comunal. En su opinión el dominio público municipal no era sino una parte del dominio público nacional, lo que justificaba que unos mismos principios rigieran en ambos casos. Este dominio público municipal englobaba las cosas afectas al uso de todos y los bienes que lo componían se agrupaban en seis bloques: el territorio, las cosas sagradas, los establecimientos públicos, las vías urbanas, los caminos vecinales y los caminos públicos que no eran ni carreteras ni caminos vecinales. Mientras que el dominio comunal quedaba compuesto por los bienes pertenecientes en exclusiva a los municipios, entre los que incluía los bosques y los pastos comunales[11], que solo podían ser utilizados por los habitantes de cada municipio.

Cabe notar que en la obra de ambos autores el significado de la expresión "bien comunal" quedaba sensiblemente reducida en comparación

---

de ingresos. De igual modo también se había referido al dominio público municipal y al dominio comunal de los municipios. El primero compuesto por bienes que, de manera semejante a lo que sucedía con los que formaban parte del dominio público, estaban consagrados a la utilidad de todos, aunque de manera menos general que los de dominio público. Y el segundo integrado por bienes que se encontraban en poder de las municipalidades con un régimen similar al que afectaba a los bienes del dominio nacional y a los de los particulares, razón por la cual eran susceptibles de enajenación y de prescripción siempre que se observaran las formalidades previstas en las leyes. PARDESSUS 1838, I: 73-84, 109-114.

[9]   PROUDHON 1843, I: 451-452.
[10] PROUDHON 1843, I: 241 y 244.
[11] La inclusión de los bienes de aprovechamiento comunal dentro del patrimonio comunal de los pueblos y su exclusión del dominio público se entiende si se tiene en cuenta el reparto que hubo de tales bienes en Francia a partir de 1792 y 1793.

con el alcance que tenía en el Código civil. En 1804 los bienes comunales eran los que pertenecían a las comunas, sin que dentro de tales bienes se diferenciaran distintas categorías, mientras que para Pardessus y Proudhon la expresión sólo hacía referencia a una parte de los bienes de aquellos entes locales.

Proudhon consideraba de distinta naturaleza la relación que existía entre el Estado y los municipios con los bienes que componían el dominio público, ya fuera nacional o municipal, y la que estos mismos entes mantenían con los bienes del dominio privado y del comunal. En su opinión, en el primer caso, al Estado y a los municipios sólo les correspondía la administración de los bienes destinados al uso de todos, que no pertenecían a nadie, ni siquiera al Estado o a los municipios, lo que hacía imposible hablar de una relación de propiedad[12]. Mientras que en lo concerniente a los bienes patrimoniales y comunales el autor defendía la existencia de un derecho de propiedad, en los términos previstos en el Código Civil, a favor del Estado y de los municipios sobre los bienes que integraban sus respectivos patrimonios privados.

El criterio que Proudhon manejaba para determinar la pertenencia de los bienes al dominio público o al dominio privado del Estado y de los municipios era el de la afectación al uso público en virtud de lo dispuesto por las leyes, desechando, de este modo, el criterio de la naturaleza del bien. Y ello por entender que, salvo concretas excepciones como eran los cursos de agua y las riberas de los mares, las cosas comunes eran las destinadas por naturaleza al uso de todos los hombres. Una categoría distinta tanto a la del dominio público como a la del dominio privado, en la que incluía el mar, el aire, la luz y el agua considerada como elemento[13].

Por lo que afecta a los principios de inalienabilidad e imprescriptibilidad de los bienes públicos, Proudhon distinguía tres situaciones distintas

---

[12]   PROUDHON 1843, I: 241 y 244-245. Esta concepción antidominical del dominio público, defendida por Proudhon y aceptada hasta finales del siglo XIX, queda perfectamente expuesta por el Comisario Marguerie en sus conclusiones al asunto *Conseil de Fabrique de l'Église de Saint-Nicholas-des-Champs*, de 21 de noviembre de 1884 (R. 806): *Voici la définition du domaine public telle qu'elle est donnée dans le dictionnaire de Blanche: le domaine public embrasse généralement tous les fonds qui, sans appartenir propriétairement à personne, ont été civilement consacrés au service de la société. Cette nature de biens n'a pas même dans les mains de l'État la qualité de propriétaire, l'État les détient, non comme propriétaire, mais parce qu'il représente la collection d'individus.* Cita tomada de BARCELONA LLOP 1996: 121-122.

[13]   PROUDHON 1843, I: 252.

en función de que se tratara de cosas comunes, bienes del dominio público o bienes del dominio privado.

En relación con las cosas comunes, el autor consideraba que estas reglas les afectaban de manera absoluta porque la naturaleza que las destinaba al uso de todos era inmutable. Motivo por el cual siempre habrían de permanecer fuera del tráfico mercantil, siendo imposible su prescripción.

Por lo que se refiere a la inalienabilidad del dominio público, Proudhon entendía que esta regla debía mantenerse mientras los bienes conservaran la afectación a un uso público y cesar a partir del momento en que la administración correspondiente decidiera desafectarlos. Lo que suponía su incorporación al dominio privado del ente público. El civilista francés pensaba, en relación con el dominio público, que la inalienabilidad no era absoluta, sino relativa y temporal por provenir del orden civil y no de las leyes de la naturaleza como sucedía con las cosas comunes[14].

En esta misma línea argumental, afirmaba que la regla de la imprescriptibilidad del dominio público dejaba de aplicarse a partir del momento en que desaparecía el uso público al que el bien estaba afecto. Desafectación que podía producirse bien de manera expresa, bien tácitamente. Lo segundo porque los bienes del dominio público también devenían prescriptibles por el simple hecho de su degradación accidental, sin necesidad de una declaración expresa de la administración.

Por último, en lo que concierne a los bienes patrimoniales del Estado y a los comunales de los municipios, Proudhon consideraba que eran enajenables y susceptibles de prescripción por encontrarse dentro del tráfico mercantil.

De este modo, a partir de la publicación de la obra de Proudhon, desapareció el viejo principio de la unidad de los bienes públicos. Aceptándose desde entonces la distinción entre un dominio público y un dominio privado de las administraciones, así como la idea de la existencia de un derecho de propiedad sobre los bienes integrantes de sus respectivos dominios privados.

La teoría de Proudhon se aceptó rápidamente por la doctrina y también por la jurisprudencia y la legislación. Autores como Foucart, Cormenin y Gérando actualizaron sus obras para incluir en las nuevas ediciones la novedosa distinción. A partir de mediados del siglo XIX la nueva teoría del dominio público tuvo reflejo en la jurisprudencia. Y en la Ley de 16 de ju-

---

14   PROUDHON 1843, I: 251-256.

nio de 1851, sobre la propiedad inmobiliaria en Argelia, se contempló por primera vez en una norma la distinción entre dominio público y dominio del Estado, es decir, privado, en el ámbito del dominio nacional.

La situación se mantuvo en la doctrina francesa hasta principios del siglo XX. Iniciándose entonces un interesante debate entre Hauriou[15] y Duguit[16] acerca de la naturaleza del dominio público. La discusión giró en torno a si la relación existente entre la administración y los bienes del dominio público constituía o no un derecho de propiedad. Y, en el caso de admitirse su existencia, acerca de la naturaleza y características de esta propiedad.

Hauriou sostenía que el dominio público era un derecho de propiedad pública atribuido a una administración, que, sin embargo, presentaba unas características particulares en atención a la finalidad pública a la que estaban afectos los bienes que lo componían. De este planteamiento deducía que todos los bienes del dominio público eran susceptibles de apropiación, no en su conjunto, pero sí en porciones (idea del *mètre carré*), y que respecto de todos ellos la administración podía ejercer la acción reivindicatoria. La acción que corresponde por esencia al propietario.

Frente a esta tesis, Duguit consideraba que los bienes que integraban el dominio público no eran susceptibles de propiedad, ni privada, ni pública. De ahí que defendiera que el Estado sólo tenía respecto de los bienes del dominio público un deber de protección y de garantía de su afectación al uso público. Nunca un derecho de propiedad.

Al margen de esta cuestión, la afectación a un fin público era, para ambos juristas, el elemento que determinaba la distinción entre el dominio público y el dominio privado porque solo los bienes afectos a una utilidad pública formaban parte del demanio público.

Duguit, sin embargo, fue más allá y precisando su planteamiento, habló de una "escala de la demanialidad", para afirmar que, de un modo u otro, todos los bienes del Estado estaban afectos a fines públicos. Lo que significaba que la diferencia entre los bienes de dominio público y los de dominio privado se determinaba por la intensidad de la afectación.

De conformidad con el planteamiento de Duguit, la intensidad de la afectación de los bienes del dominio público hacía imposible la existencia de un vínculo de propiedad entre la administración y los bienes que lo con-

---

[15]   HAURIOU 1897: 613-681.
[16]   DUGUIT 1930, III: 320-385.

formaban. En el fondo, Duguit rechazaba la distinción entre el dominio público y el dominio privado de la administración.

En relación con los mecanismos de protección del dominio público, entre los que las reglas de inalienabilidad e imprescriptibilidad desempeñaban un papel fundamental, Hauriou consideraba que sólo eran unas reglas exorbitantes del régimen privado del derecho de propiedad justificadas por el interés público, sin que en modo alguno constituyeran un obstáculo a la admisión de la existencia de una relación de propiedad entre la administración y el dominio público. Duguit, por su parte, defendía que el régimen jurídico aplicable a los bienes públicos era un régimen de derecho público, distinto del propio de las relaciones de propiedad de derecho privado y ello con independencia de que formaran parte del dominio público o del dominio privado.

V. LA INCORPORACIÓN DE LA DOCTRINA FRANCESA DEL DOMINIO PÚBLICO AL DERECHO ESPAÑOL

La aceptación y consolidación de las categorías dominio público/ dominio privado se alcanzó en la doctrina española antes que en los textos legales gracias a la difusión de la obra de los juristas franceses y, en particular, de la de Proudhon. El proceso fue similar al caso francés. La influencia de la doctrina francesa se aprecia, por primera vez, en la obra de Colmeiro cuya primera edición data de 1850 y más tarde en la legislación española. Primero en distintas leyes sectoriales, luego en el Código civil de 1888-1889.

1. *La influencia de Proudhon en la obra de Colmeiro a mediados del siglo XIX*

Manuel Colmeiro es el primer autor español en el que se percibe el influjo de la doctrina de Proudhon porque, sin romper con la tradición, Colmeiro superpuso la distinción entre dominio público y bienes patrimoniales de la administración al esquema de las cosas públicas previsto en las *Partidas*. En ninguna otra obra de los autores contemporáneos a Colmeiro, como es el caso de García Goyena, Ortiz de Zúñiga, Posada Herrera y Gómez de la Serna, se detecta influencia alguna de aquella distinción. De manera que cabe afirmar que la tesis de Proudhon, expuesta en 1833-1834, no se había generalizados entre los autores españoles a mediados del siglo XIX.

En el dominio nacional o propiedad de la Nación, Colmeiro diferenciaba entre el dominio público y el dominio del Estado. El dominio público comprendía las cosas que correspondían en plena propiedad a la Nación y en cuanto al uso a todo el mundo, que se encontraban fuera del comercio y que eran inalienables e imprescriptibles[17]. Y dentro del concepto de dominio del Estado incluía los bienes que pertenecían en plena propiedad a la Nación y formaban una especie de patrimonio común a todos los ciudadanos. Eran bienes que se administraban exclusivamente por el Estado, quien los adquiría, conservaba, aprovechaba y enajenaba según las necesidades del servicio o los intereses de la sociedad[18]. De modo que la afectación al uso público era el elemento a tener en cuenta para incluir los bienes en el dominio público.

Por lo que se refiere al tipo de relación que existía entre el Estado y los bienes que componían el dominio público y el dominio del Estado, Colmeiro, acogiendo de nuevo la tesis de Proudhon, consideraba que los públicos correspondían a la Nación por el derecho de soberanía, mientras que el patrimonio del Estado se fundamentaba en un derecho de propiedad[19].

El jurista gallego situaba en el dominio público las costas y el mar adyacente a ellas, los puertos, las aguas navegables, los caminos y las carreteras[20]. Y en el dominio del Estado incluía los baldíos, los montes, las minas, los bienes mostrencos y los bienes nacionales[21].

Por último, cabe señalar que Colmeiro se distanciaba de Proudhon en relación al dominio público municipal. Una categoría que no contemplaba porque en lo que concierne a los bienes de los pueblos se limitaba a reproducir la distinción establecida en *Partidas*, señalando que se dividían en propios y comunes[22].

---

17   COLMEIRO 1850, II: 6-7 (epígrafes 1267 a 1269).
18   COLMEIRO 1850, II: 52-53 (epígrafes 1368-1369).
19   COLMEIRO 1850, II: 53.
20   COLMEIRO 1850, II: 7-32.
21   COLMEIRO 1850, II: 53-93. Entendiendo por bienes nacionales los que se encontraban en manos del Estado procedentes de manos muertas o de corporaciones extinguidas.
22   COLMEIRO 1850, II: 94-95. Colmeiro mantenía esta división aún en la tercera edición de su obra publicada en 1865, en la que seguía sin acoger el concepto de dominio público municipal o comunal, como se le denominaba en Francia. Tampoco contemplaba la idea de bien comunal diseñada por la legislación desamortizadora en España.

2. Las leyes sectoriales y la expansión de la categoría del dominio público

La teoría del dominio público, expuesta por Proudhon en Francia e incorporada a la doctrina española a partir de la obra de Colmeiro, se asumió en la legislación española en la segunda mitad del siglo XIX. Sucesivas leyes sectoriales, anteriores al Código civil de 1888-1889, depuraron y consolidaron el concepto de dominio público contrapuesto al de dominio privado del Estado; ampliaron el listado de bienes incluidos en el dominio público; y distinguieron entre los bienes destinados al uso general y los afectos a un servicio público, extendiendo, con ello, la categoría del dominio público a los bienes vinculados a un servicio público.

La tesis francesa del dominio público se acogió por primera vez en el derecho español en la legislación de aguas y en la hipotecaria. Con anterioridad, la expresión "dominio público" se había utilizado en otras disposiciones, pero, en todos los casos, había tenido un significado bien distinto. En unas ocasiones se había empleado para referirse al dominio único de la Nación. Dominio en el que, siguiendo el modelo revolucionario francés, aún no se establecían diferencias entre los distintos bienes que lo integraban. Así sucedía en el artículo 2 de la Real orden de 12 de mayo de 1851 referida a los baldíos. Y en el artículo 14 de la Ley de 10 de junio de 1847 sobre propiedad literaria para indicar que, transcurrido el término concedido por la ley, las obras literarias podían usarse por cualquiera sin satisfacer derechos económicos.

Por lo que se refiere a la legislación de aguas, distintas disposiciones perfilaron el nuevo concepto de dominio público. La Real orden de 24 de mayo de 1853 establecía que las aguas de los ríos y sus cauces eran de dominio público y, por tanto, no susceptibles de apropiación privada, sin que fuera de los usos comunes que pertenecían a todos pudiera establecerse en ellos ninguno privado, sino en virtud de Real autorización y con arreglo a los reglamentos de Administración Pública. El Real decreto de 29 de abril de 1860 declaraba que las aguas y los cauces de los ríos, riachuelos, rieras, arroyos o cualquier otra clase de corriente natural eran del dominio público. Y Ley de Aguas de 3 de agosto de 1866 contenía la exposición más clara del significado de la categoría del dominio público y su aplicación al régimen jurídico de las aguas, así marítimas como continentales. Sus principios se incorporaron a la Ley de Aguas de 13 de junio de 1879 y a las Leyes de Puertos de 1880 y 1928.

En esta materia tiene un interés especial, por lo clarificador que resulta, el texto de la Exposición de Motivos de la Ley de 1866 en el que se manifiesta que el dominio público de la Nación es "el que a ésta compete sobre aquellas cosas cuyo uso es común por su propia naturaleza o por el objeto a que se hallan destinadas: tales son, por ejemplo, las playas, ríos, caminos, muelles y puertos públicos, su carácter principal es ser inenajenable e imprescriptible". Y que el dominio particular del Estado es "el que a éste compete sobre aquellas cosas destinadas a su servicio, o sea a la satisfacción de sus necesidades colectivas, y no al uso común, cosas de las que dispone como los particulares de las que constituyen su patrimonio; tales son, entre otras muchas, los montes, minas, arsenales, fortalezas y edificios militares"[23].

De acuerdo con la Ley, el dominio público marítimo comprendía las costas del territorio español, con sus obras, ensenadas, calas, radas, bahías y puertos, el mar litoral y las playas (art. 1); en relación con las aguas terrestres, dentro del dominio público se situaban las que nacían continua o discontinuamente en terrenos de dominio público, las de los ríos, las continuas y discontinuas de manantiales y arroyos que corrían por sus cauces naturales y los lagos y lagunas formadas por la naturaleza que ocupaban terrenos públicos y se alimentaban con aguas públicas (arts. 33 y 44). Y, finalmente, las aguas procedentes de la lluvia y las subterráneas se consideraban públicas o privadas dependiendo de los terrenos por donde discurrían o en el que eran alumbradas (arts. 30-31 y 45).

El otro campo en el que tempranamente se acogió el concepto de dominio público como uso público fue el hipotecario. Así, en los Reales Decretos de 6 de noviembre de 1863 y 11 de noviembre de 1864 se exceptuaban de inscripción los bienes que pertenecían tan sólo al dominio eminente del Estado y cuyo uso era de todos, como las riberas del mar, los ríos y sus márgenes, las carreteras y caminos de todas clases con exclusión de los de hierro, las calles, plazas, paseos públicos y ejidos de los pueblos, siempre que no fueran terrenos de aprovechamiento común de los vecinos; las murallas de las ciudades y plazas, los puertos y radas y cualesquiera otros bienes análogos de uso común y general.

De otro lado, a mediados del siglo XIX, la necesidad de implantar nuevos servicios provocó la aparición de la idea del servicio público y su vinculación a los conceptos de obra pública y dominio público. A partir de

---

[23] La conveniencia de determinar con precisión lo que los autores de la Ley entendían por dominio público y particular del Estado se expresa en la Exposición de Motivos de este texto de 1866 después de que Areitio, miembro de la Comisión encargada de su redacción, solicitara la clarificación del contenido que debía darse a tales conceptos para evitar las dudas que pudieran suscitarse. Acta de la Sesión de 20 de abril de 1861, véase en MARTÍN-RETORTILLO 1963: 564-568.

entonces, la noción de dominio público, relacionada en sus inicios al uso público, se amplió para comprender también bienes afectos a un servicio público.

La legislación general de obras públicas sentó las bases para la ampliación del dominio público a los bienes afectos a un servicio público, sin perjuicio de que la expresión "servicio público" apareciera también en la legislación de carreteras y en la del ferrocarril aunque con sentido diferente.

El término "servicio público" se utilizó en el artículo 1 de la Ley de carreteras de 22 de julio de 1857, para señalar, exclusivamente, la contraposición entre un servicio público y uno particular y clasificar, de acuerdo con esta distinción, los caminos y carreteras de la Península e islas adyacentes. No obstante la claridad de la norma, un sector de la doctrina interpretó la referencia en el sentido de uso general[24].

La expresión "servicio público" aplicada a las carreteras se conservó en la Ley de carreteras de 4 de mayo de 1877 y en la de 29 de junio de 1911. Y la situación se mantuvo hasta la Ley de 19 de diciembre de 1974 en la que el término "vías de dominio o uso público" sustituyó al de "servicio público".

En materia de ferrocarriles, el artículo 3 de la Ley de 3 de junio de 1855 y el artículo 7 de la Ley de 23 de noviembre de 1877 declararon de dominio público todas las líneas de ferrocarril destinadas al servicio general, excluyendo las asignadas al servicio particular. La Real orden de 17 de septiembre de 1860 recordó que las cosas destinadas a la utilidad general de los habitantes de la Nación, entre otras, las carreteras, los ríos, las riberas y los puertos eran bienes de dominio público, lo que imposibilitaba que particular alguno pudiera alegar derecho propio. Y la Orden de 25 de abril de 1860 aclaraba que los bienes propios y comunes de los pueblos quedaban excluidos del dominio público de la Nación, que conforme al artículo 20 de la Ley general de ferrocarriles de 1855, debía concederse a las empresas ferroviarias. El texto señalaba que aquellos bienes pertenecían exclusivamente a los pueblos y que sus productos estaban destinados, por ley, al sostenimiento de las cargas y obligaciones y servicios municipales, lo que imposibilitaba su cesión o disposición por el Gobierno, con perjuicio de sus dueños, sin la oportuna indemnización.

Al margen de estos precedentes, la Ley General de Obras Públicas de 13 de abril de 1877 sentó las bases para la ampliación de la idea del dominio

---

24   GALLEGO ANABITARTE 1986, I: 327-328.

público a los bienes afectos a un servicio público, extendiendo el concepto a las obras destinadas a servicios a cargo del Estado.

De acuerdo con el artículo 1 se entendía por obras públicas las que eran de general uso y aprovechamiento y las construcciones destinadas a servicios que se hallaren a cargo del Estado, de las provincias y de los pueblos. Al primer grupo pertenecían los caminos, ordinarios y de hierro, los puertos, los faros, los grandes canales de riego, los de navegación y los trabajos relativos al régimen, aprovechamiento y policía de las aguas, encauzamiento de los ríos, desecación de lagunas y pantanos y saneamiento de terrenos. Y en el segundo se incluían los edificios públicos destinados a servicios que dependían del Ministerio de Fomento.

3. La incorporación del concepto de dominio público al Código civil español

La definitiva diferenciación entre dominio público y dominio privado de la administración se alcanzó en España con la promulgación del Código civil de 1888-1889.

El tratamiento dado a los bienes públicos en el Código español se distanció del previsto en el Proyecto de Código civil de 1836 que, inspirado en el Código civil francés, preveía un concepto unitario de propiedad pública. Y también del fijado en el Proyecto de 1851 en el que no se delimitaba con precisión la diferencia entre dominio público y dominio privado. En relación al texto de 1851 es necesaria la lectura conjunta de los preceptos del Proyecto dedicados a los bienes públicos, los referidos a la prescripción y los comentarios que Florencio García Goyena, el principal autor del trabajo, elaboró sobre el texto del Proyecto, para constatar que sus autores diferenciaban distintos tipos de propiedad pública.

Finalmente, el esquema que se adoptó en 1888-1889 fue prácticamente el mismo que el previsto en el Proyecto de Código civil de 1882.

A) Los bienes públicos en los Proyectos de Código civil de 1836, 1851 y 1882

En los Proyectos de 1836 y 1851, los artículos referidos a los bienes públicos se sitúan en el capítulo dedicado a la clasificación de los bienes atendiendo a la persona a la que pertenecen. En el artículo 617 del Proyecto de 1836 se señala que las cosas que son objeto de adquisición civil pueden pertenecer al Estado, al común o concejo de algún pueblo y a los particulares. Y en el artículo 385 del Proyecto de García Goyena se dice que los bienes que pertenecen al Estado, los del patrimonio real destinado a la dotación permanente de la Corona y los que corresponden a una provincia o pueblo de la Monarquía integran la propiedad pública.

En relación a los bienes que forman parte de esta propiedad pública, los redactores del Proyecto de 1836 se limitan a formular un listado de bienes muy similar al previsto en el Código civil francés (arts. 618 y 619), mientras que en el de 1851 se incluyen las obras públicas junto a los bienes que tradicionalmente se habían considerado cosas públicas. Previéndose, además, la posibilidad de que cualquier ley especial declare nuevos bienes propiedad del Estado (arts. 386 y 387).

Por lo que se refiere al régimen jurídico aplicable a los bienes públicos, el artículo 752 del Proyecto de Tapia, Ayuso y Vizmanos de 1836 los declara prescriptibles con la excepción de los bienes excluidos del comercio, entre los que se mencionan, expresamente, los puertos, las costas y los caminos públicos. Y, en el Proyecto de 1851, el artículo 388 prevé la posibilidad de enajenación y prescripción de los bienes del Estado, de las provincias y de los pueblos conforme a la legislación especial que se dicte. Sin embargo, el artículo 1936 sólo declara prescriptibles los bienes y derechos del Estado susceptibles de propiedad privada y el 1937 limita la prescripción a los bienes que se encuentren en el comercio de los hombres a no ser que una ley especial lo prohíba.

Ahora bien, ¿qué entiende la Comisión que redacta el Proyecto de 1851 por "bienes y derechos del Estado susceptibles de propiedad privada?, ¿qué bienes son considerados fuera del comercio?, ¿se piensa en la existencia de un dominio público del Estado contrapuesto a un dominio privado del mismo Estado? Las respuestas a estas cuestiones ayudan a determinar si en el Proyecto de 1851 existe un concepto unitario de dominio público o, por el contrario, sus autores tienen en mente la diferencia entre bienes de dominio público y bienes patrimoniales. Las encontramos en los comentarios que realiza el propio García Goyena al articulado del Proyecto.

De la lectura de estos comentarios se desprende que los autores del Proyecto clasifican los bienes públicos en función de a quién pertenecen, separando los del Estado, los del patrimonio real, los de las provincias y los de los pueblos. Y, simultáneamente, entienden que en la propiedad pública del Estado se debe distinguir entre los bienes que integran el dominio público cuyo uso pertenece a todos, la propiedad a nadie y son imprescriptibles, y los bienes de que es titular el Estado como un particular, susceptibles de prescripción.

En este sentido, es muy clarificador el siguiente párrafo, extraído de estos comentarios que, aunque referido a las aguas, puede aplicarse a toda la propiedad pública del Estado.

> "Por lo demás, importa poco la variedad de palabras. "Dominio público, Regio dominio, Estado": el espíritu de los tres artículos es uno mismo; en ellos se entiende la pertenencia de las aguas en el sentido que la de todas las cosas, cuyo uso pertenece a todos y la propiedad a ninguno, por no ser susceptibles de propiedad privada; el Estado no ejerce en ellas sino un derecho de protección para asegurar su goce a todos; a diferencia de las que por estar en el comercio de los hombres y ser susceptibles de propiedad privada, puede el Estado adquirirlas y transmitirlas bajo este mismo concepto"[25].

En otro de los pasajes de los mismos comentarios, García Goyena señala que los únicos bienes del Estado susceptibles de propiedad privada son los vacantes, contemplados en el art. 386,5. El resto de los bienes del Estado previstos en el precepto deben considerarse de dominio público[26].

En el Proyecto de 1851, son de dominio público: los puertos, radas, ensenadas y costas del territorio español en la extensión que determinan las leyes especiales; los caminos, canales y demás obras públicas, construidas y conservadas a expensas del Estado; los ríos, aunque no sean navegables, su álveo, y toda agua que corre perennemente dentro del territorio español, con las limitaciones previstas en el mismo Proyecto; las riberas de los ríos navegables, en cuanto al uso que fuere indispensable para la navegación; y todos los demás que por leyes especiales estén declarados o se declaren en adelante propiedad del Estado.

Por otra parte, en relación a los bienes municipales, los autores del texto de 1851 fijan un régimen jurídico para los que se aprovechen comunalmente, en cuyo caso son imprescriptibles, y otro para los que constituyen una fuente de renta para el pueblo, lo que supone que se encuentren en el tráfico mercantil y que sean prescriptibles[27].

Obsérvese el distinto tratamiento que reciben los bienes municipales de aprovechamiento comunal en la obra de Proudhon y en el Proyecto español de 1851. Para el jurista francés los bienes de aprovechamiento comu-

---

[25]   GARCÍA GOYENA 1852, I: 425-426 (comentario a la Sección II del capítulo II, título V del Libro II).

[26]   "...En lo sucesivo solo serán prescriptibles los bienes o derechos del Estado susceptibles de propiedad privada, como los del número 5, del artículo 386 (bienes vacantes), pero no los otros comprendidos en el mismo". GARCÍA GOYENA 1852, comentarios al artículo 1936.

[27]   GARCÍA GOYENA 1852, comentarios al artículo 1937.

nal forman parte del dominio municipal comunal, por tanto del dominio privado de los municipios. Son enajenables y prescriptibles. En cambio, en el Proyecto de García Goyena estos bienes aparecen como imprescriptibles e inalienables. Diferencia que se explica en la siguiente circunstancia. En Francia, como ya se ha señalado, a partir del bienio 1792-1793, se lleva adelante un importante reparto de bienes de aprovechamiento comunal entre los vecinos de las diferentes poblaciones lo que supuso su transformación en bienes enajenables. Por tal motivo, en el momento en que Proudhon establece la distinción entre dominio público y dominio privado no tiene sentido que los incluya en el dominio público municipal, dominio inalienable e imprescriptible. En cambio, en España, en 1851, aún no se ha puesto en marcha la desamortización civil, y por tanto, manteniéndose la tradición de los siglos anteriores, los autores del Proyecto consideran normal mantener los bienes de aprovechamiento comunal fuera del tráfico mercantil con el fin de proporcionarles la protección que las reglas de inalienabilidad e imprescriptibilidad les otorgan.

Del análisis de estas ideas extraídas de los comentarios de García Goyena cabe deducir dos conclusiones. En primer lugar que, a diferencia de lo previsto en el Proyecto de 1836, en el de 1851 se acoge la distinción francesa entre dominio público y dominio privado del Estado, aunque su formulación en el articulado no resulte clara. En segundo lugar, y en relación a los bienes de aprovechamiento comunal, que el legislador español se aparta del tratamiento que reciben estos bienes en Francia en las mismas fechas, de manera que en nuestro país siguen siendo considerados inalienables e imprescriptibles.

Reanudado el proceso de elaboración del Código civil en la Restauración, el Proyecto de 1882 supone la expresa adopción de la tesis del dominio público de Proudhon. Se diferencia entonces entre bienes de dominio público y bienes patrimoniales. El artículo 340 precisa que "los bienes públicos son de dominio público o de propiedad privada"; el 341 que "son de dominio público los caminos, costas, riberas, puertos, playas, radas y costas, ríos y torrentes, minas, muros y fortalezas y otros análogos que están destinados a servicios o usos de carácter general"; y el 342 que "Todos los demás bienes pertenecientes al Estado tienen el carácter de patrimoniales".

Nótese que, por primera vez en el proceso codificador civil, aparece la idea de servicio público vinculada a la de dominio público, planteamiento tomado de la Ley General de Obras Públicas de 13 de abril de 1877. No obstante, en este Proyecto aún carece de la precisión que alcanzará en el Código de 1888-1889.

Siguiendo el modelo de Proudhon, en el Proyecto de 1882 se considera que la afectación a un uso público es el elemento que determina la pertenencia de un bien al dominio público. Motivo por el cual si los bienes del demanio público dejan de estar destinados al uso general o a las necesidades de la defensa del territorio se convierten en bienes patrimoniales del Estado (art. 343).

En relación a los bienes de las provincias y de los municipios ya se diferencia de manera expresa entre los de uso público y los bienes patrimoniales (art. 345).

B) Dominio público y bienes patrimoniales en el Código civil de 1888-1889

Los dos primeros Libros del Código español se redactan sobre la base del Proyecto de 1882, de manera que una parte importante de las novedades introducidas en aquéllos se incorporan al texto final. Ahora bien, en relación al dominio público y a los bienes patrimoniales, los autores del Código de 1888-1889, lejos de limitarse a reproducir literalmente los artículos del Proyecto, introducen algunas innovaciones.

Los preceptos del Código referidos a las cosas públicas, como sucede en los proyectos anteriores, se sitúan en el capítulo dedicado a los bienes según las personas a las que pertenecen, afirmándose que los bienes son de dominio público o de propiedad privada[28]. Los artículos 339 y 340 contemplan la distinción entre bienes de dominio público y bienes patrimoniales del Estado, éstos sujetos al mismo régimen jurídico que los bienes de propiedad privada. La misma diferenciación se establece para los bienes de los pueblos en los artículos 343 y 344[29].

---

[28] Esta ubicación se critica por Fernández de Velasco por la falta de coherencia que existe entre la rúbrica y el contenido de los artículos que comprende. FERNÁNDEZ DE VELASCO 1942.

[29] Bienes de uso público de los pueblos y de las provincias son los caminos provinciales y los vecinales, los paseos y las obras públicas de servicio general, costeadas por los mismos pueblos o provincias (art. 344). Nótese que en este momento, a diferencia de lo previsto en el Proyecto de 1851, los bienes de aprovechamiento comunal ya quedan fuera del dominio público municipal. En nuestro país la desamortización civil está en marcha desde 1855, lo que ha supuesto que los bienes de aprovechamiento comunal dejen de ser inalienables e imprescriptibles. Esto explica que, en este momento, los bienes de aprovechamiento comunal queden fuera del dominio público municipal.

Precisando la distinción entre los bienes del dominio público destinados al uso público y los afectos a un servicio público, prevista ya en la Ley General de Obras Públicas de 1877 y en el Proyecto de 1882, el artículo 339 distingue entre los bienes destinados al uso público, como los caminos, canales, ríos, torrentes, puertos y puentes construidos por el Estado, las riberas, playas, radas y otros análogos, y los que, sin ser de uso común, están destinados a algún servicio público o al fomento de la riqueza nacional, como las murallas, fortalezas y demás obras de defensa del territorio, y las minas, mientras que no se otorgue su concesión[30].

Se prevé, también, que se conviertan en bienes patrimoniales del Estado los bienes del dominio público que dejen de estar destinados a un uso general o a las necesidades de la defensa del territorio.

El tratamiento que reciben las minas en el Código civil español constituye una novedad importante en la legislación española. Es la primera vez que se integran en el dominio público de acuerdo con la teoría del dominio público de Proudhon. En 1868 se habían calificado de dominio público pero el sentido dado en aquella ocasión a esta expresión era otro bien distinto.

Desde la edad media, las minas constituyen una regalía de la Corona, formando parte del patrimonio real, sin que en época moderna se produzca cambio alguno. Y la situación se mantiene en España en los inicios del Estado liberal porque, en el artículo primero del Real Decreto de 4 de junio de 1825, se afirma que nadie tiene derecho a beneficiar las minas si no es a través de una concesión. Se justifica la situación en que el dominio supremo de las minas de todos los Reinos de la Monarquía pertenece a la Corona y al Señorío Real.

Esta concepción regalista de las minas cambia con la promulgación de las Leyes de 11 de abril de 1849 y 6 de julio de 1859. Ambas declaran que las minas corresponden al Estado[31], lo que, sin embargo, no significa que

---

[30] La distinción entre bienes destinados al uso público y a un servicio público prevista para los bienes del Estado no se extiende a los bienes de los pueblos. En relación a los segundos sólo se prevé el uso público. La situación no cambia hasta la Ley de Bases de Régimen Local de 1944.

[31] De acuerdo con la Ley desamortizadora de 1855, las minas, por ser bienes del Estado, formaron parte de los bienes declarados en estado de venta. La única excepción fue la referida a las minas de Almadén expresamente incluidas entre los bienes exceptuados de la desamortización en el artículo 2,7. Sin embargo, apenas un año después, el artículo 2 de la Ley de 11 de julio de 1856 limitó considerablemente su desamortización estableciendo que la venta de las minas del Estado sería objeto de leyes especiales. Tal

sean declaradas bienes patrimoniales del Estado contrapuestos al dominio público en el sentido de la tesis de Pardessus y de Proudhon.

En estas leyes aún no se distingue entre unos bienes de dominio público y unos bienes patrimoniales del Estado. Se considera que el Estado dispone de un único dominio compuesto por diversos bienes, entre los que se encuentran las minas, con los que mantiene una relación bastante similar a la propiedad privada. Suprimida la regalía de la Corona sobre las minas, el nuevo titular es el Estado. La filosofía que se encuentra detrás de estas normas es, por tanto, la misma que inspiró a los revolucionarios franceses y, por su influencia, a los redactores del Código civil francés, que utilizan como sinónimas las expresiones "dominio público" y "dominio nacional" y presentan un concepto unitario de tal dominio.

El mismo planteamiento se observa detrás de la Ley de minas de 4 de marzo de 1868, que reforma la Ley de minas de 6 de julio de 1859, y del Decreto-Ley de 29 de diciembre de 1868 que establece las bases generales para la nueva legislación de minas. En la Exposición de motivos del segundo texto se emplea el término dominio público. Sin embargo, como señala Barcelona Llop[32], en esta ocasión, la expresión "dominio público" no se utiliza en el sentido de Proudhon, es decir, como bienes de uso común, inalienables e imprescriptibles, contrapuestos a los bienes patrimoniales del Estado. Los redactores del texto siguen manejando un concepto unitario de dominio público, sin diferenciar entre bienes de uso público y bienes patrimoniales. En este contexto el término "dominio público" es equivalente al de "dominio nacional" y al de "dominio del Estado". De nuevo el esquema del texto revolucionario de 1790 y del Código civil francés influye en el legislador español[33].

---

posibilidad se puso en marcha en varias ocasiones. Así, el Decreto-Ley de 16 de junio de 1869 declaró en estado de venta las salinas de la Hacienda con la excepción de las salinas de Torrevieja, Imón y Los Alfaques; la Ley de 25 de junio de 1870 puso en venta las minas de Riotinto; la Ley de 9 de julio de 1889 puso en venta las minas de carbón piedra de los concejos de Riosa y Morcín, y la de hierro, denominada Castañedo del Monte, en Asturias (citas tomadas de BARCELONA LLOP 1996: 45).

[32]   BARCELONA LLOP 1996: 50.

[33]   De acuerdo con este razonamiento no comparto la idea de una utilización incorrecta del término "dominio público" en 1868 que sostienen algunos autores. No hubo un uso inapropiado del término. Tan sólo se utilizó con un significado diferente del proporcionado por Proudhon que es el manejado por estos autores. Tampoco me parece aceptable la tesis de quienes afirman que el concepto de dominio público utilizado en 1868 es el viejo concepto de regalía, de un derecho privativo de la Corona, ahora del Estado, o una reserva de las minas a favor del Estado lo que en la práctica supondría una prohibición general de explotación de las minas con posibilidad de obtener una

En este sentido es muy elocuente el siguiente párrafo extraído de la Exposición de motivos del Decreto de diciembre de 1868:

> "El antiguo derecho de España en materia de minas partía del principio regalista, y así las declaraba solemnemente propiedad del Soberano el decreto de 4 de julio de 1825, reflejo fiel de las absurdas y monstruosos ordenanzas de Felipe II. Transformada en época posterior la manera política de ser de la sociedad española, como de toda la sociedad europea, sustituida al antiguo Monarca de derecho divino, que en su persona resumía la Nación entera, la entidad colectiva del Estado natural era sustituir al derecho regalista el dominio público, como así lo entendieron y claramente lo consignaron las leyes de 11 de abril de 1849 y de 11 de julio de 1859; y así también ha llegado esta importantísima legislación hasta el momento presente, salvas ligeras modificaciones de detalle, que en nada afectan al espíritu general que la inspiró".

Por tanto, el concepto de dominio público que se utiliza en la legislación de minas de 1849, 1859 y 1868 no es el de la teoría de Proudhon, sino el de los legisladores franceses de la Revolución y del Código civil. Lo que sin duda constituye un anacronismo que sorprende aún más en 1868 que en 1849 y 1859 porque han transcurrido más años desde la exposición de Proudhon que Colmeiro popularizó en España y, sobre todo, porque en 1866 se ha promulgado ya la Ley de Aguas que con absoluta claridad asume la tesis del dominio público del juristas francés, para quien las minas son bienes patrimoniales.

Finalmente, conforme al artículo 339,2 del Código de 1888-1889, de manera similar a lo previsto en el Proyecto de 1882, las minas pasan a formar parte del dominio público afecto al fomento de la riqueza nacional, mientras que no se otorgue su concesión, medida que impide la desamortización de estos bienes. Esta referencia final a la concesión, que no aparecía en el Proyecto de 1882, plantea la duda de si la calificación de dominio público de las minas afecta tanto al yacimiento como a los frutos porque, según Barcelona Llop, la dominialidad de las minas no parece compatible con la posibilidad de adquirirlas en propiedad a través de un título concesional. Cuestión que parece que se resuelve en las Leyes de Minas de 1944 y 1973 de las que se deduce que el bien de dominio público es la mina, sin perjuicio de que el concesionario se apropie de los minerales separados del yacimiento[34].

---

concesión. Y ello porque el Rey pierde cualquier derecho sobre las minas y porque se fija una reserva a favor del Estado en los términos en los que se había previsto en la Ley de 1859 sólo en relación a algunas minas (GALLEGO ANABITARTE 1986, I: 346-347).

[34] BARCELONA LLOP 1996: 53-54 y 64-65.

4. La introducción en España de la tesis de Hauriou de la mano de Fernández de Velasco

La tesis de Proudhon inspira la doctrina española hasta las primeras décadas del siglo XX. En concreto hasta 1921. A partir de entonces, Fernández de Velasco divulga en nuestro país la tesis patrimonialista del dominio público de Hauriou, afirmando que el dominio público es fundamentalmente una forma de propiedad inalienable e imprescriptible y que su esencia reside en la afectación o destino de determinados bienes a la utilidad pública.

Con los años, esta corriente doctrinal acaba convirtiéndose en la tesis mayoritaria en la doctrina administrativista española, sin que se introduzca novedad alguna. Así se refleja en la obra, entre otros, de Álvarez-Gendín, Guaita, García de Enterría y Garrido Falla. Mención aparte merece Manuel Ballbé quien en 1945 y 1955 evita hablar de propiedad en relación a los bienes de dominio público y que en cambio, en 1951, afirma, en su trabajo sobre las reservas dominiales, la titularidad dominical que corresponde a la Administración sobre los bienes de dominio público.

La teoría tiene también eco en la doctrina del Consejo de Estado y en la jurisprudencia del Tribunal Supremo[35].

Actualmente, sin llegar a desaparecer del todo esta teoría, que defiende, entre otros, Sainz Moreno, ha ido cobrando relieve una nueva corriente que niega la tesis dominical del dominio público, defendiendo la idea de que la técnica jurídica del dominio público no es sino un título de intervención administrativa, dirigido a proteger y ordenar la utilización de determinados bienes de interés general. Esta postura tiene reflejo en la obra de autores como Villar Palasí, Parejo Gamir y Rodríguez Oliver, Gallego Anabitarte, Parejo Alfonso, entre otros, a los que cabe añadir González García quien refuta la tesis de la titularidad dominical y propone su sustitución por la titularidad de las competencias y funciones que las diversas Administraciones Públicas ejercen sobre el dominio público. Incluso el propio Tribunal Constitucional no se ha mostrado proclive a la visión patrimonialista del dominio público[36].

---

[35] Sentencias de 27 de octubre de 1967, 17 de marzo de 1980, 28 de febrero de 1986, 4 de febrero de 1988, 23 de enero de 1990, entre otras.

[36] STC 227/ 1988, de 29 de noviembre: "la incorporación de un bien al dominio público supone no tanto una forma específica de apropiación por parte de los poderes públicos, sino una técnica dirigida primordialmente a excluir el bien afectado del tráfico jurídico privado, protegiéndolo de esta exclusión mediante una serie de reglas exorbi-

VI. EL PATRIMONIO PRIVADO DEL ESTADO: LOS BIENES DE LA CORONA Y LOS MONTES

En paralelo a la configuración de la noción de dominio público, toma cuerpo la idea del patrimonio o propiedad privada del Estado, considerándose que los bienes del Estado que no forman parte del dominio público integran su patrimonio privado. Esta propiedad en ningún caso es asimilable a la propiedad privada prevista en el Código civil por cuanto se trata de una propiedad de Derecho público a la que se le aplican unas reglas distintas a las comunes.

El reconocimiento de la existencia de unos bienes patrimoniales del Estado guarda relación con la desamortización civil prevista en la Ley de 1855 que incluye al Estado entre las manos muertas cuyos bienes se declaran en estado de venta. En este contexto debemos plantearnos ¿cómo fue posible compatibilizar el mantenimiento de ciertos bienes en poder del Estado con la desamortización de sus bienes prevista en aquella norma?

La respuesta la proporciona la propia Ley desamortizadora que por la vía de las excepciones permite que el Estado cuente con unos bienes patrimoniales y que los pueblos conserven los bienes de aprovechamiento comunal y un patrimonio privado.

La previsión del artículo primero de la Ley de 1855, que declaraba en estado de venta los predios rústicos y urbanos, censos y foros pertenecientes al Estado, hubiera supuesto la desaparición del patrimonio del Estado si no llegan a incluirse entre los bienes exceptuados de la desamortización, previstos en el artículo segundo, los edificios y fincas destinados o que el Estado destinara al servicio público, los montes y bosques cuya venta no fuera considerada oportuna por el Gobierno, las minas de Almadén, las salinas y, en general, cualquier edificio o finca cuya venta no fuera considerada oportuna por el Gobierno.

En la actualidad diversos bienes forman parte de esta categoría, sin embargo, a continuación sólo se tratan los bienes de la Corona y los montes,

---

tantes de las que son comunes en dicho tráfico *iure privato*. El bien de dominio público es así ante todo *res extra commercium*, y su afectación, que tiene esa eficacia esencial, puede perseguir distintos fines: típicamente, asegurar el uso público y su distribución pública mediante concesión de los aprovechamientos privativos, permitir la prestación de un servicio público, fomentar la riqueza nacional (art. 339 del Código Civil), garantizar la gestión y utilización controlada o equilibrada de un recurso esencial, u otros similares".

por ser los bienes más importantes que adquieren la condición de patrimoniales en el siglo XIX.

1. El Patrimonio de la Corona

En los inicios del siglo XIX, se conserva la idea del Patrimonio de la Corona una vez que las Cortes de Cádiz decretan, el 22 de marzo de 1811, la
enajenación de los edificios y fincas que forman parte del Patrimonio Real,
exceptuando los palacios, sotos y sitios reales. La explicación a la medida se
encuentra en el artículo 214 de la Constitución de Cádiz que establece que
pertenecen al Rey todos los palacios reales de que habían disfrutado sus
predecesores y que las Cortes deben señalar los terrenos que tuvieran por
conveniente reservar para el recreo de su persona. El precepto no llega,
sin embargo, a desarrollarse en ninguna de las etapas en las que el primer
texto constitucional español se encuentra en vigor.

La Ley de 12 de mayo de 1865 establece la relación de bienes que deben
formar parte del Patrimonio de la Corona (arts. 1 y 2); ordena la venta de
los demás bienes que hasta entonces habían integrado el Patrimonio Real
(art. 22); declara indivisibles, inalienables, imprescriptibles, no sujetos a
gravamen e indisponibles por el Monarca, los bienes del Patrimonio de la
Corona (art. 5); y separa el Patrimonio de la Corona del patrimonio privado del monarca (art. 17).

Tras el triunfo de la Revolución de 1868, desaparece el Patrimonio de la
Corona con la Ley de 18 de diciembre de 1869 que prevé la reversión a la
Nación de los bienes que desde 1865 formaban parte de aquél. Además, la
norma declara en estado de venta todos los bienes del antiguo Patrimonio
de la Corona revertidos a la Nación con la excepción de los que se destinen
al uso y servicio del Rey, los que por su carácter histórico o artístico se considere oportuno conservar, los que conviniera destinar para algún servicio
del Estado y los que, con arreglo a la Ley de 9 de junio de 1869, se cedan
para las servidumbres públicas y usos comunes de los pueblos enclavados
en los territorios que fueron de la Corona.

Tras la restauración de la Monarquía, el Decreto de 14 de enero de
1875 devuelve a la Real Casa la administración de estos bienes y la Ley de
26 de junio de 1876 determina, de nuevo, los edificios, bienes y derechos
que integran el Patrimonio de la Corona, remitiéndose a la enumeración
contenida en la Ley de 12 de mayo de 1865. Se excluyen los bienes que, incluidos en aquélla, se hubieran enajenado o dedicado a servicios públicos
desde entonces.

El Código civil de 1888-1889 lejos de introducir novedad alguna en materia de Patrimonio real remite, en su artículo 342, la determinación de su régimen jurídico a una ley especial. Posteriormente, el Decreto republicano de 20 de abril de 1931 ordena la incautación por el Estado de los bienes del Patrimonio que había sido de la Corona de España, disposición que se completa con la Ley de 22 de marzo de 1932 que determina el destino de los bienes del antiguo patrimonio y la creación del llamado "Patrimonio de la República". En la etapa franquista, la Ley de 7 de marzo de 1940 restablece el patrimonio de la Corona bajo la denominación de Patrimonio Nacional. Y, finalmente, el artículo 132,3 de la Constitución de 1978 establece que por ley se regulará el Patrimonio del Estado y el Patrimonio Nacional, su administración, defensa y conservación. Eso ha hecho la Ley 23/1982, de 16 de junio (modificada en 1995), que sin pronunciarse sobre la naturaleza jurídica de los bienes que integran el Patrimonio Nacional (esto es, los de titularidad del Estado afectados al uso del Rey y de los miembros de la Real Familia para el ejercicio de la alta representación que la Constitución y las leyes le atribuyen), dice que son imprescriptibles, inalienables e inembargables y que gozarán de las mismas exenciones tributarias que los bienes de dominio público del Estado.

2. Los montes

En la lista de los bienes exceptuados de la desamortización de 1855 se incluyen los montes y bosques. La previsión constituye una novedad porque desde el siglo XVIII los políticos españoles habían propuesto, en reiteradas ocasiones, la venta de los bosques y montes de la Corona. Así queda reflejado en el *Informe sobre la Ley agraria* de Jovellanos[37].

A partir de 1855, la determinación de los montes del Estado exceptuados de la desamortización, ocasiona algunos enfrentamientos entre los funcionarios de los dos Ministerios afectados por las previsiones de la Ley desamortizadora relativas a los montes: el Ministerio de Fomento y el Ministerio de Hacienda. Desde el Ministerio de Fomento, bajo la clara influencia de la ciencia forestal alemana, se lucha por la conservación de los montes, mientras que el Ministerio de Hacienda procura la venta masiva de las masas forestales.

En este contexto, la Junta de Ingenieros de Montes elabora en 1855 un Informe determinando las bases conforme a las que debía de decidirse qué

---

[37]   JOVELLANOS 1795: numerales 98-106.

montes deberían exceptuarse de la desamortización. Los autores del texto opinan que el criterio a tener en cuenta debe ser el de la especie arbórea dominante, sobre cuya base prevén la clasificación de los montes en tres categorías: los que no deben desamortizarse en atención a la función que cumplen en la preservación del clima, el suelo, el agua y el aire y al papel que desempeñan en la economía; los que pueden desamortizarse siempre y cuando un estudio en detalle de su situación aconseje tal medida; y, aquéllos cuya desamortización puede efectuarse sin problema alguno.

Este planteamiento inspira el Decreto de 26 de octubre de 1855 en el que se determinan aquellos tres tipos de montes. Pertenecen a la primera clase los montes de abetos, pinabetes, pinsapos, pinos, enebros, sabinas, tejos, hayas, castaños, y avellanos, abedules, alisos, acebos, robles, rebollos, quejigos y piornos, cualesquiera que sean sus especies, su método de beneficio y la localidad donde se hallaren. El segundo grupo comprende los alcornocales, encinares, mestizales y coscojales en cualesquiera que sean sus variedades y sus métodos de beneficio, esto es, ya se aprovechen en monte alto, bajo o tallar, ya en dehesas de pasto o en dehesas de pasto y labor. Y, finalmente, se incluyen en la tercera clase las fresnedas, olmedas, lentiscales, cornicabrales, tarayales, alamedas, saucedas, retamares, acebuchales, almezales, bodejas, jarales, tomillares, brezales, palmitares y demás montes no comprendidos en los grupos anteriores.

El criterio de la especie dominante utilizado en 1855 se abandona en el Real Decreto de 22 de enero de 1862 en el que se determina una única excepción a la desamortización. La referida a los montes de pino, roble y haya que tuvieren, al menos, una extensión de 100 hectáreas. El mismo texto contempla la formación de un Catálogo de montes exceptuados.

Un doble criterio se consolida en la Ley de Montes de 24 de mayo 1863 y en el Real Decreto de 17 de mayo de 1865. El texto de 1863 clasifica los montes en públicos y en particulares y recoge el criterio de las tres especies y la cabida mínima como condiciones indispensables para que los montes puedan ser propiedad del Estado.

Posteriormente, la Ley de Presupuestos de 30 de junio de 1892 fija un nuevo criterio para determinar los montes enajenables: el de la utilidad pública. Criterio confirmado por la Ley de 30 de agosto de 1896 y por el Real Decreto de 20 de septiembre de 1896 en los que se declara que se entenderá por montes de utilidad pública las masas de arbolado y terrenos forestales que por sus condiciones de situación, suelo y área sea necesario mantener poblados o repoblar de vegetación arbórea forestal, para garantizar la salubridad pública, el mejor régimen de las aguas, la seguridad de los terrenos, o la fertilidad de las tierras destinadas a la agricultura por su influencia física en el país o en las comarcas naturales donde tengan asiento.

En lo referente a la naturaleza jurídica de los montes públicos, cabe señalar que el artículo 11.1 del Reglamento de la Ley de Montes de 1957, aprobado por Decreto de 22 de febrero de 1962, sanciona como regla su carácter patrimonial. Este extremo, que ha dado lugar a ciertas controversias doctrinales habida cuenta que el régimen jurídico de los montes públicos no ha sido el propio de los bienes patrimoniales, ha sido modificada por la Ley de Montes aprobada en 2003, conforme a la cual los públicos son mayoritariamente demaniales.

VII. LOS BIENES COMUNALES EN LA LEGISLACIÓN LIBERAL

En el siglo XIX, los conceptos de bienes de propios y bienes comunales se redefinen sobre unas bases nuevas a partir de la Ley desamortizadora de 1 de mayo de 1855, de distintas disposiciones dictadas en su desarrollo y de la interpretación realizada por el Tribunal Supremo. A partir de entonces, los bienes comunales quedan reducidos a los bienes de aprovechamiento comunal de los pueblos

De este modo, se introduce una novedad importante en el régimen jurídico de los bienes de los pueblos porque, en el Antiguo Régimen, los bienes de propios son considerados tan comunales como los de aprovechamiento comunal. Y ello porque el significado que entonces se confiere al término "bien comunal" poco tiene que ver con el que se le atribuye a partir de 1855.

La expresión "comunal" se emplea en el Antiguo Régimen para indicar, como ya hemos señalado, que ciertos bienes pertenecen a una colectividad, que puede ser la de los seres vivos, la de los hombres o el común de una población. Con su utilización se incide en la titularidad del bien y no en su aprovechamiento. Esto explica que entre los bienes comunales de los pueblos se diferencie entre los que se aprovechan por todos los vecinos y los que no pueden disfrutarse libremente aún cuando fueran propiedad del común. Con el tiempo éstos reciben el nombre de bienes de propios.

Desde esta perspectiva, en el Antiguo Régimen, los bienes de propios son tan comunales como los de aprovechamiento común. Sólo a partir de la Ley de 1855 y, más en concreto, a partir del desarrollo jurisprudencial y doctrinal que se hace de la norma, se puede hablar de bienes comunales o de propiedad comunal con el sentido que tienen estas expresiones en la actualidad.

El artículo segundo de la Ley desamortizadora de 1855 se limita a exceptuar de la desamortización los bienes de aprovechamiento comunal de los pueblos sin determinar qué se debe entender por tal aprovechamiento. Esto explica que sean los jueces y el Consejo de Estado los que interpreten y desarrollen el precepto legal teniendo presente el artículo 53 de la Instrucción de 31 de mayo de 1855 y el artículo 4 del Real decreto de 10 de julio de 1865.

La interpretación realizada por el Tribunal Supremo del artículo 53 de la Instrucción de mayo de 1855 limita considerablemente las excepciones al entender que el factor del aprovechamiento comunal debe ser ininterrumpido desde al menos veinte años antes de la Ley desamortizadora[38].

La declaración del Tribunal acarreó graves problemas a los pueblos para acreditar el requisito exigido que habría de permitir beneficiarse de la excepción. Las dificultades se plantean porque, hasta entonces, había sido frecuente no sólo que unos mismos bienes, en función de los aprovechamientos, fueran considerados en un momento de aprovechamiento comunal y en otro como propios, sino además porque sobre tales bienes, con frecuencia, se realizaban, de manera simultánea, unos aprovechamientos de manera libre y gratuita y otros sujetos al pago de una renta.

A partir de la legislación desamortizadora los bienes de aprovechamiento comunal de los pueblos, que desde entonces se llaman simplemente bienes comunales, quedan de hecho excluidos del dominio público porque dejan de ser inalienables e imprescriptibles. Pasan a ser considerados bienes patrimoniales de los pueblos. De este modo, se reproduce en nuestro país el mismo fenómeno que se había producido en Francia a partir de 1792-1793.

La calificación de los bienes comunales como bienes patrimoniales de los pueblos se refleja en la legislación hipotecaria[39] y se deduce de la interpretación conjunta de los artículos 343 y 344 del Código civil.

---

[38]   Más tarde se modifican los requisitos para que un bien de aprovechamiento común pueda exceptuarse de la desamortización porque en los artículos 70 de la Ley Municipal de 1870 y 75,1 del Real Decreto de 2 de octubre de 1877 se admite la posibilidad de exigir arbitrios por el disfrute de los bienes comunales, razón por la cual la Ley de 8 de mayo de 1888, reguladora de ciertos aspectos relativos a la desamortización, y sus reglamentos de ejecución, admiten que puedan ser exceptuarse los bienes comunales en los que los aprovechamientos vecinales fueran onerosos. Además, en la Ley de 11 de julio de 1878 se permite el arrendamiento de los pastos sobrantes en los comunales.

[39]   RD de 19 de junio de 1863 dicta varias prevenciones respecto a la inscripción del dominio de los bienes y derechos reales pertenecientes al Estado y Corporaciones civiles

Con el tiempo, el régimen de protección de los bienes comunales se ha aproximado al previsto para el demanio público. Esto justifica que en el artículo 188 de la Ley de Régimen Local, texto refundido de 1955, se proclame su carácter inalienable, imprescriptible e inembargable, sin perjuicio de que, formalmente, sean considerados patrimoniales.

Finalmente, el artículo 132,1 de la Constitución de 1978 sanciona la inalienabilidad e imprescriptibilidad de estos bienes con el máximo rango normativo, aunque sin pronunciarse sobre su naturaleza jurídica, y la Ley de Bases de Régimen Local de 1985 (arts. 79,3 y 80,1) los incluye entre los de dominio público, zanjando así cualquier debate acerca de su naturaleza jurídica apoyado sólo en datos formales.

BIBLIOGRAFÍA

ALEMANY LLOVERA, Joan, 1991. *Los puertos españoles en el siglo XIX*. Madrid: Ministerio de Obras Públicas y Transportes, Secretaría General Técnica.

ÁLVAREZ-GENDÍN Y BLANCO, Sabino. 1952. "El dominio público. Su fundamento y naturaleza jurídica". En *Estudios dedicados al profesor Gascón y Marín en el cincuentenario de su docencia*. Madrid: Instituto de Estudios de Administración Local, pp. 259-302.

– 1956. *El dominio público. Su naturaleza jurídica*. Barcelona: Bosch.

– 1974. "Concepto histórico del dominio público en la legislación y en la doctrina". En Symposium Historia de la Administración (3º 1972. Alcalá de Henares, España) (ed.). *Actas del III Symposium de Historia de la Administración*. Madrid: Instituto de Estudios Administrativos, pp. 1-23.

ARANZADI, Estanislao de. 1976. *Nuevo diccionario de legislación*. III y VII. Pamplona: Aranzadi.

– 1977. *Nuevo diccionario de legislación*. XVII y XVIII. Pamplona: Aranzadi.

ARCENEGUI, Isidro E. de. 1991. "El patrimonio nacional. Naturaleza y régimen jurídico". En Martín-Retortillo, Sebastián (coord.). *Estudios sobre la Constitución española. Homenaje al profesor Eduardo García de Enterría*. V. Madrid: Civitas, pp. 3905-3915.

ARIAS BONET, José Antonio. 1959. "Dominio y utilidad pública en Derecho romano". En *Homenaje a don Nicolás Pérez Serrano*. I. Madrid: Instituto Editorial Reus, pp. 30-46.

AUBY, Jean-Marie y Pierre BON. 1993. *Droit administratif des biens. Domaine. Travaux publics. Expropriation* (2ª ed.). París: Dalloz.

---

en los nuevos libros del Registro de la propiedad; RO de 20 de junio de 1863 dictando las reglas que se han de observar para la inscripción en el registro de la propiedad de los bienes y derechos del Estado, de las corporaciones civiles y del clero; RD de 6 de noviembre de 1863 dictando reglas para la inscripción de los bienes inmuebles y derechos reales que posean o administren el Estado y las corporaciones civiles y no se hallen exceptuados de la desamortización; y RO de 1 de febrero de 1864 mandando que se proceda por los alcaldes a la inscripción en los registros de la propiedad de todas las fincas que posean los ayuntamientos, así de propios como de aprovechamiento común.

BALLBÉ, Manuel. 1945. "Concepto de dominio público", *Revista Jurídica de Cataluña* 5: 25-73.
- 1951. "Las reservas dominiales" *RAP* 4: 75-92.
- 1955. "Dominio público". En Pellisé Prats, Buenaventura (ed.). *Nueva Enciclopedia Jurídica*. VII. Barcelona: Francisco Seix, pp. 772-786.
BARCELONA LLOP, Javier. 1996. *La utilización del dominio público por la administración: las reservas dominiales*. Pamplona: Aranzadi.
BARCKHAUSEN, Henri. 1902 y 1903. "Étude sur la théorie générale du domaine public", *Revue du Droit Public* 18: 401-446; 19: 31-69.
BASSOLS COMA, Martín. 1983. "Instituciones administrativas al servicio de la Corona: Dotación, Casa de S. M. el Rey y Patrimonio Nacional", *RAP* 100-102 (II, enero-diciembre): 891-933.
BENEYTO PÉREZ, Juan. 1932. "Notas sobre el origen de los usos comunales", *AHDE* 9: 33-102.
BERMEJO VERA, José. 1975. *Régimen jurídico del ferrocarril en España: (1844-1974): estudio específico de RENFE*. Madrid: Tecnos.
BERMÚDEZ AZNAR, Agustín. 1974. "Bienes concejiles de propios en Castilla bajomedieval". En Symposium Historia de la Administración (3º 1972. Alcalá de Henares, España) (ed.). *Actas del III Symposium de Historia de la Administración*. Madrid: Instituto de Estudios de la Administración, pp. 825-867.
CALVO SÁNCHEZ, Luis. 2001. *La génesis histórica de los montes catalogados de utilidad pública (1855-1901)*. Madrid: Organismo Autónomo Parques Nacionales.
- 2003. *El Catálogo de Montes. Origen y evolución histórica (1859-1901)*. Madrid: Organismo Autónomo Parques Nacionales.
ILUSTRE COLEGIO DE REGISTRADORES DE LA PROPIEDAD Y MERCANTILES DE ESPAÑA y CENTRO DE ESTUDIOS HIPOTECARIOS. 1991. *Leyes Hipotecarias y Registrales de España. Fuentes y evolución*. IV-I. *Legislación complementaria*. Madrid: Editorial Castalia.
COLMEIRO, Manuel. 1850. *Derecho administrativo español* (1ª ed., 2 vols.). Madrid y Santiago de Compostela: Librería de D. Ángel Calleja; 1865 (3ª ed., 2 vols.). Madrid: Imprenta y Librería de Eduardo Martínez [edición facsímil, 1995. Santiago de Compostela: Escola Galega de Administración Pública].
COLOM PIAZUELO, Eloy. 1988. "Algunas reflexiones en torno a los comunales", *REALA* 237: 863-880.
- 1993. "Consecuencias de la implantación rígida de las municipalidades en la titularidad de los bienes de aprovechamiento vecinal", *REALA* 258: 289-336.
- 1994. *Los bienes comunales en la legislación de régimen local*. Madrid: Tecnos y Gobierno de Aragón.
- 2002. "El proceso de formación de la noción de bien comunal y sus consecuencias: los aprovechamientos vecinales en Aragón". En Dios, Salustiano de y Javier Infante Miguel-Motta y Ricardo Robledo y Eugenia Torijano Pérez (coords.). *Historia de la propiedad en España. Bienes comunales, pasado y presente*. Madrid: Colegio de Registradores, pp. 391-427.
CORMENIN, Barón de. [S.f.] *Questions de droit administratif* (1ª ed.). París: Impr. de Giraudet; 1837 (5ª ed., 2 vols.). Bruselas: Adolphe Walhen.
COS-GAYÓN, Fernando. 1881. *Historia jurídica del Patrimonio Real*. Madrid: Imprenta de Enrique de la Riva.
DIOS DE DIOS, Salustiano de. "Doctrina jurídica castellana sobre adquisición y enajenación de los bienes de las ciudades (1480-1640)". En Dios, Salustiano de y Javier Infante Miguel-Motta y Ricardo Robledo y Eugenia Torijano Pérez (coords.). *Historia de la pro-*

piedad en España. Bienes comunales, pasado y presente. Madrid: Colegio de Registradores, pp. 13-79.

DIOS DE DIOS, Salustiano de y Javier INFANTE MIGUEL-MOTTA y Ricardo ROBLEDO, y Eugenia TORIJANO PÉREZ. 1999. *Historia de la propiedad en España. Siglos XV-XX.* Madrid: Colegio de Registradores.

- 2002. *Historia de la propiedad en España. Bienes comunales, pasado y presente.* Madrid: Colegio de Registradores.

DOMAT, Jean. 1778. *Derecho Público.* Traducido al castellano por Juan Antonio Trespalacios (4 vols.). Madrid: Imprenta de Benito Cano. Reedición, 1985. Madrid: Instituto de Estudios de Administración Local.

DUGUIT, Léon. 1930. *Traité de Droit constitutionnel* (3ª ed. 5 vols.). París: E. de Boccard.

FENET, P. A. 1968. *Recueil complet des travaux préparatoires du Code civil.* Reimpresión de la edición de 1825. Osnabrücjk: Otto Zeller.

FERNÁNDEZ DE VELASCO, Recaredo. 1921. "Naturaleza jurídica del dominio público según Hauriou. Aplicación a la legislación española", *Revista de Derecho Privado* 94-95: 230-236.

- 1942. "Sobre la incorporación al Código civil español de la noción de dominio público", *Revista de la Facultad de Derecho de Madrid* 8-11 (Homenaje a J. Gascón y Marín): 113-127.

FERNÁNDEZ ESPINAR, Luis Carlos. 1997. *Derecho de minas en España (1825-1996).* Granada: Comares.

FERNÁNDEZ RODRÍGUEZ, Tomás Ramón y Juan Alfonso SANTAMARÍA PASTOR. 1977. *Legislación administrativa española del siglo XIX.* Madrid: Instituto de Estudios de la Administración.

FOUCART, Émile Victor. 1834-1835. *Eléments de droit public et administratif* (1ª ed. 2 vols.). París: Videcoq; 1839 (2ª ed., 3 vols.) París: Videcoq.

GALLEGO ANABITARTE, Alfredo. 1982. "Los cuadros del Museo del Prado (I). Reflexiones histórico y dogmático-jurídicas con ocasión del artículo 132 (y 133.1) de la Constitución española de 1978". En Presidencia del Gobierno (ed.). *Administración y Constitución. Estudios en homenaje al Profesor Mesa Moles.* Madrid: Presidencia del Gobierno, pp. 227-309.

- 1986. "El derecho español de aguas en la historia y ante el derecho comparado". En Gallego Anabitarte, Alfredo y Ángel Menéndez Rexach y José Manuel Díaz Lema. *El Derecho de aguas en España.* I. Madrid: Ministerio de Obras Públicas y Urbanismo, Centro de Publicaciones, pp. 13-420.

GARCÍA DE ENTERRÍA, Eduardo. 1984-1985. *Apuntes de Derecho administrativo.* 2º-I. Madrid: Universidad Complutense. Facultad de Derecho.

- 1998. *Dos estudios sobre la usucapión en Derecho administrativo* (3ª ed.). Madrid: Civitas.

GARCÍA DE ENTERRÍA, Eduardo y José Antonio ESCALANTE. 1982. *Legislación administrativa* (4ª ed.). Madrid: Civitas.

GARCÍA GALLO, Alfonso. 1959. "Bienes propios y derecho de propiedad en la alta edad media española", *AHDE* 29: 351-387.

GARCÍA GOYENA, Florencio. 1852. *Concordancias, motivos y comentarios del Código civil español* (4 vols.). Madrid: Imprenta de la Sociedad Tipográfico-Editorial a cargo de F. Abienzo). Reimpresión facsímil (2 vols.). 1974. Zaragoza: Universidad de Zaragoza.

GARCÍA GOYENA, Florencio y Joaquín AGUIRRE. 1852. *Febrero o librería de jueces, abogados y escribanos...* (4ª ed., 4 vols.). Madrid: Imprenta y librería de Gaspar y Roig.

GARCÍA ORTEGA, Pedro. 1982. *Historia de la legislación española de caminos y carreteras.* Madrid: Ministerio de Obras Públicas y Urbanismo.

GARRIDO FALLA, Fernando. 1962. "Sobre el régimen del dominio público". En *Problemática de la Ciencia del derecho. Estudios en Homenaje al Profesor José María Pi y Suñer*. Barcelona: Bosch, pp. 303-340.

– 2002. *Tratado de Derecho administrativo*. II. *Parte general: Conclusión* (11ª ed.). Madrid: Tecnos.

GÉRANDO, Barón de. 1829-1830. *Institutes du droit administratif français ou éléments du code administratif* (1ª ed. 4 vols.). París: Chez Nêve, Librairie de la Cour de Cassation; 1842-1846 (2ª ed., 5 vols.). París: Chez Nêve.

GÓMEZ DE LA SERNA, Pedro. 1843. *Instituciones de Derecho administrativo* (2 vols.). Madrid: Imprenta de D. Vicente de Lalama.

GÓMEZ MENDOZA, Josefina. 1992. *Ciencia y política de los montes españoles (1848-1936)*. Madrid: Icona.

GONZÁLEZ GARCÍA, Julio. 1998. *La titularidad de los bienes de dominio público*. Madrid: Marcial Pons.

GUAITA MARTORELL, Aurelio. 1956. "Le domaine public en Espagne", *Revue Internationale des Sciences Administratives* 22: 121-140.

– 1986. *Derecho Administrativo. Aguas, montes, minas* (2ª ed.). Madrid: Civitas.

HAURIOU, Maurice. 1897. *Précis de Droit Administratif et de droit public général* (3ª ed.). París: L. Larose.

IGLESIAS, Juan. 1982. *Derecho romano. Instituciones de Derecho Privado* (7ª ed.). Barcelona: Ariel.

INFANTE MIGUEL-MOTTA, Javier y Eugenia TORIJANO PÉREZ. 1999. "El aparato administrativo de la desamortización en la España del siglo XIX: una primera aproximación". En Dios, Salustiano de y Javier Infante Miguel-Motta y Ricardo Robledo y Eugenia Torijano Pérez (coords.). *Historia de la propiedad en España. Siglos XV-XX*. Madrid: Colegio de Registradores, pp. 371-402.

JOVELLANOS, Melchor Gaspar de. 1795. *Informe de la Sociedad Económica de esta Corte al Real y Supremo Consejo de Castilla en el expediente de Ley agraria*. Madrid: Imprenta de Sancha. 1995. Edición facsímil. Valladolid: Lex Nova.

LALINDE ABADÍA, Jesús. 1974. "El dominio público como paralogismo histórico en España". Symposium Historia de la Administración (3° 1972. Alcalá de Henares, España) (ed.). *Actas del III Symposium de Historia de la Administración*. Madrid: Instituto de Estudios de la Administración, pp. 447-482.

LASSO GAITE, Juan Francisco. 1970. *Crónica de la Codificación española*. IV-II. *Codificación civil. (Génesis e historia del Código)*. Madrid: Ministerio de Justicia.

LEYTE, Guillaume. 1996. *Domaine et domanialité publique dans la France médiévale (XIIᵉ-XVᵉ siècles)*. Prefacio de Albert Rigaudière. Estrasburgo: Presses Universitaires de Strasbourg.

LOCRÉ, Barón. 1836. *Législation civile, commerciale et criminelle ou commentaire et complément des Codes français*. Bruselas: Librairie de Jurisprudence de H. Tarlier. Reimpresión, 1990. Frankfurt am Main: Keip, cop.

LÓPEZ RODÓ, Laureano. 1954. *El patrimonio nacional*. Madrid: CSIC.

MARTÍN-RETORTILLO BAQUER, Lorenzo. 1969. "Aspectos del Derecho administrativo en la Revolución de 1868 (Las regulaciones iniciales)", *RAP* 58: 9-47.

MARTÍN-RETORTILLO BAQUER, Sebastián. 1963. *La Ley de Aguas de 1866. Antecedentes y elaboración*. Madrid: Centro de Estudios Hidrográficos.

MEDINA, León y Manuel MARAÑÓN. 1907. *Leyes administrativas de España conforme a los textos oficiales*. Madrid: Tip. de la Viuda e Hijos de Tello.

MESTRE, Jean-Louis. 1985. *Introduction historique au droit administratif français*. París: Presses Universitaires de France.

MUÑOZ MACHADO, Santiago. 2004. *Tratado de Derecho administrativo y Derecho público general*. I. Madrid: Civitas.

NIETO, Alejandro. 1964. *Bienes comunales*. Madrid: Revista de Derecho Privado.

ORTIZ DE ZÚÑIGA, Manuel. 1842-1843. *Elementos de Derecho administrativo* (3 vols.). Granada: Sanz.

PARDESSUS, Jean Marie. 1806. *Traité des servitudes suivant les principes du Code civil* (1ª ed.). París: Rondonneau; 1838 (8ª ed. 2 vols.). París: Nève, bajo el título *Traité des servitudes ou services fonciers augmentée en ce qui concerne principalement les actions possessoires, les chemins, les cours d'eaux, les usages, le voisinage et la compétence des juges de paix d'après la loi du 25 mai 1838*.

PAREJO ALFONSO, Luciano. 1983. "Dominio público: un ensayo de reconstrucción de su teoría general", *RAP* 100-102 (III): 2379-2422.

PAREJO GAMIR, Roberto. 1975. *Protección registral y dominio público*. Prólogo de J. L. Villar Palasí. Madrid: Revista de Derecho Privado.

PAREJO GAMIR, Roberto y José María RODRÍGUEZ OLIVER. 1976. *Lecciones de dominio público*. Madrid: ICAI.

PELLOUX, Robert. 1932. *Le problème du domaine public. Evolution et solutions actuelles*. París: Dalloz.

POSADA HERRERA, José. 1843. *Lecciones de administración* (3 vols.). Madrid: Establecimiento Tipográfico, calle del Sordo.

PROUDHON, Victor. 1833-1834. *Traité du domaine public ou de la distinction des biens* (1ª ed. 2 vols.). Dijon: V. Lagier; 1843 (2ª ed.). Dijon: Lagier.

REAL ACADEMIA DE LA HISTORIA. 1866. *Cortes de los antiguos Reinos de León y de Castilla*. III. Madrid: Imprenta y Estereotipia de M. Rivadeneyra.

SAINZ MORENO, Fernando. 1998. "Artículo 132. Dominio público, bienes comunales, patrimonio del Estado y patrimonio nacional". En Alzaga Villaamil, Óscar (coord.). *Comentarios a la Constitución española de 1978*. X. *Artículos 128 a 142*. Madrid: Edersa, pp. 181-263.

SALCEDO IZU, Joaquín. 1974. "Bienes públicos por confiscación: el supuesto de los Moriscos de Granada". En Symposium Historia de la Administración (3° 1972. Alcalá de Henares, España) (ed.). *Actas del III Symposium de Historia de la Administración*. Madrid: Instituto de Estudios de la Administración, pp. 629-654.

SERNA VALLEJO, Margarita. 1993. "Estudio histórico sobre los bienes comunes", *Revista Aragonesa de Administración Pública* 3: 207-229.

– 2004. "Desamortización y venta de bienes comunales", *Iura Vasconiae. Revista de Derecho Histórico y Autonómico de Vasconia* 1: 405-438.

– 2011. "Apuntes para la revisión del concepto de propiedad liberal en España doscientos años después de Cádiz", *Anuario de Historia del Derecho Español* 81: 469-491.

TOMÁS Y VALIENTE, Francisco. 1971. *El marco político de la desamortización en España*. Barcelona: Ariel. También en Lorente, Marta y Pedro Bravo (eds.). 1997. *Obras completas*. I. Madrid: Centro de Estudios Políticos y Constitucionales, pp. 547-634.

– 1974a. "Bienes exentos y bienes exceptuados de desamortización. (Análisis de la Jurisprudencia del Consejo de Estado y del Tribunal Supremo entre 1873 y 1880)". En Symposium Historia de la Administración (3° 1972. Alcalá de Henares, España) (ed.). *Actas del III Symposium de Historia de la Administración*. Madrid: Instituto de Estudios de la Administración, pp. 63-93. También en Lorente, Marta y Pedro Bravo (eds.). 1997. *Obras completas*. IV. Madrid: Centro de Estudios Políticos y Constitucionales, pp. 3143-3168.

– 1974b. "Algunos ejemplos de jurisprudencia civil y administrativa en materia de desamortización". En Nadal, Jordi y Gabriel Tortella (eds.). *Agricultura, comercio colonial*

*y crecimiento económico en la España contemporánea. Actas del I Coloquio de Historia Eco-
nómica de España* (Barcelona, 11-12 de mayo de 1972). Barcelona: Ariel, pp. 67-89.
También en Lorente, Marta y Pedro Bravo (eds.). 1997. *Obras completas*. IV. Madrid:
Centro de Estudios Políticos y Constitucionales, pp. 3169-3186.

VEGTING, Wihelmus Gerardus. 1950. *Domaine public et res extra commercium. Étude historique
du droit romain, français et néerlandais*. Traducción del holandés por Liliane Gomperts y
Claude Bernardin. Prólogo de Robert Pelloux. París: Alphen aan den Rijn: N. Samson.

VILLAR PALASÍ, José Luis. 1964. *La intervención administrativa en la industria*. Madrid: Instituto de Estudios Políticos.

VIVIER, Nadine. 1998. *Propriété collective et identité communale. Les biens communaux en France
1750-1914*. París: Publications de la Sorbonne.

ZOZ, María Gabriella. 1999. *Riflessioni in tema di res publicae*. Turín: G. Giappichelli.

Capítulo II

Cuestiones del régimen general del dominio público

JULIO V. GONZÁLEZ GARCÍA
Catedrático de Derecho administrativo
Universidad Complutense de Madrid

SUMARIO: I. INTRODUCCIÓN. II. CRITERIOS DE LA DEMANIALIDAD: UNIDAD Y HETEROGENEIDAD DEL DOMINIO PÚBLICO. III. EL PROBLEMA DE LA NATURALEZA JURÍDICA DEL DOMINIO PÚBLICO. 1. El dominio público como espacio no dominical: los bienes del art. 339.1 del Código civil. 2. El derecho de propiedad que tienen los poderes públicos sobre los bienes del art. 339.2 del Código civil. IV. EL PROBLEMA DE LA TITULARIDAD DEL DOMINIO PÚBLICO. 1. La titularidad de los bienes del art. 339.1 del Código civil y sus consecuencias. 2. La titularidad de los bienes del art. 339.2 del Código civil. V. COMPONENTES CONSTITUCIONALES DE LA REGULACIÓN DE LOS BIENES PÚBLICOS. 1. Reserva de ley y competencia del Estado para demanializar una categoría de bienes, como consecuencia de su exclusión del comercio. 2. Otras competencias afectadas por la determinación del régimen jurídico del dominio público. 3. El establecimiento constitucional de un régimen de especial protección: inalienabilidad, imprescriptibilidad e inembargabilidad. A) Inalienabilidad. B) Imprescriptibilidad del dominio público. C) Inembargabilidad del dominio público. VI. AFECTACIÓN, DESAFECTACIÓN Y MUTACIÓN DEMANIAL. 1. Entrada del bien en el dominio público. 2. Cambio de destino del bien: mutación demanial. 3. La salida del dominio público: la desafectación de los bienes. VII. LA PROTECCIÓN DE LOS BIENES PÚBLICOS. CUESTIONES GENERALES Y ESPECIALIDADES DEL RÉGIMEN DE PROTECCIÓN DEL DOMINIO PÚBLICO. 1. Medidas de protección interna: inventarios administrativos. 2. Exteriorización externa de la situación de los bienes: inscripción en los registros públicos. 3. Investigación de la situación de bienes y derechos. 4. Deslinde administrativo. 5. Recuperación posesoria de oficio. 6. Desahucio administrativo. 7. Policía demanial. 8. Protección penal del dominio público. 9. Otras medidas de protección de los bienes demaniales y la función a la que están afectados: servidumbres y establecimiento de zonas de protección. VIII. LA UTILIZACIÓN DE LOS BIENES PÚBLICOS. 1. La utilización de los bienes afectos a un servicio público. A) El uso por parte de los entes públicos. B) Ocupaciones de particulares de edificios administrativos. C) Autorizaciones especiales. D) El uso normal de los particulares de los bienes afectos a un servicio público: en cuanto usuario del mismo. 2. La utilización de los bienes de uso común general. A) Uso común general. B) Aprovechamiento especial. C) Uso privativo del dominio público. D) Régimen de autorización y concesión como títulos habilitantes para la utilización del dominio público. a) Aspectos generales. b) Régimen común a autorizaciones y concesiones. c) Condiciones específicas de las concesiones de dominio público. d) Condiciones específicas para las autorizaciones. D) El uso por la Administración: las reservas.

I. INTRODUCCIÓN

La exposición de lo que se acostumbra a denominar como teoría general del dominio público sigue planteando en la actualidad problemas de difícil resolución. Fruto de una evolución jurídica compleja, y, pese a que ha recibido el reconocimiento constitucional en el art. 132 CE, resulta casi imposible buscar elementos que configuren un régimen jurídico unitario que sirva de conductor para todos los bienes que el art. 339 del Código civil y la Ley 33/2003, de Patrimonio de las Administraciones Públicas incluyen dentro de esta categoría. Podríamos encontrar vías de armonización para cada uno de los grupos que lo componen, pero desde luego, como se verá con posterioridad, los argumentos que son válidos para los bienes del primer apartado del art. 339 no son razonables para los del segundo y viceversa. Incluso, dentro del art. 339.2 podríamos establecer distinciones ya que no es lo mismo los edificios donde tengan su sede los organismos administrativos que los recursos mineros.

Hace más de cuarenta años NIETO ya afirmaba que "la teoría del dominio público sería una categoría lógica, que la doctrina importaría de Francia, y el Código civil adoptaría luego a su modo, para terminar introduciendo una confusión que cada día se agrava más, y a la que es urgente poner fin, aunque para ello sea preciso abandonar la teoría del dominio público, cuyos días —no es difícil predecirlo, aunque cause a algunos cierto escándalo— están contados"[1]. El hecho de que el art. 132 de la Constitución recogiera esta categoría, estableciera unos principios de su régimen jurídico e incluyera algunos bienes dentro de ella podría haber sido el primer paso para su reconsideración legal, en el marco de la ordenación general del derecho de bienes. No obstante, modificada la práctica totalidad de las normas reguladoras de los sectores demaniales con posterioridad a la promulgación del texto constitucional —como se puede ver a lo largo de este volumen—, establecido un nuevo régimen patrimonial general para las administraciones públicas, las bases siguen siendo las mismas que los redactores del Código establecieron a final del siglo XIX y que, en mi opinión, siguen planteando inconvenientes bastante considerables.

---

[1]   NIETO GARCÍA, A. *Los bienes comunales*, EDERSA, Madrid, 1964, p. 3. Es preciso reconocer que, en el último de los artículos en que ha estudiado esta cuestión parece pronunciarse a favor del dominio público como título de intervención.

II. CRITERIOS DE LA DEMANIALIDAD: UNIDAD Y HETEROGENEIDAD DEL DOMINIO PÚBLICO

De acuerdo con los criterios tradicionales, para que un bien pueda ser considerado del dominio público, se requiere la concurrencia de una serie de elementos subjetivo, objetivo, teleológico y normativo hoy por todos conocidos y que comúnmente aceptados desde su sistematización por BALLBÉ[2]. En este momento conviene detenerse un momento en el denominado elemento teleológico, que posiblemente resulte uno de los más caracterizadores del demanio. De acuerdo con lo dispuesto en el art. 339 del Código civil, para que un bien esté en el dominio público es preciso que esté sirviendo al cumplimiento de una de las finalidades que están recogidas: uso público, servicio público y fomento de la riqueza nacional. El art. 339 del Código civil es, en este sentido claro cuando dispone:

> "Son bienes de dominio público:
> 1º Los destinados al uso público, como los caminos, canales, ríos, torrentes, puertos y puentes construidos por el Estado, las riberas, playas, radas y otros análogos.
> 2º Los que pertenecen privativamente al Estado sin ser de uso común y están destinados a algún servicio público o al fomento de la riqueza nacional, como las murallas, fortalezas y demás obras de defensa del territorio, y las minas mientras no se otorgue su concesión".

En esta misma línea ha seguido la legislación española posterior al Código. Así, el art. 1 del Texto Articulado de la Ley del Patrimonio del Estado de 15 de abril de 1964, que definía el bien patrimonial de forma negativa, por oposición al bien demanial, dispone que van a tener aquélla consideración "los bienes que siendo propiedad del Estado no se hallen afectos al uso general o a los servicios públicos, a menos que una Ley les confiera expresamente el carácter de demaniales. Los edificios propiedad del Estado en los que se alojen órganos del mismo tendrán la consideración de demaniales".

La orientación marcada por el Código civil de agrupación de bienes heterogéneos en cuanto a su naturaleza y funciones se mantiene en el art. 5 LPAP[3] que dispone que son bienes y derechos de dominio o demaniales:

---

[2]   BALLBÉ, M. *Concepto de dominio público* en la *Revista Jurídica de Cataluña*, n° 5 (1945), pp. 25 y ss.; luego publicado, con adenda bibliográfica en la Enciclopedia Jurídica Seix, pp. 772 y ss.

[3]   Es necesario resaltar, no obstante, que el "fomento de la riqueza nacional" ha dejado de ser un criterio de inclusión de bienes en el dominio público, lo que supone una suerte de derogación tácita de ese inciso del art. 339.2 Cc. Bien es cierto que habrá

"1. Son bienes y derechos de dominio público los que, siendo de titularidad pública, se encuentren afectos al uso general o al servicio público, así como aquellos a los que una ley otorgue expresamente el carácter de demaniales.

2. Son bienes de dominio público estatal, en todo caso, los mencionados en el art. 132.2 de la Constitución.

3. Los inmuebles de titularidad de la Administración General del Estado o de los organismos públicos vinculados a ella o dependientes de la misma en que se alojen servicios, oficinas o dependencias de sus órganos o de los órganos constitucionales del Estado se considerarán, en todo caso, bienes de dominio público.

4. Los bienes y derechos de dominio público se regirán por las leyes y disposiciones especiales que les sean de aplicación y, a falta de normas especiales, por esta ley y las disposiciones que la desarrollen o complemente. Las normas generales del derecho administrativo y, en su defecto, las normas del derecho privado se aplicarán como derecho supletorio".

La unificación de todos estos bienes dentro del dominio público está, por tanto, recogida en la legislación, a pesar de las dificultades que plantean desde todo punto de vista. No obstante, las páginas siguientes parten de la dificultad que supone reconducir a la unidad el régimen jurídico del demanio. No creo, en este sentido, que el nexo de unión entre el edificio de las siete chimeneas, sede del Ministerio de Cultura, y la Administración General del Estado sea el mismo que el de la playa de Torimbia (Asturias). Partiendo de este dato, es dificultoso reconducir a la unidad el régimen de ambos bienes, cuando uno es desafectable por un mero acto administrativo y el otro no lo es, por imperativo constitucional, cuando sobre uno caben unas modalidades de utilización que no son factibles sobre el otro, cuando las funciones y objetivos que se persiguen con la demanialización son tan diferentes. La línea ha conducido hacia una censurable patrimonialización del dominio público, tal como lo ha señalado recientemente MENÉNDEZ REXACH[4].

Obviamente hay elementos comunes en el régimen jurídico de todos estos bienes, pero eso no quita para que, en mi opinión, estemos hablando de figuras diferentes, dado que los aspectos similares de su régimen jurídico no son sino la manifestación de la intercambiabilidad de técnicas jurídicas a que hiciera referencia VILLAR PALASÍ. De hecho, la propia separación de los bienes públicos en estas dos grandes categorías —dejo fue-

---

leyes especiales que incluyan algunos de estos bienes den el demanio, como ocurre con las minas.

[4]   MENÉNDEZ REXACH, A., "El concepto de patrimonio de las Administraciones públicas. Tipología de bienes públicos. La categoría del dominio público"; dentro de la obra colectiva dirigida por HORGUÉ BAENA, C.; *Régimen patrimonial de las Administraciones públicas*, Iustel, Madrid (2007), p. 69.

ra, obviamente, el patrimonio nacional y los bienes comunales, que tienen problemáticas especiales— acaba siendo poco útil para delimitar régimen jurídico y funcionalidades de los bienes públicos en la mayor parte de los supuestos. De hecho, en los últimos tiempos se ha venido observando una tendencia hacia la huida el régimen demanial, a través de la utilización de figuras atípicas y que cumplen funcionalidades diversas en el desarrollo de las actividades administrativas. El recurso a los mecanismos de colaboración público-privada para la ejecución de infraestructuras públicas y su impacto patrimonial es, en este sentido, una prueba palmaria de lo que está sucediendo. Es un argumento más para señalar lo poco útil de la distinción tal como está configurada en la LPAP, lo que aconsejaría un cambio metodológico profundo.

En este sentido, creo más recomendable otro camino para entender el dominio público, debe seguir las huellas marcadas por GALLEGO ANABITARTE que divide la categoría en tres grupos, bastante distintos entre ellos[5]:

---

[5]   GALLEGO ANABITARTE, A., dentro de dos obras colectivas. La primera en el tiempo es la que realiza en colaboración con MENÉNDEZ REXACH, A. y DÍAZ LEMA, J. M. *El Derecho español de aguas en la historia y ante el Derecho comparado*, en la obra colectiva que realizó con DÍAZ LEMA, J. M. y MENÉNDEZ REXACH, A., **El Derecho de aguas en España**, MOPU, Madrid 1986, p. 363. La segunda es la coordinada por SALVADOR, A., **Ley de aguas: análisis de la Jurisprudencia Constitucional**; donde se recogen las ponencias de las jornadas sobre la situación de la ley de aguas tras la sentencia del Tribunal Constitucional del pasado 29 de noviembre, dentro de las cuales el Prof. GALLEGO ANABITARTE realiza la suya sobre *el Concepto de Dominio Público hidráulico. El concepto de dominio público y la sentencia del Tribunal Constitucional de 29 de noviembre de 1988*, Ed. INAP, Madrid 1990, p. 33.
Realizar una división dentro de las categorías de bienes que recoge el Código civil tiene algunos antecedentes. Así debe verse la que tempranamente realiza MANRESA, que señala que "en rigor concibiendo el Estado como debe concebirse, cabe entre él y los bienes que el Código enumera tres relaciones diferentes, en vez de dos, a pesar de lo que por otra parte opinan algunos comentaristas. La relación jurídica de *dominio público* según el concepto más racional de éste comprende los bienes que son de la nación, de la comunidad social; respecto de ellos no tienen más que la función representativa ya indicada... Pero hay otra relación jurídica la que se encuentran bienes (núm. 2 del. 339) que no son, en rigor, de dominio público, al menos en el concepto y forma que los anteriores; son del dominio del Estado, como representante social que realiza el derecho, y para poder prestar aquellos servicios públicos que le están encomendados, así como para que contribuya al fomento de la riqueza nacional que está bajo su custodia. No son estos bienes patrimoniales, porque están como adscritos a un servicio necesario o bien los tiene el Estado en espera de un empleo oportuno (las minas mientras no se otorgue su concesión) ni constituyen una fuente especial de riqueza, fuente de ingresos o medio en disponibilidad para atender la satisfacción de

a) Por un lado, nos encontramos con bienes que "están fuera del comercio porque son de uso común, estando su administración y cuidado a cargo del Estado o del correspondiente sujeto público que no
tiene un derecho de propiedad stricto sensu, sino una relación de señorío o jurisdicción sobre unos bienes que no son de nadie, sino de
la comunidad en general y que por lo tanto son en principio inembargables, inalienables e imprescriptibles para preservar fundamentalmente el uso común". En definitiva, sería el conjunto de bienes
demaniales encuadrables dentro de los arts. 339.1 y 344.1 del Código
civil, que suelen tener disposiciones especiales y que constituyen los
grupos de bienes que tienen características y funciones que les hacen
estar fuera del dominio privado, en el dominio público y por ello,
de una interpretación integrada de los arts. 132 y 33 —y concordantes— deberían ser los únicos con naturaleza demanial. Esta categoría
tenía cierta uniformidad que fue borrada con el reconocimiento del
carácter patrimonial de parte de las infraestructuras aeroporturarias.

b) En segundo lugar, nos encontramos con aquellos bienes que, como
nos recuerda el art. 339.2º Cc "pertenecen privativamente al estado,
sin ser de uso común, y están destinados a algún servicio público o
al fomento de la riqueza nacional". Esto es, bienes sobre los que el
titular tiene un derecho de propiedad comparable al de cualquier
particular pero que entran dentro del dominio público y reciben sus
reglas (aunque modalizadas) en virtud de la especial función que
están cumpliendo ya sea a la comunidad directamente ya sea pre-
dominantemente al ente público que sea su titular. Se trataría de
bienes patrimoniales, que por razón del carácter instrumental de la
Administración han de estar afectos al cumplimiento de las funciones públicas propias de ese ente público, que es lo que caracteriza a
las Administraciones públicas.

c) El tercer sentido de la expresión dominio público es el predicable
para aquellos supuestos en los que para acceder a los bienes y ex-

---

sus necesidades" MANRESA Y NAVARRO, J. Mª *Comentarios al Código civil.* Tomo III,
Madrid, Imprenta de la Revista de legislación, (1893), p. 56.
Últimamente, SANTAMARÍA PASTOR ha propuesto la separación del patrimonio
público en patrimonio de preservación, patrimonio de regulación, patrimonio de
soporte, patrimonio operativo y patrimonio financiero y de cartera. SANTAMARÍA
PASTOR, J. A., "Objeto y ámbito. Tipología de los bienes públicos y el sistema de dis-
tribución de competencias", en la obra colectiva dirigida por CHINCHILLA MARÍN,
C., *Comentario a la Ley 33/2003..., op. cit.,* pp. 92 y ss.

plotarlos hemos de tener autorización expresa del Estado o de la persona pública que sea competente; que es el supuesto dentro del cual hemos de encuadrar las minas. En la evolución posterior, sin embargo, quedará fuera por plantear problemas específicos que son analizados en los dos capítulos correspondientes a minas e hidrocarburos.

Si nos encontramos ante elementos tan diversos dentro del dominio público, habría que plantearse el sentido de la categoría tal como está configurada legalmente y precisamente por ello es por lo que propongo su acotamiento sólo a las grandes categorías de bienes que han de estar fuera del comercio. Para lo demás ni es necesario ni incluso me atrevería a señalar que resulta conveniente. Posiblemente hay un factor que aún resulta más determinante: en el momento en que surge el dominio público la Administración estaba necesitada de títulos habilitantes para desarrollar su actividad, a diferencia de lo que ocurre en la actualidad. VILLAR PALASÍ lo expresa perfectamente: "el dominio público nació más bien, y pervive hoy como técnica jurídica eficaz, con un sentido plenamente funcional: construir un título de intervención administrativa plena, pues sobre el demanio la Administración no otorga autorizaciones sino concesiones como regla general... (la Administración) está interesada en otorgar concesiones al máximo, despojándose, aparentemente, del contenido útil de lo publificado. Esta aparente contradicción es la que desvela totalmente la función de la *publicatio*: construir sobre ella el título de intervención (...) no pretende la Administración conquistar propiedades sino potestades"[6].

En la actualidad, el funcionamiento de la Administración en el marco de un Estado social cambia totalmente el parámetro de análisis. Los entes públicos no necesitan utilizar el dominio público para intervenir en un sector de la actividad económica dado que en el propio texto constitucional encuentran su habilitación. Esta modificación de las posición constitucional de la Administración obliga a una alteración de planteamiento sobre el dominio público: como ha indicado la jurisprudencia constitucional, es un último recurso de ordenación de bienes para la satisfacción de las necesidades colectivas, en aquellos casos en los que los objetivos que pretende la regulación no se puedan obtener mediante el uso de otras técnicas jurídicas que precisan del recurso al derecho de propiedad, a su inclusión en

---

6   VILLAR PALASÍ, J. L., *Derecho Administrativo. Introducción y teoría de las normas*. Universidad de Madrid. Facultad de Derecho, 1969, pp. 32-33.

el comercio[7]. El propio ejemplo de bien de dominio público que recoge la Constitución, el marítimo-terrestre, sirve como punto de referencia. Desde el otro punto de vista, las estrecheces que plantea el demanio en relación con las infraestructuras es también reseñable, como se señala en el capítulo correspondiente de este volumen[8].

Ahora bien, cambio en el análisis del dominio público que no se puede realizar aisladamente sino que obliga a una redimensión de la otra gran categoría de bienes públicos, los patrimoniales; en el sentido de proporcionarle una funcionalidad diferente. Sobre este punto, me remito a lo que indico en las páginas correspondientes de este volumen sobre los bienes patrimoniales.

III. EL PROBLEMA DE LA NATURALEZA JURÍDICA DEL DOMINIO PÚBLICO

Posiblemente el problema que más páginas ha suscitado la teoría general del dominio público ha sido el de su naturaleza jurídica, dado que es lo que pretende explicar las diferencia que existen con otros mecanismos de gestión de bienes. Con el planteamiento de esta cuestión no se ha hecho otra cosa que trasladar a nuestro ordenamiento jurídico "uno de los torneos dogmáticos más persistentes de la cultura jurídica europea"[9], que ha alcanzado a todos los países y cuyo punto más relevante está constituido por la controversia que mantuvieron a mediados del siglo XIX IHERING y KELLER, por un lado, y DERENBURG y RÜTTIMAN, por el otro, en Alemania, acerca del carácter que tenían las murallas desafectadas de Basilea[10]

---

[7]   En relación con el medio ambiente, véase lo indicado a este respecto por DARNACU-LLETA I GARDELLA, M., *Recursos naturales y dominio público: el nuevo régimen de demanio natural*; Ed. Cedecs, Barcelona (2000), pp. 90 y ss.

[8]   Una visión general y las experiencias de otros ordenamientos se puede obtener en MUÑOZ MACHADO, S., *Tratado de Derecho Administrativo y Derecho Público General*, Thompson-Civitas, Madrid (2004), Tomo I, pp. 1296 y ss.

[9]   NIETO GARCÍA A. *La nueva regulación de los bienes comunales*, en la *Revista de Estudios de la Administración Local y Autonómica*, nº 233 (enero-marzo 1987) p. 14.

[10]   La controversia sobre el carácter de las cosas públicas se extendió por toda Europa a lo largo del siglo XIX y adquiere en Alemania un nivel dogmático insuperable con ocasión del resonante pleito, de 1862, sobre las murallas desafectadas de Basilea, cuyos solares discutían la ciudad y el cantón, y en el que participaron los grandes pandectistas del momento, RÜTTIMANN y DERENBURG, que, por su lado sostiene la existencia de un derecho de propiedad, aunque fuera en uso común (*Gemeingebrauch an Privateigentum); mientras que KELLER y IHERING mantuvieron lo contrario. La

En España el debate sobre la naturaleza del dominio público está mediatizado por lo acaecido en el Derecho francés. Más concretamente, fue la recepción de la obra de HAURIOU, por parte de FERNÁNDEZ DE VELASCO[11], lo que modificó una posición que no presentaba fisuras doctrinalmente y que negaba la existencia de un derecho de propiedad en el dominio público. La Exposición de Motivos de la Ley de aguas de 1866[12], o el propio articulado de la Ley relativa al dominio de las aguas del mar litoral y de sus playas y de las acciones y servidumbres de los terrenos contiguos de 8 de mayo de 1880[13] era sintomática de la posición de los autores españoles hasta mediados de la década de los veinte del siglo anterior. No obstante, sí conviene recordar que frente al hecho de que la doctrina francesa siga siendo unánime en la consideración del dominio público como una manifestación del derecho de propiedad, en nuestro país tienen un derrotero diferente. En efecto, desde la promulgación del texto constitucional y a diferencia de lo que ocurría con anterioridad a 1978, cada vez más autores piensan que el dominio público constituye un título de intervención de los poderes públicos[14].

---

tradición jurídica alemana era, desde luego, favorable a la primera postura, pero sus adversarios se apoyaban en textos incontestables del derecho romano que excluían de la propiedad las cosas de uso común.

[11]   FERNÁNDEZ DE VELASCO, R., *Naturaleza jurídica del dominio público según Hauriou. Aplicación de su doctrina a la legislación española*, en la *Revista de Derecho Privado*, (1921), pp. 230 y ss. De hecho, en alguna ley posterior ya se modifica la consideración del dominio público. Así, por ejemplo, en la Ley de 28 de junio de 1933, cediendo a los Municipios donde están enclavados los bienes que constituyen el Patrimonio de la República, los derechos de propiedad que éste ostenta sobre el suelo de las calles, plazas y vías de dichos términos municipales, se señala que el objeto de la cesión está constituido por "los derechos de propiedad que ésta —la República— ostenta sobre el suelo de las calles, plazas y vías de dichos términos municipales".

[12]   Concretamente, señalaba al respecto que:
"Por dominio público de la Nación entiende el que a ésta compete sobre aquellas cosas cuyo uso es común por su propia naturaleza o por el objeto a que se hallan destinadas: tales son, por ejemplo, las playas, caminos, ríos, muelles y puertos públicos; su carácter principal es ser inenajenable e imprescriptible. Y por dominio particular del Estado entiende el que a éste compete sobre aquellas cosas destinadas a su servicio, o sea a la satisfacción de sus necesidades colectivas y no al uso común, cosas de las que dispone como los particulares que constituyen su patrimonio; tales son, entre otras muchas, los montes, minas, arsenales, fortalezas y edificios militares".

[13]   Ley que efectúa una diferenciación clara entre el dominio público —sobre el litoral— y la propiedad del estado —sobre algunas de las construcciones o sobre los bienes que son arrojados por el mar—.

[14]   Una visión general de las posiciones en la doctrina española sobre la naturaleza del dominio público se puede ver en mi trabajo La titularidad de los bienes del dominio

Es un cambio importante, teniendo en cuenta lo que se opinaba con anterioridad y las autorizadas voces que lo sostenían. No obstante, sea derecho de propiedad, sea título de intervención de los poderes públicos, creo que se sigue planteando un problema central: entender todas las categorías demaniales como si constituyeran un régimen homogéneo. Esto es, todos los bienes de dominio público, ya sean playas, edificios, minas o carreteras, se pretenden explicar con arreglo al mismo esquema jurídico, ya sea bajo la forma de un título de intervención de los poderes públicos, ya sea como manifestación del derecho de propiedad. Y ello pese a que la heterogeneidad que hay en el contenido del art. 339 Cc coloca a la doctrina en una postura muy difícil: los argumentos del uso común propios del número 1 no son aplicables a los supuestos del número 2 y viceversa.

La solución hubiera podido venir desagregando ambos elementos y dando a cada uno de ellos un tratamiento distinto; pero ello hubiera implicado un desconocimiento frontal de la inspiración del Código, que pretendía imponer a todo trance la unidad conceptual. No obstante, reitero, los problemas que aparecen en cada una de las dos concepciones, concebidas globalmente, son el resultado de esta unificación del dominio público en una categoría pretendidamente homogénea; cuando la realidad muestra una cosa totalmente diferente. Aquí obvia decirlo está en el debe de la reciente Ley de Patrimonio de las Administraciones Públicas la realización de un planteamiento distinto, más acorde con la realidad de los bienes. En definitiva, se trataría de recuperar la tradición jurídica española anterior al Código civil, desagregando bienes del dominio público, proporcionando la funcionalidad lógica a los bienes patrimoniales —que se está imponiendo a través de las nuevas formas de financiación de infraestructuras—, lo que nos conduciría a incorporar la racionalidad al régimen de los bienes públicos que hoy le falta.

1. El dominio público como espacio no dominical: los bienes del art. 339.1 del Código civil

El punto de partida, en este sentido, me parece que ha de ser, como he venido indicando, el de la diferenciación entre los bienes que están inclui-

---

público, marcial Pons Ediciones Jurídicas. Asimismo, SAINZ MORENO, F., *El dominio público: una reflexión sobre su concepto y naturaleza, cincuenta años después de la fundación de la Revista de Administración Pública*, en el número 150 de la *Revista de Administración Pública*, pp. 477 y ss.

dos dentro de esta categoría tan heterogénea. Si se realiza una configuración general del derecho de bienes, se ha de concluir que la ordenación que se ha de efectuar deriva de los valores que están en los bienes y los fines de interés general que se puedan conseguir con cada uno de ellos. Este dato es, además, dependiente tanto de la naturaleza que tengan y de las posibilidades que tengan de apropiación como las obligaciones de gestión para el cumplimiento de esa necesidad colectiva que es la que impone una determinada ordenación, como consecuencia del sometimiento de toda la riqueza del país al interés general. La separación de los diferentes bienes que entrarían dentro del dominio público del tráfico jurídico normal, estableciéndose un modo diferente para lograr su gestión y la consecución de determinadas finalidades públicas es la consecuencia de que se trata de bienes con unos caracteres físicos específicos o del la conexión con ciertas necesidades colectivas, lo que motiva tanto la separación del régimen ordinario de bienes. En mi opinión, esta diferenciación resulta necesaria tanto para configurar adecuadamente todos los bienes públicos como para fijar adecuadamente los límites del derecho de propiedad.

Si el valor que tiene la categoría de bienes objeto de la ordenación trasciende el interés particular, nos deberíamos encontrar ante una situación distinta a la del derecho de propiedad. Creo, en este sentido, que, como señaló en su momento RODOTÁ, el problema esencial que aconseja un replanteamiento del derecho de bienes radica en que "las mismas características físicas de los recursos en cuestión ponen unos límites insuperables a su fragmentación y proporcionan una base material indiscutible para la subsistencia del carácter colectivo de los intereses que tienen en ellos su punto de referencia"[15]. En relación con el dominio público los poderes públicos han realizado un proceso de exclusión de la propiedad sobre estos bienes dado que por sus especiales cualidades son imprescindibles para el propio desenvolvimiento de la sociedad. Aquí realmente no hay un proceso de apropiación de bienes sino, por el contrario, una gestión de intereses colectivos mediante la exclusión del tráfico jurídico de ciertos bienes. Así los señala la STC 227/88, que efectúa una vinculación esencial entre el dominio público y la exclusión del derecho de propiedad:

> "Si la técnica jurídica del dominio público supone ante todo la segregación de determinados bienes del tráfico jurídico privado, es obvio que la inclusión en el mismo de categorías enteras de bienes, definidas por sus elementos naturales, constituye una línea divisoria, de alcance general, respecto de la clasificación de los bienes en

---

15 RODOTÁ, S., *El terrible derecho. Estudios sobre la propiedad privada.* Ed. Civitas, Madrid, 1981, p. 59.

susceptibles o no de ser objeto del derecho de propiedad privada. Las normas jurídicas establecen así una *summa divisio* que, sin perjuicio de la afectación singular de
otros bienes que pueden ser indistintamente objeto de apropiación privada, repercute de manera directa en el régimen jurídico del derecho que reconoce el art. 33.1 de
la Constitución, al que fijan un límite objetivo esencial".

Nos encontramos, pues, no ante manifestaciones de la propiedad, ante
propiedades especiales, sino ante lo que RODOTÁ[16] ha denominado "espacio interior no dominical". Este espacio interior no dominical puede ser,
como señala dicho autor, el resultado de dos fenómenos: por un lado, que
"en lo que concierne a algunos bienes no es ni siquiera posible establecer
la hipótesis del paso a un régimen que se caracterice por una partición
entre sujetos determinados del bien «creado» o por la aparición de una
situación de escasez; ya sea porque para tales bienes la tutela dominical,
aun cuando se vista con las reliquias de la propiedad colectiva, resulta en
la mayor parte de los casos inidónea para abarcar en su totalidad la entera
situación de conflicto o la totalidad de los intereses. En un caso, el recurso
a la disciplina de la propiedad choca con las características naturales del
bien y, en el otro, no consigue expresar la relación existente entre intereses
y bienes y se ve constreñida a seleccionar los portadores de tales intereses
con criterios individualistas tópicos del modelo de la propiedad solitaria,
mientras respecto del bien el interés se califica en conjunto como colectivo
y se atribuye por ello al bien mismo un carácter público"[17].

Fruto de que no nos encontremos ante un derecho de propiedad sino
ante un señorío es que el conjunto de facultades de que dispone el titular
no son reconducibles a la idea de la apropiabilidad de bienes (característica de la propiedad y de las formas capitalistas e individualistas de acumulación de bienes que asquean por su propia naturaleza a estos bienes
demaniales) sino a la idea de gestión de intereses colectivos. En efecto, como es fácil comprobar si realizamos un estudio de las leyes reguladoras de
estos sectores demaniales es que al titular del demanio, se le van a otorgar
facultades que hacen referencia a la mejor gestión de los bienes por cuenta

---

[16] RODOTÁ, S., *El terrible derecho...*, *op. cit.*, p. 62.
[17] RODOTÁ, S., *El terrible derecho...*, *op. cit.*, p. 58. Como señala dicho autor, ello ocurre
     tanto en los bienes de lo que se podría considerar como demanio artificial pero sobre
     todo en relación con los bienes naturales, sobre los cuales la situación de escasez hace
     que la apropiabilidad de los bienes consustancial al derecho de propiedad sea aún más
     inidónea.

de la comunidad "en orden a la procura de diversos intereses públicos"[18], distintos en relación con cada tipo de bienes.

Esta gestión de intereses colectivos se realiza, en el marco del Estado social, sin necesidad de recurrir al instrumento de la propiedad. Esta obliga a que se produzca por parte de los titulares una apropiación de bienes, en el sentido de que el interés primordial del titular sea el que se garantice mediante su titularidad (con independencia de la publificación del interés en los casos de la propiedad de los entes públicos). Aquí, al contrario, se produce una gestión de bienes, en el sentido de que, teniendo en cuenta la importancia que tienen para la colectividad, se crean los instrumentos jurídicos que permiten tanto la defensa del carácter público del bien, sin usurpaciones por parte de los particulares que impedirían prestar ese servicio a los intereses generales, como la utilización general por parte de todos aquellos que lo precisen, siempre en condiciones que no se perjudique la utilización por parte de los demás individuos. Y esto es algo que, aunque aparezca con mayor intensidad en relación con los bienes naturales, se percibe de igual manera con el demanio artificial. Este doble papel del dominio público fue reconocido en la STC 149/91, que señaló:

> "En primer lugar para asegurar una igualdad básica en el ejercicio del derecho a disfrutar de un medio ambiente adecuado al desarrollo de la persona (art. 45 CE)... No es ya la titularidad demanial, sino la competencia que le atribuye el citado art. 149.1.1ª la que fundamenta la legitimidad de todas aquellas normas destinadas a garantizar, en condiciones básicamente iguales, la utilización pública, libre y gratuita del demanio para los usos comunes y a establecer, correlativamente el régimen jurídico de aquellos usos u ocupaciones que no lo son. De otro lado, tanto para asegurar la integridad física y las características propias de la zona marítimo-terrestre como para garantizar su accesibilidad es imprescindible imponer servidumbres sobre los terrenos colindantes y limitar las facultades dominicales de sus propietarios, afectando así, de manera importante, el derecho que garantiza el art. 33.1 y 2 CE".

En este sentido, conviene que tengamos presente qué es lo que se pretende por parte del legislador cuando se incluye una determinada categoría de bienes en el demanio. En modo alguno aparece dentro de su normativa contenido suficiente para poder señalar que se produce una apropiación de bienes por parte del titular del demanio. Al contrario, advertida una determinada necesidad social, el legislador, dentro del ámbito discrecional que tiene, fija unos determinados objetivos que se deben alcanzar y que constituyen la razón esencial para realizar la demanialización

---

[18]   LÓPEZ Y LÓPEZ, A. *La disciplina constitucional de la propiedad privada*, Ed. Tecnos, Madrid 1988, p. 80.

de una categoría de bienes. Estos principios, que irradiarán su influencia sobre todas las actuaciones que se realicen en el demanio, tienen que ser concretadas en todas las disposiciones en los que se regulen ámbitos de actividad pública o privada que se ubiquen en esa parcela dominial. Por ello, la regulación de cada parcela concreta del Dominio público no va a ser fruto únicamente de la ley general reguladora de la categoría de bienes, sino que se trata de un puzzle con piezas emanadas de diversas autoridades en función de las competencias materiales.

A ello añadirá, siempre que resulte imprescindible para la consecución de los fines determinantes de la demanialidad elementos jurídico reales que han de ser considerados como utilizaciones dialécticas de técnicas de la propiedad para conseguir la finalidad propuesta. Pero la presencia de estas notas reales no empaña el fin mismo de la inclusión de una categoría de bienes en el dominio público, la gestión de intereses colectivos. Así lo indica la STC 227/88 cuando señala:

> "El significado de la institución jurídica del dominio público refuerza esta interpretación. En efecto, la incorporación de un bien al dominio público supone no tanto una forma específica de apropiación por parte de los poderes públicos, sino una técnica dirigida primordialmente a excluir el bien afectado del tráfico jurídico privado, protegiéndolo de esta exclusión mediante una serie de reglas exorbitantes de las que son comunes de dicho tráfico *iure privato*... A la inclusión genérica de categorías enteras de bienes en el demanio, es decir en la determinación del llamando dominio público natural, subyacen prioritariamente otros fines constitucionalmente legítimos, vinculados en última instancia a la satisfacción de necesidades colectivas primarias, como por ejemplo la que garantiza el art. 45 de la Constitución, o bien a la defensa y utilización racional de la riqueza del país, en cuanto que subordinada al interés general (art. 128.1 de la Constitución)... Tratándose del "demanio natural" es lógico que la potestad de demanializar se reserve al Estado en exclusiva y que los géneros naturales de bienes que unitariamente se incluyan, asimismo, como unidad indivisible en el dominio público estatal. Esta afirmación resulta más evidente aún por referencia a un recurso esencial como el agua, dado el carácter de recurso unitario e integrante de un mismo ciclo (hidrológico) que indudablemente tiene y que la propia Ley impugnada le reconoce".

2. El derecho de propiedad que tienen los poderes públicos sobre los bienes del art. 339.2 del Código civil

A su lado, entran en el dominio público bienes que no tienen características físicas especiales que están unidos a los entes públicos en virtud de derechos de propiedad o de otros derechos, reales o no. El art. 339.2 del Código civil define la situación perfectamente cuando afirma que son bienes de dominio público "los que pertenecen privativamente al Estado, sin ser de uso común, y están destinados a algún servicio público o al fomento de la riqueza nacional, como las murallas, fortalezas y demás obras de defensa del territorio".

Son bienes que están en el comercio, aunque con ciertas limitaciones derivadas de la presencia de una entidad pública como titular de los derechos sobre ellos. En este sentido, su vinculación con las administraciones públicas es idéntico al de los bienes que formalmente son patrimoniales de acuerdo con la clasificación que efectúa la ley del Patrimonio de las Administraciones Públicas en sus arts. 5 y 7 y que ni están afectos a un uso ni a un servicio público.

Para completar la relación habría que incluir a las minas que tienen un régimen jurídico diferente, que no parece que sea reconducible al régimen de la propiedad, como veremos inmediatamente. En relación con los bienes, hay que tener en cuenta que no nos encontramos frente a una situación de escasez, no se trata de un recurso que tenga que separarse del comercio para el cumplimiento de su función pública sino que, por el contrario, se trata de bienes que carecen de caracteres físicos especiales y cuyo régimen jurídico resulta muy similar al de los bienes de los particulares.

IV. EL PROBLEMA DE LA TITULARIDAD DEL DOMINIO PÚBLICO

Como manifestación clara de la separación entre grupos de bienes públicos que se acaba de explicar, aparece la cuestión, clásica, de la titularidad de los bienes del dominio público que da respuesta al elemento subjetivo de los que configurara BALLBÉ. En este sentido, se recordará que para que se pueda hablar de dominio público es necesario la titularidad administrativa sobre estos bienes. Tradicionalmente, el problema de la titularidad se ha planteado circunscrito a la cuestión de si los entes instrumentales podían o no ser titulares del dominio público. En mi opinión, el problema que ha de plantearse es previo: ¿qué supone la titularidad? Y a partir de este momento empezar a realizar otra clase de distinciones.

De entrada, conviene recordar que la titularidad expresa el elemento subjetivo de una relación jurídica, o utilizando las palabras de DE CASTRO, "ofrece la ventaja de mostrar la íntima relación entre el porqué del poder (título) y éste mismo. Pudiendo entenderse por titularidad a la «cualidad jurídica que le confiere a una persona el estar en una relación jurídica, en cuanto determinante de las facultades que por ella se le atribuyen»"[19]. En el derecho privado, expresándonos con corrección para designar la relación más íntima de un sujeto con un bien, se señalaría que una persona es titular de un derecho de propiedad sobre un bien. Pero ¿y en relación con el dominio público? La lógica del análisis adoptado con anterioridad nos obliga a diferenciar entre los bienes del art. 339.1 y los del art. 339.2, llegando a soluciones diferentes.

1. La titularidad de los bienes del art. 339.1 del Código civil y sus consecuencias

En relación con los bienes que forman parte del espacio no dominical, la titularidad no puede ser de un derecho por cuanto que no existe un "derecho real de dominio público". De igual manera, no se puede ser titular de un bien, por cuanto que esta expresión no es más que una forma coloquial de referirnos a que esa persona es titular de un derecho de propiedad sobre ese bien[20]. Esto es, nos encontramos con la carencia de una relación jurídica entre el titular y el bien, lo que es esencial a efectos de determinar el contenido de dicha condición jurídica peculiar sobre los bienes. Sin embargo, pese a estas graves dificultades de falta de relación entre objeto y sujeto en las normas se señala que el Estado es titular de las playas, las Comunidades Autónomas de las vías pecuarias y las Corporaciones Locales de las calles. Y, paradójicamente, frente a esta dificultad de unir bien y titular; nos encontramos con que, como veremos con posterioridad, no existe inconveniente para enlazar un espacio no dominical con la totalidad de los entes públicos a través de la titularidad de las distintas competencias que se ejercitan en cada uno de estos bienes[21].

No obstante, conviene dar un paso más sobre los efectos que tiene esta titularidad de competencias. Como se ha señalado en la jurisprudencia dictada por el Tribunal Constitucional en donde se abordó esta cuestión, recogiendo una vieja doctrina del Consejo de Estado mantiene enfáticamente que la titularidad de un grupo de bienes de dominio público no

---

[19] DE CASTRO, F., *Derecho civil de España,* 2ª Ed. Instituto de Estudios Políticos, Madrid (1949), p. 564.
[20] Recuérdese que teóricamente la titularidad del bien se incorpora como una manifestación del derecho de propiedad que tienen las personas públicas sobre el dominio público.
[21] Este razonamiento está desarrollado en mi libro "la titularidad de los bienes del dominio público", Marcial Pons Ediciones Jurídicas, Madrid-Barcelona (1998).

constituye un título de atribución de competencias para ningún ente público[22]. Es particularmente representativa de esta posición de nuestro Tribunal Constitucional la sentencia en la que se resuelven los recursos de inconstitucionalidad planteados contra la ley de costas, la STC 149/91, de 4 de julio, en la que es posible leer acerca de esta cuestión:

> "Es sabido que, según una doctrina que muy reiteradamente hemos sostenido, [SSTC 77/84, 227/88 y 103/89] la titularidad del dominio público no es, en sí misma, un criterio de delimitación competencial y que, por consecuencia, la naturaleza demanial no aísla a la porción del territorio así caracterizado de su entorno, ni la sustrae de las competencias que sobre ese espacio corresponden a otros entes públicos que no ostentan esa titularidad".

En este fragmento de la jurisprudencia constitucional se expresan las dos ideas que mejor explican qué supone la declaración legal de que un bien del dominio público es de la titularidad de un determinado ente público: no se le atribuyen nuevas competencias a las que disponía con anterioridad y, en segundo término, no supone el aislamiento de la parcela demanial de las competencias de los restantes entes públicos. Desde el primer punto de vista, la jurisprudencia constitucional ha sido clara negando la posibilidad de que se aumenten las competencias de los entes públicos como consecuencia de la titularidad demanial. STC 227/88, de 29 de noviembre (el subrayado es mío):

> "La titularidad estatal del dominio público hidráulico no predetermina, como se ha dicho, las competencias que el Estado y las Comunidades Autónomas tienen atribuidas en relación con el mismo. Si es cierto, como alega el letrado del Estado, que del art. 149.1.22 de la Constitución no se deriva la titularidad dominical autonómica sobre las aguas que, en virtud de ese precepto, los recurrentes califican de intracomunitarias, pues ello responde a una concepción patrimonialista del dominio público que no se desprende del texto constitucional ni de los Estatutos de Autonomía, también lo es que no cabe servirse de esa misma concepción para sostener, sin más, que al Estado corresponden una serie de potestades exclusivas sobre las aguas públicas en concepto de dueño de las mismas. *Por ello, lo que importa es analizar los*

---

22   Aun manteniendo posturas contrapuestas a las afirmadas aquí, véase el excelente artículo de BELADIEZ ROJO, M. *Problemas competenciales sobre la zona marítimo-terrestre y las playas*, en la obra colectiva **Estudios sobre la Constitución española en homenaje al Prof. Eduardo García de Enterría,** pp. 3677 y ss. El fragmento está extraído de la p. 3682. En su planteamiento, referido al dominio público marítimo-terrestre, "todas aquellas materias que no sean de competencia autonómica, le corresponden al Estado por su condición de titular demanial. De esta forma, la titularidad estatal sobre una categoría de bienes demaniales sería una cláusula general de atribución de competencias que cedería ante las competencias específicas que sobre estos bienes hayan asumido las Comunidades Autónomas en sus respectivos Estatutos de Autonomía".

> *preceptos constitucionales y estatutarios que regulan la distribución de competencias en esta materia".*

Desde el segundo punto de vista, la imposibilidad de que se aísle el espacio demanial de las competencias de los entes públicos distintos del titular, la jurisprudencia ha sido igual de contundente negando la posibilidad de que se instaure una especie de isla de inmunidad al ejercicio de las competencias de los restantes entes públicos. La sentencia 77/1984, relativa al puerto de Bilbao es en este sentido muy clarificadora cuando señala:

> "La atribución de una competencia sobre un espacio físico determinado no impide necesariamente que se ejerzan otras competencias en ese espacio, como ya ha declarado este Tribunal. Esa concurrencia es posible cuando recayendo sobre el mismo espacio físico las competencias concurrentes tienen distinto objeto jurídico. Así, en el presente caso, la competencia exclusiva del Estado sobre puertos de interés general tiene por objeto la propia realidad del puerto y la actividad relativa al mismo, pero no cualquier tipo de actividad que afecte al espacio físico que abarca un puerto. La competencia de ordenación del territorio y urbanismo tiene por objeto la actividad consistente en la delimitación de los diversos usos a que puede destinarse el suelo o espacio físico territorial.
>
> No cabe excluir, por tanto que en un caso concreto puedan concurrir en el espacio físico de un puerto de interés general, el ejercicio de la competencia del Estado en materia de puertos y el de la Comunidad Autónoma en materia urbanística. Pero esta concurrencia sólo será posible cuando el ejercicio de la competencia de la Comunidad Autónoma no interfiera en el ejercicio de la competencia estatal ni la perturbe".

Ni asunción de nuevas competencias por parte del ente que formalmente ostente la titularidad, ni exclusión de un ámbito de actuación por parte de los restantes entes públicos ni papel primordial del ente que tenga la condición formal de titular, tal como reconoció la STC 103/89. Por todo ello, la condición de titular para estos bienes queda desnaturalizada, imbuida dentro de las competencias que tengan asumidas los entes previamente. En buena medida ello es la consecuencia de la diferente naturaleza jurídica que tiene el dominio público que, para estos bienes, tal y como señaló VILLAR PALASÍ[23] "el dominio público nació más bien, y pervive hoy como técnica jurídica eficaz, con un sentido plenamente funcional: construir un título de intervención administrativa plena, pues sobre el demanio la Administración no otorga autorizaciones sino concesiones como regla general... (la Administración) está interesada en otorgar concesiones

---

[23]   VILLAR PALASÍ, J. L., *Derecho Administrativo. Introducción y teoría de las normas.* Universidad de Madrid. Facultad de Derecho, 1969, pp. 32-33.

al máximo, despojándose, aparentemente, del contenido útil de lo publificado. Esta aparente contradicción es la que desvela totalmente la función
de la *publicatio*: construir sobre ella el título de intervención... no pretende
la Administración conquistar propiedades sino potestades".

Todo lo cual nos conduce a pluralidad de competencias de diversos entes públicos que se habrá de resolver tras una ponderación de los títulos
afectados de acuerdo con el principio de especialidad. Y este planteamiento tiene el corolario de la necesidad de armonizar las competencias de los
entes públicos mediante el recurso a procedimientos de coordinación y
cooperación interadministrativa y en la importancia que tienen la planificación, tanto la territorial como la restantes que puedan adoptarse[24].

2. La titularidad de los bienes del art. 339.2 del Código civil

En relación con los otros bienes que nominalmente forman parte del
dominio público el problema de la titularidad se ha de afrontar de forma
totalmente distinta. Aquí el ente que ostente la condición de titular del
mismo ha dispuesto de una relación jurídica previa, previsiblemente un
derecho de propiedad, que les permite acceder a estos bienes públicos.

---

[24] Recuérdese lo que señalaba la STC 227/88 sobre la importancia de la planificación del
dominio público para solucionar los problemas de articular las competencias de los
entes públicos que ejercitan competencias sobre ese sector demanial:
"Los planes hidrológicos de cuenca... comprenden una serie de disposiciones relativas
a la protección y aprovechamiento de los recursos hidráulicos (prioridad y compatibilidad de usos, medio ambiente, ordenación del territorio, agricultura y montes,
infraestructuras, aprovechamientos energéticos, protección civil, etc.) que inciden en
la actividad de diferentes Administraciones públicas —la de las Comunidades Autónomas, en primer lugar, pero también las del Estado y otros entes territoriales e institucionales—, siendo patente tanto su directa relación con la ordenación general de la
actividad económica como la obligación de respetarlas que a todas ellas incumbe. Por
ello, si hubiera de admitirse que cada Administración puede realizar las actividades de
su competencia en régimen de estricta separación, la planificación hidrológica se haría imposible. *De donde se siguen que en materia de política hidráulica se acentúa la necesidad
de una específica coordinación entre las diferentes Administraciones interesadas, coordinación
que, como hemos declarado en anterior ocasión «persigue la integración de la diversidad de las
partes o subsistemas en el conjunto o sistema, evitando contradicciones o reduciendo disfunciones
que, de subsistir, impedirían o dificultaría, respectivamente, la realidad misma del sistema» y que,
por lo mismo, «debe ser entendida como fijación de medios y sistemas de relación que hagan posible
la información recíproca, la homogeneidad técnica en determinados aspectos y la acción conjunta
de las autoridades (...) estatales y comunitarias en el ejercicio de sus respectivas competencias»*.

Por ello, el análisis de quienes pueden ser titulares se transforma en la cuestión de qué entes públicos disponen de patrimonio propio. Y aquí la respuesta es clara en el sentido de que las denominadas Administraciones públicas territoriales tienen un patrimonio propio, constituido por el conjunto de bienes, derechos y obligaciones de las que son titulares. En este sentido, ellas son claramente titulares de estos bienes y, en consecuencia, en el momento en que se produzca la afectación, serán titulares de bienes demaniales.

En relación con la administración institucional, la Ley de patrimonio de las Administraciones Públicas plantea la posibilidad de que bienes que forman parte del patrimonio de la administración matriz se adscriban para el cumplimiento de los fines asignados a los organismos públicos. De igual manera, se admite la posibilidad de que dispongan de un patrimonio propio que, en el momento en que se realice el acto de afectación a un fin público, entrarán en el dominio público. En todo caso, sobre los bienes de la administración institucional, así como a otros entes públicos especiales como son las Universidades remito a los capítulos correspondiente de este volumen, donde son tratados con detenimiento.

V. COMPONENTES CONSTITUCIONALES DE LA REGULACIÓN DE LOS BIENES PÚBLICOS

1. *Reserva de ley y competencia del Estado para demanializar una categoría de bienes, como consecuencia de su exclusión del comercio*

Aunque en ocasiones se entremezcle su tratamiento, la cuestión de la competencia para demanializar bienes no es una consecuencia necesaria de la titularidad de los mismos; por lo menos en lo que afecta a los que están incluidos en el art. 339.1 del Código civil. En efecto, en relación con estos bienes la competencia de demanializar[25] la ostenta en exclusiva el

---

[25] De hecho, se ha señalado en la STC 46/2007 que "la competencia que ostenta la Comunidad Autónoma de Illes Balears en materia de ordenación del territorio, incluido el litoral, no le faculta para habilitar a los instrumentos de ordenación del territorio, como el plan territorial insular o los planes directores sectoriales, de rango reglamentario según dispone el art. 3.2 de la Ley 14/2000, de 21 de diciembre, y elaborados y aprobados, según los casos, por los respectivos Consejos insulares o por el propio Gobierno autonómico, para que sean estos los que determinen, en la isla de Formentera, los elementos, las características y las circunstancias físicas que deban concurrir para

Estado como consecuencia de que, como se verá con posterioridad la de-manialización de estos bienes se hace en bloque, como categoría unitaria de bienes que se separan del comercio. Esto hace que se materialice por ley, ley que ha de ser de las Cortes Generales.

Como se recordará, con dicha declaración se consigue eliminar el régimen de la propiedad privada de una serie de bienes definidos por sus caracteres físicos; configurando, de este modo, de una manera diferente el derecho de propiedad en nuestro ordenamiento jurídico. Este dato hace que la competencia en materia de dominio público la deba ostentar el Estado, en virtud de dos títulos que le otorga el art. 149 de la Constitución, concretamente, la competencia sobre la legislación civil (art. 149.1.8ª — SSTC 58/1982 y 85/1984—), así como la competencia que le atribuye el art. 149.1.1ª sobre la "regulación de las condiciones básicas que garanticen la igualdad de todos los españoles en el ejercicio de los derechos y en el cumplimiento de los deberes constitucionales". En este sentido, es clara STC 149/91[26], cuando afirmó:

> "En primer lugar para asegurar una igualdad básica en el ejercicio del derecho a disfrutar de un medio ambiente adecuado al desarrollo de la persona (art. 45 CE)... No es ya la titularidad demanial, sino la competencia que le atribuye el citado art. 149.1.1ª la que fundamenta la legitimidad de todas aquellas normas destinadas a garantizar, en condiciones básicamente iguales, la utilización pública, libre y gratuita del demanio para los usos comunes y a establecer, correlativamente el régimen jurídico de aquellos usos u ocupaciones que no lo son. De otro lado, tanto para asegurar la integridad física y las características propias de la zona marítimo-terrestre como para garantizar su accesibilidad es imprescindible imponer servidumbres sobre los

---

que un bien pueda ser incluido como uno de los que integran la ribera del mar así como tampoco para establecer *ope legis* un criterio directamente aplicable a otros con la específica finalidad de evitar que puedan ser calificados como bienes de dominio público, excluyéndolos a priori de dicha calificación".

[26] En un sentido similar se pronunció la STC 227/88, cuando afirmó: "A la inclusión genérica de categorías enteras de bienes en el demanio, es decir en la determinación del llamando dominio público natural, subyacen prioritariamente otros fines constitucionalmente legítimos, vinculados en última instancia a la satisfacción de necesidades colectivas primarias, como por ejemplo la que garantiza el art. 45 de la Constitución, o bien a la defensa y utilización racional de la riqueza del país, en cuanto que subordinada al interés general (art. 128.1 de la Constitución)... Tratándose del "demanio natural" es lógico que la potestad de demanializar se reserve al Estado en exclusiva y que los géneros naturales de bienes que unitariamente se incluyan, asimismo, como unidad indivisible en el dominio público estatal. Esta afirmación resulta más evidente aún por referencia a un recurso esencial como el agua, dado el carácter de recurso unitario e integrante de un mismo ciclo (hidrológico) que indudablemente tiene y que la propia Ley impugnada le reconoce".

terrenos colindantes y limitar las facultades dominicales de sus propietarios, afectando así, de manera importante, el derecho que garantiza el art. 33.1. y 2 CE La necesidad de asegurar la igualdad de todos los españoles en el ejercicio de este derecho no quedaría asegurada si el Estado, en uso de la competencia exclusiva que le otorga el art. 149.1.1 no regulase las condiciones básicas de la propiedad sobre los terrenos colindantes de la zona marítimo-terrestre...".

Ahora bien, teniendo en cuenta las consecuencias de la demanialización y los objetivos que debe perseguir, la ley demanializadora ha de proceder no sólo a su separación del régimen general de comercio sino que ha de proporcionar a la categoría de bienes un régimen jurídico adaptado a esas necesidades que se proponen conseguir. Régimen que debe suponer la adaptación de los principios inspiradores del régimen demanial a esa categoría de bienes. Sobre ello, también se ha reconocido la competencia del Estado para proceder a su regulación, tal como se ha definido en la STC 46/2007, de 1 de marzo, en la que se afirma:

"cabe concluir que, aun cuando la titularidad el dominio público no es un criterio válido para delimitar competencias entre el Estado y las Comunidades Autónomas, sin embargo le corresponde al Estado definir legislativamente el dominio público estatal y establecer el régimen jurídico de los bienes que lo integran, así como adoptar las medidas precisas para proteger la integridad del demanio, preservar sus características naturales y su libre utilización".

2. Otras competencias afectadas por la determinación del régimen jurídico del dominio público

Ahora bien, la determinación del régimen jurídico del dominio público no sólo afecta a la igualdad en el ejercicio de los derechos. Aquí se expondrán sintéticamente los títulos genéricos, sin olvidar que existen reglas específicas para cada uno de los sectores demaniales que serán analizadas en cada uno de los capítulos de esta obra colectiva.

De entrada, la determinación de categorías genéricas de bienes como bienes demaniales afecta a la legislación básica en materia de protección del medio ambiente, sin perjuicio de las facultades que tienen las Comunidades autónomas de establecer normas adicionales de protección, tal y como se recoge en el art. 149.1.24ª se trata de un título competencial que va a afectar principalmente a los bienes del dominio público natural pero también a los del demanio artificial, teniendo en cuenta las obligaciones medioambientales que se establecen en leyes que no son específicamente relativas a sectores demaniales pero con trascendencia sobre ellos, como claramente se puede apreciar en relación con las obras públicas.

Asimismo, la regulación del dominio público entra dentro del título competencial recogido en el art. 149.1.18ª, relativo a la "legislación básica sobre contratos o concesiones administrativas".

En tercer lugar, habida cuenta de la relación legal que existe en este momento entre el dominio público y el patrimonio, afecta claramente a la regla recogida en el mismo art. 149.1.18ª, relativa a las bases del régimen jurídico de las Administraciones públicas, tal como reconoció la jurisprudencia constitucional en las SSTC 85/1984.

3. El establecimiento constitucional de un régimen de especial protección: inalienabilidad, imprescriptibilidad e inembargabilidad

Posiblemente como consecuencia de los problemas habidos en relación con una parcela del dominio público —el demanio marítimo-terrestre, que además obtuvo respaldo constitucional— y recogiendo la tradición jurídica española en esta materia, el art. 132 de la Constitución recoge tres notas como las básicas e inspiradoras del régimen jurídico del dominio público. El art. 132.1 CE dispone, en este sentido, que "la ley regulará el régimen jurídico de los bienes de dominio público y de los comunales inspirándose en los principios de inalienabilidad, inembargabilidad e imprescriptibilidad". Contenido totalmente asumido por parte de los constituyentes que no plantearon ninguna discusión en el debate para su aprobación.

Con estas tres notas la Constitución ha querido introducir el dominio público en un régimen de total indisponibilidad, en la medida en que se quiere proteger de todo acto consciente o inconsciente, directo o indirecto que pueda suponer la adquisición del bien por parte de un particular. Se introduce, en este sentido, el bien configurado como demanial en una especie de cámara acorazada para protegerlo del régimen general de adquisición de bienes del Código civil. Desde una óptica constitucional resultaba el único contenido posible que se podía proporcionar al dominio público aunque, en el funcionamiento cotidiano se podrán ver las fallas que presenta como consecuencia de las desafectaciones tácitas y presuntas que hacen perder previamente el carácter demanial y por ello se pueden aplicar las reglas generales de adquisición de bienes.

Este régimen de indisponibilidad no es, por otra parte, general y común para todos los bienes. Supone que, con posterioridad, el legislador los recogerá y adaptará a las necesidades que tenga cada categoría de bienes o cada bien concreto. Así, las notas de la indisponibilidad tienen un peso muy limitado en relación con bienes como puertos o carreteras, dado que los problemas cotidianos que plantean son otros, diferentes de su apropiación por parte de los particulares, y que afectan básicamente a los servicios que se están prestando con ellos. Paralelamente, componen una nota central de los mecanismos de protección de otros como el demanio marítimo-terrestre o las vías pecuarias, dado que, además, se vinculan a la protección del medio ambiente reconocida en el art. 45 de la Constitución. Y en muchas ocasiones el juego que han dado las desafectaciones tácitas ha privado parte de su sentido al dominio público ya que ha desaparecido de manos públicas. Como se puede apreciar, constituyen principios inspiradores, materializados por el legislador de forma diferente en cada una de las normas.

A) Inalienabilidad

La primera nota es la de la inalienabilidad[27], que supone la imposibilidad de venta de los bienes. La regla de la inalienabilidad se vincula, al menos inicialmente, a la imposibilidad de venta de los bienes del patrimonio de la corona, aunque no se fuera incorporando a los textos constitucionales del siglo XIX. De hecho, ni siquiera aparece como componente del régimen demanial en el art. 339 y ss. del Código civil, aunque se pudiera deducir del art. 1271 de la misma norma. En este sentido, en la Ley de Contabilidad y Administración de la Hacienda Pública no constituye una nota absoluta del régimen del dominio público, sino que se vincula a la promulgación de una ley, tal como dispone su art. 6.

La inalienabilidad constituye el rasgo más característico del dominio público y la nota que proyecta más consecuencias para el tráfico de estos bienes. La más inmediata es que los bienes del dominio público, mientras tengan el carácter de bien demanial, no se puede ni realizar por parte de los entes públicos ningún acto traslativo del dominio tenga la forma jurídica que tenga —compraventa, donación...—, ya sea éste puro, condicional o a plazo. Es una consecuencia directa de que esté fuera del comercio. La diferencia, clara por lo demás, es que mientras los bienes recogidos en el art. 339.1 del Código civil en principio no serán desafectables mientras respondan a los criterios determinantes de su demanialidad —salvo que una ley así lo diga, con excepción del art. 132.2 CE—, en relación con los bienes del art. 339.2 del Cc, la desafectación, y con ella la recuperación de

---

27   Véase CLAVERO ARÉVALO, M. F., "La inalienabilidad del dominio público", en la *Revista de Administración Pública*, n° 25 (enero-abril 1958), pp. 11 y ss.

la enajenabilidad, es perfectamente factible, de acuerdo con lo que hemos visto con anterioridad.

Si la consecuencia inmediata es que no se pueda enajenar directamente, tampoco se puede proceder a una enajenación eventual, ya sea mediante hipoteca[28] o cualquier otro negocio que pudiera suponer la entrada del bien en un patrimonio privado. Pero también afecta a la prohibición de que se puedan imponer cargas reales limitadas, precisamente para dar cumplimiento a la afectación del bien al uso o servicio público que motivara su entrada en el demanio, dentro de las cuales ha de entenderse la posibilidad de establecer servidumbres ya sean de interés público o de interés particular sobre el dominio público[29]. Y obviamente, el bien del dominio público tampoco podrá ser objeto de expropiación forzosa, tal como se deduce directamente del art. 1 de la Ley de Expropiación Forzosa.

El problema puede venir dado por el incumplimiento de la regla de la inhabilidad. Habida cuenta de que es una regla de carácter absoluto, que no tiene la naturaleza de una servidumbre, todo acto que contravenga la regla de la inalienabilidad será inválido, por aplicación de los arts. 1271 Cc en relación con el art. 6.3; con independencia de que se pudiera mantener la afectación al fin público al que estuviera afecto el bien. Y obviamente, de la misma forma que los actos están prohibidos, también el resultado mismo de los actos resulta contraria al ordenamiento jurídico. Frente a la invalidez total de acto y resultado no prevalece siquiera la protección registral de tercero de buena fe del art. 34 de la ley Hipotecaria.

Obviamente, la regla de la inalienabilidad no supone que no se puedan realizar mutaciones demaniales, tal como las veremos con posterioridad, ni que se puedan producir supuestos de transferencias de bienes a otros entes públicos como consecuencia de traspasos de competencias o de servicios[30], ni impide que se otorguen concesiones.

---

[28] Conviene recordar que esto no tiene nada que ver con la posibilidad de hipoteca de concesiones sobre los bienes, pues en este caso lo que se producirá será una subrogación en la posición de usuario no una entrada en el dominio del concesionario.

[29] En este sentido, véase el estudio clásico de MARTÍNEZ USEROS, E. "Improcedencia de servidumbres sobre el dominio público", en la obra colectiva *Estudios García Oviedo I*, (1954), pp. 137 y ss. y más recientemente, CARRILLO DONAIRE, J. A., *Las servidumbres administrativas (delimitación conceptual, naturaleza, clases y régimen jurídico)* Coedición del Instituto García Oviedo y la Editorial Lex Nova, Valladolid (2003), en particular pp. 161 y ss.

[30] Tal fue el problema sustentado en la STC 58/1982, de 27 de julio, en relación con las transferencias de bienes a la Generalidad de Cataluña, donde se afirmó que "no se trata, por tanto, en rigor, de una cesión, sino de una sucesión parcial en el ejercicio de las

B) Imprescriptibilidad del dominio público

La segunda regla constitucional surge de forma necesaria como mecanismo de protección de los bienes públicos y como consecuencia de que los bienes del dominio público estén fuera del comercio. De acuerdo con ella, los bienes de dominio público no pueden ser objeto de prescripción adquisitiva por parte de los particulares y, en el mismo sentido, por el paso del tiempo no se podrá perder el carácter público del bien.

Más allá de la regla constitucional, el propio art. 1936 del Cc impide que puedan ser objeto de prescripción dado que "son susceptibles de prescripción todas las cosas que están en el comercio de los hombres", lo que se complementa con el hecho de que "sólo pueden ser objeto de posesión las cosas y derechos que sean susceptibles de apropiación" (art. 437 Cc), lo que impide que se pueda poseer un bien *extra comercium*, lo que constituye el presupuesto para que se pueda producir la usucapión, de acuerdo con el art. 1940 Cc.

La consecuencia de la imprescriptibilidad supone que en ningún caso podrá adquirirse la titularidad dominical por parte de los particulares. No obstante, esta cuestión puede plantear alguna duda, tal como se ha hecho por la doctrina[31], en los casos de posesión contraria al destino público de los bienes y en otros derivado de la degradación de los mismos. Esto, sin embargo, lo que se estaría haciendo es privar de contenido a la regla de la imprescriptibilidad dado que son precisamente ese tipo de circunstancias las que podrían hacer desaparecer el carácter público del bien. Tal como ha señalado GALLEGO ANABITARTE[32], la prescripción inmemorial no ha sido, en absoluto, aplicable a los supuestos de posesión de bienes públicos y de comunales. En definitiva, tal como señalaron PAREJO GAMIR y RODRÍGUEZ OLIVER, "si está claro que un particular poseedor de un bien verá que su postura queda truncada porque la pertenencia privada de que

---

funciones públicas entre dos entes de esta naturaleza. (...) El Estado, como conjunto de las instituciones centrales, pierde las facultades que las Comunidades autónomas ganan y las transferencias de recursos de todo género y en concreto de bienes inmuebles de aquél a éstas no son, en consecuencia, producto de una cesión, sino, como antes decimos, consecuencia obligada de una sucesión". En general sobre esta cuestión puede verse BARBERÁ GOMIS, J. A., *Aspectes demanials de les transferències de funcions y serveis a la Generalitat de Catalunya*, Institut d'Estudis Autonomics, Barcelona (1987).

[31] Por todos, véase GARCÍA DE ENTERRÍA, E.; "Sobre la imprescriptibilidad del dominio público", publicado dentro de los Dos estudios sobre la usucapión en el derecho administrativo, 3ª Ed., Madrid, (1998), pp. 79 y ss.

[32] GALLEGO ANABITARTE, A., *Derecho de aguas...*, *op. cit.* pp. 170 y ss.

se beneficia es afectada al demanio, quedando así extraída de la comercialidad, con mayor razón el administrado no llegará siquiera a configurarse como poseedor cuando quiere detentar lo que era extracomercial por ser demanial"[33]

C) Inembargabilidad del dominio público

La tercera regla de para lograr la protección que recoge el art. 132 de la Constitución es la relativa a la inembargabilidad[34] del dominio público, que actúa como complemento de la regla de la inalienabilidad de los bienes demaniales.

Como consecuencia de la regla recogida en el art. 132 de la Constitución se constituye la imposibilidad de que se dicten mandamiento de ejecución o providencia embargo contra los bienes demaniales encuentra su fundamento en la quiebra que se produciría al interés general, para prevenir los riesgos de la interrupción del uso o del servicio público al que están afectos los bienes de dominio público.

Esta regla de la inembargabilidad como es conocido, está extendida a todos los bienes públicos, pero desde la STC 166/98 han quedado limitados sus efectos únicamente a los bienes del dominio público o a los bienes patrimoniales materialmente afectos a un uso o servicio público, tal como lo recoge en la actualidad el art. 23 de la Ley 47/2003, de 26 de noviembre, General Presupuestaria, que dispone que "ningún tribunal ni autoridad administrativa podrá dictar providencia de embargo ni despachar mandamiento de ejecución contra los bienes y derechos patrimoniales cuando se encuentren materialmente afectados a un servicio público o a una función pública, cuando sus rendimientos o el producto de su enajenación estén legalmente afectados a fines diversos, o cuando se trate de valores o títulos representativos del capital de sociedades estatales que ejecuten políticas públicas o presten servicios de interés económico general".

---

[33]   PAREJO GAMIR, R., y RODRÍGUEZ OLIVER, J. M., Lecciones de dominio público, ICAI, Madrid (1976), p. 35.
[34]   BALLESTEROS MOFFA, L. A., *Inembargabilidad de bienes y derechos de las Administraciones públicas*, Colex, Madrid (2000).

VI. AFECTACIÓN, DESAFECTACIÓN Y MUTACIÓN DEMANIAL

Para que un bien forme parte del dominio público debe ser afectado a un uso o servicio público. En este sentido el art. 65 LPAP es claro cuando afirma que "la afectación determina la vinculación de los bienes y derechos a un uso general o a un servicio público, y su consiguiente integración en el dominio público". Partiendo de esta idea conviene analizar las tres posibilidades que caben en relación con la vinculación a una función pública: afectación, desafectación y mutación demanial.

1. Entrada del bien en el dominio público

La afectación[35] de un bien supone, como se acaba de indicar, la vinculación de un bien o derecho a un uso o servicio público, es, en las palabras clásicas de BALLBÉ, el elemento teleológico del dominio público. Este es el dato objetivo pero que debe ser completado con otro de carácter normativo: supone su integración en el dominio público y, por consiguiente, con ello incorpora todos los elementos del régimen de esta categoría de bienes; régimen cuya finalidad es precisamente que el bien pueda prestar un servicio más adecuado a los intereses generales. Es precisamente lo que dispone el art. 65 LPAP cuando afirma que "la afectación determina la vinculación de los bienes y derechos a un uso general o a un servicio público, y su consiguiente integración en el dominio público".

Este dato obliga a que se haga una diferenciación, dependiendo de los bienes que entren en el dominio público: si nos encontramos con los bienes que están incluidos en el art. 339.1 del Código civil, la afectación obliga a que paralelamente se proceda a la determinación de su régimen jurídico, que es especial por ser particular la finalidad que motiva su entrada en el demanio. Si no se hiciera así, nos encontraríamos ante bienes que casi carecerían de régimen jurídico. De igual manera, el único competente para realizar esta operación de demanialización es, de acuerdo con lo que hemos visto con anterioridad, el Estado, habida cuenta de que con ello se está afectando al derecho de propiedad, lo que lo vincula con la legislación civil y con la igualdad de todos los ciudadanos en el acceso a los derechos y libertades fundamentales.

---

[35] Sobre la afectación véase DARNACULLETA, M., "Afectación, desafectación y mutación demanial", en la obra colectiva que dirijo *Diccionario de obras públicas y bienes públicos,* Iustel, Madrid (2007), pp. 50 y ss.

Para los del art. 339.2 el acto de afectación tiene unos efectos mucho más limitados, en la medida en que el régimen jurídico del bien será el que esté recogido en la normativa patrimonial pública. La determinación de que entra en el dominio público supone, de forma automática, la incorporación de un régimen previamente establecido, que sólo tendrá alguna pequeña adición en cuanto se incorporen las peculiaridades del servicio para el que va a estar afecto, de acuerdo con lo dispuesto en el art. 87 LPAP.

Conviene recordar, no obstante, que, de forma genérica, la afectación tiene un componente básico de determinación del destino de los bienes y, por ello, se señala igualmente para los bienes de naturaleza patrimonial afectos al cumplimiento de una determinada función pública. Así, hay que recordar que la STC 166/1988, que se plantea la existencia de unos de los bienes "patrimoniales que se hallen materialmente afectados a un uso o servicio público"[36].

Partiendo de estos presupuestos, las formas de afectación de un bien al dominio público serían las siguientes:

1. *Afectación al dominio público por aplicación del art. 132 de la Constitución.* Las peculiaridades de este precepto[37] se traducen en que, por aplicación

---

[36]   En dicha resolución se señala que "se ha puesto de relieve, además, que la distinción se relativiza no sólo por la aparición de importantes patrimonios separados del patrimonio del estado y al servicio de concretos fines, sino también por la flexibilización —en la práctica y pese a las exigencias legales— de la desafectación de un bien demanial de un uso o servicio público, lo que permite a la administración recuperar su disponibilidad como objeto de tráfico privado. Registrándose también, a la inversa, el fenómeno de la afectación material de bienes de naturaleza patrimonial a finalidades de interés general".

[37]   Ciertamente, hay pocos preceptos constitucionales que procedan a la demanialización de ciertos bienes. Las constituciones de la República Bolivariana de Venezuela —cuyo art. 12 dispone que "los yacimientos mineros y de hidrocarburos, cualquiera que sea su naturaleza, existentes en el territorio nacional, bajo el lecho del mar territorial, en la zona económica exclusiva y en la plataforma continental, pertenecen a la República, son bienes del dominio público y, por tanto, inalienables e imprescriptibles. Las costas marinas son bienes del dominio público"—, la de la República de Uruguay, cuyo art. 47.2 dispone que "Las aguas superficiales, así como las subterráneas, con excepción de las pluviales, integradas en el ciclo hidrológico, constituyen un recurso unitario, subordinado al interés general, que forma parte del dominio público estatal, como dominio público hidráulico"; o el art. 30 de la constitución de la República de Paraguay —"la emisión y la propagación de las señales de comunicación electromagnética son del dominio público del Estado, el cual, en ejercicio de la soberanía nacional, promoverá el pleno empleo de las mismas según los derechos propios de la República y conforme con los convenios internacionales ratificados sobre la materia"— son otros casos que se podrían citar.

directa de la norma constitucional, son bienes de dominio público "la zona marítimo-terrestre, las playas, el mar territorial y los recursos naturales de la zona económica y la plataforma continental". Con ello la Constitución ha procedido al blindaje de una serie de bienes que no podrán ser en ningún caso desafectados[38], aunque ello no obvie el problema de la concreción de los límites del demanio.

2. *Afectación por norma con rango de ley.* Ya se ha señalado antes que es el único procedimiento para la entrada en el dominio público de categorías enteras de bienes, con las características de las que están en el art. 339.1 del Código civil. Tal es lo que ha ocurrido, por ejemplo con el art. 2 de la ley de aguas, con el art. 4 de la ley de costas, en donde se recogen los bienes del dominio público marítimo-terrestre por determinación legal... etc.

En este caso, como se ha visto con anterioridad, el único competente para la demanialización sería el Estado, el cual tendría, paralelamente, la obligación de proceder a la determinación del régimen jurídico de los mismos, lo que afectaría tanto a las medidas de protección de los bienes, a los actos de defensa de la función pública que se prestan con ellos, como a los actos de gestión y utilización de los mismos con las peculiaridades que siempre hay fruto de su especial naturaleza y, en particular, los mecanismos de colaboración interadministrativa para la ejecución de sus competencias, dado que ninguno de ellos componen islas de inmunidad al ejercicio de las competencias de los restantes entes públicos.

En estos casos, además, puede ser necesario que se produzca la *clasificación* del bien, esto es, la declaración por la cual se concreta en un bien específico la declaración legal de que forma parte del dominio público. Resulta necesario cuando bienes similares del dominio público pueden entrar dentro del ámbito de competencias de varios entes públicos. Por ejemplo, es lo que ocurre con el anexo de la ley de puertos por el que se concretan los que son del dominio portuario del estado, por oposición a los puertos autonómicos o con la determinación de la red de carreteras del estado, por comparación con las carreteras autonómicas y provinciales. En una situación parecida se encuentran aquellos tipos de bienes concretos que están definidos por la ley como demaniales pero que hace falta concretar su destino para que la calificación jurídica como demanial aparezca de

---

[38] Resulta conveniente recordar en este momento la STS de 6.7.1988, referida a la Manga del Mar Menor (Murcia) se señala que el Estado "carece de aptitud para enajenarla o desafectarla por medio legal alguno al tratarse de un bien cuya titularidad dominical —no demanial— no le corresponde a él, sino al Pueblo, a la Nación".

forma automática. Un ejemplo lo encontramos en el ámbito local, donde, de acuerdo con lo que establece el artículo 4 del RD 1372/1986, de 13 de junio, por el que se aprueba el Reglamento de Bienes de las Entidades Locales (RBEL), "son bienes de servicio público los destinados directamente al cumplimiento de fines públicos de responsabilidad de las Entidades locales, tales como Casas Consistoriales, Palacios Provinciales y, en general, edificios que sean de las mismas, mataderos, mercados, lonjas, hospitales, hospicios, museos, montes catalogados, escuelas, cementerios, elementos de transporte, piscinas y campos de deporte, y, en general, cualesquiera otros bienes directamente destinados a la prestación de servicios públicos o administrativos", lo que hace que tengan carácter demanial por aplicación de lo dispuesto en el art. 5.3 LPAP.

Cuestión distinta es que, en otras circunstancias diferentes resulta necesaria la determinación exacta de los límites del dominio público, tal como ocurre con el límite de la ribera del río o de la zona marítimo-terrestre o, incluso en algunas infraestructuras. En este caso, lo que tiene que hacer la Administración es proceder al *deslinde* de los bienes públicos de los que son de titularidad privada. Estos no son, sin embargo, actos de afectación sino de delimitación del demanio definido previamente por determinación legal.

No obstante, aunque sea una posibilidad que se emplee de forma excepcional, también es una opción que se puede emplear para la afectación de los bienes que carecen de características especiales, normalmente para resaltar un componente institucional de los bienes.

3. *Afectación a través de un acto administrativo expreso.* Es la forma usual para la incorporación al dominio público de los bienes que conforman el patrimonio de las administraciones públicas. De hecho, de acuerdo con lo que dispone el art. 66 LPAP, se trata del procedimiento más idóneo para que se produzca la afectación, en la medida en que se dispone que "salvo que la afectación derive de una norma con rango legal, ésta deberá hacerse en virtud de acto expreso por el órgano competente, en el que se indicará el bien o derecho a que se refiera, el fin al que se destina, la circunstancia de quedar aquél integrado en el dominio público y el órgano al que corresponda el ejercicio de las competencias demaniales, incluidas las relativas a su administración, defensa y conservación". Todos estas circunstancias habrán de constar en Inventario de Bienes de la Administración correspondiente y, asimismo, en el catálogo que deben tener cada uno de los órganos administrativos.

El procedimiento de afectación, recogido en el art. 68 LPAP está constituido por las siguientes fases: se inicia ya sea de oficio por la Dirección general de patrimonio del estado, ya sea por petición del departamento ministerial que necesite la afectación de un bien. Si el bien está vacante o si admite afectaciones concurrentes, tal como prevé el art. 67 LPAP, y la Dirección General del Patrimonio del Estado. Una vez instruido el procedimiento por la Dirección General, el Ministro de hacienda realizará la afectación que surte afectos a partir de la recepción por el Departamento ministerial, que deberá utilizarlo de acuerdo con el fin al que se haya destinado y ejercerá las competencias demaniales. Esta resolución, utilizando las palabras del art. 81.1 LBRL, "acredita su oportunidad y legalidad". Si la afectación es para su utilización por parte de un organismo públicos el acto de afectación será competencia del titular del departamento ministerial al que esté adscrito el ente.

4. *Afectación por actuaciones de la administración.* Aunque el procedimiento anterior sea el adecuado, tal como lo dispone el art. 66 de la LPAP existen una serie de actuaciones que recoge el art. 66.2 que surten los mismos efectos que el dictar un acto de afectación y que son o bien actos administrativos con fines distintos pero con el efecto indirecto de vincular un bien a un uso o servicio público o bien hechos de la administración de ocupación de bienes que cumplen la función de encuadrarlos dentro del patrimonio administrativo.

Obviamente este es el procedimiento de incorporación a la categoría demanial que produce mayor indeterminación dentro del régimen del dominio público, sobre todo teniendo en cuenta que, hasta ahora, ha habido problemas de coordinación para adecuar las inscripciones del Inventario de Bienes a la realidad física, a pesar de que la anterior legislación ya preveía la obligación de tenerlo actualizado.

Posiblemente para prevenir estos problemas, la nueva legislación ha mantenido la obligación de que el departamento u organismo que realice un acto de esta naturaleza debería comunicarlo a la Dirección General del Patrimonio del Estado para proceder a su regularización, tanto en interés del ente público como de los particulares.

Aunque, como ya se ha señalado, la voluntad del legislador es que no ocurran este tipo de afectaciones, están previstos los hechos que dan lugar a la afectación presunta de bienes, que son los siguientes, de acuerdo con lo previsto en el art. 66.2 y 4 LPAP:

   a) La utilización pública, notoria y continuada por la Administración
      para el desempeño de un uso o servicio público. La cuestión más

importante en este punto es la relativa al plazo, no recogida en la LPAP y que el art. 8.4. b) del Reglamento de Bienes de las Entidades Locales concreta para los bienes locales en 25 años.

b) La adquisición de bienes o derechos de por usucapión. Aquí lo que se exige es que hayan sido usos administrativos que nos llevan a la categoría del dominio público los que hayan resultado determinantes de la de la prescripción adquisitiva.

c) La adquisición de bienes y derechos a través del procedimiento de la expropiación forzosa.

d) La aprobación por parte del Consejo de Ministros de programas, planes de actuación general o proyectos de obras o servicios, cuando de ellos se derive la vinculación de bienes a fines de interés general.

e) La adquisición de bienes muebles para el desenvolvimiento de los servicios públicos o para la decoración de dependencias oficiales.

f) La construcción de inmuebles con cargo a los crédito presupuestarios de un departamento ministerial, que supondrá su afectación para el fin que motivó la construcción.

2. *Cambio de destino del bien: mutación demanial*

Una vez que un determinado bien ha sido afectado a un fin de interés general, esto no determina que ha de permanecer invariable en servir al cumplimiento de esa finalidad pública. Por extensión, habría que entender dentro de la mutación demanial los supuestos en los que se produce un cambio en el órgano gestor del bien.

El primer supuesto es, tal como se ha señalado, el cambio de destino de un bien público. Como señala el art. 71 LPAP, en los casos en los que "se efectúa la desafectación de un bien o derecho del patrimonio del Estado, con simultánea afectación a otro uso general, fin o servicio público de la Administración General del Estado, o de los organismos públicos vinculados o dependientes de ella" nos encontramos ante la figura de la mutación demanial. Es el supuesto más usual de mutación demanial.

A este supuesto, que es el típico de la mutación demanial, se añade por el art. 71.2 LPAP los supuestos en los que sin cambio de afectación se produce un cambio de organismo de gestión del bien, como consecuencia de una reestructuración orgánica o de la desaparición de un organismo público, en cuyo caso el bien sigue a la función, de tal manera que será gestionado por el departamento u organismo que haya asumido las funciones a las que estaba adscrito el bien de naturaleza demanial, salvo que se prevea otra cosa en la norma de adaptación orgánica. La previsión que recoge la ley sobre este aspecto es de tipo formal, en el sentido de que ha de darse constancia de la modificación para plasmarla en el inventario de bienes de la entidad pública.

La mutación de naturaleza subjetiva se completa con los supuestos en los que se produce un cambio de afectación para destinar un bien a una función pública de competencia de otro ente público territorial. Este cambio de ente gestor de los bienes no supone un cambio de titularidad, que permanece invariable en la entidad de origen, ni tampoco una modificación de la condición jurídica del bien. Obviamente, esto condicionará el destino que se le pueda dar en la entidad receptora, que deberá ser adecuada con el régimen del dominio público.

El procedimiento para la mutación demanial está recogido en el art. 72 LPAP y es tramitado por la Dirección General del Patrimonio del Estado por iniciativa propia o a propuesta de un departamento. Una vez decidida por el Ministro de hacienda habrá de ser acordada en una orden que para ser efectiva requerirá la firma de un acta en el que intervendrán la dirección general del patrimonio del estado y los departamentos interesados. Deberá ser el resultado de un acto administrativo expreso.

3. La salida del dominio público: la desafectación de los bienes

El fenómeno contrario al de la incorporación de un bien al dominio público está constituido por la desafectación de un bien, esto es, la operación por la cual el bien deja de estar destinado al cumplimiento de un uso general o un servicio público y perderán en el mismo instante la condición de bien de dominio público, pasando a estar integrado en el grupo de los bienes patrimoniales o, en ciertos casos recogidos en la legislación, yendo a manos privadas.

Para evitar los problemas que plantea la pérdida de destino de los bienes, resulta preciso un acto expreso en el que se tome esta decisión. Acto expreso que debe tener, como mínimo, el mismo rango que la decisión por la que entró un bien en el dominio público y en el que se justifiquen las razones que motivan el cambio de criterio de la Administración sobre el destino el bien[39]. Esto da lugar a una pluralidad de supuestos que, además,

---

[39]   Sobre esta cuestión, la sentencia del Tribunal Superior de Justicia Navarra núm. 624/2000 (Sala de lo Contencioso-Administrativo), de 13 abril: "No introduce, por

deben ser complementados con el estudio de la posibilidad de desafectaciones por hechos administrativos, sin decisión expresa en este sentido.

En principio, la forma más usual de desafectación de bienes es a través de un acto administrativo, que en la Administración general del Estado adoptará el Ministro de Economía y Hacienda. Así resulta claro de la nueva regulación, que dispone que "salvo en los supuestos previstos en esta ley, la desafectación deberá realizarse siempre de forma expresa" (art. 69.2 LPAP), en término similares a los del acto de afectación, esto es, *por un acto administrativo* dictado por el Ministerio de Hacienda que precisa la entrega del bien, suscrita por un representante designado por el departamento al que estaba adscrito el bien y con acta de recepción aprobada por la Dirección General del Patrimonio del Estado; momento en el cual se producirá la cesación de su demanialidad. Teóricamente, pues, han desaparecido las desafectaciones tácitas de bienes que tantos problemas han planteado con anterioridad[40].

No creo, sin embargo, que las cosas se puedan plantear de esta manera. Existen supuestos en los que se admite por la ley la afectación por actos implícita que podrían extenderse, de igual manera, a la desafectación, más allá de que exista un precepto legal que lo admita expresamente. La identidad que existe entre ambos fenómenos, aunque tengan finalidades contrapuestas hace que se deban admitir tanto para la entrada en el dominio público como para la salida de éstos del demanio, aunque sometido a las

---

lo tanto, conceptos jurídicos indeterminados, difiriendo a criterios de experiencia o valor, como referente a los que ha de ajustar su conducta la Administración, sino que por el contrario hay una habilitación amplia de potestad para valorar con criterios de oportunidad los motivos en base a los cuáles se opera la desafectación. Ello no exime a la Administración que deba motivar en el procedimiento cuáles son los referidos factores de oportunidad, y posibilitando, por otro lado, el control jurisdiccional del ejercicio de esta potestad a través del control de los distintos elementos reglados que concurren en todo acto como es el procedimiento y la competencia del órgano, y mediante la acreditación de concurrencia del fin para el que se ejercita tal potestad, incurriendo en otro caso en desviación de poder".

[40] Recordemos que las desafectaciones de hecho han sido admitidas por la jurisprudencia que surgió en relación con la isla de la Cabrera, STS 30.11.1965 y 2.6.1989. Recientemente, vinculado también a supuestos de reversión de bienes, puede verse la STSJ Andalucía-Sevilla de 20.4.2001, en donde se afirma "afirmada la desafectación táctica, lo que no puede haber duda es que ésta ha de ser probada por actos concluyentes que de modo claro y rotundo pongan de manifiesto que la misma se ha producido". De igual manera, se recuerda que corresponde "la prueba de los mismos al solicitante de la reversión, por constituir esta última forma de desafectación tácita una excepción a la regla general".

cautelas que sean imprescindibles. Así deberían encontrarse dentro de los casos de desafectación implícita los supuestos de la aprobación de planes por los que un bien pierda el destino, los supuestos de falta de cumplimiento de los fines que motivaron la expropiación forzosa, como paso previo para que se pueda producir la reversión de bienes por los antiguos propietarios o su mantenimiento dentro del patrimonio público, en el marco del art. 54 LEF. Y parece difícil pensar que cuando se produce un hecho concluyente de la Administración, tal como la demolición de un edificio, no se produzca también la desafectación.

A los supuestos reseñados con anterioridad habría que añadir la *degradación o desafectación por causas naturales*, o, como señalaron PAREJO GAMIR y RODRÍGUEZ OLIVER "la consecuencia de unos hechos físicos, queridos o independientes de la voluntad humana, que alteran las características en contemplación de las cuales el bien fue definido en la norma como pertenencia demanial"[41]. Así por ejemplo, nos encontramos con el supuesto recogido en el art. 370 Cc, en virtud del cual los cauces abandonados del río pertenecen a los propietarios de los terrenos ribereños, derivado de causas totalmente naturales o la Ley Cambó de 1918 de desecación de marismas, hoy derogada. No obstante, la pérdida de las condiciones naturales que motivaron su entrada en el dominio público no supone automáticamente su desafectación, dado que, en ocasiones, supone su entrada en el patrimonio de la Administración, tal y como lo recoge, por ejemplo, el art. 18 de la Ley de costas, que exige la tramitación de un expediente administrativo y una decisión expresa para que se produzca la desafectación.

Y obviamente, hay que reseñar, de igual manera, que aunque sea una forma muy inusual, cabe la *desafectación por norma con rango de ley*. En este caso, la ley habrá de determinar además de la cesación de la demanialidad las consecuencias que tiene para el régimen jurídico de los bienes, cuyo primer paso será, en principio, la entrada en el patrimonio de la administración.

---

[41]   PAREJO GAMIR, R., y RODRÍGUEZ OLIVER, J. M.; *Lecciones...*, op. cit. p. 26.

VII. LA PROTECCIÓN DE LOS BIENES PÚBLICOS. CUESTIONES GENERALES Y ESPECIALIDADES DEL RÉGIMEN DE PROTECCIÓN DEL DOMINIO PÚBLICO

La regulación de los bienes públicos tiene gran cuidado en articular una serie de medidas que los protejan. Es un régimen que es común a los bienes que están dentro del dominio público y del patrimonio, más allá de que pueda existir alguna pequeña modificación en las consecuencias del empleo de una técnica y que haya alguna especialidad en el régimen demanial, como es el derivado de la policía demanial. La necesidad de protección de los bienes deriva directamente del texto constitucional, en la medida en que, por un lado, configura la indisponibilidad como característica central del dominio público y, por el otro en el art. 132.3 dispone que la "defensa y conservación" del patrimonio del Estado es uno de los aspectos que se tiene que recoger en su ley reguladora. Todo lo cual se concreta legalmente en el art. 28 LPAP donde se impone a la Administración la obligación proteger y defender su patrimonio, ejerciendo "las potestades administrativas y acciones judiciales que sean procedentes para ellos".

Obviamente, el establecimiento de este régimen de protección no va a cumplir meramente la función de proteger la titularidad pública, aunque esta sea la función más inmediata. Al mismo tiempo, sirve como mecanismo para garantizar las funciones públicas que se estén prestando con estos bienes, funciones que son lo que dan sentido a la propia existencia de bienes públicos. Y, en ciertos casos especiales, lo que se pretende es la conservación de las características propias de los bienes, lo que refuerza los instrumentos de protección, sobre todo en los casos en los que nos encontremos ante bienes medioambientalmente dignos de protección.

De lo anterior, se deduce claramente que el régimen de protección de los bienes públicos tiene un régimen que está disperso. Por un lado, nos encontramos con las disposiciones reguladoras de cada uno de los sectores demaniales, que se analizan en los capítulos siguientes de este trabajo. Pero, al mismo tiempo, en nos encontramos con las disposiciones que se recogen en la ley del patrimonio de las Administraciones Públicas, que serán supletorias en aquellos casos en donde la legislación reguladora de un ámbito demanial no haya contemplado los mecanismos de protección de esa categoría de bienes, como por otra parte es común en las infraestructuras que son demaniales, en donde lo único que se acostumbra a hacer es establecer alguna peculiaridad digna de mención y que sirven para completar el régimen del bien.

La exposición que sigue servirá tanto, por tanto, para bienes demaniales como para bienes patrimoniales, indicándose, las peculiaridades que haya entre unos y otros. Para los bienes del dominio público especiales, las reglas que se estudian en los capítulos siguientes se integrarán con las que se fijan aquí. Las reglas que se han de analizar son una general de todos los ciudadanos (inscripción en registros públicos), otra de gestión interna administrativa (inventario de bienes), a las cuales se unen las cuatro facultades más características: investigación de la situación de los bienes y derechos; deslinde administrativo, recuperación de los bienes y derechos y desahucio administrativo. Todo lo cual se complementa con la ayuda de la jurisdicción penal en los supuestos en los que se piense que ha existido la comisión de un hecho delictivo, aspectos que se analizan en el capítulo correspondiente de este volumen.

1. Medidas de protección interna: inventarios administrativos

La primera medida de protección de los bienes públicos es un instrumento de gestión patrimonial, tanto pública como privada[42]: disponer de un inventario en el que se concreten los bienes que están en su ámbito de actividad, con todo aquello que sea necesario para una correcta identificación de su situación física y jurídica. El art. 32 LPAP es claro al respecto, cuando dispone que "las Administraciones Públicas están obligadas a inventariar los bienes y derechos que integran su patrimonio, haciendo constar, con el suficiente detalle, las menciones que resulten necesarias para su identificación y las que resultan precisas para reflejar su situación jurídica y el destino o uso a que están siendo dedicados".

Los inventarios han de cumplir necesariamente con una serie de principios para que puedan ser útiles para la función que les crean. En este sentido, referidos al ámbito local pero traspasables a otros diferentes, SAINZ MORENO, ha señalado que "el inventario se rige por los principios de generalidad (afecta a todas las entidades), integridad (todos sus bienes), veracidad actual, oficialidad y publicidad"[43].

---

[42] En este sentido, conviene recordar que se ha señalado que "el sistema de inventarios resulta insuficiente e inútil. Existe una dejación por parte de las Administraciones Públicas para su formación y actualización. Por ello es necesario buscar otros sistemas para proteger las propiedades públicas, aunque se mantengan los inventarios" BERMEJO VERA, J., *Derecho administrativo. Parte especial*, Civitas (1994), p. 332.

[43] SAINZ MORENO, F., "Bienes de las entidades locales", en la obra colectiva dirigida por MUÑOZ MACHADO, S., *Tratado de Derecho Municipal*, Ed. Civitas, Madrid (1988),

Para que resulte útil, debe estar diferenciado en función de las catego-rías de bienes que lo integren, los derechos en cosa ajena que se pudieran disponer. De este modo, se dividirá en bienes inmuebles y derechos rea-les sobre los mismos, derechos de arrendamiento y otros que permitan el acceso a cosas ajenas, los bienes muebles y propiedades incorporales que no deban estar en el inventario del departamento correspondiente y los valores mobiliarios y títulos representativos del capital[44]. De acuerdo con lo dispuesto en el art. 32, se hará constancia de aquellos actos que se consideren necesarios para la gestión patrimonial y, en todo caso, los que "correspondientes a las operaciones que, de acuerdo con el Plan General de Contabilidad Pública, den lugar a anotaciones en las rúbricas corres-pondientes del mismo".

El inventario de bienes es una figura que, para resultar útil, debe estar en continuo proceso de adaptación, rectificándose todos los datos que se hayan alterado. En principio las operaciones deberían hacerse inmedia-tamente aunque, alguna disposición, como el art. 33 RBEL obliga a que se realice de forma anual. Por ello, en el momento en que se produzca cualquier acto que deba tener constancia interna, el órgano que lo haya realizado deberá inscribirlo a través del procedimiento que se recoge en el art. 33.3 LPAP. Y en el mismo sentido, se prohíbe la realización de actos de gestión patrimonial si no se encuentran convenientemente inscritos en el inventario general de bienes y derechos del estado.

En todo caso, esta certificación del Inventario de Bienes de la Admi-nistración General del Estado casi no tiene efectos frente a terceros dado que, de acuerdo con lo dispuesto en el art. 33.4 de la Ley, "no tienen la consideración de registro público", de tal manera que "no surtirán efectos frente a terceros ni podrán ser utilizados para hacer valer derechos frente a la Administración General del Estado y sus organismos públicos". Esta es una idea que había resaltado la doctrina con anterioridad de forma conclu-yente, como lo muestran las palabras de PARADA: "los inventarios no son otra cosa, pues, que relaciones de bienes que la Administración hace para su propio conocimiento interno. La inclusión en un catálogo no añade nada, en cuanto técnica defensiva, a las potestades exorbitantes de defensa y recuperación de los bienes, como no sea la de constituir un principio de

---

p. 1621.
[44] En el Reglamento de Bienes de las Entidades Locales se recoge una minuciosa regu-lación de todos los bienes y derechos que han de inscribirse, con los datos que deben ser recogidos.

prueba por escrito"[45]. En este sentido, ha habido sentencias en las que se ha afirmado que una inscripción "acreditada por la oportuna certificación, tiene iguales efectos que la escritura pública, incluso para su inclusión en el Registro de la propiedad, respecto a los bienes inmuebles y derechos reales" (STS 29.4.1989).

2. *Exteriorización externa de la situación de los bienes: inscripción en los registros públicos*

Precisamente por esta falta de efectos para terceros que tiene la inscripción en el inventario de bienes de las administraciones públicas, la nueva ley, recogiendo lo que ya estaba contemplado con anterioridad, exige, salvo para el caso de los arrendamientos en el registro de la propiedad[46], la inscripción de los bienes y derechos de su patrimonio en los registros adecuados. El art. 36 es en este sentido claro cuando dispone que "las Administraciones públicas deben inscribir en los correspondientes registros los bienes y derechos de su patrimonio, ya sean demaniales o patrimoniales, que sean susceptibles de inscripción, así como todos los actos y contratos referidos a ellos que puedan tener acceso a dichos registros" (art. 36.1), lo que se complementa con la regulación detallada de los arts. 37 y ss., de la modalidad más relevante de inscripción registral de los bienes públicos, la que se produce en el Registro de la Propiedad inmobiliaria, superando todos los problemas que hubo con anterioridad y en donde precisamente el registro fue un instrumento que actuó contra el carácter público de algunos bienes[47].

De hecho, la voluntad de inscripción de todos los bienes públicos está tan marcada en la nueva ley que se da a los registradores de la propiedad la posibilidad de instar a la Administración que inicien el procedimiento de

---

[45]   PARADA VÁZQUEZ, R., *Derecho administrativo. Bienes públicos. Derecho urbanístico.* Madrid (1997), Marcial Pons Ediciones Jurídicas, Madrid (1997), p. 24.

[46]   Recordemos que, por ejemplo, el art. 85 del Texto Refundido de Régimen Local dispone que "las entidades locales deberán inscribir en el Registro de la Propiedad sus bienes inmuebles y derechos reales, siendo suficiente a tal efecto la certificación que, con relación al inventario aprobado por la respectiva Corporación, expida el secretario con el visto bueno del alcalde o presidente y que producirá iguales efectos que una escritura pública".

[47]   Sobre los problemas que hubo en otro tiempo para la inscripción del dominio público en el Registro de la propiedad, con un análisis detallado de las vicisitudes legales en la materia y el juego de la publicidad aparente, véase PAREJO GAMIR, R. *Protección registral y dominio público*, EDERSA, Madrid, (1975).

inscripción de bienes en aquellos casos en los que haya constancia de la no inscripción en el registro de la propiedad de alguno de los bienes públicos de su demarcación.

La inscripción de bienes públicos en el registro de la propiedad se producirá, además, de por los procedimientos comunes para los particulares, por el procedimiento privilegiado que recoge el art. 206 de la ley Hipotecaria. En dicho precepto se dispone que será suficiente una "certificación librada por el funcionario a cuyo cargo esté la administración de los mismos, en la que se expresará el título de adquisición o el modo en que fueron adquiridos".

A los registros públicos generales, tales como el mercantil o el de la propiedad inmobiliaria hay que añadir aquellos supuestos en donde la legislación administrativa prevé registros especiales, tal como ocurre con los montes. En todo caso, los efectos jurídicos de estos registros especiales se recoge en los capítulos específicos de este volumen.

3. Investigación de la situación de bienes y derechos

Dentro de las prerrogativas específicas que tienen las administraciones públicas para la protección de sus bienes, la primera es la que recogen los arts. 45 y ss. LPAP, que les permite "investigar la situación de los bienes y derechos que presumiblemente formen parte de su patrimonio, a fin de determinar la titularidad de los mismos cuando ésta no les conste de modo cierto"[48]. Se trata de una potestad extraordinaria que sitúa a la Administración "en una posición privilegiada con relación a los particulares que carecen de una facultad semejante, ya que los medios que se conceden al particular para el proceso civil son mucho más limitados y, en todo caso, su práctica corresponde al juez"[49]

En este sentido, lo que hace la decisión que se tome después del procedimiento de investigación es constatar una realidad jurídica previa, la existencia o no de titularidad pública sobre unos bienes, con independencia

---

[48] Sobre la potestad de investigación, véase RODRÍGUEZ GONZÁLEZ, M. P., "Potestad administrativa de investigación", en la obra colectiva que dirijo *Diccionario...*, *op. cit.*, pp. 583 y ss.

[49] SAINZ MORENO, F., *Bienes de las...*, *op. cit.*, p. 1618.

de que además arbitrará mecanismos para la efectividad de esa titularidad, tal como se verá inmediatamente[50].

La regulación de la LPAP se centra en las condiciones en las que ha de materializarse el procedimiento para efectuar la investigación sobre estos bienes que se encuentran en una situación indeterminada. El procedimiento se inicia de oficio, ya sea por iniciativa propia o por denuncia de los particulares. Una vez decidida la iniciación del procedimiento se publicará el anuncio en el Boletín oficial del Estado y en el tablón de anuncios del ayuntamiento donde radique el bien. En el procedimiento se podrán plantear todos los medios de prueba que los particulares tengan por conveniente, los cuales deberán ser informados por la Abogacía del Estado.

Finalizadas todas las actuaciones y se haya podido acreditar la titularidad administrativa se procederá a efectuar aquello que hubiera evitado el recurso a este procedimiento, su inclusión en el inventario administrativo y en el registro de la propiedad. Todo el procedimiento se deberá concluir en el plazo de dos años, y si no fuera posible, se archivarán las actuaciones, de acuerdo con lo previsto en el art. 47 e).

Para incentivar que los particulares participen en la protección de los bienes públicos, la ley recoge el premio por denuncia, al que tendrán derecho los que promuevan la investigación sin tener obligación por razón de su cargo y que será del diez por ciento del valor de tasación del bien. no obstante, conviene también recordar que la presentación de la denuncia exige que el particular cumpla con una garantía a favor de la Administración, para hacer frente a los gastos que pueda ocasionar la investigación.

4. Deslinde administrativo

La segunda prerrogativa extraordinaria que tiene la administración es la de "deslindar los bienes inmuebles de su patrimonio de otros pertenecientes a tercero cuando los límites entre ellos sean imprecisos o existan

---

[50] Así, la Sentencia del Tribunal Superior de Justicia Andalucía, Sevilla, (Sala de lo Contencioso-Administrativo, Sección 1ª), de 26 febrero 2003, señala lo siguiente sobre la finalidad de esta potestad: "Dicha potestad tiene por objeto averiguar la situación de aquellos bienes cuya titularidad no consta pero existen indicios de que pudieran corresponder a la Entidad Local que suponen un conjunto de actuaciones, encaminadas a esclarecer, en la esfera interna de la propia Administración, la eventual titularidad pública de determinados bienes como trámite o presupuesto previo al resto de las potestades (deslinde, recuperación de oficio, etc.)".

indicios de usurpación" (art. 50 LPAP)[51]. Se trata de un derecho que tenemos todos los propietarios, tal como dispone el art. 384 Cc, aunque lo que separa su ejercicio del modo en que lo han de hacer los particulares es que las Administraciones públicas lo pueden hacer sin necesidad de acudir a los Tribunales de Justicia[52]. En principio, la operación de deslinde es una mera operación técnica[53] que sirve para delimitar los contornos de los in-

---

[51]   Como señala la Sentencia del Tribunal Superior de Justicia Castilla y León, Burgos, núm. 207/2001 (Sala de lo Contencioso-Administrativo), de 14 septiembre, constituye un presupuesto para que se pueda realizar el deslinde: "Que en el caso no concurre esa indefinición de límites resulta evidente si se tienen en cuenta la propia confesión del recurrente donde reconoce el actor que su propiedad se encuentra deslindada que la calzada se encuentra pavimentada y que no existe confusión de su propiedad con el dominio público por lo que resulta evidente que no concurren los presupuestos de la acción ejercitada porque lo que el actor sostiene es que unos postes han sido colocados en dominio público y deberían de serlo en propiedad privada ya que solo prestan servicio a una finca en concreto pero esto no es el presupuesto de la acción de deslinde ni por tanto puede dar lugar al inicio del ejercicio de esa facultad ya que como aparece en el expediente administrativo no existe tal confusión de linderos existiendo incluso en ese Municipio Normas Subsidiarias que delimitan las vías y anchura de la calzada luego al ser clara y precisa la zona demanial con la colindante propiedad particular, resulta, pues, patente que el Consistorio no tenía que proceder a tramitar el expediente previo a las operaciones materiales de apeo en los términos procedimentalmente exigidos en los artículos 58 a 67 del Reglamento de Bienes de las Entidades Locales (Real Decreto 1372/1586, de 13 de junio).

[52]   Sobre el deslinde administrativo, véase RODRÍGUEZ GONZÁLEZ, M. P., "Deslinde administrativo", en la obra colectiva que dirijo, *Diccionario..., op. cit.,* pp. 285 y ss.

[53]   De hecho, el art. 57 del RBEL señala que "el deslinde consistirá en practicar las operaciones técnicas de comprobación y, en su caso, de rectificación de situaciones jurídicas plenamente acreditadas". De hecho, la Sentencia del Tribunal Superior de Justicia Navarra (Sala de lo Contencioso-Administrativo), de 7 marzo 1998 tiene por objeto delimitar la finca a que se refiere y declarar provisionalmente la posesión de hecho sobre la misma mediante la práctica de las operaciones técnicas de comprobación y, a su vez, de rectificación de situaciones jurídicas plenamente acreditadas (a las que también se refiere el art. 48 del Decreto Foral 280/1990). Destacándose que si bien el deslinde procede cuando apareciesen límites imprecisos entre las propiedades o indicios de usurpación, las operaciones técnicas de comprobación y la rectificación de situaciones jurídicas sólo es posible legalmente si nos encontramos ante supuestos plenamente acreditados, esto es, que la Administración en el momento de levantar el acta de apeo o al aprobar el deslinde **no puede desentenderse de las demás situaciones jurídicas consolidadas a favor de los particulares colindantes por venir éstas amparadas o protegidas por preceptos civiles e hipotecarios,** ya que aparte de situaciones surgidas al amparo del art. 34 de la Ley Hipotecaria existen otras en base a la simple inmatriculación (arts. 200, 205, 206 y 207 de la Ley Hipotecaria), que no pueden ser ignoradas, que se verían contradichas si la Administración pudiese hacer declaraciones posesorias, aun con el carácter de provisionales, en contra de tales situaciones jurídicas por la vía del deslinde administrativo".

muebles de titularidad con el fin de mantenerlo en su integridad dentro del ámbito público, aunque obviamente los efectos que tiene hacen que su importancia resulte superior.

El procedimiento administrativo de deslinde entra dentro de las prerrogativas administrativas y paraliza la tramitación de cualquier otro procedimiento judicial por el que se pretendan determinar los linderos en discusión; obviamente lo que no obsta para que, una vez concluido el mismo se pueda proceder a la revisión judicial del mismo. El art. 50.2 LPAP es claro en este sentido cuando afirma que "una vez iniciado el procedimiento administrativo de deslinde, y mientras dure su tramitación, no podrá instase procedimiento judicial con igual pretensión". La legislación de régimen local concreta, además, que "ni se admitirán interdictos sobre el estado posesorio de las fincas mientras no se lleve a cabo dicho deslinde" (art. 66 RBEL). Aunque sea un procedimiento que entra dentro de las prerrogativas que tiene la Administración, la iniciación del procedimiento puede ser tanto por iniciativa administrativa como por petición de los colindantes, en cuyo caso deberán cargar con los gastos del procedimiento de deslinde.

No obstante, aunque teóricamente no sirve para declarar la titularidad pública de los terrenos, tiene unos efectos equivalentes[54]. En efecto, la resolución del deslinde es título suficiente para proceder al amojonamiento de los bienes y, sobre todo, "la inmatriculación de los bienes siempre que contenga los demás extremos exigidos por el artículo 206 de la Ley Hipotecaria", o, en el caso de que esté ya inscrita, "se inscribirá el deslinde administrativo referente a la misma, una vez que sea firme" (art. 53 LPAP). Precisamente por ello, el procedimiento de deslinde está rodeado de garantías para proteger las titularidades dominicales de los predios colindantes con los bienes públicos y a posibles adquirentes de dichos bienes, para que se puedan proteger los derechos de todas las partes, lo cual en ocasiones puede ser complicado técnicamente.

---

[54]   En este sentido, la Sentencia del Tribunal Superior de Justicia Canarias, Santa Cruz de Tenerife, núm. 820/1999 (Sala de lo Contencioso-Administrativo), de 12 julio, señala que en el deslinde la declaración de la administración se limita "a la determinación de un estado posesorio que se presume con carácter "iuris tantum" determinado por una titularidad preexistente», permite extraer la consecuencia de que la Administración, al no declarar el deslinde la propiedad, limitándose a definir la situación de hecho y posesoria en las zonas en conflicto, ha de resolver el expediente basándose en general en las pruebas que contribuyan a formar juicio sobre las cuestiones planteadas y de las que pueda deducir con certeza a cuál de las partes favorece la posesión de hecho".

Así, el acuerdo de iniciación del procedimiento se deberá comunicar al registro de la propiedad, en donde deberá constar mediante una nota. Asimismo, se deberá publicar en el Boletín Oficial del Estado, en el tablón de anuncios del Ayuntamiento en cuyo municipio radique el bien. En el ámbito local[55], en el que están más detallados los actos del procedimiento de deslinde, se concreta que hay que adjuntar una memoria justificativa del inicio del procedimiento, en el que se ha de justificar la concurrencia de alguno de los requisitos que habilitan a la iniciación del mismo, una descripción general de los linderos, un presupuesto de gastos y, finalmente, el acuerdo de iniciación del mismo.

A ello se deberán añadir las notificaciones personales de personas identificadas y que tengan derechos que pudieran resultar afectados. En el procedimiento se podrán utilizar los medios de prueba que resulten necesarios, incluidas las operaciones materiales para la determinación de los límites, operación que se conoce como *apeo,* del que ha de levantarse la correspondiente acta con las manifestaciones de todos los interesados y que puede incluir una primera valoración de cuál sea la línea divisoria de las fincas. Durante el procedimiento una vez realizadas las operaciones se requerirá informe de la abogacía del estado o del órgano de asesoramiento jurídico. Una vez que el acto es firme, como se ha indicado con anterioridad, se procederá a la inscripción en el registro de la propiedad.

A ello se añaden la operación de materialización de los efectos de la resolución del deslinde, que consiste en el amojonamiento, en virtud de la cual se señalan los límites de la titularidad pública y de la privada a través de mojones, señales o marcas a lo largo de la línea divisoria[56].

Conviene señalar, también como excepción a la limitación de efectos del deslinde, que aquellos que se produzcan en relación con los bienes del dominio público marítimo-terrestre y del de las vías pecuarias, la resolución que concluya el procedimiento declara tanto la posesión como la titularidad dominical y sirve, al mismo tiempo, para modificar las inscripciones registrales contradictorias con la resolución del deslinde.

---

[55] Una exposición minuciosa del procedimiento de deslinde local se puede ver en GA-LLARDO CASTILLO, M. J., *El dominio público local: procedimientos administrativos constitutivos y de gestión*, EDERSA, Madrid (1995), pp. 102 y ss.

[56] Como mera curiosidad, conviene ver las sentencias de 16.10.2003 y 14.4.2004 sobre amojonamiento de un deslinde efectuado 106 años antes.

5. Recuperación posesoria de oficio

La siguiente potestad extraordinaria que tiene la Administración para la defensa de sus bienes está constituía por la recuperación posesoria de oficio. El denominado *interdictum propium* es sin duda la figura más ejecutiva de que disponen los entes públicos para garantizar el mantenimiento de la titularidad pública, disponiendo del mismo efecto jurídico que en los casos en los que un órgano jurisdiccional dicta un interdicto para la recuperación de la posesión[57].

La potestad es, sin lugar a dudas, extraordinaria: sin necesidad de acudir a ningún órgano jurisdiccional, los entes públicos podrán recuperar la posesión de un bien usurpado por parte de un particular. Aquí debemos tener en cuenta que la posesión indebida del particular que da pie para el ejercicio de esta potestad puede ser tanto "si se trata de un despojo absoluto y total de la posesión como de perturbaciones de la anterior situación posesoria" (STS 8.2.1990)[58].

Es una potestad que se puede ejercitar para todos los bienes públicos, ya sean demaniales ya sea patrimoniales. La única diferencia hace referencia al plazo: se puede ejercitar con independencia del plazo desde el que lo

---

[57] Precisamente por sus efectos, la jurisprudencia recalca que sólo tiene efectos posesorios. Así, p.ej., la STS 3.12.1990 señala que "tal potestad, *interdictum propium*, habilita a la Administración para recuperar la posesión de sus bienes por sí y sin necesidad de acudir al juez, pero y esto se destaca, el *intedictum propium* tiene carácter meramente posesorio, es decir, contempla situaciones de hecho con trascendencia en el ámbito posesorio, dejando al margen la titularidad dominical".

[58] En la STS 26.1.1984 se contiene una guía para examinar en qué condiciones se puede recurrir a esta potestad:
"Que las Corporaciones locales tienen la obligación de ejercer las acciones necesarias para la defensa de sus bienes y derechos, con la prerrogativa de que pueden recobrar por sí, sin necesidad de acudir a los Tribunales de Justicia, la tenencia de sus bienes, sin que proceda interdicto de recobrar o retener contra sus acuerdos; pero según constante jurisprudencia del Tribunal Supremo es necesario que concurran los siguientes requisitos: 1° Que se trate de bienes de las Corporaciones Locales, sean de dominio público o patrimoniales; 2° Que se hallaren indebidamente en posesión de los particulares; 3° Que se ejercite la facultad dentro de un año a contar del siguiente a la fecha en que se hubiese producido la usurpación, si se trata de bienes patrimoniales, y en cualquier tiempo cuando sean de dominio público; 4° Que exista previo acuerdo de la Corporación al que se acompañarán los documentos acreditativos de la posesión, salvo que se tratare de repeler usurpaciones recientes: 5° Que dicho acuerdo no contenga declaración alguna sobre la naturaleza y titularidad dominical, ya que estas cuestiones corresponden a la Jurisdicción Ordinaria y 6° Que exista una completa identidad entre lo poseído por la Corporación y usurpado por el particular, pues en caso contrario es necesario el previo deslinde de lo confuso".

detentan si se trata de un bien de dominio público. Es una consecuencia necesaria del régimen de la indisponibilidad de los bienes demaniales que contempla el art. 132 de la Constitución y cuyas notas esenciales vimos con anterioridad. Por el contrario, el plazo será de un año, contado a partir del momento de su usurpación, si se trata de un bien de naturaleza patrimonial, tal como lo disponen el apartado tercero del art. 55 LPAP; plazo que resulta coincidente con el del interdicto de retener y recobrar la posesión que recoge la legislación procesal civil y con la pérdida de la posesión civil si la tiene otro durante un plazo superior a un año (art. 460.4ª° Cc). Ni que decir tiene que el problema deriva en la prueba del acto de usurpación. Obviamente, si transcurre ese plazo de un año sin que la Administración haya dictado el acto de desalojo deberá acudir como cualquier particular a los tribunales civiles utilizando las acciones judiciales pertinentes, habiendo perdiendo la posibilidad de ejercicio de esta acción.

El carácter ejecutivo e inmediato que tiene la potestad de recuperación posesoria de oficio hace que hayan de adoptarse cautelas para un correcto ejercicio de la misma. De entrada ha de quedar probada la pertenencia administrativa, que estén perfectamente identificados, investigados y deslindados, debiendo existir certeza de su situación y calificación jurídica. La jurisprudencia ha exigido, en este sentido, "prueba completa y acabada" de la posesión administrativa[59] —aunque no se trata de una jurisprudencia unánime, precisamente porque las situaciones en las que se pueden encontrar los bienes son muy variadas— o de una usurpación reciente de tales bienes que no esté amparada por ningún título administrativo. El problema más grave para el ente público titular del bien surge, obviamente, cuando pese a la potestad que reconoce el ordenamiento jurídico nos encontramos con una posesión usurpadora que el detentador ha logrado que resulte inscrita en el registro de la propiedad inmobiliaria, en cuyo caso no resultará posible su ejercicio por parte de los entes públicos.

En cuanto al procedimiento, de acuerdo con lo prescrito en el art. 56 LPAP, habrá de darse audiencia al interesado y en el momento en que haya constancia administrativa de la fecha de la usurpación, se requerirá al usurpante para que en el plazo máximo de ocho días libere el bien. Si hubiera resistencia por parte del particular, se podrán adoptar cuantas medidas sean factibles de acuerdo con la medidas previstas para la ejecución

---

[59]   Es la jurisprudencia mayoritaria, así puede verse en las SSTS 12.7.1982, 20.7.1984 o 1.7.1988. En relación con este punto, la STS de 23.4.2001 (*Tol 33175*), declara que no juega contra la administración el hecho de que no esté inventariada por parte del correspondiente ente público.

forzosa de los actos administrativos; pudiéndose pedir auxilio a los cuerpos y fuerzas de seguridad del Estado o imponerse multas coercitivas cuyo valor podrá ser de hasta el cinco por ciento del valor del bien, hasta el momento en que se produzca el desalojo.

Conviene recordar, por último, que contra el acuerdo de recuperación posesoria de los bienes no procede interdicto de recobrar o retener la posesión.

6. Desahucio administrativo

Para completar el abanico de posibilidades, nos encontramos con el desahucio administrativo, en virtud del cual las Administraciones públicas "podrán recuperar en vía administrativa la posesión de sus bienes demaniales cuando decaigan o desaparezcan el título, las condiciones o las circunstancias que legitimaban su ocupación por terceros". Se trata de una potestad similar a la anterior, aunque la ilicitud no es originaria, como en el supuesto anterior, sino que ha aparecido como consecuencia de la desaparición de las condiciones que legitimaban una ocupación legítima en su origen[60].

De nuevo, la ley ha insistido en el procedimiento para llevarla a cabo, con el fin de garantizar derechos e intereses de los poseedores. El procedimiento de desahucio parte de la declaración parte por parte de la administración de la declaración de extinción o caducidad del título que permitía la ocupación. Esta resolución será el resultado de un procedimiento contradictorio, irá acompañada de las declaraciones que sean necesarias para la ejecutar adecuadamente la liberación del bien público. A efectos de que el lanzamiento del usurpante sea lo más inmediata posible, la ley recalca el carácter inmediatamente ejecutivo de la misma.

Al igual que ocurre con el supuesto anterior, se podrá recurrir a las medidas de ejecución forzosa de los actos, en particular la multa coercitiva por

---

[60] Nótese que la STS 28.7.1987 indicaba al respecto que "el desahucio administrativo es un procedimiento de naturaleza administrativa que, por tanto, desarrolla la Administración por sí sin intervención de los Tribunales y cuya finalidad última en fase de ejecución, es el lanzamiento, por los propios agentes de aquélla, de quienes sin título bastante ocupan bienes de dominio público. En la mencionada fase constituye una variedad de la compulsión directa sobre las personas, y justamente por ello hay que destacar que para su procedencia resulta imprescindible que el poseedor de los bienes carezca de título bastante para justificar su posición. Lo que, en definitiva significa que si dicho poseedor presenta titulación suficiente no procederá esta vía compulsiva sin que previamente se haya destruido dicho título".

importe del 5% del valor del inmueble y solicitarse el auxilio de los cuerpos y fuerzas de seguridad para ejecutarse el lanzamiento, tal y como dispone el art. 61.2 LPAP.

7. *Policía demanial*

Como complemento de las medidas anteriores que están recogidas en la legislación, actuando como corolario de las demás, aparece la policía demanial. Como ha señalado SAINZ MORENO, "aunque las normas reguladoras de régimen local no atribuyen a las Corporaciones locales, de modo explícito, el ejercicio de una policía demanial en sentido estricto, esto es, dirigida a la defensa misma de los bienes públicos y no a la vigilancia de la regularidad de su uso, sin embargo, la jurisprudencia y el Consejo de Estado han recogido su existencia tomando como punto de apoyo unas veces la potestad de recuperación de los bienes y otras la competencia general en materia de policía urbana y rural. En el Derecho vigente los Municipios deben ejercer en todo caso competencias en relación a la seguridad en lugares públicos, la ordenación, gestión y disciplina en las vías urbanas (art. 25 LBRL)"[61].

La policía demanial comprende un abanico amplio de potestades que sirven para garantizar el cumplimiento de la utilidad pública del bien y sus cualidades materiales. Así, en la policía demanial hay que encuadrar "el conjunto de medidas de vigilancia y de potestades de limitación de actividades privadas sobre los bienes de dominio público (y, en su caso, sus zonas de protección) que las leyes confieren a la Administración para defender la conservación y buen uso de dichos bienes e impedir cualquier alteración perjudicial de su estado y características", tal como la ha definido SÁNCHEZ MORÓN[62]. Fruto de la potestad de policía demanial, hay utilizaciones prohibidas, utilizaciones permisibles previa autorización, y reservas de excepción prohibitiva en un permiso general de utilización. A ello se añade que el ente público puede inspeccionar en todo momento los bienes ya hayan sido o no objeto de título habilitante para la ocupación

---

[61] SAINZ MORENO, F., *Bienes de las entidades locales*, en la obra colectiva dirigida por S. Muñoz Machado "Tratado de Derecho Municipal", II, Ed. Civitas, Madrid (1988), pp. 1640-1641.

[62] SÁNCHEZ MORÓN, M., dentro de la obra dirigida por él mismo y con la participación de BARRANCO VELA, R., CASTILLO BLANCO, F. A. y DELGADO PIQUERAS, F., Los bienes públicos (régimen jurídico), Ed. Tecnos, Madrid (1997), p. 76.

del dominio público y también las instalaciones y/o construcciones que en ellos se ubiquen.

De acuerdo con lo anterior, la policía demanial tiende a proteger el dominio público frente a su deterioro por la acción de terceros y, por ello, se contemplan medidas de carácter sancionador que, al mismo tiempo, obligan al infractor a la reposición de los bienes a su situación anterior a la comisión del ilícito. Estas medidas tienen, de este modo, un campo doble de actuación: por un lado, a través tanto de técnicas preventivas, como autorizaciones de vertidos y de extracción de áridos o de carácter represivo, como las sanciones administrativas y de recuperación de bienes públicos dañados. Tal como ha señalado BARCELONA, "la noción de policía demanial se utiliza para explicar medidas administrativas variopintas, aunque todas ellas responden en definitiva a la idea antes mencionada de protección, conservación y defensa del dominio público. A decir verdad, da la impresión de que prácticamente cualquier decisión administrativa que guarde relación con dicha finalidad puede considerarse de policía demanial. En cuanto al grado de predeterminación normativa exigible, no identifico obstáculos serios a que en relación con alguna de ellas se repute aplicable la doctrina de los poderes implícitos o inherentes (por ejemplo, la facultad de vigilar que los aprovechamientos privados se realizan de conformidad con lo previsto en la Ley y en el título que los habilita puede entenderse inherente a la potestad de otorgar las concesiones)"[63].

Precisamente por ello, uno de los puntos donde tiene más importancia es en relación con los bienes del demanio natural[64]. No obstante, conviene tener presente que la existencia de esta potestad de policía demanial es totalmente ineficaz si los entes públicos carecen de los medios personales y materiales que les permitan un resultado adecuado; algo que en multitud de ocasiones no resulta factible.

8. *Protección penal del dominio público*

Muy vinculado a las potestades de policía demanial nos encontramos con la vinculación entre entes administrativos y jurisdicción penal para el

---

[63] BARCELONA LLOP, J., "Policía demanial", en la obra colectiva que dirijo *Diccionario...*, *op. cit.*, pp. 578-579.

[64] En relación con esta cuestión, debe verse DARNACULLETA I GRADELLA, M.; *Recursos naturales y dominio público: el nuevo régimen del demanio natural*, CEDECS, Barcelona (2000).

castigo de ciertos daños a los bienes públicos. No obstante, me remito al capítulo correspondiente de este volumen.

9. Otras medidas de protección de los bienes demaniales y la función a la que están afectados: servidumbres y establecimiento de zonas de protección

Por último, como último mecanismo para la protección de los bienes del dominio público, en particular los del dominio público estricto recogido en el art. 339. Cc, la legislación acostumbra a establecer medidas indirectas de protección que reducen las facultades dominicales de que disponen los propietarios de las fincas colindantes con el demanio.

Mediante su establecimiento, lo que se impide es la realización de todas actividades que puedan resultar contradictorias o bien con los bienes demaniales (p.ej. la zona de protección del dominio público marítimo-terrestre, que cumple la función de garantizar el aporte de áridos a la playa, impidiendo su desaparición) o bien con la función pública que se ejercita con los bienes de dominio público (p.ej. la prohibición de hacer fuego en los predios contiguos a las carreteras que recogen algunas leyes de carreteras) o para favorecer su acceso y utilización[65].

Ha de tenerse en cuenta que, aunque en principio se acostumbran a constituir sobre los predios contiguos con el dominio público, tal como se acaba de indicar, nada obsta a que se puedan constituir dentro de los propios bienes demaniales para garantizar el cumplimiento de una función específica dentro de las que se pueden satisfacer con los bienes del dominio público, tal como ocurre con la servidumbre de tránsito por el demanio marítimo-terrestre que recoge el art. 27 de la Ley de costas[66].

VIII. LA UTILIZACIÓN DE LOS BIENES PÚBLICOS

El último extremo que se ha de analizar en relación con el dominio público es el referido a su utilización. Es el caso en el que aparece de forma

---

[65]   CARRILLO DONAIRE, J. A., *Las servidumbres administrativas...*, op. cit., en particular pp. 135 y ss.

[66]   Sobre la aplicación de estas técnicas en el caso del dominio público marítimo-terrestre, debe verse el libro de NOGUERA DE LA MUELA, B. *Las servidumbres de la Ley de costas de 1988*, Marcial Pons, Madrid (1995).

más palmaria la diferencia que hay entre los dos grandes grupos de bienes demaniales, ya que las modalidades de uso de los bienes de servicio público no son similares a los de uso público. Lo que sí resulta común es que la gestión de los bienes ha de perseguir, de acuerdo con lo previsto en el art. 6. c) LPAP "su aplicación efectiva al uso general o al servicio público, sin más excepciones que las derivadas de razones de interés público debidamente justificadas", esto es, ha de procurarse que las modalidades de utilización sean las más adecuadas a la naturaleza del bien.

La búsqueda de la funcionalidad que han de tener los bienes está presente en la nueva regulación, en la medida en que es un parámetro de estudio para la cantidad de los bienes que resultan necesarios. Así, el art. 6 b) LPAP obliga a que los poderes públicos persigan "la adecuación y suficiencia de los bienes para servir al uso general o al servicio público a que estén destinados".

En todo caso, en la exposición que sigue se va a partir de la diferenciación entre los bienes que están afectos a un uso público y los que lo están a un servicio público, teniendo presente estos dos principios generales que recoge la legislación que afectan a todos los bienes demaniales. De igual modo, conviene recordar que, además de estos dos principios generales, ha de aplicarse una regla consistente en que "nadie puede, sin título que lo autorice otorgado por la autoridad competente, ocupar bienes de dominio público o utilizarlos en la forma que exceda el derecho de uso que, en su caso, corresponde a todos" (art. 84 LPAP). Con posterioridad, veremos que hay algún título que resulta más específico para los de uso común general.

1. La utilización de los bienes afectos a un servicio público

Como no puede ser de otro modo, la utilización de los bienes públicos afectos a la prestación de un servicio público depende siempre de las normas de éste último. El art. 87 LPAP es, en este sentido, claro cuando afirma que "la utilización de los bienes y derechos destinados a la prestación de un servicio público se supeditará a lo dispuesto en las normas reguladoras del mismo y, subsidiariamente, se regirá por lo dispuesto en esta ley"[67].

---

[67]   En este sentido, puede citarse la Sentencia del Tribunal Supremo de 4.7.1996 a cuyo tenor "el denominado principio de atracción de las concesiones demaniales por las de servicio... no conduce a que pierdan aquéllas su total virtualidad sino que da lugar al fenómeno de la accesoriedad concesional subordinándose la concesión de dominio indispensable para la de servicios, sin que por ello se pierda totalmente la demanial subordinada, aunque siga las vicisitudes legales de la principal (relación que) exige

Este dato, que por otra parte, resulta incuestionable, va a condicionar los modos reales de uso de un bien afecto a un servicio público. Por un lado, nos encontraremos con que en la mayor parte de los supuestos el régimen de los particulares nos conducirá al de los usuarios de los servicios públicos y, por otra parte, en los casos en los que nos encontremos con edificios administrativos, las posibilidades de utilización por parte de los particulares serán muy limitadas, salvo que lo que se pretenda sea ser prestador de un servicio auxiliar o bien realizar tareas de gestión en el edificio correspondiente. Y, obviamente, el uso de estos bienes por parte de la administración pública va a resultar poco relevante jurídicamente hablando. Veamos estas modalidades de uso.

A) El uso por parte de los entes públicos

En términos generales la utilización que realiza la Administración pública de sus bienes no plantea ninguna especialidad. Esto es, se trata de una utilización normal y corriente por parte del titular del derecho de uso que no plantea especial peculiaridad desde un punto de vista jurídico. Lo único que conviene señalar es que ha de realizarse de acuerdo con el acto de afectación y que es marcadamente instrumental: la finalidad perseguida por la Administración es la prestación del servicio y, en este sentido, usará de los bienes afectos al mismo.

En el marco del servicio, la condición de la administración pública será habitualmente la de prestadora del mismo y, en consecuencia, habrá de disponerse de bienes suficientes para cumplir con los parámetros de calidad del mismo. Y, en el mismo sentido, será el servicio el que determine el las condiciones y modalidades de acceso de los ciudadanos al bien, pudiéndose incluso llegar a la prohibición como ocurre con algunos de los afectos a las funciones de defensa y seguridad.

---

que en el caso de que las concesiones de servicio impliquen concesión de dominio subordinado, hayan de otorgarse observando los requisitos esenciales para la concesión de utilización del dominio público, sin que en modo alguno puedan degradarse a mero carácter de autorizaciones o licencias de policía... de tal modo que no es dable prescindir del régimen jurídico del dominio público... y si bien cabe reconocer un derecho al concesionario para la utilización privativa del dominio público necesario para el servicio que presta y, por ello, no puede exigírsele que se someta su otorgamiento a libre licitación, ni puede hablarse de que en tales casos sea discrecional la facultad de otorgar las concesiones necesarias para la prestación del servicio, *mucho menos podrá equipararse la concesión a una mera autorización o licencia, limitada a remover los obstáculos que se opongan al ejercicio de la actividad de los administrados"*.

Lo único que puede plantear alguna dificultad práctica es el supuesto de la pluralidad de afectaciones, en cuyo caso, habrá de arbitrarse mecanismos de coordinación entre órganos o administraciones para no dificultad la utilización de cada uno de ellos. No obstante, conviene tener presente que será el acto de afectación o adscripción el que determinen las condiciones en las cuales se puede producir esta pluralidad de usos, cuál es que dispone de preferencia y qué reglas hay que seguir para los supuestos de conflicto entre ellos.

B) Ocupaciones de particulares de edificios administrativos

El siguiente supuesto de utilización de los bienes de servicio público que está recogido en la ley es el de la ocupación por terceros de espacios en los edificios administrativos. Se trata de una posibilidad excepcional, en la medida en que con ella se puede estar condicionando el servicio principal, dado que se restringe el espacio que se dispone para el servicio principal. Por ello, la regulación del art. 89 LPAP no sólo insiste en que se podrá admitir de forma excepcional sino que, además, rodea de cautelas las condiciones en que ésta se podrá producir.

Así, se trata de una utilización para servicios auxiliares del propio edificio, tanto de los visitantes que puedan acudir como del personal que esté prestando sus servicios en él. La caracterización que se efectúa y los casos que a título de ejemplo plantea el art. 89 van en esta dirección: "cuando se efectúe para dar soporte a servicios dirigidos al personal destinado en el ellos o al público visitante, como cafeterías, oficinas bancarias, cajeros automáticos, oficinas postales u otros análogos". Sólo en el caso excepcional de que existan espacios no necesarios se podrá admitir otra modalidad de utilización que no responda a las pautas que se acaban de indicar.

Sea en el supuesto que fuera, la utilización por parte del particular se tiene que realizar de tal manera que "no podrá entorpecer o menoscabar la utilización del inmueble por los órganos o unidades alojados en él", que, no olvidemos, constituyen la afectación central del edificio administrativo. Este dato afecta no sólo a las actividades que pueden resultar autorizables sino a las condiciones anejas al título que se tendrán que imponer por parte de la administración pública, precisamente para que la afectación principal no sufra detrimento ni en sus condiciones físicas ni en las ambientales.

Por lo que respecta al título habilitante que hace falta obtener para este tipo de utilización, el art. 89 recoge tres posibilidades: autorización, para los casos en que se haga a través de instalaciones desmontables, concesión, si la ocupación se produce a través de instalaciones fijas y, por último, la forma más usual, teniendo en cuenta la vinculación a un servicio auxiliar, será la del contrato administrativo, que en principio será un contrato de servicios, que permita la ocupación, que se habrá de formalizar a través de los procedimientos que recoge la ley de contratos.

C) Autorizaciones especiales

Con independencia de las anteriores, la LPAP recoge otra modalidad de utilización que en ocasiones se puede solapar con la última de las citadas: autorización especial de uso sobre bienes afectados o adscritos. Aquí el supuesto es el de un uso "por persona física o jurídica, pública o privada para el cumplimiento esporádico o temporal de fines o funciones públicas". Se trata, sin duda, de una modalidad peculiar, que supone la colaboración entre entidades públicas y/o privadas para el cumplimiento de fines públicos y que, en consecuencia, podrán tener acceso a los bienes públicos.

Precisamente por ello, la ley no lo rodea de la excepcionalidad con la que configura la ocupación de espacios en edificios administrativos, aunque pudieran resultar muy similares en cuando al fondo. Para prevenir abusos y en aras de que existan criterios similares, la ley exige el informe favorable de la Dirección General del Patrimonio del Estado y limita la utilización a cuatro años, prorrogables por otros cuatro.

A ello se añaden otros dos supuestos, que también estarán sujetos a estas autorizaciones especiales: por un lado, la cesión de edificios a organismos internacionales, que se produce en el marco de las relaciones internacionales y que, precisamente por el efecto beneficioso que tiene para nuestro país no está sujeto a ninguna limitación temporal. A ello se añade el caso de las fundaciones estatales, tan extendido en estos tiempos de privatización. Para estos dos supuestos, la autorización la otorga el Consejo de Ministros y se supone que está otorgada mientras se continúe prestando el servicio —tal y como se deduce del art. 90.2 LPAP—, aunque, con el fin de preservar la indisponibilidad de los bienes demaniales convendría que el plazo máximo fuera coincidente con el de las concesiones de dominio público, con posibilidad de prórroga por igual periodo de tiempo. Y, de igual manera, en las condiciones accesorias al título habilitante deberán fijar las obligaciones que asume el autorizado en cuanto a la protección y mantenimiento del bien.

Y, por último, nos encontramos con las autorizaciones especiales para periodos inferiores a treinta días, y entre los cuales se encuentran organización de congresos, conferencias, presentaciones, seminarios de acuerdo con los ejemplos que recoge el art. 90.3, que deja abierta la posibilidad de otros eventos similares. Aquí, ciertamente, nos encontramos ante casos en donde la eficacia del funcionamiento administrativo impide que se someta a todos los requisitos que se han visto con anterioridad. En este caso, será el departamento ministerial que tenga encomendada la función de gestión de estos bienes la responsable del otorgamiento de los permisos necesarios, y estableciendo las cautelas para que este tipo de uso "no interfiera su uso por los órganos administrativos que lo tuvieran afectado o adscrito".

D) El uso normal de los particulares de los bienes afectos a un servicio público: en cuanto usuario del mismo

A las modalidades anteriores de utilización de los bienes afectos a un servicios público hay que añadir la de los particulares, usuarios del servicio público al que está afecto, que obviamente también se transforman en usuarios del bien público. Aquí, su situación jurídico, las modalidades de utilización, los títulos habilitantes y las prohibiciones que pudieran existir dependerán de las que estén establecidos en el reglamento del servicio correspondiente; de tal manera que se pueda preservar el bien de su degradación ante utilización inidóneas y con arreglo al cumplimiento de deberes de carácter cívico.

2. La utilización de los bienes de uso común general

La utilización de los bienes del dominio público de uso común general plantea reglas que responden a principios diferentes, tal como lo recoge la legislación, que separa entre los bienes que son de uso público y los que están afectos a un servicio público. Conviene señalar, no obstante, que muchas de las leyes reguladoras de los sectores demaniales recoge reglas propias que serán de aplicación y que, sólo en defecto de las anteriores o para complementarlas, entrarán a jugar las que están recogidas en estos preceptos.

El régimen general de utilización de los bienes afectos a un uso común general obliga a realizar dos tipos de diferenciaciones: la utilización que realice la administración, que, en principio, requerirá como título habilitante la reserva dominial y las utilizaciones que realicen los particulares, en cuyo caso nos encontraremos ante tres tipos de usos que recoge el art. 85 LPAP: uso común, que es el que se realiza de forma indistinta por parte de los ciudadanos, uso común especial; para aquellos casos en los que concurren circunstancias de especial intensidad o peligrosidad o circunstancias de otro tipo y, por último el uso privativo. Tres modalidades de uso a las que corresponden tres títulos habilitantes distintos, recogidos en el art. 86: libremente, para el uso común, autorización o concesión para el uso común especial y concesión para el uso privativo.

En todo caso, conviene tener presente que la ley, su art. 6 d) dispone que la administración gestora del bien deberá procurar su "dedicación preferente al uso común frente a su uso privativo"; lo que obviamente será determinante en los casos de posibles colisiones entre distintos tipos de uso y al mismo tiempo supone una limitación a la hora del otorgamiento de aquellos títulos habilitantes para utilizaciones privativas tan intensas que impidan el uso común de los bienes demaniales.

A) Uso común general

El uso común general es, como se acaba de indicar "el que corresponde por igual y de forma indistinta a todos los ciudadanos, de modo que el uso por unos no impide el de los demás interesados". Con ello se ha de cumplir con los principios de igualdad, libertad de acceso y, en muchos casos de gratuidad, para garantizar la efectividad del uso común.

Se trata de una modalidad de utilización que se considera conforme con la función usual y que puede estar, como hacen algunas disposiciones, estar ejemplificado en algunas leyes, aunque siempre con cláusulas abiertas para otros usos que resulten similares[68]. En este sentido, en el uso común general hay que hablar de un principio básico, que es el de razonabilidad en la utilización del bien de dominio público, que el artículo 76 del RBEL concreta en que "el uso común general de los bienes de dominio público se ejercerá libremente, con arreglo a la naturaleza de los mismos,

---

[68]   Así, por ejemplo, el artículo 50 del Texto Refundido de la Ley de Aguas (Real Decreto Legislativo 1/2001, de 20 de julio) permite a todos usar las aguas superficiales "para beber, bañarse y otros usos domésticos, así como para abrevar el ganado". También el artículo 31 de la Ley 22/1988, de 28 de julio, de Costas, incluye dentro del libre uso del dominio público marítimo-terrestre "pasear, estar, bañarse, navegar, embarcar y desembarcar, varar, pescar, coger plantas y mariscos y otros actos semejantes que no requieran obras o instalaciones de ningún tipo y que se realicen de acuerdo con las leyes y reglamentos o normas aprobadas conforme a esta Ley".

a los actos de afectación y apertura al uso público y a las leyes, reglamentos y demás disposiciones generales".

Se trata, como ha señalado SÁNCHEZ MORÓN, de un interés legítimo "que faculta a los usuarios del bien para oponerse y reaccionar, judicialmente en su caso, frente a cualquier alteración ilegal del régimen de utilización de los bienes de dominio público destinados al uso público". De este modo, y extendiendo las consecuencias, se trataría de un derecho de defensa del carácter público de la utilización de los bienes que se puede alegar, asimismo, frente a restricciones ilegítimas de su uso público y para exigir el acceso a ellos en condiciones de igualdad[69]. Obviamente, esto no impide que en ciertas circunstancias, que suelen estar recogidas en las normas se restrinjan ciertos usos, como consecuencia de que haya una utilización prevalente, tal como podría ocurrir con las reservas demaniales o que se modalice el uso para proteger otras finalidades.

Precisamente por esta libertad de uso, no hace falta título habilitante alguno para su utilización por parte de los particulares, ya que la posibilidad de uso por parte de todos proviene directamente de la ley. La única limitación que surge es la recogida en el art. 86.1, que son "las derivadas de su naturaleza, lo establecido en los actos de afectación o adscripción y en las disposiciones que sean de aplicación". Libertad de uso que obliga a comportamientos de carácter cívico que se proyecta sobre todos los bienes pero, en particular, sobre aquellos que tengan un componente ambiental en su naturaleza, como las aguas marinas o terrestre, en donde el deber de preservación tiene un alcance más considerable.

De esta forma surgen dos limitaciones de carácter general a la utilización de los bienes demaniales: por un lado, las derivadas de comportamientos que puedan ser considerados realizados en abuso de derecho. Se trata de una cláusula que han recogido algunas leyes, como el art. 50 de la Ley de aguas, pero que, para los supuestos en donde no esté contemplada de esta manera, sería de aplicación la formulación general del Código civil. En segundo lugar, aparece la regulación administrativa sobre uso, que determinará las condiciones que puedan entrar dentro de este tipo de utilización y las cautelas que habrá que incluir para la protección de los bienes y la función que se presta con ellos. En relación con esta cuestión hay que recalcar dos aspectos importantes: por un lado, el papel relevante que tienen los instrumentos de planificación para la determinación de usos. El caso de las aguas posiblemente sea el más claro, dado que el plan es el que

---

[69]   SÁNCHEZ MORÓN, M. *Los bienes públicos..., op. cit.* pp. 55-56.

determina las modalidades de uso, pero no es el único, dado que también será de aplicación la normativa urbanística.

Pero, además, la propia Administración puede imponer ciertas limitaciones para este tipo de utilizaciones, unas motivadas por el interés general, tales como las derivadas del orden público o de la conveniencia de establecer otra modalidad de utilización. Otras encuentran su razón de ser en el establecimiento de medidas de protección de los bienes o de las funciones que cumplen los mismos.

B) Aprovechamiento especial

De acuerdo con el art. 85.2. LPAP, nos encontramos ante un aprovechamiento especial del dominio público con aquél que "supone la concurrencia de circunstancias tales como la peligrosidad o intensidad del mismo, preferencia en casos de escasez, la obtención de una rentabilidad singular u otras semejantes, que determinan un exceso de utilización sobre el uso que corresponde a todos o un menos cabo o de éste". Como puede apreciarse, tiene unas peculiaridades que lo diferencian de la modalidad anterior, dado que aunque sea compatible con el uso común general puede menoscabarlo o afectarlo negativamente. Precisamente por ello, es un tipo de utilización que en ocasiones está sometido al abono de tasas.

Las peculiaridades que plantea esta modalidad de utilización de los bienes públicos hace que, a diferencia de lo que ocurre con el uso común general, requiera un título específico. Frente a lo que ocurría con la legislación anterior a la LPAP, que conducía esta modalidad de uso a la autorización, en la actualidad la legislación amplía los títulos a dos: "cuando la ocupación se efectúe únicamente con instalaciones desmontables o bienes muebles, estarán sujetos a autorización o, si la duración del aprovechamiento o uso excede de cuatro años a concesión". En el fondo es un problema de realismo el poder conducir a cualquiera de los dos títulos, sobre todo cuando leyes especiales han ido en una línea similar, como ha ocurrido con la Ley General de Telecomunicaciones.

Es un título habilitante que podrá estar sometido a cláusulas accesorias que intenten reducir los efectos perniciosos para el uso común general o a la propia naturaleza del bien público y que, asimismo, podrán imponer obligaciones para la restauración a la situación anterior a que se haya producido el aprovechamiento.

Se trata de unas licencias que, tal como dispone el art. 77.2 RBEL "se otorgaran directamente, salvo si por cualquier circunstancia se limitare el número de las mismas, en cuyo caso lo serán por licitación y, si no fuere posible, porque todos los autorizados hubieren de reunir las mismas condiciones, mediante sorteo". En el mismo sentido, las posibilidades de transmisión están limitadas de manera que "no serán transmisibles las licencias que se refieran a las cualidades personales del sujeto o cuyo número estuviere limitado; y las demás, lo serán o no según se previera en las ordenanzas" (art. 77.3 RBEL).

En principio, el otorgamiento de estas licencias es de carácter reglado. No obstante, tal como ha declarado la sentencia del Tribunal Supremo de 29.5.1984 (Ar. 3149), "una reiterada y constante jurisprudencia ha venido proclamando insistentemente que las licencias municipales no son actos discrecionales sino reglados, que no sólo es reglado el acto de la concesión sino también el contenido de la misma, que la licencia como técnica de control de una determinada normativa no puede desnaturalizarse y convertirse en medio de conseguir, fuera de los cauces legítimos, un objetivo distinto; que *aunque es válido que las licencias se otorguen sujetas a determinadas condiciones,* las referidas condiciones no pueden ser discrecionales y que, en definitiva, la licencia debe ser concedida o denegada *en función de la legalidad vigente, sin que puedan exigirse otros requisitos o condicionamientos distintos de los que aparezcan autorizados por dicha legalidad".*

C) Uso privativo del dominio público

La última modalidad de utilización del dominio público por los particulares está constituía por el uso privativo, que según lo define el art. 85.3 LPAP es "el que determina la ocupación de una porción del dominio público, de modo que se limita o excluye la utilización del mismo por otros interesados". El elemento determinante de esta modalidad de uso es la exclusividad y, por consiguiente, la exclusión de los demás en el acceso a esa porción del dominio público, con independencia de que sea consuntivo o no del bien público. Todo lo cual nos conduce a una formulación diferente de esta modalidad de utilización.

Por esta peculiaridad, el uso privativo tiene naturaleza de derecho real de naturaleza administrativa. De acuerdo con esta naturaleza, es transmisible, gravable, registrable y que habitualmente supone el abono de un canon por parte del titular del título administrativo. Todo ello con condiciones muy particulares que dependerán de lo que disponga cada régimen especial de ordenación, como se verá en los capítulos siguientes de este volumen. En todo caso, lo que sí ha de quedar claro es que se trata de un derecho real sobre el uso, dado que el bien seguirá formando parte del dominio público, con independencia de la exclusividad del uso. Y por supuesto es una utilización sometida a plazo, dado que la indisponibilidad del dominio público impide la cesión perpetua del uso de los bienes.

Obviamente, este derecho a la utilización privativa del dominio público requiere título habilitante. De una forma un tanto asistemática, el art. 86 LPAP indica en dos ocasiones esta exigencia, indicando, por un lado que "cuando la ocupación se efectúe únicamente con instalaciones desmontables o bienes muebles, estarán sujetos a autorización o, si la duración del aprovechamiento o uso excede de cuatro años a concesión". El párrafo tercero, por su parte, reitera que "el uso privativo de los bienes de dominio público que determine su ocupación con obras o instalaciones fijas deberá estar amparado por la correspondiente concesión administrativa". Parece claro, de este modo, que será la intensidad de la utilización la que determinará si el título es concesión o autorización.

No obstante, además hay supuestos en la legislación en los cuales se va a permitir la utilización privativa de un bien público por disposición legal. Así, el titular de una finca tendrá el derecho al aprovechamiento de las aguas pluviales o estancadas y el operador de telecomunicaciones tendrá un derecho genérico a la ocupación privativa del dominio público para la instalación de sus infraestructuras, aunque luego haya de obtener un título concreto. En ocasiones, esta atribución del título por ley es un mecanismo compensatorio ante una privación singular de derechos sobre bienes públicos, tal como recoge la DT 1ª y 2ª de la Ley de costas[70]. Lo que las últimas leyes han eliminado es la posibilidad de adquirir el uso privativo de un bien público por prescripción. De hecho, para romper la tradición que existía en algunos sectores demaniales lo han prohibido de forma expresa.

En una línea similar, hay que recordar los derechos a la ocupación de los bienes públicos que tienen los titulares de los servicios liberalizados[71], como ocurre en los casos de las telecomunicaciones[72] o algunos de los sectores energéticos. En este caso, la función central es permitir el desarro-

---

[70] Sobre estas concesiones compensatorias, véase DESDENTADO DAROCA, E. *La expropiación de los enclaves privados en el litoral,* Thompson, Madrid (2007).

[71] Una visión general puede verse en mi estudio "Servicios liberalizados y uso del dominio público" en la obra colectiva que dirijo *Diccionario..., op. cit.,* pp. 653 y ss.

[72] Sobre el régimen de ocupación de los bienes públicos por los operadores de telecomunicaciones, véase mi estudio *Infraestructuras de telecomunicaciones y Corporaciones Locales,* Aranzadi (2003) y más recientemente "Notas sobre el régimen de instalación de infraestructuras de telecomunicaciones", en la *Revista del Derecho de las Telecomunicaciones e Infraestructuras en Red,* n° 27 (2006), pp. 93-123.

llo de las actividades lo que redundará en la consecución de un mercado competitivo, ya que estas infraestructuras suelen ir en los bienes del dominio público municipal. Las facultades municipales en esta materia se encuentran en un punto de equilibrio entre su prerrogativa de gestión del dominio público y el derecho de ciertos operadores a ocuparlo. Lo cual se traduce en una limitación recíproca: las facultades de gestión pública no son absolutas puesto que han de respetar el derecho de los operadores y el derecho de los operadores no es tampoco absoluto puesto que su ejercicio ha de respetar los intereses generales y públicos representados por la Corporación local. El derecho de los particulares es, en suma, un derecho de ejercicio condicionado como inequívocamente ha formulado la STS de 24.1.2000: "los Ayuntamientos titulares del dominio público no pueden denegar la autorización pertinente para la utilización que requiera el establecimiento o la ampliación de las instalaciones del concesionario u operador por su término municipal utilizando el vuelo o el subsuelo de sus cables. Ahora bien, *una cosa es esta obligación y otra que la utilización deba ser incondicional y que no puedan establecer los Ayuntamientos las condiciones técnicas y jurídicas relativas a cómo ha de llevarse a cabo aquélla*".

Por último, conviene recordar que la obtención del título habilitante para la ocupación del dominio público no exime al concesionario de la obtención de los restantes permisos necesarios para el desarrollo de las actividades. Y, en particular, la realización de construcciones deberá estar amparado por el planeamiento urbanístico y que para el inicio de las obras habrá de obtenerse licencia de obras[73], tal como reconocen las leyes urbanísticas. Así sucede, por ejemplo, con art. 151.2 de la Ley de la Comunidad de Madrid 9/2001, de 17 de julio, del suelo, en el que se afirma taxativamente que "están también sujetos a licencia urbanística los actos de uso del suelo, construcción y edificación que realicen los particulares en terrenos de dominio público, sin perjuicio de las autorizaciones o concesiones que deba otorgar el ente titular de dicho dominio"[74]. En todo caso, los aspectos

---

[73]   Esta solución que hoy recoge la mayor parte de las normas urbanísticas había sido ya sancionada de forma constante del Tribunal Supremo como luce en su sentencia de la Sala 4ª de 20.12.1987, al afirmar que "son distintas las licencias otorgadas para la realización de las obras y de la actividad de depósito subterráneo de gasóleo y la autorización de ocupación de terrenos de dominio público... y no se alegue que la licencia cubre la ocupación del suelo público porque es claro que el trámite seguido lo fue para la autorización de la actividad de almacenamiento de gasóleo no para una ocupación de dominio público".

[74]   En el mismo sentido, art. 183.1 de la Ley 2/2001, de 25 de junio, de Ordenación Territorial y régimen urbanístico del suelo de Cantabria, art. 168.1 de la Ley 1/1997, del

urbanísticos de los bienes públicos está analizados con minuciosidad en el capítulo xx de este volumen.

D) Régimen de autorización y concesión como títulos habilitantes para la utilización del dominio público

a) *Aspectos generales*

Tanto para aprovechamiento especial como para utilización privativa se requiere, de este modo, título habilitante, que puede ser autorización o concesión[75] en función de los criterios que hemos visto con anterioridad. Como es sabido, la elaboración dogmática del separación entre ambas modalidades de títulos es muy antigua ya que fue realizada por las doctrina alemana (O. MAYER) e italiana (RANELLETTI) a fines del siglo XIX, diferenciando nítidamente entre la licencia (que suponía el levantamiento reglado de los obstáculos que se oponen al ejercicio de un derecho preexistente del solicitante) y la concesión (que implicaba el traspaso discrecional de una facultad administrativa a un particular). Pero también es sabido que a lo largo del siglo XX se llegó a la convicción de que la realidad era mucho más rica y que no se dejaba ahormar en estos dos títulos, de tal manera que hubo que ir creando otras figuras intermedias, híbridas entre la licencia y la concesión. Así es como surgieron las licencias (no concesiones, pero tampoco licencias en sentido estricto) de los llamados servicios públicos virtuales y las autorizaciones reglamentadas.

¿Sigue manteniéndose de este modo la distinción radical entre autorización y concesión? Posiblemente la solución deba ser negativa, y de hecho la propia ley patrimonial hace un esfuerzo para difuminar las diferencias

---

Suelo de Galicia; art. 1.2 de la ley de Disciplina Urbanística del Principado de Asturias; art. 179.3 Ley 10/1998, de 2 de julio, de ordenación del territorio y urbanismo de la Rioja, art. 172 de la Ley 5/1999, de 25 de marzo, urbanística de Aragón, art. 165.2 de la Ley 2/1998, de 4 de junio, de ordenación del territorio y de la actividad urbanística de Castilla-la Mancha, art. 180.2 de la Ley 15/2001, de 14 de diciembre, del suelo y ordenación territorial de Extremadura; art. 2 de la Ley 10/1990, de 23 de octubre, de Disciplina urbanística de Baleares; art. 221.2 de la ley Foral 10/1994, de 4 de julio, de ordenación del territorio y urbanismo de Navarra. Está recogido en el art. 242.2 del TRLS'92, vigente en Andalucía y el País Vasco.

[75] Sobre las concesiones de dominio público, véase FERNÁNDEZ ACEVEDO, R., *Las concesiones administrativas de dominio público*, Thompson Civitas, Madrid (2007). Próximamente, mi estudio "Concesiones de dominio público", en la obra colectiva dirigida por FERNÁNDEZ TORRES, J. R., *Concesiones administrativas*, de próxima publicación por la Ed. Tirant lo Blanch.

entre una y otra. Aunque la cita resulte algo larga, merece la pena recordar lo manifestado por SANTAMARÍA PASTOR sobre esta cuestión: "La evolución legislativa ha terminado por difuminar por completo los límites entre la autorización y la concesión... hay múltiples supuestos de autorización que operan en supuestos en los que no preexiste derecho alguno del particular autorizado, pero también existen supuestos de concesiones que operan sobre actividades que no han sido objeto de *publicatio*, esto es, asumidas como propias por la Administración, y actividades declaradas servicios públicos que, sin embargo, se ejercitan por los particulares mediante autorizaciones, no mediante concesiones... (y, en fin) la ley ha creado múltiples supuestos de autorización de actividades que habilitan a la Administración para un seguimiento y vigilancia permanentes de su desarrollo, y que otorgan a ésta poderes de intervención más severos y constrictivos que los que se prevén en la generalidad de las concesiones. Por todo ello, las diferencias entre autorización y concesión son hoy meramente convencionales. El legislador utiliza uno u otra técnica según que pretenda aparentar (meramente aparentar) un nivel de intervención mayor o menor en la actividad controlada; pero la preexistencia o no de un derecho en el patrimonio del particular, el carácter declarativo o constitutivo de una y otro y el carácter más o menos enérgico de las potestades de intervención son extremos que el legislador diseña, después, a su capricho"[76]. Esta línea ha sido seguida en la nueva ley de patrimonio, que, recordemos tiene carácter supletorio sobre lo que hayan señalado las diferentes leyes de bienes públicos.

Por ello, en la exposición que sigue se expondrán los elementos comunes del régimen de ambas modalidades de título, analizándose con posterioridad los elementos distintos entre ambos.

b) *Régimen común a autorizaciones y concesiones*

El título habilitante para la ocupación del dominio público deberá recoger cuantos elementos sean específicos de esta ocupación del demanio. Precisamente por ello, la ley en el art. 92. 7 incluye todos aquellos elementos que se podrán incorporar y que son añadidos al régimen general. Concretamente, en dicho precepto se hacen referencia a los siguientes:

---

[76] SANTAMARÍA PASTOR, J. A., *Principios de Derecho administrativo*, Tomo II, Ed. Ceura, Madrid (1999), pp. 267-268.

a) Régimen del uso del bien o derecho, con indicación de la finalidad específica para la que se le ha concedido la utilización del bien demanial.

b) Régimen económico del título habilitante. Esto incluye no sólo el canon, sino además todos impuestos, tasas y demás tributos y los gastos de mantenimiento y conservación; factores todos ellos que recaerán en el utilizante. Recordemos, en este sentido, que autorizaciones y concesiones podrán ser gratuitas, otorgarse con contraprestación o condición o estar sujetos a la tasa por utilización privativa o aprovechamiento especial del dominio público.

c) El aval que habrá de prestar el ocupante del demanio.

d) La obligación de utilización del bien de acuerdo con la naturaleza del bien, con el compromiso añadido de devolverlo a la administración en el estado que se reciba. Esto último lleva aparejado, asimismo, la obligación de mantenimiento en buenas condiciones el bien concedido durante el periodo que dure el título administrativo.

e) El compromiso de solicitar todos los títulos habilitantes que sean necesarios para la utilización del bien público para el fin reflejado en el título.

f) La asunción de la responsabilidad derivada de la utilización del bien, con mención de los seguros que se hayan suscrito o se hayan de suscribir por el titular.

g) La aceptación de la revocación unilateral por razones de interés público. Esta revocación no dará derecho a indemnización en los supuestos de que las utilizaciones resulten incompatibles con las condiciones aprobadas con posterioridad, produzcan daños en el dominio público, menoscaben el uso general o impidan su utilización para actividades de mayor interés público.

h) La posibilidad de que se inspeccione por parte del órgano habilitante, con el fin de comprobar que la utilización se está produciendo de acuerdo con las condiciones del título, en el marco de las potestades de policía demanial.

i) Plazo de ejercicio, régimen de prórroga y de subrogación que requerirá, en todo caso, autorización previa por parte del órgano que otorgó el título habilitante.

j) Causas de extinción del título.

Este es el clausulado mínimo que tiene que recoger cada autorización y concesión demanial. Las condiciones particulares que rigen para cada título serán las que procedan del pliego de cláusulas administrativas generales para el otorgamiento de categorías determinadas de concesiones y autorizaciones sobre bienes y derechos del dominio público. En caso de que no existieran se ajustarán a las que se adopten por el Ministerio titular del bien, que podrán ser de alcance general, para categorías determinadas de autorizaciones o establecerse para supuestos concretos.

No obstante, además de estos elementos individuales, hay que indicar una serie de consideraciones generales sobre las bases sobre las cuales se concretarán algunos de dichos elementos.

Los títulos habilitantes se pueden otorgar de forma pura y simple o bien sometidos a cláusulas accesorias[77], que siempre están presididas por razones de interés público y que podrán afectar tanto al cumplimiento de la función pública que se preste con el bien como a la propia protección del bien público cuyo uso ha sido otorgado a un particular. Esta posibilidad está expresamente recogida en el art. 91.3, que incluso ejemplifica algunas.

En cuanto al procedimiento de otorgamiento de los títulos, se podrán hacer tanto de forma competitiva —procedimiento preferente para las concesiones— como de forma directa —procedimiento preferente para las autorizaciones— como por sorteo —procedimiento apto para autorizaciones con número cerrado y sin que sea procedente valorar a los candidatos—. El procedimiento competitivo responde a las reglas generales para este tipo de procedimientos. La ley ha resaltado mucho los mecanismos para garantizar la publicidad del procedimiento de otorgamiento, ya sea en los procesos iniciados de oficio como en los iniciados por solicitud de interesado. La resolución se habrá de producir en el plazo de seis meses, después de la ponderación del "mayor interés y utilidad pública de la utilización o aprovechamiento solicitado, que se valorarán en función de los criterios especificados en los pliegos de condiciones" (art. 96.5). Siguiendo la mecánica general de la Ley 30/92, de Régimen Jurídico de las Administraciones Públicas y del Procedimiento Administrativo Común, el silencio tendrá efectos desestimatorios de la petición del particular.

El *régimen económico* de la concesión es, como se vio con anterioridad, determinado en el título habilitante. No obstante, para que se pueda exigir contraprestación resulta necesario que exista una utilidad económica para el particular que resulte relevante para el particular. En este marco, la contraprestación se determina de acuerdo con lo dispuesto en la ley

---

[77]   En general, sobre este tipo de cláusulas véase el excelente libro de VELASCO CABALLERO, F., *Las cláusulas accesorias del acto administrativo*, Ed. Tecnos, Madrid (1996).

25/98, de modificación del régimen legal de las tasas estatales y locales y de reordenación de las prestaciones patrimoniales de carácter público o en la normativa especial. En ella, se marca unas previsiones de carácter general que, con posterioridad habrán de ser recogidos en las normas específicas, lo que obliga a que cada municipio, por ejemplo, lo haya tenido que incorporar a sus ordenanzas fiscales.

Conviene recordar, asimismo, la compatibilidad de la tasa por ocupación privativa o aprovechamiento especial del dominio público local con otra tasa por la prestación de servicios relativos o anejos a dicho aprovechamiento. El art. 24.1 de la Ley de Haciendas Locales es en este punto claro al indicar que las tasas por ocupación del dominio público "son compatibles con otras que puedan establecerse por la prestación de servicios o la realización de actividades de competencia local, de las que las mencionadas empresas deban ser sujetos pasivos conforme a lo establecido en el art. 23 de esta Ley".

En cuanto a las *causas de extinción del título* de utilización, la propia ley incluye cuáles pueden ser en el art. 100 LPAP:

a) Muerte o incapacidad sobrevenida del usuario o concesionario individual o extinción de la personalidad jurídica. Conviene recordar, no obstante, que en las disposiciones especiales de sectores demaniales se suele limitar los efectos de la extinción física (véase por ejemplo el art. 70.2 de la Ley de costas) o jurídica del concesionario (véase el art. 121 e) de la Ley 48/2003, en relación con la fusión de sociedades) como causa de extinción de las concesiones.

b) Falta de autorización previa en los supuestos de transmisión del título o modificación de la personalidad jurídica del usuario.

c) Transcurso del plazo, que suele ser automática aunque requiera un acto concreto de la administración, que es condición necesaria para la extinción del título, tal como ha señalado la jurisprudencia. En este sentido, el plazo máximo para las autorizaciones es de cuatro años —incluidas prórrogas—, y el de las concesiones será de setenta y cinco años —prórrogas incluidas—, salvo que se establezca otro menor en las normas especiales.

d) Rescate de la concesión, previa indemnización, o revocación unilateral de la autorización. Son motivos que afectan al interés público determinante de la concesión, que ha sido sustituido por otro que resulta prevalente.

e) Mutuo acuerdo.

f) Falta del pago del canon o, en general, cualquier otro incumplimiento grave de las obligaciones del titular del título, declaradas por el órgano que otorgó el título.

g) Desaparición del bien, por ejemplo en el litoral por el avance del mar, o agotamiento que está siendo objeto de utilización, como ocurre en los recursos mineros. A ello habría que añadir los supuestos en los que se produce la inaptitud sobrevenida del bien para el cumplimiento de la función.

h) Desafectación del bien, previa memoria justificativa de la conveniencia de la pérdida del carácter demanial de los bienes

i) Cualquier causa que esté prevista en las condiciones generales o específicas que rijan para ese título habilitante.

j) Renuncia, que aunque no esté contemplada en el art. 100 LPAP está recogida en todas las normas sectoriales relativas al dominio público —por ejemplo art. 78.1 c Ley de costas, art. 83.1 de la Ley de minas...— como causa de extinción de las concesiones y en algunas de las normas autonómicas generales de bienes públicos.

c) Condiciones específicas de las concesiones de dominio público

El régimen específico de las concesiones de dominio público afecta tanto a los concesionarios como a los derechos que tienen estos sobre los bienes concedidos.

Las peculiaridades que tienen las concesiones en la nueva LPAP se inician con una que afecta a los sujetos de la misma. De acuerdo con lo dispuesto en el art. 94 las prohibiciones para contratar que recoge la normativa de contratación pública y que en este momento estarán contemplada en el art. 49 de la Ley de Contratos del Sector Público se extenderán asimismo a las concesiones de dominio público.

Desde un punto de vista formal, la concesión es un acto rigurosamente formal. Por ello, habrá de ser formalizada en un documento administrativo. Este documento es título suficiente para su inscripción en el registro de la propiedad inmobiliaria, tal como prescribe el art. 93 LPAP.

La concesión de dominio público otorga a su titular un derecho real a la utilización del dominio público y sobre las obras construcciones e instalaciones fijas que haya construido para el ejercicio de la actividad autorizada por el título concesional. Como señala el art. 93.3 LAP "las concesiones se otorgarán por tiempo determinado. Su plazo máximo de duración, incluidas las prórrogas, no podrá exceder de 75 años, salvo que se establezca otro menor en las normas especiales que sean de aplicación". No caben, en consecuencia las concesiones sin plazo, como por otra parte resulta lógico teniendo en cuenta el carácter imprescriptible del dominio público, sea cual fuere la causa del título habilitante, aunque se trate de una concesión *ex lege*.

Se trata de un derecho real al que la propia ley quiere otorgar una situación jurídica similar al del derecho de propiedad "dentro de los límites concedidos en la presente sección de la ley". Ni que decir tiene que no supone la adquisición del dominio público, dado que es indisponible, pero sí que tiene un derecho oponible "erga omnes". Ahora bien, como ha señalado acertadamente JIMÉNEZ-BLANCO se trata de un "evidente exceso semántico"[78] del legislador ya que "no sólo es que es menor que una propiedad. Es que es distinto. Por eso, el autor de la LCAP ha querido reformular el punto de equilibrio de las prestaciones, dando al acreedor hipotecario, en caso de que la obligación garantizada no se viera satisfecha, unas situaciones subjetivas activas de los que carece en el caso de hipoteca ordinaria"[79].

Las limitaciones, en primer lugar, afectan a las condiciones de transmisión de este derecho real sobre los bienes concedidos. La realización de estos contratos ya sean *inter vivos* o *mortis causa* y afecten directamente al título, ya sean como consecuencia de negocios que afecten a la sociedad que sea titular de la misma requiere siempre[80] que tengan autorización previa de la autoridad que ha otorgado el título; siempre que el ordenamiento jurídico no contenga una prohibición expresa de que se produzcan estas transmisiones, tal como ocurre, por ejemplo, en el art. 70.2 de la Ley de costas. La autorización administrativa es una regla que se aplica, asimismo, a los negocios indirectos que pudieran tener el mismo resultado, como la constitución de derechos reales de garantía. Esta intervención administrativa cumple la función, por un lado, de garantía del título concesional, en

---

[78] JIMÉNEZ-BLANCO CARRILLO DE ALBORNOZ, A., "Negocios jurídicos sobre la concesión", dentro de la obra colectiva dirigida por CHINCHILLA MARÍN, C., *Comentarios a la Ley 33/2003, de patrimonio de las Administraciones públicas*, Ed. Civitas, Madrid (2004), p. 478.

[79] JIMÉNEZ-BLANCO CARRILLO DE ALBORNOZ, A., Negocios jurídicos..., *op. cit.*, p. 483.

[80] FERNÁNDEZ ACEVEDO recuerda algunos escasos supuestos en los que el ordenamiento jurídico ha sustituido la autorización administrativa previa por la comunicación o notificación posterior. FERNÁNDEZ ACEVEDO, R., *Las concesiones...*, *op. cit.*, pp. 384 y ss.

la medida en que tiene un componente de derecho-deber, y, en segundo lugar, se han de valorar que el cesionario dispone de todos los elementos que son necesarios para ostentar la concisión de concesionario.

Las hipotecas que se pudieran constituir sobre los bienes concedidos sólo podrán ser en garantía de los préstamos que contraiga el titular de la concesión para la financiación de la realización, modificación o ampliación de las construcciones sobre el bien concedido. Por otra parte, la hipoteca está vinculada en cuanto a su plazo al plazo último del título concesional, en la medida en que, de acuerdo con lo dispuesto en el art. 98 LPAP, "se extinguen con la extinción del plazo de la concesión".

Por último, las obras construidas en los bienes del dominio público como consecuencia del título habilitante deberán ser demolidas por el antiguo concesionario. No obstante, se podrá prever en el título concesional su mantenimiento, en cuyo caso revertirán gratuitamente y libre de cargas a la Administración otorgante del título, tal como prevé el art. 101 LPAP.

Por otra parte, aunque la ley no la recoja entre las obligatorias —debido, posiblemente a la remisión que hace a las generales de la autorización— parece conveniente seguir manteniendo la cláusula sin perjuicio de tercero, tradicional en nuestro ordenamiento y que para el régimen local contempla el art. 80.11 RBEL. Como se recordará con esta cláusula se conservan los estado posesorio anterior, la Administración no procede a la realización de ninguna actividad de delimitación de los derechos de los particulares y, por otra parte, supone la exclusión de toda responsabilidad administrativa, tanto respecto al concesionario como a terceros. Precisamente para evitar los riesgos derivados de estas cláusulas se configuran técnicas en defensa del título concesional, tales como los registros de concesiones, los procedimientos de información pública a que antes se ha aludido, que incluyen una delimitación completa del objeto que va a ser concedido.

Las concesiones han de otorgarse, como regla general, en régimen de concurrencia competitiva, salvo cuando el solicitante sea otra Administración Pública, una entidad sin ánimo de lucro (artículo 93.1 de la LPAP). El anuncio del trámite se habrá de publicar en el diario oficial de la Administración correspondiente, disponiéndose de un plazo de treinta días para formular las solicitudes (en el caso de que el otorgamiento de la concesión se hubiera solicitado por un interesado, la Administración podrá publicar dicho anuncio al objeto de invitar a otros posibles interesados a formular sus respectivas solicitudes). La resolución deberá dictarse y notificarse en el plazo máximo de seis meses, teniendo el silencio sentido negativo (artículo 96 de la LPAP).

d) Condiciones específicas para las autorizaciones

Como se ha indicado con anterioridad, las autorizaciones se otorgan de forma directa por la Administración a los peticionarios que tengan los requisitos que recoja la normativa, salvo que no haya número suficiente, en cuyo caso se hará a través de un mecanismo concurrencial y si no fuera conveniente valorar los méritos de los solicitantes, se hará por sorteo.

En cuanto al régimen de transmisibilidad de las autorizaciones difiere del que acabamos de ver para las concesiones. Así, serán intrasmisibles las autorizaciones demaniales cuyo otorgamiento haya dependido de las circunstancias personales del autorizado o cuyo número se encuentre limitado. No obstante, en aras de flexibilizar el régimen la propia ley admite que una excepción en aquellos casos en los que "las condiciones por las que se rigen admitan su transmisión".

En cuanto a la revocación de las autorizaciones, la ley admite que serán revocables unilateralmente por la Administración, por razones de interés público, sin generar derecho a indemnización; siempre que "resulten incompatibles con las condiciones generales aprobadas con posterioridad, produzcan daños en el dominio público, impidan su utilización para actividades de mayor interés público o menoscaben el uso general" (art. 92.4 LPAP).

D) El uso por la Administración: las reservas

Para la utilización privativa de los bienes de uso general por parte de la Administración la figura que recoge la nueva ley es la reserva dominial, de acuerdo con lo dispuesto el art. 104 LPAP. La reserva, como se recordará, es "el resultado del ejercicio de una decisión en cuya virtud la Administración titular del bien o recurso, y siempre por razones de interés público, lo utiliza o aprovecha directamente, sea por sí misma, sea a través de terceros, con exclusión de aquellos otros usos que sean incompatibles con las finalidades de la reserva"[81]

---

[81]   Tomo esta definición del excelente libro de BARCELONA LLOP, J., *Las reservas dominiales*, Ed. Aranzadi, Pamplona (1996), p. 95.

Será la Administración la que determinará las finalidades que dan lugar a la constitución de una reserva demanial. La ley, en este sentido, es muy flexible, dado que ha extendido las posibilidades de utilización de la reserva a los supuestos en los que la Administración realice fines de "de su competencia, cuando existan razones de utilidad pública o interés general que lo justifiquen".

En cuanto al procedimiento para adoptar una reserva la LPAP hace referencia únicamente a su materialización mediante acuerdo del Consejo de Ministros. No obstante, conviene tener presente que ha habido otros medios: así, se puede hacer a través de disposiciones reglamentarias —como ha ocurrido en relación con las reservas de aguas de los planes hidrológicos— e incluso por normas con rango de ley —como ha ocurrido, p.ej., con la Ley 14/1987, por la que se hace una reserva de aguas a favor de la Confederación Hidrográfica del Júcar—.

La reserva supone, como se ha señalado con anterioridad, el reconocimiento de un derecho privativo a la ocupación del bien reservado por parte de la Administración. No obstante, conviene tener presente que no supone automáticamente la desaparición de todos los derechos de uso que pudieran existir. Recogiendo lo que estaba ocurriendo en la práctica, la nueva ley permite la compatibilidad de usos de la reserva, de tal manera que la declaración de utilidad pública a efectos de expropiación forzosa se extiende sólo a "los derechos preexistentes que resulten incompatibles con ella" (art. 104.4 LPAP).

Capítulo III

Bienes patrimoniales y patrimonio de las Administraciones Públicas

Julio V. González García
Catedrático de Derecho administrativo
Universidad Complutense de Madrid

I. INTRODUCCIÓN

Los bienes patrimoniales de las Administraciones públicas constituyen un grupo especial de bienes dentro de los bienes públicos. Se trata de una categoría de bienes públicos peculiar, derivado esencialmente de la indeterminación de las funciones que se pueden desempeñar con ellos tal como nos lo ha mostrado la historia desde finales del siglo XIX. Es una categoría que vive en una continua contraposición con la del dominio público y precisamente esta tensión dialéctica es lo que ha permitido hablar de que constituye una *estación de paso* —tal como calificó CHINCHILLA a esta categoría[1]—.

La primera nota que conviene recordar es, por tanto que, aunque etimológicamente puedan estar vinculados, todos los bienes patrimoniales entran en el patrimonio de un ente público, no se puede afirmar que el patrimonio público esté formado sólo por bienes patrimoniales. De hecho, lo que ha efectuado la Ley de Patrimonio de las Administraciones Públicas ha sido patrimonializar, en el sentido de incluir en el patrimonio, bienes que tienen naturaleza demanial, con lo que ha distorsionado ambas categorías de bienes públicos. Y, de hecho, parte de lo que se recoge en la ley no afecta sólo a los bienes patrimoniales sino únicamente al patrimonio público, en la medida en que la caracterización de un bien como demanial o patrimonial es un dato ulterior.

Una segunda característica general que se puede indicar de los bienes patrimoniales es su expansión, vinculada básicamente a las formas que se están utilizando en los últimos años para la ejecución de infraestructuras públicas. Los procedimientos atípicos, que pretenden la desconsolidación en las cuentas públicas del coste de las infraestructuras, tienen un impacto patrimonial manifestado en la imposibilidad material de utilizar el dominio público por la presencia del régimen de indisponibilidad que parte del art. 132.1 de la Constitución. Pero, al mismo tiempo, es un planteamiento que, en función de lo que se ha señalado en el capítulo anterior, ubica funcionalmente a los bienes patrimoniales en un lugar apropiado: sirviendo al cumpliendo de las funciones públicas, que es lo que justifica la presencia de un patrimonio público. No obstante, conviene recordar que ni la LPAP ni las restantes normas —contractuales, básicamente— en donde se recogen estos mecanismos de provisión de infraestructuras contienen las bases

---

[1]   CHINCHILLA MARÍN, C.; *Bienes patrimoniales del Estado.* Colección Garrigues & Andersen. Andersen Legal. Marcial Pons Ediciones Jurídicas y Sociales, Madrid-Barcelona 2001, p. 16.

del régimen patrimonial de las figuras. No obstante, al mismo tiempo, se están configurando un conjunto amplio de patrimonios afectos que también están conduciendo a un aumento de los bienes patrimoniales.

La regulación, por tanto, parte del déficit que se ha señalado y, al mismo tiempo, incluye esta evitable confusión entre el demanio y los bienes patrimoniales a que me he referido. En la exposición que sigue se proporcionan las bases del régimen jurídico de los bienes patrimoniales, que, en determinados aspectos habrá que poner en paralelo con la exposición del dominio público ya que hay elementos que no se explican bien si no es por la configuración del dominio público.

II. PATRIMONIO Y BIEN PATRIMONIAL

Como se acaba de indicar, el patrimonio de las Administraciones públicas siempre ha sido definido de una forma especial, dado que, por un lado, se hace referencia al conjunto de bienes que se incluyen en él, esto es, se proporciona un concepto *civil* de patrimonio. Paralelamente, los bienes patrimoniales constituyen un grupo concreto dentro del patrimonio público, cuya pertenencia a él depende de la funcionalidad que tienen y que le opone a la otra gran categoría de bienes públicos, los de dominio público o demaniales. Esta dualidad es, por otra parte, una constante en la legislación, que los utiliza indistintamente. Así, de entrada, el concepto de patrimonio de las administraciones públicas, esto es la primera acepción, está recogido en el art. 3 de la Ley de Patrimonio de las Administraciones Públicas, que dispone lo siguiente:

> "1. El patrimonio de las Administraciones públicos está constituido por el conjunto de sus bienes y derechos, cualquiera que sea su naturaleza y el título de su adquisición o aquel en virtud del cual les haya sido atribuidos.
> 2. No se entenderán incluidos en el patrimonio de las Administraciones públicas el dinero, los valores, los créditos y los demás recursos financieros de su hacienda ni, en el caso de las entidades públicas empresariales y entidades análogas dependientes de las comunidades autónomas o corporaciones locales, los recursos que constituyen su tesorería".

A este concepto de patrimonio —en donde, como se indica en el apartado primero, no se distingue la naturaleza de los bienes— se superpone el de una categoría con elementos propios, concretamente la de los denominados bienes patrimoniales, cuyo carácter definidor depende de la función que cumplen al conjunto de las Administraciones públicas. Como se verá inmediatamente, la LPAP sigue la tradición jurídica española posterior al

Código civil que proporciona a esta categoría de bienes una apariencia de residualidad, en la medida en que su nota distintiva primaria es no ser demanial. Así, siguiendo este planteamiento en su artículo 7 se define los bienes y derechos de dominio privado o patrimoniales del siguiente modo[2]:

> "1. Son bienes y derechos de dominio privado o patrimoniales los que, siendo de titularidad de las Administraciones públicas, no tengan el carácter de demaniales.
> 2. En todo caso, tendrán la consideración de patrimoniales de la Administración General del Estado y sus organismos públicos los derechos de arrendamiento, los valores y títulos representativos de acciones y participaciones en el capital de sociedades mercantiles o de obligaciones emitidas por éstas, así como contratos de futuros y opciones cuyo activo subyacente esté constituido por accione so participaciones en entidades mercantiles, los derechos de propiedad incorporal, y los derechos de cualquier naturaleza que se deriven de la titularidad de los bienes y derechos patrimoniales".

Es precisamente este carácter residual —manifestado en la forma negativa con la que se define— el que hace que el régimen jurídico al que están sometidos sea especial, dado que, como dispone el apartado tercero del mismo artículo siete "el régimen de adquisición, administración, defensa y enajenación de los bienes y derechos patrimoniales será el previsto en esta ley y en las disposiciones que la desarrollen o complementen. Supletoriamente, se aplicarán las normas del derecho administrativo, en todas las cuestiones relativas a la competencia para adoptar los correspondientes actos y al procedimiento que ha de seguirse para ello, y las normas del

---

[2] Es una tradición que viene desde el Código civil. El art. 340 dispone que "Todos los demás bienes en los que no concurran las circunstancias expresadas en el artículo anterior, tienen el carácter de propiedad privada". Enfocada la cuestión de otro modo, el art. 341 por su parte afirma que "los bienes de dominio público cuando dejen de estar destinados al uso general o a las necesidades de defensa del territorio, pasan a formar parte de los bienes de propiedad del Estado".
La normativa anterior aplicaba una solución diferente, más racional en mi opinión. La Exposición de Motivos de la Ley de aguas de 1866 es clara ya que se siente en la obligación de diferenciar entre dominio público y privado de la Administración, lo que hace del siguiente modo: "Por dominio público de la Nación entiende el que a ésta compete sobre aquellas cosas cuyo uso es común por su propia naturaleza o por el objeto a que se hallan destinadas: tales son, por ejemplo, las playas, caminos, ríos, muelles y puertos públicos; su carácter principal es ser inenajenable e imprescriptibles. Y por dominio particular del Estado entiende el que a éste compete sobre aquellas cosas destinadas a su servicio, o sea a la satisfacción de sus necesidades colectivas y no al uso común, cosas de las que dispone como los particulares que constituyen su patrimonio; tales son, entre otras muchas, los montes, minas, arsenales, fortalezas y edificios militares".

derecho privado en lo que afecte a los restantes aspectos de su régimen jurídico".

Una vez que la LPAP ha eliminado el dinero del patrimonio de las administraciones públicas, posiblemente resulte adecuado hacer alguna matización sobre dos de los elementos que conforman el patrimonio: los derechos de propiedad incorporal y los derechos de cualquier naturaleza que se deriven de la titularidad de los bienes y derechos patrimoniales.

En relación con los primeros, parece claro que las Administraciones públicas pueden ser titulares de derechos por lo que, de acuerdo con CHINCHILLA, "en realidad, la referencia específica a estos bienes resulta innecesaria"[3]: No obstante, la nueva ley, siguiendo lo que han hecho las disposiciones similares de las Comunidades autónomas recoge estos bienes dentro del patrimonio, posiblemente en un afán didáctico. De este modo, entrarán en él, los derechos que les correspondan por las patentes de invención y los certificados de protección de modelos de utilidad obtenidos de acuerdo con la Ley 11/1986, de 20 de marzo, de patentes, y del mismo modo, de conformidad con la Real Decreto legislativo 1/1996, de 12 de abril, por el que se aprueba el texto refundido de la ley de propiedad intelectual entrarán en el patrimonio público las creaciones originales literarias, artísticas expresadas por cualquier medio o soporte, siempre y cuando se trate de realizaciones de las que se puedan considerar titulares las personas jurídicas, lo que, de entrada excluye a los derechos de autor, que en función de lo dispuesto en el art. 5 sólo pueden ser titulares las personas físicas. No obstante, dentro de éstas, habría que excluir de las disposiciones que se aprueben por los organismos públicos[4]. Por último, también entrarán dentro del patrimonio de las administraciones públicas la propiedad industrial, lo que incluye de acuerdo con el art. 1 de la ley 17/2001, de 17 de diciembre, de marcas, las marcas y los nombres comerciales.

Por otra parte, en cuanto a estos "derechos de cualquier naturaleza que deriven del dominio de los bienes patrimoniales". De acuerdo con lo firmado por CHINCHILLA, habría que encuadrar aquí las facultades características del derecho de propiedad o de otros derechos reales, incluidas las acciones que el ordenamiento jurídico reconoce en defensa de estos

---

[3]   CHINCHILLA MARÍN, C., *Bienes patrimoniales...*, *op. cit.*, p. 147.
[4]   Recordemos que el art. 13 de la Ley de propiedad intelectual dispone que "no son objeto de propiedad intelectual las disposiciones legales o reglamentarias y sus correspondientes proyectos, las resoluciones de los órganos jurisdiccionales y los actos, acuerdos, deliberaciones y dictámenes de los organismos públicos, así como las traducciones oficiales de todos los textos anteriores".

derechos[5]. Siendo el único sentido que parece plausible para tal expresión, ciertamente no resulta necesario configurarlo como una categoría diferente, puesto que son inherentes a la titularidad del derecho dominical sobre el bien de que se trate.

III. BASES CONSTITUCIONALES DE LOS BIENES PATRIMONIALES

1. Cuestiones generales

Al igual que hace con el dominio público, la Constitución incluye aspectos que caracterizan el régimen jurídico de los bienes patrimoniales, aunque con una voluntad sobre todo de remisión a lo que se disponga en una norma ulterior. Concretamente, el art. 132.3 de la Constitución dispone que:

> "Por ley se regularán el Patrimonio del Estado y el Patrimonio Nacional, su administración, defensa y conservación".

Partiendo de este precepto, resulta conveniente significar cuáles son las bases constitucionales de los bienes patrimoniales. De entrada, el primer valor que corresponde indicar es que la Constitución ha asumido la garantía institucional[6] de los bienes patrimoniales de las Administraciones públicas, limitando la opción del legislador de regular libremente estos bienes públicos, que hasta entonces sólo tenían un reconocimiento legal. No sólo es que reconozca esta categoría de bienes sino que, además, las opone a las otras tres categorías de bienes públicos, dominio público, patrimonio nacional y bienes comunales.

En particular, por la garantía institucional del dominio público plantea una relación dialéctica entre el dominio público y el patrimonio que, como ya se ha visto, la legislación no ha sabido aprovechar. En efecto, mediante el reconocimiento de la categoría de los bienes patrimoniales la Constitución ha querido que no todos los bienes públicos sean bienes de dominio

---

[5]   CHINCHILLA MARÍN, C., *Bienes patrimoniales...*, *op. cit.*, p. 157.
[6]   Sobre la garantía institucional, por todos, véase GALLEGO ANABITARTE, A., Derechos fundamentales y garantías institucionales: análisis doctrinal y jurisprudencial (derecho a la educación; autonomía local; opinión pública), Coedición de las ediciones de la Universidad Autónoma de Madrid y la editorial Civitas, Madrid (1994).

público. Dominio público y patrimonio son dos categorías diferentes y, por las especialidades que tiene la primera, se ha configurado como un último recurso en manos de los poderes públicos. La jurisprudencia constitucional ha recogido claramente esta idea cuando afirma que la posibilidad de demanializar categorías de bienes no era una potestad absolutamente libre por parte del legislador sino que se debía tratar de una opción que respondiera al principio de último recurso para lograr la mejor protección de aquellas categorías de bienes que tuvieran unos caracteres especiales y requirieran un régimen especial de ordenación para poder cumplir su función económico social. Recordemos, que, de acuerdo con la STC 149/91

> "En cuanto que el precepto incluye en el demanio bienes que no están directamente aludidos por la Constitución, ha de considerarse dictado en virtud de la facultad que la misma Constitución concede al legislador para determinar los bienes que integran el dominio público. Aunque esta facultad no aparece acompañada, en el artículo 132.2 que la otorga, de limitación expresa alguna, es evidente que de los principios y derechos que la Constitución consagra cabe deducir sin esfuerzo que se trata de una facultad limitada, que no puede ser utilizada para situar fuera del comercio cualquier bien o género de bienes si no es para servir de este modo a finalidades lícitas que no podrían ser atendidas eficazmente con otras medidas...".

Esta conclusión es, en mi opinión, de extrema importancia, sobre todo si tenemos en cuenta que la nueva legislación del patrimonio de las administraciones públicas ha sido, en este punto, inmovilista. Pero las consecuencias no se terminan aquí. Todo lo cual ha de complementarse, además, con que la propia jurisprudencia constitucional ha afirmado que el servicio a los intereses generales es "lo único que justifica la propiedad pública" (STC 52/94). No podemos olvidar, en este sentido, lo señalado por la jurisprudencia constitucional sobre la naturaleza del dominio público, como un bien fuera del comercio y por tanto excluido de la idea de patrimonio —visto en el capítulo segundo de este volumen—.

En segundo lugar, del art. 132.3 hay que extraer una reserva de ley en los bienes patrimoniales; que afecta a la determinación de los bienes que lo componen y a los elementos de su régimen jurídico, que deben estar presididos por las tres reglas que están recogidas en el precepto, administración, defensa y conservación, reglas que van a tener una importancia considerable, como se verá inmediatamente.

En tercer lugar conviene recordar que, tal como ha señalado la jurisprudencia constitucional[7], el art. 132.3 no constituye un título de atribución de competencias que permitiera al estado la regulación del patrimonio de las Comunidades autónomas. El marco constitucional de distribución de competencias sobre bienes patrimoniales parte, en este sentido, de la competencia sobre legislación civil, que es en la que hay que incardinar la división entre bienes de dominio público y bienes patrimoniales, en la medida en que afectan al contenido el derecho de propiedad. Competencia en materia de legislación civil que se ha de ejercer "sin perjuicio de los derechos civiles forales o especiales, allí donde existan"; lo que afecta a algunos modos de adquisición de bienes. En segundo lugar, habida cuenta que, aunque no exista una regla específica sobre bienes públicos, estos se pueden reconducir a la competencia reconocida al Estado en el art. 149.1.18ª CE, que atribuye al estado el poder de regular "las bases del régimen jurídico de las Administraciones públicas", lo que proporciona a la legislación patrimonial estatal un contenido de bases que las Comunidades autónomas deberán respetar cuando adopten sus normas patrimoniales. A ello se añade el que el Estado tenga atribuida la competencia para dictar la "legislación básica sobre contratos o concesiones administrativas", competencia que se extiende, obviamente, a los actos de esta naturaleza que se desarrollen sobre bienes públicos. En una línea similar, hay que recordar la competencia exclusiva que tiene el Estado en materia de expropiación forzosa. Y, por último, habrá algunos elementos que se adscriban a la capacidad de autogobierno de las Comunidades autónomas, para lo cual no tendrán ninguna cortapisa en la legislación que haya aprobado el Estado.

Del art. 132.3 de la Constitución hay que extraer, además, una voluntad antidesamortizadora[8], en las palabras de GONZÁLEZ SALINAS. En efecto, de la sucesión de caracteres de su régimen jurídico, administración, defensa y conservación, hay que extraer una voluntad de la Constitución de que en el actuar cotidiano de los poderes públicos se mantengan un conjunto de bienes públicos que les permitan, por un lado, servir a los intereses generales y que, al mismo tiempo, sean el mecanismo para la consecución de los fines del Estado social. Esta necesidad de mantenimiento del patrimonio público afecta, en este sentido, tanto a los legisladores, a la hora de configurar las normas reguladoras, como a las administraciones públicas a

---

[7]   Así, p.ej., la STC 58/1982, de 27 de julio, señala que el art. 132.3 "no es ciertamente una norma atributiva de competencia, sino una reserva de Ley".

[8]   GONZÁLEZ SALINAS, J., *Voz Bienes patrimoniales*, en la *Enciclopedia Jurídica Civitas*, p. 802.

la hora de aplicar los preceptos correspondientes. Todo lo cual tiene una notable importancia cuando se ve la gran operación desamortizadora que se ha hecho en España en los últimos quince años que ha reducido a la nada el sector empresarial dependiente del Estado. No debe olvidarse, en este sentido, que, en relación con la defensa de los bienes patrimoniales la STC 4/1981 señaló que "lleva a limitar los poderes de disposiciones de las Administraciones públicas, sujetándolas a un control incluso de oportunidad".

En todo caso, este problema de la adecuación del reconocimiento constitucional del dominio público y del patrimonio nos coloca frente al gran interrogante, que es el de la función que cumplen y que debieran cumplir los bienes patrimoniales públicos.

2. En particular, la cuestión de la funcionalidad de los bienes patrimoniales en el marco de la regulación constitucional de los bienes públicos

Con anterioridad, se ha visto que la nueva ley, siguiendo lo dispuesto por la derogada de 1964, ha querido proporcionar un valor secundario a los bienes patrimoniales. Es una idea que surge en cuanto se compara los bienes que son del dominio público y los que define de forma negativa patrimoniales, que son los que "siendo de titularidad de las Administraciones Públicas no tienen el carácter de demaniales" (art. 7.1); lo que se recalca cuando otras preceptos como el art. 6 del Reglamento de Bienes de las Entidades Locales los definen, de forma parecida, como aquellos que "siendo propiedad de la Entidad local no estén destinados a uso público ni afectados a algún servicio público y puedan constituir fuentes de ingresos para el erario de la Entidad"[9] y que se definan expresamente como patrimoniales, en el art. 7 "las parcelas sobrantes y los efectos no utilizables". Se trata, por lo demás, de una orientación que han seguido todas las disposiciones patrimoniales de las Comunidades autónomas. En todo caso, lo que sí es fácil percibir es que todas conjuntamente contribuyen a crear esa imagen, no demasiado afortunada como veremos en seguida, de que el patrimonio está constituido por bienes con poca utilidad para los entes públicos, que se complementa, además, con que uso la utilización de conceptos tan amplios como uso público, servicio público o fomento de la riqueza nacional para

---

[9]   Sobre la funcionalidad financiera del patrimonio público, véase FALCÓN Y TELLA, R. *La finalidad financiera en la gestión del patrimonio* en la *Revista española de Derecho Financiero, nº* 35, 1982, pp. 349 a 497.

catalogar un bien del dominio público parecen dejar poco campo para la aparición de bienes de naturaleza patrimonial.

Sin embargo, si hacemos un repaso somero, y no exhaustivo, a lo que la doctrina ha señalado desde mediados del siglo pasado sobre esta cuestión observaremos que la utilización de bienes patrimoniales para funciones públicas era bastante conocido y asumido. Ya en el año 1950 VILLAR PALASÍ constató la existencia de un aumento en los bienes de naturaleza patrimonial de los entes públicos, y, además resaltó el dato, más importante a nuestros efectos, de que "parece que a este nuevo patrimonio industrial debe aplicarse en buena parte la idea de afectación administrativa, reservada celosamente hasta ahora al dominio público en sentido estricto"[10]. Algunos años después, ARIÑO señaló como en la legislación se declaraban bienes de dominio público pero se les aplicaba un régimen jurídico totalmente diferente al del demanio, particularmente porque su enajenación constituía el destino final de los mismos[11]. Por otra parte, GARRIDO FALLA, por ejemplo, señala que son bienes patrimoniales del Estado, además de los que producen un rendimiento económico, "los que las entidades administrativas poseen como instrumentos para el desarrollo de actividades que, no obstante su utilidad pública, están sometidas en bloque a las formas del Derechos privado", así como los "bienes que, a pesar de estar afectos a un servicio público, se regulan por un régimen positivo esencialmente análogo al de la propiedad civil o que, a falta de reglas expresas, debe entenderse que la titularidad administrativa está suficientemente garantizada con el régimen de propiedad civil"[12]. En definitiva, lo que se está produciendo es que, como señala ROMANÍ, "se manifiesta en una expresa rectificación a la idea de que el Estado y demás entes públicos no sean titulares de bienes patrimoniales (derogación de las leyes desamortizadoras) y en la concepción extrafiscal del patrimonio con su habilitación para perseguir fines públicos de diversa naturaleza y no sólo, o en lugar de, la

---

[10]   VILLAR PALASÍ, J. L., *La actividad industrial del Estado en el Derecho Administrativo*, en la *Revista de Administración Pública* n° 3 (septiembre-diciembre 1950), p. 69.

[11]   ARIÑO ORTIZ, G. *La Administración institucional. (Bases de su régimen jurídico). Mito y realidad de las personas jurídicas en el Estado.* IEA, Madrid, 1972, p. 352. Concretamente, se estaba refiriendo a los solares de la Gerencia de Urbanización, las viviendas del Instituto Nacional de la Vivienda, los inmuebles del Instituto Nacional de Industria, el Patrimonio Municipal del Suelo, o las tierras del Instituto Nacional de Colonización.

[12]   GARRIDO FALLA, F. *Tratado de Derecho Administrativo*, vol. II, 7° Ed., Ed. Tecnos, Madrid, 1987, p. 564.

simple obtención de ingresos"[13]. Se trataría, utilizando las palabras de ME-NÉNDEZ REXACH, de reconocer que los bienes patrimoniales serían "un instrumento útil, cuando no necesario, para facilitar la consecución de los fines del estado social"[14].

Con ello, los autores citados están reconociendo un dato de indudable importancia para la cuestión que nos ocupa: en la legislación se ha venido recogiendo muchos supuestos de bienes patrimoniales afectos al cumplimiento de las funciones públicas[15], fenómenos que se materializan mediante mecanismos diferentes pero que coinciden en lo esencial: la gran funcionalidad que tienen los bienes patrimoniales de las Administraciones públicas. En efecto, como recuerda acertadamente CHINCHILLA, "una lectura aislada de estos preceptos (se refiere a lo dedicados a la función financiera del patrimonio) y apegada a la literalidad de sus términos podría llevar, erróneamente a entender que los bienes estatales que no están afectos al uso general ni al servicio público están en el patrimonio del estado con una única finalidad: ser enajenados (principio de devolución al tráfico jurídico), salvo que dicha enajenación no sea conveniente (se supone que por no ser rentable); en cuyo caso pasarán a explotarse de manera que produzcan un aprovechamiento rentable"[16]. Y, como veremos inmediatamente, las posibilidades de utilización de los bienes patrimoniales para el servicio al cumplimiento de las funciones de su titular son de extraordinaria amplitud, ya sea respetando la —hoy ficticia— unidad patrimonial de cada Administración pública, ya fuera mediante la constitución de patrimonios separados para el cumplimiento de ciertos fines concretos.

En primer lugar, ya la propia Ley del Patrimonio de las Administraciones Públicas aborda genéricamente la posibilidad de que existan finalidades de utilidad pública o interés social que se satisfagan a través de la utilización

---

[13] ROMANÍ BIESCAS, A. *Las funciones del Patrimonio público en España*. Presupuesto y Gasto Público, 1979, n° 1, p. 223. En el mismo sentido, véase LASARTE J. *La financiación de las Comunidades Autónomas*, en *Documentación Administrativa*, n° 181, p. 416.

[14] MENÉNDEZ REXACH, A., "Reflexiones sobre el significado actual de los patrimonios públicos", en *Ciudad y Territorio I* (95-96), p. 210.

[15] Sobre la funcionalidad del patrimonio del Estado, sigo en líneas generales el excelente trabajo, de CHINCHILLA MARÍN, C. *Los bienes patrimoniales del Estado. (Concepto y formas privilegiadas de adquisición)*, Coedición de Garrigues & Andersen y Marcial Pons Ediciones Jurídicas, Madrid (2001) en particular pp. 126 y ss.

[16] CHINCHILLA realiza una inmediata relación de todos los preceptos de la antigua ley de 1964 en los cuales se hace referencia a funcionalidades diferentes de la financiera en relación con los bienes patrimoniales del estado. CHINCHILLA MARÍN, C., *Los bienes patrimoniales..., op. cit.* p. 131.

de bienes de naturaleza patrimonial. De entrada, tal como afirma el art. 8.2 "la gestión de los bienes patrimoniales deberá coadyuvar al desarrollo y ejecución de las distintas políticas públicas en vigor", lo que hace que en aquellos supuestos en los que el dominio público no pueda ser utilizado, lo que será cada día más común teniendo en cuenta las necesidades financieras de los entes públicos, se deba recurrir a los bienes patrimoniales. Así, entre otros, habría que citar el art. 8.1. e), donde se recoge la posibilidad de colaboración interadministrativa para la optimización de la utilización de los bienes patrimoniales; los arts. 145 y ss. en donde se contempla la opción de que se cedan gratuitamente para fines de utilidad pública o interés social los bienes inmuebles del Patrimonio del Estado, aunque sea a personas de carácter privado.

En particular conviene resaltar la regulación que realiza en diversos preceptos de los arrendamientos, incluyendo los arrendamientos financieros con opción de compra y otros arrendamientos que tengan elementos mixtos de adquisición de bienes, regulados en el art. 121 que tienen una gran potencialidad en cuanto a la financiación de infraestructuras de interés general. Aquí la teoría general del dominio público impide que puedan ser considerados bienes demaniales y, que en la actualidad están actuando como mecanismo apto para que los entes públicos dispongan de bienes suficientes para prestar sus servicios. El ejemplo que se explica en el capítulo correspondiente de las obras públicas del arrendamiento operativo es especialmente importante en este sentido. En este sentido, no creo que sea un problema de adaptación de la teoría del dominio público —donde creo que existe una incompatibilidad absoluta e irremediable—, tal como ha ocurrido en Francia donde estas figuras se han incluido en el Côde de Domaine Public[17], sino de adaptación de los elementos reguladores del patrimonio para proporcionarles un servicio activo a los intereses generales. La categoría del patrimonio, por el contrario, es perfectamente válida para que este tipo de operaciones puedan ser realizadas.

De hecho, situar estos bienes en el dominio público no contribuiría más que a descafeinar la categoría. En efecto, ha de tenerse en cuenta que el régimen constitucional de la indisponibilidad es absolutamente contradictorio con las notas que se predican en estas modalidades de contratos. Posiblemente por ello, la propia ley lo incluye dentro de los actos de

---

[17]   Véase sobre estas cuestiones Muñoz Machado, S., Tratado de Derecho administrativo y de Derecho público general, Ed. Civitas, Madrid (2004), pp. 1292.

gestión patrimonial, que se aplicará a los bienes y derechos de naturaleza patrimonial.

Esto se complementa, en segundo lugar, con que la propia jurisprudencia constitucional ha venido a reconocer tanto la relativización de la diferencia entre bienes patrimoniales y bienes del dominio público como la existencia de una categoría de bienes patrimoniales que están materialmente afectos al cumplimiento de un fin público, y que sin embargo no tienen naturaleza de bien demanial. La STC 166/1998, es clara en este sentido cuando afirma que lo siguiente:

> "Respecto a la distinción anterior, ciertamente se ha dicho que, pese a su raigambre histórico, quizás sólo posea en la actualidad un cierto carácter mítico (...). Se ha puesto de relieve, además, que la distinción se relativiza no sólo por la aparición de importantes patrimonios separados del patrimonio del estado y al servicio de concretos fines, sino también por la flexibilización —en la práctica y pese a las exigencias legales— de la desafectación de un bien demanial de un uso o servicio público, lo que permite a la administración recuperar su disponibilidad como objeto de tráfico privado. Registrándose también, a la inversa, el fenómeno de la afectación material de bienes de naturaleza patrimonial a finalidades de interés general".

En tercer lugar, nos encontramos con el hecho, fomentado en los últimos tiempos, de la creación de los patrimonios separados del Patrimonio del Estado, en función de fines concretos que tienen los entes que reciben la titularidad de los bienes. A este fenómeno en los entes dependientes de la Administración del Estado a los que se han atribuido patrimonios separados de los del ente matriz[18], es preciso añadir todos aquellos supuestos, mucho más numerosos cuantitativamente, encuadrables dentro de las formas privadas de personificación de las Entidades Locales para la gestión de los servicios públicos. Estos entes, dada su sujeción al Derecho privado se le impide ostentar la titularidad de bienes de dominio público; bienes que, ni siquiera, se les pueden aportar como parte de su capital social[19]. Estos entes ya estén sujetos al Derecho privado, ya lo sea al Derecho público, van a utilizar dos tipos de bienes: unos que van a recibir mediante una transferencia del ente matriz del que dependen (art. 104.3 TRRL) pero

---

[18] Sobre estos patrimonios separados, véase DÍAZ LEMA, J. M. "La afirmación legal de patrimonios propios de los organismos autónomos (Contribución al estudio de los patrimonios inmobiliarios públicos)", en la obra colectiva *Administración Instrumental. Libro homenaje a Manuel Francisco. Clavero Arévalo*, Coedición del Instituto García Oviedo y la Editorial Civitas, Madrid (1994) pp. 363 y ss.

[19] Recuérdese en este momento la Resolución General de los Registros y del Notariado de 12.9.1985 citada con anterioridad.

en el desarrollo de su actividad pueden precisar una ampliación de estos bienes materiales, para lo cual en multitud de ocasiones procederán a la adquisición de los mismos.

El cuadro de la masa patrimonial que están sirviendo de manera directa a la satisfacción de servicios públicos concretos debe ser completado con la referencia a los denominados bienes patrimoniales afectos, que, de igual modo, ha recibido un impulso en estos últimos tiempos. Esto es, aquel conjunto de bienes separados de los restantes que tiene un ente público con el fin de procurar la satisfacción de una necesidad concreta. El caso que resulta más conocido es, sin duda, el del Patrimonio Municipal del Suelo, destinado a "regular el mercado de terrenos, obtener reservas de suelo para actuaciones de iniciativa pública y facilitar la ejecución del planeamiento" (art. 276 TRLS)[20]. No obstante, no es el único, por cuanto que su lado se pueden citar otros, como puede ser el patrimonio histórico artístico, el patrimonio forestal, ciertos bienes militares, etc...

En quinto lugar, no podemos obviar el impacto que están teniendo los nuevos procedimientos de ejecución de infraestructuras públicas en el aumento de bienes patrimoniales. En efecto, las exigencias presupuestarias están alumbrando formas nuevas de derecho privado que hacen inviable el recurso al dominio público, en la medida en que muchos de estos bienes están siendo gestionados por entidades de derecho privado, sobre los cuales la Administración matriz sólo disponen de derechos de uso, aunque su formulación resulte especialmente compleja. Los mecanismos de colaboración público privado, en este sentido, resultan paradigmáticos de la desaparición del dominio público en determinadas ocasiones ya que no se recurre a contratos típicos que hacen que el bien entre en el ámbito de la Administración matriz sino que en aras de buscar la desconsolidación contable el vínculo que le une con la administración es más débil —meros arrendamientos— y la titularidad patrimonial se deja a entidades interpuestas, lo que hace inviable el recurso al dominio público[21].

---

[20]   Sobre el Patrimonio Municipal del Suelo, véase LÓPEZ JURADO, F. B. *Los patrimonios municipales de suelo: sus características y operatividad.* Ed. CEMCI. Granada, 1992; QUINTANA LÓPEZ, T. y LOBATO GÓMEZ, J. M., *La constitución y gestión de los Patrimonios Municipales del Suelo,* Marcial Pons Ediciones Jurídicas, Madrid (1996) y, FONSECA FERRANDIS, F.

[21]   Véase, por ejemplo, el Convenio Marco de Colaboración entre la Comunidad Autónoma de la Región de Murcia, a través de la Consejería de Sanidad, y la Empresa Pública Regional "Gestora de Infraestructuras Sanitarias de la Comunidad Autónoma de la Región de Murcia, Sociedad Anónima", sobre bases para la construcción del nuevo hospital de Cartagena. (BORM 22/03/2005), en el que se señala en la segunda mani-

Al tiempo que aparecen estos patrimonios que están directamente afectos al cumplimiento de funciones públicas, es preciso tomar en consideración otros puntos para redefinir la función constitucional del patrimonio de los entes públicos. Por un lado, es preciso tener en cuenta la distinta terminología que utiliza la Constitución: el hecho que se emplee la expresión patrimonio nos conduce al hecho de que existe un conjunto de bienes y derechos y obligaciones de que una persona, física o jurídica, es titular y, por tanto, destinado a su servicio. El dato del titular es especialmente relevante, por cuanto que mientras que en los patrimonios privados el fin último que justifica su constitución es la mera acumulación de bienes, aunque deban cumplir con su función social, en los patrimonios de los entes públicos y de sus entes instrumentales la idea esencial es la de servicio a los intereses generales, lo que hace que sólo ingresen en él los bienes que sean necesarios para el cumplimiento de sus fines, lo que habrá de acreditarse en el momento de la adquisición, tal como dispone el art. 116 de la Ley del Patrimonio de las Administraciones Públicas.

Esto es, retomando las palabras de la Exposición de motivos de la hoy derogada Ley 3/1986, del Patrimonio de la Comunidad Valenciana "los elementos que integran el patrimonio de la Generalitat —sean demaniales sean patrimoniales en sentido estricto— no tienen más razón de ser que la de su irreductible vocación de servicio público, al margen del cual ni dicho patrimonio ni la propia Generalitat tendrían razón de ser en el mundo del Derecho."

El patrimonio del ente público, sería, de este modo, el conjunto de derechos y obligaciones de que ese ente es titular. Los fines de un ente público aparecen recogidos en la Constitución por una cláusula abierta de atribución de competencias, recogida en el art. 103.1, según el cual la Administración "sirve con objetividad a los intereses generales". Esta fórmula, aplicada a los bienes de una categoría de entes públicos, las Corporaciones locales, se concreta en la idea de bien afecto a un servicio público; ya que como señala el art. 74 TRRL son bienes de servicio público aquellos "destinados al cumplimiento de fines públicos de responsabilidad de las Entidades locales". Si tomáramos la formulación del Código civil y continuáramos señalando que estos bienes son de carácter demanial, nos encontraríamos

---

festación que "en el marco del Pacto de Estabilidad y Crecimiento, que en España se ha traducido en la promulgación de la Ley de Estabilidad Presupuestaria, el Gobierno Regional ha decidido recurrir a la colaboración/asociación con unidades del sector sociedades para financiar y explotar esta infraestructura, buscando la mejora en la eficiencia del gasto público que puede proporcionar este sector".

con el absurdo de que existen dos categorías de bienes públicos para hacer referencia a similares tipos de bienes, que cumplen funciones equivalentes.

Este servicio con objetividad a los intereses generales es tremendamente ilustrativo de la función que han de cumplir el patrimonio de los entes públicos: en la medida en que el patrimonio, como conjunto de bienes, derechos y obligaciones) refleja el interés del titular, el patrimonio de los entes públicos no puede ser sino dicho conjunto de derechos de que disponen los poderes públicos para esas prestaciones a la colectividad. Esto es, en el momento de configurar el patrimonio, de adquirir los diferentes bienes que lo componen, el organismo público que vaya a ser titular de ese derecho actúa de forma muy diferente a los particulares, en la medida en que no dispone de una voluntad de acumulación de la riqueza (que es lo que distingue la formación de un patrimonio por parte de cualquier particular), sino que está condicionado por la obligación que le atribuye el ordenamiento jurídico de servicio objetivo a los intereses generales, fuera de la cual, carece de todo sentido.

La Constitución, cuando recoge la garantía institucional del patrimonio del Estado, lo hace proporcionando unos reducidos, pero suficientes, apuntes sobre las notas esenciales de su régimen jurídico. Concretamente, se dispone en el art. 132.3 CE que "por ley se regularán el Patrimonio del estado..., su administración, defensa y conservación". Los dos aspectos esenciales son, de este modo, medidas de protección especiales y correcta administración del bien para su mejor servicio a la comunidad. Veámoslo separadamente. Las medidas de defensa y conservación son peculiares, con respecto a aquellas de que disponen los patrimonios de los particulares; precisamente por esa especial función que están cumpliendo en su función colectiva. Ahora bien, como ha señalado PARADA acertadamente, "constituye un error la habitual presentación del estudio de los bienes de la Administración sobre la distinción entre bienes de dominio privado y bienes de dominio público; y lo es porque enmascara la realidad de que en el Derecho español todos los bienes de la Administración están sujetos a un régimen jurídico básico, pleno de exorbitancias y privilegios, derogatorio del sistema de acciones civiles y sin parangón en el Derecho comparado y por ello principalmente, puede decirse que se aplica a los bienes de dominio privado de la Administración un régimen jurídico de Derecho público"[22]. Esto es, en cuanto a las medidas de protección que contempla

---

[22]   PARADA VÁZQUEZ, J. R. *Derecho Administrativo III. Bienes públicos. Derecho urbanístico.* Marcial Pons, ediciones jurídicas, 4ª Ed. (1991), p. 13.

el ordenamiento jurídico, esos bienes de dominio público nominal disponen de un nivel equivalente de protección a la que se proporciona a los bienes de dominio privado de la Administración, cuando debiera existir una gran diferencia.

En cuanto a administración de los bienes, con ello se hace referencia a los actos jurídicos en virtud de los cuales se garantiza su mejor servicio a los intereses generales. Esto es, se aborda el destino del bien, los cambios de destino, la disposición, el gravamen; actos que sólo son susceptibles en relación con bienes patrimoniales. Una categoría de bienes declarada de dominio público con los caracteres de su régimen jurídico dependiente de su especial forma física, no es susceptible de ser objeto de mutaciones demaniales (¿pueden existir usos alternativos para un pantano, canal, o carretera?), ni ningún otro acto de administración. En cambio, con el ficticio dominio público esas medidas son perfectamente posibles y, de hecho se realizan en la práctica todos los días; siendo, por otra parte, actos jurídicos similares a las que se realizan con los bienes del dominio privado de la Administración, aunque reciban otro nombre.

Desde la óptica del dominio público la configuración legal de casi todo el patrimonio público como dominio público no resulta adecuado. A lo expuesto en el capítulo segundo, que se da por reproducido en este momento, se añadiría otro argumento. No resulta constitucionalmente admisible que todo el patrimonio público se incluya en el dominio público. La jurisprudencia constitucional es, en este sentido, clara cuando afirma que la posibilidad de demanializar categorías de bienes no era una potestad absolutamente libre por parte del legislador sino que se debía tratar de una opción que respondiera al principio de último recurso para lograr la mejor protección de aquellas categorías de bienes que tuvieran unos caracteres especiales y requirieran un régimen especial de ordenación (que con posterioridad veremos que está constituido por diversos elementos dependientes de entes públicos distintos en función de los títulos competenciales que sean de aplicación) para poder cumplir su función económico social. Recordemos, que, de acuerdo con la STC 149/91

> "En cuanto que el precepto incluye en el demanio bienes que no están directamente aludidos por la Constitución, ha de considerarse dictado en virtud de la facultad que la misma Constitución concede al legislador para determinar los bienes que integran el dominio público. Aunque esta facultad no aparece acompañada, en el artículo 132.2 que la otorga, de limitación expresa alguna, es evidente que de los principios y derechos que la Constitución consagra cabe deducir sin esfuerzo que se trata de una facultad limitada, que no puede ser utilizada para situar fuera del comercio cualquier bien o género de bienes si no es para servir de este modo a finalidades lícitas que no podrían ser atendidas eficazmente con otras medidas...".

Como señalé en el capítulo segundo de este volumen, la ley del patrimonio de las administraciones públicas hubiera sido un lugar excelente para adaptar la configuración general del patrimonio público a este planteamiento.

IV. UN APUNTE SOBRE LAS REGLAS DE GESTIÓN PATRIMONIAL

1. Régimen aplicable

La ordenación de los negocios patrimoniales de los entes públicos va a estar vinculada a la legislación de carácter patrimonial y parcialmente a la normativa de contratos del sector público.

De acuerdo con lo que dispone el artículo 4.1p TRCSP, están (parcialmente, como veremos inmediatamente) "excluidos del ámbito de la presente Ley los siguientes negocios y relaciones jurídicas": "los *contratos de compraventa, donación, permuta, arrendamiento y demás negocios jurídicos análogos* sobre bienes inmuebles, valores negociables y propiedades incorporales, a no ser que recaigan sobre programas de ordenador y deban ser calificados como contratos de suministro o servicios, *que tendrán siempre el carácter de contratos privados y se regirán por la legislación patrimonial.* En estos contratos no podrán incluirse prestaciones que sean propias de los contratos típicos regulados en la Sección I del Capítulo II del Título Preliminar, si el valor estimado de las mismas es superior al 50% del importe total del negocio o si no mantienen con la prestación característica del contrato patrimonial relaciones de vinculación y complementariedad en los términos previstos en el artículo 25; en estos dos supuestos, dichas prestaciones deberán ser objeto de contratación independiente con arreglo a lo establecido en esta Ley" (el subrayado es mío).

Como he anticipado hace unas líneas, la eliminación de la normativa del TRCSP no es absoluta y no podemos, en consecuencia, eliminar de raíz toda su aplicación, ya que se produce una suerte de doble reenvío que hará que ciertos aspectos de este bloque normativo resulten de aplicación. En efecto, los negocios patrimoniales tienen un régimen peculiar, derivado del reenvío entre la legislación de contratos y la legislación patrimonial. Comenzando por la primera de ellas, los negocios que se realicen se sustanciarán en contratos privados a los que se aplicará la legislación patrimonial, tal como dispone el artículo 20.2 TRCSP: "los contratos privados se regirán, en cuanto a su *preparación y adjudicación, en defecto de normas específicas, por la presente ley y sus disposiciones de desarrollo*, aplicándose supletoriamente las restantes normas de derecho administrativo o, en su caso, las normas de derecho privado, según corresponda por razón del sujeto o entidad contratante. En cuanto a sus *efectos y extinción, estos contratos se regirán por el derecho privado*".

En paralelo con esta separación entre el régimen publificado de la preparación y adjudicación, el control jurisdiccional se compartirá en la medida en que, de acuerdo con lo dispuesto en el artículo 21.2 TRCSP "el orden jurisdiccional civil será el competente para resolver las controversias que surjan entre las partes en relación con los efectos, cumplimiento y extinción de los contratos privados."

Si nos quedáramos en este punto, el resultado resultaría sencillo. No obstante, el artículo 110.1 de la Ley de Patrimonio de las Administraciones Públicas introduce un punto de indeterminación del régimen jurídico en la medida en que dispone que "los contratos, convenios y demás negocios jurídicos sobre bienes y derechos patrimoniales se regirán, en cuanto a su preparación y adjudicación, por esta Ley y sus disposiciones de desarrollo y, en lo no previsto en estas normas, por la legislación de contratos de las Administraciones públicas. Sus efectos y extinción se regirán por esta Ley y las normas de derecho privado".

Nos encontraríamos, en consecuencia, con una técnica de *doble reenvío*, que tendría carácter supletorio de segundo nivel, que obliga a volver a lo dispuesto en la Ley de Contratos del Sector Público, en donde esencialmente hay que examinar qué es lo que está regulado en la LPAP y qué es aquello que hemos de encontrar en el TRCSP. De hecho, lo que quedaría fuera sería esencialmente lo contemplado en el Libro IV del TRCSP, titulado precisamente "efectos, cumplimiento y extinción de los contratos administrativos".

No obstante, la aparente discrepancia entre las dos normas es un problema menor en la práctica. En efecto, si examinamos el contenido de la Ley de Patrimonio de las Administraciones Públicas observaremos que sólo en casos muy excepcionales contiene reglamentación relativa a la preparación y adjudicación. Para ser más preciso, los preceptos de la LPAP relativos a estos preceptos contienen aspectos puntuales que se refieren a las especialidades que hay en cada uno de los contratos, especialmente en aquellos en los que se va a producir la pérdida de derechos patrimoniales sobre los bienes públicos. Se trata de garantías para el interés general que están totalmente justificadas.

Situar el régimen jurídico anclado en una doble perspectiva resulta especialmente importante. Por un lado, porque vamos a conocer con nitidez los aspectos en los cuales el ordenamiento jurídico ha sido estricto a la hora de establecer limitaciones a la hora de contratar con los entes del sector público. Y, desde una perspectiva positiva, por cuanto que como veremos con posterioridad, es un régimen muy flexible en cuanto a las posibilidades de hacer y en cuanto a las cláusulas que se puedan introducir.

2. *Principio de libertad de pactos y buena administración*

El régimen de gestión patrimonial para las Administraciones Públicas que se inició en el año 1996 (inicialmente a través de un mecanismo específico de nuestro ordenamiento jurídico, las sociedades estatales para la realización de obras públicas) tiene como principio estructural el reforzamiento de la libertad de pactos entre la Administración Pública y la otra parte contratante. Con ello se quería dotar de legitimidad a prácticas que se venían haciendo en el ámbito privado y que se consideraban pertinentes para la Administración, y que se pueden agrupar sobre la idea general de la colaboración público privada. La Ley de Patrimonio de las Administraciones Públicas, aprobada en el año 2003, vino a sancionar los elementos diseminados de las reformas habidas desde dicho año y a estructurarla de forma articulada en un nuevo régimen patrimonial global para los entes públicos que superara las restricciones de la normativa de 1964.

Todo ello teniendo presente que si podemos extraer una característica que unifique todo el régimen de gestión patrimonial de la LPAP es el de su flexibilidad, precisamente porque las nuevas formas de gestión patrimonial que se quería incorporar a la práctica administrativa, dentro de la cual las modalidades de colaboración público privada son una parte esencial, no puede responder a planteamientos rígidos que dificulten la convergencia entre el sector público y el privado.

La flexibilidad que se acaba de indicar se estructura en el principio de libertad de pactos, recogiendo y reforzando las orientaciones de la reforma de la vieja Ley de Patrimonio del Estado que, en el año 2002, sufrió una reforma que atendía precisamente a la flexibilización del régimen de gestión patrimonial. Este principio de libertad de pactos está recogido en la actualidad de una forma muy amplia en el artículo 111.1 LPAP, que dispone que "los contratos, convenios y demás negocios jurídicos sobre los bienes y derechos patrimoniales están sujetos al principio de libertad de pactos. La Administración pública podrá, para la consecución del interés público, concertar las cláusulas y condiciones que tenga por conveniente, siempre que no sean contrarias al ordenamiento jurídico, o a los principios de buena administración".

En efecto, para mitigar los posibles efectos negativos para el sector público, la LPAP insiste en la verificación por los órganos internos. En el caso de la Administración General del Estado, la LPAP establece una garantía lógica en el artículo 111.2 para garantizar el cumplimiento de dichos principios ("los actos aprobatorios de los negocios patrimoniales incorporarán los pactos y condiciones reguladores de los derechos y obligaciones de las partes, que deberán ser informados previamente por la Abogacía del Estado o por el órgano al que corresponda el asesoramiento jurídico de las entidades públicas vinculadas a la Administración General del Estado"). Ese régimen se ha de trasladar al ámbito municipal en donde serán los órganos encargados del control de legalidad los que tengan que analizar la conveniencia desde un punto de vista jurídico de un clausurado concreto que se proponga contraer el Ayuntamiento. No se trata más que una garantía lógica para cumplir con la función constitucional de los entes públicos recogida en el artículo 103.1: el servicio objetivo a los intereses generales.

El fomento de los negocios globales encuentra su encaje en lo dispuesto en el apartado segundo de dicho precepto: "en particular, los negocios jurídicos dirigidos a la adquisición, explotación, enajenación, cesión o permuta de bienes o derechos patrimoniales podrán contener la realización por las partes de prestaciones accesorias relativas a los bienes o derechos objeto de los mismos, o a otros integrados en el patrimonio de la Administración contratante, siempre que el cumplimiento de tales obligaciones se encuentre suficientemente garantizado. Estos negocios complejos se tramitarán en expediente único, y se regirán por las normas correspondientes al negocio jurídico patrimonial que constituya su objeto principal". Esto es, el negocio patrimonial puede ser la parte de un negocio más amplio. Principio general que se ve desarrollado, con posterioridad, en la regulación de las peculiaridades del régimen de la adquisición, la enajenación y el arrendamiento de bienes para las Administraciones públicas.

El único complemento —de naturaleza restrictiva— al artículo 111 LPAP que ha de aplicarse de la legislación patrimonial consiste, como ya sabemos, en que no será admisible si estas prestaciones complementarias son superiores "al 50% del importe total del negocio o si no mantienen con la prestación característica del contrato patrimonial relaciones de vinculación y complementariedad en los términos previstos en el artículo 25; en estos dos supuestos, dichas prestaciones deberán ser objeto de contratación independiente con arreglo a lo establecido en esta Ley". Lo cual obligaría a acreditar el porcentaje entre la prestación patrimonial y la prestación de servicios en el expediente de contratación.

La flexibilidad que proporciona el principio de buena administración. La LPAP superó la vieja concepción de la Ley de Patrimonio del Estado de 1964 en virtud de la cual los bienes patrimoniales tienen una naturaleza residual que o bien estaban en una situación de "estación de paso" a su enajenación o transformación en bienes de dominio público o bien se procedía a su explotación económica. Esta regla de la rentabilidad económica se ha sustituido por el principio de buena administración, que tiene un alcance más amplio ya que permite la incorporación no sólo de elementos de carácter económico con otros de carácter más general que se vinculan con la formulación y aplicación de políticas públicas.

El principio de buena administración va a obligar a que en la gestión patrimonial se hayan de conectar los contratos con la regla contenida en el artículo 8 LPAP que determina cuál es la finalidad que tienen los bienes patrimoniales: están orientados a la consecución del objetivo de que "deberán coadyuvar al desarrollo y ejecución de las políticas públicas". Con ello tenemos diseñado el marco que deberá ser tenido en cuenta a la hora de enjuiciar la legitimidad de un negocio patrimonial público. Desde esta perspectiva se habrán que contemplar los aspectos referidos a eficacia y eficiencia de la operación propuesta porque están en la esencia económica de estas operaciones. O *dicho de otra forma no es sólo un problema de legalidad de la operación sino también refrito a sus aspectos político-económicos*

V. ADQUISICIÓN DE LOS BIENES PATRIMONIALES

El primer elemento en el que se manifiesta esta peculiaridad de régimen jurídico está manifestado en los modos de adquisición de los bienes por parte de los entes públicos[23]. Los entes públicos pueden adquirir la titularidad de bienes y derechos por cualquier procedimiento que recoge el ordenamiento jurídico —y, por tanto, todos los del Derecho privado— y, además, por una serie de mecanismos privilegiados que están recogidos en el art. 15 LPAP y regulados en los artículos siguientes.

---

[23]   Una visión completa del régimen de adquisición de bienes se puede ver en CARLÓN RUIZ, M., "Adquisición de bienes públicos", en la obra colectiva que he dirigido, *Diccionario de obras públicas y bienes públicos,* Iustel (2007), pp. 27 y ss.

Conviene recordar, asimismo, que los bienes adquiridos por un ente público tienen naturaleza patrimonial, con independencia de que durante el procedimiento de adquisición, tal como se señaló con anterioridad, sea para una finalidad determinada. El art. 16 LPAP es claro en este sentido, recordando que este carácter patrimonial se hará "sin perjuicio de su posterior afectación al uso general o al servicio público".

De acuerdo con lo dispuesto en el art. 15 LPAP, los modos de adquisición de bienes por parte de los entes públicos son los siguientes:

a) Por atribución de la ley, de los que nos encontraríamos con los inmuebles vacantes (art. 17), los saldos y depósitos abandonados (art. 18) y la adjudicación al Estado en virtud de procedimientos administrativos y judiciales (arts. 25 y 26).

b) A título oneroso, con ejercicio o no de la potestad de expropiación (art. 19 y 24).

c) Por herencia, legado o donación (art. 20 y 21).

d) Por prescripción (art. 22).

e) Por ocupación (art. 23).

A ello se añade otro supuesto de incorporación de bienes al patrimonio de un ente público, que es el de la incorporación de bienes de los organismos públicos en los supuestos en los que no sea necesario para el cumplimiento de sus fines y que está recogido en el art. 80 y ss.

1. *Adquisición de bienes vacantes*

De acuerdo con lo dispuesto en el art. 17 LPAP, "pertenecen a la Administración General del Estado los inmuebles que carecieran de dueño", esto es, los bienes vacantes o mostrencos[24]. Al igual que ocurría en la legislación ahora derogada, dos son los requisitos para que se pueda proceder a la adquisición de un bien: por un lado, ha de tratarse de un bien inmueble, por el otro, ha de ser un bien que carezca de dueño.

En relación con la primera cuestión, la ley es clara cuando limita el procedimiento de adquisición del art. 17 a los bienes inmuebles. Por tanto, para la adquisición de los bienes muebles vacantes, se estará a lo que determinen las normas del derecho privado.

---

[24] El origen de la expresión bien mostrenco está perfectamente explicado en CHINCHILLA MARÍN, C., *Bienes patrimoniales..., op. cit.* pp. 182-183.

La segunda condición que recoge el art. 17 es que se trate de bienes que carezcan de dueño, expresión que sustituye a "que estuvieren vacantes y sin dueño conocido" y a "detentados o poseídos sin título" que recogía los antiguos 21 y 22 LPE, aunque con un sentido coincidente, tal como señaló en su momento VALLADARES[25]. Siguiendo con esta línea argumental, la vacantía a la que hace referencia el enunciado del precepto se refiere tanto a la carencia de propietario como a la de poseedor a título de dueño.

En el caso que nos encontremos ante un supuesto como el descrito se produce la adquisición por la administración. Ha de tenerse en cuenta que se produce por ministerio de la ley, "sin necesidad de que medie acto o declaración alguna por parte de la Administración General del estado". Obviamente hará falta un acto ulterior de materialización de esta incorporación, que vendrá dado por el procedimiento de investigación de bienes que contempla el art. 47 LPAP. Será desde este momento cuando se inicien las responsabilidades del nuevo titular derivada de esta adquisición.

La adquisición de la propiedad se producirá por la Administración General del Estado, tal como reconoce de forma terminante el art. 17. Con ello se sigue la línea tradicional de nuestro ordenamiento y se elimina la posibilidad de que sean otras entidades públicas las que adquieran los bienes vacantes. En este sentido, conviene recordar que la Generalidad de Cataluña introdujo un precepto cuyo contenido último era atribuir la propiedad de los bienes vacantes. La STC 58/1982, de 27 de julio, anuló el art. 11 de la ley 11/1981, de patrimonio de la Generalidad de Cataluña, en la medida en que el único competencia para hacerlo es el Estado[26].

A este supuesto general hay que añadir algunas otras leyes especiales atribuyen al Estado determinados bienes muebles abandonados. Así, hay que citar la Ley 48/2003, de Puertos, que atribuye al Estado la propiedad de los buques abandonados, entendiendo como tales aquéllos que se encuentren amarrados durante más de seis meses en el mismo lugar del puerto, sin actividad apreciable externamente y sin haber abonado las co-

[25] VALLADARES RASCÓN, E., "La Ley del patrimonio del Estado y la protección del poseedor", en la *Revista de Derecho Privado*, mayo 1976, p. 383.
[26] Concretamente señaló que "en cuanto que la titularidad de la soberanía corresponde al Estado en su conjunto y no a ninguna de sus instituciones en concreto, los bienes vacantes podrían, en principio, ser atribuidos a Entes distintos de la Administración central, pero sólo el órgano que puede decidir en nombre de todo el Estado y no de una de sus partes puede modificar la actual atribución".
En un sentido similar se pronuncia la STC 150/1998, en relación con dos artículos de la Ley de Castilla y león 14/1990, de concentración parcelaria.

rrespondientes tasas o tarifas, y así lo declare el Consejo de Administración de la Autoridad Portuaria.

2. *Saldos y depósitos en entidades de crédito abandonados por sus propietarios*

Recogiendo lo que señalaba el art. 29 de la antigua Ley General Presupuestaria, el art. 18 de la nueva LPAP dispone que "corresponden a la Administración general del Estado los valores, dinero y demás bienes muebles depositados en la Caja General de Depósitos y entidades de crédito, sociedad o agencias de valores o cualesquiera otras entidades financieras, así como los saldos de cuentas corrientes, libretas de ahorro u otros instrumentos similares abiertos en estos establecimientos, respecto de los cuales no se haya practicado gestión alguna por los interesados que implique el ejercicio de su derecho de propiedad en el plazo de veinte años".

No obstante, teniendo en cuenta cuál es el contenido del patrimonio del Estado, que hemos visto con anterioridad, no todos los bienes que se encuentren abandonados en las entidades reseñadas pasarán a formar parte de él, ya que una parte entrará en la Hacienda Pública, habida cuenta de que el dinero no se encuentra en el patrimonio público. Por ello, mientras que los depósitos monetarios supondrán un incremento de la hacienda pública, habrá otros bienes que sí pasarán a formar parte del patrimonio del Estado.

Se trata de un supuesto en el que el abandono manifestado en la ausencia de actos de gestión en veinte años ha transformado a estos bienes, en res nullius[27]. Se trata, en definitiva, tal como ha señalado CHINCHILLA, en la definición con criterios objetivos de las "circunstancias en presencia de las cuales puede decirse que hay una desposesión que lleva consigo la extinción del dominio, lo cual se manifiesta en que "la conducta es de tal naturaleza y se produce durante un período de tiempo (veinte años) lo suficientemente prolongado como para poner de manifiesto que el pro-

---

[27] El Tribunal Constitucional lo señaló de forma expresa, cuando indicó que "ninguna objeción cabe oponer desde la óptica del derecho a la propiedad privada a la opción de legislador de atribuir al Estado unos bienes abandonados por sus titulares y, por tanto, bienes *nullius*, pues tal atribución encuentra fundamento en su condición de gestor de los intereses generales de la comunidad que el Estado representa, al objeto de destinarlos a la satisfacción de aquellos intereses, lo que se conecta con el mandato del art. 128.1 CE de subordinación al interés general de toda la riqueza del país en sus distintas formas y sea cual fuere su titularidad".

pietario ha renunciado a la cosa, pues, como ya se ha dicho, es obvio que se renuncia por las circunstancias objetivas en que se encuentra la cosa (abandono)"[28]. Todo lo cual se hace en unos términos en los cuales parece difícil contradecir la proporcionalidad de la medida y, por ende, su constitucionalidad, sobre todo si analizamos desde una perspectiva integrada todos los preceptos que se refieren al derecho de propiedad en nuestro país y, en particular la función social que ha de cumplir y el sometimiento de toda la riqueza del país al interés general, que claramente se está contradiciendo con su abandono en una entidad de crédito. Por todo ello, la STC 204/2004 declaró perfectamente conforme con el texto constitucional, ya que "no puede sino compartirse la opinión del Fiscal General y del Abogado del Estado, según la cual en modo alguno cabe tildar de irrazonable o desproporcionada la conducta omisiva —esto es, la falta absoluta de gestión que implique el ejercicio del derecho de propiedad durante veinte años— de la que el legislador hace derivar la declaración de abandono por su titular de los saldos de las cuentas corrientes abiertas en toda clase de entidades de crédito o financieras, con los consiguientes efectos propios de la derrelición o abandono, esto es, la extinción del dominio sobre dichos saldos".

Con esta redacción, que resulta más amplia que la anteriormente en vigor, la nueva legislación ha querido solucionar los problemas que se planteaban sobre los supuestos sobre los que se podía predicar este abandono. En la actualidad parece claro que con la redacción se quiere incluir cualquier depósito en cualquiera de las entidades que están enunciadas en él, tengan la naturaleza que tengan. Asimismo, la redacción de las entidades es lo suficientemente amplias para que todas las que pueden tener este tipo de depósitos estén incluidas en el precepto, incluidas las cajas de ahorro, a pesar de su naturaleza fundacional y carácter benéfico, dado que, como

---

[28]   CHINCHILLA MARÍN, C. "Adquisición de bienes y derechos", dentro de la obra colectiva dirigida por ella *Comentarios a la ley de patrimonio de las Administraciones Públicas*, pp. 165-166.
En este sentido, la STS 21.3.2000 ha indicado que "los valores, dinero y bienes muebles constituidos en depósito en las oficinas, sucursales y agencias de las mismas, y los saldos en cuentas corrientes, libretas de ahorro y cuentas análogas igualmente abiertas en ellas —que han de estimarse abandonados en cuanto sus titulares o interesados no han practicado gestión alguna sobre ellas, que presuponga ejercicio de su derecho de propiedad en un plazo de veinte años— pertenecen al Estado por ministerio de la ley como bienes abandonados que son en aras de aquella pasividad".

señaló la jurisprudencia en diversas resoluciones, son también entidades de crédito a los efectos de esta cláusula[29].

Teniendo en cuenta los efectos restrictivos de los derechos, basta cualquier conducta por parte de los interesados que ponga de manifiesto la relación jurídica con estos bienes, con independencia de cuál sea el medio utilizado para su realización, aunque a efectos de prueba siempre sería conveniente que quedara constancia de su materialización. En este sentido, resulta discutible la referencia en el precepto a los interesados, teniendo en cuenta las limitaciones que existen a que no titulares realicen actos de gestión. No obstante, conviene recordar, que, paralelamente, surge una obligación por parte de las entidades de crédito, consistente en que mantengan durante al menos veinte años la información relativa a los movimientos que se realicen con este tipo de bienes[30].

Aunque estos depósitos correspondan a la Administración General del Estado, resulta necesario una actividad de la administración para tomar la posesión de los mismos. Las entidades depositarias están obligadas a comunicar la existencia de tales depósitos lo que se ha de hacer en el primer trimestre de cada año. Una vez percibidos estos hechos, se hace el correspondiente expediente de abandono, que se notifica a las entidades de crédito para que en el plazo de quince días transfieran los bienes al patrimonio del Estado. La obligación que tienen la entidades de crédito podrá ser objeto de inspección por los órganos competentes[31], se impone como contenido de los informe de auditoría que se hagan sobre las cuentas de estas entidades y se ha tipificado como ilícito administrativo grave el incumplimiento de este deber de comunicar la existencia de saldos y depósitos abandonados. Obviamente, el problema, que habrá de ser resuelto en el reglamento, es el de la garantía de los derechos de los particulares, que podían verse vulnerados, tal como ha sido señalado por CHINCHILLA[32].

---

[29] Véanse las SSTS de 22.7.1999, 21.3.2000 y de 1.10.2000.

[30] Se trata, por lo demás, de una obligación que ha reconocido la jurisprudencia. Así, la STS de 14 de noviembre de 2001 (*Tol 1501*) señala que esta obligación está contemplada a fin de que en el momento oportuno se pueda abrir el procedimiento para la declaración de abandono de bienes que culminaría con el ingreso de las cantidades en el erario público.

[31] Recordemos que en la redacción originaria, se dotaba de competencias al Banco de España, lo que resultaba incoherente con el régimen general de competencias de inspección de estas entidades, que no recae en el Banco de España. Con la modificación, se reconoce la competencia de quien la tenga con carácter general para las entidades de crédito, que es sobre todo la Comisión Nacional del Mercado de Valores.

[32] CHINCHILLA MARÍN, C., *Bienes patrimoniales..., op. cit.* pp. 238-239.

Recordemos, por último, que no es el único supuesto en el que se declare la propiedad del Estado de bienes que se presumen abandonados. La Disposición Adicional 18ª de la Ley de Puertos atribuye al Estado la propiedad de los buques abandonados, entendiendo como tales aquellos que se encuentren amarrados durante más de seis meses en el mismo lugar del puerto, sin actividad apreciable externamente y sin haber abonado las correspondientes tasas o tarifas, y así lo declare el Consejo de Administración de la Autoridad Portuaria.

3. La adjudicación al Estado de bienes en virtud de procedimientos administrativos y judiciales

Los arts. 25 y 26 de la Ley del Patrimonio del Estado regula la adquisición de bienes como consecuencia de procedimientos administrativos y judiciales. Se trata de un precepto que remite a los procedimientos de apremio administrativo (art. 25) o a aquellos en que en vía administrativa o en vía judicial se adjudiquen a la Administración bienes en pago de deudas contraídas por los ciudadanos (art. 26).

La primera modalidad de adquisición de bienes deriva, como se acaba de indicar, de los procedimientos de apremio, y la regulación nos remite a la que se contenga en la Ley 58/2003 General Tributaria y en el Reglamento General de Recaudación. En este sentido, el art. 172.2 LGT dispone que "el procedimiento de apremio podrá concluir con la adjudicación de bienes a la Hacienda Pública cuando se trate de bienes inmuebles o de bienes muebles cuya adjudicación pueda interesar a la Hacienda Pública y no se hubieran adjudicado en el procedimiento de adjudicación". El Reglamento General de Recaudación dispone, por su parte, que cuando no se hubieran adjudicado bienes embargados, estos serán adjudicados al Estado en pago de las deudas contraídas, teniendo presente que la Administración tiene derecho al cobro no sólo del importe del débito sino intereses, recargos y costes del procedimiento.

El cambio legislativo ha supuesto una modificación de importancia. El viejo art. 30 de la Ley de Patrimonio del Estado disponía que en el caso de que hubiera sobrantes sobre el débito perseguido, no había derecho por parte del antiguo deudor a la reclamación del exceso, que, por consiguiente, correspondían a la administración actuante, posiblemente en compensación por el costoso procedimiento para el pago de la deuda. En la actualidad dicha previsión ha desaparecido de la nueva regulación, algo que parece más conveniente con la prohibición de la privación del derecho de propiedad sin causa legítima que recoge el art. 33 de la Constitución.

No tiene especialidad alguna la posibilidad de que la Administración adquiera bienes como consecuencia de un proceso de ejecución judicial. Esto se producirá en todos aquellos casos en los que la Administración, por encontrarse en una relación de naturaleza no sometida al Derecho administrativo, deba utilizar los procedimientos de la jurisdicción civil para que obligue a un deudor al pago de una deuda. En este supuesto, los procedimientos de ejecución y el denominado procedimiento de apremio para la realización de los bienes embargados se encuentran regulados en los arts. 538 y ss. de la Ley 1/2000, de 7 de enero, de Enjuiciamiento Civil. En la LPAP se obliga al Abogado del Estado a poner en conocimiento del Delegado de Economía y Hacienda la apertura de los plazos para solicitar la adjudicación de los bienes embargados.

La legislación de patrimonio, por último, precisa una serie de especialidades de tipo procedimental para la adquisición de bienes en procedimientos judiciales o administrativos diferentes de los anteriores, que pasan por el informe de la Delegación de Hacienda y por la identificación y tasación pericial de los bienes.

Por su importancia, conviene hacer referencia a las adquisiciones de bienes que se producen como consecuencia de los instrumentos que hayan servido de instrumentos para la comisión de los delitos de tráfico de drogas, que están recogidos en el art. 374 del Código penal y que sirve para el sustento del fondo que se crea para la lucha policial contra el tráfico de estupefacientes y los programas de prevención, rehabilitación e inserción social de drogodependientes y toxicómanos. Asimismo, hay que hacer referencia a las reglas generales del comiso de los instrumentos y efectos del delito, que están recogidos en los arts. 334 y 338 de la Ley de Enjuiciamiento Criminal.

4. *Prescripción adquisitiva de bienes y ocupación*

En los artículos 22 y 23 de la nueva ley de Patrimonio de las Administraciones Públicas se recoge la posibilidad de que los entes públicas adquieran bienes como consecuencia tanto de la prescripción adquisitiva como de la ocupación. En ambos casos, las condiciones para que se produzcan ambas son las reguladas en el Código civil (arts. 1930 y ss. para la prescripción adquisitiva y 610 y ss. para la ocupación) y en las leyes especiales.

5. Adquisición a título oneroso

A) Sin ejercicio de la potestad expropiatoria

La adquisición de bienes muebles o inmuebles por parte de los entes públicos está sometido a un régimen en el que se pretenden conciliar las necesidades de interés general con la flexibilidad propia del tráfico jurídico privado. El principio de partida, es, en este sentido claro "para la adquisición de bienes o derechos la Administración podrá concluir cualesquiera contratos, típicos o atípicos" (art. 115.1 LPAP). Lo cual se complementa con las opciones de compra, tal como lo contempla el art. 115.2 cuando permite a la Administración "concertar negocios jurídicos que tengan por objeto la constitución a su favor de un derecho a la adquisición de bienes o derechos". Partiendo de este principio, en la nueva legislación patrimonial se regulan las dos modalidades más típicas, adquisición de inmuebles y de edificios en construcción, más alguna peculiaridad sobre las adquisiciones de bienes muebles o por reducción del capital o fondos propios.

La adquisición de inmuebles se rodea de garantías previas a la adjudicación y otras que se manifiestan durante el procedimiento. Así, la apertura de un procedimiento de adquisición de inmuebles se podrá efectuar tanto para paliar necesidades actuales —por petición de un departamento ministerial— o como previsión de las insuficiencias infraestructurales que se prevean que vaya a tener el ente público. Para todo ello habrá que incluirse en el expediente un informe de necesidad de adquisición, con indicación del procedimiento más adecuado de compra, un informe de la abogacía del Estado y una tasación del bien o del derecho para comprobar que la adquisición se hace a precios razonables teniendo en cuenta el valor de los inmuebles.

Partiendo de esta primera fase, se abre el procedimiento de adquisición del bien inmueble propiamente dicho. En principio, tal como prevé el art. 116.4 LPAP, la adquisición se realizará mediante concurso, en donde lo que se plantean son las necesidades del ente público y se plantearán opciones de edificios ya construidos que puedan resultar válidos para esa finalidad de interés general. Obviamente se tratará de un procedimiento público en el que los propietarios interesados presentarán una oferta de acuerdo con las condiciones que aparezcan en el pliego aprobado por la administración.

No obstante, tras este planteamiento que pretende introducir la adquisición de bienes dentro de un halo de objetividad, aparecen una serie de supuestos en los cuales la Administración podrá adquirir un bien concreto de forma directa, alguno de los cuales es bastante indeterminado: "peculiaridades de la necesidad a satisfacer, las condiciones del mercado inmobiliario, la urgencia de la adquisición resultante de acontecimientos imprevisibles o la especial idoneidad del bien". Asimismo, procederá la adquisición directa en otros supuestos más objetivos, concretamente cuando nos encontremos ante adquisiciones de bienes de otro ente público, cuando se adquiera una cuota del condominio de otro copropietario, cuando se ejercite un derecho de adquisición preferente o el caso en el que el concurso se haya declarado desierto.

Por último, para esta modalidad de adquisición de bienes se prevé la posibilidad de aplazamiento del pago de la adquisición, siempre que ésta no exceda de 4 años.

Mayores cautelas se recogen en la ordenación de la adquisición de edificios que se encuentren en construcción, precisamente por los riesgos que plantea para el interés general de no terminación de la obra dentro del plazo requerido para que sirva al interés que motivó su adquisición.

De entrada es una potestad que podrá acordarse sólo de forma excepcional, lo que obligará a que haya conocimiento concreto del proyecto de edificación y, asimismo, de la imposibilidad de que se pueda adquirir un inmueble que disponga de condiciones suficientes para satisfacer la necesidad pública. A ello se añade el hecho de que se han de cumplir una serie de condiciones que afectan al estado de construcción del inmueble y del precio que se haya de abonar sobre el mismo: en primer lugar, el valor del suelo y el de la parte edificada ha de ser superior a la porción que se encuentre en construcción, incluyendo todos los elementos que afecten al mismo; el precio que se va a pagar por él ha de ser cierto y determinado para evitar alteraciones como consecuencia de las subidas de precio en un sector económico en el que las alzas son habituales; el plazo previsto para la finalización de la obra no podrá ser superior a dos años, debiendo estar garantizados tanto el plazo de finalización como las condiciones en las que se va a producir esta adquisición; dado que si no fuera así resultaría más adecuado que todo el proyecto sea resultado de la actividad administrativa. Y, por último, entra dentro de la discrecionalidad del órgano contratante el que se establezcan los mecanismos para garantizar que el inmueble se ajusta a las condiciones estipuladas, algo que, por otra parte, debe ser común en todos los proyectos de obra que dependa de las administraciones públicas.

En todo caso, llama la atención que el elemento que está más concretado en el art. 117 es precisamente el del pago de este tipo de inmueble.

Así, el pago inicial que se podría abonar en el momento de la firma de la escritura sólo podrá alcanzar al valor del suelo y de la parte construida del mismo. Esto no quita para que se pueda pactar el aplazamiento del pago por parte de la administración de esta primera parte del pago. En relación con la parte restante del pago se podrá demorar o bien hasta la entrega del inmueble o bien pagarse contra las certificaciones de obra.

B) Adquisición de bienes y derechos por ejercicio de la potestad expropiatoria

Al lado de la adquisición voluntaria de bienes entre la Administración pública adquirente y el vendedor nos encontramos con la que es la consecuencia del ejercicio de la potestad expropiatoria que recoge el art. 33 de la Constitución para los casos de utilidad pública o interés social, mediante la correspondiente indemnización. Obviamente, en la normativa patrimonial no se ofrece una regulación íntegra de la figura de la expropiación, sino que la propia Ley de Patrimonio de las Administraciones públicas hace una remisión en bloque a las dos disposiciones básicas en esta materia, la Ley de Expropiación Forzosa de 1954, y la normativa actual donde se recogen las valoraciones urbanísticas, la Ley del Suelo de 2007, donde se contienen algunos elementos. Por ello y atendiendo al objeto de este estudio, aquí sólo se va a desarrollar los aspectos específicos de la legislación patrimonial[33].

En este sentido, a efectos de la normativa patrimonial tiene sentido analizar sólo dos elementos: por un lado, cómo se determina el destino de los bienes expropiados, o sea, analizar si juegan las cláusulas sobre la afectación, y, en segundo lugar, cómo se produce y qué efectos tiene la desafectación de los bienes a la utilidad pública que motivó su expropiación, dado que, como es conocido puede tener un efecto jurídico de especial importancia, cuál es el nacimiento del derecho de reversión del que son titulares los antiguos propietarios de los mismos.

De entrada, resulta llamativo que, pese al llamamiento a realizar una constancia documental de la situación de los bienes, lo que se realizaría a través primero de su afectación y, con posterioridad, de la modificación de

---

[33]   Sobre la Ley de Expropiación Forzosa, por todos, véase GARCÍA DE ENTERRÍA, E., Los principios de la nueva Ley de Expropiación Forzosa, reedición de la Ed. Civitas, Madrid (1987). Puede verse, asimismo, el comentario que ha realizado ESCUÍN PALOP, V., Comentarios a la Ley de Expropiación Forzosa, Ed. Civitas, 2ª Ed. Madrid (2004) y el de SOSA WAGNER, F., Comentarios a la Ley de Expropiación Forzosa, Ed. Aranzadi, 2ª Ed., Pamplona (2003).

su situación jurídica en los inventarios administrativos, cuando la adquisición de los bienes se produce a través de la expropiación, el nuevo art. 24 LPAP se contenta con indicar que "la afectación del bien o derecho al uso general, al servicio público o a fines y funciones de carácter público se entenderá implícita en la expropiación". Aunque pueda interpretarse que con el cumplimiento de los trámites de la expropiación ya está configurado el destino de los bienes, quedaría su constancia a efectos de inventarios y registros. Dicho de otro modo, con la afectación derivada de la expropiación se soluciona el problema inmediato, mientras que con el cumplimiento de todos los trámites de afectación se da una solución más perdurable en el tiempo. No obstante, la falta de llamamiento a una materialización de la situación física de los bienes no obsta para que se pueda aplicar la mecánica general sobre afectaciones expresas y constancias en inventarios.

En segundo lugar, el art. 24 de la LPAP efectúa un llamamiento a la legislación expropiatoria en relación con la situación de los bienes cuando se ha producido la desafectación de los mismos. En este caso, se recordará, el art. 54 de la Ley de Expropiación Forzosa obliga a que se haga un llamamiento a los antiguos propietarios salvo en los supuestos en los cuales se produzca un cambio de destino o cuando el bien se haya afectado durante más de diez años a un uso o servicio público, a fin de que ejerciten el derecho de reversión[34], que les permitirá recobrar la totalidad o la parte sobrante de los expropiado, mediante el abono de la indemnización correspondiente al titular actual de los bienes.

La devolución de los bienes se ha de realizar en la misma situación que se adquirieron, esto es, libre de todas aquellas situaciones jurídicas que puedan contrariar el fin de la expropiación. Precisamente para que se pueda ejercitar el derecho de reversión se ha de producir por parte de la Administración "la depuración de la situación física y jurídica de los bienes, por el ministerio u organismo que hubiera instado la expropiación"; de acuerdo con las reglas generales. No obstante, para que esta potestad fuera más eficaz a los fines que se propone debiera haber recaído en la Dirección General del Patrimonio del Estado, sobre todo si la última utilización del bien objeto de la reversión no se efectúa por el mismo departamento ministerial que efectuó la petición del mismo.

---

[34] Sobre el derecho de reversión después del ejercicio de la expropiación forzosa, véase GALÁN GALÁN, A., *El derecho de reversión en la Ley de Expropiación Forzosa. Estudio legislativo, doctrinal y jurisprudencial*, Lex Nova, Valladolid (2002).

El ofrecimiento a los antiguos propietarios para el ejercicio del derecho de reversión ha de ser efectuado por ese mismo departamento al que se adscribió el bien en primer lugar. Lleva aparejada la desafectación implícita del bien, lo que casa aún peor con esa voluntad que tiene la ley de que todos los procesos sobre los bienes públicos se lleven de forma documental y ordenada. Y, en el mismo sentido, si no se consuma la reversión, la desafectación se producirá de acuerdo con los trámites ordinarios del art. 69 de la legislación de patrimonio. El problema consistirá en los supuestos en los que no se produce la comunicación a los antiguos propietarios, dado que en ese caso, el ejercicio del derecho de reversión no se podrá producir si han transcurrido más de veinte años, tal como señala el art. 54.3 a) LEF. Y recordemos que, como ha señalado la jurisprudencia, el ejercicio del derecho en estas ocasiones requiere una prueba clara, cuya carga recae en el antiguo propietario, de que se ha producido la pérdida de afectación del bien expropiado.

6. Adquisición hereditaria y demás adquisiciones a título gratuito

A) Sucesión intestada

La nueva legislación patrimonial de las administraciones públicas mantiene el régimen del Código civil y la legislación foral en relación con la adquisición de bienes por los entes públicos como consecuencia de sucesión ab intestato, en los supuestos en los que no haya personas que sean sucesores del fallecido, hasta los límites marcados por la legislación. Por tanto, son de aplicación los artículos 956 y ss. del Código civil y las disposiciones similares de las normas reguladoras del derecho civil foral o especial.

En este caso, la primera regla que hay que contemplar es precisamente esta: no sólo hereda el Estado sino que pueden hacerlo otros entes públicos, como consecuencia de la legislación civil foral. El reconocimiento en el art. 148.1.8ª de la Constitución de que la competencia exclusiva del Estado en materia de legislación civil se realiza "sin perjuicio de la conservación, modificación y desarrollo por las Comunidades autónomas de los derechos civiles, forales o especiales, allí donde existan" ha abierto la posibilidad de que la normativa autonómica haya alterado la regla general del Código civil. La regla constitucional de distribución de competencias se mueve con una cierta indeterminación sobre el alcance exacto que se le ha de proporcionar, sobre todo por la vinculación que puede tener con el ordenamiento preexistente. La jurisprudencia constitucional, en este sentido, ha admitido que "las Comunidades autónomas dotadas de Derecho civil foral o especial regulen instituciones conexas con las ya reguladas en la Compilación dentro de una actualización o innovación de los contenidos de ésta según los principios informadores del Derecho foral" (STC 88/1993); todo lo cual nos sigue colocando en el mismo sitio de indeterminación, en la medida en que parece estar reconociendo una competencia legislativa parcialmente ilimitada[35].

Es precisamente esto lo que permite que todas las Comunidades autónomas con Derecho civil foral o especial puedan establecer normas específicas sobre la adquisición de bienes por sucesión intestada diferente de la regulada en el Código civil. La excepción sería la Comunidad valenciana ya que, como ha señalado acertadamente Chinchilla, no parece tener fundamento que, "no existiendo en el momento de la entrada en vigor de la Constitución Derecho civil valenciano escrito —ya que el mismo fue suprimido en los Decretos de Nueva Planta, sin que fuese reintegrado posteriormente—, para poder sostener que el Estatuto de autonomía o la Ley del Patrimonio están desarrollando o modificando un Derecho civil propio preexistente". Sería preciso entender que nos encontramos ante un Derecho que es de carácter consuetudinario y que se ha mantenido vigente, lo que no parece que pueda sostenerse[36].

En todo caso, las Comunidades autónomas de Aragón, Cataluña, Navarra, País Vasco y Galicia han previsto la adquisición hereditaria de la Comunidad Autónoma y el destino de los bienes a instituciones de beneficencia. A ello se añade que, pese a lo indicado con anterioridad, la Comunidad valenciana ha dispuesto en su ley de patrimonio que heredará la Generalidad en aquellos casos en los que nos encontremos con la sucesión intestada sin personas con derecho a suceder en la Generalidad.

En cuanto a la regulación general, contenida del Código civil, el art. 956 Cc[37] dispone lo siguiente:

---

[35]   Recordemos que el voto particular de GONZÁLEZ CAMPOS a dicha resolución señalaba precisamente que "este criterio de proximidad en los contenidos entre el nuevo Derecho civil y el ya existente no va acompañado de otras precisiones y, por tanto, aun poseyendo una evidente flexibilidad, deja abiertas no pocas interrogantes. Entre ellos, si la proximidad de la materia regulada con la legislación de desarrollo del Derecho civil debe ser inmediata o también puede ser mucho más remota (...) si la conexión o proximidad sólo puede establecerse respecto al Derecho civil, foral o especial, existente en el momento de entrar en vigor la Constitución, o también en relación con el contenido del Derecho histórico".

[36]   CHINCHILLA MARÍN, C., *Bienes patrimoniales...*, *op. cit.*, pp. 281-282.

[37]   Recordemos que el anteproyecto recogía la modificación de este precepto, en el sentido de eliminar la distribución por tercios del caudal hereditario, lo que fue eliminado

"A falta de personas que tengan derecho a heredar conforme a lo dispuesto en las precedentes secciones, heredará el Estado, quien asignará una tercera parte de la herencia a Instituciones municipales del domicilio del difunto de Beneficencia, Instrucción, Acción Social o profesionales, sean de carácter público o privado, y otra tercera parte a Instituciones provinciales del finado, prefiriendo, tanto entre unas como entre otras, aquellas a las que el causante haya pertenecido por su profesión y haya consagrado su máxima actividad, aunque sean de carácter general. La otra tercera parte se destinará a la Caja de Amortizaciones de la Deuda pública, salvo que, por la naturaleza de los bienes heredados, el Consejo de Ministros acuerde darles, total o parcialmente, otra aplicación".

De acuerdo con lo indicado, en el caso del fallecimiento sin testamento y sin parientes con derecho a heredarla, esto es, descendientes, ascendientes, cónyuges y colaterales hasta el cuarto grado, heredará el Estado[38], aunque sólo adquiera un tercio de la herencia.

Como se puede ver, el Estado es el único que tiene el derecho a ser heredero de los bienes, con independencia de que haya de darles un destino determinado, según las reglas que se acaban de reseñar y que supone que se transformará en propietario sólo de un tercio del patrimonio hereditario, tratándose, pues de un derecho que supone la atribución de una potestad para el cumplimiento de fines de interés general, tal como ha sido señalado por CHINCHILLA[39]. Es, además, una obligación por par-

---

de la versión final como consecuencia del Dictamen del Consejo de Estado 805/2003, de 3 de abril, sostenido en el argumento, extremadamente conservador, de la "preocupación —como ya se ha hecho en anteriores ocasiones— por el hecho de que se traten de modificar los Códigos en artículos concretos y de forma aislada como motivo de la aprobación de leyes especiales o sectoriales sin intervención de la Comisión General de Codificación. Como se señaló en el dictamen nº 1169/95, de 13 de septiembre, "los Códigos, sea el Civil, el Penal o el de Comercio, deben ser modificados desde una visión global, ya que constituyen una unidad normativa orgánica que debe ser preservada de modificaciones, a veces precipitadas, poco maduradas y que pueden responder a planteamientos ocasionales o particulares ajenos a los propios del Código". Sin lugar a dudas hubiera sido el momento más adecuado para hacerlo tanto desde una visión general de la ordenación de los patrimonios públicos y, sobre todo, teniendo en cuenta que el criterio del reparto requiere una actualización y que hubiera sido conveniente adaptar el procedimiento administrativo recogido en el Decreto de 13 de agosto de 1971.

[38]   Queda a salvo el supuesto recogido en el art. 1653 Cc para los supuestos de enfiteusis, ya que dicho precepto dispone que "a falta de hederos testamentarios descendientes, ascendientes, cónyuge supérstite y parientes dentro del sexto grado del último enfiteuta, volverá la finca al dueño directo en el estado en que se halle, si no dispuso de ella el enfiteuta en otra forma".

[39]   En CHINCHILLA MARÍN, C., *Bienes patrimoniales...*, *op. cit.*, pp. 246 y ss. hay una completa exposición de todas las posiciones que se han mantenido sobre esta cuestión y

te del Estado, tal como se deduce de la dicción del precepto como de la propia lógica del sistema de las adquisiciones privilegiadas de bienes por el Estado, dado que si no aceptara los bienes por rechazar la herencia, los adquiriría inmediatamente en virtud de otro de los títulos de adquisición de bienes, ya que nos encontramos ante un bien mostrenco, de acuerdo con lo que se ha analizado con anterioridad.

Se trata, por otra parte, de una herencia que se adquiere, como todas las que recibe el Estado, a beneficio de inventario, tal como disponen el art. 957 Cc y el art. 20 de la ley del Patrimonio de las Administraciones Públicas[40]; esto es, supone una aceptación de los bienes con responsabilidad limitada hasta donde alcancen los bienes de la herencia, la conservación de las acciones que tuviera contra el difunto y la no confusión de patrimonios, tal y como dispone el art. 1023 Cc. Se trata de un punto sobre el cual no hace falta siquiera que sea objeto de una declaración por parte de los órganos encargados de la aceptación de la herencia.

En cuanto al procedimiento para la adquisición de la herencia, viene recogido en el RD 2091/1971, de 13 de agosto, que divide las actuaciones en este campo en tres fases: una primera que se dedica esencialmente a los actos anteriores a la declaración judicial de heredero —que pasan por el conocimiento del fallecimiento de una persona sin herederos legales, la determinación de su patrimonio y la declaración judicial de heredero—. En ese momento se abre una segunda que se dedica a la administración y enajenación de los bienes heredados —dedicada a los actos de conservación de los bienes y su tasación, como paso previo a la enajenación mediante subasta, salvo que se puedan dedicar a los fines de la entidad que los vaya a recibir, se puedan adscribir a un uso o servicio público o dispongan de interés científico, histórico, artístico o de otro orden—, el tercero a las cuentas del ab intestato —teniendo en cuenta que sólo en el momento en que se hayan pagado a los acreedores quedará el Estado en el pleno goce de su herencia, tal como dispone el art. 1032 Cc— y la distribución del caudal hereditario entre las instituciones y entidades beneficiarias. Las instituciones reciben, de este modo, sólo una parte del saldo líquido asignado a título particular. Todas estas actuaciones serán realizadas por las Juntas Distribuidoras de Herencias.

---

que por razones de espacio no se pueden incluir aquí.
[40]   Es, por otra parte, una regla generalizada en todas las normas patrimoniales públicas.

B) Especialidades de la adquisición por herencia testamentaria y otras adquisiciones a título gratuito

Además de esta forma peculiar de adquisición de bienes, se recogen en el art. 20 LPAP las especialidades que tiene la aceptación de la herencia testamentaria por parte de las administraciones públicas, dado que el régimen general es el previsto en la legislación civil.

De entrada, a diferencia del caso anterior, la Administración que haya sido designada heredera tendrá la opción de aceptarla o no, aunque siempre se entenderá hecha a beneficio de inventario. La determinación del ente designado heredero podrá venir o bien por la designación expresa que realice el testador o bien por la determinación de los fines a los que quiere que se destinen, que supondrá que será el competente el que asumirá la condición de heredero. Para el supuesto, que podrá ser frecuente, de que sean varios los competentes, será heredero el ente cuyo ámbito territorial sea superior. En el caso de que se designe heredero un órgano constitucional, a alguno de los órganos del Estado supone que será éste el que adquiera la condición de heredero. Y si el órgano administrativo o el organismo hubiera desaparecido, será el que haya asumido sus funciones y si se hubieran transferido a otro ente público, será la Administración General del Estado, lo cual resulta poco comprensible.

Obviamente, las herencias pueden determinar el destino que se les quiera dar a los bienes. En este caso, "se respetará la voluntad del disponente, destinando los bienes o derechos a servicios propios de los órganos o instituciones designados como beneficiarios, siempre que esto fuera posible y sin perjuicio de las condiciones o cargas modales a que pudiese estar supeditada la disposición". Se trata de un precepto que conecta directamente con lo dispuesto en el art. 675 del Código civil, aunque para las herencias a favor de los organismos públicos está más flexibilizado por el hecho de que el mantenimiento del destino se producirá "siempre que fuera posible", tal como se ha visto antes.

A las dos formas anteriores de adquisición gratuita de bienes por parte de los entes públicos se añade alguna regla sobre las donaciones y legados a favor de la Administración General del Estado, que están recogidas en el art. 21 LPAP, que afectan a diversos ámbitos, desde los meramente internos de la competencia de los diversos órganos para la aceptación de estos bienes a algunas reglas sustantivas sobre el destino de los bienes y una limitación sobre la aceptación de liberalidades.

Más allá del aspecto competencial, sí resulta relevante un aspecto sustantivo de dicho precepto. En efecto, la regulación contenida en la legislación de patrimonio ha supuesto la incorporación de una regla similar a la del "beneficio de inventario" para la aceptación de tales liberalidades, de tal manera que sólo se podrán hacer en el caso de que el importe de los gastos o de los gravámenes que tenga impuesto sean inferiores al valor de los bienes, salvo que concurrieran circunstancias de interés público debidamente justificadas, con lo que se está introduciendo un criterio de flexibilidad muy útil para los supuestos en los cuales existan razones de interés general, diferentes de las de naturaleza económica, que aconsejen la aceptación de la liberalidad. Con ello, se está potenciando la función de los bienes patrimoniales para el cumplimiento de las políticas públicas, tal como aparece en el art. 8 de la LPAP. Por otra parte, salvo que se trate de bienes de interés cultural, en cuyo caso la competencia recae en el Ministro de Cultura, la competencia está atribuida al Ministerio de Hacienda.

Para todos estos supuestos de adquisición de bienes a título gratuito, en la nueva disposición se concreta que el destino que el que hizo la liberalidad a favor del ente público quería que le proporcionara a los bienes se cumplirá con su afectación a él durante el plazo de 30 años[41]. Se trata de una previsión cuya función consiste en evitar las vinculaciones perpetuas de los bienes adquiridos a título gratuito, introduciendo una flexibilidad necesaria sobre todo para los supuestos en los cuales el transcurso del tiempo impide que se puedan seguir manteniendo las finalidades del donante.

7. Incorporación de bienes de los organismos públicos

El último mecanismo para el crecimiento del patrimonio de los entes públicos que está recogido en la ley es el de la incorporación de bienes de los organismos públicos. Este supuesto, que tiene gran relación con la

---

[41] En este sentido, conviene recordar que la jurisprudencia reconoce que a partir de ese momento hay total libertad por parte del ente que haya recibido de forma gratuita el bien. En ese sentido se ha declarado que "lo que quiere y regula la norma es una liberalización a favor de las Corporaciones locales de los modos y condiciones impuestos a los bienes adquiridos por las citadas corporaciones locales, destinada a permitir un uso adecuado de los bienes a las necesidades de los intereses generales y a posibilitar que la vigencia de la condición o del modo impida la obtención de los beneficios y frutos inherentes a tales bienes en función de las nuevas circunstancias y necesidades, siempre claro está que durante un periodo mínimo de treinta años hayan servido al fin al que el donante los destinó" (STS 14.12.1994). Por otra parte, conviene recordar que esta previsión, aunque no estuviera en el texto originario de la legislación de patrimonio, se incorporó por la ley 53/2002, de 30 de diciembre, de medidas fiscales, administrativas y de orden social.

desafectación, consiste en que una vez que un bien que forma parte de un organismo público deja de ser necesario para el cumplimiento de sus fines se incorporarán, previa desafectación al fin público al patrimonio del ente matriz. Es un supuesto que opera casi de forma automática, ya que el art. 80 excluye sólo el caso de los bienes que se hayan adquirido con la finalidad de devolverlos al tráfico jurídico particular. Se puede excluir, asimismo, en los casos en los que se autorice por el Ministerio de Hacienda siempre que el organismo en cuestión tenga facultades para la enajenación de los bienes o derechos.

Para que se materialice esta incorporación resulta necesario, como se acaba de indicar, la desafectación del bien de la finalidad de interés general, y regularización, en su caso de su situación física o jurídica. Tras lo cual, se procederá a la tramitación de un expediente que concluye con la recepción formal de los bienes por el Ministerio de hacienda, a través del acta de entrega.

En los casos en los que se proceda a la supresión de un organismo público se operará de forma similar a este procedimiento.

VI. ARRENDAMIENTOS A FAVOR DE LA ADMINISTRACIÓN

Uno de los procedimientos que están a disposición de los entes públicos para el uso de bienes es el arrendamiento, figura que está siendo muy utilizada por las Administraciones públicas debido a las consecuencias contables que tiene, que evitan el impacto en el déficit público, lo que le ha llevado a utilizarla en lugar de los contratos de obra pública, a través de figuras de colaboración público privada; con las consecuencias añadidas en cuanto a la privatización de las relaciones administrativas, sobre todo en los supuestos en los que no se recurra a la figura recogida en el art. 11 LCSP. La regulación que proporcionan los artículos 122 y ss. de la LPAP pretende proporcionar un marco jurídico flexible para que se puedan concertar este tipo de operaciones.

Sí conviene tener presente que aunque el arrendamiento se realiza para el cumplimiento de un fin determinado, tal como dispone el art. 126 LPAP, y en aras de una mayor eficiencia en la gestión de los bienes arrendados "los contratos de arrendamiento se concertarán con expresa mención de que el inmueble arrendado podrá ser utilizado por cualquier órgano de la Administración General del Estado o de los organismos públicos de ella dependientes". En este sentido, la ley obliga a que los usuarios de los bienes que tengan pensado dejar de utilizar un inmueble habrán de comunicarlo a la Dirección General de Patrimonio, con una antelación mínima de tres meses a la fecha del desalojo previsto con el fin de que pueda ofrecerlo a los diferentes departamentos ministeriales por si quisieran hacer uso del mismo.

Así, aunque la opción primordial para concertar los arrendamientos de bienes sea el concurso público, el art. 124 permite expresamente que se puedan realizar de forma directa "de forma justificada y por las peculiaridades de la necesidad a satisfacer, las condiciones del mercado inmobiliario, la urgencia de la contratación debida a acontecimientos imprevisibles, o la especial idoneidad del bien". Los contratos de arrendamiento exigen la concurrencia en todo caso la emisión de dos informes: por un lado un estudio técnico —dentro del cual se habrá de incluir un estudio de mercado que debería resultar comparativo de los precios del tipo de inmueble que se va a arrendar teniendo en cuenta la ubicación en la que se encuentra— y un estudio de la abogacía del Estado —que afectará al contenido de las cláusulas del contrato—.

La ley recoge expresamente algunas modalidades específicas de arrendamientos de bienes: en los arrendamientos financieros y otras modalidades que puedan conducir a la adquisición del inmueble por la Administración, en cuyo caso se habrá de concertar a través del procedimiento de la adquisición de bienes que se han visto con anterioridad. Estas figuras fueron introducidas en la legislación en el año 1996 y se enmarcan dentro de la búsqueda de infraestructuras por parte de los entes públicos mediante procedimientos que permitieran la participación de los particulares.

De hecho, en los últimos tiempos se está recurriendo a figuras como la del arrendamiento operativo —explicada en otro capítulo—, en virtud del cual la Administración procede al otorgamiento de un derecho de superficie para la construcción de un bien, que con posterioridad va a ser arrendado al ente público en perfectas condiciones de utilización. Es una modalidad de colaboración público privado que lleva incorporado un componente mixto, en la medida en que además del propio contrato patrimonial se están concertando servicios que presta el arrendador a la Administración. Para evitar la distorsión del régimen aplicable —derecho público vs. derecho privado—, el art. 4.1. p) de la Ley de Contratos del Sector Público impone ciertas restricciones en cuanto al recurso a estos contratos mixtos: "no podrán incluirse prestaciones que sean propias de los contratos típicos regulados en la *Sección I del Capítulo II del Título Preliminar,* si el valor estimado de las mismas es superior al 50% del importe total del negocio o si no mantienen con la prestación característica del contrato

patrimonial relaciones de vinculación y complementariedad en los términos previstos en el *artículo 25*; en estos dos supuestos, dichas prestaciones
deberán ser objeto de contratación independiente con arreglo a lo establecido en esta Ley".

Por otra parte, se recoge también el arrendamiento con utilización parcial del inmueble. Aquí la ley ha sido excesivamente flexible, en la medida
en que permite que en el contrato quede "sin especificar el espacio físico a
utilizar por cada uno en cada momento", aspecto que es, sin lugar a dudas,
determinante del precio que se puede pagar por el contrato.

VII. GESTIÓN PÚBLICA Y CONVENIENCIA DE LA ENAJENACIÓN DE BIENES O DERECHOS

Tradicionalmente, la posibilidad de enajenación de un bien público
partía de un presupuesto que tiene cierta lógica: que el objeto del contrato no fuera necesario para el ente público. De hecho, aparentemente, el
artículo 131 LPAP parece exigirlo como requisito para la venta: "los bienes
y derechos patrimoniales del Patrimonio del Estado que *no sean necesarios*
para el ejercicio de las competencias y funciones propias de la Administración General del Estado o de sus organismos públicos podrán ser enajenados conforme a las normas establecidas en este capítulo" (el subrayado es
mío).

Ahora bien, este precepto no debe hacernos ver que se enajena sólo en
los casos en los que el bien no resulte necesario para la Administración. Como ya se ha avanzado y veremos en las páginas siguientes, la regulación de
la LPAP es bastante más flexible, introduciendo un régimen que permite
la utilización de la enajenación de bienes como un mecanismo más de gestión patrimonial que permite estructurarlo como una operación de colaboración público privada. De hecho, se puede afirmar que la desaparición
de la declaración de alienabilidad es coherente con la evolución habida
desde 1996, que ha permitido sucesivamente los arrendamientos financieros con opción de compra y los demás contratos mixtos de arrendamiento
y adquisición, como de enajenación y arrendamiento —hoy recogidos todos ellos en el artículo 121 de la PAP— y los supuestos en los que se ha ido
en la línea de la disociación entre el dominio útil, que se encomienda a la
Administración como vía para garantizar la finalidad pública que motivó la
construcción del mismo y el dominio directo, que recae en el contratista.

En todo caso, la exposición ha de empezar analizando cómo se articula el estudio que ha de hacer la Administración sobre la conveniencia de la venta y qué huella ha de dejar en el procedimiento de enajenación.

1. *Inexistencia de declaración de alienabilidad de los bienes y derechos*

La regulación de la vieja Ley de Patrimonio del Estado de 1964 (LPE, en adelante) tenía una ordenación bastante diferente en lo que se refiere a los requisitos para la venta de un bien público, como correspondía a un régimen más "clásico", que no utilizaba la ingeniería jurídica. La LPE exigía un acto de la autoridad competente que constatara la falta de necesidad del bien: "la enajenación de los bienes inmuebles del patrimonio del Estado requerirá declaración previa de su alienabilidad dictada por el Ministerio de Hacienda" (artículo 61). Con base en este precepto se estructuró la "declaración de alienabilidad" que permitía constatar que el bien no resultaba necesario para el funcionamiento público.

La exigencia de la declaración de alienabilidad era una figura que estaba asentada en la práctica administrativa. Posiblemente el hecho de que se consideraba automática la relación entre la venta y la innecesariedad del bien hizo que la práctica totalidad de las Comunidades autónomas lo incluyeran en sus leyes reguladoras de su patrimonio[42]. Hoy, pese a las críticas que hizo el Consejo de Estado durante la fase de informe en la tramitación del Proyecto de Ley[43], ha desaparecido este trámite relevante del procedimiento de venta. La consecuencia ha sido que el procedimiento

---

[42]   Toda la regulación autonómica de los bienes públicos, incluso la última promulgada, siguen recogiendo la declaración de alienabilidad, precisamente por la importancia que tiene para una adecuada enajenación de los bienes públicos. Así, por ejemplo, puede verse en el art. 82.1 de la Ley 14/2003, de patrimonio de la Generalidad Valenciana o el art. 50.1 de la ley 3/2001, de 21 de junio de patrimonio de la Comunidad de Madrid.

[43]   Esta ausencia de la declaración de alienabilidad desde el anteproyecto de la ley del patrimonio de las administraciones públicas fue objeto de crítica por parte del Consejo de Estado en su dictamen de 3 de abril de 2003. El Consejo lo considera un trámite "esencial para garantizar la legitimidad y regularidad del negocio, que no parece suficientemente asegurada con el nuevo diseño del procedimiento de enajenación de inmuebles (...) Y es que éste no sólo no hace referencia alguna a la preceptividad de una resolución administrativa expresa e independiente que declare la alienabilidad del bien, sino que, al regular el inicio del procedimiento de enajenación, tampoco exige una justificación expresa de de esa alienabilidad ni un análisis de su conveniencia desde el punto de vista de los intereses públicos".

y, sobre todo, las posibilidades de gestión patrimonial se han modificado sustancialmente.

Aparentemente, de la regulación de la sección 1ª del Capítulo V, donde se recogen las disposiciones generales sobre las cuatro figuras relativas a la disposición de bienes públicos, la innecesariedad de los bienes y derechos patrimoniales constituye el segundo presupuesto que con claridad configura la ley para que se pueda proceder a la enajenación: "los bienes y derechos patrimoniales del Patrimonio del Estado que *no sean necesarios* para el ejercicio de las competencias y funciones propias de la Administración General del Estado o de sus organismos autónomos...". Sin embargo, como veremos inmediatamente, esta mención de la ley pierde parte de su fuerza inmediatamente, al no recogerse en la misma los mecanismos adecuados para que pueda cumplir el papel que tiene asignado y, en particular, al no contemplarse una declaración de alienabilidad donde se acreditara dicha falta de necesidad.

En efecto, la importancia que parece que se le quiere dar haciendo que sea un requisito (sólo de esta forma se puede entender que se hable de la enajenación de bienes que no resulten necesarios) se diluye en el momento en que se examina el contenido del artículo 131 LPAP: "el acuerdo de incoacción del procedimiento llevará implícita la declaración de alienabilidad". Esto es no hoy un acto expreso. Se supone que si se vende es porque no resulta necesario o porque el modo de gestión que se quiere hacer del bien lo hace conveniente. Nótese que es la previsión más relevante en materia de enajenación de inmuebles, ya que no hay nada parecido ni para los bienes muebles, ni para los derechos de propiedad incorporal ni para la cesión gratuita de bienes a pesar de que en este caso se alude de pasada a la previsibilidad de la utilización por parte de los entes públicos del bien que se va a ceder.

En el expediente sólo aparecerá algo que lejanamente puede recordar la declaración de alienabilidad. Concretamente, el artículo 138.1 se dispone que hay que justificar "debidamente en el expediente, que el bien o derecho no es necesario para el uso general o el servicio público ni resulta conveniente su explotación". Resulta insuficiente ya que no explica cuál es la razón que motiva la enajenación: ¿qué es innecesario? ¿se va a sustituir por otro? ¿qué se considera más conveniente otro procedimiento de gestión? Desde luego sólo la primera de las tres preguntas aparecerán recogidas en el trámite que señala el artículo 138.1, pero en el contexto actual no es lo determinante.

Como veremos en las páginas siguientes, el papel de la declaración de alienabilidad es más profundo y, por ello, conviene examinarla con detalle.

2. La función de la declaración de alienabilidad

La declaración de alienabilidad era un instrumento clave en el régimen de la enajenación de bienes públicos de la LPE. De forma inmediata permite atestiguar que el bien no es útil para el funcionamiento administrativo y, más importante aún, que la transmisión del mismo es conveniente para el interés general. Como señaló GOSALBEZ, "debe indicar que la transmisión del inmueble, si bien no es necesaria para la Administración, sí es oportuna y conveniente para ella, conveniencia para el interés público que, por cierto, ha de constar en la resolución de alienabilidad mediante la debida motivación"[44]. Dicho de otro modo, superada la tentación desamortizadora, el destino de los bienes patrimoniales no es su enajenación sino su mantenimiento en manos públicas. Adaptando el símil de CHINCHILLA[45], la estación de los bienes patrimoniales conduce a varias direcciones, que pueden ser la de pasar a formar parte del dominio público, la de mantenerse en la categoría de los bienes patrimoniales o su enajenación siempre que las condiciones resulten convenientes. Y por ello, la declaración de alienabilidad tiene un valor capital, ya que es lo que sirve para exteriorizar las razones del actuar administrativo.

Si antes era necesario, ahora lo es más. Siendo factible como es la enajenación con reserva de uso temporal de los bienes ¿cómo podemos valorar si la operación está bien gestionada o no? ¿cómo podremos comprobar si se cumple el requisito de la excepcionalidad? Sólo a través de la declaración de alienabilidad, como veremos inmediatamente a través de un ejemplo.

En el contexto de la reducción del déficit público, ha sido usual la enajenación de bienes públicos para su reforma y posterior arrendamiento a la entidad enajenante. Con ello se sustituyen gastos de inversión por gastos corrientes que no consolidan en el balance administrativo y, por ello ni generan déficit ni deuda. Obviamente, cuando se alquila en condiciones de uso satisfactorias —a través de un arrendamiento operativo— el coste

---

[44] GOZÁLBEZ PEQUEÑO, H. Régimen jurídico general de la enajenación del "patrimonio privado" inmobiliario de la Administración Pública, Lex Nova, Valladolid (2002).

[45] CHINCHILLA MARÍN, C.; Bienes patrimoniales del Estado. Colección Garrigues & Andersen. Andersen Legal. Marcial Pons Ediciones Jurídicas y Sociales, Madrid-Barcelona 2001.

que tiene para la Administración es especialmente alto, fruto de muchas variables entre la que está el beneficio empresarial. Esto es, se trata de una operación compleja en donde los perjuicios y beneficios para el interés general han de ser ponderados con especial cuidado. El único instrumento que puede servirnos para eso es la declaración de alienabilidad, en la medida en que contiene un análisis prospectivo de las consecuencias para la gestión pública de la operación. Conecta, en definitiva, con la eficacia en el actuar administrativo, la eficiencia en el gasto público y el principio de buena administración.

Incluso, se podría alegar que la ley es contradictoria en sí misma. Porque si para hacer una operación de este tipo hay que exteriorizar, tal como exige el artículo 131.2, las "razones excepcionales, debidamente justificadas para el interés público" ¿Dónde se va a hacer? ¿De forma implícita? No parece razonable ¿O es que sigue manteniéndose pero con distinto nombre? Por ello, hemos de dar un paso más en la explicación del régimen. De hecho, si se examinan los procedimientos de gestión patrimonial —en sentido amplio— que ha regulado el RGPAP (artículos 82, 83, 91 en relación la elección del procedimiento de enajenación y 100) vemos que esta omisión no es casa con la mecánica general de la ley. Son normales las regulaciones en las que se exige la exteriorización de los motivos que conducen a tomar esa decisión. Dicho de otro modo, que tienen un contenido equivalente a las declaraciones de alienabilidad.

3. La declaración de alienabilidad de los bienes como contenido necesario del acuerdo de iniciación del procedimiento

El ejemplo que se ha puesto en el epígrafe anterior refleja la importancia de la declaración de alienabilidad. No es una mera disquisición teórica sino que, por el contrario, es el instrumento para hacer una buena gestión pública a la hora de enajenar un bien. Por ello, teniendo en cuenta su importancia, y a la vista de que ni la LPAP ni el Reglamento General del Patrimonio de las Administraciones Públicas[46] (RGPAP, en adelante) regulan con detalle el contenido del acuerdo de incoación del procedimiento, parece que resulta adecuado que sea este el lugar donde se ha de incluir. Como se ha indicado, "ha de tenerse en cuenta que esta declaración de

---

[46] Aprobado por el Real Decreto 1373/2009, de 28 de agosto, por el que se aprueba el Reglamento General de la Ley 33/2003, de Patrimonio de las Administraciones Públicas.

alienabilidad constituye un presupuesto para que se pueda continuar el procedimiento dado el contenido que ha de tener"[47]. No obstante, su contenido exige una tramitación previa por parte del órgano enajenante.

De hecho, la parte del acuerdo de incoación del procedimiento referente a la declaración de alienabilidad habría que dar respuesta a las siguientes cuestiones: "i) justificar que el bien no resulta necesario para el ejercicio de las competencias y funciones propias de la Administración General del Estado o cualquiera de sus organismos públicos ii) En su caso, habría de justificar por qué pese a ser necesario para el ejercicio de dichas competencias se puede vender con reserva de uso, iii) En todo caso, habría de justificar por qué la solución de la conservación resulta inadecuada para correcta gestión patrimonial pública, teniendo en cuenta que podría proporcionar ingresos de la explotación económica de dicho bien y que esos ingresos desaparecerán para siempre una vez que el bien se enajene y iv) por último habrá de justificarse la conveniencia de la enajenación, tanto desde un punto de vista abstracto como desde su conexión con las vicisitudes económicas que esté padeciendo ese ente público"[48]. Un elemento, este último, que está recogido, aunque sea en voto particular, en el Dictamen del Consejo de Estado[49] y que resulta muy relevante en el contexto del reconocimiento constitucional de la funcionalidad de los bienes patrimoniales.

En efecto, tal como ha señalado acertadamente SAINZ MORENO, que "la legislación desamortizadora, hace tiempo ya derogada, queda así superada también a nivel constitucional"[50] tiene un impacto relevante en cuanto a la gestión de los bienes y, por ende, de su posible enajenación. Esto

---

[47] GONZÁLEZ GARCÍA, J. V. "Enajenación y gravamen de los Bienes del Patrimonio del Estado", en la obra colectiva dirigida por CHINCHILLA MARÍN, C., *Comentarios a la Ley 33/2003, de Patrimonio de las Administraciones Públicas,* Civitas, Madrid (2004), pp. 653.

[48] GONZÁLEZ GARCÍA, J. V. "Enajenación y..." *op. cit.,* p. 654.

[49] En estos términos se expresa el voto particular al Dictamen del Consejo de Estado de 2 de febrero de 1989 cuando afirma: que la declaración de alienabilidad es "un acto administrativo ineludible y condición sine qua non del contrato que corone después la decisión adoptada (...) tal declaración no debe interpretarse como limitada al examen de la aptitud jurídica del bien o bienes a que se refiere para ser objeto de la enajenación, sino que ha de extenderse a la conveniencia económica de la misma y a la ponderación de sus consecuencias sobre el patrimonio estatal, cuya sanidad debe ser objeto de especial atención y cuidado y es la que dota de sentido a la operación toda".

[50] SAINZ MORENO, F., "Comentario al art. 132 de la Constitución", dentro de la obra colectiva dirigida por ALZAGA VILLAAMIL, O., *Comentarios a las leyes políticas,* EDERSA, Tomo IX, p. 244.

es, hay que dar cuenta de que, teniendo en cuenta las funciones y políticas públicas la solución es la más razonable. De hecho, ya veremos con posterioridad que la consideración de las políticas públicas es un factor que se ha de tomar en consideración a la hora de decidir cuál es el procedimiento de enajenación de los bienes y derechos. Con más razón para que aparezca en la decisión sobre la venta.

Es por otro lado, la falta de relación entre innecesariedad temporal del bien y enajenación está contemplada en la Ley: los bienes patrimoniales no tendrán que ser necesariamente enajenados sino que "*podrán* ser enajenados" (artículo 131.1). De hecho, la tendencia hacia la simplificación de los procedimientos que resalta la exposición de motivos de la ley no debe transformarse en un instrumento para el deterioro del patrimonio público, lo que ocurriría, sin lugar a dudas, en el caso de que el contenido que tuviera la declaración de alienabilidad no apareciera en ningún acto del procedimiento.

El problema consiste en cómo se puede lograr recabar toda la información si como dice el art. 138 se realiza, de forma implícita, en el acto de incoación del procedimiento de enajenación. Téngase en cuenta que, en principio, esto supondría que ningún departamento ministerial ni ninguno de los organismos públicos dispusiera de una necesidad que pudiera resultar satisfecha con ese bien, para lo cual resulta necesario solicitar un informe a todos ellos; informes que hay que valorarlos y, a posteriori tomar la decisión.

4. *Libertad contractual para la enajenación de bienes*

La gestión patrimonial parte del principio de libertad de pactos, siempre que sean conformes con el ordenamiento jurídico. El artículo 132 de la LPAP en consecuencia, abre la posibilidad a que se efectúe la enajenación de los bienes a través de cualquier modalidad contractual. Concretamente, dispone que se podrá efectuar "en virtud de cualquier negocio jurídico traslativo, típico o atípico de carácter oneroso".

En todo caso, las modalidades de venta podrá concertar, de acuerdo con lo dispuesto en el artículo 111 LPAP, todas las cláusulas y condiciones que se tengan por conveniente, siempre que no sean contrarios al ordenamiento jurídico o a los principios de buena administración. Este principio de libertad de pactos en materia negocial es complementario del que se recoge en el Texto Refundido de Contratos del Sector Público. La legislación de patrimonio, en cuanto normativa más específica, configura un régimen especial con respecto a los negocios —que se sustanciarán en contratos— y, por ello, será la que resulte de aplicación en los hipotéticos supuestos de conflicto. Se trata de un principio que tiene una salvaguarda de protección del interés general ante cláusulas que puedan cuestionar la buena administración de los bienes y caudales públicos: "los actos aprobatorios de los negocios patrimoniales incorporarán los pactos y condiciones reguladores de los derechos y obligaciones de las partes, que deberán ser informados previamente por la Abogacía del Estado o por el órgano al que corresponda el asesoramiento jurídico de las entidades públicas vinculadas a la Administración General del Estado" (artículo 112.2 LPAP).

De este modo, sólo nos encontramos con dos límites: por un lado el cumplimiento del derecho obligatorio y el principio de buena administración. Desde una perspectiva económica aparece como el único elemento de carácter finalista en la gestión patrimonial, una vez que se superó la regla tradicional de que la rentabilidad económica era un objetivo en relación con los bienes patrimoniales. Obviamente, como en toda actuación de una Administración pública, aunque sea en el marco de contratos privados, está presente el principio de servicio objetivo a los intereses generales.

El fomento de los negocios globales —tan propio de las fórmulas de colaboración público privada— encuentra su encaje en lo dispuesto en el apartado segundo de dicho precepto. Así, los negocios de enajenación, tal como se dispone en el artículo 111.2 "podrán contener la realización por las partes de prestaciones accesorias relativas a los bienes o derechos objeto de los mismos, o a otros integrados en el patrimonio de la Administración contratante, siempre que el cumplimiento de tales obligaciones se encuentren suficientemente garantizado. Estos negocios complejos se tramitarán en expediente único, y se regirán por las normas correspondientes al negocio patrimonial que constituya su objeto principal".

El único complemento —de naturaleza restrictiva— a este precepto que ha de aplicarse de la legislación patrimonial consiste, como ya sabemos, en que no será admisible si estas prestaciones complementarias son superiores "al 50% del importe total del negocio o si no mantienen con la prestación característica del contrato patrimonial relaciones de vinculación y complementariedad en los términos previstos en el artículo 25; en estos dos supuestos, dichas prestaciones deberán ser objeto de contratación independiente con arreglo a lo establecido en esta Ley". Lo cual obligaría a acreditar el porcentaje entre la prestación patrimonial y la prestación de servicios en el expediente de contratación.

Lo anterior no obsta para que la Administración, a la hora de enajenar los bienes, haya de cumplir con la legislación civil reguladora de los contratos. En este sentido, dependiendo de cuál haya sido el marco del contrato la legislación de protección de consumidores y usuarios; al que está sometida la Administración tras la Ley 7/1998, sobre Condiciones Generales para la Contratación. Es un aspecto relevante, sobre todo en lo que afecta a las cláusulas abusivas de los contratos que se puedan imponer en una aplicación torticera del principio de libertad de pactos[51].

Por último, dentro de los aspectos que no son facultativos para la Administración está el referente a la forma. En este punto, conviene recordar que los negocios jurídicos de enajenación de inmuebles, cualquiera que sea la fórmula que se utilice para su materialización "se formalizarán en escritura pública" (artículo 113.1), requisito que es inexcusable para que se produzca la transmisión[52]. Esta concreción puede evitar algunos problemas del régimen anterior que tuvieron que solucionar los Tribunales[53].

5. El pago de las enajenaciones

Como corolario del principio de libertad de pactos que se ha visto en el epígrafe anterior, el principio de libertad de pactos se introduce, con ciertos límites, en las formas de pago de las enajenaciones. De acuerdo con lo previsto en el artículo 134 LPAP, y cambiando algunos aspectos de la regulación anterior a la aprobación de esta ley[54], resulta factible el aplazamiento del pago de las enajenaciones de bienes públicos por un periodo que no resulte superior al de 10 años desde que se ha materializado la venta de

---

[51]   A título de ejemplo, puede verse la aplicación de la doctrina anterior a los problemas que hubo por la enajenación de viviendas militares, en donde el Estado incluyó una cláusula de renuncia al saneamiento por vicios ocultos que no podía ser negociada por el comprador. Es una condición no válida aunque el adquirente habite en el inmueble que adquiere.
Entre otras, véase la STSJ Madrid de 4 de noviembre de 2011, con cita de abundante jurisprudencia en la materia.

[52]   Como recuerda la STSJ Galicia de 7 de junio de 2011, la exigencia de escritura pública es un requisito inexcusable para que se produzca la enajenación. Es una cuestión que ha resultado relevante en los supuestos de adquisición de viviendas arrendadas, ya que hasta ese momento los arrendatarios-adquirentes han tenido que seguir pagando el canon.

[53]   Véase, por ejemplo, la STS de 1 de julio de 2010 que discute sobre cuándo se había producido la perfección del contrato en el régimen anterior.

[54]   En la regulación anterior a la LPAP se permitía el aplazamiento por cuatro años de las tres cuartas partes del precio.

los bienes públicos. Estas reglas se han de complementar con lo dispuesto en el artículo 99 RGPAP, en virtud del cual en la resolución por la que se acuerde la enajenación se podrá autorizar el pago aplazado del precio por plazo no superior a diez años, siempre que el pago de las cantidades aplazadas se garanticen suficientemente, atendiendo a las características del bien y derecho enajenado, al precio del mismo y a las circunstancias concurrentes, con respeto en todo caso a los principios de proporcionalidad y buena gestión.

Como se puede ver, se introduce un régimen flexible que ha de atender a circunstancias que son normales en la gestión patrimonial y que entroncan con el principio de buena administración; el cual se manifiesta entre otros extremos en la exigencia de interés no inferior al interés legal del dinero ni superior al de demora tributaria. Con ello, se le proporciona el dinero en condiciones que resultan habitualmente más beneficiosas para el adquirente que el acceder al dinero en el mercado de capitales.

La cautela referente a las garantías de pago se concreta mediante la exigencia de su aseguramiento "mediante condición resolutoria explícita, hipoteca, aval bancario, seguro de caución u otra garantía suficiente usual en el mercado". La flexibilidad que preside la regulación se manifiesta en la posibilidad de Estas reglas podrán modificarse o sustituirse por otras condiciones, cuando concurran motivos justificados que aconsejen adoptar un modo de aplazamiento distinto

6. *El destino del dinero obtenido con las enajenaciones de bienes públicos*

Uno de los aspectos más relevantes del proceso de enajenación de bienes inmuebles es el correspondiente al destino que se puede proporcionar a las cantidades percibidas por los poderes públicos. El artículo 133 remite a lo previsto en la legislación presupuestaria y, en consecuencia es el artículo 53 de la Ley 47/2003, de 26 de noviembre, General Presupuestaria el que determina dos reglas: por un lado, que, como resulta lógico desde una perspectiva de gestión pública, las cantidades percibidas se ingresarán en el Tesoro y "podrán generar crédito en los correspondientes estados de gastos de la Dirección General de Patrimonio del Estado"[55]. Dicho de otro

---

[55]   Como recuerda BAYONA, la Orden de 9 de septiembre de 1969 permitía a los ministerios afectados por una enajenación que se incorporaran los ingresos de las mismas a sus presupuestos de gastos. BAYONA DE PEROGORDO, J. J., *El Patrimonio del Estado*, Instituto de Estudios Fiscales, Madrid (1977), p. 284.

modo, cuál vaya a ser el destino del dinero proveniente de una enajenación dependerá de su consignación presupuestaria o no.

En el caso de que sí se haya previsto en el presupuesto la venta de un bien público, los ingresos derivados de la venta se encontrarán en una partida de ingresos patrimoniales y los gastos se encontrarán en el conjunto del presupuesto de gastos. Aquí no hay limitación alguna para el uso del rendimiento del bien enajenado.

Si por el contrario, la enajenación no está presupuestada, entonces hay que aplicar lo dispuesto en el artículo 53.4 de la LGP "cuando los ingresos provengan de la venta de bienes o prestaciones de servicios, las generaciones se efectuarán únicamente en aquellos créditos destinados a cubrir gastos de la misma naturaleza que los que se originaron por la adquisición o producción de los bienes enajenados o por la prestación del servicio". Es una regla de garantía de que las enajenaciones de bienes públicos no sirvan para sufragar gastos corrientes del ente enajenante, ya que la LGP impone que se refieran al mismo concepto patrimonial que ocasiona el ingreso.

Posiblemente, el supuesto límite se refiera al impacto de las operaciones de colaboración público privadas que no estén previstas presupuestariamente. En este caso, si se procede a enajenar para alquilar el bien —supuesto previsto expresamente en la LPAP—, técnicamente se está hablando de cambiar ingresos patrimoniales por gasto corriente. Y por ello, teóricamente no se podría realizar.

7. Procedimiento y formas para la enajenación de bienes patrimoniales inmuebles. (i) Cuestiones generales

Las formas de enajenación de los bienes patrimoniales está recogido en la LPAP, de forma bastante rigurosa en cuanto a las fases y autoridades que están capacitados para enajenar bienes públicos dentro del Estado. En particular, tal como ha reconocido la STJS Madrid de 29 de mayo de 2008, "la formación e integración de la voluntad vendedora por parte del Estado, y la prestación de su consentimiento están sometidas insoslayablemente a unos requisitos procedimentales, claramente determinados en la Ley 33/2003, del Patrimonio de las Administraciones Públicas, sin los cuales nunca podría llevarse a cabo la enajenación de los bienes inmuebles patrimoniales"

A) Los adquirentes

A diferencia de lo que ocurre con algunas disposiciones autonómicas que contemplan algún requisito que se va a exigir a los adquirentes, la ley de patrimonio de las administraciones públicas omite esta cuestión y, por consiguiente, no exige ninguna condición especial en cuanto a la persona que va a adquirir el bien de un ente público. Esta carencia ha sido suplida parcialmente por el artículo 95 RGPAP que recoge las reglas generales que se habrán de aplicar.

Tal como dispone el artículo 95 RGPAP, "podrán ser adquirentes de los bienes y derechos de la Administración General del Estado y de sus organismos públicos las personas físicas o jurídicas que gocen de capacidad de obrar, de acuerdo con lo previsto en el Código civil". Por aplicación del artículo 1263 del Código civil se impide adquirir bienes a las personas físicas con su capacidad de obrar limitada, o sea, menores e incapacitados. A partir de esta regla general, habremos de ir reduciendo la libertad de adquisición de bienes, en la medida en que se van a ir imponiendo requisitos suplementarios ya sea a sujetos concretos, ya sea dependientes de los bienes que se van a enajenar por el ente público.

Existen dos limitaciones específicas complementarias. Por un lado, la contemplada en el artículo 95.2 RGPAP impide, asimismo, la adquisición de bienes públicos a aquellas personas que hayan solicitado o estén declaradas en concurso, hayan sido declaradas insolventes en cualquier procedimiento, estén sujetas a intervención judicial o hayan sido inhabilitadas conforme a la Ley 22/2003, de 9 de julio, concursal[56]. En segundo lugar, aplicando lo previsto en el artículo 1459.4 del Código civil, en virtud del cual no pueden adquirir bienes de una administración pública las personas encargadas de la administración de los bienes que van a ser enajenados por el ente público. Es una medida profiláctica en defensa de la titularidad pública de los bienes.

Teniendo en cuenta las posibilidades que tiene el Estado en relación con el destino del bien enajenado, el artículo 95 RGPAP permite que en los pliegos de cláusulas particulares que rigen el proceso de venta se incluyan requisitos adicionales, "en atención al bien o derecho objeto del concurso, y a los fines públicos perseguidos con el mismo". Es una consecuencia ne-

---

[56] Esta regla sustituye a la contenida en el antiguo artículo 127 del Reglamento de Patrimonio del Estado, que resultaba más estricta, en la medida en que impedía adquirir libremente mediante el procedimiento de subasta a las personas que se encuentren incursas en procedimientos de apremio administrativo.

cesaria que deriva de la conexión que existe entre la enajenación del bien y la ejecución de políticas públicas.

Por último, la adquisición de bienes por parte de los extranjeros no es totalmente libre, dado que deben cumplir con ciertos trámites para la adquisición de inmuebles

B) La depuración de la situación jurídica y física del bien en el proceso de enajenación de bienes inmuebles

La enajenación de bienes inmuebles está sujeta a la realización por parte de la Administración de una serie de actos que sirven para acreditar que el bien enajenado se encuentra en un situación jurídica y física adecuada, algo que debiera ser lo usual y que, de ser cierta, hubiera motivado una regulación diferente, del tipo de la que hace alguna disposición de patrimonio autonómico[57]. No obstante, teniendo en cuenta los problemas prácticos que se han planteado y recogiendo lo dispuesto en el artículo 113 del Reglamento de Bienes de las Entidades Locales, el artículo 136.1 LPAP afirma que "antes de la enajenación del inmueble o derecho real se procederá a depurar la situación física y jurídica del mismo, practicándose el deslinde si fuese necesario, e inscribiéndose en el Registro de la Propiedad si todavía no lo estuviese". Esta obligación constituye "una manifestación del principio rector de la gestión de los bienes *patrimoniales* de cualquier Administración consistentes en la eficiencia económica en su explotación y la mejor satisfacción del interés general (STS de 31 de mayo de 2011), principio cuyo cumplimiento obliga a clarificar cualquier situación que pueda afectar a la enajenación del inmueble tanto desde el punto de vista meramente físico como jurídico, evitando de esta manera no sólo la frustración de las expectativas del adquirente, sino eventuales litigios contra la Administración, entre otras consecuencias" (STS 23 de noviembre de 2011).

La regulación que proporciona la LPAP exige que se haga una depuración de todos los problemas que puedan existir en el bien. Recogiendo las palabras de la SAN de 14 de enero de 2009, la obligación de la depu-

---

[57] La Ley del Patrimonio de la Junta del Principado de Asturias, señala que no será necesario para la venta de derechos distintos del de propiedad "el reconocimiento y descripción pericial de las fincas a que los mismos afecten; pero si en los documentos relativos a la titulación de los mismos no constase la naturaleza situación y linderos de los inmuebles respectivos, se subsanará esta omisión antes de anunciar la venta" (art. 46).

ración "no puede ser entendida en el sentido restringido propuesto en la demanda, esto es en relación única y exclusivamente con el deslinde y la inscripción en el Registro de la Propiedad a que se refiere el artículo 136 al regular los trámites previos a la enajenación que, además, puede también ser suspendido o paralizado, con arreglo al artículo 138.4 cuando existan documentos fehacientes o hechos acreditados que prueben la improcedencia de la venta". Por tanto, en cumplimiento del principio de buena administración, ha de extenderse a todos los elementos de la situación jurídica y fáctica del bien. Sólo se puede excepcionar en ciertas circunstancias que veremos con posterioridad y que afectan al conocimiento y consentimiento del adquirente de la situación no clara del bien que va a adquirir.

Este precepto de salvaguarda ha de complementarse con la regulación de la venta de bienes litigiosos, regulada en el artículo 140, precepto que cambia la valoración de la figura con respecto a lo que estaba dispuso en la ordenación anterior, muy restrictiva.

C) La depuración de la situación física del bien: el deslinde

El primer paso consistirá en la delimitación física del bien. El artículo 136 LPAP sigue, en este punto, lo dispuesto en el artículo 64 LPE y en el artículo 113 del Reglamento de Bienes de las Entidades Locales, y establece que el primer trámite para la enajenación de un bien público es "depurar la situación física y jurídica del mismo, practicándose el deslinde...".

El objetivo, como en toda operación de deslinde, consistirá en delimitar físicamente el bien, lo que permitirá, al mismo tiempo, garantizar por parte del ente público que es el poseedor del mismo. Por ello, el trámite que se habría de seguir en el caso de que no estén reconocidos los límites del bien es proceder a realizar el deslinde de acuerdo con el procedimiento previsto en los artículos 50 y ss. de la LPAP. Es un problema de eficacia en la actividad administrativa, teniendo en cuenta que la posición de la Administración es favorable como consecuencia de lo previsto en la legislación[58].

Desde el punto de vista del procedimiento de enajenación de bienes públicos, la realización del deslinde en los casos en que resulte necesario es condición necesaria para que se pueda ejecutar el procedimientos. Ahora bien, si los participantes en el procedimiento de enajenación aceptaran

---

[58]   En este sentido, SAINZ MORENO, F., Bienes de las Entidades Locales, en la obra colectiva dirigida por S. Muñoz Machado, Tratado de Derecho Municipal, Tomo II, p. 1625.

que el bien no estuviera bien delimitado, ello no sería obstáculo para poder terminar la venta[59].

D) La depuración de la situación jurídica del bien, con inscripción, en su caso, en el Registro de la Propiedad

La LPAP ha reforzado sustancialmente los requisitos que han de cumplir los bienes patrimoniales inmuebles para que se puedan enajenar, requisitos que cumplen la finalidad de que la incorporación del bien al tráfico jurídico privado sea total y que no se produzcan limitaciones para los particulares como consecuencia de fallos en la actividad administrativa previa a la enajenación de los bienes. Por ello, además de las figuras de carácter netamente administrativo, hay que complementarla con la nueva ordenación de la inscripción registral de los bienes que sale reforzada de la nueva regulación.

El régimen de la LPAP sustituye un mecanismo que era bastante más inseguro. La solución que se proporciona pasa por la inscripción en el Registro de la Propiedad. Es, de hecho un requisito previo a la enajenación del bien, tal como aparece en el artículo 136.1 LPAP. Ahora bien, este cambio de planteamiento[60] es el resultado de que, a diferencia de lo que ocurre con los particulares, en la actualidad "las Administraciones públicas deben inscribir en los correspondientes registros los bienes y derechos de su patrimonio, ya sean demaniales o patrimoniales, que sean susceptibles de inscripción, así como todos los actos y contratos referidos a ellos que puedan tener acceso a dichos registros" (art. 36.1), lo que se complementa con la regulación detallada de los arts. 37 y ss., en donde se contempla el régimen de acceso al Registro de la Propiedad inmobiliaria. Es un mecanismo que está además favorecido por la función nueva que tienen los registradores de comunicar a la administración de que hay bienes que no están inscritos. A dicho cambio de tendencia en cuanto a la inscripción de los bienes, se corresponde de forma lógica el que haya de inscribirse los bienes antes de proceder a la enajenación, recayendo todos los gastos en la administración que es titular de los derechos sobre los bienes.

---

[59] Concretamente, la STS de 22/02/1982 ha señalado que si es conocida la falta de concreción de la situación física del bien, "no podrá ser obstáculo para la venta, máxime si la aceptan los interlocutores en estas condiciones".

[60] Recordemos que la STS de 24.3.2003 declara que la no inscripción registral de una finca ni de algunos de los actos que debieran inscribirse no son elementos que puedan anular una venta de bienes inmuebles públicos.

La inscripción en el registro cumple una función complementaria de protección del adquirente. No sólo es que atestigüe la titularidad dominical del Estado sino que también permite acreditar que el bien no es de dominio público y, por tanto, se puede vender. El artículo 53.1.d) RGPAP precisamente contiene como uno de los elementos obligatorios de la certificación en virtud de la cual acceden los bienes al dominio público la mención relativa a la "naturaleza patrimonial o demanial, con indicación en su caso del departamento u organismo que lo tenga afectado o adscrito, o cuya gestión le corresponde".

Ahora bien, las consecuencias de la falta de inscripción son limitadas y, de hecho, el incumplimiento del requisito de la inscripción no es obstáculo para que se produzca la enajenación de los bienes, algo que por otra parte resulta general en el tráfico privado de bienes[61]. Tal como señala el art. 136.2 "podrán venderse sin sujeción a lo dispuesto en el apartado anterior bienes a segregar de otros de titularidad de quien los enajene, o en trámite de inscripción, deslinde o sujetos a cargas o gravámenes, siempre que estas circunstancias se pongan en conocimiento del adquirente y sean aceptadas por éste".

E) La posibilidad de enajenar bienes que fueran objeto de litigio

La LPAP transformó el régimen de enajenación de bienes litigiosos que estaba recogida en la LPE. De hecho, su artículo 140 permite, en las condiciones que veremos inmediatamente, que se pueda proceder a la enajenación de un bien sobre el que existe un litigio. Obviamente, permitir la venta de un inmueble sobre el que pende litigio puede suponer una modificación de la titularidad dominical del bien y, por tanto, una revocación o anulación de la transmisión que ha efectuado la Administración. Precisamente por ello, la regulación que ofrece el artículo 140 busca por un lado proporcionar garantías publicitarias de que se está desarrollando el litigio y, por otro lado, determinar las consecuencias jurídicas que tiene que el litigio se falle en contra de la Administración que ha procedido a la enajenación. Asimismo, se regula qué ocurre en el caso de que se inicie el procedimiento litigioso una vez iniciado el procedimiento de enajenación.

---

[61] La legislación autonómica es más restrictiva en este sentido. Así, algunas disposiciones vienen a señalar que no se puede dictar una declaración de alienabilidad de los bienes si estos no están inscritos en el Registro de la Propiedad, como ocurre en el art. 46.3 de la Ley del Patrimonio de la Rioja o en el art. 24.1 de la Ley del patrimonio de Galicia.

El procedimiento pretende ser garantista para el adquirente. Así, si la existencia de litigio es conocida por parte de la Administración antes de iniciarse el procedimiento de enajenación, ha de incluirse en los pliegos de venta (artículo 97.3 RGPAP) o comunicarse al adquirente si se hace de forma directa (artículo 117 RGPAP). Esta indicación deberá contener de forma "expresa y detallada del objeto, partes y referencia del litigio concreto que afecta al bien". Se trata, de este modo, de darle la mayor publicidad posible de que el bien no se encuentra libre de todo riesgo. Si, por el contrario, la enajenación se realizara de forma directa, "deberán constar en el expediente documentación acreditativa de que el adquirente conoce el objeto y el alcance del litigio" (artículo 140.1 a) LPAP).

El RGPAP ha incluido una segunda garantía consistente en la posibilidad que tiene la Administración de paralización de la venta "cuando se estime conveniente para los intereses públicos" (artículo 96.2 RGPAP). Estos riesgos para el interés general pueden venir por una sentencia estimatoria (que supone el aumento del valor del bien por parte de la Administración.

Desde el punto de vista de las consecuencias, los riesgos que se derivan de la enajenación son siempre del adquirente. Aparecerá en las bases del concurso o subasta o en el expediente administrativo que el adjudicatario conoce los riesgos que se derivan del litigio y asume las consecuencias que se puedan producir una vez concluido el mismo. Más aún, "la asunción por el adquirente de las consecuencias y riesgos derivados del litigio figurará necesariamente en la escritura pública en que se formalice la enajenación", de acuerdo con lo dispuesto en el último inciso del art. 140.1. Se trata de una conclusión posiblemente muy fuerte, en la medida en que el particular perdería la cantidad que ha entregado a la administración por la adquisición de un bien que no era del ente enajenante. Por ello, parecería adecuado en aras de la protección del adquirente que si la sentencia del litigio se produce con anterioridad a la resolución del procedimiento de venta, la autoridad enajenante dé por finalizado la enajenación del inmueble que ya en el momento de producirse la venta no pertenecería a dicho ente público.

Pese a lo que pueda parecer, no son consecuencias tan gravosas para el adquirente. No obstante, hemos de tener en cuenta que es el propio adquirente el que conociendo las consecuencias negativas que se pueden derivar del procedimiento judicial ha asumido voluntariamente adquirir el bien. Más aún, lo ha hecho conociendo, de acuerdo con lo que señala el art. 140.1. a) y b) todos los aspectos del procedimiento judicial, con lo que habrá podido hacer una estimación de que la situación de peligro para su patrimonio se materialice. Y, por último, en el momento de la tasación del bien ha debido obtener una contraprestación, materializada en un menor coste económico que si éste se hubiera encontrado libre de todo riesgo.

El problema mayor surge cuando el litigio llega a conocimiento de la Administración una vez que ha iniciado el procedimiento de venta. Debemos tener en cuenta que el bien se considera litigioso, de acuerdo con lo señalado en el artículo 140.3 "desde que el órgano competente para la enajenación tenga constancia formal del ejercicio, ante la jurisdicción que proceda, de la acción correspondiente y de su contenido". En este caso, la solución que ha adoptado el legislador es de retroacción de actuaciones "hasta la fase que permita el cumplimiento" de lo señalado con anterioridad. Si se continuara la tramitación del procedimiento de venta tal cual fue planteado por la Administración en su momento, sin conocer el riesgo, nos encontraríamos ante un riesgo cierto, conocido por el ente público, que no ha sido asumido expresamente por el futuro adquirente, con lo que la venta estaría invalidada.

F) Procedimiento y formas de adjudicación (II): concurso, subasta y adjudicación directa

De acuerdo con lo que está previsto en la LPAP, tres son las formas de enajenación de bienes públicos: concurso, subasta y adjudicación directa. Tres formas muy diferentes y que permiten a la Administración la decisión entre procedimientos que permiten la consecución de políticas públicas (concurso), mero valor económico (subasta) y dar respuesta a circunstancias especiales (adjudicación directa). Precisamente por ello, tal como señala el artículo 91 RGPAP "en el acuerdo de incoación del procedimiento, señalado en el artículo 139 de la Ley, se determinará de forma motivada el modo de venta seleccionado"

a) Concurso (I): Condiciones generales

El concurso es el procedimiento de enajenación de bienes en virtud de los cuales la Administración realizará la ponderación de elementos de protección del interés general como criterio de valoración de las ofertas que se presenten sobre un bien. Es por ello muy positivo su reconocimiento expreso y que supera la situación anterior en la que resultaba dudoso que se pudiera emplear[62]. La potencialidad que tenía el concurso y que estaba en la redacción originaria del artículo 137.2 al considerarlo el "procedimiento ordinario"[63] se ha modificado con la nueva redacción del artículo 137.3 LPAP[64] que ha limitado este carácter preferente sólo "respecto de aquéllos bienes que hayan sido expresamente calificados como adecuados para ser enajenados tomando en consideración criterios que, por su conexión con las directrices de políticas públicas específicas, puedan determinar que la venta coadyuve sustantivamente a su implementación".

El reconocimiento del concurso como forma de adjudicación es positiva porque introduce un criterio cualitativo en la enajenación de bienes públicos, que nos conecta con la consecución de los fines de un Estado social como es el que configura el artículo 1.1 de la Constitución. De hecho, los criterios cualitativos nos conectan con las políticas públicas que esté aplicando el Gobierno, aunque con la limitación que se verá inmediatamente, que nos conducen a la obtención de objetivos de sostenibilidad social y ambiental. Concretamente, el artículo 92 RGPAP permite que se utilice el concurso para "incorporar consideraciones relativas a la promoción de viviendas sometidas a algún régimen de protección pública, a características especiales de dichas viviendas en atención a su tipología o destinatarios, a condiciones medioambientales o de protección del paisaje urbano, rural o natural, a la difusión de valores culturales, a la mejora de las condiciones sociales o de accesibilidad, a la generación de equipamientos públicos, y

---

[62]   El Dictamen del Consejo de Estado de 21 de octubre de 1993 fue el primero que reconoció la posibilidad de empleo de esta fórmula, al señalar: "El régimen de enajenación de bienes públicos siempre ha estado rodeado de garantías, competenciales y de procedimiento, dirigidas, por un lado, a la preservación de los intereses municipales y al recto ejercicio de la potestad de enajenación y, de otro, mediante los procedimientos de selección del contratista, a garantizar el trato igual, sin discriminaciones y favoritismos, a los eventuales interesados en la operación diseñada por la Administración local, conducente a transferir una pertenencia de su patrimonio a un particular. La finalidad a la que responde la contratación —y por tanto en la modalidad de concurso como en la de subasta— es la de que puedan concurrir al procedimiento cuantas personas reúnan las condiciones determinadas para la subasta o, en su caso, el concurso, con el objeto de adjudicar el contrato a la proposición que resulte más ventajosa para los intereses municipales.

[63]   En el art. 20.1 de la ley de Bienes de las Entidades Locales de Andalucía, que es la pionera en aceptar de forma expresa el concurso para enajenar bienes públicos, se parte del sistema inverso, dado que se afirma de manera nítida que "la forma normal de enajenación de bienes patrimoniales será la subasta pública".

[64]   Recordemos que el artículo 137 LPAP tiene una redacción nueva, procedente del apartado cinco de la disposición final cuarta de la Ley 2/2012, de 29 de junio, de Presupuestos Generales del Estado para el año 2012.

en general, cualesquiera criterios que resulten adecuados a las políticas públicas e impliquen, en su cumplimiento, coadyuvar a la ejecución de las mismas". Supone, en definitiva, que pese a perder el carácter de bien público sigue afecto a la consecución de ciertos objetivos de interés general.

Dentro de estos criterios y, siguiendo la ordenación general de la Ley, parece prioritaria la política de vivienda[65], orientación que no siempre ha estado en las enajenaciones de algunos patrimonios inmobiliarios, como en especial los bienes del ministerio de defensa, en donde han pesado otras orientaciones o en casos en los que el adquirente ha sido un operador monopolístico[66].

La adjudicación de la enajenación se produce por la valoración de todos los criterios que están recogidos en los pliegos de cláusulas administrativas particulares.

Tal como dispone el artículo 92.1 RGPAP "en la enajenación por concurso, la adjudicación recaerá en la proposición que en su conjunto resulte más ventajosa, atendiendo a los criterios que se hayan fijado en los correspondientes pliegos, que serán adicionales al precio de venta". Estos criterios de valoración han de resultar objetivos e incluyendo un baremo de los puntos que se pueden obtener por cada concepto[67].

b) Concurso (II): Condiciones de celebración y régimen jurídico

El concurso cumple la finalidad de que se puedan ponderar elementos diferentes del económico para que se puedan cumplir objetivos diferentes del meramente recaudatorio. Por ello, el procedimiento está marcado por los pliegos de condiciones particulares que recoge el artículo 110 RGPAP, que es la que determina tanto los requisitos de participación como el régi-

---

[65] Sobre la política de vivienda, por todos, véase BELTRÁN DE FELIPE, M., *La intervención administrativa en la vivienda. Aspectos competenciales, de policía y de financiación de las viviendas de protección oficial,* Editorial Lex Nova, Valladolid (2001).

[66] Véase la STS 16.6.1992, por la que se acepta el recurso a la enajenación directa en el caso de una venta hecha a Telefónica precisamente porque se incluía una cláusula de vinculación de la venta a la prestación del servicio telefónico. En el mismo sentido, véase la STS de 28 de marzo de 1996 sobre una venta de terrenos realizada de forma directa a CAMPSA.

[67] Véase un ejemplo de cómo se dan puntos de forma arbitraria en la STS 6 de mayo de 1999, en donde en relación con un caso de cesión gratuita de terrenos para la construcción de viviendas, el Tribunal tuvo que afirmar a la vista de los hechos que "descartado el puro criterio económico, no se sabe de verdad cuales fueron los que de verdad se tuvieron en cuenta".

men de la enajenación y del contrato posterior. Y a ello hay que añadir un elemento que se puede considerar "menor" pero que es el que sirve para probar todo lo demás, que consiste en la "documentación preceptiva y el modo de presentación". La ley y el reglamento dejan a la Administración la determinación de los elementos concretos del régimen del concurso, en función de cuál sea la necesidad de interés general que se pretende conseguir. Lo cual está delimitado por el cumplimiento del principio de razonabilidad y de buena administración, que aparecen como criterios delimitadores de esta potestad de la Administración

Desde el primer punto de vista, se han de incluir los "criterios de admisión de licitadores", que persigue recoger una cualificación equivalente al de la clasificación del contratista de la legislación de contratos del sector público. Se trata de requisitos que afectan tanto al bien enajenado como a la función pública que, en su caso, se quiera prestar con el objeto del contrato.

Desde el segundo punto de vista, se han de determinar tanto los criterios de adjudicación del concurso debiendo (pudiendo dice el artículo 110 a) RGPAP, de forma un tanto sorprendente) indicar la ponderación relativa de cada apartado que será valorado en la propuesta. Asimismo, determinará un aspecto muy importante como es el de la aceptación de alternativas, caso de que estén aceptadas.

El pliego determina el régimen del contrato. Por un lado, determinando los derechos y obligaciones de comprador y vendedor. En segundo lugar, como especificación de lo anterior, se determinarán las garantías de cumplimiento de las obligaciones, por parte de las partes, especialmente las que atienden al comprador y que formarán parte de la actividad administrativa de control sobre el bien enajenado. Y como segunda especificación las causas especiales de resolución del negocio, lo que supone la inclusión de todas las cláusulas generales de resolución de los contratos como causas para anulación de éste. Que sean los pliegos los que determinen las cláusulas del régimen del contrato supone la aplicación del principio que se vio al comienzo de este estudio de que se pueden "concertar las cláusulas y condiciones que tenga por conveniente, siempre que no sean contrarias al ordenamiento jurídico, o a los principios de buena administración" recogido 111 LPAP. Y supone, desde la perspectiva del adquirente, que el contrato es en el fondo un contrato de adhesión.

c) La subasta como forma de adjudicar la enajenación

En aquellas ocasiones en las que no se pueda recurrir al concurso, la ley permite la utilización de la subasta como mecanismo de enajenación de bienes, sistema que siempre ha sido el tradicional para la enajenación de bienes públicos. Concretamente, este procedimiento se podrá utilizar en aquellos casos en los que se trate de bienes que "por su ubicación, naturaleza o características, sean inadecuados para atender las directrices derivadas de las políticas públicas a que se refiere el apartado 2 del artículo 8 de esta ley y, en particular, de la política de vivienda". Es por tanto, una opción que no es la buscada primariamente por el legislador y que, en consecuencia, habrá que motivar adecuadamente porque aparecen las razones que habilitan para la utilización de esta forma de selección del adquirente.

De hecho, el artículo 93.2 RGPAP prevé cuatro supuestos en los que ex lege se podrá acudir a la subasta, sin necesidad de motivar la no conveniencia del concurso: a) los bienes que estén en suelo rural; b) los clasificados como suelo urbanizado y los que se encuentran en los supuestos del artículo 12.2 de la Ley del Suelo[68]; c) las viviendas vacías que no se inserten en grupos que requieran un tratamiento jurídico singular y d) los de clasificación residencial que por sus condiciones no admitan una pluralidad de usos. No se trata de bienes que haya que vender por subasta pero que entran dentro de los supuestos en los que es una fórmula recomendada.

La subasta podrá realizarse al alza[69] —en su doble modalidad de con sobre cerrado o con puja abierta— o a la baja, siendo también de aplica-

---

[68] Concretamente, se recogen dos supuestos:
"a) En todo caso, el suelo preservado por la ordenación territorial y urbanística de su transformación mediante la urbanización, que deberá incluir, como mínimo, los terrenos excluidos de dicha transformación por la legislación de protección o policía del dominio público, de la naturaleza o del patrimonio cultural, los que deban quedar sujetos a tal protección conforme a la ordenación territorial y urbanística por los valores en ellos concurrentes, incluso los ecológicos, agrícolas, ganaderos, forestales y paisajísticos, así como aquéllos con riesgos naturales o tecnológicos, incluidos los de inundación o de otros accidentes graves, y cuantos otros prevea la legislación de ordenación territorial o urbanística.
b) El suelo para el que los instrumentos de ordenación territorial y urbanística prevean o permitan su paso a la situación de suelo urbanizado, hasta que termine la correspondiente actuación de urbanización, y cualquier otro que no reúna los requisitos a que se refiere el apartado siguiente".

[69] A título de ejemplo de un problema bastante burdo en la celebración de una subasta al alza en donde la mesa de contratación paralizó antes de tiempo la recepción de ofertas, véase la STS 10.4.1980.

ción la subasta realizada de forma electrónica. La decisión sobre la modalidad de subasta habrá de efectuarse por el órgano enajenante, teniendo en cuenta las circunstancias del bien y la previsión de una mayor rentabilidad económica, dado que en la subasta éste último es el único criterio que manejan las Administraciones Públicas, a diferencia de lo que ocurre con el concurso. Los aspectos más prácticos la nueva ley guarda absoluto silencio, con lo que se habrá de estar a lo señalado en el RGPAP, que no se separa de los principios generales que hay sobre las subastas.

La nueva ley contiene, además, una previsión de que en el caso de que no se pueda firmar el contrato por causa imputable al adquirente cabrán dos opciones para la administración, adjudicarlo al siguiente que hubiera presentado la mejor solicitud —que es la que debería ser aplicada de forma preferente por parte de la Administración— o, en su defecto, recurrir a la adjudicación directa. Habiéndose presentado otra oferta al procedimiento de subasta que cumpla con los requisitos que haya puesto la administración enajenante, parece discutible que se pueda recurrir a la enajenación directa.

d) La adjudicación directa

Concurso y subasta se pueden considerar las fórmulas usuales de la enajenación de bienes públicos. La LPAP recoge una tercera posibilidad que es la de la venta directa, que tiene la doble característica de ser excepcional y al mismo tiempo necesario. Excepcional porque el acceso a los bienes públicos debe estar lo más abierto posible, lo que hace que concurso primero y subasta sean las formas primordiales. Necesario porque no se puede cerrar la posibilidad de venta directa en casos en los que las circunstancias lo hagan aconsejable. En esta doble orientación se sitúa la ordenación de la LPAP y el RGPAP.

Por ello, la LPAP recoge sólo ocho casos tasados más una cláusula entreabierta y que viene a resolver un problema con el que se ha encontrado la administración —"razones excepcionales a favor del ocupante del inmueble"— que pretenden proporcionar una visión de que la adjudicación directa sólo se puede utilizar de forma excepcional, dado que es el procedimiento que se aparta de los principios generales sobre la publicidad y la concurrencia.

Excepcionalidad que requiere un estricto cumplimiento de los requisitos que recoge la ley así como una motivación suficiente de las razones que permiten la utilización de esta figura por parte de la administración enajenante. Pretende ser, por tanto, una regulación más rigurosa que algunas disposiciones patrimoniales autonómicas[70] y que sigue la línea más estricta que ha venido aplicando la jurisprudencia[71] y el Consejo de Estado desde los años sesenta[72] y que resulta adecuado con el principio de libre concurrencia y que está inspirado en los principios de objetividad y transparencia a que hace referencia la exposición de motivos de la ley.

Como se acaba de indicar, en la actualidad están tasados los motivos por los cuales se puede recurrir a la contratación directa:

a. Cuando el adquirente sea otra administración pública[73] en sentido amplio, esto es, tanto sometida al derecho público o al derecho privado. No obstante, conviene tener presente que la ley ha incluido expresamente aquí "la sociedad mercantil en cuyo capital sea mayoritaria la participación directa o indirecta de una o varias Administraciones públicas o personas jurídicas de Derecho público"[74].

b. Cuando el adquirente sea una entidad sin ánimo de lucro, declarada de utilidad pública o una confesión religiosa. Este criterio no se entiende demasiado bien ni desde un punto de vista competitivo —dado que varias entidades pueden estar interesadas en un deter-

---

[70]   Por ejemplo, el art. 47.2 de la Ley del Patrimonio del País Vasco o el art. 26 de la Ley del Patrimonio de Galicia, no indican causas para recurrir a la contratación directa y lo único que se indica es una división de competencias en función de la cuantía. En una línea similar, el art. 88 de la Ley de Patrimonio de Andalucía sólo añade la cautela de dar cuenta a la comisión de economía del Parlamento andaluz.

[71]   La jurisprudencia no es clara en este sentido. Al lado de sentencias como la del Tribunal Superior de Justicia de la Rioja de 29 de enero de 1996 que anula una venta realizada de forma directa, hay otras muchas resoluciones mucho más permisivas.

[72]   Recordemos que el Dictamen del Consejo de Estado de 1 de junio de 1967 señala sólo se debe recurrir a este procedimiento cuando "se acrediten indubitablemente circunstancias muy excepcionales".

[73]   Alguna sentencia existe de anulación de venta directa entre entes públicos. Así por ejemplo, en la STS de 5 de marzo de 1997 se afirma que "la celebración de aquella subasta hubiera podido ser de más interés para la Diputación provincial que la venta a un ente público por precio inferior al de tasación".

[74]   Este régimen tiene algunas peculiaridades en el artículo 47 Ley 22/2006, de 4 de julio, de Capitalidad y de Régimen Especial de Madrid contempla un régimen que introduce ciertas especialidades en cuanto a las relaciones patrimoniales entre el Estado, el Ayuntamiento de Madrid y la Comunidad de Madrid. Se trata de un régimen que introduce, como veremos inmediatamente, un derecho de adquisición preferente de los inmuebles estatales que completa el régimen general que está recogido en la Ley 33/2003, de Patrimonio de las Administraciones Públicas. Véase el comentario que hace GONZÁLEZ GARCÍA, J. V. en los *Comentarios a la Ley de capitalidad y Régimen Especial de Madrid.* Ley 22/2006, de 4 de julio, Aranzadi (2006).

minado bien con lo que convendría ponderar los fines a los que se va a afectar—, ni desde el del pluralismo ideológico —dado que se podría favorecer a un determinado grupo ideológico— ni desde la aconfesionalidad del Estado.

c. Cuando el inmueble resulte necesario para dar cumplimiento a una función de servicio público o la realización de un fin de interés general distinto de los dos anteriores. Ciertamente, este criterio que recoge la ley resulta extremadamente abierto y entra en contradicción con el régimen general competitivo que hubiera sido razonable.

d. Cuando la subasta o el concurso hubieran sido declarados desiertos o resultaran fallidos como consecuencia del adjudicatario, siempre que no hubiese transcurrido más de un año desde la celebración de los mismos. Como garantía se establece que "las condiciones de la enajenación no podrán ser inferiores de las anunciadas previamente o de aquellas en las que se hubiera producido la adjudicación". El haber declarado desierto el concurso parece razón suficiente para pasar a la adjudicación directa. No obstante, parece más razonable recurrir al que hubiera quedado en segundo lugar para el caso de fallidos por culpa del adjudicatario, en aras de proteger la libre concurrencia.

e. Cuando se trate de solares que por su forma o pequeña extensión resulten inedificables y la venta se realice a un colindante[75]. N este caso, si son varios los solicitantes, tendrá preferencia el propietario de menor tamaño que pueda constituir un solar edificable o una propiedad económicamente viable (artículo 94.2 RGPAP).

f. Cuando se trate de fincas rústicas que no lleguen a constituir una superficie económicamente explotable o no sean susceptibles de prestar una utilidad acorde con su naturaleza y la venta se efectúe a un propietario colindante. En este caso se aplica la misma regla de preferencia que se ha visto en el apartado anterior para los supuestos de varios peticionarios. No obstante, conviene recalcar que esta regla, que proviene del Reglamento de la LPE no es el único criterio posible, y de hecho el reglamento de bienes de las entidades locales proporciona uno que parece más vinculado a los principios constitucionales sobre los bienes públicos y privados: "se hará de forma que

---

[75] Véase la STS 29 de marzo de 1989.

las parcelas resultantes se ajusten al más racional criterio de ordenación del suelo, según dictamen técnico" (art. 115.2)[76].

g. Cuando la titularidad del bien o derecho corresponda a dos o más propietarios y la venta se efectúe a favor de uno o más copropietarios. Obviamente, el problema se plantea cuando hay más de un copropietario, dado que la ley podría interpretarse literalmente de manera que se deje deliberadamente a uno de los dos fuera de la enajenación. Por ello, parece razonable exigir igualdad de trato y que haya ofrecimiento a los dos y, si existiera voluntad de ambos de adquirir que se prorratee teniendo en cuenta la participación anterior a la venta por parte de la Administración.

h. Cuando la venta se efectúe a favor de quien ostenta un derecho de adquisición preferente reconocido por disposición legal; lo que nos obliga a diferenciar los que tienen su origen en el derecho privado de aquellos que provienen de las propias normas administrativas. Recogiendo lo dispuesto en algunas normas autonómicas[77], la nueva ley ha incluido los derechos de adquisición preferente del derecho privado, en particular el derecho de tanteo y retracto que tienen los arrendatarios de fincas rústicas y urbanas, reglados en las respectivas disposiciones reguladoras. Esto supone, además, que la delimitación de los supuestos y las condiciones de ejercicio serán las que dispongan las referidas disposiciones. A ello se une el derecho de tanteo y retracto de comuneros y colindantes[78] que recogen los arts. 1522 y 1523 del Código civil. Asimismo, deberán incluirse aquí los derechos de naturaleza administrativa y, en particular, el derecho que recoge el art. 103 de la LPAP, a los titulares de concesiones sobre bienes que tenían en aquél momento la condición de bienes demaniales y que, con posterioridad, han sido desafectados y puestos a la venta por parte de la Administración[79].

---

[76]   Sobre cómo juega en el ámbito local esta previsión del art. 115.2 Reglamento de Bienes de las Entidades Locales, véase la STS de 14 de mayo de 1997, o la STS de 8 de octubre de 1998, en donde se analiza el pintoresco criterio utilizado por el Ayuntamiento de Madrid de la prioridad como mecanismo para decidir cómo se adjudicaba la finca.

[77]   En particular, hay que hacer referencia al art. 63 de la ley aragonesa o al art. 199 del reglamento de patrimonio andaluz.

[78]   Véase la STS 10 de mayo de 1982.

[79]   Véase sobre esta cuestión la sentencia de la Audiencia Nacional de 28 de abril de 1997 y el Dictamen del Consejo de Estado de 1 de junio de 1967.

i. Cuando por razones excepcionales se considere conveniente efectuar la venta a favor del ocupante del inmueble. Se trata de una previsión que sirve para solucionar problemas con los que ya se ha encontrado la Administración de ocupantes que no tienen la condición de arrendatarios y, en consecuencia, no se pueden beneficiar de los derechos de adquisición preferente. Si no estuviera esta cláusula en la ley habría que utilizar de forma preferente el concurso y, en su defecto, la subasta de acuerdo con las reglas que se vieron con anterioridad[80].

e) *Procedimiento de enajenación*

El procedimiento de enajenación de los bienes, regulado en el art. 138 de la ley, se inicia de oficio, por iniciativa propia o después de solicitud de la persona que está interesada en la adquisición; y será instruido en la Dirección General del Patrimonio del Estado en relación con los bienes de la Administración general del Estado, correspondiendo la decisión a las autoridades que se vieron con anterioridad en función del valor de tasación del bien.

Para que se pueda proceder a la venta del bien y, por tanto, abrir el procedimiento de enajenación propiamente dicho, habrá que adoptar una resolución en donde se considera que el bien no resulta necesario para el uso general o el servicio público ni resulta conveniente su explotación económica; resolución que deberá adoptar la Dirección General del Patrimonio del Estado. Se trataría de una fase previa del procedimiento de venta propiamente dicha que debería servir para ver si la enajenación se debe efectuar o no y en qué condiciones. Como se ha indicado con anterioridad, este acuerdo de incoación del procedimiento de venta llevará implícita la declaración de alienabilidad de los bienes a que se refiera el procedimiento abierto.

---

[80] Con este supuesto se pretenden solucionar problemas como el resuelto por la sentencia de la Audiencia Nacional de 31 de enero de 2002 por el que se desestima el recurso interpuesto por los antiguos trabajadores de la fábrica de armas de Toledo que tenían derecho a la ocupación de vivienda pero sin los derechos de los arrendatarios, por lo que, cuando cesó la actividad de la fábrica tuvo que procederse a la venta en pública subasta de las casas que ocupaban. Una situación parecida, aunque con un problema jurídico diferente, dado que lo que se trataba era de determinar si se podía retirar una oferta de venta por parte de la Administración, véase la STS 26 de enero de 1979.

La venta se podrá efectuar por inmuebles de forma separada o formando lotes, que sirve, en principio, para bienes que se encuentren en la misma provincia y que sean de baja cuantía, de acuerdo con la previsión que tiene el art. 122 RPE, aunque en una cuantía que en la actualidad resulta totalmente descontextualizada y, por ende, inaplicable. No obstante, si se quiere vincular a las políticas generales resultaría conveniente una modificación de los supuestos que dan lugar a los lotes para adaptarlos a todas las situaciones posibles.

El tipo de la subasta o el precio de la enajenación directa derivan directamente del acuerdo de tasación de los bienes, que, como vimos antes, sirve también para determinar la autoridad competente para la enajenación. Si se va a enajenar a través del concurso, en los pliegos por los que se proceda a la enajenación habrán de determinarse, como por otra parte es lógico, los criterios de adjudicación, que estarán determinados por "las directrices que resulten de las políticas públicas de cuya aplicación se trate" (art. 138.2). y que deberán tener, por tanto, un reflejo relevante entre los criterios de adjudicación del concurso. Como mecanismo de garantía para el particular a la hora de la identificación del bien objeto de la enajenación y conocer todas las circunstancias jurídicas que puedan padecer, la ley obliga a que en estos pliegos se haga referencia a elementos que se han visto con anterioridad, como son la situación física, jurídica y registral de la finca, que son factores que sin duda influyen en el precio de venta del mismo e, incluso, en la propia decisión del particular de concurrir al procedimiento de enajenación.

Para facilitar la participación en el procedimiento público de enajenación y para cumplir con los principios de publicidad y concurrencia, la convocatoria aparecerá publicada, gratuitamente, en el Boletín Oficial del Estado[81], en el Boletín Oficial de la Provincia y, además, se remitirá al Ayuntamiento correspondiente para su publicación en el tablón de anuncios. La ley incluye la previsión de que se puedan establecer otros mecanismos complementarios para difundir la información de los procedimientos de adjudicación de bienes, incluso su difusión partiendo de los ficheros de datos de aquellos que hayan solicitado recibir tal información.

Una vez abierto el procedimiento de enajenación, sólo se puede suspender por acuerdo del Orden del Ministro de Hacienda o de los directores o presidentes de los organismos públicos en los casos de bienes de estos,

---

[81]   Véase la STS de 1 de julio de 1998 sobre las consecuencias que tiene la falta de publicación en el BOE del anuncio de una enajenación en el ámbito local.

con "fundamento en documentos fehacientes o hechos acreditados que prueben la improcedencia de la misma". Esto podría resultar factible ante acontecimientos novedosos que muestren una necesidad administrativa sobrevenida, pero resultaría casi imposible si estos hechos en el caso de que hubiera una declaración de alienabilidad que cumpliera con todos los requisitos de contenido que parecen razonables para que la venta se pueda hacer con total seguridad para el ente público.

Una vez tramitado el procedimiento se procederá a la valoración de las ofertas de acuerdo con los principios del procedimiento que han sido publicados previamente ya sea el precio mejor en la subasta, ya sea una valoración ponderada de diversos elementos en el concurso. La autoridad enajenante, previo informe de la Abogacía del Estado, deberá decidir sobre "la enajenación o su improcedencia, si considerasen perjudicial para el interés público la adjudicación en las condiciones propuestas o si, por causas sobrevenidas, considerasen necesario el bien para el cumplimiento de fines públicos". Esto es, el procedimiento de adjudicación se podrá declarar desierto como consecuencia de ofertas no suficientemente buenas o de circunstancias sobrevenidas que desaconsejen la venta.

En caso de que se decida dejar desierto el procedimiento de enajenación de inmueble público, se hará "sin que la instrucción del expediente, la celebración de la subasta o la valoración de las proposiciones presentadas generen derecho alguno para quienes optaron a su compra". Se trata de una solución que parece razonable para el caso de concursos pero que no resulta conveniente en el caso de subastas donde el precio es el único determinante y ha tenido una primera valoración por parte de la Administración. Obviamente, quedaría fuera de esta objeción el que haya aparecido una causa sobrevenida de especial importancia para la Administración pública enajenante que aconseje dejar el procedimiento de enajenación desierto[82].

Si, por el contrario, la adjudicación se efectuara por parte de la Administración, una vez que se materialice el pago se procederá a la elevación a escritura pública. No obstante, desde el mismo día que se produzca la notificación del acuerdo de adjudicación harán suyos los frutos de los bienes enajenados, tal como dispone el art. 138 del RPE. En consonancia con esta

---

[82]   Conviene recordar aquí la sentencia del Tribunal Superior de Justicia de Madrid de 3 de julio de 2001 en donde la administración no quiso enajenar una finca por el valor de tasación por considerarlo inadecuado a posteriori, a pesar de tener un informe de inadecuación del servicio jurídico del estado. El TSJ obligó a que la venta se materializara.

determinación de los efectos de la venta del inmueble, los adjudicatarios tendrán derecho a recibir una indemnización por los desperfectos que sufran los bienes desde que se terminó la operación pericial de tasación para la venta hasta el día en que se notificó la orden o el acuerdo de adjudicación.

Recordemos, por último, que en el caso de enajenación directa el pago se puede hacer no sólo en dinero se puede admitir la entrega de otros inmuebles o derechos sobre los bienes en pago de parte del precio de venta. Con carácter previo a la aceptación de esta modalidad de pago, la Administración enajenante habrá de proceder a la valoración económica y jurídica del bien o derecho que se entrega de conformidad con lo dispuesto en el art. 114 de la ley.

8. *Gravamen de los bienes públicos*

Al lado de la enajenación en sentido estricto, en el art. 152 LPAP se recoge la posibilidad de que desaparezca la titularidad administrativa a través de la figura indirecta de la imposición de cargas o gravámenes sobre los mismos[83]. Teniendo en cuenta que el resultado es similar en uno y otro casos —la pérdida de la titularidad pública— la nueva ley insiste sólo en un dato del régimen del gravamen de estos bienes: "no podrán imponerse cargas o gravámenes sobre los bienes o derechos del patrimonio del Estado sino con los requisitos exigidos para su enajenación".

Obviamente, el cumplimiento de estos "requisitos exigidos para su enajenación" deberán matizarse en función de las obligaciones a las que sirvan de garantía, teniendo en cuenta que un elemento accesorio no puede llevar aparejado una modificación del régimen por el que se contrae la obligación principal.

---

[83]   Sobre estas garantías sobre otras obligaciones que contraigan las Administraciones Públicas, véase PLEITE GUADAMILLAS, F., Los contratos de préstamo y crédito de las Administraciones Públicas. *Especial referencia a Corporaciones Locales y Comunidades autónomas*, Marcial Pons Ediciones Jurídicas, Madrid-Barcelona (1999), en particular, pp. 200 y ss.

VIII. CESIÓN GRATUITA DE BIENES O DERECHOS PATRIMONIALES

El régimen de transferencia de bienes patrimoniales concluye con la cesión gratuita de bienes o derechos, recogida en los artículos 145 y ss. de la Ley; posibilidad que la ley extiende tanto a la cesión de bienes muebles como de inmuebles. La regulación pretende proporcionar seguridad a las Administraciones públicas de que el destino del bien es el que se ha pactado previamente con el solicitante y que, además, los bienes que son objeto de la cesión no van a ser necesitados en un tiempo prudencial por la administración cedente, tal como lo recoge expresamente el art. 145, cuando limita la posibilidad de cesión gratuita de bienes patrimoniales a aquellos "cuya afectación o explotación no se juzgue previsible".

De entrada, la primera salvaguarda que se establece para que se pueda proceder a la cesión de los bienes afecta a los cesionarios. De acuerdo con lo dispuesto en el art. 145, pueden ostentar esta condición por un lado entes públicos o entidades dependientes de éstas. Aunque la ley hable sólo de "comunidades autónomas, entidades locales y fundaciones públicas", habrá que entender que todas las personas jurídico públicas de los entes públicos allí reseñados pueden ser cesionarios de los bienes, o, por lo menos ser las entidades que van a utilizarlos. El segundo grupo está constituido por las "asociaciones declaradas de utilidad pública".

Como respuesta al marco internacional en el que se mueve nuestro país, con un número cada vez mayor de actuaciones fuera de nuestras fronteras, la nueva ley da cobertura jurídica a estas actuaciones, ampliando el marco de los cesionarios. Así, se incluyen "Estados extranjeros y organizaciones internacionales, cuando la cesión se efectúe en el marco de operaciones de mantenimiento de la paz, cooperación policial o ayuda humanitaria y para la realización de fines propios de estas actuaciones".

No obstante, el régimen de las cesiones a los tres grupos que se acaban de señalar no es idéntico, en la medida en que hay limitaciones sobre las facultades sobre los bienes que se pueden transferir, dependiendo de cuál sea el cesionario. Mientras que a las Comunidades autónomas, Corporaciones locales y fundaciones públicas se les puede ceder propiedad del bien o del derecho, a las demás entidades sólo se permitirá la transferencia gratuita de la utilización del objeto del contrato; lo cual constituye, sin lugar a dudas, una garantía para el mantenimiento del vínculo entre la Administración y el cesionario derivado de la cesión, en la medida en que es más entendible la cesión completa cuando se puede seguir controlando en el futuro el destino del bien cedido.

No obstante, siendo, como parece ser, el riesgo de pérdida o deterioro del bien cedido, no se puede obviar que en las operaciones para el mantenimiento la paz y en la ayuda humanitaria habrá muchos bienes que se consuman por el uso o que tengan un deterioro irrecuperable como consecuencia de la gravedad de la situación a la que se enfrenten los entes públicos.

En cuanto al cedente, en la ley se regulan dos aspectos diferentes: por un lado, la competencia para ceder bienes en el marco de la administración general del Estado y, en segundo lugar, la capacidad para realizar estos actos jurídicos por parte de los organismos públicos. Con respecto a la primera cuestión, el art. 146 encomienda la función al Ministro de Hacienda, a propuesta de la Dirección general de patrimonio del estado, con un informe de la Abogacía del Estado. Se trata de un dictamen que resulta necesario para determinar si se han cumplido con las condiciones que impone la ley de patrimonio para que se pueda transferir gratuitamente un bien del patrimonio del estado. Cuando la cesión se realice a favor de fundaciones públicas y asociaciones declaradas de utilidad pública, la competencia para acordar esta cesión se asigna al Consejo de Ministros.

Más problemática resulta la capacidad de los organismos públicos para que puedan decidir la cesión gratuita de sus bienes y derechos. De entrada, es una facultad que sólo se permite a aquellos "cuando tuviesen atribuidas facultades para su enajenación", por lo que para los demás será el régimen general que se acaba de ver. En el caso de que estén autorizados, podrán hacer la cesión aquellos órganos que tuvieran atribuidas competencias para realizar la enajenación de los mismos, aunque deberán cumplir con una serie de trámites que actúan como cautelas ante posibles dilapidaciones de su patrimonio. En este sentido, resultará necesario que se emita un informe previo de la Dirección General del Patrimonio del Estado, y que, además, resulte favorable a la cesión propuesta y en donde se deberá incluir una mención relativa a que no resulte procedente la incorporación del bien que va a ser cedido gratuitamente al patrimonio del estado, que goza de prioridad. Además, para aquellos casos en los que el cesionario sea una fundación pública o una asociación de utilidad pública resultará necesario la autorización del Consejo de Ministros.

El acuerdo de cesión contendrá todos los elementos que puedan ser necesarios para garantizar el destino del bien y las condiciones en las que quiera la administración desprenderse del mismo. Así, se podrá producir una cesión pura y simple del bien —a salvo, por supuesto de la vinculación al fin que está siempre incluida en este régimen— o sometida por parte de la Administración cedente a condiciones, términos y modos que deben ser cumplidos por el cesionario, condiciones todas ellas para las que será de aplicación lo dispuesto en el Código civil; deberá incluir el contenido de las facultades dominicales de las que se desprende la Administración y los mecanismos de control que se contemplan, en las condiciones que se van a ver con posterioridad.

El acuerdo de cesión de un bien patrimonial puede tener consecuencias para terceros que no sean partes del mismo, sobre todo en lo que afecta a las posibilidades de transferencia de los bienes cedidos. Por ello, la ley, en el art. 151 incluye la exigencia de que consten, por un lado, en el inventario de bienes de la Administración, con las limitadas consecuencias que se han visto con anterioridad. Más allá de esto, también habrán de constar en el registro de la propiedad inmobiliaria —junto con todas las condiciones de la misma, tales como condiciones, cargas y finalidades a las que deberá destinarse el bien cedido—, lo cual tendrá efectos constitutivos, dado que, como señala el art. 151.2 "no surtirá efecto la cesión en tanto no se cumplimente este requisito". Es una obligación que, por otra parte, recae en el cesionario. Por otra parte, también habrán de inscribirse la resolución de la cesión y la reversión del bien o derecho, para la cual será título suficiente la Orden Ministerial donde se acuerde la resolución del título.

El punto más importante de la regulación es el contenido en los artículos 148 y ss., donde se recoge la vinculación de la cesión de los bienes al cumplimiento de un fin concreto lo que, en algunos casos se vincula al régimen de resolución de la cesión, tanto por incumplimiento por parte del cesionario de las condiciones de la cesión. Además, se recogen las consecuencias generales de la resolución, que se extenderán tanto a este supuesto como al de haber llegado al término pactado entre cedente y cesionario.

El principio del que hay que partir es que la cesión de bienes sólo se podrá efectuar si éste se destina a un fin específico, que tiene que aparecer en la solicitud que se plantee a tal efecto. La solicitud deberá contener la indicación del bien o del derecho que se desea disponer, así como, la finalidad para la que se va a destinar, junto con la acreditación de que se dispone de fondos suficientes para el desarrollo de dichas actividades. El fin podrá ser o bien concreto dentro del ámbito genérico de actuación de una administración pública o uno concreto dentro del marco de actuación de una fundación o asociación declarada de utilidad pública o en el caso de estados extranjeros y organizaciones internacionales, estarán afectados a operaciones para el mantenimiento de la paz, cooperación policial, ayuda humanitaria o "para la realización de fines propios de estas actuaciones".

El fin para el que se otorga la cesión del bien patrimonial se ha de mantener durante todo el periodo en que se esté produciendo el traspaso. En consonancia con esto, en la ley late una gran preocupación porque la Administración general del estado disponga de medios suficientes para poder verificar que el bien se está empleando en aquello anunciado por el cesionario. Así, en el art. 148 se recoge cuál es el procedimiento básico de control que utilizará la administración para comprobar que se está adscribiendo el bien a la finalidad anunciada: emisión de un informe trianual —salvo que por circunstancias del cesionario se elimine o se modifiquen los plazos, lo que obviamente será una posibilidad excepcional y sujeto a motivación estricta— que remitirá el usuario junto con el que se debe ajuntar la "documentación que acredite el destino de los bienes". En segundo lugar, la nueva ley permite a la Administración que se planifique un control adaptado a las condiciones del bien y/o del cesionario, ya que permite expresamente que se pueden arbitrar otros medios de control que resulten más adecuados para la finalidad.

Estas dos modalidades de control del cumplimiento de las condiciones impuestas en el acuerdo de cesión serán ejecutadas mediante la participación del cesionario del bien. No obstante, no son las únicas que se pueden establecer, ya que, como dispone el art. 148 se pueden complementar con una inspección más intensa por parte de la Administración. Así, partiendo del hecho obvio de que todos los informes y resultados de los mecanismos de control sean verificados por la Dirección General de Patrimonio del Estado, se da un paso más, y se faculta para en el marco del control del cumplimiento del destino del bien, la Administración General del Estado pueda "adoptar cuantas para ello cuantas medidas de control sean necesarias", tal como dispone el art. 148.2 de la nueva ley.

En relación con la cesión gratuita de bienes muebles, las posibilidades de control de la vinculación del bien al fin propuesto están más abiertos, como por otra parte resulta lógico, atendiendo a la naturaleza plural de los bienes. Así, será el acuerdo de cesión el que se determinará la modalidad de verificación de cumplimiento de este fin. Por otra parte, se supone que con el cumplimiento de este fin durante cuatro años, se considera cumplida la finalidad, ya que, tal como se señala en el art. 148.4, "si los muebles cedidos hubiesen sido destinados al fin previsto durante un plazo de cuatro años se entenderá cumplido el modo y la cesión pasará a tener el carácter de pura y simple, salvo que otra cosa se hubiere establecido en el pertinente acuerdo".

La cesión se puede resolver o bien por el cumplimiento del plazo o bien por el incumplimiento de la finalidad del acuerdo de cesión ya sea desde el comienzo, ya sea en el transcurso del desarrollo de la actividad o por el incumplimiento de las cargas anejas a la propia cesión. En el caso de que se trate de una reversión por incumplimiento de las condiciones de cesión, no se puede actuar, como ha señalado la jurisprudencia, de forma automática por parte de la Administración General del Estado, sino que habrá que flexibilizarlo atendiendo a las condiciones impuestas[84].

En todos estos casos la cesión se entenderá resuelta con devolución de los bienes cedidos a la Administración. Junto con la cesión, el cesionario deberá abonar a la Administración el coste de los deterioros que se hayan causado a los mismos y sin que hayan de indemnizarse por parte del ente público cedente los gastos que se hayan generado al cesionario para el cumplimiento de las cláusulas anejas al acuerdo por el que se transfirieron los bienes. Estas dos cautelas a favor de la Administración son la consecuencia lógica de que ésta haya cedido gratuitamente unos bienes públicos para el cumplimiento de fines anejos a los de su competencia.

IX. PERMUTA DE BIENES PÚBLICOS

La permuta es "un contrato traslativo del dominio, tanto del bien público cuya titularidad dominical se transfiere a la otra parte permutante como del bien de éste que adquiere la Administración"[85]. La permuta tiene aspectos muy vinculado al régimen de la enajenación de bienes públicos y fruto del carácter protector del patrimonio público, la LPAP lo vincula más a las operaciones de enajenación que de adquisición de bienes públicos; a pesar de que, como acabamos de ver en la definición, afecta también a las operaciones de adquisición de bienes[86].

El art. 153, referido a los bienes del patrimonio del Estado, proporciona un marco habilitante para este tipo de operaciones: "Los bienes y derechos del Patrimonio del Estado podrán ser permutados cuando por razones debidamente justificadas en el expediente resulte conveniente para el interés público, y la diferencia de valor entre los bienes o derechos que se trate

---

[84] Véase, en este sentido, la STS de 28 diciembre 1987 y 23 noviembre 1992, así como la dictada en Sala de Revisión con fecha 10 febrero 1988; o la más reciente de 10 de junio de 1998.

[85] GOSÁLBEZ PEQUEÑO, H.; "La transmisión...", op. cit., pp. 331.

[86] Sobre el régimen de la permuta, véase PONCE SOLÉ, J.; "Cesión y permuta de bienes públicos", en la obra colectiva dirigida por CHINCHILLA, C., Comentarios..., op. cit., pp. 711 y ss.

de permutar, según tasación, no sea superior al 50% de los que lo tengan mayor". El problema pasa por determinar en qué ocasiones resulta "conveniente para el interés público" proceder a la permuta de bienes con un particular o con otras Administraciones públicas.

Tal como ha señalado la jurisprudencia, tres son los requisitos para que se pueda afirmar la conveniencia: la necesariedad de la adquisición del bien, lo que deriva de la concurrencia de intereses entre los titulares de los dos bienes, lo cual, desde el punto de vista de la Administración se habrá de justificar en el expediente mediante la conveniencia de la adquisición; que la adquisición no se pueda articular a través de expropiación o compraventa y que unos bienes o derechos resulten más satisfactorios que otros para cumplir con el interés general. Asimismo, resultará preciso una equivalencia entre los bienes que se van a permutar, lo que se articulará con la tasación, que no siempre resulta sencilla de efectuar.

Este último aspecto resultará problemático en los supuestos en los que no haya mercado de bienes porque se trata de un área dedicada únicamente a bienes administrativos, con los cuales no existe un valor real del bien, sino que hace que hacerlo de forma estimativa y, por ende, muy parcial, o cuando nos encontremos ante bienes de dos Administraciones públicas, en los cuales el valor añadido que encuentra un ente público traspasa los elementos de carácter económico, ya que pueden jugar aspectos como la seguridad, la ubicación, la adaptabilidad del bien para la afectación que se pretende, etc.. Posiblemente la legislación no ha partido del presupuesto de partida cuando nos encontramos ante una permuta entre entes públicos la equivalencia de tasaciones no resulta un elemento especialmente significativo, en la medida en que el bien sigue en manos públicas. En este punto, creo que la regulación debería relativizar la exigencia de la valoración, que supone, además, un incremento importante del coste de la operación para cada uno de los entes públicos.

La exigencia constitucional de cooperación y colaboración interadministrativa constituye un elemento complementario para no ser especialmente riguroso en este tipo de supuestos, tal como ha demostrado la práctica en los últimos años, en donde ha habido que recurrir a figuras que no están previstas para permutas pero a las cuales ha habido que recurrir por las dificultades de la regulación de la figura. El ejemplo de las cesiones cruzadas entre el Ayuntamiento y la Administración General del estado por el Palacio de Telecomunicaciones de la Plaza de Cibeles es un buen ejemplo, aunque no el único.

X. LA PROTECCIÓN DE LOS BIENES PATRIMONIALES

La ordenación de los bienes públicos, patrimoniales o demaniales, busca proporcionarles un régimen jurídico que sea lo suficientemente protector, tanto desde un punto de vista físico como jurídico. Las medidas son comunes entre los bienes del dominio público, que se vieron en el capítulo segundo y las de los bienes patrimoniales que habría que explicar aquí, más allá de que exista una pequeña modificación puntual en el régimen de unos y otros bienes públicos.

El establecimiento de estas medidas de protección de los bienes públicos deriva, directamente, del texto constitucional. En efecto, en lo que afecta a los de naturaleza patrimonial, el art. 132.3 CE lo configura como uno de los aspectos esenciales de su régimen jurídico, en la medida en que obliga a que "defensa y conservación" sean elementos básicos de la regulación del patrimonio del Estado y, por extensión de los demás bienes de esta naturaleza. es uno de los aspectos que se tiene que recoger en su ley reguladora. Todo lo cual se concreta legalmente en el art. 28 LPAP donde se impone a la Administración la obligación proteger y defender su patrimonio, ejerciendo "las potestades administrativas y acciones judiciales que sean procedentes para ellos". Lo cual se concreta en el art. 29 cuando se obliga a los órganos competentes que tengan bienes públicos a su cargo "a velar por su custodia y defensa".

Posiblemente por ello, en la ley se imponen una serie de obligaciones específicas en la defensa de los bienes públicos, que afectan tanto al personal al servicio de los entes públicos —y, en particular a las fuerzas y cuerpos de seguridad del Estado—, a los ciudadanos y a notarios y registros públicos cuanta información sea relevante para proporcionar la defensa de los bienes públicos. Obviamente, estos deberes son más intensos en algunos supuestos, básicamente los notarios por ser el encargado de la tramitación de actos que pueden tener trascendencia para la situación de los bienes y los cuerpos de seguridad, por poder ser el mecanismo que proporcione la protección más contundente frente a actos que puedan poner en peligro los bienes.

Como se indicó en su momento, la exposición que se hizo en el capítulo correspondiente a los bienes de dominio público sirve, en la mayor parte de los elementos de defensa tanto para bienes demaniales como para bienes patrimoniales, indicándose, las peculiaridades que haya entre unos y otros. Las reglas que se han de analizar son una general de todos los ciudadanos (inscripción en registros públicos), otra de gestión interna administrativa (inventario de bienes), a las cuales se unen las cuatro facultades más características: investigación de la situación de los bienes y derechos; deslinde administrativo y recuperación de los bienes y derechos. El desahucio administrativo, tal como se recoge en el art. 58 LPAP sólo es válido para los bienes demaniales. Todo lo cual se complementa con la ayuda de la jurisdicción penal en los supuestos en los que se piense que ha existido un comportamiento delictivo. Se remite, por tanto a las páginas correspondientes del capítulo segundo.

XI. APROVECHAMIENTO Y EXPLOTACIÓN DE BIENES PATRIMONIALES

La ley de patrimonio recoge una regulación muy sucinta del aprovechamiento y explotación de bienes patrimoniales, que pretende precisamente aumentar las posibilidades de obtener rendimientos como consecuencia de una mayor flexibilidad del régimen jurídico, en aras de la consecución de la eficacia que recoge el art. 8.1 b) de la Ley, que es uno de los principios de la gestión de los bienes patrimoniales. De entrada, el régimen de explotación de los bienes patrimoniales se configura como una posibilidad que se puede emplear para todo bien de naturaleza patrimonial que no esté destinado a su enajenación y que sea susceptible de aprovechamiento rentable. Esta rentabilidad no deberá medirse sólo en función de criterios de carácter económico sino que está vinculado a "coadyuvar el desarrollo y ejecución de las distintas políticas públicas en vigor". En este sentido, aunque en principio serán las Administraciones públicas las que determinen cuál es el mejor destino, se prevé un mecanismo alternativo para determinar la explotación más eficaz en el art. 105.4, donde se prevé la realización de concursos de ideas para el aprovechamiento y explotación de los bienes patrimoniales.

En la ley se prevén dos formas de explotación, dependiendo del plazo. Por un lado, los pequeños usos, tan comunes en la actualidad, en donde se cede el bien "por plazo inferior a 30 días o para la organización de conferencias, seminarios, presentaciones u otros eventos", en donde, como veremos hay una remisión genérica a los actos concretos que apruebe el gestor de los bienes. A su lado, nos encontramos con las explotaciones de bienes patrimoniales públicos que tengan un carácter más permanente, a las que se aplicará el régimen previsto en la ley en su integridad

Aunque, la uno de los principios de la ley en materia de explotación de los bienes sea el de la "publicidad, transparencia, concurrencia y objetividad" una de las modalidades de aprovechamiento, la de utilización para la realización de eventos por menos de 30 días no se sujeta al procedimiento de otorgamiento que prevé la norma y que veremos inmediatamente. Posiblemente hubiera resultado conveniente la fijación de los principios en los cuales este tipo de aprovechamiento se puede producir, para evitar utilizaciones indebidas de los mismos o que puedan ocasionar daños a los bienes o al funcionamiento normal del servicio. En todo caso, será competencia de la Administración "las condiciones de la utilización como la contraprestación a satisfacer por el solicitante" (art. 105.2).

La adjudicación en principio se realizará por concurso, salvo que "por las peculiaridades del bien, la limitación de la demanda, la urgencia resultante de acontecimientos imprevisibles o la singularidad de la operación", lo que debería justificarse adecuadamente en el expediente. El régimen contenido en el art. 107 LPAP no es de aplicación, de igual manera, en los supuestos de arrendamientos con opción de compra, en donde se aplicará el procedimiento que se ha visto para la enajenación de los bienes. El plazo del contrato no deberá exceder de veinte años, incluidas las prórrogas, salvo que causas excepcionales.

En cuanto al tipo de negocio jurídico que conduzca a la explotación de los bienes patrimoniales, la ley es extremadamente laxa, en la medida en que, de acuerdo con lo dispuesto en el art. 106, "podrá efectuarse a través de cualquier negocio jurídico, típico o atípico"; lo que incluye la realización de prestaciones accesorias sobre los bienes objeto del contrato —o incluso sobre otros—, tales como afrontar obras de mantenimiento y adaptación, siempre y cuando estén suficientemente avaladas; todo lo cual habrá de tramitarse en expediente único. Los contratos para la explotación de los bienes patrimoniales estarán sometidos a las normas de derecho privado, tal como recuerdan el art. 9 de la Ley de contratos y el 107.3 LPAP, correspondientes al tipo de contrato ante el que nos encontremos. Y, por último, en cuanto a su formalización, se deberá realizar en escritura pública cuando la inscripción en el Registro de la propiedad sea posible.

Capítulo IV
Los bienes comunales

ELOY COLOM PLAZUELO
Profesor Titular de Derecho administrativo
Universidad de Zaragoza

SUMARIO: I. ORIGEN DEL CONCEPTO FORMAL DE BIEN COMUNAL. SU DIFEREN-
CIACIÓN DE LOS RESTANTES APROVECHAMIENTOS VECINALES. 1. Origen y evolución de la noción formal de bien comunal: su vinculación originaria a la legislación
desamortizadora. 2. Consecuencias de la introducción del concepto formal de bien
comunal: aparición de una pluralidad de supuestos de aprovechamientos vecinales
que no se califican como bienes comunales. A) Bienes pertenecientes directamente a
los vecindarios: los montes vecinales en mano común y las comunidades de pastos. B)
Bienes pertenecientes a personas jurídicas y aprovechados por los vecinos: los bienes
desamortizados comprados por los vecindarios. C) Bienes no calificados como comunales pertenecientes a las Entidades locales y aprovechados por los vecinos: los aprovechamientos vecinales en bienes de propios. II. RÉGIMEN JURÍDICO DE LOS BIENES
COMUNALES. LA TITULARIDAD DE LOS BIENES COMUNALES Y SU NATURALEZA
JURÍDICA. 1. Titularidad de los bienes comunales. Su pertenencia a la Entidad local.
A) Los bienes comunales pertenecen al común de vecinos. B) Los bienes comunales
pertenecen al Municipio y al común de vecinos. Teoría de la titularidad compartida. C)
Los bienes comunales pertenecen al Municipio y están destinados al aprovechamiento
de los vecinos. 2. Naturaleza jurídica de los bienes comunales. Configuración como
una cosa fuera del comercio de los Entes locales integrada dentro de los bienes de dominio público. 3. La alteración de la calificación jurídica de los bienes comunales. III.
DETERMINACIÓN DE LOS BENEFICIARIOS DE LOS BIENES COMUNALES Y REQUI-
SITOS QUE DEBEN CUMPLIR PARA PODER ACCEDER A LOS APROVECHAMIENTOS.
1. Los vecinos como beneficiarios de los bienes comunales. Los requisitos exigidos para
adquirir la condición de vecino. 2. Requisitos especiales exigidos a los vecinos para
participar en los aprovechamientos comunales. A) Requisitos suplementarios tradicionales que se exigen a los vecinos para tener derecho a los aprovechamientos comunales
previstos en el artículo 75.4 del TRLRL. B) Requisitos suplementarios que se exigen a los
vecinos para tener derecho a los aprovechamientos comunales derivados de la alteración de términos municipales. IV. FORMAS DE APROVECHAMIENTO DE LOS BIENES
COMUNALES. 1. Modalidades de aprovechamiento vecinal previstas en la legislación
vigente. 2. Formas de aprovechamiento no vecinal en los bienes comunales. 3. Gratuidad del aprovechamiento de los bienes comunales.

Dentro de los bienes de dominio público se incluyen los bienes comunales. Estos bienes se definen como aquellos de titularidad local que son
aprovechados por los vecinos y se rigen por la Ley Reguladora de las Bases
de Régimen Local de 1985 (en adelante, LRBRL de 1985), el Texto refundido por el que se aprueban las disposiciones legales vigentes en materia
de régimen local de 1986 (en adelante, TRLRL de 1986) y el Reglamento
de Bienes de las Entidades Locales de 1986 (en adelante, RBEL de 1986).

También resulta de aplicación la normativa aprobada por las Comunidades Autónomas en desarrollo de la legislación básica de régimen local dictada por el Estado. Competencias autonómicas normativas y ejecutivas en esta materia que están contempladas en los diversos Estatutos de Autonomía[1].

Junto a estos bienes comunales calificados como dominio público y que reciben la denominación de bienes comunales típicos existen otros bienes o derechos cuyo disfrute corresponde también a los vecinos y que están sometidos a otras reglas diferentes. Estos últimos bienes se denominan genéricamente bienes comunales atípicos.

En el presente capítulo se analizará fundamentalmente la configuración de los bienes comunales típicos, sin perjuicio de que al examinar el origen de este concepto formal de bien comunal se aluda a los bienes comunales atípicos (I); y, en particular, a quién pertenecen y cuál es su naturaleza (II),

---

[1]   Precisamente, en ejercicio de sus competencias las Comunidades Autónomas han aprobado diversas normas. Pueden mencionarse, por ejemplo, la Ley andaluza 7/1999, de 29 de septiembre, de bienes de las Entidades locales; la Ley aragonesa 7/1999, de 9 de abril, de Administración local; el Decreto Legislativo catalán 2/2003, de 28 de abril, por el que se aprueba el Texto refundido de la Ley municipal y de régimen local; la Ley gallega 5/1997, de 22 de julio, de Administración local; la Ley balear 20/2006, de 15 de diciembre, Municipal y de régimen local de las Illes Balears; la Ley madrileña 2/2003, de 11 de marzo, de Administración local; la Ley foral 6/1990, de 2 de julio, de Administración local; la Ley riojana 1/2003, de 3 de marzo, de Administración local; y la Ley 8/2010, de 23 de junio, de régimen local de la Comunidad valenciana. Además, se han aprobado el Reglamento de bienes, actividades, servicios y obras de las Entidades locales, por Decreto aragonés, 347/2002, de 19 de noviembre; el Reglamento de patrimonio de las Entidades locales de Cataluña, por Decreto 336/1988, de 17 de octubre; y el Reglamento de bienes de las Entidades locales, por Decreto foral 280/1990, de 18 de octubre.
En general, en relación con los bienes comunales vid. A. NIETO, *Bienes comunales*, RDPr., Madrid, 1964; E. GARCÍA DE ENTERRÍA, *Las formas comunitarias de la propiedad forestal y su posible proyección futura*, Ediciones de Librería Estudio, Santander, 1986; A. GUAITA, *Derecho administrativo. Aguas, montes, minas*, 2ª ed., Civitas, Madrid, 1986; M. Mª RAZQUÍN LIZÁRRAGA, *Régimen jurídico-administrativo de las Bardenas Reales*, Gobierno de Navarra, Pamplona, 1990; C. HERNÁNDEZ HERNÁNDEZ, *Régimen jurídico-administrativo de la Universidad del Valle de Salazar*, Gobierno de Navarra, Pamplona, 1990; A. NIETO, *Bienes comunales de los montes de Toledo*, Civitas, Madrid, 1991, y del mismo autor *Bienes comunales de los montes de Toledo II. Reforma agraria vecinal y reforma capitalista*, Civitas, Madrid, 1997; y A. GALLEGO ANABITARTE, *La desamortización de los montes de Toledo*, Marcial Pons, Madrid, 1993; E. COLOM, *Los bienes comunales en la legislación de régimen local*, Tecnos, Madrid, 1994; y S. DE DIOS y otros (coord.), *Historia de la propiedad en España. Bienes comunales, pasado y presente*, Centro de Estudios Registrales, Madrid, 2002.

quién tiene derecho al aprovechamiento de tales bienes (III) y cuáles son las modalidades de disfrute (IV).

I. ORIGEN DEL CONCEPTO FORMAL DE BIEN COMUNAL. SU DIFERENCIACIÓN DE LOS RESTANTES APROVECHAMIENTOS VECINALES

El origen inmediato del concepto formal actual de bien comunal está vinculado a la aprobación de la legislación desamortizadora a mediados del siglo XIX, sin perjuicio de otros precedentes remotos[2]. En dicha normativa se ordenó la enajenación de los patrimonios públicos, salvo los destinados a determinados fines públicos. Precisamente, entre estos bienes exceptuados de la venta se encontraban aquellos que fueran de aprovechamiento común de los vecindarios. Esta excepción dio lugar a la aparición de un nuevo concepto formal de bien comunal, que es el precedente inmediato del actual concepto de bien comunal contenido en las leyes de régimen local. Nuevo concepto que no se correspondía con otras nociones de bienes comunales existentes con anterioridad a la aprobación de la legislación desamortizadora.

Para comprender mejor el proceso de formación de dicho concepto formal se examina a continuación su origen y evolución (1) y cómo su aparición ha determinado que ciertos supuestos denominados genéricamente bienes comunales atípicos no se integren dentro del mismo (2).

1. *Origen y evolución de la noción formal de bien comunal: su vinculación originaria a la legislación desamortizadora*

Como se ha indicado con anterioridad, en la Ley de desamortización de 1 de mayo de 1855 se ordenó la venta de los bienes de propios y comunes pertenecientes a los pueblos. Pero en el artículo 2 de la Ley de 1855 se exceptuaron de la enajenación algunos bienes y, entre ellos, los que

---

[2]   No obstante, pueden encontrarse precedentes anteriores, dado que la existencia de los comunales está vinculada a las diversas necesidades de los pueblos. Vid. A. NIETO, *Bienes comunales, op. cit.*, pp. 27 y ss.; R. ALTAMIRA, *Historia de la propiedad comunal*, Reimpr. IEAL, Madrid, 1981; y S. DE DIOS y otros (coord.), *Historia de la propiedad en España. Bienes comunales, pasado y presente*, Centro de Estudios Registrales, Madrid, 2002.

fueran de aprovechamiento común. En particular, en dicho precepto se declararon exentos de la venta forzosa aquellos que fueran "hoy de aprovechamiento común, previa declaración de serlo, hecha por el Gobierno, oyendo al Ayuntamiento y Diputación respectiva"[3].

La excepción prevista en la Ley de 1855 dio lugar a la aparición de un concepto formal de bien comunal. Un concepto que exigía un reconocimiento administrativo expreso por el Estado, después de tramitarse un procedimiento en el que se acreditase que el bien era de aprovechamiento común y que cumplía todos los requisitos marcados por la legislación para no venderse. En el caso de no existir ese acto administrativo, no podía calificarse como comunal y la propiedad se enajenaba.

Las características del concepto formal de bien comunal no aparecían reflejadas expresamente en la Ley de 1855. Fueron la jurisprudencia y las normas reglamentarias posteriores las que concretaron, en mayor o menor medida, las condiciones que debían reunir las propiedades locales para configurarlas como comunales. En este sentido, por ejemplo, en el artículo 4 del Real Decreto de 10 de julio de 1865 se estableció que para exceptuar como bien comunal una propiedad local debían acreditarse el dominio y que el aprovechamiento de los terrenos había sido libre y gratuito para todos los vecinos en los veinte años anteriores a la Ley de 1 de mayo de 1855[4].

La exigencia de unos requisitos rigurosos para poder exceptuar de la venta los bienes locales determinó que numerosos Municipios no pudieran

---

[3]   Sobre la desamortización de 1855, vid. F. TOMAS Y VALIENTE, *El marco político de la desamortización en España*, Ariel, Barcelona, 1971, pp. 114 y ss.; F. SIMÓN SEGURA, *La desamortización española del siglo XIX*, IEF, Madrid, 1973, pp. 165 y ss.; y los diferentes artículos publicados en el volumen colectivo *Desamortización y Hacienda pública*, T. II., MAPA y MEH, Madrid, 1986. Vid., también, E. GARCÍA DE ENTERRÍA, *Las formas comunitarias de la propiedad forestal, op. cit.*, pp. 23 y ss.; M. A. GONZÁLEZ BUSTOS, *Los bienes de propios. Patrimonio local y administración*, Marcial Pons, Madrid, 1998, pp. 31 y ss.; y la exposición realizada por A. GALLEGO ANABITARTE, *La desamortización de los montes de Toledo*, Marcial Pons, Madrid, 1993, pp. 112 y ss. y 273 y ss. Vid., además, A. NIETO, *Bienes comunales de los montes de Toledo*, Civitas, Madrid, 1991, y del mismo autor *Bienes comunales de los montes de Toledo II. Reforma agraria vecinal y reforma capitalista*, Civitas, Madrid, 1997.

[4]   Respecto al concepto de bien comunal reflejado en la jurisprudencia, vid. las consideraciones realizadas por F. TOMAS Y VALIENTE y otros, "Bienes exentos y bienes exceptuados de desamortización (Análisis de la jurisprudencia del Consejo de Estado y del Tribunal Supremo entre 1873 y 1880)", y "Jurisprudencia administrativa sobre bienes sujetos a desamortización", *Actas del III Symposium. Historia de la Administración*, IEA, Madrid, 1974, pp. 61 y ss. y 25 y ss. Además, vid. E. GARCÍA DE ENTERRÍA, *Las formas comunitarias de la propiedad forestal, op. cit.*, pp. 27 y ss.

obtener el reconocimiento administrativo de que sus propiedades eran bienes comunales. De ahí que se modificara la Ley de 1855 con el fin de atender a las necesidades de los vecindarios de los pueblos no cubiertas con la figura de los bienes comunales y se permitiera que se pudieran exceptuar otros bienes destinados a esos fines. Estas propiedades que se exceptuaban al margen del concepto de bien comunal se denominaron dehesas boyales y estaban destinadas al pasto de los ganados de labor de los vecinos. Dado que con estas dehesas se perseguían fines públicos diferentes de los que cumplían los bienes comunales, no se requería para su calificación que existieran con anterioridad a la Ley de 1855 y su extensión se determinaba de acuerdo con criterios técnicos[5].

Estas dehesas boyales se configuraban como un concepto jurídico diferente del correspondiente a los bienes comunales excluidos de la desamortización. Sin embargo, al existir un elemento común en ambos casos, consistente en la existencia de un vecindario que disfrutaba de los bienes municipales, progresivamente se fue procediendo a integrar las dos nociones durante la segunda mitad del siglo XIX en una sola denominada genéricamente bien comunal. Esa tendencia a la equiparación puede apreciarse, por ejemplo, en la Ley de 8 de mayo de 1888, en la que se contenían determinadas disposiciones desamortizadoras. En concreto, en su artículo 11 se decía que las fincas procedentes de bienes de propios que conforme a lo previsto en la citada Ley se exceptuasen para dehesas boyales, quedarían desde luego en la categoría de bienes de aprovechamiento común, y no pagarían otro impuesto que el de esta clase de bienes correspondiera. No obstante, esa integración de las dehesas boyales en el concepto de bien comunal no implicó que estos bienes dejaran de destinarse al pasto de

---

[5]   En concreto, en el artículo 1 de la Ley de 11 de julio de 1856, por la que se modificó en parte el artículo 2 de la Ley de 1 de mayo de 1855, se exceptuaron de la desamortización las dehesas boyales destinadas a ganado de labor que fueran precisas. Para que pudieran exceptuarse de la venta las dehesas destinadas o que se destinasen al pasto del ganado de labor en los pueblos en que no hubiese bienes de aprovechamiento común destinados a este objeto, en el artículo 1 de la Instrucción de 11 de julio de 1856 se exigió que los respectivos Ayuntamientos incoasen ante el Gobernador de la provincia el oportuno expediente haciendo constar lo siguiente: el vecindario del pueblo; las condiciones agrícolas, comerciales e industriales del mismo; la extensión y las circunstancias de los terrenos que se solicitasen, con expresión de si correspondían a los propios o a los comunes y destino que hasta ahora hubieran tenido; y el número y clase de las cabezas de ganado existente, destinado a labor. Vid. C. MARTÍN-RETORTILLO GONZÁLEZ, "Consideraciones jurídico fiscales sobre las dehesas boyales", *RD-Pr.*, núms. 316 y 317 (1943), pp. 516 y ss.; y A. GUAITA, *Régimen jurídico administrativo de los montes*, 2ª ed., Santiago de Compostela, 1956, pp. 211 y ss.

ganado de labor. Esta referencia a las dehesas boyales todavía es posible encontrarla en la normativa local actual, a pesar de que la legislación que las creó ha sido ya derogada. Por ejemplo, se mencionan en el artículo 107 del RBEL de 1986.

Los requisitos contenidos en las normas desamortizadoras para exceptuar los bienes comunales se fueron modificando posteriormente a lo largo de la segunda mitad del siglo XIX. De esta forma, se fue permitiendo la posibilidad de que algunos aprovechamientos vecinales no fueran gratuitos o arrendar ciertos disfrutes. En este sentido, por ejemplo, en las Leyes Municipales de 1870 y 1877 se permitió a los Ayuntamientos que pudieran obtener algunos ingresos por el disfrute de los bienes comunales; previsión que se incorporó a la Ley de 8 de mayo de 1888, reguladora de determinados aspectos relativos a la desamortización. O en la Ley de 11 de julio de 1878 se consintió el arriendo de los pastos sobrantes de los comunales. Modificaciones que tuvieron su reflejo en la jurisprudencia. Así, los tribunales admitieron, sin que afectara a la naturaleza comunal de los bienes, el reparto por lotes de los comunales e, inicialmente, la imposición de cánones sobre los aprovechamientos secundarios y, posteriormente, sobre los principales[6].

La legislación desamortizadora se suspendió en el año 1917 y se derogó para los Municipios primero por el Estatuto Municipal de 1924 y, definitivamente, por la Ley Municipal de 1935. La suspensión y derogación de la normativa desamortizadora supusieron que ya no era preciso un acto administrativo del Estado para considerar un bien como comunal. Sin embargo, la necesidad de un acto administrativo de calificación o descalificación como comunal se mantuvo en la normativa local posterior, si bien la competencia para ello se atribuyó a los Municipios. Decisión administrativa que estaba sometida a una serie de controles de la Administración estatal. Esa afectación o desafectación se reguló sistemáticamente en la Ley de Régimen Local de 1955 y después en el TRLRL de 1986, aunque en esta última norma el control de la desafectación se atribuyó a la Comunidad Autónoma; e incluso en la actualidad ha adquirido rango constitucional, al hacer referencia a la misma en el artículo 132 de la Constitución.

Por otra parte, la derogación de la normativa desamortizadora llevó a que en las sucesivas leyes de régimen local aprobadas durante el siglo XX se fueran ampliando las modalidades de aprovechamientos realizados por los vecinos y se permitiera la posibilidad de arrendar algunos disfrutes a

---

6   Vid. E. COLOM, *Los bienes comunales, op. cit.*, pp. 314 y ss. y 360 y ss.

terceros no vecinos en determinadas condiciones. También se fueron aumentando los supuestos en los que podía el Ayuntamiento obtener ingresos de los aprovechamientos de los comunales.

En resumen, el origen inmediato del concepto de bien comunal actual es posible encontrarlo en la normativa desamortizadora. Una noción que parte de que el bien pertenece a la Entidad local y es aprovechado por los vecinos y que requiere para considerarlo como tal su afectación a esa finalidad. Esos bienes comunales están fuera del comercio, como se indicará con posterioridad.

2. *Consecuencias de la introducción del concepto formal de bien comunal: aparición de una pluralidad de supuestos de aprovechamientos vecinales que no se califican como bienes comunales*

La introducción del concepto formal de bien comunal al que se ha hecho referencia en el epígrafe anterior ha tenido como consecuencia que ciertos supuestos no se consideren bienes comunales típicos, al faltar alguno de los requisitos, aunque en esas propiedades existan de forma efectiva aprovechamientos vecinales. Este conjunto de supuestos se ha agrupado bajo la denominación genérica de bienes comunales atípicos y su origen puede ser muy diferente. Así, por ejemplo, puede ser consecuencia de la compra de los patrimonios que se vendieron durante la desamortización por parte de los propios vecinos; o nos podemos encontrar que existen aprovechamientos vecinales en bienes calificados formalmente de propios de las Entidades locales o, incluso, pertenezcan directamente a los vecinos en propiedad.

Esta variedad de supuestos puede clasificarse utilizando dos criterios diferentes: el titular del bien o derecho sobre el que recae el aprovechamiento vecinal y el régimen jurídico al que está sometido. De acuerdo con estos dos criterios, los bienes comunales atípicos pueden clasificarse de la siguiente forma: bienes cuya titularidad corresponde a los vecinos directamente o a personas jurídicas en la que están integrados esos vecinos; y bienes sometidos al Derecho privado o a un régimen jurídico especial. A continuación, primero se examinarán los bienes comunales atípicos que pertenecen directamente a los vecinos (A); después aquellos cuya titularidad corresponde a personas jurídicas privadas (B); y, finalmente, los que pertenecen a personas jurídicas públicas y no pueden clasificarse como comunales (C).

A) Bienes pertenecientes directamente a los vecindarios: los montes vecinales en mano común y las comunidades de pastos

Los bienes aprovechados por los vecinos pueden pertenecer directamente a los mismos. En este caso se está en presencia de una comunidad de bienes. La peculiaridad de esta comunidad reside en que no responde a los principios de la comunidad romana regulada en los artículos 392 y ss. del Código civil. Se trata de una comunidad que se inspira en principios distintos, en los de la comunidad germánica. Esta comunidad de bienes vecinal fue reconocida inicialmente por el Tribunal Supremo, si bien posteriormente se reguló primero en la Compilación de Derecho civil de Galicia de 1963, después en la Ley de montes vecinales en mano común de 1968 y, finalmente, en la Ley de montes vecinales en mano común de 1980. Esta última norma se ha aprobado sin perjuicio de las competencias atribuidas a las Comunidades Autónomas en sus Estatutos para regular esta materia[7].

Los montes vecinales en mano común aparecen definidos en la Ley de 1980 mencionada. En concreto, en su artículo 1 se dice que son aquellos de naturaleza especial que, con independencia de su origen, pertenezcan a agrupaciones vecinales en su calidad de grupos sociales y no como entidades administrativas y vengan aprovechándose consuetudinariamente en mano común por los miembros de aquéllas en su condición de vecinos. Dada la peculiaridad de los mismos, estos montes están sometidos a un régimen jurídico especial. Así, son indivisibles, inalienables, imprescriptibles e inembargables, no están sujetos a contribución alguna de base territorial ni a la cuota empresarial de la Seguridad social agraria y su titularidad dominical corresponde, sin asignación de cuotas, a los vecinos integrantes en cada momento del grupo comunitario de que se trate. Régimen exorbitante que admite ciertas excepciones reguladas en la propia Ley de 1980.

---

[7] Vid. la Ley gallega 13/1989, de 10 octubre, reguladora de los montes vecinales en mano común de Galicia, y la Ley 2/2006, de 4 de junio, de Derecho civil de Galicia. En relación con las mismas, vid. A. DÍAZ FUENTES, *Montes vecinales en mano común*, Bosch, Barcelona, 1999; y A. REBOLLEDO VARELA, *Los derechos reales en la Ley 4/1995, de 24 de mayo, de Derecho civil de Galicia*, Revista Xuridica Galega, Pontevedra, 1999. Con carácter general sobre los montes vecinales en mano común, vid. R. BOCANEGRA SIERRA, *Los montes vecinales en mano común. Naturaleza y régimen jurídico*, IEAL, Madrid, 1986; y A. NIETO, *Bienes comunales*, op. cit., pp. 409 y ss. y sobre las características de la comunidad germánica vid. por todos J. BELTRÁN DE HEREDIA, *La comunidad de bienes en el Derecho español*, RDPr, Madrid, 1954, pp. 79 y ss.; y J. GARCÍA-GRANERO, "Cotitularidad y comunidad. Gesammte Hand o comunidad en mano común", *RCDI* (1946), p. 146.

Al estar sometidos a unas reglas especiales, estos montes deben ser objeto de clasificación por unos órganos administrativos de ámbito provincial denominados Jurados de montes vecinales en mano común. Clasificación que producirá además los siguientes efectos, una vez firme: atribuir la propiedad del monte a la comunidad vecinal correspondiente, en tanto no exista sentencia firme en contra pronunciada por la jurisdicción ordinaria; excluir el monte del inventario de bienes municipales o del Catálogo de los montes de utilidad pública, si en ellos figurase; y servir de título inmatriculador suficiente para el Registro de la Propiedad, si bien en caso de contradicción entre la resolución del Jurado y lo que conste en el Registro, se estará a lo previsto para tales supuestos en la Ley de Montes en concordancia con lo dispuesto en la Ley y Reglamento Hipotecario. De los montes clasificados se realizará una relación especial.

La administración, disfrute y disposición de los montes corresponden exclusivamente a la respectiva comunidad propietaria, que tendrá plena capacidad jurídica para el cumplimiento de sus fines, incluido el ejercicio, tanto en vía judicial como administrativa, de cuantas acciones sean precisas para la defensa de sus específicos intereses.

Esta comunidad se regirá por los estatutos que apruebe ella misma. En este sentido, en el artículo 4 de la Ley de 1980 se establece que la comunidad regulará, por medio de estatutos, el ejercicio de los derechos de los partícipes, los órganos de representación de administración o de gestión, sus facultades, la responsabilidad de los componentes y la impugnación de sus actos y otras cuestiones que estime pertinentes respecto al monte, dentro de los límites establecidos por las leyes. También, los estatutos de la comunidad regularán la participación de sus miembros en los aprovechamientos de pastoreo, esquilmo y restantes de percepción directa en los montes, bajo el principio de la justa distribución entre los partícipes, y la organización propia de la comunidad y las competencias de cada órgano.

Aunque estos montes pertenezcan directamente a los vecinos, en la Ley de 1980 se contemplan ciertas medidas que persiguen la defensa de los mismos en los casos en que la comunidad vecinal deje de existir o actuar. En particular, se establece que cuando se extinga la agrupación vecinal titular, el Ente local menor de que se dote la Comunidad autónoma correspondiente o, en su defecto, el Municipio en cuyo territorio radique el monte, regulará su disfrute y conservación, en las condiciones establecidas para los bienes comunales, con deberes inherentes de vigilancia y buena administración hasta que se restablezca la comunidad vecinal. Para la defensa del monte durante esta situación transitoria, la Entidad local correspondiente podrá ejercitar todas las acciones judiciales atinentes a la propiedad que representa y los medios jurídicos que la legislación local le confiera respecto a sus propios bienes. Si al cabo de treinta años no se restaurare la agrupación vecinal, el bien pasará definitivamente al patrimonio de la Entidad local administradora con el carácter de comunal.

Las disposiciones a las que se acaba de hacer referencia se complementan con la atribución a la Administración de una serie de competencias en relación con estos montes. Entre ellas pueden mencionarse las siguientes: proceder al deslinde y amojonamiento de los mismos, si fuera necesario; velar por su conservación e integridad; prestar a las comunidades titulares los servicios de divulgación que se consideren necesarios y los de asesoramiento y auxilio técnico que los interesados le soliciten; redactar, a petición de la comunidad y en el plazo de dos años desde la solicitud, un programa de transformación del monte con su plan de inversiones correspondiente; aplicar con carácter absolutamente preferencial, a instancia de los titulares, las acciones directas o indirectas de promoción, agrícola, ganadera o forestal que la Administración tenga establecidas de forma general, siempre que sean técnica y económicamente aplicables a las características del monte; y confeccionar, en el plazo de cuatro años, un plan general de aprovechamiento de montes vecinales en mano común, con las dotaciones técnica, financiera y presupuestaria necesarias, fijación de las etapas, de ejecución y sistemas de actuación para llevarlo a cabo con la conformidad de las correspondientes comunidades.

De forma similar, también se establece que las Comunidades autónomas, delegaciones del Gobierno, las autoridades y servicios agrarios, los Alcaldes y las Corporaciones locales y las personas e instituciones que conozcan de cualquier acto que atente o ponga en peligro la conservación o la integridad de estos montes, lo pondrán en conocimiento del Ministerio fiscal y éste ejercitará las acciones civiles y penales que sean adecuadas para restablecer la situación jurídica correcta y perseguir los actos que la contradigan; y en la misma Ley también se prevé la aplicación por la Administración de las mismas facultades de preservación, correctivas y sancionadoras contenidas, con relación a los montes catalogados, en la Ley de Montes y en las disposiciones reglamentarias que lo desarrollan, y la investigación por la Administración de la existencia de estos montes.

La aplicación del régimen exorbitante de la Ley de 1980 está contemplada para los montes clasificados. En este sentido, en la citada Ley se establece que iniciado el expediente de clasificación, ningún terreno afectado por aquél podrá ser objeto de enajenación, división o gravamen hasta que recaiga la oportuna resolución por el Jurado, a cuyo efecto se practicará la correspondiente anotación en el Registro de la Propiedad. De ello se deduce que existen otros montes que carecen del régimen protector regulado por la citada Ley.

Entre esos otros montes pueden mencionarse, por ejemplo, las comunidades de pastos y leñas reguladas en los artículos 600 y ss. del Código civil[8]. Regulación que es contraria al mantenimiento de estas comunidades. Así, en el artículo 602 del Código civil se dice que si entre los vecinos de uno o más pueblos existiere comunidad de pastos, el propietario que cercare con tapia o seto una finca, la hará libre de la comunidad; y el propietario que cercare su finca conservará su derecho a la comunidad de pastos en las otras fincas no cercadas. O en el 603 se indica que el dueño de terrenos gravados con la servidumbre de pastos podrá redimir esta carga mediante el pago de su valor a los que tengan derecho a la servidumbre; a falta de convenio, se fijará el capital para la redención sobre la base del 4 por 100 del valor anual de los pastos, regulado por tasación pericial. O también en el artículo 604 se dice que lo dispuesto en el artículo anterior es aplicable a las servidumbres establecidas para el aprovechamiento de leñas y demás productos de los montes de propiedad particular.

Una regulación similar tendente a la disolución de las comunidades puede encontrarse en los artículos 392 y ss. del Código civil. En concreto, en el artículo 400 se establece que ningún copropietario estará obligado a permanecer en la comunidad; y cada uno de ellos podrá pedir en cualquier tiempo que se divida la cosa común; esto no obstante, será válido el pacto de conservar la cosa indivisa por tiempo determinado, que no exceda de diez años, pudiendo prorrogarse este plazo por nueva convención.

B) Bienes pertenecientes a personas jurídicas y aprovechados por los vecinos: los bienes desamortizados comprados por los vecindarios

La Ley de 1 de mayo de 1855 ordenó la venta de todos los patrimonios de propios y comunales, salvo aquellos que hubieran sido declarados de aprovechamiento común o se configuraran como dehesas boyales, entre otros supuestos. En caso de que no se hubieran exceptuado por estas causas, los bienes eran vendidos por el Estado, una vez cumplimentados los trámites administrativos contemplados en la normativa desamortizadora. Ante la imposibilidad de paralizar la venta las comunidades vecinales y ante

---

[8]   Vid. en relación con las comunidades de pastos M. CUADRADO IGLESIAS, *Aprovechamientos en común de pastos y leñas*, IEAPA, Madrid, 1980; y A. NIETO, *Bienes comunales*, *op. cit.*, pp. 349 y ss.

la pérdida de los aprovechamientos que estaban disfrutando y que implicaba la enajenación, los vecindarios se organizaban y compraban dichos
bienes. Para ello normalmente una persona pujaba por las fincas que se
enajenaban en pública subasta y, una vez adquiridas, procedía a venderlas
al vecindario constituido como sociedad civil u otras formas jurídicas. Estas
personas jurídicas se regían por las normas de Derecho privado reguladoras de cada una de esas modalidades jurídicas.

Tales situaciones han sido estudiadas por SANZ JARQUE en Aragón[9].
En concreto, el citado autor ha señalado cómo el origen de estas comunidades o sociedades de montes se encuentra en el siglo XIX. Nacieron
con motivo del desarrollo y aplicación de la legislación desamortizadora y
su fundamento hay que encontrarlo en la necesidad de evitar los grandes
perjuicios que sin su nacimiento habrían de producirse a los vecinos de
los pueblos, en los que se vendían sus bienes municipales, principalmente
de las zonas montañosas y de todas aquellas áreas donde la agricultura se
completaba con la ganadería. En general, surgieron por toda la geografía
nacional, pero sólo se constituyeron, como ocurrió en Aragón, en aquellos
lugares en que las tierras que se vendían no eran aptas para la agricultura
o se aprovechaban masivamente y en común en favor de la ganadería de
los vecinos

Se trataba, sigue diciendo el autor mencionado, de una reacción y au-
todefensa de los vecinos de los pueblos y, en particular, de los ganaderos o
de quienes tenían ganado, frente al Estado, que con la venta de los bienes
municipales que proponía atentaba contra la vida de aquellos ciudadanos
que no tenían en general otro medio de vida que el aprovechamiento único o complementario de las tierras del Municipio que ponían en venta. A

---

[9]   Vid. J. SANZ JARQUE, "El problema de las comunidades y sociedades de montes de
      origen vecinal en Aragón", *El Campo. Boletín de Información agraria del Banco de Bilbao*,
      núm. 75 (1980), pp. 75 y ss. Vid., también, en general sobre las comunidades vecinales
      las consideraciones realizadas por C. MARTÍN-RETORTILLO GONZÁLEZ, "Comuni-
      dad de bienes de origen comunal", *ADA* (1959-1960), pp. 199 y ss.; y J. M. MANGAS
      NAVAS, *La propiedad de la tierra en España: los patrimonios públicos*, IEAPA, Madrid, 1984,
      pp. 219 y ss. Vid. A. EMBID IRUJO, *La defensa de los comunales. (Planteamientos generales
      a partir de la realidad aragonesa)*, Civitas, Madrid, 1993, pp. 67 y ss. Algunas de esas socie-
      dades han sido disueltas con posterioridad. Este es el caso de la Sociedad de Montes
      de Pedrola situada en el término municipal del mismo nombre (Zaragoza) que fue
      disuelta. Vid sobre este supuesto las consideraciones realizadas por L. MARTÍN-RE-
      TORTILLO BAQUER, "En torno a los bienes comunales", *RAP*, núm. 84 (1977), pp.
      429 y ss. Sobre el régimen jurídico de estas sociedades vid. S. ESPIAU ESPIAU, "La
      propietat de les muntanyes i les societats de veïns del Pallars Sobirà", *El Dret privat del
      Pallars Sobirà*, Generalitat de Catalunya, Barcelona, 2001, pp. 111 y ss.

su vez, con estas entidades se pretendían defender los aprovechamientos que histórica y tradicionalmente venían siendo comunes de todos los vecinos, sobre la leña y hierbas, frutos silvestres, piedras arcillas y yeso, amén de la libertad de ir cada cual por los montes, como en dominio propio para diversos fines, cazar, por ejemplo, y sentirse propietarios, siquiera lo fuera en comunidad, con los demás vecinos.

El proceso existente en Aragón también puede apreciarse en otras zonas del territorio nacional. Así, ESPIAU ha señalado cómo a finales del siglo XIX, entre 1895 y 1899 se constituyó en el Pallars Sobirá (Lérida) una serie de sociedades que se convirtieron en propietarios de montañas que hasta esos momentos habían tenido carácter comunal; este movimiento asociativo respondía a la política desamortizadora emprendida por la Hacienda pública. Para hacer frente a la enajenación se generalizó el recurso por el que los vecinos por medio de uno de sus vecinos o a través de intermediarios compraban la propiedad, que la cedían a los mismos vecinos que las habían venido aprovechando, constituidos al efecto en una sociedad[10].

C) Bienes no calificados como comunales pertenecientes a las Entidades locales y aprovechados por los vecinos: los aprovechamientos vecinales en bienes de propios

La Ley de 1855 ordenó la venta de las propiedades municipales, exceptuando los terrenos que fueran de aprovechamiento común y los montes y bosques cuya venta no creyera el Gobierno. Estos últimos montes se denominaron montes catalogados de utilidad pública. Los montes catalogados se regían por la Ley de 24 de mayo de 1863 y el Reglamento de desarrollo de la misma aprobado por Decreto de 17 de mayo de 1865[11].

En el Catálogo de montes exceptuados de la desamortización se incluyeron bienes de propios de los Ayuntamientos. Bienes de propios en los que podían existir aprovechamientos vecinales, que no fueron suprimidos por las Leyes de 1855 y 1863. Estos bienes de propios excluidos por estar catalogados eran propiedades diferentes a los bienes comunales que habían sido

---

[10] Vid. S. ESPIAU ESPIAU, *La propietat de les muntanyes, op. cit.*, pp. 111 y ss.; y J. GIL, *La desamortizació dels béns comunals al Pallars Sobira*, Garsineu Edicions, Tremp, 2000, pp. 111 y ss.

[11] Vid. L. CALVO MARTÍNEZ, *La génesis histórica de los montes catalogados de utilidad pública (1855-1901)*, Organismo Autónomo Parques Nacionales, Madrid, 2001, y bibliografía allí citada.

declarados exceptuados por ser de aprovechamiento común. Es decir, se estaba en presencia de dos nociones diversas basadas en dos excepciones diferentes.

La distinción entre comunales declarados expresamente como tales y bienes de propios con aprovechamientos vecinales se reflejó en el Decreto citado de 1865. En él se diferenciaba entre los montes públicos que tuvieran la condición de bienes exceptuados por ser de aprovechamiento común (artículo 89) y aquellos otros montes públicos en los que existieran aprovechamientos vecinales (artículos 72 y ss. y 94). Así, en este último artículo 94 se indicaba que todo aprovechamiento de productos forestales se adjudicaría en subasta pública salvo los productos que, en virtud de usos o títulos legítimos reconocidos por la Administración, fueran considerados como de aprovechamiento vecinal, y los productos que cualquier Corporación estuviera en posesión de aprovechar por el precio de tasación en virtud de un derecho preexistente reconocido por la Administración.

La existencia de aprovechamientos vecinales en montes de propios catalogados fue reconocida también por la jurisprudencia. Por ejemplo, en la Sentencia del Tribunal Supremo de 20 de noviembre de 1915 se decía que, por si Reales Ordenes anteriores se autorizó a los vecinos de un Ayuntamiento para aprovechar con ganados o granjería, los pastos de cierto monte catalogado, no pudo la Administración más tarde contrariando sus propios actos o determinaciones declaratorias de derechos, disponer que los ganados en general, sin aquel distingo, pudieran pastar en el monte, por lo que procedía anular la Real Orden posterior que resolvió de esta suerte y declarar que el aprovechamiento se realizase distinguiendo entre ganado de uso propio y de tráfico y se subastasen los aprovechamientos sobrantes, conforme todo ello a las anteriores resoluciones administrativas.

Los aprovechamientos vecinales en bienes de propios no se regularon con carácter general durante el siglo XX, aunque su preservación se contempló en normas específicas. Por ejemplo, en el artículo 4.2 de la Ley de Montes de 1957 se decía que los terrenos rústicos de índole forestal que de hecho vinieran aprovechándose consuetudinariamente por los vecinos de una localidad, se incluirían en el Catálogo de Montes en favor de la Entidad local cuyo núcleo de población viniera realizando los aprovechamientos, respetándose éstos a favor de los mismos vecinos que hubieran sido beneficiarios; se exceptuaban de esta inclusión en el Catálogo los terrenos que en el Registro de la Propiedad aparecieran inscritos como de propiedad particular. De forma similar, en el Reglamento de Montes de 1962 se ha reconocido en numerosas ocasiones la existencia de aprovechamiento vecinales, con independencia de su calificación formal como bienes comunales[12]. Reglamento este último que está vigente en la actualidad en lo que no se oponga a la Ley de Montes de 2003.

O también en la legislación de régimen local se hace referencia a ciertos casos de aprovechamientos vecinales sobre bienes de propios. Por ejemplo, puede mencionarse el derecho de preferencia de los vecinos en los arriendos que se realicen en los bienes comunales desafectados (artículo 78 del TRLRL de 1986) o el reparto entre los vecinos de los pastos de bienes patrimoniales, en los casos en que la Entidad local hubiera ejercitado el derecho de tanteo en la subasta (artículo 107 del RBEL de 1986).

En resumen, de lo expuesto en el presente epígrafe se deduce que en el siglo XIX se introdujo un concepto formal de bien comunal que ha perdurado hasta nuestros días y en el que han sido elementos determinantes del mismo su pertenencia al Municipio, el aprovechamiento vecinal y su afectación a ese fin. Estos bienes comunales se han regido por el régimen exorbitante previsto en la legislación de régimen local. La aparición de este concepto ha determinado que otros supuestos de aprovechamientos vecinales hayan sido excluidos del mismo, por pertenecer directamente a los vecinos o a personas jurídicas privadas o carecer de la afectación como bien comunal. Estos últimos supuestos se rigen por otras normas diferentes a las aplicables a la noción formal de bien comunal a las que se ha hecho referencia anteriormente. En los apartados siguientes la atención se centrará en el concepto formal de bien comunal.

II. RÉGIMEN JURÍDICO DE LOS BIENES COMUNALES. LA TITULARIDAD DE LOS BIENES COMUNALES Y SU NATURALEZA JURÍDICA

La noción formal de bien comunal que se creó en el siglo XIX y que con modificaciones ha perdurado hasta nuestros días se regula por la legislación de régimen local. A su régimen jurídico se hará referencia en los apartados siguientes; y, específicamente, en el presente epígrafe se examinará quién es el titular de los bienes comunales (1) y su naturaleza jurídica (2). Cabe adelantar en relación con estos dos puntos que los bienes comunales

---

[12] Vid. S. GRAU, *Comentarios a la Ley y Reglamento de Montes*, Madrid, 1966, pp. 82 y ss. y 359 y ss.; A. GUAITA, *Aguas, montes, minas, op. cit.*, pp. 223 y ss.; y M. MASA ORTIZ, *Legislación de montes*, Ediciones Nauta, Barcelona, 1964, pp. 305 y ss. Vid. también las consideraciones realizadas en E. COLOM, *Los bienes comunales, op. cit.*, pp. 265 y ss.

son propiedades de titularidad de los Entes locales que son aprovechadas por los vecinos y que en la actualidad se califican como dominio público. De ahí que también se aluda a la regulación de la alteración jurídica de esta clase de bienes en un apartado específico (3).

1. Titularidad de los bienes comunales. Su pertenencia a la Entidad local

Los bienes comunales se definen como aquéllos cuyo aprovechamiento corresponde al común de vecinos. Definición que se contiene en la legislación básica estatal (artículo 79.3 de la LRBRL). Pero en las citadas normas no se dice expresamente que sean de titularidad de las Entidades locales. Silencio que ha dado lugar a una amplia discusión de carácter teórico, que como podrá apreciarse en el presente epígrafe prácticamente carece de consecuencias.

El carácter teórico de esta polémica contrasta todavía más si se tiene en cuenta cuál es el origen inmediato de la noción formal de los bienes comunales. Se trata de bienes propiedad de los Municipios que la Ley de desamortización de 1855 permitió exceptuar de la venta por estar destinados a un fin público, por existir un aprovechamiento vecinal. Precisamente, en dichas normas se exigía como requisito imprescindible para que los Municipios pudieran exceptuarlos de la venta que demostrasen que eran propietarios de los mismos, bien con los títulos originarios de propiedad o la correspondiente información posesoria tramitada en el juzgado. Sin esta justificación no podía tramitarse la excepción ni declararse como comunal.

Aunque la discusión sobre la titularidad tiene un carácter marcadamente teórico y sin apenas consecuencias prácticas, deben examinarse los argumentos en que se fundamentan cada una de las teorías que se han propuesto, puesto que este debate ha tenido su reflejo en las normas vigentes y en la jurisprudencia.

A continuación, se analizarán las tres teorías que se han propuesto. En concreto, primero se examinará la teoría que parte de la titularidad vecinal de los comunales, es decir, aquella en la que los vecinos organizados como una comunidad germánica son propietarios de estos patrimonios (A); posteriormente, la teoría de la titularidad compartida, en la que se defiende que el Ente local es titular de la nuda propiedad y la colectividad de un derecho real administrativo sobre esos bienes (B); y finalmente, la teoría de la titularidad exclusiva del Municipio, aunque con la obligación de destinarlos al aprovechamiento vecinal.

A) Los bienes comunales pertenecen al común de vecinos

Es la primera de las teorías defendidas históricamente. Según esta tesis, el común de vecinos es propietario de los comunales. Por tanto, el Ente local, en principio, no tiene ningún derecho sobre los citados bienes. El conjunto de vecinos se organiza como una comunidad germánica en la que cada uno de sus componentes tiene un derecho teórico de propiedad que es imposible que hagan efectivo, al no poder pedir la división del patrimonio ni tampoco enajenar su participación. La adquisición de la participación de cada persona se determina por su integración en el grupo vecinal, lo que se acredita mediante la residencia habitual en el término municipal y la inscripción en el Padrón correspondiente. No obstante, en la práctica la titularidad equivale al disfrute de los mismos bienes.

Como ha señalado NIETO, la tesis expuesta ha sido defendida normalmente en un principio por los historiadores y, posteriormente, ha sido acogida por la dogmática jurídica[13]. Su actualidad deriva de la definición legal de los bienes comunales contenida en la Ley de Bases de Régimen Local de 1985 y la falta de atribución expresa de la titularidad a los Entes locales.

Para defender la tesis de la propiedad colectiva se han utilizado argumentos muy variados. Los principales son históricos y hacen referencia a la formación y evolución de esta clase de patrimonios[14]. Así, el dueño de los comunales es la colectividad, considerada como una comunidad germánica, puesto que procedían generalmente de cesiones señoriales o reales, de donaciones que se otorgaban directamente a los vecinos concebidos como un todo y no al Ente local. Por otra parte, esta titularidad colectiva ha tenido su fundamento en ciertas normas aprobadas durante el siglo XX y la jurisprudencia que se ha dictado aplicando dichas normas[15].

---

[13] Vid. A. NIETO, *Bienes comunales, op. cit.*, p. 263. Los autores que han analizado con detalle las tesis favorables a la titularidad vecinal son A. GUAITA MARTORELL, *Régimen jurídico-administrativo de los montes, op. cit.*, pp. 225 y ss.; y J. L. GONZÁLEZ-BERENGUER, *El patrimonio de las corporaciones locales. Su recuperación y defensa*, Madrid, 1961, pp. 139 y ss. Vid. también E. COLOM, *Los bienes comunales, op. cit.*, pp. 65 y ss. Vid. sobre las características de la comunidad germánica la bibliografía citada en nota anterior, al hacer referencia a los montes vecinales en mano común.

[14] Sostiene históricamente esta tesis J. BENEYTO PÉREZ, *Estudios sobre la historia del régimen agrario*, Bosch, Barcelona, 1941, pp. 44 y ss.

[15] En concreto, en la defensa de la tesis expuesta han tenido gran importancia las menciones a la propiedad colectiva contenida en algunas Leyes del siglo XX. Entre ellas cabe destacar la referencia que se realizaba en el artículo 310 del Estatuto Municipal de 1924 y la base XX de la Ley de Reforma Agraria de 1932 al común de vecinos como titular de los patrimonios vecinales. No obstante, A. GUAITA, *Régimen jurídico-adminis-*

Los argumentos expuestos que fundamentan la titularidad colectiva parten de una configuración concreta de la personalidad del Municipio. En ella pervive la colectividad vecinal como sujeto de derechos. Sin embargo, la existencia del común no es admitida por aquellos que defienden la concepción del Municipio como una persona jurídica ficticia diferente de los vecinos. Para los mismos si se otorga personalidad jurídica al Municipio, no se puede separar la comunidad local con pluralidad de fines del Ente municipal, al menos en relación con la esfera patrimonial. Afirmaciones que son compartidas por la mayor parte de la doctrina en la actualidad, al sostener que el Municipio es una persona jurídica independiente de los vecinos que ha asumido la propiedad del antiguo común[16].

La legislación local vigente en estos momentos confirma la configuración del Municipio como una persona jurídica ficticia. En el artículo 11 de la LRBRL de 1985 se concede personalidad y plena capacidad para el cumplimiento de sus fines al Municipio. El Ayuntamiento se configura como el

---

trativo de los montes, op. cit., nota 368 p. 231, afirmó que era una mera declaración sin valor. También, se ha alegado en favor de la titularidad vecinal el procedimiento especial de venta de bienes comunales contenido en la Ley de Colonización de 1907, Estatuto Municipal de 1924 y Ley Municipal de 1935, en el que se preveía la realización de una consulta entre los habitantes de la población. Incluso, en alguna de las Leyes citadas se exigía un porcentaje mínimo de votos favorables para entender que podía procederse a la enajenación. Vid. en relación con estos argumentos las consideraciones realizadas en E. COLOM, *Los bienes comunales, op. cit.*, pp. 69 y ss. En relación con los argumentos históricos utilizados vid. J. BENEYTO PÉREZ, *Estudios sobre la historia del régimen agrario*, Bosch, Barcelona, 1941, pp. 44 y ss.

[16]   Sobre las diversas teorías sobre la personalidad jurídica del Municipio vid. las consideraciones realizadas en E. COLOM, "Influencia de la configuración de la personalidad jurídica del Municipio en la determinación de la titularidad del patrimonio local", *RAP*, núm. 137 (1995), pp. 93 y ss. Desde esta nueva perspectiva resulta que la Ley de Reforma Agraria de 1932 a la que se aludía en una nota anterior está influida por planteamientos colectivistas que parten de la existencia del común de vecinos. A este común de vecinos se le atribuye la titularidad de los comunales y también los bienes de propios, lo que constituye un claro indicio de que, en realidad, se está partiendo de una teoría concreta del Municipio que niega la existencia de un ente abstracto titular del patrimonio municipal. De forma similar las referencias contenidas en el artículo 310 del Estatuto Municipal de 1924 al común en realidad persiguen resolver problemas concretos planteados con las servidumbres vecinales; en particular, se pretende que dichas servidumbres que recaen sobre propiedad particular y que el común disfruta se atribuyan al Municipio y no queden al margen del mismo. Por eso, se alude como elemento descriptivo al común. Tampoco es argumento suficiente la inclusión de trámites agravados para evitar la venta de patrimonios comunales. Vid. en relación con las citadas normas y su interpretación las consideraciones realizadas en E. COLOM, *Los bienes comunales, op. cit.*, pp. 65 y ss.

elemento organizativo del mismo y la población como los miembros integrados en el Ente. En aplicación de los principios expuestos las Sentencias de 31 de diciembre de 1986 y 24 de enero de 1989 de la Sala 4ª del Tribunal Supremo admiten la siguiente argumentación de las Sentencias apeladas: a los Entes locales les pertenece la titularidad de los bienes comunales y los derechos reales administrativos derivados del mismo, como representantes legales de la comunidad, y los vecinos los disfrutan en nombre del Ayuntamiento.

Desde otro punto de vista, la teoría de la propiedad colectiva también debe rechazarse, si se realiza una interpretación sistemática de la LRBRL. En este sentido, aunque en la LRBRL de 1985 se omite la mención al Municipio en la definición de los bienes comunales, la titularidad municipal se puede deducir de la clasificación de los bienes locales[17]. De ahí que la atribución de la pertenencia de los bienes comunales a las Entidades locales se afirme en el artículo 2.4 del RBEL de 1986, y que la titularidad de los comunales por parte de los Entes locales haya sido confirmada en el artículo 12 de la Ley de Montes de 2003.

Por último, debe señalarse que algunos autores han analizado el contenido de la pretendida propiedad vecinal, llegando a la conclusión que no cabe calificarla como tal. Por ejemplo, FERNÁNDEZ DE VELASCO afirma que el supuesto derecho real absoluto se reduce prácticamente a un usufructo, dado que importantes facultades como la posibilidad de enajenar u otras no le corresponden a la comunidad, sino al Municipio[18].

En resumen, los principales argumentos que apoyan la tesis de la propiedad comunal derivan de las diferentes concepciones de Municipio que se han sostenido y que aparecen reflejadas en las normas. A este argumento base, se añaden otros menores. Todos ellos en la actualidad deben ser rechazados.

---

[17] En el artículo 79.1 de la LRBRL de 1985 se dice que el patrimonio de las Entidades locales está constituido por el conjunto de bienes, derechos y acciones que les pertenezcan. Estos bienes, según el número segundo del citado precepto, se clasifican en bienes de dominio público y patrimoniales, considerándose que son bienes de dominio público, según los artículos 79.3 y 80, los bienes de uso público, servicio público y comunales.

[18] Vid R. FERNÁNDEZ DE VELASCO, "Sobre la naturaleza jurídica de los bienes comunales", *RDPr.*, núm. 174 (1928), p. 75.

B) Los bienes comunales pertenecen al Municipio y al común de vecinos. Teoría de la titularidad compartida

La tesis de la titularidad compartida parte de que la comunidad de vecinos constituye un Ente local dotado de personalidad jurídica, lo que conlleva que el patrimonio vecinal sea atribuido a esa persona jurídica. Pero junto al Municipio existe un común y a él le corresponde un derecho real administrativo sobre los bienes de la Corporación local, un derecho cuyo contenido se reduce al aprovechamiento y que se regula por normas administrativas. La colectividad formada por los vecinos se articula como una comunidad germánica. Esta concepción ha sido calificada por GARCÍA DE ENTERRÍA o BOCANEGRA como intermedia, al no atribuir el dominio ni a los vecinos ni al Municipio[19].

Dicha tesis ha tenido su influencia en el artículo 6 del Reglamento de Patrimonio de las Entidades Locales de Cataluña de 1988. En él se dice que son bienes comunales los que pertenecen a los Municipios y Entidades municipales descentralizadas pero que tienen unas facultades sobre éstos que son compartidas, de forma que corresponde al conjunto de los vecinos el aprovechamiento, como derecho real de disfrute, y a las Entidades locales su administración y conservación. Con anterioridad, la teoría examinada tenía su principal fundamento legal en el artículo 187 de la Ley de Régimen Local de 1955. El precepto mencionado definía los comunales como los bienes de dominio municipal cuyo aprovechamiento y disfrute correspondía al común de vecinos.

Como ha señalado NIETO, la teoría expuesta fue configurada en el presente siglo por la Resolución de la Dirección de los Registros y del Notariado de 3 de junio de 1927[20]. En su célebre Resolución sustituyó la alternativa entre atribuir la propiedad al Ente o al común por la consideración de que ambos son titulares. En concreto, en dicha Resolución se decía que "los bienes comunales, y entre ellos las dehesas boyales, son tipos de propiedad corporativa en los que las facultades correspondientes a los vecinos o

---

19   Vid. E. GARCÍA DE ENTERRÍA, *Las formas comunitarias de la propiedad forestal*, op. cit., p. 289; y R. BOCANEGRA SIERRA, *Los montes vecinales*, op. cit., p. 146. Esta tesis es defendida, entre otros, por A. NIETO, *Bienes comunales*, op. cit., pp. 263 y ss.; A. GUAITA MARTORELL, *Aguas, Montes, Minas*, op. cit., pp. 287 y ss.; F. SÁINZ MORENO, "Artículo 132. Dominio público, patrimonio del Estado y patrimonio nacional", *Comentarios a las leyes políticas. Constitución española de 1978*, T. X, RDPr, Madrid, 1985, p. 193; y F. GARRIDO FALLA, *Tratado de Derecho administrativo*, V. II, 8ª ed., Tecnos, Madrid, 1987, pp. 391 y ss.

20   Vid, A. NIETO, *Bienes comunales*, op. cit., pp. 270 y 271.

habitantes de un pueblo, lugar o parroquia, limitan o complementan los derechos dominicales del Municipio". Con posterioridad, ha sido admitida en la jurisprudencia del Tribunal Supremo (Sentencias de la Sala 4ª de 14 de junio de 1968, de 28 de octubre de 1975, 15 de marzo de 1980 ó 18 de mayo de 1982, y de la Sala 5ª de 8 de noviembre de 1977).

Para los defensores de la tesis examinada, la construcción jurídica propuesta es el resultado de una evolución de la configuración del común de vecinos con los correspondientes cambios de titularidad, en la que es posible distinguir cuatro fases[21]. En una primera, la ciudad no existe ni como persona jurídica independiente de sus miembros ni como agrupación de ellos. En la segunda surge, junto a los individuos, el Concejo, órgano expresión de la agrupación social. En la tercera, se produce la transformación del Concejo en una persona que coexiste con los vecinos y que, por lo tanto, no es la manifestación de la voluntad de la comunidad de vecinos. Por último, el Ayuntamiento adquiere la representación exclusiva de la ciudad como titular de los derechos y obligaciones de la misma.

A su vez, el proceso histórico indicado conlleva un cambio en la titularidad del patrimonio local. En principio, hasta que no existe el Concejo como cuerpo diferente de los vecinos, toda la masa de bienes pertenece al común. Únicamente, cuando aparece como algo distinto, se le atribuye el dominio de los bienes de propios y a los vecinos los de común aprovechamiento. Finalmente, se asigna la propiedad de los vecinales al Municipio, como consecuencia de su articulación como representante exclusivo de los vecinos, y se le reserva un derecho real limitado a la colectividad.

Los argumentos que fundamentan la titularidad compartida entre el Municipio y el común de vecinos y que han sido expuestos anteriormente parten de una configuración concreta del Municipio, en la que se admite una doble personalidad de la Entidad local[22]. Así, por un lado existe la colectividad vecinal como sujeto de derechos, aunque limitada exclusivamente al ámbito de los bienes comunales y no a todo el patrimonio municipal, como ocurría con la teoría que defendía la propiedad colectiva de los comunales; y por otro existe el Municipio dotado de personalidad jurídica distinta del común de vecinos, que es el titular del restante patrimonio y de la nuda propiedad de los comunales.

---

[21]   Vid, A. NIETO, *Bienes comunales, op. cit.*, pp. 265 y ss.

[22]   Vid. sobre la teoría de la doble personalidad jurídica de las Entidades locales y la superación de la misma las consideraciones realizadas por E. COLOM, *Influencia de la personalidad jurídica, op. cit.*, pp. 124 y ss.; y E. COLOM, *Los bienes comunales, op. cit.*, pp. 75 y ss.

Una concepción de Municipio en la que se defienda la existencia de dos sujetos de derechos diferentes no es admisible en la actualidad. Recordemos en este sentido las consideraciones realizadas en el apartado anterior. El Municipio se configura como una persona jurídica ficticia y si se otorga personalidad jurídica al Municipio, no se puede separar la comunidad local con pluralidad de fines del Ente municipal, al menos en relación con la esfera patrimonial. Por otra parte, el artículo 11 de la LRBRL de 1985 concede personalidad y plena capacidad para el cumplimiento de sus fines al Municipio, personalidad que es única y no se puede dividir en dos.

En realidad, en la utilización de la teoría de la doble personalidad jurídica del Municipio puede que influyan los problemas de articulación jurídica de acuerdo con el Derecho privado de las relaciones entre los Municipios titulares de los bienes comunales y sus beneficiarios. Desde el Código civil de 1889 los bienes comunales fueron considerados como propiedad privada sometida formalmente al Derecho privado (artículos 344 y 345 del Código civil). Consecuentemente, la doctrina intentó articular esta propiedad conforme a las técnicas privatistas, aunque no resultó posible por las características especiales del derecho vecinal al aprovechamiento de estos bienes. Derecho que se adquiría y perdía por el hecho de tener la condición de vecino y cuya regulación no se correspondía con la de los contenidos en el Código[23].

Las dificultades de articulación del derecho del vecino determinaron que se propusiera una nueva teoría que partiera de bases nuevas. Así, el derecho al aprovechamiento se atribuyó al conjunto de vecinos agrupados como una comunidad germánica y no al vecino concreto. Con ello, el derecho era único y correspondía al común de vecinos y no sufría alteraciones por el hecho de que una persona determinada adquiriera o perdiera la condición de vecino. Además, este derecho se regulaba por normas administrativas y no por el Derecho privado. Partiendo de esta premisa, se

---

[23]   La estructuración de las relaciones jurídicas entre el común y el Ente se intentaron ajustar al Derecho privado, pero resultó un fracaso ante la falta de correspondencia del contenido de las diversas categorías civiles con los disfrutes vecinales. Se calificó el derecho colectivo como usufructo, dominio dividido, servidumbre, etc., sin que se consiguiera explicar jurídicamente los derechos de los vecinos. Un análisis de las diferentes propuestas defendidas por la doctrina se puede encontrar en A. NIETO, *Bienes comunales, op. cit.*, pp. 278 y ss.; y M. Mª RAZQUÍN LIZÁRRAGA, *Régimen jurídico-administrativo de las Bardenas* Reales, Gobierno de Navarra, Pamplona, 1990, pp. 297 y ss. Ante los problemas surgidos, A. NIETO, *Bienes comunales, op. cit.*, pp. 278 y ss., propuso configurarlo como un derecho público corporativo de aprovechamiento y disfrute, es decir, un derecho configurado por las normas administrativas.

llega a la formulación de la teoría de la titularidad compartida, en la que se atribuye al conjunto de vecinos el aprovechamiento como derecho real administrativo de disfrute y al Municipio la nuda propiedad.

No debe olvidarse, sin embargo, que ese derecho único perteneciente al común de vecinos que grava los bienes comunales no existe en la práctica. Prueba de ello es que la propia Dirección General de los Registros y del Notariado en su Resolución de 16 de junio de 1932 negó su realidad, al rechazar su inscripción independiente en el Registro como gravamen que recaía sobre la nuda propiedad municipal; para la Dirección General el único titular de los comunales era el Ente denominado Municipio.

La inexistencia de ese derecho colectivo único en la práctica se confirma también en la legislación de régimen local. En este sentido, por ejemplo, de la admisión de un común de vecinos titular de un derecho real, como sujeto de derechos independiente del Municipio, no se deriva la creación de una organización dentro del común de vecinos al margen del Ayuntamiento encargada de la administración de ese derecho real limitado que grava el patrimonio municipal.

Los problemas derivados de la articulación jurídica de los bienes comunales de acuerdo con el Derecho privado que se han expuesto han quedado superados desde la aprobación de la LRBRL de 1985. Como se indicará en un epígrafe posterior, los bienes comunales se configuran como bienes de dominio público y les son aplicables las diferentes construcciones propias de esta clase de propiedades, por lo cual no es preciso crear un derecho colectivo, sino que será suficiente articularlos de forma similar a los bienes destinados al uso público de todos los ciudadanos.

En resumen, la teoría de la titularidad compartida se fundamenta en una concepción concreta de Municipio, en las construcciones jurídicas contenidas en una serie de Resoluciones, Sentencias y normas y en unos argumentos históricos concretos. También influye en su admisión la naturaleza patrimonial que han tenido dichos bienes hasta la aprobación de la LRBRL de 1985. En la actualidad, debe rechazarse, al haberse modificado sustancialmente los presupuestos en los que se basa.

C) Los bienes comunales pertenecen al Municipio y están destinados al aprovechamiento de los vecinos

Junto a las teorías de la propiedad colectiva o de la titularidad compartida, existe una tercera tesis para la que los bienes comunales pertenecen exclusivamente a los Entes locales, aunque con la obligación de destinarlos al aprovechamiento vecinal.

Esta tesis parte de una concreta concepción del Municipio como una persona jurídica ficticia y única, frente a otras posibles articulaciones que se examinaron en epígrafes anteriores. De esta forma, el Ente local en la actualidad es el resultado de un proceso de abstracción, que ha conllevado la creación de un sujeto de derechos distinto y separado de los vecinos[24]. Personalidad que se reconoce en la legislación de régimen local (artículo 11 de la LRBRL de 1985).

Este Ente dotado de personalidad es el titular de la totalidad del patrimonio local, es decir, los bienes destinados a un uso o servicio público, los comunales y los patrimoniales. Y frente a ello no puede alegarse la ausencia de pronunciamiento en la definición de los bienes comunales contenida en la LRBRL de 1985. Por eso, la atribución de la pertenencia de los comunales a las Entidades locales en el artículo 12 de la Ley de Montes de 2003 no ha supuesto novedad alguna. Y esa es la razón por la que en la jurisprudencia se reconoce también la titularidad municipal de los citados bienes[25].

La atribución de la propiedad de los comunales a los Entes locales no supone que queden desprotegidos los vecinos y que sus derechos puedan desconocerse por los Ayuntamientos. Frente a una posible actuación de los Municipios contraria a los intereses vecinales la normativa local ha previsto

---

[24]   Como sostienen J. GASCÓN y MARÍN, *Tratado de Derecho administrativo*, T. 11, Madrid, 1921, pp. 80 y ss.; y L. JORDANA DE POZAS, *Derecho municipal, op. cit.*, p. 219, el Municipio en la actualidad es la subjetivación jurídica de la colectividad. Vid. E. COLOM, *Los bienes comunales, op. cit.*, pp. 86 y ss.

[25]   Pueden citarse, por ejemplo, las Sentencias de la Sala 4ª del Tribunal Supremo de 31 de diciembre de 1986 y 24 de enero de 1989, al admitir el razonamiento de las Sentencias apeladas. En dichas Sentencias se definen los comunales como aquéllos cuyo aprovechamiento y disfrute corresponde exclusivamente a los vecinos, de conformidad con la Ley de Régimen Local de 1955; pero posteriormente se afirma que en tal condición son los Entes locales los que regulan su disfrute por ser titular del derecho patrimonial y pertenecerles los derechos administrativos derivados del mismo en su condición de representantes legales de la comunidad; los vecinos disfrutan los bienes en nombre del Ayuntamiento como propietario, y los poseen al modo que lo hace un arrendatario o precarista en nombre del titular. Vid. también la Sentencia de 30 de abril de 1987 de la Sala 4ª del Tribunal Supremo. Existen otros fallos anteriores en un sentido similar. Por ejemplo, en las Sentencias de la Sala 1ª del Tribunal Supremo de 14 de diciembre de 1908 y de la Sala de lo contencioso de 26 de junio de 1943 se afirma que los comunales pasaron como concejiles al pueblo, que como entidad o persona jurídica los ha venido poseyendo y administrando, formando parte de su patrimonio.

técnicas diversas: la desafectación, la protección individual del derecho del vecino al aprovechamiento y la limitación de las competencias para regular el aprovechamiento de los bienes comunales.

En concreto, en la legislación local se exige un acto de desafectación o un procedimiento especialmente gravoso para que el Ayuntamiento pueda destinar los comunales a otros usos diferentes a los aprovechamientos vecinales. Es un requisito formal que se gesta a mediados del siglo XIX, como consecuencia de las necesidades derivadas de la desamortización, y que perdura hasta nuestros días, llegando a tener relevancia constitucional en la actualidad (artículo 132 de la Constitución).

Por otra parte, el derecho individual del vecino al aprovechamiento está protegido por la normativa vigente y no puede desconocerse. Así, el aprovechamiento del vecino se configura como un derecho subjetivo regulado por las normas y oponible frente a todos los que atenten contra él, por lo que si se pretendiera modificarlo sería preciso indemnizarle. No obstante, esa protección alcanza exclusivamente a todas aquellas personas que estuvieran aprovechándose de los bienes comunales efectivamente. No comprende las meras expectativas de derechos. Esta última situación concurre cuando una persona tenga un derecho genérico al aprovechamiento por tener la condición de vecino, pero no hubiera querido o podido hacer efectivo ese disfrute en la práctica. En la medida en que no ha realizado ese aprovechamiento en una parcela o lote determinado no puede hablarse de un derecho subjetivo protegible a través de esta técnica.

Existe una amplia jurisprudencia del Tribunal Supremo en la que se protegen los derechos individuales subjetivos de los vecinos frente a los actos atentatorios de los Municipios, manifestados en la mayor parte de las ocasiones con motivo de la modificación de las Ordenanzas de bienes comunales y la pretensión de aplicar la nueva regulación a los vecinos que se beneficiaban en esos momentos. Puede citarse, por ejemplo, la Sentencia de 11 de mayo de 1968 de la Sala 4ª del Tribunal Supremo. En ella el Tribunal afirma que en el artículo 86 del Reglamento de Bienes de 1955 se reconoce un derecho real individual a todos los vecinos. Dicho derecho se adquiere cuando concurren todos y cada uno de los requisitos exigidos para ello por el ordenamiento jurídico, de modo que no surge en el patrimonio de la persona, como tal derecho y no como mera expectativa, hasta que no reúne todas las condiciones. Una vez configurado el Ayuntamiento no puede suprimirlos o modificarlos.

La articulación del derecho del vecino como un derecho subjetivo no implica su posibilidad de transmisión libre y su sometimiento a las reglas de Derecho privado, como señalan las Sentencias de 31 de diciembre de 1986 y de 24 de enero de 1989 de la Sala 4ª del Tribunal Supremo. Se trata de un derecho de carácter administrativo y estrictamente personal, lo que significa que no se aplica el Derecho hereditario en la sucesión de lotes, en los casos en que no se haya previsto en la Ordenanza, y que tampoco la relación con el Ayuntamiento y el vecino se regula por las normas sobre arrendamientos rústicos, sino por la legislación administrativa.

Por último, existe otra técnica de protección de los derechos vecinales consistente en limitar las competencias de los Ayuntamientos para regular esta clase de aprovechamientos. Tanto para la determinación de los beneficiarios como las modalidades de disfrute los Entes locales deberán ajustarse a lo que establezca la legislación de régimen local, como se indicará en epígrafes posteriores, quedando afectada su actuación por un vicio de legalidad en caso contrario.

La teoría sobre la titularidad de los bienes comunales que se acaba de exponer se ha visto favorecida por la nueva naturaleza jurídica demanial que le atribuye la LRBRL de 1985. La integración de los comunales en el dominio público implica que deben articularse de forma similar a los restantes supuestos integrados dentro de esta categoría y, en particular, podrían asemejarse a los bienes destinados a un uso público, con las debidas adaptaciones. Así, en los bienes de uso público no se defiende que el conjunto de ciudadanos organizados como una comunidad germánica tiene un derecho real administrativo único que recae sobre la propiedad municipal, sino que los ciudadanos tienen un derecho o interés individual a utilizar tales propiedades de acuerdo con lo previsto en la legislación de régimen local. En definitiva, como expresamente ha señalado BOCA-NEGRA, a partir de la LRBRL de 1985, y en cuanto a la situación de los vecinos, puede entenderse equiparada a la de los usuarios de los bienes de dominio público, y los derechos de aquellos vecinos al aprovechamiento de los comunales difícilmente podrían concebirse como una comunidad de disfrute sobre un bien ajeno, como un derecho real administrativo de goce, para decirlo en la expresión de NIETO[26].

De lo expuesto hasta estos momentos se deduce que la calificación demanial de los comunales y la configuración del Municipio como persona jurídica ficticia exige que estos bienes se articulen como los restantes bienes de dominio público, lo que implica que la titularidad de los mismos se atribuye al Ente local y el aprovechamiento se configura jurídicamente de

---

[26]   Vid. R. BOCANEGRA SIERRA, *Los montes vecinales, op. cit.*, nota 60 p. 146.

conformidad con las técnicas propias del Derecho público. Atribución de la titularidad que no implica que los derechos de los vecinos queden desprotegidos, según se ha indicado anteriormente.

2. Naturaleza jurídica de los bienes comunales. Configuración como una cosa fuera del comercio de los Entes locales integrada dentro de los bienes de dominio público

Los bienes comunales pertenecen al Municipio y están destinados al aprovechamiento vecinal, según se indicó en el epígrafe anterior. La atribución de la titularidad al Ente local implica que podrán calificarse como bienes de dominio público o patrimoniales, de acuerdo con la regulación contenida en los artículos 79 y 80 de la LRBRL de 1985. Aplicando ambos preceptos, debe avanzarse que los bienes comunales se integran en la actualidad en el dominio público.

En concreto, en el artículo 79.2 de la LRBRL se dice que los bienes de las Entidades locales son de dominio público o patrimoniales y en el artículo 80.1 de la LRBRL que los comunales y demás bienes demaniales son inalienables, inembargables y no sujetos a tributo alguno. De ambos preceptos se desprende que los comunales se incluyen dentro de la categoría de cosas "extra commercium", denominada dominio público. Tal calificación se reitera expresamente en el artículo 2.3 del RBEL de 1986, al decir que tienen la consideración de comunales aquellos bienes que, siendo de dominio público, su aprovechamiento corresponde al común de vecinos. En la actualidad esa calificación como dominio público ha sido de nuevo incluida en el artículo 12 de la Ley de Montes de 2003. En dicho precepto se dice que son de dominio público o demaniales e integran el dominio público forestal los montes comunales, pertenecientes a las Entidades locales, en tanto su aprovechamiento corresponda al común de vecinos[27].

---

[27] Se califican también expresamente como dominio público los comunales en el artículo 2 de la Ley andaluza 7/1999, de 29 de septiembre, de bienes de las Entidades locales; artículo 170 de la Ley aragonesa 7/1999, de 9 de abril, de Administración local; artículo 201.1 del Decreto Legislativo catalán 2/2003, de 28 de abril, por el que se aprueba el Texto refundido de la Ley municipal y de régimen local; o artículo 170 de la Ley riojana 1/2003, de 3 de marzo, de Administración local. Sin embargo, en el artículo 263 de la Ley gallega 5/1997, de 22 de julio, de Administración local, se parte de una división tripartita de los bienes, es decir, el patrimonio municipal se clasifica en domino público, comunales y patrimoniales. De forma similar, el artículo 97 de la Ley foral 6/1990, de 2 de julio, de Administración local. Las previsiones contenidas

El carácter demanial de los comunales también ha sido admitido en la jurisprudencia. Por ejemplo, en la Sentencia de la Sala 1ª del Tribunal Supremo de 11 de noviembre de 1986 se dice expresamente que antes de la Ley de Bases de 1985 los comunales tenían un régimen jurídico que los asimilaba a los de dominio público y que después de la misma son demaniales. De forma similar las Sentencias de la Sala 3ª, Sección 4ª, del Tribunal Supremo de 14 de noviembre de 1995 y de 21 de febrero de 2007. Una conclusión semejante se deduce de la Resolución de la Dirección General de los Registros y del Notariado de 15 de noviembre de 1988, al declarar que según los artículos 79.2 de la LRBRL y 2.1 del RBEL los bienes se clasifican en demaniales o patrimoniales, sin que sea posible admitir un tercer género intermedio. Por otra parte, la doctrina también ha sido partidaria de su configuración demanial[28].

Con lo expuesto hasta estos momentos sería suficiente para defender la naturaleza jurídica demanial actual de los bienes comunales. Sin embargo, debe advertirse que en la legislación de régimen local se ha introducido una segunda noción restringida de dominio público que sólo tiene una justificación histórica. Un concepto en el que solo se integran los de uso y servicio público. Noción que se opone a la amplia, en la que se comprenden los de uso y servicio público y los comunales. Esta categoría restringida de dominio público puede apreciarse en el artículo 47.2 n) de la LRBRL de 1985, en la nueva redacción dada por la Ley 57/ 2003, de 16 de diciembre. En él se dice que es necesario el voto favorable de la mayoría absoluta del número legal de miembros para la alteración de la calificación jurídica de los bienes demaniales o comunales.

La introducción de un concepto amplio de dominio público, en el que se comprenden los bienes de uso o servicio público y comunales, y otro

---

en estas dos últimas normas responden a la utilización del concepto restringido de dominio público, en el que se comprenden exclusivamente los bienes destinados a un uso y servicio público, y no el amplio, que comprende además los comunales. Por eso, en el Reglamento de bienes de las Entidades locales de Navarra de 1990, después de reproducir la clasificación tripartita del patrimonio municipal indicada, se dice en su artículo 5 que los bienes comunales tienen la consideración de bienes de dominio público, y les será de aplicación lo establecido con carácter general para los bienes de esta naturaleza. Vid. en relación con ambos conceptos las consideraciones realizadas posteriormente en texto.

[28] Vid. A. NIETO GARCÍA, "La nueva regulación de los bienes comunales", *REALA*, núm. 233 (1987), p. 13; F. SAINZ MORENO, "Bienes de las Entidades locales", *Tratado de Derecho municipal* (Dir. S. MUÑOZ MACHADO), V. 11, Civitas, Madrid, 1988, p. 1594; y F. GARRIDO FALLA, *Tratado de Derecho administrativo, op. cit.*, p. 390.

restringido, en el que se integran exclusivamente los destinados a un uso o servicio público, en una misma norma debería evitarse, dado que genera confusión. Por eso, debería suprimirse la noción restringida, puesto que el único sentido que tiene su conservación es histórico.

A estos efectos, debe partirse de que el concepto de dominio público conlleva exclusivamente el sometimiento de ese bien que se califica como tal a un régimen jurídico exorbitante y a las reglas contenidas en la normativa administrativa reguladora del fin público que cumple esa propiedad. En este sentido, en la Sentencia del Tribunal Constitucional de 29 de noviembre de 1988, dictada en los recursos de inconstitucionalidad y conflictos de competencias presentados contra la Ley de Aguas, FJ 14, se afirma que la incorporación de un bien al dominio público supone no tanto una forma específica de apropiación por parte de los poderes públicos, sino una técnica dirigida primordialmente a excluir el bien afectado del tráfico jurídico privado, protegiéndolo de esta exclusión mediante una serie de reglas exorbitantes de las que son comunes en dicho tráfico *iure privato*; el bien de dominio público es así ante todo una res extra commercium y su afectación, que tiene esa eficacia esencial, puede perseguir distintos fines: típicamente, asegurar el uso público y su distribución mediante concesión de los aprovechamientos privativos, permitir la prestación de un servicio público, fomentar la riqueza nacional, garantizar la gestión y utilización controlada o equilibrada de un recurso esencial, u otros similares.

De las consideraciones contenidas en la Sentencia citada se deduce que un bien de dominio público es una res extra commercium destinada a los fines públicos que establezca el legislador, es decir, un bien inalienable, imprescriptible e inembargable. Planteamiento que se refleja en el artículo 132 de la Constitución. En dicho precepto se dice que la ley regulará el régimen jurídico de los bienes de dominio público, inspirándose en los principios de inalienabilidad, imprescriptibilidad e inembargabilidad y su desafectación.

Partiendo del sentido y funcionalidad que tiene la categoría del dominio público, debe indicarse que los bienes comunales se integran en esta categoría, dado su régimen jurídico, su configuración como una cosa fuera del comercio. Así, los comunales son inalienables, imprescriptibles e inembargables. O como se afirma en la Sentencia de la Sala 1ª del Tribunal Supremo de 7 de diciembre de 1988 los comunales están fuera del tráfico jurídico.

El mantenimiento de un concepto amplio y otro restringido de dominio público tiene un origen histórico vinculado a los problemas regulatorios de esta categoría en nuestro ordenamiento jurídico. En concreto, el mantenimiento de la categoría restringida de dominio público responde a los problemas que generó el Código civil de 1889 en la clasificación de los bienes municipales durante el siglo XX[29]. Antes de la aprobación de esta norma y de conformidad con las Partidas los bienes de aprovechamiento vecinal se integraban dentro de la categoría de bienes públicos y, en particular, en los bienes del común. Categoría en la que se integraban todos aquéllos no sometidos a las reglas civiles. Esto suponía que con el nombre de bienes comunes o comunales se aludía tanto a los de utilización general y servicio público como a los de disfrute vecinal.

La clasificación contenida en las Partidas fue alterada profundamente por los artículos 343 y 344 del Código civil de 1889. En particular, en el artículo 343 se decía que los bienes de los pueblos se dividían en bienes de uso público y patrimoniales. Y en el artículo 344 se establecía que eran bienes de uso público en los pueblos, los caminos vecinales, las plazas, calles, fuentes y aguas públicas, los paseos y las obras públicas de servicio general, costeadas por los mismos pueblos; todos los demás bienes que unos y otros poseyeran serían patrimoniales y se regirían por las disposiciones de este Código, salvo lo dispuesto en leyes especiales. De ambos preceptos se deducía que sólo se integraban dentro del dominio público los destinados al uso público y que dentro de los patrimoniales se comprendían los afectados a un servicio público, los comunales y los de propios.

La clasificación introducida por el Código civil y, en especial, la integración de los destinados a un servicio público y los comunales dentro de los patrimoniales y la creación de un concepto restringido de dominio público generaron numerosos problemas. De ahí que surgieran diversas soluciones tendentes a rectificar las consecuencias derivadas de las previsiones de la norma civil. La primera de ellas en el tiempo se centró en alterar las consecuencias que se derivaban de la naturaleza jurídica patrimonial de los comunales. Así, no se defendió que tuvieran el régimen jurídico propio de esta clase de bienes, es decir, enajenables y prescriptibles, sino que se sostuvo que eran cosas fuera del comercio en la jurisprudencia[30].

Y la segunda solución adoptada en el tiempo consistió en rectificar progresivamente las novedades que el Código civil introdujo en nuestro Dere-

---

[29]   Vid. sobre la evolución de la naturaleza jurídica de los bienes comunales las consideraciones realizadas por E. COLOM, *Los bienes comunales, op. cit.*, pp. 234 y ss.

[30]   Vid. sobre el régimen jurídico de los bienes comunales desde el Código civil E. COLOM, *Los bienes comunales, op. cit.*, pp. 213 y ss.

cho. La primera modificación legislativa se incorporó a la Ley de Régimen Local de 1955 y supuso volver a incluir en el dominio público los bienes destinados a un servicio público, además de reflejar en una norma legal el carácter de cosas fuera del comercio de los comunales. De esta forma, en su artículo 183 se decía que los bienes municipales se clasificaban en bienes de dominio público y patrimoniales; los bienes de dominio público eran de uso o servicio público y los patrimoniales eran de propios o comunales. Y a continuación, en el artículo 188 se decía que los bienes de dominio público, mientras conservaran este carácter, y los comunales, serían inalienables, imprescriptibles e inembargables, y no estarían sujetos a tributación del Estado.

Esta concepción restringida de dominio público y la configuración legal de los comunales como bienes fuera del comercio se refleja en el artículo 132 de la Constitución. En dicho precepto se dice que la ley regulará el régimen jurídico de los bienes de dominio público y de los comunales, inspirándose en los principios de inalienabilidad, imprescriptibilidad e inembargabilidad, así como su desafectación. No obstante, la calificación de un bien patrimonial como fuera del comercio resulta inadecuada. De ahí que con motivo de la aprobación de la LRBRL de 1985 se haya rectificado su naturaleza jurídica y se haya procedido a configurados como bienes de dominio público fuera del comercio. Con ello todas las cosas fuera del comercio se contienen dentro de una categoría amplia de dominio público. La consecuencia de esta integración reside en que el concepto restringido de dominio público en el que se integran exclusivamente los destinados a un uso o servicio público no tenga sentido, aunque todavía se mantenga en algún precepto de la LRBRL[31].

En resumen, los bienes comunales en la actualidad son demaniales. La calificación pública supone que se integran en una misma clase todos aquellos bienes que tienen un régimen jurídico similar. Así, se corrige defi-

---

[31] La supresión de este concepto restringido de dominio público no resulta contraria al artículo 132 de la Constitución. En dicho precepto se diferencia entre los bienes de dominio público y los comunales, pero se somete a ambos a un mismo régimen jurídico. En consecuencia, nada impide que el legislador agrupe ambos en un concepto amplio de dominio público en el que se comprendan todos los bienes inalienables, imprescriptibles e inembargables. No obstante, en la doctrina se han manifestado ciertas dudas sobre su posible inconstitucionalidad. Vid. por ejemplo, R. BOCANEGRA SIERRA, *Los montes vecinales, op. cit.,* nota 60 pp. 146 y 147; y A. GUAITA MARTORELL, *Aguas, montes, minas, op. cit.,* p. 289. En un sentido similar en la Sentencia del Tribunal Supremo de la Sala 3ª, Sección 4ª, de 21 de febrero de 2007.

nitivamente la división de los bienes introducida hace más de cien años por el Código y se vuelve a admitir la clasificación tradicional de los mismos.

3. La alteración de la calificación jurídica de los bienes comunales

Los bienes comunales se califican como dominio público. En consecuencia, para alterar su naturaleza jurídica es preciso afectar o desafectar los mismos. En este sentido, en el artículo 132 de la Constitución se establece que la ley regulará el régimen jurídico de los bienes de dominio público y de los comunales, inspirándose en los principios de inalienabilidad, imprescriptibilidad e inembargabilidad, así como su desafectación.

En la legislación de régimen local no se contiene una regulación específica de la afectación de los bienes destinados a aprovechamientos comunales[32]. De ahí que resulten aplicables las reglas generales sobre afectación al dominio público expuestas en otro capítulo de esta obra. Únicamente, en el artículo 8.4 del RBEL se hace referencia a la afectación al uso comunal cuando la entidad adquiriera por usucapión con arreglo al Derecho civil el dominio de las cosas que vinieran estando destinadas a usos comunales.

A diferencia de lo que sucede con la afectación, en los artículos 78 del TRLRL y 47.2 n) de la LRBRL se contienen reglas restrictivas con respecto a la desafectación de los bienes comunales. En concreto, en el artículo 78 del TRLRL se dice que los bienes comunales que por su naturaleza intrínseca o por otras causas no hubieran sido objeto de disfrute durante más de diez años, aunque en alguno de ellos se haya producido acto aislado de aprovechamiento, podrán ser desprovistos de su carácter comunal mediante acuerdo de la Entidad local respectiva. Este acuerdo, requerirá, previa información pública, el voto favorable de la mayoría absoluta del número legal de miembros de la Corporación y posterior aprobación de la Comu-

---

[32] Es preciso advertir que algunas Comunidades autónomas han aprobado normas reguladoras de la alteración de la calificación jurídica de los bienes. Vid. los artículos 5 y ss. de la Ley andaluza 7/1999, de 29 de septiembre, de bienes de las Entidades locales; artículos 177 y ss. de la Ley aragonesa 7/1999, de 9 de abril, de Administración local; artículos 204 y 205 del Decreto Legislativo catalán 2/2003, de 28 de abril, por el que se aprueba el Texto refundido de la Ley municipal y de régimen local; artículo 269 de la Ley gallega 5/1997, de 22 de julio, de Administración local; artículo 95 de la Ley madrileña 2/2003, de 11 de marzo, de Administración local; artículos 101 y ss. y 140 de la Ley foral 6/1990, de 2 de julio, de Administración local; o artículos 177 y ss. de la Ley riojana 1/2003, de 3 de marzo, de Administración local. En relación con la desafectación vid. R. BOCANEGRA, "Sobre algunos aspectos de la desafectación de comunales", RAP, núm. 100-102 Vol. III (1983), pp. 2257 y ss.

nidad Autónoma. En el supuesto de que tales bienes resultasen calificados como patrimoniales y fueren susceptibles de aprovechamiento agrícola, deberán ser arrendados a quienes se comprometieran a su explotación, otorgándose preferencia a los vecinos del Municipio.

En resumen, los bienes comunales pertenecen al Municipio y están destinados a un aprovechamiento vecinal y se califican como dominio público. La calificación de los bienes como comunales se realizará mediante la aplicación de las reglas de afectación y desafectación.

III. DETERMINACIÓN DE LOS BENEFICIARIOS DE LOS BIENES COMUNALES Y REQUISITOS QUE DEBEN CUMPLIR PARA PODER ACCEDER A LOS APROVECHAMIENTOS

Los bienes comunales se definen en el artículo 79.3 de la LRBRL de 1985 como aquellos cuyo aprovechamiento corresponde al común de los vecinos. De esta definición se deriva que los beneficiarios de los comunales son los vecinos. Conclusión que se reitera en el artículo 18.1 c) de la LR-BRL, al configurar el acceso a los aprovechamientos comunales como uno de los derechos de todo vecino. En consecuencia, es preciso conocer los requisitos para adquirir la condición de vecino y a ello se dedicará un apartado específico (1). No obstante, en algunas ocasiones la legislación permite a los Municipios exigir otras condiciones suplementarias para acceder al disfrute de los bienes comunales. Algunos de los supuestos excepcionales que se admiten en la legislación se expondrán en un epígrafe específico (2).

1. *Los vecinos como beneficiarios de los bienes comunales. Los requisitos exigidos para adquirir la condición de vecino*

Los bienes comunales se definen como aquellos cuyo aprovechamiento corresponde al común de vecinos, pero en el Título de la LRBRL de 1985 dedicado al patrimonio local no se indica lo que se entiende por vecino. De ahí que sea preciso acudir a las normas generales sobre población contenidas en la LRBRL.

En concreto, en el artículo 15 de la LRBRL de 1985, en la nueva redacción dada por la Ley 4/1996, de 10 de enero, se dice que toda persona que viva en España está obligada a inscribirse en el Padrón del Municipio en el que resida habitualmente y quien viva en varios Municipios deberá inscribirse únicamente en el que habite durante más tiempo al año. Y, a continuación, se indica que los inscritos en el Padrón municipal son los vecinos del Municipio, adquiriéndose la condición de vecino en el mismo momento de su inscripción en el Padrón.

Del precepto citado se deduce que todas las personas, con independencia de su edad, estado o nacionalidad, son vecinos y tienen derecho al aprovechamiento de los bienes comunales, siempre que cumplan los requisitos establecidos en el mismo. Estos requisitos son dos: residencia habitual en el término del Municipio en el que se quiera adquirir la condición de vecino; e inscripción en el Padrón municipal. Ambos requisitos son independientes y deben cumplirse simultáneamente.

Aunque se trata de condiciones diferentes, el vecino no tiene que probar que reside en un término municipal. Se presume que reside, si está inscrito en el Padrón. En este sentido, en el artículo 16 de la LRBRL de 1985, en la nueva redacción dada por la Ley 4/1996, de 10 de enero, se dice que el Padrón es el registro administrativo donde constan los vecinos de un Municipio; y sus datos constituyen prueba de la residencia en el Municipio y del domicilio habitual en el mismo y las certificaciones que de dichos datos se expidan tienen carácter de documento público y fehaciente para todos los efectos administrativos. Las reglas y procedimientos para la inscripción en el Padrón se contienen en el Reglamento de Población y Demarcación Territorial de las Entidades Locales de 1986

Esa presunción de residencia, sin embargo, admite prueba en contrario, puesto que una persona puede en la práctica estar inscrita en el Padrón de un Municipio y residir en otro. En definitiva, pueden existir vecindades ficticias. Problema con el que se han enfrentado los tribunales de justicia y que ha determinado que en la jurisprudencia se relativice el valor de los Padrones y se afirme que no tienen carácter absoluto. Por ejemplo, en la Sentencia de la Sala 4ª del Tribunal Supremo de 2 de enero de 1979 se dice que "la realidad innegable es que este tipo de Padrones no son un modelo de exactitud", añadiendo posteriormente que "el que a los datos del Padrón se les conceda el valor de prueba plena, no quiere decir que sea la única de la que deba disponerse en cualquier hipótesis". Incluso, en la Sentencia de 10 de julio de 1991 de la Sala 3ª, Sección 4ª, del Tribunal Supremo se dice expresamente que la vecindad que consta en los Padrones admite prueba en contrario.

Esta misma trascendencia se ha relativizado también en la reforma del artículo 16 por la Ley Orgánica 14/2003, de 20 de noviembre. En la nueva redacción del citado precepto se dice que la inscripción en el Padrón sólo surtirá efecto de conformidad con lo dispuesto en el artículo 15 de la LRBRL por el tiempo que subsista el hecho que la motivó y, en todo caso, deberá ser objeto de renovación periódica cada dos años cuando se trate de la inscripción de extranjeros no comunitarios sin autorización de residencia permanente; el transcurso de este plazo será causa para acordar la caducidad de las inscripciones, siempre que el interesado no hubiese procedido a tal renovación.

La admisión de prueba en contrario ha tenido como consecuencia que el requisito de la residencia habitual adquiera una sustantividad propia frente al requisito formal de la inscripción en el Padrón y que la persona que se considere vecino y quiera tener derecho al aprovechamiento comunal deba mantener esa residencia de forma continuada después de su inscripción en el Padrón (v.gr. Sentencia de 15 de marzo de 1985 de la Sala 4ª del Tribunal Supremo). No obstante, esto tampoco significa que en todo caso carecen de valor las inscripciones. Existe una presunción a favor de la corrección de los datos que obran en el Padrón que debe ser destruida (Sentencias de 11 de junio de 1984 de la Sala 5ª y 11 de noviembre de 1985 de la Sala 4ª del Tribunal Supremo)

La "residencia habitual" no está definida en la normativa local. Ha sido la jurisprudencia la que se ha manifestado sobre su alcance. Así, por residencia habitual no puede entenderse residencia constante e ininterrumpida durante todo el año (Sentencia de 31 de diciembre de 1985 de la Sala 4ª del Tribunal Supremo), pero tampoco llevar a calificar como tal aquella en la que la persona reside exclusivamente los períodos vacacionales y días festivos (Sentencia de 15 de marzo de 1985 de la Sala 4ª del Tribunal Supremo). Deberá interpretarse de acuerdo con las condiciones más adecuadas a la localidad. A estos efectos, es preciso tener en cuenta que en el artículo 15 de la LRBRL de 1985, en su nueva redacción dada por la Ley 4/1996, de 10 de enero, se establece que quien viva en varios Municipios deberá inscribirse únicamente en el que habite durante más tiempo al año.

De la misma forma debe admitirse que la residencia efectiva durante el año en la localidad admite excepciones en los casos en que concurra una causa objetiva temporal, como ausencias motivados por razones de estudios que no se impartan en la localidad, haber sido recluido en un centro penitenciario, etc. (Sentencias del Tribunal Supremo de 25 de febrero de 1930 o de 11 de noviembre de 1985)

En resumen, para que una persona reúna la condición de beneficiario es preciso que sea vecino y, para ello, cumpla los requisitos exigidos por la normativa de régimen local. En particular, es necesario que esté inscrito en el Padrón y resida habitualmente en el término municipal.

2. *Requisitos especiales exigidos a los vecinos para participar en los aprove-chamientos comunales*

En la legislación de régimen local se establece que tienen derecho al aprovechamiento comunal los vecinos. Vecinos que se definen como todas aquellas personas que residan habitualmente en el término municipal y estén inscritas en el Padrón municipal. No obstante, en determinados casos la normativa local permite exigir condiciones especiales que deben cumplir los vecinos para tener derecho a los aprovechamientos. De los diversos requisitos suplementarios a continuación se hará referencia a dos supuestos: los requisitos tradicionales previstos en el artículo 75.4 del TRLRL de 1986 (A) Y las especialidades derivadas de las alteraciones de términos municipales (B)[33].

Antes de comenzar la exposición debe advertirse que los Ayuntamientos carecen de competencias para poder exigir otros requisitos suplementarios distintos a los previstos en las normas legales. Es decir, los Ayuntamientos no pueden limitar el derecho al aprovechamiento comunal que la LRBRL de 1985 atribuye a todas aquellas personas que tengan la condición de vecino. Solamente, cuando la propia ley permita esas salvedades, se permite introducir esas condiciones suplementarias (Sentencias de 10 de julio de 1989 de la Sala 3ª y de 20 de mayo, 10, 17 y 22 de julio y 23 de octubre de 1992 de la Sala 3ª, Sección 4ª, del Tribunal Supremo). De esta forma, el Tribunal Supremo no ha admitido la exclusión del aprovechamiento comunal de los vecinos solteros o de los que no sean labradores (Sentencias de 10 de julio de 1989 de la Sala 3ª, Sección 1ª, o de 3 de octubre de 1991 de la Sala 3ª, Sección 3ª, del Tribunal Supremo)[34].

---

[33]   Es necesario indicar que algunas Comunidades autónomas han aprobado normas reguladoras de los requisitos suplementarios que pueden exigirse a los vecinos. Vid. el artículo 183 de la Ley aragonesa 7/1999, de 9 de abril, de Administración local; artículo 85 del Reglamento de patrimonio de las Entidades locales de Cataluña de 1988; artículos 142 y ss. de la Ley foral 6/1990, de 2 de julio, de Administración local; o el artículo 183 de la Ley riojana 1/2003, de 3 de marzo, de Administración local.

[34]   No constituye un requisito suplementario para poder disfrutar de los bienes comunales la exigencia de cabeza de familia. La razón reside en que este requisito en realidad implica el reconocimiento de que no existen lotes suficientes para repartir entre todos los vecinos y que como criterio de distribución se utiliza la atribución de un lote a cada familia. Se entrega formalmente al cabeza de familia, dado que es el representante de

A) Requisitos suplementarios tradicionales que se exigen a los vecinos para tener derecho a los aprovechamientos comunales previstos en el artículo 75.4 del TRLRL

En el artículo 75.4 del TRLRL se dice que los Ayuntamientos y Juntas vecinales que, de acuerdo con normas consuetudinarias u ordenanzas locales tradicionalmente observadas, viniesen ordenando el disfrute y aprovechamiento de bienes comunales, mediante concesiones periódicas de suertes o cortas de madera a los vecinos, podrán exigir a éstos, como condición previa para participar en los aprovechamientos forestales indicados, determinadas condiciones de vinculación y arraigo o de permanencia, según costumbre local, siempre que tales condiciones y la cuantía máxima de las suertes o lotes sean fijadas en ordenanzas especiales, aprobadas por el órgano competente de la Comunidad autónoma, previo dictamen del órgano consultivo superior del Consejo de Gobierno de aquélla si existiere, o, en otro caso, del Consejo de Estado[35].

Del citado precepto se deduce que no todos los vecinos tienen derecho al aprovechamiento comunal, tal y como establece la LRBRL, sino aquellos que cumplan las condiciones suplementarias previstas en el citado precepto. En concreto, en dicho precepto se contemplan las condiciones de vinculación y arraigo o de permanencia.

Por lo que respecta a las condiciones de permanencia es preciso señalar que pueden tener diversas manifestaciones. Por ejemplo, puede exigirse una residencia previa a los vecinos antes de permitirles acceder al aprovechamiento vecinal. Con ello se asegura que tengan derecho al aprovechamiento aquellas personas que se comprometan a integrarse en la comunidad vecinal y no ampliarlo a las que sólo persigan un acceso inmediato a dichos disfrutes y no formar parte de ese núcleo de población O también puede exigirse una residencia previa a ese vecino en una parte del término municipal. De este modo no tendrían derecho al aprovechamiento todos los vecinos, sino los que exclusivamente tuvieran su residencia en un núcleo determinado de ese Municipio. Así, se resuelve el problema derivado de la existencia de diversos núcleos de población en un Municipio en los

---

[35] la misma. Este sistema de reparto de los lotes no es inconstitucional si en su aplicación no se discrimina por razón de sexo o estado civil (Sentencias de 27 de enero de 1989 de la Sala 4ª y 3 de octubre de 1991 de la Sala 3ª, Sección 3ª, del Tribunal Supremo).
Vid. sobre el citado precepto las consideraciones realizadas en E. COLOM, *Los bienes comunales, op. cit.,* pp. 108 y ss.

que sólo los vecinos de alguno de ellos tienen derecho a aprovechamientos comunales[36].

En cuanto al arraigo o vinculación, debe indicarse que también puede tener diversas manifestaciones. Por ejemplo, en distintos dictámenes del Consejo de Estado y Sentencias del Tribunal Supremo se ha admitido que se pueda establecer en las ordenanzas que sólo tienen derecho al disfrute las personas que sean descendientes de otras con derecho a los aprovechamientos o estén casados con vecino que cumpla determinados requisitos[37].

En el artículo 75.4 del TRLRL no se contemplan otros supuestos diferentes a los comentados. Sin embargo, es preciso advertir que en la Ley de Régimen Local de 1955 se permitía también exigir una edad específica para poder tener acceso al aprovechamiento de los bienes comunales. Condición especial que ha sido suprimida en el artículo 75.4 del TRLRL. Su eliminación ha sido quizás debida a su posible inconstitucionalidad derivada de la vulneración del principio de igualdad y de no discriminación contemplado en el artículo 14 de la Constitución (Dictámenes del Consejo de Estado de 13 de octubre de 1983 y 23 de octubre de 1986). No obstante, como se indica en el Dictamen del Consejo de Estado de 17 de enero de 1991, pueden conseguirse hasta cierto punto efectos similares a través de otras vías; así, la edad conjuntamente con otros factores, como la existencia o pertenencia o no a una unidad familiar favorecida, la constitución de una unidad familiar diferenciada, las personas a su cargo, permitirán, legítima y justamente, dar respuesta al respecto.

En todo caso, no debe olvidarse que para exigir las especiales condiciones es necesario que existan normas consuetudinarias u ordenanzas locales tradicionalmente observadas, sin que sea admisible en otro caso su establecimiento; y por otra parte, que se aprueben unas ordenanzas especiales que respeten los trámites establecidos en el artículo 75.4 del TRLRL[38]. Ob-

---

[36]   Entre otros, Dictámenes del Consejo de Estado de 28 de junio de 1956, 8 de octubre de 1964, 7 de octubre de 1965 ó 23 de octubre de 1986 o Sentencia de 10 de julio de 1991, de la Sala 3ª, Sección 4ª, del Tribunal Supremo. Vid. E. COLOM, *Los bienes comunales, op. cit.*, pp. 114 y ss.

[37]   Entre otros, Dictamen del Consejo de Estado de 19 de octubre de 1967 o Sentencia de 15 de noviembre de 1962 de la Sala 4ª del Tribunal Supremo. Vid. E. COLOM, *Los bienes comunales, op. cit.*, pp. 115 y ss.

[38]   Vid. sobre las características de este tipo de ordenanzas A. EMBID IRUJO, *Ordenanzas y reglamentos municipales en el Derecho español*, IEAL, Madrid, 1978, pp. 555 y ss., y del mismo autor "Ordenanzas y reglamentos municipales" en *Tratado de Derecho municipal* (Dir. S. MUÑOZ MACHADO), T. I, Civitas, Madrid, 1988, pp. 434 y 435 y bibliografía allí citada. En cuanto a la posible inconstitucionalidad del control de legalidad esta-

servancia de costumbres que no impide introducir algunas modificaciones resultantes de su actualización, como reconocen las Sentencias de la Sala 4ª del Tribunal Supremo de 6 de diciembre de 1962 y 31 de enero y 26 de diciembre de 1963.

B) Requisitos suplementarios que se exigen a los vecinos para tener derecho a los aprovechamientos comunales derivados de la alteración de términos municipales

La legislación de régimen local regula la alteración de los términos municipales. Las modificaciones, por las que se establecen nuevos Entes o se fusionan con otros, ocasionan cambios en la titularidad del patrimonio local, que se traspasa al Ente creado o en el que se integra el núcleo afectado. Alteraciones que afectan también a los comunales, cuyo dominio se traspasa junto al restante patrimonio municipal. No obstante, tales modificaciones se intenta que no afecten al aprovechamiento de los bienes comunales. Ello se consigue exigiendo una condición suplementaria a los vecinos para acceder al aprovechamiento: la residencia en el núcleo de población que ha sufrido alguna de las modalidades de alteración de términos municipales[39].

Esta condición suplementaria debería regularse sistemáticamente en el Título dedicado a la alteración de términos municipales en las leyes locales. Sin embargo, es preciso resaltar que en la legislación estatal no se regula expresamente este supuesto. Así, en el artículo 14 del Reglamento de Población y Demarcación Territorial de 1986 estatal se exige que los expedientes de alteración de términos municipales se acompañen de unas estipulaciones jurídicas y económicas, entre las que deben figurar las fórmulas de administración de los bienes. Precisamente, en los Decretos de alteración de términos municipales se suele respetar la administración especial de los bienes comunales y reservarse el derecho de aprovechamiento al núcleo integrado. Por ejemplo, en el Dictamen del Consejo de Estado

---

blecido en el artículo 75 del TRLRL de 1986, que se corresponde con el derogado artículo 192 de la LRL de 1955, se rechaza en la Sentencia de 19 de diciembre de 1990 de la Sala 3ª, Sección 5ª, del Tribunal Supremo, con fundamento en la Sentencia del Tribunal Constitucional de 2 de febrero de 1981.

[39] Vid. sobre las condiciones suplementarias exigidas a los vecinos con motivo de la alteración de términos municipales las consideraciones realizadas en E. COLOM, *Los bienes comunales, op. cit.*, pp. 117 y ss. Vid. la Sentencia de 3 de octubre de 1991 de la Sala 3ª, Sección 4ª, del Tribunal Supremo.

de 8 de febrero de 1968, sobre un caso de fusión de Municipios, se afirma que, aun cuando la administración de los bienes comunales pertenecientes a los actuales Municipios continúe efectuándose por separado por unas juntas vecinales, quedan integrados tales bienes en el patrimonio del nuevo Municipio resultante de la fusión. O en el Dictamen de 3 de febrero de 1972 se dice que la incorporación de un Ente local a otro no debe alterar el régimen de pertenencia, disfrute y aprovechamiento de los bienes del núcleo. O en el Dictamen de 29 de abril de 1971, sobre un caso de disolución de una Entidad local menor, se establece que la supresión no puede ser en perjuicio del núcleo, por lo que el disfrute comunal deben conservarlo los vecinos, sin excluir que el Ayuntamiento pueda destinarlos a otros fines, si las necesidades estuviesen cubiertas.

En resumen, el aprovechamiento comunal corresponde a todos las personas que tengan la condición de vecino, salvo que en los casos tasados previstos por la legislación en los que se permite exigir unos requisitos suplementarios.

IV. FORMAS DE APROVECHAMIENTO DE LOS BIENES COMUNALES

Los bienes comunales se definen como aquellos cuyo disfrute corresponde al común de vecinos. Pero esta definición no indica cómo se aprovechan de forma efectiva dichos bienes. Es necesario acudir a las normas sobre disfrute de los bienes comunales contenidas en la legislación de régimen local para conocer las diversas modalidades[40].

Precisamente, en estas normas se realiza una distinción que es básica para comprender su regulación. En ellas se diferencia entre los aprovechamientos que corresponden exclusivamente a los vecinos y aquellos otros

---

[40]   En el presente capítulo se analizan las formas de aprovechamiento contenidas en la legislación estatal. Sin embargo, debe señalarse que algunas Comunidades autónomas han aprobado también normas reguladoras del aprovechamiento de los bienes comunales. Vid. los artículos 42 y ss. de la Ley andaluza 7/1999, de 29 de septiembre, de bienes de las Entidades locales; artículo 183 de la Ley aragonesa 7/1999, de 9 de abril, de Administración local; artículo 220 del Decreto Legislativo catalán 2/2003, de 28 de abril, por el que se aprueba el Texto refundido de la Ley municipal y de régimen local; artículo 93 de la Ley madrileña 2/2003, de 11 de marzo, de Administración local; artículos 141 y ss. y 140 de la Ley foral 6/1990, de 2 de julio, de Administración local; o artículo 183 de la Ley riojana 1/2003, de 3 de marzo, de Administración local.

que son realizados por cualquier persona. La admisión de estos últimos no va en contra de la propia noción de bien comunal, puesto que históricamente sólo se ha exigido para considerar comunal una propiedad que la mayor parte de los aprovechamientos o los más importantes fueran vecinales[41]. A continuación, primero se examinarán las modalidades de aprovechamientos vecinales previstas en la legislación vigente (1) y, posteriormente, las formas de disfrute no vecinales (2).

Finalmente, y como parte relevante de la regulación sobre los aprovechamientos, se hará referencia a los ingresos que pueden obtenerse de los bienes comunales (3). Ingresos que limita la legislación de régimen local con el fin de respetar el beneficio que para los vecinos implica la existencia del disfrute vecinal.

1. Modalidades de aprovechamiento vecinal previstas en la legislación vigente

Los aprovechamientos más importantes en los bienes comunales son aquéllos en que el beneficio es percibido por los habitantes. En nuestra legislación las modalidades de aprovechamientos previstas son muy variadas y se encuentran reguladas tanto en la normativa local como sectorial. Por eso, y para facilitar la comprensión de la exposición que a continuación se realiza, se clasifican las distintas formas en dos grupos: las ordinarias, contenidas en los dos primeros apartados del artículo 75 del TRLRL; y las especiales, dentro de las cuales se integran las incluidas en el apartado tercero del artículo mencionado y en otras normas. La razón que justifica la división indicada obedece a que en las ordinarias o típicas se comprenden los disfrutes tradicionales, es decir, el colectivo y la división por lotes, mientras que en las especiales se incluyen aquellos previstos para casos o productos concretos.

En todo caso, tanto en los ordinarias como especiales, la Entidad local está sujeta a las normas técnicas aplicables a cada tipo de aprovechamiento o bien. Por ejemplo, en el caso de montes comunales de carácter forestal resultan aplicables las prescripciones en la legislación sectorial de montes (artículo 38 del RBEL); o los aprovechamientos cinegéticos se rigen por la normativa de caza (artículo 41 del RBEL).

---

[41] Vid. sobre esta distinción E. COLOM, *Los bienes comunales, op. cit.*, pp. 265 y ss. Vid., también, sobre las diversas modalidades de aprovechamientos A. NIETO, *Bienes comunales, op. cit.*, pp. 695 y ss.

Por lo que respecta a los aprovechamientos ordinarios, debe señalarse que son los más importantes y han caracterizado históricamente a los bienes comunales. Estos aparecen regulados en los artículos 75 del TRLRL y 94 y ss. del RBEL. En concreto en el apartado primero del artículo 75 del TRLRL se dice que el aprovechamiento y disfrute de los bienes comunales se efectuará preferentemente en régimen de explotación colectiva o comunal; y en el apartado segundo del mismo precepto se dice que cuando este aprovechamiento y disfrute general simultáneo de bienes comunales fuera impracticable, regirá la costumbre u ordenanza local, al respecto y, en su defecto, se efectuarán adjudicaciones de lotes o suertes a los vecinos, en proporción directa al número de familiares a su cargo e inversa a su situación económica.

La elección entre las modalidades de aprovechamientos previstas en el artículo 75 del TRLRL no es libre para el Ayuntamiento, sino que tiene que seguir el orden establecido en el citado precepto. Así, la forma prioritaria es la utilización colectiva por parte de todos los vecinos[42]; cuando fuera impracticable la anterior, la prevista en la ordenanza o costumbre del lugar[43]; y si no existiera costumbre u ordenanza, se adjudicará por lotes de acuerdo con los criterios establecidos en el citado precepto. Esta limitación de las competencias municipales no supone un atentado contra la autonomía municipal, como se ha reconocido en la jurisprudencia (Sentencias de 3 de mayo de 1989 de la Sala 3ª, Sección 1ª, y de 20 de mayo de 1992 de la misma Sala, Sección 4ª, del Tribunal Supremo)

Al margen de las modalidades de aprovechamientos ordinarios regulados en la legislación de régimen local, en la normativa vigente se admiten supuestos especiales de disfrutes[44]. Estos aprovechamientos se caracterizan por no concurrir en ellos un aprovechamiento colectivo y simultáneo o una adjudicación por lotes o suertes y por regularse tanto en la normativa local como sectorial.

A continuación, se mencionan algunas de estas modalidades especiales:

– *Bienes comunales destinados a finalidades específicas.* En el artículo 106 del RBEL se establece que una parte de los bienes comunales podrá

---

[42]   En el artículo 96 del RBEL se establece que la explotación común o cultivo colectivo implicará el disfrute general y simultáneo de los bienes por quienes ostenten en cada momento la cualidad de vecino.

[43]   En la Sentencia del Tribunal Supremo de la Sala 3ª, Sección 4ª, de 21 de febrero de 2007 se establece la primacía de la costumbre frente a la ordenanza.

[44]   Vid. sobre las diversas modalidades de aprovechamientos especiales las consideraciones realizadas en E. COLOM, *Los bienes comunales, op. cit.*, pp. 295 y ss.

ser acotada para fines específicos, tales como enseñanza, recreo escolar, caza o auxilio a los vecinos necesitados; la extensión de dichos cotos y su régimen jurídico peculiar se deberá ajustar a las previsiones de la legislación sectorial aplicable.

– *Adjudicaciones vecinales de aprovechamientos subastados de bienes comunales.* En el artículo 107 del RBEL se establece que las Corporaciones locales podrán ejercer el derecho de tanteo en las subastas de pastos sobrantes de dehesas boyales y de montes comunales, dentro de los cinco días siguientes al que se hubiera celebrado la licitación, con las condiciones siguientes: que acuerden la adjudicación en la máxima postura ofrecida por los concurrentes; y que sujeten a derrama o reparto vecinal la distribución del disfrute y el pago del remate.

– *Adjudicaciones de parcelas a vecinos braceros.* En el artículo 82 del TRL-RL de 1986 se dice que no implicarán enajenación ni gravamen de parcelas de terrenos del patrimonio municipal a favor de vecinos braceros, aunque el disfrute de éstos haya de durar más de diez años, ni las que se otorguen a vecinos para plantar arbolado en terrenos del mismo patrimonio no catalogados como de utilidad pública. Dichas cesiones habrán de ser acordadas por el Ayuntamiento pleno con el voto favorable de la mayoría absoluta del número legal de miembros de la Corporación. Los vecinos cesionarios se harán, en su caso, dueños del arbolado que cultiven, y durante los cinco años primeros podrán acotar las parcelas plantadas para preservarlas de los ganados; si esta acotación perjudicara aprovechamientos comunales y hubiera reclamaciones de vecinos, quedará en suspenso la cesión hasta que sobre ella recaiga nuevamente acuerdo del Ayuntamiento pleno.

– *Sistemas de aprovechamientos especiales sometidos a ordenación.* En la legislación de reforma y desarrollo agrario o de montes se regulan especialidades a las que están sujetos los bienes comunales. Sujeción que se contempla expresamente en el artículo 104 del RBEL. En dicho precepto se establece que en los supuestos en que las Administraciones públicas competentes en materia de reforma y desarrollo agrario adjudiquen bienes a las Corporaciones locales para que sean destinados a usos o aprovechamiento de carácter comunal, las competencias municipales deberán ejercitarse respetando las prescripciones específicas previstas en la legislación sectorial. Por otra parte, en el artículo 101 del RBEL se establece que para la formación de los planes de ordenación y aprovechamiento de los bienes comunales, se tendrá en cuenta lo dispuesto en el artículo 42 del mismo Reglamento; y en este último precepto se dice que las Corporaciones locales observarán en la administración de su patrimonio las normas dictadas por los diversos órganos de la Administración estatal o autonómica en materia de su competencia para el mejor aprovechamiento o régimen de bosques, montes, terrenos cultivables u otros bienes, cualquiera que fuera su naturaleza. Aplicación de la normativa forestal y cinegética sectorial que también está contemplada genéricamente en los artículos 38 y 41 del RBEL.

En resumen, los bienes comunales se aprovechan por los vecinos en la forma que se indica en la legislación de régimen local y sectorial. Modalidades que pueden clasificarse en ordinarias y especiales a efectos expositivos.

2. Formas de aprovechamiento no vecinal en los bienes comunales

Los bienes comunales se definen como aquellos cuyo aprovechamiento y disfrute corresponde al común de vecinos. Pero históricamente no se ha exigido que todos y cada uno de los aprovechamientos posibles correspondieran directamente a los vecinos. La normativa requería sólo que la mayor parte de ellos o los más importantes fueran disfrutados por los vecinos.

De las afirmaciones realizadas se deduce que en la legislación de régimen local se admite una serie de supuestos en los que el aprovechamiento no es vecinal. A continuación, se enumeran algunos casos:

– *La subasta de aprovechamientos de bienes comunales prevista en el artículo 75.3 del TRLRL.* En el citado precepto se dice que si la forma de aprovechamiento colectivo o reparto por lotes fuera imposible, el órgano competente de la Comunidad Autónoma podrá autorizar su adjudicación en pública subasta, mediante precio, dando preferencia en igualdad de condiciones a los postores que sean vecinos. Los ingresos procedentes de la subasta se deben destinar a servicios en utilidad de los que tengan derecho al aprovechamiento, sin que la Corporación pueda detraer más de un 5 por 100 del importe, de conformidad con lo establecido en el artículo 98.3 del RBEL.

– *Los aprovechamientos no vecinales regulados en la legislación sectorial.* En el artículo 41 del RBEL se establece que el aprovechamiento de la riqueza cinegética o piscícola se regula por la legislación especial aplicable y por la normativa de la contratación de las corporaciones locales. Por otra parte, en el artículo 38 del RBEL se establece que los montes de las Entidades locales se ajustarán a lo establecido en la legislación específica sobre montes y aprovechamientos forestales. Regulación esta última que puede implicar la suspensión de los aprovechamientos directos y la adopción de ciertas formas de disfrute no vecinal previstas en la legislación de montes.

En resumen, existen diversos supuestos de aprovechamientos no vecinales en bienes comunales que se regulan por la legislación de régimen local o sectorial. La existencia de dichos aprovechamientos no afecta a la calificación del bien como comunal, en la medida que pueden responder a disfrutes de carácter menor, a razones circunstanciales o a aprovechamientos que están en desuso u otras causas similares

3. *Gratuidad del aprovechamiento de los bienes comunales*

Los bienes comunales están destinados al aprovechamiento vecinal. En consecuencia, el vecino debe obtener un beneficio de ese aprovechamiento. Beneficio que no puede ser suprimido o atenuado de forma sustancial mediante la imposición de cánones elevados. Precisamente, para evitar esta consecuencia la legislación de régimen local ha limitado considerablemente las competencias de los Municipios para imponer cánones sobre los aprovechamientos comunales. Esta admisión de ingresos no implica una excepción del principio de gratuidad del aprovechamiento de los bienes comunales admitido históricamente, puesto que dicho principio sólo está referido al uso general por todos vecinos[45].

En concreto, la legislación de régimen local establece una modulación de los ingresos que pueden obtenerse en función del tipo de aprovechamiento ante el que nos encontremos. Así, el aprovechamiento colectivo es gratuito; en la adjudicación por lotes o suertes es posible imponer un canon cuya cuantía está limitada por la ley; y si no resultan posibles las anteriores modalidades de disfrute, se procede a la subasta del aprovechamiento, en la que los ingresos dependen del desarrollo de la misma. Es decir, solo resulta posible obtener ingresos en los casos en que se proceda al reparto de lotes o se subaste el aprovechamiento.

Por lo que respecta al canon que puede imponerse en los casos de repartos de lotes, en el artículo 77 del TRLRL de 1986 se contemplan ciertos

---

[45] Esta posibilidad de obtener ingresos no implica que no siga presente el principio de gratuidad de los aprovechamientos comunales, puesto que dicho principio era aplicable a ciertas modalidades de disfrutes, no a todas. Vid. en relación con el principio de gratuidad de los aprovechamientos de los bienes comunales, E. COLOM, "El principio de gratuidad de los comunales en la legislación de régimen local y sus excepciones", *RARAP* núm. 3 (1993), 153 y ss.; y E. COLOM, *Los bienes comunales, op. cit.*, pp. 331 y ss.

límites para su establecimiento. En particular, en el precepto citado se dice que en casos extraordinarios, y previo acuerdo municipal, adoptado por la mayoría absoluta del número legal de miembros de la Corporación, podrá fijarse una cuota anual que deberán abonar los vecinos por la utilización de los lotes que se les adjudiquen, para compensar estrictamente los gastos que origine la custodia, conservación y administración de los bienes.

En relación con dicho precepto debe destacarse el carácter extraordinario del canon y que sólo procede para compensar estrictamente los gastos por tres conceptos: la custodia, conservación y administración. Ello va a exigir que los Municipios que quieran imponerlo justifiquen las razones que motivan la imposición de los cánones y a calcular la cuantía del mismo, en función del coste para el Ayuntamiento por los tres conceptos indicados[46].

Por último, en caso de que no se pueda adjudicar por lotes o suertes, se procederá a la subasta del aprovechamiento. Como se indica en el artículo 75.3 del TRLRL, si no resultan posibles las anteriores formas de aprovechamiento, el órgano competente de la Comunidad Autónoma podrá autorizar su adjudicación en pública subasta, mediante precio, dando preferencia en igualdad de condiciones a los posteriores que sean vecinos

Al margen de estos ingresos, el Ayuntamiento también podría percibir otros ingresos. La fundamentación de los mismos puede basarse en el Texto refundido de la Ley de Haciendas Locales de 2004 o en la legislación sectorial. En ambos casos sólo resulta procedente para los supuestos expresamente contemplados en la normativa aplicable en cada caso[47].

---

[46]   En el Dictamen del Consejo de Estado de 19 de octubre de 1989 se dice expresamente que deberá respetarse lo dispuesto en el artículo 99 del RBEL de 1986, al fijarse en la ordenanza un canon anual por el aprovechamiento, y en consecuencia, es preciso justificar en el expediente la estimación de gastos de custodia, conservación y administración de los bienes y su reparto.

[47]   Vid. por ejemplo, los supuestos comentados en E. COLOM, *Los bienes comunales, op. cit.*, pp. 378 y ss. y 397.

Capítulo V

Bienes de los órganos constitucionales

LUIS POMED SÁNCHEZ
Letrado del Tribunal Constitucional

SUMARIO: I. EL RÉGIMEN PATRIMONIAL DE LOS ÓRGANOS CONSTITUCIONALES EN LA LEY DEL PATRIMONIO DE LAS ADMINISTRACIONES PÚBLICAS. 1. Bienes inmuebles. 2. Los bienes muebles. Remisión. II. EL PATRIMONIO NACIONAL. 1. Aproximación histórica. A) El siglo XIX, primeras regulaciones generales bajo el signo desamortizador. B) El siglo XX, la afirmación de la titularidad estatal. 2. Regulación vigente. A) El artículo 132.3 de la Constitución. B) Bienes integrantes del Patrimonio Nacional. C) Régimen jurídico de los bienes y derechos integrantes del Patrimonio Nacional. Especial atención a la preservación de los valores culturales y ambientales. D) Sucinta referencia al Consejo de Administración del Patrimonio Naciona.

Antes de emprender la exposición del régimen jurídico de los bienes de los órganos constitucionales interesa poner de manifiesto que esta denominación nos remite a una categoría tan consagrada en la teoría jurídica y en el Derecho positivo como discutida a la hora de precisar sus características y su concreta aplicación práctica (Ángel GÓMEZ MONTORO). Con respecto a lo primero, y siendo obvia su frecuente utilización en la literatura jurídica, baste recordar, en lo que ahora estrictamente interesa, que ésta es justamente la expresión con la que se rubrica la disposición adicional primera LPAP, pudiendo afirmarse que el legislador parece confiar en exceso en la fuerza denotativa de la denominación "órganos constitucionales". Y es que la propia identificación de los órganos constitucionales entraña dificultades y mueve a la confusión.

En efecto, enfrentados a la necesidad de precisar las características de la categoría que nos ocupa resulta de suma utilidad la guía que nos ofrece Manuel GARCÍA PELAYO cuando señala que "una primera característica de los órganos constitucionales consiste en que son establecidos y configurados directamente por la Constitución, con lo que quiere decirse que ésta no se limita a su simple mención ni a la mera enumeración de sus funciones o de alguna competencia aislada, como puede ser el caso de los órganos o instituciones 'constitucionalmente relevantes', sino que determina su composición, los órganos de designación de sus miembros, su status institucional y su sistema de competencias, o, lo que es lo mismo, reciben *ipso iure* de la Constitución todos los atributos fundamentales de su condición y posición de órganos". La extensión de la cita se justifica sobradamente por su indudable provecho para el estudio de la categoría, siquiera sea sólo a los limitados efectos de este capítulo.

Pues bien, siendo la propia Constitución la que establece estos órganos y la norma que les dota de sus atributos institucionales fundamentales, no parece demasiado lógico que para identificarlos se acuda, como es habitual, a la enumeración contenida en el art. 59.3 LOTC. Ciertamente, habremos de convenir en que las instancias allí mencionadas (Gobierno de la Nación, Consejo General del Poder Judicial, Congreso de los Diputados y Senado) son órganos constitucionales. Pero no es menos cierto, de un lado, que no sólo dichas instancias merecen la calificación de órganos constitucionales y, de otro, que cuando se trata de su régimen jurídico patrimonial, la utilización de esta caracterización nada aporta a una de esas instancias, el Gobierno de la Nación.

Hecha esta salvedad, parece inconcuso que también el Tribunal Constitucional se integra en la categoría que nos ocupa. Como igualmente debe incardinarse en ella a la Corona, denominación que entre nosotros recibe la Jefatura del Estado y cuyos atributos fundamentales de su condición y posición de órgano son objeto de pormenorizada regulación en el Título Segundo de la Constitución, que igualmente singulariza la masa de bienes públicos adscritos al servicio de este órgano, el Patrimonio Nacional (art. 132.3 CE).

Finalmente, podemos convenir en atribuir la condición de órganos constitucionales, a los efectos patrimoniales que aquí interesan y que se concretan en la aplicación de la disposición adicional primera de la LPAP tanto al Defensor del Pueblo como al Tribunal de Cuentas[1]. Más allá de la vinculación de ambas instituciones con las Cortes Generales, que por sí sola determinaría la aplicación mediata de la mencionada disposición adicional a ambos órganos, la Constitución ha hecho del primero de ellos un

---

[1]   La naturaleza jurídica de estos órganos, en especial del Tribunal de Cuentas, dista de estar resuelta en nuestro Derecho positivo. Así, el art. 507.2 a) LOPJ lo califica de órgano constitucional al especificar los supuestos en los cuales los funcionarios al servicio de la Administración de Justicia se encuentran en la situación de servicio activo, en tanto el art. 8 de su Ley Orgánica (2/1982, de 12 de mayo) atribuye la resolución de "los conflictos que se susciten sobre las competencias o atribuciones del Tribunal de Cuentas" al Tribunal Constitucional; mientras que la Ley 7/1988, de 5 de abril, de Funcionamiento del Tribunal de Cuentas remite a lo dispuesto en la Ley Orgánica 2/1987, de 18 de mayo, de Conflictos Jurisdiccionales. En cuanto al Defensor del Pueblo, la STC 274/2000, de 15 de noviembre, FJ 2, se ha limitado a hacer mención de su "cualidad como alto comisionado de las Cortes Generales para la defensa de los derechos comprendidos en el Título I" de la Constitución.

garante de los derechos fundamentales, siendo esta función la que justifica su consideración como órgano constitucional. En cuanto al Tribunal de Cuentas, desempeña una función de control externo del cumplimiento de la actuación de la actuación económica del sector público a los mandatos constitucionales, particularmente los contenidos en el art. 31 CE, de suerte que puede considerarse una institución de garantía de la Constitución económica formal.

Por el contrario, debe rechazarse la inclusión dentro de esta categoría del Consejo de Estado, calificado por el Tribunal Constitucional como "órgano del Estado con relevancia constitucional al servicio de la concepción del Estado que la propia Constitución establece" (STC 56/1990, de 29 de marzo, FJ 37; desarrolla esta doctrina la STC 204/1992, de 26 de noviembre, en especial, FJ 2) y, obviamente, del Consejo Económico y Social, al que apenas alude el art. 131.2 CE[2].

También quedan al margen los "órganos estatutarios" de las Comunidades Autónomas. Se trata de una categoría variable, pero de extensión creciente a juzgar por el tratamiento que se les ha dispensado en las últimas reformas estatutarias. El régimen patrimonial de estos órganos sólo queda establecido en aquellos preceptos de la LPAP que, en virtud de su disposición final segunda, tengan carácter básico o se dicten al amparo de un título competencial "de aplicación general"[3].

---

[2]   En relación con este Consejo, la lectura de su Ley de creación (21/1991, de 17 de junio) causa sorpresa cuando, tras caracterizarlo como "órgano consultivo del Gobierno en materia socioeconómica y laboral" (art. 1.2), lo configura "como un Ente de Derecho Público (...) con personalidad jurídica propia y plena capacidad" (art. 1.3). Nos hallamos pues ante un auténtico híbrido, si se examina desde la perspectiva del Derecho de la organización al tratarse de un órgano con personalidad jurídica.

[3]   Al respecto, vid. la relación de preceptos "de aplicación general" dictados al amparo de las competencias estatales sobre "legislación procesal" del art. 149.1.6 CE (apdo. 1 de la Disposición final segunda), "legislación civil" del art. 149.1.8 CE (aptdo. 2), "régimen económico de la Seguridad Social" del art. 149.1.17 CE (apdo. 3) y "legislación de expropiación forzosa" del art. 149.1.18 CE (apdo. 4).

I. EL RÉGIMEN PATRIMONIAL DE LOS ÓRGANOS CONSTITUCIONALES EN LA LEY DEL PATRIMONIO DE LAS ADMINISTRACIONES PÚBLICAS

La determinación del régimen al que se someten diversas categorías de patrimonios públicos es el objeto de buena parte de las veintidós disposiciones adicionales de la LPAP. Esta tarea se abre, justamente, con la definición del "régimen patrimonial de los órganos constitucionales del Estado" en la disposición adicional primera de la Ley, donde se establece lo siguiente:

> "La afectación de bienes y derechos del Patrimonio del Estado a los órganos constitucionales del Estado, así como su desafectación, administración y utilización, se regirán por las normas establecidas en esta Ley para los departamentos ministeriales".

En coherencia con el tratamiento singularizado que los bienes afectos a la Corona reciben en la Constitución, la disposición adicional cuarta LPAP remite el régimen jurídico del Patrimonio Nacional a sus normas específicas. A pesar de la tortuosa redacción de esta disposición adicional[4], de su lectura se colige que las previsiones de la LPAP y normas de desarrollo se integran en ese régimen jurídico del Patrimonio Nacional por vía de supletoriedad, siendo de aplicación directa a la gestión de los *bienes propios* del Consejo de Administración del Patrimonio Nacional, pues es evidente que los bienes propios de esta Entidad de Derecho Público no forman parte del Patrimonio Nacional.

Para concluir esta primera aproximación al régimen patrimonial de los órganos constitucionales debemos tener presente la incidencia que tendrá el régimen de los bienes culturales, en línea con lo expresamente previsto en la disposición adicional decimocuarta LPAP. En efecto, habida cuenta de las características singulares que concurren en los patrimonios afectados a estos órganos constitucionales lo habitual será la concurrencia del servicio a la función constitucional que desempeñan dichos órganos y la incorporación de un valor cultural. Esta combinación de factores se hace

---

[4]   De acuerdo con la disposición adicional cuarta LPAP, "el régimen jurídico del Patrimonio Nacional será el establecido en la Ley 23/1982, de 16 de junio y Reglamento para su aplicación, aprobado por Real Decreto 496/1987, de 18 de marzo, y disposiciones complementarias, aplicándose con carácter supletorio las disposiciones de esta Ley y sus normas de desarrollo, a las que el organismo 'Consejo de Administración del Patrimonio Nacional' deberá ajustarse en el régimen de gestión de sus bienes propios".

especialmente patente en el caso del Patrimonio Nacional, como tendremos ocasión de señalar con posterioridad[5].

Volviendo nuestra mirada a la disposición adicional primera, cabe señalar que en ella el legislador se refiere únicamente al régimen de los bienes y derechos del Patrimonio del Estado *afectados* a los órganos constitucionales. Sin embargo, no son éstos los únicos bienes y derechos de contenido patrimonial de los que pueden disponer los órganos constitucionales. Sorprende por ello mismo que el legislador no haya reparado en la existencia de esos otros bienes y derechos, cuyo régimen jurídico únicamente se define en términos negativos, pues no les son de aplicación las previsiones de la LPAP y sus normas de desarrollo. Con respecto a los bienes y derechos *afectados*, la disposición adicional primera de la LPAP pone de manifiesto que el legislador no ha considerado pertinente establecer un régimen patrimonial específico para los órganos constitucionales, optando por considerarlos como una parte más del complejo organizativo Administración General del Estado a los solos efectos de la aplicación de las previsiones de la LPAP. En el bien entendido que tal aplicación habrá de realizarse teniendo presente la peculiar naturaleza y funciones desempeñadas por estos órganos, que impide su completa asimilación con los departamentos ministeriales.

Esta aproximación del alcance de la disposición adicional primera queda refrendada con el análisis de las menciones específicas que al régimen patrimonial se contienen en las escasas referencias que los preceptos de la Ley hacen a los órganos constitucionales. Escasez que resulta de por sí altamente significativa.

1. *Bienes inmuebles*

De acuerdo con el art. 5.3 de la Ley 33/2003, los inmuebles en los que se alojen servicios, oficinas o dependencias de los órganos constitucionales "se considerarán, en todo caso, bienes de dominio público". La afirmación de este carácter demanial se completa con la inclusión de los edificios "destinados a oficinas y dependencias auxiliares de los órganos constitucionales

---

5   A modo de ejemplo, y por lo que se refiere a los restantes órganos constitucionales, recuérdese que tanto el Palacio de las Cortes como el Palacio del Senado se encuentran clasificados como Bienes de Interés Cultural del Patrimonio Histórico Español, en la categoría de Monumentos, siéndoles por tanto de aplicación las disposiciones de la Ley 16/1985, de 25 de junio.

del Estado" dentro de la categoría de "edificios administrativos" [art. 155.1 a)]. Prácticamente, éstas son las únicas referencias que en el articulado de la Ley completan el régimen patrimonial de los órganos constitucionales avanzado en la ya analizada Disposición adicional primera[6].

Como quiera que en otras partes de esta obra se analiza con detalle el régimen jurídico de los bienes de dominio público, no parece pertinente reiterar ahora lo que en ellas se expone con mayor detalle y precisión. Hecha esta remisión general, resulta oportuno referirse al sentido que encierra la prédica del carácter demanial para los bienes inmuebles al servicio de los órganos constitucionales.

Al respecto, interesa recordar que, conforme a la doctrina constitucional, elaborada al hilo del análisis del art. 132 CE, "(...) la incorporación de un bien al dominio público supone no tanto una forma específica de apropiación por parte de los poderes públicos, sino una técnica dirigida primordialmente a una serie de reglas exorbitantes de las que son comunes en dicho trafico *iure privato*. El bien de dominio público es así ante todo *res extra commercium*, y su afectación, que tiene esa eficacia esencial, puede perseguir distintos fines (...)." (STC 227/1988, de 29 de noviembre, FJ 14). Más adelante, en esta misma resolución, se apunta que "el régimen demanial comporta la titularidad pública de los bienes sobre los que recae, pero sobre todo supone que tales bienes quedan sujetos a reglas exorbitantes del Derecho privado" (FJ 18).

Justamente porque la demanialización comporta la sujeción de los bienes afectados a un régimen jurídico distinto, el Tribunal Constitucional ha advertido que no puede ser utilizada para acumular bienes sino para disponer de los mecanismos con los que hacer frente a las necesidades públicas, caracterizándola como "una facultad limitada, que no puede ser utilizada para situar fuera del comercio cualquier bien o género de bienes si no es para servir de este modo a finalidades lícitas que no podrían ser atendidas con otras medidas" [STC 149/1991, de 4 de julio, FJ 2 B)]. Esta afirmación,

---

6   El art. 20.4 menciona asimismo a los órganos constitucionales en relación con la adquisición hereditaria de bienes, a los efectos de señalar que se respetará la voluntad del disponente, atribuyendo los bienes al órgano constitucional señalado como destinatario "siempre que esto fuera posible y sin perjuicio de las condiciones o cargas modales a que pudiese estar supeditada la disposición", carga que se entenderá cumplida y consumada transcurridos treinta años de destino, conforme al art. 21.4, al que expresamente remite el precepto que nos ocupa. Ha de entenderse que la apreciación de la posibilidad de respetar el destino de los bienes corresponde al propio órgano constitucional beneficiario de los mismos.

que abre la puerta a la posibilidad de someter la decisión demanializadora a un juicio de proporcionalidad, ponderando su incidencia en el derecho de propiedad, pone de manifiesto hasta qué punto el Tribunal Constitucional es consciente de que el dominio público surgió y sigue representando, ante todo, un título de intervención pública.

La adecuación de la calificación como demaniales "en todo caso" de los inmuebles en los que se alojen servicios, oficinas o dependencias de los órganos constitucionales que figura en el art. 5.3 de la Ley 33/2003 a la doctrina constitucional referida no parece que deba suscitar reparos. En efecto, el reconocimiento de que las sedes de las más altas instancias del Estado no están sujetas al Derecho privado no es sólo un reconocimiento de su significación institucional sino también una solución en principio idónea para facilitar la gestión de su escaso patrimonio inmobiliario. Adviértase que dicha naturaleza se predica únicamente de los inmuebles "de titularidad de la Administración General del Estado", lo que remite, según ya se acaba de apuntar, principalmente a las sedes de los órganos constitucionales. Por tanto, esta calificación no es predicable de aquellos inmuebles en los que se ubiquen servicios, oficinas o dependencias de alguno de dichos órganos y de los que éste disponga en calidad de arrendatario.

A mayor abundamiento, el art. 5.3 de la Ley 33/2003 tiene la virtud de unificar la calificación jurídica de los edificios de los órganos constitucionales. Frente a la variedad que ha descrito Carmen CHINCHILLA MARÍN, dicho precepto atribuye una misma naturaleza a todos ellos.

Por otro lado la lectura conjunta del citado precepto legal y de la disposición adicional primera pone de manifiesto que dichos edificios, cuya titularidad corresponde a la Administración General del Estado, se encuentran *afectados* al servicio de los órganos constitucionales. También en este punto se unifica el tratamiento de los inmuebles, pues en el caso de la conocida como *primera ampliación* del Congreso de los Diputados y de la sede del Tribunal Constitucional, la expresión utilizada en 1980 fue la "puesta a disposición" de las respectivas instituciones. Si bien es cierto que esta fórmula resultaba especialmente deferente para con dichos órganos, no lo es menos que se aprecia una identidad sustantiva en el negocio jurídico, más allá de la centralidad de la afectación en la delimitación del dominio público.

Menos acertada resulta la consideración de los inmuebles a los que venimos refiriéndonos como edificios administrativos [art. 155.1 a)], en la medida en que pueda conllevar su supeditación a los criterios de coordinación y optimización pergeñados en los arts. 157 y ss. Dada la finalidad a la que sirven y en atención a su carácter marcadamente representativo, parece cuando menos discutible que puedan serles de aplicación las reglas y principios que, para racionalizar la utilización de los edificios de la Administración General del Estado, se establezcan por las instancias competentes al efecto.

Finalmente, también merece alguna crítica la aplicación a los órganos constitucionales de las normas establecidas para los Departamentos ministeriales en materia de dominio público (Disposición adicional primera). Si examinamos la arquitectura de la Ley 33/2003, ello significa, primordialmente, la exclusión del régimen propio de los organismos públicos. Con la paradójica consecuencia de que, en punto a la gestión patrimonial, los órganos constitucionales gozan de un menor grado de autonomía con respecto a la Administración General del Estado —en particular, el Ministro de Hacienda y la Dirección General del Patrimonio del Estado— que los entes instrumentales vinculados o dependientes de aquélla.

2. Los bienes muebles. Remisión

Frente a la demanialización general de los bienes inmuebles en los que se alojen servicios, oficinas o dependencias de los órganos constitucionales, la Ley del Patrimonio de las Administraciones Públicas nada dice acerca de la naturaleza jurídica de sus bienes muebles. Ante el silencio del legislador al respecto, parece que, habida cuenta de la función unificadora del Derecho de los bienes públicos que viene a cumplir dicha Ley, deberá entenderse aplicable la preferencia de patrimonialidad establecida en el art. 16. Así sucederá en el caso de los bienes muebles del Patrimonio del Estado afectados al servicio de los órganos constitucionales en virtud de lo previsto disposición adicional primera LPAP pudiendo sostenerse, con respecto a los restantes bienes muebles, que esa preferencia o presunción de patrimonialidad representa un principio del Derecho de los bienes públicos.

Consecuentemente, habremos de presumir que los bienes muebles de los órganos constitucionales tienen naturaleza patrimonial hasta tanto no se produzca su afectación. Claro es que esta presunción puede verse privada prácticamente de toda su operatividad si reparamos en el hecho de que los efectos del acto expreso de afectación también se producen en los supuestos contemplados en el art. 66.2 LPAP, entre los que figura, en particular, "la adquisición de los bienes muebles necesarios para el desenvolvimiento de los servicios públicos o para la decoración de dependencias oficiales".

Una interpretación excesivamente apegada al tenor literal del precepto llevaría a generalizar el régimen exorbitante del dominio público para la práctica totalidad de los bienes muebles de los órganos constitucionales, pues resulta ciertamente marginal la adquisición de los mismos que no esté destinada al desenvolvimiento de sus funciones o la decoración de las dependencias oficiales. Sin embargo, y como quiera que esta conclusión entraría en abierta contradicción con la exigencia de proporcionalidad que hemos visto que incorpora la doctrina constitucional antes examinada, habremos de concluir que, cuando menos por lo que se refiere al primero de los supuestos contemplados en el precepto que nos ocupa, esta modalidad de afectación sólo es predicable para los bienes estrictamente necesarios, por su vinculación directa con la función, para el desenvolvimiento del servicio. Dicho de otro modo, cuando el sometimiento de tales bienes a un régimen de Derecho común sea susceptible de poner en riesgo el desarrollo de las funciones constitucionales de estos órganos.

Por otro lado, no se alcanza a comprender muy bien el sentido de la afectación de los bienes adquiridos para la decoración de las dependencias oficiales. Tratándose, como se trata, de bienes muebles, si lo que se pretende es preservarlos "en mano pública" por los valores culturales que incorporan, esta previsión resulta innecesaria, toda vez que ya existe una prohibición relativa de enajenación en el art. 28.2 LPHE.

Afirmada la preferencia de patrimonialidad de los bienes muebles de los órganos constitucionales, el estudio de su régimen jurídico ha de remitirse, habida cuenta de la ausencia ya apuntada de previsiones específicas al respecto en la Ley de Patrimonio de las Administraciones Públicas, al capítulo correspondiente de la presente obra.

II. EL PATRIMONIO NACIONAL

Como ya se ha avanzado en páginas anteriores, la Corona es el *nomen iuris* de la Jefatura del Estado en nuestro ordenamiento jurídico. Para el desempeño de sus funciones, este órgano constitucional precisa de unos medios auxiliares, cuya provisión se efectúa mediante instrumentos propios del Derecho público. En este contexto debe situarse la constitucionalización del Patrimonio Nacional como una categoría de bienes públicos individualizada y afectada primordialmente al servicio de la Corona. Justamente ese carácter público y la exclusiva titularidad estatal de los bienes han permitido al legislador el establecimiento de otras afectaciones secundarias, que atienden especialmente a los valores culturales y ambientales que incorpora un gran número de los bienes integrantes del Patrimonio Nacional.

Sin perjuicio de lo expuesto, convendrá no olvidar que el Patrimonio Nacional es la denominación que actualmente recibe un conjunto patrimonial que ha sido objeto de diversos —y contrapuestos— tratamientos legislativos en nuestro Derecho. Se trata, en gran medida, de una categoría históricamente decantada, por lo que bueno será recordar los principales hitos de esa historia a fin de obtener una imagen acabada del momento actual de la institución.

1. Aproximación histórica

Al emprender el estudio de la historia legislativa del Patrimonio Nacional, nada mejor que recordar con Martín BASSOLS COMA que en la misma se aprecia la existencia de una evolución que discurre "desde una preocupación inicial por demarcar el patrimonio de la Corona del patrimonio o caudal privado del Rey, hacia un planteamiento en el que surge un conflicto entre su atribución a la Corona como institución, o al Estado, para desembocar finalmente en la plena titularidad del Estado". Ciertamente, esa evolución no sigue un desarrollo lineal. Antes bien, la historia de la legislación relativa a este Patrimonio es una historia convulsa, como podremos observar.

A) El siglo XIX, primeras regulaciones generales bajo el signo desamortizador

La regulación normativa singularizada del "Patrimonio Nacional" ha de enmarcarse en el contexto de la racionalización del Estado propia del constitucionalismo. La nueva concepción del Derecho que esta doctrina política incorporaba había de coadyuvar a garantizar la limitación del poder, instrumento principal para la consecución de amplios espacios de libertad de los ciudadanos, en cuyas manos estaba revisar en cualquier instante el pacto fundacional de la sociedad. El tratamiento institucional de los diversos poderes, ahora ya en plural, será una de las más acabadas manifestaciones de esta novedosa realidad. Consecuentemente, si en la monarquía del Antiguo Régimen el Rey más que encarnación era auténtica hipóstasis del

Estado, en el Estado constitucional aquél sólo reina por la Ley y únicamente en su nombre puede exigir obediencia[7].

En el ámbito patrimonial, la superación de la identificación de la figura del Rey con el conjunto del Estado se plasmó particularmente en dos aspectos. Por una parte, a lo largo del convulso siglo XIX español se trató de superar las insuficiencias heredadas de la Real Hacienda del Antiguo Régimen; insuficiencias descritas con precisión por Eduardo GARCÍA DE ENTERRÍA al señalar que "en la organización financiera de la antigua Monarquía el Rey no cuenta con otros ingresos ordinarios que con las rentas patrimoniales y regalísticas; los llamados servicios o contribuciones generales sobre el Reino son ingresos extraordinarios". Por otra, se dispusieron las medidas oportunas para el mantenimiento de la persona del Rey y de la Casa Real.

El propósito de garantizar el sustento de la Casa Real halló reflejo en los primeros textos constitucionales españoles. Así sucedió tanto en la Constitución de Bayona de 1808 (arts. 21 a 24) como en la de Cádiz de 1812 (arts. 213 a 221). De la primera de ellas cabe destacar especialmente la consideración de los bienes integrantes del Patrimonio de la Corona como fuente de financiación de ésta y la configuración del tesoro de la Corona como algo separado del Tesoro Público[8]. Por el contrario, la Constitución de Cádiz omitía toda referencia a los bienes de la Corona como fuente de

---

[7] Así, en el art. 3 de la sección segunda del capítulo segundo del título tercero de la Constitución Francesa de 3 de septiembre de 1791 se afirmaba que "no existe en Francia autoridad superior a la de la Ley. El Rey no reina si no es por ella y sólo en su nombre de la Ley puede exigir obediencia". Como es sabido, la supremacía de la Ley ya había sido proclamada en la Declaración de Derechos del Hombre y del Ciudadano, de 26 de agosto de 1789. En nuestro constitucionalismo histórico, este sometimiento del Rey al "nuevo Derecho" se plasma en el art. 170 de la Constitución de 1812, conforme al cual "la potestad de hacer ejecutar las leyes reside exclusivamente en el Rey, y su autoridad se extiende a todo cuanto conduce a la conservación del orden público en lo interior, y a la seguridad del Estado en lo exterior, *conforme a la Constitución y a las leyes*".

[8] Así, de acuerdo con el art. 21, "el patrimonio de la Corona se compondrá de los palacios de Madrid, de El Escorial, de San Ildefonso, de Aranjuez, de El Pardo y de todos los demás que hasta ahora han pertenecido a la misma Corona, con los parques, bosques, cercados y propiedades dependientes de ellos, de cualquier naturaleza que sean. Las rentas de estos bienes entrarán en el tesoro de la Corona, y si no llegan a la suma anual de un millón de pesos fuertes, se les agregarán otros bienes patrimoniales, hasta que su producto o renta total complete esta suma". Además de esta fuente de financiación ordinaria, en el art. 22 se preveía un régimen de consignación presupuestaria, al establecer que "el Tesoro Público entregará al de la Corona una suma anual de dos millones de pesos fuertes, por duodécimas partes o mesadas".

ingresos, pues la financiación de la Familia Real corría a cargo de la lista civil recogida en el art. 213[9], asignándoles más bien una función propia de lo que se venía a denominar la "alta dignidad" de la persona del monarca. Concretamente, en el art. 214 se disponía que "pertenecen al Rey todos los palacios reales que han disfrutado sus predecesores, y las Cortes señalarán los terrenos que tengan por conveniente reservar para el recreo de su persona". Con independencia de las diferencias que cabe apreciar en el concreto contenido de sus disposiciones normativas, ambos textos constitucionales venían a poner de manifiesto el afán de un poder emergente por afirmar su supremacía; a partir de entonces, incluso el sustento de la persona del monarca quedaba supeditado a lo que regulara el legislador, regulación a través de instrumentos propios del Derecho público.

Los posteriores textos constitucionales del siglo XIX español se limitaron a reafirmar la competencia parlamentaria para fijar la dotación del Rey y de la familia real[10]. Por el contrario, guardaron absoluto silencio respecto del patrimonio de la Corona.

Este silencio constitucional no fue óbice para que las Cortes abordasen la regulación de dicho patrimonio mediante la aprobación de la Ley de 12 de mayo de 1865, fijando los bienes que habían de formar el Patrimonio de la Corona y ordenando la venta de los demás a favor del Estado. En esta primera regulación legislativa general del Patrimonio de la Corona, cuya impronta desamortizadora se aprecia ya en el propio título de la Ley, se procedió a una delimitación de los bienes que lo integraban y a dotarlo de un régimen jurídico específico.

Al primero de los objetos mencionados se atendía en el Título I de la Ley, rubricado "de la designación de los bienes del patrimonio de la Corona". Tras relacionar los bienes inmuebles que integraban dicho patrimonio (art. 1), e incorporar al mismo por ministerio de la Ley "todos los muebles

---

[9]   De acuerdo con dicho precepto, "las Cortes señalarán al Rey la dotación anual de su casa, que sea correspondiente a la alta dignidad". Aunque lo dispuesto en el art. 213 pudiera hacer pensar que la dotación tenía carácter anual, lo cierto es que el art. 220 recogía la regla del reinado, en línea con lo dispuesto en el incipiente constitucionalismo comparado. Así, el artículo primero de la sección primera del capítulo segundo del título primero de la Constitución Francesa de 1791 establecía el criterio de inalterabilidad de la lista civil durante el reinado.

[10] La fórmula reiterada en las sucesivas Constituciones monárquicas del siglo XIX fue la siguiente: "la dotación del Rey y de su familia se fijará por las Cortes al principio de cada reinado" (arts. 37 de la Constitución de 1837, 48 de la Constitución de 1852 y 57 de la Constitución de 1876). Únicamente la Constitución de 1869 rompió esta continuidad, al suprimir la mención a la familia real.

y semovientes contenidos en los palacios y otros edificios y predios enumerados en el art. 1" (arts. 2), se disponía la segregación de los cuarteles militares ubicados en los Reales Sitios y de "la parte del Real Sitio del Buen Retiro destinada a vía pública y a nuevas construcciones y proyectos de mejora y embellecimiento, aprobados ya por la Administración general de la Real Casa y por el Ayuntamiento de Madrid" (art. 3) y se ordenaba la formación de "un inventario detallado estimativo y descriptivo de todos los bienes inmuebles, muebles y semovientes, así como de todos los derechos incorporales comprendidos en los artículos 1 y 2 de esta ley" (art. 4)[11].

El régimen jurídico del Patrimonio de la Corona se definía en el Título II, que regulaba asimismo el "caudal privado del Rey". Conforme al art. 5, el Patrimonio de la Corona tenía el carácter de indivisible y los bienes que lo constituían se declaraban inalienables e imprescriptibles, quedando exentos de todo gravamen y responsabilidad. A su vez, el art. 15 declaraba que dicho Patrimonio "se regirá por las prescripciones generales del derecho, en cuanto no se opongan a lo dispuesto en esta ley". Por su parte, los arts. 17 a 21 sometían el caudal privado del Rey a las reglas de Derecho común[12].

Finalmente, el Título III se dedicaba a "la venta y aplicación de los bienes segregados del Real Patrimonio". El art. 22 declaraba en estado de

---

[11]   El art. 1 de esta Ley contenía la siguiente relación de bienes inmuebles integrados en el Patrimonio de la Corona:
"1° El Palacio Real de Madrid, con sus caballerizas, cocheras, parques, jardines y demás dependencias.
2° La Armería Real.
3° El Real Museo de pinturas y escultura.
4° Los Reales Sitios del Buen Retiro, la Casa de Campo y la Florida.
5° Los Reales Sitios del Pardo y San Ildefonso, con sus pertenencias.
6° El Real Sitio de Aranjuez con sus pertenencias y la yeguada existente en el mismo.
7° El Real Sitio de San Lorenzo, con su biblioteca y pertenencias.
8° La Real fortaleza de la Alhambra y el Alcázar de Sevilla, con sus pertenencias.
9° El jardín del Real de Valencia, los Palacios Reales de Valladolid, Barcelona y Palma de Mallorca, y el castillo de Bellver.
10° El patronato del monasterio de las Huelgas de Burgos con el Hospital del Rey; el patronato del convento de Santa Clara de Tordesillas y los demás patronatos y derechos honoríficos que hoy pertenecen a la Corona según las leyes y las declaraciones de las autoridades competentes".

[12]   En particular, el art. 17 disponía que "el Rey podrá adquirir toda clase de bienes por cuantos título establece el derecho. Los bienes de este caudal privado pertenecerán en pleno dominio al Rey. Estos bienes estarán sujetos a las contribuciones y cargas públicas, a las responsabilidades del orden civil y, en general a las prescripciones del derecho común".

venta "los predios rústicos y urbanos, los censos y cualesquiera otros bienes pertenecientes al Real Patrimonio, no comprendidos en los arts. 1 y 2 de esta Ley". Su enajenación había de efectuarse en pública subasta (art. 23), ingresándose el 75 por ciento del precio en el Tesoro público, en tanto que el 25 por ciento restante correspondía a la Real Casa (art. 24).

Las Cortes Constituyentes formadas tras la denominada Revolución de 1868 aprobaron la Ley de 18 de diciembre de 1869, que acentuaba los aspectos desamortizadores del texto de 1865. Concretamente, dicha Ley declaraba extinguido el Patrimonio de la Corona fundado por la Ley de 12 de mayo de 1865, cuyos bienes revertían "en pleno dominio" al Estado (art. 1), con la sola excepción de aquellos expresamente mencionados en el art. 2; excepción que atendía tanto a las funciones públicas —al servicio del Rey o del Estado— que dichos bienes cumplían, como a su valor histórico[13]. En el art. 14 figuraba una relación exhaustiva de los bienes destinados al uso y servicio del Rey y, por consiguiente, excluidos del proceso enajenador, y exentos de todo tipo de gravámenes (art. 17)[14]. Además, esta

---

[13]   De acuerdo con este precepto legal, quedaban fuera del proceso de enajenación los siguientes bienes:
"1° Los que se destinan al uso y servicio del Rey.
2° Los que por su carácter histórico o artístico deban conservarse.
3° Los que convenga destinar para servicio del Estado.
4° Aquellos que con arreglo a la ley de 9 de junio del presente año, se cedan para las servidumbres públicas y usos comunes de los pueblos enclavados en los territorios que fueron de la Corona".
La Ley de 9 de junio de 1869 mencionada fijaba el carácter y destino de los conventos, edificios y terrenos pertenecientes a la Nación.

[14]   Según el art. 14, se destinaban al "uso y servicio del Rey" los siguientes bienes:
"1° El Palacio Real de Madrid con los terrenos, edificios, construcciones y viajes de aguas que le son anejos comprendiendo el nuevo parque titulado Campo del Moro, salvo las servidumbres a que hoy está sujeto; la plaza de la Armería, las caballerizas y las cocheras con la plaza intermedia entre estos edificios y el Palacio, todo lo cual forma una sola zona, de la que se excluye la plaza de Oriente con sus jardines.
2° En la Casa de Campo, los edificios y terrenos comprendidos en los siguientes linderos: por el sudoeste, la cerca oriental del soto; por el oeste, el camino de los robles hasta su intersección con el camino de Valdera; por el norte, una línea que partiendo de la citada intersección llegue al sitio donde el ferrocarril del Norte hasta la cerca, y por los demás puntos la tapia exterior; quedando asimismo, para el servicio de la parte reservada, íntegro el aprovechamiento de las aguas que nacen en la posesión llamada Los Merques, y son necesarias para surtir los lagos y estanques.
3° El Sitio del Pardo, a excepción de los cuarteles de Visuales y de la Moraleja, y de los edificios que ocupe el Estado.
4° El Palacio de Aranjuez con los edificios anejos a su dependencia para caballerizas y aposentamiento, y en el mismo Sitio los jardines denominados Parterre, de la Isla, del

Ley suprimía los "derechos, prestaciones e impuestos de origen señorial" que todavía percibía "la Real Casa o sus causahabientes", precisándose que "para los efectos de esta ley, se reputan señoriales todas las prestaciones, cualquiera que sea su forma y denominación, que no procedan de un contrato libre en virtud del derecho de propiedad" (art. 6)[15].

La Restauración de la dinastía borbónica trajo consigo la vuelta al régimen de la Ley de 1865 mediante la promulgación de la Ley de 26 de junio de 1876, por la que se designaban los edificios, bienes y derechos que constituían el Patrimonio de la Corona[16]. Quedaban al margen de esta "devolución" las fincas enajenadas en aplicación de las previsiones de la Ley de 1869.

La evolución del tratamiento legislativo del Patrimonio de la Corona en el siglo XIX concluyó con el art. 342 CC, según el cual "los bienes del Patrimonio Real se rigen por su ley especial, y en lo que en ella no se halle previsto, por las disposiciones generales que sobre la propiedad particular se establecen en este Código". No parece adecuado ver en este último inciso la prédica implícita de la naturaleza privada de los bienes que nos ocupan, se trata, por el contrario, del lógico correlato de la consideración de las disposiciones del Código como Derecho común de supletoriedad general. En efecto, como bien ha apuntado Fernando SÁINZ MORENO, el precepto mencionado dejaba "en una cierta ambigüedad la naturaleza pública o privada de los bienes del Patrimonio Real".

Príncipe con la Casa del Labrador, y el área que comprende las doce calles de árboles que forman los paseos y las trasversales y accesorias a éstos.
5° El monasterio de San Lorenzo con su Palacio y huerta, el jardín y Casita de Abajo.
6° El Palacio de San Ildefonso con el jardín anejo cercado, y los nacimientos de aguas que surten sus estanques y fuentes, la Casa de Canónigos, las caballerizas y el coto de Riofrío con los edificios que comprende.
7° El Alcázar de Sevilla con sus jardines.
8° El Palacio Real de Mallorca con el castillo de Bellver".
Como principales novedades en contraste con la enumeración recogida en el art. 1 de la Ley de 12 de mayo de 1865 pueden destacarse la supresión de toda alusión a los patronatos y demás derechos honoríficos y la exclusión de determinados inmuebles, en particular los Palacios Reales de la Alhambra, Valencia y Barcelona.

[15] En el art. 19 se regulaba el "caudal del Rey", en régimen de Derecho común.
[16] En el ínterin, durante la breve existencia de la República, debe citarse el Decreto de 28 de julio de 1873, por el que se creó, en el Ministerio de Hacienda, la Dirección del Patrimonio que se reservó al último Monarca, tras la Restauración, el Decreto de 14 de enero de 1875 devolvió la administración de estos bienes a la Real Casa.

B) El siglo XX, la afirmación de la titularidad estatal

Durante las tres primeras décadas del pasado siglo, el régimen general del Patrimonio de la Corona se mantuvo invariable, sucediéndose únicamente intervenciones sobre bienes concretos[17]. Sin embargo, la proclamación de la República el 14 de abril de 1931 imponía la necesidad de dar un nuevo tratamiento a dicho patrimonio.

Como primer paso, el Gobierno provisional procedió a constituir, mediante Decreto de 20 de abril de 1931, Comisiones en las diversas provincias donde radicaban los inmuebles "a fin de realizar la incautación por el Estado de los bienes del Patrimonio que fue de la Corona de España" (art. 1); dichas Comisiones quedaban asimismo encargadas de supervisar la custodia, conservación y administración de los bienes, hasta tanto se dictara una nueva regulación (art. 2)[18]. Meses más tarde, un nuevo Decreto de 18 de agosto de 1931 disponía la reversión al Estado de los bienes inmuebles y derechos reales que un monarca español hubiera entregado en anticresis o una forma prestaticia análoga.

La nueva regulación general, anticipada por el Decreto de incautación de 20 de abril de 1931, fue aprobada por la Ley de 22 de marzo de 1932, donde se establecía el régimen de administración del Patrimonio de la República. El ámbito de aplicación de este nuevo régimen se definía en el art. 2 en los siguientes términos:

> "Se considerarán incluidos en dicho patrimonio cuantos bienes del Estado venía disfrutando la ex real casa a excepción de los siguientes:
>
> 1° Aquellos cuya eliminación hubiere sido acordada o ratificada anteriormente por medio de una Ley.
>
> 2° Los correspondientes a los extinguidos reales Patronatos, administrados en la actualidad por el Ministerio de la Gobernación, en cumplimiento de lo dispuesto por Decreto de 22 de abril último.
>
> 3° Aquellos cuya cesión se considere absolutamente necesaria para el desenvolvimiento urbano de los municipios donde radican".

---

[17]   Intervenciones que traían causa del desarrollo urbanístico de los municipios en los que estaban ubicados dichos bienes. Entre ellas cabe mencionar ahora la autorización, mediante Real Decreto-Ley de 13 de abril de 1926, de una permuta de terrenos pertenecientes al Estado sitos en la finca "La Moncloa" por otros de la finca "Casa de Campo" del Patrimonio Real.

[18]   Por otro Decreto de la misma fecha el Gobierno provisional cedió al Ayuntamiento de Madrid "para que sean destinados a parques de recreo e instrucción los terrenos de la 'Casa de Campo' y del 'Campo del Moro', sitos en esta capital" (art. 1).

Dos extremos interesa destacar del precepto transcrito. En primer lugar, la afirmación de la titularidad estatal de los bienes, que en las circunstancias políticas en las que se efectúa ha de considerarse innecesaria como título de intervención, por lo que parece más pensada para reafirmar la superación del régimen caído. En segundo lugar, sorprende el hecho de que la referencia expresa al desarrollo urbanístico sirva únicamente a los efectos de prever la cesión de inmuebles y no como criterio general integrador de los mismos en el proceso urbanizador[19].

Especial interés reviste la nueva regulación del destino de los bienes del Patrimonio de la República, toda vez que, conforme al art. 4 de la Ley, los mismos "se destinarán principalmente a fines de carácter científico, artístico, sanitario, docente, social y de turismo, en relación con la especial naturaleza de cada uno de ellos y sin perjuicio del rendimiento económico que pueda proporcionar". Estos usos públicos se compatibilizaban en la propia Ley con la utilización de determinados inmuebles para oficinas y dependencias gubernamentales y para residencia del Jefe del Estado[20].

Tras la Guerra Civil, se dictó la Ley de 7 de marzo de 1940, restableciendo a la plenitud de su tradicional significación los bienes constitutivos del antiguo Patrimonio de la Corona, en adelante denominado Patrimonio Nacional[21]. Se integraban en el mismo los bienes inmuebles relacionados en el art. 1[22] de la Ley, "todos los muebles y semovientes contenidos en

---

19 El art. 13 preveía la posibilidad de ceder a "los municipios de los antiguos reales sitios las extensiones de terrenos necesarias y que se juzguen convenientes para desenvolver sus núcleos urbanos".

20 El art. 5 preveía la dedicación del Palacio Real de Madrid a museos "y a las oficinas y dependencias que el Gobierno considere pertinente". A su vez, el art. 6 autorizaba al Presidente de la República a habitar el Palacio de la Zarzuela "en las épocas que tenga por conveniente", contemplándose la posibilidad de que en el mismo se alojasen "los Jefes de Estado y otras personalidades extranjeras", en tanto se destinaba el Palacio de la Granja a residencia veraniega del Jefe del Estado (art. 7).

21 En realidad, el cambio de denominación ya se había producido por la Ley de 15 de junio de 1939, que modificaba la Ley de 23 de mayo de 1936, relativa al Consejo de Administración del Patrimonio de la República.

22 Establecía el citado precepto legal:
"Bajo el nombre de 'Patrimonio Nacional" constituirán un todo o unidad jurídica indivisible, que se regirá por lo dispuesto en esta Ley, los bienes siguientes:
"Primero.– El Palacio de Oriente y Parque del Campo del Moro.
Segundo.– El Monte y Palacio de El Pardo, con la Casita del Príncipe, Zarzuela y predio denominado La Quinta.
Tercero.– El Palacio de La Granja y edificios sitos en San Ildefonso. El Palacio de Riofrío, con sus aprovechamientos de arbolados, pastos y caza. El pinar y las matas de Balsaín.

los palacios, edificios y predios enumerados en el artículo anterior, salvo los pertenecientes a los arrendatarios, concesionarios, empleados y dependientes" (art. 2) y una serie de patronatos enumerados en el art. 3. Estos bienes, que constituían "una unidad económica con subsistencia propia" (art. 7), se declaraban inalienables, imprescriptibles y no sujetos "a ningún gravamen real ni a ninguna otra responsabilidad", si bien se preveía la enajenación mediante Decreto de "aquellos inmuebles que carezcan de valor artístico o histórico y no sean aptos, por su naturaleza y la cuantía de sus productos, para ser mantenidos en el Patrimonio" (art. 5), quedando "adscritos en la parte que sean adecuados al uso y servicio del Jefe del Estado"[23]. De la administración de este Patrimonio se encargaba un "Consejo de régimen autónomo" creado por el art. 9 y cuyo reglamento se aprobó por Orden de 4 de abril de 1942[24].

La norma de 1940 supuso el retorno al régimen de la Ley de 12 de mayo de 1865. Prácticamente con la sola excepción del cambio de denominación de esta masa de bienes, las disposiciones de la Ley de 1940 no hacen sino reproducir lo establecido setenta y cinco años antes, llegándose al punto de reiterar la previsión de elaboración de "un inventario descriptivo

---

Cuarto.– El Palacio de Aranjuez y Casita del Labrador con sus edificios y jardines. Los predios denominados Sotomayor, Legamarejo y demás fincas rústicas.

Quinto.– El Palacio de San Lorenzo de El Escorial, la Casita llamada del Príncipe, con huerta y terrenos de labor, así como el edificio y jardines de la Casita de Arriba.

Sexto.– Las fincas urbanas de Sevilla.

Séptimo.– El Palacio de la Almudaina y jardines en Palma de Mallorca (Baleares).

Octavo.– Aquellos otros bienes menores no mencionados, pertenecientes al Patrimonio y los que en lo sucesivo pudieran resultar de la pertenencia de dicho Patrimonio, o fuesen incorporados al mismo".

[23] La recuperación de este destino tradicional se avanzaba en el preámbulo de la Ley en los siguientes términos: "los bienes constitutivos del antiguo Patrimonio de la Corona estuvieron asignados al uso y servicio del Jefe del Estado, como la más elevada representación nacional. Al modificarse ésta con la República, la Ley de veintidós de marzo de mil novecientos treinta y dos los desvinculó de su antiguo y propio destino, dándoles aplicaciones varias, sin sentido útil unas, partidistas y sectarias otras. Recobrada por la Jefatura del Estado la plenitud de su tradicional significación debe volver el antiguo Patrimonio de la Corona a servir en el alto fin para que fue constituido". Aun teniendo presente el contexto histórico en el que se dicta la Ley de 1940, sorprende esta contundente descalificación de los fines enumerados en el art. 4 de la Ley de 22 de marzo de 1932, que eran, recuérdese, "de carácter científico, artístico, sanitario, docente, social y de turismo".

[24] Dicho reglamento, calificado de provisional, estuvo vigente hasta su derogación por el Reglamento de la Ley 23/1982, de 16 de junio, reguladora del Patrimonio Nacional, aprobado por el Real Decreto 496/1987, de 18 de marzo.

y estimativo de todos los bienes inmuebles, muebles y semovientes" (art. 4), reproduciendo casi literalmente los términos del art. 2 de la Ley de 1865[25].

Con la Ley de 1940 se cierra la evolución de la legislación histórica en la materia. Una evolución de marcado carácter pendular, en la que cabe identificar la existencia de dos líneas que se entrecruzan, con algunos elementos comunes. Así, la primera de dichas líneas estaría constituida por las Leyes de 1865, 1876 y 1940, en cuanto que estas dos últimas restablecen el régimen diseñado en aquélla, y en ella se acentúa la posición no sólo del Jefe del Estado sino también de la Real Casa o de la Casa Civil de la Jefatura del Estado; la segunda línea uniría a las Leyes de 1869 y 1932, en éstas se reduce notablemente la dimensión del Patrimonio y, al definirse con mayor precisión los fines a los que debe servir, se introducen novedades de particular interés pues en tanto la Ley de 1869 hacía referencia exclusiva al Rey, omitiendo toda mención a la Familia Real, en el caso del texto republicano se primaba la atención a necesidades de carácter social, cultural y análogas sobre las de alta representación de la Jefatura del Estado.

El principal de esos elementos comunes a los que se ha hecho mención y que muestra una cierta coherencia en la evolución legislativa tiene que ver con la progresiva afirmación de la titularidad estatal de los bienes integrantes del Patrimonio y su sometimiento a un régimen eminentemente de Derecho Público. Si en las Leyes aprobadas durante la segunda mitad del siglo XIX, esta afirmación se llevaba a cabo distinguiendo esta institución del "caudal privado del Rey", que se regía por el Derecho común, en las dos Leyes anteriores a la vigente Constitución, esa titularidad y régimen jurídico públicos parecen incuestionables dadas las circunstancias políticas en las que se adoptaron.

---

[25] Con independencia de que, como ha podido observarse, la relación de bienes integrantes del Patrimonio de la Corona o de la República se había incorporado a todas las Leyes que se sucedieron con anterioridad, lo que de por sí permitía cuestionarse el sentido de la reproducción de esta previsión, debe advertirse que mientras en la Ley de 1865 ese inventario tenía la finalidad de deslindar los bienes del Patrimonio de la Corona de los pertenecientes al Estado, en la Ley de 1940 el apartado octavo del art. 1 permitía la incorporación de nuevos bienes al Patrimonio Nacional, por lo que carecía de toda lógica mantener la consideración del inventario como una relación cerrada y acaba de una masa de bienes que se podía incrementar al amparo de esa previsión legal.

2. *Regulación vigente*

Lo primero que llama nuestra atención al examinar la regulación actual de la masa de bienes que nos ocupa es la recepción de las distintas líneas tradicionales a las que se ha hecho referencia. Así, al tiempo que se ha aceptado acríticamente una denominación, la de Patrimonio Nacional, carente de tradición en nuestro Derecho y que responde a los planteamientos ideológicos del régimen dictatorial surgido de la Guerra Civil, la expresa referencia que al mismo se hace en el art. 132.3 CE entronca con los textos del primer constitucionalismo español. Finalmente, el intento por hacer compatibles los usos propios de la Jefatura del Estado con el disfrute público de los valores culturales que incorporan muchos de los bienes que lo integran compagina las tradiciones monárquica y republicana.

A) El artículo 132.3 de la Constitución

Como ha podido apreciarse en la evolución legislativa del Patrimonio Nacional expuesta en el apartado anterior, una regla como la contenida en el art. 132.3 CE, apenas cuenta con antecedentes en nuestro constitucionalismo histórico. Hasta el punto de que tras las someras regulaciones incorporadas a las primeras Constituciones de Bayona y Cádiz, ninguno de los textos fundamentales posteriores hizo referencia a esta institución. Parece, pues, oportuno preguntarse por el sentido y alcance de su constitucionalización.

El actual art. 132.3 CE trae causa de una enmienda presentada por el grupo parlamentario de UCD en la Comisión de Constitución del Senado. Como consecuencia de su aceptación, se introdujo un nuevo párrafo en el art. 46 del siguiente tenor: "el Patrimonio Nacional es una unidad indivisible, cuyos bienes serán inalienables e imprescriptibles. Su régimen y administración serán objeto de una ley".

Esta inicial ubicación sistemática del precepto ponía de relieve hasta qué punto era el valor cultural que incorporaban los bienes integrantes del Patrimonio Nacional aquello que se consideraba digno de merecer protección constitucional. Al respecto, debe recordarse que en el turno de defensa de la enmienda el Senador Chueca y Goitia hizo hincapié en que el Patrimonio Nacional "hoy es un bien cultural al servicio del pueblo español para su disfrute e ilustración"[26].

---

[26] *Constitución Española: trabajos parlamentarios*, Servicio de Publicaciones de las Cortes Generales, Madrid, 1980, tomo III, p. 3500.

Esta preocupación por el valor cultural del Patrimonio Nacional no se reflejó en la redacción final del precepto resultante de los trabajos de la Comisión mixta Congreso-Senado, que pasó a ser el apartado tercero del art. 132, dedicado a los bienes públicos, e integrándose en el Título VII *Economía y Hacienda* ("Por ley se regularán el Patrimonio del Estado y el Patrimonio Nacional, su administración defensa y conservación"). No obstante, como bien ha hecho notar BASSOLS COMA, "la tensión entre el encuadramiento histórico-cultural del Patrimonio Nacional y su tratamiento como puro fenómeno hacendístico-patrimonial pervivirán con posterioridad a la promulgación de la Constitución".

Debe hacerse notar, por otro lado, que la Constitución de 1978 se aparta de los únicos antecedentes existentes en nuestro constitucionalismo histórico y opta por ubicar en títulos distintos la lista civil o dotación de la Corona (art. 65) y el Patrimonio Nacional. En esta opción sistemática se prima la titularidad estatal del Patrimonio Nacional y su pertenencia a una especie común, los bienes públicos, por encima de su afectación al uso y servicio de la Jefatura del Estado. Examinado el precepto desde esta perspectiva metodológica, cabe añadir que sólo en aras de simplificación del texto constitucional puede explicarse su mención conjunta con el Patrimonio del Estado pues, en efecto, las notables diferencias existentes entre una y otra especie de bienes públicos no son obstáculo para extender a ambas la reserva de Ley que establece el precepto constitucional[27].

B) Bienes integrantes del Patrimonio Nacional

Actualmente, el Patrimonio Nacional se encuentra regulado por la Ley 23/1982, de 16 de junio, parcialmente modificada por la Ley 44/1995, de 27 de diciembre. De acuerdo con lo dispuesto en el art. 2 de la misma, "tienen la calificación jurídica de bienes del Patrimonio Nacional los de titularidad del Estado afectados al uso y servicio del Rey y de los miembros de la Real Familia para el ejercicio de la alta representación que la Constitución

---

[27] El sentido de lo dispuesto en el art. 132.3 CE ha sido captado en la STC 58/1982, de 27 de julio, donde se indica que este precepto "no es ciertamente una norma atributiva de competencia, sino una reserva de Ley, es decir, al tiempo, un mandato al legislador para regular el régimen jurídico del Patrimonio del Estado y del Patrimonio nacional, de su 'administración, defensa y conservación' y una interdicción al Gobierno, como titular de la potestad reglamentaria (artículo 97 de la Constitución), de proceder a una regulación *praeter legem*" (FJ 1).

y las demás leyes les atribuyen"[28]. Asimismo, "se integran en el citado Patrimonio los derechos y cargas de Patronato sobre las Fundaciones y Reales Patronatos" mencionados en dicha Ley.

Esta delimitación genérica de los bienes y derechos que integran el Patrimonio Nacional es precisada en los arts. 4 y 5 de la Ley. Así, conforme al primero de dichos preceptos,

"Integran el Patrimonio Nacional los siguientes bienes:
1. El Palacio Real de Oriente y el Parque de Campo del Moro.
2. El Palacio Real de Aranjuez y la Casita del Labrador, con sus jardines y edificios anexos.
3. El Palacio-Real de San Lorenzo de El Escorial, el Palacete denominado la Casita del Príncipe, con su huerta y terrenos de labor, y la llamada 'Casita de Arriba', con las Casas de Oficios de la Reina y de los Infantes.
4. Los Palacios Reales de la Granja y de Riofrío y sus terrenos anexos.
5. El monte de El Pardo y el Palacio de El Pardo, con la Casita del Príncipe. El Palacio Real de la Zarzuela y el predio denominado "La Quinta", con su palacio y edificaciones anexas; la Iglesia de Nuestra Señora del Carmen, el Convento de Cristo y edificios contiguos.
6. El Palacio de la Almudaina con sus jardines sito en Palma de Mallorca.
7. Los bienes muebles de titularidad estatal, contenidos en los reales palacios o depositados en otros inmuebles de propiedad pública, enunciados en el inventario que se custodia por el Consejo de Administración del Patrimonio Nacional.
8. Las donaciones hechas al Estado a través del Rey y los demás bienes y derechos que se afecten al uso y servicio de la Corona.
Para la exacta delimitación de los bienes enumerados en los seis primeros apartados de este artículo, se atenderá al perímetro fijado por los correspondientes decretos de declaración de conjunto histórico-artístico. En su defecto, se seguirá el criterio de preservar la unidad del conjunto monumental.

---

[28] El alcance de la noción "Real Familia" ha de inferirse a partir de lo dispuesto en el Real Decreto 2917/1981, de 27 de noviembre, por el que se regula el Registro Civil de la Familia Real, en el que "se inscribirán los nacimientos, matrimonios y defunciones, así como cualquier otro hecho o acto inscribible con arreglo a la legislación sobre Registro Civil, que afecten al Rey de España, su Augusta Consorte, sus ascendentes de primer grado, sus descendientes y al Príncipe heredero de la Corona" (art. 1) y en el Real Decreto 1368/1987, de 6 de noviembre, por el que se establece el régimen de títulos, tratamientos y honores de la Familia Real y de los Regentes, que incluye entre los miembros de aquélla también a los hijos de los Infantes de España (art. 4), título que reciben tanto los hijos de "los hijos del Rey que no tengan la condición de Príncipe o Princesa de Asturias", como los hijos de éstos (art. 3.1). La afectación de los bienes del Patrimonio Nacional al uso y servicio tanto del Rey como de la Real Familia resulta coherente con la regulación establecida en otras épocas monárquicas, tradición de la que sólo se apartó la Ley de 18 de diciembre de 1869, que omitía toda referencia a la Familia Real. Adviértase, en todo caso, que el régimen de afectación se vincula a las funciones encomendadas por la Constitución y las leyes, lo que descarta la pervivencia de ningún residuo de dominio privativo.

A los efectos de esta Ley se entiende por 'Monte de El Pardo' la superficie de terreno que, bajo este nombre, aparece descrita en los planos del Instituto Geográfico Nacional".

Esta relación de bienes se completa con la incorporación de los no incluidos en el Patrimonio del Estado "salvo en el caso de los montes, cuya titularidad quedará transferida al Instituto Nacional para la Conservación de la Naturaleza" (disposición transitoria segunda).

Por su parte, el art. 5 enumera los derechos de patronato que se integran en el Patrimonio Nacional; denominados Reales Patronatos:

"Forman parte del Patrimonio Nacional los derechos de patronato o de gobierno y administración sobre las siguientes Fundaciones, denominadas Reales Patronatos:
   1. La Iglesia y Convento de la Encarnación.
   2. La Iglesia y Hospital del Buen Suceso.
   3. El Convento de las Descalzas Reales.
   4. La Real Basílica de Atocha.
   5. La Iglesia y Colegio de Santa Isabel.
   6. La Iglesia y Colegio de Loreto, en Madrid, donde también radican los citados en los apartados precedentes.
   7. El Monasterio de San Lorenzo de El Escorial, sito en dicha localidad.
   8. El Monasterio de Las Huelgas, en Burgos.
   9. El Hospital del Rey, sito en dicha capital.
   10. El Convento de Santa Clara, en Tordesillas.
   11. El Convento de San Pascual, en Aranjuez.
   12. El Copatronato del Colegio de Doncellas Nobles, en Toledo".

Abstracción hecha de que en algún momento haya podido sostenerse que "todas las iglesias de España son del Real Patronato", basando esta afirmación en la ley 18, partida 1, título 5 de Las Partidas, lo cierto es que estos Reales Patronatos tienen por objeto establecimientos originariamente fundados por miembros de la familia real. Con respecto a aquellas otras Fundaciones cuyo Patronato correspondiera con anterioridad al Jefe del Estado, y a pesar de que la Ley debe descartarse su integración en el Patrimonio Nacional[29]. Esta es, al menos, la doctrina mantenida por el Tribunal Supremo en sendas Sentencias de la Sala de lo Contencioso-Administrativo (Sección Segunda) de 2 de octubre de 1989 y 26 de enero de 2001. En la

---

[29]   Obviamente, tampoco se integra en el Patrimonio Nacional el Patronato Real de la Gruta y Sitio de Covadonga, actualmente regulado por la Ley del Principado de Asturias 2/1987, de 8 de abril y en la que se atribuye la Presidencia de Honor al Príncipe de Asturias.

primera de ellas, dictada en un recurso en interés de la Ley interpuesto por el Abogado del Estado, se sienta el siguiente criterio:

"Respecto de la integración, anterior a la entrada en vigor de la Ley 23/82 de la 'Fundación Generalísimo Franco-Industrias Artísticas Aplicadas' en el Patrimonio Nacional, se ha de precisar que si bien la Ley de la Jefatura del Estado de 7 de marzo de 1940, reguladora del Patrimonio Nacional, en su art. 1 dispone que bajo el nombre de 'Patrimonio Nacional', constituirán un todo o unidad jurídica indivisible, que se regirá por lo dispuesto en esta Ley, entre otros bienes aquellos bienes menores no mencionados entre los pertenecientes al Patrimonio y los que en lo sucesivo pudieran resultar de la pertenencia de dicho Patrimonio o fuesen incorporados al mismo, permitió la integración en tal Patrimonio de la Fundación Generalísimo Franco, mediante un acto formal derivado del propio contenido de la Ley de 7 de marzo de 1940, en función del acto de la Jefatura del Estado contenido en la escritura de 4 de diciembre de 1962, que al modificar el art. 5 de los estatutos precisó que el Patronato de la Fundación citada corresponde al Jefe del Estado y al igual que los Patronatos a que se refiere la Ley de 7 de marzo de 1940 quedará integrado en el Patrimonio Nacional, sin embargo, la Ley 23/82, que configura, define, *ex novo* y señala lo que constituye el Patrimonio Nacional, en sus arts. 4 y 5 especifica qué bienes y qué Reales Patronatos integran el Patrimonio Nacional, entre los que no se menciona entre los de aquéllos ni entre éstos, a la 'Fundación Generalísimo Franco-Industrias Artísticas Aplicadas', por lo que hay que entender que la nueva regulación legal no contempla como elemento integrante o configurador del Patrimonio Nacional, la Fundación Generalísimo Franco, que al no estar comprendida expresamente entre los bienes y derechos que citan los arts. 4 y 5, ha de considerarse excluida del Patrimonio Nacional, sin que para ello se necesite, como erróneamente se precisa en la sentencia apelada, un mandato o declaración expresa excluyente, pues la exclusión se produce, tácitamente, por definición legal, al no estar comprendida la 'Fundación Generalísimo Franco-Industrias Artísticas Aplicadas', entre los bienes que se expresan en el art. 4, ni entre los derechos de patronato o gobierno y administración sobre las Fundaciones que el artículo 5 nominativamente, y de forma concreta y específica singulariza, sin que pueda entenderse incluidos en uno y otro nada más que los que la Ley reguladora contempla, por ello la exigencia de un acto expreso en la Ley 23/82 que la sentencia apelada requiere como elemento dispersivo o excluyente, ha de considerarse gravemente dañosa y errónea, procediendo la estimación del recurso de apelación en interés de la Ley deducido por el señor Abogado del Estado y la corrección de tal doctrina en el sentido de entender excluida por ministerio de la Ley, —al no estar la 'Fundación Generalísimo Franco-Industrias Artísticas Aplicadas', recogida entre los bienes y derechos que se mencionan en los arts. 4 y 5 de la Ley citada—, del Patrimonio Nacional la citada Fundación la cual desde dicho momento, esto es desde la entrada en vigor de la Ley 23/82, tiene una personalidad jurídica independiente de la del Patrimonio Nacional y totalmente separada de éste, con las consecuencias jurídicas en orden a las relaciones *ad intra* y *ad extra* que de ello puedan derivarse, sin que a estas consideraciones, empezca el hecho que S. M. el Rey mediante escritura otorgada el 22 de mayo de 1984, modifique el art. 5 de sus estatutos en el sentido de encomendar el Patronato de la Fundación al Consejo de Administración del Patrimonio Nacional, pues ello ha de entenderse como una atribución del órgano de gobierno a quien se entiende que mejor, por su especialidad, se considera que puede desempeñar el cometido o labor de gestión de dicha Fundación debiendo de observarse que en dicha reforma, consecuentemente con lo establecido en la Ley

23/82, al no incluirse a la Fundación Generalísimo Franco, como formando parte del Patrimonio Nacional, se suprime la expresión 'quedará integrado en el Patrimonio Nacional', supresión harto elocuente de que la nueva regulación legal consideró a tal Fundación excluida del conjunto de bienes y derechos que integran a partir de la citada Ley 23/82, el Patrimonio Nacional, y sin que a ello obste el hecho de que a los funcionarios u obreros de la citada Fundación se les expidieran credenciales o se les otorgasen contratos de arrendamientos en razón de la relación jurídica entre aquélla y éstos mantenida y derivada de la legislación anterior pues ello era conforme a la regulación legal por entonces existente y que la Ley 23/82, modifica en el sentido que hemos apuntado, mas sin que ello pueda significar el mantenimiento o persistencia de un patrimonio y relaciones jurídicas vinculadas al conjunto de bienes y derechos que por la nueva Ley hacen configurar y constituir lo que es llamado 'Patrimonio Nacional' y al que la citada Ley da nueva regulación." (Fundamento de Derecho Cuarto).

La extensión de la cita se justifica no sólo por el valor doctrinal que el criterio tiene, al haber sido formulado en un recurso en interés de la Ley, sino también porque ayuda a comprender el sentido de la disposición final tercera, en cuanto atribuye al Consejo de Administración del Patrimonio Nacional el Patronato de la Fundación de la Santa Cruz del Valle de los Caídos, constituida por Decreto-ley de 23 de agosto de 1957.

C) Régimen jurídico de los bienes y derechos integrantes del Patrimonio Nacional. Especial atención a la preservación de los valores culturales y ambientales

El art. 2 de la Ley 23/1982 declara que la titularidad de los bienes del Patrimonio Nacional corresponde al Estado. Con esta declaración el precepto legal viene a cristalizar la evolución legislativa en la materia, conforme a lo dispuesto en el art. 132.3 CE. En el caso de los Reales Patronatos, su "integración" —según la expresión empleada en el art. 2— en el ahora denominado Patrimonio Nacional trae causa de su tradicional adscripción a la Corona[30].

---

[30] Como se recordará, los Reales Patronatos formaban parte del Patrimonio de la Corona en las Leyes de 1865 y 1876, quedando excluidos del mismo tanto en la Ley de 1869 como en la reguladora del Patrimonio de la República de 1932. La distinción plasmada en el art. 2 de la Ley de 1982 tiene como antecedente directo el régimen establecido en la Ley de 1940, cuyo art. 1 relacionaba los bienes que "bajo el nombre de Patrimonio Nacional constituirán un todo o unidad jurídica indivisible", en tanto el art. 3 enumeraba los patronatos que "se comprenderán asimismo en el Patrimonio". Entonces el criterio básico de distinción era el de la indivisibilidad de la masa de bienes del Patrimonio Nacional frente a la sustantividad propia de cada uno de los patronatos históricos.

Por ello, únicamente se incluyen en el Patrimonio Nacional los Patronatos de carácter histórico relacionados en el art. 5[31].

Esta distinción tiene su correlato en las diferencias de régimen jurídico existentes entre una y otra categoría.

Así, por lo que se refiere a los derechos de Patronato, el art. 7.1 remite expresamente al contenido "determinado en sus cláusulas fundacionales", precisándose que, en caso de insuficiencia de éstas, "comprenderá con toda amplitud las facultades de administración de las Fundaciones respectivas". En ese mismo apartado se atribuye al Rey el Protectorado de dichas Fundaciones, mientras que en el apartado segundo del mismo artículo se extiende a los bienes de las Fundaciones "destinados al cumplimiento directo de sus respectivos fines" el régimen de exenciones fiscales de los del dominio público del Estado[32].

---

[31]   Por consiguiente, no se integran en el Patrimonio Nacional los Reales Patronatos de creación legal. A título de ejemplo puede citarse el Real Patronato del Museo Nacional del Prado, regulado por la Ley 46/2003, de 25 de noviembre.

[32]   Desarrollan lo dispuesto en este precepto legal los arts. 48 a 58 del Reglamento de la Ley 23/1982, aprobado por RD 496/1987, de 18 de marzo. Amén de la lógica primacía otorgada en estas disposiciones reglamentarias al cumplimiento de la voluntad del fundador, es de destacar lo previsto en el art. 57: "el Protectorado, a propuesta del Consejo de Administración del Patrimonio Nacional y previo dictamen del Consejo de Estado, podrá acordar la modificación, fusión o extinción de los Reales Patronatos cuando así lo exija el mejor cumplimiento de los fines fundacionales, o cuando concurran los supuestos contemplados en el artículo 39 del Código Civil". Toda vez que el Protectorado de estas Fundaciones "corresponde al Rey", a tenor de lo dispuesto en el art. 7.2 de la Ley, esta previsión causa sorpresa desde el punto de vista procedimental. En primer lugar, porque lo dispuesto en este precepto reglamentario carece de cobertura alguna en la Ley que desarrolla, siendo así que, de conformidad con el art. 2.2 de la Ley Orgánica 3/1980, de 22 de abril, del Consejo de Estado (en adelante, LOCE), la consulta preceptiva —carácter que sin ningún género de dudas reviste la regulada en el precepto reglamentario que nos ocupa— únicamente por Ley puede establecerse [de entre la relación de disposiciones vigentes que preceptúan la audiencia al Consejo de Estado, publicada por Resolución de la Presidencia del Alto Cuerpo Consultivo de 6 de julio de 2000, únicamente la que ahora nos ocupa carece de esa cobertura legal, pues incluso en el caso de la recogida en el art. 4.5 del Reglamento Interno del Banco de España, esta consulta se explica por la consideración de las Circulares Monetarias como reglamentos ejecutivos de las leyes; al respecto, me permito remitir al lector interesado a mi trabajo "Las potestades normativas del Banco de España tras la aprobación de su reglamento interno", Revista de Derecho Bancario y Bursátil, núm. 67 (1997), pp. 678 y s.]. En segundo lugar, porque, habida cuenta de que, según el art. 20.1 LOCE, los únicos miembros facultados para consultar al Consejo de Estado son *el Gobierno o sus miembros* y los Presidentes de las CC AA, parece que la consulta habrá de elevarse por intermedio del Ministro de la Presidencia, pues es a este Departamento Ministerial al que está adscrito el Consejo de Administración del Patrimonio Nacional conforme

Los "bienes y derechos" del Patrimonio Nacional se rigen por su Ley específica, y el Reglamento de desarrollo (aprobado por Real Decreto 496/1987, de 18 de marzo), siéndoles aplicable "con carácter supletorio, la Ley del Patrimonio del Estado" (art. 6.1). En la actualidad, esta remisión ha de entenderse hecha a la Ley 33/2003, de 3 de noviembre, del Patrimonio de las Administraciones Públicas, en virtud de lo establecido en su disposición adicional cuarta, que predica esa función supletoria igualmente de sus normas de desarrollo[33].

Especial interés reviste lo dispuesto en el art. 6.2, donde se predican los caracteres de los bienes y derechos del Patrimonio Nacional. A partir de los mismos, y toda vez que sintetizan el régimen tradicional del dominio público, su calificación como demaniales parece obligada, más allá de la ausencia de una expresa calificación legal en tal sentido, en particular si atendemos al sentido último que encierra la incorporación de un bien al dominio público. Conforme se dispone en el precepto legal antes mencionado[34],

---

a lo dispuesto en el art. 2.3 del RD 776/2002, de 26 de julio. Pero esto sólo resuelve parcialmente el problema que deja abierto el art. 57, puesto que, según 2.5 LOCE, corresponde "en todo caso al Consejo de Ministros resolver en aquellos asuntos en que, siendo preceptiva la consulta al Consejo de Estado, el Ministro consultante disienta del parecer del Consejo", regla plenamente coherente con la caracterización constitucional del Consejo de Estado como "supremo órgano consultivo del Gobierno" (art. 107 CE). Sin embargo, en el supuesto que nos ocupa la resolución de la discrepancia no compete al Consejo de Ministros, sino al Protectorado, es decir, al Rey. La alteración de la lógica constitucional a la que responde el diseño de las instituciones implicadas en el procedimiento regulado en el art. 57 difícilmente se explica por la relevancia de la cuestión sobre la que versa la consulta al Consejo de Estado.

[33] Por otra parte, como ya se ha reseñado anteriormente, ningún reparo debe oponerse al distinto tratamiento que en esta disposición adicional se recoge entre los bienes del Patrimonio Nacional y los propios del Consejo de Administración del Patrimonio Nacional. Para los primeros, se perfila el alcance del Derecho supletorio, en cuanto que *Derecho común de los bienes públicos*, mientras que para los segundos la referida disposición adicional *in fine* ordena que este Organismo se ajuste a la Ley 33/2003 y sus normas de desarrollo "en el régimen de gestión de sus bienes propios".

[34] En el art. 6 del Reglamento se predica de estos bienes su inalienabilidad, imprescriptibilidad e inembargabilidad, añadiéndose que "en general, gozarán de las prerrogativas de los bienes del dominio público estatal". La demanialidad de estos bienes, cuando menos de los montes, se afirma expresamente en la Disposición adicional segunda.1 de la Ley 43/2003, de 21 de noviembre, de Montes, conforme a la cual "los montes del Estado que pertenecen al dominio público por afectación al Patrimonio Nacional se rigen por su legislación específica, siéndoles de aplicación lo dispuesto en esta Ley cuando ello no sea contrario a los fines a los que fueron afectados".

"2. Los bienes y derechos integrados en el Patrimonio Nacional serán inalienables, imprescriptibles e inembargables, gozarán del mismo régimen de exenciones
tributarias que los bienes de dominio público del Estado, y deberán ser inscritos en el
Registro de la Propiedad como de titularidad estatal.

El Consejo de Administración del Patrimonio Nacional podrá interesar del Ministerio de Hacienda, en relación con los bienes y derechos a que se refieren los dos
artículos precedentes, el ejercicio de las prerrogativas de recuperación, investigación
y deslinde que corresponden al Estado respecto de los bienes de dominio público".

El régimen legal de este tipo de bienes se completa con lo dispuesto
en el art. 3, en la redacción dada al mismo por la Ley 44/1995, de 27 de
diciembre:

"1. En cuanto sea compatible con la afectación de los bienes del Patrimonio Nacional, a la que se refiere el artículo anterior, el Consejo de Administración adoptará
las medidas conducentes al uso de los mismos con fines culturales, científicos y
docentes.

2. El Consejo de Administración velará por la protección del medio ambiente en
aquellos terrenos que gestione susceptibles de protección ecológica.

3. El Gobierno, a propuesta del Consejo de Administración del Patrimonio Nacional, aprobará un Plan de protección medioambiental para cada uno de los bienes
con especial valor ecológico y, en particular, para el monte de El Pardo, el bosque de
Riofrío y el bosque de La Herrería.

4. Sólo por Ley podrán desafectarse terrenos que se encuentren incluidos en los
planes de protección medioambiental a que se refiere el número anterior".

En el precepto ahora reproducido se trata de hacer compatible la afectación de los bienes del Patrimonio Nacional al servicio de las funciones
que la Constitución y las leyes atribuyen al Rey y la Real Familia (art. 2)
con el cumplimiento de otros fines cuya relevancia constitucional parece
inconcusa[35]. La novedad más relevante reside en la atención a los valores
ambientales de estos bienes[36].

Al respecto, resulta pertinente recordar que la consideración de que
gran parte de este patrimonio estaba integrado por bienes culturales se
hallaba presente en la Ley de 22 de marzo de 1932, reguladora del Pa-

---

[35] La disposición final primera de la Ley aplica a los bienes del Patrimonio Nacional el
régimen de visitas de los bienes culturales. Este régimen, ya adaptado a la Ley 16/1985,
de 25 de junio, del Patrimonio Histórico Español, se desarrolla en los arts. 43 a 47 del
Reglamento de desarrollo aprobado por el Real Decreto 496/1987, de 18 de marzo.

[36] Atención acentuada con la reforma de este precepto producida por la Ley 44/1995,
pues con anterioridad el precepto se limitaba a dirigir al Consejo de Administración
el mandato de velar "por la protección del ambiente y por el cumplimiento de las
exigencias ecológicas en los terrenos que gestione y, especialmente, en el monte de El
Pardo.

trimonio de la República, y que la protección de ese valor cultural fue la causa primigenia de su constitucionalización[37]. En la Ley de 1982 esa protección se concreta en la regla recogida en el art. 8.2 k), donde tras atribuirse al Consejo de Administración la facultad para proponer al Gobierno la desafectación de bienes del Patrimonio Nacional "cuando éstos hubieran dejado de cumplir sus finalidades primordiales", se precisa que "en ningún caso podrán desafectarse los bienes muebles o inmuebles de valor histórico-artístico". Pudiera pensarse que esta cautela convierte tales bienes en una suerte de *demanio intrínseco por sus valores culturales.*

Sin embargo, no parece que ésta sea la interpretación más adecuada del alcance de la regla que nos ocupa. Recuérdese que la misma se encuentra en un precepto dedicado a la delimitación de las atribuciones del Consejo de Administración del Patrimonio Nacional y, correlativamente en lo que ahora nos ocupa, del Gobierno. Pues bien, a la vista de esto, habrá de concluirse que dicha regla constituye una reserva formal de Ley para la desafectación de los bienes del Patrimonio Nacional que incorporen un valor cultural.

Mayores dudas suscita el alcance de esta reserva de Ley si la ponemos en relación con la Ley 16/1985, de 25 de junio, del Patrimonio Histórico Español, cuya disposición adicional quinta sujeta "a cuanto se dispone en esta Ley cuantos bienes muebles e inmuebles formen parte del Patrimonio Nacional y puedan incluirse en el ámbito del artículo 1, sin perjuicio de su afectación y régimen jurídico propio". Como es sobradamente conocido, el mencionado art. 1 define en términos amplios el Patrimonio Histórico Español (apdo. 2), al tiempo que establece que "los bienes más relevantes del Patrimonio Histórico Español deberán ser inventariados o declarados de interés cultural en los términos previstos en esta Ley" (apdo. 3). En lo que ahora estrictamente interesa, esos términos son los contenidos en el art. 9.1, a cuyo tenor "gozarán de singular protección y tutela los bienes integrantes del Patrimonio Histórico Español declarados de interés cultural por ministerio de esta Ley o mediante real decreto de forma individualizada".

A la vista de estos datos normativos, ¿debemos entender que la disposición adicional quinta ha declarado bienes de interés cultural a todos los in-

---

[37] Igualmente, el art. 5 de la Ley de 7 de marzo de 1940 sólo permitía enajenar aquellos bienes del Patrimonio Nacional "que carezcan de valor artístico o histórico"; sólo apreciada la ausencia de ese valor histórico-artístico podía el Gobierno proceder a la venta de aquellos que no fuesen aptos "por su naturaleza y la cuantía de sus productos" para su mantenimiento.

tegrados en el Patrimonio Nacional? Si así fuera, deberíamos concluir que la facultad de propuesta atribuida al Consejo de Administración en el art. 8.2 k) de la Ley 23/1982 tiene por objeto, en todo caso, no la desafectación de los bienes, sino la elaboración de un borrador de anteproyecto de Ley.

Sin embargo, no parece ser éste el sentido de la disposición adicional que nos ocupa, toda vez que las declaraciones de bienes de interés cultural por ministerio de la Ley (aquí, de la LPHE) se ha hecho siempre expresamente para enteras categorías de bienes. Así sucede con "las cuevas, abrigos y lugares que contengan manifestaciones de arte rupestre" (art. 40.2 LPHE), con "los inmuebles destinados a la instalación de Archivos, Bibliotecas y Museos de titularidad estatal, así como los bienes muebles integrantes del Patrimonio Histórico Español en ellos custodiados" (art. 60.1 LPHE), los anteriormente declarados histórico-artísticos o incluidos en el Inventario del Patrimonio Artístico y Arqueológico de España"[38] (disposición adicional primera LPHE) y, en fin, los castillos, escudos, emblemas, cruces de término y piezas similares, y hórreos o cabazos antiguos existentes en Galicia y Asturias, que son los objetos a los que se refieren las normas citadas en la disposición adicional segunda. El contraste que la literalidad de la disposición adicional quinta —asimismo de la LPHE— ofrece con estos preceptos nos lleva a concluir que con ella se trata de afirmar la aplicabilidad a los bienes del Patrimonio Nacional del régimen de protección establecido en la LPHE, cuando concurran los requisitos habilitantes de la intervención de la Administración cultural, sin que frente a ello se pueda erigir en obstáculo su afectación al servicio de la Corona. Por consiguiente, esta disposición adicional no extiende a la totalidad del Patrimonio Nacional la reserva de ley que cabe inferir del art. 8.2 k) *in fine* de la Ley 23/1982.

A lo dicho debe añadirse que la eficacia de la reserva de ley que nos ocupa tampoco puede limitarse a aquellos bienes que hayan sido expresamente calificados como de interés cultural o, tratándose de muebles, incluidos en el Inventario General del art. 26.1 LPHE por su "singular relevancia". Como quiera que el acto administrativo de declaración o inscripción tiene carácter meramente declarativo y no constitutivo, si el Consejo de Administración o el Gobierno aprecian que en aquel bien cuya desafectación se plantea concurre el valor cultural determinante de la declaración, lo

---

[38] Dentro de esta categoría se incluyen algunos de los inmuebles del Patrimonio Nacional que actualmente figuran en el Registro General de Bienes de Interés Cultural del Ministerio de Cultura. Así sucede, sin ir más lejos, con el Palacio Real de Madrid, el Palacio de Riofrío y el Palacio de El Pardo, cuya "declaración cultural" se remonta al 3 de junio de 1931.

dispuesto en el art. 8.2 k) *in fine* implica que habrán de remitir la adopción de la decisión al Parlamento.

Finalmente, interesa señalar que esta decisión legislativa no representa necesariamente un acto contrario a la declaración del bien como de interés cultural o su baja en el Inventario General por *ministerio de la Ley*, sino sólo la pérdida de su carácter demanial. En la hipótesis de que se trate de un bien mueble, se alza la prohibición absoluta de enajenarlo, pero no la relativa contenida en el art. 28.2 LPHE[39].

La preocupación por una adecuada gestión ambiental de los bienes del Patrimonio Nacional se refleja en un triple orden de previsiones[40]. Así, en primer lugar, se orden al Consejo de Administración que vele por la protección ecológica de los terrenos (apdo. 2); asimismo, se encomienda al Gobierno la aprobación de un plan de protección medioambiental "para cada uno de los bienes con especial valor ecológico y, en particular, para el monte de El Pardo, el bosque de Riofrío y el bosque de La Herrería" (apdo. 3); para concluir, se dispone que únicamente por Ley será posible desafectar los terrenos incluidos en los mencionados planes de protección medioambiental (apdo. 4)[41]. El sentido de esta regla es similar al expuesto

---

[39]   Conforme al art. 28.2 LPHE, "los bienes muebles que forman parte del Patrimonio Histórico Español no podrán ser enajenados por las Administraciones Públicas, salvo las transmisiones que entre sí mismas éstas efectúen y lo dispuesto en los artículos 29 y 34 de esta Ley". Estos dos preceptos se refieren a la exportación de bienes muebles y a la permuta con otros Estados, respectivamente.

[40]   La aplicabilidad supletoria de la Ley 43/2003, de 21 de noviembre, de Montes, establecida en su disposición adicional segunda.1 parece servir igualmente a la protección de los valores ambientales de los integrados en el Patrimonio Nacional.

[41]   Hasta la fecha, únicamente se ha aprobado el Plan de Protección Medioambiental del monte de El Pardo, por Orden del Ministerio de la Presidencia de 31 de julio de 1997. Téngase en cuenta que la especial protección ambiental de este espacio ya estaba prevista en la redacción originaria del precepto legal. La aprobación por el Estado del mencionado Plan de Protección Medioambiental no deja de suscitar dudas, en especial si tenemos en cuenta que "la titularidad del dominio público no es, en sí misma, un criterio de delimitación competencial y, en consecuencia, la naturaleza demanial no aísla a la porción del territorio así caracterizado de su entorno, ni la sustrae de las competencias que sobre ese espacio corresponden a otros entes públicos que no ostentan esa titularidad" (STC 9/2001, de 18 de enero, FJ 16, que sintetiza la doctrina constitucional al respecto). Como quiera que difícilmente cuadra al Plan la caracterización como legislación básica de protección ambiental (art. 149.1.23 CE), título competencial que podría invocar el Estado para proceder a su aprobación, parece que ésta hubiera debido corresponder a la Comunidad Autónoma de Madrid, en cuyo territorio radica el espacio protegido, en aplicación, por lo demás, de la doctrina sentada en la STC 306/2000, de 12 de diciembre). Lo cierto es, sin embargo, que ningún conflicto

anteriormente en relación con el art. 8.2 k) y supone reservar al legislador la labor de ponderación entre los valores y fines en conflicto.

Para concluir, resulta oportuno hacer mención del inventario general de los bienes y derechos del Patrimonio Nacional, regulado en los arts. 12 a 16 del Reglamento de desarrollo de la Ley, aprobado por el Real Decreto 496/1987, de 18 de marzo. Del contenido de esos preceptos reglamentarios se deduce que el mencionado inventario desempeña, para la masa de bienes que nos ocupa, una función idéntica a la atribuida al Inventario General de Bienes y Derechos del Estado en los arts. 32 a 35 LPAP.

D) Sucinta referencia al Consejo de Administración del Patrimonio Nacional

La gestión y administración de los bienes y derechos del Patrimonio Nacional corresponde al Consejo creado por la Ley 23/1982, de 16 de junio, que lo configura como "una Entidad de Derecho público, con personalidad jurídica y capacidad de obrar, orgánicamente dependiente de la Presidencia del Gobierno y excluida de la aplicación de la Ley de Entidades Estatales Autónomas" (art. 1)[42]. El antecedente inmediato de este órgano es el Consejo creado por la Ley de 1940, del que se aparta en un punto esencial, la dependencia orgánica de la Presidencia del Gobierno[43].

El órgano colegiado de esta Entidad está formado por su Presidente, el Gerente y un número de vocales no superior a diez "todos ellos profesionales de reconocido prestigio", dos de los cuales han de ser miembros de las Corporaciones Locales en cuyo término municipal radiquen bienes inmuebles integrados en el Patrimonio Nacional (art. 8.1)[44]. Conforme a lo

---

se ha suscitado sobre este punto, como tampoco fue discutida la competencia estatal para clasificar los bienes de interés cultural recogida en el art. 6 b) LPHE (vid. STC 17/1991, de 30 de enero). Parece que las CC AA han renunciado a insertar el Patrimonio Nacional en las reglas competenciales de nuestra Constitución territorial.

[42]   Las previsiones legales sobre el Consejo de Administración del Patrimonio Nacional se encuentran desarrolladas en los arts. 65 a 85 del Reglamento aprobado por Real Decreto 496/1987, de 18 de marzo, que integran su Título VI.

[43]   El Consejo establecido en la Ley de 1940 dependía directamente del Jefe del Estado (arts. 9 y 10). Amén de que esta dependencia orgánica fuera pudiera responder a las peculiaridades organizativas del régimen surgido de la Guerra Civil, lo cierto es que esta opción era coherente con la tradicional atribución a la Corona de las funciones de administración del Patrimonio.

[44]   Las reglas de funcionamiento del Consejo se hallan en los arts. 74 a 79 del Reglamento de desarrollo de la Ley. El último de estos preceptos, adaptado a la nueva adscripción

dispuesto en el art. 80 del Reglamento de desarrollo de la Ley, el Consejo se estructura en Servicios Centrales y Delegaciones en los Reales Sitios de San Lorenzo de El Escorial, San Ildefonso, El Pardo, Aranjuez y Palma de Mallorca, dependientes todos ellos del Consejero Gerente[45].

Al Consejo de Administración corresponde la gestión ordinaria del Patrimonio Nacional, su "conservación, defensa y mejora" [art. 8.2 a) de la Ley]. Como tal, es el órgano competente para, entre otras funciones, autorizar la constitución de depósitos de bienes muebles de carácter histórico o cultual, con la obligación de velar "por el íntegro mantenimiento de las colecciones" [art. 8.2 f)], formar el inventario de los bienes y derechos del Patrimonio Nacional [art. 8.2 i)], proponer al Gobierno la afectación y desafectación de bienes [arts. 8.2 j) y k)], o, en fin, aceptar donaciones, herencias o legados "y, en general, acordar las adquisiciones a título lucrativo de cualquier clase de bienes" [art. 8.2 l)]. También corresponde al Consejo adoptar "las medidas necesarias para el uso y gestión de los espacios naturales, en ejecución de los planes de protección medioambiental" [art. 8.2 n)].

NOTA BIBLIOGRÁFICA

La cita de A. J. GÓMEZ MONTORO se toma de su comentario al art. 74 del libro J. L. REQUEJO PAGÉS (coord.), *Comentarios a la Ley Orgánica del Tribunal Constitucional*, Tribunal Constitucional-Boletín Oficial del Estado, Madrid, 2001, p. 1139. La cita de M. GARCÍA PELAYO está tomada de su trabajo "El status del Tribunal Constitucional", Obras Completas, Centro de Estudios Constitucionales, Madrid, 1991, vol. III, pp. 2893 y ss. En cuanto a la calificación de la Corona como *nomen iuris* de la Jefatura del Estado, trae causa del riguroso tratamiento científico que I. DE OTTO, Derecho Constitucional. Segundo Curso, Edición del Departamento de Derecho Político de la Universidad de Oviedo, Oviedo, 1985, pp. 52 a 91, dedicara a este órgano constitucional.

C. CHINCHILLA MARÍN, en su libro *Bienes patrimoniales del Estado*, Marcial Pons, Madrid-Barcelona, 2001, p. 171, al dar cuenta de su exhaustivo examen de las fichas del Inventario de Bienes de la Dirección General del Patrimonio del Estado, menciona específicamente el caso de la sede del Congreso de los Diputados, señalando al respecto: "llama

---

orgánica del Consejo, dispone que aquellos actos que no agoten la vía administrativa serán recurribles ante el Ministro de la Presidencia.

45 De acuerdo con el art. 81.1 del Reglamento de desarrollo de la Ley, en la redacción dada al mismo por el Real Decreto 2208/1995, de 28 de diciembre, que modifica la estructura orgánica del Consejo de Administración, los Servicios Centrales se estructuran en: a) Secretaría General, b) Dirección del Patrimonio Arquitectónico e Inmuebles, c) Dirección de Actuaciones Histórico-Artísticas sobre Bienes Muebles y Museos y d) Dirección de Coordinación de Medios y Seguridad. Todas estas unidades tienen rango de Subdirección General y las atribuciones de cada una de ellas se relacionan en los arts. 82 a 85.

poderosamente la atención la calificación administrativa de los edificios del Congreso de los Diputados, pues mientras que el edificio principal está calificado como Dominio Público, afectado a servicio público el edificio conocido como *segunda ampliación*, que fue adquirido por compraventa, aparece como bien patrimonial, aunque en las observaciones se lee lo siguiente: 'adquiridas por pisos por el Congreso para la ampliación. Demolición total viviendas Carrera de San Jerónimo y Zorrilla que fueron *afectadas* al Congreso por Actas de 17/2/1989, 27/7/1989, 14/6/1988 y 14/1/1986'."

Juan Alfonso SANTAMARÍA PASTOR, "Objeto y ámbito. La tipología de los bienes públicos y el sistema de competencias", en Carmen CHINCHILLA MARÍN (coordinadora), *Comentarios a la Ley 33/2003, del Patrimonio de las Administraciones Públicas*, Thomson-Civitas, Madrid, 2004, p. 57, apunta que la disposición adicional primera LPAP deja el régimen jurídico de los bienes de los órganos constitucionales distintos de los pertenecientes al Patrimonio del Estado en la penumbra. Por su parte, Francisco URÍA FERNÁNDEZ, "La Ley del Patrimonio de las Administraciones Públicas como instrumento al servicio de una nueva política patrimonial del Estado", pp. 25 y ss. de la misma obra, destaca la vocación coordinadora de la nueva Ley, que alcanza a la ordenación de los bienes públicos al servicio de los órganos constitucionales.

Sobre el Patrimonio Nacional, resulta imprescindible la lectura de los trabajos de M. BASSOLS COMA, "Instituciones administrativas al servicio de la Corona: Dotación, Casa de S. M. el Rey y Patrimonio Nacional", *Revista de Administración Pública*, núm. 100-102 (1983), en especial, pp. 911 a 933, quien afirma que los bienes integrantes de esta masa patrimonial "se configuran como bienes patrimoniales del Estado, sometidos a un régimen singular que les acerca a la órbita de los bienes de dominio público, aun sin adquirir formalmente esta condición" (p. 929), y F. SAINZ MORENO, "Artículo 132: Dominio público, bienes comunales, Patrimonio del Estado y Patrimonio Nacional", en O. ALZAGA VILLAAMIL (dir.), *Comentarios a la Constitución Española de 1978*, Cortes Generales-Editoriales de Derecho Reunidas, Madrid, 1998, pp. 253 a 263.

El primer tratamiento doctrinal de esta figura en el contexto del nuevo orden constitucional se debe a L. Mª DÍEZ-PICAZO, en "El régimen jurídico de la Casa del Rey (un comentario al artículo 65 de la Constitución)", Revista Española de Derecho Constitucional, núm. 1982, pp. 123 a 125, para quien "los bienes del Patrimonio Nacional gozan de un régimen privilegiado muy similar al de los de dominio público. (...) Se diferencian del dominio público por el fin concreto al que están afectados y por ser gestionados por un ente *ad hoc*". Por el contrario, el carácter demanial de estos bienes es defendido por I. E. DE ARCENEGUI, "El Patrimonio Nacional naturaleza y régimen jurídico", en *Estudios sobre la Constitución Española. Homenaje al Profesor Eduardo García de Enterría*, tomo V, Editorial Civitas, Madrid, 1991, pp. 3905 a 3915. Mª V. GARCÍA-ATANCE Y GARCÍA DE MORA, "Bienes del Estado al servicio de la Corona", en A. TORRES DEL MORAL (dir.), *Monarquía y Constitución* (I), Editorial Colex, Madrid, 2001, pp. 305 a 319, se hace eco de las tesis sostenidas por BASSOLS COMA y DÍEZ-PICAZO en los trabajos antes reseñados.

La cita de E. GARCÍA DE ENTERRÍA está tomada de su trabajo "El dogma de la reversión de concesiones", ahora en *Dos estudios sobre la usucapión en Derecho Administrativo*, 3ª ed., Civitas, Madrid, 1998, p. 59. En cuanto al proceso de formación de una Hacienda Pública autónoma, resultan de suma utilidad las obras de M. ARTOLA, *La Hacienda del siglo XIX. Progresistas y Moderados*, Alianza Universidad/Banco de España, Madrid, 1986 y F. COMIN COMIN, *Historia de la Hacienda Pública*, Editorial Crítica, Barcelona, 1996.

Sobre el procedimiento de desafectación de los bienes del Patrimonio Nacional declarados de interés cultural, J. M. ALEGRE ÁVILA, *Evolución y régimen histórico del patrimonio histó-*

rico, Ministerio de Cultura, Madrid, 1994, pp. 611 y s., quien rechaza la interpretación de dicho procedimiento como expresión de *afectación intrínseca* al dominio público.

Capítulo VI
Régimen jurídico general del patrimonio de la administración instrumental

ESTANISLAO ARANA GARCÍA
Catedrático de Derecho Administrativo
Universidad de Granada

I. INTRODUCCIÓN: DELIMITACIÓN DEL OBJETO DE ESTUDIO

El tema de la Administración instrumental es el tema de la dispersión administrativa, un ámbito en el que la nota más destacada es, sin duda, la heterogeneidad; estamos ante una galaxia de entes que carece de una regulación con criterios generales válidos para todos ellos por cuanto toda su normativa se basa en un principio de originalidad a ultranza. La creación de todas estas entidades se halla presidida por su afán de singularidad, que responde no sólo a necesidades de eficacia en la gestión, sino también, y ante todo, a un propósito consciente de escapar al complejo de controles políticos y presupuestarios sucesivamente ideados para fiscalizar estrictamente su actividad.

Además de todos los problemas que tal diversidad y dispersión genera y a los que la doctrina científica ha dedicado especial atención, una de las principales consecuencias para la Ciencia del Derecho administrativo de esta situación es la complicada elaboración de una teoría general sobre cualquier aspecto del régimen jurídico de este universo tan variopinto de entes administrativos dotados de personalidad jurídica y que encajan bajo el amplio pero muy descriptivo concepto de Administración instrumental.

Este es, precisamente, el principal problema con el que nos vamos a encontrar a la hora de abordar el tema del patrimonio de la Administración instrumental, esto es, la ausencia de criterios estables y extensibles a la generalidad de entes que entran dentro de esta categoría. Una dificultad que todavía se hace más aguda si tenemos en cuenta el carácter territorialmente compuesto de nuestro Estado, circunstancia que multiplica la capacidad de creación de este tipo de sujetos así como la capacidad de regulación de los mismos[1].

---

[1]   A continuación citaré las normas que regulan el patrimonio de las diferentes Comunidades Autónomas y de sus entes instrumentales. A partir de esta nota, las normas se citarán exclusivamente con el nombre de la Comunidad Autónoma: Ley 6/1985, de 13 de noviembre, del Patrimonio de la Comunidad Autónoma de Castilla-La Mancha (Revisada por Ley 2/2000, de 26 de mayo y Ley 1/2012, de 21 de febrero); Ley 4/1986, de 5 de mayo, del Patrimonio de la Comunidad Autónoma de Andalucía (con modificaciones de interés introducidas principalmente por la Ley 5/2010, 11 junio, de Autonomía Local de Andalucía, la Ley 1/2011, 17 febrero, de reordenación del sector público de Andalucía y la Ley 3/2012, 21 septiembre, de Medidas Fiscales, Administrativas, Laborales y en materia de Hacienda Pública para el reequilibrio económico-financiero de la Junta de Andalucía; Ley 1/1991, de 21 de febrero, de Patrimonio del Principado de Asturias; Ley 3/1992, de 30 de julio, de patrimonio de la Comunidad Autónoma de la Región de Murcia, modificada principalmente por la Ley 7/2004, 28 diciembre, de Organización y Régimen Jurídico de la administración pública de la comunidad Autónoma de la Región de Murcia y la Ley 7/2011, 26 diciembre, de medidas fiscales y de fomento económico en la Región de Murcia; Ley 3/2001, de 21 de junio, de patrimonio de la comunidad de Madrid, modificada, entre otras, por la Ley 13/2002, 20 diciembre, Ley 2/2004, 31 mayo, Ley 7/2005, 23 diciembre y Ley 8/2012, 28 diciembre; Ley 6/2001, de 11 de abril, del Patrimonio de la Comunidad de Las Illes Balears; Decreto Legislativo 1/2002, de 24 de diciembre, por el que se aprueba el Texto refundido de la Ley de patrimonio de la Generalidad de Cataluña, modificado por Ley 26/2009, 23 diciembre, de medidas fiscales, financieras y administrativas y Ley 7/2011, 27 julio, de medidas fiscales y financieras; Ley 14/2003, de 10 de abril, de Patrimonio de la Generalitat Valenciana, revisado por el D. Ley 7/2012, 19 octubre, del Consell, de Medidas de Reestructuración y Racionalización del Sector Público Empresarial y Fundacional de la Generalitat; Ley 11/2005, de 19 de octubre, de Patrimonio

Desde una perspectiva teórica, un estudio exhaustivo del régimen jurídico de los bienes de los entes instrumentales, exige, en primer lugar, sistematizar las diferentes modalidades de entes instrumentales existentes en cada una de las Administraciones territoriales de nuestro país; en segundo lugar, obliga a un análisis de las diferentes regulaciones que sobre los bienes de las Administraciones públicas existan en nuestro Ordenamiento jurídico; en tercer lugar, con la pretensión más ambiciosa de realizar un estudio realmente completo, sería conveniente el análisis las normas creadoras de los diferentes entes instrumentales con el fin de comprobar cómo muchas de ellas excepcionan, matizan y concretan las pretendidas categorías generales de las normas patrimoniales o de regulación de la Administración instrumental[2]; y, finalmente, dada la incidencia que las nuevas normas sobre reestructuración y racionalización del sector público están teniendo sobre la estructura de la Administración pública, principalmente en cuanto a la desaparición de entidades instrumentales cuyas funciones nuevamente asumen las Administraciones territoriales matrices o nuevos entes surgidos de la unión de varias de éstas, es preciso conocer qué se dispone en estas normas en relación con los bienes de estas entidades que ahora desaparecen.

Lo cierto es que esta labor desborda con creces las posibilidades e intenciones de este trabajo, es por ello por lo que, a continuación y en la medida de lo posible, trataré de abstraer los principios, reglas y, sobre todo, los problemas comunes que en materia de bienes presenta la Administración instrumental. Para cumplir con este objetivo es conveniente reducir el número y tipo de entes instrumentales a estudiar y proceder al análisis exhaustivo de aquellas categorías que disponen realmente de bienes públicos y que cuentan con una mayor solidez y asentamiento en nuestro

---

de la Comunidad Autónoma de La Rioja; Ley 3/2006, de 18 de abril del Patrimonio de la Comunidad Autónoma de Cantabria; Ley 6/2006, de 17 de julio, del Patrimonio de la Comunidad Autónoma de Canarias; Ley 11/2006, de 26 de octubre, del Patrimonio de la Comunidad de Castilla y León; Ley Foral 14/2007, de 4 de abril, del Patrimonio de Navarra; Decreto Legislativo 2/2007, de 6 de noviembre, de aprobación del Texto Refundido de la Ley del Patrimonio de Euskadi; Ley 2/2008, de 16 de junio, de Patrimonio de la Comunidad Autónoma de Extremadura; Ley 5/2011, de 10 de marzo, del Patrimonio de Aragón; y Ley 5/2011, de 30 de septiembre, del patrimonio de la Comunidad Autónoma de Galicia.

[2]   En muchas ocasiones no va a ser en sus normas creadoras sino, en el caso del Estado, en las normas que necesariamente se han dictado para adaptar los diferentes entes instrumentales a las reglas comunes y generales diseñadas en la Ley 6/1997, de 14 de abril, de Organización y Funcionamiento de la Administración General del Estado (LOFAGE en adelante).

Ordenamiento jurídico. Desde este punto de vista, me referiré, a los llamados por la Ley 6/1997, de 14 de abril, de Organización y Funcionamiento de la Administración General del Estado (en adelante, LOFAGE) Organismos Públicos y sus categorías de Organismos Autónomos y Entidades Públicas Empresariales[3]. Igualmente creo conveniente hacer referencia al régimen jurídico de los bienes de las Agencias Estatales reguladas en la Ley 28/2006, de 18 de julio[4].

Necesariamente he de dejar fuera otras personificaciones instrumentales como las sociedades mercantiles cuyo capital pertenece a algún ente público o, incluso, las fundaciones privadas en mano pública, porque a pesar de cumplir un papel vicario de la Administración en el cumplimiento de sus funciones, sus bienes tienen carácter privado quedando, por tanto, fuera del alcance de este libro.

Estas personas jurídico-privadas en ningún modo pueden equipararse a los entes de derecho público, regidos ad extra por el Derecho privado (Entidades Públicas Empresariales en el caso de la LOFAGE), a pesar de la inclusión conjunta de ambas en la LGP en la categoría de "sociedades estatales" (o "empresas públicas", según ciertas normas autonómicas). Su patrimonio, a pesar de ser propiedad indirecta de la Administración pública, no goza de los naturales privilegios, entre otros, de inembargabilidad o recuperación posesoria... Se trata de un patrimonio empresarial y no patrimonial *estricto sensu*, ya que se encuentra afecto a la actividad privada que realiza en el mercado dicha entidad y, como tal, está sometido a las normas de Derecho privado que regulan el patrimonio de las sociedades o entidades privadas. No hay ningún tipo de bienes públicos y no puede haberlos

---

[3]   LÓPEZ MENUDO, F., en "Organismos generales: principios públicos", en *Estudios sobre la Administración General del Estado. Seminario sobre el proyecto de Ley de Organización y Funcionamiento de la Administración General del Estado (LOFAGE)*, Universidad Carlos III de Madrid, 1996, p. 158, califica de "fórmula afortunada" la expresión de organismo público, ya que su cierta inexpresividad se explica en atención a la complejidad de los entes que integran dicha categoría. La denominación de Administración institucional o, sobre todo, la de entidades de Derecho público a los llamados por la LOFAGE Organismos Públicos, no está exenta de cierta paradoja porque en esta categoría se incluyen sujetos que van a actuar sometidos al Derecho privado.
[4]   Sobre el sistema de Agencias, véase el artículo de Severiano FERNÁNDEZ RAMOS, "La reordenación del sector público andaluz: reflexiones para el debate", en *Revista Andaluza de Administración Pública*, núm. 80, pp. 13 a 80.

porque no son entidades públicas sino entidades privadas de titularidad/ propiedad (total o parcial) de la Administración[5].

Del mismo modo, excluimos también de este estudio a las corporaciones representativas de intereses sectoriales (económicos, profesionales o sociales) de naturaleza privada. El ejercicio instrumental de algunas funciones públicas por parte de estos sujetos no convierte sus bienes en públicos a pesar de que en alguna ocasión se les puedan aplicar ciertas normas administrativas por estar destinados al cumplimiento de las funciones públicas que a estos entes se encomiendan.

II. TIPOS DE BIENES DE LOS ORGANISMOS PÚBLICOS: LA CUESTIÓN DE SU TITULARIDAD

La cuestión más importante en el estudio del régimen jurídico de los bienes de las entidades instrumentales, es la de la clasificación y diferenciación de los distintos tipos de bienes con que pueden contar estos sujetos dotados, formalmente, de personalidad jurídica para el cumplimiento de sus funciones. A raíz de esta cuestión, saldrán a la luz la mayor parte de los problemas que afectan al régimen jurídico del patrimonio de los entes instrumentales, especialmente, el de los Organismos Públicos.

Desde la Ley de Entidades Estatales Autónomas de 1958 (LEAA en adelante) y el Decreto 1022/1964 por el que se aprobó el Texto Articulado de la Ley del Patrimonio del Estado (LPE en adelante), ha sido una constante en nuestro Ordenamiento jurídico la afirmación de que los Organismos Autónomos cuentan con bienes denominados adscritos y con bienes propios. Los bienes adscritos son aquellos con que la Administración territorial matriz dota a estos sujetos para el desempeño de sus funciones, pero sobre los que mantiene prácticamente todo el control. Junto a estos, los Organismos Autónomos y las Entidades Públicas Empresariales, cuentan con una serie de bienes propios sobre los que, en principio, podrían ejercer algunas de las potestades que tradicionalmente definen el derecho de propiedad. Sin embargo, tanto antes como ahora, comprobaremos cómo esta titularidad es más ficticia que real, ya que ni

---

5   GOSÁLVEZ PEQUEÑO, H., *Régimen jurídico general de la enajenación del "patrimonio privado" inmobiliario de la Administración Pública*, Edit. Lex Nova, 2002, pp. 64 y 65. Utilizando la misma sistemática en el estudio del patrimonio de los entes instrumentales en la Ley de Patrimonio de Madrid, MARTÍNEZ DE MORETÍN, P. L., en "El Patrimonio de la Comunidad de Madrid (Especial referencia al patrimonio de la Administración Institucional)", en *Revista de Administración Pública* N° 131 (1993), pp. 407 a 454.

siquiera sobre estos bienes propios, los Organismos Públicos disponen de garantías suficientes que permitan afirmar que su autonomía es real y efectiva[6].

La cuestión de los bienes de los Organismos Autónomos constituía uno de los supuestos que mejor reflejaba la artificiosidad de su personificación y la carencia de un contenido real, de un haz de facultades propio e independiente del Organismo Autónomo en sus relaciones con el Estado y, consecuentemente, es reflejo de la imposición del principio de unidad estatal y unidad patrimonial sobre el puro dato formal de la atribución de la cualidad de persona jurídica[7]. No obstante, tal y como comprobaremos con posterioridad, sobre los bienes propios, y a través de las diferentes normas creadoras de los distintos Organismos Públicos, puede decirse que poco a poco se va conformando un patrimonio propio de parte de los Organismos Públicos, aunque tal afirmación en la actualidad no se puede hacer sin las necesarias cautelas y matizaciones[8].

1. Bienes adscritos

A) Alcance de la adscripción

La adscripción de bienes no es más que la puesta a disposición de los mismos por la Administración matriz, al Organismo público de que se trate a fin de que los gestione o administre. Esta adscripción no alterará la titularidad sobre el bien que seguirá manteniéndose en manos de la Administración matriz[9]. Cuando hay adscripción, la Administración conserva,

---

[6]   Muy significativamente, el Art. 9 de la Ley 33/2003, de 3 de noviembre, del Patrimonio de las Administraciones públicas (LPAP, en adelante) define el Patrimonio del Estado como el integrado por el patrimonio de la Administración General del Estado y los patrimonios de los Organismos Públicos que se encuentren en relación de dependencia o vinculación con la misma. A partir de aquí, poco más habría que decir o que teorizar acerca del alcance del patrimonio de los Organismos Públicos, no obstante, una afirmación tan rotunda se matiza y suaviza, como comprobaremos posteriormente, en la propia LPAP.

[7]   JIMÉNEZ DE CISNEROS CID, F. F., *Los Organismos Autónomos en el Derecho Público español: Tipología y Régimen jurídico*, Instituto Nacional de Administración Pública, 1987, p. 259.

[8]   En esencia esta es la tesis del trabajo de DÍAZ LEMA, J. M., "La afirmación legal de patrimonios propios de los Organismos Autónomos" en *Administración Instrumental. Libro homenaje a Manuel Francisco Clavero Arévalo*, Coed. Civitas/Instituto García Oviedo, Madrid 1994, pp. 363 y ss.

[9]   Esta es una idea reiterada por toda la legislación estatal y autonómica sobre bienes. En el caso del Estado véase el Art. 73.3 de la LPAP; en el ámbito autonómico, véanse, por ejemplo, los artículos 10.4 del Decreto Legislativo 1/2002, de 24 de diciembre por el que se aprueba el Texto Refundido de la Ley de Patrimonio de la Generalidad

por tanto, la titularidad sobre los bienes adscritos y se reserva importantes facultades de fiscalización para garantizar que, efectivamente, estos Organismos Públicos aplican los bienes al cumplimiento del fin para el que le fueron adscritos, hasta el punto de poder exigir, en caso de incumplimiento, la reincorporación de los bienes a su patrimonio, del que en realidad, en términos estrictos —esto es, de traslación de la titularidad— nunca salieron[10].

La adscripción, a diferencia de las modalidades clásicas de enajenación (compraventa, permuta y cesión gratuita), carece de naturaleza contractual, no es un acuerdo de voluntades entre la entidad pública cedente y la entidad cesionaria, sino únicamente un acto administrativo unilateral dictado por la Administración titular del bien[11].

A diferencia de la adscripción, la cesión de bienes sí supone o significa una verdadera transmisión de titularidad sobre los bienes; no es sólo una mera "puesta a disposición", sino que entraña un verdadero traspaso de la propiedad de los bienes a las entidades beneficiarias[12]. Adscripción y cesión constituyen dos técnicas de asignación y puesta a disposición de bienes, la primera referida al cambio de destino entre órganos (una nueva situación fáctica de uso, sin cambio de titularidad) y la segunda entre personas jurídicas (con transmisión de propiedad) por razones de interés público o social. La adscripción, por tanto, es una asignación de bienes como técnica típicamente orgánica[13].

Sin embargo, en positivo, tradicionalmente se ha entendido que, como mínimo, la adscripción lleva aparejada la transmisión de facultades de vigi-

---

de Cataluña; el 95 de la Ley 1/1991, de 21 de febrero, de Patrimonio del Principado de Asturias; el 31 de la Ley 14/2003, de 10 de abril, de Patrimonio de la Generalidad Valenciana o el 78.2 de la Ley 6/2001, de 11 de abril, del Patrimonio de la Comunidad Autónoma de las Illes Baleares.

[10] CHINCHILLA MARÍN, C., *Bienes patrimoniales del Estado*. Edit. Marcial Pons, 2001, p. 160. Se habla, precisamente, de reincorporación y no de incorporación porque, en realidad los bienes adscritos nunca dejaron de pertenecer a la Administración matriz.

[11] GOSÁLBEZ PEQUEÑO, H., *Régimen jurídico general...*, *cit.* Anteriormente, p. 66 nota a pie Nº 96.

[12] En la LPAP, la cesión de bienes se encuadra como sección independiente, precisamente, en un capítulo dedicado a regular la enajenación y gravamen de los bienes, sin embargo, su artículo 145.3 establece que la cesión podrá tener por objeto la propiedad del bien "o sólo su uso". Cambia, por tanto, para el caso de la Administración del Estado la regla tradicional según la cual la cesión siempre suponía un cambio de titularidad.

[13] ARIÑO ORTIZ, G., *La administración institucional (Bases de su régimen jurídico)*, Edit. Instituto de Estudios Administrativos, Madrid 1972, p. 359.

lancia, protección jurídica, defensa, administración, conservación, mantenimiento y demás actuaciones que requiera el correcto uso y utilización de los bienes adscritos[14]. Y ello a pesar de la contradicción que puede suponer el reconocimiento de estas potestades públicas a sujetos que someten su actividad o, al menos, parte de ella, al derecho privado[15].

B) Naturaleza jurídica de los bienes adscritos

Uno de los aspectos más importantes de la adscripción es determinar si el carácter demanial o patrimonial originario de los bienes que se adscriban a estos Organismos Públicos se mantiene o si, por el contrario, se produce algún tipo de alteración en su naturaleza con la adscripción. La regla general en nuestro Ordenamiento jurídico ha sido el mantenimiento de su calificación originaria[16], por tanto, si un bien patrimonial de una determinada Administración territorial era adscrito a un organismo público, éste conservaría su naturaleza patrimonial incluso tras la adscripción. Es decir, la condición de bienes de dominio público o patrimoniales no viene dada por la adscripción, sino por su respuesta a los criterios generales delimitadores de uno u otro tipo de bienes.

En el caso de la Administración del Estado esta tradicional regla ha sido modificada tras la aprobación de la LPAP. Así, su artículo 73.1 establece que la adscripción llevará implícita la afectación del bien o derecho que

---

[14] Así lo afirma a nivel estatal el artículo 76 de la LPAP. Respecto a la legislación autonómica, véase, por ejemplo, el artículo 31.2 de la Ley 14/2003 de Patrimonio de la Generalidad Valenciana. Igualmente, el artículo 24.4 de la Ley 3/2001, de 21 de junio, de Patrimonio de la Comunidad de Madrid. De uso, gestión y administración del bien o derecho habla el artículo 68.4 de la Ley 6/2006, de 17 de julio, del Patrimonio de la Comunidad Autónoma de Canarias. Para el caso de los bienes de dominio público, los artículos 48.3 y 56.3 de la LOFAGE establecían que los Organismos Públicos ejercerán cuantos derechos y prerrogativas relativas al dominio público se encuentran legalmente establecidas, a efectos de la conservación, correcta administración y defensa de dichos bienes. Véase también nota número 18.

[15] En este sentido puede verse el magnífico trabajo de JIMÉNEZ DE CISNEROS CID, F. J., Los organismos..., citado anteriormente, p. 364. Esta contradicción se extiende, incluso, a los bienes llamados "propios" de los Organismos Públicos.

[16] Véanse, a título de ejemplo, el artículo 3.1 de la Ley 6/2006, de 17 de julio, del Patrimonio de la Comunidad Autónoma de Canarias, el 78.1 de la Ley 6/2001, de 11 de abril, del Patrimonio de la Comunidad Autónoma de las Illes Baleares, o el 21.2 de la Ley del Principado de Asturias 1/2013, de 24 de mayo, de Medidas de Reestructuración del Sector Público Autonómico, por ejemplo, respecto a los bienes adscritos o cedidos al Servicio de Emergencias del Principado de Asturias (SEPA).

pasará a integrarse en el dominio público, rompiéndose así el criterio mantenido por la normativa anterior y según la cual "Los bienes que el Estado adscriba a los Organismos Autónomos para el cumplimiento de sus fines conservarán su calificación jurídica originaria"[17]. No se entiende muy bien esta modificación que supone, en definitiva, confundir adscripción con afectación que son técnicas, en principio, bastante diferentes[18]. Lo determinante, entiendo yo, tendría que ser la finalidad o las competencias que tengan encomendadas los Organismos Públicos. Si éstas coinciden con finalidades de uso general o servicio público, evidentemente, los bienes que se les adscriban para el cumplimiento de sus fines propios tendrán que calificarse de demaniales, pero en caso contrario no se ve razón alguna para que esto sea así[19].

En cualquier caso, lo que confirma este artículo 73.1 de la LPAP tal y como ya lo habían hecho todas las leyes de patrimonio de las Comunidades Autónomas, es que los entes instrumentales pueden ser "titulares" de bienes demaniales. Tras un largo debate en el que se discutía acerca de esta posibilidad, la legislación patrimonial de nuestro Estado ha terminado por confirmar esta posibilidad que ya se defendía por parte de la doctrina[20].

---

[17]   Así se pronunciaban los artículos 80 a 83 del Decreto 1022/1964, de 15 de abril por el que se aprueba el Texto Articulado de la Ley del Patrimonio del Estado y el artículo 10 de la Ley de Entidades Estatales Autónomas de 1958. Sin embargo, en la misma línea que la LPAP, véase el artículo 27.2 de la Ley de Patrimonio de Murcia, o el artículo 44.1, en relación con el 8.3, de la Ley 11/2006, de 26 de octubre, del Patrimonio de la Comunidad de Castilla y León, según el cual la adscripción supone su inmediata integración en el dominio público frente a lo que disponía la redacción anterior del artículo 8 de la Ley 6/1987, que mantenía la consideración de su calificación originaria.

[18]   La Exposición de Motivos de la Ley valenciana de patrimonio justifica la conveniencia de la diferenciación de ambos conceptos: "*La distinción entre afectación y adscripción permite agilizar las adscripciones de bienes en los casos de creación, suspensión o reforma de departamentos u Organismos Públicos de la Generalitat, sin acudir a la figura de la mutación demanial, cuando la afectación no se ve alterada*".

[19]   El artículo 48.3 de la LOFAGE, coherentemente con nuestra tradición normativa en materia patrimonial, afirmaba que "*Los bienes y Derechos que la Administración General del Estado adscriba a los Organismos Autónomos conservarán su calificación jurídica originaria...*". No obstante, la LPAP ha eliminado la regulación que la LOFAGE realizaba tanto en su artículo 48 como 56 de los patrimonios de los Organismos Públicos. A partir de la LPAP los patrimonios de los Organismos Autónomos y de las Entidades Públicas Empresariales, se regirán por lo en ella establecido.

[20]   Véase un repaso a esta evolución doctrinal en DÍAZ LEMA, J. M., "La afirmación legal de patrimonios propios de los Organismos Autónomos" en *Administración Instrumental. Libro homenaje a Manuel Francisco Clavero Arévalo*, Coed. Civitas/Instituto García Oviedo, Madrid 1994, pp. 397 y ss. También PLEITE GUADAMILLAS, F., "Régimen

C) Carácter finalista de la adscripción

La condición más importante para que se mantenga la adscripción de los bienes de las diferentes Administraciones Territoriales a los Organismos Públicos es que se destinen al cumplimiento de los fines que motivaron su adscripción, y en la forma y con las condiciones que se hubiesen establecido en el correspondiente acuerdo[21]. Será, por tanto, el acto de adscripción el que fije y concrete los fines a los que necesaria e ineludiblemente deben destinarse los bienes adscritos.

Por otra parte, el destino al fin determinado en el acto de adscripción puede cumplirse directamente o bien mediante la percepción de frutos, rentas y productos que se deriven de su disfrute o utilización[22].

D) Procedimiento y contenido del acuerdo de adscripción

La determinación de la forma y el procedimiento concreto en que debe producirse la adscripción de los bienes a los entes instrumentales, forma parte del núcleo duro de la potestad autoorganizatoria de las Administraciones Públicas. No obstante, podemos señalar algunas notas generales a tener en cuenta en esta vertiente procedimental.

En primer lugar, en cuanto a la forma, lo normal es que para la adscripción se siga el oportuno expediente administrativo que culmine con un acto administrativo de adscripción. Acto en el que se establecerán los medios de control y fiscalización necesarios sobre estos bienes. No obstante, lógicamente, es posible que la adscripción pueda realizarse mediante una Ley del Parlamento correspondiente[23].

Otra regla general que puede extraerse de las diferentes regulaciones que sobre el procedimiento de adscripción de bienes existen, es que no

---

patrimonial de los entes instrumentales", en *Derecho de los Bienes Públicos,* Tomo II, Dir. PAREJO ALFONSO y PALOMAR OLMEDA, Ed. Aranzadi-Thomson Reuters, Navarra, 2009, pp. 39 y sig., en las que analiza, en este sentido, la Sentencia del TSJ de Cataluña de 5 de julio de 2007.

[21] En este sentido, véase el artículo 75 de la LPAP.
[22] Así lo afirma, por ejemplo, el artículo 10 de la Ley de Patrimonio de Cataluña, si bien desaparecen actualmente del panorama normativo autonómico referencias anteriores a esta posibilidad de cumplir con este carácter finalista del uso al que se destinan estos bienes tras el acto de adscripción mediante la percepción de los frutos, rentas y productos que se deriven de su disfrute o utilización como ha sido el caso del artículo 66.1 del derogado Texto Refundido de la Ley de Patrimonio de Aragón de 2000.
[23] Véase, por ejemplo, el artículo 27.2 de la Ley de Murcia.

es necesaria la concesión administrativa para cumplir con el objetivo de la adscripción[24].

Finalmente, merece destacar la posibilidad de que la adscripción tenga por destinatario a más de un ente instrumental, siempre y cuando la consiguiente utilización conjunta del bien no resulte incompatible[25]. Incluso sería posible la adscripción de bienes de una Administración pública territorial a otra Administración pública[26].

E) Revocación del acuerdo de adscripción

Los bienes adscritos a los Organismos Públicos podrán desadscribirse por tres motivos fundamentalmente: por incumplimiento del fin, por innecesariedad de los mismos o bien por no ejercitar las competencias propias que toda adscripción conlleva, fundamentalmente, en lo que a la conservación y custodia de los bienes se refiere[27].

En el caso en que se proceda a la revocación de la adscripción de los bienes por incumplimiento del fin, es lógico entender que el titular del bien o derecho podrá exigir el valor de los detrimentos o deterioros experimentados por ellos, actualizados al momento en que se produzca la desadscripción, o el coste de su rehabilitación, previa tasación[28].

No obstante estos motivos tasados, cabe pensar que la desadscripción de los bienes es, al igual que su adscripción, una decisión discrecional por parte de la Administración territorial creadora del ente[29]. Alguna legisla-

---

[24]   Así, el artículo 32 de la Ley Andaluza. También lo establecía así el artículo 23 de la anterior Ley de Patrimonio de Castilla y León pero no queda claro en la nueva Ley 11/2006, que parece dejar sujeto a concesión, según se dispone en su artículo 55.2.

[25]   En este sentido el artículo 73.2 de la LPAP y 30.3 de la Ley Valenciana.

[26]   Así está previsto, por ejemplo, en el artículo 34 de la Ley Valenciana *"1. La Generalitat podrá adscribir bienes afectos a un servicio público a otras administraciones públicas a las que se atribuya la prestación del correspondiente servicio por encomienda de gestión u otra figura admitida en derecho. Esta adscripción no comportará, en ningún caso, transmisión de la titularidad demanial, atribuyendo sólo las necesarias facultades de gestión y las correlativas obligaciones de defensa, mantenimiento y mejora; 2. La adscripción a otras administraciones se acordará por el departamento competente para el uso público o la prestación del servicio al que esté afecto el bien, previo informe del director general de Patrimonio".*

[27]   En este sentido, véase el artículo 77 de la LPAP; 25 de la Ley de Madrid; 74.6 de la Ley Navarra y 70.1 de la Canaria.

[28]   En este sentido el artículo 77.3 de la LPAP.

[29]   Así se afirmaba directamente, por ejemplo, en el artículo 66.3 del anterior Decreto Legislativo 2/2000, de Aragón, si bien no queda tan nítidamente expuesto en la nueva Ley 5/2011.

ción autonómica exige, sin embargo, que los motivos de revocación de la adscripción se fijen en el acto o acuerdo de adscripción[30].

2. *Bienes propios de los Organismos Públicos*

A) El intento de afirmación de un patrimonio unitario: la relatividad del "patrimonio propio" de los Organismos Públicos

Junto a los bienes adscritos, los Organismos Públicos disponen de bienes de su propiedad que constituyen su patrimonio propio y que son los que, junto con la personalidad jurídica "diferenciada" de la de la Administración territorial matriz, constituyen los elementos que definen a estos entes instrumentales[31].

Sin embargo, a pesar de la claridad con que las diferentes leyes de patrimonio afirman esta idea, son muchas las limitaciones que esta misma legislación establece respecto a los supuestos bienes de propiedad de los Organismos Públicos. Es precisamente por esto por lo que la doctrina que se ha ocupado de esta materia, relativiza la autonomía patrimonial y, por tanto, la autonomía como sujetos jurídicos de este tipo de entes[32].

Resaltar, igualmente, que la Ley 28/2006, de 18 de julio de Agencias Estatales remite el régimen jurídico de la gestión y administración de los bienes de este tipo de entes instrumentales a lo establecido, en primer lugar, en sus Estatutos y, en todo caso, a lo previsto para los organismos públicos en la Ley 33/2003, de 3 de noviembre, de Patrimonio de las Administraciones Públicas.

---

[30]   Así, el artículo 78.3 de la Ley de Baleares.
[31]   En el caso del Estado, véase el artículo 42.1 de la LOFAGE cuando define las características propias de los Organismos Públicos. En este sentido, la LOFAGE no hacía sino recoger la tradición que en este punto habían establecido tanto la LEEA —artículo 15— y la LPE —en sus artículos 84 y 85—. La nueva LPAP reconoce este tipo de bienes en el artículo 6, apartados b) y e), y, sobre todo, en el artículo 73.2. Así se recoge también en el Informe sobre la Reforma de las Administraciones Públicas, elaborado por la Comisión para la Reforma de las Administraciones Públicas (conocido como Informe CORA), p. 227.
[32]   CHINCHILLA MARÍN, C., *Bienes patrimoniales...*, citado anteriormente, p. 160.

a) *Limitaciones al derecho de enajenación de bienes innecesarios para el cumplimiento de sus fines: el deber de incorporación de los mismos*

La principal limitación que sobre sus bienes propios cuentan los Organismos Públicos tiene lugar respecto a las facultades de disposición sobre aquéllos. Así, suele ser habitual el reconocimiento del deber de reincorporación de los bienes propios de los Organismos Públicos a la Administración territorial correspondiente cuando dichos bienes dejen de serles necesarios para el cumplimiento de sus fines[33]. Es decir, los Organismos Públicos, como regla general, no tienen libertad para enajenar sus bienes[34].

Esta regla general se excepciona en algunos supuestos[35]:

a) Los bienes adquiridos por ellos con el propósito de devolverlos al tráfico jurídico patrimonial de acuerdo con sus fines peculiares.

b) En el caso de Entidades Públicas Empresariales que, en virtud de sus normas de creación o sus estatutos, tengan reconocidas facultades para la enajenación de sus bienes, cuando los inmuebles o derechos reales dejen de serles necesarios.

c) Para los adquiridos para garantizar la rentabilidad de las reservas que tengan que constituir en cumplimiento de las disposiciones por las que se rigen[36].

En puridad, en los supuestos de legislaciones que diferencien entre Organismos Autónomos y Entidades Públicas Empresariales, como es el caso

---

[33]   Véanse, por ejemplo, el artículo 80 de la LPAP, el 98 de la Ley de Asturias, el 70 de la Ley de Canarias o el 66.2 de la Ley de Madrid.

[34]   Desde un punto de vista de política legislativa, ARIÑO ORTIZ, G., *La Administración Institucional, cit.* anteriormente, pp. 361 y 362, entiende que la existencia de estos bienes propios se ha considerado como una exigencia ineludible de su personalidad. En contra de la existencia de tales "patrimonios propios" se ha argumentado que tal posibilidad entrañaría siempre un riesgo: el riesgo de que los Organismos Autónomos se viesen absorbidos por unas preocupaciones financieras propias de gestores de patrimonios con olvido de las propias finalidades públicas que tienen encomendadas, esto es, con descuido de sus verdaderos objetivos que podrían verse mediatizados por una visión patrimonialista y pecuniaria, más preocupada de su propia prepotencia que del recto cumplimiento de sus metas sociales y políticas.

[35]   Así se recoge en prácticamente todas las normas que sobre patrimonios públicos han dictado las diferentes Comunidades Autónomas. Véase, por ejemplo, el artículo 68 de la Ley de Murcia o el 95.4 de la Ley Valenciana.

[36]   Véanse, por ejemplo, respecto a este último supuesto el artículo 99 de la Ley de Asturias, el artículo 70.4 de la Ley de Canarias o el artículo 43.1.b) de la Ley de Navarra.

de la Administración Central del Estado, las dos primeras excepciones sólo serán aplicables a las Entidades Públicas Empresariales. Si atendemos a la diferenciación de funciones que la LOFAGE pretende establecer entre uno y otro tipo de entes[37], únicamente las Entidades Públicas Empresariales pueden actuar en el mercado en régimen de competencia, ya sea prestando servicios o produciendo bienes. Por tanto, la excepción pensada para el supuesto de bienes adquiridos con "el fin de devolverlos al tráfico jurídico, de acuerdo con sus fines peculiares", sólo puede entenderse referida al supuesto de las Entidades Públicas Empresariales[38].

Por tanto, los Organismos Autónomos solamente no tendrían el deber de reincorporar sus bienes a la Administración matriz pudiendo enajenar sus bienes en el caso de bienes inmobiliarios que no sean necesarios para el cumplimiento de sus fines específicos y fueron adquiridos para garantizar las reservas a las que están obligados dichos entes[39]. Sin embargo, la LPAP parece haberles limitado también esta posibilidad.

La LPAP utiliza en sus artículos 77 y 78 el término desadscripción para referirse al retorno de los bienes adscritos a los Organismos Públicos en el caso de incumplimiento del fin o de innecesariedad de los bienes inicialmente adscritos para el cumplimiento de sus funciones. Sin embargo, esta misma Ley contiene un Capítulo III en su Título III (artículos 80 y 81) titulado "Incorporación al patrimonio de la Administración General del

---

[37] Mientras que los Organismos Autónomos están pensados para realizar "actividades de fomento, prestacionales o de gestión de servicios públicos" (artículo 45.1 LOFAGE), a las Entidades Públicas Empresariales se les debe encomendar "la realización de actividades prestacionales, la gestión de servicios o la producción de bienes de interés público susceptibles de contraprestación" (artículo 53.1 LOFAGE).

[38] Encontramos un ejemplo muy claro en la disposición adicional sexta del Decreto-Ley 5/2010, de 27 de julio, por el que se aprueban medidas urgentes en materia de reordenación del sector público, en la que se hace referencia a estos supuestos y requisitos para la enajenación de bienes inmuebles adquiridos por la Empresa Pública de Suelo de Andalucía al establecer que "*La enajenación de bienes inmuebles adquiridos por la Empresa Pública de Suelo de Andalucía con la finalidad de devolverlos al tráfico jurídico, garantizar las reservas que tengan que constituir en cumplimiento de sus normas específicas o responder de los avales que puedan prestar de acuerdo con lo establecido en la Ley General de la Hacienda Pública de la Junta de Andalucía, exigirá, además de lo previsto en sus normas propias, comunicación previa a la Consejería competente en materia de Hacienda, que se complementará con un informe-resumen trimestral de las enajenaciones del periodo, salvo que el valor del bien supere la cantidad de seis millones de euros o de veinte millones de euros, en cuyo caso se requerirá previa autorización del Consejo de Gobierno o de una Ley, respectivamente.*".

[39] Además, como seguidamente veremos, siempre que la Administración matriz no haya decidido otro destino para esos bienes (artículo 48.1, párrafo segundo) y se haya efectuado la tutela administrativa de esta entidad matriz.

Estado de bienes de los Organismos Públicos". Entiendo, por tanto, que en este caso la Ley se refiere a supuestos de incorporaciones de bienes propios de los Organismos Públicos a sus Administraciones matrices.

El artículo 80.1 establece el deber genérico de incorporación de aquellos bienes inmuebles y derechos reales de los Organismos Públicos vinculados a la Administración General del Estado que no les sean necesarios para el cumplimiento de sus fines. Por su parte, el número 2 de este mismo artículo establece como excepción al deber de incorporación y, en consecuencia, podrán ser enajenados por los Organismos Públicos los bienes, exclusivamente, adquiridos por ellos con el propósito de devolverlos al tráfico jurídico patrimonial de acuerdo con sus fines peculiares.

De ahí que, si entendemos que los Organismos Autónomos, por definición, no pueden tener entre sus objetivos actividades como la de devolución de bienes al tráfico jurídico patrimonial, la excepción sólo sería aplicable a las Entidades Públicas Empresariales, estando vetada la posibilidad de enajenación de bienes a los Organismos Autónomos *stricto sensu*.

No obstante, consciente de la singularidad y de la atomización en el régimen jurídico de los entes instrumentales, la LPAP en su artículo 81.3 contempla la posibilidad de que los Organismos Autónomos, en sus normas de creación o sus estatutos, tengan atribuidas facultades de enajenación[40]. En este caso, el Ministro de Hacienda podrá acordar la no incorporación del inmueble o derecho al patrimonio de la Administración General del Estado, supuesto en el que el organismo titular quedará facultado para proceder a su enajenación conforme a lo previsto en la sección 2ª del capítulo V del título V de la propia LPAP[41], si bien es preciso tener en cuenta en este sentido la reciente creación de la Sociedad Estatal de Gestión Inmobiliaria de Patrimonio, Sociedad Anónima (SEGIPSA), mediante la modificación de la Disposición Adicional Décima de la Ley

---

[40]   Esta norma trae causa de la propia LOFAGE que previó una cláusula de salvaguardia que permitía flexibilizar las restricciones establecidas en ella para el caso de la enajenación de bienes propios de los Organismos Públicos. Así, según la redacción original de esta Ley en sus artículos 48.1 y 56.2, modificada por la LPAP, cabía la posibilidad de que las normas de creación o por las que se regulen estos entes pudieran disponer otra cosa.

[41]   Habría que plantearse, no obstante, las posibles contradicciones que pudieran surgir entre los criterios generales de la legislación patrimonial u organizativa de las Administraciones Públicas y las normas por las que se creen o por las que se regulen estos entes instrumentales. En unas ocasiones y dependiendo del tipo de contradicción habrá que atender al juego de criterios temporales de aprobación, jerarquía normativa y, finalmente y con toda la complejidad que esta regla encierra, al principio de especialidad.

33/2003, de 3 de noviembre, del Patrimonio de las Administraciones Públicas realizada por la Disposición final sexta de la Ley 8/2013, de 26 de junio, de rehabilitación, regeneración y renovación urbanas, configurada como medio propio instrumental y servicio técnico de la Administración General del Estado y de los poderes adjudicadores dependientes de ella, para, entre otras cuestiones, la enajenación y realización de otros negocios jurídicos de naturaleza patrimonial sobre cualesquiera bienes y derechos integrantes o susceptibles de integración en el Patrimonio del Estado o en otros patrimonios públicos, que ejercerá tales funciones, normalmente, mediante encomienda en la que, cuando su otorgamiento corresponda a un órgano o entidad que no sea el Ministro de Hacienda y Administraciones Públicas, se requerirá el previo informe favorable del Director General del Patrimonio del Estado.

Como posteriormente veremos, y con todas las cautelas que un mundo jurídico tan disperso como el de la Administración instrumental exige, en la práctica, la facultad para establecer un derecho singular que flexibilice el régimen de reincorporación y, por tanto, permita mayores posibilidades de enajenación "en libertad", ha sido muy utilizada por las normas creadoras y reguladoras de las Entidades Públicas Empresariales. Supuesto lógico si atendemos a la naturaleza jurídica y objetivos de estos entes instrumentales.

b) La tutela administrativa en el caso de enajenaciones legalmente posibles

En realidad, ni siquiera la autonomía en materia de patrimonio de los Organismos públicos es tal en los supuestos en que legalmente es posible la enajenación de bienes propios. Así, en primer lugar, prácticamente todas las leyes patrimoniales autonómicas prevén que la Administración territorial matriz siempre se reserva la posibilidad de decidir otros fines para estos bienes. Antes, por tanto, de que se produzca la enajenación por parte del organismo público, la Administración podrá decidir otro destino para el bien supuestamente propiedad del ente instrumental.

Pero, además, en segundo lugar, la legislación patrimonial suele exigir antes de la enajenación de su propio patrimonio bien una simple comunicación o, incluso, el deber de autorización de la Administración matriz. En el caso de la Administración del Estado y para los entes, en principio, dotados de mayor autonomía, esto es las Entidades Públicas Empresariales, el artículo 80.3 de la LPAP exige el deber de comunicación al Director

General de Patrimonio del Estado[42]. Idéntico requisito se exige para las Agencias Estatales en el artículo 17.3 de la Ley 28/2006.

Las leyes de patrimonio de las diferentes Comunidades Autónomas son, por lo general, más restrictivas que la del Estado ya que establecen la necesidad de una previa autorización ya sea del Parlamento o del órgano competente de la Administración Autonómica, dependiendo, muchas veces, de la cuantía del bien a enajenar[43].

El régimen de fiscalización respecto a su patrimonio por parte de la Administración territorial creadora del organismo público no se limita exclusivamente a los supuestos de enajenación de los bienes. La tutela administrativa se extiende, incluso, a otras típicas facultades dominicales como son el Derecho de arrendamiento y el de cesión[44].

Podemos afirmar que, en definitiva, se está limitando el auténtico contenido esencial del Derecho de propiedad como es el del disfrute de su contenido económico. Todo ello no hace sino corroborar la tesis de ARIÑO ORTIZ para quien la propiedad que tienen sobre su patrimonio los Organismos Públicos no es una propiedad plena sino fiduciaria en cuanto propiedad vicaria vinculada a un fin[45]. A pesar de que, como ha puesto de manifiesto CHINCHILLA MARÍN, la traslación de la institución de la *fiducia* civil a este supuesto no puede hacerse sin las necesarias matizaciones[46], la idea refleja muy bien la realidad de la situación; esto es, los Organismos Públicos no tienen una propiedad plena sino muy limitada o, incluso, fic-

---

[42] "En el caso de Entidades Públicas Empresariales que, en virtud de sus normas de creación o sus estatutos, tengan reconocidas facultades para la enajenación de sus bienes, cuando los inmuebles o derechos reales dejen de serles necesarios deberán comunicar esta circunstancia al Director General del Patrimonio del Estado". Expresamente, la Disposición Adicional Vigésimo segunda, establece que el régimen previsto en el artículo 80.3 de esta ley será de aplicación a los Organismos Públicos Puertos del Estado y Autoridades Portuarias, Mutualidad General de Funcionarios Civiles del Estado, Mutualidad General Judicial, Instituto Social de las Fuerzas Armadas y Mancomunidad de los Canales del Taibilla.

[43] Véanse, por ejemplo, los artículos 89 de la Ley andaluza y 95.5 de la Ley Valenciana (en este último caso cuando el bien supere el valor de 3 millones de euros).

[44] Véanse, en el caso del Estado, los artículos 123 y 147 de la LPAP.

[45] ARIÑO ORTIZ, G., *La Administración Institucional...*, *cit.* anteriormente, pp. 385-395.

[46] CHINCHILLA MARÍN, C., *Bienes patrimoniales...*, *cit.* anteriormente, p. 163. Para esta autora el elemento esencial para el derecho civil de la institución de la *fiducia* y que está ausente en el caso de la propiedad de este tipo de sujetos, en concreto, el negocio jurídico entre fiduciante y fiduciario.

ticia o aparente respecto de sus bienes[47]. Por consiguiente, ante lo que realmente estamos, es ante una propiedad formal que pertenece a los Organismos Públicos y una propiedad material que corresponde, en realidad, al Estado[48].

Para que la declaración de personalidad jurídica de los Organismos Públicos fuese coherente con lo que esto significa en el orden patrimonial, tendrían que darse tres consecuencias[49]:

a) la actuación *nomine proprio*, como centro final de imputación de derechos y obligaciones, con posibilidad de hacerlo incluso frente al Estado, en defensa de sus intereses y derechos económicos;

b) la titularidad sobre el patrimonio, lo cual significa, esencialmente, la existencia de poderes de disposición sobre él y el disfrute de su contenido económico, cualquiera que sea la forma de explotarlo;

c) la posibilidad de constituir "reservas" con sus beneficios o con sus bienes sobrantes (reservas patrimoniales).

Prácticamente ninguno de estos tres requisitos se dan en la regulación general de los bienes propios de los Organismos Públicos, razón por la que debemos seguir manteniendo la relatividad del concepto de propiedad aplicada a la Administración instrumental.

B) La progresiva afirmación de patrimonios propios de los Organismos Públicos: en especial, el caso de las entidades de derecho público sometidas al derecho privado

Desde la LPE de 1964 hasta la reciente LPAP así como en todas las leyes de patrimonio de las Comunidades Autónomas, la intención del legislador patrimonial ha sido crear un único patrimonio de las diferentes Administraciones territoriales. Patrimonio único al servicio indistinto de sus fines y englobando, por tanto, los patrimonios propios de los Organismos Públicos.

---

[47]   No obstante y en contra de esta o afirmación de propiedad limitada, véase la STS de 6 de marzo de 1989 (Ar. 2593) en la que se afirma la plena titularidad de los bienes de la Junta del Puerto de Sevilla. En términos parecidos la sentencia de la Audiencia Territorial de Albacete de 18 de junio de 1982, emitida en un asunto sobre la obligación que recae sobre el SENPA de pagar contribuciones especiales.

[48]   JIMÉNEZ DE CISNEROS CID, F. J., Los Organismos Autónomos..., *cit.* anteriormente, p. 267.

[49]   ARIÑO ORTIZ, G., *La Administración Institucional...*, *cit.* anteriormente, p. 369.

Sin embargo, poco a poco, este intento unificador se ha ido diluyendo a través de la normativa específica por la que se crean y regulan los diferentes Organismos Públicos. Como trató de demostrar DÍAZ LEMA, lentamente la separación entre la legislación patrimonial y la legislación reguladora de distintos patrimonios se ha ido haciendo más patente, hasta desembocar en los últimos años en una aceptación franca de la existencia de patrimonios propios de los Organismos Autónomos, en el ejercicio por éstos de facultades de disposición más o menos tutelada y, en definitiva, en la derogación de la doctrina negadora de un patrimonio propio de los Organismos Autónomos[50].

Esta realidad es reflejo del profundo cambio de criterio sobre el papel de los patrimonios públicos. Frente a un modelo pasivo respecto a los bienes de las Administraciones Públicas se abre paso una gestión más dinámica, sobre todo, sobre los bienes inmuebles. Sin prejuzgar en este momento las bondades o maldades de este fenómeno, así como los posibles perjuicios indirectos que esta política genera, la realidad es que las necesidades financieras de los poderes públicos les está llevando a una gestión destinada a conseguir el máximo rendimiento económico de su patrimonio.

No obstante, la ruptura de la unidad patrimonial no se ha dado en todos los Organismos Públicos por igual dada la heterogénea y variada naturaleza jurídica de todos ellos. Si analizamos los estatutos y normas creadoras de los diferentes Organismos Públicos, comprobamos cómo el proceso de huida de los criterios generales de la legislación sobre bienes, es mucho más importante en el caso de las entidades de Derecho público sometidas al Derecho privado (Entidades Públicas Empresariales en el caso del Estado)[51] así como en el caso de las Agencias Estatales[52]. Por el contrario, en el caso de los tradicionales Organismos Autónomos u Organismos Autónomos de carácter administrativo, el respeto al principio de unidad patrimonial sigue siendo la regla general.

---

[50]   DÍAZ LEMA, J. M., "La afirmación legal...", *cit.* anteriormente, pp. 370 y 371.

[51]   Recoge este concepto las tradicionales figuras de los Organismos Autónomos de carácter comercial, industrial, financiero o análogos, Sociedades estatales del artículo 6.1. b) de la antigua Ley General Presupuestaria e incluso de determinados Entes de Derecho público sujetos a su propio estatuto jurídico.

[52]   En este sentido, el artículo 17.1 de la Ley 28/2006, de 18 de julio, establece que las agencias estatales tendrán, para el cumplimiento de sus fines, un patrimonio propio, distinto del de la Administración General del Estado, integrado por el conjunto de bienes y derechos de los que sean titulares.

Respecto a su patrimonio, la legislación estatal y autonómica dan un tratamiento homogéneo a los bienes de los Organismos Autónomos y de las Entidades Públicas Empresariales. A pesar de ello, la diferente naturaleza de actividades que suelen desarrollar unos y otras hace que las normas creadoras de las Entidades Públicas Empresariales tengan que diferenciarse, optando mayoritariamente por huir de los rígidos controles que sobre sus bienes propios establecen las diferentes leyes reguladoras del patrimonio de las diferentes Administraciones públicas dada su necesidad de competir en el mercado con la iniciativa privada[53]. La unidad patrimonial se mantiene, como regla tradicional, en el caso de los Organismos Autónomos tradicionales, debido, fundamentalmente, a las funciones típicamente públicas y administrativas que desarrollan.

No es posible en un trabajo de estas características realizar un análisis mínimamente exhaustivo de las normas por las que se crean y regulan los diferentes Organismos Públicos, tanto estatales, autonómicos como locales. No obstante, a modo de muestreo, haré alusión a algunas normas reguladoras de los entes instrumentales más significativos de la Administración del Estado. A pesar de ser un número pequeño de ejemplos, resultan indicativos de lo que es la regulación general de los Organismos Públicos en todo nuestro Ordenamiento jurídico.

En el caso del Ente público **Aeropuertos Nacionales y Navegación Aérea** (AENA), el Real Decreto 905/1991 por el que se aprueba su estatuto, en su artículo 33, afirma, en primer lugar, que dispondrá un patrimonio propio diferente al del Estado. Confirmando que en este caso, efectivamente, estamos ante una verdadera separación patrimonial entre uno y otro sujeto jurídico, el artículo 36.1 habilita al Consejo de Administración para acordar la innecesariedad para el servicio y, en su caso, el desguace o la enajenación del material e instalaciones no útiles, así como cualesquiera otros de igual naturaleza, aplicando su producto a los fines propios del Ente público.

Es decir, en este caso no se cumple la regla general de la reincorporación de los bienes cuando éstos resulten innecesarios al Patrimonio del

---

[53]   A pesar de la ambigüedad de las diferentes normas reguladoras de la Administración Instrumental, parece lógico concluir que la distinción entre las actividades de los Organismos Autónomos y las Entidades Públicas Empresariales o, en general, de todas las entidades de derecho público sometidas al Derecho privado, es que en éstas la actividad prestacional, la gestión del servicio o la producción de bienes son objeto de contraprestación. Los Organismos Autónomos o bien no producen tales bienes o, caso de producirlos, lo hacen sin la consiguiente contraprestación.

Estado. El propio ente tiene capacidad y autonomía para la enajenación de estos bienes aplicando el producto de su enajenación a los fines propios del ente.

En el caso de la Entidad pública empresarial **Correos y Telégrafos,** el Real Decreto 176/1998, de 16 febrero remite, en lo que al régimen patrimonial respecta, a lo establecido en el artículo 99 de la Ley 31/1990, de 27 de diciembre, de Presupuestos Generales del Estado para 1997, en el que se establece la creación del Organismo Autónomo Correos y Telégrafos al amparo del artículo 56 de la LOFAGE. Pues bien en este precepto se establece que este ente podrá adquirir, poseer, arrendar y enajenar bienes de cualquier clase, sin que sea aplicable el artículo 84 de la Ley del Patrimonio del Estado que, como se recordará, establecía el deber de reincorporación al Estado de los bienes que no fuesen necesarios de los Organismos Públicos[54].

La Entidad pública empresarial **Gestor de Infraestructuras Ferroviarias** (GIF) creada mediante el derogado Real Decreto 613/1997, de 25 de abril[55], que en su artículo 41.3 establecía que el GIF tendrá la libre disposición de los bienes y derechos de los que sea titular, correspondiendo al Consejo de Administración la competencia para acordar su enajenación. La autonomía patrimonial en este caso vuelve a quedar de manifiesto, si bien ha quedado más recientemente reducida a partir del Real Decreto 2395/2004.

Donde con más fuerza se nota la progresiva tendencia hacia la afirmación de patrimonios propios independientes de los del Estado en el caso de Organismos Públicos que presten servicios en el mercado, es en el Real Decreto Legislativo 2/2011, de 5 de septiembre, por el que se aprueba el Texto Refundido de la Ley de Puertos del Estado y de la Marina Mercante que, en su artículo 42 define de manera muy generosa el patrimonio propio de los organismos portuarios, afirmando que, para el cumplimiento de

---

[54]   Tan sólo se establece en este precepto la necesidad de un previo informe de la dirección general del patrimonio para enajenaciones de cuantía superior a 1.000 millones de pesetas.

[55]   Modificado por el Real Decreto 5/2002, de 11 enero. Fue derogado por el Real Decreto 2395/2004, de 30 de diciembre, por el que se aprueba el Estatuto de la entidad pública empresarial Administrador de Infraestructuras Ferroviarias. Este nuevo Estatuto mantiene la competencia del Consejo de Administración para la enajenación de los bienes (artículo 16.1.k), con la salvedad de las enajenaciones de cuantía superior a 20.000.000 de euros, respecto de las que se establece que habrán de ser autorizadas por el Consejo de Ministros, a propuesta del de Economía y Hacienda.

los fines que les son propios, las **Autoridades Portuarias y Puertos del Estado** tendrán un patrimonio propio, formado por el conjunto de los bienes y derechos que el Estado les atribuya como propios, los que adquieran en el futuro por cualquier título o les sean cedidos o donados por cualquier persona o entidad.

Pero la autonomía patrimonial no sólo se manifiesta respecto al patrimonio propio de estos entes. En los artículos 44.1 y 45.1, respecto a los bienes demaniales **adscritos** a las Autoridades Portuarias y Puertos del Estado, se establece que, una vez hayan sido desafectados, se incorporarán al patrimonio de la Autoridad Portuaria, quien podrá proceder a su enajenación, permuta o, en su caso, cesión gratuita con el simple deber de comunicación previa a la Dirección General de Patrimonio.

En el caso de **RENFE,** el Real Decreto 121/1994, por el que se aprobaba su Estatuto (derogado por RD 2395/2004, de 30 de diciembre, por el que se aprueba el Estatuto de la entidad pública empresarial Administrador de Infraestructuras Ferroviarias-ADIF), transcribiendo el artículo 184.2 de la Ley 16/1987, de Ordenación de los Transportes Terrestres[56], de forma rotunda afirmaba en su artículo 35 que RENFE tendría la libre disposición de los bienes que se integran en su patrimonio[57]. La regulación actual resultante de la Ley 39/2003, del sector ferroviario, y de la Ley 9/2013, de 4 de julio, por la que se modifica la Ley 16/1987, de 30 de julio, de Ordenación de los Transportes Terrestres y la Ley 21/2003, de 7 de julio, de Seguridad Aérea, si bien mantienen la existencia de un patrimonio propio, distinto del de la Administración General del Estado, integrado por el conjunto de bienes, derechos y obligaciones de los que sea titular, para el cumplimiento de sus fines, remiten ya nuevamente a la legislación patrimonial del Estado respecto a las facultades de disposición de ADIF (artículo 24.2 de la Ley 39/2003).

La generosa autonomía que se concede a las entidades públicas empresariales o, en general, a las entidades de Derecho público sometidas al Derecho privado, contrasta con la unidad patrimonial que sigue tratándose de mantener en el caso de los Organismos Autónomos tradicionales.

---

[56]   Modificada por la Ley 9/2013, de 4 de julio y, en cuanto al régimen patrimonial, por la Ley 39/2003, de 17 de noviembre, del Sector Ferroviario, que derogó expresamente el Capítulo V del Título VI de esta Ley, en el que se encontraba el referido artículo 184.2.

[57]   Asimismo se estableció que podía realizar, en relación con los de dominio público, los aprovechamientos que sean complementarios o estén relacionados con la función esencial de transporte ferroviario a la que los mismos se encuentran afectados.

Así, por ejemplo, podemos citar en primer lugar el caso de las **Confederaciones Hidrográficas**. El nuevo Texto Refundido de la Ley de Aguas aprobado por Real Decreto Legislativo 1/2001, de 20 de julio, las califica como Organismos Autónomos y en su artículo 22.2 afirma que "*Los Organismos de cuenca dispondrán de autonomía para regir y administrar por sí los intereses que les sean confiados; para adquirir y enajenar los bienes y derechos que puedan constituir su propio patrimonio; para contratar y obligarse y para ejercer ante los Tribunales todo género de acciones, sin más limitaciones que las impuestas por las leyes. Sus actos y resoluciones ponen fin a la vía administrativa*".

En este caso, por tanto, la diferencia es muy clara por cuanto que se remite a las limitaciones establecidas en las leyes entre las que hay que entender, lógicamente, las patrimoniales, que son las que, como hemos visto, constriñen enormemente la autonomía de este tipo de Organismos Públicos.

Los dos casos más diferenciados en este aspecto son los del **Instituto de Vivienda, Infraestructura y Equipamiento de la Defensa (INVIED) y la Gerencia de Infraestructuras y Equipamiento de la Seguridad del Estado (GIESE)**, que se rigen por su normativa especial, con aplicación supletoria de la Ley de Patrimonio[58].

El Instituto de Vivienda, Infraestructura y Equipamiento de la Defensa, cuyo estatuto es aprobado por el Real Decreto 1286/2010, de 15 de octubre (modificado por el Real Decreto 1656/2012, de 7 de diciembre), es configurado también por éste como Organismo Autónomo[59]. En este caso la autonomía patrimonial vuelve a ser relativa ya que está sometida al control de la Administración territorial competente el apartado tres de la Disposición adicional quincuagésima primera de la Ley de Presupuestos Generales del Estado para el año 2010 que, si bien le permite la enajenación de los bienes muebles pertenecientes al patrimonio de defensa que se pongan a su disposición para el cumplimiento de sus fines mediante simple resolución de su Director General Gerente, obliga a que dicha enajenación se haga cumpliendo con los requisitos y procedimientos que establezca la

---

[58]   No obstante, la vigencia del régimen especial de gestión de los bienes inmuebles afectados a estos Ministerios establecido en las normas reguladoras de ambos organismos se extinguirá en 2019, en virtud de las Disposiciones Adicionales 5ª y 10ª de la Ley de patrimonio.

[59]   Organismo que surge de la refundición de los Organismos Autónomos Instituto para la Vivienda de las Fuerzas Armadas y Gerencia de Infraestructura y Equipamiento de la Defensa, efectuada por la Disposición adicional quincuagésima primera de la Ley 26/2009, de 23 de diciembre, de Presupuestos Generales del Estado para el año 2010.

legislación especial del Organismo y supletoriamente por la Ley 33/2003, de 3 de noviembre, del Patrimonio de las Administraciones Públicas y sus normas de desarrollo.

La Gerencia de Infraestructuras y Equipamiento de la Seguridad del Estado, Organismo autónomo de los previstos en el artículo 43.1.a) de la LOFAGE, también muestra ese régimen de autonomía relativa al requerir, para la enajenación directa de inmuebles, la autorización del Consejo de Ministros o al Ministro del Interior, según dispone el artículo 27.2 del Real Decreto 2823/1998, de 23 de diciembre, por el que se aprueba su Estatuto, y siempre dentro de los términos establecidos en la legislación sobre patrimonio.

Con estos escasos pero significativos ejemplos, creemos demostrar que la unidad patrimonial de las diferentes Administraciones Territoriales se mantiene de forma clara en el caso de los Organismos Autónomos. Sin embargo, en el supuesto de las Entidades de Derecho Público sometidas al Derecho privado y, dado que, normalmente, llevan a cabo su labor en concurrencia o competencia con la iniciativa privada, la flexibilidad, a la hora del otorgamiento de mayor capacidad operativa respecto de sus bienes, es mucho mayor.

Esta afirmación debe hacerse, lógicamente, con la prudencia que recomienda un sistema jurídico como el de la Administración Instrumental presidido por el casuismo y la regla particular. En el caso del Estado, la LPAP hace un último esfuerzo por mantener la unidad patrimonial de gran parte de los entes instrumentales dependientes de él. Concretamente, la Disposición Adicional Quinta de la Ley, trata de reconducir a los criterios patrimoniales generales en ella establecidos, un número importante de Organismos Públicos. Así, un primer grupo que se incluye en este intento de unificación de régimen jurídico patrimonial, está compuesto por los entes mencionados en las disposiciones adicionales novena y décima de la LOFAGE y entre los que se encuentran la Agencia Estatal de Administración Tributaria, El Consejo Económico y Social, el Instituto Cervantes[60], La Comisión Nacional del Mercado de Valores, el Consejo de Seguridad Nuclear, el Ente Público RTVE, las Universidades no transferidas, la Agencia de Protección de Datos, el Instituto Español de Comercio Exterior (ICES),

---

[60] No obstante, el número 2 de la propia Disposición Adicional especifica que este Instituto se regirá, en lo que a su régimen patrimonial se refiere, por su legislación específica. El casuismo no puede ser mayor: en el primer número de un precepto se establece una cosa y en el siguiente lo contrario.

el Consorcio de la Zona Especial Canaria, la Comisión Nacional de Energía y la Comisión del Mercado de las Telecomunicaciones.

El segundo grupo de Entes públicos a los que la Disposición Adicional Quinta reconduce en materia patrimonial a los criterios de la LPAP es el compuesto por el organismo Puertos del Estado y las Autoridades Portuarias. Sin embargo, aunque sea por días, tal y como hemos visto, la nueva Ley de Puertos hace caso omiso a esta previsión, estableciendo un régimen jurídico patrimonial para estos dos entes que, de alguna manera, derogan o matizan enormemente los criterios mantenidos por la LPAP aprobada unos días antes.

Este es el panorama que, nuevamente, creo que nos vamos a encontrar en el futuro. Una legislación patrimonial que trata de mantener la unidad con criterios y reglas "para todos", y una legislación sectorial que, con el mismo rango, con posterioridad en el tiempo y, además, amparada por el criterio de la especialidad, derogará este intento de generalización de régimen jurídico de los bienes de la Administración instrumental.

Sin embargo y hasta que la legislación sectorial no termine por confirmar nuestros temores de establecimiento de régimen singular, teóricamente al menos, la Disposición Adicional Quinta de la LPAP obliga a entender derogadas todas las singularidades y contradicciones que pueden existir entre las normas de creación y regulación de los entes instrumentales y la legislación patrimonial general.

C) La responsabilidad en el caso de los "bienes propios" de los Organismos Públicos

Si todo lo visto hasta ahora pone en duda el carácter de patrimonio separado y autónomo de los llamados bienes propios de los Organismos Públicos, hay una nota en su régimen jurídico que, definitivamente, cuestiona dicha categoría. Me refiero a la cuestión de la responsabilidad. DÍAZ LEMA afirmó que a estos patrimonios se les debería aplicar el principio civilista de la responsabilidad separada de tal manera que, en caso de conflicto, el Estado, como titular de ambos patrimonios, sólo respondería con los bienes y derechos pertenecientes a los mismos, y no con el Patrimonio del Estado[61].

---

[61]   DÍAZ LEMA, J. M., "La afirmación legal...", *cit.* anteriormente, pp. 373-374.

La cuestión de la responsabilidad no es sino una consecuencia más de la mera apariencia de autonomía con que los Organismos Públicos, especialmente los Organismos Autónomos, cuentan en nuestro Ordenamiento jurídico. La personalidad jurídica pública a ellos reconocida tiene mucho menor alcance que la personalidad en el mundo del Derecho privado. Como afirma CHINCHILLA MARÍN, la autonomía de estos entes, que son meros instrumentos de la Administración, implica, sí, cierta autonomía de gestión, pero no una verdadera y auténtica separación ni de los sujetos, ni de sus patrimonios, ni tampoco, por tanto, de su responsabilidad, pues para que hubiese tal separación de responsabilidades tendría que existir una verdadera y real separación de las personas jurídicas que es lo que no se da entre Entes territoriales y Entes institucionales o instrumentales de éstos. Así pues, en opinión de esta autora, el Patrimonio de la Administración matriz debería responder de las deudas de sus Entes institucionales; cuando los bienes de dichos entes no constituyan garantía suficiente para cubrirlas, de la misma forma que el Patrimonio de un Ente institucional tendría que responder de las deudas de la Administración matriz cuando los bienes de la misma no fuesen idóneos o suficientes para garantizar el pago de aquéllas[62].

El sistema, entiendo yo, es perfectamente coherente en este punto. No sería lógico extender posibles responsabilidades de los entes instrumentales a sus bienes propios, cuando hemos comprobado la cantidad de limitaciones que respecto a su gestión se establecen. Mientras nuestro Ordenamiento jurídico siga entendiendo que la autonomía de la que pueden gozar los Organismos Públicos es tan limitada, deberá mantenerse este régimen de responsabilidad en el que el Estado siempre está detrás, por respeto y garantías al resto de operadores jurídicos.

---

[62]   CHINCHILLA MARÍN, C., *Bienes patrimoniales...*, *cit.* anteriormente, pp. 168 y 169. En el caso del Estado, la Disposición Adicional Duodécima de la LPAP (Subrogación del usuario a efectos de contratos de seguro y responsabilidad civil) establece que la afectación, adscripción o cesión del uso de un inmueble del Patrimonio del Estado implicará, en relación con los contratos de seguro que en su caso se hubiesen suscrito sobre el bien, la aplicación de lo dispuesto en los artículos 34 y 35 de la Ley 50/1980, de 8 de octubre de Contrato de Seguro y conllevará la asunción por aquéllos a cuyo favor se efectúen las referidas operaciones de la responsabilidad civil que pudiera derivarse de la titularidad del inmueble. Por tanto, respecto a los bienes adscritos que estuvieran asegurados sí se establece la responsabilidad directa del ente instrumental al que se adscribieran los bienes. No dice nada la norma respecto a bienes adscritos no asegurados y, sobre todo, a los bienes propios por lo que habrá que entender que siguen rigiendo los criterios generales de la responsabilidad afirmados en el texto.

III. EL INVENTARIO DE LOS BIENES DE LOS ORGANISMOS PÚBLICOS

Ha sido una tradición en nuestro Ordenamiento jurídico exigir a los Organismos Públicos que cuenten con un Inventario que incluya todos sus bienes. Así lo reconocían en el caso del Estado los artículos 48 y 56 de la LOFAGE antes de la redacción dada por la LPAP. En estos preceptos se establecía la obligación para los Organismos Autónomos y para las Entidades Públicas Empresariales de formar y mantener actualizado su inventario de bienes y derechos, tanto propios como adscritos, con excepción de los de carácter fungible. Este inventario debía de ser remitido anualmente al Ministerio de Economía y Hacienda a los efectos de la permanente actualización y gestión del Inventario General de Bienes y Derechos del Estado.

El artículo 32.4 de la LPAP que, además, tiene carácter básico y establece que la obligación de tener un inventario patrimonial se hace extensible, además de al Estado, a las comunidades autónomas, entidades locales y entidades de Derecho público vinculadas o dependientes de ellas. En este inventario, habrán de incluirse, al menos, los bienes inmuebles y los derechos reales sobre los mismos[63].

Ya sin carácter básico y, por tanto, aplicable exclusivamente a la Administración del Estado, su Art. 33.3 establece los bienes que deberán inventariarse:

a) Los bienes de dominio público sometidos a una legislación especial cuya administración y gestión tengan encomendadas.

b) Las infraestructuras de titularidad estatal sobre las que ostenten competencias de administración y gestión.

c) Los bienes muebles adquiridos o utilizados por ellos.

d) Los derechos de propiedad incorporal adquiridos o generados por la actividad del departamento u organismo o cuya gestión tenga encomendada.

En Comunidades Autónomas como la de Canarias o la de Galicia, los artículos 9.2 y 106.2, respectivamente, de sus Leyes de Patrimonio establecen la no necesidad de inscripción en el Inventario que deben llevar sus Organismos Públicos de aquellos bienes propiedad de los Organismos Autónomos que hayan sido adquiridos por éstos con el propósito de devolverlos al

---

[63] Prácticamente todas las leyes autonómicas contienen previsiones parecidas. Véanse, a título de ejemplo, los artículos 7 de la Ley de Asturias y 47.1 de la Navarra.

tráfico jurídico patrimonial de acuerdo con sus fines peculiares, así como los adquiridos para garantizar la rentabilidad de las reservas que tengan que constituir en cumplimiento de las disposiciones por que se rigen[64].

El artículo 69.2 de la Ley de Madrid, así como el 97.2 de la Ley de Valencia, establecen una cláusula curiosa que no hace sino reforzar la idea de la falta de autonomía de los Organismos Públicos. En este sentido se establece que los Notarios y Registradores de la Propiedad harán constar en las escrituras públicas e inscripciones registrales que autoricen que el Organismo o Entidad a cuyo favor se escritura e inscribe el inmueble o derecho correspondiente dependen de la Comunidad de Madrid o de Valencia respectivamente.

IV. EFECTOS DE LOS PROCESOS DE REESTRUCTURACIÓN Y REORDENACIÓN DEL SECTOR PÚBLICO SOBRE EL RÉGIMEN JURÍDICO DEL PATRIMONIO DE LA ADMINISTRACIÓN INSTRUMENTAL

1. La reintegración del patrimonio de las entidades instrumentales suprimidas a la Administración territorial

La situación actual de crisis económica, ha conducido a tomar medidas encaminadas a la reestructuración, ordenación y racionalización del sector público empresarial y fundacional estatal, autonómico y local con el objetivo de generar un sector público viable y sostenible financieramente.

Durante los años 2010 a 2013 se ha generado abundante normativa en este sentido y numerosas modificaciones de normas existentes para tratar de adaptar el sector público a las imposiciones derivadas de este objetivo y el de estabilidad presupuestaria.

Entre tales medidas se ha previsto, generalizadamente, una medida radicalmente opuesta a la derivada de las tendencias de huida del Derecho Administrativo que favorecieron la proliferación de estas entidades instrumentales: la supresión de organismos autónomos y entidades empresariales, con la consecuencia de que las Administraciones territoriales, o nuevas entidades instrumentales aglutinadoras de las funciones de las entidades suprimidas, han tenido que asumir nuevamente sus funciones.

---

[64]   Idéntica previsión se contiene en el artículo 13.2 de la Ley murciana.

Con motivo de estas reestructuraciones racionalizadoras, una de las cuestiones que se plantea es la del destino de los bienes que se habían adscrito a estos organismos y entidades instrumentales para el cumplimiento de sus fines y que ahora desaparecen.

La LPAP, en su artículo 81.2, ya ofrecía la solución a esta nueva situación, al establecer que *"en el caso de supresión de organismos públicos, la incorporación de sus bienes al patrimonio de la Administración General del Estado se efectuará mediante la toma de posesión de los mismos por el Ministerio de Hacienda, que se documentará en la correspondiente acta. A estos efectos, el departamento del que dependiera el organismo comunicará su supresión a la Dirección General del Patrimonio del Estado, y acompañará a dicha comunicación una relación de los bienes propios de aquél".*

Ésta ha sido pues la solución generalmente adoptada por las normas autonómicas para clarificar el destino de los bienes de los organismos públicos de las Comunidades autónomas que se supriman en virtud de esos procesos de reordenación que se lleven a cabo[65]. En la generalidad de los casos se dispone la reincorporación de los bienes adscritos a estos organismos a la Administración autonómica, bien a las Consejerías correspondientes que asuman las funciones de los organismos extintos o bien a las nuevas entidades con las que se refundan, que se subrogarían así en los derechos, facultades y obligaciones sobre dichos bienes[66]. Y, normalmente, esta reincorporación se produce sin más necesidad de declaración expresa, simplemente por virtud de las leyes de reestructuración, reordenación o racionalización.

Y también esta es la medida que aportan las diferentes normas autonómicas de reordenación del sector público por las que se procede a la supresión o refundición de organismos autónomos o agencias. Es el caso, por ejemplo, del Decreto-Ley 5/2010, de 27 de julio, por el que se aprueban medidas urgentes en materia de reordenación del sector público, al modifi-

---

[65] Es el caso del artículo 98.3 de la Ley 5/2011, de 10 de marzo, del Patrimonio de Aragón.

[66] Véase, por ejemplo, el artículo 6 de la *Ley 1/2013, de 21 de mayo, de Medidas de Reestructuración y Racionalización del Sector Público Empresarial y Fundacional de la Generalitat,* en relación con los bienes del Consell Valencià de L»Esport, reincorporados al patrimonio de la Generalitat, o el artículo 11.5, respecto de *lo*s bienes y derechos integrantes del patrimonio del Instituto Valenciano de la Música, del Instituto Valenciano del Audiovisual y la Cinematografía Ricardo Muñoz Suay y del Instituto Valenciano de Conservación y Restauración de Bienes Culturales, que se reincorporarán a la entidad CulturArts Generalitat, que asume las funciones de los anteriores. En el mismo sentido, esta Ley en los artículos 16.6, 19.6 ó 24.5.

car la Disposición Transitoria única de la Ley 9/2007, de 22 de octubre, de la Administración de la Junta de Andalucía, que establece la posibilidad de que el Consejo de Gobierno decida discrecionalmente mantener o suprimir los organismos autónomos y de las entidades de Derecho Público creadas al amparo del artículo 6.1.b) de la Ley General de la Hacienda Pública de la Comunidad Autónoma de Andalucía, por razones de eficacia y eficiencia en la aplicación de los recursos del sector público andaluz, estableciéndose para el caso de que decida la supresión, en el decreto de supresión del correspondiente organismo autónomo la integración de los bienes del organismo de autónomo en el patrimonio de la Comunidad Autónoma y los de las entidades Derecho Público en el patrimonio de la agencia pública o Consejería en la que se integre el organismo suprimido. Así, concretamente, por ejemplo, en el caso de la Agencia Andaluza del Conocimiento (modificación del artículo 4 de la Ley 16/2007, de 3 de diciembre, Andaluza de la Ciencia y el Conocimiento por el artículo 3), el Servicio Andaluz de Empleo (artículo 8), la Empresa Pública de Desarrollo Agrario y Pesquero, S.A. (artículo 12) el IARA, las Cámaras Agrarias, el Instituto Andaluz de las Artes y las Letras, etc. Igualmente, la Ley del Principado de Asturias 1/2013, de 24 de mayo, de Medidas de Reestructuración del Sector Público Autonómico, respecto, por ejemplo, del patrimonio del suprimido Instituto Asturiano de Estadística, que integra directamente en el Principado de Asturias, o los bienes y derechos de las entidades públicas 112 Asturias y Bomberos del Principado de Asturias se integrarán en el patrimonio del SEPA.

Por su parte, la Ley 11/2011, de 29 de diciembre, de reestructuración del sector público para agilizar la actividad administrativa, contiene incluso una disposición más específica, garantista y curiosa respecto a la reincorporación al patrimonio de la Administración de la Generalitat de los bienes y derechos que ésta hubiera adscrito a la Agencia de Apoyo a la Empresa Catalana una vez suprimida dicha Agencia o si los bienes no se dedicaran al cumplimiento de las finalidades establecidas. Según el artículo 170 de esta Ley, deberán reincorporarse en las mismas condiciones que tenían en el momento de producirse la adscripción, estableciendo el deber de la Generalitat de tasarlos para obtener su valor pericial y exigir el resarcimiento de los detrimentos evaluados.

2. El establecimiento de la posibilidad de enajenación de bienes con reserva del uso de los mismos

Otra de las medidas interesantes que ha incorporado a la legislación autonómica sobre patrimonio la normativa sobre reestructuración y racionalización del sector público es la posibilidad de reserva de usos de bienes inmuebles del Patrimonio de la Comunidad Autónoma cuando se proceda a su enajenación.

No se trata de una opción aún generalizada, pero es significativa su introducción, por el artículo 2 del Decreto-Ley 5/2010, de 27 de julio, por el que se aprueban medidas urgentes en materia de reordenación del sector público andaluz, de una modificación de la Ley 4/1986, de 5 de mayo, del Patrimonio de la Comunidad Autónoma de Andalucía. En este sentido, se añade un nuevo artículo 88.bis que establece la posibilidad de acordar la enajenación de bienes inmuebles del Patrimonio de la Comunidad Autónoma con reserva del uso temporal de los mismos, total o parcial, cuando por razones debidamente justificadas resulte conveniente para el interés público y así lo autorice el Consejo de Gobierno. Esta utilización temporal podrá instrumentarse a través de la celebración de contratos de arrendamiento, de corta o larga duración, o cualesquiera otros que habiliten para el uso de los bienes enajenados, simultáneos al negocio de enajenación y sometidos a las mismas normas de competencia y procedimiento que éste, exigiéndose autorización por norma con rango de ley cuando el importe del bien sea superior a veinte millones de euros.

También prevé la posibilidad de aplicar esta medida en relación con los bienes inmuebles pertenecientes a Entidades públicas dependientes de la Comunidad Autónoma.

3. La extinción de sociedades mercantiles públicas por cesión de bienes a entidades de derecho público

Otra de las curiosidades que nos ofrece, en materia de bienes, la reciente normativa sobre reestructuración y racionalización del sector público empresarial es la que se deriva de la modificación de la Ley 14/2003, de 10 de abril, de Patrimonio de la Generalitat, con la introducción de un nuevo apartado 4 al artículo 52, mediante la Disposición Final primera de la Ley 1/2013, de 21 de mayo, de Medidas de Reestructuración y Racionalización del Sector Público Empresarial y Fundacional de la Generalitat. Según este nuevo precepto, las sociedades mercantiles públicas se pueden extinguir ahora, además de por las causas habituales previstas en la legislación societaria, sin liquidación, por medio de la cesión global de activo y pasivo a entidades de derecho público y de la cesión global plural de activo y pasivo a dichas entidades.

BIBLIOGRAFÍA UTILIZADA

ARIÑO ORTIZ, G., *La Administración Institucional (Bases de su régimen jurídico)*, Edit. Instituto de Estudios Administrativos, Madrid 1972.

BONET FRIGOLA, J., "Los bienes de los Organismos Autónomos en la Ley catalana 4/1985", en *Administración Instrumental*. Libro homenaje a Manuel Francisco Clavero Arévalo, Coed. Civitas/Instituto García Oviedo, Madrid 1994, pp. 1537 y ss.

CHINCHILLA MARÍN, C., *Bienes patrimoniales del Estado*. Edit. Marcial Pons, 2001.

FERNÁNDEZ RAMOS, "La reordenación del sector público andaluz: reflexiones para el debate", en *Revista Andaluza de Administración Pública*, núm. 80, pp. 13 a 80.

GOSÁLVEZ PEQUEÑO, H., *Régimen jurídico general de la enajenación del "patrimonio privado" inmobiliario de la Administración Pública*, Edit. Lex Nova, 2002.

JIMÉNEZ DE CISNEROS CID, F. J., *Los Organismos Autónomos en el Derecho Público español: Tipología y Régimen jurídico*, Instituto Nacional de Administración Pública, 1987.

LÓPEZ MENUDO, F., en "Organismos generales: principios públicos", en *Estudios sobre la Administración General del Estado. Seminario sobre el proyecto de Ley de Organización y Funcionamiento de la Administración General del Estado (LOFAGE)*, Universidad Carlos III de Madrid, 1996.

LÓPEZ RAMÓN, F., *Sistema jurídico de los bienes públicos*, ed. Civitas-Thomson Reuters, Cizur Menor, Navarra, 2012.

MARTÍNEZ DE MORETÍN, P. L., en "El Patrimonio de la Comunidad de Madrid (Especial referencia al patrimonio de la Administración Institucional)", en *Revista de Administración Pública* N° 131 (1993).

MARTÍNEZ LÓPEZ-MUÑIZ, J. L., "El régimen necesariamente jurídico-público de los bienes, contratos, personal y entes instrumentales de los poderes públicos", *Revista General de Derecho Administrativo*, núm. 27, 2011, pp. 1 a 47.

PLEITE GUADAMILLAS, F., "Régimen patrimonial de los entes instrumentales", en *Derecho de los Bienes Públicos*, Tomo II, Dir. PAREJO ALFONSO y PALOMAR OLMEDA, Ed. Aranzadi-Thomson Reuters, Navarra, 2009, pp. 29 a 75.

Capítulo VII
Régimen General de las obras públicas

PALOMA HERRANZ EMBID
Abogada especialista en Derecho administrativo

I. INTRODUCCIÓN

Las sociedades contemporáneas tienen unas necesidades ingentes de obras públicas —de infraestructuras públicas, en una terminología más moderna y a la par algo más completa—. Son exigencias de la ciudadanía —que reclama más y mejores servicios—, de los sectores productivos —que lo consideran un factor para la competitividad económica[1]— y suele ser un activo en la gestión de los Gobiernos[2], siempre que su construcción haya cumplido exigencias mínimas de racionalidad. De hecho, tambíín la percepción social sobre los modos de ejecución y los valores que han de respetar han presentado una evolución importante, resultando muy relevante su conexión con el desarrollo sostenible, al cual se acostumbran a vincular, bien es cierto que con resultados bastante desiguales.

Sin embargo, la ordenación de las obras públicas sigue anclada en la vieja Ley General de Obras Públicas, aprobada el 13 de abril de 1877 y que ha sido objeto de numerosos retoques y derogaciones que la hacen poco aplicable en la actualidad. Tanto que, incluso desde un punto de vista meramente terminológico, han cambiado las cosas ya que es usual utilizar la expresión de infraestructuras[3], en la medida en que contiene el factor organizativo para que funcionen adecuadamente. El recordatorio de esta norma centenaria refleja la gran carencia que hay cuando se quiere estructurar un rígimen general, común a todas las obras públicas: se carece de un rígimen general que estí adaptado a las circunstancias actuales y, de hecho, en la Ley de Obras Públicas hay aspectos que están desfasados en cuanto

---

[1] En el Libro Blanco sobre Crecimiento, Competitividad y Empleo se señala con nitidez el problema de las infraestructuras: "La cuestión no puede ser más obvia: los embotellamientos no sólo nos irritan a todos, sino que, además, suponen un gran coste para la productividad europea. Infraestructuras con cuellos de botella y en las que faltan eslabones; deficiencias de interoperabilidad entre modos y sistemas. Las redes son las arterias del gran mercado. Sus fallos se traducen en una falta de oxígeno para la competitividad, en ocasiones desaprovechadas de crear nuevos mercados y en una creación de empleo inferior a nuestro potencial".

[2] En buena parte de los Consejos Europeos se hace referencia a la necesidad de mejorar las infraestructuras. Por recoger las del Consejo Europeo del 8 de febrero de 2013, se concluyó que "la existencia de redes energéticas, digitales y de transporte interconectadas es un elemento importante de la realización del mercado único europeo. Además, las inversiones en infraestructuras clave con un valor añadido europeo pueden impulsar la competitividad de Europa a medio y largo plazo en un contexto económico difícil caracterizado por un crecimiento lento y por unos presupuestos públicos restrictivos. Por último, esas inversiones en infraestructuras son también un medio para ayudar a la UE a cumplir sus objetivos de crecimiento sostenible expuestos en la Estrategia Europa 2020 y los objetivos "20-20-20" de la UE en el ámbito de la política energética y climática".

[3] Recordemos que en el Diccionario de la Real Academia se define la infraestructura como "conjunto de elementos o servicios que se consideran necesarios para la creación y funcionamiento de una organización cualquiera".

a formulación y efectos y que por ello resultaría conveniente actualizar, tal como se ha hecho en alguna Comunidad autónoma. Todo lo cual, sin perjuicio de la regulación específica de cada uno de los sectores que está recogida en sus leyes sectoriales, tal como se analiza en otros capítulos de este volumen.

A la hora de plantear este capítulo, se ha de dar respuesta a estas dificultades Se van a alternar cuestiones que resultan tradicionales con otras que afectan a los procedimientos de provisión de infraestructuras, en los cuales ha habido una profunda evolución, que ha corrido de forma paralela incluso a la normativa de contratación pública. Evolución que no siempre resulta pacífica, en la medida en que ha de convivir con las reglas básicas del dominio público, debido a la conexión que existe entre el demanio y la obra pública.

Lo que hace especial el momento es el problema presupuestario. No tanto la cuestión de la disponibilidad o no de los fondos —que es una cuestión que siempre ha estado presente— sino el impacto que tiene el proceso de construcción en el díficit público, sometido a límites más o menos estrictos por parte de las instituciones comunitarias a partir del Pacto de Estabilidad y Crecimiento. Es el impacto que tiene cada uno de los procedimientos en el díficit público lo que ha determinado la sucesión de formas de ejecución —el auge de la colaboración público privada es la mejor prueba o los efectos que ha tenido el tratamiento contable en el uso del denominado *modelo alemán*— y la utilización de cierta contabilidad imaginativa antes de proceder a la ejecución de una obra pública.

Por último, tambíin hay que hacer referencia en esta introducción a la tendencia privatizadora en la ejecución de obras públicas. No se trata sólo de que la presencia de los particulares en la ejecución se haya hecho más patente, con el resurgimiento de las concesiones de obra pública o la incorporación de los CPP; sino que además, muchos de los contratos van a estar sometidos al ordenamiento jurídico privado. Es la consecuencia de las diferenciaciones que efectúa el Texto Refundido de la Ley de Contratos del Sector Público en función del tipo de sujeto que sea adjudicador, el objeto del contrato y del montante del mismo.

Las páginas que siguen pretenden proporcionar una visión general de ambos fenómenos. Por un lado, cómo se adaptan los principios tradicionales de la construcción de obras públicas a la situación actual. Al mismo tiempo, se estudiarán las modalidades que existen para la ejecución de las infraestructuras. Hay sin duda cuestiones que podrían ser analizadas pero que en función de la extensión de esta obra no se pueden estudiar aquí[4].

II. CARACTERIZACIÓN DE LAS OBRAS PÚBLICAS

A la hora de afrontar el problema de las bases del régimen jurídico de las obras públicas el primer escollo con el que nos encontramos es precisamente el de su caracterización, en la medida en que no hay legalmente un criterio que nos permita determinar ese núcleo que las define a partir del cual se pueda configurar un mínimo común denominador de su régimen jurídico.

La vigente Ley de Obras Públicas proporciona una definición de quí se ha de entender cómo obra pública que sin duda puede resultar algo expansiva y que dificulta la existencia de ese régimen común, dado que afecta tanto a las que van a estar afectadas a servicios públicos como a usos públicos por la ciudadanía[5]. Su artículo 1 dispone así que son obras públicas "*las que sean de general uso y aprovechamiento y las construcciones destinadas a servicios que se hallen a cargo del Estado, de las provincias y de los pueblos*". En la ejemplificación que realiza inmediatamente despuís nos lleva a operaciones de transformación de la realidad: "*pertenecen al primer grupo: los caminos, así ordinarios como de hierro, los puertos, los faros, los grandes canales de riego, los de navegación y los trabajos relativos al régimen, aprovechamiento y policía de las aguas, encauzamiento de los ríos, desecación de lagunas y pantanos y saneamiento de terrenos. Y al segundo grupo los edificios públicos destinados a servicios que dependan del Ministerio de Fomento*[6]". Incluye, en consecuencia, operaciones

---

[4]   Una visión general al respecto se puede obtener en MUÑOZ MACHADO, S., *Tratado de Derecho Administrativo y Derecho Público General*, Thompson-Civitas, Madrid (2004), Tomo I, pp. 1296 y ss.

[5]   Sobre la aplicación de la Ley de Obras Públicas, véase JIMÉNEZ DE CISNEROS CID, F. J., Obras públicas e iniciativa privada, Ed. Montecorvo, Madrid (1998), en particular, pp. 75 y ss. También debe tenerse en cuenta la derogación de determinados preceptos de esta Ley (los relativos a la concesión) que ha realizado la Ley 13/2003, de 23 de mayo, reguladora del contrato de concesión de obra pública.

[6]   Recordemos que, como señala GUAITA, el Consejo de Estado quitó toda trascendencia a la diferencia entre los edificios del Ministerio de Fomento y los demás en los que se encontraran sedes administrativas, que quedaban englobados bajo el concepto de construcciones civiles. Concretamente, en el Dictamen de 1 de julio de 1881, indicó que "la denominación de construcciones civiles es genérica, correspondiendo a todos los edificios y obras que se construyan o ejecuten por la Administración civil en todos sus ramos". GUAITA MARTORELL, A., *El Ministerio de Fomento 1832-1931*, p. 61.

que son tanto de realización de obras de ingeniería como de arquitectura y cuyo resultado puede ser tanto un inmueble como una mera alteración física del terreno, de tal manera que, de acuerdo con ello, puede concluirse que cualquier obra que afronten los poderes públicos tiene la consideración de obra pública.

Por ello, esta definición poco sirve desde un punto de vista jurídico. Si se analiza la obra pública desde una perspectiva sociológica o incluso económica, cuando se plantea su caracterización se piensa inmediatamente en las grandes obras de transformación de la realidad, que normalmente suelen tener un coste elevado y requieren el empleo de la ingeniería más que de la arquitectura. Estos datos serían los que podrían proporcionar un elemento distintivo frente a las obras de menor calado, aunque resulten también importantes para el funcionamiento administrativo.

No obstante, en la actualidad, se suele utilizar el calificativo de obra pública para ambos tipos de obras, posiblemente porque la legislación de contratos públicos ha eliminado toda diferencia en cuanto a su procedimiento de contratación, quitando parte de su trascendencia a algunos otros elementos que recoge la legislación general de obras públicas y que se analizarán con posterioridad (como el de la ordenación territorial, por ejemplo). Todo lo cual ha de ser conectado, además, con el incremento de los ámbitos en los que desarrolló la actividad edificatoria por parte de las Administraciones Públicas, de forma que alcanza incluso a las obras de urbanización o a la construcción de viviendas de protección oficial que luego son arrendadas.

Por ello, las definiciones que se ofrecen por parte de los autores plantean todas ellas dificultades, posiblemente porque nos encontremos ante un problema de imposible resolución. Como punto de partida se puede adoptar la que proporcionó FERNÁNDEZ RODRÍGUEZ en su momento, que consideró la obra pública como aquella "operación de transformación material de un inmueble demanial, hecha por la Administración por sí o por vicarios suyos"[7] que quizás sea la más adaptada a la Ley de Obras Públicas, aunque no por ello resulta totalmente adecuada teniendo en cuenta los cambios que para la realización de las obras públicas se han producido desde la promulgación de esta norma. Resulta, en todo caso, un punto de referencia útil a nuestros efectos y que nos permite disponer de los cuatro elementos de la titularidad administrativa, la naturaleza inmobiliaria de las

---

[7]   FERNÁNDEZ RODRÍGUEZ, T. R., "Las obras públicas", en la *Revista de Administración Pública*, nº 100-102 (enero-diciembre 1983), p. 2448.

obras, los aspectos finalistas de las obras y el dato de la operación material, no meramente jurídica, tal como los ha recogido recientemente GALÁN VIOQUE[8]. Como veremos con posterioridad, la conexión entre obra pública y dominio público no es absoluta ya que ha pasado a existir grandes infraestructuras —parte de las instalaciones aeroportuarias— catalogadas como bien patrimonial.

Con ella, se permite tener presente que la obra pública es el fruto del ejercicio previo de una competencia administrativa cuyo resultado es un bien inmueble, y que, por tanto, nos encontramos ante un proceso de transformación de la realidad —con lo que se excluyen de las obras públicas las meras transformaciones jurídicas— y que, al haber un impulso administrativo en su realización, se separa radicalmente de aquellas otras actividades de transformación que se realizan en el marco de los sectores liberalizados como las telecomunicaciones o la energía. Ideas que aparecen reflejadas en la Ley del Parlamento de Cataluña 3/2007, del 4 de julio, de la obra pública, cuyo artículo 2 la define como "el resultado de un conjunto de trabajos de ingeniería civil destinado a cumplir una función económica o tícnica, que tiene por objeto un bien inmueble, tanto si se trata de obras de nueva planta como de transformación, restauración o reforma. En estos últimos casos, es obra pública si el conjunto de trabajos tiene un carácter de intervención total o parcial que produzca una variación esencial".

III. LAS OBRAS PÚBLICAS COMO BIENES DE DOMINIO PÚBLICO. LAS MODULACIONES DE ESTA REGLA GENERAL

1. *Modos de ejecución de obra pública y demanialidad de los bienes*

Cuando se analiza el carácter de las bienes construidos, la regla general es que son bienes del dominio público. Es una regla que deriva de los textos que regulan las grandes obras públicas y así se podrá ver en los capítulos correspondientes de este libro. Pero tambíin, en general, la propia configuración de los bienes de titularidad administrativa como afectos a un general uso y aprovechamiento nos conduce a los bienes de uso público que recoge el artículo 339 del Código civil[9]. De hecho, alguno de los ejem-

---

[8]   GALÁN VIOQUE, R.; *Obras públicas de interés general*, Instituto Andaluz de Administración Pública, Sevilla (2004), pp. 43 y ss.

[9]   Este precepto establece que "*son bienes de dominio público: 1° Los destinados al uso público, como los caminos, canales, ríos, torrentes, puertos y puentes construidos por el Estado, las riberas,*

plos que proporciona el apartado primero son claramente el resultado de una obra pública, como los canales, caminos, puertos y puentes. Aún con los riesgos que supone entrar en una definición del uso público, sería algo parecido a aquel en el que cabe la utilización libre —y en la mayor parte de las ocasiones gratuita— por parte de la ciudadanía.

Más aún, se podría decir que el concepto de obra pública es uno de los elementos que más ha servido para la hipertrofia del dominio público. Así, como señala GALLEGO ANABITARTE, "la conexión entre la obra pública y el dominio público era evidente porque muchas obras públicas iban a terminar en bienes de uso general; al ampliar el concepto de obra pública también a las construcciones destinadas a los servicios públicos del Estado, se establecía una conexión entre dominio público y servicio público inevitable. La vis atractiva de la gráfica expresión de dominio público llevó a que bajo dicho concepto también se incluyesen las obras públicas destinadas no al uso general, sino a los servicios públicos del Estado"[10]. A ello se añade, además, el hecho de que en muchas ocasiones las obras públicas sirven como sustrato material para la prestación de un servicio, como ocurre con el caso de los puertos, el ferrocarril o las instalaciones aeroportuarias.

Por otra parte, el carácter demanial del resultado de la realización de una obra pública se extiende a todas las instalaciones anejas al elemento principal, lo cual ha sido discutido por algún autor[11], pero ésta es la realidad actual del Derecho español, cuyo fundamento teórico se encuentra en la teoría de la accesión, en la medida en que están construidos sobre bienes que son del dominio público. Ésta parece resultar en todo caso la opción más conveniente teniendo en cuenta que se trata de instalaciones que sirven de complemento para la actividad principal, ya sea ésta un establecimiento de restauración en una carretera o una tienda en un aeropuerto, puesto que la propia evolución de la sociedad ha determinado que elementos que con anterioridad se consideraban prescindibles sean hoy

---

playas, radas y otros análogos; 2° Los que pertenecen privativamente al Estado, sin ser de uso común, y están destinados a algún servicio público o al fomento de la riqueza nacional, como las murallas, fortalezas y demás obras de defensa del territorio, y las minas, mientras que no se otorgue su concesión".

[10] GALLEGO ANABITARTE, A. *El Derecho español de aguas en la historia y ante el Derecho comparado,* en la obra colectiva que realizó con DÍAZ LEMA, J. M. y MENÉNDEZ REXACH, A., El Derecho de aguas en España, MOPU, Madrid 1986, p. 353.

[11] Por todos, véase, ARIÑO que defiende enfáticamente que no deben tener este carácter. Entre otros sitios, ARIÑO ORTIZ, G., "Infraestructuras: nuevo marco legal", en la obra colectiva editada por Ariño & Almoguera Abogados, *Nuevo derecho..., op. cit.,* pp. 38 y ss.

básicos para que la instalación tenga las condiciones que resultan socialmente exigibles. Los rendimientos que obtenga el ente que haya concedido el espacio para su explotación económica servirán, por otro lado, para
disponer de fondos para el mantenimiento de la instalación principal o
para la construcción de otras similares.

Existen, no obstante, posiciones doctrinales en contra de esta solución,
y al igual que se ha argumentado que se deben despublificar "aquellas infraestructuras que pueden ser explotadas rentablemente[12]", se ha defendido la privatización de las áreas en las que se asientan los servicios accesorios
para su sometimiento al derecho privado. No obstante, entendemos que
la vinculación que estas áreas tienen con el servicio principal de la infraestructura y el hecho de que la razón central de su íxito económico derive
precisamente de su ubicación y de su vinculación con la actividad central,
adaptado a las nuevas necesidades sociales, aconsejan que mantengan el
rígimen de aquílla, esto es, el rígimen demanial. A ello se añade, además,
la importancia de tales zonas para la consecución de fondos para construir
y mantener las obras públicas, por lo que, de no mantenerse su carácter
demanial, se estaría privando de fondos a los organismos públicos y se les
estaría obligando a un esfuerzo financiero suplementario para disponer de
infraestructura adecuada.

Que el resultado de la realización de una obra pública sea un bien de
dominio público supone que se le aplique el régimen de la indisponibilidad que está constitucionalmente recogido en el artículo 132 de la Constitución.

El carácter demanial del resultado de una obra pública tambiín resulta
aplicable a los bienes construidos por los concesionarios de obra pública
y sobre los cuales existe un derecho de reversión a los entes concedentes,
en el marco del título concesional, aunque sobre este punto y teniendo en
cuenta lo que afirma la Ley de Patrimonio de las Administraciones Públicas
volverí con posterioridad.

2. Ámbitos de disociación entre dominio público e infraestructuras públicas

Como se ha podido observar, existe una vinculación general entre el
dominio público y las obras públicas, lo cual es, en buena medida una consecuencia de que las leyes reguladoras de las grandes infraestructuras así

---

[12]   ARIÑO ORTIZ, G., "Infraestructuras:..." *op. cit.*, p. 40.

lo declaran. Ahora bien, no se puede desconocer que en las restantes no siempre aparece ese vínculo, ya que el actuar de la Administración se ha separado del planteamiento tradicional sobre la ejecución de infraestructuras públicas.

En efecto, la práctica administrativa ha ido configurando procedimientos novedosos para la construcción de bienes que sirven para la prestación de servicios públicos y que, sin embargo, no son, no pueden ser, bienes de dominio público. Se trata de un fenómeno que está incentivado por el control del díficit público que se analizará con posterioridad y de los cuales tenemos ejemplos en hospitales, comisarías de policía o juzgados, entre otros muchos, con independencia de que el servicio que se está prestando en él imponga ciertas restricciones en cuanto a su rígimen jurídico.

Para su ejecución, las Administraciones públicas han utilizado figuras hasta ahora no recogidas en la legislación, englobables en el concepto genírico de la colaboración público privada o por el empleo por parte de la Administración de entidades instrumentales de derecho privado, sociedades mercantiles, que en ocasiones son titulares de los bienes y que, por la propia esencia del dominio público, no pueden ser demaniales.

De hecho, la última modificación de la legislación patrimonial ha ido en la dirección de permitir que algunas infraestructuras tengan un rígimen alejado del demanial. Así, desde 1996 se reconocen las figuras de "*arrendamiento financiero con opción de compra y demás contratos mixtos tanto de arrendamiento y adquisición como de enajenación y arrendamiento*", hoy contempladas en el artículo 128 de la Ley de Patrimonio de las Administraciones Públicas.

En esta línea conviene citar lo dispuesto con la pretensión clara de una externalización de servicios en relación con los bienes públicos, la Disposición Adicional 15ª LPAP, recoge unos "sistemas especiales de gestión de bienes", en virtud de los cuales se puede encomendar a sociedades públicas o privadas la administración de bienes. Dentro de la realización de estas operaciones, "en la forma prevista en esta Ley para el correspondiente negocio podrán concluirse acuerdos marco en los que se determinen las condiciones que han de regir las concretas operaciones de adquisición, enajenación o arrendamiento de bienes que se prevea realizar durante un período de tiempo determinado. Las operaciones patrimoniales que se realicen al amparo del acuerdo marco no se someterán a los trámites ya cumplimentados al concluirse aquíl". Para explicar su virtualidad, y para exponer los riesgos que plantea, posiblemente sea conveniente recordar aquí el caso de la Bundesinmobilliengesselschfat, la sociedad patrimonial del Gobierno federal austriaco a la que se transfirió la propiedad de los edificios del Estado con el mandato de rehabilitación y alquiler al mismo Estado, lo cual se produjo para eludir los límites del díficit público.

Pero posiblemente donde ha quedado más patente la disociación entre obra pública y dominio público sea en el rígimen aeroportuario. En aplicación del Capítulo I del Título II del Real Decreto-Ley 13/2010, de 3 de diciembre, de actuaciones en el ámbito fiscal, laboral y liberalizadoras para fomentar la inversión y la creación de empleo, las infraestructuras aeroportuarias no afectas a los servicios de navegación aírea dejan de ser bienes de dominio público y, con ello, se abre el paso para la privatización parcial de AENA. Las infraestructuras afectas al desarrollo de actividades aeroportuarias pasan a ser bienes patrimoniales que se integran en el patrimonio de la sociedad "AENA Aeropuertos, S.A". Con ello, se da un paso más en la sustitución de elementos clásicos de la construcción del rígimen jurídico de los bienes públicos —que partían de la titularidad pública— y su sustitución por la idea, más germánica, de la afectación a las necesidades de interís general de las cosas públicas.

3. En particular, la relación del concesionario de la obra pública concedida

Con anterioridad se ha visto cómo, en principio, las obras públicas son bienes del dominio público, salvo las matizaciones que se acaban de hacer al final del epígrafe. No obstante, hay una situación que resulta peculiar, que es la constituida por los bienes objeto de concesión de obra pública, sobre los cuales hay que realizar precisiones que expliquen su situación jurídica.

A diferencia de lo que ocurría con la legislación patrimonial anterior, que no preveía nada sobre este aspecto, el punto de partida lo encontramos en el artículo 97 de la Ley 33/2003, de Patrimonio de las Administraciones públicas, que dispone lo siguiente:

> El titular de una concesión dispone de un derecho real sobre las obras, construcciones e instalaciones fijas que haya construido para el ejercicio de la actividad autorizada por el título de la concesión.
> Este título otorga a su titular, durante el plazo de validez de la concesión y dentro de los límites establecidos en la presente sección de esta Ley, los derechos y obligaciones del propietario.

Es un planteamiento que resulta consecuente con la voluntad de la legislación de proteger los derechos de los concesionarios de obras públicas, sobre todo para la obtención de críditos que les permita afrontar la construcción. No obstante, detrás de este precepto, que ha sido calificado por

JIMÍNEZ-BLANCO como "evidente exceso semántico"[13], hay una serie de problemas que no se pueden obviar para tener una visión, siquiera sea aproximada de los derechos del concesionario. Para ello, hemos de comparar las facultades que le corresponden con las que tiene el propietario y que recoge el artículo 348 del Código civil.

De entrada, en relación con la posibilidad de disponer del derecho concedido, no se puede olvidar las evidentes restricciones que recoge la propia legislación patrimonial. El artículo 98.1 LPAP dispone, en este sentido que "los derechos sobre las obras, construcciones e instalaciones de carácter inmobiliario a que se refiere el artículo precedente sólo pueden ser cedidos o transmitidos mediante negocios jurídicos entre vivos o por causa de muerte o mediante la fusión, absorción, o escisión de sociedades, por el plazo de duración de la concesión, a personas que cuenten con la previa conformidad de la autoridad competente para otorgar la concesión". En términos similares se pronuncia la LPAP sobre el negocio transmisivo indirecto típico que recoge la ley, la hipoteca de la concesión, señalando que "en todo caso, para constituir la hipoteca será necesaria la previa autorización de la autoridad competente para el otorgamiento de la concesión, si en la escritura de constitución de la hipoteca no constase esta autorización, el registrador de la propiedad denegará la inscripción" (artículo 98.2.2).

En segundo lugar, la capacidad de disfrute de la cosa objeto de la concesión también resulta bastante limitada, precisamente por la vinculación al interés general que es precisamente lo que habilita para el otorgamiento del título. En este caso no se puede olvidar que la concesión tiene incorporada la finalidad para la que se construye el bien en el dominio público y, por consiguiente, con ello se están delimitando las posibilidades de explotación económica y de disfrute de la misma producto del título administrativo por parte del concesionario.

En estas condiciones, la titularidad de la obra aunque formalmente recaiga en el concesionario mientras dura el título administrativo no proporciona una capacidad de actuación tan importante como la del propietario. Por expresarlo con las palabras de JIMÉNEZ-BLANCO, el derecho del concesionario, ese derecho real que le reconoce el artículo 97 LPAP, el que es objeto de la concesión, "no sólo es que es menor que una propiedad. Es que

---

[13]   JIMÉNEZ-BLANCO CARRILLO DE ALBORNOZ, A., Negocios jurídicos sobre la concesión, dentro de la obra colectiva dirigida por CHINCHILLA MARÍN, C., Comentarios a la Ley 33/2003, de patrimonio de las Administraciones públicas, Ed. Civitas, Madrid (2004), p. 478.

es distinto. Por eso, el autor de la LCAP ha querido reformular el punto de equilibrio de las prestaciones, dando al acreedor hipotecario, en caso de que la obligación garantizada no se viera satisfecha, unas situaciones subjetivas activas de los que carece en el caso de hipoteca ordinaria"[14]. Esto es, detrás de la denominación como propietario, el legislador ha configurado un régimen jurídico que reduce las facultades que por regla general se otorga a los titulares de este derecho, algo que, por otra parte, es lógico si tenemos en cuenta la vinculación de lo construido a una necesidad de interés general.

Recordemos, en este sentido, que estas facultades son, por un lado solicitar a la Administración concedente que, previa audiencia del concesionario, disponga que se asigne a la amortización de la deuda una parte de la recaudación, o si existiesen bienes aptos para ello, solicitar de la Administración concedente que, previa audiencia al concesionario, le otorgue la explotación durante un determinado período de tiempo de todas o de parte de las zonas de explotación comercial. En el caso de que estas zonas estuvieran siendo explotadas por un tercero en virtud de una relación jurídico-privada con el concesionario, la medida contemplada por este apartado deberá ser la notificada a dicho tercero con la indicación de que queda obligado a efectuar al acreedor hipotecario los pagos que debiera hacer al concesionario (artículo 262.2 b TRCSP).

Este derecho inferior y distinto al de propiedad tiene, de este modo, una finalidad clara: actuar como mecanismo para la obtención de financiación de la realización, modificación o ampliación de las obras construcciones o instalaciones situadas en la dependencia demanial ocupada.

IV. DISTRIBUCIÓN DE COMPETENCIAS EN MATERIA DE OBRAS PÚBLICAS

El concepto amplio de obra pública que recoge la normativa vigente da lugar a que todos los entes públicos, en mayor o menor grado, dispongan de competencias para la realización de actividades relativas a esta materia. De hecho, la Constitución recoge en dos de sus reglas de distribución de competencias[15] el título genérico de las obras públicas, concretamente en

---

[14] JIMÉNEZ-BLANCO CARRILLO DE ALBORNOZ, A., Negocios jurídicos..., *op. cit.*, p. 483.
[15] Sobre la distribución de competencias entre el Estado y las Comunidades autónomas en materia de obras públicas, véase BELADÍEZ ROJO, M., "Régimen general de dis-

los artículos 148.1.4, el cual permite que las Comunidades Autónomas asuman competencias en relación con las "*obras públicas de interés de la Comunidad Autónoma en su propio territorio*" y 149.1.24, donde se declara de competencia exclusiva del Estado la realización de "*obras públicas de interés general o cuya realización afecte a más de una Comunidad Autónoma*". Estas reglas deben completarse con las específicas que recogen la Constitución y los Estatutos de Autonomía sobre los diversos tipos de obras públicas que se analizan en los capítulos correspondientes de este libro.

A las competencias estatales y autonómicas, habría que añadir las que realizan las Entidades Locales[16]. Así, de acuerdo con lo dispuesto en el artículo 88 del Texto Refundido de Régimen Local, aprobado mediante Real Decreto Legislativo 781/1986, de 18 de abril, "*tendrán la consideración de obras locales todas las de nueva planta, reforma, reparación o entretenimiento que ejecuten las Entidades locales, tanto como con sus propios fondos como con auxilio de otras Entidades públicas o particulares, para la realización de servicios de su competencia*".

Conviene recordar que, como ha señalado MUÑOZ MACHADO, la Constitución utiliza un concepto de obra pública de marcado signo funcional o instrumental, que "realmente no acota para el Estado o para las Comunidades Autónomas un campo concreto de intervención de los poderes públicos (lo que ocurre cuando se atribuyen competencias sobre ferrocarriles, puertos, etc.), sino que más bien se hace referencia a un instrumento de actuación. Las obras públicas son, de esta manera, uno de los instrumentos que utilizarán el Estado o las Comunidades Autónomas para ejercer muchas de las competencias que aparecen consignadas en la Constitución y en los Estatutos. El ámbito material de la competencia aparece en tales casos concretados por referencia a un objeto o asunto específico

---

tribución de competencias en materia de grandes infraestructuras", dentro de la obra colectiva *El Estado de las Autonomías. Los sectores productivos y la organización territorial del Estado*, Coedición de la Editorial Centro de Estudios Ramón Areces y el Central Hispano, pp. 3371 y ss. y GALÁN VIOQUE, R., "Distribución de competencias en materia de obras públicas", dentro de la obra colectiva dirigida por GONZÁLEZ GARCÍA, J. V., *Diccionario de Obras públicas y bienes públicas*, Iustel, Madrid (2007), pp. 307 y ss. Asimismo, los comentarios que hizo González García, J. V. a las reglas contenidas en el artículo 149.1. 4, 5, 6 y 24 CE y que están recogidas en la obra colectiva dirigida por M. E. Casas Baamonde y M. Rodríguez Piñero y Bravo-Ferrer; *Comentarios a la Constitución Española*, Editorial Fundación Wolters Kluwer España, Madrid (2009).

[16] Sobre las obras locales puede verse en MENÉNDEZ REXACH, A., "Obras públicas municipales", en la obra colectiva dirigida por GONZÁLEZ GARCÍA, J. V., *Diccionario de bienes y obras públicas*, Madrid, Iustel (2007), pp. 497 y ss.

(desde la ordenación del territorio a la agricultura, desde los aprovechamientos hidráulicos a los aeropuertos, etc.)"[17].

Este dato obliga a dar dos pasos para llevar a cabo el análisis sobre cuál
debe ser el ente competente para realizar una infraestructura concreta.
Así, por un lado, se debe comprobar en primer lugar a quí ente público
están atribuidas las competencias funcionales sobre un determinado sector
de obra pública, dado que hay ámbitos con reglas específicas, tales como
ferrocarriles, puertos, obras hidráulicas... Pero, habida cuenta que será
habitual en materia de obras públicas que las competencias estín atribuidas funcionalmente de forma compartida, se deberá examinar asimismo
cuál es el ámbito de los intereses generales más netamente afectados por
la realización de esa infraestructura concreta. El problema se transforma,
por tanto, en la determinación de estos intereses más específicos, puesto
que nos podemos encontrar con las tres Administraciones compitiendo
por resultar las competentes para efectuar (o no efectuar) una determinada infraestructura. La respuesta a este interrogante se obtiene a través de
una generalización de la solución que aparece en la Constitución, según
la cual, como ha señalado la jurisprudencia constitucional, son las autoridades estatales las que resultan competentes para determinar cuándo una
obra pública es de interís general[18].

Ahora bien, conviene recordar que el concepto de interís general que
reconoce en este punto la Constitución no es equivalente a interís público
sino que tiene un alcance diferente, que lo conecta con el "interís supra-
rregional", que no está contrapuesto "al interís regional, sino, al contrario, lo estaría configurando como un plus respecto al interís regional"[19].
Y aquí, como ha recordado la STC 68/1984, corresponde al Estado, de
forma discrecional, determinar cuándo le corresponde el ejercicio de esta
competencia

---

[17]   MUÑOZ MACHADO, S. *Derecho público de las Comunidades Autónomas,* Iustel, Madrid
        (2007), Vol. I, p. 731.
[18]   Así, en la STC 40/1998, en relación con los puertos de interés general sostuvo que
        "puesto que el constituyente no ha precisado qué deba entenderse por "puerto de
        interés general", sin que pueda darse a la expresión un sentido unívoco, los órganos
        estatales —y muy singularmente el legislador— disponen de un margen de libertar
        para determinar en qué supuestos concurren las circunstancias que permiten calificar
        a un puerto como de interés general. Este Tribunal tiene sólo, como se ha dicho, un
        control externo, en el sentido de que su intervención se limita a determinar si se han
        transgredido los márgenes dentro de los cuales los órganos del Estado pueden actuar
        con libertad".
[19]   BELADÍEZ ROJO, M., *Régimen general..., op. cit.,* p. 3375.

Al supuesto anterior, que posiblemente resulte el más conflictivo, se suma el relativo a las infraestructuras cuya localización afecte a más de una Comunidad Autónoma. En todo caso, conviene tener presente que los dos criterios no resultan excluyentes, de tal manera que una obra pública que se limite al territorio de una única Comunidad Autónoma puede ser de interés general y, por consiguiente, de competencia del Estado. Como señaló la STC 65/1998, de 18 de marzo, "*el criterio del interés general viene a complementar al puramente territorial, sin excluirlo esencialmente, pero añadiendo al mismo una dimensión cualitativa (...) introduciendo así una mayor racionalidad en el reparto de competencias en la materia*".

Aunque los dos criterios anteriores pueden dar la impresión de que íste de las obras públicas es un campo abonado para las discrepancias, la realidad es totalmente contrapuesta, ya que la conflictividad competencial entre el Estado y las Comunidades Autónomas es muy reducida en esta materia. Por regla general a las Comunidades Autónomas les interesa la realización de estas actividades por el Estado por su alto coste, lo que en muchas ocasiones les lleva a pedir su colaboración[20]. Posiblemente la prueba más clara de lo que se está indicando la constituyen los múltiples convenios de colaboración firmados entre las Administraciones estatal, autonómica y local para materializar de forma conjunta obras públicas. Se trata, por lo demás, de un recurso que ha sido fomentado en la propia jurisprudencia constitucional sobre obras públicas como "*mecanismo de optimización del ejercicio de ambas competencias*", tal como se señaló en la STC 193/1998, de 1 de octubre, en relación con la Ley de puertos deportivos de Andalucía.

El recordatorio, sucinto, de las reglas de distribución de competencias en materia de obras públicas no puede concluir sin hacer mención a dos cuestiones importantes, la relativa al deber de colaboración y la capacidad estatal de coordinación de los diversos planes de obras.

---

[20] Se ha llegado a afirmar en relación con una modalidad de obra pública, la hidráulica, que "el único combate existente es el de la pugna por conseguir que una obra se declare de interés general", EMBID IRUJO, A., "Las obras hidráulicas de interés general", dentro de la obra colectiva dirigida por el propio EMBID IRUJO, A. *Las obras hidráulicas*, Coedición del Seminario de Derecho del Agua de la Universidad de Zaragoza, la Confederación Hidrográfica del Ebro y la Ed. Civitas, Madrid, 1995, p. 95.
De hecho, si se observa la lista de obras públicas hidráulicas de interés general y, por lo tanto, de competencia estatal, recogida en la Ley 10/2001, de 5 de julio, del Plan Hidrológico Nacional, puede comprobarse que muchas de ellas son de interés claramente regional y, sin embargo, se llevan a cabo por las sociedades estatales de aguas.

Por lo que hace referencia al deber de colaboración y cooperación interadministrativas, más allá de ser una regla que afecta a todos los ámbitos de actuación de los entes públicos, y que tiene fundamento constitucional[21] ha sido recogido de forma expresa para las obras públicas en el párrafo primero de la disposición adicional segunda de la ley reguladora del contrato de concesión de obra pública cuando dispone que "la Administración General del Estado, las Administraciones de las Comunidades autónomas y las entidades locales tienen los deberes de recíproca información y de colaboración y cooperación mutuas en el ejercicio de sus actuaciones de planificación y construcción de obras públicas, según lo establecido por el ordenamiento vigente". No es sino una necesidad teniendo en cuenta la complejidad que tiene el reparto competencial en esta materia. De hecho, en el reciente Estatuto de Autonomía para Cataluña se recoge que la participación autonómica en las obras del Estado viene dado por el informe en los casos de catalogación de una infraestructura como de interís general como a través de la participación en la "planificación y programación de las obras calificadas de interís general, de conformidad con lo dispuesto en la legislación del Estado" (artículo 148.1).

No obstante, el recurso a las formas de colaboración y cooperación puede resultar fallido. Para proporcionar una solución a estos casos, el siguiente párrafo de la misma disposición adicional segunda de la LCOP dispone que "si los procedimientos de colaboración resultaren ineficaces y cuando se justifique por la incidencia directa y significativa sobre la actividad económica general, el Estado, en el ejercicio de su competencia exclusiva sobre las bases y la coordinación de la planificación general de la actividad económica, podrá coordinar los planes de obras públicas competencia de las comunidades autónomas con los planes de obras públicas de interís general".

Es una disposición que se dicta al amparo del artículo 149.1.13ª CE, que como ha señalado la jurisprudencia constitucional habilita para la modificación de los planes de obras públicas[22] y que debe ser interpretado

---

[21]   Recordemos que la STC 18/1982 dijo que la cooperación estaba implícita en el sistema de las autonomías y que la STC 181/1998 señaló que "la consolidación y el correcto funcionamiento del Estado de las autonomías dependen en buena medida de la estricta sujeción de uno y otro a las fórmulas racionales de cooperación, consulta, participación, coordinación concertación o acuerdo previstas en la Constitución y en los Estatutos de Autonomía".

[22]   Concretamente, en la STC 65/1998, de 18 de marzo, se admitió que en virtud de esta cláusula se podían modificar los planes de carreteras "dada la trascendencia directa y

de manera que no deje vacío de contenido. Por ello, el Estado habrá de proporcionar una justificación suficiente del efecto que tiene sobre la actividad económica general.

V. PRINCIPIOS DE REALIZACIÓN DE LAS OBRAS PÚBLICAS

La normativa general de obras públicas vigente recoge, como no podía ser de otro modo, una serie de principios generales para la ejecución de las obras cuyo cumplimiento permitirá que las infraestructuras que se construyan presten un servicio más adecuado a los intereses públicos. Así, los relativos a la planificación previa, la obligación de consignación presupuestaria previa y la existencia de un proyecto tícnico aprobado. Además, a estos principios previstos en la legislación decimonónica deben añadirse otros dos que se derivan del desarrollo de las infraestructuras en el siglo XX, concretamente los que se refieren a la incardinación de las obras públicas dentro de la ordenación territorial y su componente ambiental. Por último, no se puede olvidar un elemento derivado de nuestra incorporación a la Unión Europea que afecta tambíin al sector de las infraestructuras, como es el de las redes transeuropeas, de forma que, la consideración de una infraestructura como tal influirá necesariamente en la acción de los Estados implicados en todos los aspectos derivados de su ejecución.

A todos ellos haremos a continuación una breve referencia.

1. El principio de la planificación previa y sus modulaciones

La Ley de Obras Públicas de 1877 proporciona una gran importancia al papel del plan dentro de la mecánica general de la realización de obras públicas, que pasa a ser el elemento vertebrador de la política en esta materia. Su artículo 20 es claro en este punto cuando dispone que "*el Ministerio de Fomento formará oportunamente los planes generales de las obras públicas que hayan de ser costeadas por el Estado, presentando a las Cortes los respectivos proyectos de ley en que aquéllas se determinan y clasifiquen por su orden de preferencia*". De hecho, conforme al artículo 22, no puede haber consignación presupuestaria para una obra que "*no se halle comprendida en los planes a los que se refiere*

---

significativa de las mismas sobre la actividad económica general, en cuanto infraestructura básica del transporte y las comunicaciones terrestres".

el artículo 20". En consecuencia con ello, puede afirmarse que sin plan no hay obras.

Como se puede observar, la importancia que la Ley otorga al plan no afecta sólo a la posibilidad de realización de las obras públicas, sino tambíin a la forma de proceder a su realización, puesto que deben contemplarse en el mismo cuestiones tales como el orden de preferencia en su ejecución, si bien este aspecto temporal está menos determinado de lo necesario, posiblemente por su conexión necesaria con el presupuesto.

Las previsiones anteriores llevaban como consecuencia en un principio a concluir, tal y como señaló FERNÁNDEZ RODRÍGUEZ, en que "el plan cumple básicamente una función habilitante de la ulterior actividad de la Administración, facilita el control del Ejecutivo por el Parlamento vía presupuesto, introduce un cierto principio ordenador en la medida en que sirve de base para la fijación de prioridades, reduciendo así la discrecionalidad del órgano legislativo, aún sin llegar, lógicamente, a sofocarla, y, por supuesto, la de la propia Administración, que no puede otorgar concesiones a particulares que sean susceptibles de destruir los planes"[23].

Ahora bien, esta aparente fortaleza del plan que se acaba de describir queda totalmente desfigurada por lo dispuesto en el artículo 22 de la propia Ley[24]. En efecto, en el mismo se contempla la posibilidad de que en leyes especiales se altere el contenido del plan mediante una habilitación al Gobierno, lo cual trastoca por completo el sistema y lo deja vacío de contenido. Muy probablemente se recogió esta previsión para dejar abierta la posibilidad de incluir obras de forma excepcional pero la realidad fue que, desde el mismo momento de su promulgación, se aprobaron leyes especiales que alteraban el contenido del plan general de obras públicas[25].

---

[23] FERNÁNDEZ RODRÍGUEZ, T. R., *Las obras...*, *op. cit.*, p. 2453.

[24] Conviene recordar tambíin que al poco tiempo de la promulgación de la Ley de Obras Públicas se deroga la exigencia de planificación en materia de carreteras por Ley de 5 de julio de 1911, Ley disponiendo que desde la promulgación de la presente quede suprimido el plan general de carreteras del Estado, establecido por la actual legislación de Obras Públicas.

[25] Resulta muy ilustrativo de lo que se está señalando lo indicado sobre el problema en general y, en concreto, sobre lo acaecido con el plan general de carreteras de 1877, por MARTÍN-RETORTILLO BAQUER, S., *Derecho administrativo económico* I, Ed. La Ley, Madrid (1988), pp. 337 y ss.

Conviene recordar, no obstante, que la promulgación de leyes de planes especiales de obras públicas ha sido una constante. A título de ejemplo de ley antigua para un plan de obras que se refiere a un problema muy actual, la Ley, de 8 de julio de 1936, autorizando al Ministro de este Departamento para realizar, con carácter urgente, las

Hoy el plan tiene un valor incluso inferior. Es cierto que existen planes de obras públicas que son aprobados por el Gobierno en su mayor parte, pero se pueden realizar obras sin que estén previstas en los planes, como ocurre por ejemplo con lo dispuesto en relación con las carreteras. Por ello, en la actualidad tienen un valor normativo debilitado.

La nueva Ley 13/2003, de 23 de mayo, reguladora del contrato de concesión de obra pública, confirma la escasa virtualidad jurídica del plan en su disposición adicional primera, en cuya virtud "las Administraciones públicas podrán aprobar planes sectoriales de obras u otros tipos de planes establecidos legalmente que incluyan las obras a realizar, que serán preceptivos cuando así lo exija la legislación general o la específica reguladora de cada clase de obras. En este supuesto, los planes podrán incluir las obras susceptibles de ser objeto del contrato de concesión". *Se sigue dejando pues a las leyes sectoriales la determinación del valor del plan en cada tipo de obras.*

Esta línea de limitar el valor del plan de obras públicas que ha sido una constante en las últimas dícadas puede encontrar un punto de inflexión —aunque no haya sido aprobado por el Parlamento— en el último de los grandes planes de obras públicas, el Plan Estratígico de Infraestructuras de Transportes (2005) se autoreconoce un valor de "planificación estratígica", en la medida en que marca las pautas de desarrollo de las actuaciones en materia de infraestructuras de transportes, a travís de los objetivos que se marca, tanto de carácter finalista como económico financiero. De hecho, se afirma que "con el Plan Estratígico de Infraestructuras y Transporte (PEIT), el Ministerio de Fomento recupera la planificación como el instrumento en el que se han de enmarcar sus actuaciones en el medio plazo y asume un compromiso público en el desarrollo de las políticas de las que es responsable"[26]. De hecho, pretende ser un elemento superador de la división entre planificaciones generales y sectoriales; de bienes y de servicios de transportes, a travís de la integración de todos los que dependan de la competencia del Ministerio de Fomento, examinando elementos que son trascendentes para la realización de actuaciones, tales como su impacto medioambiental o la convergencia con Europa en particular en el compromiso de integración de los objetivos de desarrollo sostenible en el sector del transporte y en la profundización en los principios que inspiran la política común de transporte y de redes transeuropeas"[27].

---

obras necesarias en sustitución de pasos a nivel en las carreteras del Circuito Nacional de Firmes Especiales.

[26]   Ministerio de Fomento, *Plan Estratégico de Infraestructuras de Transporte,* p. 11.
[27]   Ministerio de Fomento, PEIT, p. 11.

Pero el elemento en el que se le ha proporcionado valor mayor es el de aquellas normas especiales en las que el plan tiene efectos vinculantes. El ejemplo de las obras hidráulicas posiblemente resulte el más contundente, en la medida en que el artículo 42 del Texto Refundido de la Ley de Aguas hace que hayan de aparecer en los Planes Hidrológicos de Cuenca las denominadas infraestructuras básicas, las cuales son, de acuerdo con el 85.1 RAPA "las obras y actuaciones que, influyendo significativamente en el ámbito hidráulico que se insertan, forman parte integrante de los sistemas de explotación que hacen posible la oferta de recursos prevista por el Plan para los diferentes horizontes temporales". En todo caso, al capítulo correspondiente me remito para examinar el valor del Plan Hidrológico en las obras hidráulicas[28].

2. La obligación de consignación presupuestaria previa

La Ley General de Obras Públicas recoge la obligación de consignación presupuestaria previa en su artículo 21, asegurando así su realización. Únicamente se permite que se ejecuten sin tal consignación las obras de mera reparación o de reconocida urgencia.

Este principio se ha venido contemplando también como esencial en la normativa de contratación pública. En la actualidad, se recoge con carácter general en el artículo 32.1. c) TRCSP es causa de invalidez del contrato "la carencia o insuficiencia de crédito, de conformidad con lo establecido en la Ley 47/2003, de 26 de noviembre, General Presupuestaria, o en las normas presupuestarias de las restantes Administraciones Públicas sujetas a esta Ley, salvo los supuestos de emergencia".

Conviene, no obstante, relativizar esta obligación en algunos supuestos. Por un lado, por la propia existencia de mecanismos de financiación extrapresupuestaria de la obra pública mediante contribuciones de los particulares, en una línea que está siendo fomentada en los últimos años por las autoridades comunitarias. Por el otro, por la configuración del contrato de obra bajo la modalidad de abono total del precio —previsto en el artículo 127 TRCSP—, en donde el certificado de existencia de crédito se sustituye por un compromiso de gasto para ejercicios futuros, lo que hace que no se aplique la nulidad del contrato por inexistencia de crédito.

---

[28] Además, debe verse el completo estudio de EZQUERRA HUERVA, A., *El régimen jurídico de las obras hidráulicas*, Murcia (2007).

3. Obra pública y cumplimiento de estabilidad presupuestaria

Desde finales de losados 90 del siglo pasado uno de los elementos determinantes para abordar la construcción de una infraestructura es su impacto en la contabilidad nacional. Se trata de un elemento que resulta de una importancia tal que está alterando el sistema de ejecución de las obras públicas, siendo la causa de todos las figuras imaginativas que están apareciendo en los últimos tiempos, como el arrendamiento operativo, que posiblemente sea la formulación más acabada de la colaboración público privada.

La evolución en los años anteriores a la crisis económica ha provocado una imagen distorsionada del equilibrio económico público. Dicho con las palabras del Tratado de Estabilidad, Coordinación y Gobernanza, se ha generado deuda y díficit públicos que no computaron como tales, debido a los trucos contables que se utilizaron con los parabienes de la Oficina Estadística de la Comisión Europea, sobre todo despuís de la decisión del BIG de 2004.

El principio de estabilidad presupuestaria[29], contemplado en el artículo 126 del Tratado de Funcionamiento de la Unión Europea: "los Estados miembros evitarán díficits públicos excesivos". Para lo cual hay que examinar el valor de dos criterios económicos vinculados al Producto Interior Bruto, de acuerdo con lo señalado en el Protocolo número 12 del Tratado, relativo al procedimiento aplicable en el caso de díficit excesivo por los Estados se concretan del siguiente modo: el díficit público no debe superar un valor del 3% del PIB y, adicionalmente, la proporción entre deuda pública y producto interior bruto no rebase el valor del 60%. La cuestión, por ello, es determinar cómo se concretan esos valores.

En desarrollo de estos preceptos se adoptó y desarrollo un Sistema de Cuentas nacionales y Regionales que se ha de aplicar a todas las entidades públicas que desarrollan su actividad en Europa. Fue aprobado por el Reglamento (CE) 2223/96 del Consejo, de 25 de junio de 1996, relativo al sistema de cuentas nacionales y regionales de la Comunidad (en adelante Reglamento SEC-95). Los problemas que se han indicado con anterioridad han hecho que la normativa se modifique y que en la actualidad estí regulado en el Reglamento (UE) n° 549/2013 del Parlamento Europeo y del Consejo, de 21 de mayo de 2013, relativo al Sistema Europeo de Cuentas Nacionales y Regionales de la Unión Europea, que incorpora el SEC 2010.

---

[29] Sobre obra pública y estabilidad presupuestaria, véase, por todos, GONZÁLEZ GAR-CÍA, J. V., *Financiación de infraestructuras públicas y estabilidad presupuestaria*, Tirant lo Blanch, Valencia (2007).

No todas las partidas de gasto afectan, en este sentido, al déficit público sino que sólo lo hacen aquellas que afectan a las necesidades de financiación de las Administraciones públicas, lo que excluye bastantes tipos de gasto[30]. De este modo, cuando el que sufraga la obra es una Administración pública, para entender si computa o no a efectos del déficit el criterio no es tanto el que el gasto sea o no presupuestario sino la partida de la que proviene este gasto. Y, en segundo lugar, quíin es el que ha asumido el riesgo final del proyecto, lo que nos obliga a indicar quí es una Administración pública a los efectos de la estabilidad presupuestaria y, en segundo lugar, quí riesgos se han de asumir por la entidad que no forme parte del sector de las Administraciones públicas.

Teniendo en cuenta las dificultades que plantea el análisis de figuras complejas como pueden ser las CPP en sus diversas variantes; se ha de diferenciar entre los diversos riesgos económicos en los que se puede incluir con un contrato de estas características. En la actualidad, el SEC 2010 incluye cinco modalidades:

a) Riesgo de construcción, que incluye los rebasamientos en los costes, la posibilidad de costes adicionales derivados de retrasos en la entrega, el incumplimiento de condiciones o códigos de construcción, y los riesgos ambientales y de otros tipos que exijan pagos a terceros.

b) Riesgo de disponibilidad, que incluye la posibilidad de costes adicionales, como los de mantenimiento y financiación, y las sanciones soportadas porque el volumen o la calidad de los servicios no cumple las normas especificadas en el contrato.

c) Riesgo de demanda, que incluye la posibilidad de que la demanda de los servicios sea mayor o menor de la esperada.

---

[30] Téngase presente que, de acuerdo con lo señalado por Eurostat, en uno de sus documentos generales sobre el SEC 95 (Manual, p. 30) lo ha aclarado con precisión: "Dado que, en el Protocolo sobre el procedimiento aplicable en caso de déficit excesivo, el déficit se ha definido como la *necesidad de financiación* del sector administraciones públicas, se produce una asimetría entre el tratamiento estadístico de los activos *no financieros* y el de los activos *financieros*. Las variaciones de los activos *no financieros* (cuando se deben a operaciones) se registran en la cuenta de capital. Por lo tanto, modifican la capacidad o necesidad de financiación, que es el saldo de la cuenta de capital. Por el contrario, las variaciones de los activos *financieros* —registradas en la cuenta financiera— no modifican dicho saldo (excepto en el caso de las variaciones unidireccionales, como la asunción de deudas o la cancelación deudas, si la variación de los pasivos se compensa mediante una transferencia de capital)".

d) El riesgo de valor residual y obsolescencia, que incluye el riesgo de que el activo sea inferior a su valor esperado al final del contrato y el grado en que las administraciones públicas tienen opción a adquirir los activos.

e) La existencia de financiación del garante o de concesión de garantías, o de cláusulas de rescisión ventajosas sobre todo en caso de rescisión a iniciativa del operador.

A partir de este punto, los riesgos y beneficios corresponden al operador si el riesgo de construcción y la demanda o los riesgos de disponibilidad han sido transferidos de manera efectiva. Usualmente, en el análisis suelen existir problemas con los mecanismos de financiación y garantía que han otorgado las Administraciones públicas, en ocasiones de porcentajes muy importantes sobre la cuantía del contrato. Tal como se señala en el Reglamento del SEC 2010, "La financiación mayoritaria, las garantías que cubren la mayoría de la financiación percibida, o las cláusulas de rescisión que prevén un reembolso mayoritario del proveedor de la financiación en caso de rescisión a iniciativa del operador provocan la ausencia de una transferencia efectiva de cualquiera de estos riesgos". Aplicando estas reglas difícilmente se hubieran desconsolado algunas de las operaciones de construcción de autopistas de peaje que se han hecho en nuestro país con cuantiosos préstamos participativos otorgados por los poderes públicos.

4. Proyecto técnico aprobado

Esta regla, que resulta de sentido común en una buena gestión pública, pretende la verificación de la corrección tícnica de la obra que se intenta realizar. La importancia que tiene el proyecto tícnico deriva, entre otros factores, de que es el lugar oportuno para examinar la corrección de la misma desde una vertiente medioambiental ya que es aquí donde se inserta la evaluación del impacto ambiental de la infraestructura. En este sentido, la importancia que tienen estos instrumentos puede ser determinante, en el marco de la normativa de cada sector específico o de cada categoría de bienes, de la posibilidad de ejecutar la obra.

Además de estos dos elementos fundamentales, cumple una función genírica para que se configure una visión general de la misma, de tal manera que se pueda *"formar cabal juicio de la obra, de su objeto y de las ventajas que su construcción ha de reportar a los intereses generales"*.

Precisamente por ello, los proyectos tícnicos de las obras suelen estar sujetas a un procedimiento reglado, que incluye con carácter general una propuesta de obra, su aprobación inicial, discusión en función de la participación de otros agentes y aprobación definitiva. En este sentido, acostumbran a estar tambiín delimitados los documentos que han de formar parte del expediente administrativo, entre los que ocupan un papel primordial los informes de otros órganos de la Administración actuante y los evacuados por las restantes Administraciones públicas en ejercicio de sus competencias sectoriales. Y precisamente por la importancia que tiene la aprobación del proyecto tícnico, en algunas disposiciones se exige la apertura de un trámite de información pública, que, de acuerdo con lo dispuesto en el artículo 10 del Reglamento de Obras Públicas es obligatorio para las obras no planificadas.

Se trata, en definitiva, de una exigencia que está recogida con carácter general para todos los contratos de obra en el artículo 121 TRCSP y 130 para la concesión de obra pública. Asimismo, se encuentra recogido en las disposiciones sectoriales de obras públicas —artículo 7 Ley de Carreteras...—. Lo que sí resulta relevante tener presente es que la fuerza general de los proyectos tícnicos se ve ampliada en los supuestos en los que no exista planificación previa, ya que constituyen el único mecanismo de determinación de la conveniencia y corrección de la obra que se va a iniciar.

5. Las obras públicas en la ordenación del territorio

La delimitación del rígimen general de las obras públicas obliga a hacer una breve consideración sobre el rígimen de instalación de estas infraestructuras, con el fin de conseguir su adecuada implantación en el espacio para que puedan cumplir con su función económico-social. Ha de tenerse presente que la legislación decimonónica no contemplaba dentro de su contenido esta perspectiva de las obras públicas y que sólo despuís de la promulgación de la Ley del Suelo de 1976 se ha comenzado a realizar esta estructuración general del espacio a travís de la tícnica conocida como ordenación del territorio, a los efectos de armonizar calidad de vida, protección del medio ambiente, desarrollo socio-económico y utilización racional del espacio.

Desde esta perspectiva, los diversos instrumentos de ordenación territorial[31] que aprueben las Comunidades Autónomas en el marco de las

---

[31]   Una exposición del impacto urbanístico de las grandes obras públicas, además del capítulo correspondiente de este volumen, se puede ver en las colaboraciones de ACE-

competencias que les reconoce el artículo 148.1.3ª de la Constitución y los Estatutos de autonomía deben prever lo que la vieja Ley del Suelo de 1976 denominaba "*infraestructuras básicas del territorio*" donde básicamente quedan incluidas todas las obras públicas, dentro de la ordenación racional de los usos del suelo y, en consecuencia, coordinando todas las actuaciones que se quieran llevar a cabo en íl. El problema surgirá por tanto cuando la competencia para la planificación y ejecución de las obras públicas corresponda a la Administración estatal, al no ostentar ísta la competencia sobre la ordenación del territorio, en manos de las Comunidades Autónomas[32].

La resolución de los posibles conflictos que se pueden plantear se resolverá, como ha señalado la jurisprudencia constitucional y como se ha recordado con anterioridad, a travís del recurso a fórmulas de cooperación entre el ente que realiza la actuación y la Comunidad Autónoma respectiva. No obstante, en el caso de que no surtan efectos los recursos a los mecanismos de colaboración y cooperación, la Comunidad Autónoma, en el ejercicio de su competencia deberá incorporar las decisiones que hayan

---

RO IGLESIAS, P. —puertos—; SÁNCHEZ LAMELAS, A. —carreteras—; MENÉNDEZ GARCÍA, P. y FERNÁNDEZ ACEVEDO, R. —ferrocarriles—; GÓMEZ PUENTE, M. —aeropuertos—; en la obra dirigida por MARTÍN REBOLLO, L., *Fundamentos de Derecho urbanístico*, Thompson-Aranzadi, Pamplona (2007), p. 1115 a 1177.

[32]   La Sentencia del Tribunal Constitucional 149/1998 expuso el problema con claridad, cuando con claridad cuando afirmó:
"En una primera aproximación global al concepto de ordenación del territorio, ha destacado que el referido título competencial "tiene por objeto la actividad consistente en la delimitación de los diversos usos a que puede destinarse el suelo o espacio físico territorial" [SSTC 77/1984, fundamento jurídico 2.; 149/1991, fundamento jurídico 1. B)]. Concretamente, dejando al margen otros aspectos normativos y de gestión, su núcleo fundamental "está constituido por un conjunto de actuaciones públicas de contenido planificador cuyo objeto consiste en la fijación de los usos del suelo y el equilibrio entre las distintas partes del territorio del mismo" (SSTC 36/1994, fundamento jurídico 3.;28/1997, fundamento jurídico 5.). Sin embargo, también ha advertido, desde la perspectiva competencial, que dentro del ámbito material de dicho título, de enorme amplitud, no se incluyen todas las actuaciones de los poderes públicos que tienen incidencia territorial y afectan a la política de ordenación del territorio, puesto que ello supondría atribuirle un alcance tan amplio que desconocería el contenido específico de otros títulos competenciales, no sólo del Estado, máxime si se tiene en cuenta que la mayor parte de las políticas sectoriales tienen una incidencia o dimensión espacial (SSTC 36/1994, fundamento jurídico 3.; 61/1997, fundamento jurídico 16; 40/1998, fundamento jurídico 30".

sido adoptadas por el Estado[33]. La cuestión presenta numerosos matices, pero, en general se puede configurar del siguiente modo[34].

En primer lugar, el respeto a las competencias estatales debe suponer la participación del Estado en relación con los planes de naturaleza urbanística con efectos de notable trascendencia. Así, de acuerdo con lo previsto en la DA 2ª.4 de la Ley 13/2003, de Concesión de Obra Pública "la Administración General del Estado, en el ejercicio de sus competencias, emitirá informe en la instrucción de los procedimientos de aprobación, modificación o revisión de los instrumentos de planificación territorial urbanística que puedan afectar al ejercicio de las competencias estatales. Estos informes tendrán carácter vinculante, en lo que se refiere a la preservación de las competencias del estado, y serán evacuados, tras, en su caso, los intentos que procedan de encontrar una solución negociada, en el plazo máximo de dos meses, transcurrido el cual se entenderán emitidos con carácter favorable y podrá continuarse con la tramitación del procedimiento de aprobación, salvo que afecte al dominio público o al servicio público de titularidad estatal. A falta de solicitud del preceptivo informe, así como en el supuesto de disconformidad emitida por el órgano competente por razón de la materia o en los casos de silencio citados en los que no opera la presunción del carácter favorable del informe, no podrá aprobarse el correspondiente instrumento de planificación territorial o urbanística en aquello que afecte a las competencias estatales".

---

[33] En este punto, la STC 149/1998, recogiendo lo afirmado en la STC 40/1998 es clara cuando afirma que la competencia estatal sobre una infraestructura de interés general "*implica, necesariamente, una modulación del ejercicio de las competencias autonómicas sobre la ordenación del territorio. En efecto, aunque la Constitución no atribuye al Estado la competencia para llevar a cabo la planificación de los usos del suelo y el equilibrio interterritorial, sin embargo, como queda dicho el Estado, desde sus competencias pectorales con incidencia territorial, puede condicionar el ejercicio de la competencia autonómica de ordenación del territorio, con la consecuencia de que, en el supuesto de que exista contradicción entre la planificación territorial autonómica y las decisiones adoptadas por el Estado en el ejercicio de esas competencias, y ensayados sin éxito los mecanismos de coordinación y cooperación legalmente establecidos, la Comunidad Autónoma deberá incorporar necesariamente en sus instrumentos de ordenación territorial las rectificaciones imprescindibles al efecto de aceptar las referidas decisiones estatales*".

[34] Un análisis minucioso puede verse en FERNÁNDEZ FARRERES, G., "La planificación y ejecución de las obras públicas estatales y su articulación con otros planes de obras y con la ordenación territorial y urbanística (Comentarios a las disposiciones adicionales 1ª a 3ª de la LCOP)", en la obra colectiva dirigida por GÓMEZ-FERRER MORANT, R., Comentario a la Ley de contratos de las Administraciones Públicas, 2ª Edición, Civitas (Madrid) 2004, pp. 1383 y ss.

La configuración de un informe vinculante previo a la aprobación de los instrumentos de planificación territorial es una tícnica que se venía recogiendo en la normativa desde hace tiempo, tal y como muestran los ejemplos del artículo 10.2 de la ley 25/1988, de carreteras y caminos —considerado conforme con la Constitución en la STC 65/1998, de 18 de marzo—, o en la DA 1ª de la Ley del Rígimen del Suelo y Valoraciones, en lo que afecta a las zonas de protección afectas a la defensa nacional, declarado constitucional en la STC 164/2001, de 11 de julio o incluso el recogido en el artículo 112 de la ley 22/1988, de costas —más allá de que la STC 149/1991 introdujera alguna matización en cuanto a su constitucionalidad, exigiendo que el informe vinculante sólo se produjera en las materias de competencia estatal— o en el artículo 128.2 del Texto Refundido de la Ley de Aguas.

En segundo lugar, la disposición adicional tercera de la Ley 13/2003, de 23 de mayo, reguladora del contrato de concesión de obra pública, contempla un procedimiento de informe que se ha de emitir en el plazo de un mes sobre la compatibilidad de los proyectos de obras públicas de interís general con el planeamiento urbanístico, abriíndose un procedimiento que, si no termina con las discrepancias, implicará que la decisión estatal respecto a la ejecución del proyecto prevalezca sobre el planeamiento urbanístico, cuyo contenido deberá acomodarse a las determinaciones de aquílla.

En tercer lugar, ante el resultado final contradictorio con el contenido de las actuaciones estatales previamente planificadas conviene resaltar la prevalencia de los planes y proyectos de obras públicas estatales sobre los instrumentos de planificación territorial y urbanística[35], que está recogida en la DA 2ª.2.2 LCOP, que dispone que "en defecto de acuerdo entre las Administraciones públicas, y sin perjuicio de lo previsto en la legislación medioambiental, los planes y proyectos de obras públicas de competencia

---

[35] Recordemos que la STC 46/2007, de 1 de marzo, ha señalado sobre el particular que: "resulta constitucionalmente admisible que el Estado, desde sus competencias sectoriales con incidencia territorial entre las que sin duda se encuentra la relativa a los aeropuertos de interís general, pueda condicionar el ejercicio de la competencia autonómica de ordenación del territorio y del litoral siempre que la competencia se ejerza de manera legítima sin limitar más de lo necesario la competencia autonómica. Es evidente, además, que dicho condicionamiento deberá tener en cuenta los resultados de la aplicación de los mecanismos de cooperación normativamente establecidos para la articulación de la planificación y ejecución de las obras públicas estatales con las competencias de otras Administraciones públicas sobre ordenación territorial y urbanística".

del Estado prevalecerán sobre cualquier otro instrumento de planificación u ordenación territorial y urbanística en lo que se refiere a las competencias estatales exclusivas, en cuyo caso las comunidades autónomas y las
corporaciones locales deberán incorporar necesariamente en sus respectivos instrumentos de ordenación las rectificaciones imprescindibles para
acomodar sus determinaciones a aquellos". Todo lo cual se complementa
con lo dispuesto en la DA 3ª.2, en relación con la no previsión en el planeamiento de las reservas de suelo necesarias para llevar a cabo la obra estatal, cuando dispone que "en el supuesto de que tales obras vayan a construirse sobre terrenos no reservados por el planeamiento urbanísticos, y
siempre que no sea posible resolver las eventuales discrepancias mediante
acuerdo, de conformidad con la normativa de aplicación, la decisión estatal respecto a la ejecución del proyecto prevalecerá sobre el planeamiento
urbanístico, cuyo contenido deberá acomodarse a las determinaciones de
aquílla".

El poder estatal es, como se puede ver, de considerable importancia en
la medida en que podría servir para vaciar de contenido las competencias
autonómica y local. Precisamente por ello, en los casos que han llegado al
Tribunal Constitucional sobre la prevalencia de planes de obras estatales
sobre instrumentos de planificación territorial, íste ha insistido mucho en
que "el ejercicio de esas otras competencias —estatales— se mantenga dentro de los límites propio, sin utilizarlas para proceder, bajo su cobertura, a
la ordenación del territorio en el que han de ejercerse" (STC 149/1991,
de 4 de julio). O, en un sentido similar, se pronunció en el caso de la ley
de puertos, cuando afirmó que la legitimidad de la intervención estatal se
producía sólo "cuando la concreta medida que se adopte encaje, efectivamente, en el correspondiente título competencial, cuando se haya acudido
previamente a cauces cooperativos para escuchar a las entidades afectadas,
cuando la competencia autonómica no se limite más de lo necesario (STC
40/1998, de 19 de febrero).

En todo caso, partiendo de este principio general, deberán considerarse asimismo las peculiaridades previstas en cada sector concreto de las
obras públicas para examinar en cada caso cómo se articulan los mecanismos para la integración entre los planes sectoriales de obras y los planes
generales de ordenación territorial. A los capítulos correspondientes de
este volumen, en consecuencia, me remito[36].

---

[36] Además, véase SANZ GANDÁSEGUI, F., "La articulación de las competencias estatales
sobre obras públicas de interés general en materia de infraestructuras de transportes

6. En particular, el problema de la exigibilidad de licencia de obras

Uno de los problemas tradicionales que se ha planteado con la realización de obras públicas es el de la exigibilidad o no de licencia de obras. Esta licencia constituye el instrumento básico de control de la legalidad de los usos del suelo impuesto con carácter general en los artículos 178 y 180 de la Ley del Suelo de 1976 y que luego pasó a los artículos 242 a 244 del Texto refundido de la Ley sobre régimen del suelo y ordenación urbana, aprobado por Real Decreto Legislativo 1/1992, de 26 de junio, preceptos que fueron declarados inconstitucionales por la STC 61/1997 por su carácter de precepto supletorio. En dichas disposiciones, se recogió la obligatoriedad para todos los actos que supusieran edificación y utilización del suelo, estuvieran promovidos por particulares o por Administraciones públicas[37].

La jurisprudencia había ido introduciendo matizaciones en cuanto a la exigibilidad de dicho título para la obras públicas, a partir de la STS de 3 de diciembre de 1982, partiendo de la diferenciación entre urbanismo y ordenación del territorio[38]. la legislación ha ido recogiendo[39], en el mismo sentido, la falta de necesidad de que las obras públicas pasen por el filtro de la licencia de obras y, de hecho, con carácter general lo ha eliminado la

---

y las de ordenación territorial y el urbanismo", dentro de la obra colectiva dirigida por BLANQUER CRIADO, D., *Ordenación y gestión del territorio turístico*, Cañada Blanch Fundación, Valencia (2002) pp. 637 y ss.

[37] Sobre obras públicas y urbanismo, véase FERNÁNDEZ FARRERES, G., "La planificación y ejecución...", *op. cit.*, en particular, pp. 1441 y ss.; así como el estudio de SANZ GANDÁSEGUI, F., SANZ GANDÁSEGUI, F., "La articulación de las competencias estatales sobre obras...", *op. cit.* Pese al tiempo transcurrido, debe verse asimismo BASSOLS COMA, M., *Las obras públicas y el urbanismo. Los actos de uso del suelo y la ejecución de obras promovidas por la Administración del Estado*, MOPTMA, Madrid (1994).

[38] Véase p.ej., la STS de 18 de junio de 1997, donde se afirma que "*partiendo de la distinción conceptual entre ordenación urbanística y ordenación del territorio ha incluido en este último supuesto aquellas grandes obras o construcciones de marcado interés público que, siendo de la competencia estatal, por su gran trascendencia para la sociedad no pueden quedar frustradas por la voluntad municipal, con la consecuencia de que pueden ser ejecutadas sin solicitar licencia municipal de obras y, en consecuencia, sin que los Ayuntamientos puedan exigir tasa alguna en tal concepto*".

[39] Recordemos en este sentido el artículo 12 de la ley 25/1988, de carreteras, el artículo 164.5 de la Ley 16/87, de ordenación de los transportes terrestres, el artículo 19 de la Ley 27/1992, de puertos y de la marina mercante, el artículo 111.3, de la ley de costas, en la redacción dada por el artículo 120 de la Ley 53/2002, de medidas fiscales, administrativas y del orden social; la DA 9ª de la Ley 53/2002, de medidas fiscales, administrativas y del orden social en relación con las obras vinculadas a la defensa nacional o el artículo 127.1 de la Ley de aguas.

Disposición Adicional tercera de la Ley 13/2003, reguladora del contrato de concesión de obra pública, que dispone que "*la construcción, modificación y ampliación de las obras públicas de interés general no estarán sometidas a licencia o a cualquier otro acto de control preventivo municipal*". Ello no quiere decir, sin embargo, que se haya obviado cualquier participación municipal: en la propia disposición se dispone que "los proyectos de obras públicas de interís general se remitirán a la Administración urbanística competente al objeto de que informe sobre la adaptación de dichos proyectos al planteamiento urbanístico que resulte de aplicación. Este informe se emitirá en el plazo de un mes, pasado el cual se entenderá evacuado en sentido favorable"[40].

No obstante, con ello no se termina el círculo de problemas que plantea la licencia de obras en relación con las obras públicas. Para evitar excesos, se ha ido abriendo en la jurisprudencia la diferenciación entre lo que propiamente son obras públicas y los elementos accesorios de las mismas, que sí están sometidas a la licencia[41]. Esta diferenciación ha llegado, incluso a la jurisprudencia constitucional que ha reafirmado la necesidad de la licencia de obras sobre todos aquellas construcciones accesorias de las obras públicas. Así, por ejemplo, en la STC 40/1998 se afirma lo siguiente:

---

[40]   Conviene recordar, en este sentido, que la STC 204/2002 anuló el artículo 116.3 de la Ley 13/1996 por cuanto que se dispensaba de cualquier control municipal a las obras aeroportuarias, sin exigir ni siquiera un informe de su adecuación a los instrumentos de tipo urbanístico. Se señala en dicha resolución que en el artículo 19 de la Ley de puertos, precepto que ponía el Estado como punto de comparación, "se establecía la intervención del municipio por vía de informe, lo que permitió al tribunal salvar el precepto, al considerar que esa intervención era suficiente para entender respetada la garantía institucional de autonomía local. Más como quiera que en el caso actual, según se advirtió al principio de este fundamento, la exclusión de los actos de control preventivo municipal a que se refiere el artículo 84.1. b) de la Ley 7/85 es absoluto, alcanzando incluso a la intervención por vía de informe; y que no existe en el art 166 recurrido ningún precepto similar al del apartado 1 del artículo 19 de la Ley de Puertos y de la Marina Mercante, que fue la clave para salvar la constitucionalidad del apartado 3 del artículo 19 de esta última ley, la única conclusión coherente con la doctrina de la STC 4071998 es la de que en este caso la garantía institucional de la autonomía local no se respeta, por lo que el precepto impugnado debe ser declarado inconstitucional".

[41]   Así, p.ej. STS de 10 de mayo de 1997, donde se afirma que "*debe tenerse en cuenta que una cosa es el proyecto de la obra pública en sí, que está fuera del ordenamiento urbanístico y, por tanto, no precisa licencia y otra bien diferente son las obras auxiliares y otras actividades no incluidas en el proyecto y acometidas directamente por el contratista*". Sobre esta cuestión véase ORTEGA BERNARDO, J., "Licencias urbanísticas y obras públicas: El supuesto-límite de las "obras accesorias y complementarias", en la Revista de Derecho Urbanístico y del Medio Ambiente, nº 201 (2003), pp. 89 y ss.

Ahora bien, tiene razón el órgano recurrente cuando afirma que la competencia del Estado sobre puertos no puede justificar la exención de licencia municipal en aquellos casos en los que las obras de construcción o conservación, aún realizándose en la zona de servicio portuario, no afectan propiamente a las construcciones o instalaciones portuarias, sino a edificios o locales destinados a equipamientos culturales o recreativos, certámenes feriales y exposiciones, posibilidad prevista en el artículo 3.6 de la Ley. Ya nos hemos pronunciado sobre la conformidad de este precepto con la Constitución pero no sin advertir que esa conformidad se produce porque la norma se limita a prever la posibilidad de que existan en el ámbito físico del puerto espacios destinados a las actividades no estrictamente portuarias, dependiendo su existencia o no, en primer lugar, de lo que se haya previsto en el plan especial del puerto, aprobado por la autoridad urbanística y sin que, por lo que a estos espacios se refiere, pueda haber oposición de la autoridad portuaria, por tratarse de aspectos que caen fuera de su competencia [artículo 18.2 c)]. La facultad del Estado de incidir sobre la competencia urbanística, sustituyendo la previa licencia por el informe, se limita, por tanto, a las obras portuarias en sentido estricto, pero no puede alcanzar a aquellas otras que, aunque realizadas en la zona de servicio del puerto, son de naturaleza diversa; en tales casos será de aplicación la legislación urbanística general y, en principio, la exigencia de licencia previa que corresponde otorgar al Ayuntamiento competente. Como ya señalamos en la STC 149/91, la disputa sobre la legitimidad de este tipo de normas que autorizan al Estado a asumir la competencia para realizar determinadas obras y, en función de la misma, a modular las competencias de las Administraciones urbanísticas, debe resolverse teniendo en cuenta no el espacio físico en donde las obras han de realizarse (en este caso, la zona portuaria), sino la finalidad que constituye su razón de ser (en este caso, el tratarse de obras portuarias en sentido estricto).

7. La perspectiva ambiental de las obras públicas

Dentro de los elementos que resultan de análisis imprescindible antes de iniciar el proceso de ejecución de la mayor parte de las obras públicas está el de conocer cuál es el impacto que tiene en el medio ambiente. Obviamente, no constituye un elemento que estuviera contemplado en la Ley General de Obras Públicas pero que, hoy en día la distinta percepción de las necesidades de protección del medio ambiente conlleva que existan mecanismos para determinar el impacto de las obras públicas sobre el entorno físico. Con la mera perspectiva ambiental, a la que también sirven los planes de ordenación territorial, se cambia el análisis de la obra pública de tal manera que se redimensiona la perspectiva económica de las mismas y se inserta en un marco más amplio que permita el desarrollo sostenible[42].

---

[42] Una visión general del componente ambiental de las obras públicas se puede ver en BERMÚDEZ SÁNCHEZ, J., *Obra pública y medio ambiente. El Estado y la Administración ante el territorio*, Marcial Pons (2002) y, más recientemente, "Obra pública y protección

En este momento, es uno de los elementos que más se han reforzado, tanto desde la perspectiva general de los planes como de la concreta de los proyectos concretos. Desde el primer punto de vista, de acuerdo con el artículo 5.1 de la Ley 21/2013, de 9 de diciembre, de evaluación ambiental, la evaluación ambiental se entiende como aquel procedimiento administrativo instrumental respecto del de aprobación o de adopción de planes y programas, así como respecto del de autorización de proyectos o, en su caso, respecto de la actividad administrativa de control de los proyectos sometidos a declaración responsable o comunicación previa, a través del cual se analizan los posibles efectos significativos sobre el medio ambiente de los planes, programas y proyectos. La evaluación ambiental incluye tanto la "evaluación ambiental estratígica" como la "evaluación de impacto ambiental".

Una vez que el plan ha sido analizado, el mecanismo más importante que existe para prevenir los efectos nocivos al medio de las grandes infraestructuras es la evaluación de impacto ambiental, la cual constituye "una tícnica de protección ambiental de carácter preventivo consistente en un procedimiento compuesto por un conjunto de estudios y sistemas tícnicos, y abierto a la participación pública, cuyo objeto es posibilitar la evaluación por la autoridad ambiental del impacto efectos para el medio ambiente de dicho proyecto en un informe, denominado declaración de impacto ambiental, en el que se pronuncia, desde los postulados ambientales, sobre la conveniencia o no de realizar el proyecto y sobre las condiciones en que, en su caso, debe realizarse"[43].

La declaración de impacto ambiental es, de este modo, un juicio preventivo y prospectivo sobre los efectos que tiene el proyecto que se vaya a afrontar sobre el medio ambiente, con la finalidad de que en el momento en que se autorice la obra pública, se hayan podido corregir. Es básicamente de carácter tícnico. La declaración de impacto ambiental consiste en un informe preceptivo y determinante del órgano ambiental con el que concluye la evaluación de impacto ambiental ordinaria, que evalúa la integración de los aspectos ambientales en el proyecto y determina las condiciones que deben establecerse para la adecuada protección del medio ambiente y de los recursos naturales durante la ejecución y la explotación y, en su caso, el desmantelamiento o demolición del proyecto.

---

del medio ambiente", en la obra colectiva dirigida por GONZÁLEZ GARCÍA, J. V., *Diccionario de Obras públicas y Bienes públicos,* Iustel, Madrid (2007), pp. 475 y ss.

[43] LOZANO CUTANDA, B., *Derecho Ambiental Administrativo,* Ed. Dykinson, 4ª Ed., Madrid (2003), p. 266.

Si las dos tícnicas anteriores componen el panorama general del análisis ambiental de las obras públicas, hay ciertos tipos de bienes que hacen que los niveles de protección hayan de ser más estrictos: se trata de los espacios naturales y las zonas de especial protección ambiental. En ellos, la consecución de los objetivos de protección que late en la catalogación de un espacio como de especial protección hace que en ocasiones la construcción de infraestructuras estí vetado, dependiendo de lo que dispongan los instrumentos de planificación y gestión del recurso natural, básicamente los Plantes de Ordenación de los Recursos Naturales y los Planes Rectores de Uso y Gestión, dependientes de los anteriores.

8. Las redes transeuropeas

Un último aspecto general sobre las obras públicas al que debemos referirnos es el relativo al ámbito europeo de las grandes infraestructuras, que se ha materializado a travís de las redes transeuropeas introducidas en el artículo 129B del Tratado de Maastricht y que recogen los artículos 170 y ss. del Tratado de Funcionamiento de la Unión Europea como manifestación del mercado interior comunitario. Concretamente en este último precepto se dispone lo siguiente:

> "1. A fin de contribuir a la realización de los objetivos contemplados en los *artículos 26* y *174* y de permitir que los ciudadanos de la Unión, los operadores económicos y los entes regionales y locales participen plenamente de los beneficios resultantes de la creación de un espacio sin fronteras interiores, la Unión contribuirá al establecimiento y al desarrollo de redes transeuropeas en los sectores de las infraestructuras de transportes, de las telecomunicaciones y de la energía.
>
> 2. En el contexto de un sistema de mercados abiertos y competitivos, la acción de la Unión tendrá por objetivo favorecer la interconexión e interoperabilidad de las redes nacionales, así como el acceso a dichas redes. Tendrá en cuenta, en particular, la necesidad de establecer enlaces entre las regiones insulares, sin litoral y periféricas y las regiones centrales de la Unión.

La importancia de esta previsión de las redes transeuropeas es el reconocimiento de una nueva política dentro de la Unión, de forma que las infraestructuras dejan de ser un elemento accesorio a otras políticas, como la de transportes[44].

---

[44]   Sobre estas redes transeuropeas, véase GARRIDO CUENCA, N., *Redes transeuropeas, transporte y ferrocarril. Marco jurídico comunitario y aplicaciones al caso español*, Esperia Publications, Ltd., London.

La política de redes se realizará en el marco del principio de subsidiariedad, lo que aplicado a las grandes infraestructuras supondrá que el peso fundamental de la definición de los proyectos, de las condiciones de realización tícnico-jurídicas, el modo de obtener la financiación y los elementos de carácter temporal corresponderán a los Estados miembros. Concretamente, de acuerdo con lo previsto en el artículo 171 del Tratado, la acción de las autoridades se desarrollará en los siguientes ámbitos, teniendo presente la viabilidad económica potencial de los proyectos:

> elaborará un conjunto de orientaciones relativas a los objetivos, prioridades y grandes líneas de las acciones previstas en el ámbito de las redes transeuropeas; estas orientaciones identificarán proyectos de interés común,
>
> realizará las acciones que puedan resultar necesarias para garantizar la interoperabilidad de las redes, especialmente en el ámbito de la armonización de las normas técnicas,
>
> podrá apoyar proyectos de interés común apoyados por Estados miembros y determinados de acuerdo con las orientaciones mencionadas en el primer guión, especialmente mediante estudios de viabilidad, de garantías de crédito o de bonificaciones de interés; la Unión podrá aportar también una contribución financiera por medio del Fondo de Cohesión creado conforme a lo dispuesto en el *artículo 177* a proyectos específicos en los Estados miembros en el ámbito de las infraestructuras del transporte.

VI. MECANISMOS DE CONSTRUCCIÓN, FINANCIACIÓN Y EXPLOTACIÓN DE OBRAS PÚBLICAS

El rígimen jurídico relativo a la construcción, financiación y explotación de infraestructuras se caracteriza por su dispersión normativa y la diversidad de los sistemas existentes, lo que genera inevitablemente confusión e inseguridad jurídica a los diversos operadores que intervienen en este sector. De hecho, hay aspectos que están contemplados en la normativa de obra pública y, en otros supuestos, en las disposiciones generales de contratación administrativa.

La tendencia que se ha visto en los últimos años es la de la dispersión en los mecanismos utilizados por los entes públicos. En efecto, los Estados han recogido el guante lanzado por las autoridades comunitarias, de que "son necesarias nuevas ideas, cláusulas innovadoras, así como la superación del concepto tradicional de "público" con el fin de fomentar esta tendencia a nivel comunitario"[45].

---

[45]   Comunicación de la Comisión sobre el desarrollo de la red transeuropea de transporte: Financiaciones innovadoras e Interoperabilidad del telepeaje.

Esta situación ha venido motivada por un lado por la insuficiencia financiera de los presupuestos públicos para abordar la construcción de las nuevas infraestructuras demandadas, demanda que es incesante sobre todo teniendo en cuenta el modelo de desarrollo económico actual. Pero, sobre todo, ha sido la exigencia de limitación del díficit público, tal como se ha visto con anterioridad, lo que ha obligado a buscar fórmulas novedosas de colaboración con la iniciativa privada en la construcción y explotación de las grandes obras con la consiguiente introducción en los últimos años de mecanismos jurídicos y presupuestarios tendentes a mantener la inversión pública en infraestructuras, cumpliendo, de este modo, con los objetivos de convergencia europea y, especialmente, con el parámetro del díficit público.

Los problemas de dispersión y carencias normativas hace que, a efectos de una mayor sistemática en la exposición, centraremos el estudio de los diversos mecanismos de construcción, gestión y financiación de infraestructuras partiendo de los diversos sistemas de construcción de obra pública existentes, que no han cambiado en lo sustancial desde el siglo XIX. Así, se distinguirán los supuestos tradicionales de construcción de obras, esto es, por la propia Administración (de aplicación excepcional) y mediante la contratación de la obra con terceros, ya sea a travís del típico contrato de obras (diferenciando las tres modalidades de pago al contratista actualmente existentes: mediante certificaciones y abonos a cuenta, el pago único en el momento de terminación de la obra y mediante el otorgamiento de una concesión de dominio público), ya sea a travís del contrato de concesión. Finalmente, al análisis de estos sistemas tradicionales se añadirán unas notas aproximativas a una nueva fórmula ideada para la construcción y financiación de obras que, aunque carezca de regulación específica, tiene el interís de estar siendo considerada en la actualidad por los poderes públicos como una alternativa viable a los modelos existentes: el arrendamiento operativo[46].

De esta forma, partiendo del esquema mencionado y sin entrar en el estudio detallado de cada uno de los contratos de construcción de obra pú-

---

[46]   Aunque no sea propiamente un contrato de obras, sino de servicios, debe mencionarse la existencia del contrato de gestión de autovías creado por la Ley 55/1999, de 29 de diciembre, de medidas fiscales, administrativas y del orden social, por el que se adjudica al contratista la ejecución de actuaciones para mantener dichas infraestructuras en condiciones óptimas de viabilidad, por un plazo de hasta veinte años, pudiendo extenderse su objeto a las actividades de conservación, adecuación, reforma, modernización inicial, reposición y gran reparación de la autovía.

blica, por exceder del cometido de esta obra, podrán señalarse las diversas formas de gestión, financiación y retribución de la obra pública aceptadas en cada uno de los supuestos de construcción. Ello exige una aclaración previa de estos conceptos.

En general, ha existido hasta el momento una gran confusión normativa y doctrinal en la utilización de los conceptos de financiación de la obra y retribución al constructor al hablar de la financiación de infraestructuras, que conviene deslindar.

Así, se debe entender que la financiación debe hacer referencia a la procedencia de los fondos necesarios para la realización de la obra, de forma que se hablará de financiación pública cuando su construcción y, en su caso, conservación, mantenimiento y explotación, se realice con cargo al capital público, de financiación privada cuando sea el constructor el responsable de buscar las cantidades precisas para soportar la inversión y mixta cuando se emplean ambos tipos de fondos.

Cuando hablemos de retribución nos estaremos en cambio refiriendo a la contraprestación al contratista, es decir, al origen de los fondos que retribuyen a íste por la inversión realizada, pudiendo igualmente distinguirse la retribución pública (que puede provenir de varias Administraciones, incluyendo los fondos europeos), privada o mixta. La retribución exclusivamente privada al constructor sólo aparecerá en los casos en que íste pueda obtener ingresos por la explotación de la obra y esos ingresos tengan una naturaleza privada, por lo que los medios de retribución pública superan ampliamente a los privados, ya que, incluso, algunos procedimientos que aparentan ser privados acaban repercutiendo sobre los presupuestos públicos, como ocurre con el peaje en la sombra.

Resulta de especial importancia en nuestros tiempos, habida cuenta que en muchos casos las decisiones públicas se adoptan considerando la influencia que un proyecto determinado tendrá sobre el díficit público, diferenciar dentro de la retribución pública si ísta tiene o no naturaleza presupuestaria, esto es, si los fondos que retribuyen al contratista se realizan o no con cargo a los presupuestos de la Administración. No tendrán estos fondos naturaleza presupuestaria cuando los mismos provengan de ingresos de derecho público no presupuestario abonados por los usuarios de las infraestructuras a los organismos o empresas públicas gestores de las mismas (es el caso, por ejemplo, de los cánones por utilización y ocupación de zonas portuarias percibidos por las Autoridades Portuarias).

Normalmente los fondos que la Administración destine a retribuir al contratista computarán para el díficit público. Así sucederá en el sistema clásico de abono al contratista mediante certificaciones y abonos a cuenta (retribución directa), en los casos en que estos pagos se realicen por entidades instrumentales que reciban transferencias de capital con cargo a dotaciones presupuestarias (retribución indirecta) y en los supuestos de retribución diferida, con cargo a presupuestos futuros, donde se incluyen los pagos al contratista a travís del sistema de abono total del precio, al que nos referiremos al tratar del contrato de obras, y el llamado peaje en la sombra que analizaremos en el apartado dedicado al contrato de concesión de obra pública.

Por último, la gestión de la infraestructura hace referencia a la explotación de la obra o a su conservación y mantenimiento. Haciendo un paralelismo con el esquema de los modos de gestión de los servicios públicos, la gestión de la obra puede ser de nuevo pública, privada o mixta. La gestión pública o directa de la obra tendrá lugar cuando la Administración explote la obra ella misma a travís de sus propios servicios o bien a travís de organismo o entidad pública o sociedad de capital íntegramente público. En la gestión privada o indirecta la explotación de la obra recae sobre una persona privada, siendo la concesión la figura paradigmática. Por último, la gestión mixta aparecerá cuando la explotación de la obra recaiga de forma compartida en la Administración y en el particular, donde se incluye la sociedad de economía mixta.

Aclarados los conceptos de financiación, retribución y gestión de infraestructuras, veremos su aplicación atendiendo a los modos de construcción de la obra pública, debiendo tenerse en cuenta que las fórmulas existentes de financiación, retribución y gestión de infraestructuras son intercambiables en función de las necesidades de cada caso, de forma que, por ejemplo, una gestión pública de la infraestructura no implicará necesariamente una retribución privada, ni a la inversa, pudiendo combinarse asimismo una financiación mixta con una retribución privada. Dependerá pues de las circunstancias concurrentes en cada caso para optar por una u otra vía.

Obviamente, por las razones de estabilidad presupuestaria anteriormente indicadas, se pretende hoy en día aplicar en la medida de lo posible fórmulas privadas o mixtas de financiación y retribución (además, las normas reguladoras de los fondos europeos priman los proyectos con financiación mixta), a fin de no cargar de forma excesiva los presupuestos públicos y ello aunque la gestión de la obra sea pública. No obstante, precisamente la mayor utilización de fondos privados para la financiación de la obra determina asimismo que el contratista intervenga no sólo en la construcción de las infraestructuras sino tambiín en su gestión, lo cual obligará a que la recuperación del capital invertido se dilate en el tiempo.

VII. REALIZACIÓN DE OBRAS PÚBLICAS POR LA PROPIA ADMINISTRACIÓN

La ejecución de las obras públicas por la propia Administración[47] se ha articulado tradicionalmente como una excepción al rígimen de contrata, ya que íste se considera más eficaz y operativo por encargarse las obras a empresarios especializados. Es una realidad que resulta conocida desde siempre, y, de hecho en el siglo XIX, se denominaba ejecución de obras por administración, que se oponía a la ejecución por contrata, que era la que efectuaban empresarios privados.

En la actualidad sigue constituyendo un rígimen excepcional. De hecho, la TRCSP sólo permite su utilización en los supuestos tasados en el artículo 24, si bien de una forma tan genírica que permite un amplio margen de valoración administrativa. Los supuestos que recoge el precepto son los siguientes: a) Que la Administración tenga montadas fábricas, arsenales, maestranzas o servicios tícnicos o industriales suficientemente aptos para la realización de la prestación, en cuyo caso deberá normalmente utilizarse este sistema de ejecución. b) Que la Administración posea elementos auxiliares utilizables, cuyo empleo suponga una economía superior al 5 por ciento del importe del presupuesto del contrato o una mayor celeridad en su ejecución, justificándose, en este caso, las ventajas que se sigan de la misma. c) Que no haya habido ofertas de empresarios en la licitación previamente efectuada. d) Cuando se trate de un supuesto de emergencia, de acuerdo con lo previsto en el artículo 97. e) Cuando, dada la naturaleza de la prestación, sea imposible la fijación previa de un precio cierto o la de un presupuesto por unidades simples de trabajo. f) Cuando sea necesario relevar al contratista de realizar algunas unidades de obra por no haberse

---

[47]   Una visión completa de la ejecución de obras por la propia Administración se puede consultar en DE LA QUADRA SALCEDO, T., "La ejecución de obras por la Administración", en la obra colectiva dirigida por GÓMEZ-FERRER MORANT, R.; *Comentario a la Ley de Contratos de las Administraciones Públicas*, Civitas (2004), p. En el ámbito local, véase SOSA WAGNER, F., "El empleo de recursos propios por las Administraciones locales", en la obra colectiva dirigida por COSCULLUELA MONTANER, L., *Estudios de Derecho público económico. Libro Homenaje al Prof. Dr. D. Sebastián Martín-Retortillo Baquer*, Civitas (2003), p.

llegado a un acuerdo en los precios contradictorios correspondientes. g) Las obras de mera conservación y mantenimiento, definidas en el artículo 106.5. h) Excepcionalmente, la ejecución de obras definidas en virtud de un anteproyecto, cuando no se aplique el artículo 134.3.a) y, por último, i) En los supuestos de no formalización del contrato dentro de plazo.

La disposición de estos medios hace que la Administración no tenga obligación de sacar las actuaciones a procedimientos públicos, lo cual resulta absolutamente razonable por razones de eficacia y de eficiencia de la actuación administrativa, principios que han de convivir con el del derecho de la competencia, la cual ha hecho que "lo que se ha visto con normalidad a lo largo de muchos años, ahora se contempla bajo la lupa de esa nueva rama del ordenamiento. Lupa que es de gran aumento"[48] y, me atrevo a señalar, distorsiona sustancialmente la realidad. Ha de tenerse en cuenta que en este equilibrio el propio precepto determina unas cuantías que aparecen como tope para la posibilidad de recurrir a los medios propios de la Administración. Y a ello no quita el que estos medios propios de la Administración estén personificados, como está ocurriendo en los últimos tiempos, en una tendencia que la nueva TRCSP intensifica. En todo caso, tal como afirma REBOLLO, resulta "de sentido común" que "la Administración no está obligada a contratar lo que puede hacer por sus propios medios, aunque estos medios estén personificados"[49], ya que esta última opción no es sino una manifestación del principio de autoorganización de las Administraciones públicas.

La característica principal de esta modalidad de ejecución de obras públicas es que éstas deben realizarse por los propios servicios de la misma a través de sus medios personales o reales, siendo asimismo posible recabar la colaboración de empresarios particulares con los límites expresados en la norma, sin que ello convierta esta colaboración en un contrato de obras, puesto que su ejecución estará a cargo del órgano gestor de la Administración sobre la que descansa todo el riesgo de la obra. En todo caso, resulta necesaria la autorización de la ejecución de la misma que corresponderá al órgano competente para aprobar el gasto.

---

[48] SOSA WAGNER, F., y FUERTES LÓPEZ, M., "¿Pueden los contratos quedar en casa? (La problemática europea sobre la contratación *in house*), en el Diario LA LEY, nº 6715.

[49] REBOLLO PUIG, M., "Los entes institucionales de la Junta de Andalucía y su utilización como medio propio", en la *Revista de Administración Pública*, nº 161 (mayo-agosto 2003), p. 379.

A pesar del carácter excepcional con que la Ley contempla esta modalidad de ejecución de obras públicas (es inusual su utilización en el sentido estricto en que se expresa la Ley, salvo para las obras de pequeña entidad), puede también afirmarse que goza de cierto arraigo en nuestra práctica jurídica si incluimos como tales las obras que se llevan a cabo en muchas ocasiones a través de sociedades de derecho privado en cuyo capital social es exclusiva o mayoritaria la participación de la Administración y a los que en ocasiones se proporciona el carácter de medio propio, tal como ocurre, por ejemplo en el caso de TRAGSA[50], lo cual se extiende, en ocasiones a otras Administraciones públicas.

La utilización de estas entidades instrumentales ha motivado un amplio debate ni mucho menos cerrado sobre el alcance de la previsión legal que de forma literal se refiere a la ejecución de obras por la Administración verificadas *"por los propios servicios de la misma"*. En todo caso, el ordenamiento comunitario ha dado el visto bueno a esta fórmula siempre que se respeten los requisitos de la jurisprudencia sobre prestaciones *in house*, esto es, que el "ente territorial ejerza sobre la persona de que se trate un control análogo al que ejerce sobre sus propios servicios y esta persona realice la parte esencial de su actividad con el ente o los entes que la controlan", tal como ha afirmado reiteradamente el Tribunal de Justicia de las Comunidades Europeas, en una jurisprudencia cuyos principios parecen formalmente asentados.

VIII. ENTIDADES INSTRUMENTALES PARA LA EJECUCIÓN DE OBRAS PÚBLICAS

Como ya se apuntaba con anterioridad, la contratación de la obra pública por la Administración se lleva a cabo asimismo a travís de entidades instrumentales, ya sean organismos o entidades públicas, ya sean sociedades de capital total o parcialmente público. Estamos en los dos primeros casos ante fórmulas de gestión directa de la infraestructura e indirecta en el ter-

---

[50]   Así, se dispone que "TRAGSA y sus filiales integradas en el grupo definido en el apartado anterior tienen la consideración de medios propios instrumentales y servicios tícnicos de la Administración General del Estado, las Comunidades Autónomas y los poderes adjudicadores dependientes de ellas, estando obligadas a realizar, con carácter exclusivo, los trabajos que ístos les encomienden" (DA 30ª LCSP). Sobre el régimen de TRAGSA, AMOEDO SOUTO, C., *TRAGSA. Medios propios de la Administración y huida del Derecho administrativo*, Atelier, Barcelona (2004).

cero, pero todos ellos tienen la nota común de ser de realización efectiva indirecta, en la medida en que, en la mayor parte de los casos, estos entes instrumentales proceden a contratar con terceros la obra pública. Pero como se puede ver, las fórmulas utilizadas han sido diversas dando lugar a una gran confusión sobre el régimen jurídico aplicable no exenta ninguna de ellas de críticas doctrinales, derivadas de la encomienda directa de las actuaciones por parte de la Administración matriz a un ente instrumental[51]. No obstante, como se verá inmediatamente, la gestión de la obra por parte de la entidad instrumental se realizará de acuerdo con la normativa general del contrato de obra debido, precisamente, a que estas entidades tienen la naturaleza de poder adjudicador, tal como se ha reconocido reiteradamente por la jurisprudencia comunitaria, incluso en asuntos en los que se ha sancionado a nuestro país.

Ejemplos típicos de la gestión de infraestructuras por *organismo o entidad pública* pueden ser los de RENFE, las Autoridades Portuarias o del ente público Aeropuertos Españoles y Navegación Aírea. En estos casos, estaríamos hablando de supuestos de retribución indirecta que computa para el difícit público, si se realizan transferencias de capital al ente que financia las infraestructuras, y de retribución pública no presupuestaria cuando el coste de la infraestructura sea soportado por los usuarios de la misma y el importe a percibir tenga la consideración de ingresos de derecho público no presupuestario.

---

[51]   Así, CARBONELL PORRAS, E., "El título jurídico que habilita el ejercicio de la actividad de las sociedades mercantiles estatales de infraestructuras viarias, ¿convenio o contrato administrativo?", en la obra colectiva dirigida por COSCULLUELA MONTANER, L., *Estudios de Derecho público económico. Libro Homenaje al Prof. Dr. D. Sebastián Martín-Retortillo Baquer*, Civitas (2003) p. 377, MARTÍNEZ LÓPEZ-MUÑIZ, J. L., "¿Sociedades públicas para construir y contratar obras públicas? (A propósito de algunas innovaciones de la Ley de Acompañamiento de los Presupuestos del Estado para 1997)", en la *Revista de Administración Pública*, núm. 144; GIMENO FELIÚ, J. M. "Una valoración crítica sobre el procedimiento y contenido de las últimas reformas legales en la contratación pública", *Revista de Administración Pública*, núm. 144, pp. 129 y ss. VALCÁRCEL FERNÁNDEZ, P., "Entidades instrumentales de obras públicas", dentro de la obra colectiva dirigida por GONZÁLEZ GARCÍA, J. *Diccionario de obras públicas y de bienes públicos*, Iustel (2007) y en "Sociedades mercantiles y realización de obras públicas: incumplimiento de la normativa comunitaria de contratación, extralimitación del margen constitucional de reserva de Derecho Administrativo e incongruencia en el empleo de las técnicas de autoorganización para la gestión de actuaciones administrativas", en la *Revista General de Derecho administrativo*..

Por su parte, la utilización de *sociedades mercantiles de capital enteramente público*[52] para construir y gestionar infraestructuras ha sido una constante en los últimos años, siguiendo el modelo que, más allá de otros antecedentes anteriores —como el entramado organizativo que alumbró las infraestructuras de los Juegos Olímpicos de Barcelona— el sistema de sociedades estatales para la construcción de obras públicas nace del artículo 158 de la Ley 13/1996, de 30 de diciembre, de medidas fiscales, administrativas y de orden social en donde se configura un nuevo procedimiento de gestión directa de la construcción y/o explotación de determinadas obras pública y que luego se extendieron a las infraestructuras agrícolas[53]. Por lo demás, las Comunidades autónomas tambiín han desarrollado este tipo de fórmulas, lo que ha llevado a que se le denomine en algunos ámbitos el "modelo español" de construcción de infraestructuras. Es una operación que se justifica en razón de la estabilidad presupuestaria, en la medida en que ciertas operaciones de transferencia monetaria para el capital social no computan a los efectos del díficit público.

El modelo parte de la encomienda en un convenio de la gestión del proceso de construcción de infraestructuras a una sociedad pública que es la que efectúa todo el proceso, siguiendo con los requerimientos de las Directivas comunitarias en cuanto al proceso de contratación. El problema que se plantea básicamente viene dado por los requisitos que se exigen en la jurisprudencia comunitaria para que se puedan adjudicar directamente, lo cuales provienen directamente de la sentencia Teckal[54], la cual afirmó lo siguiente: *"en el supuesto de que, a la vez, el ente territorial ejerza sobre la persona*

---

[52]   Recordemos que, como ha señalado reiteradamente la jurisprudencia del Tribunal de Justicia de las Comunidades Europeas, la encomienda directa de estos trabajos a sociedades mixtas es contraria al ordenamiento comunitario. Así, por citar solo la última de ellas, la sentencia de 18 de enero de 2007 —As. C-220/05; Aroux c. Société d»équipement du département de la Loire (SEDL)— se reafirma en el mismo planteamiento, afirmando que "el hecho de que la SEDL sea una sociedad mercantil de capital mixto en la que se da participación privada excluye que pueda considerarse que el municipio de Roanne ejerce sobre ella un control análogo al que ejerce sobre sus propios servicios. Como ha declarado el Tribunal de Justicia, cualquier inversión de capital privado en una empresa obedece a consideraciones características de los intereses privados y persigue objetivos distintos de los perseguidos por una autoridad pública".

[53]   Sobre las sociedades estatales de obras públicas, por todos, véase GONZÁLEZ GARCÍA, J. V., *Sociedades estatales de obras públicas,* Ed. Tirant lo Blanch (2008).

[54]   La base está en la STJCE Teckal, de 18.11.1999, C-107/98. En el mismo sentido, puede verse entre otras SSTJCE de 7 de diciembre de 2000, ARGE Gewässerschutz (C-94/99) y de 8 de mayo de 2003, España c. Comisión (c-349/97).

de que se trate un control análogo al que ejerce sobre sus propios servicios y esta persona realice la parte esencial de su actividad con el ente o los entes que la controlan" no nos encontramos ante un verdadero contrato sometido a la directiva, tal y como ha reconocido la propia sentencia Teckal.

Esto hace que, tal como afirmó una resolución ulterior, "Una autoridad pública, siendo una entidad adjudicadora, tiene la posibilidad de realizar las tareas de interís público que le corresponden con sus propios medios administrativos, tícnicos y de cualquier otro tipo, sin verse obligada a recurrir a entidades externas y ajenas a sus servicios. En tal caso no existirá un contrato a título oneroso celebrado con una entidad jurídicamente distinta de la entidad adjudicadora. Así pues, no habrá lugar a aplicar las normas comunitarias en materia de contratos públicos". Todo ello ha encontrado acomodo por el legislador en la Disposición Final 4ª de la Ley 42/2006, de Presupuestos Generales del Estado para 2007 que dispone, siguiendo de forma casi literal los pronunciamientos del Tribunal de Justicia de las Comunidades Europeas, que no están sujetos a la Ley de Contratos "las encomiendas de gestión que se confieran a entidades y sociedades cuyo capital sea en su totalidad de titularidad pública y sobre las que la Administración que efectúa la encomienda ostente un control análogo al que ejerce sobre sus propios servicios, siempre que estas sociedades y entidades realicen la parte esencial de su actividad con la entidad o entidades que las controlan"[55]. No obstante, la reciente Ley de Contratos del Sector Público ha el rígimen de estos encargos, dado que considera a estas entidades equiparadas a los medios propios y servicios tícnicos de la Administración, siempre que así lo prevean sus estatutos. Precisamente por ello, les resultaría de aplicación lo dispuesto en el artículo 4, en virtud del cual están excluidos de la Ley de Contratos del Sector Público "los negocios jurídicos en cuya virtud se encargue a una entidad que, conforme a lo señalado en el artículo 24.6, tenga atribuida la condición de medio propio y servicio tícnico del mismo, la realización de una determinada prestación".

Todo lo cual se ha complementado con lo indicado en la reciente sentencia del caso Tragsa de 19 de abril de 2007[56] por el que se resuelve la

---

[55] Precepto inobjetable en cuanto al fondo —por cuanto que da cumplida respuesta a la jurisprudencia del Tribunal de Justicia de las Comunidades Europeas— pero que, evidentemente, plantea algún problema qué relación tiene con el contenido necesario y posible de la Ley de presupuestos generales del Estado, tal como fue definida en la STC 76/1992.

[56] Sentencia de la Sala Segunda del Tribunal de Justicia de las Comunidades Europeas de 19 de abril de 2007. Asunto C-295/05. Conclusiones del Abogado General Geelhoed,

cuestión prejudicial planteada el 1 de abril de 2005 por el Tribunal Supremo de España para la resolución del litigio que oponía a la Asociación Nacional de Empresas Forestales con TRAGSA y la Administración General del Estado. En esta resolución se amplía el ámbito de supuestos en los que se pueda proceder a esta encomienda de trabajos, permitiendo cierto grado de colaboración interadministrativa siempre que haya una participación de las dos Administraciones públicas afectadas[57].

Así, como ya se ha indicado con anterioridad, sobre todo, pero no únicamente en el ámbito autonómico han proliferado las sociedades concebidas como servicios propios de la Administración. A pesar de ello, y utilizando una tícnica jurídica más que discutible, estas sociedades no suelen realizar las obras ellas mismas, sino que las contratan con terceros, lo que viene a contradecir el uso del mencionado precepto para amparar esta fórmula.

Dejando de lado esta cuestión, se configura este modelo de forma que la ejecución de las obras por estas sociedades se realiza a travís de mandatos encomendados por la Administración titular de las mismas, actuando por tanto en nombre propio pero por cuenta de dicha Administración[58]. En todo caso, siendo esto así, las obras públicas construidas no se integran

---

presentadas el 28 de septiembre de 2006. Un comentario a esta sentencia se puede consultar en GONZÁLEZ GARCÍA, J. V., "Medios propios de la administración, colaboración interadministrativa y sometimiento a la normativa comunitaria de contratación. *Comentario a la Sentencia del Tribunal de Justicia de las Comunidades Europeas de 19 de abril de 2007: Cuestión prejudicial planteada por el Tribunal Supremo en el asunto Asemfo c. Tragsa y Administración General del Estado*", en la *Revista de Administración Pública,* n° 173 (mayo-agosto 2007), pp. 217 y ss.

[57]   Más recientemente, la sentencia Econord señaló que "en el supuesto de que se recurra a una entidad que posean en común varias administraciones públicas, el "control análogo" puede ser ejercido conjuntamente por tales administraciones, sin que sea indispensable que cada una de ellas lo ejerza individualmente" STJUE 29/11/2012 Econord SpA contra Comune di Cagno y Comune di Varese (C-182/11) y Comune di Solbiate y Comune di Varese (C-183/11).

[58]   ESQUIVIAS FERRIZ, F. en "Experiencias de financiación de infraestructuras y dotaciones mediante empresas públicas: el caso de Arpegio", en Nuevas formas de financiación de proyectos públicos, Civitas-Cámara de Cuentas de Andalucía, Madrid, 1999, pp. 157 y ss., realiza una exposición de los proyectos gestionados mediante esta entidad, considerando que se trata de una relación jurídica instrumentada bajo la figura del mandato, reflejada en el Código civil.
Sin embargo, su régimen se asimila en realidad a la técnica de la encomienda de gestión prevista en el artículo 15 de la LRJPAC, lo que nos llevaría a una nueva discusión, puesto que el apartado 5 de este precepto impide la utilización de esta técnica cuando la realización de las actividades encomendadas haya de recaer sobre personas físicas o jurídicas sujetas a derecho privado.

en el patrimonio de la sociedad, sino de la Administración a quien además le corresponde costear la totalidad de los encargos realizados, regulándose normalmente un rígimen de control y fiscalización del gasto (otra cosa es que la práctica de la gestión diaria coincida con el concreto rígimen previsto para cada caso). La relación entre la Administración y la sociedad se regula en un convenio marco donde se establecen las bases que habrán de regir los encargos que realice la Administración a la empresa pública.

En todos estos supuestos existe una retribución pública presupuestaria, pues las obras se costean directamente por la Administración, repercutiíndose por tanto en la generalidad de los ciudadanos —con cargo a presupuestos no afectados—, si bien esta retribución es indirecta en la medida en que los recursos públicos se canalizan a travís de estas sociedades instrumentales. Ninguna ventaja tiene por consiguiente la utilización de esta fórmula desde el punto de vista de la contabilidad y gestión pública. De hecho, los criterios contables definidos en la normativa europea SEC integran estas sociedades dentro del sector de las Administraciones Públicas considerando que su utilización conlleva la financiación presupuestaria y el consiguiente endeudamiento público. Su uso vendría pues únicamente justificado por la flexibilidad que, en principio, proporciona la forma privada, gracias a la mayor agilidad en la contratación, en la disposición de medios tícnicos y en las posibilidades de financiación que ofrece su sujeción al Derecho privado, puesto que los ingresos presupuestarios que reciben les permiten disponer de una capacidad de endeudamiento que utilizan para captar recursos.

Una segunda modalidad empleada por las Administraciones Públicas para la construcción y gestión de infraestructuras a travís de sociedades es la prevista por la Administración estatal para la construcción y/o explotación de carreteras públicas y obras hidráulicas[59]. Con este tipo de sociedades se rompe con el criterio anterior, de forma que se cede por la Administración a dichas sociedades instrumentales la gestión directa para la construcción y explotación de las citadas infraestructuras, posibilitando que tal ejecución pueda llevarse a cabo mediante contrataciones con terceros y sujetando la

---

[59]   Creadas ambas al amparo del artículo 158 de la Ley 13/1996, de 30 de diciembre, de medidas fiscales, administrativas y de orden social. A ellas se añadieron con posterioridad, las autorizaciones para la constitución de sociedades de infraestructuras agrícolas, que se introdujeron también a través del recurso de una Ley de acompañamiento, concretamente el artículo 99 de la Ley 50/1998, de 30 de diciembre, de Medidas Fiscales, Administrativas y del Orden Social.

preparación y adjudicación de tales contratos a las reglas de la contratación pública y a la jurisdicción contencioso-administrativa.

Se rompe por lo tanto con los encargos a las sociedades anteriormente mencionadas, no exentos de problemas, y se encarga de forma general a estas sociedades la gestión directa de todas las obras a las que se refiere, utilizando sin justificarlo en materia de construcción y explotación de infraestructuras, el paralelismo de la fórmula tradicional de gestión directa para la gestión de servicios públicos a travís de una sociedad íntegramente pública. Si, en un principio, esta tícnica pudiera parecer más correcta, lo cierto es que las críticas no se han hecho esperar[60].

Las relaciones entre la Administración y estas sociedades se regulan mediante convenios donde deben constar el rígimen de construcción y/o explotación de las obras; las potestades que sobre las mismas se reserva la Administración; las aportaciones económicas que haya de realizar la Administración y el rígimen de garantías. Estas sociedades no tienen necesariamente que ejecutar directamente las obras, sino que las contratan con terceros. Por lo tanto, en este caso la ficción consiste en que no funcionan a travís de encargos de la Administración, por lo que no actúan como mandatarias de ísta, sino que, como decíamos, se les cede la gestión, por lo que las obras.

En estos casos, la retribución es presupuestaria, si bien lo que justifica su creación es que se considera que esta forma de funcionamiento no es computable para el díficit atendiendo a criterios SEC, desarrollándose con cargo al capítulo VII del presupuesto de gastos (variación de activos financieros)[61]. Como se exponía en un apartado anterior de este capítulo,

---

[60] Da una idea la confusión que produce esta figura si se analizan las críticas doctrinales vertidas sobre la misma, puesto que no hay acuerdo ni siquiera sobre lo que debe ser objeto de reproche. Así, por citar algunos ejemplos, JIMÉNEZ DE CISNEROS se centra en la incompatibilidad de la reserva de la gestión y de la explotación a empresas públicas con la apertura a la iniciativa privada, el principio de libertad de empresa y establecimiento (artículo 38 de la Constitución española) y, sobre todo, con la regla comunitaria del derecho al acceso a las infraestructuras y obras públicas, pareciéndole lo razonable la adjudicación mediante pública licitación, basada en los principios de publicidad y concurrencia, en donde la Administración participara a través de su ente instrumental en igualdad de condiciones con los particulares interesados (*op. cita*da, p. 237). Otros, como LÓPEZ-MUÑIZ consideran que se rompe con esta modalidad el principio general del artículo 152 de la LCAP al permitir al Gobierno acudir a esta modalidad gestora directa sistemáticamente, sin límite alguno, con tal de que se trate de construir y/o explotar carreteras estatales y obras hidráulicas (*op. cita*da, p. 49).

[61] VILLAR ESCURRA, J. L., *op. cit*ada, p. 97.

la condición exigida para que una aportación del Estado tenga este carácter es que se realice a una entidad (pública[62] o privada) que tenga la consideración de una unidad institucional, la misma desarrolle una actividad empresarial, encontrándose orientada al mercado, con el requisito adicional de que los ingresos por la actividad de esa entidad cubran, al menos, el 50 por 100 de los gastos de explotación y las amortizaciones. Además, tal entidad debe ser la principal garante de los riesgos del proyecto.

Precisamente esta exigencia determina que su forma de retribución sea mixta en el caso de las sociedades estatales de aguas ya que perciben ingresos a travís de los convenios que celebran con terceros.

Por último, la incursión de todas estas modalidades de utilización de formas societarias para la construcción y explotación de las obras públicas ha ido abriendo en la práctica y en la imaginación de los poderes públicos y de sus asesores, otras posibilidades para la realización de determinados proyectos que tienden a dar entrada a la participación privada. De esta forma, si cabe en la práctica la gestión directa de infraestructuras mediante el encargo de esta función a una sociedad íntegramente pública, no debería existir inconveniente para admitir asimismo, siguiendo el paralelismo con las modalidades de gestión de los servicios públicos, la gestión indirecta a través de una sociedad de economía mixta en donde la Administración participe tan sólo de forma parcial, dando entrada al capital y a la experiencia privadas. Así, uno de los proyectos que se está realizando en estos momentos mediante esta fórmula es el del tranvía de Tenerife cuya ejecución se ha encomendado a la sociedad de economía mixta Metropolitano de Tenerife, S.A. participada mayoritariamente por el Cabildo Insular de Tenerife.

En cuanto al propio desarrollo de la obra, obviamente estas entidades instrumentales tienen la naturaleza de poder adjudicador —tal y como nos ha recordado la jurisprudencia comunitaria[63]— y, en consecuencia, han de

---

[62] La titularidad pública del capital no es incompatible con la no consolidación de las deudas de sociedades gestoras de infraestructuras, lo cual fue ratificado por EUROSTAT (organismo europeo encargado de velar por la aplicación rigurosa y fiel de la normativa SEC 95 en los Estados Miembros) con la publicación el 31 de enero de 2002 del caso de la empresa estatal austriaca BIG, cuyas deudas habían sido contabilizadas fuera del balance de dicha Administración.

[63] Véase la Sentencia Comisión c. España de 16 de octubre de 2003, en relación con la consideración de poder adjudicador de la Sociedad Estatal de Infraestructuras Penitenciarias, S.A. Sobre ella, GARCÍA DE ENTERRÍA, E., "Una nueva Sentencia del Tribunal de Justicia de las Comunidades Europeas sobre la sumisión a las normas comunitarias sobre la contratación pública de las sociedades mercantiles de titularidad

someterse a las exigencias de la regulación general del contrato que vayan a adjudicar.

IX. EL CONTRATO ADMINISTRATIVO DE OBRAS

La formula más empleada para la realización de las obras públicas por la Administración es la de su contratación a un tercero. Así, este contrato se caracteriza porque la Administración encarga a un empresario la ejecución de una obra completa, que se realizará a riesgo y ventura del contratista y sin que éste tenga derecho a indemnización por causa de pérdidas, averías o perjuicios ocasionados en las obras, salvo en casos de fuerza mayor[64].

El estudio detenido del contrato administrativo de obras excede de los propósitos del presente trabajo, centrado en la financiación en sentido amplio de la obra pública, por lo que únicamente se destacarán las modalidades de pago al contratista actualmente existentes, esto es, el pago mediante certificaciones y abonos a cuenta, el abono total del precio y el pago mediante el otorgamiento de una concesión de dominio público. A ello se añade una vertiente más, que es la derivada de que la Administración encargue la ejecución de una obra a un ente instrumental, el cual, a su vez, lo encargue a un contratista particular, lo que deberá realizar a través de un contrato de obra de los recogidos en la Ley de Contratos, debido a su naturaleza de poder adjudicador, tal como ha señalado reiteradamente la jurisprudencia comunitaria.

1. Pago mediante certificaciones y abonos a cuenta

El modelo clásico o convencional para construir y financiar la obra pública consiste en la contratación de ésta a un empresario a través del con-

---

de las Administraciones públicas", en la *Revista Española de Derecho Administrativo*, n° 120 (2003), pp. 667 y ss. CARRILLO DONAIRE, J. A., "*Un nuevo paso en la jurisprudencia comunitaria sobre el concepto de poder adjudicador*. La sentencia del TJCE de 16 de octubre de 2003, sobre procedimiento de adjudicación de los contratos de obras públicas con ocasión de una licitación a cargo de la Sociedad Estatal de Infraestructuras y equipamientos penitenciarios", en *Administración de Andalucía. Revista Andaluza de Administración Pública*, n° 51 (2003), pp. 127 y ss.

[64] Es doctrina ya antigua y reiterada del Consejo de Estado que se trata de una modulación administrativa del contrato civil de arrendamiento de obra por ajuste o precio alzado de los artículos 1588 y ss. del Código civil (así, entre otros, en Dictámenes de 9 de julio de 1959 y 24 de octubre de 1968).

trato de obras realizándose el pago al contratista mediante abonos a cuenta a través de certificaciones en principio mensuales (salvo que los pliegos del contrato indiquen otra cosa) expedidas a medida que la obra progresa. La financiación de la obra se realiza pues con fondos públicos procedentes de los correspondientes presupuestos de gastos.

Las certificaciones de obra constituyen el documento justificativo de la ejecución de las unidades de obra comprendidas en ella. No suponen su entrega, por lo que su expedición no implica el desplazamiento a la Administración del riesgo de destrucción o deterioro de las obras, que sólo se produce al tiempo de su recepción, sin perjuicio de las indemnizaciones que procedan en caso de fuerza mayor. Mediante estos documentos se trata de favorecer la financiación del contratista, realizando en su favor pagos parciales y permitiéndole transmitir a un tercero el derecho de cobro que incorporan las certificaciones (artículo 218 del TRCSPCSP)[65]. También sirven al contratista para suspender la ejecución de las obras si su importe no se abona en el plazo de cuatro meses desde su expedición y para instar su resolución si la demora es superior a ocho meses.

La transmisión de las certificaciones de obra a entidades bancarias o financieras constituye un mecanismo cada vez más utilizado como vía para la obtención de fondos por el contratista cuyas ventajas se encuentran, sin embargo, limitadas, habida cuenta que, en ningún caso, dicha cesión puede suponer un perjuicio para la Administración. En efecto, la transmisión de las certificaciones no implica que la cesionaria adopte una posición acreedora de carácter autónomo e independiente, sino que viene a ocupar la misma posición jurídica que anteriormente tenía el cedente. Ello significa que la Administración no podrá verse perjudicada por la cesión, pudiendo negarse a pagar una cantidad distinta a aquélla a la que tendría derecho el cedente. De esta forma, las certificaciones de obra no pueden considerarse títulos abstractos, sino negocios causales y así lo ha entendido la jurisprudencia mayoritaria[66].

---

[65] El Tribunal Constitucional señaló a este respecto en su Sentencia 169/1993 que las certificaciones son *"títulos que incorporan un derecho de crédito del contratista frente a la Administración, con arreglo a las cuales puede ésta verificar abonos, parciales o provisionales, del importe del contrato a fin de facilitar, desde el punto de vista financiero, la mejor ejecución y conclusión de las obras".*

[66] En este sentido, puede citarse entre otras la STS de 31 de octubre de 1992 que señala que *"las empresas contratistas de obras públicas utilizan cada vez más la cesión de las certificaciones de obra de que son titulares a sociedades bancarias o crediticias, como medio para la obtención rápida de recursos económicos; pero a pesar de su frecuencia y utilidad, estas certificaciones no pueden ser equiparadas a los títulos valores en sentido propio, al no tener documentado el cré-*

2. Contrato de obra bajo la modalidad de abono total del precio. El denominado "sistema alemán"

La característica esencial de este modelo de contratación de obra pública consiste en la posibilidad que se otorga a la Administración de proceder al abono de las cantidades debidas al contratista, no a medida que la obra se va ejecutando como en el sistema tradicional, sino al tírmino de la totalidad de la misma, una vez recibida por la Administración a su plena satisfacción. Se conoce como "sistema alemán" por ser íste el primer Estado que lo aplicó.

En nuestro ordenamiento jurídico este sistema fue introducido por el artículo 147 de la Ley 13/1996, de Medidas Fiscales, Administrativas y de Orden Social, que recoge su definición y rígimen jurídico, desarrollado posteriormente por el Real Decreto 704/1997, de 16 de mayo, y restringe su aplicación a los contratos que cumplan los requisitos de naturaleza de la obra y precio del contrato que se especifican, sin que sea de aplicación para los contratos de obras de reforma, reparación, conservación o mantenimiento y demolición de infraestructuras. Lo dispuesto en el mencionado precepto no ha sido sin embargo incluido en la regulación del contrato de obras que contiene la LCSP, cuyo artículo 99.2 se limita a indicar que el pago del precio de los contratos administrativos podrá hacerse de manera total o parcialmente mediante abonos a cuenta. Sí se ha incorporado sin embargo esta modalidad de abono del precio en la regulación del contrato de concesión de obra pública. No obstante, hay que entenderlo vigente, dado que el artículo 127 TRCSP hacer referencia a ellos a la hora de la formulación de los pliegos.

Su finalidad se centra en permitir la construcción de obras públicas en momentos de insuficiencia de recursos, retrasando así los efectos del pago sobre el díficit público. Seguimos estando por lo tanto ante otro supuesto de retribución pública presupuestaria, si bien diferida en el tiempo, lo que implica que su cómputo contable se produce asimismo en un momento posterior. La regla general es que el precio del contrato sea satisfecho por la Administración mediante un pago único en el momento de la terminación de la obra, obligándose el contratista a financiar la construcción adelantando las cantidades necesarias hasta que se produzca la recepción

---

dito, ni su transmisión —aunque sea denominado endoso— puede tampoco asimilarse al endoso de los títulos valores a la orden, tratándose, más bien, de la cesión civil de los créditos que recogen y, por lo tanto, produciéndose por la cesión la novación meramente modificativa de la primitiva obligación que subsiste íntegra, salvo en cuanto al cambio de acreedor producido".

de la obra terminada. No obstante, se admite la posibilidad de fraccionar el pago en distintas anualidades, con un máximo de diez, permitiíndose así distribuir mejor la carga financiera en diversos ejercicios económicos[67]

Es el contratista pues quien se encarga de financiar la obra, estableciéndose como única garantía de pago por parte de la Administración la obligación de ésta de contabilizar de forma independiente el compromiso de gasto, consignándose con carácter preferente en el ejercicio en que deba recibirse la obra el crédito necesario para amparar la totalidad del compromiso de gasto previamente adquirido. Cuando se fraccione el pago, los compromisos en cada uno de los ejercicios en que se fracciona deberán contabilizarse adecuada e independientemente.

En la aplicación práctica de este sistema, este compromiso de gasto ha resultado ser insuficiente garantía para los financiadores de los proyectos, que se ven obligados a costear íntegramente el importe total de la obra, pues bastaría que la Administración correspondiente no consignara el crédito en el ejercicio correspondiente para que sus derechos se vieran desconocidos. Por esta razón, se buscan fórmulas de garantía alternativas que comprometan directamente a la Administración, las cuales, en muchos casos, fuerzan en exceso los límites legales admitidos.

Existen límites presupuestarios para la utilización de esta modalidad de pago, puesto que el importe total contratado de esta forma en cada ejercicio no puede ser superior al 30 por 100 de los créditos iniciales dotados el capítulo 6 del estado de gastos de la correspondiente sección presupuestaria, si bien este porcentaje se puede cambiar por el Gobierno en casos especialmente justificados.

Este sistema, si bien permite el diferimiento en el pago por la insuficiencia de presupuesto en un momento dado, lo cierto es que resulta más caro para la Administración. De ahí que el Real Decreto obligue al Departamento que pretenda su utilización a justificar la conveniencia de realizar las obras de acuerdo con este sistema, por razones de insuficiencia de recursos y de interés público. Además, los pliegos de cláusulas administrativas particulares que regulen la construcción y financiación de estas obras deben

---

[67] El sistema alemán se ha admitido de forma expresa por la Ley 13/2003, reguladora del contrato de concesión de obra pública, la cual permite en su artículo 245 que las aportaciones públicas a la construcción de las obras se puedan realizar una vez concluidas éstas o al término de la concesión, remitiéndose para su regulación a lo dispuesto en la normativa sobre contratos de obra bajo la modalidad de abono total. Sin embargo, se excluye expresamente la posibilidad de fraccionar el pago.

incluir necesariamente y de forma separada: a) el precio de la construcción; b) las condiciones específicas de su financiación de forma que hagan posible la determinación del precio final a pagar; c) el plazo de garantía, que no podrá ser inferior a tres años; y d) la posibilidad de fraccionamiento de pago del precio.

X. CONTRATO DE CONCESIÓN DE OBRA PÚBLICA

Desde la última reforma legislativa, el contrato de concesión de obra pública se configura en la actualidad como un contrato administrativo típico distinto del de obras. La Ley 13/2003, de 23 de mayo, le otorgó dicho carácter, integrada en la LCAP (siguiendo así el criterio sostenido por el Consejo de Estado) mediante un nuevo título de la misma, el Título V del Libro II (artículos 220 a 266). Carácter que se ha mantenido con en el texto de la Ley de Contratos del Sector Público.

La nueva regulación es troncal u horizontal, con carácter de legislación básica en su mayor parte, de obligado cumplimiento para todas las Administraciones públicas. Las regulaciones sectoriales o autonómicas adquirirán en consecuencia un carácter de complementariedad salvo en los casos en que el propio legislador establezca la excepción por vía singular, con lo que viene a dotar de unidad estas leyes sectoriales.

El papel que tiene la concesión de obra pública ha de enmarcarse dentro de la función renovada que se quiere propiciar en los últimos tiempos a todas las modalidades de asociación público-privada, teniendo presente las dificultades de financiación pública para todos los proyectos y la imposibilidad de recurrir a mecanismos que supongan el incremento del díficit público. Más allá de esta ordenación general, la nueva regulación, siguiendo el planteamiento general de la ordenación que viene a sustituir, abre la puerta a que se plasme una interrelación entre administración y concesionario para una correcta ejecución de la infraestructura.

La Ley recoge el concepto clásico de contrato de concesión de obra pública, y así el artículo 7 LCSP lo define como aquíl contrato "que tiene por objeto la realización por el concesionario de algunas de las prestaciones a que se refiere el artículo 6, incluidas las de restauración y reparación de construcciones existentes, así como la conservación y mantenimiento de los elementos construidos, y en el que la contraprestación a favor de aquíl consiste, o bien únicamente en el derecho a explotar la obra, o bien en dicho derecho acompañado del de percibir un precio". En principio el pago vendrá dado por la utilización aunque, como veremos, a fin de atraer al sector privado y considerando las importantes inversiones que se precisan para la realización de las grandes infraestructuras, abre la puerta a la participación pública tanto en lo que se refiere a la retribución al empresario (mediante el abono del peaje en sombra, subvencionando las tarifas que debería satisfacer el usuario o asegurando un mínimo de rentabilidad a la inversión del concesionario) como a la financiación de la obra.

Con ello, se está incidiendo en la idea que se ha venido afirmando por la Junta Consultiva de la Contratación Administrativa[68] de que la concesión de obra pública requiere que el bien objeto de la misma sea susceptible de explotación económica, lo que eliminaría la posibilidad de que se utilice la figura concesional para sedes de edificios administrativos u otros en los que los pagos que se realicen son pagos por disponibilidad. No obstante, esto no quiere decir que no se puedan llevar a la práctica, dado que las restantes modalidades de colaboración público privada las hacen perfectamente factible, tal como ha demostrado, además, la práctica de ciertas entidades públicas. Sólo quedaría fuera de la exigencia de la explotabilidad económica el supuesto previsto en el artículo 248 TRCSP, en virtud del cual "el contrato de concesión de obra pública no pierde su naturaleza por el hecho de que la utilización de una parte de las obras construidas no estí sujeta a remuneración siempre que dicha parte sea, asimismo, competencia de la Administración concedente e incida en la explotación de la concesión".

Habida cuenta de que se pretende con la nueva normativa una regulación general de esta figura, se contemplan en la misma de forma suficientemente amplia todos los aspectos de su rígimen jurídico, cuyo estudio excede los márgenes de este trabajo. Por esta razón, nos centraremos tan sólo en destacar, como hemos venido haciendo hasta este momento, las notas más relevantes relativas al rígimen económico-financiero y a la financiación del contrato, no sin antes referirnos a los principios configuradores de la concesión (esto es, el riesgo concesional y el equilibrio económico-financiero) que permiten comprender más adecuadamente el objetivo perseguido por la norma.

---

[68]   Véase, en este sentido, los informes 70/04 —relativo a un edificio para servicios sociales— y el 61/03 —relativo al edificio para el Rectorado de la Universidad de Burgos—.

1. *Principios configuradores de la concesión: riesgo concesional y equilibrio económico-financiero de la concesión*

Se regulan de forma expresa en la nueva Ley los tradicionales elementos configuradores de la concesión, de forma que su pretensión es conciliar el principio de riesgo y ventura sobre lo válidamente pactado entre las partes y el reconocimiento de un derecho al equilibrio económico que dará lugar a su recomposición en determinadas circunstancias, habida cuenta el interís público en presencia y la extensión del plazo concesional.

A) Riesgo concesional

El principio de asunción de riesgo por el concesionario constituye, como decíamos, un elemento definidor del propio contrato de concesión, tanto que en el fondo es lo que nos permite diferenciar contratos de obra de otros que, aunque tengan forma concesional su naturaleza se corresponde más con el contrato de obra por tener asumida la Administración los riesgos del contrato. Se puede afirmar, sin temor a equivocarnos, que sin riesgo del concesionario no hay concesión de obra pública. La propia Comisión Europea ha insistido en la esencialidad del riesgo dentro del esquema concesional: "si los poderes públicos asumen las contingencias vinculadas a la gestión de una obra, asegurando, por ejemplo, el reembolso de la financiación, faltará el elemento de riesgo. En este caso, la Comisión considera que se trata de un contrato público de obras y no de una concesión. Además, si durante la duración del contrato o al tírmino del mismo el concesionario recibe, directa o indirectamente (en forma de reembolso, de compensación, de pírdidas o de otra forma), una remuneración distinta de la correspondiente a la explotación, el contrato ya no podría ser tildado de concesión. En este caso, la compatibilidad de la financiación adicional tendría que ser analizada a la luz del conjunto de disposiciones pertinentes de Derecho comunitario"[69].

---

[69] Recordemos que la regulación ahora sustituida partía de un esquema diferente, tal como resalta la propia exposición de Motivos que señala que "no se puede convertir el contrato en un negocio aleatorio". La regulación ulterior también tenía problemas importantes en esta materia, tantos que como señaló GÓMEZ-FERRER acertadamente, que esa asunción del riesgo en proporción sustancial por el concesionario "no se refleja en el articulado de la ley, relativo a la concesión de obra pública, incorporado a la LCAP. Y tampoco se refleja en el articulado la afirmación de la E. M. de que la Ley responde sin ambigüedades a las exigencias de la doctrina y conclusiones de la Comisión Europea, expuestas en su Comunicación Interpretativa 2000/C 121/02".

La aplicación de este principio significa la transmisión al concesionario la responsabilidad tícnica, financiera y la gestión de la obra asumiendo los riesgos vinculados a esa explotación. Precisando algo más, si atendemos a la enumeración que de las obligaciones del concesionario se contienen en el artículo 246 TRCSP, supone que le corresponde asumir la responsabilidad y, por lo tanto, los costes del mantenimiento, conservación y adecuación de la obra a lo que, en cada momento, y según el progreso de la ciencia, disponga la normativa tícnica, medioambiental, de accesibilidad y eliminación de barreras y de seguridad de los usuarios que resulte de aplicación.

En un principio, la asunción del riesgo por el concesionario impedirá que íste tenga asegurados unos ingresos determinados o que se puedan transferir riesgos a la Administración en caso de incumplimientos o siniestros. Tal como han señalado EMBID y COLOM "nos parece que llega a negar, de raíz, la existencia del principio de riesgo y ventura, pues si deben existir ayudas públicas hasta conseguir tal rentabilidad, el concesionario sabe que durante la explotación esa rentabilidad está garantizada, lo que hace desaparecer cualquier elemento aleatorio de la misma"[70]. En todo caso, un análisis de la práctica en esta materia podría hacer dudar de cómo se llevó a la práctica este principio en el pasado.

Todo lo anterior conduce, asimismo, a la imposibilidad de admitir el principio del beneficio empresarial, que está recogido en alguna normativa autonómica y que algún autor ha querido extender con carácter general. Es un factor que niega el contenido del riesgo del contrato y, en consecuencia, que lo aparta de su naturaleza concesional.

B) Equilibrio económico-financiero

Que haya de asumirse el riesgo por el concesionario no supone que no tenga derecho a cierta estabilidad económica, la cual se articula sobre el denominado equilibrio económico-financiero. Está recogido en el artículo 258 TRCSP, en virtud del cual "el contrato de concesión de obras públicas deberá mantener su equilibrio económico en los tírminos que fueron considerados para su adjudicación, teniendo en cuenta el interís general y el

---

GÓMEZ-FERRER MORANT, R., "El contrato de concesión de obras públicas", en la obra colectiva dirigida por él mismo *Comentarios a la Ley de contratos de las Administraciones Públicas*, 2ª Ed. Madrid (2003), p. 1103.

[70] EMBID IRUJO, A., y COLOM PIAZUELO, E., *Comentarios a la Ley reguladora del Contrato de concesión de obra pública*, Ed. Aranzadi, pp. 170-171.

interís del concesionario"; lo cual se configura como uno de los derechos básicos del concesionario.

Ha sido una constante en la práctica de la utilización de esta figura contractual el sostener una interpretación de este principio siempre favorable al concesionario hasta conseguir incluso que el riesgo del contratista desaparezca en ocasiones. Con el fin de acabar con esta costumbre, la Ley pretende que las incidencias que alteren el equilibrio económico financiero operen en beneficio tanto de la Administración como de la sociedad concesionaria (artículo 258.2 TRCSP), de forma que, ante circunstancias sobrevenidas, la recuperación del equilibrio económico contractual deberá recomponer el marco definido y pactado entre la Administración y el contratista.

El apartado 2 del artículo 258 recoge los supuestos tasados en los que procederá el reequilibrio de la concesión, incluyendo los tres tradicionales admitidos por la legislación y la jurisprudencia, esto es, el *ius variandi* (modificación por la Administración por razones de interís público de las condiciones de explotación de la obra), fuerza mayor (en los supuestos recogidos en el artículo 214 de la LCSP dentro del rígimen del contrato de obras) y el *factum principis* (actuaciones de la Administración que determinan de forma directa la ruptura sustancial de la economía de la concesión) y añadiendo otros supuestos previstos en el propio contrato. No incluye sin embargo la doctrina del riesgo imprevisible reclamado por la doctrina (*rebus sic stantibus* o de la alteración de la base del negocio), lo que no significa que no resulte aplicable, pues puede encontrar cierto acomodo en la causa del artículo 248.2 c) ["*cuando se produzcan los supuestos que se establezcan en el propio contrato para su revisión, de acuerdo con lo previsto en los artículos 230.1e) y 233.1.d)*"][71].

---

[71] Estos artículos están referidos al contenido de los pliegos de cláusulas administrativas particulares y al contenido de las proposiciones, respectivamente. Prevén que el concesionario quede comprometido a través de su oferta con un sistema de revisión de tarifas y, en general, de otras variables de contenido económico, en razón de los rendimientos de la demanda de utilización de la obra y de los beneficios obtenidos de la explotación de la zona comercial. El concesionario queda comprometido con un nivel mínimo y otro máximo de rendimientos totales para cada concesión, de forma que, si se sobrepasan dichos niveles durante el período que en cada caso se determine, procederá la revisión del contrato.

2. Régimen económico-financiero

El rígimen económico-financiero de la concesión de obra pública es un elemento central de la regulación si se quiere que la figura resulte útil para construcción de infraestructuras, en la medida en que constituye la contra-prestación que el empresario recibirá por la inversión realizada.

El establecimiento del sistema de financiación de la obra y la retribu-ción del concesionario, dentro de los márgenes legales, se deja a la elec-ción de la Administración concedente, si bien atendiendo a unos criterios específicamente señalados en el artículo 253. Se deberá justificar así ade-cuadamente en el expediente el sistema elegido en función de la raciona-lización en la inversión de los recursos económicos, la naturaleza de las obras y la significación de ístas para el interís público, con respeto siempre a los objetivos de estabilidad presupuestaria. La Ley ha querido de esta forma adoptar un sistema flexible que perdure en el tiempo al permitir a la Administración adaptar la financiación a las circunstancias concretas de la obra y de la situación económica de cada momento. Será pues a la vista de los pliegos de cláusulas administrativas particulares donde se podrá comprobar si estos objetivos se consiguen a la hora de articular el rígimen económico-financiero del contrato.

En todo caso, presupuesto necesario del sistema económico por el que se opte lo constituye su compatibilidad con el principio de asunción de riesgos por el concesionario, por lo que cualquiera que sea la fuente de la retribución (pública especialmente o privada) ísta no debe eliminar el riesgo concesional, principio definitorio de esta figura, tal como hemos visto con anterioridad. Así, el artículo 236.1 LCSP dispone que "las obras públicas objeto de concesión serán financiadas, total o parcialmente, por el concesionario que, en todo caso, asumirá el riesgo en función de la in-versión realizada".

La regla general será el recurso a la financiación privada, pudiíndose acudir a la financiación pública cuando se den los supuestos recogidos en el artículo 254 esto es, únicamente cuando existan razones de rentabili-dad económica o social, o concurran singulares exigencias derivadas del fin público o interís general de la obra objeto de la concesión, sin que se establezca en la norma ningún límite cuantitativo a la aportación pública a la construcción de la obra, más que el otra vez citado respeto al principio de asunción del riesgo por el concesionario. La concurrencia de algún supuesto encuadrable dentro de lo señalado en la norma no parece com-plicado de encontrar y, como ha señalado GÓMEZ-FERRER MORANT en "determinados supuestos de hecho, la concurrencia de alguno de tales supuestos no será difícil de justificar" y, además, "ofrecen un amplio margen de apreciación a la Administración"[72]. El examen de algunas de las concesiones otorgadas no hace sino corroborar lo señalado. Estas ayudas podrán consistir "en aportaciones no dinerarias del órgano de contratación o de cualquier otra Administración con la que exista convenio al efecto, de acuerdo con la valoración de las mismas que se contenga en el pliego de cláusulas administrativas particulares".

El *sistema retributivo de la concesión* se menciona en la propia definición del contrato que contiene el apartado 1 del artículo 238, en donde se contempla que "el concesionario tendrá derecho a percibir de los usuarios o de la Administración una retribución por la utilización de la obra en la forma prevista en el pliego de cláusulas administrativas particulares". Se permite, asimismo, la combinación de estas modalidades en un mismo contrato, si bien se obliga al concesionario a separar contablemente los ingresos provenientes de las aportaciones públicas y aquellos otros procedentes de las tarifas abonadas por los usuarios de la obra y, en su caso, de la explotación de la zona comercial (artículo 238.6).

A) Retribución por la utilización de la obra

El artículo 238.1 permite que el concesionario sea retribuido directamente mediante el precio que abone el usuario o por la propia Administración por la utilización de la obra. Esta forma de retribución se desarrolla en los cuatro primeros apartados del artículo 246.

a) *Utilización por los usuarios*

El supuesto más habitual en la práctica concesional es que la compensación del concesionario provenga de las tarifas —tírmino utilizado en la Ley— que por la utilización de la obra abonen los usuarios de la misma. Es lo que tradicionalmente se ha conocido como peaje (por su uso en la legislación de autopistas). Estas tarifas tienen la naturaleza de precios privados.

No se determinan en la Ley los conceptos integradores de estas tarifas que deberán ser fijadas por el órgano de contratación en el acuerdo de adjudicación de conformidad con lo establecido en el pliego de cláusulas administrativas particulares y teniendo en cuenta la proposición del licita-

---

[72]   GÓMEZ-FERRER MORANT. R., "El contrato de concesión de obra pública" en la obra colectiva dirigida por él mismo Comentario a la ley..., *op. cit.* pp. 1113-1114.

dor adjudicatario, y tendrán el carácter de máximas, pudiendo los concesionarios aplicar tarifas inferiores cuando así lo estimen conveniente. Se deja así un margen al concesionario para adaptar el importe de las tarifas a la demanda real con un tope máximo que evite el abuso de su posición. De hecho, en la actualidad son comunes las tarifas variables en función del horario y de la ípoca del año, con el fin de incentivar el uso de las infraestructuras en los periodos de menor afluencia de público. La revisión de las tarifas se realizará en la forma determinada en los pliegos.

Al lado del peaje tradicional, se incorpora la posibilidad de que se abonen lo que se viene a denominar peaje en la sombra[73] o peaje blando, en los que la administración abona total o parcialmente el coste de la utilización por parte de los usuarios del bien, lo cual se deberá concretar en el pliego de cláusulas administrativas (255 TRCSP). La admisión de estas modalidades no han estado exentas de críticas por parte de la doctrina en el momento de su admisión en la normativa anterior, en la medida en que acercan la concesión a la figura del contrato de obra pública. Así, se ha afirmado por GÓMEZ-FERRER MORANT, que "la verdadera naturaleza de este caso es la de un contrato de obra pública con un sistema de retribución por la Administración aplazado en el tiempo y calculado en función del uso de la infraestructura en forma similar al de la concesión", en el que el "coste va a cargo de la Administración y su abono en la forma expuesta es una obligación de la Administración"[74]. Por lo tanto, en este sistema son todos los contribuyentes quienes asumen el coste final, usen o no la obra, si bien los pagos a realizar por la Administración se realizan de forma escalonada en el tiempo.

Aunque la aportación provenga de la Administración, se puede considerar este sistema totalmente compatible con el principio de asunción de riesgo, pues la retribución del concesionario depende de la utilización que realizan los usuarios de la obra, independientemente de que dicha retri-

---

[73] Pese a su aparente novedad, como señaló JIMÉNEZ DE CISNEROS, la primera vez que se recogió en el ordenamiento español fue el artículo 4ª c) la Ley 55/1960, para la construcción, conservación y explotación de carreteras por particulares. JIMÉNEZ DE CISNEROS CID, F. J., *Obras públicas e iniciativa privada*, Montecorvo (Madrid) 1998, p. 112.

[74] GÓMEZ-FERRER MORANT, R., El contrato de concesión..., *op. cit.*, p. 1105. En un sentido similar, la Comunicación Interpretativa 2000/C 121/02, de 29 de abril de 2000, ha señalado que "para la comisión, estaremos en presencia de contratos públicos de obras en la acepción del Derecho comunitario cuando el coste de la obra vaya a cargo principalmente del órgano de contratación y el contratista no reciba su remuneración a través de derechos percibidos directamente de los usuarios de la obra".

bución sea pública. Sólo resultaría incompatible la aportación pública con este principio si se realizara con independencia de la frecuentación de la obra.

B) Ingresos procedentes de la explotación de la zona comercial

Se permite igualmente a los concesionarios retribuirse con los ingresos procedentes de la explotación de la zona comercial vinculada a la concesión, en el caso de existir ísta, según lo establecido en el pliego de cláusulas administrativas particulares (artículo 255.5) "*tales como establecimientos de hostelería, estaciones de servicio, zonas de ocio, estacionamientos, locales comerciales y otros susceptibles de explotación*" (artículo 231.1 LCSP).

C) Aportaciones públicas a la construcción de la obra

Las aportaciones públicas a la construcción de la obra, reguladas en el artículo 254, constituyen la financiación pública de la misma, admitida, únicamente para los supuestos en que "existan razones de rentabilidad económica o social, o concurran singulares exigencias derivadas del fin público o interís general de la obra objeto de la concesión" y siempre y cuando no sean de tal magnitud que resulte incompatible con el principio de asunción de riesgo por el concesionario. De hecho, estas aportaciones no podrán pues constituir nunca la única fuente de financiación del concesionario.

La aportación de recursos públicos —que podrán provenir de la Administración concedente o de otra Administración pública— para financiar la ejecución de la obra debe responder pues a una serie de circunstancias que determinen la necesaria intervención pública por el especial interís público que se intenta satisfacer con una obra concreta o por la incidencia económica o social que despierte. No obstante, el amplio margen que se recoge en la norma hace que no resulte especialmente complejo el que se den en la práctica. Evidentemente la apreciación de la concurrencia de estas circunstancias y el montante de esta contribución corresponderá en cada caso al órgano contratante que deberá justificarlo debidamente en el expediente, contando siempre como límite del respeto al principio de asunción del riesgo por el concesionario.

Frente a la ejemplificación de formas de apoyo público a la construcción que estaba en la normativa anterior, en la actualidad aparece una regulación más abierta. El artículo 254.2 LCSP recoge dos modalidades geníricas —la ejecución por su cuenta de parte de la misma o en su financiación parcial—. En este último caso, tal como dispone el artículo 237.1 "las Administraciones Públicas podrán contribuir a la financiación de la obra mediante aportaciones que serán realizadas durante la fase de ejecución de las obras, tal como dispone el artículo 223 de esta Ley, una vez concluidas ístas o al tírmino de la concesión, y cuyo importe será fijado en los pliegos de condiciones correspondientes o por los licitadores en sus ofertas cuando así se establezca en dichos pliegos". Asimismo, siguiendo la normativa ahora derogada, se incorpora la posibilidad de realizar aportaciones en especie, de acuerdo con la valoración de las mismas que se contenga en el pliego de cláusulas administrativas particulares.

Cuando esta aportación se realice *durante la fase de ejecución* deberá abonarse en los tírminos pactados de acuerdo con lo establecido en el artículo 145 de la Ley (artículo 236.2), es decir, se acude al sistema tradicional de certificaciones y abonos a cuenta que rige para el contrato de obras. Teniendo en cuenta que la recepción formal de las obras no se produce hasta el tírmino de la concesión (artículo 241.1), en este caso de obras financiadas parcialmente por la Administración concedente mediante abonos parciales al concesionario con base en las certificaciones mensuales de la obra ejecutada, la certificación final de la obra acompañará al documento de valoración y al acta de comprobación que lleva implícita la autorización para la apertura de la misma al uso público (artículo 241.3).

En cambio, en el caso de que la aportación pública se realice *una vez concluidas las obras o al término de la concesión*, resultará de aplicación la normativa sobre contratos de obra bajo la modalidad de abono total, dada la similitud existente entre ambos sistemas, sin que se permita fraccionar el pago (artículo 245.1), favoreciíndose así al concesionario que verá abonada la aportación pública pactada en el momento acordado sin sujeción a plazos que, de alguna forma, introducen un sesgo de inseguridad. Como ya se ha expuesto en otro apartado de esta obra, este mecanismo de pago está sujeto a una serie de controles, especialmente el del Ministerio de Hacienda por lo que se refiere a su programación y a la aprobación de los pliegos correspondientes.

Por último, debe señalarse la posibilidad, ya mencionada al tratar de la admisión de la aportación pública con aportaciones no dinerarias, de que la financiación pública de la obra pueda realizarse con contribuciones tanto de otras Administraciones públicas distintas a la concedente (habiíndose de estar en este caso a los tírminos del correspondiente convenio) como de la que pueda provenir de otros organismos nacionales o internacionales, recogiíndose así de forma explícita las aportaciones internacionales (especialmente las europeas) tan frecuentes y fundamentales en los últimos tiempos. (artículo 254.2 TRCSP).

La financiación conjunta de obras por las Administraciones públicas, realizada en función de los intereses generales que se pretenden cubrir con la ejecución de las obras, constituye una práctica habitual en nuestro ordenamiento y debe enmarcarse en principio general de colaboración intradministrativa. Lógicamente, esta colaboración financiera no puede suponer una merma de las competencias de la Administración concedente.

D) Aportaciones públicas a la explotación de la obra

El régimen retributivo del concesionario debe completarse con las aportaciones públicas a la explotación de la obra a fin de garantizar su viabilidad que se encuentran reguladas en el artículo 256 de la Ley, sujetas siempre al límite impuesto por el principio del riesgo, por lo que deben asimismo considerarse excepcionales. Se mencionan así con carácter limitativo las subvenciones al precio, los anticipos reintegrables y los préstamos participativos, subordinados o de otra naturaleza.

Se podrán realizar desde el inicio de la explotación o en el transcurso de la misma cuando se prevea que vayan a resultar necesarios para garantizar la viabilidad económico-financiera de la concesión.

Junto a ellas se prevén *"ayudas en los casos excepcionales en que, por razones de interés público, resulte aconsejable la promoción de la utilización de la obra pública antes de que su explotación alcance el umbral mínimo de rentabilidad"*.

Esta regulación es coincidente, en lo esencial, con el sistema previsto en la normativa ahora derogada. Más allá de que la apertura de fórmulas no tiene que resultar, en principio negativo, una configuración tan amplia puede plantear problemas, a la hora de su materialización práctica, para no violentar el principio de riesgo y ventura, que es consustancial a la concesión[75].

Dado que han sido señalados específicamente en el PEIT, conviene que se señalen los riesgos que plantean los préstamos participativos. Como ha señalado la doctrina, están más cerca de la condición de fondos propios que del endeudamiento con fondos de tercero, aunque, tal como dispone el artículo 20. 1 c) del RD-L 7/1996, en donde se regulan los créditos participativos, éstos "en orden a la prelación de los créditos, se situarán despuís

---

[75] Así, EMBID IRUJO, A. y COLOM PIAZUELO, E., Comentarios a la ley..., *op. cit.*, p. 170.

de los acreedores comunes". Incluso, en algunos supuestos el uso que se ha hecho de este tipo de prístamos ha sido notablemente prejudicial para los intereses generales, en la medida en que su devolución se ha subordinado al pago de dividendos, con lo cual se encuentran en peor condición que los propios accionistas. El artículo 10.3 del RD 1808/98, de 31 de julio, por el que se adjudica la concesión de la autopista Alicante-Cartagena es la prueba palmaria de lo que se está señalando.

3. *Financiación de la concesión. Preferencia por la financiación privada*

Como ya ha quedado expuesto, el artículo 236.1 establece como principio general que "*las obras públicas objeto de concesión serán financiadas, total o parcialmente, por el concesionario que, en todo caso, asumirá el riesgo en función de la inversión realizada*", lo que resulta coherente con el principio de asunción del riesgo por el concesionario definitorio de este contrato y con la propia esencia de la concesión de obra pública en donde la retribución debería provenir por lo ingresos de explotación. La financiación pública tiene así una función complementaria a la privada, entendiendo por esta última la participación del capital privado en la construcción de las infraestructuras mediante tícnicas de naturaleza eminentemente financiera.

Este es el punto en el que se recoge la prolija regulación anterior. Los medios de financiación privada se recogen en dichos preceptos son los siguientes: emisión de obligaciones y otros títulos, incorporación a títulos negociables de los derechos de crídito del concesionario, la hipoteca de la concesión y los críditos participativos, a los que hay que añadir la contratación de prístamos o críditos con entidades de crídito de acuerdo con el ordenamiento jurídico vigente a que se refiere el apartado 2 del artículo 221. En todos ellos se prevín controles administrativos que tienden a vigilar la situación financiera del concesionario en la medida en que la viabilidad de la concesión afecta al interís público. Por razones de extensión de este capítulo se dejan indicadas, remitiíndome a lo que desarrollo en otro lugar.

XI. COLABORACIÓN PÚBLICO-PRIVADA: DE LA IDEA GENÉRICA AL CONTRATO TÍPICO EN LA FUTURA LEY DE CONTRATOS DEL SECTOR PÚBLICO

Los problemas de índole financiera que tienen las Administraciones públicas, la necesidad de cumplir con el principio de estabilidad presupuestaria y la creciente demanda de infraestructuras por parte de los ciudadanos ha dado pie a la utilización de fórmulas novedosas, necesariamente abiertas, por parte de los entes públicos que se suelen agrupar bajo la expresión de colaboración público privada. Se trata, por otra parte, de una realidad fomentada por parte de las autoridades comunitarias, que han reclamado una renovación del ordenamiento, ya que "son necesarias nuevas ideas, cláusulas innovadoras, así como la superación del concepto tradicional de "público" con el fin de fomentar esta tendencia a nivel comunitario".

Con las formulas CPP[76] se está haciendo referencia a una pluralidad de situaciones, unas que dan lugar a la formulación de relaciones contractuales, otras de naturaleza institucional. Constituye, sin duda, la idea fuerza más relevante en materia de provisión de infraestructuras, cuya materialización no está exenta de riesgos, tal y como ha señalado la propia Comisión Europea: "La propia Comisión europea ha insistido en ello cuando, incluso en un contexto favorable a la utilización de este tipo de mecanismos, ha indicado que "las APP son un instrumento atractivo, en pleno auge en muchos sectores, pero cuyo íxito depende de la presencia de ciertos factores o condiciones: proyectos de dimensión reducida, proyectos cuya remuneración y riesgos son fáciles de calcular, autopistas, puentes o aeropuertos. Pueden resultar igualmente útiles cuando la aportación privada permita maximizar los resultados y controlar mejor los costes en comparación con un proyecto similar gestionado por el sector público. Ahora bien, esta solución suele tener repercusiones en el terreno de los costes, que a menudo suelen ser superiores a los de una financiación íntegramente pública, a causa del coste de las transacciones —en particular los costes ligados a la determinación, distribución y cobertura de los riesgos— y de los capitales, mayor para los inversores privados. Está claro que el recurso a las APP no se puede presentar como una solución milagro para el sector público, agobiado por las presiones presupuestarias. Nuestra experiencia demuestra que una APP mal preparada puede dar lugar a costes muy elevados para el sector público"[77].

---

[76]   Además de los trabajos que se indicarán con posterioridad sobre el contrato de colaboración público privada, sobre esta modalidad de cooperación puede verse JUAN LOZANO, A. M., y RODRÍGUEZ MÁRQUEZ, J., *La colaboración público-privada en la financiación de las infraestructuras y los servicios públicos. Una aproximación desde los principios jurídico-financieros*, IEF, Madrid (2006) y GARCÍA-CAPDEPÓN, P., "El contrato de colaboración público-privado", en la *Revista de la Función Consultiva*, nº 3 (enero-junio 2005), pp. 89 y ss.

[77]   Comunicación de la Comisión de 23 de abril de 2003 sobre Desarrollo de la red transeuropea de transporte: Financiaciones innovadoras. Interoperabilidad del telepeaje.

En principio, su marco normal de desenvolvimiento es la atipicidad para buscar esas fórmulas imaginativas que permitan cumplir con las premisas de su configuración, básicamente el principio de estabilidad presupuestaria. No obstante, en nuestro país se ha avanzado más[78] y se ha configurado como contrato típico en la Ley de Contratos del Sector Público[79]. Concretamente, el artículo 11 lo define de este modo:

> "son contratos de colaboración entre el sector público y el sector privado aquéllos en que una Administración Pública encarga a una entidad de derecho privado, por un periodo determinado en función de la duración de la amortización de las inversiones o de las fórmulas de financiación que se prevean, la realización de una actuación global e integrada que, además de la financiación de inversiones inmateriales, de obras o de suministros necesarios para el cumplimiento de determinados objetivos de servicio público, comprenda alguna de las siguientes prestaciones:
>
> a) La construcción, instalación o transformación de obras, equipos, sistemas, y productos o bienes complejos, así como su mantenimiento, actualización o renovación, su explotación o su gestión.
>
> b) La gestión integral del mantenimiento de instalaciones complejas.
>
> c) La fabricación de bienes y la prestación de servicios que incorporen tecnología específicamente desarrollada con el propósito de aportar soluciones más avanzadas y económicamente más ventajosas que las existentes en el mercado.
>
> d) Otras prestaciones de servicios ligadas al desarrollo por la Administración del servicio público o actuación de interés general que le haya sido encomendado".

---

[78] El Acuerdo del Consejo de Ministros de de 25 de febrero de 2005, por el que se adoptan mandatos para poner en marcha medidas de impulso a la productividad (BOE 2 de abril de 2005) en la futura ley de Contratos del Sector Público, se regulará esta figura ya que se contiene un "Mandato al Ministerio de Economía y Hacienda para que en el anteproyecto de Ley de Contratos del Sector Público, por el que se traspondrán las nuevas directivas en materia de contratación, se incluya una regulación de los contratos de colaboración público privados":

"El Ministerio de Economía y Hacienda incorporará en el anteproyecto de Ley de Contratos del Sector Público por el que se transpondrá la Directiva 2004/18/CE, además de las normas necesarias para la completa y correcta transposición de la directiva al derecho interno, una regulación de los contratos de colaboración entre el sector público y el privado, para el cumplimiento de obligaciones de servicio público, así como los mecanismos legales adecuados que permitan identificar la proposición más ventajosa presentada por los licitadores a fin de garantizar la obtención del mayor valor posible como contrapartida a los recursos financieros aplicados al contrato".

[79] Sobre la regulación general que se prevé, puede verse CHINCHILLA MARÍN, C., "El nuevo contrato de colaboración entre el sector público y el sector privado", en la *Revista Española de Derecho Administrativo*, n° 132 (octubre-diciembre 2006), pp. 609 y ss.; y GONZÁLEZ GARCÍA, J. V., "El contrato de colaboración público-privado", en la *Revista de Administración Pública*, n° 170 (mayo-agosto 2006), pp. 7 y ss.

Esta fórmula lo que pretende es introducir flexibilidad y, por ende, atipicidad en la ordenación contractual de la Administración, buscando un superior *value for money*, tal como se recoge en los ordenamientos anglosajones con el que, como ha señalado MUÑOZ MACHADO, "se aspira a con íl ganar efectividad, eficiencia y económica en la gestión del gasto. Además activar la competencia en materia de realización de obras de infraestructura, lugar económico donde, como ya hemos explicado, no existía mercado"[80]. La futura ordenación exige por ello que se realice una comparación entre las ventajas de recurrir a este procedimiento frente a los restantes contratos típicos que están en la Ley.

XII. EL CONTRATO DE ARRENDAMIENTO OPERATIVO COMO FÓRMULA INTEGRADA DE CPP PARA LA FINANCIACIÓN DE INFRAESTRUCTURAS PÚBLICAS

Ahora bien, el hecho de que se haya contemplado este peculiar contrato de colaboración público privado, que está rodeado de ciertas limitaciones por los riesgos que plantea, no se puede dejar de plantear el que incluso con la futura regulación se siga recurriendo al modelo, no regulado en sí mismo en nuestro ordenamiento para esta finalidad, que se conoce en España, entre otras denominaciones, con el nombre de "arrendamiento operativo".

De forma breve puede describirse como aquíl en el que una entidad privada se encarga de la construcción, financiación y operación de la infraestructura, la cual se cede a la Administración, a cambio de una retribución, en perfectas condiciones de funcionamiento y mantenimiento.

La entidad privada aparece así como el vehículo que utiliza la Administración para conseguir la finalidad perseguida que no es otra que la posibilidad de disponer de la infraestructura adecuada para la prestación del servicio que se propone. Esta entidad empresarial o vehículo no tiene que ser necesariamente de titularidad exclusivamente privada, sino que cabe támbiín la posibilidad de que la Administración utilice empresas total o parcialmente públicas para este cometido, con lo que el espectro de posibilidades de utilización de esta figura se amplía. Lógicamente esta cir-

---

[80]   MUÑOZ MACHADO, S., *Tratado...*, *op. cit.* p. 1329.

cunstancia determinará la existencia de alguna peculiaridad en su configuración que analizaremos más adelante.

A diferencia pues de la concesión, en este caso, la remuneración de la entidad privada no procede de los pagos que realizan los usuarios de la obra o servicio, sino de la propia Administración por el uso que la misma hace de la infraestructura. Por ello, aunque se trate de una retribución presupuestaria y, por lo tanto, financiada en último extremo por el contribuyente, los pagos de la Administración no se consideran como gastos de inversión, sino como gastos corrientes que no producen efecto sobre la deuda nacional. Es la entidad empresarial la que presta un servicio a la Administración, servicio que se lleva a cabo con la infraestructura, por lo que procede registrar la infraestructura y la deuda asociada en el balance de dicha entidad empresarial, lo que permitirá una mayor flexibilidad a la hora de buscar financiación y constituir las garantías necesarias.

Se permite, de esta forma, facilitar la construcción de una obra cuyo destino va a ser un uso público o el general aprovechamiento (de ahí su naturaleza de obra pública) sin coste alguno para los usuarios de la misma. Por esta razón, se contempla especialmente para aquellas obras de aprovechamiento general que ordinariamente no sean susceptibles de explotación retribuida.

Además, el hecho de que la propiedad del inmueble permanezca en manos privadas permite dirigir la mejor adecuación de esta figura a aquellos supuestos en los que la regulación aplicable pone énfasis en el servicio público que vaya a prestarse por medio de la infraestructura, mientras que otras figuras (como la concesión) se ajustarán mejor a las obras donde lo importante es el inmueble en sí mismo considerado y cuyo carácter demanial no se discute.

El origen de esta fórmula de financiación se encuentra en el programa del gobierno británico denominado IPF ("Iniciativa de financiación privada") que persigue precisamente modernizar las infraestructuras públicas recurriendo a la financiación privada, mencionándose su existencia de forma expresa en el Libro Verde de la Comisión sobre Colaboración Público-Privada y el Derecho Comunitario en materia de contratación pública y concesiones[81].

---

[81]   Así, en su párrafo 23 se dispone que "*en otros tipos de organización, la tarea del socio privado consiste en realizar y gestionar una infraestructura para la administración pública (por ejemplo, un colegio, un hospital, un centro penitenciario o una infraestructura de transporte)". El ejemplo más típico de este modelo es la organización de tipo IPF. En este modelo, la remuneración del socio*

Como decíamos, en España esta fórmula no se ha regulado de forma específica como vía para la financiación de obras públicas (si bien tampoco en el ordenamiento mercantil), quizás porque sus elementos configuradores se pueden reconducir a figuras jurídicas típicas claramente conocidas, como pueden ser el arrendamiento de bienes y, en su caso, el arrendamiento de servicios. Y muy probablemente también sea esta falta de regulación concreta la que determine que los poderes públicos sean aún reacios a su utilización, prefiriendo figuras más conocidas y detalladamente reguladas como la concesión.

En los apartados que siguen procederemos a analizar esta nueva modalidad de financiación de obras públicas en el marco del Derecho español, si bien acabaremos antes de perfilar su naturaleza a travís del análisis de las notas que la conforman. Debemos sin embargo advertir que se plantean en la práctica variantes de esta figura (por ejemplo, en proyectos consistentes en reformas de bienes de dominio público) que conllevan cada una de ellas una problemática jurídica distinta cuyo estudio exigiría el conocimiento preciso de cada proyecto concreto. Por esta razón, nos centraremos en proporcionar las líneas generales de esta novedosa figura.

1. Elementos que caracterizan el "arrendamiento operativo"

El arrendamiento operativo reúne fundamentalmente tres notas características (sin perjuicio de las variantes que puedan introducirse en cada proyecto concreto): i) la construcción del bien corresponde a la entidad privada; ii) el inmueble se arrienda por la entidad a la Administración en perfectas condiciones de uso; y iii) la entidad privada es la única propietaria de la infraestructura.

A) La construcción del bien corresponde a la entidad privada

El inmueble se construye por la entidad privada conforme al encargo que le realice la Administración arrendataria y de acuerdo con las características especificadas por ísta. Por esta razón, es normal que la Administración se reserve en el contrato ciertas facultades en relación con la obra, ta-

---

privado no adopta la forma de cánones abonados por los usuarios de la obra o el servicio, sino de pagos periódicos realizados por el socio público. Dichos pagos pueden ser fijos, pero también pueden calcularse de manera variable, en función, por ejemplo, de la disponibilidad de la obra, de los servicios correspondientes o, incluso, de la frecuentación de la obra".

les como la aprobación de los proyectos, la inspección y control de la obra, así como la constatación de su realización conforme al proyecto aprobado al finalizar su ejecución (de hecho, tambíin es usual que la vigencia del contrato se sujete a la condición de que la construcción se haya realizado conforme al proyecto aprobado).

Este contrato suele contemplarse de forma flexible, previíndose la adaptación del bien arrendado —ya sea mediante sustitución o modificación— al estado actual de la tícnica en cada momento.

El hecho de que la construcción corresponda a la entidad empresarial tiene como inmediata consecuencia que deba ser ísta quien deba buscar la financiación externa necesaria para atender los gastos de construcción, lo que se verá sin duda facilitado por la titularidad privada de la infraestructura, como veremos.

B) El inmueble se arrienda a la Administración en perfectas condiciones de uso

El bien se arrienda por la entidad privada a la Administración en perfectas condiciones de funcionamiento y mantenimiento, apto pues para la adecuada prestación del servicio que se pretende en el mismo.

El contrato tiene en consecuencia por objeto la cesión de la infraestructura, es decir, se trata de un típico contrato de arrendamiento de bienes, si bien el mantenimiento e incluso el equipamiento del inmueble corresponde al arrendador. En todo caso, la prestación de los servicios públicos en dicho inmueble queda en manos de la Administración.

No obstante, es asimismo frecuente que el contrato contemple tambíin la posibilidad de que el arrendador pueda prestar servicios accesorios o auxiliares al principal a que se destina el inmueble a fin de obtener rendimientos suplementarios que le permitan hacer frente con mayor seguridad a los costes invertidos. Un ejemplo típico de esta modalidad sería la construcción y mantenimiento por una entidad privada de una infraestructura hospitalaria que se reservara la realización por sí misma o mediante contratos con terceros de los servicios auxiliares al sanitario, tales como los relativos a limpieza, catering, lavandería o cafetería, entre otros. Estas funciones complementarían el alquiler del inmueble y se llevarían a cabo por el arrendador de forma absolutamente separada e independiente de las actividades sanitarias que corresponderían a la Administración.

En consecuencia, si el contrato tiene por objeto la cesión del uso de la infraestructura (y, en su caso, la prestación de servicios accesorios) la remuneración que recibe el arrendador no procede de los usuarios de la obra o del servicio, sino de pagos que realiza la Administración arrendataria por el uso del bien y, en su caso, por la prestación de esos servicios accesorios en perfectas condiciones. Normalmente, y en atención al interís público que persigue la realización de la obra, esta retribución se suele basar en un esquema de pagos por disponibilidad, conforme al cual se retribuye a la entidad privada en función de la calidad en la prestación del servicio (mantenimiento, equipamiento y servicios complementarios) según unos parámetros predefinidos en el contrato. No obstante, ello no impide pactar otra forma de retribución en función de las circunstancias que concurran, pudiendo tratarse incluso de pagos fijos.

Es importante insistir en que los pagos que realiza la Administración constituyen la contraprestación pública por la utilización del inmueble y no, por consiguiente, por el coste de construcción del mismo, el cual es asumido íntegramente por el arrendador como propietario. Esta nota diferencia la figura de "arrendamiento operativo" que estudiamos del "arrendamiento financiero" (íste sí objeto de regulación positiva en normas financieras). En efecto, en este último las cuotas periódicas satisfechas por el arrendatario equivalen al pago de un interís fijo más una cuota de amortización, lo que hace que el arrendamiento financiero sea una mera tícnica de financiación de la adquisición de un bien, con la única salvedad de que el financiador, en vez de ser un simple acreedor garantizado, aparece como propietario aparente del bien financiado. De hecho, las normas contables (tanto públicas como privadas) equiparan el arrendamiento financiero a un prístamo y, cuando se realiza por las Administraciones públicas, la normativa contable pública exige que se compute como una inversión pública financiada mediante endeudamiento.

Habida cuenta pues que los pagos de la Administración no cubren la amortización del inmueble, y a fin de atraer la financiación privada necesaria para su construcción, se suelen pactar en los contratos de arrendamiento operativo amplios períodos de explotación, superiores a 30 años, de forma que se permita al inversor privado amortizar sobradamente la infraestructura construida mediante su explotación en la forma indicada.

C) La entidad privada es la única propietaria de la infraestructura

Precisamente por lo que acabamos de indicar, la propiedad del inmueble corresponde a la entidad privada que se encarga de su construcción y explotación, lo cual conlleva importantes consecuencias para su financiación, haciíndola sin duda más atractiva.

Así, la titularidad del bien en manos de la entidad privada permitirá a ésta no sólo su transmisión, sino la verdadera disposición sobre las instalaciones, permitiendo la constitución de un mayor número de garantías. Debe considerarse asimismo la mayor ventaja para los financiadores, frente a otras figuras de colaboración público-privada como la concesión, que supone el hecho de que los pagos provengan directamente de la Administración, lo que dota de mayor seguridad y estabilidad a la financiación prestada.

No podemos olvidar, sin embargo, que el bien estará vinculado al uso o servicio público a que lo destine la Administración arrendataria, con lo que ello implica desde la perspectiva del rígimen jurídico aplicable a estos bienes y las limitaciones a la propiedad que supone esta vinculación. Ahora bien, aunque esto sea cierto y el propietario no pueda alterar el fin o destino del bien ni impedir su uso por los ciudadanos que demanden esta actividad, tambiín lo es que las facultades de disposición del bien quedarían en manos de su propietario y que, además, el bien sería susceptible de producir una rentabilidad económica para su titular, lo que es una manifestación más del carácter de propiedad privada y facultad de disposición económica del inmueble en cuestión.

Se evitan así las consecuencias perturbadoras que se producen en el tráfico jurídico cuando los bienes son de titularidad pública, por las limitaciones para la inversión que ello supone.

Por otro lado, el hecho de que la propiedad del inmueble quede en manos de la entidad privada tambiín supondrá que sea ísta quien asuma la mayor parte de los riesgos derivados de dicha propiedad. Así, el "riesgo de construcción" (pues tenderá a evitar sobrecostes y a completar la obra sin retrasos) y el "riesgo de disponibilidad" (pues a ella le corresponderá garantizar el mantenimiento del inmueble en perfectas condiciones de uso para el fin al que estí destinado).

Cabe, no obstante, de forma excepcional que la Administración retenga alguno de estos riesgos, si bien sólo en los casos en los que pueda ser económicamente ineficiente su transmisión a la iniciativa privada o si la Administración se configura como la parte más habilitada para soportarlos.

Finalmente, debe aclararse que la figura del arrendamiento operativo no lleva aparejada el ejercicio de una opción de compra del inmueble por la Administración al tírmino del contrato, como sucede en el caso del arrendamiento financiero, en donde el arrendatario puede optar a adquirir el bien a un precio simbólico, pues ha ido amortizando su coste a lo largo del período de duración de la relación. De esta forma, en el arrendamiento financiero el arrendatario es un cuasi-propietario y sobre íl recaen la obligación de mantenimiento y los riesgos inherentes al deterioro del bien.

Por el contrario, como decimos, en el arrendamiento operativo no hay necesariamente una opción de compra, y de haberla, no sería a un precio residual. Por ello, en la figura analizada caben todas las alternativas al tírmino del contrato, esto es: i) el abandono del bien por la Administración; ii) la formalización de un nuevo contrato de arrendamiento o la prórroga del anterior; iii) la compra del bien por la Administración, pero, en este último caso, al precio que pacten ambas partes que no tiene que ser el residual tras los pagos realizados; o iv) incluso, la entrega del bien a la Administración.

La elección de una u otra fórmula dependerá lógicamente de las circunstancias concretas del caso, como pueden ser, entre otras, el interís de la Administración en continuar con la prestación del servicio, el grado de deterioro de la infraestructura, la existencia de otros bienes mejor acondicionados o la valoración del propio desarrollo del contrato. Deberá ser la Administración quien a la hora de negociar el contrato prevea las cláusulas que, en función de las características del servicio a prestar, considere más adecuadas para la mejor protección del interís público llegada la hora de su terminación.

2. El arrendamiento operativo en el marco del Derecho español

Analizadas las características de la figura del arrendamiento operativo, procede ahora examinar su cabida en nuestro ordenamiento jurídico, que se centra básicamente en dos cuestiones: i) la posibilidad de separación entre la infraestructura y la gestión del servicio que se presta en ella, habida cuenta que esta figura debe partir necesariamente de esta premisa; y ii) si resulta factible que la Administración negocie un contrato de estas características, no regulado además de forma expresa en nuestro ordenamiento jurídico.

A) Cuestión previa: análisis de la posibilidad de separación entre la gestión del servicio y la infraestructura que le sirve de soporte material

La posibilidad de diferenciar entre la gestión del servicio (cualquiera que éste sea) y la infraestructura que le sirve de soporte material nos permitirá concluir con mayor facilidad en la admisión por nuestro ordenamiento de la existencia de obras públicas de titularidad privada, presupuesto básico del arrendamiento operativo. No podemos olvidar a este respecto que esta figura resulta más adecuada para aquellos casos en los que el servicio a prestar en la infraestructura cobra un mayor protagonismo que la infraestructura misma.

Para ello, puede resultar ilustrativo atender al contenido de las diversas normas reguladoras de los distintos servicios públicos (sanitario, educativo, penitenciario...). En todas ellas se pone énfasis, como no puede ser de otra manera, en la actividad concreta regulada, esto es, en los aspectos que afectan al servicio público a prestar y que obligan a la presencia de un aparato organizativo dedicado específicamente a dicha actividad.

De hecho, cuando en estas normas se mencionan los centros donde van a prestarse esos servicios, lo hacen refiriéndose siempre a una organización compleja y no al inmueble. Es decir, lo que importa es la organización, los servicios que se prestan en el centro, lo cual permite razonablemente pensar en la posibilidad de concebir el inmueble como algo distinto y separado del servicio que se desarrolla en el mismo.

El inmueble y su equipamiento, en sí mismos considerados, se constituyen pues como un elemento previo que sirve de soporte material para que el servicio se pueda prestar, de forma que la tenencia por parte de la Administración de este tipo de infraestructuras puede provenir de su construcción de forma directa o mediante el recurso a bienes que ya están construidos o que lo van a ser en un futuro próximo.

Los mecanismos que utilice la Administración para poner estos bienes en disposición de ser utilizados para el servicio constituyen, de este modo, una fase previa y diferente a la de la actividad prestacional a los ciudadanos. Previa, porque es el presupuesto para que se pueda proceder a la puesta en funcionamiento del servicio. Y diferente, porque la prestación de los servicios públicos es, antes que otra cosa, un entramado organizativo, para cuyo adecuado desarrollo resulta indiferente el modo en que la Administración haya accedido al inmueble ocupado. Lo único relevante para el servicio y lo que la Administración debe perseguir es que el edificio sea apto para la finalidad que se pretende ubicar en él.

Esta posición se ve confirmada por el hecho de que la legislación reguladora del funcionamiento de los entes públicos diferencia perfectamente los aspectos del servicio administrativo de los relativos a los bienes. La forma de prestación de los servicios tiene unas reglas propias que rigen la forma en que se articula el aspecto dinámico de la actividad que tiene el respaldo público y para lo que son aptas diversas formas de personificación. Pero el ordenamiento se integra asimismo por unas normas distintas a las anteriores, que rigen el aspecto estático de los bienes afectos al funcionamiento administrativo, y que se refieren a los modos de adquisición de bienes por las Administraciones Públicas o de acceso a bienes de titularidad privada (así, la Ley 33/2003, de 3 de noviembre, reguladora del Patrimonio de las Administraciones Públicas).

A partir de ahí, entendemos que la elección por la Administración del título jurídico de relación con un bien concreto dependerá básicamente de dos factores: de la capacidad económica de esa Administración y de que el bien sea apto para el servicio que se va a instalar.

Conforme a lo indicado, entendemos que no existe ninguna dificultad para deslindar la infraestructura del servicio que se presta en la misma.

Esta conclusión nos lleva a admitir la posibilidad de la existencia de obras públicas de titularidad privada, tal y como ya se ha avanzado en otra parte de este capítulo, en donde se remarca el hecho de que la finalidad de la obra pública, que constituye además su elemento caracterizador, es la satisfacción de necesidades colectivas o, como se señala en la Ley de Obras Públicas de 1877, su destino al uso público o al general aprovechamiento. Es pues consustancial con la obra pública la consecución de alguno de estos dos objetivos o fines, su uso común por todos los ciudadanos que lo requieran o el beneficio que a todos proporciona su ejecución y explotación.

Y si bien esta finalidad ha ido pareja de forma constante en nuestro Derecho con la titularidad pública de las obras que ha identificado obra pública con dominio público, tras la concepción expansiva del dominio público imperante en el Código civil, por estar destinadas a un uso público o estar afectas a un servicio público, lo cierto es que se ha ido abriendo paso en nuestro derecho positivo una regulación que admite la existencia de infraestructuras y dotaciones abiertas al público pero de titularidad privada, tales como hospitales privados, colegios, instalaciones deportivas, instalaciones de depuración, plantas incineradoras, etc.[82].

De esta forma, se puede concluir en que no es imprescindible acudir a la institución del dominio público de las infraestructuras y obras públicas para explicar la relación y potestades de la Administración sobre dichos bienes y su vinculación con el uso público, teniendo en cuenta además, desde la perspectiva de los intereses públicos afectados, que el hecho de

---

[82]   JIMÉNEZ DE CISNEROS CID, F. J., *op. cit.*, p. 303.

que la prestación del servicio quede en manos de la Administración garantiza su adecuada prestación.

Este último dato puede verse además reforzado por la afectación del inmueble a un uso o servicio público y las garantías que, en beneficio de los intereses públicos, puedan incorporarse al contrato.

B) Admisión de la figura de arrendamiento operativo en nuestro ordenamiento

Un segundo problema que podría plantearse a la figura analizada se refiere a la ausencia de regulación específica de la misma incluso en el ordenamiento mercantil general. Sin embargo, las características de este contrato permiten reconducirlo sin grandes dificultades a figuras típicas ordinariamente utilizadas por los poderes públicos en el tráfico jurídico.

Así, como venimos analizando, el arrendamiento operativo se caracteriza básicamente por el alquiler de la infraestructura privada a la Administración, a fin de que ísta pueda prestar en la misma un determinado servicio. En este caso, el objeto del contrato es un inmueble futuro que debe construirse por el arrendador siguiendo las instrucciones marcadas al efecto por la Administración arrendataria.

Estamos por lo tanto ante un típico negocio de *arrendamiento de bien inmueble por la Administración* cuya admisión en nuestro ordenamiento no ofrece duda alguna. A esta figura dedica precisamente el Capítulo III del Título V la nueva Ley reguladora del Patrimonio de las Administraciones Públicas (LPAP). Por su parte, la Ley de Contratos de las Administraciones Públicas (LCSP) lo considera como un contrato privado de la Administración.

Así, conforme a esta última normativa citada, la elección de la entidad por la Administración deberá realizarse mediante concurso público, "*salvo que, de forma justificada y por las peculiaridades de la necesidad de satisfacer las condiciones del mercado inmobiliario, la urgencia de la contratación debida a acontecimientos imprevisibles, o la especial idoneidad del bien, se considere necesario o conveniente concertarlos de modo directo*" (artículo 124 de la LPAP). No obstante, como veremos, esta previsión resultará tan sólo de aplicación para el caso de que el vehículo utilizado sea una sociedad de capital enteramente privado.

Pero el arrendamiento operativo puede venir acompañado asimismo, como ya hemos indicado, no sólo del alquiler de la infraestructura propiamente dicha, sino también de la prestación por el arrendador de otros servicios auxiliares o accesorios al principal que la Administración vaya a realizar en el inmueble, lo que supondrá que, en este caso, el contrato tenga una naturaleza mixta, de arrendamiento de bien y de servicios. Igualmente es posible que la naturaleza mixta del contrato venga determinada por cualquier modalidad de cesión de uso por la Administración del terreno sobre el que se asienta el inmueble.

Por lo demás, la articulación del contrato se regirá por el principio de libertad de pactos (artículo 111 de la LPAP), pudiendo la Administración, para la consecución del interís público, concertar las cláusulas y condiciones que tenga por conveniente, siempre que no sean contrarias al ordenamiento jurídico o a los principios de buena administración.

Consideraciones, todas ellas, que seguirán vigentes en el momento en que entre en vigor la Ley de Contratos del Sector Público. Las mismas bases de regulación se encuentran en ella y, por consiguiente, se puede decir que junto con el contrato de colaboración público privada hay otras modalidades atípicas de esta colaboración, dentro de la cual se encuentra el arrendamiento operativo.

C) Peculiaridades para el caso de que el vehículo sea una sociedad de titularidad total o parcialmente pública

Como decíamos, la fórmula del concurso prevista en la LPAP para la elección de la entidad que vaya a construir la obra y cederla a la Administración resulta adecuada para el caso de que tal entidad sea de titularidad enteramente privada. Sin embargo, el planteamiento debe ser distinto cuando la Administración participa en el accionariado de la entidad vehículo.

En efecto, en este caso, la atribución a la sociedad de unas facultades que, en principio, son de la Administración (así, la construcción y explotación de una obra, planificada por la Administración) determina que nos encontremos ante una forma de gestión de estas actividades que se cede a la nueva entidad mercantil. Por esta razón, la forma de proceder a la contratación con esta sociedad difiere necesariamente de la prevista para las entidades de titularidad privada.

Como ya ha quedado expresado en un apartado anterior de este capítulo, nuestro ordenamiento jurídico, no obstante, no regula de forma expresa ni general las diversas formas de gestión de infraestructuras. Por este motivo, buena parte de la doctrina ha extrapolado a éstas las modalidades diseñadas para la gestión de los servicios públicos. Y es la legislación de régimen local la que analiza desde una perspectiva más global estas diversas modalidades (artículo 85 de la Ley de Bases de Régimen Local) de gestión de servicios, distinguiendo la gestión directa por la propia Administración o indirecta con la participación de particulares.

Pues bien, en el caso de que la fórmula utilizada fuera la creación de una entidad instrumental en forma de sociedad mercantil de titularidad íntegramente pública para atribuir a la misma el ejercicio de funciones de la Administración como la construcción y explotación de una obra, estaríamos ante un supuesto de gestión directa de tal obra a través de la cual se permitiría a la Administración una descentralización funcional y beneficiarse de la flexibilidad y agilidad del Derecho privado. En este caso, se haría necesaria la formalización de un convenio entre la Administración y la sociedad donde se hicieran constar los aspectos por los que debería regirse esta relación. Además, la sociedad podría concertar con terceros, en su caso, la efectiva construcción de la infraestructura y su explotación.

Como sabemos, la utilización de estas fórmulas organizativas no es algo desconocido en nuestro ordenamiento puesto que ya se ha recurrido a ellas por diversas Administraciones Públicas para la gestión de distintos tipos de obras, si bien respondiendo a principios y finalidades diferentes de las que se persiguen con el proyecto propuesto, lo que ha dado lugar a diversas articulaciones jurídicas (así, por ejemplo, las sociedades estatales de aguas). Con independencia de que la utilización de una sociedad pública bajo la fórmula de gestión directa para la construcción de infraestructuras no esté exenta de críticas, lo cierto es que una realidad que no encaja con mayor dificultad que otras en los márgenes en los que hoy se mueve el Derecho[83].

En cambio, cuando la participación de la Administración en la entidad fuera sólo parcial, procedería acudir a la sociedad de economía mixta como fórmula de gestión indirecta de facultades públicas, resultando necesario aplicar por analogía las normas sobre gestión de servicios públicos para elegir al socio privado y articular el correspondiente contrato.

---

[83] Recordamos de nuevo en este punto la jurisprudencia comunitaria sobre los contratos "in house providing" que mencionábamos en la nota a pie de página 33, la cual señala que *"en el supuesto de que, a la vez, el ente territorial ejerza sobre la persona de que se trate un control análogo al que ejerce sobre sus propios servicios y esta persona realice la parte esencial de su actividad con el ente o los entes que la controlan"* no nos encontramos ante un verdadero contrato sometido a la directiva. Ap. 51 STJCE Teckal, de 18.11.1999, C-107/98. En el mismo sentido, puede verse la STJCE de 7 de diciembre de 2000, ARGE Gewässerschutz (C-94/99) y de 8 de mayo de 2003, España c. Comisión (c-349/97).

En definitiva, el arrendamiento operativo aparece así como una fórmula alternativa y novedosa para la financiación de obra pública que permite a la Administración disponer de una infraestructura adecuada a las necesidades del servicio que se pretende prestar en ella, sin menoscabo alguno a los intereses públicos perseguidos.

Capítulo VIII
Urbanismo y bienes públicos

CARMEN AGOUES MENDIZÁBAL
Profesora Titular de Derecho administrativo
Universidad del País Vasco

I. INTRODUCCIÓN

Las novedades legislativas que se han producido desde la segunda edición de esta obra, nos obligan a realizar una tarea de actualización y reexamen de las cuestiones abordadas. En la segunda edición, el texto se hizo eco de las novedades derivadas de la Ley estatal 8/2007, de 28 de mayo, de suelo, que introdujo una concepción estatutaria del suelo. La Disposición Final segunda de esta Ley delegó en el Gobierno la potestad de dictar un Real Decreto Legislativo que refundiera dicho texto y los preceptos que aún quedaban vigentes del Real Decreto Legislativo 1/1992, de 26 de junio. Dicha tarea refundidora se ha realizado por el Real Decreto Legislativo 2/2008, de 20 de junio (en adelante TRLS08)[1], del que damos cuenta en esta nueva edición. Este texto reconoce que en el urbanismo se integran además de los derechos y deberes del propietario del suelo, otros derechos como el de participación ciudadana en los asuntos públicos, el de libertad de empresa,

---

[1] BOE 26 de junio 2008, núm. 154 (p. 28482). El nuevo Texto Refundido mantiene el carácter supletorio del Real Decreto 1346/1976, de 9 de abril, por el que se aprueba el Texto Refundido de la Ley sobre Régimen del Suelo y Ordenación Urbana, salvo en los territorios de las Ciudades de Ceuta y Melilla.

el derecho a un medio ambiente adecuado y, sobre todo, el derecho a una vivienda digna y adecuada, al que la propia Constitución vincula directamente con la regulación de los usos del suelo en su artículo 47.

Además de establecer las condiciones básicas que garanticen la igualdad de la propiedad de los terrenos, se reconocen los derechos mínimos de libertad, de participación y de prestación de los ciudadanos en relación con el urbanismo y con su medio tanto rural como urbano. En consecuencia, la ley regula de manera diferenciada los derechos y deberes del propietario por un lado, y del ciudadano, por otro. En segundo lugar, el TRLS08 parte de la consideración de que hoy el urbanismo debe responder a los requerimientos de un desarrollo sostenible, de manera que se minimice el impacto del crecimiento urbano y se apueste por la regeneración de la ciudad existente. Esta aportación del *desarrollo sostenible* como concepto a integrar en el planeamiento urbanístico determina la consideración de los bienes públicos desde un óptica diferenciada y más acorde con la utilización racional no sólo de los recursos naturales sino también de los recursos culturales como el patrimonio urbano y arquitectónico.

El conocimiento de este nuevo marco legislativo resulta determinante para ofrecer un análisis de los bienes públicos y el urbanismo. Una visión global e integradora de ambos conceptos nos lleva a examinar los sistemas de articulación ofrecidos tanto desde el urbanismo como desde la legislación sectorial, que permitan una integración adecuada de los bienes públicos en el urbanismo. Esta nueva edición incorpora asimismo la jurisprudencia más significativa del periodo transcurrido desde la segunda edición en relación con los conflictos que dicha integración comporta.

Con el objeto de ofrecer una perspectiva global y proceder con un criterio sistemático, en el presente trabajo se examina, en primer lugar, la legislación sectorial sobre bienes públicos y su incidencia en el urbanismo; en segundo lugar, se analizará desde la óptica del urbanismo las potencialidades del planeamiento urbanístico como técnica apropiada para regular y gestionar los bienes públicos.

No cabe olvidar que los bienes públicos, cuya regulación se establece en primer lugar en las leyes sectoriales, ocupan físicamente suelo, vuelo o subsuelo, elementos cuya ordenación se lleva a cabo a través de los planes urbanísticos, encargados de determinar el contenido concreto del derecho de propiedad de cada porción de suelo sea público o privado.

El régimen jurídico de cada uno de los bienes públicos es fruto de la integración de multitud de normas emanadas de diferentes entes en ejercicio de sus competencias; junto a normas dirigidas a regular las condiciones especiales de los propios bienes concurren normas destinadas a ordenar las actividades urbanísticas sobre dichos bienes.

El presente estudio no pretende realizar un análisis exhaustivo del régimen jurídico de los bienes públicos, cuestión abordada ampliamente para cada tipo de bien por quienes participan en este monografía, sino que trata de examinar qué modulaciones introduce la actividad urbanística (el planeamiento urbanístico, la gestión urbanística, la intervención de la administración urbanística en los usos del suelo, vuelo o subsuelo así como la disciplina urbanística) sobre el régimen general de los bienes públicos, sean de dominio público o patrimoniales.

En el ejercicio de la potestad de planeamiento, la administración urbanística delimita el derecho de propiedad del suelo, sea de su propia titularidad o de otra administración pública, así como de la propiedad particular. Los verdaderos conflictos jurídicos derivan de ejercicio de sus competencias por las administraciones públicas concurrentes en un mismo suelo. Cuando la administración urbanística es titular del suelo sobre el que opera, el instrumento urbanístico dispone de una mayor libertad a la hora de determinar el régimen jurídico de ese suelo.

Ahora bien, muchos de los bienes públicos integrados en los planes de urbanismo son bienes cuya regulación sectorial o incluso cuya titularidad se atribuye a una administración distinta, y este factor determina y limita la discrecionalidad del órgano encargado de planeamiento urbanístico.

Cuando la Administración del Estado, como titular de un bien de dominio público y en el ejercicio de sus competencias en virtud de los títulos competenciales del art. 149.1 de la Constitución, pretende llevar a cabo una política que no encuentra acomodo en los instrumentos urbanísticos, nos encontramos con situaciones conflictivas cuya resolución en muchos casos no resulta satisfactoria para las administraciones afectadas. La búsqueda de mecanismos de coordinación que integren los intereses concurrentes resulta ineludible.

Pero no sólo la Administración del Estado, también las Administraciones autonómicas, tanto en el ejercicio de sus competencias sectoriales, como a través de los instrumentos de ordenación territorial limitan asimismo la potestad de planeamiento urbanístico, al establecer un régimen propio para los bienes cuya competencia les ha sido atribuida en virtud de los distintos Estatutos de Autonomía.

La gran mayoría de las leyes sectoriales reguladoras de los bienes públicos hacen primar la competencia sectorial sobre la competencia urbanística bajo la premisa de que tras una competencia atribuida al Estado subyace el interés general, que se impone sobre los intereses puramente locales reflejados en los instrumentos de ordenación del suelo. Si bien cabe entender esta prevalencia como última solución a los conflictos de concurrencia, los principios de cooperación y coordinación entre administraciones públicas exigen ponderar en el ejercicio de las competencias propias, la totalidad de los intereses públicos implicados y establecer mecanismos que ofrezcan soluciones más integradoras.

En este sentido, podemos adelantar que los propios instrumentos urbanísticos contemplan mecanismos integradores que pueden canalizar un diálogo interinstitucional y, de este modo, evitar soluciones que generan un conflicto mayor. Ahora bien, el binomio bienes públicos-urbanismo no se agota con esta perspectiva.

Si acogemos una perspectiva distinta, en lugar de poner el foco de atención en la legislación sectorial de los bienes públicos, nos centramos en la legislación relativa a la ordenación del suelo[2], nos encontramos con multitud de preceptos que establecen un régimen específico para los bienes públicos. Estos aspectos en su mayoría constituyen elementos reglados que limitan la discrecionalidad del órgano encargado de la planificación urbanística. La clasificación del suelo, las formas de adquisición de las dotaciones y equipamientos generales y locales, los estándares urbanísticos, los patrimonios público del suelo, constituyen algunas de la determinaciones urbanísticas que integran el régimen de los bienes públicos.

---

[2]   La competencia sobre el urbanismo ha sido asumida por todas las Comunidades Autónomas como competencia exclusiva en sus respectivos Estatutos de Autonomía en virtud del art. 149.1.8 de la CE. El legislador estatal, carece constitucionalmente de competencias en materia de urbanismo y de ordenación del territorio. Sin embargo, tras la aprobación de la CE de 1978, el Estado promulgó en 1992 el Texto Refundido Estatal de la Ley sobre Régimen de Suelo y Ordenación Urbana, texto que ha sido objeto de distintas reformas y sendas Sentencias Constitucionales (SSTC 61/1997 y 164/2001). La STC 61/1997 entendió que la competencia urbanística corresponde a las Comunidades autónomas, por lo que el legislador estatal ni siquiera puede legislar con carácter supletorio en dicha materia, pero admitió que corresponde al legislador estatal regular las condiciones básicas que garanticen la igualdad en el ejercicio del derecho de propiedad del suelo en todo el territorio nacional, así como regular otras materias que inciden en el urbanismo como son la expropiación forzosa, las valoraciones, la responsabilidad administrativa o el procedimiento administrativo común. Siguiendo esta doctrina, el legislador estatal en la Ley 6/1998, de 13 de abril, de régimen de suelo y valoraciones, renunció incidir en los aspectos relativos a planeamiento, a la gestión y a la disciplina urbanística. La Ley 6/1998 ha sido derogada por la Ley estatal 8/2007, de 28 de mayo, y ésta a su vez por el Texto Refundido de la Ley del Suelo, aprobado por Real Decreto Legislativo 2/2008, de 20 de junio.

Así por ejemplo, todas las dotaciones y equipamientos de carácter público adquiridas a través de la gestión de planeamiento van a constituirse en
bienes de dominio público afectados a un uso o servicio público. Los suelos
cedidos por los propietarios de suelo en concepto de aprovechamiento van
a integrarse en el patrimonio público del suelo. Los denominados estándares urbanísticos cuya finalidad más inmediata es garantizar un nivel de
calidad mínimo de las distintas urbanizaciones, van a suponer un incremento relevante para el patrimonio de la Administración municipal. En el
apartado IV se analizarán las determinaciones de la legislación urbanística
que perfilan un régimen específico de los bienes públicos y modulan el
régimen general establecido en la legislación de régimen local. Finalmente
y como un patrimonio específico derivado de la actuación urbanística, se
analizarán los Patrimonios públicos del suelo.

Antes de adentrarnos a examinar las dos perspectivas señaladas (legislación sectorial sobre bienes públicos-urbanismo por un lado, y urbanismo-
bienes públicos por otro), procede hacer unas reflexiones en torno a los
principios que deben guiar la función pública del urbanismo como cuestión más relevante y pilar esencial de integración de las distintas políticas
que se proyectan en el suelo. En esta línea, parece ineludible hacer una escueta referencia a las potencialidades de los instrumentos de planeamiento
urbanístico como mecanismos de afectación implícita de los bienes de dominio público, así como medio de adquisición de nuevos bienes públicos.

II. EL URBANISMO COMO FUNCIÓN PÚBLICA

1. *Principios constitucionales*

La CE de 1978 establece los principios a los que debe atender toda actividad urbanística de los poderes públicos. Dentro de estos principios cabe
destacar: la función social de la propiedad de acuerdo con la Ley (art. 33),
la utilización racional de todos los recursos naturales con el fin de proteger
y mejorar la calidad de vida y defender y restaurar el medio ambiente, apoyándose en la indispensable solidaridad colectiva (art. 45), la promoción
de las condiciones necesarias y el establecimiento de las normas pertinentes para hacer efectivo el derecho de todos los españoles a disfrutar de una
vivienda digna y adecuada, así como la regulación del suelo de acuerdo
con el interés general para impedir la especulación. Asimismo los poderes
públicos deberán garantizar que la comunidad participe en las plusvalías
que genera la acción urbanística de los entes públicos (art. 47).

Se trata de derechos cuyo desarrollo no precisa de ley orgánica ni tiene protección reforzada en vía de amparo ante el Tribunal Constitucional, pero vinculan a todos los poderes públicos, y su desarrollo, que en todo caso debe respetar su contenido esencial, está reservado a la Ley (art. 53.3). En consecuencia nos hallamos ante criterios interpretativos que permiten desarrollos legislativos diversos, como el propio Tribunal Constitucional se ha encargado de afirmar[3].

Estos principios constituyen el eje vertebral de la actividad urbanística y se imponen como primer límite a la potestad discrecional del órgano encargado del planeamiento urbanístico. No cabe olvidar que el suelo es un recurso natural y que su ordenación debe responder a un criterio de racionalidad que debe ser entendida a la luz de la protección de los valores ambientales, la calidad de vida, la solidaridad colectiva, la reversión de las plusvalías a la comunidad y de la necesidad de promover todas las condiciones necesarias y establecer las normas pertinentes para hacer efectivo el derecho de todos los españoles a disfrutar de una vivienda digna y adecuada.

La ordenación de los bienes públicos no puede ser objeto de la absoluta discrecionalidad del planificador; deberá destinarse principalmente a cumplir la función social que viene enmarcada por los principios citados. El TRLS08 ha hecho suyos estos principios y desde esta perspectiva introduce el Principio de desarrollo territorial y urbano sostenible (art. 2) en virtud del cual los poderes públicos deben propiciar el uso racional de los recursos naturales armonizando los requerimientos de la economía, el

---

[3]   El FJ 6 de la STC 19/1982 precisó que los principios rectores de la política social y económica no son normas sin contenido y, por consiguiente, hay que tenerlos presentes en la interpretación tanto de las restantes normas constitucionales como en las Leyes. En sentencia 233/2007, de 5 de noviembre de 2007 (FJ 7) el TC ha entendido que una decisión que se adopte desconociendo la orientación que debió tener la aplicación de la legalidad conforme a dichos principios rectores de la política social y económica acentuaría su falta de justificación (doctrina mantenida en SSTC 95/2000, de 10 de abril, FJ 5, y 154/2006, de 22 de mayo, FJ 8).

En la Sentencia 247/2007, de 12 de diciembre de 2007 el TC ha sostenido que estos principios rectores se caracterizan porque, aunque informan "la legislación positiva, la práctica judicial y la actuación de los poderes públicos", tienen, de acuerdo con su propio enunciado constitucional, una naturaleza muy diversa y, en todo caso, "sólo podrán ser alegados ante la Jurisdicción ordinaria de acuerdo con lo que dispongan las leyes que los desarrollen" (art. 53.3 CE). Estos principios carecen, por tanto, de las notas de aplicabilidad y justiciabilidad inmediatas que caracterizan a los derechos constitucionales, aunque tienen, sin duda, el valor constitucional expresado respecto de todos los poderes públicos, orientando sus respectivas actuaciones.

empleo, la cohesión social, la igualdad de trato y de oportunidades entre mujeres y hombres, la salud y la seguridad de las personas y la protección del medio ambiente, contribuyendo a la prevención y reducción de la contaminación.

Para el legislador estatal del suelo, el uso racional de los recursos naturales no se traduce en un requerimiento abstracto, sino que se concreta en una serie de deberes que el propio legislador se encarga de detallar. Aunque el legislador no concreta dichas medidas, exige que dichas medidas sean eficaces, que sean adecuadas, y que sean efectivas. Así para conseguir la conservación y mejora los poderes públicos deben procurar que las medidas de conservación y mejora de la naturaleza, la flora y la fauna y de la protección del patrimonio cultural y del paisaje sean eficaces; la protección debe ser adecuada a su carácter del medio rural; los valores del suelo innecesario o inidóneo para atender las necesidades de transformación urbanística deben ser preservados; la ocupación del suelo en el medio urbano debe ser eficiente y dotado por las infraestructuras y los servicios que le son propios; los usos deben combinarse de forma funcional y deben ser implantados de manera efectiva, únicamente cuando cumplan una función social.

Ahora bien, estos principios no se aplican exclusivamente a la actividad urbanística. Es obvio que todos los poderes públicos, sean de ámbito estatal, autonómico o local se hallan obligados a dirigir sus políticas sectoriales en el sentido de dichos principios. Si todos los agentes concurrentes en un ámbito territorial concreto se guían por los mismos criterios, parece evidente que la conflictividad será menor. Sin embargo, la realidad muestra a menudo conflictos entre administraciones públicas con intereses diferenciados y difíciles de cohonestar. La Ley 33/2003 reguladora del patrimonio de las administraciones públicas[4] reclama en su Exposición de motivos una gestión integrada de los bienes patrimoniales, en particular con la política de vivienda y hace un llamamiento a la cooperación y colaboración para una utilización más eficiente de los bienes de las administraciones públicas. Asimismo alude a otros principios como la lealtad institucional, la información mutua, la asistencia, el respeto a las respectivas competencias y la ponderación en su ejercicio de la totalidad de los intereses públicos.

La remisión a estos principios resulta ineludible para la consecución de un diálogo interinstitucional a pesar de que en ocasiones resulta difícil materializarlos.

---

[4]   BOE nº 264, de 4 de noviembre de 2003.

2. Los instrumentos urbanísticos como mecanismos de afectación

La actividad urbanística abarca la ordenación integral del territorio, y en consecuencia también del suelo que acoge los bienes públicos. La competencia urbanística de planeamiento comprende facultades tales como la clasificación y calificación del suelo, la formulación del trazado de las vías públicas y medios de comunicación, el establecimiento de espacios libres para parques y jardines públicos y la reserva de suelo para equipamientos locales. Pero no sólo delimita y reserva el suelo para bienes como los edificios públicos afectados a un uso o servicio público, sino que tal y como se ha señalado *supra*, debe contribuir a la protección eficaz, adecuada y efectiva de los bienes que requieren de especial protección.

Dentro de la categoría de los bienes de dominio público por sus características naturales, la afectación se vincula básicamente a la defensa y utilización racional de dichos bienes; esta afectación puede ser reforzada por los instrumentos urbanísticos y especialmente a través de la inclusión de estos bienes naturales en la categoría de suelo no urbanizable o de situación rural[5].

Si la afectación constituye el elemento esencial de la técnica demanial[6], los instrumentos urbanísticos conllevan una afectación implícita que cuando menos complementa la técnica demanial en su finalidad de protección del medio ambiente, conservación de la naturaleza y defensa del paisaje, de los elementos naturales y de los conjuntos urbanos e histórico-artísticos.

Pero además de este factor proteccionista del planeamiento urbanístico respecto de los bienes naturales o de interés cultural, los planes urbanísticos permiten obtener bienes públicos, destinados a un uso o servicio público. El plan urbanístico a través de su aprobación incorpora al dominio

---

[5]   Vid. la nueva regulación del estatuto del suelo en el TRLS08. El Texto diferencia entre situación y actividad, estado y proceso. En cuanto a la situación, define los dos estados básicos en que puede encontrarse el suelo según sea su situación actual (rural o urbana), estados que son los determinantes para el contenido del derecho de propiedad, otorgando así carácter estatutario al régimen de éste. En cuanto a la actividad, sienta el régimen de las actuaciones urbanísticas de transformación del suelo, que son las que generan las plusvalías en las que debe participar la comunidad por exigencia de la Constitución.

[6]   Tanto el art. 81 Ley 7/1985 de Bases de Régimen Local (LBRL), como el art. 8 del Reglamento de los Bienes de las Corporaciones Locales (RBCL, aprobado por Decreto 1372/1986, de 13 de junio), establecen que la alteración de la calificación jurídica de los bienes de las entidades locales se produce automáticamente por la aprobación definitiva de los planes de ordenación urbana y de los proyectos de obras y servicios.

público bienes que hasta entonces se hallaban en manos privadas. Estos bienes públicos se obtienen a través de los planes, que reservan determinados suelos a sistemas generales de comunicación y sus zonas de protección, dotaciones, espacios libres destinados a parques públicos y zonas verdes, entre otros.

Los bienes de las Administraciones públicas afectados a un uso o servicio público están vinculados a su destino urbanístico conforme a la clasificación y calificación del plan desde la aprobación del mismo. La afectación de los inmuebles al uso público, se producirá, en todo caso, en el momento de la cesión del derecho a la administración actuante conforme a la legislación urbanística (párrafo segundo del art. 3 RBCL).

El resto de bienes públicos de las Administraciones públicas, salvo que constituyan dominio público estatal[7], o sean bienes comunales, tendrán la consideración de bienes patrimoniales y pueden constituir fuente de ingreso para el erario de la entidad (art. 6)[8]. También se incluirán como bienes patrimoniales las parcelas sobrantes[9] y los efectos no utilizables[10]. Los patrimonios públicos del suelo son bienes patrimoniales de la Administración con un tratamiento diferenciado, al que se hará referencia en un epígrafe aparte.

La Ley 33/2003 establece los principios de la inalienabilidad, inembargabilidad e imprescriptibilidad de los bienes y derechos de dominio público, y señala además que dichos bienes deben ser *adecuados y suficientes* para servir al uso general o al servicio público. El nivel de adecuación y suficiencia de estos bienes de dominio público es una determinación que integra el contenido de todo plan de ordenación urbanística y que se verá

---

[7]   El dominio público estatal es una responsabilidad del Estado; corresponde al legislador estatal no sólo definir legislativamente el dominio público estatal, sino también establecer, por mandato constitucional, su régimen jurídico (SSTC 46/2007, de 1 de marzo, FJ 12; y 149/2011, de 28 de septiembre, FJ 7, y sentencia 102/2012, de 8 de mayo de 2012 FJ 5).

[8]   Sobre la embargabilidad de estos bienes vid. la STC 15 de julio de 1998 (RTC 1998, 166).

[9]   En virtud del art. 7.2 RBCL "se conceptuarán parcelas sobrantes aquellas porciones de terreno propiedad de las Entidades locales que por su reducida extensión, forma irregular o emplazamientos, no fueren susceptibles de uso adecuado". La declaración de un terreno como parcela sobrante requerirá expediente de calificación jurídica.

[10] El art. 7.4 RBCL define a éstos como bienes que por su deterioro, depreciación o deficiente estado de conservación resultaren inaplicables a los servicios municipales o al normal aprovechamiento atendida la naturaleza y destino, aunque no hubiesen sido dados de baja en el Inventario.

reflejado en la memoria del mismo. Como veremos en el apartado IV la actividad urbanística permitirá obtener suelos suficientes y adecuados para la consecución de un medio ambiente urbano adecuado.

Por otro lado, la necesidad de proteger determinados bienes o recursos públicos y de adquirir bienes públicos para la consecución de un medio ambiente urbano adecuado, se integran dentro de la función social de la propiedad urbana. Los planes urbanísticos a través de la clasificación y de la calificación, prevén determinaciones que además de reconocer un aprovechamiento urbanístico al propietario del suelo, establecen una serie de obligaciones que en todo caso han de ser respetadas por el mismo y que integran la función social de la propiedad urbanística: la imposición de alturas y volúmenes de las edificaciones, las alineaciones y rasantes, el deber de ceder un porcentaje de aprovechamiento, el deber de ceder suelo para equipamientos, la obligación de urbanizar...

La concreción de estas facultades urbanísticas a través de la ordenación de los usos no confiere en principio ningún derecho a indemnización, salvo en supuestos muy concretos[11]. En principio se permite que los instrumentos de planeamiento establezcan limitaciones que lleven consigo una restricción del aprovechamiento urbanístico del suelo, pero siempre que pueda ser objeto de distribución equitativa entre los interesados; en caso contrario, se podrá exigir la indemnización correspondiente. En consecuencia, y con arreglo a la doctrina del TC[12], se desconocerá o rebasará el

---

[11]   Vid. el art. 35 del TRLS08 que prevé los supuestos indemnizatorios: a) La alteración de las condiciones de ejercicio de la ejecución de la urbanización, o de las condiciones de participación de los propietarios en ella, por cambio de la ordenación territorial o urbanística o del acto o negocio de la adjudicación de dicha actividad, siempre que se produzca antes de transcurrir los plazos previstos para su desarrollo o, transcurridos éstos, si la ejecución no se hubiere llevado a efecto por causas imputables a la Administración. b) Las vinculaciones y limitaciones singulares que excedan de los deberes legalmente establecidos respecto de construcciones y edificaciones, o lleven consigo una restricción de la edificabilidad o el uso que no sea susceptible de distribución equitativa. c) La modificación o extinción de la eficacia de los títulos administrativos habilitantes de obras y actividades, determinadas por el cambio sobrevenido de la ordenación territorial o urbanística. d) La anulación de los títulos administrativos habilitantes de obras y actividades, así como la demora injustificada en su otorgamiento y su denegación improcedente. e) La ocupación de terrenos destinados por la ordenación territorial y urbanística a dotaciones públicas, por el período de tiempo que medie desde la ocupación de los mismos hasta la aprobación definitiva del instrumento por el que se le adjudiquen al propietario otros de valor equivalente. El derecho a la indemnización se fijará en los términos establecidos en el artículo 112 de la Ley de Expropiación Forzosa.

[12]   SSTC 11/1981, FJ 8° y 37/1987, FJ 2°).

contenido esencial de la propiedad cuando el derecho queda sometido a limitaciones que lo hacen impracticable, lo dificultan más allá de lo razonable o lo despojan de la necesaria protección. En la propiedad urbana este contenido esencial viene delimitado por los planes urbanísticos, que a su vez disponen de distintos mecanismos para conseguir la equidistribución de los beneficios y cargas; en la medida en que no se consiga dicha equidistribución, procederá la indemnización correspondiente.

Otra de las vías ofrecidas por el urbanismo para la protección de determinado bienes son los Catálogos, donde la función social de la propiedad urbana adquiere una clara proyección. Estos documentos contienen todos los elementos del término municipal, sean bienes públicos o privados, que merezcan ser protegidos, conservados o recuperados en virtud de sus valores naturales o culturales, por su adscripción a regímenes de protección previstos en la legislación sectorial o en la normativa urbanística o por su relación con el dominio público. En el Catálogo se integran, entre otros, los Bienes de Interés Cultural declarados o en proceso de declaración, el patrimonio histórico, arqueológico y etnológico, los espacios urbanos relevantes, los elementos y tipos arquitectónicos singulares y los paisajes de valor cultural o histórico. Estos Catálogos constituyen documentos complementarios de las determinaciones de los planes especiales y su aprobación se efectuará simultáneamente con la aprobación de los planes generales o especiales a lo que complemente[13].

El legislador estatal de suelo no se ha limitado a establecer los derechos y deberes del propietario del suelo, sino que desde una concepción más integral ha establecido también derechos y deberes para el ciudadano con relación al suelo. Así entre los deberes destaca la necesidad de respetar y contribuir a preservar el medio ambiente, el patrimonio histórico y el paisaje natural y urbano, así como el deber de respetar y hacer un uso racional de los bienes de dominio público y de las infraestructuras y los servicios urbanos[14].

---

[13]   Vid. art. 76 de la ley vasca 2/2006. Este precepto establece que los catálogos inventariarán e identifican los bienes naturales o artificiales objeto de protección por la ordenación urbanística, recogiendo sus características, precisando, en su caso, la categoría o calificación que les corresponde, de acuerdo con la legislación aplicable, y especificando el plan que contiene las determinaciones reguladoras de su protección.

[14]   El art. 5 del TRLOS08 establece el deber de abstenerse de realizar cualquier acto o actividad que comporte riesgo de perturbación o lesión de los bienes públicos o de terceros con infracción de la legislación aplicable, así como cumplir los requisitos y condiciones a que la legislación sujete las actividades molestas, insalubres, nocivas y pe-

Como conclusión de este apartado cabe sostener que la titularidad pública de los bienes no constituye la única vía para proteger los valores ambientales y artificiales dignos de protección. El urbanismo prevé instrumentos suficientes (clasificación, calificación, reservas de suelo para equipamientos, catálogos, patrimonios públicos de suelo, derecho de superficie...) para la protección y mejora de los bienes, sean estos bienes públicos o privados. La propiedad pública de un bien de dominio público no garantiza su afectación a un uso dotacional; será el plan quien asegure dicha afectación.

Además del planeamiento urbanístico como forma de materializar la función social de la propiedad, tradicionalmente el legislador ha previsto que cuando la consecución de un uso público no exija en todo caso la adquisición del bien afectado, no deberá necesariamente procederse a la expropiación. En ocasiones, será suficiente la constitución de servidumbres que garanticen el destino público del bien. No siempre resulta imprescindible expropiar el dominio para afectar un bien concreto a un uso o servicio público. Esta previsión ya fue establecida en la LS de 1976 (art. 64.1), que se trasladó al art. 211 de la LS de 1992 y se reproduce en numerosas leyes autonómicas[15]. De esta forma la administración urbanística podrá exonerar de la expropiación a ciertos bienes, a cambio de la imposición de cargas y condiciones, entre las que cabe destacar el establecimiento de servidumbres de uso público.

Tras esbozar las potencialidades del planeamiento urbanístico como técnica apropiada para regular los bienes públicos, procede analizar el primer problema que se plantea a la hora de determinar el régimen de los bienes públicos desde una perspectiva urbanística derivada de la concurrencia de las diversas administraciones públicas sobre un mismo territorio. Resulta in-

---

ligrosas, así como emplear en ellas en cada momento las mejores técnicas disponibles conforme a la normativa aplicable.

[15]   Vid. el art. 172 de la Ley 5/2006, de 2 de mayo, de Ordenación del Territorio y Urbanismo de la Rioja, en virtud del cual *"Cuando para la ejecución de un plan no sea necesaria la expropiación del dominio y baste la constitución de alguna servidumbre sobre el mismo, podrá imponerse, si no se llegase a acuerdo con el propietario, con arreglo al procedimiento de la legislación de expropiación forzosa, siempre que el justiprecio que proceda abonar no exceda de la mitad del importe correspondiente a la expropiación completa del dominio".* En parecidos términos, el art. 181 de la ley del Parlamento vasco 2/2006, de 30 de junio, de Suelo y Urbanismo; también el art. 123 de la Ley Foral 35/2002, de 20 de diciembre, de Ordenación del Territorio y Urbanismo de Navarra, el art. 98.2 de la Ley 9/2002, de 30 de diciembre, de Ordenación Urbanística y Protección del Medio Rural de Galicia, así como el art. 132 de la Ley 2/2001, de 25 junio, del Suelo de Cantabria.

eludible el entendimiento de los poderes públicos convergentes en un mismo espacio físico. El urbanismo y en general la planificación territorial requieren de un marco estable de coordinación, concertación y cooperación.

En este afán de conseguir un diálogo interinstitucional, el primer requisito previo a iniciar el diálogo es la información veraz y objetiva. Con el fin de promover la transparencia, la Disposición Adicional primera del TRLS08 ha dispuesto que la Administración General del Estado, en colaboración con las Comunidades Autónomas, definirá y promoverá la información y para ello, deberá establecer aquellos criterios y principios básicos que posibiliten, desde la coordinación y complementación con las administraciones competentes en la materia, la formación y actualización permanente de un sistema público general e integrado de información sobre suelo y urbanismo, procurando, asimismo, la compatibilidad y coordinación con el resto de sistemas de información y, en particular, con el Catastro Inmobiliario.

La necesidad de cohonestar los diversos intereses en un determinado espacio físico exige la búsqueda de mecanismos que permitan perfilar un punto de encuentro entre la exclusividad competencial autonómica en materia de urbanismo y las competencias que el Estado pueda ejercer con contenido distinto de la urbanística pero que requieran para su ejercicio una proyección sobre el suelo de una Comunidad Autónoma. Corresponde a la autoridad urbanística, junto al resto de poderes públicos cuyas competencias concurren en un mismo espacio físico, determinar el aprovechamiento racional o sostenible de los recursos naturales, entre ellos, del suelo.

A continuación se analizan los conflictos derivados de la integración de las competencias sectoriales sobre bienes públicos en el planeamiento urbanístico, al tratarse de un tema todavía irresuelto y que sigue siendo objeto de controversia entre distintas la Administración estatal y las administraciones autonómicas.

III. LA LEGISLACIÓN SECTORIAL SOBRE BIENES PÚBLICOS Y SU INCIDENCIA EN EL URBANISMO

1. La doctrina del Tribunal Constitucional

La ordenación y gestión de los bienes públicos (aguas, costas, montes, puertos, aeropuertos, carreteras...) conoce de instrumentos jurídicos espe-

cíficos diseñados por la correspondiente legislación sectorial que presentan una sustantividad propia; sin embargo, ese régimen particular debe
insertarse en el marco jurídico más amplio que supone la ordenación de
un determinado espacio físico, dado que, en todo caso, los bienes públicos
forman parte del mismo y, además su utilización exige habitualmente actuaciones concretas con una especial incidencia sobre el espacio físico en
el que la gestión del bien se materializa.

Cuando en la ordenación del suelo concurren bienes públicos sobre los
cuales la Administración del Estado ostenta importantes competencias, se
plantea la necesidad de adecuar la competencia propia a la competencia
concurrente. Esta interacción entre la ordenación del suelo por un lado, y
la protección y gestión de determinados bienes públicos por otro, nos lleva a reivindicar la capacidad de los instrumentos de ordenación del suelo
como marco global para la gestión racional de los bienes públicos. Como
veremos, la interacción es dual en la medida en que las normas de ordenación territorial y urbanística contienen prescripciones respecto a los
bienes públicos ubicados en un determinado territorio y, al mismo tiempo,
la legislación sectorial sobre bienes públicos contempla determinaciones
con una clara repercusión territorial. Dada la diversidad de actividades que
convergen sobre un espacio físico, los instrumentos de ordenación urbanística deben actuar con cautela y hacer uso de instrumentos de coordinación entre las diferentes Administraciones interesadas, con objeto conseguir la integración de los sectores o subsistemas en el conjunto o sistema de
ordenación del suelo, evitando contradicciones y reduciendo disfunciones.

El TC se ha pronunciado en numerosas ocasiones en torno a la concurrencia competencial en el territorio[16]. Sin pretensión de exhaustividad,

---

[16]   Vid. SSTC 77/1984, de 3 de julio, puertos; 56/1986, de 13 de mayo, defensa; 227/1988,
       de 29 de noviembre, plan hidrológico; 149/1991, de 4 de julio, costas; 36/1994, de
       10 febrero, Mar Menor; 61/1997, de 20 de marzo, Ley del suelo; 40/1998, de 19 de
       febrero, puertos de interés general; 149/1998, de 2 de julio, Ley de ordenación del
       territorio del País Vasco; 164/2001, de 11 de julio, régimen del suelo y valoraciones;
       204/2002, de 31 de octubre, aeropuertos de interés general; 14/2004, de 12 de febre-
       ro, Ley aragonesa de ordenación del territorio; 46/2007, de 1 de marzo, sobre la Ley
       6/1999, de 3 de abril, de las directrices de ordenación territorial de las Illes Balears y
       de medidas tributarias; 8/2012 de 18 de enero, en relación con la Ley 8/2001, de 28
       de junio, para la ordenación de las instalaciones de radiocomunicación en Castilla-
       La Mancha; 8/2012, de 18 de enero de 2012 en relación con la Ley de las Cortes de
       Castilla-La Mancha, 8/2001, de 28 de junio, para la ordenación de las instalaciones
       de radiocomunicación en Castilla-La Mancha; 82/2012, de 18 de abril de 2012, sobre
       la Ley Foral 16/2000, de 29 de diciembre, de modificación de la Ley Foral 10/1999,
       de 6 de abril, por la que se declara Parque Natural las Bárdenas Reales de Navarra;

trataré de exponer las aportaciones más relevantes de la doctrina del TC en torno a la articulación de las distintas competencias estatales sobre distintos bienes públicos con la competencia autonómica de urbanismo y ordenación del territorio. En esta síntesis y, con objeto de seguir un análisis sistemático, se expondrá en primer lugar la doctrina relativa a la delimitación competencial de la ordenación del territorio y el urbanismo respecto de otros títulos concurrentes, y en segundo lugar, se adoptará la perspectiva de los bienes públicos de titularidad estatal para incidir en la doctrina emanada del TC respecto a la inserción de los bienes públicos (ya sean bienes de dominio público por naturaleza o por estar afectados a un servicio público) en el espacio territorial cuya ordenación corresponde a las Comunidades Autónomas.

Desde la primera perspectiva, a la hora de delimitar el ámbito material de la ordenación del territorio, el TC ha señalado que no cabe incluir dentro del mismo todas las actuaciones de los poderes públicos que tienen incidencia territorial y afectan a la política de ordenación del territorio. Según el Tribunal si se admitiera tal extensión se desconocería el contenido específico de otros títulos competenciales, no sólo del Estado, sino también de cualquier Administración cuyas políticas sectoriales tienen una incidencia o dimensión espacial[17].

El TC atribuye a la ordenación del territorio un título competencial específico, de manera que este título no puede ser reducido a la simple

---

137/2012, de 19 de junio de 2012 en relación con la disposición adicional tercera de la Ley del Parlamento de Galicia 9/2002, de 30 de diciembre, de ordenación urbanística y de protección del medio rural de Galicia, en la redacción dada a la misma por la Ley del Parlamento de Galicia 18/2008, de 29 de diciembre, de vivienda; 148/2012, de 5 de julio de 2012 en relación con la Ley 15/2001, de 14 de diciembre, del suelo y ordenación territorial de Extremadura; 162/2012, de 20 de septiembre de 2012 en relación con la Ley 53/2002, de 30 de diciembre, de medidas fiscales, administrativas y del orden social; 170/2012, de 4 de octubre de 2012 en relación al Real Decreto-ley 6/2000, de 23 de junio, de medidas urgentes de intensificación de la competencia en mercados de bienes y servicios; 216/2012, de 14 de noviembre de 2012 en relación a la Ley 48/2003, de 26 de noviembre, de régimen económico y prestación de servicios de los puertos de interés general; 245/2012, de 18 de diciembre de 2012 sobre la Ley 39/2003 relacionados con las infraestructuras ferroviarias; 8/2013, de 17 de enero de 2013 sobre la Ley 12/2007, de 2 de julio, por la que se modifica la Ley 34/1998, de 7 de octubre, del sector de hidrocarburos, con el fin de adaptarla a lo dispuesto en la Directiva 2003/55/CE del Parlamento Europeo y del Consejo, de 26 de junio de 2003, sobre normas comunes para el mercado interior del gas natural. 84/2013, de 11 de abril de 2013, en relación con la Ley 43/2003, de 21 de noviembre, de montes, en la redacción dada por la Ley 10/2006, de 28 de abril.

[17]   SSTC 36/1994, FJ 3; 61/1997, FJ 16, y 40/1998, FJ 30.

capacidad de planificar actuaciones derivadas de otros títulos que tienen incidencia en el territorio. La ordenación del suelo ha de ser llevada a cabo por el ente titular de la competencia y evidentemente, este hecho tendrá consecuencias para la actuación de otros entes públicos en el territorio[18]. Sin embargo, el Estado también tiene constitucionalmente atribuidas una pluralidad de competencias que tienen una clara dimensión espacial porque se proyectan de forma inmediata sobre el espacio físico[19] y el TC reconoce que el ejercicio de estas competencias incide en la ordenación del territorio y puede condicionar la estrategia territorial que las Comunidades Autónomas pretendan llevar a cabo[20].

En consecuencia, la exclusividad de la competencia de las Comunidades Autónomas en materia de ordenación territorial no permite desconocer las competencias que, con el mismo carácter de exclusivas, vienen reservadas al Estado en virtud del art. 149.1 CE[21]. El Tribunal entiende que el Estado en el ejercicio de tales competencias puede condicionar la competencia autonómica[22]. Ahora bien, el propio TC establece una modulación en ese condicionamiento: el Estado en ejercicio de sus competencias no podrá llevar a cabo una ordenación de los usos del suelo[23]. En consecuencia para que ese condicionamiento sea legítimo y no se transforme en usurpación ilegítima es indispensable que el ejercicio de esas otras competencias se mantenga dentro de los límites propios *sin utilizarlas para proceder, bajo su cobertura, a la ordenación del territorio en el que han de ejercerse*. El TC sostiene que para resolver sobre la legitimidad o ilegitimidad de aquel condicionamiento habrá de estarse a cuál es la competencia ejercida por el Estado y sobre qué parte del territorio de la Comunidad Autónoma opera[24].

Asimismo el TC parte de la premisa de que la actividad de planificación de los usos del suelo, así como la aprobación de los planes, instrumentos y normas de ordenación territorial se insertan en la competencia sobre ordenación del territorio, y el titular de esta competencia no podrá menoscabar las competencias reservadas al Estado ex art. 149.1 CE[25]. En la STC 61/1997[26] el Tribunal estableció una doctrina en torno al propio concepto

---

[18] SSTC 149/1991, FJ 1.B, y 40/1998, FJ 30.
[19] arts. 149.1.4, 13, 20, 21, 22, 23, 24, 25 y 28 CE.
[20] STC 40/1998, FJ 30.
[21] SSTC 56/1986, FJ 3, y 149/1991, FJ 1.B.
[22] STC 61/1997, FJ 5.
[23] STC 36/1994, FJ 2.
[24] STC 149/1991, FJ 1.B.
[25] STC 36/1994, FJ 2.
[26] FJ 6.

de urbanismos al sostener que *"el urbanismo, como sector material susceptible de atribución competencial, alude a la disciplina jurídica del hecho social o colectivo de los asentamientos de población en el espacio físico, lo que, en el plano jurídico, se traduce en la «ordenación urbanística», como objeto normativo de las leyes urbanísticas (recogida en la primera Ley del Suelo de 1956, art. 1). Sin propósito definitorio, el contenido del urbanismo se traduce en concretas potestades (en cuanto atribuidas a o controladas por Entes públicos), tales como referidas al planeamiento, la gestión o ejecución de instrumentos planificadores y la intervención administrativa en las facultades dominicales sobre el uso del suelo y edificación, a cuyo servicio se arbitran técnicas jurídicas concretas; a lo que ha de añadirse la determinación, en lo pertinente, del régimen jurídico del suelo en tanto que soporte de la actividad transformadora que implica la urbanización y edificación".* En la propia sentencia señala el TC que la competencia exclusiva en urbanismo ha de integrarse sistemáticamente con otras competencias estatales que pueden propiciar que se afecte puntualmente la materia urbanística.

El TC admite que la atribución de una competencia sobre un ámbito físico determinado no impide necesariamente que se ejerzan otras competencias en ese espacio, siempre que ambas tengan distinto objeto jurídico, y que el ejercicio de las competencias autonómicas no interfiera o perturbe el ejercicio de las competencias estatales[27].

El Alto Tribunal, consciente de la multiplicidad de actuaciones que inciden en el territorio, considera necesario articular mecanismos de coordinación y cooperación, de modo que la Administración competente en la ordenación del suelo, al establecer los instrumentos de ordenación territorial, deberá respetar las competencias ajenas que tienen repercusión sobre el territorio coordinándolas y armonizándolas desde el punto de vista de su proyección territorial[28]. En este marco, el TC considera imprescindible el establecimiento de mecanismos de colaboración para la búsqueda de soluciones con las que se consiga optimizar el ejercicio de las competencias estatales y autonómicas, y para ello se pueden elegir en cada caso las técnicas que se estimen más adecuadas. El Alto Tribunal insiste en la necesidad de que la concurrencia competencial no se resuelva en términos de exclusión, sino que llama a hacer uso de *un expediente de acomodación e integración de los títulos competenciales —estatal y autonómico—* que convergen sobre un mismo espacio físico y que, por eso mismo, están llamados a cohonestarse.

---

[27]   Vid. STC 166/2000, de 15 de junio, FJ 3 y STC 82/2012.
[28]   SSTC 149/1991, FJ 1.B, y 36/1994, FJ 3.

En el caso de que los cauces de cooperación resulten insuficientes, el TC entiende que ha de estarse al título prevalente en función del interés general concernido; este título prevalente determinará la preferente aplicación de una competencia en detrimento de la otra. Para conocer cuál es el título prevalente, el TC establece tres parámetros: considerar cuál es la competencia estatal de carácter sectorial que pretenda ejercer el Estado, cuáles son las razones que han llevado al constituyente a reservar esa competencia al Estado, o el modo concreto en que el Estado ó la Comunidad Autónoma pretenda ejercer las competencias que les corresponden[29].

Tras establecer estos parámetros, el Tribunal establece la presunción de que cuando la Constitución atribuye al Estado una competencia exclusiva lo hace porque el constituyente entiende que bajo la misma subyace un interés general que debe prevalecer sobre los intereses que puedan tener otras entidades territoriales afectadas[30].

---

[29]   STC 40/1998, FJ 30 y STC 82/2012. En esta última se resuelve el recurso contra una Ley navarra cuyo objeto es extender la superficie del preexistente parque natural a fin de incluir en el mismo la zona de las Bárdenas Reales, tradicionalmente ocupada por un polígono de tiro del Ministerio de Defensa desde 1951. El Alto Tribunal entiende que la competencia de la Comunidad Foral de Navarra en materia de espacios naturales protegidos no enerva el hecho de que se trata de una zona en la que convergen intereses estatales vinculados con la defensa nacional de competencia exclusiva del Estado ex art. 149.1.4 CE. Asimismo considera que no cabe ninguna duda de que es la competencia estatal en materia de defensa nacional la que ha de ser considerada prevalente, debiendo entonces la concurrente competencia de la Comunidad Foral acomodarse e integrarse con aquélla. Para el TC estamos ante un supuesto en el que han de prevalecer los intereses generales vinculados a la defensa nacional reconocidos en la exclusividad competencial estatal derivada del art. 149.1.4 CE y concretados en el adiestramiento y perfeccionamiento del Ejército del aire; entiende que se expresa un interés general constitucionalmente protegido cuya preservación esta atribuida al Estado por la Constitución y que, *en cuanto tal, no puede verse postergado por la decisión autonómica la cual, por el contrario, ha de quedar, en principio, desplazada.*

[30]   Doctrina sentada en la STC 40/1998, de 19 de febrero, relativa a los puertos de interés general y reiterada, en relación a los aeropuertos de tal carácter en la STC 204/2002, de 31 de octubre. De acuerdo con dicha doctrina, la limitación de las potestades de los entes con competencias sobre urbanismo y ordenación del territorio deriva, en unos casos, de la existencia previa de un aeropuerto, realidad que se impone a la autoridad urbanística y, en otros, de la decisión de crear un nuevo aeropuerto de interés general, decisión que corresponde al Estado como titular de la competencia exclusiva sobre los aeropuertos que reúnan esa condición. *En el caso concreto de la competencia estatal sobre puertos de interés general debe tenerse en cuenta que la existencia de un puerto estatal implica, necesariamente, una modulación del ejercicio de las competencias autonómicas y municipales sobre la ordenación del territorio y urbanismo, y que no puede quedar al arbitrio de los entes con competencia sobre dichas materias la decisión sobre la concreta ubicación del puerto, su tamaño, los usos de los distintos espacios, etc. Al mismo tiempo, es también claro que la existencia de un*

Ante la concurrencia de títulos competenciales sobre el espacio físico, el TC exige realizar una previa ponderación de los intereses eventualmente afectados a través de los mecanismos de cooperación y concertación que se estimen procedentes para hacer compatibles los planes y proyectos del Estado con la ordenación del territorio establecida por la Comunidad Autónoma. Tras realizar dicha ponderación, el Alto Tribunal entiende que las decisiones estatales relativas a las infraestructuras de interés general (obras ferroviarias, las carreteras, las obras en zona marítimo-terrestre, las obras portuarias y aeroportuarias, las obras hidráulicas o las obras en zonas de interés para la defensa nacional o en instalaciones militares, telecomunicaciones...) serán las que deban ser incorporadas a los instrumentos de ordenación territorial, y no estos instrumentos los que condicionen estas decisiones estatales de modo tal que impidan su ejercicio[31].

Asimismo sostiene que en el supuesto de que exista contradicción entre la planificación territorial autonómica y las decisiones adoptadas por el Estado en el ejercicio de sus competencias exclusivas, y tras ensayar sin éxito los mecanismos de colaboración y cooperación, los instrumentos de ordenación territorial deberán tener en cuenta y aceptar las decisiones estatales. En este sentido, considera el TC que no puede pretenderse que los informes autonómicos de ordenación territorial sean vinculantes para la Administración estatal, pues ello sería tanto como supeditar el ejercicio de la competencia exclusiva del Estado a la competencia de ordenación del territorio y urbanismo de las entidades territoriales afectadas[32].

En cuanto a la necesidad de emitir informe vinculante por la Administración del Estado exigida por diversas leyes estatales reguladoras de distintos bienes públicos, el TC señala que dicho informe sólo será necesario cuando la competencia autonómica de planeamiento urbanístico afecte a espacios físicos sobre los que se proyecta una competencia estatal concurrente, y con el solo objeto de garantizar la integridad de la competencia del Estado[33]. El TC admite el sistema de informe porque busca una solu-

---

puerto estatal no supone la desaparición de cualesquiera otras competencias sobre su espacio físico, ya que mientras que 'la competencia exclusiva del Estado sobre puertos de interés general tiene por objeto la propia realidad del puerto y la actividad relativa al mismo, pero no cualquier tipo de actividad que afecte al espacio físico que abarca un puerto... la competencia de ordenación del territorio y urbanismo... tiene por objeto la actividad consistente en la delimitación de los diversos usos a que pueda destinarse el suelo o espacio físico territorial' (STC 77/1984, FJ 2)".

[31] Vid. STC 46/2007, FJ 7 y STC 8/2012, FJ 9.
[32] STC 40/1998, FJ 34 y STC 204/2002, de 31 de octubre, FJ 8.
[33] Esta doctrina está plasmada en la STC 103/1989.

ción coordinada de distintos intereses, sin perjuicio del uso abusivo que pueda hacerse de la norma.

Si adoptamos la perspectiva de cómo se insertan los bienes de dominio público de titularidad estatal en la ordenación territorial y urbanística, el TC ha señalado que la titularidad estatal del dominio público y la competencia para determinar las categorías de bienes que lo integran no son, en sí mismos, criterios de delimitación competencial por lo que, en consecuencia, la naturaleza demanial de un bien no lo aísla de su entorno ni lo sustrae de las competencias que correspondan a otros entes públicos que no ostentan esa titularidad[34]. Asimismo ha indicado que la Constitución establece con precisión la competencia propia del Estado para la determinación de aquellas categorías de bienes que integran el dominio público natural y atribuye al Estado la titularidad del mismo[35]. El Estado, como titular del demanio, se encuentra facultado para regular el régimen jurídico de estos bienes del dominio marítimo-terrestre y para establecer cuantas medidas sean necesarias para su protección, para preservar las características propias del bien y para asegurar la integridad de su titularidad y el libre uso público[36].

Ahora bien, según el propio TC las facultades relacionadas con la protección y defensa de un bien demanial no han de interpretarse en el sentido de impedir el ejercicio de las correspondientes competencias de las diferentes Administraciones que incidan sobre ese soporte. Las limitaciones a las competencias autonómicas derivadas de dichas facultades estatales

---

[34] SSTC 77/1984, FJ 3; 227/1988, FJ 14; 103/1989, FJ 6 a; 149/1991, FJ 1.c; 36/1994, FJ 3, 46/2007, FJ 12 y 148/2012, FJ 7.

[35] STC 227/1988 FJ 14.

[36] SSTC 149/1991, 198/1991, 87/2012 y 137/2012. En las dos últimas, el objeto de la norma recurrida era aplicar a los núcleos rurales preexistentes de carácter tradicional contemplados en la Ley 11/1985, de 22 de agosto, de adaptación de la del suelo a Galicia, que cumplan los requisitos previstos en la disposición impugnada el régimen previsto en el apartado 3 de la disposición transitoria tercera de la Ley 22/1988, de 28 de julio, de costas, así como lo establecido en el apartado 3 de la disposición transitoria séptima y en los apartados 1 y 3 de la disposición transitoria novena del reglamento general para el desarrollo y ejecución de dicha Ley de costas. El TC considera que sólo al Estado corresponde establecer limitaciones y servidumbres sobre los terrenos colindantes al demanio marítimo-terrestre y, entre ellas, la servidumbre de protección; corresponde al Estado la competencia para establecer una legislación básica en materia de medio ambiente, ex art. 149.1.23 CE, en conexión con su competencia ex art. 149.1.1 CE para fijar en condiciones de igualdad el ejercicio del derecho de propiedad en todo el territorio, de modo que las Comunidades Autónomas no pueden establecer disposición alguna al respecto.

han de ser las imprescindibles para garantizar la defensa y la protección integral de dichos bienes, pero a través de las medidas de protección y defensa las autoridades estatales no podrán ordenar directamente el territorio. Tampoco las Comunidades Autónomas, en ejercicio de sus competencias sobre ordenación del territorio, están legitimadas para adoptar cualquier tipo de decisión que interfiera sobre las facultades estatales relativas al dominio público marítimo-terrestre[37].

Algunas leyes estatales reguladoras de distintos bienes públicos cuya competencia es exclusiva del Estado (puertos, aeropuertos, sector ferroviario...) contemplan que la zona de servicio de la infraestructura en cuestión sea calificada como sistema general por el planeamiento urbanístico y que sea desarrollado a través de planes especiales de naturaleza urbanística. Si bien pudiera pensarse que la legislación sectorial no es competente para regular instrumentos urbanísticos, sin embargo, el TC ha sostenido que esta determinación no supone ablación de las competencias urbanísticas, porque la competencia urbanística ha de integrarse sistemáticamente con las competencias estatales, que pueden afectar puntualmente a la materia urbanística, pero en ningún caso será admisible una regulación general de todo el régimen jurídico del suelo. Para el TC la calificación de la zona de servicio de los puertos *como sistema general* no excluye la competencia urbanística, porque dicha calificación lleva consigo la necesidad de que dicho sistema sea desarrollado por un plan especial aprobado por la autoridad urbanística.

Sin embargo, el propio TC ha afirmado que cuando estamos ante una competencia cuya legislación básica corresponde al Estado, la decisión del legislador básico de optar por un concreto instrumento o técnica urbanística no se desprende necesariamente de las condiciones básicas, y que corresponde a la competencia sobre la materia urbanística[38]. El Estado de-

---

[37] En la STC 46/2007 FJ 12, el TC señala que la competencia que ostenta la Comunidad Autónoma de Illes Balears en materia de ordenación del territorio, incluido el litoral, no le faculta para habilitar a los instrumentos de ordenación del territorio para que sean estos los que determinen, en la isla de Formentera, los elementos, las características y las circunstancias físicas que deban concurrir para que un bien pueda ser incluido como uno de los que integran la ribera del mar así como tampoco para establecer *ope legis* un criterio directamente aplicable a otros con la específica finalidad de evitar que puedan ser calificados como bienes de dominio público, excluyéndolos a priori de dicha calificación.

[38] En la STC 61/1997 FJ 28, y en la STC 164/2001 FJ 3, el Tribunal declaró en relación con el art. 149.1.1 CE que ésta no puede amparar la configuración de técnicas concretas, aunque incidan en la propiedad urbana, cuando exceden de la regulación de

be mantenerse dentro de los límites que les son propios. Esto excluye que el Estado pretenda hacer operativa su competencia mediante el recurso a figuras y técnicas propiamente urbanísticas, es decir, específicas de la ordenación urbana[39]. El TC considera vedado la utilización de técnicas e instrumentos urbanísticos para la consecución de objetivos que se dicen vinculados a las competencias estatales pues, *en estos casos, no nos encontramos en el ejercicio de dichas competencias sino en el ámbito propio del urbanismo de competencia exclusiva autonómica y que no puede verse aquí desplazada*[40]. En la STC 170/2012 señala el TC que la competencia exclusiva del Estado para establecer las bases y la coordinación de la planificación general de la actividad económica o las bases en materia energética (arts. 149.1.13 y 149.1.25 CE, respectivamente) podría proyectarse sobre el urbanismo, pero siempre que en el ejercicio de dicha competencia no se recurra a técnicas urbanísticas ni resulten vaciadas de contenido, o limitadas irrazonablemente, las correspondientes competencias autonómicas[41].

En definitiva, del análisis de la doctrina del TC cabe derivar que el TC distingue dos situaciones: a) cuando el legislador desarrolla una competencia exclusiva del Estado (puertos de interés general, aeropuertos de interés general, ferrocarriles y transportes terrestres que transcurran por el

---

las condiciones básicas de las facultades y deberes fundamentales, como sucede con el aprovechamiento tipo, las unidades de ejecución o con la técnica de la reparcelación.

[39]   En la Sentencia 170/2012, de 4 de octubre de 2012, que resuelve el recurso interpuesto por el Gobierno de la Generalitat de Cataluña en relación con diversos preceptos del Real Decreto-ley 6/2000, de 23 de junio, de medidas urgentes de intensificación de la competencia en mercados de bienes y servicios, el Tribunal sostiene que el Estado no puede hacer uso de técnicas urbanísticas tales como las relativas al cómputo del volumen edificable o de ocupación, las cuales producen una modificación del planeamiento concreto al que están sujetos todos los poderes público. Vid también en este sentido las SSTC 56/1986, de 13 de mayo, FJ 4 y 149/1998, FJ 5 B.

[40]   Vid. 170/2012, FJ 12.

[41]   En esta sentencia el recurso se plantea contra el Real Decreto-ley 6/2000, de 23 de junio, de medidas urgentes de intensificación de la competencia en mercados de bienes y servicios. Uno de los preceptos recurridos es la letra a) de la disposición transitoria primera, en el sentido de que el espacio que ocupen las instalaciones y equipamientos que resulten imprescindibles para el suministro no computará a efectos de volumen edificable ni de ocupación. El TC entiende que dicho precepto introduce previsiones afectantes a técnicas urbanísticas concretas, propios de la competencia sectorial sobre el urbanismo, y el propio TC señala que teniendo presente la doctrina recogida en la STC 61/1997 en la que se negaba la competencia estatal sobre el planeamiento urbanístico, su establecimiento corresponde únicamente a las Comunidades Autónomas en virtud de sus competencias urbanísticas, sin que el Estado encuentre en los títulos competenciales de los arts. 149.1.13 y 149.1.25 CE amparo para su regulación.

territorio de más de una Comunidad Autónoma...) el TC considera que la calificación urbanística como *sistema general* realizada por el legislador estatal, no excluye la competencia urbanística, porque dicha calificación lleva consigo la necesidad de que dicho sistema sea desarrollado por un plan especial aprobado por la autoridad urbanística. b) cuando el legislador estatal establece las condiciones básicas que garanticen la igualdad de todos los españoles en el ejercicio de derechos y obligaciones (art 149.1.1) o las bases en determinadas materias con proyección territorial, el TC ha entendido que la decisión del legislador básico de optar por un concreto instrumento o técnica urbanística no se desprende necesariamente de las condiciones básicas y que corresponde a la competencia sobre la materia urbanística regular dichos instrumentos[42]. El Estado debe mantenerse dentro de los límites que les son propios, de modo que el Estado no puede hacer operativa su competencia mediante el recurso a figuras y técnicas propiamente urbanísticas.

Por otro lado, el Alto Tribunal ha sostenido recientemente que una cosa es la competencia que el Estado tiene para decidir que ciertos bienes han de ser desafectados porque ya no son necesarios para un uso público, y otra cosa distintas es la calificación urbanística que el planificador considere que deban recibir esos terrenos ya desafectados, pudiendo legítimamente por la vía de la calificación, destinar ese suelo a un uso público que se estima conveniente por razones urbanísticas[43].

En relación a la ejecución de concretos proyectos estatales, el TC ha admitido que el Estado podrá ejercer la facultad de acordar la ejecución de proyectos de obras, actividades o servicios que puedan resultar eventualmente contrarios con las determinaciones de los instrumentos de ordena-

---

[42]   En la STC 61/1997 FJ 28, y en la STC 164/2001 FJ 3, el Tribunal declaró en relación con el art. 149.1.1 CE que ésta no puede amparar la configuración de técnicas concretas, aunque incidan en la propiedad urbana, cuando exceden de la regulación de las condiciones básicas de las facultades y deberes fundamentales, como sucede con el aprovechamiento tipo, las unidades de ejecución o con la técnica de la reparcelación. En la Sentencia 170/2012, de 4 de octubre de 2012, que resuelve el recurso interpuesto por el Gobierno de la Generalitat de Cataluña en relación con diversos preceptos del Real Decreto-ley 6/2000, de 23 de junio, de medidas urgentes de intensificación de la competencia en mercados de bienes y servicios, el Tribunal sostiene que el Estado no puede hacer uso de técnicas urbanísticas tales como las relativas al cómputo del volumen edificable o de ocupación, las cuales producen una modificación del planeamiento concreto al que están sujetos todos los poderes público.

[43]   STC 148/2012, FJ 15 en relación a la Ley 15/2001, de 14 de diciembre, del suelo y ordenación territorial de Extremadura.

ción territorial o las de los planes urbanísticos cuando lo haga en uso de una competencia reservada ex art. 149.1 CE y siempre que se den los presupuestos que se señalan en preceptos vigentes en la legislación del suelo, es decir, razones de urgencia o excepcional interés público[44].

Respecto a la exención de licencias que contemplan numerosas leyes sectoriales, el TC sostiene que el urbanismo es un asunto de interés de los Municipios, pero que de ello no cabe colegirse que la intervención municipal en los casos de ejecución de obras tenga que traducirse, sin excepción, en el otorgamiento de la correspondiente licencia urbanística. Entiende que cuando existan razones que así lo justifiquen, el legislador podrá establecer otros procedimientos de articulación, adecuados para garantizar el respeto al planeamiento urbanístico. El TC admite la facultad del Estado de incidir sobre la competencia urbanística municipal, sustituyendo la exigencia de previa licencia por un informe acerca de la conformidad de la obra prevista con el planeamiento, pues *"no puede considerarse que atente contra la autonomía que garantiza el art. 137 CE el que el legislador disponga que, cuando existan razones que así lo justifiquen, la intervención municipal se articule por medio de otros procedimientos adecuados para garantizar el respeto a los planes de ordenación urbanística "*[45]. Ahora bien, la posibilidad de que las competencias sectoriales de otras Administraciones públicas y, por tanto, de las Comunidades Autónomas, incidan sobre la competencia urbanística municipal determinando la exclusión de la licencia que, en otro caso, sería preceptiva, exige que se garantice algún modo de intervención del ente local, intervención que puede consistir en la emisión de un informe sobre la adecuación de las obras previstas a los planes de ordenación urbanística.

2. *Los mecanismos de integración previstos en la legislación sectorial*

A) La vía del informe

Al objeto de proteger los bienes de dominio público, la legislación sectorial reguladora de cada uno de esos bienes establece por lo general un sistema de limitaciones de usos y servidumbres legales sobre los terrenos ocupados por el bien de dominio público, así como determinaciones que se extienden a los terrenos colindantes del demanio, mediante la imposición de distintas servidumbres. Con el objeto de que estas determinaciones

---

[44]   STC 56/1986, FJ 3 y STC 170/2012, FJ 12.
[45]   STC 40/1998, FJ 39 y ATC 251/2009, FJ 5.

sean integradas en el contenido de los planes urbanísticos, las leyes sectoriales contemplan la necesidad de que el Estado, titular del bien a proteger, emita un informe en el procedimiento de aprobación del planeamiento urbanístico.

Aguas: El Texto Refundido de la Ley de Aguas aprobado por el Real Decreto Legislativo 1/2001, de 20 de julio[46] (LA) establece una serie de determinaciones que inciden en materia urbanística, en las que centraremos nuestro examen. En primer lugar, es preciso indicar que el legislador consciente de los conflictos de concurrencia que pueden generarse en torno a este sector, invoca la necesidad de coordinación al establecer en su art. 128 que la Administración General del Estado, las Confederaciones Hidrográficas, las Comunidades Autónomas y las Entidades locales tienen los deberes de recíproca coordinación de sus competencias concurrentes sobre el medio hídrico con incidencia en el modelo de ordenación territorial, en la disponibilidad, calidad y protección de aguas y, en general, del dominio público hidráulico, así como los deberes de información y colaboración mutua en relación con las iniciativas o proyectos que promuevan[47].

En primer lugar se ha de indicar que el art. 6 LA establece que en la zona de policía se condicionará el uso del suelo y las actividades que se desarrollen, y este condicionamiento se traduce en la necesidad de control por parte de las Confederaciones Hidrográficas emitiendo informe previo cuando los planes urbanísticos ordenen usos que afecten a la zona de policía, siempre teniendo en cuenta lo previsto en la planificación hidrológica. Por otro lado, es evidente que las zonas declaradas de especial protección

---

[46]   La Ley 6/2003, de medidas fiscales, administrativas y de orden social con el fin de adecuar el régimen de las aguas a la Directiva 2000/60/CE por la que se establece un marco comunitario de actuación en política de aguas, ha modificado algunos artículos de la Ley de aguas y ha previsto la creación de las Demarcaciones Hidrográficas como nuevas unidades administrativas para la gestión y protección de las aguas, así como de un Comité de Autoridades Competentes en cada una de las demarcaciones a fin de coordinar a todas las Administraciones implicadas en la protección de las aguas.. El Texto Refundido de la Ley de Aguas, en lo que a la planificación hidrológica se refiere, viene desarrollada por el Real Decreto 907/2007, de 6 de julio, por el que se aprueba el Reglamento de la Planificación Hidrológica. Vid. también el Real Decreto 849/1986, de 11 de abril, por el que se aprueba el Reglamento del Dominio Público Hidráulico, que desarrolla los títulos preliminar I, IV, V, VI y VII de la Ley 29/1985, de 2 de agosto, de Aguas, modificado por Real Decreto 1290/2012, de 7 de septiembre.

[47]   Vid. sobre la coordinación en este sector, PALLARES SERRANO A. *La planificación hidrológica de cuenca como instrumento de ordenación ambiental sobre el territorio,* Universidad Autónoma de Barcelona, Barcelona 2006.

en la planificación hidrológica se integrarán obligatoriamente en el suelo no urbanizable de especial protección del planeamiento urbanístico.

En relación con las zonas inundables, aunque la LA no establezca nada sobre la situación urbanística de estos suelos, el Texto Refundido de la Ley del Suelo de 2008 en su art. 12.2.a) incluye en situación de suelo rural, entre otros, a los suelos con riesgos naturales o tecnológicos, incluidos los de inundación. Es evidente que la delimitación de zonas inundables resulta determinante para el planeamiento urbanístico. El art. 11 LA señala, a estos efectos, que los Organismos de cuenca darán traslado a las Administraciones competentes en materia de ordenación del territorio y urbanismo de los datos y estudios disponibles sobre avenidas de las zonas inundables, al objeto de que se tengan en cuenta en la planificación del suelo y, en particular, en las autorizaciones de usos que se acuerden en las zonas inundables[48]. Además se dispone que el Gobierno, por Real Decreto, podrá establecer las limitaciones en el uso de las zonas inundables para garantizar la seguridad de las personas y bienes. Las Comunidades Autónomas por su parte podrán establecer, además, normas complementarias de dicha regulación[49].

---

[48]   Vid. el Real Decreto 903/2010, de 9 de julio, de evaluación y gestión de riesgos de inundación. El artículo 15, que regula la " coordinación con otros planes ", en el apartado 1 dispone que " los instrumentos de ordenación territorial y urbanística, en la ordenación que hagan de los usos del suelo, no podrán incluir determinaciones que no sean compatibles con el contenido de los planes de gestión del riesgo de inundación, y reconocerán el carácter rural de los suelos en los que concurran dichos riesgos de inundación o de otros accidentes graves". Sobre este precepto se ha pronunciado el TS en sentencia de 20 de enero de 2012 (Recurso de casación 450/2010) y ha manifestado que no invade la competencia en materia de urbanismo y ordenación del territorio, pues en caso de calamidades, como las inundaciones, prevalece el título previsto en artículo 149.1.29° de la CE. En este sentido, la finalidad de los planes de gestión de riesgos previstos en el real decreto recurrido no es regular u ordenar los usos del suelo. No. Su objeto es, además de evitar daños ambientales, proteger la seguridad de las personas y bienes. Y para ello puede resultar imprescindible excluir de dicha ordenación de usos, aquellos suelos en los que concurran riesgos de inundación que, por su propia naturaleza, deben tener carácter rural. Pues bien, esta conclusión se extrae del artículo 15 y del apartado del anexo impugnado.

[49]   Vid. STS de 2 de febrero de 2010 (recurso de casación 5866/2005), en el que el Tribunal declaró que " *El hecho de que el ordenamiento estatal de aguas no prohíba absolutamente las construcciones en la zona de policía no implica que el planeamiento urbanístico, ante el riesgo de inundaciones, como ocurre a los terrenos de la recurrente, no deba excluirlos del proceso urbanizador para destinarlos a espacios libres y zonas verdes, como hace el Plan General de Ordenación Urbana impugnado, lo que resulta por ello plenamente justificado*". En parecidos términos la STS de 2 de marzo de 2011 (Recurso de casación 5989/2006) admite que la posibilidad legal de que el planeamiento urbanístico puede establecer un régimen más restrictivo

Por otro lado, las Confederaciones Hidrográficas deben emitir un informe previo, sobre los actos y planes que aprueben las Comunidades Autónomas en materia de medio ambiente, ordenación del territorio y urbanismo, espacios naturales, pesca, montes.., siempre que tales actos y planes afecten al régimen y aprovechamiento de las aguas continentales o a los usos permitidos en terrenos de dominio público hidráulico y en sus zonas de servidumbre y policía, teniendo en cuenta a estos efectos lo previsto en la planificación hidráulica y en las planificaciones sectoriales aprobadas por el Gobierno. Si esos actos o planes autonómicos o de las entidades locales comportan nuevas demandas de recursos hídricos, el informe de la Confederación Hidrográfica se pronunciará expresamente sobre la existencia o inexistencia de recursos suficientes para satisfacer tales demandas; el informe se entenderá desfavorable si no se emite en el plazo establecido al efecto (art. 25.4)[50]. Este control previo se extiende a las ordenanzas y actos que aprueben las entidades locales, salvo que estos últimos sean actos dictados en aplicación de los instrumentos de planeamiento que hayan sido objeto del correspondiente informe previo por la Confederación hidrográfica.

Asimismo la LA prevé que en los planes hidrológicos de cuenca se podrán establecer reservas, de agua y de terrenos, necesarias para las actuaciones y obras previstas y que dichas previsiones deberán ser respetadas en los diferentes instrumentos de ordenación urbanística del territorio (art. 43). En relación a la reserva de terrenos el TC en STC 227/88 afirmó: *"(...) las reservas de terrenos afectan directamente a la planificación territorial, de competencia autonómica (...) será preciso dilucidar en su momento si una reserva de terrenos prevista en un plan hidrológico estatal menoscaba o no las competencias autonómicas, o bien en qué circunstancias puede producirse dichos menoscabo".* Para el TC en caso de conflicto, no puede considerarse legítima una reserva de terrenos prevista en un plan hidrológico estatal que afecta a un ámbito territorial superior al estrictamente necesario para realizar las infraestructuras básicas requeridas por el plan. Sólo cuando la reserva de terrenos

---

en la zona de policía de cauces para los fines antes indicados, incluso con la clasificación como suelo no urbanizable protegido, con lo que no se vulneran los principios de igualdad, de legalidad ni de seguridad jurídica.

[50] Vid la STS de 25 de febrero de 2009 dictada en el recurso de casación n 872/ 2008, en el que el Tribunal señala que la suspensión decretada por la Sala de Valencia resulta conforme a Derecho, en cuanto suspende la aprobación definitiva de un Plan General Municipal que se ha llevado a cabo sin tener asegurada la existencia de agua para los desarrollos urbanísticos previstos en él, cosa que exige la suspensión pues en otro caso se perdería la finalidad legítima del recurso. En el mismo sentido la STS de 11 de febrero de 2011 (recurso de casación 5916/2009).

contenida en el plan resulta imprescindible para programar las infraestructuras hidráulicas básicas vinculará a las Comunidades Autónomas sobre ordenación del territorio.

En relación a estas reservas el apdo. 4 del art. 128 dispone que los terrenos reservados en los planes hidrológicos para la realización de obras hidráulicas de interés general, y los estrictamente necesarios para su posible ampliación, tendrán la clasificación y calificación que resulte de la legislación urbanística aplicable y sea adecuada para garantizar y preservar la funcionalidad de dichas obras, la protección del dominio público hidráulico y su compatibilidad con los usos del agua y las demandas medioambientales. Asimismo dispone que los instrumentos generales de ordenación y planeamiento urbanístico deberán recoger dicha clasificación y calificación[51]. Con arreglo al art. 12. 2 del Texto Refundido de la Ley del suelo de 2008 los terrenos referidos no pueden insertarse más que en la situación básica de suelo rural al tratarse de terrenos excluidos de transformación urbanística por la legislación de protección o policía del dominio público.

El art. 56.2.d)[52] también hace una alusión al planeamiento urbanístico al determinar que la Junta de Gobierno podrá determinar perímetros de protección de las masas de agua subterránea en los que será necesaria su autorización para realizar actividades que puedan afectarla y tal delimitación y las condiciones establecidas vincularán en la elaboración de los instrumentos de planificación así como en el otorgamiento de las licencias, por las Administraciones públicas competentes en la ordenación del territorio y urbanismo.

Costas: el título II de la Ley 22/1988, de Costas *(LC)* regula un sistema de limitaciones y servidumbres sobre todos los terrenos de la franja costera (playas y zona marítimo-terrestre). La Ley de Costas ha sido objeto de una importante modificación por la Ley 2/2013, de 29 de mayo, de protección y uso sostenible del litoral y de modificación de la Ley 22/1988, de 28 de julio, de Costas[53]. La ley precisa el concepto de dominio público marítimo-terrestre, tanto en lo que se refiere a la zona marítimo-terrestre como a las

---

[51]   Vid. al respecto PAREJA LOZANO, "Obras hidráulicas y régimen urbanístico" en EMBID IRUJO (Dir.), *Las obras hidráulicas,* Madrid, 1995, pp. 289-290.
[52]   Este precepto ha sido modificado por Real Decreto-ley 17/2012, de 4 de mayo, de medidas urgentes en materia de medio ambiente. A través de dicha modificación se pretende reaccionar con rapidez ante los problemas que se detecten en las masas de aguas subterráneas así como una mayor flexibilidad para gestionar las disponibilidades de agua en las masas que cuenten con un plan de actuación.
[53]   BOE n° 129, de 30 de mayo de 2013.

playas; asimismo excluye determinados terrenos de núcleos de población del dominio público marítimo-terrestre. En relación a la servidumbre de protección[54] se introduce una modificación dirigida a las edificaciones que legítimamente la ocupan, a cuyos titulares se les permitirá realizar las obras de reparación, mejora, modernización y consolidación, siempre que no impliquen un aumento de volumen, altura ni superficie. Se sustituye la autorización administrativa autonómica por la declaración responsable, en la que tendrán que incluir que tales obras cumplen con los requisitos de eficiencia energética y ahorro de agua.

La constitución de servidumbres (de tránsito, de acceso, de protección y zona de influencia), que establecen la prohibición de ciertos usos, se impone a los instrumentos de ordenación del territorio. Según la STC 149/1991, las servidumbres constituyen normas básicas de protección ambiental. La Ley de Costas en su primera redacción atribuía al Estado la facultad de conceder autorizaciones en la zona de servidumbre de protección, pero el TC en la citada sentencia reconoció que esta competencia pertenece a las Comunidades Autónomas, o en su caso, a los Ayuntamientos por tratarse del ejercicio de competencias en materia de ordenación territorial y urbanismo, así como de ejecución de la normativa sobre protección del medio ambiente.

Por otro lado, en las recientes SSTC 8/2013 y 162/2012, el TC ha reiterado que la competencia autonómica sobre ordenación del territorio no se extiende al mar y ha admitido que sobre el mar territorial puedan ejercerse ciertas competencias autonómicas en atención a su naturaleza —como es el caso de la acuicultura (STC 103/1989, de 8 de junio)— o incluso que la extensión al mar territorial sea una exigencia de la competencia en liza, tal como sucede en materia de protección de espacios naturales cuando la unidad y continuidad de ciertos ecosistemas exige que su protección no encuentre el límite indicado (STC 38/2002, de 14 de febrero).

La Ley 2/2013 introduce un nuevo apartado 6 en el artículo 33 sobre uso de las playas y dispone que en la delimitación de los tramos urbanos y naturales de las playas participarán las administraciones competentes en

---

[54] Se prevé reducir el ancho de la servidumbre de protección de 100 metros a 20 metros en relación con los núcleos de población que sin poder acogerse a lo dispuesto en la disposición transitoria tercera de la Ley de Costas, por no ser suelo calificado como urbano, sí tenían en aquella fecha características propias de él. Dicha reducción se contempla también excepcionalmente para los márgenes de los ríos hasta donde sean sensibles las mareas, para evitar que en los tramos alejados de la desembocadura se genere, por defecto, una servidumbre de 100 metros.

materia de ordenación del territorio y urbanismo, en la forma que reglamentariamente se determine.

Por su vinculación con el urbanismo procede hacer una referencia a la Disposición transitoria primera de la Ley 2/2013. Esta disposición dispone que en el plazo de dos años desde la entrada en vigor de la propia Ley, se podrá instar que el régimen previsto en la disposición transitoria tercera, apartado 3, de la Ley 22/1988, de 28 de julio, de Costas, se aplique igualmente a los núcleos o áreas que, a su entrada en vigor, no estuvieran clasificados como suelo urbano pero que, en ese momento, reunieran una serie de requisitos[55]. Para ello se requiere previo informe favorable del Ministerio de Agricultura, Alimentación y Medio Ambiente sobre la delimitación y compatibilidad de tales núcleos o áreas con la integridad y defensa del dominio público marítimo-terrestre. Este informe deberá emitirse en el plazo de dieciocho meses y en caso de que no se emitiera en este plazo, se entenderá que es favorable. En estas áreas no se permitirán nuevas construcciones de las prohibidas en el art. 25 LC.

El art. 116 de la Ley de Costas contempla, desde una perspectiva general, los principios a los que las Administraciones deben ajustar sus relaciones. Dispone que las Administraciones públicas cuyas competencias incidan sobre el territorio costero ajustarán sus relaciones recíprocas a los deberes de *información mutua, colaboración, coordinación y respeto a aquellas.* Para articular las relaciones interadministrativas, la Ley prevé diversas técnicas tales como el deber de notificación mutua sobre el otorgamiento de títulos habilitantes para el desarrollo de actividades en el demanio costero, apertura de período de consultas ante las diferencias y convenios de financiación cuando se trate de obras de competencia estatal.

La relación entre la Administración del Estado, titular de dominio público marítimo-terrestre, y las Comunidades Autónomas con competencia

---

[55] La Ley distingue entre "a) En municipios con planeamiento, los terrenos que, o bien cuenten con acceso rodado, abastecimiento de agua, evacuación de aguas residuales y suministro de energía eléctrica y estuvieran consolidados por la edificación en al menos un tercio de su superficie, o bien, careciendo de alguno de los requisitos citados, estuvieran comprendidos en áreas consolidadas por la edificación como mínimo en dos terceras partes de su superficie, de conformidad con la ordenación de aplicación." "b) En municipios sin planeamiento, los terrenos que, o bien cuenten con acceso rodado, abastecimiento de agua, evacuación de aguas residuales y suministro de energía eléctrica y estuvieran consolidados por la edificación en al menos un tercio de su superficie, o bien, careciendo de alguno de los requisitos citados, estuvieran comprendidos en áreas consolidadas por la edificación como mínimo en la mitad de su superficie."

exclusiva en ordenación territorial y urbanismo, se traduce básicamente en la emisión de informes por parte de la Administración del Estado. El art 112 LC dispone que la Administración del Estado deberá emitir informe, con carácter preceptivo y vinculante, entre otros supuestos, en la elaboración de planes y normas de ordenación territorial y urbanística y su modificación o revisión, en cuanto al cumplimiento de las disposiciones de la propia LC y de las normas que se dicten para su desarrollo y ejecución[56]. El TS, asumiendo la doctrina competencial establecida por el Tribunal Constitucional, ha entendido que el carácter vinculante de los informes de la Administración del Estado a que se refiere el artículo 112 de la Ley de Costas sólo es constitucionalmente admisible cuando estos se refieran a asuntos de su propia competencia[57].

La vía del informe se prevé igualmente en el art. 115 LC, en virtud del cual corresponde a los Ayuntamientos informar asimismo los deslindes del dominio público marítimo-terrestre y las solicitudes de reservas, adscripciones, autorizaciones y concesiones para la ocupación y aprovechamiento del dominio público marítimo-terrestre.

En relación con la intervención de la Administración estatal en la aprobación del planeamiento urbanístico, el art. 117 dispone que la participación de la Administración del Estado en la elaboración, modificación o revisión de los planes urbanísticos mediante la emisión de informes preceptivos y vinculantes en la tramitación de los planes urbanísticos[58]. Los

---

[56]   Vid. sobre este precepto la STS de 22 de febrero de 2012 (Recurso de Casación 1 67/2011). El Tribunal *a quo* en la sentencia recurrida privaba de carácter vinculante al informe que sobre la servidumbre de tránsito debe emitir la Administración del Estado conforme al art. 49.3 del Reglamento de la LC por no haberle conferido dicho carácter el art. 112 de la LC. El TS sostiene que esa tesis es gravemente dañosa para el interés general y además errónea. La Sala del TS entiende que se ha desconocido la competencia de la Administración del Estado sobre la servidumbre de tránsito, cuya finalidad no es otra que la defensa del uso general del dominio público marítimo-terrestre, y que la tesis del tribunal a quo es errónea porque, aun cuando el informe no esté entre los contemplados en el art. 112 de la LC., con toda claridad el art. 49.3 del Reglamento impone a la Administración de la Comunidad autónoma recoger preceptivamente las observaciones que a dichos efectos haya formulado el Servicio Periférico de Costas del Ministerio.

[57]   SSTS 22 de abril de 1999 y 7 de junio de 2001.

[58]   Vid. en este sentido las SSTS de 26 de octubre de 2004 (recurso de casación 6452/2000), y de 13 de mayo de 2011 (casación 5212/07 en la que el TS señala que "... se deduce que la incoación del expediente de deslinde, con el señalamiento de la línea provisional, impide el otorgamiento de concesiones y autorizaciones en el dominio público delimitado provisionalmente, y, con mucha más razón, habrá de entenderse que pro-

órganos competentes, en la tramitación del planeamiento territorial y urbanístico, deberá enviar antes de la aprobación inicial, el contenido del proyecto a la Administración del Estado parar que emita en el plazo de un mes un informe. Asimismo, antes de la aprobación definitiva del plan o norma, la Administración competente dará traslado a la Administración del Estado para que en el plazo de 2 meses se pronuncie sobre el mismo. Si el informe no es favorable en aspectos de su competencia, se abre un periodo de consultas, a fin de llegar a un acuerdo. Si con arreglo a este acuerdo procede la modificación sustancial del contenido del plan, se abre un nuevo periodo de información pública y audiencia a los organismos que hubieran intervenido preceptivamente en la elaboración[59]. Como ha dicho el TC, el informe del Estado sólo tendrá carácter vinculante cuando las objeciones formuladas por el Estado versen sobre materias de su competencia; en los demás casos, este informe no tiene carácter vinculantes y la única vía que resta al Estado, será la de recurrir los tribunales. En el caso de las determinaciones urbanísticas controvertidas se refieran a las zonas de servidumbre o de influencia, cuyo control corresponde a las Comunidades Autónomas que tengan transferida dicha competencias, las objeciones del Estado no son vinculantes; ahora bien si las determinaciones urbanísticas se refieren a la zona marítimo-terrestre del dominio público estatal, la Administración del Estado ejerce facultades inherentes a la titularidad estatal y sí vincula al planificador urbanístico[60].

En la sentencia de 11 de febrero de 2009 el TS ha entendido que *"La previa clasificación del suelo e incluso la intervención estatal en dicha actuación a través de los informes previstos en el artículo 117, no puede vincular la posterior actuación estatal en materia de deslinde, ya que la naturaleza demanial de los terrenos es absolutamente distinta y diferente del ejercicio de la potestad de planeamiento concretada en la clasificación y calificación urbanística de los mismos terrenos, no pudiendo, el ejercicio y actuación de esta potestad administrativa alterar la naturaleza demanial de unos concretos terrenos ya que tal carácter no es fruto del ejercicio de una potestad discrecional —como la de planeamiento— sino, más bien, el resultado irremisible de la declaración de tal carácter demanial por concurrir las características*

---

híbe la aprobación de Planes Urbanísticos que lo desconozcan" (fundamento jurídico noveno de la citada STS de 26 de octubre de 2004).

[59] El cumplimiento de estos trámites interrumpe el cómputo de los plazos que para la aprobación de los planes de ordenación se establecen en la legislación urbanística (art. 117.3).

[60] Vid. STS de 7 de julio de 2011 (Recurso de Casación 868/2008).

físicas contempladas en el artículo 3° de la LC, de conformidad con lo previsto en el artículo 132 de la Constitución Española "[61].

Finalmente procede hacer una referencia a la realización de obras en el dominio público marítimo-terrestre. En virtud del art. 111 LC[62] corresponde al Estado la realización de obras y actuaciones de interés general[63] o las que afecten a más de una Comunidad Autónoma[64] En la ejecución de las obras de interés general, la LC prevé distintos supuestos:

a) Que en el lugar donde se proyecte realizar la obra existan instrumentos de planificación territorial o urbanística; en este caso, la Administración del Estado deberá solicitar informe a la Comunidad Autónoma y Ayuntamiento en cuyos ámbitos territoriales incidan, y éstas en el plazo de un mes deberán notificar la conformidad o disconformidad de la obra con los instrumentos de planeamiento territorial que afecten al litoral y con el planeamiento urbanístico en vigor. En caso de silencio, dichos informes se considerarán favorables. Para el caso de disconformidad, la Ley prevé que el Ministerio de Medio Ambiente eleve el expediente al Consejo de Ministros, órgano que decidirá si procede ejecutar el proyecto y, en su caso, será quien ordene la iniciación del procedimiento de modificación o revisión del planeamiento, conforme a la tramitación establecida en la legislación correspondiente.

b) Que no existan los instrumentos de planificación territorial o urbanística o la obra de interés general no esté prevista en los mismos;

---

[61] Vid STS de 11 de febrero de 2009 (Recurso de Casación 8391/2004 y STS de 8 de junio de 2012 (Recurso de Casación 2686/2009).

[62] Este precepto ha recibido nueva redacción por la Ley 53/2002, de 30 de diciembre, de Medidas fiscales, administrativas y del orden social para 2003.

[63] El art. 111.1 LC considera que son obras de interés general: a) Las que se consideren necesarias para la protección, defensa, conservación y uso del dominio público marítimo-terrestre, cualquiera que sea la naturaleza de los bienes que lo integren; b) Las de creación, regeneración y recuperación de playas. c) Las de acceso público al mar no previstas en el planeamiento urbanístico. d) Las emplazadas en el mar y aguas interiores, sin perjuicio de las competencias de las Comunidades Autónomas. e) Las de iluminación de costas y señales marítimas.

[64] ˇ Vid. STS 22 de junio de 2012 (Recurso de Casación 3599/2009) en la que el TS sostiene que las obras de interés general competencia de la Administración del Estado para la protección, defensa, conservación y uso del dominio público marítimo-terrestre derivan de su titularidad demanial, como resulta de lo señalado en el FJ 7.A.b) de la citada STC 149/1991, y en virtud de esa titularidad no le es exigible a esa Administración la actividad de limpieza y dragado del cauce de la ría que se pretende por la parte recurrente.

en este caso, el proyecto se remitirá a la Comunidad Autónoma y al Ayuntamiento afectados, para que estos procedan a redactar o revisar el planeamiento con el fin de acomodarlo a las determinaciones del proyecto; para ello dispondrán de un plazo máximo de seis meses desde su aprobación. Si transcurre el plazo sin que la adaptación del planeamiento se haya efectuado, se considerará que no existe obstáculo alguno para que pueda ejecutarse la obra.

La Ley 2/2013 ha modificado el art. 119 al introducir un nuevo apartado 2 en virtud del cual el Delegado del Gobierno, a instancia del Ministro de Agricultura, Alimentación y Medio Ambiente, podrá suspender los actos y acuerdos adoptados por las entidades locales que afecten a la integridad del dominio público marítimo terrestre o de la servidumbre de protección o que supongan una infracción manifiesta de lo dispuesto en el artículo 25 de la propia Ley.

Finalmente la Ley 2/2013 introduce una nueva Disposición adicional décima en la LC dirigida a regular las urbanizaciones marítimo-terrestres[65]. Se establece que estas urbanizaciones deben contar con un instrumento de ordenación territorial o urbanística que se ajuste a las prescripciones de la propia LC, entre las que se establece la necesidad de garantizar a través de viales el tránsito y acceso a los canales

Carreteras: la Ley estatal de Carreteras 25/1988, aprobada en desarrollo del artículo 149.1.24 de la Constitución, confiere al Estado competencia exclusiva en materia de obras públicas de interés general o cuya realización afecte a más de una Comunidad Autónoma. Esta Ley establece que si la Administración del Estado pretende construir carreteras o variantes no incluidas en el planeamiento urbanístico, los estudios informativos deberán ser remitidos por parte del Ministerio de Obras públicas y Urbanismo a las Comunidades Autónomas y a las Corporaciones locales para que manifiesten su conformidad o disconformidad en el plazo de un mes con el trazado propuesto[66]. Tal y como concurre en materia de aguas y de costas, en caso de disconformidad, expresa y motivada, se impone el interés general prevalente del Estado mediante la decisión del Consejo de Ministros sobre la procedencia de ejecutar el proyecto de carretera, con la consiguiente orden de modificar o revisar el planeamiento urbanístico afectado en el

---

[65] Estas urbanizaciones son definidas como núcleos residenciales en tierra firme dotados de un sistema viario navegable, construido a partir de la inundación artificial de terrenos privados.

[66] Vid. BURZACO SAMPER, M. y ABAD LICERAS J. M. "Carreteras y autopistas. Visión jurisprudencial" en *Ordenación del territorio, urbanismo y carreteras*. 2008, pp. 287-298.

plazo de un año. Así, el plan urbanístico preexistente ha de acomodarse al proyecto de nueva carretera estatal o variante, al efecto de incorporar la infraestructura viaria proyectada al contenido ordenador y a las concretas determinaciones del instrumento de planeamiento urbanístico (art. 10.1 LCarr y art. 33.1 RGC). En relación a este precepto el TS ha sostenido que las alegaciones de las Corporaciones Locales o de los particulares en los trámites previstos en el artículo 10, sea cual sea su contenido, no son "solicitudes" a las que se aplique el régimen general del silencio administrativo positivo previsto en el artículo 43.2 de la Ley 30/1992, de 26 de noviembre, de Régimen Jurídico de las Administraciones Públicas y del Procedimiento Administrativo Común, porque no se trata de solicitudes iniciados a instancia de parte[67].

Para los Municipios sin plan, el art. 10.3 dispone que la aprobación definitiva de los estudios sobre carreteras conllevará la inclusión de la nueva carretera o variante en los instrumentos de planeamiento que se elaboren con posterioridad. Si es el Municipio o Comunidad Autónoma quien acuerda la redacción, revisión o modificación del planeamiento que afecte a carreteras estatales, se deberá enviar el contenido del proyecto antes de la aprobación inicial al Ministerio de Fomento, para que en el plazo de un mes emita un informe comprensivo de *las sugerencias que estime conveniente*, que tendrá carácter vinculante (10.2). En STC 65/1998, de 18 de marzo (FJ 14), el TC sostuvo que, no obstante la excesiva indeterminación del texto del precepto, por referencia a las sugerencias que el Ministerio estime convenientes, no implica la asunción de competencias urbanísticas por el Ministerio "sino la determinación de criterios flexibles que, sin imponer soluciones urbanísticas concretas, han de ser atendidos por la autoridad urbanística competente en el planeamiento para que no quede afectada la carretera objeto de la competencia estatal". Para el TC la técnica arbitrada en el citado art. 10.2 de la Ley 25/1988 es plenamente conforme con el orden constitucional y estatutario de competencias, pero precisa (párrafo primero del FJ 14) que "las sugerencias que el Ministerio podría formular son únicamente aquellas orientadas al fin de la mejor explotación y defensa de la carretera estatal eventualmente afectada por el instrumento de planeamiento".

En la Sentencia 151/2003 el TC resolvió el conflicto de competencias planteado por la Generalitat de Cataluña contra el art. 33.3 del Reglamen-

---

[67] Vid. STS de 5 de octubre de 2005 (Recurso de Casación 2056/2002) y STS de 9 de febrero de 2011 (Recurso de Casación 4655/2008).

to general de carreteras aprobado por Real Decreto 1812/1994, de 2 de septiembre. Este precepto dispone que con ocasión de las revisiones de los instrumentos de planeamiento urbanístico, o en los casos que se apruebe un tipo de instrumento distinto al anteriormente vigente, se incluirán las nuevas carreteras o variantes contenidas en estudios de carreteras aprobados definitivamente. El TC en la citada sentencia considera que no afecta al orden constitucional de competencias el que la vinculación del planeamiento urbanístico, en los supuestos contemplados en el art. 33.3 RGC, se produzca mediante los estudios informativos de carreteras, una vez éstos aprobados definitivamente, tal y como precisa el controvertido precepto. El TC recuerda que este tipo de estudios deben contener "la definición, en líneas generales, tanto geográficas como funcionales, de todas las opciones de trazado estudiadas", y "la selección de la opción (de trazado) más recomendable". Desde el punto de vista del procedimiento, tras su aprobación provisional, se someten al trámite de información pública y en vista de las observaciones y alegaciones en éste formuladas, si se confirma la opción seleccionada, son objeto de aprobación definitiva por el Ministro de Fomento, quedando así aprobado el trazado definitivo de la carretera. Por ello, entiende el TC que una vez aprobado definitivamente el estudio informativo de la carretera, no cabe aceptar en principio, que el ulterior proyecto de construcción y el de trazado pueden alterar el estudio, por lo que no concurre en los citados estudios informativos la nota de provisionalidad.

Finalmente, los arts. 36 a 41 de la Ley regulan las distintas actuaciones en travesías y redes arteriales. De esta regulación cabe destacar que las Administraciones locales pueden celebrar convenios con la Administración del Estado para lograr una mayor eficiencia en la conservación y explotación de los tramos urbanos de las carreteras estatales que en principio corresponde a la Administración del Estado. Asimismo se dispone que las carreteras estatales o tramos determinados se entregarán a los Ayuntamientos respectivos en el momento en que adquieran la condición de vías urbanas.

Las autorizaciones para obras o actividades en la zona de dominio de los tramos urbanos corresponde a los Ayuntamientos, previo informe vinculante de la Administración estatal (art. 39). En las zonas de servidumbre y afección, si existe plan urbanístico aprobado, corresponderá a los Ayuntamiento, y si no estuviere aprobado, se requerirá informe previo del Departamento ministerial.

Finalmente, se establece que las actuaciones en las redes arteriales se realizarán previo acuerdo entre las distintas Administraciones públicas y de forma coordinada con el planeamiento urbanístico. En caso de desacuerdo, decidirá el Consejo de Ministros.

Puertos del Estado: La vía del informe también se halla prevista para el procedimiento de aprobación del plan de utilización de servicios portuarios en la ley *de Puertos del Estado y de la Marina Mercante,* aprobada por Real Decreto Legislativo 2/2011, de 5 de septiembre[68]. El art 56 del texto legal dentro de la consideración urbanística de los puertos, establece que los planes urbanísticos de carácter general no podrán incluir determinaciones que supongan una interferencia o perturbación en el ejercicio de las competencias de explotación portuaria y de señalización marítima, y para el caso de que pueda verse afectado el servicio de señalización marítima por actuaciones fuera de los espacios mencionados, se requerirá informe previo vinculante de Puertos del Estado, previo dictamen de la Comisión de Faros.

El art. 57 también prevé la necesidad de informe en el procedimiento de construcción de nuevos puertos de titularidad estatal. La Comunidad Autónoma y los Ayuntamientos en los que se sitúe la zona de servicio de puerto deberán emitir un informe en relación con sus competencias de ordenación del territorio y urbanismo. Estos informes se entenderán favorables transcurrido un mes desde la recepción de la documentación sin que el informe se haya emitido expresamente.

En cuanto a la realización de obras de infraestructura portuaria o de ampliación en los puertos existentes, el Texto refundido de 2011 no requiere que estén previstas ni en la Delimitación de espacios y usos portuarios ni en el Plan Especial, siempre que se realicen en la zona de servicio del puerto y se hallen incluidas en el Plan de empresa, y cuando proceda, en el Plan Director de Infraestructuras; en estos casos el protagonismo de las autoridades autonómicas competentes en materia de ordenación del territorio desaparece, ya que no se contempla más que la necesidad de dar audiencia a dichas autoridades (art. 58.1).

La delimitación de la zona de servicio del puerto corresponde al Ministerio de Fomento a través de la Orden Ministerial de Delimitación de los espacios y usos portuarios[69], que en la Ley de 1992 recibía el nombre de Plan

---

[68]   BOE 26 de marzo de 2012. El texto Refundido respeta, en lo esencial, los establecida en la Ley 27/1992, de 24 de noviembre, de Puertos del Estado y de la Marina Mercante, que queda derogada por el actual Texto Refundido en virtud de su Disposición Derogatoria única.

[69]   El art. 69 dispone que el Ministerio de Fomento determinará en los puertos de titularidad estatal una zona de servicio que incluirá los espacios de tierra y de agua necesarios para el desarrollo de los usos portuarios a que se refiere el artículo 72.1, los espacios de reserva que garanticen la posibilidad de desarrollo de la actividad portuaria y aquellos

de Delimitación. A través de dicha Delimitación, el Ministerio de Fomento determinará en los puertos de titularidad estatal una zona de servicio que incluirá los espacios de tierra y de agua necesarios para el desarrollo de los usos portuarios, los espacios de reserva que garanticen la posibilidad de desarrollo de la actividad portuaria y aquellos que puedan destinarse a usos vinculados a la interacción puerto-ciudad[70]. En el procedimiento de aprobación de esta Delimitación participan, a través de la emisión de un informe, las Administraciones con competencia urbanística, ordenación del sector pesquero y deportes, y en general, todas aquellas Administraciones con competencias sectoriales sobre los que pueda incidir el plan, que deberán informar en los aspectos relativos a sus propias competencias. El art. 69 de la Ley dispone simultáneamente la Autoridad Portuaria elaborará el expediente de propuesta de Delimitación y someterá a información pública el expediente elaborado por un plazo de 45 días. Luego se remitirá el expediente con la propuesta de Delimitación a Puertos del Estado. Recibidos los informes, Puertos del Estado emitirá un informe que, junto al expediente, lo elevará al Ministro de Fomento para su aprobación.

El TC en su STC 149/1998, entendió que la reserva de terrenos sí afecta a la planificación territorial y por ello, debe limitarse a lo estrictamente necesario. Según el TC el condicionamiento de una competencia autonómica "hace especialmente necesario el respeto del deber constitucional de lealtad que debe presidir la actuación del Estado y de las Comunidades Autónomas, así como la búsqueda de soluciones cooperativas".

Montes: La Ley 42/2003 *de Montes,* modificada por la Ley 10/2006, contiene también algunas determinaciones que se imponen al órgano encargado del planeamiento urbanístico y que se articulan vía informe; la Ley dispone que los instrumentos de planeamiento urbanístico, en la medida que afecten a la calificación de terrenos forestales, requerirá el informe de la administración forestal competente, informe que será vinculante cuan-

---

que puedan destinarse a usos vinculados a la interacción puerto-ciudad mencionados en dicho artículo. Esta determinación se efectuará a través de la Orden Ministerial de Delimitación de los Espacios y Usos Portuarios.

[70] La Ley 2/2013 incorpora un nuevo párrafo al art. 49 LC, en virtud del cual, se establece que en la zona de servicio portuaria de los bienes de dominio público marítimo terrestre adscritos, que no reúnan las características del artículo 3, además de los usos necesarios para el desarrollo de la actividad portuaria, se podrán permitir usos comerciales y de restauración, siempre que no se perjudique el dominio público marítimo-terrestre, ni la actividad portuaria y se ajusten a lo establecido en el planeamiento urbanístico. En todo caso, se prohíben las edificaciones destinadas a residencia o habitación.

do se trata de montes catalogados o protectores. (art. 39). Esta determinación impedirá el cambio de clasificación del suelo no urbanizable por otra
clasificación sin el consenso de la Administración forestal autonómica[71].

Por otro lado, el art. 31.1 de la ley señala que las Comunidades Autónomas podrán elaborar planes de ordenación de recursos forestales (PORF)
"en el marco de la ordenación del territorio". Se defiere a las Comunidades
Autónomas previa propuesta del órgano forestal, la delimitación de los
territorios forestales a los que se debe dotar de su correspondiente PORF,
cuando las condiciones de mercado de los productos forestales o cualquier
otro aspecto de índole forestal sea de especial relevancia socioeconómica
en tales territorios. El cambio del uso forestal de un monte, si no es motivado por razones de interés general, tendrá carácter excepcional y requerirá
informe favorable del órgano forestal competente y, en su caso, del titular
del monte.

Otra de las determinaciones que incide en materia de montes viene de
la mano del TRLS08 cuya Disposición adicional sexta establece que los terrenos forestales incendiados se mantendrán en la situación de suelo rural
y estarán destinados al uso forestal, al menos durante el plazo previsto en
el artículo 50 de la Ley de Montes (30 años), con las excepciones en ella
previstas. La Administración forestal deberá comunicar al Registro de la
Propiedad esta circunstancia para que proceda a su inscripción. Entre las
excepciones previstas se enumeran dos que afectan al planeamiento urbanístico. En el caso de que con anterioridad al incendio forestal, el cambio
de uso estuviera previsto en un instrumento de planeamiento previamente
aprobado, o en un instrumento de planeamiento pendiente de aprobación, si ya hubiera sido objeto de evaluación ambiental favorable o, de no
ser esta exigible, si ya hubiera sido sometido al trámite de información pública, en ambos casos, las Comunidades Autónomas podrán excepcionar la
prohibición de cambio de uso.

---

[71] Vid. a este respecto STS de 3 de julio de 2007 (Recurso de Casación. 3865/2003), en
la que el TS mantiene que "*la modificación a través del planeamiento de las clasificaciones
de suelo preexistentes requiere una expresa motivación basada en razones de interés público suficientemente justificada. Si el planificador decidió en un Plan anterior que determinados suelos
debían ser clasificados, no como suelos no urbanizables simples o comunes, sino como suelos no
urbanizables protegidos, le será exigible que el Plan posterior en el que decide incluir esos suelos en
el proceso urbanizador exponga con claridad las razones que justifican una decisión que, como
esta posterior, contraviene una anterior en una cuestión no regida por su discrecionalidad. Esta
decisión posterior no está, así, amparada sin más, o sin necesidad de más justificación, por la
genérica potestad reconocida a aquél de modificar o revisar el planeamiento anterior (ius variandi)*".

En relación al art. 50 de la Ley de Montes, el TC en la Sentencia 84/2013, de 11 de abril, ha entendido que la prohibición establecida en dicho precepto no pretende, regular los usos ni fijar las prohibiciones del conjunto de los terrenos forestales, sino que se circunscribe a un régimen específico de protección, aplicable únicamente a los terrenos incendiados, con la finalidad de garantizar a largo plazo su regeneración y, en definitiva, su conservación. Asimismo señala que el precepto tampoco vacía la competencia autonómica para la protección del patrimonio forestal, pues el plazo de treinta años opera como un mínimo y la prohibición no es taxativa o absoluta, al dejar un margen de decisión a las Comunidades Autónomas para acordar el régimen de excepciones cuando existan circunstancias objetivas que acrediten que el cambio de uso del terreno forestal afectado estaba previsto con anterioridad al incendio.

Patrimonio Natural: Ley de Patrimonio Natural y Biodiversidad 42/2007, de 13 de diciembre, que deroga y sustituye la Ley 4/1989, *de Conservación de los espacios naturales protegidos y de la flora y fauna silvestres,* establece como principio la prevalencia de la protección ambiental sobre la ordenación territorial y urbanística (art. 2.f). Esta prevalencia se manifiesta claramente al disponer que los instrumentos de ordenación territorial, urbanística, de recursos naturales existentes resulten contradictorios con los Planes de Ordenación de Recursos Naturales (PORN) deberán adaptarse a éstos. En tanto dicha adaptación no tenga lugar, las determinaciones de los PORN se aplicarán, en todo caso, prevaleciendo sobre dichos instrumentos. Asimismo, la Ley establece que los PORN serán determinantes respecto de cualesquier actuación, plan o programa sectorial, que sólo podrán contradecir o no acoger el contenido de los Planes de Ordenación de los Recursos Naturales por razones imperiosas de interés público de primer orden, en cuyo caso la decisión deberá motivarse y hacerse pública.

Para los Parques se prevé la aprobación por parte del órgano competente de la Comunidad Autónoma de los Planes Rectores de Uso y Gestión (PRUG), que serán informados por las Administraciones competentes en materia urbanística. Los PRUG prevalecerán sobre el planeamiento urbanístico y cuando sus determinaciones sean incompatibles con las de la normativa urbanística en vigor, ésta se revisará de oficio por los órganos competentes.

Telecomunicaciones: la Ley 32/2003, de 3 de noviembre, General de Telecomunicaciones, prevé en su art. 26 que los órganos encargados de la redacción de los instrumentos de planificación territorial o urbanística deberán recabar de la Administración General de Estado el oportuno informe sobre las necesidades de redes públicas de comunicaciones electrónicas en el ámbito territorial a que se refieran; estos informes serán vinculantes para los instrumentos de planificación territorial o urbanística, que deberán recoger las necesidades de redes públicas de telecomunicaciones contenidas en los informes emitidos por el Ministerio de Ciencia y Tecnología; asimismo la planificación urbanística o territorial garantizará la no discriminación entre los operadores y el mantenimiento de condiciones de competencia efectiva en el sector.

De dicha legislación cabe inferir un mayor afán de integración, porque si bien el informe del Ministro competente resulta vinculante en lo relativo a las necesidades de redes públicas en el ámbito territorial, será el instrumento urbanístico el encargado de realizar una distribución equitativa de dichas redes y el garante de la competencia. Los instrumentos de planificación territorial y urbanística deben realizarse, por tanto, de tal forma que conciliando los diferentes intereses en juego, se adopten soluciones que den satisfacción a esas necesidades de redes identificadas en el informe estatal asegurando la no discriminación y la competencia entre operadores.

En las Sentencia 8/2012, de 18 de enero, el TC parte de la consideración de que el título competencial en materia de telecomunicaciones tiene un gran potencial expansivo puesto que el régimen de las telecomunicaciones incide, con mayor o menor intensidad, en muchas otras materias, entre otras, en la ordenación del territorio y el urbanismo en la medida en que la faceta de infraestructura de las telecomunicaciones hace preciso adoptar decisiones en torno a su adecuada localización, tanto en el ámbito rural como urbano. Para el TC las Comunidades Autónomas pueden imponer límites al derecho de ocupación del dominio público y de la propiedad privada que los operadores tienen reconocido en la legislación estatal de telecomunicaciones, siempre que sea necesario para preservar los intereses públicos que tienen encomendados, entre ellos los medioambientales, paisajísticos y urbanísticos. De hecho, el sometimiento de los operadores a las normas sobre protección medio ambiental y urbanismo se reconoce en el artículo 28 de la Ley general de telecomunicaciones de 2003 cuando se afirma que en la autorización de ocupación del dominio público y de la propiedad privada para la instalación de redes de comunicaciones electrónicas es de aplicación la normativa específica dictada por las Administraciones públicas con competencias sectoriales, entre ellas en materia de medio ambiente y ordenación urbana.

El artículo 28 de la Ley general de telecomunicaciones de 2003 remite al artículo 29 de esta misma ley que sujeta al principio de proporcionalidad las previsiones en la normativa sectorial de condiciones o limitaciones al ejercicio del derecho de ocupación; proporcionalidad que deberá valorarse en función del concreto interés público que se trate, en cada caso, de salvaguardar.

El art. 29 de la Ley, modificado en virtud del Real Decreto-ley núm. 13/2012, de 30 de marzo, dispone que la normativa sobre gestión de dominio público deberá, en todo caso, reconocer el derecho de ocupación del dominio público o la propiedad privada para el despliegue de las redes públicas de comunicaciones electrónicas de conformidad con lo dispuesto en este título. Con arreglo a la normativa comunitaria, se podrán imponer condiciones al ejercicio de este derecho de ocupación por los operadores, pero dichas condiciones deberán de justificarse por razones de protección del medio ambiente, la salud pública, la seguridad pública, la defensa nacional o la ordenación urbana y territorial. Las limitaciones deberán ser proporcionadas al concreto interés público que se trata de salvaguardar y deberán ser transparentes y no discriminatorios, sin tener alcance absoluto. Cuando una condición pudiera implicar la imposibilidad de llevar a cabo la ocupación del dominio público o la propiedad privada, deberán acompañarse las alternativas necesarias, entre ellas el uso compartido de infraestructuras, para garantizar el derecho de ocupación de los operadores y su ejercicio en igualdad de condiciones.

Las normas que se dicten por las correspondientes Administraciones deberán cumplir, al menos, los siguientes requisitos: a) Ser publicadas en un diario oficial del ámbito correspondiente a la Administración competente. De dicha publicación y de un resumen de éstas deberá darse traslado a la Comisión del Mercado de las Telecomunicaciones a fin de que ésta publique una sinopsis en internet. b) Prever un procedimiento rápido y no discriminatorio de resolución de las solicitudes de ocupación, que no podrá exceder de seis meses contados a partir de la presentación de la solicitud, salvo en caso de expropiación. c) Garantizar la transparencia de los procedimientos d) las solicitudes de información que se realicen a los operadores deberán ser motivadas, tener una justificación objetiva, ser proporcionadas al fin perseguido y limitarse a lo estrictamente necesario.

El criterio de proporcionalidad ha sido ya analizado en reiteradas ocasiones por el TS[72]. En virtud de su doctrina el ejercicio de la competencia municipal en orden al establecimiento de exigencias derivadas de sus propios intereses no puede traducirse en restricciones absolutas al derecho de los operadores al uso u ocupación del dominio público municipal, ni en limitaciones que entrañen limitaciones desproporcionadas; para determi-

---

[72]   Vid. en particular la STS de 24-1-2000 (RJ 2000, 331).

nar el alcance de la proporcionalidad el TS se remite a la doctrina del TC y del propio TS que alude a distintos parámetros como "la idoneidad, utilidad y correspondencia intrínseca de la entidad de la limitación resultante para el derecho y del interés público que se intenta preservar".

El TS ha entendido que los Ayuntamientos no pueden denegar en todo caso la autorización para la utilización que requiera el establecimiento o la ampliación de las instalaciones del concesionario que quiera utilizar el vuelo o el subsuelo para ubicar los cables. Sin embargo, sí cabe conceder autorizaciones con imposición de condiciones técnicas y jurídicas. Asimismo, cuando una condición pudiera implicar la imposibilidad, por falta de alternativas, de llevar a cabo la ocupación del dominio público o la propiedad privada, el establecimiento de dicha condición deberá ir acompañado de las medidas necesarias, entre ellas, el uso compartido de infraestructuras, para garantizar el derecho de ocupación de los operadores y su ejercicio en igualdad de condiciones[73].

Como sostiene el TS, no es posible negar a los Ayuntamientos competencia para regular las incidencias derivadas de las obras y actuaciones de las distintas compañías que pueden implicar importantes costes para los proyectos municipales. Si se pretende buscar un equilibrio entre los intereses concurrentes se requiere previamente que los planes urbanísticos contemplen las posibilidades de ocupación del dominio público radioeléctrico[74].

Sector ferroviario: Ley 39/2003 reguladora del *sector ferroviario*, establece que en los casos de redacción, revisión o modificación de un instrumento de planeamiento que afecte a líneas ferroviarias o a tramos de las mismas, u otros elementos de infraestructura ferroviaria o a las zonas de servicio, el órgano encargado de la aprobación inicial del planeamiento deberá enviar antes de dicha aprobación el contenido del proyecto al Ministerio de fomento para que emita, en un mes y con carácter vinculante "en lo relativo a las materias de su competencia" un informe que comprenda las observa-

---

[73]   Vid. sobre ubicación compartida y uso compartido de la propiedad pública o privada, el art. 30 de la Ley, modificada en diversos apartados por Real Decreto-ley 13/2012, de 30 de marzo, por el que se transponen directivas en materia de mercados interiores de electricidad y gas y en materia de comunicaciones electrónicas, y por el que se adoptan medidas para la corrección de las desviaciones por desajustes entre los costes e ingresos de los sectores eléctrico y gasista, publicado en el Boletín Oficial del Estado, el 31 de marzo de 2012.

[74]   Vid. la STS 18-6-2001 (RJ 2001, 8744). El TS atribuye al planeamiento urbanístico la potestad de establecer condiciones para las nuevas redes de telecomunicaciones.

ciones que estime convenientes. Si no se emitiera el informe en plazo, se entenderá su conformidad con el proyecto (art. 7.2).

Las obras de construcción, reparación o conservación de las líneas ferroviarias, de tramos de las mismas o de otros elementos de la infraestructura, incluidos los pasos a nivel, previamente a su aprobación han de ser comunicadas a la Administración urbanística competente, a efectos de que verifique su adecuación al correspondiente estudio informativo y emita un informe, que ha de entenderse favorable transcurrido un mes desde la presentación de la documentación (art. 7.3)[75].

El art. 10 regula la consideración urbanística de las zonas de servicio[76]; en esta zona las actividades a desarrollar serán además de las típicamente ferroviarias, otras de carácter industrial, comercial y de servicios cuya localización esté justificada por su relación con aquéllas, de conformidad con lo que determine el Proyecto de Delimitación y Utilización de Espacios Ferroviarios[77] y el planeamiento urbanístico correspondiente. La Ley del sector ferroviario deja la ordenación de ese espacio en dos clases de normas: una, los Proyectos de Delimitación y Utilización de Espacios Ferroviarios, aprobada por la administración sectorial correspondiente (el Ministerio de Fomento), y otra, los planes generales y especiales, aprobados por la administración competente en la ordenación del territorio: Comunidades Autónomas y Municipios[78].

Las obras que se lleven a cabo en la zona de servicio ferroviario deberán adaptarse al Plan especial de ordenación del servicio ferroviario y para

---

[75] Vid. Audiencia Nacional (Sala de lo Contencioso-Administrativo, Sección 8ª) Sentencia de 18 junio 2012. JUR 2012\221316.

[76] Incluyendo como zona de servicio, los bienes de dominio público ferroviario, así como "los espacios de reserva que garanticen el desarrollo del sector ferroviario", ampliación del concepto de dominio público que incorpora aquellos bienes calificados por el Tribunal Constitucional como dominio público con afectación secundaria. Vid. sobre esta zona JIMÉNEZ DE CISNEROS CID, FRANCISCO JAVIER, "La Ordenación Jurídica de la Zona de Servicio de los Puertos de interés general" en *Revista de Derecho urbanístico y Medio ambiente*, n. 134, Madrid, 1993, pp. 145 a 152.

[77] Son funciones del Proyecto de Delimitación y Utilización de Espacios Ferroviarios delimitar el territorio de la Zona de servicio ferroviario, y determinar las actividades a desarrollar en cada área.

[78] ZAMORAN WISNES, J. "Comentarios a la Ley del Sector ferroviario" *en Revista del Derecho de las Telecomunicaciones e Infraestructuras en Red*, núm. 25, enero 2006, pp. 143-168. Vid. también PAREJO ALFONSO, LUCIANO, "Dominio Público Portuario y Ordenación Territorial.", en *Revista de Derecho Urbanístico y Medio Ambiente* núm. 135, octubre-diciembre 1993. El autor entiende que se debilita ad initio la ordenación territorial, porque no reciben ninguna cautela los intereses urbanos.

verificar dicho extremo se ha de solicitar el informe de la Administración urbanística que se entenderá favorable transcurrido un mes desde la presentación de la documentación (art. 10.3)

Siguiendo el mismo criterio que en las leyes sectoriales comentadas, el art. 10.5 de la Ley reguladora del sector ferroviario prohíbe la suspensión de la ejecución, por los órganos urbanísticos, de las obras que se realicen por el administrador de infraestructuras ferroviarias cuando éstas se lleven a cabo en cumplimiento de los planes y de los proyectos de obras aprobados por los órganos competentes.

Concesión de obra pública: la Ley 13/2003, de 23 de mayo, reguladora *del contrato de concesión de obra pública*, siguiendo la doctrina del TC en la materia, parte de la necesidad de que las Administraciones públicas tienen los deberes de recíproca información y de colaboración y cooperación mutuas en el ejercicio de planificación y construcción de obras públicas. Para el caso de que los mecanismos de colaboración resultaren ineficaces, se dispone que el Estado, si justifica la incidencia directa y significativa sobre la actividad económica general, en el ejercicio de su competencia exclusiva sobre las bases y la coordinación de la planificación general de la actividad económica, podrá coordinar los planes de obras públicas competencia de las Comunidades Autónomas con los planes de obras públicas de interés general. En consecuencia, en el caso de que no surtan efectos los recursos a los mecanismos de colaboración y cooperación, la Comunidad autónoma deberá incorporar las decisiones adoptadas por el Estado[79]. Así, la Administración del Estado emitirá informe vinculante en la instrucción de los procedimientos de aprobación, modificación o revisión de los instrumentos de planificación territorial y urbanística que puedan afectar al ejercicio de competencias estatales. El informe será evacuado, tras en su caso, los intentos que procedan de encontrar una solución negociada, en el plazo máximo de dos meses, transcurrido e cual se entiende favorable y podrá continuarse con la tramitación del procedimiento de aprobación, salvo que afecte al dominio público de titularidad estatal.

---

[79] Vid. FERNÁNDEZ FARRERES, G., "La planificación y ejecución de las obras públicas estatales y su articulación con otros planes de obras y con la ordenación territorial y urbanística) (Comentarios a las disposiciones adicionales 1ª a 3ª de la LCOP" en la obra colectiva dirigida por GÓMEZ-FERRER MORANT, R., *Comentarios a la Ley de contratos de las Administraciones Públicas,* 2ª ed., Madrid, 2004, pp. 1383 y ss. Véase también SANZ GASANDEGUI, F., "La articulación de las competencias estatales sobre obras públicas de interés general en materia de infraestructuras de transportes y las de ordenación territorial y el urbanismo" dentro de la obra colectiva dirigida por BLANQUER CRIDADO, D., *Ordenación y gestión del territorio turístico,* Valencia, 2002, pp. 637 y ss.

Igualmente se contempla la emisión de un informe en el plazo de un mes, pero en este caso por parte de la Administración urbanística competente sobre la compatibilidad de los proyectos de obras públicas de interés general con el planeamiento urbanístico. En caso de desacuerdo, prevalecerá la decisión estatal sobre el planeamiento urbanístico, cuyo contenido debe acomodarse a las determinaciones del proyecto. En la misma dirección de hacer prevalecer la decisión estatal, la Disposición Adicional Segunda de la Ley, en su apartado segundo, dispone que "*en defecto de acuerdo entre las Administraciones públicas, y sin perjuicio de lo previsto en la legislación medioambiental, los planes y proyectos de obras públicas de competencia del Estado prevalecerán sobre cualquier otro instrumento de planificación u ordenación territorial y urbanística en lo que se refiere a las competencias estatales exclusivas, en cuyo caso las Comunidades Autónomas y las corporaciones locales deberán incorporar necesariamente en sus respectivos instrumentos de ordenación las rectificaciones imprescindibles para acomodas sus determinaciones a aquellos*".

Finalmente procede hacer una alusión a la Disposición adicional segunda del TRLS08 en virtud de la cual los instrumentos de ordenación territorial y urbanística que incidan sobre terrenos, edificaciones e instalaciones, incluidas sus zonas de protección, afectos *a la Defensa Nacional* deberán ser sometidos, respecto de esta incidencia, a informe vinculante de la Administración General del Estado con carácter previo a su aprobación[80].

Tras un somero análisis de algunas leyes sectoriales con incidencia en el planeamiento urbanístico y territorial cabe constatar que la concurrencia de intereses derivados del ejercicio de sus competencias por parte de las distintas Administraciones públicas sobre un mismo espacio físico se articula principalmente a través de la vía informe, informe que resulta vinculante cuando emana de la Administración del Estado, y no vinculante, cuando es emitido por la Administración urbanística.

El TC en la Sentencia 149/91 declaró que los informes vinculantes emitidos por la Administración del Estado están perfectamente ajustados al ordenamiento constitucional,

> "...y en contra de los que las Comunidades Autónomas recurrentes parecen suponer, no se subordina la aprobación de los correspondientes instrumentos de ordenación siempre y en todo caso a la concurrencia de ambas voluntades, sino sólo en aquellos supuestos en los que el informe desfavorable de la Administración estatal verse sobre materias de su competencia, es decir sobre un ámbito limitado (...). Sólo

---

[80]   Este precepto reproduce lo dispuesto hasta su derogación por lo dispuesto en la disposición primera de la ley 6/1998.

en esos casos será indispensable abrir el período de consultas para llegar al acuerdo. Cuando así no sea, es decir, cuando el informe negativo verse sobre materias que a juicio de la Comunidad Autónoma excedan de la competencia estatal, la búsqueda del acuerdo no es jurídicamente indispensable y, en consecuencia podrá la Administración competente para la ordenación territorial y urbanística adoptar la decisión que proceda, sin perjuicio, claro está, de la posibilidad que a la Administración estatal se ofrece siempre de atacar esa decisión por razones de constitucionalidad o de legalidad".

En consecuencia los informes serán preceptivos y vinculantes cuando realmente se pronuncien sobre asuntos de su propia competencia[81]. En el caso de que la administración urbanística considere que el informe de la Administración estatal (o en su caso, autonómica), se emite sobre materias que invaden su competencia, adoptará la decisión que estime procedente con arreglo a Derecho. Cuando, por el contrario, el informe de la administración estatal proponga objeciones basadas en el ejercicio de facultades propias, su voluntad vinculará sin duda a la Administración autonómica, que habrá de modificar en concordancia los planes o normas de ordenación territorial o urbanística. La vía del informe no resulta suficiente para generar un diálogo interinstitucional, porque es evidente que siempre se hace prevalecer la política sectorial frente a la política urbanística. Se hace necesario buscar nuevos mecanismos de encuentro, ya sea complementarios al informe o sustitutivos del mismo.

En este sentido, resulta indicativo lo dispuesto en la Disposición adicional octava del TRLS08 que prevé la posibilidad de que la Administración General del Estado participe en los procedimientos de ordenación territorial y urbanística en la forma que determine la legislación en la materia. Considero que esta determinación resulta más respetuosa con la competencia sobre ordenación del suelo. La remisión al legislador autonómico en materia de ordenación territorial y urbanística constituye una oportunidad inmejorable para prever técnicas orgánicas y funcionales que integren los distintos intereses. La propia Disposición adicional citada permite al legislador autonómico prever la participación de representantes de la Administración General del Estado en los órganos colegiados de carácter supramunicipal que tengan atribuidas competencias de aprobación de instrumentos de ordenación territorial y urbanística.

---

[81] Afirma el TC que ese informe vinculante "se encuentra considerablemente atenuado en lo que respecta a los planes y normas de ordenación territorial o urbana, por lo dispuesto en el art. 117 de la propia Ley".

B) La calificación del suelo como sistema general y su desarrollo a través de planes especiales

Además de la vía del informe, algunas leyes sectoriales contemplan otra vía como mecanismo de integración de los intereses concurrentes con la ordenación urbanística; se trata de la calificación urbanística de sistema general y su desarrollo a través de planes especiales de naturaleza urbanística. Fue, primeramente la Ley 27/1992 de Puertos, la que estableció las denominadas zonas de servicio y les atribuyó una calificación urbanística, que debía ser incluida en los planes urbanísticos como sistema general o equivalente, a desarrollar por un plan especial. En el mismo sentido, el art. 166 de la Ley 13/1996, de Medidas Fiscales, Administrativas y del Orden Social, desarrollada por el Real Decreto 2591/1998, de Ordenación de los aeropuertos de interés general. También la Ley del Sector Ferroviario 13/2003 establece la obligación de que los planes generales y demás instrumentos de ordenación urbanística califiquen los terrenos que se ocupen por las infraestructuras ferroviarias que formen parte de la red ferroviaria de interés general, como sistema general ferroviario o equivalente. En este último caso, además se deberán calificar como sistemas general ferroviario a otros terrenos destinados a zonas de servicio ferroviario.

La legislación de puertos, aeropuertos, patrimonio histórico-artístico y sector ferroviario, además del informe como mecanismo de diálogo interinstitucional, prevén el sistema de imponer una calificación urbanística de "sistema general" al suelo ocupado por determinados bienes públicos y a su vez, exigir para su desarrollo la aprobación de un plan especial de carácter urbanístico.

La ley de Puertos del Estado y de la Marina Mercante, regula en su art. 56 la "consideración urbanística de los puertos". La citada Ley dispone que los planes generales y demás instrumentos generales de ordenación urbanística deberán calificar la zona de servicio de los puertos estatales, así como el dominio público portuario afecto al servicio de señalización marítima, *como sistema general portuario;* asimismo se exige que dichos planes no pueden incluir determinaciones que supongan una interferencia o perturbación en el ejercicio de las competencias de explotación portuaria y de señalización marítima, y para el caso de que pueda verse afectado el servicio de señalización marítima por actuaciones fuera de los espacios mencionados, se requerirá informe previo vinculante de Puertos del Estado, previo dictamen de la Comisión de Faros.

La formulación del plan especial del puerto se hace por la Autoridad portuaria, pero su tramitación y aprobación se realizará de acuerdo con lo previsto en la legislación urbanística por la administración competente en materia de urbanismo. El art. 56 del nuevo texto legal regula el siguiente procedimiento: con carácter previo a la formulación del plan especial deberá encontrarse delimitada la zona de servicio mediante la aprobación de la Delimitación de los Espacios y Usos Portuarios en dicho puerto, *no pudiendo extenderse las determinaciones de aquel plan más allá de la zona de servicio así delimitada;* concluida la tramitación y antes de la aprobación definitiva de dicho plan especial, la administración urbanística en el plazo de 15 días, a contar desde la aprobación provisional, dará traslado del contenido del plan a la autoridad portuaria, para que ésta, en un mes se pronuncie sobre los aspectos de su competencia; la Autoridad Portuaria lo remitirá a Puertos del Estado a fin de que formule las observaciones y sugerencias que estime convenientes. Si esta se pronuncia negativamente sobre la propuesta de la Administración competente en materia urbanística, ésta no podrá proceder a la aprobación definitiva del plan especial, debiendo efectuarse las consultas necesarias con la Autoridad Portuaria, a fin de llegar a un acuerdo expreso sobre el contenido del mismo; si persiste el desacuerdo, durante un período de seis meses, corresponderá al Consejo de Ministros informar con carácter vinculante, previa emisión del citado informe de Puertos del Estado.

El plan especial es un plan urbanístico que va a enmarcar las actividades a realizar en la zona delimitada. La Ley prevé que en aquellos terrenos que no reúnan las características naturales de bienes de dominio público marítimo-terrestre definidos en el artículo 3 de la LC, y que, por causa de la evolución de las necesidades operativas de los tráficos portuarios hayan quedado en desuso o hayan perdido su funcionalidad o idoneidad técnica para la actividad portuaria, podrán ser destinados a usos vinculados a la interacción puerto-ciudad, tales como equipamientos culturales, recreativos, certámenes feriales, exposiciones y otras actividades comerciales no estrictamente portuarias, con la condición de que no se perjudique el desarrollo futuro del puerto y las operaciones de tráfico portuario y esos usos se ajusten a lo establecido en el planeamiento urbanístico. Ahora bien, la Ley establece que las Autoridades Portuarias no podrán participar directa o indirectamente en la promoción, explotación o gestión de las instalaciones y actividades que se desarrollen en estos espacios, salvo las relativas a equipamientos culturales y exposiciones en el caso de que sean promovidas por alguna administración pública.

La Ley prevé asimismo que en el dominio público portuario sólo podrán llevarse a cabo actividades, instalaciones y construcciones acordes con los usos portuarios y de señalización marítima; en los espacios del dominio público portuario afectados al servicio de señalización marítima se podrán autorizar usos y actividades distintos de los de señalización marítima, siempre que no condicionen la prestación del servicio. Ahora bien, el propio legislador permite realizar otros usos con carácter excepcional y por razones de interés general debidamente acreditadas, Así, previo informe de Puertos del Estado y de la Administración competente en materia de costas, el Consejo de Ministros podrá levantar la prohibición para permitir instalaciones hoteleras, albergues u hospedajes que pudieran favorecer el desarrollo de actividades de interés social, en espacios del dominio público portuario destinados al servicio de señalización marítima que se encuentren situados en la zona de 100 metros medidos desde el límite interior de la ribera del mar o de 20 metros si los suelos tienen la clasificación de suelo urbano, siempre que no se realicen nuevas edificaciones y no se condicione o limite la prestación del servicio[82].

Asimismo la Ley establece la prohibición de ocupaciones y utilizaciones del dominio público portuario que se destinen a edificaciones para residencia o habitación, el tendido aéreo de líneas eléctricas de alta tensión y a la publicidad comercial a través de carteles o vallas, medios acústicos o audiovisuales situados en el exterior de las edificaciones. Esta prohibición también puede ser excepcionada por el Consejo de Ministros para instalaciones hoteleras en espacios del dominio público portuario destinados a zonas de actividades logísticas y a usos vinculados a la interacción puerto-ciudad, debiendo tales usos hoteleros acomodarse al plan especial de ordenación de la zona de servicio del puerto o instrumento equivalente.

La legislación aeroportuaria prevé los mismos mecanismos de integración. El Real Decreto 2591/1998, sobre ordenación de los aeropuertos de interés general y su zona de servicio[83], siguiendo los parámetros del art. 166 de la Ley 13/1996, de Medidas Fiscales, Administrativas y del Orden Social, establece la necesidad de que el aeropuerto y su zona de servicio sean ordenados mediante un nuevo instrumento de planificación, de naturaleza

---

[82]   Si no concurren estas circunstancias, el Ministro de Fomento, previo informe de Puertos del Estado, podrá levantar la mencionada prohibición. Las obras que supongan incremento de volumen sobre la edificación ya existente sólo podrán ubicarse fuera de la zona de 100 o 20 metros respectivamente a que se ha hecho referencia.

[83]   El Real Decreto 1189/2011 modifica el Real Decreto 862/2009, que aprueba las normas técnicas de diseño y operación de aeródromos de uso público y se regula la certificación de los aeropuertos de competencia del Estado, el Decreto 584/1972, de servidumbres aeronáuticas y el Real Decreto 2591/1998, sobre la ordenación de los aeropuertos de interés general y su zona de servicio, en ejecución de lo dispuesto por el artículo 166 de la Ley 13/1996.

estrictamente aeroportuaria y no urbanística, denominado Plan Director, que permita dar respuesta a los problemas derivados de la complejidad de las modernas infraestructuras aeroportuarias y del creciente desarrollo del tráfico y transporte aéreos, y al que se asigna la función de delimitación de la zona de servicio de los aeropuertos de interés general, con la inclusión de los espacios de reserva que garanticen el desarrollo y expansión del aeropuerto, y la determinación de las actividades aeroportuarias o complementarias a desarrollar en las distintas zonas comprendidas dentro del recinto del aeropuerto y su zona de servicio.

Los aeropuertos de interés general y su zona de servicio sean calificados como sistema general aeroportuario en los planes generales o instrumentos equivalentes de ordenación urbana, los cuales no podrán incluir determinación alguna que interfiera o perturbe el ejercicio de las competencias estatales sobre los aeropuertos calificados de interés general; este sistema general se habrá de desarrollar por medio de un plan especial o instrumento equivalente respecto de cuyo contenido y para cuya aprobación se establecen los mecanismos de colaboración precisos entre la autoridad aeronáutica y las administraciones urbanísticas competentes, así como las medidas de coordinación necesarias para asegurar el ejercicio de la competencia estatal.

También la Ley 16/1985 del Patrimonio histórico español dispone en su art. 20 que la declaración como bienes de interés cultural, determinará la obligación para el Municipio o Municipios en que se encuentre de redactar un plan especial de protección del área afectada por la declaración u otro instrumento de planeamiento. La aprobación de dicho plan requiere informe favorable de la administración competente para la protección de los bienes culturales afectados. Para el caso de que el informe no sea emitido, la Ley estable que se entenderá favorable transcurridos tres meses desde la presentación del plan. Asimismo se establece que la obligatoriedad de dicho plan no podrá excusarse en la preexistencia de otro planeamiento contradictorio con la protección ni en la existencia previa del planeamiento general.

En parecidos términos cabe citar el art. 7 de La Ley 39/2003, del Sector ferroviario.

Del análisis realizado, cabe constatar que la técnica de calificar a una determinada zona de sistema general y plantear su desarrollo a través de un plan especial de carácter urbanístico resulta un mecanismo más integrador que el mero informe, porque ese sistema general va a ser desarrollado por un Plan Especial, que no deja de ser un plan urbanístico cuya aprobación otorga un papel aunque no decisivo sí relevante a la Administración urbanística, sin perjuicio de atribuir la decisión final a la Administración sectorial.

La prevalencia de la Administración sectorial sobre la Administración urbanística que ve cómo determinas obras públicas se imponen sobre su territorio, en ocasiones con clara oposición de la población afectada, se proyecta asimismo en la ejecución de obras por parte de la Administración del Estado sin la necesidad de solicitar licencia u otro tipo de autorización municipal de manos de la Administración local.

C) La exención de licencia

La LBRL en el art. 25.2d) impone al legislador sectorial competente la necesidad de atribuir a los Municipios la función de ordenación urbanística[84]. Esta competencia se traduce, entre otras, en la función atribuida a las Entidades locales para someter a previa licencia y a otros actos de control preventivo la actividad urbanística. En esta línea el TRLS08 en su art. 8 establece que todo acto de edificación requerirá del acto de conformidad, aprobación o autorización administrativa que sea preceptivo, según la legislación de ordenación territorial y urbanística.

Por otro lado, con arreglo a la legislación urbanística autonómica, la ejecución de los trabajos y obras de edificación, construcción o instalación necesarias para los usos o actividades deberá realizarse de conformidad con la ordenación territorial y urbanística pertinente previa obtención de las preceptivas licencias y autorizaciones que procedan en su caso. Las actuaciones de transformación y utilización del suelo, subsuelo y vuelo objeto de ordenación urbanística quedan sujetos en todo caso a control de legalidad a través de las autorizaciones y las licencias, así como de las órdenes de ejecución.

Sin embargo, tal y como se ha constatado en el análisis de la legislación sectorial cuando la Administración General del Estado promueve actos sujetos a intervención municipal, si concurren razones de urgencia o excep-

---

[84]   GÓMEZ FERRER MORANT, R. "Legislación básica en materia de régimen local: relación con las leyes de las Comunidades Autónomas" en *La provincia en el sistema constitucional*, Madrid, 1992, pp. 45 y ss., considera que la LBRL ostenta una posición de superioridad frente a las leyes de las CCAA referentes a la misma materia —régimen local— o a distinta.

cional interés público[85], se abre un procedimiento por el que el Ministro competente por razón de la materia remite al Ayuntamiento donde se va a realizar la obra el proyecto para que notifique la conformidad o disconformidad de dicho proyecto con el planeamiento urbanístico. Si no existe conformidad, se eleva el expediente al Consejo de Ministros, previo informe del órgano competente de la Comunidad Autónoma, que decidirá si procede ejecutar el proyecto, y en este caso, ordenará la iniciación del procedimiento de alteración del planeamiento urbanístico[86]. En estos casos, el legislador presume la concurrencia de un interés supramunicipal y hace prevalecer dicho interés obligando a la Administración local a tramitar una modificación de planeamiento para adaptarlo a la obra aprobada. A este respecto, el Tribunal Constitucional en su STC 149/1998 de 2 de julio[87] señala que el planeamiento territorial y urbanístico forma parte del ordenamiento jurídico al que están sujetos todos los poderes públicos, por lo que el Estado tendrá que conformar en principio los actos que pretenda realizar al planeamiento existente. Sin embargo, el propio TC sostiene que "Sólo cuando no resulte posible esa adecuación y el excepcional interés público exija no sólo proceder por vía de urgencia, sino no respetar el planeamiento establecido, cabrá apartarse de éste, si bien, como se ha precisado también en la mencionada Sentencia, la concurrencia de tales requisitos no puede ser apreciada discrecionalmente por la Administración del Estado y los acuerdos que al respecto adopte serán recurribles ante la jurisdicción competente, correspondiendo a los Tribunales decidir si se han dado determinados presupuestos de urgencia o excepcional interés público y si era necesario, en su caso, apartarse del planeamiento establecido".

Al control judicial de esta facultad de la Administración del Estado y de sus organismos públicos, el TRLS añade otra garantía a favor de los entes locales de modo que, si se pretendiese llevar a cabo la actuación en ausencia o en contradicción con la notificación exigida por la Ley, el Ayuntamiento podrá en todo caso acordar la suspensión de las obras, comunicando dicha suspensión al órgano redactor del proyecto y al Ministro de Vivienda. Sin embargo, dicha facultad se exceptúa cuando las obras afecten directamente a la Defensa Nacional, para cuya suspensión deberá mediar acuerdo del Consejo de Ministros, a propuesta del Ministro de Vivienda,

---

[85]   Vid. sobre la existencia de razones de urgencia o excepcional interés público, la sentencia del Tribunal Supremo en Sentencia de 18 de septiembre de 1990. (RJ 1990/7094).
[86]   Vid. a este respecto la Disposición Adicional décima del TRLS08.
[87]   STC 149/1998.

previa solicitud del Ayuntamiento competente e informe del Ministerio de Defensa.

La mayoría de las leyes reguladoras de los bienes públicos han previsto la exención de la autorización municipal, atendiendo al excepcional interés público de las obras a ejecutar. La Ley de Costas dispone que las obras públicas de interés general no estarán sujetas a licencia u otro tipo de control por parte de la Administración local y su ejecución no podrá ser suspendida, sin perjuicio de la interposición de recursos que procedan (111.3)[88].

Cuando la Administración del Estado pretenda lleva a cabo una obra de interés general, deberá solicitar un informe de la Comunidad Autónoma y Ayuntamiento para que en el plazo de un mes notifiquen la conformidad o disconformidad de la obra con instrumentos de planificación del territorio y con el planeamiento urbanístico en vigor. En caso de no emitirse el informe, se considerará favorable y si existiere disconformidad el Ministerio de Medio Ambiente elevará el expediente al Consejo de Ministros, que decidirá si se ha de iniciar o no el procedimiento de modificación o revisión de planeamiento. Para el supuesto de que la obra de interés general no se halle prevista en los instrumentos anteriores, el proyecto se remite a la Comunidad Autónoma y al Ayuntamiento afectados, para que redacten o revisen el planeamiento con el fin de acomodarlo al proyecto en el plazo de seis meses desde su aprobación. Transcurrido este plazo sin haber adaptado el plan, se considera que no existe obstáculo alguno para proceder a ejecutar la obra (art. 111.2).

En parecidos términos, la Ley de Aguas, establece la exención de licencia municipal (art. 127.1) para las obras hidráulicas[89] Ahora bien, dicha exención se aplica únicamente a las obras hidráulicas de interés general y a las obras y actuaciones hidráulicas de ámbito supramunicipal, incluidas en

---

[88] Cabe apreciar que esta última previsión, introducida por la Ley 53/2002 se corresponde con lo que disponía el art. 244 del Texto Refundido de la LS de 1992, ahora derogado por el TRLS 2008.

[89] Las obras hidráulicas de interés general y las de ámbito supramunicipal que se hallen incluidas en la planificación hidrológica no están sujetas a licencia ni a ningún otro acto de control preventivo municipal y priman sobre al planeamiento urbanístico, que deberá adaptarse a la implantación de las nuevas infraestructuras o instalaciones; será suficiente con solicitar a las entidades locales afectadas un informe previo por parte del Ministerio Ambiente o sus organismos autónomos. Requerirá asimismo el informe vinculante del Ministerio de Medio Ambiente, la aprobación de un plan de ordenación territorial o urbanístico que afecte a terrenos previstos para las obras hidráulicas de interés general previstas en un plan hidrológico.

la planificación hidrológica, que no agoten su funcionalidad en el término municipal en donde se ubiquen. Asimismo se prevé que los órganos urbanísticos no podrán suspender la ejecución de las obras citadas, siempre que se haya cumplido el trámite de informe previo, esté debidamente aprobado el proyecto técnico por el órgano competente, las obras se ajusten al proyecto o a sus modificaciones y se haya comunicado por parte del Ministerio de Medio Ambiente a las entidades locales afectadas la aprobación de los proyectos de las obras públicas hidráulicas citadas, a fin de que se inicie en su caso, el procedimiento de modificación del planeamiento urbanístico municipal para adaptarlo a la implantación de las nuevas infraestructuras o instalaciones; dicha modificación deberá ser realizada de acuerdo con la legislación urbanística (art. 127).

La ley de Carreteras de 1988, dispone la exención de licencias o actos de control preventivo para las obras de construcción, conservación o reparación de carreteras estatales, por constituir obras de interés general (art. 12).

La Ley del Sector ferroviario excluye asimismo la necesidad de autorizaciones al establecer que toda obra de construcción, reparación o conservación de líneas ferroviarias, de algunos de sus tramos o de otros elementos de infraestructura tendrán la consideración de obras de interés general. Antes de aprobarse sus proyectos, serán comunicados a la administración urbanística competente, a fin de que proceda a examinar su adecuación al estudio informativo y emita un informe que se entenderá favorable si no se emite en el plazo de un mes.

El administrador de infraestructuras ferroviarias también se halla excluido de la necesidad de solicitar las correspondientes autorizaciones, licencias o permisos de primera instalación, funcionamiento o apertura para desarrollar actividades vinculadas al tráfico ferroviario. Los pasos a nivel, su construcción y las obras necesarias para su reordenación, concentración y mejora se halla también exentas del control preventivo; ahora bien, los proyectos de nueva construcción requerirán el informe de la administración urbanística competente que también se entenderá favorable transcurrido un mes si no hubiese sido evacuado.

En la misma línea, la Disposición Adicional tercera de la Ley 13/2003, reguladora del contrato de concesión de obra pública establece que la construcción, modificación y ampliación de las obras públicas de interés general no estarán sometidas a licencia o a cualquier acto de control preventivo municipal; ahora bien esto no supone una nula participación de la Administración urbanística; ésta informará sobre la adaptación de dichos proyectos al planeamiento urbanístico; pasado un mes desde su solicitud, se entenderá favorable.

La exclusión de licencia ha de interpretarse a la luz de la doctrina del TC en materia de puertos y aeropuertos. En la sentencia sobre aeropuertos, los recurrentes entendían que la exclusión de cualquier tipo de autorización (que afecta al aeropuerto y a su zona de servicio) resultaba excesiva e injustificada, en la medida en que esta última zona incluye la zona de reserva, que ni siquiera es de dominio público. Ante este motivo, el TC se remite nuevamente a la doctrina establecida en el FJ 39 de la STC 40/1998 y afirma que la competencia del Estado sobre puertos no puede justificar la exención de licencia municipal en aquellos casos en los que las obras de construcción o conservación, aún realizándose en la zona de servicio portuario, no afectan propiamente a construcciones o instalaciones portuarias, sino a edificios o locales destinados a equipamientos culturales o recreativos, certámenes feriales y exposiciones. En consecuencia, la facultad del Estado de incidir sobre la competencia urbanística, sustituyendo la previa licencia por el informe, se limita a las obras portuarias en sentido estricto, pero no a obras de naturaleza diversa; en tales casos, será de aplicación la legislación urbanística general y, en principio, se exigirá licencia previa del Ayuntamiento competente.

En el mismo sentido se pronuncia la STS de 1 de abril de 2002[90]. Esta sentencia parte de la presunción de que las obras y edificaciones de los puertos tienen en principio carácter portuario. Sin embargo frente a dicha presunción, se sostiene que corresponderá a la Administración del Estado, en ejercicio de su competencia de obras públicas de interés general, justificar que la edificación u obra que va a realizar tiene carácter portuario, y que por tanto se excepciona la necesidad de solicitar licencia municipal.

En consecuencia la exclusión del control preventivo sólo resulta admisible ante obras públicas de interés general. En este sentido, las edificaciones que se construyan, poro ejemplo, en la zona de servicio aeroportuario y que tengan relación con las actividades comerciales, industriales o de otro tipo, estarán sometidas a la licencia municipal previa, de acuerdo con la legislación urbanística[91].

---

[90]   Ar. 3843.
[91]   Vid. el art. 30.4 de la Ley catalana de Puertos de 17 de abril de 1998. Esta ley sólo excepcionalmente excluye la exigencia de control municipal. "Las obras de infraestructura y de superestructura relacionadas con la instalación portuaria no están sometidas a los actos de control preventivo municipal..." (art. 30.4).

3. Propuestas para una mejor integración de la legislación sectorial en el urbanismo

Tras un análisis de los distintos mecanismos previstos por las leyes sectoriales, cabe formular una primera consideración. Aunque el TC constitucional avala la vía del informe, podemos considerar que esta vía resulta insuficiente porque supone un intento de entendimiento pero no deja de ser una fórmula que hace prevalecer, en cualquier caso, la política sectorial sobre la actividad urbanística.

Las infraestructuras constituyen elementos que vertebran el territorio y condicionan los asentamientos de la población así como el desarrollo económico de las regiones. Desde esta perspectiva, cualquier tipo de infraestructura se debe integrar en la ordenación del territorio y urbanismo, que como el propio TC ha manifestado afectan "al hecho social o colectivo de los asentamientos de la población en el espacio físico". Pero el urbanismo y la ordenación del territorio no pueden constituir meros instrumentos de integración de políticas sectoriales concurrentes en el territorio. El urbanismo y la ordenación del territorio están destinados además a crear un modelo territorial que responda a las necesidades de la población que se asienta en un espacio físico y a preservar y mejorar, a través de su utilización racional, los recursos naturales. Desde esta perspectiva, no parece admisible que sea la Administración del Estado quien a través de los correspondientes informes vinculantes proceda a ordenar el territorio. El informe estatal deberá ceñirse en cualquier caso a la materia objeto de su competencia; los informes de la Administración del Estado que discrepen de las soluciones urbanísticas propuestas por el planeamiento urbanístico deberán ser motivados e intentar proponer las soluciones más adecuadas al modelo territorial elegido por la Administración urbanística, a través del procedimiento de aprobación de los planes, donde la participación ciudadana resulta determinante.

Cabe constatar que la legislación sectorial hace prevalecer en todo caso el informe emitido por la Administración del Estado; en el supuesto de que el Ayuntamiento afectado manifieste su disconformidad respecto del informe emitido por la Administración del Estado, el Consejo de Ministros requiere al Ayuntamiento para que inicie la modificación del planeamiento a fin de proceder a la compatibilización de la política sectorial con el planeamiento. En muchos casos el contenido del informe no tiene encaje en el plan urbanístico e impone en definitiva una política sectorial al margen de consideraciones urbanísticas y de la voluntad ciudadana trasladada en el procedimiento de elaboración y modificación del planeamiento urbanístico.

La Ley 33/2003, reguladora del Patrimonio de las administraciones públicas, consciente de la dificultad que entraña la concurrencia de intereses sobre los bienes públicos, hace una llamada a la cooperación y colaboración para una utilización más eficiente de los bienes al servicio de los fines a que están destinados. Asimismo establece principios como la lealtad constitucional, información mutua, asistencia, respeto a las respectivas competencias y ponderación en su ejercicio de la totalidad de los intereses públicos.

Cabe y es posible articular otras vías de diálogo más allá del mero informe. Se ha de partir del hecho de que cualquier infraestructura que se pretenda implantar en el territorio (algunas deseadas pero otras absolutamente rechazadas) o cualquier medida que se adopte en relación a un bien afectado a un servicio o uso público, implica una afección clara en el modelo territorial e incide en el planeamiento urbanístico.

Son los propios instrumentos de planificación urbanística los que concretan las necesidades de equipamientos, infraestructuras y dotaciones de la población y por tanto, la utilización del suelo, vuelo y subsuelo, así como las medidas de protección de los bienes. Desde esta perspectiva, a la hora de redactarse el planeamiento se debe institucionalizar un dialogo real y permanente que canalice las verdaderas demandas e intereses en un territorio.

Ya se ha comentado que algunas leyes sectoriales reguladoras de los bienes públicos (patrimonio histórico, puertos, aeropuertos, telecomunicaciones...) prevén la figura del Plan Especial como mecanismo de integración. Los planes especiales regulados en las leyes urbanísticas suelen tener contenidos y finalidades muy diversas: la ordenación de recintos y conjuntos artísticos, protección del paisaje y de las vías de comunicación, conservación del medio rural en determinados lugares, reforma interior, saneamiento de poblaciones y cualesquiera otras finalidades análogas[92]. También se contemplan planes especiales para la ejecución directa de obras correspondientes a la infraestructura del terreno. Estas últimas pueden realizarse por quienes tengan a su cargo la ejecución directa de las obras correspondientes a la infraestructura del territorio o a los elementos determinantes del desarrollo urbano.

---

[92]   Las distintas funciones del plan especial citadas en el texto se contemplaban en la LS de 1976. La mayoría de las leyes urbanísticas de las Comunidades Autónomas siguen regulando el Plan Especial como un plan de ordenación pormenorizada.

El contenido de estos planes puede ser de distinto signo, sin que en ningún caso puedan sustituir a los planes generales como instrumentos de ordenación integral del territorio.

Estos planes para la ejecución de obras de infraestructura o elementos determinantes del desarrollo urbano, así como los relativos al señalamiento y localización de las infraestructuras básicas, constituyen instrumentos adaptables y útiles para adecuar las necesidades sociales[93] y trasladarlas a los instrumentos de planeamiento. En esta línea, SAINZ MORENO[94] ha manifestado la necesidad de que los Ayuntamientos procedan a la creación de galerías subterránea de servicios, al objeto de reducir al máximo la actuación de los operadores en la superficie y para que todos los operadores pasen sus infraestructuras por dichas galerías.

Las determinaciones de los instrumentos urbanísticos podrían complementarse con normas urbanísticas recogidas en las distintas ordenanzas[95]. Las ordenanzas pueden desarrollar las condiciones que se deben respetar en la utilización del dominio público por parte de los distintos operadores desde la perspectiva de la ordenación física del suelo, vuelo y subsuelo.

El urbanismo dispone de medios complementarios de integración. La propia documentación de los planes y el procedimiento de aprobación de los planes permiten formalizar un diálogo institucionalizado. Ley 33/2003 en su art. 189 dispone que la aprobación inicial, provisional y definitiva de instrumentos de planeamiento urbanístico que afecten a bienes de titularidad pública deberán notificarse a la administración titular de los mismos[96].

---

[93]   NIETO GARCÍA, A.: "El subsuelo urbanístico" *Revista Española de Derecho Administrativo,* n. 66, 1990, pp. 196 y 197. El autor sostiene que los planes especiales son idóneos para "ajustar a la realidad social, específica y cambiante, las rigideces de los planes generales de ordenación. El planeador puede tener previstos determinados usos del suelo y del subsuelo en los planes generales y parciales; pero si estos no bastase, si al calor del progreso surgieran nuevas posibilidades de utilización del suelo y del subsuelo, puede echar mano del planeamiento especial para atenderlo".

[94]   SAINZ MORENO, F.: "El subsuelo del dominio público local en la obra colectiva *Municipios y redes de servicios públicos,* Gerona, 1990, p. 53.

[95]   El art. 84 de la LBRL prevé la posibilidad de que las Corporaciones Locales intervengan en la actividad de los ciudadanos a través de ordenanzas y bandos.

[96]   Cuando se trate de bienes de titularidad de la Administración General del Estado, la notificación se efectuará al Delegado de Economía y Hacienda de la provincia en que radique el bien.
Un ejemplo de que las leyes sectoriales comienzan a utilizar otro lenguaje, más acorde con la legislación urbanística y en coherencia con su terminología podemos verlo en la Disposición Adicional cuarta del TRLS08 que ha introducido una modificación en el art. 190 bis de la Ley del Patrimonio de las Administraciones públicas, en cuya virtud,

La actividad urbanística, consciente de la diversidad de intereses concurrentes sobre el espacio físico, al regular el procedimiento de aprobación de los instrumentos urbanísticos, se preocupa de hacer partícipe en dicho procedimiento a todas las instancias públicas y privadas que tengan interés en la ordenación del suelo. En este sentido, aunque la legislación urbanística establezca como principio la obligatoriedad de los planes tanto para los particulares como para la administración, ha previsto la dificultad de imponer estos planes a las distintas Administraciones y ha señalado que la aprobación de los planes no limitará las facultades que corresponden a otras administraciones para el ejercicio de sus competencias, según la legislación aplicable por razón de la materia[97].

Del análisis del vigente TRLS08 de suelo se desprende un afán de cohonestar los intereses concurrentes en el ámbito territorial objeto de planeamiento urbanístico. Con este objeto, la Disposición Adicional primera establece que con el fin de promover la transparencia, la Administración General del Estado, en colaboración con las Comunidades Autónomas, definirá y promoverá la aplicación de aquellos criterios y principios básicos que posibiliten, desde la coordinación y complementación con las administraciones competentes en la materia, la formación y actualización permanente de un sistema público general e integrado de información sobre suelo y urbanismo[98].

En segundo lugar, el art. 15 TRLS08 dispone que los instrumentos de ordenación territorial y urbanística están sometidos a evaluación ambiental de conformidad con lo previsto en la legislación de evaluación de los efectos de determinados planes y programas en el medio ambiente[99]. El

---

cuando los instrumentos de ordenación territorial y urbanística incluyan en el ámbito de las actuaciones de urbanización o adscriban a ellas terrenos afectados o destinados a usos o servicios públicos de competencia estatal, la Administración General del Estado o los organismos públicos titulares de los mismos que los hayan adquirido por expropiación u otra forma onerosa participarán en la equidistribución de beneficios y cargas en los términos que establezca la legislación sobre ordenación territorial y urbanística.

[97]   El art. 57 del Texto Refundido de 9 de abril de 1976, que como se ha indicado es de aplicación supletoria, contiene este principio.

[98]   Asimismo se dispone que se procurará, asimismo, la compatibilidad y coordinación con el resto de sistemas de información y, en particular, con el Catastro Inmobiliario.

[99]   El sometimiento de los instrumentos de planeamiento urbanístico a la evaluación ambiental, se realizará sin perjuicio de la evaluación de impacto ambiental de los proyectos que se requieran para su ejecución. La normativa básica española se establece en el Real Decreto Legislativo 1302/1986, en la que se relacionan proyectos y obras tanto de competencia del Estado como de las Comunidades Autónomas, sometidas

informe de sostenibilidad ambiental de los instrumentos de ordenación deberá incluir un mapa de riesgos naturales del ámbito objeto de ordenación. En su párrafo tercero se establece que en la fase de consultas sobre los instrumentos de ordenación de actuaciones de urbanización, deberán recabarse "*al menos los siguientes informes*" cuando sean preceptivos y no hubieran sido ya emitidos e incorporados al expediente ni deban emitirse en una fase posterior del procedimiento de conformidad con su legislación reguladora:

a) El de la Administración Hidrológica sobre la existencia de recursos hídricos necesarios para satisfacer las nuevas demandas y sobre la protección del dominio público hidráulico.

b) El de la Administración de costas sobre el deslinde y la protección del dominio público marítimo-terrestre, en su caso.

c) Los de las Administraciones competentes en materia de carreteras y demás infraestructuras afectadas, acerca de dicha afección y del impacto de la actuación sobre la capacidad de servicio de tales infraestructuras.

Los informes referidos serán determinantes para el contenido de la memoria ambiental, que solo podrá disentir de ellos de forma expresamente motivada. Parece que la ley permite al informe ambiental disentir de los informes citados, aunque motivando las razones de su discrepancia[100].

Además de los informes citados, resulta ineludible hacer referencia a la Memoria del Plan[101]. Este documento del Plan previsto en todas las leyes

---

a Estudios de impacto ambiental (EIA), modificado por Real Decreto-ley 9/2000 y Ley 6/2001, con el objeto de incorporar las modificaciones de la Directiva 97/11. La última modificación vino de la mano de Disposición Final primera de la Ley 9/2006, ley que aprueba la evaluación ambiental estratégica, es decir, la relativa a la evaluación de los planes o programas elaborados por las Administraciones públicas en el medio ambiente. Vid. sobre este art. 15 el comentario realizado por PÉREZ ANDRÉS A. A.

[100] Además del informe de sostenibilidad ambiental, el art. 15 en su apdo. 4 hace referencia a la necesidad de un informe de sostenibilidad económica como documentación de los instrumentos de ordenación de las actuaciones de urbanización. Este informe ponderará en particular el impacto de la actuación en las Haciendas Públicas afectadas por la implantación y el mantenimiento de las infraestructuras necesarias o la puesta en marcha y la prestación de los servicios resultantes, así como la suficiencia y adecuación del suelo destinado a usos productivos.

[101] Art. 12.3 de la Ley del Suelo de 1976 y en el Reglamento de Planeamiento de 1978: art. 38 para planes generales de ordenación urbana, art. 58 para los planes parciales, art. 66 para el estudio de detalle, art. 74 para los programas de actuación urbanística y art. 77 para los planes especiales.

urbanísticas recogerá las repercusiones de la legislación y el planeamiento sectorial aplicables, así como de las actuaciones sectoriales relevantes que afecten al término municipal. La memoria del plan urbanístico deberá justificar asimismo la adecuación de la ordenación que se propone con las directrices y determinaciones establecidas en los instrumentos de ordenación territorial. La información urbanística que integra la Memoria debe acompañar los estudios complementarios necesarios que deberán considerar todos los aspectos que puedan condicionar o determinar el uso del territorio, entre otras todas las obras programadas que puedan influir en el desarrollo urbano, sea de la Administración del Estado, de la Administración autonómica o del propio ente local.

En consecuencia la memoria resulta un documento de integración adecuado, en la medida en que obliga al órgano encargado de planeamiento a informarse y tener en cuenta todos los proyectos e intereses que cada administración pretende materializar sobre ese espacio físico. Este documento que como se ha venido reiterando por la jurisprudencia y la doctrina tiene eficacia vinculante, permite ponderar en el ejercicio de las competencias propias, la totalidad de los intereses públicos implicado, y en concreto, aquellos cuya gestión esté encomendada a otras administraciones.

La legislación urbanística atribuye asimismo a la memoria informativa la descripción de las características, elementos y valores naturales, ambientales, culturales, demográficos, socioeconómicos y de infraestructuras del término municipal, así como objetivos de protección ambiental y medidas para prevenir y reducir cualquier efecto negativo importante sobre el medio ambiente.

Si la Memoria ha de integrar toda la información indicada, el órgano encargado del planeamiento urbanístico necesita de medios para obtener dicha información con garantías de seriedad. A estos efectos el procedimiento de aprobación de los planes prevé una serie de trámites cuyo cumplimiento permitirá iniciar este diálogo formalizado.

El RPU al regular el procedimiento de aprobación de los planes en el art. 115 establece como disposición común para todo tipo de planes, la posibilidad de que los avances y anteproyectos de los planes se remitan a otras administraciones públicas. Este trámite que tiene únicamente carácter interno debería de generalizarse e imponerse para dar cabida a un primer encuentro e intercambio de pareceres.

Una vez acordada la elaboración del plan, se establece que se podrá recabar la documentación e información necesaria de los organismos públicos correspondientes; este trámite parece esencial para conocer los proyectos y obras que las distintas Administraciones tienen previsto realizar sobre el territorio que se pretende ordenar.

Ahora bien, el trámite de mayor relevancia es el previsto en el art. 125 RPU. Se establece que una vez de que los trabajos de elaboración del plan general hayan adquirido el suficiente grado de desarrollo que permite formular los criterios, objetivos y soluciones generales del planeamiento, el Ayuntamiento deberá anunciar públicamente la exposición al público de los trabajo, al objeto de que durante un plazo mínimo de 30 días, se puedan formular sugerencia y otras alternativas por corporaciones, asociaciones y particulares.

Sería recomendable que además de la publicación, se procediera a notificar a las administraciones con competencias concurrentes para que formulen las objeciones y sugerencias procedentes. Algunas de las leyes sectoriales que se han examinado prevén que antes de la aprobación inicial el ayuntamiento deberá remitir el proyecto de planeamiento a la administración competente para que proceda a emitir el informe correspondiente. Creemos que este momento es el previsto en el art. 125 a que se ha hecho referencia, sin perjuicio de que el diálogo interinstitucional continúe tras la aprobación inicial y provisional. Si el procedimiento incluye en su seno y toma en consideración las políticas sectoriales concurrentes, no sería admisible la imposición de obras públicas por parte de la Administraciones estatal o autonómica al margen de lo dispuesto en el propio planeamiento urbanístico, salvo que concurran razones de urgencia o excepcional interés público, circunstancias que deben ser justificadas por la administración competente en la medida que implican un incumplimiento del plan urbanístico[102].

En esta política de integración no cabe olvidar a los instrumentos de ordenación del territorio aprobados por las distintas comunidades autónomas que constituyen el marco de referencia territorial para la formulación, desarrollo y coordinación de las políticas, planes, programas y proyectos de las administraciones y entidades públicas. Estos instrumentos contemplan los criterios de localización e implantación de los equipamientos y servi-

---

[102] PÉREZ ANDRÉS. A. A. *La ordenación del territorio en el Estado de las Autonomías*. Madrid, 1998., p. 106 propone como medidas para encauzar la política de ordenación del territorio la aprobación de una Ley de Armonización, la elaboración de una Ley Marco estatal en relación con materias de esta competencia que incidan sobre el territorio e incluso la aprobación de una Ley-Plan de la Actividad Económica General que recogiese los criterios determinantes de una política nacional de Ordenación del Territorio.

cios de carácter supramunicipal, las determinaciones relativas al sistema de transportes y comunicaciones y a las demás infraestructuras territoriales, el esquema de la red viaria y de otras redes de transporte y comunicación, criterios de localización e implantación relativos a las infraestructuras de abastecimiento de agua y saneamiento, tratamiento y eliminación de residuos, hidráulicas, de telecomunicación, energéticas, o cualesquiera otras análogas. La ejecución de las distintas políticas podría llevarse a cabo a través de Convenios sobre concretas actuaciones en el territorio. Estos Convenios serían suscritos entre la administración actuante (ya sea estatal o autonómica) y la administración urbanística[103].

La fórmula del convenio está prevista en algunas leyes sectoriales para los casos en los que una Administración autonómica o local precise de la utilización del dominio público. Estos convenios cuyo contenido no viene determinado por la ley responden al principio de lealtad institucional y suponen un mecanismo de cooperación basado en la reciprocidad. La fórmula de los convenios[104] tiene un recorrido ya conocido en la legislación urbanística. Las numerosas leyes urbanísticas de las Comunidades Autónomas se han preocupado de acoger esta figura en su articulado de modo que se contemple la posibilidad de suscribir convenios urbanísticos por parte de la Administración de la Comunidad Autónoma y las entidades locales con personas públicas o privadas, tengan éstas o no la condición de propietarios, para su colaboración en el mejor y más eficaz desarrollo de la actividad urbanística. Los convenios urbanísticos han de cumplir las máximas garantías de legalidad, transparencia y publicidad, con el objeto de evitar las corruptelas que tradicionalmente han encubierto. Estos convenios ya sean sobre ordenación urbanística (para la determinación del contenido de posibles modificaciones del planeamiento en vigor) o convenios de ejecución urbanística (para establecer los términos y las

---

[103] La Ley del Suelo de la Comunidad de Madrid, Ley 9/2001 contempla la figura del Consorcio urbanístico como entidades dotadas de personalidad propia, creadas mediante acuerdo o convenio de la Comunidad de Madrid y la Administración General del Estado o uno o varios Municipios o por éstos entre sí para el desarrollo de la actividad urbanística y para la gestión y ejecución de obras y servicios públicos. Si bien se permite la incorporación de personas privadas, su presencia en ningún caso podrá ser mayoritaria, ni dar lugar a que las personas privadas controlen o tengan una posición dominante en el funcionamiento del consorcio (art. 76).

[104] Vid. sobre convenios FONSECA FERRANDIS, F. E. "Los convenios urbanísticos en la jurisprudencia del Tribunal Supremo", *Revista de Derecho Urbanístico*, n. 159, 1998; CHOLBI CACHÁ, F. A. *Principales instrumentos de financiación procedentes del urbanismo. Los aspectos jurídicos y económicos*. Barcelona, 2004; CANO MURCIA, A. *Teoría y práctica del convenio urbanístico*. Ed. Aranzadi, 2006.

condiciones de la gestión y la ejecución del planeamiento en vigor en el momento de la celebración del convenio) pueden constituir una vía de diálogo para llegar a puntos de encuentro entre los distintos intereses concurrentes derivados del ejercicio de competencias de las distintas Administraciones públicas.

La Ley 33/2003 en su art. 186 prevé la posibilidad de que la Administración General del Estado y los organismos públicos vinculados a ella o dependientes de la misma puedan celebrar convenios con otras Administraciones públicas o con personas jurídicas de derecho público o de derecho privado perteneciente al sector público, con el fin de ordenar las relaciones de carácter patrimonial y urbanístico entre ellas en un determinado ámbito, o realizar actuaciones comprendidas en relación con los bienes y derechos de sus respectivos patrimonios. Estos convenios hay que entenderlos en el marco de la libertad de pactos de modo que podrán contener cuantas estipulaciones se estimen necesarias o convenientes para la ordenación de las relaciones patrimoniales y urbanísticas entre las partes, siempre que no sean contrarias al "interés público, al ordenamiento jurídico, o a los principios de buena administración"[105].

Sería deseable que la vía del convenio, con todas las garantías de publicidad y transparencia, se generalizase como vía de diálogo interinstitucional cada vez que un departamento ministerial pretende implantar una obra pública en el territorio. El legislador estatal, consciente de la eficacia de este instrumento, en la Disposición Adicional cuarta del TRLS08[106] suma una nueva función a la Gerencia de Infraestructura y Equipamiento de la Defensa, así como a la Gerencia de Infraestructuras y Equipamiento de la Seguridad del Estado: *"coadyuvar, con la gestión de los bienes inmuebles que sean puestos a su disposición, al desarrollo y ejecución de las distintas políticas públicas en vigor y, en particular, de la política de vivienda, en colaboración con las Administraciones competentes. A tal efecto, podrá suscribir con dichas Administraciones convenios, protocolos o acuerdos tendentes a favorecer la construcción de*

---

[105] Los convenios podrán limitarse a recoger compromisos de actuación futura de las partes como acuerdos marco o protocolos generales, o prever la realización de operaciones concretas y determinadas, en cuyo caso podrán ser inmediatamente ejecutivos y obligatorios para las partes. Cuando se trate de convenios de carácter inmediatamente ejecutivo y obligatorio, la totalidad de las operaciones se consideran integradas en un único negocio complejo.

[106] La Disposición Adicional cuarta del TRLS08 añade una letra e) al apartado 2 del artículo 71 de la Ley 50/1998, de 30 de diciembre, de Medidas Fiscales, Administrativas y del Orden Social, así como al ordinal 7ª en el apartado 2 del artículo 53 de la Ley 14/2000, de 29 de diciembre, de Medidas Fiscales, Administrativas y del Orden Social.

viviendas sujetas a algún régimen de protección que permita tasar su precio máximo en venta, alquiler u otras formas de acceso a la vivienda. Dichos acuerdos deberán ser autorizados por el Consejo Rector».

IV. LA ACTIVIDAD URBANÍSTICA Y LOS BIENES PÚBLICOS

1. El urbanismo en la Ley de Patrimonio de las Administraciones públicas

En el apartado anterior hemos centrado nuestro examen en la integración de los bienes de titularidad de la Administración del Estado o de las Comunidades Autónomas en los instrumentos de planeamiento urbanístico. Un tratamiento global del binomio bienes públicos-urbanismo exige a su vez el conocimiento que el urbanismo otorga a los bienes públicos. La legislación urbanística modula en gran parte el régimen de los bienes públicos. Este régimen viene recogida en la Ley 33/2003 del Patrimonio de las administraciones públicas y, para los bienes locales en la LBRL y en el RBCL[107].

Para conocer la actividad urbanística sobre los bienes públicos resulta ineludible hacer referencia en primer lugar a los artículos 198 a 190 de la Ley 33/2003, que regulan el régimen urbanístico y la gestión de los bienes públicos.

La Ley 33/2003 formula un principio básico que ha de proyectarse en la gestión de los bienes patrimoniales: *las Administraciones deberán coadyuvar al desarrollo y ejecución de las distintas políticas públicas en vigor, especialmente a la política de vivienda* (art. 8), para lo cual se permite, como ya se ha indicado, la realización de convenios entre distintas Administraciones públicas.

El art. 189 establece una vía de comunicación en el procedimiento de aprobación de los planes urbanísticos, de modo que todas aquellas Administraciones públicas titulares de bienes públicos sean informadas de la aprobación de los planes que puedan afectar a sus bienes. El precepto atribuye a los secretarios de los ayuntamientos la realización de dichas notificaciones.

Por lo que a la ejecución del planeamiento se refiere, al objeto de preservar los bienes de las Administración públicas, la Ley prohíbe a los no-

---

[107]   Esta Reglamento desarrolla las previsiones de los arts. 79 a 83 de la LBRL, así como los arts. 74 a 85 del Real Legislativo 781/1986, por el que se aprueba el Texto Refundido de las disposiciones legales vigente en materia de Régimen Local (TRRL).

tarios autorizar el otorgamiento de escrituras públicas de constitución de juntas de compensación u otras entidades urbanísticas colaboradoras sin haber justificado que toda la superficie incluida en la unidad de ejecución ha sido plenamente identificada, en cuanto a la titularidad de las fincas que lo componen o que la Delegación de Economía y Hacienda correspondiente ha sido notificada fehacientemente de la existencia de terrenos de titularidad desconocida o no acreditada (art. 190)[108].

El Patrimonio del Estado participa también del principio de equidistribución de beneficios y cargas, de modo que las cesiones y demás operaciones patrimoniales que deriven de la ejecución del planeamiento se regirán por lo dispuesto en legislación urbanística; es decir, estricta aplicación del principio de equidistribución de beneficios y cargas[109]. El artículo 190 bis de la Ley estatal 33/2003, de 3 de noviembre, del Patrimonio de las Administraciones Públicas —introducido por la Ley 8/2007, de 28 de mayo, de Suelo y ahora por el Real Decreto Legislativo 2/2008, de 20 de junio, que aprueba el Texto Refundido de la Ley del Suelo— dispone que:

> *"Cuando los instrumentos de ordenación territorial y urbanística incluyan en el ámbito de las actuaciones de urbanización o adscriban a ellas terrenos afectados o destinados a usos o servicios públicos de competencia estatal, la Administración General del Estado o los organismos públicos titulares de los mismos que los hayan adquirido por expropiación u otra forma onerosa participarán en la equidistribución de beneficios y cargas en los términos que establezca la legislación sobre ordenación territorial y urbanística"*[110].

---

[108] El TC en la Sentencia 82/2012 (recurso de inconstitucionalidad interpuesto por el Gobierno del Estado contra la Ley Foral 16/2000, de 29 de diciembre, de modificación de la Ley Foral 10/1999, de 6 de abril, por la que se declara Parque Natural las Bárdenas Reales de Navarra) ha mantenido la posibilidad de incluir en un instrumento de ordenación previsiones sobre el destino futuro de determinados bienes sobre la que la propia legislación estatal proporciona ejemplos (así, arts. 190 bis y 191 de la Ley 33/2003, de 3 de noviembre, de patrimonio de las Administraciones públicas).

[109] La Disposición Adicional Cuarta del TRLS08 a través de su apdo. 2. añade un nuevo artículo 190 bis en la Ley 33/2003, y prevé que cuando los instrumentos de ordenación territorial y urbanística incluyan en el ámbito de las actuaciones de urbanización o adscriban a ellas terrenos afectados o destinados a usos o servicios públicos de competencia estatal, la Administración General del Estado o los organismos públicos titulares de los mismos que los hayan adquirido por expropiación u otra forma onerosa participarán en la equidistribución de beneficios y cargas en los términos que establezca la legislación sobre ordenación territorial y urbanística.

[110] Vid en este sentido las SSTS de 14 de diciembre de 2009 (RC 293/2006), 3 de junio de 2009 (RC 393/2005) y 16 de julio de 2008 (RC 5186/2004).

Este precepto da cuenta de una doctrina consolidada en virtud de la cual es necesario atender a la forma de obtención de los bienes de dominio y uso público que se aportan al polígono o unidad de actuación de que se trate, y así cuando los mismos no han sido obtenidos por cesión gratuita, el aprovechamiento urbanístico atribuido a su superficie pertenecerá a la Administración titular de aquéllos, mientras que si dichos bienes se obtuvieran en cumplimiento de la referida obligación operará el mandato del artículo 47.3 del Reglamento de Gestión Urbanística con sustitución de unas superficies por otras[111].

El art. 191 regula el procedimiento a seguir una vez desafectados los inmuebles del Patrimonio del Estado. En primer lugar se hará una valoración del suelo conforme a las reglas establecidas en el TRLS08 así como una valoración de las edificaciones existentes. En segundo lugar la desafectación será comunicada por la Administración General del Estado o los organismos públicos titulares de los bienes a las autoridades urbanísticas para que los planes urbanísticos procedan a otorgarles la calificación urbanística que corresponda. En esta nueva calificación, la Administración urbanística no dispone de total discrecionalidad; la ley dispone que será coherente con la política urbanística municipal, con el tamaño y situación de los inmuebles, y con cualesquiera otras circunstancias relevantes que pudieran concurrir sobre los mismos.

Transcurridos dos años desde que se hubiese notificado la desafectación sin que el planeamiento urbanístico haya otorgado a los inmuebles desafec-

---

[111]   Vid. la STS de 29 de enero de 2010 (Recurso de Casación 92/2006). RENFE alegó en la demanda ser titular en el ámbito del Plan Parcial litigioso de unos terrenos situados en zona de dominio público ferroviario. Afirmó también que en dicho Plan Parcial y en el Plan General del que trae causa se computó dicha superficie para calcular el aprovechamiento tipo del área de reparto. Alegó asimismo que en el cálculo del aprovechamiento tipo fijado en el Plan Parcial y en el Plan General del que trae causa se computaron dichos terrenos, pero que sin embargo, se le negó a ADIF la posibilidad de apropiárselo, con la excusa de que se integran en el dominio público ferroviario. Como consecuencia de ello, añadió, se produjo un enriquecimiento injusto del Ayuntamiento de Vitoria, ya que al haberse fijado como sistema de ejecución el de expropiación, percibirá el aprovechamiento urbanístico generado por los terrenos de ADIF, perjudicándose, por otra parte, a los demás propietarios del área de reparto, porque de no haberse computado esos terrenos en el cálculo del aprovechamiento tipo, éste habría sido superior. El Tribunal estima el recurso y reconoce el derecho de la entidad pública empresarial Administrador de Infraestructuras Ferroviarias al aprovechamiento urbanístico en igualdad de condiciones que el resto de los propietarios del sector por los terrenos destinados a sistema general ferroviario incluidos dentro de su delimitación.

tados nueva calificación, el Ayuntamiento se convierte en responsable de su mantenimiento y custodia. Asimismo, ante la falta de calificación, transcurrido el plazo establecido por la legislación urbanística aplicable para instar la expropiación por ministerio de la ley, la Administración General del Estado o el organismo público advertirá a la Administración municipal de su intención de iniciar el expediente de justiprecio. En relación a este precepto procede mencionar la STC 148/2012[112]; en su FJ 15 el Tribunal distingue entre la competencia que el Estado tiene para decidir que ciertos bienes ya no son necesarios para un determinado uso público y por otra parte, la calificación urbanística que el planificador considere que deban recibir esos terrenos ya desafectados, pudiendo establecer, legítimamente, por esta vía, su destino a un uso público que se estime conveniente o necesario por razones urbanísticas. Sostiene el TC que *"Con independencia de que los terrenos hayan sido desafectados desde una perspectiva sectorial, su destino a un uso público a través de la calificación del suelo es consecuencia del ejercicio de una competencia urbanística que vincula tanto a los particulares como a los poderes públicos"*.

Cabe apreciar que las disposiciones citadas de la Ley 33/2003 pretenden articular procedimientos coherentes con la actividad urbanística al objeto de conseguir la máxima eficiencia en el uso de los bienes públicos; esa eficiencia vendrá determinada por la necesidad de desarrollar y ejecutar especialmente a la política de vivienda.

---

[112]   Esta Sentencia resuelve el recurso interpuesto por el Gobierno del Estado contra de la Ley 15/2001, de 14 de diciembre, del suelo y ordenación territorial de Extremadura. El Abogado del Estado entiende que el art. que el art. 80.4 vulnera la condición básica del derecho de propiedad urbana relativa al principio de equidistribución de cargas y beneficios que establece el art. 5 de la Ley de régimen del suelo y valoraciones, porque impone determinadas cargas a unos determinados propietarios por el mero hecho del 'destino efectivo precedente' de los terrenos. Además sostiene que el precepto interfiere, por otra parte, en las competencias estatales que, a tenor de la Ley de patrimonio del Estado, posee éste sobre sus bienes. Concretamente, sobre la posibilidad de desafectarlos del uso público al que estaban destinados cuando estime que éste ya no es necesario. El art. 80.4 de la Ley extremeña 15/2001 establece que "los planes de ordenación urbanística calificarán como suelo dotacional las parcelas cuyo destino efectivo precedente haya sido el uso docente o sanitario, elementos funcionales de las redes de infraestructura general, e instalaciones adscritas a la Defensa Nacional, salvo que, previo informe de la Consejería o Administración Pública competente por razón de la materia, se justifique la innecesaridad del destino del suelo a tal fin, en cuyo caso se destinará éste a usos públicos o, excepcionalmente, a viviendas de promoción pública".

2. El contenido de los planes urbanísticos

A) La clasificación del suelo

El TRLS08 consciente de que la técnica de la clasificación del suelo constituye un técnica urbanística, por tanto, reservada al legislador autonómico, y partiendo de que la clasificación ha contribuido históricamente a la inflación de los valores del suelo, ha prescindido de la clasificación tripartita y ha configurado un nuevo régimen urbanístico del suelo con la finalidad de acabar con las prácticas especulativas. La Ley diferencia entre situación y actividad, estado y proceso. Define los dos estados básicos en que puede encontrarse el suelo según sea su situación actual (rural o urbana). Esta situación determinará el contenido del derecho de propiedad (art. 12).

Se incluye en el estado de situación rural el suelo preservado por la ordenación territorial y urbanística de su transformación mediante la urbanización, que deberá incluir, como mínimo, "*los terrenos excluidos de dicha transformación por la legislación de protección o policía del dominio público, de la naturaleza o del patrimonio cultural, los que deban quedar sujetos a tal protección conforme a la ordenación territorial y urbanística por los valores en ellos concurrentes, incluso los ecológicos, agrícolas, ganaderos, forestales y paisajísticos, así como aquéllos con riesgos naturales o tecnológicos, incluidos los de inundación o de otros accidentes graves, y cuantos otros prevea la legislación de ordenación territorial o urbanística*".

En este tipo de situación se integran no sólo los suelos preservados por sus valores, sino también aquel suelo que va a ser urbanizado pero que todavía no lo ha sido, es decir, el suelo" *para el que los instrumentos de ordenación territorial y urbanística prevean o permitan su paso a la situación de suelo urbanizado, hasta que termine la correspondiente actuación de urbanización.* Y por último la ley introduce una cláusula residual al incluir también en situación rural el resto del suelo que no se encuentre en situación de suelo urbanizado. En consecuencia, todo aquel suelo que no esté urbanizado, será un suelo rural y tendrá un régimen de valoración específico.

El urbanismo y la ordenación del territorio constituyen funciones públicas que conjugan los diversos intereses que concurren en el territorio. Si bien cabe sostener que el derecho urbanístico siempre ha contemplado la variable de protección ambiental como factor a valorar, resulta ineludible reconocer que hasta el momento hemos asistido a un urbanismo desarrollista, de crecimiento de ciudad y éste ha sido la perspectiva de los órganos encargados del planeamiento urbanístico.

En el momento presente, donde la crisis económica alcanza todos los sectores y especialmente el sector de la construcción, los requerimientos de un desarrollo sostenible adquieren más significado; el urbanismo ha de ser reorientado y debe atender principalmente a regenerar y rehabilitar la ciudad existente. Esta nueva dimensión del urbanismo viene contemplada en la Estrategia Territorial Europea así como en la Comunicación de la Comisión sobre una Estrategia Temática para el Medio Ambiente Urbano, que propone un modelo de ciudad compacta, tras constatar los graves inconvenientes de la urbanización dispersa o desordenada. Los perjuicios derivados de la dispersión son múltiples: impacto ambiental, segregación social e ineficiencia económica por los elevados costes energéticos, de construcción y mantenimiento de infraestructuras y de prestación de los servicios públicos. Como recuerda la Exposición de Motivos del TRLS08 *"El suelo, además de un recurso económico, es también un recurso natural, escaso y no renovable"*. Desde esta perspectiva, el art. 15 impone la evaluación de sostenibilidad estratégica, de modo que los instrumentos de ordenación territorial y urbanística deberán someterse a evaluación ambiental, sin perjuicio de la evaluación de impacto ambiental de los proyectos que se requieran para su ejecución, en su caso[113].

Desde esta perspectiva, la nueva legislación estatal del suelo parte de la consideración de que todo el suelo rural tiene un valor ambiental digno de ser valorado y de que la clasificación del suelo como urbanizable ha de realizarse de modo responsable, es decir, únicamente ha de ser clasificado como tal aquel suelo necesario para atender las necesidades económicas y sociales. La Ley pretende superar asimismo la equivalencia entre valor ambiental y suelo no urbanizable, y fijarse asimismo en el valor ambiental del suelo urbano," *como creación cultural colectiva que es objeto de una permanente recreación, por lo que sus características deben ser expresión de su naturaleza y su ordenación debe favorecer su rehabilitación y fomentar su uso"*.

Si bien la nueva ley estatal de suelo deja de lado la clasificación tripartita de suelo, las leyes autonómicas de urbanismo se valen de dicha clasificación para definir el régimen jurídico del suelo. Las situaciones básicas de suelo reguladas en el art. 12 del TRLS08 son indisponibles para el legislador autonómico, en la medida en que el art. 12 se incluye entre los determinaciones que tiene el carácter de condiciones básicas de la igualdad

---

[113] El informe de sostenibilidad ambiental de los instrumentos de ordenación de actuaciones de urbanización deberá incluir un mapa de riesgos naturales del ámbito objeto de ordenación.

en el ejercicio de los derechos y el cumplimiento de los correspondientes deberes constitucionales y, en su caso, de bases del régimen de las Administraciones Públicas, de la planificación general de la actividad económica y de protección del medio ambiente[114]. Ello no supone que el legislador autonómico deba dejar de lado la clasificación tripartita; las situaciones básicas del suelo (rural y urbanizada) que establece la ley estatal, es "a los efectos de esta ley", es decir básicamente a efectos de valoración. Los criterios generales de valoración establecidos en el texto refundido de la Ley de suelo han sido posteriormente desarrollados —tal y como se preveía en la disposición transitoria tercera del texto refundido de la Ley de suelo— por el Real Decreto 1492/2011, de 24 de octubre, por el que se aprueba el Reglamento de valoraciones de la Ley de suelo.

Los planes de ordenación territorial podrían determinar la clasificación como no urbanizable de suelo que se considera necesario preservar de la urbanización con arreglo a criterios establecidos en la propia legislación autonómica. Pero también los planes urbanísticos con arreglo a la normativa urbanística podrían decidir dicha clasificación[115].

La nueva regulación del suelo acogida por el TRLS08 supone un cambio de orientación que merece ser destacado. En primer lugar, y como se ha indicado, está en la situación de suelo rural: en todo caso, el suelo preservado por la ordenación territorial y urbanística de su transformación, que deberá incluir, como mínimo, los terrenos excluidos de dicha transformación por la legislación de protección o policía del dominio público, de la naturaleza o del patrimonio cultural. En segundo lugar, los que deban quedar sujetos a tal protección conforme a la ordenación territorial y urbanística por los valores en ellos concurrentes, incluso los ecológicos, agrícolas, ganaderos, forestales y paisajísticos, así como aquéllos con riesgos naturales o tecnológicos, incluidos los de inundación o de otros accidentes graves, y cuantos otros prevea la legislación de ordenación territorial o urbanística. En tercer lugar, y esto es lo más novedoso, se incluirá como en

---

[114] Vid. Disposición final primera del TRLS08.
[115] Sin embargo la Exposición de Motivos de la Ley 10/2003 que dio nueva redacción al art. 9 parece que trataba de configurar nuevamente al suelo urbanizable como una clasificación reglada al disponer que las medidas que se adoptan "pretenden corregir las rigideces advertidas en el mercado como consecuencia del fuerte crecimiento de la demanda y la incidencia en los productos inmobiliarios del precio del suelo, condicionada a su vez por la escasez de suelo urbanizable o urbanizado". La reforma según dicha Exposición pretendía incrementar la oferta de suelo al introducir flexibilidad en las previsiones normativas en vigor que pudieran limitarla; para ello se busca "una mayor objetivización" en la clasificación de este suelo.

situación de suelo rural aquel suelo para el que los instrumentos de ordenación territorial y urbanística prevean o permitan su paso a la situación
de suelo urbanizado, hasta que termine la correspondiente actuación de
urbanización. Finalmente, se establece la cláusula residual a favor del suelo
rural al disponer que cualquier otro suelo que no reúna los requisitos de
suelo urbanizado se incluya como suelo rural.

Cabe constatar que el suelo residual pasa a ser suelo en situación rural.
Con la ley 6/1998 el suelo residual se incluía en la categoría de suelo urbanizable. Esta previsión resulta coherente con los principios de desarrollo
territorial y urbanos contenido en el art. 2 del propio TRLS08, y, especialmente con el principio contenido en la letra b)" *La protección, adecuada a su
carácter, del medio rural y la preservación de los valores del suelo innecesario o inidóneo para atender las necesidades de transformación urbanística".* En el mismo
sentido, cabe citar el art. 10, que entre los criterios básicos de utilización
del suelo, se establece que el paso de la situación de suelo rural a la de suelo urbanizado, mediante la urbanización, sea el preciso para satisfacer las
necesidades que lo justifiquen, impedir la especulación con él y preservar
de la urbanización al resto del suelo rural.

Por otro lado, para que un suelo se incluya en situación de suelo urbanizado deberá estar *"integrado de forma legal y efectiva en la red de dotaciones y
servicios propios de los núcleos de población".* La propia Ley especifica que se entenderá que así ocurre cuando las parcelas, estén o no edificadas, cuenten
con las dotaciones y los servicios requeridos por la legislación urbanística o
puedan llegar a contar con ellos sin otras obras que las de conexión de las
parcelas a las instalaciones ya en funcionamiento. (Vid. la nueva redacción
del art. 12 introducido por la ley 8/2013).

Para los terrenos integrados en la situación de estado rural que tengan valores ambientales, culturales, históricos, arqueológicos, científicos y
paisajísticos objeto de protección por la legislación aplicable, se establece
que la alteración del estado natural de los terrenos sólo será admisible si
la legislación expresamente lo autoriza. También se contiene una determinación específica para los espacios naturales protegidos o incluidos en
la Red Natura 2000, que sólo podrá alterarse la delimitación de estos, reduciendo su superficie total o excluyendo terrenos de los mismos, cuando
así lo justifiquen los cambios provocados en ellos por su evolución natural,
científicamente demostrada[116].

---

[116] La alteración deberá someterse a información pública, que en el caso de la Red Natura 2000 se hará de forma previa a la remisión de la propuesta de descatalogación a la

Las leyes sectoriales reguladoras de los distintos bienes públicos imponen zonas de servidumbre para la protección de dichos bienes que exigen su inclusión en el suelo de estado rural y el Municipio podrá adoptar medidas complementarias para defender y proteger los estos espacios.

B) Los estándares urbanísticos

Otro de los contenidos de los planes que inciden en el régimen de los bienes públicos son los estándares urbanísticos. Una de las formas más importantes de adquirir bienes públicos que contribuyen a la consecución de la calidad del medio urbano es la reserva de suelo para dotaciones y espacios públicos; con esta finalidad se establecen los estándares urbanísticos. La accesibilidad a las dotaciones y la igualdad en el uso de las dotaciones constituyen verdaderos principios que integran la función social de la propiedad urbana.

El TRLS 2008 reconoce el derecho de todos los ciudadanos a acceder, en condiciones no discriminatorias y de accesibilidad universal, a la utilización de las dotaciones públicas y los equipamientos colectivos abiertos al uso público, de acuerdo con la legislación reguladora de la actividad de que se trate (art. 4.b). En correspondencia con este derecho, se establecen como deberes de todos los ciudadanos: el respeto y la contribución a preservar el medio ambiente, y el paisaje natural y urbano, el deber de hacer un uso racional y adecuado de los bienes de dominio público y de las infraestructuras y los servicios urbanos, acorde en todo caso con sus características, función y capacidad de servicio y finalmente, el deber de abstenerse de realizar cualquier acto o de desarrollar cualquier actividad que comporte riesgo de perturbación o lesión de los bienes públicos o de terceros con infracción de la legislación aplicable y a respetar y preservar el paisaje urbano (art. 5).

El derecho de utilizar las dotaciones públicas y los equipamientos públicos requiere la previa reserva de suelo para esas finalidades. El legislador estatal prevé la necesidad de realizar estas reservas y el legislador autonómico será el encargado de concretar los estándares urbanísticos que deben incluirse en cada tipo de plan. El art 16 del TRLS08 bajo el título de "*Deberes vinculados a la promoción de las actuaciones de transformación urbanística y a las actuaciones edificatorias*" dispone que la actuación de transformación urbanística comporta entre otros, el deber de entregar a la Administración

---

Comisión Europea y la aceptación por ésta de tal descatalogación.

competente el suelo reservado para viales, espacios libres, zonas verdes y restantes dotaciones públicas incluidas en la propia actuación o adscritas a ella para su obtención. Asimismo, en la letra d) se impone la obligación de entregar a la Administración competente, junto con el suelo correspondiente, las obras e infraestructuras de conexión con las redes generales de servicios[117] y las de ampliación y reforzamiento de las existentes fuera de la actuación que deban formar parte del dominio público como soporte inmueble de las instalaciones propias de cualesquiera redes de dotaciones y servicios, así como también dichas instalaciones cuando estén destinadas a la prestación de servicios de titularidad Pública. Como dice el TC en la sentencia 148/2012, la Ley de régimen del suelo y valoraciones de 1998 establecía este deber únicamente para los propietarios del suelo urbanizable. Sin embargo, el vigente texto refundido de la Ley de suelo de 2008, lo integra entre los deberes que pueden anudarse a las actuaciones de transformación urbanística. El suelo urbano no consolidado puede ser un suelo cuya urbanización no comprenda todos los servicios precisos o éstos no cumplan los requisitos establecidos por los criterios de ordenación urbana; por ello el TC entiende admisible que dentro de la operación de transformación urbanística a acometer para que este suelo se convierta en suelo urbanizado, se imponga el deber de costear y ejecutar esas infraestructuras de conexión si no cuenta con ellas. El Tribunal recuerda que en virtud del art. 14 del texto refundido de la Ley de suelo, las actuaciones de transformación urbanística comprenden las actuaciones de urbanización necesarias para crear una o más parcelas "aptas para la edificación".

Otro de los deberes que impone el TRLS08 es el de entregar a la Administración competente, y con destino a patrimonio público de suelo, el suelo libre de cargas de urbanización correspondiente al porcentaje de la edificabilidad media ponderada de la actuación, o del ámbito superior de referencia en que ésta se incluya. Este porcentaje se fijará por la legislación reguladora de la ordenación territorial y urbanística, pero no podrá ser inferior al cinco por ciento ni superior al quince por ciento. Esta previsión puede ser excepcionada por la legislación sobre ordenación territorial y urbanística, que puede reducir o incrementar este porcentaje de forma proporcionada y motivada, hasta alcanzar un máximo del veinte por ciento en el caso de su incremento, para las actuaciones o los ámbitos en los que

---

[117] En estas redes se entienden incluidas las de potabilización, suministro y depuración de agua que se requieran. El TRLS08 prevé que la legislación sobre ordenación territorial y urbanística podrá incluir asimismo las infraestructuras de transporte público que se requieran para una movilidad sostenible (art. 16.1.c).

el valor de las parcelas resultantes sea sensiblemente inferior o superior, respectivamente, al medio en los restantes de su misma categoría de suelo.

La Ley estatal establece asimismo un estándar urbanístico en materia de vivienda protegida. El art 10 dentro de los criterios de ordenación del suelo dispone que se destinará suelo adecuado y suficiente para usos productivos y para uso residencial, con reserva en todo caso de una parte proporcionada a vivienda sujeta a un régimen de protección pública que, al menos, permita establecer su precio máximo en venta, alquiler u otras formas de acceso a la vivienda, como el derecho de superficie o la concesión administrativa. La reserva se hará por la legislación sobre ordenación territorial y urbanística o, de conformidad con ella, por los instrumentos de ordenación, pero se establece un mínimo que deberá ser respetado en todo caso por cualquier plan: deberá reservarse terrenos necesarios para realizar el 30 por ciento de la edificabilidad residencial prevista por la ordenación urbanística en el suelo que vaya a ser incluido en actuaciones de urbanización. El TRLS permite excepcionalmente fijar o permitir una reserva inferior para determinados Municipios o actuaciones, siempre que en las actuaciones de nueva urbanización se garanticen el cumplimiento íntegro de la reserva dentro de su ámbito territorial de aplicación y una distribución de su localización respetuosa con el principio de cohesión social. Las Comunidades Autónomas podrán dejar en suspenso la aplicación de lo dispuesto en el art. 10.1.b) determinando el periodo de suspensión y los instrumentos de ordenación a que afecte, siempre que se cumplan los requisitos establecidos en la Disposición Transitoria 2ª de la ley 8/2013; la suspensión podrá extenderse hasta un plazo máximo de 4 años".

La legislación urbanística de las Comunidades Autónomas determina el nivel de estándar mínimo de calidad urbana de los planes urbanísticos. Las leyes autonómicas regulan el mínimo exigible en espacios libres, infraestructuras y dotaciones públicas, por medio del establecimiento de estándares urbanísticos. Los estándares se establecen, por lo general, de forma global en las leyes urbanísticas y de forma más pormenorizada por los reglamentos de desarrollo. Por otro lado, el nivel de exigencia de los estándares no es el mismo para el planeamiento general que serán estándares globales mínimos que para el planeamiento de desarrollo (estándares pormenorizados según el tipo de dotación).

Resulta imposible en este apartado hacer un análisis comparativo de todas las leyes autonómicas para ver cómo regulan los estándares urbanísticos. Por ello, las consideraciones que se formulan parten de la legislación estatal de carácter supletorio, sin perjuicio de alusiones puntuales a las leyes sectoriales.

La legislación urbanística y a su vez los instrumentos de planeamiento distinguen entre sistemas generales y dotaciones locales[118]. Tradicionalmente los estándares urbanísticos han sido considerados las superficies y porcentajes mínimos que han de reservarse para dotaciones en un plan parcial, sin embargo las leyes autonómicas han establecido asimismo estándares a respetar por el Planeamiento general. Estos porcentajes de dotaciones y servicios se establecen de forma exhaustiva en las legislaciones autonómicas y con carácter supletorio en el RPU, y concretamente en su anexo donde se establecen las reservas de suelo para dotaciones en planes parciales.

Los estándares constituyen un porcentaje dirigido a reservas mínimas de suelo para dotaciones y según lo dispuesto en el RPU para el plan parcial dependen cuantitativa y cualitativamente de tres elementos: la naturaleza del polígono o unidad de actuación, el número de viviendas y/o de habitantes y la edificabilidad total[119]. Las dotaciones a prever en los polígonos de plan parcial serán de: sistema de espacios libres de dominio y uso público, centros culturales y docentes, servicios de interés público y social (usos deportivo, comercial y social) y aparcamientos.

La red de espacios libres de cada municipio conformada por parques, jardines y zonas verdes es de dominio y uso público, sin perjuicio de las fórmulas concertadas que se fijen con los particulares para su mantenimiento y conservación Sin embargo, no todos los equipamientos son bienes de dominio público. La legislación autonómica es heterogénea en este sentido por lo que no nos es posible formular un principio general. Por ejemplo en la legislación cántabra[120] dentro de las reservas para dotaciones locales en suelos urbanos no consolidados y suelos urbanizables, se exige la previsión

---

[118] La Ley 9/2001 de la Comunidad de Madrid distingue en su art. 36 dentro de lo que denomina la red pública y desde el punto de vista funcional: a) Redes de infraestructuras, que comprenden, a su vez la Red de comunicaciones, la Red de infraestructuras sociales y la Red de infraestructuras energéticas. b) Redes de equipamientos, que comprenden, la Red de zonas verdes y espacios libres, la Red de equipamientos sociales c) Redes de servicios, que comprenden, la Red de servicios urbanos y la Red de viviendas públicas o de integración social.

[119] El RPU distingue en el Anexo citado tres tipos de polígonos según el carácter o el uso de las edificaciones que van a ocuparlo: a) Residenciales b) Industriales, y c) Terciarias de Situación Primera (uso exclusivo terciario) y d) Terciarias de Situación Segunda (uso mixto terciario y residencial).

[120] Ley 2/2001, de 25 de junio, de Ordenación Territorial y Régimen Urbanístico del Suelo de Cantabria, modificada por Ley 3/2012, de 21 de junio.

de dos plazas de aparcamiento, "al menos una de ellas pública", por cada cien metros de superficie construida, cualquiera que sea su uso.

Asimismo los estándares pueden aplicarse a bienes de titularidad privada, como es el caso del párrafo 4 del art. 40 de la ley cántabra al disponer que en las urbanizaciones privadas los módulos a que se refieren los apartado 1 (se refiere a los espacios libres) y 3 (relativa a aparcamientos) podrán situarse en espacios de propiedad privada, sin perjuicio de la potestad municipal de reclamar su mantenimiento y apertura al uso público, lo que, en su caso, se llevará a cabo mediante convenio con la entidad colaboradora que represente a la urbanización[121].

No cabe invocar la mera revisión de plan urbanístico para eliminar o reducir estos espacios que constituyen una exigencia legal de obligado cumplimiento por los instrumentos urbanísticos. La reducción o, en su caso, eliminación de dichas reservas conllevaría la nulidad del plan parcial.

El art. 14 del TRLS08 dentro de las actuaciones de transformación urbanística, distingue entre las actuaciones de urbanización, las actuaciones que tengan por objeto reformar o renovar la urbanización del ámbito de suelo urbanizado, y las actuaciones de dotación. Estas últimas son las que tienen por objeto incrementar las dotaciones públicas de un ámbito de suelo urbanizado para reajustar su proporción con la mayor edificabilidad o densidad o con los nuevos usos asignados en la ordenación urbanística a una o más parcelas del ámbito y no requieran la reforma o renovación integral de la urbanización de éste[122].

Este tipo de previsiones son tradicionales en nuestro derecho urbanístico. El art. 49 de la LS de 1976 establece que si la modificación de un plan supusiera el incremento del volumen edificable de una zona, se requerirá para su aprobación la previsión de mayores espacios libres que requieren

---

[121]   También en la ley 9/2001 de la Comunidad de Madrid se establece para las redes locales que por cada 100 metros cuadrados edificables o fracción de cualquier uso deberá preverse, como mínimo, una plaza y media de aparcamiento, siempre en el interior de la parcela privada. La dotación mínima de plazas de aparcamiento deberá mantenerse aunque se modifique el uso.

[122]   El art. 34 del TRLS08 dispone que procederá la reversión si se alterara el uso que motivó la expropiación de suelo en virtud de modificación o revisión del instrumento de ordenación territorial y urbanística. Sin embargo, se prevé que no concurrirá la reversión cuando el uso dotacional público que hubiera motivado la expropiación hubiera sido efectivamente implantado y mantenido durante ocho años, o bien que el nuevo uso asignado sea también dotacional público. Asimismo se establece que no procede la reversión cuando del suelo expropiado se segreguen su vuelo o subsuelo siempre que se mantenga el uso dotacional público para el que fue expropiado.

el aumento de la densidad de población[123]. Asimismo si la modificación de los Planes tuviere por objeto una diferente zonificación o uso urbanístico de las zonas verdes o espacios libres, la LS76 prevé una autorización reforzada para su aprobación; la aprobación de dicha modificación deberá hacerse por el órgano de gobierno de la Comunidad Autónoma, previo informe del órgano autonómico competente y del órgano consultivo de la Comunidad Autónoma[124]. Como ha sostenido el propio Consejo de Estado en dictamen de 17 de marzo de 1988 (núm. 50.847):

> *"el concepto de zona verde no debe calificarse únicamente por su amplitud espacial, sino que han de tomarse en consideración las circunstancias específicas de cada caso (...) Este Alto Cuerpo ha considerado reiteradamente que la zona verde o espacio libre son conceptos cualitativos, no cuantitativos".*

Las leyes urbanísticas autonómicas prevén distintas medidas para conseguir el equilibrio en las dotaciones siempre que concurran cambios de usos significativos en los sectores urbanos.

Si bien los estándares urbanísticos constituyen determinaciones ineludibles a integrar por los planes parciales, no cabe olvidar que también los planes generales ordenación pueden contener entre sus determinaciones distintos estándares. El art. 12.1.) de la LS 1976, de aplicación supletoria, incluye entre las determinaciones de dichos planes, los sistemas generales de comunicación y sus zonas de protección, los espacios libres destinados a parques públicos y zonas verdes "en proporción no inferior" a cinco metros cuadrados por habitante y el equipamiento comunitario y para centros públicos. Las legislaciones autonómicas se pronuncian en parecidos términos. Así por ejemplo, la ley cántabra permite una densidad superior para los Municipios turísticos. Además establece que en el cómputo de la superficie no se incluirán los espacios naturales protegidos existentes, ni los sistemas locales al servicio directo de una unidad de actuación (art. 39.2)[125].

---

[123] Vid. el art. 164 del RPU.
[124] En la STS 8696/2001, 13 octubre 2000, el TS entiende que las características de relevancia, autonomía, objetividad e independencia del supremo órgano consultivo, ponen de relieve la enorme importancia que el legislador del suelo dio a las zonas verdes como garantía de salubridad y calidad ambiental en el desarrollo urbanístico, al encomendar expresamente al Consejo de Estado el papel de preservarlas, consciente de la amenaza de la especulación inmobiliaria, que inevitablemente se cierne siempre sobre esos espacios libres.
[125] La Ley cántabra establece estándares con idéntico carácter general para todo el término municipal no sólo para espacios libres sino también para construcciones y espacios destinados a equipamientos sociales, como centros sanitarios, educativos, culturales,

Las reservas de suelo para dotaciones de los planes parciales son independientes en todo caso de las previstas en los planes generales, por lo que tendrán carácter complementario de éstas (art. 45.2 RPU).

Las cesiones de suelo libre para zonas verdes y espacios dotacionales que integran los estándares urbanísticos constituyen elementos reglados que limitan la discrecionalidad del órgano encargado del planeamiento y no pueden ser reducidos o limitados. Estas cesiones son elementos determinantes de la calidad del medio ambiente urbano y su mantenimiento y conservación constituye una obligación legal. El propio marco constitucional, y en especial, las normas que protegen el derecho a la calidad de vida y a un medio ambiente adecuado, determinan la exigibilidad de su cumplimiento.

Una novedad introducida por algunas leyes urbanísticas es el estándar relativo a los límites a la edificabilidad urbanística[126].

3. La gestión del planeamiento como mecanismo de adquisición de bienes públicos

El texto constitucional en su art. 47 indica que la comunidad ha de participar en las plusvalías que genere la actividad urbanística de los entes públicos. El derecho de propiedad urbana conlleva unos deberes básicos que delimitan la función social de la propiedad. Los deberes de cesión de suelo para las infraestructuras, servicios y dotaciones públicas (terrenos para parques y jardines, zonas deportivas, escuelas, centros sanitarios, etc.)

---

religiosos, asistenciales, deportivos cerrados y otros en proporción no inferior a 5 metros cuadrados de suelo por habitante o la superior a ésta que para los Municipios turísticos.

La Ley vasca 2/2006 en su art. 78 establece la obligación de reservar para el uso de zonas verdes y parques urbanos una superficie de suelo no inferior a cinco metros cuadrados por habitante. A esos efectos, se establece la correlación de un habitante por 25 metros cuadrados de superficie construida destinada al uso de vivienda en suelo urbano y urbanizable. La ordenación estructural de los planes generales podrá reservar con destino a dotación residencial protegida la propiedad superficiante de los terrenos calificados para viviendas sometidas a algún régimen de protección oficial.

[126]   Vid. art. 77 de la ley vasca 2/2006, que establece los límites a la edificabilidad; art. 10 de la Ley 7/2002, de ordenación urbanística de Andalucía; art. 38 de la Ley 2/2001, de 25 junio, de Suelo de Cantabria; art. 31 de Decreto Legislativo 1/2010, de 18/05/2010, por el que se aprueba el texto refundido de la Ley de Ordenación del Territorio y de la Actividad Urbanística de Castilla-la Mancha; art. 58 del Decreto Legislativo 1/2010, por el que se aprueba el Texto Refundido de la Ley de urbanismo.

y, asimismo, las cesiones de suelo edificable al Patrimonio municipal de Suelo que posibilitan la construcción de viviendas de protección pública, integran dicha función social. A través de la ejecución de los planes, el municipio obtiene bienes públicos, que contribuyen a garantizar la calidad del medio ambiente urbano.

El proceso de ejecución de los planes será determinante para obtener terrenos dotacionales en los que los ciudadanos puedan desarrollar la dimensión social de sus derechos. La obtención de dichos espacios dotacionales se configura como un deber legal de cesión para los propietarios de suelo sometido al proceso urbanizador y edificatorio; deber de cesión variable en función de la clase de suelo —urbano o urbanizable— de que se trate.

En primer lugar, se ha de distinguir entre sistemas generales y dotaciones —o sistemas— locales[127]. En ambos caso se trata de incorporar terrenos al dominio público para la prestación de un servicio público e para su uso público[128]. El elemento diferenciador entre los sistemas generales y los locales es el ámbito al que sirve; los primeros afectan o benefician a todo el término municipal objeto de planificación, incidiendo en ocasiones en ámbitos supramunicipales, mientras que los segundos se circunscriben al ámbito de la unidad de ejecución donde vayan a implantarse los mismos.

El art. 9 del TRLS08, dentro del contenido de los deberes y cargas de la propiedad del suelo, incluye el deber de costear y, en su caso, ejecutar las infraestructuras de conexión de la instalación, construcción o edificación con las redes generales de servicios y entregarlas a la Administración competente para su incorporación al dominio público cuando deban for-

---

[127] Vid. Sentencia del Tribunal Superior de Justicia de Andalucía, de 14 de febrero de 2000 que para distinguir entre sistemas generales y sistemas locales se sigue el criterio de la función que en la realidad vaya a desempeñar la dotación que el plan pretenda implantar, y no tanto a puros nominalismos expresados por el planificador. Como sostiene el Tribuna, la realidad de las cosas manda: al cumplir el terreno controvertido una auténtica función de elemento vertebrador, y al ser ésta una característica propia de un sistema general, es ésta la calificación jurídico-urbanística que merece con las consecuencias que implica.

[128] La Ley 9/2001 de la Comunidad de Madrid en su art 36 utiliza el término de redes públicas para referirse al conjunto de los elementos de las redes de infraestructuras, equipamientos y servicios públicos que se relacionan entre sí con la finalidad de dar un servicio integral. Los elementos de cada red, aun estando integrados de forma unitaria en la misma, son susceptibles de distinguirse jerárquicamente en tres niveles: a) Los que conforman la red supramunicipal, b) Los que conforman la red general c) Los que conforman la red local.

mar parte del mismo. Asimismo en el art. 14, dentro de las actuaciones de transformación urbanística se incluyen las de nueva urbanización, que suponen el paso de un ámbito de suelo de la situación de suelo rural a la de urbanizado. Esto supone crear, junto con las correspondientes infraestructuras y dotaciones públicas, una o más parcelas aptas para la edificación o uso independiente y conectadas funcionalmente con la red de los servicios exigidos por la ordenación territorial y urbanística. Entre las obras e infraestructuras se entenderán incluidas las de potabilización, suministro y depuración de agua que se requieran conforme a su legislación reguladora. Según el art. 16, la legislación sobre ordenación territorial y urbanística podrá incluir asimismo las infraestructuras de transporte público que se requieran para una movilidad sostenible.

Las obras e infraestructuras que deban formar parte del dominio público como soporte inmueble de las instalaciones propias de cualquier red de dotación y servicios deben ser entregadas a la Administración, junto con el suelo correspondiente, así como también dichas instalaciones cuando estén destinadas a la prestación de servicios de titularidad pública.

Algunas leyes autonómicas obligan a los planes que se encargan de delimitar los sectores a calificar los terrenos que deben formar parte de los sistemas generales, sean o no interiores al nuevo sector, de forma que se garantice su integración en la estructura municipal y la obtención del suelo necesario para su implantación. Asimismo en la documentación relativa al plan que delimita un sector se impone la elaboración de Estudios sectoriales referidos especialmente a los efectos que supone la sectorización sobre las redes públicas de sistemas generales, y de este modo determinar las necesidades de calificación de suelos con este destino y de ejecución de intervenciones de refuerzo o mejora. Por tanto, la obtención gratuita del suelo y los derechos necesarios para las dotaciones públicas de las redes de sistemas generales y, en su caso, la financiación de su ejecución se podrán realizar mediante su inclusión o adscripción a actuaciones integradas. Si bien la mayoría de las leyes urbanísticas prevén esta posibilidad, algún autor ha entendido que en la medida en que un sistema general va a incidir en todo el término municipal, deberá ser toda la población, beneficiaria última de este sistema, la obligada a costear estos sistemas y no los propietarios de suelo incluido en la determinada unidad de ejecución donde el sistema vaya a implantarse[129].

---

[129] Vid. en este sentido SEGOVIA ARROYO, J. A. "Instrumentos de planeamiento general: algunos aspectos problemáticos. Estudio de la reciente jurisprudencia de los Tribuna-

En consecuencia, la obtención de terrenos para sistemas generales y su financiación se podrá realizar o a través de su adscripción o inclusión en actuaciones integradas o a través de la expropiación. En el caso de que el sistema general, o la modificación de los existentes, sea consecuencia de un nuevo proceso de transformación urbanística, es decir, como una consecuencia directa de esa nueva urbanización[130], será procedente que su coste se financie por los directamente beneficiados por el proceso de transformación urbanística.

Por lo que se refiere a los sistemas locales, la obtención de terrenos para su implantación se llevará a cabo a través de la cesión obligatoria y gratuita en la concreta unidad de actuación de que se trate. Serán los propietarios incluidos en ellas los que van a costear dichos sistemas locales, en la medida en que serán ellos los beneficiarios directos de las mismas.

La mayoría de las legislaciones autonómicas prevén las mismas formas de adquisición de terrenos destinados por el planeamiento al establecimiento de sistemas generales en suelo urbano no consolidado o en suelo urbanizable: a) mediante cesión obligatoria derivada de su inclusión o adscripción en un área de reparto b) mediante ocupación directa, derivada de su inclusión o adscripción en un área de reparto, asignando aprovechamientos subjetivos en unidades de ejecución excedentarias. En tal caso, si las compensaciones no se realizan en el ámbito de la misma área de reparto, el valor de los terrenos y de los aprovechamientos se fijará pericialmente, conforme a los criterios de valoración aplicables. c) cuando las modalidades anteriores no resultaren posibles, mediante expropiación forzosa.

EL TRLS08 en su art. 9.2 c) incluye entre los deberes del propietario el deber de costear y, en su caso, ejecutar las infraestructuras de conexión de la instalación, la construcción o la edificación con las redes generales de servicios y entregarlas a la Administración competente para su incorporación al dominio público cuando deban formar parte del mismo. El art. 16 dentro de los deberes de promoción de las actuaciones de transformación urbanística hace referencia también al deber de costear y ejecutar las infraestructuras de conexión.

---

les Superiores de Justicia" RDU n. 189, noviembre 2001.

[130]   Expresión utilizada por ANTÚNEZ TORRES, D. "La articulación de las técnicas de distribución de beneficios y cargas en las fase de planeamiento. Marco de regulación autonómica bajo la Ley 6/98" en *RDU* n. 188, 2001.

V. LOS PATRIMONIOS PÚBLICOS DEL SUELO

Los Patrimonios públicos de suelo (PPS) constituyen una fórmula para intervenir en el mercado de suelo. Los PPS han estado regulados en la LS 1992 (arts. 276 y ss.) y tras la aprobación del TRLS08 se regulan en los arts. 38 y 39 de la Ley. En virtud del art. 38 los PPS tienen las siguientes finalidades: regular el mercado de terrenos, obtener reservas de suelo para actuaciones de iniciativa pública y facilitar la ejecución de la ordenación territorial y urbanística.

Los PPS se integran por los bienes, recursos y derechos que adquiera la Administración en virtud del deber de la promoción urbanística de entregar a la Administración competente, y con destino a patrimonio público de suelo, el suelo libre de cargas de urbanización correspondiente al porcentaje de la edificabilidad media ponderada de la actuación, o del ámbito superior de referencia en que ésta se incluya, que fije la legislación reguladora de la ordenación territorial y urbanística. Ya se ha adelantado, que con carácter general, el porcentaje referido no podrá ser inferior al cinco por ciento ni superior al quince por ciento, si bien excepcionalmente podrá permitirse elevar hasta el veinte por ciento por la legislación de ordenación territorial y urbanística.

Los bienes de los patrimonios públicos de suelo constituyen un patrimonio separado y los ingresos obtenidos mediante la enajenación de los terrenos que los integran o la sustitución por dinero se destinarán a la conservación, administración y ampliación del mismo, siempre que sólo se financien gastos de capital y no se infrinja la legislación que les sea aplicable, o a los usos propios de su destino.

La gestión de los bienes patrimoniales deberá coadyuvar al desarrollo y ejecución de las distintas políticas públicas en vigor y según la ley 33/2003, especialmente a la política de vivienda. El art. 39 del TRLS08 establece que los bienes y recursos que integran los PPS deberán ser destinados a la construcción de viviendas sujetas a algún régimen de protección pública, si bien podrán ser destinados también a otros usos de interés social, de acuerdo con lo que dispongan los instrumentos de ordenación urbanística, sólo cuando así lo prevea la legislación en la materia especificando los fines admisibles. Estos otros destinos serán urbanísticos o de protección o mejora de espacios naturales o de los bienes inmuebles del patrimonio cultural, o de carácter socioeconómico para atender las necesidades que requiera el carácter integrado de operaciones de regeneración urbana.

Respecto a los terrenos adquiridos por una Administración en virtud del deber de entregar un porcentaje de la edificabilidad ponderada por parte de la de promoción urbanística, que estén destinados a la construcción de viviendas sujetas a algún régimen de protección pública que permita tasar su precio máximo de venta, alquiler u otras formas de acceso a la vivienda, no podrán ser adjudicados, ni en dicha transmisión ni en las sucesivas, por un precio superior al valor máximo de repercusión del suelo sobre el tipo de vivienda de que se trate, conforme a su legislación reguladora.

La consideración de patrimonio separado determina que las cantidades percibidas por su enajenación se aplicarán al propio patrimonio, a la conservación y ampliación del mismo. Tendrá una gestión separada del resto de bienes de la entidad local, a cuyo fin ésta indicará en su inventario de bienes dicho carácter vinculado y separado. Asimismo, los Ayuntamientos en virtud de las leyes autonómicas se hallan obligados a crear un Registro del Patrimonio Municipal del Suelo en el que se hará constar la entrada de los terrenos o metálico que se ingrese en el mismo, así como su salida de forma justificada con destino a las finalidades establecidas.

Si bien en un primer momento los únicos titulares de dichos patrimonios eran los Ayuntamientos, numerosas leyes autonómicas prevén la posibilidad de que también las Administraciones autonómicas constituyan sus propios patrimonios públicos del suelo. Cabe distinguir entre un destino específico de los PMS (construcción de viviendas de protección pública u otros fines de interés social) y un uso genérico (la regulación del mercado, obtener reservas de suelo para actuaciones de iniciativa pública o facilitar la ejecución del planeamiento). La incorporación al proceso de urbanización y edificación determinará el destino de los terrenos del PMS[131].

Las formas de adquisición de los bienes integrantes del patrimonio municipal del suelo no resulta uniforme en la legislación urbanística autonómica; cabe distinguir entre una adquisición facultativa para los

---

[131] La legislación navarra distingue entre los bienes del patrimonio municipal del suelo y los ingresos obtenidos mediante enajenación de terrenos y sustitución del aprovechamiento correspondiente a la administración por su equivalente metálico. En el primer caso sostiene que los bienes, una vez incorporados al proceso de urbanización y edificación, deberán ser destinados a la construcción de viviendas sujetas a algún régimen de protección pública o a otros usos de interés social. Por lo que se refiere a los ingresos dispone que se destinarán a la conservación y ampliación del patrimonio municipal del suelo o a las siguientes finalidades: a) Obras de urbanización, b) Obtención y ejecución de sistemas generales c) Construcción de equipamientos colectivos u otras instalaciones de uso público municipal, siempre que sean promovidos por las Administraciones públicas o sus sociedades instrumentales. d) Operaciones de iniciativa pública de rehabilitación de vivienda o de renovación urbana. e) Gastos de realojo y de retorno. f) Compra y/o rehabilitación de edificios para vivienda protegida o equipamiento público.

Municipios que podrán incorporar en su respectivo patrimonio público del suelo los bienes patrimoniales clasificados por el planeamiento urbanístico como suelo urbano o urbanizable, pero para cuya inclusión se requiere acuerdo plenario de la entidad local titular de los mismos y por otro lado, una adquisición automática a través de las cesiones obligatorias y gratuitas de aprovechamiento, expropiación, reservas de suelo, derecho de tanteo y retracto y a través de los ingresos obtenidos en concepto de canon que grava el aprovechamiento urbanístico en el suelo no urbanizable.

Por lo que se refiere al primer supuesto, los bienes patrimoniales clasificados como suelo urbano o urbanizable programado se adscriben al Patrimonio Municipal del Suelo, pero la legislación autonómica viene exigiendo para ello acuerdo plenario. Sin embargo, las leyes autonómicas prevén una integración automática de los bienes obtenidos como consecuencia de cesiones, ya sea en terrenos o en metálico, o de expropiaciones urbanísticas de cualquier clase, así como los procedentes del ejercicio del derecho de tanteo y retracto[132].

Los bienes de dominio público hasta no ser desafectados por alguno de los medios previstos en el ordenamiento jurídico[133] no podrán incorporarse al PMS. Ahora bien no cabe olvidar lo dispuesto en el art 82.1 a) LBRL, de forma que a través de los instrumentos de planificación urbanística un bien de dominio público podrá ser calificado como bien patrimonial, y si esa calificación recae sobre un suelo urbano o urbanizable, pasara a integrarse en el PMS[134]. Los terrenos destinados a dotaciones locales y sistemas generales se convertirán en bienes de dominio público, por lo que no cabrá incluirlos como bienes patrimoniales. Sin embargo los terrenos que el propietario ha de ceder al ayuntamiento obligatoria y gratuitamente en

---

[132] La Resolución 2/2000 de 22 de diciembre, de la Dirección General de tributos relativa a las cesiones obligatorias de terrenos a los Ayuntamientos efectuadas en virtud de los arts. 14 y 18 de la Ley 6/1998 dispone que "Los terrenos que se incorporan al patrimonio municipal en virtud de la citada cesión obligatoria forman parte, en todo caso, y sin excepciones, de un patrimonio empresarial, por lo que la posterior transmisión de los mismos habrá de considerarse efectuada por parte del Ayuntamiento al Impuesto sobre el Valor Añadido sin excepción".

[133] vid. el art. 79 LBRL y el art. 2 del RBCL.

[134] Vid DÍAZ LEMA, M. "El patrimonio municipal del suelo en el texto refundido de 1992" en RDU, núm. 136, p. 28. En el mismo sentido, QUINTANA LÓPEZ, T Y LOBATO GÓMEZ, J. M. *La constitución y gestión de los patrimonios municipales de suelo*, Madrid, 1996, p. 25.

concepto del porcentaje de la edificabilidad que se le atribuye se integrarán en el PMS[135].

Por lo que se refiere a la expropiación como forma de adquirir terrenos para constituir PMS, dicha posibilidad se contemplaba en al art. 277 de la LS 1992, previsión hoy desaparecida tras la STC 61/1997. Tampoco la Ley 6/1998 contemplaba expresamente entre las funciones de la expropiación, la adquisición de bienes para el PMS; sin embargo la legislación urbanística podrá prever la expropiación por incumplimiento de la función social o para la construcción de viviendas de protección oficial u otro régimen de protección pública, y los terrenos así expropiados podrán integrarse en dicho PMS.

El TRLS08, si bien no reconoce expresamente esta posibilidad, cabe inferirla del art. 34. que excepciona el derecho de reversión en el supuesto de que la expropiación se haya producido para la formación o ampliación de un patrimonio público de suelo, siempre que el nuevo uso sea compatible con los fines de éste.

Otro modo de adquirir bienes para el PMS son las reservas de suelo. Las leyes autonómicas prevén en muchos casos que los planes generales municipales puedan establecer sobre suelo clasificado como urbanizable no sectorizado o como no urbanizable común, reservas de terreno de posible adquisición para su incorporación al patrimonio público de suelo. En ocasiones la legislación autonómica va más allá permitiendo que en defecto de previsión del plan general o en caso de insuficiencia, los Ayuntamientos puedan establecer dichas reservas por el procedimiento de delimitación de unidades de ejecución. Una vez realizada dicha delimitación de la reserva de suelo, se entenderá implícita la declaración de utilidad pública y la necesidad de ocupación a efectos expropiatorios (art. 266 de la ley foral de Navarra) y los Ayuntamientos podrán expropiar los terrenos urbanos, urbanizables y no urbanizables que sean necesarios y que estén incluidos en el planeamiento con el fin de incorporarlos en el patrimonio municipal de suelo.

---

[135] La Ley 9/2001 de la Comunidad de Madrid en su art. 83 establece que los derechos, bienes y valores que obtenga la administración urbanística derivados de procesos de equidistribución, se integrarán en cáda caso y en la proporción determinada en los patrimonios públicos de suelo de los Municipios correspondientes y de la Comunidad de Madrid. Estos derechos, bienes y valores así incorporados tendrán por finalidad la adquisición y urbanización de terrenos destinados por el planeamiento urbanístico a las redes de infraestructuras, equipamientos y servicios públicos, así como también la compensación económica, cuando proceda, a quienes resulten con defecto de aprovechamiento.

Al objeto de evitar prácticas como la de reservar terrenos en suelo no urbanizable para su adquisición como PMS y posteriormente proceder a una recalificación, se prevé la posibilidad de ejercitar el derecho de reversión, salvo que se haga en el marco de una revisión del plan. Las leyes autonómicas prevén asimismo el ejercicio del derecho de tanteo y retracto como mecanismo de adquisición de bienes para el PMS.

Finalmente, cabe citar el denominado "canon urbanístico". En virtud del mismo la materialización de determinados aprovechamientos en suelo rústico o no urbanizable se someten al pago de una cantidad. Las leyes autonómicas que prevén dicho canon realizan una regulación diversa de esta figura, pero en todo caso cabe sostener que su fundamento es la de ser una cesión gratuita de aprovechamiento en este tipo de suelo. Si bien la cesión de aprovechamiento está pensada en un primer momento para el suelo urbanizable y se extiende luego al suelo urbano, el canon urbanístico pretende responder al principio de igualdad y de reparto de cargas y de justa distribución de beneficios y cargas en suelo no urbanizable. De este modo se establece un canon compensatorio del aprovechamiento urbanístico que obtenga el propietario del suelo no urbanizable, quien en principio tenía derecho únicamente al rendimiento rústico del terreno y al atribuírsele un aprovechamiento urbanístico, dicho terreno sube un aumento de valor que tiene que revertir a la comunidad. El producto de este canon se integra en el patrimonio público del suelo.

Algunas leyes como la Navarra prevén que cuando el destino de los bienes sea el de usos comerciales o residenciales de vivienda libre la enajenación se realizará por subasta pública. Asimismo, se aplicará preferentemente el procedimiento de subasta pública cuando los bienes se destinen a usos industriales. En el caso de que no se produjera adjudicación en la subasta o se declarara desierto el concurso, podrá acordarse excepcionalmente la enajenación directa, siempre que se celebre en las mismas condiciones y por precio no inferior al que haya sido objeto de licitación.

También se prevé la enajenación directa a precio no inferior al valor de los terrenos a entidades de carácter asistencial, social o sindical sin ánimo de lucro, que promuevan la construcción de viviendas sujetas a algún régimen de protección pública y acrediten su experiencia y medios para garantizar la viabilidad de la promoción[136].

---

[136] En parecidos términos, vid. el art. 170.a) del TR 1976.

La cesión a sus entes instrumentales o a otras Administraciones Públicas se permite de forma directa e incluso a título gratuito si se trata de terrenos con fines de promoción pública de viviendas, construcción de equipamiento comunitario u otras instalaciones de uso público o interés social.

CONSIDERACIONES FINALES

Para finalizar el análisis de la incidencia del urbanismo sobre los bienes públicos procede realizar una serie de consideraciones que pretenden poner sobre la mesa el nuevo protagonismo del urbanismo como medio para garantizar un medio ambiente urbano de calidad y acorde con valores de sostenibilidad ambiental.

La tradición expansionista de la legislación urbanística precedente ha de dejar paso a una legislación con una dimensión más ambientalista, que racionalice el uso del suelo e introduzca el elemento de sostenibilidad en la actuación urbanística. El urbanismo ha de armonizar con estos nuevos planteamientos, derivados de la exigencia de la integración de la protección del medio ambiente en la definición y realización del resto de políticas y de una lectura más actualizada de los arts. 45, 46 y 47 del Texto Constitucional. La conjugación de intereses concurrentes exige racionalizar la intensidad de cada uno de estos valores y darles una dimensión espacial. Para ello resulta ineludible cambiar de óptica y abandonar perspectivas reduccionistas, que contemplan cada sector concurrente en el suelo como materias que nada tienen que ver con el urbanismo y que de cualquier manera prevalecen sobre el mismo. El TRLS08 asume esta nueva orientación, especialmente al entender que todo el suelo tiene un valor ambiental y que el medio ambiente no equivale al suelo no urbanizable.

Teniendo en cuenta que todos los bienes públicos se ubican en el territorio y éste ha de ser ordenado por los planes urbanísticos, se impone un diálogo interinstitucional eficaz. El urbanismo ofrece mecanismos de diálogo que han de complementar y, en su caso, subsanar, los deficientes mecanismos de la legislación sectorial. Si una ley sectorial impone determinada calificación urbanística, ésta habrá de preverse en el proceso de elaboración de los planes urbanísticos; la imposición de políticas sectoriales por parte de la administración titular de un bien público debería ser la última vía y siempre justificada en razones de urgencia o excepcional interés público.

El TC acepta una interpretación finalista que ha de guiar la actuación de las Administraciones sectoriales, de modo que las limitaciones que se impongan a las competencias autonómicas y locales competentes en materia urbanística, sólo serán admisibles en la medida en que sean imprescindibles para alcanzar la defensa y protección integral de tales bienes públicos y para garantizar el uso público y ordenado de tales bienes. El titular del bien público no puede pretender ordenar directamente el territorio y sustituir a la Administración urbanística en su cometido de establecer un modelo territorial.

Por otro lado, del análisis efectuado cabe inferir que el urbanismo ofrece un régimen específico de los bienes públicos; la propia adquisición de bienes públicos que sirven de soporte a infraestructuras y equipamientos se realiza a través de mecanismos propios.

La afectación de los bienes de dominio público por naturaleza queda reforzada a través de la clasificación del suelo como no urbanizable o en estado rural (en la terminología del TRLS08), que permitirá una utilización más racional de los bienes de que se trate. El urbanismo dispone de mecanismos propios de afectación de los usos del suelo que se imponen al margen de la titularidad pública o privada de los bienes sobre los que recaen y que permiten contribuir a la protección de los elementos naturales.

Las medidas dirigidas a la protección del paisaje, la lucha contra los elementos contaminantes, la lucha contra el ruido, la preservación de elementos naturales se insertan como determinaciones sustantivas de los distintos instrumentos urbanísticos. No cabe llevar a cabo políticas de protección de bienes naturales dejando de lado la perspectiva urbanística y, concretamente son los planes especiales de carácter urbanístico los que mejor permiten integrar la inserción en el espacio físico de muchos de dichos bienes.

Las autorizaciones administrativas requeridas para proceder al uso de los bienes públicos constituyen actividades de policía, insuficientes para una verdadera protección de los bienes. En este sentido los planes especiales de protección de los diversos bienes públicos que pretenden integrar las singularidades derivadas de cada bien en el entramado urbano, constituyen instrumentos idóneos para la articulación de intereses concurrentes sobre un mismo espacio físico.

Finalmente, no cabe olvidar que la ordenación del territorio nace de la necesidad de coordinar o armonizar los planes sectoriales de las distintas Administraciones públicas en el territorio. La política del suelo y del territorio deberá asegurar una armonización de los valores de desarrollo económico y protección ambiental al objeto de conseguir una mayor racionalidad en el uso de los recursos naturales. Las Comunidades Autónomas disponen de instrumentos de ordenación territorial adecuados para canalizar la concurrencia de intereses en el territorio. La legislación sectorial debería a su vez prever la utilización de estos instrumentos para hacer valer sus intereses en el territorio.

BIBLIOGRAFÍA

ALBERTI ROVIRA, E. "Relaciones entre las Administraciones Públicas", en LEGUINA VILLA, J. y SÁNCHEZ MORÓN, M. (dirs.): *La nueva Ley de Régimen Jurídico de las Administraciones Públicas y del Procedimiento Administrativo Común*, Madrid, 1993.

ALMENDROS MANZANO, A. M., "La consideración urbanística de los puertos estatales en la Ley de Puertos del Estado y de la Marina Mercante", en *RAP*, núm. 130 (1993).

ALONSO IBÁÑEZ, M. R. *El Patrimonio Histórico. Destino público y valor cultural*, Madrid, 1992
– *Los espacios culturales en la ordenación urbanística.* Oviedo, 1994.
– "El dominio público marítimo", en BOCANEGRA SIERRA, R. (Coord.): *Lecciones de Dominio* Público, Madrid 1999.

ANGULO ERRAZQUIN, L. M.: "Las competencias de la Administración Municipal en las zonas portuarias y su problemática", *RVAP* núm. 23, 1989.

ANTÚNEZ TORRES, D. "La articulación de las técnicas de distribución de beneficios y cargas en las fase de planeamiento. Marco de regulación autonómica bajo la Ley 6/98" en *RDU* n. 188, 2001.

ARGULLOL MORGADAS, E. "Instrumentos urbanísticos para regular las redes de servicios públicos en *Municipios y redes de servicios públicos,* Gerona, 1990.

BARCELONA LLOP, J. *La utilización del dominio público por la Administración: las reservas dominiales.* Navarra, 1996.

BASSOLS COMA, M. "Instrumentos legales de intervención urbanística en los centros y conjuntos históricos" RDU núm. 118.

BLASCO ESTEVE, A. "La planificación territorial de las zonas turísticas en España" *RDU n° 262, 2010.

BREMOND Y TRIANA, L. M. "El control municipal de la ejecución de obras públicas y su posible suspensión" *RDU* núm. 159, 1998.

CARCELER FERNÁNDEZ, A.: "Legislación de puertos. Interés actual de este ordenamiento", *RAP*, núm. 100-102,1983.

CARRILLO DONAIRE, J. A. *Las servidumbres administrativas (delimitación conceptual, naturaleza, clases y régimen jurídico.* Valladolid, 2003.

CHINCHILLA MARÍN, C. "El derecho a la ocupación del dominio público y de la propiedad privada necesarios para el establecimiento de redes públicas de telecomunicaciones" en la obra colectiva coordinada por CHINCHILLA MARÍN *Telecomunicaciones: Estudios sobre dominio público y propiedad privada.* Madrid, 2000

CUESTA REVILLA, J. *El subsuelo urbano: una aproximación a su naturaleza jurídica y a su régimen jurídico,* Jaén, 2000.

DARNACULLETA I GARDELLA, M. *Recursos naturales y dominio público: el nuevo régimen de demanio natural,* Barcelona, 2000.

DÍAZ LEMA, M. "El patrimonio municipal del suelo en el texto refundido de 1992", *RDU*, núm. 136.

ESCRIBANO COLLADO, P.: "La ordenación del territorio y el medio ambiente en la Constitución", en la ob. col. coordinada por MARTÍN-RETORTILLO BAQUER, S., *Estudios sobre la Constitución española. Homenaje al Profesor Eduardo García de Enterría*, vol. IV, Civitas, Madrid, 1991.

EMBID IRUJO, A. "Los planes especiales. Régimen jurídico general" *REDA* n. 70, 1991.

FERNÁNDEZ FARRERES, G.
  - "El principio de colaboración Estado-Comunidades Autónomas y su incidencia orgánica", *RVAP* núm. 6, 1993
  - "La planificación y ejecución de las obras públicas estatales y su articulación con otros planes de obras y con la ordenación territorial y urbanística) (Comentarios a las disposiciones adicionales 1ª a 3ª de la LCOP" en la obra colectiva dirigida por GÓMEZ-FERRER MORANT, R., *Comentarios a la Ley de contratos de las Administraciones Públicas*, 2ª ed., Madrid, 2004

FERNÁNDEZ RODRÍGUEZ, T. R. "Las obras públicas" en *RAP* 100-102, vol. III, 1983
  - "Regulación urbanística de los terrenos e instalaciones portuarias" en *Revista de Urbanismo y Edificación*, núm. 2, 2001.
  - "La urbanización de las costas" en *Revista de Urbanismo y Edificación*, núm. 2, 2001.

FERNÁNDEZ TORRES, J. R. "Aeropuertos de interés general, ordenación del territorio y urbanismo y autonomía local (Comentario a la Sentencia del Tribunal Constitucional 204/2002, de 31 de octubre)" en *Revista Aranzadi de Urbanismo y Edificación*, 2003.

GALLARDO CASTILLO, J. M. *El dominio público y privado de las Entidades locales: El derecho de propiedad y la utilización de potestades administrativas*. Jaén, 1994.

GARCÍA-BRAGADO, ACÍN, R. "Cuestiones jurídicas relevantes en relación con el subsuelo urbano" dentro de la obra colectiva *Municipios y redes de servicios públicos*. Girona, 1990.

GARCÍA PÉREZ, M., *La utilización del dominio público marítimo-terrestre*. Madrid, 1995.

GARCÍA-TREVIJANO GARNICA, E., "El régimen jurídico de las costas españolas: la concurrencia de competencias sobre el litoral. Especial referencia al informe preceptivo y vinculante de la Administración del Estado" *RAP* núm. 144, 1997.

GARRIDO ROSELLÓ, J. E.: "La ordenación portuaria de la zona de servicio en los puertos del Estado. El plan de utilización de los espacios portuarios" *RDU y MA* núm. 145 bis, 1995.

GÓMEZ FERRER MORANT, R. "Legislación básica en materia de régimen local: relación con las leyes de las Comunidades Autónomas" en *La provincia en el sistema constitucional*, Madrid, 1992,

GONZÁLEZ-BERENGUER, URRUTIA, J. L.: "Dictamen sobre sistemas generales", *RDU* núm. 127, 1992.

GONZÁLEZ BUSTOS, Mª A. *Los bienes de propios. Patrimonio local y Administración*, Madrid, 1998.

GONZÁLEZ GARCÍA, J. V. *La titularidad de los bienes del dominio público*. Madrid, 1998
  - "Infraestructuras de Telecomunicaciones y Corporaciones Locales", *Revista de Urbanismo y Edificación*, núm. 7, 2003.

GONZÁLEZ SANFIEL, A. M. *Un nuevo régimen para las infraestructuras de dominio público*, Madrid, 2000.

JIMÉNEZ DE CISNEROS CID, F. J.: "La ordenación jurídica de la zona de servicio de los puertos de interés general", *RDU* núm. 134, 1993.

LÓPEZ RAMÓN, F.: "Planificación territorial", *RAP*, 1987, núm. 114.
  - "La política regional y la ordenación del territorio en Derecho español", en *Condiciones institucionales de una política europea de ordenación del territorio*, Zaragoza, 1994

MENÉNDEZ REXACH, A.: "Coordinación de la ordenación del territorio con políticas sectoriales que inciden sobre el medio físico", *DA* núm. 230-231, 1992.

NIETO GARCÍA, A.: "El subsuelo urbanístico" *Revista Española de Derecho Administrativo*, n. 66, 1990.

PAREJO ALFONSO, L.: "La organización administrativa de la ordenación del territorio", *RDU*, 1987, núm. 105.

PAZ ANTOUN, A. y PERNAS ROMAM, B.: "El informe como instrumento de coordinación en la Ley de Costas", *Estudios Territoriales*, núm. 34, 1990.

PÉREZ ANDRÉS, A. A. *La ordenación del territorio en el Estado de las Autonomías*. Madrid, 1998.

PÉREZ MORENO, A. "La Ley General y/o leyes sectoriales para la protección del medio ambiente" *DA* núm. 190, 1981.

– "La Ley de Costas y el Planeamiento urbanístico", *RDU* núm. 117, 1990.

QUINTANA LÓPEZ, T. y LOBATO GÓMEZ, J. M. *La constitución y gestión de los patrimonios municipales de suelo*, Madrid, 1996.

RAMÍREZ DE LA SERNA, R. "Naturaleza y destino del patrimonio municipal de suelo en la ley 7/2002" en *RDU* n° 262, 2010.

RODRÍGUEZ GONZÁLEZ, Mª P. *El dominio público marítimo-terrestre: titularidad y sistemas de protección*. Madrid, 1999.

SAINZ MORENO, F.: "El subsuelo del dominio público local en la obra colectiva *Municipios y redes de servicios públicos*, Gerona, 1990.

SÁNCHEZ MARÍN, R. "Urbanismo y telecomunicaciones", dentro de la obra colectiva coordinada por CHINCHILLA MARÍN: *Telecomunicaciones: Estudios sobre dominio público y propiedad privada*. Madrid, 2000.

SÁNCHEZ MORÓN, M. *Los bienes públicos (régimen jurídico)*. Madrid, 1997.

SANZ BOLXAREU, P.: "La ejecución de los sistemas generales de la ordenación urbanística del territorio" *RDU* núm. 68, 1980.

SANZ GASANDEGUI, F., "La articulación de las competencias estatales sobre obras públicas de interés general en materia de infraestructuras de transportes y las de ordenación territorial y el urbanismo" dentro de la obra colectiva dirigida por BLANQUER CRIDADO, D., *Ordenación y gestión del territorio turístico*, Valencia, 2002

SEGOVIA ARROYO, J. A. "Instrumentos de planeamiento general: algunos aspectos problemáticos. Estudio de la reciente jurisprudencia de los Tribunales Superiores de Justicia" *RDU* n. 189, 2001.

SERRANO ALBERCA, J. M. "Las redes públicas en la Ley del Suelo de la Comunidad de Madrid", *Revista de Urbanismo y Edificación*, núm. 4, 2001.

TOLEDO PICAZO, A. "Los aeropuertos privados no son sistemas generales. El caso concreto del proyecto de singular interés que autoriza la construcción del aeropuerto de Ciudad Real. Valoración del suelo a efectos expropiatorios" *RDU* n° 250, 2010.

Capítulo IX
Propiedad pública y propiedad privada en las estrategias de protección ambiental

José Francisco Alienza García
Profesor Titular de Derecho Administrativo
Universidad Pública de Navarra

SUMARIO: I. PLANTEAMIENTO: ESTRATEGIAS Y TÁCTICAS DE LUCHA CONTRA LA CONTAMINACIÓN. II. EL AMBIENTE NATURAL Y LOS BIENES QUE LO INTEGRAN. III. LA TITULARIDAD DE LOS BIENES AMBIENTALES. 1. Bienes de dominio público. A) Dominio público marítimo-terrestre. B) Aguas continentales. C) Dominio público forestal. D) Vías pecuarias. 2. Res communes omnium y res nullius. A) Aire. B) Fauna y flora silvestres. 3. Bienes privados. A) Suelo. B) Espacios naturales protegidos. C) Montes de titularidad privada. D) Animales domésticos. 4. Patrimonio común de la Humanidad. A) Espacios y recursos proclamados como Patrimonio Común de la Humanidad. B) El Patrimonio Común como técnica idónea para la institucionalización de la naturaleza. IV. ESTRATEGIAS DE PROTECCIÓN AMBIENTAL EN RELACIÓN CON LA PROPIEDAD DE LOS RECURSOS NATURALES. 1. La privatización del ambiente natural. 2. La delimitación e intervención sobre la propiedad privada para la protección ambiental. 3. La apropiación pública de bienes privados por causa de utilidad ambiental. 4. La demanialización como estrategia de protección ambiental. A) La protección ambiental como fundamento de la demanialización. B) Efectos de la demanialización. C) Límites de la demanialización. D) Sobre la eficacia de la demanialización como técnica de protección ambiental. V. CONCLUSIONES.

I. PLANTEAMIENTO: ESTRATEGIAS Y TÁCTICAS DE LUCHA CONTRA LA CONTAMINACIÓN

La relación entre el Derecho de los bienes públicos y el ambiente natural puede ser examinada, cuando menos, desde tres perspectivas. Por un lado, la que examina de qué manera la política patrimonial de las Administraciones públicas integra las exigencias ambientales. Esta vertiente está, por el momento, inexplorada habida cuenta de la escasa atención prestada a esta cuestión en las leyes generales sobre el patrimonio de las Administraciones públicas[1]. Una segunda vía de análisis es la que contempla la aplicación de

---

[1]   Es necesario avanzar en la integración de las exigencias ambientales en la política patrimonial de las Administraciones Públicas. Así como la conservación y protección de

los controles ambientales a la construcción de obras públicas. En este caso, se estudia cómo el Derecho ambiental incluye en su ámbito de aplicación a determinadas obras públicas[2]. Finalmente, la tercera perspectiva —que es la que aquí voy a adoptar— consiste en analizar el juego que pueden dar la propiedad privada y el dominio público sobre los recursos naturales como estrategia de protección ambiental.

"La estrategia es la doctrina del uso del combate para los fines de la guerra". La táctica, en cambio, según el célebre tratado decimonónico sobre la guerra de Carl von Clausewitz, es "la doctrina del uso de las fuerzas armadas en el combate". Dicho de otra manera, la ordenación de cada combate se rige por la táctica, mientras que la ordenación, dirección y vinculación de los distintos combates para los fines de la guerra es la estrategia. La táctica se ocupa de la forma de cada combate, la estrategia de su uso o significado[3].

---

los bienes culturales sí son tenidos en consideración, no puede decirse lo mismo de las exigencias ambientales. En la LPAP únicamente se alude a cuestiones ambientales en la definición de optimización de edificios (art. 160).

A este respecto se ha señalado que las técnicas de protección y utilización de los bienes públicos en la LPAP no tienen significación ambiental alguna y, sin embargo, cuando esas mismas técnicas se incorporan a la normativa del dominio público neutral adquieren otra dimensión (TEJEDOR BIELSA, J., "Bienes públicos y medio ambiente", en el vol. col., *Bienes públicos, urbanismo y medio ambiente* (coords. López Ramón, F., y Escartín Escudé, V.), ed. Marcial Pons, Madrid, 2013, p. 80).

[2]   Sobre esta cuestión véanse BERMÚDEZ SÁNCHEZ, J., *Obra pública y medio ambiente*, ed. Marcial Pons, Madrid, 2002 y TEJEDOR BIELSA, J., "Bienes públicos y medio ambiente", *cit.*, pp. 83 y ss.

[3]   Carl VON CLAUSEWITZ, *De la guerra*, ed. La esfera de los Libros (versión íntegra, trad. Carlos Fortea), Madrid, 2005, pp. 80 y 81. Consuela algo saber que la crítica a la teorización no es algo exclusivo del pragmatismo hipervalorado que caracteriza a nuestros días, pues el propio von Clausewitz sale al paso de posibles críticas sobre la inutilidad de la distinción teórica que plantea al comienzo de su tratado: "Sin duda habrá muchos lectores que consideren muy superflua esta minuciosa distinción entre dos cosas tan próximas como la táctica y la estrategia, porque no tiene influencia directa sobre la dirección misma de la guerra (...). La primera ocupación de cualquier teoría es despejar los conceptos e ideas enmarañados y, bien puede decirse, muy enredados entre sí; y sólo cuando se ha llegado a un acuerdo sobre nombres y conceptos se puede esperar avanzar con claridad y facilidad en la contemplación de las cosas (...) Táctica y estrategia son dos actividades que se interpenetran en el tiempo y el espacio, pero esencialmente distintas, cuyas leyes y relación mutua no se puede en modo alguno pensar con claridad sin establecer con precisión su concepto". Y acaba esta advertencia sobre la utilidad de la clarificación conceptual y de la teoría denunciando la vacuidad de las ideas sin base científica: "Aquel para quien nada signifique todo esto, o bien no puede permitirse consideración teórica alguna, o no harán daño alguno a su entendimiento las ideas confusas y borrosas, no apoyadas en nada sólido, que no llegan a ningún resultado reposado, ideas ora

Es habitual plantear las políticas y actividades de conservación ambiental como una lucha o guerra contra la contaminación[4]. Pues bien, una de las decisiones estratégicas más importantes de la política ambiental es la relativa a la titularidad de los bienes ambientales: si el ambiente y los bienes que lo integran deben excluirse del tráfico privado o si, por el contrario, pueden permanecer en manos privadas y, en este caso, en qué condiciones.

Es una decisión estratégica que precede y condiciona otros instrumentos (tácticos, según el general prusiano) de protección ambiental, como son la planificación de su aprovechamiento, el otorgamiento de autorizaciones y concesiones para su uso (especial o privativo) de carácter privado, el control sobre las actividades privadas que puedan incidir en los valores ambientales de los bienes demaniales o la utilización de los llamados instrumentos de mercado.

Las consecuencias de la demanialización son mucho más persistentes y problemáticas que la aplicación de otras técnicas de protección ambiental, por lo que su utilización requiere una mayor reflexión[5].

Esta decisión estratégica corresponde al legislador. Una vez dispuesta la decisión estratégica sobre la titularidad pública o privada de los bienes

---

       planas, ora fantásticas, ora perdidas en la vacua generalidad, que con tanta frecuencia tenemos que escuchar y leer acerca de la dirección de la guerra, porque raras veces se ha detenido sobre este objeto una mente dotada de análisis científico" (*ibidem*, p. 86).

[4]   En estos mismos términos bélicos plantea también James LOVELOCK la situación ante el cambio climático. Considera que la misma actitud contemporizadora que los países europeos adoptaron ante la amenaza y los hechos del tercer Reich, se está reproduciendo ante el cambio climático. Y al igual que Napoleón tardó en darse en cuenta de la necesidad de retirarse de Rusia, estamos ya retrasando la decisión de retirarse de modo ordenado y sostenible antes de que sea demasiado tarde. Y la decisión estratégica que postula Lovelock es utilizar la energía nuclear, pues considera que ya es tarde para que las energías renovables puedan sustituir a los hidrocarburos. Y no me resisto a reproducir su última metáfora bélica: "es necesario un reducido y permanente grupo de estrategas que, igual que en épocas de guerra, traten de adelantarse a las acciones de nuestro enemigo planetario y reaccionen rápidamente a las sorpresas que nos aguardan". Y concluye sentenciando que "la gran fiesta del siglo XX, con su extravagante despilfarro y sus juegos de guerra, se ha acabado. Ahora es el momento de limpiar y sacar la basura" (James LOVELOCK, *La venganza de la Tierra. La teoría de Gaia y el futuro de la humanidad*, ed. Planeta, Barcelona, 2007, las citas son de las pp. 29, 215 y 221).

[5]   Como advierte von Clausewitz "para una importante decisión estratégica hace falta mucha más fuerza de voluntad que en la táctica. En ésta, el instante arrastra, el actuante se siente arrastrado a un torbellino contra el que no puede luchar sin las peores consecuencias, reprime los reparos que se alzan y se aventura al valeroso. En la estrategia donde todo discurre mucho más lentamente, se concede mucho más espacio a los reparos, objeciones e ideas ajenas y (...) la convicción no es tan fuerte" (*ibidem*, p. 141).

ambientales, corresponderá a la Administración desarrollar las decisiones tácticas —ordenar los usos, controlar las emisiones, etc.— sobre cada bien o recurso ambiental y sobre las actividades que inciden sobre los mismos.

Para analizar los factores de esta estrategia comenzaré por exponer cuál es la condición jurídica que se reconocen a los distintos bienes ambientales, distinguiendo cuatro situaciones: dominio público, propiedad privada, *res nullius* y *res communes omnium*, y bienes considerados como patrimonio de la Humanidad. Posteriormente se examinarán las condiciones jurídicas y las eventuales consecuencias de modificar el régimen actualmente aplicable a dichos bienes.

II. EL AMBIENTE NATURAL Y LOS BIENES QUE LO INTEGRAN

Sobre la noción de ambiente se ha hablado y escrito mucho sin que se haya llegado a formular un concepto jurídico que sea unánimemente aceptado. No puedo entrar en este momento en una explicación detallada de mi postura. Me limitaré a expresar que entre los dos grandes modelos de comprensión jurídica del ambiente[6], uno estricto (restringido a los sistemas naturales: agua, aire, suelo, fauna y flora) y otro amplio (que incluye junto a los sistemas naturales, otra serie de realidades sociales o culturales, en cuanto que forman parte del entorno de la vida del hombre) yo me he situado siempre a favor del concepto estricto.

Aunque existen sólidos argumentos filosóficos y de derecho positivo (sobre todo en textos de derecho internacional) en favor del concepto amplio —que, además, cuentan con el refrendo del célebre pronunciamiento del Tribunal Constitucional[7]— considero que existen razones de mayor peso para defender un concepto estricto. Estas razones son de diverso orden (teleológicas, metodológicas, epistemológicas y de derecho positivo), aunque aquí sólo me referiré a dos[8].

---

[6]   Sobre las distintas concepciones del medio ambiente puede verse el estudio de JARIA
      I MANZANO, J., *El concepte constitucional de medi ambient*, Reus, 2007.
[7]   Recuérdese que la STC 102/1995, de 26 de junio, sostuvo que junto a los elementos
      naturales, pertenecen al concepto jurídico de ambiente "otros elementos que no son
      naturaleza sino Historia, los monumentos, así como el paisaje, que no es sólo una realidad objetiva sino un modo de mirar, distinto en cada época y en cada cultura".
[8]   A las otras me referí en mi *Manual de Derecho Ambiental*, ed. Universidad Pública de
      Navarra, Pamplona, 2001, pp. 37-38.

La primera tiene que ver con el fundamento primario de la protección ambiental. Si se acepta la premisa de que ese fundamento radica en la preservación de los elementos naturales que posibilitan la vida en la tierra (la vida del hombre si se adopta una postura antropocéntrica), los elementos culturales o artificiales no deben incluirse en el mismo concepto del ambiente puesto que no cumplen una función de soporte vital. Estos factores culturales e histórico-artísticos son indispensables para una buena calidad de vida, pero no son esenciales para la permanencia de la vida en nuestro planeta. Por tanto, aunque son merecedores de protección jurídica (que incluso se le presta a veces mediante la propia normativa ambiental) no pueden incluirse en el mismo concepto del ambiente natural.

En segundo lugar, el concepto estricto está recabando, cada vez con más frecuencia, la confirmación en la normativa positiva. La propia Constitución española, a pesar de la interpretación del TC, separa los aspectos naturales de los artificiales al contemplar en artículos distintos el derecho a un ambiente adecuado (art. 45) y la conservación del patrimonio histórico, cultural y artístico (art. 46). Pero, sobre todo, es la legislación ambiental la que está inclinándose, ya de manera rotunda, hacia un concepto estricto de ambiente. Así aunque una institución central del Derecho ambiental, como la evaluación de impacto ambiental parecía incorporar un concepto amplio al incluir entre los factores que debían ser evaluados aspectos culturales y sociales, la mayor parte de la legislación ha ido evolucionando hacia un concepto estricto. Es el caso de ámbitos tan significativos, por ejemplo, el derecho de acceso a la información ambiental[9], el delito ecológico[10], o la responsabilidad por daños ambientales[11].

---

[9]   La Ley 27/2006, de 18 de julio, por la que se regulan los derechos de acceso a la información, de participación pública y de acceso a la justicia en materia de medio ambiente al definir el concepto de "información ambiental", incluye como primera cuestión "el estado de los elementos del medio ambiente", especificando a continuación "como el aire y la atmósfera, el agua, el suelo, la tierra, los paisajes y espacios naturales, incluidos los humedales y las zonas marinas y costeras, la diversidad biológica y sus componentes, incluidos los organismos modificados genéticamente; y la interacción entre estos elementos" (art. 2.3).

[10]   En el Código Penal se distinguen los delitos sobre el patrimonio histórico (Capítulo II del Título XVI) de los delitos contra los recursos naturales y el medio ambiente (Capítulo III, del Título XVI). Y el tipo básico del delito ecológico castiga la realización de un acto de contaminación, vulnerando la legislación ambiental, realizado "en la atmósfera, el suelo, el subsuelo, o las aguas terrestres, subterráneas o marítimas, incluido el alta mar" (art. 325 CP).

[11]   La Ley 26/2007, de 23 de octubre, de responsabilidad medioambiental entiende por daños medioambientales los causados a las especies silvestres y a sus hábitat, los daños a las aguas, los daños a la ribera del mar y de las rías y los daños al suelo (art. 2).

En definitiva, que el ambiente es el sistema que integra a todos los seres vivientes de nuestro planeta (fauna y flora), así como el aire, el agua y el suelo, que constituyen su hábitat o lugar donde se desarrollan en su ciclo vital. A la titularidad de los bienes que conforman dicho sistema ambiental me refiero en el siguiente apartado.

III. LA TITULARIDAD DE LOS BIENES AMBIENTALES

1. Bienes de dominio público

A) Dominio público marítimo-terrestre

El artículo 132.2 CE establece que "son bienes de dominio público estatal los que determine la ley y, en todo caso, la zona marítimo terrestre, las playas, el mar territorial y los recursos naturales de la zona económica y la plataforma continental". Este precepto, como se ve, remite a la ley la determinación de los bienes que integran el dominio público estatal y determina por sí mismo la inclusión en dicho dominio público del dominio público marítimo-terrestre.

El dominio público marítimo-terrestre está constituido por la ribera del mar y de las rías (que incluye la zona marítimo-terrestre y las playas), el mar territorial y las aguas interiores, con su lecho y subsuelo; los recursos naturales de la zona económica y la plataforma continental y otra serie de elementos como las accesiones a la ribera del mar, los terrenos ganados al mar, los terrenos invadidos por el mar, los acantilados sensiblemente verticales en contacto con el mar o con espacios de dominio público-marítimo-terrestre hasta su coronación, los islotes en aguas interiores y mar territorial, etc. (arts. 3 y 4 de la Ley 22/1988, de 28 de julio, de Costas).

La regulación de este dominio público[12] está presidida, en buena medida, por su utilización racional, la preservación de sus características naturales y la igualdad básica en el ejercicio del derecho a disfrutar de un medio ambiente adecuado al desarrollo de la persona[13]. Así se desprende de los

---

[12]   Las mismas preocupaciones ambientales se aprecian en la regulación del mar territorial y de la zona económica exclusiva. Así, la Ley 15/1978, de 20 de febrero, de regulación de la zona económica exclusiva también establece que en la reglamentación de la conservación, exploración y explotación de los recursos naturales de la zona económica exclusiva "se cuidará la preservación del medio marino" (art. 1.2, b).

[13]   Por ello, la Ley de Costas encuentra su fundamento competencial no sólo en la titularidad del demanio, sino en otros títulos competenciales entre los que se encuentra

fines impuestos a la actuación sobre estos bienes (art. 2 Ley de Costas), los objetivos de las limitaciones impuestas a los terrenos colindantes (art. 20) y su utilización (arts. 31 y ss.)[14].

---

el de la legislación básica en materia de protección del medio ambiente. En este sentido la STC 149/1991 señaló (FJ 1, D) lo siguiente: "Estas finalidades que ampara el art. 45 CE no pueden alcanzarse, sin embargo, sin limitar o condicionar de algún modo las utilizaciones del demanio y el uso que sus propietarios pueden hacer de los terrenos colindantes con él y, en consecuencia, tampoco sin incidir sobre la competencia que para la ordenación del territorio ostentan las Comunidades Autónomas costeras. Esta incidencia está legitimada, en lo que al espacio demanial se refiere, por la titularidad estatal del mismo. En lo que toca a los terrenos colindantes es claro, sin embargo, que tal titularidad no existe y que la articulación entre la obligación estatal de proteger las características propias del dominio público marítimo-terrestre y asegurar su libre uso público, de una parte, y la competencia autonómica sobre la ordenación territorial, de la otra, ha de hacerse por otra vía, apoyándose en otras competencias reservadas al Estado en exclusiva por el art. 149.1 de la CE. Entre éstas, y aparte otras competencias sectoriales que legitiman la acción normativa e incluso ejecutiva del Estado en supuestos concretos (así las enunciadas en los párrafos 4°, 8°, 13°, 20°, 21° ó 24° del citado art. 149.1 CE), son dos los títulos competenciales, por así decir generales, a los que se ha de acudir para resolver conforme a la Constitución el problema que plantea la antes mencionada articulación. El primero de tales títulos es el enunciado en el art. 149.1.1, que opera aquí en dos planos distintos. En primer lugar para asegurar una igualdad básica en el ejercicio del derecho a disfrutar de un medio ambiente adecuado al desarrollo de la persona (art. 45 CE), en relación con el dominio público marítimo-terrestre, cuya importancia a estos efectos ya ha sido señalada antes con referencia a la Carta Europea del Litoral (...). El segundo, aunque no secundario, de los indicados títulos es el que, en relación con la protección del medio ambiente consagra el art. 149.1.23. Como se sabe, la competencia allí reservada al Estado es la relativa al establecimiento de la legislación básica, que puede ser complementada con normas adicionales, cuando así lo prevén los respectivos Estatutos, así como el ejercicio de las funciones de ejecución necesarias para la efectividad de esa legislación. Es, sin duda, la protección de la naturaleza la finalidad inmediata que persiguen las normas mediante las que se establecen limitaciones en el uso de los terrenos colindantes a fin de preservar las características propias (incluso, claro está, los valores paisajísticos) de la zona marítimo-terrestre y, por tanto, es a partir de esa finalidad primaria como se han de articular, para respetar la delimitación competencial que impone el bloque de la constitucionalidad, la obligación que al legislador estatal impone el art. 132.2 de la CE y las competencias asumidas por las Comunidades Autónomas".

Esa conexión de las costas con el derecho a disfrutar de un ambiente adecuado se subraya también en el preámbulo de la Ley 2/2013, de 29 de mayo, de protección y uso sostenible del litoral y de modificación de la Ley de Costas.

[14] Sobre el dominio público marítimo-terrestre y los mecanismos de protección en general véanse, entre otros, GONZÁLEZ SALINAS, J., *Régimen jurídico actual de la propiedad en las costas*, ed. Civitas, Madrid, 2000 y RODRÍGUEZ GONZÁLEZ, M. P., *El dominio público marítimo-terrestre: titularidad y sistemas de protección*, ed. Marcial Pons, Madrid, 1999.

Además, debe tenerse en cuenta la protección que puede recibir el litoral de otros sectores normativos como el de espacios naturales[15], el urbanismo[16], la seguridad marítima[17], así como la necesaria y urgente puesta en marcha de una auténtica gestión integral del litoral[18].

Más adelante habrá ocasión de profundizar en la renovada y reforzada función ambiental que se reconoce al dominio público natural.

B) Aguas continentales

El otro gran recurso natural de dominio público son las aguas continentales. La propia definición del dominio público hidráulico se basa en las condiciones naturales del recurso. Así, el TRLA declara que "las aguas continentales superficiales, así como las subterráneas renovables, integradas todas ellas en el ciclo hidrológico, constituyen un recurso unitario, subordinado al interés general, que forma parte del dominio público estatal como dominio público hidráulico" (art. 1.3). En particular, constituyen el dominio público hidráulico del Estado (art. 2):

> "a) Las aguas continentales, tanto las superficiales como las subterráneas renovables con independencia del tiempo de renovación.
> b) Los cauces de corrientes naturales, continuas o discontinuas.
> c) Los lechos de los lagos y lagunas y los de los embalses superficiales en cauces públicos.
> d) Los acuíferos, a los efectos de los actos de disposición o de afección de los recursos hidráulicos.
> e) Las aguas procedentes de la desalación de agua de mar".

Sobre los aspectos ambientales en particular, véase ZAMBONINO PULITO, M. D., *La protección jurídico-administrativa del medio marino*, ed. Tirant lo Blanch, Valencia, 2001.

[15] ORTIZ GARCÍA, M., *La gestión eficiente de la zona costera: los parques marinos*, ed. Tirant lo Blanch, Valencia, 2003.

[16] AAVV., *La ordenación del litoral* (XVI Semana de Estudios Superiores de Urbanismo), ed. Cemci, Granada, 1992.

[17] GARCÍA PÉREZ, M. y SANZ LARRUGA, J. (coords.), *Seguridad marítima y medio ambiente*, ed. Instituto Universitario de Estudios Marítimos, La Coruña, 2006, MEILÁN GIL, J. L. (Dir.), *Problemas jurídico-administrativos planteados por el Prestige*, ed. Aranzadi, Pamplona, 2005 y MEILÁN GIL J. L. (Dir.), *Estudios sobre el régimen jurídico de los vertidos de buques en el medio marino*, ed. Aranzadi, 2006.

[18] *Vid.* SANZ LARRUGA, F. J., *Bases doctrinales y jurídicas para un modelo de gestión integrada y sostenible del litoral de Galicia*, ed. Xunta de Galicia, A Coruña, 2003 y del mismo autor "Litoral, costas y medio ambiente: bases para su gestión integrada y sostenible", en el vol. col., *Bienes públicos, urbanismo y medio ambiente* (coords. López Ramón, F., y Escartín Escudé, V.), ed. Marcial Pons, Madrid, 2013, pp. 345-365.

Como luego se verá, la STC 227/1988 consideró justificada la demanialización de las aguas, entre otras razones, por ser una técnica jurídica apta y proporcionada para la protección ambiental.

La Ley de Aguas acogió los requerimientos ambientales a lo largo de todo su articulado, afectando a todos los elementos de ordenación del uso del agua, siendo un objetivo prioritario de cada una de las áreas de la acción administrativa sobre el dominio público hidráulico[19]: la planificación[20], el control de los usos y aprovechamientos[21] y la protección, en especial el régimen de los vertidos[22].

C) Dominio público forestal

Los bosques más significativos desde el punto de vista ecológico pueden recibir la tutela reforzada de la legislación de espacios naturales protegidos, si son declarados como tales. No obstante, la legislación de montes también otorga una protección jurídica a los bosques por sus valores ambientales, económicos y sociales. La multifuncionalidad de los montes siempre ha estado presente, en mayor o menor medida, en la ordenación jurídica de los montes. Pero, hoy sus funciones ambientales han pasado a primer término en la legislación forestal, repercutiendo en todos los as-

---

[19] De la amplísima bibliografía existente me limitaré a señalar DELGADO PIQUERAS, F., *Derecho de aguas y medio ambiente*, ed. Tecnos, Madrid, 1992; EMBID IRUJO, A. (Dir.), *La calidad de las aguas*, Civitas/Universidad de Zaragoza/Confederación Hidrográfica del Ebro, Madrid, 1994 y *Nuevo Derecho de Aguas* (dir: GONZÁLEZ-VARAS IBÁÑEZ, S.), ed. Civitas, 2007.

[20] PALLARÉS SERRANO, A., *La planificación hidrológica de cuenca como instrumento de ordenación ambiental sobre el territorio*, ed. Tirant lo Blanch, Valencia, 2007.

[21] CARO-PATÓN CARMONA, I., "Concepto, determinación e implantación de los caudales ecológicos. El problema de su afección a derechos concesionales preexistentes", *REDA*, núm. 124, 2004, pp. 573-609.

[22] Sobre la regulación de los vertidos véanse ÁLVAREZ CARREÑO, S. M., *El régimen jurídico de la depuración de las aguas residuales urbanas*, ed. Montecorvo, Madrid, 2002; CASADO CASADO, L., *Los vertidos en aguas continentales*, ed. Comares, Granada, 2004; FORTES MARTÍN, A., *Vertidos y calidad ambiental de las aguas. Regulación jurídico-administrativa*, ed. Atelier, Barcelona, 2005; SANZ RUBIALES, I., *Los vertidos en aguas subterráneas*, ed. Marcial Pons, Madrid, 1997; y SETUAIN MENDÍA, B., *El saneamiento de las aguas residuales en el ordenamiento español*, ed. Lex Nova, Valladolid, 2002.

pectos de su ordenación jurídica[23] y con independencia de su titularidad pública o privada[24].

La importancia que han cobrado los valores y funciones ecológicas de los bosques en su regulación jurídica se ha reflejado en muy diversos aspectos. Dos son los que interesan a efectos del presente trabajo: la aparición de un dominio público forestal y la intervención pública sobre la propiedad forestal en razón de su función social.

La naturaleza jurídica de los montes de titularidad pública ha estado envuelta en una histórica polémica al enfrentarse, de un lado, un régimen legal ultraprotector muy cercano al régimen de dominio público y, de otro, la calificación reglamentaria —ante el silencio de la Ley de Montes de 1957— de que todos los montes públicos eran patrimoniales.

Ese régimen reforzado de protección se estableció, fundamentalmente, a través del Catálogo de Montes de Utilidad Pública, cuya inclusión suponía la aplicación de un régimen distinto del de los bienes patrimoniales (por ejemplo, la necesidad de una Ley para su enajenación o la atribución de especiales potestades de conservación y recuperación de la Administración), que ya tuvo desde sus orígenes una finalidad de protección ambiental[25].

La tradicional polémica se cerró con la configuración legal de un dominio público forestal. Algunas normas autonómicas se adelantaron al legislador estatal en la creación de este nuevo dominio público[26]. La Ley

---

[23]   Sobre esta cuestión véanse ESTEVE PARDO, J., *Realidad y perspectivas de la ordenación jurídica de los montes (Función ecológica y explotación racional)*, ed. Civitas, Madrid, 1995; VICENTE DOMINGO, R. DE, *Espacios forestales (Su ordenación jurídica como recurso natural)*, ed. Civitas, Madrid, 1995; LÓPEZ RAMÓN, F., *Principios de Derecho Forestal*, ed. Aranzadi, Pamplona, 2002; MARTÍN MATEO, R., "Los servicios ambientales del monte", *REALA*, núm. 288, 2002, pp. 57-78; SARASÍBAR IRIARTE, M., *El Derecho Forestal ante el cambio climático: las funciones ambientales de los bosques*, ed. Aranzadi, Cizur Menor, 2007, pp. 203 y ss.
[24]   La Ley 43/2003, de Montes señala que "por razón de su titularidad los montes pueden ser públicos o privados", siendo montes públicos "los pertenecientes al Estado, a las Comunidades Autónomas, a las entidades locales y a otras entidades de derecho público", y montes privados "los pertenecientes a personas físicas o jurídicas de derecho privado, ya sea individualmente o en régimen de copropiedad" (art. 11).
[25]   ESTEVE PARDO, J., *Realidad y perspectivas de la ordenación jurídica de los montes...*, cit., pp. 233 y 234.
[26]   Las primeras fueron la Ley 2/1992, de 15 de junio, de Ordenación Forestal de Andalucía y la Ley 3/1993, de 9 de diciembre, forestal de la Comunidad Valenciana. Tras la Ley de Montes estatal han recogido también el dominio público forestal la Ley 3/2004, de 23 noviembre, de Montes de Asturias y la Ley 15/2006, de 28 diciembre, de Montes de Aragón.

43/2003, de Montes terminó por incluir en el dominio público forestal los siguientes montes (art. 12.1):

> "a) Por razones de servicio público, los montes incluidos en el Catálogo de Montes de Utilidad Pública a la entrada en vigor de esta Ley, así como los que se incluyan en él de acuerdo con el artículo 16.
>
> b) Los montes comunales, pertenecientes a las entidades locales, en tanto su aprovechamiento corresponda al común de los vecinos.
>
> c) Aquellos otros montes que, sin reunir las características anteriores, hayan sido afectados a un uso o servicio público".

Con esta proclamación expresa del dominio público forestal se cierra la polémica sobre su naturaleza jurídica, pero se ha generado otra sobre la oportunidad y el fundamento de la demanialización[27].

Lo que debe subrayarse es que el núcleo más importante de esta categoría es el de los montes catalogados, que son los que contienen valores ecológicos más destacados[28]. Por ello, se ha criticado que la Ley de Montes

---

[27]   Para ESTEVE PARDO la demanialización de algunos bosques es innecesaria (ya existen fórmulas jurídicas muy experimentadas, como el Catálogo, que dispensan a los montes una protección similar a la demanialidad) e incoherente, ya que todos los terrenos forestales son de interés para la calidad de vida y la protección ambiental y puestos a crear un dominio público forestal debiera haberse realizado una afectación por naturaleza como en las aguas y las costas (*Realidad y perspectivas de la ordenación jurídica de los montes...*, *cit.*, pp. 249-250). También se ha criticado la demanialización forestal efectuada por la Ley de Montes por tratarse de un conjunto de elementos heterogéneos y asimétricos que guardan importantes diferencias de régimen jurídico. Véase al respecto CALVO SÁNCHEZ, L., "El dominio público forestal y los montes patrimoniales", en el vol. col. *Comentarios sistemáticos a la Ley 43/2003, de 21 de noviembre, de Montes* (coord. CALVO SÁNCHEZ L.), ed. Civitas, Madrid, 2005, pp. 496 y ss.

[28]   La Ley 10/2006, de 28 de abril, por la que se modifica la Ley 43/2003, de 21 de noviembre de montes dio un paso más en la fundamentación ambiental de la protección de los montes. Su exposición de motivos señalaba lo siguiente: "Como novedad de la ley ha de destacarse la regulación introducida en relación con el Catálogo de Montes de Utilidad Pública, el cual ha constituido históricamente un instrumento útil para la defensa y protección jurídica de los montes públicos. Para extender esta protección a toda la masa forestal y aplicar la lógica derivada del artículo 45 de la Constitución Española, según la cual la protección debe tomar como referencia las cualidades objetivas del recurso que se ha de conservar y restaurar, se añade a la ley un nuevo capítulo sobre las figuras de los montes protectores y con otras figuras de especial protección. La especial importancia de estos montes, ya sean públicos o privados, derivada de los especiales valores que incorporan, les hacen acreedores de una singularidad que justifica la adopción de una regulación y un registro propios, a través de los cuales las Administraciones puedan velar por su especial protección y salvaguarda". Se introduce el capítulo IV Bis en la Ley para establecer el régimen de los montes protectores y montes con otras figuras de especial protección. Los montes protectores —ya sean de

haya recurrido al servicio público como criterio de afectación demanial [art. 12.1, a)] en vez de apoyarse en la utilidad pública, que es el nombre de la categoría principal de montes demaniales y que mejor refleja sus funciones hidrogeológicas y ambientales[29].

D) Vías pecuarias

La vías pecuarias también son bienes de dominio público con funciones ecológicas destacadas. Se definen como "las rutas o itinerarios por donde discurre o ha venido discurriendo tradicionalmente el tránsito ganadero" (art. 1.2 Ley 3/1995, de 23 de marzo de vías pecuarias) y se declaran "bienes de dominio público de las Comunidades Autónomas" (art. 2 LVP).

Las vías pecuarias son caminos (cañadas, cordeles y veredas) y otros elementos asociados al tránsito pecuario (abrevaderos, descansaderos, majadas) que siempre han tenido la consideración de bienes públicos por razón de su uso público para la trashumancia y las comunicaciones rurales. Ahora la LVP les atribuye una serie de funciones públicas como son el tránsito ganadero, la función ecológica, la función recreativa y la función cultural. Las funciones ecológicas que pueden desempeñar las vías pecuarias son varias. En primer lugar, el ecosistema cañadiego tiene un alto valor ecológico y biológico. En segundo lugar, las vías pecuarias son especialmente aptas

---

titularidad pública o privadas— son montes catalogables de utilidad pública (art. 13) y podrán ser declarados como protectores aquéllos que reúnan algunos de los valores ecológicos que se determinan en el artículo 24 bis: "a) Los situados en cabeceras de cuencas hidrográficas y aquellos otros que contribuyan decisivamente a la regulación del régimen hidrológico, evitando o reduciendo aludes, riadas e inundaciones y defendiendo poblaciones, cultivos o infraestructuras.

b) Que se encuentren en las áreas de actuación prioritaria para los trabajos de conservación de suelos frente a procesos de erosión y de corrección hidrológico-forestal y, en especial, las dunas continentales.

c) Que eviten o reduzcan los desprendimientos de tierras o rocas y el aterramiento de embalses y aquellos que protejan cultivos e infraestructuras contra el viento.

d) Que se encuentren en los perímetros de protección de las captaciones superficiales y subterráneas de agua.

e) Que se encuentren formando parte de aquellos tramos fluviales de interés ambiental incluidos en los planes hidrológicos de cuencas.

f) Aquellos otros que se determinen por la legislación autonómica.

g) Que estén situados en áreas forestales declaradas de protección dentro de un Plan de Ordenación de Recursos Naturales o de un Plan de Ordenación de Recursos Forestales de conformidad con lo dispuesto en el artículo 31 de esta ley.".

[29] CALVO SÁNCHEZ, L., "El dominio público forestal y los montes patrimoniales", *cit.*, p. 505.

para hacer de corredores ecológicos de conexión entre enclaves naturales. Pueden servir, también, como franjas de protección de los espacios naturales. Tienen, por otro lado, un elevado interés paisajístico. Y, finalmente, pueden ser utilizadas como aulas de la naturaleza para la educación ambiental. Si en su día las vías pecuarias pudieron describirse como pastos alargados, hoy podrían considerarse como una especie de "parques naturales alargados o lineales". Estas funciones ecológicas —junto con el prioritario uso ganadero— condicionan el régimen de usos y aprovechamientos de las vías pecuarias.

Además los valores ecológicos de las vías pecuarias pueden servir para justificar el mantenimiento del carácter público del sistema cañadiego. En efecto, la pérdida de uso ganadero fue una de las principales causas de desaparición de las vías pecuarias porque permitía su enajenación o permuta, posibilitaba su ocupación por otras infraestructuras públicas o inducía a la tolerancia de usurpaciones u ocupaciones ilegales de las mismas. Ahora la afectación ecológica de las vías pecuarias permite y justifica el mantenimiento de su condición demanial, aunque se pierda o desaparezca la función pecuaria[30].

2. *Res communes omnium y res nullius*

A) Aire

El aire o la atmósfera en cuanto elemento del ambiente natural ha tenido tradicionalmente la consideración de *res comunes omnium*, es decir, una cosa común que puede ser objeto de aprovechamiento por todos, pero que no es objeto de dominio —ni público, ni privado—, porque por naturaleza es imposible su aprehensión o apropiación. En consecuencia, la legislación sobre la atmósfera se ha centrado en prohibir o limitar las actividades contaminantes, sin atribuir derechos de propiedad sobre el mismo[31]. Y sin propiedad o sin apropiabilidad física del bien tampoco hay responsabilidad. Por ello —y también por la rápida dispersión de la contaminación en el

---

[30]   ALENZA GARCÍA, J. F., *Vías pecuarias*, ed. Civitas, Madrid, 2001 y HERRÁIZ SERRA-NO, O., *Régimen jurídico de las vías pecuarias*, éd. Comares, Granada, 2000.

[31]   Como ha señalado DARNACULLETA I GARDELLA, M., es muy significativo que el aire, que aparecía en Las Partidas como el primero de "las cosas comunes a todos los vivientes", no fue incorporado —como las aguas de la lluvia o el mar, que eran las otras cosas comunes— a los bienes de dominio público del artículo 339 CC, probablemente por la dificultad de apropiación física de este recurso (*Recursos naturales y dominio público: el nuevo régimen de demanio natural*, ed. Cedecs, Barcelona, 2000, pp. 151-152).

medio atmosférico— se han excluido los daños a la atmósfera del régimen público de responsabilidad por daños ambientales[32].

La exposición de motivos de la Ley 38/1972, de 22 de diciembre, señalaba que "el aire es un elemento indispensable para la vida y (...) por otra parte, *es un bien común limitado* y, por tanto, su utilización o disfrute deberá supeditarse a los superiores intereses de la comunidad frente a los intereses individuales". Esa misma calificación se le da en el preámbulo de la reciente Ley 34/2007, de 15 de noviembre, de calidad del aire y de protección de la atmósfera: "La atmósfera *es un bien común indispensable* para la vida respecto del cual todas las personas tienen el derecho de su uso y disfrute y la obligación de su conservación"[33].

En definitiva, ni estamos ante un bien de naturaleza demanial[34], ni la atmósfera no requiere —ni sería adecuado— el establecimiento de un ré-

---

[32]   En efecto, tanto la Ley 26/2007, de 23 de octubre, de responsabilidad medioambiental, como la Directiva 2004/35/CE de la que trae causa, excluyen los daños causados a la atmósfera del concepto de daños ambientales y de su régimen de aplicación. Únicamente se admite la inclusión en el concepto "aquellos daños medioambientales que hayan sido ocasionados por los elementos transportados por el aire" (art. 2.2).

[33]   Otra cosa es que, a otros efectos distintos de los ambientales, se haya hablado del espacio aéreo en cuanto medio transmisor de las ondas radioléctricas como dominio público. Esta calificación se limita, no obstante, a la ordenación de cierto uso del espacio aéreo, sin que pueda generalizarse dicha calificación al aire o a la atmósfera en su conjunto. Así lo señaló en su momento GONZÁLEZ NAVARRO, F., *Televisión pública y televisión privada*, ed. Civitas, Madrid, 1982, pp. 298 y 289. Además, ni siquiera está claro que sea el espacio aéreo el objeto demanializado, ya que se han apuntado también como objeto demanial la energía electromagnética, las ondas herzianas o la actividad electromagnética (al respecto véase FERNANDO PABLO, M., "Sobre el dominio público radioeléctrico: espejismo y realidad", *RAP*, núm. 143, 1997, pp. 107 y ss.). En la actualidad, lo que se califica de bien de dominio público ya no es el espacio por el que se transmiten las ondas radioeléctricas, sino el "espectro radioeléctrico" (art. 43.1 de la Ley 32/2003, de 3 de noviembre, General de Telecomunicaciones). Dicho espectro se define como "las ondas electromagnéticas en las frecuencias comprendidas entre 9 KHz y 3000 GHz; las ondas radioeléctricas son ondas electromagnéticas propagadas por el espacio sin guía artificial" (anexo II, núm. 12).

[34]   Las críticas a esta posible calificación han sido muchas. Como señaló BARCELONA LLOP, J., "la protección y ordenación del espacio aéreo está asegurada a través de otras técnicas, no existiendo razón alguna para forzar los contornos de la dominial, que no me parece la más conveniente para bienes o cosas susceptibles de uso pero no de apropiación. ¿Es que el aire puede ser objeto de prescripción adquisitiva, mandamientos de embargo y compraventa? Y si no lo es, ¿acaso está justificado aplicarle un concepto jurídico que es, justamente, imprescriptibilidad, inembargabilidad e inalienabilidad?" ("Consideraciones sobre el dominio público natural", *RArAP*, núm. 13, 1998, p. 122). Por su parte, DARNACULLETA I GARDELLA, M., entiende que la intervención de los poderes públicos sobre la atmósfera no requiere su demanialización y funciona al

gimen demanial para su protección dado la imposibilidad de apropiación. Se ajusta mejor a su condición jurídica la que se expresa en las exposiciones de motivos de su regulación legal: un bien común. Un bien común que es susceptible de utilización y aprovechamiento individual y colectivo que, en razón de su carácter de recurso indispensable para la vida, es objeto de protección jurídica mediante la limitación y control de las actividades que alteran o modifican su composición.

B) Fauna y flora silvestres

Una de las cuestiones jurídicas todavía pendientes de resolver es la del estatuto jurídico del animal[35]. En la actualidad existen estatutos jurídicos diversos de los animales que se establecen en función de la relación o uso que el hombre tenga con ellos. Básicamente, cabe diferenciar dos estatutos: por un lado, el de los animales domésticos y de compañía; por otro, el de los animales silvestres.

En el caso de los primeros se admite la titularidad privada, aunque —como luego se verá— cada vez con mayores restricciones y deberes en cuanto a su uso y el trato que se les dispensa.

En cuanto a la fauna (y cabría decir lo mismo de la flora) silvestre no es fácil encontrar en nuestro ordenamiento una calificación general sobre su condición jurídica. La Ley Foral 2/1993, de 5 de marzo, de protección y gestión de la fauna silvestre y sus hábitats establece que "los animales silvestres son patrimonio común por lo que no son susceptibles de apropiación física o jurídica, excepto por autorización administrativa" (art. 5). Esta calificación de la fauna silvestre como patrimonio común tiene la finalidad de responsabilizar a los poderes públicos en su conservación[36]. Y no sería descartable la generalización de la calificación de las especies silvestres como patrimonio común de la Humanidad[37].

---

margen del régimen demanial (*Recursos naturales y dominio público: el nuevo régimen de demanio natural, cit.*, p. 153). En similares términos se ha expresado BETANCOR RODRÍGUEZ, A., *Instituciones de Derecho Ambiental*, ed. La Ley, Madrid, 2001, pp. 585-586.

[35]   Como denunció F. OST "el estatuto del animal necesita todavía ser pensado en la tradición occidental (...) por ello, no es extraño que el derecho, producto cultural de la misma sociedad, se muestre igualmente incapaz, en su forma actual, de proporcionar una representación coherente del estatuto del animal" (*Naturaleza y Derecho*, ed. Mensajero, Bilbao, 1996, p. 202 y p. 222).

[36]   BETANCOR RODRÍGUEZ, A., *Instituciones de Derecho Ambiental, cit.*, pp. 649 y ss.

[37]   GARCÍA URETA ha advertido que las aves silvestres tienen la consideración de patrimonio común de los Estados miembros en virtud de la Directiva 79/409 y de la juris-

En tanto no se produzca un reconocimiento expreso de dicha calificación, para determinar la condición jurídica de la fauna silvestre es necesario diferenciar entre las especies protegidas y las que no lo están.

Los animales silvestres no tienen propietario. Mucho menos las especies
silvestres en su conjunto. Tampoco pueden ser aprovechadas o disfrutadas
por cualquiera, como sucede con el aire, por lo que tampoco cabe calificar-
las como *res comunes*. Sin embargo, a diferencia de la atmósfera, los animales sí pueden ser objeto de apropiación. Por ello, lo exacto es afirmar que
los animales silvestres no son objeto del derecho de propiedad... hasta que
son capturados, cobrados o cazados.

Pero esto es sólo posible respecto de los animales de determinadas especies, las calificadas de cinegéticas. En estos casos es tradicional la asignación del carácter de *res nullius*, que es la fórmula jurídica que permite
explicar la apropiación de la pieza: como no hay un propietario previo, no
cabe transmisión sino sólo ocupación[38].

Esa calificación es la que utilizó la STC 14/1998, de 22 de enero, sobre
la Ley de Caza de Extremadura que, entre otras disposiciones, establecía
que los derechos y obligaciones de la Ley "en cuanto se relacionan con
los terrenos cinegéticos, corresponderán a la Administración Regional y a
cuantas entidades o particulares obtuvieran la concesión administrativa correspondiente para el aprovechamiento cinegético privado". Pues bien, el
TC tuvo que salir al paso de una interpretación demanializadora de la caza
y del derecho a cazar, señalando que sobre la actividad cinegética sólo hay
una intervención mediante autorización y calificando de desafortunada la
calificación de concesión que utiliza la Ley[39]. Por lo que se refiere a la condición jurídica de los animales de caza, el TC señaló lo siguiente:

---

prudencia del TJCE (*Espacios naturales protegidos*, ed. IVAP, Oñati, 1999, p. 496).

[38]   LAGUNA DE PAZ, J. C., *Libertad y propiedad en el Derecho de caza*, ed. Marcial Pons, Madrid, 1997, especialmente, pp. 144 y ss.

[39]   En el FJ 3ª de la citada STC, se afirmó lo siguiente: "Para resolver el primer motivo
de impugnación, es decir, la cuestión de si la Ley ha efectuado una desposesión de
derechos dominicales sobre los propietarios llevando a cabo una demanialización del
recurso patrimonial que la caza supone, que es lo que daría lugar en puridad de técnica a la atribución del derecho mediante concesión administrativa, hay que partir de
una apreciación inicial acerca del contenido de la Ley. De la lectura conjunta de su
articulado se deduce en primer lugar que el legislador autonómico ha diferenciado
el derecho de caza y lo que denomina "aprovechamiento cinegético privado" (art. 6).
El derecho a cazar, según el art. 3.1 de la Ley, corresponde a toda persona mayor de
catorce años, no inhabilitada y que esté en posesión de la pertinente licencia y demás

permisos administrativos. Por su parte, el cazador adquiere la propiedad de las piezas de caza mediante ocupación (art. 53.1).

El derecho a cazar se somete, pues, al régimen administrativo de la autorización y obtención de la oportuna licencia, mientras que en ningún lugar de la Ley se reserva a la Administración autonómica la propiedad de las especies de caza o de las piezas cazadas. No se aprecia, por lo tanto, a lo largo de todo el articulado de la Ley, ni un cambio en la titularidad del derecho de caza, ni en la forma de adquirir la propiedad de lo cazado. Menos aún, una demanialización de la forma silvestre o una expropiación de los derechos dominicales de los propietarios de los terrenos cinegéticos.

Lo que el art. 6 de la Ley somete al régimen administrativo que denomina como concesión es el "aprovechamiento cinegético privado", concepto este que no se confunde con el derecho a cazar ni con la actividad venatoria ni con el régimen jurídico de la adquisición de la propiedad de las piezas cazadas, puesto que para dedicarse a esa actividad como titular concesionario de terrenos destinados a ese fin no siempre es necesario ostentar un derecho a cazar conforme al art. 3.1 de la Ley. Por esta razón, cuando en el mencionado artículo se dispone que los derechos y obligaciones establecidos en la presente Ley corresponderán a la Administración Regional y a cuantas entidades o particulares obtuvieran la concesión administrativa correspondiente para el aprovechamiento cinegético privado, se añade la importante condición de "en cuanto se relacionan (aquellos derechos y obligaciones) con los terrenos cinegéticos".

(...) Es claro, pues, que el derecho a cazar (sometido por el art. 3.1 de la Ley al régimen administrativo de la autorización) y el derecho a la propiedad de las piezas cazadas (que se adquieren por ocupación, según los arts. 610 del Código Civil y 53.1 de la Ley) no son derechos equiparables a la actividad consistente en dedicar terrenos al aprovechamiento cinegético privado y, en consecuencia, en modo alguno quedan sometidos al régimen administrativo de la concesión que dispone el mencionado artículo 6 de la Ley. Tampoco se produce mediante esta norma, como pretenden los Senadores recurrentes, afectación alguna de los terrenos al demanio público de la Comunidad Autónoma, ni se incorporan al mismo las especies objeto de caza, con vulneración de los arts. 33 y 132.1 de la Constitución".

Y en el FJ 4º se concluye lo siguiente: "No cabe, pues, admitir que los propietarios han sido privados de los derechos para el aprovechamiento cinegético de sus fincas en favor de la Administración, es decir, que se ha producido una demanialización de esos derechos, único supuesto en que podrían los mismos atribuirse mediante una concesión en sentido técnico, en cuanto ésta implica el otorgamiento de derechos que la Administración se ha atribuido de modo general (ya sea por la declaración de una actividad como servicio público, ya mediante la previa demanialización de un bien) y que por tanto ya no corresponden al primitivo titular, a diferencia de lo que, con distintas modalidades y diferente alcance, merece técnicamente el título de autorización, donde el particular sigue teniendo la titularidad de un derecho que se somete a la decisión de la Administración para su ejercicio.

(...) Sin perjuicio, pues, de la desafortunada calificación contenida principalmente en el art. 6 y repetida en los 7.3, 19.2, 20.3 y 4 y 21.3, no se trata de una concesión de facultades o derechos de los que previamente la Administración haya privado a sus titulares para asumirlos y concederlos, sino simplemente del juego de una autorización administrativa de carácter reglado que se exige para el aprovechamiento cinegético privado de la caza".

"Precisamente, porque las piezas de caza son una *res nullius* cuya propiedad se adquiere mediante ocupación y no un bien accesorio a la propiedad de los terrenos por los que libremente transitan, el titular de predios susceptibles de aprovechamiento cinegético queda sometido por la Ley a una doble condición para el ejercicio de la caza sobre los mismos: o bien permitir la caza, en condiciones de igualdad, a las demás personas administrativamente autorizadas para ello y titulares del derecho de caza, en cuyo caso los terrenos son calificados por la Ley como de aprovechamiento cinegético común (art. 10) o se integran en los denominados Cotos Regionales de Caza (art. 18); o bien, solicitar de la Administración permiso para poder practicar con exclusividad la caza sobre tales terrenos —«aprovechamiento cinegético privado»— reservándola para sí y para aquellas otras personas a las que autorice bajo el oportuno control administrativo (art. 51.1)".

Debe advertirse que calificación como *res nullius* de las piezas de caza, corresponde a los animales individualmente considerados, no a la especie en su conjunto, ya que sigue habiendo un interés y una responsabilidad de los poderes públicos en la preservación de todas las especies de animales. La legislación de caza es el caso más ilustrativo, ya que permite dar muerte a los animales, pero sólo en aquellas condiciones y con aquellos métodos que permitan la supervivencia de la especie.

Las especies protegidas están sometidas a un régimen de protección muy intenso. La Administración (en definitiva la sociedad entera a la que aquélla sirve) llega a responsabilizarse de los daños que pudieran causar los animales especialmente protegidos[40]. Ello hace que se haya equiparado, en ocasiones, su régimen al demanial aunque son cosas distintas. Y desde luego también se ha considerado que el régimen de dominio público es innecesario para la efectividad de la protección jurídica de la fauna silvestre[41].

---

[40]   En la normativa de la Comunidad Foral de Navarra, el artículo 31 de la Ley Foral 2/1993, de 5 de marzo, de protección y gestión de la fauna silvestre y sus hábitats, en la redacción dada por el artículo 4 de la Ley Foral 8/1994, de 21 de junio, dispone que el Departamento de Medio Ambiente, Ordenación del Territorio y Vivienda indemnizará, previa instrucción del oportuno expediente administrativo y las valoraciones a que hubiera lugar, los daños efectivamente ocasionados a terceros o a sus bienes por las especies consideradas amenazadas. Cabe destacar, a este respecto, que la indemnización no comprende únicamente una cantidad por cada animal muerto, sino que adicionalmente se puede incrementar la cuantía "en concepto de trastornos a la gestión del rebaño (dispersión del ganado, estrés de las especies, pastoreo de recuperación y otros)" (art. 2 de la Orden Foral 878/1996, de 19 de agosto, del Consejero de Medio Ambiente, Ordenación del Territorio y Vivienda, por la que se regulan las indemnizaciones de los daños causados al ganado por ataques de lobo).

[41]   BARCELONA LLOP, J., "Consideraciones sobre el dominio público natural", *cit.*, p. 113 y BETANCOR RODRÍGUEZ, A., *Instituciones de Derecho Ambiental, cit.*, p. 644.

3. Bienes privados

A) Suelo

El suelo es un recurso natural típicamente privado. No hay aquí dominio público, sino dominio privado, salvo evidentemente en aquellos terrenos destinados a un uso o servicio público que, en razón de dicha afectación, pasan a tener dicha condición.

Ahora bien, la propiedad del suelo es una de las propiedades más intervenidas y delimitadas por los poderes públicos. Como es sabido, el estatuto de la propiedad inmobiliaria —las facultades y derechos de los propietarios— viene configurado por las leyes de suelo y urbanísticas y, por remisión de éstas, por los planes de ordenación del territorio y urbanismo.

Tradicionalmente, la legislación urbanística española ha estado excesivamente "re-concentrada" y escorada hacia el objetivo de la producción de tejido urbano y la transformación del suelo, en detrimento ostensible de la ordenación del recurso natural del suelo y de su utilización urbanística[42]. Tan sólo en el suelo no urbanizable se establecía un régimen de protección de los valores naturales, ecológicos, ambientales, culturales, del suelo que justificaban su exclusión del proceso de transformación urbanística.

Afortunadamente, en los últimos tiempos se ha ido reconociendo en la legislación urbanística el carácter del suelo como recurso natural no renovable y la exigencia de su utilización racional. Y siguiendo la estela de las leyes urbanísticas autonómicas, la Ley 8/2007, de Suelo estatal incorporó el principio del desarrollo territorial y urbanístico sostenible y la idea —expresamente reconocida en su exposición de motivos— de que "el suelo,

---

[42]   Y eso mismo explica el desentendimiento del marco legal general de lo que queda fuera de la dinámica del proceso urbanístico (la organización del suelo rústico y del suelo urbano) y, en general, de todo lo relacionado con la ordenación del territorio, el medio ambiente y la vivienda. PAREJO ALFONSO, L., "Urbanismo, política territorial y marco legal general", *RDUMA*, núm. 200, 2003, pp. 202-207.
En este mismo sentido, MARTÍN REBOLLO, L. ha afirmado que el Derecho urbanístico ha estado presidido desde siempre por la óptica del proceso urbanizador, de la expansión, de la nueva ciudad. Pero esta óptica es "hoy insuficiente porque a ella se unen nuevos problemas: la ordenación del territorio, el medio ambiente, la conservación de los cascos históricos, la realidad de las segundas residencias, el mundo rural. También las nuevas migraciones (...) que plantean el reto del utilizar el urbanismo como parcial mecanismo de integración social" ("Presente y futuro del Derecho urbanístico: una reflexión crítica", en el vol. col. dirigido por T. FONT I LLOVET, *Anuario del Gobierno Local 2002. Los nuevos retos del urbanismo*, ed. Fundación Democracia y Gobierno Local-Institut de Dret Public, Barcelona, 2003, p. 47).

además de un recurso económico, es también un recurso natural, escaso y no renovable", debiendo tenerse en cuenta que tanto el suelo rural como el urbano son poseedores de valores ambientales y culturales dignos de protección[43].

Pero además del estatuto urbanístico, a la propiedad del suelo le son aplicables otras limitaciones e intervenciones de carácter ambiental por ser soporte de valores o elementos ambientales (bosques, hábitats naturales, costas, etc.)[44]. Por su mayor incidencia sobre esa propiedad, me referiré en un apartado distinto a los espacios naturales protegidos y a los montes privados. Pero, debe tenerse en cuenta que en otras leyes ambientales (aguas, costas, suelos contaminados, etc.) se establecen deberes, limitaciones, servidumbres e intervenciones administrativas de distinto alcance sobre la propiedad del suelo[45].

B) Espacios naturales protegidos

Los espacios naturales protegidos son aquellos espacios del territorio nacional incluidas las aguas continentales, y las aguas marítimas bajo soberanía o jurisdicción nacional, incluidas la zona económica exclusiva y la plataforma continental que hayan sido declarados como tales espacios protegidos y que cumplan al menos uno de los requisitos siguientes: (art. 27 LPNB):

> "a) Contener sistemas o elementos naturales representativos, singulares, frágiles, amenazados o de especial interés ecológico, científico, paisajístico, geológico o educativo.
> b) Estar dedicados especialmente a la protección y el mantenimiento de la diversidad biológica, de la geodiversidad y de los recursos naturales y culturales asociados".

---

[43] Sobre el citado principio y los instrumentos establecidos en la propia Ley de Suelo para su materialización me remito a mi trabajo ALENZA GARCÍA, J. F., "La nueva Ley de Suelo: finalidades, caracteres y otras cuestiones generales", en el vol. col. *Comentarios a la Ley de Suelo* (dir. Enériz Olaechea, F. J., y Beltrán Aguirre, J. L.), ed. Thomson Aranzadi, Cizur Menor, 2008, pp. 33-87.

[44] Como ha señalado BETANCOR RODRÍGUEZ (*Instituciones de Derecho Ambiental, cit.*, p. 678), no existe un estatuto jurídico de la propiedad del suelo que pueda ser considerado como único, común y general. El estatuto del suelo se concreta en función de su utilización o finalidad al que esté afectado, siendo diversas las funciones ambientales o ecológicas que el suelo puede satisfacer o soportar.

[45] Sobre esta cuestión véase AGUDO GONZÁLEZ, J., *Incidencia de la protección del medio ambiente en los usos del suelo*, ed. Bosch, Barcelona, 2004.

La declaración como espacio natural protegido no tiene en cuenta las titularidades de los terrenos, sino la presencia de elementos o valores naturales sobresalientes. El régimen de protección de dichos espacios es muy intensa y la limitación de actividades y usos en los mismos es muy importante. Pero recae sobre todo el espacio natural (y las zonas periféricas) con independencia de las titularidades públicas o privadas que existan en dicho espacio.

Es decir, que en la delimitación de los espacios protegidos se tienen en cuenta únicamente los valores naturales y no las titularidades de los terrenos. Y estas titularidades no resultan alteradas por el hecho de la declaración. Por tanto, en los espacios naturales protegidos podrán encontrarse bienes de dominio público[46]; pero no lo son (o no pasan a dicha condición) por la declaración de dichos espacios como especialmente protegidos.

Es cierto que ha habido tesis que han equiparado su régimen jurídico al dominio público, o que —siguiendo la idea de la escala de la demanialidad— han defendido el carácter cuasidemanial de estos bienes e, incluso, quienes han calificado a este tipo de regulaciones como configuradoras de unos bienes privados de interés público. Estas explicaciones subrayan la intensidad de la intervención pública sobre las propiedades privadas y la presencia de un interés público. Pero, en general, parece preferible y más ajustado a la realidad la explicación de su régimen jurídico no desde la demanialidad, sino desde la propiedad privada vinculada o la delimitación del derecho de propiedad privada[47].

C) Montes de titularidad privada

Como ya se ha señalado, los montes han tenido reconocidos siempre unos valores ambientales destacados que, en la actualidad, han pasado a primer término. Como es sabido, la función social de la propiedad delimita el contenido de la misma, de acuerdo con las leyes (art. 33 CE). Pues

---

[46] Se ha señalado a este respecto que en un espacio natural protegido confluyen diferentes tipos de bienes y derechos, pudiendo verse afectados una importante variedad de bienes de dominio público (aguas, costas, minas, montes, vías pecuarias, caminos, ferrocarriles, edificios públicos, etc.). GARCÍA URETA, A., *Espacios naturales protegidos*, ed. IVAP, Oñati, 1999, p. 495.

[47] Así lo afirmó en su día LÓPEZ RAMÓN, F., *La conservación de la naturaleza: los espacios naturales protegidos*, Publicaciones del Real Colegio de España, Bolonia, 1980, pp. 230 y ss. En el mismo sentido se ha pronunciado más recientemente GARCÍA URETA, A., *Espacios naturales protegidos, cit.*, p. 495.

bien, por primera vez se ha explicitado en la legislación estatal la función social de la propiedad forestal en los siguientes términos (art. 4 LM):

> "Los montes, independientemente de su titularidad, desempeñan una función social relevante, tanto como fuente de recursos naturales como por ser proveedores de múltiples servicios ambientales, entre ellos, de protección del suelo y del ciclo hidrológico; de fijación del carbono atmosférico; de depósito de la diversidad biológica y como elementos fundamentales del paisaje.
>
> El reconocimiento de estos recursos y externalidades, de los que toda la sociedad se beneficia, obliga a las Administraciones públicas a velar en todos los casos por su conservación, protección, restauración, mejora y ordenado aprovechamiento".

Como se ve, se reconoce la importancia de los bosques para los tres subsistemas ambientales abióticos (suelo, agua y atmósfera), además de ser soporte o depósito de la diversidad biológica. Y ello se conecta con el deber de las Administraciones públicas de velar por los valores ecológicos y naturales de los montes, independientemente de su titularidad.

Las funciones o servicios ambientales de los bosques presiden el régimen jurídico de los mismos. Se prevé la categoría de los montes protectores y otras figuras de especial protección de montes para aquellos montes que presenten especiales valores ecológicos o forestales (arts. 24 y 24 bis), lo que implica especiales deberes de planificación y gestión sostenible (arts. 24 quáter y 34), y, muy especialmente, la supeditación de los aprovechamientos y usos forestales a los planes de ordenación de los recursos forestales. Asimismo, se prevén incentivos económicos para los montes ordenados por las actividades vinculadas a la gestión forestal sostenible y las externalidades ambientales de los montes ordenados.

En definitiva, hoy —como ayer con la Ley de Montes de 1957— la función social de la propiedad forestal, en la que adquiere un absoluto protagonismo los servicios ambientales que desempeña, explica la notable intervención pública —en sus distintas formas de planificación, fomento, limitación— sobre la propiedad forestal privada y su gestión, llegándose a hablar de la existencia de una propiedad vinculada y de un régimen estatutario de la propiedad forestal privada[48].

---

[48]　LEGUINA VILLA, J., "Las facultades dominicales de la propiedad forestal", *REDA*, núm. 3, 1974, pp. 447-472; RIVERO YSERN, E. y MUÑOZ MACHADO, S., "El estatuto jurídico de la propiedad forestal privada", *RAP*, núm. 78, 1975, pp. 9-52; FERNÁNDEZ GARCÍA, J. F., *Los montes de los particulares en el Derecho Administrativo español*, ed. Aranzadi, Cizur Menor, 2004; TOLIVAR ALAS, L., "El estatuto de la propiedad forestal privada. Los montes protectores", en el vol. col. *Comentarios sistemáticos a la Ley 43/2003, de 21 de noviembre, de Montes* (coord. CALVO SÁNCHEZ L.), *cit.*, p. 691.

D) Animales domésticos

Como hace tiempo advirtió F. Ost una de las cuestiones pendientes de resolución es la del estatuto de animales. Básicamente existen dos enfoques jurídicos: uno que cosifica al animal y el otro que lo protege considerando su calidad de ser sensible, lo que ha suscitado la cuestión del reconocimiento de los derechos de los animales[49].

Habiéndome ya referido a los animales silvestres he de referirme ahora a los animales domésticos que son susceptibles de titularidad privada y que, desde la órbita tradicional del Derecho civil, no son considerados más que cosas. En efecto, en nuestro Código Civil los animales son regulados como un objeto: son bienes muebles objeto de posesión (art. 465 del Cc) y de propiedad, que puede adquirirse por ocupación cuando carezcan de dueño (art. 610 del Cc). Son regulados como un bien de producción o incluso como producción misma (art. 357 del Cc). E incluso pueden perder hasta su propia individualidad (caso del usufructo de ganado o de piara del art. 499 del Cc, o de la venta conjunta de animales como yunta, tiro, pareja o juego del art. 1491 del Cc)[50].

Pero al mismo tiempo existe una normativa de protección de los animales domésticos individualmente considerados. A diferencia de la legislación de protección de la fauna silvestre, a esta normativa no le preocupa la preservación de las especies, sino el trato y bienestar de los animales que están en contacto permanente con el hombre, ya sean animales de compañía, animales domesticados o animales en cautividad.

Esta normativa —de animales de compañía, de animales de producción, de mataderos, de transporte de los animales, de experimentación con animales, de sanidad animal, etc.— regula el trato que hay que dar a los animales, prohibiendo dolores, sufrimientos o daños inútiles, obligando a que cuando sea necesario el daño o sufrimiento sea el mínimo posible, prohibiendo los malos tratos, estableciendo un deber de mantenimiento adecuado, etc.[51]. Esta normativa suele tan minuciosa que llega a

---

[49]   OST, F., *Naturaleza y Derecho, cit.*, p. 223.

[50]   En esta línea de disposiciones que "cosifican" a los animales destaca el Proyecto de Código civil de 1836 (que no entró en vigor) cuyo artículo 612 incluía entre los bienes inmuebles a los animales destinados al cultivo de las tierras y a los hatos de ganado lanar que se tuvieren para beneficio o abono de las mismas.

[51]   Sobre las obligaciones de los propietarios y poseedores de animales de compañía, véase PÉREZ MONGUIÓ, J. Mª, *Animales de compañía*, ed. Bosch, Barcelona, 2005, pp. 252 y ss. Sobre el bienestar de los animales con fin legítimo que puede justificar la limitación del derecho de propiedad y, en general, la limitación de derechos fundamen-

señalar la forma de guiar al ganado, los instrumentos permitidos para dar muerte a los animales, las condiciones de alojamiento de los animales, la forma y dimensiones de las cuerdas o correas de sujeción de los animales, etc. Y junto a la legislación que impone esas condiciones en el trato con animales, existe otra que fomenta la adopción de medidas que mejoren su bienestar (caso de la regulación comunitaria de las ayudas a la ganadería, que fomentan constantemente la incorporación de tales mejoras). Como digo, este heterogéneo bloque normativo contempla a los animales individualmente considerados y no como especie. No es la conservación del patrimonio genético animal lo que interesa sino que el trato que reciban los animales por parte de los hombres sea un "trato humanitario", como llega a decir alguna normativa. Es decir que sea un trato que esté conforme con la propia dignidad humana que rechaza causar sufrimientos inútiles o innecesarios a los animales.

En definitiva, que aunque los animales domésticos y de compañía no están excluidos de la propiedad privada —no son *res extracomercium*, ni *res nullius*, ni *res communis omnia*—, ya no cabe considerar al animal "como un simple objeto de derecho", sino como una titularidad muy especial que obliga a dar un trato humanitario a los mismos, impidiendo determinadas prácticas y delimitando las facultades del propietario desde —como dice la exposición de motivos de la Ley Foral 7/1994, de 31 de mayo, de protección de los animales de Navarra— "la consideración de los animales como seres vivos capaces de sufrir", debiendo superar "toda visión del hombre como dueño y señor absoluto de un ilimitado derecho a su disposición y al ejercicio de prácticas lesivas o destructivas sobre ellos"[52].

---

tales véase DOMÉNECH PASCUAL, G., *Bienestar animal contra derechos fundamentales*, ed. Atelier, Barcelona, 2004. Sobre los animales de producción véase la reciente Ley 32/2007, de 7 de noviembre, para el cuidado de los animales, en su explotación, transporte, experimentación y sacrificio y las normas reglamentarias que cita y respecto a las cuales establece una serie de principios y un régimen sancionador.

[52] Ahora bien, ello tampoco obliga a reconocer a los animales la condición de sujetos de derecho (OST, F., *Naturaleza y Derecho, cit.*, p. 223). Sobre esta cuestión véanse MUÑOZ MACHADO, S., *Los animales y el Derecho*, Civitas, Madrid, 1999, p. 111 y ss. y muy especialmente, PÉREZ MONGUIÓ, J. Mª, *Animales de compañía, cit.*, pp. 47 y ss.

4. Patrimonio común de la Humanidad

A) Espacios y recursos proclamados como Patrimonio Común de la Humanidad

Diversos Tratados Internacionales con vocación universal y resoluciones de Naciones Unidas han formalizado la proclamación de diversos espacios y sus recursos como Patrimonio Común de la Humanidad. Los espacios y recursos incardinables en esta categoría son los siguientes:

– El espacio extra-atmosférico o ultraterrestre, incluida la Luna y otros cuerpos celestes[53].

– Los fondos marinos situados más allá de la jurisdicción nacional, así como sus recursos naturales.

– La Antártida[54].

Los principios normativos derivados de la noción de Patrimonio Común de la Humanidad los ha resumido Blanc Altemir de la siguiente manera[55]:

1) El principio de no apropiación y de exclusión de soberanía, de manera que el Patrimonio Común no puede ser objeto de apropiaciones individuales, aunque sí de utilización y explotación de sus recursos.

2) El uso pacífico.

3) La libertad de acceso, exploración e investigación científica, sin discriminación y sobre una base de estricta igualdad, en provecho e interés de todos los Estados.

4) La gestión racional de los recursos y su reparto equitativo en beneficio de toda la humanidad, en base a un régimen internacional que garantice una utilización y explotación equilibrada del patrimonio y sus recursos, y que tenga en cuenta las necesidades futuras.

---

[53]   Sobre la normativa internacional reguladora me remito a LÓPEZ NORIEGA, I., "Espacio exterior", *Diccionario de Derecho Ambiental* (Dir. Alonso García, E. y Lozano Cutanda, B.), ed. Iustel, Madrid, 2006, pp. 594-603 y la bibliografía allí citada.

[54]   Véase al respecto ALLI TURRILLAS, J. C., "La protección y conservación de la Antártida como reserva natural global", *RIGA*, núm. 73, 2005 y del mismo autor "Ecosistemas polares", *Diccionario de Derecho Ambiental, cit.*, pp. 533-547.

[55]   BLANC ALTEMIR, A., *El Patrimonio Común de la Humanidad*, ed. Bosch, Barcelona, 1992, p. 245.

B) El Patrimonio Común como técnica idónea para la institucionalización de la naturaleza

La exposición precedente ha puesto de relieve la diversa condición jurídica que tienen los distintos elementos del ambiente. Pero hay algo de insatisfacción en esa catalogación. Aparte de las dificultades de reducir a una concreta naturaleza jurídica algunos de esos elementos (el aire, los animales, etc.), ese agregado deja huérfano de calificación jurídica a la naturaleza en su conjunto, al ambiente natural.

Como he señalado, el ambiente natural es el sistema —totalidad organizada— o conjunto interrelacionado de los sistemas naturales abióticos (aire, agua, suelo) y bióticos (fauna y flora). ¿Es posible encontrar un concepto o institución jurídica que refleja esa totalidad organizada?

La respuesta que han dado quienes se han planteado esta cuestión es la de patrimonio. Así, para F. Ost, el complejo concepto jurídico de patrimonio es el que permite responder al paradigma ecológico marcado por las ideas de globalidad ("en la naturaleza todo forma sistema") y de complejidad y dar forma jurídica al concepto económico de desarrollo sostenible, así como al deber ético de responsabilidad con las generaciones futuras[56]. Una noción, la de patrimonio, que, como ha señalado Betancor Rodríguez, no es incompatible ni con la soberanía, ni con la propiedad, ni con la condición de *res nullius*. Lo ha explicado en los siguientes términos[57]:

> "[El patrimonio común] es un conjunto de recursos independientemente de las titularidades; es un patrimonio distinto a la titularidad del recurso; por lo tanto, se produce una superposición del patrimonio respecto de la titularidad del recurso. La soberanía y la propiedad actúan en un plano distinto al patrimonio. En primer lugar porque aquéllas se mueven en el plano de la tenencia y aprovechamiento de los recursos, mientras que el patrimonio funciona en el plano de la conservación de los recursos. Se mueven en distintos planos porque la soberanía y la propiedad se basan en la tenencia o aprovechamiento de recursos o bienes individualizados e individualizables. En cambio, el patrimonio se basa en la globalidad, en la generalidad, en el conjunto, en las relaciones que caracterizan al sistema ambiental; precisamente, el sistema que no es objeto ni puede serlo de tenencia o apropiación; por esta misma razón, el patrimonio es de la humanidad, del conjunto de los seres humanos como un aspecto más de su propia condición humana".

Esta idea se puede entender mejor si la concretamos en relación con la fauna y la flora y la biodiversidad. Desde una perspectiva ambiental, la

---

[56] OST, F., *Naturaleza y Derecho, cit.*, p. 293 y ss.
[57] BETANCOR RODRÍGUEZ, A., *Instituciones de Derecho Ambiental, cit.*, p. 567.

protección de la fauna y la flora atiende a la protección de las especies, más que a la protección de cada individuo. La protección de la biodiversidad y de los hábitats adopta una perspectiva todavía más amplia al comprender las interrelaciones entre las especies. Esas finalidades son difíciles de lograr desde el entendimiento de que cada animal silvestre es una *res nullius* que puede ser objeto de apropiación privada, o que un concreto espacio natural (o parte de él) es propiedad privada o pública. Los individuos de cada especie pueden ser considerados como objetos apropiables. Pero la especie en su conjunto —que es el objeto de protección— no es apropiable. Los espacios naturales se declaran protegidos al margen de la titularidad pública o privada. Pero no cabe hablar de una titularidad —ni pública, ni privada—, ni de una suma de titularidades de la Red Natura 2000, de la Red de Parques Nacionales o de la Red de Espacios Naturales de una Comunidad Autónoma[58].

En muchos textos de carácter internacional se habla ya de la necesidad de preservar el "patrimonio natural". Sin embargo, ello responde más a un reconocimiento del interés general de la humanidad en su protección y conservación que a la aplicación de los principios y régimen del Patrimonio Común de la Humanidad[59].

Tampoco es infrecuente encontrar la expresión "patrimonio natural" en la legislación ambiental comunitaria, estatal o autonómica. Pero también en estos casos la finalidad de dicha calificación no es la de alterar la titularidad de los bienes o recursos ni la de fijar un concreto régimen jurídico, sino la expresión de un interés común y de una responsabilidad pública en su preservación.

En virtud de dicha responsabilidad o función pública, podrá imponerse —por encima de las concretas titularidades— una gestión responsable de esos recursos y que garantice su conservación para que dicho patrimonio natural pueda ser transmitido a las futuras generaciones.

Como también ha señalado Betancor, el patrimonio común de la humanidad revela una función socio-ambiental de la soberanía y de la propiedad de los bienes o recursos integrados en dicho Patrimonio. Ello se concreta

---

[58] Como muy gráficamente ha señalado BETANCOR RODRÍGUEZ, A: "La diversidad de la vida se escapa como objeto del Derecho: en lo macro es patrimonio común de la humanidad, un interés común de la humanidad, en lo micro es espacio natural protegido, es área protegida, es propiedad o es dominio público" (*Instituciones de Derecho Ambiental, cit.*, p. 642).

[59] BLANC ALTEMIR, A., *El Patrimonio Común de la Humanidad, cit.*, p. 246.

en la asunción o imposición de una serie de obligaciones, deberes y límites y en la responsabilidad-deber de todos los seres humanos y de las organizaciones de que formamos parte (Estados y organizaciones internacionales) de conservar, para transmitir a las generaciones futuras, un patrimonio natural adecuado que garantice el disfrute, como mínimo, del mismo nivel de calidad de vida del que disfrutamos las generaciones presentes[60].

IV. ESTRATEGIAS DE PROTECCIÓN AMBIENTAL EN RELACIÓN CON LA PROPIEDAD DE LOS RECURSOS NATURALES

Una vez conocidas las titularidades existentes sobre los bienes ambientales cabe examinar de qué manera —y con qué efectos— se puede incidir sobre las mismas, con vistas a adoptar la estrategia más eficaz —o, al menos, desechar las menos eficaces— en la lucha contra el deterioro ambiental.

1. La privatización del ambiente natural

El ámbito de la política ambiental es un escenario habitual de las tensiones entre las tendencias desreguladoras y las intervencionistas. Por ello, en este ámbito es frecuente la coexistencia de instrumentos de intervención clásicos (reglamentaciones, autorizaciones, sanciones), con instrumentos de mercado y de autorregulación que reducen o disimulan la intervención pública. Algunos de esos instrumentos se han utilizado sobre recursos naturales públicos (como los mercados del agua) o comunes (el mercado de derechos de emisión de gases de efecto invernadero)[61].

Las tesis contrarias a la intervención pública más extremas demandan la privatización de todos los recursos naturales. La llamada ecología de mercado considera que la gestión pública del ambiente acumula todos los defectos, por lo que la solución necesaria pasa por privatizar el ambiente

---

[60]   BETANCOR RODRÍGUEZ, A., *Instituciones de Derecho Ambiental, cit.*, p. 568.
[61]   No obstante, debe tenerse en cuenta que el llamado mercado del agua lo que se intercambian son derechos de uso sobre este recurso, no su titularidad que sigue siendo pública. En cuanto al mercado de derechos de emisión es, a pesar de su denominación, una técnica de policía administrativa (SANZ RUBIALES, I. (dir.), *El mercado de derechos a contaminar*, ed. Lex Nova, Valladolid, 2007, pp. 81 y ss.). Por eso digo en el texto que a veces estos instrumentos *disimulan* técnicas tradicionales de intervención.

natural[62]. Esta privatización descansa en tres pilares: la propiedad privada, el mercado que asegura su circulación y la responsabilidad que garantiza su uso conforme al bien común.

La propiedad privada de los bienes ambientales se considera la opción más beneficiosa para su protección por su triple conexión con la responsabilidad: el propietario es responsable de su conservación y de hacerlo fructificar; el propietario responde de los perjuicios que podría provocar al bien ajeno el uso que hace del propio; y el propietario nunca dejará de responsabilizar a un tercero en caso de que su bien sufra algún perjuicio. Es necesario también que los derechos de propiedad se puedan transferir a un mercado libre (sólo el mercado permite realizar una atribución óptima de los bienes ambientales, tanto en la creación de recursos que maximizan la utilidad como en la evaluación de las externalidades que la reducen). Y la responsabilidad sería el mecanismo que garantiza la protección automática de la propiedad, puesto que todo perjuicio causado a ésta engendra una deuda de daños e intereses compensatorios[63].

Estos planteamientos extremos son fácilmente rebatibles[64]. Me limitaré a señalar, a modo de ejemplo, el desprecio o desconocimiento que manifiestan del carácter sistémico del ambiente, la inexistencia de mecanismos que garanticen el uso sostenible de los recursos privatizados, y sobre todo las insuperables dificultades prácticas que conllevaría la privatización total del ambiente, incluidos los elementos que son insusceptibles de apropiación privada (la atmósfera, los océanos, los ciclos químicos y biológicos, el clima, los grandes ecosistemas de ámbito internacional, etc.). En nuestro ordenamiento, chocarían además con un límite constitucional, puesto que, como ya se ha dicho, el artículo 132 CE declara de dominio público "la zona marítimo terrestre, las playas, el mar territorial y los recursos naturales de la zona económica y la plataforma continental".

---

[62]   Esta corriente arranca de la llamada "parábola" de la tragedia de los pastos comunes: la libertad de disfrutar de unos pastos comunes incita a aumentar sin límites el rebaño de cada comunero, lo que conduce inevitablemente a la destrucción de los pastos. Cuando las ventajas están privatizadas y los costos socializados, hay pocos incentivos para preservar los recursos, de manera que se propicia la adopción del comportamiento del pasajero clandestino (*free rider*) que busca maximizar su interés a costa ajena. Esta situación es trasladable a las causas del deterioro ambiental, dado que muchos de los bienes ambientales (ríos, atmósfera, océanos, etc.) pueden asimilarse a los pastos comunes.

[63]   Sobre esta corriente de pensamiento véase ANDERSON, T. L. y LEAL, D. R., *Ecología de mercado*, ed. Unión Editorial, Madrid, 1993.

[64]   Puede verse una severa crítica en OST, F., *Naturaleza y Derecho, cit.*, p. 133 y ss.

Fuera de estos planteamientos maximalistas, y del señalado límite constitucional, no habría impedimentos para devolver al tráfico privado recursos naturales incluidos en el dominio público. En el caso de los montes y de las vías pecuarias no sería necesaria una privatización total dado que se pueden devolver al tráfico privado por partes, mediante la desafectación. El caso de las aguas sería más complicado "por el carácter unitario del recurso" (que es la razón dada por la Ley de Aguas para incluir en el dominio público hidráulico a todas las aguas continentales) y oponerse a una tradición secular de nuestro ordenamiento que ha ido decantando una serie de pautas organizativas, de gestión y de protección en aras a facilitar el mejor aprovechamiento de las aguas que no perjudique su conservación y a los principios internacionales sobre la regulación de las aguas.

Otra cosa es que pudiera justificarse la privatización desde el punto de vista de la protección ambiental. Es decir, que se pudiera acreditar que la racionalidad del uso de estos recursos naturales impuesta por el artículo 45 CE estaría mejor garantizada con un régimen de dominio privado, por más que se estableciera una propiedad delimitada e intervenida por razones ambientales.

2. La delimitación e intervención sobre la propiedad privada para la protección ambiental

La propiedad privada, como es sabido, no es un derecho de facultades potencialmente ilimitadas, sino un derecho que integra en su contenido la idea de la función social. Como ha dicho en diversas ocasiones el TC el derecho de propiedad comprende no sólo los intereses individuales, sino también la utilidad o función social, entendida no como mero límite externo, sino como parte integrante del derecho mismo[65].

---

[65] A este respecto sigue manteniendo su vigencia la doctrina expuesta por la célebre STC 37/1987, de 20 de marzo (sobre la Ley andaluza de Reforma Agraria): "En efecto, la referencia a la "función social" como elemento estructural de la definición misma del derecho a la propiedad privada o como factor determinante de la delimitación legal de su contenido pone de manifiesto que la Constitución no ha recogido una concepción abstracta de este derecho como pero ámbito subjetivo de libre disposición o señorío sobre el bien objeto del dominio reservado a su titular, sometido únicamente en su ejercicio a las limitaciones generales que las Leyes impongan para salvaguardar los legítimos derechos o intereses de terceros o del interés general. Por el contrario, la Constitución reconoce un derecho a la propiedad privada que se configura y protege, ciertamente, como un haz de facultades individuales sobre las cosas, pero también, y al mismo tiempo, como un conjunto de deberes y obligaciones establecidos, de acuerdo

La Constitución no consagra la propiedad como una institución de contenido uniforme, sino que, se ha diversificado la institución dominical lo que se manifiesta en diversos estatutos jurídicos de los bienes sobre los que la propiedad recae, debiendo admitirse la existencia de diferentes tipos de propiedades, siendo el legislador el que —con respeto en todo caso del contenido esencial del derecho de propiedad— configura dichos estatutos y dota de contenido diversos a las diferentes propiedades que existen[66].

Pues bien, resulta indudable que una de las finalidades sociales que sirve para delimitar el contenido del derecho de propiedad es la de la protección ambiental, dado que velar por la utilización racional de los recursos naturales aparece como un mandato constitucional a los poderes públicos (art. 45.2 CE), entre los que se encuentra el legislador. Es decir, que para el cumplimiento del principio constitucional de utilización racional de los recursos naturales el legislador está llamado a establecer un contenido del derecho de propiedad sobre los mismos que garantice dicha utilización racional.

---

con las Leyes, en atención a valores o intereses de la colectividad, es decir, a la finalidad o utilidad social que cada categoría de bienes objeto de dominio esté llamada a cumplir. Por ello, la fijación del "contenido esencial" de la propiedad privada no puede hacerse desde la exclusiva consideración subjetiva del derecho o de los intereses individuales que a éste subyacen, sino que debe incluir igualmente la necesaria referencia a la función social, entendida no como mero límite externo a su definición o a su ejercicio, sino como parte integrante del derecho mismo. Utilidad individual y función social definen, por tanto, inescindiblemente el contenido del derecho de propiedad sobre cada categoría o tipo de bienes. Al filo de esta perspectiva, que es la adoptada por la Constitución, resulta oportuno hacer notar que la incorporación de exigencias sociales al contenido del derecho de propiedad privada, que se traduce en la previsión legal de intervenciones públicas no meramente ablatorias en la esfera de las facultades y responsabilidades del propietario, es un hecho hoy generalmente admitido. Pues, en efecto, esa dimensión social de la propiedad privada, en cuanto institución llamada a satisfacer necesidades colectivas, es en todo conforme con la imagen que de aquel derecho se ha formado la sociedad contemporánea y, por ende, debe ser rechazada la idea de que la previsión legal de restricciones a las otrora tendencialmente ilimitadas facultades de uso, disfrute, consumo y disposición o la imposición de deberes positivos al propietario hagan irreconocible el derecho de propiedad como perteneciente al tipo constitucionalmente descrito".

[66]   Como señaló la STC 37/1987, "la progresiva incorporación de finalidades sociales relacionadas con el uso y el aprovechamiento de los distintos tipos de bienes sobre los que el derecho de propiedad puede recaer ha producido una diversificación de la institución dominical en una pluralidad de figuras o situaciones jurídicas reguladas con un significado y alcance diversos. De ahí que se venga reconociendo con general aceptación doctrinal y jurisprudencial la flexibilidad o plasticidad actual del dominio que se manifiesta en la existencia de diferentes tipos de propiedades dotadas de estatutos jurídicos diversos sobre los que cada derecho de propiedad recae".

Por esa razón, los bienes y recursos ambientales de titularidad privada son sometidos por la legislación ambiental a una serie de limitaciones, controles y deberes que encuentran su justificación en la función social de la propiedad que recae sobre dichos bienes[67].

De la pauta constitucional de la racionalidad del uso —que se impone como principio general de todos los recursos naturales— pueden derivarse un amplísimo espectro de limitaciones legales a la propiedad[68], que pueden ser más o menos intensas.

Dicho de otra manera, conforme a la regulación constitucional de la propiedad en el artículo 33 CE, la identificación por el legislador de una función ambiental en determinados bienes permite la delimitación del contenido del derecho de propiedad sobre dichos bienes mediante la imposición de deberes o condiciones a las facultades de uso, disposición y disfrute de los mismos.

Los bienes cuya propiedad es delimitada e intervenida por razones ambientales son muy diversos. Incluso es frecuente que se produzca una superposición en cascada de vinculaciones impuestas por distintas legislaciones o, por remisión de ésta, por distintos planes de ordenación cuando sobre un bien confluyen valores ambientales tutelados por distintos normas sectoriales (suelo, montes, espacios naturales, aguas, costas, etc.)[69].

Las formas de intervención pueden ser muy variadas. Pueden consistir en deberes impuestos directamente por la ley, o en la supeditación del

---

[67]   De la amplísima bibliografía sobre esta cuestión sirvan como referencia básica dos libros clásicos: BARNÉS VÁZQUEZ, J., *La propiedad constitucional. El estatuto jurídico del suelo agrario*, ed. Civitas, Madrid, 1988; y el vol. col. coordinado por él mismo, *Propiedad, expropiación y responsabilidad*, ed. Tecnos, Madrid, 1995; así como el más reciente de PONS CANOVAS, F., *La incidencia de las intervenciones administrativas en el derecho de propiedad*, ed. Marcial Pons, Madrid, 2004. En particular, sobre la función socio-ambiental de la propiedad véanse los trabajos recogidos en el vol. col. *La dimensión ambiental del territorio frente a los derechos patrimoniales* (dir. Argullol Murgadas, E.), ed. Tirant lo Blanch, Valencia, 2004.

[68]   Junto a la racionalidad del uso, GARCÍA URETA ha señalado a la solidaridad como la otra pauta constitucional que sirve para definir la función socio-ambiental de los recursos naturales y que implica la subordinación de la propiedad privada de los recursos naturales a las necesidades colectivas, lo que comprende el deber de restaurar, mejorar o perfeccionar, en su caso, el estado de los recursos naturales y, finalmente, que ha de garantizar la accesibilidad a los distintos recursos (*Espacios naturales protegidos, cit.*, pp. 464 a 466).

[69]   BASSOLS COMA, M., "Propiedad privada y cuestiones de medio ambiente", en el vol. col. *Propiedad, expropiación y responsabilidad. La garantía indemnizatoria en el Derecho europeo y comparado*, ed. Tecnos, Madrid, 1995, p. 742.

ejercicio de las facultades dominicales a las potestades de planificación u ordenación, reglamentación, autorización, tributación, fomento, sanción, expropiación, etc., que se atribuyen a la Administración.

La delimitación del contenido del derecho de propiedad por motivos ambientales no es indemnizable porque no constituye una privación de facultades, sino la regulación de su función social[70]. Lo que ocurre es que no resulta fácil determinar cuándo el legislador rebasa el límite de la "delimitación" y entra en el terreno de la "expropiación" por imponer limitaciones o deberes que constituyen una privación singular de la propiedad o por no respetar el contenido esencial del derecho[71]. Como la frontera entre la delimitación y la expropiación no es siempre nítida y los criterios de distinción resultan muy generales, es necesario examinar las concretas regulaciones legales en cada ocasión[72].

3. La apropiación pública de bienes privados por causa de utilidad ambiental

El derecho constitucional de propiedad busca el equilibrio entre la satisfacción individual y su función social. La función socio-ambiental de la propiedad de los bienes ambientales justifica la delimitación legal de su

---

[70] La imposición de medidas restrictivas sobre la propiedad de carácter no indemnizable por razones ambientales fue avalada, entre otras, por la STC 170/1989, de 19 de octubre, sobre la creación del Parque Regional de la Cuenca Alta del Manzanares. En general, sobre la jurisprudencia constitucional en esta materia véase GARCÍA MANZANO, P., "La doctrina constitucional española en la interiorización de la protección ambiental en la propiedad", en el vol. col. *La dimensión ambiental del territorio frente a los derechos patrimoniales* (dir. Argullol Murgadas, E.), ed. Tirant lo Blanch, Valencia, 2004.

[71] Para BARNÉS VÁZQUEZ, J., el contenido esencial de la propiedad puede sintetizarse, de acuerdo con la jurisprudencia constitucional en las tres siguientes notas: 1) no puede llegar a anularse o vaciarse completamente la utilidad individual del derecho, ya que ésta junto con la función social definen inescindiblemente el contenido del derecho de propiedad; 2) el contenido esencial se refiere a las facultades indisponibles que integran el derecho, si bien el artículo 33 CE no comprende el derecho a que todos los bienes sean objeto de propiedad privada; 3) el dominio se compone de dos facultades, goce o aprovechamiento y disposición (enajenación y traslación) sobre las que puede incidir la configuración legal pero que habrán de ser recognoscibles en cualquier expresión del dominio y no pueden ser suprimidas, aunque sí delimitadas en su interior ("El derecho de propiedad en la Constitución española de 1978", en el vol. col. *Propiedad, expropiación y responsabilidad. La garantía indemnizatoria en el Derecho europeo y comparado, cit.*, pp. 47-48).

[72] Sobre esta cuestión y la jurisprudencia constitucional en materia de espacios naturales, véase GARCÍA URETA, A., *Espacios naturales protegidos, cit.*, pp. 473 y ss.

contenido, que puede ser más o menos restrictiva según la importancia de los valores ecológicos que contenga o los servicios ambientales que preste el bien de que se trate.

Entre los límites más restrictivos de la propiedad se encuentran aquéllos que limitan una de sus facultades esenciales: las de disposición. Pues bien, la función socio-ambiental de algunos bienes que son objeto del dominio privado ha llevado al legislador a atribuir a la Administración la potestad expropiatoria y los derechos de tanteo y retracto con la consiguiente limitación —que no eliminación gratuita— de sus facultades dispositivas.

Debe reconocerse que la expansión de la potestad expropiatoria es una tendencia general[73], en la cual la legislación ambiental participa con gran profusión. La protección ambiental como causa *expropiandi* puede encontrarse en la legislación de protección de los bienes ambientales[74], y en la de control de la contaminación[75]. En cualquier caso, la expropiación ha de considerarse como un "último recurso" en la protección ambiental, utilizable sólo cuando no existe otra forma de intervención sobre la propiedad privada que garantice la gestión sostenible de los recursos naturales por sus propietarios[76].

Por lo que se refiere a los derechos reales de adquisición preferente (tanteo y retracto) atribuidos a la Administración constituyen otra forma intervención sobre la propiedad —pues limitan las facultades dispositivas en las transmisiones onerosas—, que también se justifica por la función socio-ambiental de determinados bienes o actividades[77]. Así lo ha entendido la jurisprudencia constitucional quien ha admitido su regulación por la legislación autonómica, por tener un carácter instrumental y, por ello, la competencia para regularlos está en función sustantiva a la que sirven, en

---

[73]   Cuestión sobre la que ya llamó la atención BERMEJO VERA, J., "Las técnicas de reducción del contenido del derecho de propiedad y las especialidades sectoriales: supuestos que aconsejan la revisión de la normativa vigente", *DA*, núm. 222, 1990, pp. 169-198. Más recientemente ha insistido sobre la cuestión PONS CANOVAS, F., *La incidencia de las intervenciones administrativas en el derecho de propiedad, cit.*, p. 97 y ss.

[74]   Véanse, por ejemplo, los art. 4 LPNB; los arts. 58, 60, 75 y 130 del TRLA y los arts. 28.3 y 68 y D. Ad. 3ª de la Ley de Costas.

[75]   Disposición Adicional 1ª de la Ley 22/2011, de 28 de julio, de residuos y suelos contaminados.

[76]   ROMÍ, R., "L»environnement, comme patrimoine commún de l»humanité: la fonction enviromentale du droit de propriété", en el vol. col. *La dimensión ambiental del territorio frente a los derechos patrimoniales, cit.*, p. 21.

[77]   Véanse el art. 39 LPNB, la D. Ad. 3ª de la Ley de Costas y el art. 25 de la Ley de Montes.

este caso, se trata de la protección ambiental, por lo que no hay incidencia en las competencias estatales sobre legislación civil[78].

La mera previsión de esas potestades no es indemnizable dado que se trata de una alternativa de configuración del derecho de propiedad de acuerdo con su función social. Ahora bien, sí será indemnizable el ejercicio de dichas potestades o derechos ya que la Administración deberá satisfacer la indemnización compensatoria procedente —en el caso de la expropiación— o el precio de la transmisión onerosa *inter vivos* prevista o realizada, en el caso de ejercitar los derechos de tanteo o retracto.

En la estrategia de conservación ambiental la atribución a la Administración de facultades ablatorias de la propiedad privada —consistentes bien en la expropiación, bien en el ejercicio de los derechos de tanteo y retracto— constituye una vía intermedia entre el reconocimiento de la propiedad privada de los bienes ambientales y la demanialización de los mismos.

Es una vía intermedia porque no quedan todos los bienes del mismo género incorporados automáticamente al dominio público, sino sólo aquéllos que singularmente determine la Administración. Es una decisión menos traumática porque se determina de manera singular y no general en función de las concretas circunstancias concurrentes. De acuerdo con la terminología bélica expuesta al principio de este trabajo, mientras que la demanialización es una decisión estratégica, el ejercicio de la potestad expropiatoria es una decisión táctica.

Además, la finalidad de ambas instituciones es diferente: en la expropiación por motivos ambientales hay una apropiación pública de bienes o derechos privados por una finalidad ambiental; en cambio, en la demanialización, la finalidad no es la apropiación, sino más bien la exclusión de determinados bienes de la propiedad privada.

Por otro lado, resulta más sencillo revertir la situación si las circunstancias que justificaron la apropiación cambian, pudiendo devolver esos bienes al dominio privado si pierden los valores o desaparecen las circunstancias que justificaron su apropiación pública.

---

[78] SSTC 102/1995 (FJ 16) y 156/1995 (FJ 6, A). Sobre esta cuestión —y, en general sobre los derechos de tanteo y retracto en materia de espacios naturales protegidos— véase GARCÍA URETA, A., *Espacios naturales protegidos, cit.*, pp. 506 y ss.

4. La demanialización como estrategia de protección ambiental

A) La protección ambiental como fundamento de la demanialización

Como señaló en su día López Ramón unir las expresiones dominio público y medio ambiente "suena bien", ya que el medio ambiente (o sus componentes) son de todos. Sin embargo —advierte este mismo autor— el dominio público es una institución nacida y desarrollada para resolver problemas distintos de los que suscitan las necesidades de tutela de los recursos naturales[79].

Ciertamente, se da la circunstancia que la aplicación del régimen jurídico demanial a algunos de los recursos naturales más importantes (aguas y costas), permiten calificar a dicho régimen como una de las primeras técnicas jurídicas articuladas para la protección del ambiente[80].

Además, el régimen constitucional (art. 132 CE) y la jurisprudencia constitucional sobre las leyes de costas y de aguas han revitalizado la conexión entre el régimen de dominio público y la protección ambiental.

De esa jurisprudencia constitucional podemos extraer tres conclusiones:

1ª La garantía de la propiedad y de los bienes y derechos patrimoniales de los particulares no es absoluta y la Constitución no garantiza que la propiedad privada haya de extenderse a toda clase de bienes[81].

---

[79]   LÓPEZ RAMÓN, F., "Dominio público y protección del medio ambiente", en el vol. col., *Ordenación del territorio y medio ambiente*, ed. IVAP, Oñati, 1988, p. 595.

[80]   DARNACULLETA I GARDELLA, M., *Recursos naturales y dominio público: el nuevo régimen de demanio natural, cit.*, p. 56. Las misma autora señala una serie de elementos de vinculación de la institución demanial con la explotación racional de los recursos naturales (adaptabilidad del régimen demanial a los fines de protección ambiental; su vínculo histórico con los bienes de uso común; su aplicación a bienes de destacada significación ambiental; y su conexión con los principios de gestión pública y de satisfacción del interés general que son inherentes al mandato constitucional de utilización racional de los recursos naturales) (*ibidem*, p. 233).

[81]   STC 227/1988 (FJ 7): "La Constitución sanciona una garantía de la propiedad y de los bienes y derechos patrimoniales de los particulares (art. 33). Pero esta garantía no es absoluta, ya que el art. 128.1 establece que "toda la riqueza del país en sus distintas formas está subordinada al interés general", y, por lo que aquí interesa, el art. 45.2 impone a los poderes públicos el deber de velar "por la utilización racional de todos los recursos naturales, con el fin de proteger y mejorar la calidad de vida y defender y restaurar el medio ambiente, apoyándose en la indispensable solidaridad colectiva". De una interpretación sistemática de estos preceptos no cabe derivar la tesis de que toda medida de ordenación legal de los recursos naturales y, en especial, de un recur-

Doctrinalmente se defendido incluso la existencia de una garantía institucional del dominio público[82].

2ª La Constitución reserva la integración de géneros de bienes en virtud de sus caracteres naturales a una ley, y precisamente, a una ley estatal. Corresponde al legislador estatal en exclusiva la potestad para excluir genéricamente del tráfico jurídico privado un género o una categoría completa de bienes naturales o un recurso natural unitario, y para integrarlas en el dominio público del Estado[83]. Aho-

---

so tan vital y escaso como el agua, deba atender prioritariamente al criterio de evitar cualquier sacrificio no imprescindible de los derechos e intereses patrimoniales de carácter individual. Más en concreto, la Constitución no garantiza que la propiedad privada haya de extenderse a todo tipo de bienes. Antes bien, el art. 132.2, al tiempo que excluye directamente la titularidad privada de algunos géneros de bienes, permite al legislador declarar la demanialidad de otros. Conforme a esta previsión constitucional, la opción de incluir las aguas continentales en el dominio público es legítima en todo caso".

[82]   GONZÁLEZ GARCÍA, J. V. *La titularidad de los bienes del dominio público,* ed. Marcial Pons, Madrid, 1998, p. 105.

[83]   STC 227/1988 (FJ 14): "En efecto, no es casual, como lo demuestran también los antecedentes parlamentarios, que la Constitución haya incorporado directamente al dominio público estatal en el art. 132.2 determinados tipos de bienes que, como la zona marítimo-terrestre, las playas, el mar territorial, etc., constituyen categorías o géneros enteros definidos por sus características físicas o naturales homogéneas. La Constitución ha dispuesto así que algunos de los tipos de bienes que doctrinalmente se han definido como pertenecientes al demanio "natural" formen parte del dominio público del Estado. Sin embargo, con un criterio flexible, no ha pretendido agotar la lista o enumeración de los géneros de bienes que, asimismo, en virtud de sus caracteres naturales, pueden integrarse en el demanio estatal ("en todo caso", reza el art. 132.2), pero sí ha querido explícitamente reservar a la ley, y precisamente a la ley estatal, la potestad de completar esa enumeración. Así se desprende, por lo demás, del inciso inicial de este art. 132.2: "Son de dominio público estatal los que determine la ley...". Tanto el verbo utilizado —"son", en vez de la expresión "pueden ser"—, como la misma reserva absoluta de ley indican a las claras que la Constitución se está refiriendo no a bienes específicos o singularmente identificados, que pueden ser o no de dominio público en virtud de una afectación singular, sino a tipos o categorías genéricas de bienes definidos según sus características naturales homogéneas. (...) En cambio, cuando se trata de categorías completas de bienes formados por la naturaleza, a semejanza de los que en el propio precepto constitucional se declaran de dominio público, el art. 132.2 exige la demanialización por ley y sólo por ley del Estado. Al tiempo, y por lo que aquí interesa, viene a señalar que, en tales supuestos, los bienes demanializados se integran necesariamente en el dominio público estatal".
Más adelante se añade: "Por el contrario, tratándose del "demanio natural", es lógico que la potestad de demanializar se reserve al Estado en exclusiva y que los géneros naturales de bienes que unitariamente lo integran se incluyan, asimismo, como unidad indivisible en el dominio público estatal. Esta afirmación resulta más evidente aún por

ra bien, tampoco se excluye que corresponda en exclusiva al Estado la incorporación de cualquier bien al dominio público, ni que todo bien que se integre en el demanio deba considerarse de la titularidad del Estado[84].

3ª Entre los fines que justifican o fundamentan la institución jurídica del dominio público —y, especialmente del dominio público natural— se encuentra la protección ambiental. En estos términos se expresó la STC 227/1988:

> "La incorporación de un bien al dominio público supone no tanto una forma específica de apropiación por parte de los poderes públicos, sino una técnica dirigida primordialmente a excluir el bien afectado del tráfico jurídico privado, protegiéndolo de esta exclusión mediante una serie de reglas exorbitantes de las que son comunes en dicho tráfico *iure privato*. El bien de dominio público es así ante todo *res extra commercium*, y su afectación, que tiene esa eficacia esencial, puede perseguir distintos fines: típicamente, asegurar el uso público y su distribución pública mediante concesión de los aprovechamientos privativos, permitir la prestación de un servicio público, fomentar la riqueza nacional (art. 339 del Código Civil), garantizar la gestión y utilización controlada o equilibrada de un recurso da o equilibrada de un recurso esencial, u otros similares. Dentro de esta amplia categoría de los bienes demaniales es preciso distinguir entre los singularmente afectados a un servicio público o a la producción de bienes o servicios determinados en régimen de titularidad pública y aquellos otros que, en cuanto géneros, se declaran no susceptibles de apropia-

---

referencia a un recurso esencial como el agua, dado el carácter de recurso unitario e integrante de un mismo ciclo (hidrológico) que indudablemente tiene y que la propia Ley de Aguas impugnada le reconoce. Todo ello sin perjuicio de las competencias atribuidas a las Comunidades Autónomas sobre la gestión y aprovechamiento de los recursos hidráulicos, en virtud de la Constitución y de sus respectivos Estatutos de Autonomía, competencias a las que, por los motivos señalados, no es inherente la potestad de afectación y la titularidad del bien sobre el que recaen".

[84] Así se señala también en la STC 227/1988: "La Constitución se refiere expresamente a los bienes de dominio público en los dos primeros apartados del art. 132. Este precepto reserva a la ley la regulación de su régimen jurídico, sobre la base de algunos principios que ella misma establece (apartado 1), y dispone que "son bienes de dominio público estatal los que determine la ley y, en todo caso, la zona marítimo-terrestre, las playas, el mar territorial y los recursos naturales de la zona económica y la plataforma continental" (apartado 2). Ciertamente, este art. 132.2 no es en sí mismo una norma de distribución de competencias, ni traza nítidamente la frontera entre un dominio público estatal y otro autonómico. Lo que establece, junto a la asignación directa y expresa de algunas categorías genéricas de bienes al dominio público estatal, es una reserva de ley —obviamente de ley del Estado— para determinar qué otros bienes han de formar parte de ese mismo dominio público adscrito a la titularidad estatal. Pero eso no significa, como es evidente, que corresponda en exclusiva al Estado la incorporación de cualquier bien al dominio público, ni que todo bien que se integre en el demanio deba considerarse, por esta misma razón, de la titularidad del Estado".

ción privada en atención a sus características naturales unitarias. En los primeros, la afectación se halla íntimamente vinculada a la gestión de cada servicio o actividad pública específica, de la que constituyen mero soporte material. En cambio, a la inclusión genérica de categorías enteras de bienes en el demanio, es decir, en la determinación del llamado dominio público natural, subyacen prioritariamente otros fines constitucionalmente legítimos, vinculados en última instancia a la satisfacción de necesidades colectivas primarias, como, por ejemplo, la que garantiza el art. 45 de la Constitución, o bien a la defensa y utilización racional de la «riqueza del país», en cuanto que subordinada al interés general (art. 128.1 de la Constitución)".

Se configura así un nuevo concepto de demanio natural, alejado del originario, que la jurisprudencia del Tribunal Constitucional se caracteriza por las siguientes notas[85]: la afectación se produce por ley del Estado; son bienes que constituyen recursos naturales, existentes con independencia de la actuación del hombre, aunque la intervención humana e incluso la obra pública posterior sobre ellos no desvirtúa su carácter natural; la demanialización debe producirse en relación con una categoría entera de bienes, definidos por sus características físicas homogéneas; y, por último el destino determinante de la afectación nos remite a cualquier finalidad constitucionalmente garantizada, entre las que adquiere un especial protagonismo la protección del medio ambiente.

A partir de esta idea básica, las posturas sobre la vinculación entre los recursos naturales y la institución del dominio público divergen. Betancor Rodríguez es quien más ha subrayado esa vinculación al afirmar que existe una relación objetiva entre la institución del demanio natural y la de protección ambiental, que hace no sólo que la demanialización pueda fundamentarse en la protección ambiental, sino que la protección ambiental se convierta en la afectación principal y la principal justificación de la demanialización[86].

Esteve Pardo también ha destacado una tendencia expansiva del dominio natural con el consiguiente incremento de la afectación por naturaleza. Y advierte que los bienes del dominio público natural, además de la función estrictamente ecológica, cumplen en la actualidad una función socio-ambiental para el esparcimiento, el recreo y el disfrute deportivo. Eso

---

[85]   Recojo la síntesis de la doctrina constitucional expuesta por DARNACULLETA I GARDELLA, M., *Recursos naturales y dominio público: el nuevo régimen de demanio natural, cit.,* p. 189. En general, sobre el sentido que hoy puede tener el dominio público natural véase GONZÁLEZ GARCÍA, J. V. *La titularidad de los bienes del dominio público, cit.,* p. 191 y ss.

[86]   BETANCOR RODRÍGUEZ, A., *Instituciones de Derecho ambiental, cit.,* pp. 610-612 y 617.

hace que en algunos bienes (como en los montes) las funciones ecológicas hayan ascendido en importancia en el fundamento de la demanialización, mientras que en otros (como en las vías pecuarias) las funciones ambientales se han sumado a las tradicionales[87].

López Ramón relativiza la cuestión al apreciar que la función ambiental está presente —es decir, que fundamenta y condiciona— en el régimen jurídico de todas las categorías que conforman lo que ha denominado la "escala de la publicidad de las cosas" que comprende no sólo los bienes de dominio público, sino también las cosas comunes, los bienes patrimoniales y los bienes de interés público[88].

En cambio, para Darnaculleta el régimen demanial —o en su caso, el régimen de dominio privado— es indiferente al régimen de protección ambiental. La protección jurídico-ambiental se adapta a la naturaleza jurídica previa (de dominio público o de dominio privado) del recurso natural sobre el que recae sin modificarla. Lo que ocurre es que cuando coinciden dominio público y medio ambiente como títulos de intervención sobre determinados bienes ambientales, se produce un desplazamiento de la institución demanial a favor del medio ambiente. Las técnicas demaniales son reorientadas en términos ambientales y se complementan con otras ajenas al dominio público para la protección de su valor ecológico. Es la consideración del objeto —en cuanto recurso natural— lo que determina la aplicación de un régimen jurídico de protección, por lo que el carácter demanial *per se* no es responsable del carácter tuitivo de las leyes de aguas y costas en términos ambientales: es fruto de la reorientación del demanio sobre la consideración del componente ambiental de su elemento objetivo[89].

---

[87]   ESTEVE PARDO, J., *Lecciones de Derecho administrativo*, 2ª ed., Marcial Pons, Madrid, 2012, p. 496.

[88]   LÓPEZ RAMÓN, F., *Sistema jurídico de los bienes públicos*, ed. Marcial Pons, Madrid, 2013, p. 56.

[89]   DARNACULLETA I GARDELLA, M., *Recursos naturales y dominio público: el nuevo régimen de demanio natural*, *cit.*, pp. 234-235. En otro lugar, dice esta autora que las aguas y las costas eran y siguen siendo bienes de dominio público, con independencia de que el TC haya puesto de relieve la importancia de estos bienes como recursos naturales escasos y de que su régimen público pueda ser caracterizado como un régimen de protección ambiental. Las propiedades agrarias, los bosques privados, los terrenos de titularidad privada incluidos en un espacio natural, no dejan de ser propiedad privada por más que en su régimen jurídico se hayan incluido previsiones protectoras que limitan las facultades de su titular, derivadas de la vinculación de estos bienes a las necesidades de protección del medio ambiente (*ibidem*, p. 199).

B) Efectos de la demanialización

a) La incorporación de una categoría entera de bienes al dominio público por razones ambientales supone, principalmente, su exclusión tráfico jurídico privado y la aplicación de una serie de reglas exorbitantes de las comunes en dicho tráfico para garantizar dicha exclusión (inalienabilidad, imprescriptibilidad e inembargabilidad).

Pueden quedar afectados a diversos fines por lo que el régimen de su utilización quedará supeditado a la garantía de que dichos fines no serán afectados. En el caso del dominio público natural, el régimen de protección y aprovechamiento se caracteriza por la inclusión de diversos mecanismos que garantizan la preservación de sus valores ecológicos o naturales. En el caso de las aguas, por ejemplo, todos los aspectos de su ordenación (planificación, aprovechamiento y control del dominio público hidráulico) quedan marcados por el valor ecológico de las mismas. Y en el de las vías pecuarias, los usos complementarios y compatibles y su aprovechamiento quedan supeditados al mantenimiento de sus valores naturales.

Cabe destacar, como ha hecho Blanca Lozano, que el régimen demanial —aparte de otras técnicas aplicables a actividades sobre bienes privados, como las autorizaciones— permite establecer un control máximo sobre los usuarios y sobre las actividades contaminantes que puedan afectar al mismo, llegando a habilitar a la Administración (art. 62 de la Ley de Costas, art. 103 TRLA) para prohibir absolutamente, en zonas concretas, aquellas actividades o procesos industriales cuyos efluentes puedan constituir riesgo grave de contaminación[90].

b) La demanialización de bienes naturales afecta también a los bienes colindantes ya que es habitual el establecimiento de diversas franjas de protección y de servidumbre que limitan los usos y actividades sobre los mismos.

c) La eliminación de derechos de propiedad privada en los bienes que se incorporan al dominio público, así como la imposición de limitaciones a las propiedades privadas colindantes generan importantes problemas sobre el carácter expropiatorio de las leyes y la posible indemnización por la privación o limitación de derechos.

d) Otro problema adicional que genera la demanialización es la articulación de las diversas competencias que confluyen sobre los bienes dema-

---

[90]   LOZANO CUTANDA, B., *Derecho Ambiental Administrativo*, 7ª ed., Dykinson, Madrid, 2006, p. 297.

niales, cuando la titularidad del dominio público es estatal. En los casos en que la titularidad dominical no es estatal —como en el caso de en el caso de las vías pecuarias y del dominio público forestal— no se plantean estos problemas, ya que en estos casos todas las competencias se concentran en las Comunidades Autónomas. Por un lado, parece lógico que las potestades de protección del bien correspondan a su titular[91]. Pero, al mismo tiempo, la titularidad del dominio público no es un título atributivo de competencias por lo que la condición demanial de un bien no lo sustrae de las competencias que corresponden a otras Administraciones públicas por razón de la materia[92].

El criterio de reparto entre las funciones de protección de los bienes demaniales y las funciones relacionadas con su utilización no depende de la titularidad de los bienes, sino que se realiza en virtud de las reglas generales de atribución de competencias[93]. Y, precisamente, las competencias sobre ordenación del territorio y protección del ambiente son las que más han contribuido a difuminar el concepto de la titularidad demanial, relegando la condición de titular de un bien a un papel residual en defecto de títulos competenciales expresos[94].

El deslinde entre las competencias que tienen su título en la protección ambiental, y las derivadas de la protección del dominio público no es que sea difícil, es que resulta imposible: si la incorporación de los bienes al dominio público se fundamenta en buena medida en la finalidad de preservar sus valores naturales, cualquier criterio de distinción ha de resultar artificioso, dado el carácter materialmente ambiental que revisten ambas competencias. Así lo ha advertido Lozano Cutanda quien ha apreciado una

---

[91] Como dijo la STC 227/1988 "si el Estado ha asumido la titularidad de las aguas continentales públicas, es lógico que haya de corresponderle también la potestad de protección del demanio hídrico, con el fin de asegurar la integridad de aquella titularidad sobre todos los bienes que lo componen".

[92] Se ha llegado a afirmar que aunque el dominio público no es un título competencial, en la práctica la conexión existente entre el dominio público y el derecho de propiedad privada da lugar a una ampliación considerable de las competencias estatales: al establecimiento del marco normativo ambiental de carácter básico, se añaden las facultades que como titular y gestor del dominio público le corresponden sobre su defensa y utilización, de donde se desprende que las Comunidades Autónomas quedan en una posición marginal para ejercer sus competencias en esta materia. JIMÉNEZ DE CISNEROS CID, F. J., "Dominio público y medio ambiente", *Protección administrativa del medio ambiente*, Cuadernos de Derecho Judicial, ed. Consejo General del Poder Judicial, Madrid, 1994.

[93] GONZÁLEZ GARCÍA, J. V. *La titularidad de los bienes del dominio público, cit.*, p. 138 y ss.

[94] GONZÁLEZ GARCÍA, J. V. *La titularidad de los bienes del dominio público, cit.*, p. 158 y ss.

evolución en la jurisprudencia constitucional que va desde una interpretación amplia de las competencias estatales (en la STC 149/1991 sobre la Ley de Costas) a una más restrictiva (en la STC 102/1995, sobre la LCEN)[95].

En cualquier caso, la superposición de las competencias ambientales autonómicas con las estatales de protección del dominio público no puede ser sino fuente de conflictos, confusiones e interferencias, en ocasiones, irresolubles si no se establecen procedimientos cooperativos para el ejercicio de esas competencias. Sirva como botón de muestra lo sucedido con el control integrado de la contaminación y el dominio público hidráulico. Una de las finalidades —la más importante— de esta regulación es integrar los distintos controles ambientales sobre las instalaciones industriales que posibiliten una evaluación global de la contaminación que producen. A tal efecto, se integran en un único acto autorizatorio —la autorización ambiental integrada— los distintos controles preventivos establecidos en la legislación ambiental sectorial (residuos, aguas, atmósfera, evaluación de impacto ambiental, etc.). Para que esa integración de controles se realice sin merma de las competencias de las Administraciones no autonómicas se prevé su intervención en el procedimiento autorizatorio por vía de informe preceptivo. En el caso, de la autorización de vertidos a las aguas, la Ley 16/2002 de prevención y control integrado de la contaminación prevé su inclusión en el procedimiento de autorización ambiental integrada mediante un informe vinculante. Esa integración se proyecta también sobre el régimen de impugnación de la autorización ambiental integrada. Sin embargo, ese esfuerzo integrador no se mantiene en el caso de las competencias de protección del dominio público hidráulico, respecto de las cuales, se advierte expresamente que no quedan alteradas y que "en particular, no se alteran las competencias relativas a vigilancia e inspección ni la potestad sancionadora" (disp. final 1ª de la Ley 16/2002). Y esta salvedad se impone sin establecer ningún mecanismo de coordinación de las competencias estatales con las competencias autonómicas de vigilancia, inspección y sancionadoras sobre las actividades sometidas a autorización ambiental integrada, lo que da lugar a la duplicación de las competencias inspectoras y sancionadoras sobre los vertidos de las instalaciones sometidas a autorización ambiental integrada[96].

---

[95]   LOZANO CUTANDA, B., *Derecho Ambiental Administrativo, cit.*, pp. 301-302.

[96]   A este problema me referí con mayor detalle en ALENZA GARCÍA, J. F., "Vertidos y autorización ambiental integrada", en el vol. col. *Nuevo Derecho de Aguas* (coord. González-Varas Ibáñez), ed. Thomson Civitas, Madrid, 2007, pp. 605-632.

C) Límites de la demanialización

Admitida la demanialización como técnica o instrumento de protección ambiental cabe preguntarse hasta donde es posible utilizarla en relación con los recursos naturales.

La idea del dominio público natural, como se ha visto, ya no significa que "por naturaleza" existan bienes demaniales, sino que manifiesta la inclusión por ley en el dominio público de una categoría entera de bienes, definidos por sus características físicas homogéneas. Es necesaria, por tanto, una decisión de política legislativa para demanializar los recursos naturales.

Una decisión que puede ser adoptada tanto por el legislador estatal, como por el autonómico. La doctrina constitucional a este respecto sobre el demanio natural —sentada en relación con las leyes de aguas y de costas— no es aplicable a todos los bienes ambientales[97]. Primero, porque no siempre los bienes de dominio público de carácter ambiental o que prestan servicios ambientales se incluyen en el dominio público estatal (las vías pecuarias son bienes de dominio público autonómico declarado por la Ley de Vías Pecuarias de 1995). Segundo, porque la legislación autonómica también ha creado nuevas categorías de dominio público sobre bienes ambientales (caso del dominio público forestal, en el que la legislación autonómica se adelantó a la estatal)[98].

Pero como resulta evidente que no todos los recursos naturales deben ser incluidos en el dominio público, cabe preguntarse qué condicionantes tiene esa decisión de política legislativa. Para Betancor Rodríguez, el criterio que debe presidir la decisión sobre la demanialización de un bien es la esencialidad del recurso natural: la demanialización será necesaria para conservar aquellos recursos naturales que, por satisfacer necesidades colec-

---

[97] Sobre la quiebra del planteamiento de la jurisprudencia del Tribunal Constitucional sobre el dominio público natural véase GONZÁLEZ GARCÍA, J. V. *La titularidad de los bienes del dominio público, cit.*, pp. 221 y ss.

[98] Se ha señalado a este respecto que esta doctrina constitucional sobre el dominio natural ha podido conducir a situaciones poco justificables. Así, la innovación legislativa autonómica de inclusión en el dominio público de ciertos montes y no genéricamente de todos los montes catalogados, se explica por la pretensión de eludir el eventual problema competencial derivado de la inclusión de categorías enteras de bienes en el demanio (v. g. los montes catalogados que revestían la condición de "utilidad pública"), de acuerdo con la jurisprudencia constitucional sobre las leyes de aguas y de costas (CALVO SÁNCHEZ, L., "El dominio público forestal y los montes patrimoniales", *cit.*, p. 492).

tivas primarias y por su escasez o su vulnerabilidad, son esenciales para la vida. Dicho de otra manera, la intensidad de la protección de un recurso natural guarda directa relación con el carácter más o menos esencial que sea para la vida y el disfrute de un ambiente adecuado. Cuanto más esencial y vulnerable sea el recurso más protección necesitará, siendo el cenit de la protección su exclusión del tráfico privado y su demanialización[99].

Este criterio de la esencialidad —sólo habrán de ser demanializados los recursos naturales más esenciales— conecta con los dos límites que la jurisprudencia constitucional ha impuesto a la demanialización.

El primero en proclamarse fue el de la proporcionalidad: la demanialización —por motivos ambientales u otros motivos— sólo es posible si no causa un sacrificio desproporcionado a los derechos de los particulares. En concreto, la STC 227/1988 advirtió "que aquella potestad del legislador no puede, sin infringir la Constitución, ejercerse desproporcionadamente, con sacrificio excesivo e innecesario de los derechos patrimoniales de los particulares". En el caso concreto de la Ley de Aguas no se apreció que se hubiera producido ese sacrificio excesivo[100].

La segunda limitación —que es una acentuación de la primera— se señaló por la STC 149/1991. Esta sentencia dio una vuelta de tuerca más a la doctrina sentada en la sentencia sobre la Ley de Aguas y añadió como nuevo límite de la demanialización el de la subsidiariedad[101]. Lo hizo en los siguientes términos:

> "En cuanto que el precepto [se enjuiciaba el art. 4 de la Ley de Costas] incluye en el demanio bienes que no están directamente aludidos por la Constitución, ha de considerarse dictado en virtud de la facultad que la misma Constitución concede al legislador para determinar los bienes que integran el dominio público. Aunque esa facultad no aparece acompañada, en el artículo (132.2) que la otorga, de limitación

---

[99] BETANCOR RODRÍGUEZ, A., *Instituciones de Derecho Ambiental, cit.*, pp. 619 y ss.

[100] STC 227/1988 (FJ 7): "Es cierto que aquella potestad del legislador no puede, sin infringir la Constitución, ejercerse desproporcionadamente, con sacrificio excesivo e innecesario de los derechos patrimoniales de los particulares, pero también lo es que, por lo que se refiere a los recursos hidráulicos, la Ley de Aguas no impone tal sacrificio excesivo, si se tiene en cuenta, por un lado, que la mayor parte de dichos recursos son ya del dominio público, conforme una tradición ininterrumpida de nuestro Derecho histórico, y por otro, que la propia Ley 29/1985 permite, aunque con ciertas limitaciones dirigidas en su conjunto a la realización de los objetivos que los recurrentes parecen compartir o al menos no combaten, que los titulares de derechos sobre aguas privadas mantengan su titularidad «en la misma forma que hasta ahora»".

[101] Principio de último procedimiento lo ha denominado GONZÁLEZ GARCÍA, J. V. *La titularidad de los bienes del dominio público, cit.*, p. 109.

expresa alguna, es evidente que de los principios y derechos que la Constitución consagra cabe deducir sin esfuerzo que se trata de una facultad limitada, que no puede ser utilizada para situar fuera del comercio cualquier bien o género de bienes si no es para servir de este modo a finalidades lícitas que no podrían ser atendidas eficazmente con otras medidas".

Por tanto, se establece un criterio más restrictivo al entender la proporcionalidad no sólo como la adecuación de la decisión demanializadora al fin de la protección ambiental, sino como una decisión excepcional y de última ratio. La alternativa demanializadora debe restringirse al mínimo imprescindible, de manera que sólo puede utilizarse cuando sea necesario o indispensable, en el sentido de que no existan otras medidas alternativas eficaces y menos restrictivas que la pudiese reemplazar[102].

D) Sobre la eficacia de la demanialización como técnica de protección ambiental

Dada la trascendencia que tiene la decisión de demanializar una categoría entera de bienes, excluyéndolos del tráfico privado, y sometiéndolos a un régimen de protección y utilización exorbitante —y que, por lo que respecta a la protección de sus valores naturales, puede implicar un solapamiento de funciones materialmente idénticas con las competencias ambientales—, cabe preguntarse por la eficacia de esta técnica de protección ambiental.

En general, la doctrina entiende que la demanialización aporta mayores posibilidades de protección ambiental. Las principales razones que se aportan son las siguientes:

– El dominio público excluye usos privados potencial y tendencialmente individualistas, frente a una gestión pública que debe garantizar la accesibilidad del disfrute de los bienes por parte de todos y una explotación más conservadora que rentista. Esta es la principal diferencia con la alternativa de la propiedad privada en la que la apropiación y explotación del recurso queda sujeta a la iniciativa privada y al libre comercio.

– En el dominio público, al control público del uso y explotación del recurso le acompañan reglas exorbitantes (inalienabilidad, imprescriptibilidad) y potestades para la defensa de su integridad y buen

---

[102]   Así lo ha advertido GARCÍA URETA, A., *Espacios naturales protegidos, cit.*, p. 493.

uso (policía demanial), para la recuperación frente a usurpaciones y ocupaciones ilegales (recuperación de oficio, deslinde) y para el establecimiento de prohibiciones absolutas de actividades contaminantes que puedan lesionarlo, que facilitan notablemente la preservación de sus valores ambientales.

– Es frecuente, además, que el régimen de protección del dominio público se proyecte sobre las propiedades colindantes, a las que se limitan o privan de aquellos usos que puedan afectar a la integridad o a los valores del dominio público.

No obstante, también cabe apreciar algunos factores que pueden comprometer la eficacia protectora del dominio público:

– La afectación del dominio público a otras finalidades no ambientales que sean contrarias o puedan comprometer la conservación de los valores ecológicos de los bienes demanializados.

– La necesidad de reforzar la protección derivada de la condición demanial con otras técnicas de protección ambiental[103].

– Los posibles solapamientos e interferencias entre las potestades del titular demanial con las competencias ambientales también pueden restar efectividad a la demanialización como técnica de protección[104].

Por todo ello, ha habido quien ha afirmado que el título de protección ambiental puede justificar —sin tener el refuerzo del título demanial— una actividad administrativa de intervención tan intensa sobre bienes de dominio privado, como la que se ejerce sobre los bienes de dominio público[105].

---

[103] Se ha indicado, a este respecto, que siendo lo importante no la defensa del demanio, sino la finalidad a la que sirve, el demanio natural suele precisar una protección ambiental más específica y detallada que complemente la que aportan los principios y técnicas que acompañan a la institución demanial. GARCÍA URETA, A., *Espacios naturales protegidos, cit.*, p. 500.

[104] Así lo ha destacado BLANCA LOZANO, quien considera que con el dominio público se refuerza la protección de los recursos naturales y lo considera como un poderoso título de intervención que posibilita el máximo control sobre las conductas de los usuarios, ordenándolas de acuerdo con las exigencias que impone el interés general, como es el de la preservación del medio ambiente (*Derecho administrativo ambiental, cit.*, pp. 296-297), si bien señala que la posible interferencia entre las competencias demaniales y las ambientales puede restar efectividad a la demanialización como técnica de protección reforzada de determinados recursos esenciales para la colectividad (*ibidem*, p. 302).

[105] DARNACULLETA I GARDELLA, M., *Recursos naturales y dominio público: el nuevo régimen de demanio natural, cit.*, pp. 233-234.

Es cierto que la experiencia ha demostrado que el dominio público no garantiza la plena protección de los valores ambientales de los bienes incluidos en el mismo[106]. Y que, al mismo tiempo, la intervención administrativa sobre la propiedad privada por motivos ambientales puede ser tan intensa como sobre los bienes de dominio público, lo que ha llevado a calificar a algunos bienes —como los espacios naturales— de cuasidemaniales o bienes privados de interés público. Pero creo que de ahí no puede concluirse, en términos generales, que la afectación de unos bienes a fines ambientales y su consiguiente demanialización sea una técnica neutral o indiferente desde el punto de vista de la eficacia de la tutela ambiental.

Por mucho que las potestades de protección sean, en alguna medida, intercambiables entre el demanio y la intervención pública sobre la propiedad privada, la exclusión de unos bienes del tráfico privado pone en mejor situación a la Administración para ordenar su explotación sostenible y velar por su integridad que cuando interviene sobre la propiedad privada.

Porque, como se ha dicho, la alternativa al dominio público es la propiedad privada de los bienes ambientales[107]. Con el régimen demanial desaparece la propiedad privada y con ello su eventual uso individualista y egoísta, explotador e insostenible. La titularidad pública sustituye ese uso privatista y, en principio, la gestión pública deberá garantizar un uso racional y sostenible. Otra cosa es que se consiga. Porque tampoco es descartable que la gestión pública se rija por criterios de rentabilidad y relegue los aspectos conservacionistas. Pero, también en el caso del dominio público, los ciudadanos tienen una posición más reforzada para exigir a la Administración el uso de sus potestades, que cuando se trata de ejercitarlas frente a una titularidad privada contraria a dicho ejercicio.

---

[106]   Probablemente uno de los fracasos más estrepitosos de la protección de bienes públicos sea el de las vías pecuarias. Su carácter público y la protección de reyes y de leyes desde el siglo XIII no impidieron su progresivo desmantelamiento. Y, sin embargo, han sobrevivido hasta la actualidad. Es evidente que sin ese carácter público hubieran desaparecido totalmente, como ha sucedido en otros países que también desarrollaron prácticas trashumantes. Por tanto, el fracaso de la protección de estos caminos es relativo. En la actualidad las vías pecuarias han recibido ahora una protección legal super-reforzada y requieren del complemento de otras técnicas (urbanísticas, ambientales, etc.) para seguir soportando la presión a que se ven sometidas por la actividad urbanizadora y por la explotación agraria y turística del espacio rural. Es evidente que su supervivencia sigue ligada a su titularidad pública y que sus valores ambientales, paisajísticos y culturales perecerían si fueran devueltas al tráfico privado.

[107]   DELGADO PIQUERAS, F., "Régimen jurídico constitucional del medio ambiente", núm. 38, 1993, *REDC*, pp. 67-73.

En definitiva, entiendo que la demanialización no es una decisión neutral o irrelevante desde el punto de vista de la protección ambiental, sino que sitúa a esos bienes en una mejor condición para garantizar la prestación de sus servicios ambientales, que si permanecieran en manos privadas.

V. CONCLUSIONES

A lo largo de este trabajo se han examinado las distintas posibilidades existentes de incidir sobre la titularidad de los bienes ambientales de acuerdo con nuestro régimen constitucional.

El mandato constitucional de velar por la utilización racional de los recursos naturales (art. 45 CE), permite ser satisfecho a través de distintos mecanismos de acuerdo con su función social. Es decir, que aunque el artículo 45 CE (y el TC) se refiera a los recursos naturales en su conjunto, ello no impide que se puedan establecer en diversos tipos de propiedad (pública y privada y, ésta, con mayor o menor intervención) de acuerdo con su función social[108].

La decisión de demanializar y, en su caso, de delimitar con mayor o menor intervención administrativa, las propiedades privadas sobre los bienes ambientales es una decisión de política legislativa. Es el legislador el que debe valorar la esencialidad y escasez de los recursos naturales y concretar su función social, diseñando al propio tiempo la condición (dominio público o dominio privado) y el régimen jurídico (potestades públicas, facultades de los propietarios, limitaciones, deberes, etc.) de cada uno de los recursos naturales.

La gradación de las distintas estrategias posibles no significa que éstas sean indiferentes o neutrales desde el punto de vista ambiental. Es cierto que la intervención administrativa sobre la propiedad privada por razones ambientales puede ser tan intensa que se aproxime mucho al régimen de dominio público. Pero, en principio, la exclusión del tráfico privado de unos bienes y su gestión pública los coloca en mejor situación para que se realice una explotación sostenible de los mismos que garantice su conservación.

Ahora bien, la decisión del legislador tampoco es enteramente libre, ya que la CE no garantiza que todos los recursos deban ser propiedad privada,

---

[108] GARCÍA URETA, A., *Espacios naturales protegidos, cit.*, p. 462.

ni tampoco permite la demanialización absoluta de los recursos naturales. Cada una de las estrategias por las que debe optar el legislador tiene sus límites constitucionales:

– La privatización absoluta de los bienes públicos resulta en nuestro país imposible —salvo reforma constitucional— por la demanialización del dominio público marítimo-terrestre efectuada por el artículo 132 CE y por nuestra tradición jurídica respecto a bienes como las aguas continentales o las vías pecuarias. El aire, por su propia condición de inapropiabilidad, tampoco podría ser privatizado. Por otro lado, el carácter colectivo de estos bienes, que permite que sean usados o disfrutados por todos, y su carácter esencial para necesidades humanas básicas desaconsejan su privatización. Pero, sobre todo, porque es más que dudosa la efectividad de la privatización absoluta de los bienes ambientales como técnica de protección ambiental. Otra cosa es que deban mejorarse aspectos de su gestión pública o que puedan incorporarse algunas técnicas de mercado o similares (de las concesiones de aguas para riego, de derechos de emisión de gases de efecto invernadero) que acerquen, por lo que se refiere a determinados derechos de uso, el régimen público al privado.

– La delimitación legal de las propiedades privadas y el establecimiento de diversos mecanismos de intervención sobre las mismas presenta también algunos límites (respeto del contenido esencial de la propiedad, necesidad de indemnizar las privaciones singulares de facultades) y supone relegar a la Administración ambiental a fiscalizadora de la explotación de los recursos naturales. En cualquier caso, la titularidad privada deberá conservar las facultades de aprovechamiento y disposición sobre sus bienes en términos recognoscibles, debiendo evitar que se llegue a una socialización de la propiedad por causa de la protección del medio ambiente, ni convertir al propietario en una especie de gestor de lo que los poderes públicos decidan en la materia[109]. Especial cuidado habrá que poner en esta cuestión habida cuenta del creciente número de fines públicos que multiplican los títulos de intervención pública sobre la propiedad privada.

– La demanialización de los recursos naturales constituye la estrategia que posibilita una mayor protección de los recursos naturales más esenciales y escasos al excluirlos del tráfico privado. Tiene unos límites constitucionales (proporcionalidad y subsidiariedad) que

---

[109]   GARCÍA URETA, A., *Espacios naturales protegidos, cit.*, p. 464.

restringen su utilización a los supuestos en los que no existan otros mecanismos menos restrictivos que permitan atender eficazmente la tutela ambiental. Además, su puesta en práctica ha planteado siempre problemas indemnizatorios de las propiedades privadas afectadas (caso de la supresión de los enclaves de propiedad privadas en los bienes demanializados o de las limitaciones impuestas a las propiedades colindantes). Por último, debe tenerse en cuenta que es un instrumento estratégico que carece de la flexibilidad que tiene la configuración de una propiedad privada vinculada o intervenida, ya que la demanialización debe hacerse por ley y afecta necesariamente a una categoría completa de bienes.

BIBLIOGRAFÍA BÁSICA

AGUDO GONZÁLEZ, J., *Incidencia de la protección del medio ambiente en los usos del suelo*, ed. Bosch, Barcelona, 2004.

ALENZA GARCÍA, J. F., *Manual de Derecho Ambiental*, ed. Universidad Pública de Navarra, Pamplona, 2001.

ANDERSON, T. L. y LEAL, D. R., *Ecología de mercado*, ed. Unión Editorial, Madrid, 1993.

ARGULLOL MURGADAS, E. (dir.), *La dimensión ambiental del territorio frente a los derechos patrimoniales*, ed. Tirant lo Blanch, Valencia, 2004.

BARCELONA LLOP, J., "Consideraciones sobre el dominio público natural", *RArAP*, núm. 13, 1998, pp. 122.

BARNÉS VÁZQUEZ, J., *La propiedad constitucional. El estatuto jurídico del suelo agrario*, ed. Civitas, Madrid, 1988.

BARNÉS VÁZQUEZ, J. (coord..), *Propiedad, expropiación y responsabilidad*, ed. Tecnos, Madrid, 1995.

BASSOLS COMA, M., "Propiedad privada y cuestiones de medio ambiente", en el vol. col. (coord. Barnés, J.), *Propiedad, expropiación y responsabilidad. La garantía indemnizatoria en el Derecho europeo y comparado*, ed. Tecnos, Madrid, 1995, pp. 727-754.

BETANCOR RODRÍGUEZ, A., "Los problemas de calificación jurídica de la autorización de vertido regulada en la Ley de Costas. Esbozos para la reconstrucción dogmática de la institución del demanio natural como técnica de protección ambiental", *RDUMA*, núm. 158, pp. 129 y ss.

BETANCOR RODRÍGUEZ, A., *Instituciones de Derecho Ambiental*, ed. La Ley, Madrid, 2001.

BLANC ALTEMIR, A., *El Patrimonio Común de la Humanidad*, ed. Bosch, Barcelona, 1992.

DARNACULLETA I GARDELLA, M., *Recursos naturales y dominio público: el nuevo régimen de demanio natural*, ed. Cedecs, Barcelona, 2000.

DELGADO PIQUERAS, F., "Régimen jurídico constitucional del medio ambiente", *REDC*, núm. 38, 1993, pp. 67-73.

GARCÍA URETA, A., *Espacios naturales protegidos*, ed. IVAP, Oñati, 1999.

GONZÁLEZ GARCÍA, J. V. *La titularidad de los bienes del dominio público*, ed. Marcial Pons, Madrid, 1998.

JIMÉNEZ DE CISNEROS CID, F. J., "Dominio público y medio ambiente", *Protección administrativa del medio ambiente*, Cuadernos de Derecho Judicial, ed. Consejo General del Poder Judicial, Madrid, 1994, pp. 237-263.

LÓPEZ RAMÓN, F., "Dominio público y protección del medio ambiente", en el vol. col., *Ordenación del territorio y medio ambiente*, ed. IVAP, Oñati, 1988, p. 585-595.

LÓPEZ RAMÓN, F., *Sistema jurídico de los bienes públicos*, ed. Marcial Pons, Madrid, 2013.

LOZANO CUTANDA, B., *Derecho Ambiental Administrativo*, 7ª ed., Dykinson, Madrid, 2006.

MARTÍN MATEO, R., *Tratado de Derecho ambiental*, vol. I, ed. Trivium, Madrid, 1991.

OST. F., *Naturaleza y Derecho*, ed. Mensajero, Bilbao, 1996.

PONS CÁNOVAS, F., *La incidencia de las intervenciones administrativas en el derecho de propiedad*, ed. Marcial Pons, Madrid, 2004.

TEJEDOR BIELSA, J., "Bienes públicos y medio ambiente", en el vol. col., *Bienes públicos, urbanismo y medio ambiente* (coords. López Ramón, F., y Escartín Escudé, V.), ed. Marcial Pons, Madrid, 2013, pp. 73-89.

Capítulo X
Los bienes públicos y su régimen tributario

Rosa M. Galán Sánchez
Profesora Titular de Derecho Financiero y Tributario
Universidad Complutense de Madrid

SUMARIO: I. PLANTEAMIENTO. 1. Sujeción de los entes públicos a los tributos. 2. Los bienes públicos como elemento objetivo del hecho imponible de los tributos. II. LOS BIENES PÚBLICOS Y SU TRIBUTACIÓN. 1. El demanio natural y los bienes públicos afectos a un servicio público. Las diferencias en su régimen jurídico y las consecuencias tributarias de tal distinción. 2. Utilización por los particulares de bienes de dominio público. A) Tasas por utilización privativa o aprovechamiento especial del dominio público. a) Tasas estatales. b) Tasas autonómicas. c) Tasas locales. B) La concesión administrativa. III. LOS BIENES PATRIMONIALES Y SU TRIBUTACIÓN. 1. La mera titularidad de bienes patrimoniales. 2. Rendimientos producidos por bienes patrimoniales. 3. Enajenación y gravamen de bienes patrimoniales. 4. Adquisición de bienes patrimoniales. 5. Las actividades empresariales de los entes públicos y su sujeción al IVA. Especial referencia a las operaciones de urbanización. IV. LA PROTECCIÓN CONSTITUCIONAL DE LOS BIENES PÚBLICOS Y SU INCIDENCIA EN MATERIA TRIBUTARIA. 1. Inalienabilidad, imprescriptibilidad e inembargabilidad como límites a la exigibilidad de los tributos. ¿Pueden los bienes públicos garantizar una deuda tributaria? 2. La utilización de los tributos para proteger bienes públicos. Especial referencia a la denominada tributación medioambiental.

I. PLANTEAMIENTO

La sujeción tributaria de los entes públicos, en cuanto éstos sean titulares de bienes de dominio público, presenta una doble dimensión, ante la cual debemos posicionarnos de forma completamente distinta.

En efecto, la cuestión no sólo se circunscribe, como veremos, a determinar si los entes públicos pueden verse sometidos no sólo a sus tributos, sino también a los establecidos por otros entes públicos. Analizada esta primera cuestión, en sentido afirmativo, el siguiente punto a dilucidar es sobre qué manifestaciones de capacidad económica es posible establecer un tributo y si, en esos casos, los entes públicos ponen de manifiesto esa capacidad. Esto es, hay que determinar si la titularidad o uso de bienes públicos, en su sentido amplio y poco jurídico, de bienes que pertenecen a los entes públicos, es susceptible de integrar el hecho imponible de los tributos.

La solución no es unívoca, ya que dependerá del régimen jurídico al que se sometan los citados bienes y de quién sea el sujeto que ostente las facultades de uso del bien público. Analizaremos las distintas posibilidades que se nos presentan.

Ambas cuestiones están íntimamente ligadas, como no podía ser de otro modo, a la doctrina tributaria sobre el hecho imponible. Siguiendo las aportaciones de los profesores Sainz de Bujanda[1] y Vicente-Arche[2], definimos el hecho imponible, desde un punto de vista doctrinal[3], como "aquel hecho hipotéticamente previsto en la norma, que genera, al realizarse, la obligación tributaria"[4].

El hecho imponible, por tanto, alude a una situación de hecho, susceptible de llevarse a cabo, esto es, que sólo en términos hipotéticos aparece prevista y configurada por la norma jurídica. Si tal hecho se produce, tendrán lugar los efectos jurídicos correspondientes, en este caso, el nacimiento de la obligación tributaria.

El análisis de la estructura del hecho imponible[5] nos muestra la existencia de dos elementos constitutivos del mismo: el objetivo o presupuesto objetivo y el subjetivo o presupuesto subjetivo[6]. El primero equivale a la situación base que ha sido tomada en consideración por el legislador para el establecimiento del tributo. El segundo expresa la relación existente entre el sujeto obligado al pago del tributo y el elemento objetivo.

Como se expondrá en las líneas siguientes, será preciso analizar los dos elementos constitutivos del hecho imponible para discernir si los entes públicos se verán sometidos a los tributos.

---

[1]   SAINZ DE BUJANDA, F.: "Análisis jurídico del hecho imponible", en *Hacienda y Derecho*, vol. IV, Instituto de Estudios Políticos, Madrid, 1966, pp. 206 y ss.

[2]   VICENTE-ARCHE DOMINGO, F.: "Consideraciones sobre el hecho imponible" en *RDFHP*, núm. 39, 1960, pp. 529 y ss.

[3]   El art. 20 de la LGT define el hecho imponible como "el presupuesto fijado por la ley para configurar cada tributo y cuya realización origina el nacimiento de la obligación tributaria principal".

[4]   *Notas de Derecho financiero*, Seminario de Derecho Financiero de la Universidad de Madrid (SDFUM). Tomo I, vol. 2. Madrid, 1976, p. 372.

[5]   Análisis que "nos proyecta sobre esferas distintas de la disciplina, hasta el punto de que, sin un previo análisis del hecho imponible, esto es, sin descomponerlo en la pluralidad de elementos que lo forman, no puede darse una explicación científica satisfactoria de temas tan vastos y heterogéneos como son los sujetos de la obligación, la existencia de ésta en el tiempo y en el espacio, el importe de la deuda impositiva y la estructura del sistema tributario de un país". (SDFUM, *Notas de Derecho financiero*, ob. cit., p. 399).

[6]   SAINZ DE BUJANDA, F., *Lecciones de Derecho Financiero*. Universidad Complutense. Madrid, 1979, pp. 172 y ss.

1. Sujeción de los entes públicos a los tributos

Dentro de la doctrina tributaria sobre los sujetos pasivos de los tributos, la sujeción de los entes públicos a imposición ha sido uno de los temas de más calado y que más discusiones ha propiciado. Si bien es cierto que la polémica, en estos momentos, carece de la importancia que tuvo en su momento, son varios los estudios, sobre todo procedentes de la doctrina italiana, que se han pronunciado sobre el tema[7].

Como decimos, la discusión hoy carece de interés, no sólo por la fuerza de las cosas —la mayoría de los tributos reconocen la posibilidad de que los entes públicos sean sujetos pasivos de los mismos o bien contienen normas expresas de exención, que no serían precisas si la regla general fuese la no sujeción[8]—, sino porque se han superado ciertas concepciones del tributo que llevaban a negar una realidad hoy superada.

---

[7]   Destacan sobre todo los trabajos de SCOCA, F. G.: *"Stato ed altri enti impisitori di fronte al dovere di prestazione tributaria"*, en Diritto e Pratica Tributaria, 1968, parte I, pp. 146 y ss.; SCIALPI, E.: *"La aptitud del Estado para asumir la figura de sujeto pasivo en la relación jurídico impositiva"*, traducción publicada en HPE, núm. 54, 1978, pp. 302 y ss.; CARLI, M.: *"Sujeción del Estado a sus impuestos y capacidad contributiva"*, traducción publicada en HPE, núm. 54, 1978, pp. 315 y ss.; BERLIRI, A., *Principi di Diritto Tributario*, Giufrè. Milano, 1957, pp. 364 y ss. 1957. Entre la doctrina española, destacan los trabajos de Vega Herrero, M.: *"El Estado como sujeto pasivo tributario"*, HPE, núm. 54, 1978, pp. 290 y ss. y FALCÓN Y TELLA, R.: "Los entes locales en el sistema tributario estatal y autonómico", en la obra colectiva dirigida por FERREIRO LAPATZA, J. J., *Tratado de Derecho financiero y tributario local*, ed. Marcial Pons, Madrid, 1993, pp. 1121 y ss.

[8]   La distinción entre no sujeción y exención es una cuestión que, en principio, parece bien delimitada. Así, mientras que la no sujeción implica la no realización de alguno de los elementos que componen el hecho imponible, la exención supone la realización del presupuesto de hecho, y la ruptura de la consecuencia jurídica que tal realización conlleva, el nacimiento de la obligación tributaria.

Según el profesor Sainz de Bujanda, la no sujeción no debe ser declarada, ya que lo que ocurre en estos casos es que no se produce el presupuesto previo que da lugar al nacimiento de la obligación tributaria. El hecho de que exista una norma que declare la no sujeción no tiene efectos más que didácticos u orientativos, ya que si dicha norma no existiese, el resultado jurídico sería el mismo, la inexistencia de obligación tributaria en los supuestos que las normas de sujeción no contemplan.

Por el contrario, la norma de exención tiene eficacia constitutiva, ya que la misma viene a suponer la anulación o neutralización de la norma, respecto de aquellos hechos y personas contemplados en la misma, esto es, calificados como "exentos". ("Teoría jurídica de la exención tributaria", en *Hacienda y Derecho*, vol. III, Instituto de Estudios Políticos. Madrid, 1963, pp. 428 y ss.). Y son partidarios de esta distinción, con algunas matizaciones, la gran mayoría de la doctrina española, entre otros: ALBIÑANA GARCÍA-QUINTANA, C., *Sistema tributario español y comparado*. Tecnos. Madrid, 1992, p. 73; GARCÍA LUIS, T., *Impuesto sobre Sociedades: desgravaciones por inversión y creación*

Los autores italianos manejan la idea de soberanía, que provocaría una confusión si una misma persona jurídica pública ocupara la posición acreedora y deudora, la finalidad de obtención de ingresos por el ente impositor como algo inherente al tributo y la falta de capacidad económica del ente público para negar la sujeción de los mismos al deber de contribuir[9].

Estos argumentos, como ya se ha señalado, se corresponden con unas concepciones del tributo hoy claramente superadas. Así, la idea de soberanía en la que se basó el poder de imposición no tiene hoy virtualidad, ya que el ámbito de actuación de cada ente público se rige por un criterio de competencia.

La necesidad de que existan dos sujetos, acreedor y deudor, para que nos encontremos ante una verdadera relación jurídica tributaria no justifica el no sometimiento de un ente público al deber de contribuir. En cualquier caso, no justifica el no sometimiento de un ente público a los tributos que otro ente público, en uso de su competencia, pueda establecer. Pero, a nuestro modo de ver, tampoco impide que un ente esté sometido a sus propios tributos. Como señala Falcón y Tella[10], ello dará lugar a que la

---

de empleo, Lex Nova, Valladolid, 1990, p. 19; PÉREZ DE AYALA Y PELAYO, C., *Temas de Derecho Financiero*, Servicio de Publicaciones de la Facultad de Derecho, Universidad Complutense, Madrid, 1990 (2ª0. Ed.), pp. 367 y 368; LOZANO SERRANO, C., *Exenciones tributarias y derechos adquiridos*, Tecnos, Madrid, 1988, pp. 23 y 42.
Esta tesis tradicional ha tenido cierta contestación por parte de la doctrina, aunque la misma no supone variar las consecuencias de la distinción. Así, algún autor se ha mostrado disconforme con la afirmación de que la norma de no sujeción tienen efectos meramente didácticos u orientativos. Desde una perspectiva estrictamente jurídica, no debe existir, se afirma por parte de Núñez Pérez, ningún obstáculo que impida admitir que, en determinados casos, ciertos supuestos de la realidad material, pese a estar excluidos de gravamen, deben ser conceptuados como supuestos de no sujeción por la norma jurídica. De este modo, la norma tendría carácter constitutivo, ya que sería ella la que estableciese la no sujeción. Así, se cumpliría el requisito de llegar a una distinción entre no sujeción y exención desde un punto de vista jurídico, normativo, no basado en un razonamiento lógico del intérprete. La inclusión de los supuestos de no sujeción en una norma jurídica con plenos efectos constitutivos llevaría a considerar éstos como hechos jurídicos, productores de efectos jurídicos: impedir las consecuencias que su posible asimilación a los supuestos contemplados por la norma de sujeción acarrearía, es decir, impedir el nacimiento de la obligación tributaria. ("Hecho imponible. No sujeción y exención", en la obra colectiva **Comentarios a la** Ley General Tributaria y líneas para su reforma, *ob. cit.*, pp. 471 y ss.).

[9]   FALCÓN Y TELLA, R., en el prólogo de la obra *La sujeción tributaria de los Entes locales*, Eprinsa, 1997, pp. 9 y ss.

[10]   *Ob. cit.*

obligación se extinga por confusión, pero no excluye la posibilidad misma de la existencia de la obligación.

Por su parte, entender que el tributo sólo se legitima si estamos en presencia de un ingreso con el que sostener los gastos públicos, choca con la posibilidad, reconocida tanto por la CE como por el resto de la normativa tributaria y la jurisprudencia constitucional, de la existencia de lo que se denominan "tributos de ordenamiento" o "con finalidad extrafiscal"[11], que tienen por objetivo utilizar la figura tributaria para otras finalidades.

Finalmente, carece por completo de justificación el argumento de que los entes públicos están faltos de capacidad contributiva. Como señala Falcón y Tella[12], cuando el ente público interviene activamente en la econo-

---

[11] El art. 2.1 de la LGT establece que "los tributos, además de ser medios para obtener los ingresos necesarios para el sostenimiento de los gastos públicos, podrán servir como instrumentos de la política económica general y atender a la realización de los principios y fines recogidos en la Constitución". Este fenómeno, consistente en que determinado tributo sea —a la vez que medio de allegar fondos a la Hacienda Pública— un instrumento de la política económica, es conocido por la doctrina con el nombre de *extrafiscalidad*. Tiene un origen tan antiguo como el propio tributo, pero este intervencionismo fiscal se hace más patente desde el momento en que se superan las concepciones político-económicas inspiradoras de una hacienda neutral y, como pone de manifiesto Casado Ollero "con la incesante multiplicación y complejidad de los fines constitucionalmente atribuidos al Estado y, como consecuencia de ello, con la progresiva *funcionalización de la actividad financiera de los entes públicos*". ("Los fines no fiscales de los tributos", en la obra *colectiva Comentarios a la Ley General Tributaria y líneas para su reforma*, IEF, 1991, p. 104.) Repasando los distintos preceptos de la CE nos damos cuenta de que la actividad financiera de los distintos entes públicos debe encauzarse a la realización de diversos fines y objetivos económicos y sociales. Esta exigencia constitucional se desprende, no sólo de la cláusula del Estado Social, sino también de los "principios rectores de la política social y económica", en cuyo cumplimiento los poderes públicos están comprometidos, por mandato del art. 53.3 del Texto Constitucional. Tras la promulgación de la Constitución del 78, el reconocimiento de la función extrafiscal del tributo ha sido reconocida por la doctrina del Tribunal Constitucional desde las primeras sentencias (STC. 27/1981, de 20 de julio, FJ 4°; 49/1984, de 5 de abril, FJ 4°; 19/1987, de 17 de febrero, FJ 4°). Sin embargo, es en la STC 37/1987, de 26 de febrero, que cuestionaba algunos aspectos de la Ley de Reforma Agraria andaluza y del Impuesto andaluz sobre Tierras Infrautilizadas, donde el Tribunal reconoce que "la función extrafiscal del sistema tributario estatal no aparece explícitamente reconocida en la Constitución, pero dicha función puede derivarse directamente de aquellos preceptos constitucionales en los que se establecen principios rectores de política social y económica (señaladamente arts. 40.1 y 130.1), dado que tanto el sistema tributario en su conjunto como cada figura tributaria concreta forman parte de los instrumentos de que dispone el Estado para la consecución de los fines económicos y sociales constitucionalmente ordenados".

[12] *Ob. cit.*, p. 10.

mía manifiesta, en cierto sentido, capacidad económica, al menos en el mismo sentido en que dicho principio es predicable de las personas jurídicas. Además, la capacidad contributiva se predica del conjunto del sistema y, por tanto, la tributación que pesa sobre los entes públicos no constituye sino un aspecto secundario del sistema tributario globalmente considerado.

Superadas, por tanto, las posiciones que propugnaban la no sujeción de los entes públicos a los tributos, éstos se someterán a tributación siempre que se encuentren comprendidos en la definición del hecho imponible. Si del análisis del mismo resulta la idoneidad del ente público para su realización, sólo la existencia de una norma expresa de exención puede fundamentar la no tributación de los entes públicos[13].

2. Los bienes públicos como elemento objetivo del hecho imponible de los tributos

El art. 31 de la CE, cuando establece que "todos contribuirán al sostenimiento de los gastos públicos de acuerdo con su capacidad económica mediante un sistema tributario justo, inspirado en los principios de igualdad y progresividad que, en ningún caso, tendrá alcance confiscatorio", está recogiendo los criterios y principios básicos que deben informar, en todo momento, la actividad financiera de la Administración.

A pesar de que el precepto constitucional recoge varios principios que se analizan separadamente, es unánime la opinión de que el criterio esencial, del que los demás son derivaciones, es el principio de capacidad económica[14]. Este se considera la regla esencial para el reparto o distribución de la carga tributaria.

En este sentido, podemos entender que el principio de capacidad económica cumple en nuestro ordenamiento constitucional tributario tres funciones esenciales: de fundamento de la imposición, de límite para el

---

[13]   Es evidente que los entes públicos no estarán sometidos a aquellos tributos que gravan a las personas físicas, caso del IRPF o del ISD. No obstante, esta afirmación solo implica que no nace para ellos la obligación tributaria principal, consecuencia lógica de la realización del hecho imponible, pero no les excluye de otras obligaciones accesorias o instrumentales, como las de facilitar información sobre terceros o la de practicar retenciones, en los casos en que la normativa así lo establezca.

[14]   PÉREZ ROYO, F., *Derecho Financiero y Tributario. Parte General*, ed. Thomson-Civitas, 13ª ed., 2003, p. 44.

legislador en el desarrollo de su poder tributario[15] y de orientación para el mismo legislador en cuanto al uso de ese poder[16].

El legislador, por tanto, no puede establecer un tributo si no toma como presupuesto del mismo una circunstancia que revele capacidad económica y debe modular la carga que el mismo supone en función de la intensidad con que el citado índice de capacidad se manifieste. Tradicionalmente, se consideran índices de capacidad económica la obtención de renta o ingresos monetarios, la posesión de un patrimonio, el consumo, la adquisición de bienes, etc. No todas tienen el mismo carácter —lo que supone la distinción entre manifestaciones directas e indirectas de capacidad económica— ni la misma intensidad, pero deben estar presentes a la hora de configurar la norma de exacción. Además, deben existir de manera concreta o actual en el momento de entrada en vigor de la misma[17].

Así pues, cuando el legislador establece un tributo y procede a configurar el hecho imponible del mismo, debe incorporar una de estas manifestaciones de capacidad económica, que conformará el *objeto del tributo*, esto es, el elemento que soporta el tributo y que será la renta, el patrimonio, el gasto, etc. Éste, a su vez, constituye el elemento central del que arriba denominamos, elemento objetivo del hecho imponible. Nada impide, en principio, que el legislador configure varios hechos imponibles sobre un mismo objeto. Empleando un ejemplo que será útil más adelante, puede ser objeto de tributos un bien, genérico o determinado; atendiendo a las distintas situaciones, hechos o circunstancias en que dicho bien se encuentre, podrá establecerse un gravamen. Así, la titularidad del bien, la renta que produzca el bien, su transmisión o adquisición, onerosa o gratuita, el

---

[15] El mantenimiento de esta expresión tiene unos efectos puramente didácticos. Aparece unido a la concepción tradicional que entendía que el establecimiento del tributo era una manifestación de la soberanía y las relaciones derivadas del mismo eran relaciones de poder. Hoy, superadas estas posturas, el Estado se muestra como el titular de una serie de competencias previstas en la Constitución y en el resto del Ordenamiento jurídico. De ahí que podamos definir el poder financiero como haz de competencias constitucionales y de potestades administrativas de que gozan los entes públicos territoriales, representativos de intereses primarios, para establecer un sistema de ingresos y gastos. MARTÍN QUERALT, LOZANO SERRANO, CASADO OLLERO y TEJERIZO LÓPEZ, *Curso de Derecho Financiero ý Tributario*, Ed. Tecnos, 24ª ed., 2012, pp. 177 a 180.

[16] PÉREZ ROYO, F. *Ob. cit.*, 21ª ed. p. 62.

[17] Estas afirmaciones deben matizarse teniendo en cuenta la existencia en nuestro sistema, como se ha analizado arriba, de tributos de ordenamiento o con finalidad extrafiscal. Ya hemos manifestado que la jurisprudencia constitucional pondera los principios contenidos en el art. 31 que comentamos con otros recogidos, igualmente, en el texto constitucional.

consumo de dicho bien o cualquier otra circunstancia de la que sea objeto, será susceptible de configurar un tributo. Requisito previo, como se ha señalado antes, es que dicha circunstancia sea representativa de capacidad económica.

Hemos concluido que los entes públicos pueden ser sujetos pasivos de los tributos si se encuentran incluidos en el presupuesto de hecho que constituye el hecho imponible, salvo que exista una norma de exención expresa de los mismos. Se trata ahora de determinar si, aún no existiendo esa norma, la titularidad de bienes públicos[18] puede constituir una manifestación de capacidad económica, susceptible de conformar el hecho imponible de un tributo. Todo ello, teniendo en cuenta la protección constitucional de que tales bienes gozan, como se ha visto en los capítulos dedicados a su estudio.

Un paso previo y necesario antes de intentar dar respuesta a la cuestión planteada, consiste en delimitar perfectamente, a qué tipo de bienes nos referimos. En efecto, cuando hablamos de bienes públicos, nos estamos refiriendo en genérico al conjunto de bienes y derechos que forman el patrimonio de los entes públicos. Pero, es sabido, que en este conjunto hay diversas categorías y grupos que gozan de distinto régimen jurídico y, consecuentemente, se verán afectados por la carga tributaria, en su caso, de distinto modo.

Sin ánimo de entrar en la discusión doctrinal suscitada por los administrativistas que se han ocupado del tema[19], utilizaremos la clasificación de bienes públicos que se deriva de la normativa vigente. Los bienes públicos pueden clasificarse, siguiendo a Santamaría Pastor[20], en primer lugar, en bienes de dominio público o demaniales, recogidos en el art. 339 del Cc.; y en segundo lugar, en bienes patrimoniales, es decir, los bienes utilizados instrumentalmente por la Administración para atender a las necesidades internas de su propia organización y el desarrollo de los servicios enco-

---

[18] Utilizamos la expresión "titularidad" de bienes públicos a sabiendas de que existe un debate doctrina sobre la misma en el seno de los administrativistas. Por todos, véase GONZÁLEZ GARCÍA, J. V., *La titularidad de los bienes públicos*, ed. Marcial Pons, 1998. No obstante, se considera justificado por razones meramente didácticas y simplificativas.

[19] Remitimos para ello a lo dicho en los distintos capítulos de esta obra por parte de expertos en la materia, mucho más cualificados, obviamente, que la autora de estas páginas.

[20] *Principios de Derecho Administrativo, vol. II*, ed. Centro de Estudios Ramón Areces. S.A., 3ª ed., 2002, p. 511.

mendados. Junto a estos dos tipos de bienes públicos es posible hablar de un tercer grupo, compuesto por un conjunto heterogéneo de "masas patrimoniales diferenciadas, dotadas de un régimen jurídico propio"[21], entre las que cabe destacar el Patrimonio Nacional, el de la Seguridad Social, los bienes comunales, los patrimonios de los organismos públicos de carácter instrumental, entre otros.

En cualquier caso, todos estos patrimonios se caracterizan, frente a los patrimonios privados, por su finalidad, que no es otra que la satisfacción del interés público que el ente titular de los mismo está llamado a desempeñar.

Después de analizar los capítulos que preceden a estas páginas, parece claro que si bien es posible que, en determinadas ocasiones, los bienes patrimoniales sean susceptibles de integrar el elemento objetivo del hecho imponible de algunos de los tributos que componen nuestro sistema tributario, dicha cualidad no parece predicable de la totalidad de los bienes, denominados, demaniales. Ello por el hecho de que están excluidos del comercio y se encuentran especialmente protegidos por la CE.

Habrá que analizar de qué modo se lleva a cabo la utilización de esos bienes, teniendo en cuenta que la gestión de los mismos puede realizarla el propio ente público o los particulares, ya sea por una autorización previa del ente público titular o sin ella, a través de alguno de los usos previstos en la ley —común, privativo o especial—.

II. LOS BIENES PÚBLICOS Y SU TRIBUTACIÓN

1. *El demanio natural y los bienes públicos afectos a un servicio público. Las diferencias en su régimen jurídico y las consecuencias tributarias de tal distinción*

Ya se ha hecho referencia arriba a la necesidad de dividir los bienes que conforman el patrimonio de los entes públicos en dos categorías o grupos diferenciados, los bienes de dominio público o demaniales y los bienes patrimoniales. Los primeros, regulados en el art. 339 del Cc, gozan de un régimen jurídico que, como se señaló antes, los excluye del comercio, cosa que no ocurre con los segundos, los denominados patrimoniales.

---

[21]   SANTAMARÍA PASTOR, J. A., *Ibídem.*

No obstante, aún es posible distinguir dentro del grupo constituido por los bienes demaniales dos categorías, reguladas en el precepto del Cc señalado[22]. Éste distingue entre aquellos bienes situados fuera del comercio, porque son de uso común, y aquellos que pertenecen al ente público, que sin ser de uso común, se encuentran destinados a algún servicio público y, por tanto, reciben las reglas que se aplican a los bienes demaniales, en virtud de la especial función que cumplen

Los bienes que hemos señalado en primer lugar, regulados en los arts. 339.1 y 344.1 del Cc son los que gozan de la protección señalada, en cuanto que los mismos son inembargables, inalienables e imprescriptibles. Estos bienes se separan del comercio, del tráfico jurídico, porque, debido a sus características, son imprescindibles para el propio desenvolvimiento de la sociedad. El ente público procede, por tanto, a la gestión de los intereses colectivos mediante la afectación de estos bienes al dominio público, afectación que se produce *ope legis*. La norma que los regula y procede a su inclusión dentro del ámbito del dominio público, teniendo en cuenta la importancia que los mismos tienen para la colectividad, crea los instrumentos necesarios para defender su carácter público, evitando que los intereses particulares impidan el ejercicio de los intereses generales. Se encuentran entre estos bienes, principalmente, los distintos demanios naturales, como son las aguas, costas, montes, etc.

Los segundos, sin embargo, no tienen características físicas especiales y están unidos a los entes públicos en virtud de un derecho de propiedad o de otros derechos, reales o no. Se encuentran recogidos en el art. 339.2 del Cc. Se trata de bienes que se encuentran en el comercio, aunque limitados por el hecho de que un ente público ostenta un derecho sobre ellos. En estos casos, en relación con estos bienes, es preciso el acto administrativo de afectación al servicio público o a los fines concretos del ente que los detenta.

Entendido de esta forma el dominio público, somos de la opinión de que los bienes que integran ese demanio, que hemos denominado natural, no son susceptibles de integrar el elemento objetivo del hecho imponible. No constituyen, *per se*, una manifestación de capacidad económica susceptible de ser sometida a gravamen[23].

---

[22]   Seguimos en este punto las posiciones (¿posturas?) mantenidas por González García, J. V. en el capítulo II, dedicado al dominio público en esta misma obra.

[23]   "Los bienes de dominio público procuran a la Administración una utilidad directa, merced a su inmediata adscripción a los servicios públicos, y si eventualmente son fuente de ingresos, éstos tienen por lo general una filiación tributaria, es decir, son

Así aparecen configurados en el art. 60 de la Real Decreto Legislativo 2/2004, de 5 de marzo, por el que se aprueba el texto refundido de la Ley Reguladora de las Haciendas Locales (LHL), que define el hecho imponible del Impuesto sobre Bienes Inmuebles (IBI) como "la titularidad de los siguientes derechos sobre los bienes inmuebles rústicos y urbanos y sobre los inmuebles de características especiales:

a) De una concesión administrativa sobre los propios inmuebles o sobre los servicios públicos a que se hallen afectos.

b) De un derecho real de superficie.

c) De un derecho real de usufructo.

d) Del derecho de propiedad".

Y en su apartado 5, señala que "**no están sujetos**[24] a este impuesto:

a) Las carreteras, los caminos, las demás vías terrestres y los bienes del dominio público marítimo-terrestre e hidráulico, siempre que sean de aprovechamiento público y gratuito.

b) Los siguientes bienes inmuebles propiedad de los municipios en que estén enclavados:

Los de dominio público afectos a uso público.

Los de dominio público afectos a un servicio público gestionado directamente por el ayuntamiento, excepto cuando se trate de inmuebles cedidos a terceros mediante contraprestación (...)".

No ocurre lo mismo, a nuestro modo de ver, con la otra categoría de bienes de dominio público. Como se ha señalado antes, estos bienes se extraen del comercio por el acto administrativo de la afectación y con la única finalidad de sostener una concreta necesidad del funcionamiento de la Administración[25]. En estos casos, entendemos que dependerá de la naturaleza del servicio público al que se afecte el bien que nos encontremos o no ante materia gravable, sin perjuicio de la concreta norma de exención que, en su caso, exista.

---

ingresos tributarios (verbigracia: tasas en las que el hecho imponible consiste en la utilización del dominio público, como prevé el art. 26.1 de la Ley general tributaria), si bien pueden en ciertos casos aislados ser ingresos patrimoniales (verbigracia: rendimientos de yacimientos mineros explotados por el Estado)". SAINZ DE BUJANDA, F., *Lecciones de Derecho Financiero*, Universidad Complutense de Madrid, 1979, p. 105.

[24] La negrita es nuestra.

[25] SANTAMARÍA PASTOR, J. A., *Principios de Derecho Administrativo*, *ob. cit.*, p. 526.

Son servicios públicos aquellas actividades tendentes a prestar una utilidad necesaria para el normal desenvolvimiento de la vida social, en su conjunto o a sus miembros individualmente considerados. Se trata, por tanto, de un conjunto de actividades prestacionales realizadas por los entes públicos, es decir, no las que realizan los mismos con carácter interno. Éstos, además, deben asumir el deber y la responsabilidad de garantizar su prestación regular y correcta a los ciudadanos —*publicatio*—, ya sea por sí o asegurando su realización por terceros[26].

Los servicios públicos pueden prestarse en régimen de gestión propia o en régimen de gestión contractual[27]. Para llevar a cabo el primer tipo de gestión, la propia, la Administración puede valerse de cualquiera de las estructuras organizativas que tiene a su alcance; para ello puede recurrir, por tanto, a órganos de su estructura central o periférica o a entidades instrumentales; y éstas pueden, a su vez, ser organismos autónomos o sociedades mercantiles, siempre que, en este último caso, el capital de las mismas pertenezca en exclusiva o mayoritariamente a la Administración o al ente público dependiente de ella (art. 154.2 de la LCAP), y el servicio a prestar no conlleve el ejercicio de poderes dotados de autotulela (Disp. Ad. 12ª de la LOFAGE)[28].

El empleo de la forma de gestión contractual exige que los servicios públicos tengan un contenido económico que los haga susceptibles de explotación por empresarios particulares y, consecuentemente con lo establecido para la gestión propia, los mismos no pueden implicar el ejercicio de autoridad inherente a los poderes públicos[29].

---

[26] SANTAMARÍA PASTOR, J. A. *Principios de Derecho Administrativo, ob. cit.*, p. 310.

[27] Tradicionalmente, se venía sosteniendo que los servicios públicos podían ser prestados mediante gestión directa o indirecta. Se entendía, así, por gestión directa la que, para prestar servicios de su competencia, realiza el Ente público por sí mismo o mediante organismo exclusivamente dependiente de él Por contra, existía gestión indirecta, cuando existe intervención de los particulares. En la primera, la Administración asume en su totalidad el riesgo en la prestación del servicio mientras que, en la segunda, dicho riesgo se comparte, de forma parcial, con el sector privado. La asunción del riesgo ha sido, por tanto, el criterio utilizado por nuestra legislación para distinguir entre una y otra forma de gestión (BOQUERA OLIVER, J. M.: *Derecho Administrativo*, I (6º edic.), Civitas, Madrid, 1986, p. 263 y GARRIDO FALLA, F.: *Tratado de Derecho Administrativo*, ed. Tecnos, Madrid, 1987, p. 294, nota 1).

[28] SANTAMARÍA PASTOR, J. A. *Principios de Derecho Administrativo, ob. cit.*, p. 323.

[29] Sería extraño que no se permitiese gestionar este tipo de servicios a empresas mercantiles que cuentan entre sus titulares a una Administración, aunque de modo minoritario, y se le permitiese a empresarios particulares.

Del análisis somero de lo antedicho podemos empezar a extraer consecuencias. Resulta claro que, cuando la Administración presta un servicio
público a través de un empresario particular, estamos en presencia de una
manifestación de capacidad económica, susceptible de imposición. Los
bienes públicos afectos a dicho servicio público se verán por tanto afectados por la carga tributaria en que el tributo consista, en cuanto que podrán
conformar alguno de los elementos del hecho imponible del mismo. En
estos casos, evidentemente, el sujeto pasivo de los tributos aplicables al caso
será el particular, que es quién pone de manifiesto la capacidad económica.

Pero es más, en nuestra opinión, el principio de igualdad que, en materia tributaria, implica que las capacidades económicas similares sean gravadas de modo similar[30], nos lleva a afirmar que, cuando dichos servicios
sean prestados de modo directo por el propio Ente público, éste estará
poniendo de manifiesto una capacidad económica del mismo modo que
el empresario particular. Así se deduce de lo dispuesto en el art. 9 del Real
Decreto Legislativo 4/2004, de 5 de marzo, por el que se aprueba el texto
refundido de la Ley del Impuesto sobre Sociedades (LIS), que es el tributo
de nuestro sistema que grava la obtención de renta por parte de las personas jurídicas. A su tenor "estarán totalmente **exentos** del impuesto:

a) El Estado, las Comunidades Autónomas y las Entidades Locales.

b) Los organismos autónomos del Estado y entidades de derecho público de análogo carácter de las Comunidades Autónomas y de las
   Entidades Locales".

Respecto al resto de los servicios públicos, habría que analizar, caso por
caso, cuál es la naturaleza de la prestación que lleva a cabo el ente público
para determinar si los bienes públicos afectos a los mismos forman parte
del hecho imponible de alguna de las figuras tributarias concretas de nuestro sistema tributario. Así, el art. 62 de la LHL, al regular las exenciones en
el IBI, recoge la de los inmuebles que sean propiedad del Estado, de las Comunidades Autónomas o de las Entidades Locales que estén directamente
afectos a la seguridad ciudadana y a los servicios educativos y penitenciarios, así como los del Estado afectos a la defensa nacional[31]. Teniendo en

---

[30]   SSTC 46/2000, de 17 de febrero, 1/2001, de 15 de enero, 47/2001, de 15 de febrero.
[31]   El art. citado declara que, "asimismo, previa solicitud, estarán exentos:
       (...)
       b) Los declarados expresa e individualizadamente monumento o jardín histórico de
       interés cultural, mediante real decreto en la forma establecida por el artículo 9 de la
       Ley 16/1985, de 25 de junio, del Patrimonio Histórico Español, e inscritos en el regis-
       tro general a que se refiere su artículo 12 como integrantes del Patrimonio Histórico

cuenta la prohibición establecida en nuestro ordenamiento del uso de la analogía para extender más allá de sus términos estrictos el ámbito del hecho imponible, de las exenciones y demás beneficios o incentivos fiscales (art. 14 LGT), no nos queda más remedio que entender que el resto de bienes propiedad de los Entes públicos afectos a servicios públicos no mencionados en el precepto señalado, no gozan de la citada exención, por lo que para sus titulares nacerá, en el momento del devengo, la correspondiente obligación tributaria.

Español, así como los comprendidos en las disposiciones adicionales primera, segunda y quinta de dicha ley. Esta exención no alcanzará a cualesquiera clases de bienes urbanos ubicados dentro del perímetro delimitativo de las zonas arqueológicas y sitios y conjuntos históricos, globalmente integrados en ellos, sino, exclusivamente, a los que reúnan las siguientes condiciones:

En zonas arqueológicas, los incluidos como objeto de especial protección en el instrumento de planeamiento urbanístico a que se refiere el artículo 20 de la Ley 16/1985, de 25 de junio, del Patrimonio Histórico Español.

En sitios o conjuntos históricos, los que cuenten con una antigüedad igual o superior a cincuenta años y estén incluidos en el catálogo previsto en el Real Decreto 2159/1978, de 23 de junio, por el que se aprueba el Reglamento de planeamiento para el desarrollo y aplicación de la Ley sobre Régimen del Suelo y Ordenación Urbana, como objeto de protección integral en los términos previstos en el artículo 21 de la Ley 16/1985, de 25 de junio.

No estarán exentos los bienes inmuebles a que se refiere esta letra b) cuando estén afectos a explotaciones económicas, salvo que les resulte de aplicación alguno de los supuestos de exención previstos en la Ley 49/2002, de 23 de diciembre, de régimen fiscal de las entidades sin fines lucrativos y de los incentivos fiscales al mecenazgo, o que la sujeción al impuesto a título de contribuyente recaiga sobre el Estado, las Comunidades Autónomas o las entidades locales, o sobre organismos autónomos del Estado o entidades de derecho público de análogo carácter de las Comunidades Autónomas y de las entidades locales.

c) La superficie de los montes en que se realicen repoblaciones forestales o regeneración de masas arboladas sujetas a proyectos de ordenación o planes técnicos aprobados por la Administración forestal. Esta exención tendrá una duración de 15 años, contados a partir del período impositivo siguiente a aquel en que se realice su solicitud".

El mismo precepto establece también la competencia del ente local impositor para declarar, mediante la correspondiente ordenanza fiscal, la exención a favor de los bienes de que sean titulares los centros sanitarios de titularidad pública, siempre que estén directamente afectados al cumplimiento de los fines específicos de los referidos centros.

2. Utilización por los particulares de bienes de dominio público

A) Tasas por utilización privativa o aprovechamiento especial del dominio público

El uso del dominio público por los particulares ha constituido tradicionalmente en nuestro derecho el presupuesto habilitante para la exigencia de una tasa.

Esta especie tributaria, la primera recogida por el art. 2 de la LGT, aparece como el instrumento adecuado para la financiación del coste de los servicios públicos de carácter divisible, con beneficiarios o usuarios identificables en cada caso. La tasa se inspira en el principio del beneficio, según el cual el coste del servicio debe satisfacerse, total o parcialmente, a través de una prestación exigida a sus usuarios. La principal dificultad que plantea este principio, a la hora de traducirlo a términos jurídicos, es determinar el correcto significado de la contraprestación. En una tasa existe, efectivamente, un elemento de contraprestación, que no debe ser entendida como ocurre en los negocios bilaterales o sinalagmáticos, donde la prestación de cada parte es causa de la de la otra. Se trata de un elemento de contrapartida, de beneficio derivado de la acción de la Administración que no existe en el caso de los impuestos.

En la estructura del hecho imponible de la tasa se encuentra, como hecho central, una actividad de la Administración que justifica su exacción. Tradicionalmente, como hemos dicho, esta actividad consiste bien en autorizar un uso especial del dominio público, bien en la efectiva prestación de un servicio público. Además, el concepto de tasa se relaciona con el coste del servicio o el importe presunto del beneficio que se obtiene por la cesión de la utilización del dominio público, lo que no significa que el importe se encuentre afecto a dicha financiación, sino que dicho coste incide, de manera esencial, en la determinación de su cuantía.

La utilización o aprovechamiento especial del dominio público, que requiere la autorización de la Administración titular del mismo, ha dado lugar siempre a la exacción de una tasa, salvo el período comprendido entre los años 1989 y 1995.

En el año 1989, la Ley 8/1989, de 13 de abril, de Tasas y Precios Públicos estableció que, en estos casos, se exigiría un precio público. En 1995, el Tribunal Constitucional (TC)[32] declaró nulo, entre otros, el precepto

---

[32] STC 185/1995, de 14 de diciembre.

en cuestión, por entender que la regulación de la cuantía de esta exacción pública no respondía a las exigencias del principio de legalidad. Ante esta declaración del Alto tribunal, el legislador optó por volver a incluir este concepto dentro de la tasa.

a) Tasas estatales

La Ley 25/1998, de 13 de julio, de modificación del Régimen Legal de las Tasas Estatales y Locales y de Reordenación de las Prestaciones Patrimoniales de Carácter Público ha regulado los elementos esenciales de la tasa por utilización privativa o aprovechamiento especial del dominio público estatal.

El hecho imponible, como ya hemos señalado, lo constituye la utilización privativa o el aprovechamiento especial de bienes de dominio público que se haga por concesiones, autorizaciones u otra forma de adjudicación por parte de los órganos de la Administración estatal competentes para ello.

Se establece la no sujeción a la tasa cuando la utilización o aprovechamiento especial del dominio público ya estuviese gravado por una tasa específica, o cuando se trate del dominio público hidráulico y marítimo-terrestre. Del mismo modo, no se exigirá el pago de la tasa cuando la utilización privativa o aprovechamiento especial de bienes de dominio público no lleve aparejada una utilidad económica para el concesionario, persona autorizada o adjudicatario o, aun existiendo dicha utilidad, la utilización o aprovechamiento comporte condiciones o contraprestaciones para el beneficiario que anulen o hagan irrelevante aquélla.

El devengo de la tasa se producirá con el otorgamiento inicial y mantenimiento anual de la concesión, autorización o adjudicación y será exigible en la cuantía que corresponda y en los plazos que se señalen en las condiciones de dicha concesión, autorización o adjudicación.

Serán sujetos pasivos de la tasa los concesionarios, personas autorizadas o adjudicatarios o, en su caso, quienes se subroguen en lugar de aquéllos.

En cuanto a la cuantificación de la tasa, se establece que, en los casos de utilización privativa de bienes del dominio público, la base será el valor del terreno y, en su caso, de las instalaciones ocupadas tomando como referencia el valor de mercado de los terrenos contiguos o la utilidad derivada de los bienes ocupados. En este caso el tipo aplicable será del 5 por 100. En los casos de aprovechamientos especiales de bienes del dominio público, la base de la tasa tomará como referencia la utilidad que reporte el aprovechamiento y sobre ella se aplicará el tipo del 10 por 100. Si en los pliegos de condiciones o clausulado de la concesión, autorización o adjudicación se imponen al beneficiario determinadas obligaciones o contraprestaciones que minoren la utilidad económica para el mismo, la base de la tasa habrá de ser reducida en la misma proporción.

b) Tasas autonómicas

También las CCAA tienen reconocida la posibilidad de establecer y exigir tasas, en las mismas condiciones que el Estado. Así lo dispone el art. 7 de la LOFCA, en la redacción dada por la Ley Orgánica 3/1996, de 27 de diciembre.

Además, el art. 7.2 de la LOFCA establece que "cuando el Estado o las Corporaciones Locales transfieran a las CCAA bienes de dominio público para cuya utilización estuvieran establecidas tasas o competencias en cuya ejecución o desarrollo presten servicios o realicen actividades gravadas con tasas, aquéllas y éstas se considerarán como tributos propios de las respectivas Comunidades". Las CCAA han establecido tasas propias y la práctica totalidad de las mismas dispone de Leyes autonómicas que regulan su creación.

c) Tasas locales

En el ámbito local, la LHL establece un elenco, no taxativo de supuestos de utilización de supuestos de utilización privativa o aprovechamiento especial del dominio público local[33].

---

[33] El art. 20.3 de la LHL dispone que "las entidades locales podrán establecer tasas por cualquier supuesto de utilización privativa o aprovechamiento especial del dominio público local, y en particular por los siguientes:

a) Sacas de arena y de otros materiales de construcción en terrenos de dominio público local.

b) Construcción en terrenos de uso público local de pozos de nieve o de cisternas o aljibes donde se recojan las aguas pluviales.

c) Balnearios y otros disfrutes de aguas que no consistan en el uso común de las públicas.

d) Vertido y desagüe de canalones y otras instalaciones análogas en terrenos de uso público local.

e) Ocupación del subsuelo de terrenos de uso público local.

f) Apertura de zanjas, calicatas y calas en terrenos de uso público local, inclusive carreteras, caminos y demás vías públicas locales, para la instalación y reparación de cañe-

Una vez recogidos algunos de los servicios públicos por los que la entidad local no podrá, en ningún caso, exigir una tasa[34], la LHL establece que el Estado, las CCAA y las entidades locales no están obligados al pago de

---

rías, conducciones y otras instalaciones, así como cualquier remoción de pavimento o aceras en la vía pública.

g) Ocupación de terrenos de uso público local con mercancías, materiales de construcción, escombros, vallas, puntales, asnillas, andamios y otras instalaciones análogas.

h) Entradas de vehículos a través de las aceras y reservas de vía pública para aparcamiento exclusivo, parada de vehículos, carga y descarga de mercancías de cualquier clase.

i) Instalación de rejas de pisos, lucernarios, respiraderos, puertas de entrada, bocas de carga o elementos análogos que ocupen el suelo o subsuelo de toda clase de vías públicas locales, para dar luces, ventilación, acceso de personas o entrada de artículos a sótanos o semisótanos.

j) Ocupación del vuelo de toda clase de vías públicas locales con elementos constructivos cerrados, terrazas, miradores, balcones, marquesinas, toldos, paravientos y otras instalaciones semejantes, voladizas sobre la vía pública o que sobresalgan de la línea de fachada.

k) Tendidos, tuberías y galerías para las conducciones de energía eléctrica, agua, gas o cualquier otro fluido incluidos los postes para líneas, cables, palomillas, cajas de amarre, de distribución o de registro, transformadores, rieles, básculas, aparatos para venta automática y otros análogos que se establezcan sobre vías públicas u otros terrenos de dominio público local o vuelen sobre ellos.

l) Ocupación de terrenos de uso público local con mesas, sillas, tribunas, tablados y otros elementos análogos, con finalidad lucrativa.

m) Instalación de quioscos en la vía pública.

n) Instalación de puestos, barracas, casetas de venta, espectáculos, atracciones o recreo, situados en terrenos de uso público local así como industrias callejeras y ambulantes y rodaje cinematográfico.

ñ) Portadas, escaparates y vitrinas.

o) Rodaje y arrastre de vehículos que no se encuentren gravados por el Impuesto sobre Vehículos de Tracción Mecánica.

p) Tránsito de ganados sobre vías públicas o terrenos de dominio público local.

q) Muros de contención o sostenimiento de tierras, edificaciones o cercas, ya sean definitivas o provisionales, en vías públicas locales.

r) Depósitos y aparatos distribuidores de combustible y, en general, de cualquier artículo o mercancía, en terrenos de uso público local.

s) Instalación de anuncios ocupando terrenos de dominio público local.

t) Construcción en carreteras, caminos y demás vías públicas locales de atarjeas y pasos sobre cunetas y en terraplenes para vehículos de cualquier clase, así como para el paso del ganado.

u) Estacionamiento de vehículos de tracción mecánica en las vías de los municipios dentro de las zonas que a tal efecto se determinen y con las limitaciones que pudieran establecerse.

[34] Servicios de de abastecimiento de aguas en fuentes públicas, alumbrado de vías públicas, vigilancia pública en general, protección civil, limpieza de la vía pública, enseñanza en los niveles de educación obligatoria.

las tasas por utilización privativa o aprovechamiento especial del dominio público por los aprovechamientos inherentes a los servicios públicos de comunicaciones que exploten directamente y por todos los que inmediatamente interesen a la seguridad ciudadana o a la defensa nacional.

Son sujetos pasivos de las tasas, en concepto de contribuyentes, las personas físicas y jurídicas así como las entidades a que se refiere el artículo 35.4 de la LGT (entes de hecho) que disfruten, utilicen o aprovechen especialmente el dominio público local en beneficio particular, conforme a alguno de los supuestos previstos.

En cuanto a la cuantía de la tasa, se fijará, con carácter general, tomando como referencia el valor que tendría en el mercado la utilidad derivada de dicha utilización o aprovechamiento, si los bienes afectados no fuesen de dominio público. Cuando se utilicen procedimientos de licitación pública, el importe de la tasa vendrá determinado por el valor económico de la proposición sobre la que recaiga la concesión, autorización o adjudicación.

El art. 24 de la LHL recoge un supuesto especial de cuantificación de la tasa, aplicable a las que se exijan por utilización privativa o aprovechamientos especiales constituidos en el suelo, subsuelo o vuelo de las vías públicas municipales, a favor de empresas explotadoras de servicios de suministros que resulten de interés general o afecten a la generalidad o a una parte importante del vecindario. Esta tasa es compatible con otras que puedan establecerse por la prestación de servicios o la realización de actividades de competencia local, de las que las empresas a que se refiere este precepto deban ser sujetos pasivos[35]. Consecuentemente, queda excluida, por el pago de esta tasa, la exacción de otras derivadas de la utilización privativa o el aprovechamiento especial constituido en el suelo, subsuelo o vuelo de las vías públicas municipales.

Diversas cuestiones han surgido a la luz de la regulación de este régimen especial, que ha sufrido su última modificación por la Ley 62/2003, de 30 diciembre, Medidas Fiscales, Administrativas y del Orden Social[36].

---

[35]   La STS de 16-07-07 (RI-1026404), dictada en interés de ley, establece la compatibilidad de la tasa con las establecidas por la normativa estatal para las empresas de telecomunicaciones, ya que el hecho imponle de las mismas es distinto y la finalidad de las normas que las establecen también.

[36]   La redacción anterior del precepto era la siguiente: "Cuando se trate de tasas por utilización privativa o aprovechamientos especiales constituidos en el suelo, subsuelo o vuelo de las vías públicas municipales, en favor de empresas explotadoras de servicios de suministros que afecten a la generalidad o a una parte importante del vecindario,

Este precepto, como vemos, es de obligada aplicación por parte de todos los municipios. Ello no significa que todos lo apliquen en igual cuantía. A pesar de lo establecido por la jurisprudencia del TS[37], que exige esa igualdad tanto para determinar la base como para el tipo a aplicar[38], algunos municipios, como los de la Diputación Foral de Álava, han llegado a aplicar un tipo del 1,75.

En cualquier caso, se trata de un sistema objetivo de determinación del aprovechamiento especial del dominio público, que sustituye al criterio de aprovechamiento medio o utilidad derivada del aprovechamiento especial.

Por lo que se refiere a los sujetos activos de la tasa, del tenor literal del precepto parece deducirse que nos encontramos ante una tasa municipal, ya que la base imponible de la misma está constituida por un porcentaje sobre los ingresos brutos obtenidos en el término municipal, sin mencionar, en ningún momento, la cifra de negocios *provincial*. Además, el art. 132 de la LHL, al mencionar las tasas provinciales, se remite a lo establecido con carácter general en esta Ley, excluyendo expresamente esta forma de determinación de la cuota para las haciendas provinciales.

Si atendemos al ámbito objetivo de aplicación, el mismo queda reducido a los supuestos de aprovechamiento especial que tengan por objeto el suelo, subsuelo y vuelo de las vías públicas. Es indiferente, además, cuál sea el título por el cual se produce dicho aprovechamiento. No es este el criterio que mantenía la Administración que, en Contestación de 1 de febrero de 2000, de la Dirección General de Coordinación con las Haciendas Territoriales, en relación a la redacción anterior, entendió que la tasa sólo podía exigirse cuando se utilizaba el dominio público municipal con instalaciones propias, pero no cuando se utilizaban instalaciones ajenas. Como puso de manifiesto Tejerizo López[39], el hecho imponible de la tasa es la utilización del dominio público local y este tiene lugar cualquiera

---

el importe de aquéllas consistirá, en todo caso y sin excepción alguna, en el 1,5 por 100 de los ingresos brutos procedentes de la facturación que obtengan anualmente en cada término municipal las referidas empresas. Dichas tasas son compatibles con otras que puedan establecerse por la prestación de servicios o la realización de actividades de competencia local, de las que las mencionadas empresas deban ser sujetos pasivos conforme a lo establecido en el artículo 23 de esta Ley".

[37] SSTS de 23 de enero y 13 de abril de 1998. Arz. 3025 y 4462, respectivamente.
[38] Esta uniformidad puede vulnerar otros preceptos constitucionales, a saber, el de igualdad —al no tener en cuenta las diferencias existentes entre los distintos municipios— y el de autonomía municipal.
[39] "Del monopolio a la libre competencia. La tributación local de los operadores de telecomunicaciones", conferencia impartida Barcelona, el 17 de enero de 2001, en la

que sea el título en cuya virtud se aprovechen las instalaciones existentes[40]. La nueva redacción del precepto parece despejar las dudas planteadas, ya que establece que "este régimen especial de cuantificación se aplicará a las empresas a que se refiere este párrafo c), tanto si son titulares de las correspondientes redes a través de las cuales se efectúan los suministros como si, no siendo titulares de dichas redes, lo son de derechos de uso, acceso o interconexión a estas".

Por lo que se refiere a los destinatarios de la tasa, esto es, a los sujetos pasivos, éstos son las empresas explotadoras de servicios que afecten, al menos, a una parte importante del vecindario[41]. Nos encontramos ante un concepto genérico, que requerirá de análisis para determinar su contenido exacto. En una primera acepción, podemos entender que se refiere a aquellas empresas que prestan servicios a la generalidad de la población, aunque de hecho la empresa concreta preste el servicio a pocos vecinos. Estamos, por tanto, aplicando el concepto de generalidad atendiendo a los servicios considerados objetivamente.

Pero también es posible entender que la norma se refiere, subjetivamente, a las empresas afectadas, de tal manera que sólo estarían sujetos los operadores que, en la práctica, sirvan a todos o gran parte de los vecinos de un municipio.

La Contestación antes mencionada parece decantarse por esta última interpretación. Sin embargo, algunos autores[42] se manifiestan a favor de la primera, atendiendo al sentido que parece tener la norma. El sistema que se sigue para cuantificar la tasa se fija en la intensidad de la utilización del dominio público local, que tiene en cuenta las obras de infraestructura

---

Jornada sobre tributación local de los operadores de telecomunicaciones, organizada por el Consorcio LOCALRET.

[40] De la misma opinión son TORNOS MAS, J. y AGULLÓ AGÜERO, A., en *Dictamen sobre la aplicación del régimen de precios públicos previsto en el artículo 45.2 de la Ley de haciendas Locales a las empresas explotadoras de servicios de telecomunicación,* Barcelona, 25 de junio de 1998, p. 8. Los autores hacen referencia a un precio público, ya que analizan la regulación de la figura en la Ley 8/1989, de Tasas y Precios públicos que, como hemos dicho, modificó su calificación. La jurisprudencia del TC ha provocado que el legislador haya reconducido estas exacciones al ámbito de las tasas, és decir, a su ubicación original.

[41] Ese ámbito hay que concretarlo, positivamente, porque dice la norma que se incluirán entre las empresas explotadoras de dichos servicios las empresas distribuidoras y comercializadoras de estos. Y negativamente, porque se excluyen en este régimen especial de cuantificación de la tasa los servicios de telefonía móvil.

[42] TEJERIZO LÓPEZ, J. M., *op. cit.*

realizadas necesarias para prestar el servicio, y eso es independiente del número de destinatarios de los servicios.

Analizando el sistema de determinación de la base imponible —objetivo como hemos dicho—, la regulación anterior del mismo planteaba una serie de problemas[43] que ha resuelto el vigente art. 24. Así, el precepto establece que "se entenderá por ingresos brutos procedentes de la facturación aquellos que, siendo imputables a cada entidad, hayan sido obtenidos por esta como contraprestación por los servicios prestados en cada término municipal. No se incluirán entre los ingresos brutos, a estos efectos, los impuestos indirectos que graven los servicios prestados ni las partidas o cantidades cobradas por cuenta de terceros que no constituyan un ingreso propio de la entidad a la que se aplique este régimen especial de cuantificación de la tasa. Asimismo, no se incluirán entre los ingresos brutos procedentes de la facturación las cantidades percibidas por aquellos servicios de suministro que vayan a ser utilizados en aquellas instalaciones que se hallen inscritas en la sección 1ª ó 2ª del Registro administrativo de instalaciones de producción de energía eléctrica del Ministerio de Economía, como materia prima necesaria para la generación de energía susceptible de tributación por este régimen especial. Las empresas que empleen redes ajenas para efectuar los suministros deducirán de sus ingresos brutos de facturación las cantidades satisfechas a otras empresas en concepto de acceso o interconexión a sus redes. Las empresas titulares de tales redes deberán computar las cantidades percibidas por tal concepto entre sus ingresos brutos de facturación. El importe derivado de la aplicación de este

---

[43] Los mismos se concentraban en fijar el concepto de ingresos brutos procedentes de la facturación que constituían la base de la tasa. También en este punto se distinguían dos interpretaciones de lo establecido por la norma. Por un lado, podíamos entender por ingresos brutos los totales de las empresas; por otro, parecía posible entender limitado el concepto a los directamente obtenidos por éstas como consecuencia de la utilización del dominio público. La Contestación de 1 de febrero de 2000 de la Dirección General de Coordinación con las Haciendas Territoriales se decantaba por la segunda interpretación. Sin embargo, el TS entendía que por ingresos brutos de facturación debía entenderse el importe obtenido por la venta de mercaderías y la prestación de servicios. Dentro del concepto debían incluirse, a juicio del Supremo, los costes comunes a las empresas de servicios que se repercuten directamente a los usuarios; y debían excluirse las bonificaciones, los ingresos financieros, trabajos para el inmovilizado, subvenciones, IVA y otros tributos sobre la cifra de negocios. Como puso de manifiesto TEJERIZO LÓPEZ (*ob. cit.*), no debe confundirse la "causa impositionis" con la cuantificación de la tasa. En su construcción legal se toma en cuenta el volumen de negocios de las empresas para medir la cuantía porque parece lógico que la utilización del dominio público sea tanto más intensa cuanto mayor sea el tamaño de la empresa, siendo el mejor de los baremo el volumen de operaciones.

régimen especial no podrá ser repercutido a los usuarios de los servicios de suministro a que se refiere este párrafo c)".

Una última consideración que hay que poner de manifiesto es la compatibilidad de esta tasa con las normas de la Unión Europea. Nos referimos a la prohibición contenida en las mismas de establecer un impuesto sobre el volumen de operaciones de las empresas de servicios de suministro general.

Entendemos que no existe tal incompatibilidad, ya que no debemos olvidar que estamos en presencia de una tasa por el aprovechamiento especial del dominio público. Esto significa que si no existe ocupación del dominio público no puede exigirse la tasa y que cualquier utilización del mismo es suficiente para que la tasa sea exigida[44].

B) La concesión administrativa

Es tradicional en esta materia distinguir entre dos tipos de concesión, en atención al objeto sobre el que recae. Así, hablamos de concesión demanial para referirnos a la que recae sobre bienes de dominio público, mientras que se denomina concesión de servicio público a aquella que tiene por finalidad la gestión de un servicio público[45]. Además, debemos hacer mención a otro tipo de concesión, denominada de obras públicas. Según el art. 130 de la LCAP se considera como contrato de concesión de obras públicas aquel en el que, siendo su objeto la construcción de bienes que tengan la naturaleza de inmuebles —es decir, carreteras, ferrocarriles, puertos, canales, presas, edificios, fortificaciones, aeropuertos, entre otros—, la contraprestación a favor del adjudicatario consiste en el derecho a explotar la obra, eventualmente acompañado del derecho de percibir un precio.

Como vemos, es difícil establecer un régimen jurídico único para todos estos tipos de concesión, aunque la doctrina administrativista ha llegado a dar un concepto unitario de la institución y ha señalado unas características comunes a todas ellas.

Así, parece que es nota común de todas las concesiones mencionadas el hecho de que se produzca una transferencia a los particulares de una

---

[44]   STSJ de Cataluña de 17 de junio de 1999.
[45]   En este caso, puede que al servicio público se encuentren afectados bienes públicos. Se produciría lo que VILLAR PALASÍ denomina "la atracción de las concesiones demaniales por las de servicio" ("Concesiones administrativas", *Nueva Enciclopedia Jurídica*, T. IV, Ed. Leix, Barcelona, 1952).

esfera de actuación originariamente perteneciente a una entidad administrativa. Pero ésta no recae sobre la titularidad del bien o servicio de que se trate, sino que la misma sólo consiste en el aprovechamiento del bien en cuestión o de la gestión o explotación de la obra o del servicio otorgado.

Estas concesiones son creadoras de nuevas relaciones o situaciones jurídicas, es decir, tienen carácter constitutivo, a pesar de que se encuadren dentro de las concesiones, denominadas "traslativas".

Por último, no debemos dejar de señalar como rasgo representativo de esta institución, el hecho de que la Administración concedente sigue manteniendo el control sobre la competencia cuya gestión se cedió y sobre el dominio público cuyo aprovechamiento se transfiere al particular.

Un aspecto debatido en la cuestión es determinar cuál es la naturaleza jurídica de la concesión[46]. Así, mientras hay autores que son partidarios de considerar esta institución como un contrato administrativo o negocio jurídico bilateral, otros entienden que nos encontramos ante un acto administrativo, unilateral e imperativo, que impide la aplicación de los principios contractuales. Una tercera posición, por último, entiende que estamos en presencia de un acto mixto, en parte contractual y en parte unilateral[47].

En cualquier caso, en lo que a nosotros nos interesa, la realidad es que cuando se constituye una concesión se produce un acrecentamiento patrimonial en sede del concesionario, provocado por la transferencia de la Administración pública de unas competencias que ejerce como autoridad pública y que cede a un empresario privado, a cambio de un canon[48]. Esta transferencia patrimonial es susceptible de integrar el hecho imponible de determinados tributos. Pero también hay que tener en cuenta los distintos avatares que puede sufrir la citada concesión, pudiendo, por tanto, distinguirse entre la constitución de la misma y su posterior transmisión[49].

---

[46]   Sobre la evolución de las distintas posiciones doctrinales, véase GARCÍA PÉREZ, M., *La utilización del dominio público marítimo terrestre*, ed. Marcial Pons, 1995, pp. 142 y ss.

[47]   En cualquier caso, no parece que sea posible aplicar estos caracteres de manera automática a los distintos tipos de concesión mencionados. Así, mientras que en el caso de que la concesión recaiga sobre un bien de dominio público estamos ante una de las formas de adquisición del uso privativo del mismo, en los supuestos de concesión de servicio público nos encontramos con un modo de gestión de una actividad administrativa, la prestacional. (Véase, SANTAMARÍA PASTOR, *Ob. cit.,* pp. 326 y 534, respectivamente).

[48]   STS de 31 de octubre de 1982 (RJ 1982\1688).

[49]   Como pone de manifiesto CARBAJO VASCO, nuestra legislación suele centrarse en demasía en la creación de la concesión y no en los avatares posteriores de su desarrollo. "La fiscalidad y la contabilidad de los concesionarios. Algunas notas", ponencia

Ante esta doble situación es posible encontrar dos soluciones. La primera consiste en entender que el acto de otorgamiento de la concesión no es un negocio jurídico propio del tráfico empresarial, sino que constituye la cesión de una competencia desde el ámbito de la potestad de la Administración; por tanto, no hay competencia libre en su ejercicio. La consecuencia de esta estructura es que la citada constitución no debería incluirse en el ámbito del Impuesto sobre el Valor Añadido (IVA), gravamen empresarial, como veremos, sino que la misma constituiría en todo caso un acto susceptible de gravamen a través del Impuesto sobre Transmisiones Patrimoniales y Actos jurídicos Documentados (ITPAJD), en su modalidad Transmisiones Patrimoniales Onerosas (TPO)[50].

Pero también es posible entender que ese acto constitutivo conlleva la creación de una explotación económica que convertiría al concesionario en empresario, por lo que, siendo la primera operación empresarial del negocio, estaría sujeta a IVA.

En cualquier caso, los demás actos relativos al desenvolvimiento de la concesión están realizados dentro del ámbito empresarial del concesionario, por lo que su sujeción al IVA no debería plantear dudas.

No obstante esta situación teórica, la falta de regulación de un tributo como el IVA hasta el año 1985 ha llevado a que nuestro legislador someta, tradicionalmente, estas operaciones a TPO. Ha sido con posterioridad cuando algunas concesiones se han ido trasladando al ámbito del IVA, debido a que el mecanismo de funcionamiento de este tributo permite el resarcimiento por parte del concesionario del coste tributario de la operación, cosa que no ocurre con TPO[51]. Parece claro, por tanto, que la sujeción a un tributo o a otro no responde a una reflexión general sobre la sustantividad tributaria de la figura, sino a criterios de oportunidad política[52].

---

presentada a la Jornada sobre *La Ley General de Subvenciones y las nuevas fórmulas de financiación privada de las infraestructuras públicas*, celebrada el 26 de marzo de 2004, dentro del programa de las Jornadas Sainz de Bujanda organizadas por el IEF.

[50] CARBAJO VASCO, D., *Ob. cit.*. También STS 14 de marzo de 2002 (RJ 2002\3824).

[51] Esta es la principal consecuencia de que el IVA sea un tributo de naturaleza indirecta. Así, el sujeto pasivo del mismo debe trasladar la carga tributaria soportada en sus adquisiciones de bienes y servicios a los receptores de los propios. Es el mecanismo que contiene el tributo para salvaguardar la neutralidad que se le exige. No ocurre así con el ITPAJD, donde no se prevé el mecanismo de repercusión, por lo que el sujeto pasivo sólo puede resarcirse del mismo a través de la amortización de la concesión durante su vida útil.

[52] Así lo ponen de manifiesto, entre otros, CARBAJO VASCO, D., *ob. cit.*

El art. 7 de la LITPAJD establece que "son transmisiones patrimoniales sujetas: (...) B) La constitución de derechos reales, préstamos, fianzas, arrendamientos, pensiones y **concesiones administrativas**, salvo cuando estas últimas tengan por objeto la cesión de derecho a utilizar infraestructuras ferroviarias o inmuebles o instalaciones en puertos y en aeropuertos". En este último caso, el tributo aplicable es, como hemos dicho, el IVA.

La LITPAJD no sólo somete a tributación a las concesiones administrativas, sino que, como señala su art. 13.2, "se equipararán a las concesiones administrativas, a los efectos del impuesto, los actos y negocios administrativos, cualquiera que sea su modalidad o denominación, por los que, como consecuencia del otorgamiento de facultades de gestión de servicios públicos o de la atribución del uso privativo o del aprovechamiento especial de bienes de dominio o uso público, se origine un desplazamiento patrimonial en favor de particulares"

Esta es una muestra de que el legislador es consciente de la dificultad de aprehender en una sola categoría la multitud de negocios jurídicos que, bajo diferentes formas y denominaciones, pueden equipararse a la concesión. Cualquiera de ellas, por tanto, estará sometida a tributación, como hemos visto[53].

Además, según establece el art. 7.2 de la LITPAJD, "se liquidará como constitución de derechos la ampliación posterior de su contenido que implique para su titular un incremento patrimonial, el cual servirá de base para la exigencia del tributo". Esta previsión normativa parece significar que hay determinadas vicisitudes de la concesión, en concreto su prórroga, que podrían estar sometidos a gravamen en este impuesto. Así lo entiende algún sector doctrinal[54] y el TEAC, en su Resolución de 5 de febrero de 2003[55].

El sujeto pasivo u obligado al pago del impuesto a título de contribuyente, cualesquiera que sean las estipulaciones establecidas por las partes en contrario, será, en la concesión administrativa, el concesionario y, en los actos y contratos administrativos equiparados a la concesión, el beneficiario.

---

[53]   Un análisis sobre la distinción entre la concesión y otras figuras afines podemos encontrar en ALBENDIZ LEÑA, A.: "Las concesiones administrativas en el Impuesto sobre Transmisiones Patrimoniales y Actos Jurídicos Documentados", *Revista de Contabilidad y Tributación*, núm. 194, 1999, pp. 25 y ss.
[54]   CARBAJO VASCO, entre otros. *Ob. cit.*
[55]   Res. 4442/2002.

Problemas especiales presenta la configuración de la base imponible. El citado art. 13 de la LITPAJD establece que, como norma general, para determinar la base imponible, el valor real del derecho originado por la concesión se fijará por la aplicación de la regla o reglas que, en atención a la naturaleza de las obligaciones impuestas al concesionario, resulten aplicables de las que se indican a continuación:

a) Si la Administración señalase una cantidad total en concepto de precio o canon que deba satisfacer el concesionario, por el importe de la misma.

b) Si la Administración señalase un canon, precio, participación o beneficio mínimo que deba satisfacer el concesionario periódicamente y la duración de la concesión no fuese superior a un año, por la suma total de las prestaciones periódicas. Si la duración de la concesión fuese superior al año, capitalizando al 10 por 100 la cantidad anual que satisfaga el concesionario.

Cuando para la aplicación de esta regla hubiese que capitalizar una cantidad anual que fuese variable como consecuencia, exclusivamente, de la aplicación de cláusulas de revisión de precios que tomen como referencia índices objetivos de su evolución, se capitalizará la correspondiente al primer año. Si la variación dependiese de otras circunstancias, cuya razón matemática se conozca en el momento del otorgamiento de la concesión, la cantidad a capitalizar será la media anual de las que el concesionario deba de satisfacer durante la vida de la concesión.

c) Cuando el concesionario esté obligado a revertir a la Administración bienes determinados, se computará el valor neto contable estimado de dichos bienes a la fecha de la reversión, más los gastos previstos para la reversión. Para el cálculo del valor neto contable de los bienes se aplicarán las tablas de amortización aprobadas a los efectos del IS en el porcentaje medio resultante de las mismas.

No obstante, en los casos especiales en los que, por la naturaleza de la concesión, la base imponible no pueda fijarse por las reglas señaladas, se determinará ajustándose a las siguientes reglas:

a) Aplicando al valor de los activos fijos afectos a la explotación, uso o aprovechamiento de que se trate, un porcentaje del 2 por 100 por cada año de duración de la concesión, con el mínimo del 10 por 100 y sin que el máximo pueda exceder del valor de los activos.

b) A falta de la anterior valoración, se tomará la señalada por la respectiva Administración pública.

c) En defecto de las dos reglas anteriores, por el valor declarado por los interesados, sin perjuicio del derecho de la Administración para proceder a su comprobación por los medios del artículo 57 de la LGT.

Como vemos, es preciso, antes de determinar la cuantía de la deuda tributaria, conocer la modalidad de concesión ante la que nos encontramos. En cualquier caso, la aplicación de estas normas, no sólo en cuanto a cuál resulta aplicable, sino también a si debe existir cierta jerarquía en esa aplicación, ha dado lugar a una amplia doctrina administrativa, no siempre coincidente[56].

Por lo que se refiere al tipo de gravamen a aplicar, el ya citado art. 13 de la LITPAJD señala que "las concesiones administrativas tributarán con el tipo que, conforme a lo previsto en la Ley 21/2001, de 27 de diciembre, por la que se regulan las medidas fiscales y administrativas del nuevo sistema de financiación de las Comunidades Autónomas de régimen común y Ciudades con Estatuto de Autonomía, haya sido aprobado por la Comunidad Autónoma.

Si la Comunidad Autónoma no hubiese aprobado el tipo a que se refiere el párrafo anterior, las concesiones administrativas tributarán como constitución de derechos, al tipo de gravamen establecido en el artículo 11 a) para los bienes muebles o semovientes, cualesquiera que sean su naturaleza, duración y los bienes sobre los que recaigan".

Por tanto, las reglas a aplicar en este asunto son las siguientes:

– Si las CCAA han hecho uso de la competencia concedida, será el tipo de gravamen previsto por éstas el aplicable.

– En caso contrario, se gravarán como si de un bien mueble se tratase, esto es, al tipo del 4 por 100[57].

---

[56] Entre otras, véanse las Consultas de la DGT de 23 de octubre de 1998 (1688/98), de 11 de abril de 2003 (531/03) y de 12 de junio de 2003 (790/03).

[57] Ha planteado alguna duda al respecto del tipo a aplicar el hecho de que un tipo de concesión, el de obras públicas, se califique por el CC, en su art. 334,10º, como inmueble, con lo que habría que aplicar el tipo del 6 por 100 ó el 7 por 100, fijado por las CCAA. No obstante, en nuestra opinión, es indiferente que la concesión se califique como un bien inmueble, porque lo que se grava en este impuesto es la constitución del derecho sobre el mismo.

Por último, hay que señalar que el ITPAJD es un tributo cedido, lo que hace necesaria una labor de interpretación para determinar cuál será la Comunidad Autónoma perceptora del rendimiento y titular de las competencias señaladas.

Esta tarea se lleva a cabo a través del establecimiento de unos puntos de conexión. En esta materia, los mismos están fijados por la Ley 21/2001, de 27 de diciembre, por la que se regulan las medidas fiscales y administrativas del nuevo sistema de financiación de las Comunidades Autónomas de régimen común y Ciudades con Estatuto de Autonomía. El art. 25 de la citada ley exige, como paso previo a su aplicación, la determinación del tipo de concesión ante la que nos encontramos.

Así, cuando se trate de documentos relativos a concesiones administrativas de bienes, ejecuciones de obras o explotaciones de servicios, el rendimiento corresponde a la Comunidad Autónoma del territorio donde radiquen, se ejecuten o se presten los mismos. Estas mismas reglas serán aplicables cuando se trate de actos y negocios administrativos que tributen por equiparación a las concesiones administrativas.

Si las concesiones de explotación de bienes superan el ámbito territorial de una Comunidad Autónoma, el rendimiento corresponderá a todas aquellas a cuyo ámbito se extienda la concesión, calculándose el correspondiente a cada una en proporción a la extensión que ocupe en cada una de las Comunidades implicadas.

Cuando las concesiones de ejecución de obras superan el ámbito territorial de una Comunidad Autónoma, el rendimiento corresponderá a todas aquellas a cuyo ámbito se extienda la concesión, calculándose el correspondiente a cada una en proporción al importe estimado de las obras a realizar en cada una de las Comunidades implicadas.

Si se trata de concesiones de explotación de servicios que superan el ámbito territorial de una Comunidad Autónoma, el rendimiento corresponderá a todas aquellas a cuyo ámbito se extienda la concesión, calculándose el correspondiente a cada una en función de la media aritmética de los porcentajes que representen su población y su superficie sobre el total de las Comunidades implicadas.

Por último, cuando se trate de concesiones mixtas que superen el ámbito territorial de una Comunidad Autónoma, el rendimiento corresponderá a todas aquellas a cuyo ámbito se extienda la concesión, calculándose el correspondiente a cada una mediante la aplicación de los criterios recogidos en los tres párrafos anteriores a la parte correspondiente de la concesión.

En cuanto a los negocios posteriores a la constitución de la concesión, la cuestión ha sido debatida, aunque en nuestra opinión, podemos sintetizar las distintas opciones del siguiente modo: la rehabilitación y modificación de una concesión administrativa debería ser considerado como un nuevo hecho imponible susceptible de imposición[58], al igual que ocurre con la prórroga de la misma, como hemos señalado antes. La transmisión de la concesión siempre estaría sujeta a IVA, al tratarse de un acto del tráfico empresarial[59].

III. LOS BIENES PATRIMONIALES Y SU TRIBUTACIÓN

Según dispone el art. 7 de la LPAP los bienes patrimoniales son "los que, siendo de titularidad de las Administraciones públicas, no tengan el carácter de demaniales.

En todo caso, tendrán la consideración de patrimoniales de la Administración General del Estado y sus organismos públicos los derechos de arrendamiento, los valores y títulos representativos de acciones y participaciones en el capital de sociedades mercantiles o de obligaciones emitidas por éstas, así como contratos de futuros y opciones cuyo activo subyacente esté constituido por acciones o participaciones en entidades mercantiles, los derechos de propiedad incorporal, y los derechos de cualquier naturaleza que se deriven de la titularidad de los bienes y derechos patrimoniales".

Como se ha señalado en el capítulo correspondiente[60], los bienes patrimoniales tienen una naturaleza residual, ya que se definen por oposición con la categoría de los bienes demaniales. Así se deduce, además de los preceptos del Cc que los regulan. En efecto, el art. 340 señala que "todos los demás bienes pertenecientes al Estado, en que no concurran las circunstancias expresadas en el artículo anterior[61], tienen el carácter de propiedad privada".

---

[58] STS de 25 de septiembre de 2000 (JT 2000/8515).

[59] Así lo entiende la SAN de 25 de abril de 1995 (JT 1995/408) y la STS de 19 de octubre de 1995 (RJ 1995/9692). También las Consultas de la DGT de 10 de enero de 2002 (2/2002) y la de 26 de diciembre de 2002 (71/2002) En contra SAN de 23 de abril de 1996 (JT 1996/585) y STS de 18 de diciembre de 2001 (RJ 2002/999).

[60] GONZÁLEZ GARCÍA, J. V.: "Los bienes patrimoniales de las Administraciones públicas", en esta misma obra.

[61] Es decir, las que califican a los bienes como demaniales.

Además, como dispone el art. 341 del Cc, cuando los bienes de dominio público dejan de estar destinados al uso general o a las necesidades de la defensa del territorio, pasan a formar parte del patrimonio del Estado[62]

Por tanto, ante este tipo de bienes nos encontramos con un régimen mixto, aunque con un predominio del elemento privado en su regulación[63]. Eso no es obstáculo para que en la misma se incorporen elementos de los regímenes de los bienes demaniales, como es la aplicación de algunas de las técnicas de protección del demanio; la existencia de peculiaridades en su régimen de adquisición, derivadas de privilegios reales; el establecimiento de reglas de competencia, reguladoras de las relaciones entre entes públicos[64], etc.

En las líneas siguientes, analizaremos aquellos negocios jurídicos en los que estén afectados bienes patrimoniales y que puedan dar lugar a la realización del hecho imponible de los tributos que conforman nuestro sistema impositivo.

1. La mera titularidad de bienes patrimoniales

El IS es, como ya dijimos arriba, el tributo que somete a tributación la titularidad de bienes de las personas jurídicas. Según el art. 4 de la LIS "constituirá el hecho imponible la obtención de renta, cualquiera que fuese su fuente u origen, por el sujeto pasivo". Y su art. 7 determina que "serán sujetos pasivos del impuesto, cuando tengan su residencia en territorio español:

a) Las personas jurídicas, excepto las sociedades civiles (...)". Por tanto, los entes públicos, en cuanto titulares de bienes patrimoniales son sujetos pasivos de este tributo, a pesar de que, como ya hemos señalado antes, la misma norma prevé la exención total, en su art. 9.

En la imposición local, debemos hacer referencia al IBI. Según dispone el art. 60 de la LHL, éste es "un tributo directo de carácter real que grava el valor de los bienes inmuebles en los términos establecidos en esta ley". Sigue la LHL señalando que "constituye el hecho imponible del impuesto la titularidad de los siguientes derechos sobre los bienes inmuebles rústicos y urbanos y sobre los inmuebles de características especiales:

---

[62] También en el art. 8.3 RBEL.
[63] Santamaría Pastor, J. A., *Ob. cit.*, pp. 555 y ss.
[64] Santamaría Pastor, J. A., *Ob. cit.*, p. 556.

a) De una concesión administrativa sobre los propios inmuebles o sobre los servicios públicos a que se hallen afectos.

b) De un derecho real de superficie.

c) De un derecho real de usufructo.

d) Del derecho de propiedad".

A continuación, el precepto mencionado recoge los supuestos de no sujeción y, junto a determinados bienes, que se identifican con los demaniales ya analizados, se declara la no sujeción de "los bienes patrimoniales, exceptuados igualmente los cedidos a terceros mediante contraprestación".

Por tanto, cuando un bien patrimonial se ceda a un tercero a cambio de una contraprestación, el ente público, titular del bien, será sujeto pasivo del IBI. En este caso, la propia norma prevé que "los ayuntamientos repercutirán la totalidad de la cuota líquida del impuesto en quienes, no reuniendo la condición de sujetos pasivos del impuesto, hagan uso mediante contraprestación de sus bienes demaniales o patrimoniales".

También los entes públicos están sometidos al Impuesto sobre Vehículos de Tracción Mecánica (IVTM), en cuanto que grava la titularidad de un elemento patrimonial, en este caso, un vehículo.

El art. 92 de la LHL dispone que el IVTM es un tributo directo que grava la titularidad de los vehículos de esta naturaleza, aptos para circular por las vías públicas, cualesquiera que sean su clase y categoría. Se considera vehículo apto para la circulación el que hubiera sido matriculado en los registros públicos correspondientes y mientras no haya causado baja en éstos. A los efectos de este impuesto también se considerarán aptos los vehículos provistos de permisos temporales y matrícula turística.

A continuación, el apartado 3 del citado precepto establece que "no están sujetos a este impuesto:

a) Los vehículos que habiendo sido dados de baja en los Registros por antigüedad de su modelo, puedan ser autorizados para circular excepcionalmente con ocasión de exhibiciones, certámenes o carreras limitadas a los de esta naturaleza.

b) Los remolques y semirremolques arrastrados por vehículos de tracción mecánica cuya carga útil no sea superior a 750 kilogramos".

El hecho imponible se completa con una serie de supuestos de exención, que aparecen recogidos en el art. 93, a cuyo tenor, "estarán exentos del impuesto:

a) Los vehículos oficiales del Estado, comunidades autónomas y entidades locales adscritos a la defensa nacional o a la seguridad ciudadana.

(...)

f) Los autobuses, microbuses y demás vehículos destinados o adscritos al servicio de transporte público urbano, siempre que tengan una capacidad que exceda de nueve plazas, incluida la del conductor".

Debe entenderse, por tanto, que el resto de vehículos, propiedad de los distintos entes locales, están sometidos plenamente al impuesto municipal.

2. Rendimientos producidos por bienes patrimoniales

Los bienes patrimoniales son susceptibles de producir rendimientos que se pueden ver sometidos a distintos tributos.

En primer lugar, la obtención de rendimientos, sea cual sea su origen, por parte de una persona jurídica constituye el hecho imponible, como ya se ha señalado, del IS. Y, como ya hemos analizado, los entes públicos están exentos del mismo, por virtud de lo dispuesto en el art. 9 de la LIS.

Es indiferente que los rendimientos procedan de distintas operaciones de explotación de esos bienes, es decir, da igual que precedan del arrendamiento de inmuebles, de su explotación o aprovechamiento.

También el ente público puede estar sometido al IVA, en cuanto que la obtención de esos beneficios, rendimientos o producto del aprovechamiento de esos bienes, puede provenir o llevar implícita una entrega de bienes o una prestación de servicios. Y estas actividades conforman, con algunos requisitos, el hecho imponible del tributo.

La tributación en el IVA de los entes públicos y de los distintos actos o negocios jurídicos que afectan a sus bienes patrimoniales presenta una tipología tan especial y compleja que hemos optado por llevar a cabo un tratamiento individualizado y especial del mismo. A él nos remitimos en las páginas siguientes.

También en la esfera local nos encontramos con algunas figuras tributarias que pueden someter a gravamen a estos entes públicos, en cuanto perciben rendimientos procedentes de la explotación de bienes patrimoniales.

En primer lugar, nos referiremos al Impuesto sobre Actividades Económicas (IAE). Este tributo grava, como recoge el art. 78 de la LHL el mero ejercicio, en territorio nacional, de actividades empresariales, profesionales o artísticas, se ejerzan o no en local determinado y se hallen o no especificadas en las tarifas del impuesto. A los efectos de este impuesto, se consideran actividades empresariales las ganaderas, cuando tengan carácter independiente, las mineras, industriales, comerciales y de servicios. No tienen, por consiguiente, tal consideración las actividades agrícolas, las ganaderas dependientes, las forestales y las pesqueras, no constituyendo hecho imponible por el impuesto ninguna de ellas.

Para determinar si estamos ante una actividad empresarial, la LHL recoge un concepto ya clásico en nuestro sistema, que se reproduce en todas las normas que someten a tributación estas actividades. Así, entiende que una actividad se ejerce con carácter empresarial, profesional o artístico, cuando suponga la ordenación por cuenta propia de medios de producción y de recursos humanos o de uno de ambos, con la finalidad de intervenir en la producción o distribución de bienes o servicios.

También en este tributo, la norma determina la exención de los entes públicos, cuando establece, en su art. 82 que "están exentos del impuesto:

a) El Estado, las comunidades autónomas y las entidades locales, así como los organismos autónomos del Estado y las entidades de derecho público de análogo carácter de las comunidades autónomas y de las entidades locales"[65].

3. *Enajenación y gravamen de bienes patrimoniales*

La enajenación de un bien por parte de su titular pone de manifiesto la existencia de capacidad económica susceptible de integrar el hecho imponible de determinados tributos. En concreto, cuando esta enajenación se

---

[65]   Han sido muchas las voces, desde sectores académicos, políticos y empresariales, que han criticado la existencia de este tributo en nuestro sistema local. Se le echa en cara que no existe una manifestación de capacidad económica en "el mero ejercicio de una actividad económica". más cuando no se tienen en cuenta, a la hora de cuantificarlo, los resultados económicos de la misma. Pese a los anuncios gubernamentales de que el IAE había desaparecido de nuestro sistema con la última modificación de la LHL, la realidad es que el mismo sigue vigente al día de hoy. Es cierto que, mediante la técnica de la exención, la mayoría de los contribuyentes —hasta un 95 por ciento, se dice— no se encuentran sometidos al mismo, pero eso no implica, como ya hemos dicho, que el impuesto no exista. En nuestra opinión, ese mantenimiento a ultranza de hechos imponibles por parte del Estado (algo similar ocurre con el ISD) no tiene más finalidad que evitar que las CCAA amplíen el ámbito en el que pueden ejercer un poder tributario propio, que les resulta vedado por la LOFCA, cuando un hecho imponible está gravado por el Estado.

lleva a cabo por una persona jurídica, la operación puede quedar sujeta al IS, al IVA, al ITPAJD —en concreto a la modalidad de TPO— y al IIVTNU (Impuesto sobre el Valor de los Terrenos de Naturaleza Urbana).

En el IS la enajenación de un bien patrimonial produce una renta que se cuantifica por la diferencia entre el valor por el que el citado elemento se incorporó al patrimonio del titular y el valor del mismo cuando se produce la enajenación. Es lo que se denomina plusvalía, incremento de patrimonio, ganancia patrimonial o beneficios extraordinarios. En cualquier caso, la operación estará exenta por ser realizada por un ente público.

En el IVA, la enajenación de un elemento patrimonial tiene la calificación de entrega de bienes, a tenor de lo dispuesto en el art. 8 de la LIVA[66]. Como analizaremos en el apartado correspondiente, dependerá de las circunstancias en que se produzca la citada entrega por el ente público para determinar si nos encontramos ante una operación sujeta, no sujeta o exenta.

Por lo que se refiere al TPO, éste presenta unas relaciones peculiares con el IVA, ya que ambos tributos gravan transferencias de riqueza o patrimoniales. Para evitar que se produzcan supuestos de doble imposición, la normativa de ambos tributos contiene unas reglas que delimitan ambas figuras y que se sintetizan en que la modalidad transmisiones patrimoniales es excluyente con el IVA, de tal modo que un acto o negocio no puede estar sujeto a los dos tributos. En principio, la distinción se encuentra en el carácter de la transmisión: si tiene lugar en el ejercicio de la actividad empresarial, por parte de un empresario o profesional, nos encontramos con su sujeción al IVA; en caso contrario, se someterá a TPO. No obstante esta regla general, hay supuestos en los que la no sujeción o la exención en IVA provoca, por disposición legal, el sometimiento a TPO. Esta situación se produce, en primer lugar, cuando nos encontramos con entregas, arrendamientos, constitución y transmisión de derechos reales de goce y disfrute de bienes inmuebles, realizadas por empresarios o profesionales en el ejercicio de su actividad[67]; en segundo lugar, en los casos de transmisiones de valores que representen partes alícuotas del capital de sociedades, cuando por la composición del patrimonio de éstas se entienda que encubren la transmisión de inmuebles; y, por último, cuando se trate de entregas de

---

[66] "Se considerará entrega de bienes la transmisión del poder de disposición sobre bienes corporales, incluso si se efectúa mediante cesión de títulos representativos de dichos bienes".

[67] En estos casos, bajo ciertas circunstancias, está prevista la renuncia a la exención, lo que supone el sometimiento al IVA de la operación y su exclusión de TPO.

inmuebles que, al quedar incluidas en la totalidad de un patrimonio empresarial, se declaran no sujetas a IVA.

De las reglas anteriores extraemos que la enajenación de bienes patrimoniales, que cumpla los requisitos para estar no sujeta a IVA, estaría sujeta a TPO. Todo ello si el art. 45 de la LITPAJD no hubiese declarado la exención del Estado y las Administraciones públicas territoriales e institucionales y sus establecimientos de beneficencia, cultura, Seguridad Social, docentes o de fines científicos. Esta exención resulta igualmente aplicable a aquellas entidades cuyo régimen fiscal haya sido equiparado por una Ley al del Estado o al de las Administraciones públicas citadas.

En la esfera local, será el IIVTNU el que grave la plusvalía que provoca la enajenación de un bien patrimonial, en este caso, un bien inmueble de naturaleza urbana. Se trata de un tributo directo que grava el incremento de valor que experimenten dichos terrenos y que se pone de manifiesto a consecuencia de la transmisión de la propiedad de los terrenos por cualquier título o de la constitución o transmisión de cualquier derecho real de goce, limitativo del dominio, sobre los referidos terrenos[68].

El sujeto pasivo del tributo, tal como dispone el art. 106 de la LHL es, en lo que al tema tratado afecta, la persona física o jurídica que transmita el terreno, o que constituya o transmita el derecho real de que se trate, cuando estas operaciones lo sean a título oneroso.

No obstante, como viene siendo habitual, el art. 105 de la LHL declara que su apartado dos que "estarán exentos de este impuesto los correspondientes incrementos de valor cuando la obligación de satisfacer aquél recaiga sobre las siguientes personas o entidades:

a) El Estado, las comunidades autónomas y las entidades locales, a las que pertenezca el municipio, así como los organismos autónomos del Estado y las entidades de derecho público de análogo carácter de las comunidades autónomas y de dichas entidades locales.

---

[68] No está sujeto a este impuesto, por tanto, el incremento de valor que experimenten los terrenos que tengan la consideración de rústicos a efectos del IBI. En consecuencia con ello, está sujeto el incremento de valor que experimenten los terrenos que deban tener la consideración de urbanos, a efectos de dicho impuesto, con independencia de que estén o no contemplados como tales en el Catastro o en el padrón de aquél. A los efectos de este impuesto, estará asimismo sujeto el incremento de valor que experimenten los terrenos integrados en los bienes inmuebles clasificados como de características especiales a efectos del IBI.

b) El municipio de la imposición y demás entidades locales integradas o en las que se integre dicho municipio, así como sus respectivas entidades de derecho público de análogo carácter a los organismos autónomos del Estado".

4. Adquisición de bienes patrimoniales

La adquisición de bienes, que se calificarán como patrimoniales y, por tanto, gozarán de su régimen jurídico puede tener lugar por diversos negocios o actos jurídicos, que han sido competentemente analizados en las páginas precedentes. No obstante, en lo que al estudio presente interesa, esos distintos modos de adquisición se pueden concretar en gratuitos y onerosos.

La distinción tiene por finalidad determinar cuáles son los tributos que gravan cada una de esas adquisiciones y analizar el sometimiento de los adquirentes, entes públicos, a los mismos.

En general, las adquisiciones gratuitas de riqueza se gravan en nuestro sistema tributario a través del Impuesto sobre Sucesiones y Donaciones (ISD), si se trata de una persona física, y en el IS, si se trata de una persona jurídica.

Por tanto, sería el IS el que gravaría a los entes públicos cuando reciben bienes por herencia o a través de donaciones. Y, como ya hemos señalado, los mismos están exentos en el citado impuesto.

Por lo que respecta a las adquisiciones onerosas, habrá que analizar la naturaleza del transmitente para determinar el tributo afectado por el negocio jurídico. Si aquél es un empresario o profesional que realiza la entrega en el ejercicio de su actividad, el ente público deberá soportar las cuotas de IVA que el transmitente debe repercutir. En este sentido, la LIVA establece que, además, se asimilan a las entregas de bienes las transmisiones de bienes en virtud de una norma o de una resolución administrativa o jurisdiccional, incluida la expropiación forzosa, como veremos. Dentro de la mecánica del impuesto, el ente público sólo podrá deducirse esas cuotas cuando lleve a cabo, respecto de los bienes adquiridos, operaciones que, a su vez, se hallen sujetos al IVA, con las peculiaridades y requisitos que analizaremos para que esto llegue a producirse.

En cambio, si el transmitente es una particular o nos encontramos con algunos de los supuestos de no sujeción o exención de IVA mencionados antes, será TPO el tributo que nace para el ente público que, en este caso es el sujeto pasivo, tal como dispone el art. 8 de la LITPAJD, aunque, como sabemos, están exentos del pago del tributo, en virtud de lo establecido por el art. 45 de la misma ley.

5. Las actividades empresariales de los entes públicos y su sujeción al IVA. Especial referencia a las operaciones de urbanización

La sujeción al IVA de los entes públicos presenta una problemática especial que, a nuestro modo de ver, justifica un estudio independiente de la misma[69].

Este tributo, en cuanto impuesto general sobre el consumo, afecta a los entes públicos de dos maneras; por un lado, en cuanto que se ven obligados a soportar las cuotas repercutidas por los empresarios y profesionales que les entregan bienes o les prestan servicios[70]; por otro, también los entes públicos pueden ser considerados sujetos pasivos del impuesto en cuanto que sus actividades estén comprendidas en el hecho imponible del IVA.

El IVA sujeta a tributación las entregas de bienes y prestaciones de servicios realizadas en el ámbito territorial del impuesto (Península y Baleares) por empresarios o profesionales, a título oneroso, con carácter habitual u ocasional, en el desarrollo de una actividad empresarial o profesional[71].

Atendiendo a esta definición, es posible que los entes públicos puedan, en determinados supuestos, realizar el hecho imponible, por ejemplo, cuando prestan determinados servicios a los ciudadanos. Pero también está claro que no siempre éstos actúan como empresarios o profesionales realizando una actividad empresarial. Por eso el art. 7.8º de la LIVA recoge la no sujeción de los entes públicos cuando no realizan actividades empresariales[72]. Nos encontraríamos en este caso con un supuesto de no

---

[69]   Seguimos en este punto las reflexiones puestas de manifiesto en el magnífico trabajo de FALCÓN Y TELLA, R.: "Los entes locales en el sistema tributario estatal y autonómico", *Ob. cit.*, pp. 1147 y ss.

[70]   Estas cuotas serán deducibles siempre que esos bienes y servicios sean utilizados para la realización de operaciones sujetas al IVA. En los demás casos, los entes públicos soportan esas cuotas por su condición de consumidores finales o porque la norma les considera consumidores asimilados, ya que al realizar operaciones no sujetas o exentas no pueden deducir esas cuotas soportadas.

[71]   Art. 4 de la Ley 37/1992, de 28 de diciembre, del Impuesto sobre el Valor Añadido (LIVA).

[72]   El art. 4.5 de la Sexta Directiva, reguladora del IVA, establece la no sujeción de los entes públicos cuando desarrollen actividades en el ejercicio de sus funciones públicas, aunque en el ejercicio de tales actividades perciban rentas, derechos, cotizaciones o retribuciones.

sujeción, ya que falta el elemento subjetivo del hecho imponible, esto es, la intervención de un empresario o profesional en cuanto tal. No obstante, la Sexta Directiva excepciona esta regla de no sujeción en dos supuestos: cuando la misma produzcan graves distorsiones de la competencia, y cuando se trate de operaciones recogidas en su anexo D, excepto cuando el volumen de estas sea insignificante[73]. Estas operaciones han sido reproducidas, a su vez, en el art. 7.8° de la LIVA[74].

Respecto al primer requisito para determinar la no sujeción de los entes públicos al IVA, debemos señalar que la normativa española es más restrictiva que la contenida en la Directiva. En efecto, ésta señala que la actividad en cuestión debe llevarse a cabo por el ente público, en cuanto autoridad pública. Esto implica, a nuestro juicio, que deben incluirse en la norma todos los entes de Derecho público. No obstante, el precepto de la LIVA limita la misma a las Administraciones de base territorial y a sus organismos autónomos. Cuando la actividad se lleve a cabo por sociedades mercantiles, aunque su capital pertenezca íntegramente al ente público, las mismas están plenamente sometidas al impuesto[75], en virtud de lo dispuesto en el párr. 2° del art. 7.8° de la LIVA. Por tanto, debe tratarse de una actividad llevada a cabo en lo que, tradicionalmente se ha denominado, "gestión directa".

---

[73] Estas operaciones son la de telecomunicaciones, distribución de agua, gas, electricidad y energía térmica, transporte de bienes, servicios portuarios y aeroportuarios, transporte de personas, entrega de bienes nuevos fabricados para la venta, operaciones de organismos de intervención agrícola que afecten a productos agrícolas realizadas en aplicación de la reglamentación en materia de organización común del mercado de dichos productos, explotación de ferias y exposiciones comerciales, explotación de almacenes de depósito, actividades de las oficinas comerciales de publicidad, operaciones de cantinas de empresas, economatos, cooperativas y establecimientos similares y determinadas actividades de organismos de radio y televisión.

[74] La técnica del legislador español ha sido la de ir ampliando la lista de actividades sujetas en todo caso, conforme se han ido produciendo situaciones conflictivas con algunas de ellas, por considerar que las mismas producían "graves distorsiones" de la competencia con el sector privado.

[75] No ocurría lo mismo con la anterior LIVA, de 1985, que no mencionaba el supuesto en su articulado, aunque lo regulaba en el Reglamento. Se trataba, en ese caso, de un exceso reglamentario que ha provocado que los entes públicos, sobre todo locales, que emplearon empresas municipales para la prestación de servicios públicos hayan visto como los tribunales han declarado su no sujeción bajo la normativa anterior. Es cierto que la LIVA de 1985 no estaba de acuerdo con lo dispuesto, en este sentido, por la Sexta Directiva, pero, como ha puesto de manifiesto el TJCE, el incumplimiento por un Estado de la normativa comunitaria, que es directamente aplicable al ciudadano, no puede aprovechar al incumplidor.

La normativa española acude a la naturaleza de la contraprestación percibida por el ente público para determinar cuando éste está actuando en régimen de Derecho público. Así, declara la no sujeción de los entes públicos cuando éstos lleven a cabo estas operaciones sin contraprestación o mediante contraprestación de naturaleza tributaria. Sin embargo, la jurisprudencia del TJCE entiende que se actúa como un ente público cuando la actividad se realiza en régimen de Derecho público[76]. Como pone de manifiesto Falcón y Tella[77], "la forma de financiar la actividad puede ser una síntoma del régimen jurídico aplicable —una actividad financiada con tasas se realiza, por definición, en un régimen jurídico-público (...)—, pero no es el criterio decisivo".

Atendiendo a lo dicho, la prestación de servicios públicos, de forma directa por el ente público, no estará sometida al IVA, siempre que cumpla con los requisitos mencionados. En los demás casos, tendrá la consideración de sujeto pasivo del impuesto, salvo que la operación concreta se encuentre contemplada en el art. 20 de la LIVA, que recoge las que se declaran exentas.

Así, como hemos señalado arriba, cuando un ente público enajena un bien, presta un servicio, explota unos bienes para obtener un rendimiento o los adquiere está llevando a cabo actos y negocios que pueden dar lugar a una operación sujeta al impuesto.

En relación con el IVA presenta especial trascendencia la tributación de los distintos actos que afectan a un tipo de bien patrimonial. Estamos refiriéndonos al constituido por el suelo, sobre todo municipal, en cuanto que se encuentra destinado a "regular el mercado de terrenos, obtener reservas de suelo para actuaciones de iniciativa pública y facilitar la ejecución del planeamiento"[78].

---

[76] Las SSTJCE de 17 de octubre de 1989 y 15 de mayo de 1999 (Carpaneto-Piacentino I y II) utilizan distintas expresiones, ya que en el ordenamiento de algunos Estados no se reconoce la diferencia entre derecho público y derecho privado. Así hablan de actividades realizadas por los organismos de Derecho público en el marco de su régimen jurídico propio, con exclusión de las actividades que ejercen en las mismas condiciones que los operadores económicos privados.

[77] *Ob. cit.*, p. 1151.

[78] Art. 276 del TRLS de 1992. Sobre las características de esta clase de bienes patrimoniales, su régimen y justificación, véase el capítulo correspondiente en esta misma obra de GONZÁLEZ GARCÍA, J. V.

La presencia de los entes públicos, en especial, los Ayuntamientos en el proceso urbanizador es decisiva y da lugar a determinados problemas en su sometimiento a gravamen, que justifican su estudio separado.

Varios son los factores que dificultan el estudio de este proceso[79]. En primer lugar, la propia complejidad material y jurídica del proceso urbanístico, que presenta una normativa poco clara y cambiante, y donde encontramos verdaderas transmisiones de inmuebles con cesiones que no tienen dicha consideración y con múltiples prestaciones de servicios. En segundo lugar, resulta difícil distinguir entre el tráfico civil y empresarial de este tipo de bienes. La LIVA sólo pretende someter a gravamen el segundo, lo que obliga a precisar cuándo nos encontramos ante transmisiones de terrenos que, por haber sido objeto de las transformaciones propias del proceso urbanístico, lleven incorporado un valor añadido. Ello incide en la propia definición de empresario a efectos del impuesto e impone un complicado juego de reglas de sujeción y de exención. Esta situación se agrava por el hecho, ya mencionado, de que en el citado proceso intervienen entidades públicas —particularmente, los Ayuntamientos— y no siempre es fácil conocer cuándo actúan como empresarios. Por último, no debe olvidarse la importancia económica de estas operaciones, la estrecha vinculación que existe entre el IVA y la modalidad de TPO del ITPAJD y la gestión de ambos tributos por Administraciones tributarias diferentes, estatal y autonómica, respectivamente. Ello determina la existencia de criterios interpretativos divergentes que han dado lugar a una profusa jurisprudencia sobre el tema.

En el proceso urbanizador pueden intervenir una gran diversidad de sujetos. En primer lugar, los propietarios de los terrenos afectados por el proceso que, de ordinario, realizan transmisiones de los mismos, los urbanizan o promueven su urbanización.

En segundo lugar, entidades públicas, en especial, los Ayuntamientos, cuya participación será más o menos intensa según el sistema de urbanización elegido. En cualquier caso, también realizan, con asiduidad, transmisiones de terrenos de su patrimonio.

En tercer lugar, las empresas dedicadas profesionalmente a la materialización de las obras de urbanización.

---

[79] Seguimos, en este punto, el trabajo de RODRÍGUEZ MÁRQUEZ, J.: "IVA y proceso urbanístico", *Práctico fiscal*, Westlaw-Aranzadi. http://www.westlaw.es.

Por último, unas personas jurídicas con rasgos peculiares, como son las juntas de compensación. Dichas entidades sólo aparecen en los casos en que la urbanización se desarrolla con arreglo al sistema de compensación. Según el art. 127.3 del Real Decreto 1346/1976, de 9 abril, que aprueba el Texto refundido de la Ley Sobre Régimen del Suelo y Ordenación Urbana, en adelante TRLS/1976, la Junta de Compensación tendrá naturaleza administrativa, personalidad jurídica propia y plena capacidad para el cumplimiento de sus fines. En consecuencia, nos encontramos ante una persona jurídica urbanística, que constituye un ejemplo de gestión autónoma por los propios interesados de funciones inicialmente administrativas.

Pues bien, la primera cuestión que debe resolverse consiste en precisar cuándo estos sujetos tienen la consideración de empresarios o profesionales a efectos de IVA. Ello porque sólo las operaciones que realicen en cuanto tales estarán sujetas al tributo.

Los sujetos que acabamos de describir actuarán como empresarios, en primer lugar, si se trata de sociedades mercantiles, ya que éstas se reputan empresarios, en todo caso. Por tanto, todas las operaciones que realicen, ya se trate de entregas de bienes o de prestaciones de servicios, estarán sujetas al impuesto.

En segundo lugar, serán considerados empresarios si la operación de que se trate puede entenderse realizada en el desarrollo de una actividad empresarial. Para que exista actividad empresarial o profesional, se exige la concurrencia de dos requisitos, de conformidad con el art. 5.Dos de la LIVA. De un lado, la ordenación por cuenta propia de factores de producción y, de otro, la finalidad de intervenir en la producción o distribución de bienes o servicios (art. 5.Dos.2º).

Y por último, nos encontramos ante sujetos que urbanizan terrenos, promueven, construyen o rehabilitan edificaciones para su venta, adjudicación o cesión por cualquier título, aunque se realicen ocasionalmente [art. 5.Uno.d) de la LIVA]. Por tanto, siempre que se realice una actividad urbanizadora, promotora o constructora encaminada a la posterior transmisión, la misma estará sujeta al IVA[80]. El precepto exige, por tanto, que la finalidad perseguida por el sujeto sea la de la venta del terreno o

---

[80]   La LIVA no define las actividades de urbanización. Siguiendo la resolución del TEAC de 26 septiembre 1996 (JT 1996/1392), "la urbanización tiene por objeto reconvertir un terreno que no es apto para construir en otro susceptible de edificación, acondicionándolo para ello con servicios de abastecimiento de aguas, suministro de energía eléctrica, evacuación de aguas, acceso rodado, etc.".

edificación. En consecuencia, no será empresario aquel sujeto que, no realizando ninguna actividad empresarial, promueve una construcción para uso propio[81].

Ante esta situación, se hace preciso determinar, con carácter general, en qué casos las entregas de terrenos y parcelas que efectúan los Ayuntamientos se encuentran sujetas al impuesto. Para ello hay que establecer cuándo la entidad pública actúa como empresario o profesional. La DGT considera que las entregas de parcelas o terrenos por Entes públicos se realizan en el ejercicio de una actividad empresarial o profesional en los siguientes casos[82]:

1) Cuando las parcelas o los terrenos transmitidos estuviesen afectos a una actividad empresarial o profesional desarrollada por el Ente público, es decir, como cualquier otro sujeto pasivo.

2) Cuando las parcelas o los terrenos transmitidos hubiesen sido urbanizados por el Ente público. En este caso, el Ayuntamiento se convierte en empresario por definición legal.

3) Cuando la realización de las propias transmisiones de parcelas o terrenos efectuadas por el Ente público determinasen, por sí mismas, el desarrollo de una actividad empresarial, al implicar la ordenación de un conjunto de medios personales y materiales, con independencia y bajo su responsabilidad, para intervenir en la producción o distribución de bienes o de servicios, asumiendo el riesgo y ventura que pueda producirse en el desarrollo de la actividad.

Este último supuesto es, sin duda, el más difícil de precisar. A título de ejemplo, la DGT, en contestación a consulta de 16 diciembre 1997 considera que constituye una actividad empresarial la transferencia de aprovechamientos efectuadas por la Administración actuante para facilitar la ejecución del planeamiento[83].

---

[81]   Como señala la DGT, en contestación a consulta de 8 mayo 2002 (JUR 2002/248766) "la circunstancia que determina la adquisición de la condición de empresario o profesional es el destino previsto para los terrenos cuya urbanización se promueve. Por tanto, si se tiene la intención de proceder a la venta, adjudicación o cesión de dichos terrenos, entonces el promotor de su urbanización adquirirá la condición de empresario o profesional a los efectos del Impuesto sobre el Valor Añadido, si no la tuviera previamente, quedando la posterior transmisión de los mismos sujeta".

[82]   Entre otras muchas, en su contestación a consulta de 18 febrero 2001(JUR 2001/192238).

[83]   Así, señala que "en base a la interpretación conjunta de los artículos 5 y 7 de la Ley del Impuesto debe concluirse que las referidas operaciones estarán sujetas al Impues-

Las transmisiones de terrenos realizadas por estos sujetos cuando actúen como empresarios o profesionales, quedan sujetas al impuesto. No obstante, buena parte de dichas operaciones podrán considerarse exentas, por aplicación del art. 20.Uno.20° de la LIVA.

De conformidad con el precepto señalado, se declaran exentas, en primer lugar, las entregas de terrenos rústicos y demás que no tengan la condición de edificables, incluidas las construcciones de cualquier naturaleza en ellos enclavadas, que sean indispensables para el desarrollo de una explotación agraria[84].

También se encuentra exenta la transmisión de terrenos destinados exclusivamente a parques y jardines públicos o a superficies viales de uso público. Es preciso distinguir aquí entre dos clases de transmisiones. De un lado las cesiones de terrenos a favor de los Ayuntamientos para dichas finalidades, obligatorias y gratuitas en un determinado porcentaje, según la normativa urbanística. Estas transmisiones se encuentran no sujetas al impuesto y, por tanto, no resultan afectadas por esta exención. De otro lado, el resto de transmisiones para estas finalidades, sujetas siempre que las realice un empresario o profesional en ejercicio de su actividad, pero exentas de conformidad con el art. 20.Uno.20° de la LIVA. Piénsese, por ejemplo, en la expropiación de un terreno a una sociedad mercantil para la construcción de una carretera. Esta operación estaría sujeta y exenta de IVA y, además, exenta de TPO, al ser el adquirente una Administración, de conformidad con el art. 45 de la LITPAJD[85].

---

to sobre el Valor Añadido, por cuanto la actuación de la Administración consiste en la adquisición y venta de aprovechamientos, mediante precio en todo caso ("por su valor urbanístico"), lo cual supone una intervención en la producción de bienes en el mercado inmobiliario, aunque la razón última de dicha intervención coincida con la mejora en la ejecución del planeamiento urbanístico". En el mismo sentido se pronuncia la resolución del TEAC de 4 julio 2002 (JT 2002/809).

[84] La finalidad de esta norma de exención es clara. Se ha querido distinguir entre el tráfico del suelo sin transformación industrial alguna, exento, y el tráfico del suelo convertido por la acción del hombre en una superficie susceptible de aprovechamiento constructivo, no exento. Es preciso tener en cuenta que el IVA es un impuesto que recae sobre el consumo pero teniendo en cuenta el valor que se va añadiendo al producto en cada una de las fases del proceso productivo. Ello determina que sólo queden sometidos al tributo aquellas transmisiones que se efectúan después de que los terrenos hayan sido objeto de cierto proceso de producción, esto es, de su preparación para ser objeto de futuras construcciones (R TEAC de 21 octubre 1998 (JT 1998/1870).

[85] La exención de estas transmisiones opera, exclusivamente, en atención al destino de los terrenos, con independencia, por tanto, de la clase de terreno de que se trate y, en particular, de su carácter edificable. Es lo que sucede, por ejemplo, con las carreteras,

A pesar de la declaración inicial de la norma, la exención no se extiende a los terrenos urbanizados o en curso de urbanización, cuando la transmisión la realice el promotor de la urbanización, excepto los destinados exclusivamente a parques y jardines públicos o a superficies viales de uso público. Tal y como ya se ha señalado, es preciso recordar que la persona que promueve la urbanización de un terreno para su venta es sujeto pasivo a efectos de IVA. Por tanto, si lo transmite, la operación se encuentra sujeta y, por aplicación de esta excepción, no exenta. En caso de que la transmisión la realice una persona distinta del promotor de la urbanización, pueden darse dos situaciones. Si el transmitente es empresario o profesional y actúa como tal, la operación se encontrará sujeta a IVA, pero exenta si el terreno no es edificable. En caso contrario, la venta estará sujeta a TPO.

Tampoco están exentos los terrenos en los que se hallen enclavadas edificaciones en curso de construcción o terminadas cuando se transmitan conjuntamente con las mismas y las entregas de éstas estén sujetas y no exentas al impuesto. El legislador ha decidido aquí, igual que en el caso anterior, someter al impuesto las entregas de terrenos que, aun no teniendo la condición de edificables, han sido objeto de construcciones. Y ello porque a dichos terrenos se les ha incorporado un valor añadido que debe ser sometido a gravamen. Además, es preciso resaltar que esta excepción a la exención incluye supuestos patológicos según la legislación urbanística, como los de caducidad de la licencia o, incluso, los de edificación sin licencia.

No obstante, sí estarán exentas las entregas de terrenos no edificables en los que se hallen enclavadas construcciones de carácter agrario indispensables para su explotación y las de terrenos de la misma naturaleza en los que existan construcciones paralizadas, ruinosas o derruidas. En estos últimos casos, no puede afirmarse, propiamente, que exista una edificación. Por tanto, parece lógico que la construcción siga el mismo régimen jurídico que el terreno. No siendo éste edificable, la consecuencia no puede ser otra que la aplicación de la exención.

Por último, es preciso recordar que la exención que venimos comentando es susceptible de renuncia.

---

que según el art. 6.Dos de la LIVA tienen la consideración de edificaciones. Así, los terrenos dedicados a la construcción de una carretera son aptos para edificar, bastando la aprobación del proyecto de construcción por parte de la Administración. A pesar de ello, su transmisión siempre va a estar exenta.

Para llevar a cabo las operaciones de urbanización, la legislación ha establecido diferentes sistemas, en atención a la mayor o menor implicación del propietario de los bienes afectados en la ejecución de las mismas. Así, podemos distinguir un sistema de compensación, un sistema de cooperación y, por último, la expropiación.

El primero de los sistemas de urbanización, el de compensación, va dirigido a realizar la urbanización de los terrenos, y es donde con mayor intensidad aparece la participación de los propietarios. Como señala el art. 126.1 del TRLS/1976 en el sistema de compensación, "los propietarios aportan los terrenos de cesión obligatoria, realizan a su costa la urbanización en los términos y condiciones que se determinen en el Plan o Programa de Actuación Urbanística o en el acuerdo aprobatorio del sistema y se constituyen en Junta de Compensación, salvo que todos los terrenos pertenezcan a un sólo titular".

Se articula alrededor de las Juntas de compensación, que, como ya hemos señalado, son entes de naturaleza administrativa, personalidad jurídica propia y plena capacidad para el cumplimiento de sus fines" (art. 127.3 del TRLS/1976).

El art. 129.1 del TRLS/1976, igualmente dispone que la "incorporación de los propietarios a la Junta de Compensación no presupone, salvo que los Estatutos dispusieran otra cosa, la transmisión a la misma de los inmuebles afectados a los resultados de la gestión común". Por tanto, distingue dos clases de juntas de compensación. De un lado, las que actúan como "fiduciarias", en terminología del núm. 2 del precepto, es decir, en sustitución de los propietarios. De otro, aquéllas a las que se ha transmitido la propiedad de los terrenos. Esta distinción, como veremos, resulta esencial a efectos de IVA, según la interpretación administrativa hoy mayoritaria, por lo que va a servirnos de criterio esencial de clasificación.

El mecanismo de funcionamiento de las citadas Juntas —exista o no transmisión de la propiedad— son las siguientes: se constituye la Junta mediante la aportación de terrenos por parte de los propietarios; se lleva a cabo la realización de las obras de urbanización a cargo de los propietarios, pero contratando la Junta los servicios de terceras empresas; y, por último, estas parcelas edificables se entregan a los propietarios. Cada una de estas fases presenta un régimen jurídico distinto en relación con el IVA al que no vamos a referirnos, al entender que excede de nuestro estudio. Ello porque, aunque como se ha señalado, estas Juntas son entes de naturaleza administrativa, no aparece en su estructura ningún ente público[86].

En el sistema de cooperación los propietarios aportan el suelo de cesión obligatoria y la Administración ejecuta las obras de urbanización con cargo a los mismos. Tal y como señala el art. 188 del RGU, los costes de urbanización se distribuirán entre los propietarios en proporción a la superficie de sus respectivos terrenos.

Por tanto, vemos cómo el Ayuntamiento que realiza las obras se configura como empresario o profesional, ya que organiza los medios necesarios para la urbanización de los terrenos de los propietarios afectados, repartiendo entre éstos el importe de los costes y, consecuentemente, debe repercutir el impuesto sobre los propietarios con ocasión del cobro de las correspondientes derramas.

En este sistema la Administración es, pues, quien promueve y aprueba la reparcelación, aquí imprescindible, salvo que resulten suficientemente equitativos de por sí los términos de la distribución de beneficios y cargas resultantes del plan. Es, también, la Administración la que asume la responsabilidad de la ejecución de las obras de urbanización, contratando ésta con terceros o bien constituyendo una sociedad urbanizadora a los mismos efectos. La Administración es, en fin, quien distribuye las cuotas de urbanización correspondientes a cada propietario, pudiendo, incluso, exigir semestralmente el pago anticipado de los gastos de urbanización a realizar. Así lo prevé, efectivamente, el art. 132.2 del TRLS/1976. En tales casos, se producen pagos anticipados, anteriores a la realización del hecho imponible del impuesto, que tiene lugar con la efectiva prestación de los servicios de urbanización. Por aplicación del art. 75.Dos de la LIVA dichos pagos anticipados dan lugar a los correspondientes devengos anticipados, de manera que el Ayuntamiento deberá repercutir el impuesto con ocasión de aquéllos[87].

Por su parte, los propietarios de los terrenos se convierten en promotores de la urbanización y, por tanto, en empresarios[88]. En consecuencia,

---

[86]   Sobre el régimen de las Juntas de Compensación, véase el estudio realizado por MARTÍN FERNÁNDEZ., J, NATERA HIDALGO, R, RODRÍGUEZ MÁRQUEZ J. y VILLAR EZCURRA, J. L, *Aspectos tributarios de las Juntas de Compensación* Ed. Aranzadi, 2002.

[87]   Como afirma la DGT, en contestación a consulta de 29 noviembre 2001 (JUR 2002/76426), "el Ayuntamiento deberá proceder a la repercusión del Impuesto con ocasión de los cobros anticipados percibidos de los propietarios, repercusión que deberá efectuarse mediante la emisión de facturas completas".

[88]   Contestación a consulta de 22 junio 2001 (JUR 2002/48545).

si venden los terrenos urbanizados, la operación se encontrará sujeta y no exenta de este impuesto. No obstante, no parece ser éste un criterio totalmente uniforme de la DGT, ya que en su contestación a consulta de 9 julio 1999 (JUR 2001/232324) afirma, textualmente, que "sin embargo, en ningún caso estas obras de urbanización atribuyen la condición de empresarios o profesionales a... los propietarios de los terrenos, que tendrán esta condición o no en función del resto de sus actividades".

Como ha puesto de manifiesto Rodríguez Márquez[89], resulta, cuanto menos, controvertido, calificar a estos sujetos como promotores de la urbanización. En el sistema de cooperación los particulares se limitar a financiar la obra y a realizar funciones de auxilio a través de una asociación[90]. En el sistema de cooperación los propietarios no contratan con la Administración la realización de las obras de urbanización, sino que es ésta la que promueve la reparcelación y realiza aquéllas, repercutiendo después el coste sobre los propietarios. Estos últimos, más que promotores, son receptores de una obra que les ha venido impuesta.

Por último, el sistema de expropiación se caracteriza por la ausencia de intervención de los particulares en el proceso urbanizador, de manera que la Administración expropia todos los terrenos comprendidos en la unidad de ejecución y procede, después, a urbanizarlos por cualquiera de las formas de gestión directa o indirecta que prevé la normativa de régimen local.

Estas expropiaciones estarán sujetas a IVA siempre que los terrenos pertenezcan a un empresario o profesional y se trate de elementos afectos a su actividad y, en todo caso, si el expropiado es una sociedad mercantil. No obstante, estas entregas estarán normalmente exentas —y sujetas a TPO—, ya que se tratará de terrenos que aún no se encuentran en curso de urbanización. Sin embargo, como el objeto de la expropiación es todo el polígono o unidad de actuación, puede suceder que resulten incluidos solares y edificios. En tales casos, es posible que la operación no se encuentre exenta de IVA.

---

[89]   *Ob. cit.*
[90]   Por tanto, difícilmente encajan en la definición de promotor que contiene la contestación a consulta vinculante de 4 noviembre 1986 (RCL 1986/3593), que considera como tal al "propietario de inmuebles que construyó o contrató la construcción de los mismos para destinarlos a la venta, el alquiler o el uso propio".

En el caso de que la expropiación de los terrenos tenga por finalidad la construcción de parques y jardines o de viales de uso público, como ya se ha analizado, la operación se encontrará exenta del impuesto[91].

Puede ocurrir que el justiprecio se concrete en la transmisión de parcelas edificables. En dichas situaciones, nos encontramos ante dos entregas, tal y como señala la contestación a consulta de 8 mayo 2002. La primera, la derivada de la expropiación de los terrenos, que se encontrará sujeta al impuesto si aquéllos se encontraban afectos a la actividad empresarial del expropiado y, en todo caso, si éste es una entidad mercantil. No obstante, normalmente se encontrará exenta, por aplicación del art. 20.Uno.20°, ya que nos encontraremos ante terrenos no edificables ni urbanizados o en curso de urbanización.

La segunda entrega está constituida por la transmisión de la parcela edificable en concepto de pago del justiprecio. Esta operación se encontrará sujeta si se puede considerar que las parcelas estaban afectas a una actividad empresarial desarrollada por el ente público, si habían sido urbanizadas por éste o, finalmente, si la realización de la transmisión puede considerarse, por sí misma, el desarrollo de una actividad empresarial. En particular, habrá que examinar si la parcela que entrega el Ayuntamiento fue obtenida como consecuencia de una cesión gratuita y obligatoria de aprovechamientos. En tal caso, la aplicación de la Resolución 2/2000 determina que esta entrega se encuentre sujeta, en todo caso.

En caso de que se produzca la reversión de la expropiación, la contestación a consulta de 9 julio 2001 considera que aquélla no da lugar a operación sujeta alguna, sino a una resolución de la entrega de bienes provocada por la expropiación. Por tanto, si ésta estuvo sujeta, el expropiado deberá ahora proceder a la rectificación de la base imponible y de las cuotas inicialmente repercutidas. A continuación, se le presentan dos opciones. La primera, iniciar un procedimiento de devolución de ingresos indebidos. La segunda, regularizar su situación en la autoliquidación del período donde se efectúe la rectificación, devolviendo las cuotas al repercutido.

---

[91] En este sentido, pueden consultarse, entre otras, las contestaciones a consultas de 25 febrero 1999 (JUR 2001/192651) y de 31 octubre 2001 (JUR 2002/104806).

IV. LA PROTECCIÓN CONSTITUCIONAL DE LOS BIENES PÚBLICOS Y SU INCIDENCIA EN MATERIA TRIBUTARIA

1. Inalienabilidad, imprescriptibilidad e inembargabilidad como límites a la exigibilidad de los tributos. ¿Pueden los bienes públicos garantizar una deuda tributaria?

La relación jurídica tributaria, como fenómeno complejo que compone un sinfín de vínculos jurídicos, no se agota en la mera existencia de lo que denominamos "obligación tributaria principal". En ésta, el ente público titular del tributo ostenta la posición del acreedor, frente al particular, deudor, sometido a la carga tributaria que deriva de la misma. No obstante, hay otros vínculos, otros sujetos que intervienen en este fenómeno complejo, donde se interrelacionan entre sí y donde, en algunos casos, incluso, se intercambian los papeles de cada uno de los sujetos[92].

La cuestión a analizar en este punto se centra en determinar si es posible que un bien público garantice, en sentido amplio, el pago de una deuda, en nuestro caso, de naturaleza tributaria. Esta situación puede tener lugar cuando un Ente público es deudor, con ocasión del pago de un tributo, de otro Ente público. Y cuando el Ente público es deudor de una cantidad económica a un particular, con motivo de la existencia de una obligación tributaria.

Hay que señalar que la LGT ha configurado un haz de garantías para ese crédito tributario. Es tradicional distinguir entre garantías de carácter personal[93] y garantías de carácter real. Éstas nacen de la ley y tienen como finalidad convertir al crédito tributario en un crédito privilegiado frente a otros. Se recogen en la LGT el derecho de prelación del art. 77[94], la hipo-

---

[92]   La Sección 2ª, del Capítulo 1ª, del Título II, los tributos, de la LGT (arts. 17 a 34) regula todos esos vínculos que componen la relación jurídico-tributaria. Dichos preceptos son traslación, casi literal, de la clasificación que de los mismos llevó a cabo la Prof. SOLER ROCH, M. T., en su famoso artículo "Notas sobre la configuración de las obligaciones y deberes tributarios, con especial referencia al Impuesto sobre la Renta de las Personas Físicas", *REDF*, núm. 25, 1980.

[93]   Responden a este naturaleza, entre otras, las figuras del sustituto, el responsable, el retenedor, los sucesores, etc. (arts. 36 a 43 de la LGT).

[94]   "La Hacienda Pública tendrá prelación para el cobro de los créditos tributarios vencidos y no satisfechos en cuanto concurra con otros acreedores, excepto que se trate de acreedores de dominio, prenda, hipoteca u otro derecho real debidamente inscrito en el registro correspondiente con anterioridad a la fecha en que se haga constar en el

teca legal tácita o derecho de prelación especial del art. 78[95], la afección de bienes del art. 79[96] y el derecho de retención del art. 80[97].

El derecho de prelación, por su carácter general, afecta a cualquier tipo de tributos y su finalidad es dar preferencia a la Hacienda pública en la ejecución de su crédito cuando concurra con otros acreedores, salvo aquellos que sean titulares de derechos reales debidamente inscritos.

La hipoteca legal tácita se denomina así porque sus efectos son los de una garantía real que opera de modo automático, sin necesidad de acto de constitución expreso ni inscripción. Los tributos comprendidos en esta garantía son los de carácter real que gravan bienes inmuebles, en concreto el IBI.

---

mismo el derecho de la Hacienda Pública, sin perjuicio de lo dispuesto en los artículos 78 y 79 de esta Ley".

[95] "En los tributos que graven periódicamente los bienes o derechos inscribibles en un registro público o sus productos directos, ciertos o presuntos, el Estado, las Comunidades Autónomas y las entidades locales tendrán preferencia sobre cualquier otro acreedor o adquirente, aunque éstos hayan inscrito sus derechos, para el cobro de las deudas devengadas y no satisfechas correspondientes al año natural en que se exija el pago y al inmediato anterior".

[96] "Los adquirentes de bienes afectos por Ley al pago de la deuda tributaria responderán subsidiariamente con ellos, por derivación de la acción tributaria, si la deuda no se paga.

2. Los bienes y derechos transmitidos quedarán afectos a la responsabilidad del pago de las cantidades, liquidadas o no, correspondientes a los tributos que graven tales transmisiones, adquisiciones o importaciones, cualquiera que sea su poseedor, salvo que éste resulte ser un tercero protegido por la fe pública registral o se justifique la adquisición de los bienes con buena fe y justo título, en establecimiento mercantil o industrial, en el caso de bienes muebles no inscribibles.

3. Siempre que la Ley conceda un beneficio fiscal cuya definitiva efectividad dependa del ulterior cumplimiento por el obligado tributario de cualquier requisito por aquélla exigido, la Administración tributaria hará figurar el importe total de la liquidación que hubiera debido girarse de no mediar el beneficio fiscal, lo que los titulares de los registros públicos correspondientes harán constar por nota marginal de afección.

En el caso de que con posterioridad y como consecuencia de las actuaciones de comprobación administrativa resulte un importe superior de la eventual liquidación a que se refiere el párrafo anterior, el órgano competente procederá a comunicarlo al registrador competente a los efectos de que se haga constar dicho mayor importe en la nota marginal de afección".

[97] "La Administración tributaria tendrá derecho de retención frente a todos sobre las mercancías declaradas en las aduanas para el pago de la pertinente deuda aduanera y fiscal, por el importe de los respectivos derechos e impuestos liquidados, de no garantizarse de forma suficiente el pago de la misma".

Por su parte, el derecho de afección es un gravamen real que recae sobre los bienes transmitidos y que permite ejecutar sobre ellos la deuda tributaria originada por dichos bienes. Los tributos afectados son el ITPA-JD, ISD y el IBI, donde se establece expresamente la citada afección de los bienes transmitidos.

El derecho de retención, por último, es una institución típica del Derecho aduanero, de tal manera que la Aduana tiene derecho a retener las mercancías presentadas para asegurar el cobro de las cantidades liquidadas.

¿Son aplicables estas garantías a los créditos tributarios de un ente público cuando el deudor es otro ente público? Para contestar a esta pregunta se hace preciso analizar aquellos tributos concretos que se ven afectados por las citadas garantías y determinar si los entes públicos están sometidos a ellos. Y dejando claro, como premisa previa, que se trataría de gravar bienes no amparados por el privilegio constitucional de la inalienabilidad, inembargabilidad e imprescriptibilidad, tal como aparece definido en el art. 132 de la CE.

Como ya hemos analizado antes, los bienes públicos afectos a un servicio público están sometidos a IBI, salvo que les afecte una norma de exención. Por ello, entendemos que, en principio, sería posible que el Ayuntamiento deudor ejecutara la garantía correspondiente, la hipoteca legal tácita, para asegurar el cobro de su deuda. Del mismo modo, en cuanto que estos entes sean, igualmente, sujetos pasivos de este impuesto, el Ayuntamiento deudor podrá hacer uso de derecho de afección del bien al pago de la citada deuda, tal como dispone el art. 64 de la LHL[98]

---

[98] "En los supuestos de cambio, por cualquier causa, en la titularidad de los derechos que constituyen el hecho imponible de este impuesto, los bienes inmuebles objeto de dichos derechos quedarán afectos al pago de la totalidad de la cuota tributaria, en régimen de responsabilidad subsidiaria, en los términos previstos en la Ley General Tributaria. A estos efectos, los notarios solicitarán información y advertirán expresamente a los comparecientes en los documentos que autoricen sobre las deudas pendientes por el Impuesto sobre Bienes Inmuebles asociadas al inmueble que se transmite, sobre el plazo dentro del cual están obligados los interesados a presentar declaración por el impuesto, cuando tal obligación subsista por no haberse aportado la referencia catastral del inmueble, conforme al apartado 2 del artículo 43 del texto refundido de la Ley del Catastro Inmobiliario y otras normas tributarias, sobre la afección de los bienes al pago de la cuota tributaria y, asimismo, sobre las responsabilidades en que incurran por la falta de presentación de declaraciones, el no efectuarlas en plazo o la presentación de declaraciones falsas, incompletas o inexactas, conforme a lo previsto en el artículo 70 del texto refundido de la Ley del Catastro Inmobiliario y otras normas tributarias".

Por lo que se refiere al ITP y la afección de bienes al pago de la deuda tributaria generada por este impuesto[99], los entes públicos son sujetos pasivos del mismo cuando realicen transmisiones de bienes comprendidas en el hecho imponible del mismo. A pesar de ello, el art. 45 de la LITPAJD les declara expresamente exentos.

No obstante, la normativa ha dado respuesta al supuesto contemplado cuando se trata de deudas tributarias entre diversos Entes Públicos. Así, la vigente LGT, en su art. 74, establece la posibilidad de que las deudas tributarias de este tipo se extingan mediante deducciones sobre transferencias que la Administración del Estado debe realizar a las otras Entidades[100]. Del mismo modo se pronuncia la Disposición Adicional 14ª de la LHL, cuando dispone que "el Estado podrá compensar las deudas firmes contraídas con éste por las entidades locales con cargo a las órdenes de pago que se emitan para satisfacer su participación en los tributos del Estado.

Igualmente se podrán retener con cargo a dicha participación las deudas firmes que aquéllas hayan contraído con los organismos autónomos del Estado y la Seguridad Social a efectos de proceder a su extinción mediante la puesta en disposición de las citadas entidades acreedoras de los fondos correspondientes.

A los efectos previstos en los párrafos precedentes se declara la responsabilidad solidaria de las corporaciones locales respecto de las deudas tributarias o con la Seguridad Social, contraídas por las entidades a que se refieren los párrafos b) y c) del apartado 3 del artículo 85 de la Ley 7/1985, de 2 de abril, reguladora de las Bases del Régimen Local, así como de las que en su caso se contraigan por las mancomunidades, comarcas, áreas metropolitanas, entidades de ámbito inferior al municipio y por cualesquiera instituciones asociativas voluntarias públicas en las que aquéllas participen, en proporción a sus respectivas cuotas y sin perjuicio del derecho de repetir que les pueda asistir, en su caso"[101].

Plantea más problemas de gestión el supuesto en el que es la Administración, estatal, autonómica o local, la que resulta deudora de un particular. En estos casos, el acreedor lo es porque la norma le reconoce el

---

[99]	El ISD sólo resulta exigible a las personas físicas, por lo que los entes públicos no están sujetos al mismo.

[100]	La LGT de 1963 regulaba este supuesto en su art. 68.2, calificándolo de "compensación".

[101]	A pesar de que la norma deja a la discrecionalidad del Estado la aplicación de este sistema de compensación, las ventajas prácticas de su aplicación lo hacen el más apropiado para proceder a la extinción de estas deudas tributarias.

derecho a la devolución de cantidades indebidamente ingresadas o porque tenga derecho al reembolso del exceso de ingresos a cuenta o del IVA soportado. En estos casos, es preciso un procedimiento especial, regulado con carácter general por los arts. 124 a 127 de la LGT[102]. Éste finaliza con una resolución expresa acordando si ha lugar o no la devolución solicitada y la cuantía de la misma[103]. Contra la citada resolución se abre para el particular la vía de recurso, administrativo, en primer lugar, y jurisdiccional, posteriormente.

Es en este punto donde se ha venido planteando un problema de hondo calado, al que puso fin la STC 166/1998, de 15 de julio[104]. La misma determinó la inconstitucionalidad del antiguo art. 154.2, hoy 173.2 de la LHL, en su redacción original[105]. Este precepto, que proclamaba la inembargabilidad de los bienes en general de los Entes locales, se encontraba en contradicción con el derecho a la tutela judicial efectiva de los ciudadanos, ya que, ante la negativa de un Ayuntamiento al pago de una obligación a su cargo, la ejecución de una sentencia en contra quedaba imposibilitada.

La referida STC afirma que la regla de la inembargabilidad de los bienes públicos, recogida en el precepto mencionado, que impedía la ejecución de sentencias condenatorias de la Administración, debe limitarse a los bienes demaniales y comunales, y no a los bienes patrimoniales no afectados a un uso o servicio público.

---

[102] El procedimiento de devolución de ingresos indebidos se regulaba en el art. 155 de la LGT de 1963, como un procedimiento especial de revisión. No obstante, su desarrollo reglamentario no se llevó a cabo hasta el año 1990, a través del RD 1163/1990, de 21 de septiembre. En la vigente LGT, este procedimiento se contempla en el art. 221. Vid. Serrano Antón, F., *Las devoluciones tributarias*, Ed. Marcial Pons, 1996; CASANA MERINO, F. *La devolución de ingresos indebidos en materia tributaria,* La Ley, 1992.

[103] También es posible la resolución tácita, en este caso, desestimatoria de la pretensión del solicitante.

[104] Comentada, entre otros, por COLOM PIAZUELO, E.: "Los bienes públicos y su estatuto jurídico: Reflexiones en torno a la inconstitucionalidad del principio de inembargabilidad de los bienes públicos declarada por la STC 166/1998, de 15 julio (RTC 1998, 166)" *Repertorio Aranzadi del Tribunal Constitucional*, Vol. IV. Parte Estudio pp. 575-608 Ed. Aranzadi, 1998; MARTÍNEZ GINER, L. A.: "Consideraciones jurídico-financieras sobre los bienes patrimoniales de las entidades Locales. (Comentario a la STC 166/1998, de 15 de julio)", *REDF*, núm. 103, 1999; FALCÓN Y TELLA, R.: "Ejecución de sentencias condenatorias por la Administración". *QF*, núm., 15, 1998.

[105] "Los Tribunales, Jueces y Autoridades administrativas no podrán despachar mandamientos de ejecución ni dictar providencias de embargo contra los derechos, fondos, valores y bienes en general de la Hacienda Local ni exigir finanzas, depósitos y cauciones a las Entidades locales".

Dicho precepto de la LHL, coincidente con el 44 de la LGP de 1988 y el 106 de la LJCA, se amparaba en lo dispuesto en el art. 132 de la CE, que consagra una especial protección a los bienes públicos cuando establece que los mismos se regirán por los principios de inalienabilidad, imprescriptibilidad e inembargabilidad.

Se trata de "introducir el dominio público en un régimen de total indisponibilidad, en la medida en que se quiere proteger de todo acto consciente o inconsciente, directo o indirecto que pueda suponer la adquisición del bien por parte del particular"[106].

El TC analiza el precepto enjuiciado desde el punto de vista del respeto al art. 24 de la CE. Entiende que el derecho reconocido en dicho precepto se califica por la nota de la efectividad e incluye el derecho de carácter subjetivo a que sean cumplidas las resoluciones judiciales firmes. Pero el derecho a que se ejecuten las sentencias no es absoluto e incondicionado, ya que al integrar el derecho a la tutela judicial efectiva participa de la naturaleza del derecho de prestación que caracteriza a aquel en que viene integrado y, en tal sentido, sus concretas condiciones de ejercicio corresponde establecerlas al legislador. En definitiva, es un derecho a obtener por las vías procesales existentes y con sujeción a su concreta ordenación legal.

El legislador, de este modo, puede excluir por razones de interés público y social ciertos bienes y derechos de la ejecución forzosa, declarándolos inembargables. En consecuencia, aun admitiendo que la inembargabilidad contenida en el art. 154.2 de la LHL constituía un régimen especial en cuanto excluía la ejecución forzosa, ello no determina la inconstitucionalidad de dicho precepto, pues ésta sólo surgirá de la falta de proporcionalidad entre la finalidad perseguida y el sacrificio impuesto. En definitiva, lo importante reside en saber si existen razonables finalidades de protección de valores, bienes o intereses constitucionalmente protegidos y guardan la debida proporción.

A continuación, el TC analiza las distintas funciones que viene a cumplir los bienes públicos en general y concluye que la aplicación del principio de inembargabilidad del art. 132 de la CE tiene una excepción. Se trata de los bienes patrimoniales no afectados materialmente a un servicio público. En efecto, el acreedor puede proceder a una adecuada individualización y selección de los bienes patrimoniales al instar el embargo, excluyendo correlativamente los demaniales, los comunales e, incluso, los patrimoniales

---

[106] GONZÁLEZ GARCÍA, J. V.: "Notas sobre el régimen general del dominio público", en esta misma obra.

que se hallen materialmente afectados a un uso o servicio público. Con ello se salvaguarda no sólo la seguridad jurídica (art. 9.3 de la Constitución), sino también la eficacia de la Administración local y la continuidad de los servicios públicos (art. 103.1 de la Constitución); máxime si tal selección e individualización se halla sujeta a un obligado control jurisdiccional al acordarse el embargo. Estos bienes patrimoniales pueden estar sujetos a una legislación especial, como el patrimonio municipal del suelo, por lo que su diferenciación no ofrece especial dificultad; además, las Corporaciones locales están obligadas a formar inventario en el que se expresan sus diversas características y su naturaleza jurídica.

De este modo, el TC declara la inconstitucionalidad del inciso "bienes en general" del precepto, lo que obligó al legislador a modificar la redacción del mismo en los términos mencionados arriba[107].

Así, el privilegio de la inembargabilidad de los bienes patrimoniales de los Entes locales ha quedado reducido a ciertos bienes de la Administración, los de dominio público, comunales y patrimoniales afectos a un servicio público. A nuestro modo de ver, este privilegio se justifica en la necesaria protección que dichos bienes precisan de cara a propiciar la correcta aplicación del principio de eficacia y de continuidad en los servicios públicos.

El legislador, advertido de la posibilidad de que el criterio sentado en la STC comentada se aplicase a los bienes de los restantes entes públicos, ha procedido a modificar la normativa concordante. Así, el art. 23 de la Ley 47/2003, de 26 noviembre, General Presupuestaria ha establecido que "ningún tribunal ni autoridad administrativa podrá dictar providencia de embargo ni despachar mandamiento de ejecución contra los bienes y derechos patrimoniales cuando se encuentren materialmente afectados a un servicio público o a una función pública, cuando sus rendimientos o el producto de su enajenación estén legalmente afectados a fines diversos, o cuando se trate de valores o títulos representativos del capital de socieda-

---

[107]   Antes de que el TC dictara la sentencia comentada, el legislador introdujo una nueva redacción al art. 154.2 de la LHL que quedó en los siguientes términos: "Los tribunales, jueces y autoridades administrativas no podrán despachar mandamiento de ejecución ni dictar providencias de embargo contra los derechos, fondos, valores y bienes en general de la Hacienda Local ni exigir fianzas, depósitos y cauciones a las entidades locales, excepto cuando se trate de la ejecución de hipotecas sobre bienes patrimoniales inmuebles no afectados directamente a la prestación de servicios públicos". El TC no se pronunció sobre la misma, ya que no era objeto del recurso.

des estatales que ejecuten políticas públicas o presten servicios de interés económico general"[108].

2. La utilización de los tributos para proteger bienes públicos. Especial referencia a la denominada tributación medioambiental

El art. 132 de la CE establece, en su apartado 3, la necesidad de que la norma que regula el régimen jurídico de los bienes públicos proceda, igualmente, a establecer las distintas figuras que van a posibilitar su administración, defensa y conservación.

En estas tareas de conservación y defensa de los bienes públicos ha adquirido especial relevancia la utilización de los tributos. Esta labor se ha centrado, preferentemente, en lo que se denomina tributación medioambiental, esto es, en el establecimiento de figuras tributarias que tienden a proteger el medio ambiente, encontrando su apoyo legal, además de en el ya señalado art. 132 de la CE, en el art. 45 de la CE y en el 175 del Tratado Constitutivo de la Unión Europea. Esta última norma recoge, por primera vez, la plasmación jurídica del principio "quien contamina paga"[109].

La exigencia de tributos medioambientales es una cuestión admitida en nuestro derecho, que se basa en la posibilidad mantenida por la CE, la LGT y la propia jurisprudencia constitucional de establecer un tributo con una finalidad extrafiscal o de ordenamiento. En este caso, el tributo medioambiental supondría un incentivo a cuidar del medio ambiente, que consistirá en el cobro de una cantidad por el uso de bienes ambientales, equivalente al coste de evitar la contaminación[110].

Aplicando estas ideas a las distintas categorías tributarias, nos encontraríamos ante un impuesto medioambiental cuando el elemento de protección ecológica esté presente en su estructura. El hecho imponible de un impuesto ecológico o medioambiental debe estar constituido por actividades que directa o indirectamente deterioren el medio ambiente. Su base

---

[108]   En idénticos términos se pronuncia el art. 30.3 de la LPAP.

[109]   Sobre el concepto, fundamento, naturaleza y caracteres de este principio véase la monografía dirigida y coordinada, respectivamente, por los profesores YABAR STERLING y HERRERA MOLINA, *La protección fiscal del medio ambiente,* ed. Marcial Pons, Madrid, 2002.

[110]   HERRERA MOLINA, P. M., *Derecho tributario ambiental, La introducción del interés ambiental en el ordenamiento tributario* ed. Marcial Pons-Ministerio de Medio Ambiente, 2000, p. 59.

imponible estaría constituida por la medida del daño ambiental que se pretende desalentar[111].

Distinta a esta configuración del tributo ecológico *stricto sensu*, es que nos encontremos con lo que podemos denominar elementos tributarios ambientales en los diferentes tributos que componen nuestro sistema. Esto es, la mayoría de nuestros tributos contienen algún tipo de elemento, normalmente exenciones o beneficios fiscales, que tienden a incentivar o "premiar" al sujeto pasivo por evitar la conducta contaminante.

También es relativamente normal encontrar algún tributo cuya recaudación aparece afectada a la consecución de la protección medioambiental. Sin embargo, como señala, Herrera Molina[112], un impuesto no pasa a ser ecológico por el hecho de que los fondos recaudados se afecten a la protección del entorno natural. La Comisión europea ya lo puso de manifiesto en su comunicación "Impuestos y gravámenes ambientales en el Mercado Único"[113].

En ella entiende que para que una exacción[114] se considere de carácter ambiental, la sustancia o actividad gravada deben tener un efecto negativo claro sobre el medio ambiente, aunque también se consideraría así cuando tiene un efecto sobre el medio ambiente menos claro, pero su exigencia resulta visiblemente positiva.

Teniendo en cuenta la experiencia comparada, la Comunicación distingue dos grandes categorías de impuestos ambientales:

a) Las exacciones sobre emisiones, directamente relacionadas con la contaminación real o estimada que se provoque, tanto si las emisiones son a la atmósfera, al agua o al suelo, o están en relación con la producción de ruido.

b) Las exacciones sobre productos, que se aplican a materias primas y productos intermedios, como abonos, plaguicidas, grava natural y aguas subterráneas, y a productos finales de consumo, como pilas, envases no retornables, neumáticos y bolsas de plástico. Dentro de este grupo se encontrarían los tributos sobre productos energéticos,

---

[111] JIMÉNEZ HERNÁNDEZ, J., *El tributo como instrumento de protección ambiental*, Ed. Comares, Granada, 1998, p. 186.
[112] *Derecho tributario ambiental, ob. cit.*, p. 61.
[113] COM (1997) 9 final, de 26 de marzo de 1997.
[114] Todo pago obligatorio y sin contraprestación, tanto si se ingresa como presupuesto del Estado como si se destina a fines concretos. "Impuestos y gravámenes ambientales en el Mercado Único", *Comunicación de la Comisión europea, cit.*, p. 4.

que, a juicio de la Comisión, contribuyen a la integración de políticas de medio ambiente y energía.

Cualquier Estado miembro que diseñe un sistema tributario que pretenda incorporar exacciones medioambientales, debe tener en cuenta el marco jurídico que representa el Tratado de la UE y que va a limitar ese desarrollo.

En concreto, deben tenerse en cuenta los siguientes factores: la prohibición de establecimiento de derechos de aduana sobre el comercio intracomunitario o exacciones de efecto equivalente (arts. 9 a 12 del Tratado), las restricciones cuantitativas a la importación y exportación de mercancías entre los Estados miembros o medidas de efecto equivalente (arts. 30 a 36 del Tratado), la prohibición de disposiciones sobre la política de transporte cuyos efectos sean menos favorables para los transportistas de otros Estados miembros (art. 76 del Tratado), la prohibición de ayudas estatales que falseen la competencia en el comercio intracomunitario (arts. 92 y 93 del Tratado), la prohibición de tributos internos que discriminen productos de otros Estados miembros o protejan de algún otro modo la producción nacional (art. 95 del Tratado), y, con carácter general, lo establecido en el art. 130R, respecto a los objetivos de la política comunitaria de medio ambiente[115].

Concluye la Comisión entendiendo que existe un amplio margen de actuación para los Estados para poner en práctica un sistema de impuestos y gravámenes ambientales, muy eficaces para aumentar la eficiencia de una política medioambiental[116].

Para determinar si es posible el establecimiento de tasas de contenido ambiental, debemos distinguir los dos supuestos en los que las mismas son

---

[115] Como vemos, el documento de la Comisión consagra una por una las libertades básicas que ampara el Tratado de la Unión europea, libertades que, a nuestro modo de ver, fortalecen la "Europa de los comerciantes", frente a la "Europa de los ciudadanos". A esta tarea, se ha dedicado de manera eficiente el TJCE en sus últimos pronunciamientos, lo que no nos merece un juicio excesivamente positivo.

[116] A idéntica conclusión se llega en la comunicación de la Comisión al Consejo, al Parlamento europeo y al Comité económico y social que, bajo el título "Política fiscal en la Unión europea. Prioridades para los próximos años", emitió el 23 de mayo de 2001 (COM (2001) 260 final). Cuando en dicha Comunicación, la Comisión analiza la tributación medioambiental y sobre los productos energéticos, entiende que los mismos son un instrumento crucial para cumplir los compromisos del protocolo de Kioto. Además, brindan un estímulo efectivo para disociar el consumo de energía del crecimiento económico, mejoran las pautas de consumo y desarrollan fuentes energéticas renovables, como combustibles biológicos.

exigibles por los entes públicos, esto es, ante la prestación de servicios públicos o cuando nos encontremos con una utilización del dominio público.

En las primeras, tasas por prestación de un servicio público, el elemento ambiental que recogerá el hecho imponible será el carácter ecológico del servicio. Al aparecer limitado su importe por el coste del servicio, será difícil incorporar a este tipo de tasas elementos extrafiscales. Sólo en los casos en que el ente público preste servicios públicos que tiendan a proteger el medio ambiente, financiados con tasas, el sujeto contaminante percibirá los costes ambientales de su conducta y recibirá el incentivo para modificarla, lo que dotará a la tasa de una finalidad extrafiscal en conjunto[117].

También el uso privativo o aprovechamiento especial del dominio público determina en nuestro ordenamiento la exigencia de una tasa. Del mismo modo que con el resto de las categorías tributarias, estas tasas pueden ser utilizadas para desincentivar actividades que perjudiquen el medio ambiente.

Si entendemos el dominio público como un haz de potestades en defensa del bien común, tendríamos un título causal que legitima una intervención más intensa del poder público, que se justifica en la necesidad de asegurar el efectivo cumplimiento por las cosas o los bienes precisos de un fin (uso o servicio) querido por el Derecho[118]. Así, el dominio público se define por su destino, por su afectación a un destino de interés general, con independencia de su titularidad pública o privada.

Dentro de este concepto podemos incluir los bienes ambientales, en los que el ente público es un mero gestor del interés general, que puede emplear para su protección medidas de naturaleza tributaria.

Esta sería la justificación del establecimiento de una tasa por el aprovechamiento especial del dominio público. Como pone de manifiesto Herrera Molina[119], en la actualidad éste se justifica en dos razones: por un lado, en el hecho de que supone una ventaja para el usuario o una carga para la comunidad; y por otro, en que existe cierta coactividad, ya que la única alternativa al uso del dominio público es la abstención. Si transponemos a las tasas el principio rector de los tributos medioambientales —"quien

---

[117]   HERRERA MOLINA, P. M., *Derecho Tributario ambiental. La introducción del interés ambiental en el ordenamiento tributario, ob. cit.*, p. 79.

[118]   PAREJO ALONSO, L.: "Domino público: un ensayo de reconstrucción de su teoría general", *RAP*, núm. 100-102, 1983, pp. 2.403 y 2.415.

[119]   *Ob. cit.*, pp. 95 y ss.

contamina paga" —, su estructura responde al coste causado o la utilidad recibida.

De este modo, la tasa exigida sufragaría el importe de los costes sociales que se producen o la utilidad del sujeto contaminante, equivalente a los costes de evitar la contaminación. Esta justificación de la tasa necesita una perfecta configuración del hecho imponible de la misma, que se conformaría como una tasa por la tolerancia del aprovechamiento especial. El ente público establecería una tasa por el hecho de tolerar legalmente —dispensando una prohibición o controlando el cumplimiento de los requisitos necesarios— una actividad no deseada que incide sobre los bienes ambientales[120].

El problema, en estos casos, será cuantificar dicha tasa. Varios son los criterios utilizables. Por ejemplo, el de los costes de evitar la contaminación, el importe del daño ambiental, el de los costes de las actuaciones administrativas dirigidas a reparar los daños, etc. Todos ellos plantean problemas y dificultan la aplicación de una tasa de esta naturaleza.

No obstante, como señala Herrera Molina[121], podrían establecerse por las Comunidades Autónomas[122] tasas por el aprovechamiento especial de recursos ambientales, gestionadas a través de la licencia municipal de actividades clasificadas.

Sin duda la categoría tributaria en la que resulta más complicado introducir notas de protección medioambiental es la constituida por las contribuciones especiales. Éstas se configuran como aquel tributo exigido cuando, a consecuencia de la realización de una obra pública o del establecimiento o ampliación de un servicio público, se pone de manifiesto un aumento en el valor de los bienes del sujeto pasivo. Podríamos entender que cuando esa obra o servicio públicos tiene por finalidad proteger el medio ambiente estamos ante una contribución especial de esa característica; no obstante, no creemos que el hecho de que el importe satisfecho por el sujeto se destine a sufragar gastos ocasionados por el daño ambiental convierten a este tributo en medioambiental o ecológico, en sentido estricto.

Ante esta configuración teórica de lo que debería ser un tributo ecológico, ¿cuál ha sido la práctica llevada a cabo por los entes impositores en nuestro país? En primer lugar, hay que señalar que tanto el Estado como

---

[120] HERRERA MOLINA, P. M., *Derecho tributario ambiental. La introducción del interés ambiental en el ordenamiento tributario ob. cit.*, p. 98.

[121] *Ob. cit.*, p. 232.

[122] Las Corporaciones locales no tienen, como sabemos, competencias normativas.

las CCAA han hecho uso de esos denominados tributos ecológicos, aunque éstas últimas son las que más los han utilizado, pudiendo sostenerse en la actualidad que su sistema de tributos propio se nutre casi exclusivamente de tributos de ordenamiento, en general, y medioambientales, en particular[123]. También los entes locales han empleado tributos de ordenamiento, con los caracteres ecológicos, aunque éstos se han decantado por las tasas, donde su competencia normativa es mayor[124].

En segundo lugar, las materias sobre las que ha incidido, en mayor medida, esta actividad por parte de los entes públicos han sido las aguas, las emisiones atmosféricas y los residuos sólidos[125].

Por último, hay que señalar que son muchos los elementos tributarios ambientales que podemos encontrar diseminados por los tributos estatales. Estos, como ya se ha dicho, consisten en el establecimiento de exenciones —o en la limitación de la cuantía de las mismas—, bonificaciones, deducciones en la cuota o en la base imponible[126].

BIBLIOGRAFÍA

ALBENDIZ LEÑA, A.: "Las concesiones administrativas en el Impuesto sobre Transmisiones Patrimoniales y Actos Jurídicos Documentados", *Revista de Contabilidad y Tributación*, núm. 194, 1999.

---

[123] La imposibilidad legal de las CCAA para establecer tributos propios que graven hechos imponibles ya gravados por el Estado ha obligado a las mismas a recurrir a este tipo de figuras.

[124] Al carecer de capacidad normativa, los Entes locales sólo pueden nutrir sus arcas de los tributos que tienen reconocidos por el Estado, a través de la LHL. Esta norma les reconoce la competencia para exigir un número restringido de impuestos; sin embargo, la norma que regula la competencia para el establecimiento de tasas contiene una previsión genérica de hechos imponibles.

[125] Un análisis de las distintas figuras tributarias ecológicas que encontramos en nuestro sistema se encuentra en el libro ya citado de Herrera Molina, pp. 241 y ss.

[126] Podemos citar como ejemplo, algunas medidas tributarias (que en la mayoría de los casos, ya no están vigentes): la deducción establecida en su momento en el art. 35.4 de la LIS por inversiones en bienes ambientales, la exención para las especies de crecimiento lento y las repoblaciones en el IBI —ya comentada arriba—, la exención en IVA de las entregas de chatarra, papel cartón y vidrio, la aplicación del tipo reducido en el IVA para los servicios de recogida y tratamiento de desechos y residuos, la limpieza de alcantarillado público, el tratamiento de aguas residuales, etc.. También los Impuestos especiales han contenido este tipo de elementos que hemos dado en denominar ambientales. Así, se aplica un tipo reducido en el impuesto sobre Hidrocarburos para la gasolina sin plomo de menor octanaje y para el carburante usado por el transporte público y en el Impuesto especial sobre Determinados Medios de Transporte podemos considerar que han tenido esta naturaleza los planes PREVER y RENOVE.

ALBIÑANA GARCÍA-QUINTANA, C., *Sistema tributario español y comparado*. Tecnos. Madrid, 1992.

BERLIRI, A., *Principi di Diritto Tributario*, Giufrè. Milano, 1957.

BOQUERA OLIVER, J. M., *Derecho Administrativo*, I (6º edic.), Civitas, Madrid, 1986.

CARBAJO VASCO, D.: "La fiscalidad y la contabilidad de los concesionarios. Algunas notas", ponencia presentada a la *Jornada sobre La Ley General de Subvenciones y las nuevas fórmulas de financiación privada de las infraestructuras públicas*, celebrada el 26 de marzo de 2004, dentro del programa de las Jornadas Sainz de Bujanda organizadas por el IEF.

CARLI, M.: "Sujeción del Estado a sus impuestos y capacidad contributiva", *HPE*, núm. 54, 1978.

CASADO OLLERO, G.:"Los fines no fiscales de los tributos", en la obra colectiva *Comentarios a la Ley General Tributaria y líneas para su reforma*. IEF, 1991.

CASANA MERINO, F. *La devolución de ingresos indebidos en materia tributaria*, La Ley, 1992.

COLOM PIAZUELO, E.: "Los bienes públicos y su estatuto jurídico: Reflexiones en torno a la inconstitucionalidad del principio de inembargabilidad de los bienes públicos declarada por la STC 166/1998, de 15 julio (RTC 1998, 166)", *Repertorio Aranzadi del Tribunal Constitucional*, Vol. IV. Parte Estudio pp. 575-608 Ed. Aranzadi, 1998.

COMISIÓN EUROPEA: "Impuestos y gravámenes ambientales en el Mercado Único", Comunicación de la Comisión europea, COM (1997) 9 final, de 26 de marzo de 1997.

COMUNICACIÓN DE LA COMISIÓN AL CONSEJO, AL PARLAMENTO EUROPEO Y AL COMITÉ ECONÓMICO Y SOCIAL: "Política fiscal en la Unión europea. Prioridades para los próximos años", emitió el 23 de mayo de 2001 (COM (2001) 260 final).

FALCÓN Y TELLA, R.: "Los entes locales en el sistema tributario estatal y autonómico", en la obra colectiva dirigida por Ferreiro Lapatza, J. J., *Tratado de Derecho financiero y tributario local*, ed. Marcial Pons, Madrid, 1993.

– Prólogo de la obra *La sujeción tributaria de los Entes locales*, Eprinsa, 1997.

– "Ejecución de sentencias condenatorias por la Administración". *QF*, núm., 15, 1998.

GARCÍA LUIS, T., *Impuesto sobre Sociedades: desgravaciones por inversión y creación de empleo*, Lex Nova, Valladolid, 1990.

GARCÍA PÉREZ, M., *La utilización del dominio público marítimo terrestre*, ed. Marcial Pons, 1995.

GARRIDO FALLA, F., *Tratado de Derecho Administrativo*. Tecnos, 1987.

GONZÁLEZ GARCÍA, J. V., *La titularidad de los bienes públicos*, ed. Marcial Pons, 1998.

HERRERA MOLINA, P. M., *Derecho tributario ambiental, La introducción del interés ambiental en el ordenamiento tributario*, ed. Marcial Pons-Ministerio de Medio Ambiente, 2000.

JIMÉNEZ HERNÁNDEZ, J., *El tributo como instrumento de protección ambiental*, Ed. Comares, Granada, 1998.

Lozano Serrano, C., *Exenciones tributarias y derechos adquiridos*, Tecnos, Madrid, 1988.

MARTÍN FERNÁNDEZ, J., NATERA HIDALGO, R., RODRÍGUEZ MÁRQUEZ, J. y VILLAR EZCURRA, J. L., *Aspectos tributarios de las Juntas de Compensación*. Ed. Aranzadi, 2002.

MARTÍN QUERALT, LOZANO SERRANO, CASADO OLLERO y TEJERIZO LÓPEZ, *Curso de Derecho Financiero y Tributario*, Ed. Tecnos, 24ª ed., 2012, pp. 177 a 180.

MARTÍNEZ GINER, L. A.: "Consideraciones jurídico-financieras sobre los bienes patrimoniales de las entidades Locales. (Comentario a la STC 166/1998, de 15 de julio)", *REDF*, núm. 103, 1999.

NÚÑEZ PÉREZ, G.: "Hecho imponible. No sujeción y exención", en la obra colectiva *Comentarios a la Ley General Tributaria y líneas para su reforma*. IF.F, 1991

PAREJO ALONSO, L.: "Domino público: un ensayo de reconstrucción de su teoría general", *RAP*, núm. 100-102, 1983.

PÉREZ DE AYALA Y PELAYO, C., *Temas de Derecho Financiero*. Servicio de Publicaciones de la Facultad de Derecho, Universidad Complutense, Madrid, 1990 (20ª Ed.).

PÉREZ ROYO, F., *Derecho Financiero y Tributario*. Parte General, ed. Thomson-Civitas, 13ª ed., 2003, 21ª ed., 2011.

RODRÍGUEZ MÁRQUEZ, J.: "IVA y proceso urbanístico", *Práctico fiscal, Westlaw-Aranzadi*. http://www.westlaw.es.

SAINZ DE BUJANDA, F.: "Análisis jurídico del hecho imponible", en *Hacienda y Derecho*, vol. IV, Instituto de Estudios Políticos, Madrid, 1966.

– "Teoría jurídica de la exención tributaria", en *Hacienda y Derecho*, vol. III, Instituto de Estudios Políticos. Madrid, 1963.

– *Lecciones de Derecho Financiero*. Universidad Complutense. Madrid, 1979.

SANTAMARÍA PASTOR, J. A., *Principios de Derecho Administrativo*, vol. II, ed. Centro de Estudios Ramón Areces. S.A., 3ª ed., 2002.

SCIALPI, E.: "La aptitud del Estado para asumir la figura de sujeto pasivo en la relación jurídico impositiva", *HPE*, núm. 54, 1978.

SCOCA, F. G.: "Stato ed altri enti impisitori di fronte al dovere di prestazione tributaria", *Diritto e Pratica Tributaria*, 1968, Seminario de Derecho Financiero de la Universidad de Madrid (SDFUM), *Notas de Derecho financiero*, Tomo I, vol. 2. Madrid, 1976.

SERRANO ANTÓN, F., *Las devoluciones tributarias*, Ed. Marcial Pons, 1996.

SOLER ROCH, M. T.: "Notas sobre la configuración de las obligaciones y deberes tributarios, con especial referencia al Impuesto sobre la Renta de las Personas Físicas", *REDF*, núm. 25, 1980.

TEJERIZO LÓPEZ, J. M.: "Del monopolio a la libre competencia. La tributación local de los operadores de telecomunicaciones", conferencia impartida Barcelona, el 17 de enero de 2001, en la *Jornada sobre tributación local de los operadores de telecomunicaciones*, organizada por el Consorcio LOCALRET.

TORNOS MAS, J. y AGULLÓ AGÜERO, A., en *Dictamen sobre la aplicación del régimen de precios públicos previsto en el artículo 45.2 de la Ley de haciendas Locales a las empresas explotadoras de servicios de telecomunicación*, Barcelona, 25 de junio de 1998.

VEGA HERRERO, M.: "El Estado como sujeto pasivo tributario", *HPE*, núm. 54, 1978.

VICENTE-ARCHE DOMINGO, F.: "Consideraciones sobre el hecho imponible" en *RDFHP*, núm. 39, 1960.

VILLAR PALASÍ, J. L., *Nueva enciclopedia Jurídica*, ed. Leix, Barcelona, 1952.

VVAA, *La protección fiscal del medio ambiente*, dirigido y coordinado, respectivamente por Yabar Sterling, A. y Herrera Molina, P. M., ed. Marcial Pons, Madrid, 2002.

Capítulo XI
Protección penal de los bienes públicos

ÍÑIGO ORTIZ DE URBINA GIMENO
Profesor Agregado de Derecho Penal
Universidad Pompeu i Fabra
RAQUEL MONTANER FERNÁNDEZ
Profesora Lectora de Derecho Penal
Universitat Pompeu Fabra

I. INTRODUCCIÓN. ASPECTOS GENERALES DE LA PROTECCIÓN PENAL DE LOS BIENES PÚBLICOS

En virtud del art. 149.1.6ª CE, que establece la competencia exclusiva del Estado en materia de legislación penal, la tutela penal de los bienes públicos sólo podrá articularse a través de leyes estatales. Debido al alto grado de respeto que el legislador español democrático ha demostrado por el ideal codificador en Derecho penal, la referencia a la legislación penal habitualmente se concreta en una sola ley, el Código penal (en adelante, CP)[1].

---

[1]   Como recuerda TERRADILLOS (2002: 511-512), fuera del Código penal se encuentran regulaciones generales relativas a la ejecución de la pena privativa de libertad (Ley Orgánica 1/1979, de 26 de septiembre, general penitenciaria), el Derecho penal

En cuanto al concreto régimen de protección penal de los bienes públicos, lo primero que hay que advertir es que el CP no dedica un apartado específico a la materia. Considerando la extrema heterogeneidad del conjunto formado por estos bienes, la regulación unitaria de su protección parece una tarea abocada al fracaso y su ausencia no puede sorprender. En lugar de ello, la protección penal que el CP otorga a los bienes públicos se articula de tres formas principales:

– En primer lugar, los bienes públicos se benefician de la protección concedida a todo tipo de bienes por los delitos contra el patrimonio que, en algunos supuestos y bajo ciertos requisitos, se ve complementada por agravaciones específicas cuando los delitos en cuestión tienen como objeto material bienes públicos o su comisión perjudica el servicio público.

– En segundo lugar, los bienes públicos se benefician de la protección de intereses de naturaleza eminentemente no patrimonial en los tipos recogidos en el Título XVI, Libro II ("De los delitos relativos a la ordenación del territorio y la protección del patrimonio histórico y del medio ambiente"), en la falta contra el medio ambiente del art. 632.1 CP y en los delitos de estragos (arts. 346 y 347 CP) e incendios (arts. 351-356 CP).

– En tercer lugar, y a través de las figuras recogidas en el Título XIX, Libro II CP ("Delitos contra la Administración pública"), los bienes públicos son protegidos de ataques a los mismos o de perjuicios a su aplicación efectiva al uso general o al servicio público en los que

militar (LO 13/1985, de Código penal militar) y el de menores (LO 5/2000, de 12 de enero, reguladora de la responsabilidad penal de los menores). En cuanto a la previsión de figuras delictivas concretas, caso que nos ocupa, éstas se encuentran fuera del Código penal sólo en unos pocos supuestos, como ocurre en la Ley 209/1964, de 24 de diciembre, Penal y Procesal de la Navegación Aérea, la LO 5/1985, de 19 de junio, del Régimen Electoral General y la LO 12/1995, de 12 de diciembre, de represión del contrabando. A la vista de esta situación, no cabe sino estar de acuerdo con TERRADILLOS cuando se refiere a la "confusión" mostrada por la Exposición de Motivos de la LO 10/1995, de 23 de noviembre, del Código penal, que afirma haberse "optado por remitir a las correspondientes leyes especiales la regulación penal de las respectivas materias", renunciando a la "innecesaria y perturbadora (...) idea de que el Código Penal constituyese una regulación completa del poder punitivo del Estado". A pesar de estas palabras de la Exposición de Motivos (que es la que acompañaba al proyecto de ley y fue aprobada sin modificación alguna), la buena salud del ideal codificador en el Derecho penal positivo español es indudable.

participan "funcionarios", en el sentido lato que este término tiene en el ámbito jurídico-penal.

Antes de analizar las mencionadas formas de protección, sin embargo, en este apartado se estudiarán dos características generales de la responsabilidad penal en el ordenamiento jurídico español vigente de especial relevancia práctica: la regulación de la imputación subjetiva y la de la responsabilidad de las personas jurídicas (apdos. i y ii). Así mismo, se examinarán concisamente dos cuestiones de técnica legislativa: la oportunidad de la regulación de la materia dentro del Código penal (apdo. iii) y el tratamiento que reciben los conceptos jurídico-administrativos (apdo. iv).

1. Régimen de imputación subjetiva del Código penal

Según establece de forma unánime la doctrina y ha declarado de modo expreso la jurisprudencia constitucional, el principio de culpabilidad, y con él la responsabilidad subjetiva, rige plenamente en el ámbito del Derecho penal[2]. La proscripción de la responsabilidad objetiva en el ámbito del Derecho penal viene lapidariamente establecida por el art. 5 CP: "No hay pena sin dolo o imprudencia". Sin embargo, el art. 12 va más lejos cuando añade que "Las acciones u omisiones imprudentes sólo se castigarán cuando expresamente lo disponga la ley". Esto supone renunciar al anterior sistema (vigente antes del CP de 1995) de *numerus apertus* en la incriminación de la imprudencia (cualquier delito podía ser cometido de forma imprudente, procediéndose en tal caso a imponer una pena menos gravosa que la prevista para el delito doloso), pasándose a un sistema de *numerus clausus*. Según la doctrina, la preferencia por este último sistema se justifica esencialmente por dos razones: en primer lugar, porque con él se cumple de manera más precisa con el principio de taxatividad, que no solamente se extiende al tipo objetivo sino también al subjetivo; y en segundo lugar, porque el sistema de numerus clausus conlleva la incrimi-

---

[2]   Y, "con ciertos matices" también en el Derecho administrativo sancionador. La tesis de la unidad del derecho sancionador y la de la aplicabilidad matizada de las garantías penales al ámbito administrativo fueron establecidas por la jurisprudencia constitucional ya en la STC de 18/1981, de 6 de junio (ponente: Gómez-Ferrer), FJ 2º (ver, últimamente, STC 142/2009, de 15 de junio, ponente: Casas Baamonde). La vaguedad de la fórmula en cuestión ("con ciertos matices") ha propiciado lo que se ha definido como "una intensa relativización de la regla de la transposición de principios y criterios, hasta tal punto que *no se sabe si lo esencial es la aplicación o, más bien, las matizaciones con que hay que aplicarla*" (NIETO 2005: 171, énfasis suyos).

nación excepcional de las conductas culposas, expresando así un menor desvalor de los hechos imprudentes y un mayor respeto por el principio de intervención mínima[3]. De este modo, y a diferencia de numerosas disposiciones del Derecho administrativo sancionador, en la mayoría de las infracciones del actual CP la existencia de dolo no es un elemento a tener en cuenta a la hora de graduar la sanción, sino un requisito absoluto de su imposición: ausente el dolo no corresponde una sanción más baja, sino la absolución. En los casos en los que el delito sólo admita su comisión dolosa, por tanto, no podrá acudirse a la responsabilidad por imprudencia en sus modalidades "in eligendo" e "in vigilando", tantas veces utilizadas por la jurisprudencia para introducir momentos de responsabilidad objetiva en el ámbito sancionador.

2. *Tratamiento de la responsabilidad de las personas jurídicas*

Desde la entrada en vigor de la LO 5/2010, de 22 de junio, el Derecho penal admite la responsabilidad de las personas jurídicas, poniendo así fin a siglos de vigencia del antiguo brocardo "societas delinquere non potest"[4].

Las características más importantes del régimen de responsabilidad penal introducido son las siguientes:

- La imputación del delito a la persona jurídica exige un delito cometido por una persona física en provecho y por cuenta de la persona jurídica (el doctrinalmente llamado "hecho de referencia" o "hecho de conexión"): art. 31 bis.1.

- El delito ha de haber sido cometido por un administrador o representante de la persona jurídica (a) o por alguien bajo la autoridad de alguno de los anteriores que pudo cometer el delito porque no fue objeto de un control suficiente (b): art. 31 bis.1.

- Las personas jurídicas sólo responden de un número limitado de delitos (sistema *numerus clausus*): art. 31 bis.1 Entre los supuestos rele-

---

[3] V. SILVA SÁNCHEZ (1997: 86-87); también, con amplias referencias bibliográficas, v. SANZ-DÍEZ DE ULZURRUN LLUCH (2007: 165-168).

[4] Para justificar esta importante novedad en nuestro Derecho, en el apartado VII del Preámbulo de la LO 5/2010 el legislador alude de forma escurridiza a "numerosos" instrumentos jurídicos internacionales que exigirían "una respuesta penal clara para las personas jurídicas". En realidad, sin embargo, todos los instrumentos internacionales que se pronuncian sobre la responsabilidad de las personas jurídicas por ciertas conductas delictivas dejan abierta la posibilidad de que ésta sea de naturaleza administrativa.

vantes para este trabajo se encuentran los delitos sobre la ordenación del territorio y el urbanismo (art. 319.4); contra el medio ambiente (arts. 327 y 328.6)[5] y cohecho (art. 427.2)[6].

– La pena básica es la multa. El resto de penas previstas (la disolución de la empresa y varias medidas interdictivas, v. art. 33.7) no son obligatorias y están sometidas a reglas específicas de imposición (art. 66 bis).

Si bien la reforma fue recibida con funestos presagios tanto por la doctrina como por el sector privado (Magro 2011: 1), lo cierto es que, más de dos años y medio después de su entrada en vigor, la aplicación práctica ha sido virtualmente nula, restringiéndose las imputaciones existentes (que se cuentan con los dedos de una mano) a supuestos de delincuencia organizada/tráfico de estupefacientes, sin que a día de hoy (julio de 2013) se haya dictado condena alguna.

Con anterioridad a la introducción de esta regulación, las personas jurídicas sólo respondían civilmente, previéndose así mismo en el art. 129 (modificado por la LO 5/2010) algunas "consecuencias jurídicas" para entes colectivos, así como, en el art. 31.2, una exótica "responsabilidad solidaria y directa" del ente por las multas impuestas a sus empleados en ciertos supuestos. La LO 5/2010 impacta de manera distinta sobre estas tres posibilidades.

– Conforme al nuevo artículo 116.3, las personas jurídicas son responsables civiles directos de los delitos por ella cometidos. Así mismo, siguen debiendo de responder subsidiariamente por los delitos o faltas cometidos por sus "empleados o dependientes, representantes o gestores" (art. 120.4°). A pesar de venir regulada en el CP, con toda seguridad estamos ante un supuesto de responsabilidad de naturaleza civil, como ha admitido la jurisprudencia constitucional (v. STC 59/1996, de 15 de abril, ponente: Viver Pi-Sunyer, FJ 1°; STC 367/1993, de 13 de diciembre, ponente: Díaz Eimil, FJ 2°) y el Tribu-

---

[5]   El art. 327 se refiere a "los delitos recogidos en los dos artículos anteriores" (dos tipos dolosos), y el art. 328.6 habla de "los delitos recogidos en este artículo" (que de nuevo describe un tipo doloso). Surge la duda de si la persona jurídica puede ser hecha responsable cuando estos delitos se cometen por imprudencia. Dado que la previsión de la responsabilidad penal medioambiental imprudente se contiene en el art. 331, al que no se refieren los arts. 327 y 328.6, por exigencias del principio de legalidad hay que entender que la persona jurídica no responde en estos casos. V., de forma más extensa, ORTIZ DE URBINA (2011: 161).

[6]   Para el listado completo y su análisis, v. ORTIZ DE URBINA (2011: 160-161).

nal Supremo (SSTS de 12 de mayo de 2009, FD 11º y de 22 de abril de 2009, FD 3º). En cuanto al régimen de imputación subjetiva, en los casos de responsabilidad directa ésta se desprende de la propia existencia de un delito o falta (infracciones necesariamente dolosas o imprudentes). En lo referente a la responsabilidad subsidiaria, mientras que en los casos de relación de dependencia personal el CP exige culpa o negligencia por parte de la persona cuyo patrimonio habrá de responder por el hecho ajeno (120.1º), en los de dependencia profesional no se incluye una previsión similar. *Sensu contrario,* doctrina y jurisprudencia han interpretado que el empresario (persona física o jurídica) responde objetivamente por los hechos delictivos de sus empleados, separándose así del régimen dispuesto por el art. 1903 Cc para supuestos similares[7].

– Antes de la LO 5/2010 el art. 129 CP preveía que, en el caso de ciertos delitos (entre ellos los delitos contra el medio ambiente), si el condenado pertenecía a una sociedad, organización o asociación y la subsistencia de tal persona jurídica suponía riesgo de continuidad en la actividad delictiva, ésta podía ser disuelta o sometida a medidas interdictivas, que el Código calificaba de "consecuencias accesorias" y a las que la doctrina penal negaba de forma prácticamente unánime la condición de pena[8]. Como ocurre ahora con la responsabilidad penal de las personas jurídicas, la aplicación judicial de estas consecuencias accesorias, en sentencia o como medidas cautelares, fue menos que modesta[9].

La LO 5/2010 ha dado nuevo contenido al art. 129, regulando en el mismo la responsabilidad de entes sin personalidad jurídica, en un intento de actuar contra formas asociativas peligrosas que no pueden alcanzar personalidad jurídica porque sus medios, sus fines, o ambos, se sitúan al margen del Derecho (grupos mafiosos, terroristas, organizaciones delictivas en general), así como formas asociativas que podrían adquirir personalidad jurídica pero deciden no hacerlo, normalmente para eludir eventuales responsabilidades (empresas

---

[7]   Así, YZQUIERDO (1997: 219); para un completo análisis de los supuestos de responsabilidad subsidiaria v. GÓMEZ POMAR (2011: 246-251).

[8]   *V.*, entre otros, DE LA FUENTE HONRUBIA (2004: 86-87); FEIJÓO SÁNCHEZ (2002: 137-160).

[9]   Para un profundo y exhaustivo análisis de la aplicación jurisprudencial del art. 129 durante sus primeros 10 años de vigencia, v. MIRÓ LLINARES (2007: 208-243). Sobre las razones de la falta de aplicación, v. SILVA SÁNCHEZ (2006: 10-12).

que no adquieren personalidad jurídica para evitar visibilidad ante las autoridades y abaratar costes de cumplimiento de la normativa o impuestos, por ejemplo). Sin embargo, cuando su tenor literal no restringe, de modo que ha de entenderse aplicable a cualesquiera entes sin personalidad jurídica, y por tanto también a grupos de sociedades o a uniones temporales de empresas (en este sentido, la Circular 1/2011 de la Fiscalía General del Estado, pp. 28-29). En cuanto a las medidas aplicables, que el Código penal sigue denominando "consecuencias accesorias", éstas coinciden (por remisión expresa del artículo 129.1) con las penas interdictivas previstas en los apartados c) a g) del artículo 33.7.

- La LO 5/2010 deroga el art. 31.2 CP. Éste, introducido por la LO 15/2013, preveía en ciertos supuestos que la persona jurídica respondiera "de manera directa y solidaria" de la pena de multa impuesta a quien actuó en su nombre o por su cuenta. El legislador de 2003 afirmó en la Exposición de Motivos que con esta disposición se había procedido a la regulación de la responsabilidad penal de las personas jurídicas, algo que fue sonoramente negado por la doctrina[10] y, posteriormente, la jurisprudencia (STS de 23 de julio de 2009, FD 3º). La regulación era tremendamente fallida y tuvo una muy escasa y poco coherente aplicación jurisprudencial[11].

3. *Una decisión de política legislativa: ¿Código penal o legislación penal sectorial?*

Como advertíamos al inicio, en nuestro país el legislador se ha pronunciado claramente a favor de un modelo unitario de legislación penal construido sobre el Código penal. En la materia objeto de nuestro estudio ello ha llevado a que, al contrario de lo que ocurre en otros países, no se haya aprovechado la regulación sectorial de las llamadas "propiedades especiales" para regular su protección penal específica, una opción de política legislativa que puede no resultar tan afortunada como suele asumirse. Al menos en los casos de demanialización por ley (necesariamente estatal) de categorías enteras de bienes, es posible que lo más adecuado hubiera sido

---

[10] V. ALASTUEY (2006: 633); GÓMEZ-JARA (2006: 22); MUÑOZ LORENTE (2006: 948). Sobre las distintas posibilidades de incardinación dogmática de la figura, v. SILVA SÁNCHEZ/ORTIZ DE URBINA GIMENO (2006: 10-19), entendiendo que se trata de un supuesto de responsabilidad por deuda de Derecho público (39-41).

[11] Sobre ambos aspectos, v. ORTIZ DE URBINA (2010, *passim*).

establecer su régimen de protección penal en esas mismas leyes, conjuntamente con su protección a través de disposiciones administrativas, sancionadoras o no.

En contra de la tipificación penal en leyes especiales se aportan diversas razones cuyo poder de convicción es también variado. Así, en ocasiones se ha aducido que la legislación especial puede redundar en una pérdida de garantías, por dos motivos emparentados: por una parte, porque tales leyes especiales vendrían presididas por una lógica distinta de la sancionadora que tendería a descuidar la especificidad del Derecho sancionador en aras de la eficacia en el refuerzo de la legislación de carácter extrapenal; por otra, porque en su discusión no se produce un debate específicamente penal que permita cuestionar la necesidad de nuevas incriminaciones (TERRADILLOS 2002: 528). Sin embargo, una vez se considera el diseño institucional y la praxis de los procesos de aprobación de leyes penales, tanto en nuestro país como en otros de nuestro entorno, ambas objeciones resultan artificiosas. La inmensa mayoría de las normas aprobadas lo son a instancias del Gobierno, que en la preparación del proyecto *puede* recurrir (lo haga o no) a expertos de diversas especialidades que garanticen una toma en consideración de las diversas "lógicas". Algo similar ocurre con la existencia de un debate "específicamente penal". Es difícil pensar que, una vez decidida por el Gobierno y en su caso los partidos que lo apoyan la oportunidad de la intervención penal en un determinado sentido, ésta vaya a ser corregida a la luz de un debate jurídico-penal en el Parlamento. En definitiva, nada en la práctica parlamentaria de las dos últimas décadas obra a favor de la plausibilidad de las dos objeciones presentadas. Una tercera crítica a la utilización de leyes penales especiales es la posibilidad de que los preceptos incluidos en estas normas acaben siendo considerados un Derecho penal "menor" que "ni se explica en las universidades, ni se aplica por los tribunales, ni se recuerda por el legislador en las sucesivas reformas"[12].

---

[12] En este sentido, TERRADILLOS (2002: 516), quien entiende que la experiencia española muestra la realidad de los aspectos mencionados (2002: 515). Sin embargo, es posible dudar de esta conclusión. En primer lugar, el que estos delitos no se expliquen en la universidad no los diferencia de otras tantas figuras delictivas, que no son explicadas a pesar de estar incluidas dentro del Código. Ello indica que es posible que la omisión del estudio se deba a alguna razón distinta, como por ejemplo la falta de tiempo para explicar todos los delitos y la concentración en algunos de ellos por motivos de tradición, interés dogmático o relevancia práctica (motivos éstos cuya justificación opera en sentido exactamente inverso al de la enumeración que se acaba de hacer). En segundo lugar, algunos de los delitos (contrabando, delito electoral) sí son aplica-

Por el contrario, a favor de la inclusión de normas penales en las leyes sectoriales opera la especificidad de las materias que éstas regulan. El legislador específico, precisamente por concentrar su actividad en un ámbito menos amplio, goza de una gran ventaja comparativa sobre el legislador penal "general", lo que le permite regular la materia de una forma más distintiva, adecuando la regulación penal a las concretas necesidades de protección. Ello permitiría una mayor armonización de la regulación penal y la extra-penal, lo que resulta de la mayor importancia en lo tocante a la problemática imbricación de los regímenes sancionadores penal y administrativo[13], una cuestión en absoluto resuelta por la jurisprudencia del Tribunal Constitucional sobre el principio *bis in idem* que, como es notorio, aún se encuentra en lo que con cierta amabilidad se puede denominar "estado de flujo"[14].

Por nuestra parte, entendemos que en el debate sobre la adecuación de la legislación penal especial existe una vía intermedia que permitiría conjugar los puntos fuertes de ambas soluciones: la tipificación penal, sea mediante la previsión de delitos específicos o de circunstancias modificativas de la responsabilidad criminal, debería hacerse en cada ley sectorial, pero previendo que las normas penales resultantes se integrasen en el cuerpo del Código penal[15]. De esta manera se podría aprovechar el mayor

---

dos por los tribunales, tanto o más que muchos de los incluidos dentro del Código, y son además bien conocidos (hay que reconocer que a ello ayuda el escaso número de disposiciones penales especiales en nuestro país: su alta excepcionalidad induce antes a recordarlas que a olvidarlas; otra sería la situación de tener cientos de disposiciones especiales). En tercer lugar, no hay motivo para pensar que el olvido por parte del legislador haya de ser mayor en caso de ser incluidos en la legislación sectorial, ya que cualquier cambio en ésta ofrecería una oportunidad para replantear la necesidad de protección penal.

[13] La existencia de una estrecha conexión de las normas penales con las extrapenales que regulen la materia de que se trate es el requisito material exigido por MARTÍNEZ BUJÁN (2011: 144-152) para considerar adecuada la existencia de legislación penal especial.

[14] Sobre las diferentes fases de la evolución de esta doctrina v. NIETO (2005: Cap. IX, especialmente pp. 491-495) y CARPIO BRIZ (2011: *passim*, especialmente pp. 302-303), cuyo análisis incluye la referencia a la influencia que sobre la cuestión pueda tener la evolución de la jurisprudencia del Tribunal Europeo de Derechos Humanos, especialmente en materia de *bis in ídem* procesal.

[15] Esta técnica no es desconocida en el Derecho español y ha sido utilizada tanto por la LO 1/2004, de 28 de diciembre, de medidas de protección integral contra la violencia de género (cuyo Título IV, "Tutela penal", modifica diversos artículos del Código penal), como por la LO 7/2006, de 21 de diciembre, de protección de la salud y de lucha contra el dopaje en el deporte (cuyo Título III, "De la tutela penal de la salud pública

conocimiento de la materia y de las necesidades de regulación de quienes preparan y redactan la ley. Sin embargo, al tener que insertar sus preceptos penales en el cuerpo del Código penal se evitaría la tentación de instaurar regímenes de imputación de responsabilidad penal divergentes del general (o, de modo más realista, al menos se detectaría más fácilmente la caída en tal tentación). Así mismo, la integración de los preceptos en cuestión en el texto del Código penal prevendría el riesgo de que éstos quedaran convertidos en un "Derecho penal menor".

4. Las categorías jurídico-administrativas en el Código penal

Como habrá ocasión de comprobar, en varios de los artículos del CP en los que, de forma directa o indirecta, éste protege bienes públicos, se hace uso de términos ("bienes de dominio público", "uso público") que son utilizados con un sentido específico en el Derecho administrativo. Sin embargo, el CP no parece reconocer las categorías del Derecho administrativo. En particular, no recoge la distinción tradicional, ahora recogida en el art. 4 LPAP, entre bienes de dominio público o demaniales y bienes de dominio privado o patrimoniales.

En alguna ocasión podría interpretarse que se está haciendo un uso técnico (jurídico-administrativo) del lenguaje, como ocurre por ejemplo en el delito contra la ordenación del territorio del art. 319.1 CP, donde se alude a la construcción no autorizada en "bienes de dominio público". Pero el escaso rigor en la utilización de las categorías es mayoritario y se muestra con claridad en otros lugares, por ejemplo en la mención del art. 264 a los "bienes de dominio o uso público o comunal" (cláusula que, como se verá, ha sido interpretada por el TS como referida "a todos los bienes de dominio público, estén éstos afectos al servicio público, como al uso público, como al comunal"). En otros delitos parece claro que la expresión "bienes de dominio público" se utiliza en un sentido no técnico, aludiendo a cualesquiera bienes públicos, como ocurre por ejemplo en el art. 246 CP, que tipifica la alteración de términos o lindes de propiedades "tanto de dominio público como privado", o en el art. 626 CP, que recoge la falta de deslucimiento de "bienes inmuebles de dominio público o privado" cuando tal conducta tenga lugar "sin la debida autorización de la Administración o de sus propietarios". Más allá de los términos escogidos por el legislador, la ju-

---

en actividades relacionadas con el dopaje en el deporte", introduce un nuevo art. 361 bis en el Código penal).

risprudencia ha venido haciendo una interpretación funcional y laxa de la expresión "dominio público", que incluye en ésta tanto bienes de dominio público en sentido estricto como bienes patrimoniales.

En algunos casos, la falta de diferenciación no parece relevante, como ocurre en los recién citados arts. 246 y 626, ya que en ellos los bienes "de dominio público" y los de dominio privado reciben exactamente la misma protección. La distinción tiene importancia cuando de ella resulta un diferente régimen jurídico, caso de las agravaciones previstas en los delitos de hurto, robo con fuerza en las cosas y daños. En las dos primeras, el CP se decanta por el criterio de afectación material del servicio público, mientras que en los daños se aprecia un enfoque formal que atiende únicamente a la titularidad del bien. Pues bien: el primer criterio parece mucho más adecuado a las pretensiones del Derecho penal, puesto que con la alusión a la afectación material del servicio público quedan cubiertos los casos en los que al Derecho penal le puede interesar una protección reforzada de los bienes públicos (sean estos de dominio público o patrimoniales), que son precisamente aquellos supuestos en los que no sólo se atenta contra la Administración como organización sino también contra su capacidad de prestación de servicios a los ciudadanos.

Considerando que el art. 5.1 LPAP afirma que son bienes de dominio público (entre otros) "los que, siendo de titularidad pública, se encuentren afectados al uso general o al servicio público", pareciera que la afectación material al interés público que se acaba de decir que justificaría la protección penal específica de los bienes públicos sólo podría darse en el caso de los bienes de dominio público, y no en los patrimoniales. Tal afirmación sería coherente con la tradición normativa española, que ha pretendido resaltar el carácter secundario de los bienes patrimoniales. Sin embargo, hace ya algunos años que la mejor doctrina administrativa viene poniendo en tela de juicio la opinión que niega la posibilidad de satisfacer finalidades de utilidad pública o interés social mediante bienes de naturaleza patrimonial, planteamiento que ha sido además acogido por el propio Tribunal Constitucional en la STC 166/1998, de 15 de julio (ponente: González Campos), FJ 11.A, que no sólo cuestiona la distinción radical entre bienes demaniales y bienes patrimoniales sino que expresamente reconoce la existencia de "el fenómeno de la afectación material de bienes de naturaleza patrimonial a finalidades de interés general". Parece, por tanto, que está por completo justificado que el Derecho penal se aproxime a la protección de los bienes públicos mediante el uso de conceptos funcionales centrados en lo realmente importante, que no es la naturaleza jurídica del bien en cuestión sino el que éste se encuentre al servicio de los intereses generales[16]. Por la misma razón, la agravación de la responsabilidad penal sólo debería proceder en aquellos casos en los que este interés general se vea perjudicado, y no de forma automática en atención a la titularidad pública del bien.

Examinadas estas cuestiones generales, vayamos ahora con las concretas disposiciones del CP relacionadas con la protección de los bienes públicos.

II. PROTECCIÓN PENAL DEL PATRIMONIO Y BIENES PÚBLICOS

De entre los delitos comprendidos en el Título XIII del Libro II ("Delitos contra el patrimonio y contra el orden socioeconómico"), a nuestros efectos resultan especialmente relevantes los denominados "delitos patrimoniales en sentido estricto" (arts. 234-267) y las faltas correspondientes, contenidas en el Título II del Libro III ("Faltas contra el patrimonio").

Con la expresión "delitos patrimoniales en sentido estricto" se alude a aquellos tipificados en los capítulos I a IX del Título XIII: hurtos, robos, robo y hurto de uso de vehículos, extorsión, usurpaciones, defraudaciones, insolvencias punibles, alteración de precios en concursos y subastas públicas y daños. Aquí se examinarán sólo aquellas infracciones que presentan una mayor relevancia práctica, así como aquellas otras que expresamente se refieren a la titularidad pública de los bienes:

– Los delitos de *hurto* y *robo* se refieren al apoderamiento patrimonial de cosas muebles ajenas sin la voluntad del dueño. Según la regulación penal actual, el apoderamiento será considerado delito (arts. 234-236) o falta de hurto (art. 623.1), dependiendo de si el valor de lo sustraído supera o no los 400 euros. La calificación como delito o falta arrastra consigo una importante diferencia penológica, ya que el tipo básico del delito de hurto prevé una pena de 6 a 18 meses de prisión, mientras que la falta se castiga con la pena alternativa de localización permanente de 4 a 12 días o multa de 1 a 2 meses. De concurrir fuerza en las cosas para acceder al lugar donde éstas se encuentran, o violencia o intimidación en las personas, se considerará delito de robo (arts. 237-242), con independencia de la cuantía. La calificación como robo también tiene importantes efectos penológi-

---

[16] Para un tratamiento más profundo de la cuestión v. GONZÁLEZ GARCÍA (2007: *passim*, especialmente pp. 323-329).

cos, toda vez que la pena inicial del robo con fuerza en las cosas es de 1 a 3 años de prisión y la del robo con violencia o intimidación de 2 a 5 años.

En lo que aquí interesa, procede señalar que los arts. 235.2 (hurto) y 241.1 (robo con fuerza en las cosas) agravan la pena "cuando se trate de cosas de primera necesidad o destinadas a un servicio público, siempre que la sustracción ocasionare un grave quebranto a éste, o una situación de desabastecimiento". De apreciarse esta agravación, la pena pasa a ser de 1 a 3 años de prisión en el supuesto de hurto y de 2 a 5 en el de robo con fuerza en las cosas. A la hora de interpretar esta previsión, la jurisprudencia y la doctrina penal han pasado de puntillas por el concepto de servicio público y se han centrado en la referencia de la descripción típica al "grave quebranto" que éste ha de sufrir. Entre los supuestos de posible aplicación de esta agravante, los más usuales son los de hurto de cable eléctrico o telefónico. En la SAP Zaragoza —Sección 6ª— de 29 de mayo de 2012 (ponente: Lasala Albasini), FD 4º, se entiende que tal "grave quebranto" se produjo al tratarse del cable que hacía posible la iluminación del carril de salida y deceleración de una autopista, con el consiguiente riesgo de accidente. Del mismo modo, la SAP Barcelona —Sección 5ª— de 14 de febrero de 2011 (ponente: Jiménez Jiménez), FD 6º, consideró la existencia de grave quebranto "del servicio" por la sustracción de cable que dejó sin línea telefónica y sin Internet a 50 personas al menos durante 24 horas (la sentencia no se plantea si el suministro de servicios de telefonía puede seguir considerándose un "servicio público"). Por el contrario, en la SAP Valencia —Sección 4ª— de 7 de octubre de 2002 (ponente: Tomás Tío), FD 3º, no se apreció la agravante ya que, aunque el condenado había talado veinte postes telefónicos y causado daños por valor de 2.400 euros, no se probó que hubiera existido grave perjuicio al servicio público[17].

---

[17] La STS de 7 de febrero de 2007 (ponente: Ramos Gancedo), FD 2º, pareciera atender exclusivamente al monto de lo hurtado (627.589,20 euros) para estimar la agravación. Sin embargo, en su FD 10º aclara la cuestión cuando, citando jurisprudencia anterior, afirma ser "de todo punto razonable estimar que una sustracción que desposee a un Ayuntamiento de una cantidad superior a la quinta parte de su presupuesto daña considerablemente la prestación de los servicios municipales u obliga a buscar fuentes extraordinarias de financiación para evitar que sufra un grave entorpecimiento de su normal actividad administrativa".

– Mediante la regulación de tres figuras distintas del delito de *usurpación*, el CP pretende proteger los bienes inmuebles de atentados contra la posesión y otros derechos reales sobre ellos constituidos.

El primer tipo de usurpación se recoge en el art. 245, y admite dos modalidades. La primera de ellas consiste en la ocupación del inmueble o la usurpación de un derecho real inmobiliario ajeno, mediando violencia o intimidación (art. 245.1: prisión de uno a dos años desde la LO 5/2010, de 22 de junio, antes pena de multa); la segunda, en la ocupación, inconsentida pero sin mediar violencia ni intimidación, de un "inmueble que no constituya morada" (art. 245.2: multa de 3 a 6 meses)[18]. Estos tipos, el segundo de los cuales está específicamente dirigido a lidiar con el "movimiento Okupa", serán normalmente el último remedio al que acudirá la Administración, disponiendo como dispone de la potestad de recuperación posesoria de oficio o *interdictum propium* (arts. 55-57 LPAP) y, en el caso de los bienes demaniales, de la potestad de desahucio administrativo una vez han desaparecido las condiciones que legitimaban la ocupación legítima del bien (arts. 58-60 LPAP). Precisamente, la existencia de estas otras vías de solución —menos lesivas que el Derecho penal—ha motivado que un sector doctrinal critique la criminalización de este tipo de conductas[19].

El art. 246 recoge como segunda forma del delito de usurpación la alteración de los límites de propiedades "tanto de dominio público como privado", que se castiga con una pena de multa de 3 a 18 meses cuando la utilidad "reportada o pretendida" excede de 400 euros. Si no lo hace o no queda acreditado, la conducta constituirá la falta del art. 624.1, con multa de 10 a 30 días. La mayoría de los supuestos de esta modalidad de usurpación que llegan a los tribunales se refieren a bienes propiedad de particulares: de las más de setenta sentencias de audiencias provinciales sobre este delito habidas tras la aprobación del CP que se ha podido encontrar, sólo dos se refieren a los límites de un bien público (SAP Logroño —Sección

---

18   *Cfr.* BAUCELLS LLADÓS (2004: 725-728), para quien la distinción entre estos dos apartados del art. 245 no estriba en la concurrencia o no de violencia o intimidación en el acto de ocupación, sino en la "distinta función económica y social de los bienes objeto de protección". De este modo, justifica la menor pena prevista en el art. 245.2 con base que se trata de la ocupación de bienes inmuebles "que no han estado nunca ocupados o que están abandonados de forma definitiva" —que no constituyen morada— y que, por consiguiente, ello "no afecta a ninguna función económica o social del patrimonio".

19   Refiriéndose a esta cuestión, MESTRE DELGADO (2005: 275-276); ROBLES PLANAS/PASTOR MUÑOZ (2011: 255).

1ª— de 31 de marzo de 2010, ponente: Díaz Roldán y SAP León —Sección 3ª—, de 6 noviembre de 2002, ponente: Mallo), y en ambas se absolvió al acusado. La falta de aplicación de este tipo delictivo en casos de alteración de los límites de bienes públicos quizás se deba a su menor necesidad en atención a la prerrogativa de deslinde de la que disfruta la Administración (art. 50 LPAP). En cualquier caso, de pretenderse la tutela de los bienes públicos por medio del art. 246 CP ésta previsiblemente toparía con el patente rechazo jurisprudencial a la aplicación de esta figura, que queda evidenciado en la utilización de dos expedientes: por un lado, usualmente se degrada los hechos a la condición de falta, entendiendo que no se ha determinado el perjuicio patrimonial (recuérdese que la descripción típica no hace referencia al daño causado sino a la "utilidad reportada *o pretendida*", que normalmente superará los 400 euros); por otro lado, se niega la relevancia penal, afirmando, bien que no se ha probado el dolo del acusado, lo cual al no existir modalidad imprudente conduce a la absolución (SAP A Coruña —Sección 1ª— de 6 de mayo de 2013, ponente: Gómez Díaz, FD 1º), bien que los límites de la propiedad no estaban claros (SAP Donostia —Sección 1ª— de 16 de junio de 2010, ponente Unanue Arratibel, FD 2º).

La tercera modalidad del delito de usurpación es la distracción no autorizada de aguas "de uso público o privativo", que se considera delito cuando la utilidad obtenida exceda de 400 euros (art. 247, multa de 3 a 6 meses) y falta en caso contrario (art. 624.2, multa de 10 días a 2 meses). El enjuiciamiento penal de estas conductas es muy inusual, y la poca jurisprudencia existente se muestra cauta en su aplicación, con una clara preferencia por la condena por falta (introducida en 2003) en lugar de por delito[20]. La SAP Barcelona —Sección 7ª— de 18 enero de 2002 (ponente: de Alfonso), FD 2º, absolvió por no quedar acreditado que la utilidad obtenida hubiera superado los 400 euros (entonces no existía la falta del art. 624.2, que hoy sería aplicable, v. SAP Palencia —Sección 1ª— de 13 de mayo de 2013 (ponente Bugidos San José), FD Segundo), mientras que la SAP Cádiz —Sección 8ª— de 24 de julio de 2000 (ponente: Rodríguez Bermúdez de Castro) condenó a la comunera de una comunidad de regantes que, tras serle prohibido el uso del agua por no haber pagado las cuotas durante quince años, hizo romper los candados puestos en la compuerta para garantizar tal prohibición; la SAP Granada —Sección 2ª— de 25 noviembre de 1999 (ponente: Sáenz) también condenó en un caso en el que, a instancias del

---

[20]   Sobre estos ilícitos penales y su aplicación jurisprudencial puede verse RODRÍGUEZ FERRÁNDEZ (2013: 88-91).

alcalde y un autoproclamado "jefe" de la comunidad de regantes, algunos de los vecinos de la localidad procedieron en al menos quince ocasiones a la desviación del agua de riego contraviniendo las reglas de distribución del agua dispuestas en las ordenanzas de la comunidad de regantes. A pesar de que el artículo 247 utiliza la expresión "distracción", y no "apropiación" y de que en 2003 fue reformado para suprimir la necesidad de que el sujeto actuara "en beneficio propio o de un tercero", la SAP A Coruña —Sección 1ª— de 18 de febrero de 2009 (ponente: Sánchez Jiménez), FFDD 2º y 3º, muy discutiblemente absuelve alegando que el acusado no se apropió del agua sino que meramente la desvió para poder aprovechar agrícolamente su terreno, que sin tal desviación quedaba encharcado.

De forma paralela a los tipos de usurpación recogidos en el CP, el art. 192.1.b LPAP recoge como infracción muy grave la usurpación de bienes de dominio público (en sentido estricto, ya que la LPAP distingue entre bienes de dominio público y bienes de dominio privado). Considerando que el art. 193.1 dispone que las infracciones muy graves pueden ser sancionadas con multa de hasta 10 millones de euros y que la multa penal por días se calcula conforme a la capacidad económica del sujeto, con un mínimo de 2 y un máximo de 400 euros por cuota diaria (art. 50.4 CP), en buena parte de los casos la sanción administrativa superará con creces la penal (si bien, en caso de impago, no podrá ser sustituida por una pena de prisión).

– En el art. 263 CP se recoge el tipo genérico de daños, que protege las cosas muebles e inmuebles de la destrucción, inutilización o menoscabo por parte de quienes no son sus propietarios cuando la cuantía de los daños excede de 400 euros. En caso de no alcanzarse tal cuantía, será de aplicación la falta de daños del art. 625.2, sancionada con localización permanente de 2 a 12 días o multa de 10 a 20 días (la pena prevista para el delito del art. 263 es la de multa de 6 a 24 meses). Se trata de un tipo residual o subsidiario[21], que se verá desplazado por aquellos otros daños recogidos en el Código, como los constitutivos de delitos contra el patrimonio histórico (art. 321), de estragos (art. 346) o incendios (arts. 351 y ss.) o aquellos que se perpetran con fines terroristas (art. 571).

El art. 263.2.4º (que desde la LO 5/2010 sustituye, con el mismo contenido, al anterior art. 264.1.4º) establece la agravación de la pena del delito de daños cuando éstos "afecten a bienes de dominio o

---

[21]   *V.* QUINTERO OLIVARES (2011: 178); GARCÍA ARÁN (2004: 920).

uso público o comunal". Esta cláusula ha sido interpretada por el TS como referida "a todos los bienes de dominio público, estén éstos afectos al servicio público, como al uso público, como al comunal" (STS de 10 de octubre de 2000, ponente: Sánchez Melgar, FD 3º). Los supuestos más comunes en la jurisprudencia son los de menoscabo del mobiliario urbano/transporte público. La SAP Barcelona — Sección 2ª— de 2 de noviembre de 2004 (ponente: Morales Limia), FD 3º, llegó a la conclusión de que "basta con el simple criterio de la afectación o vinculación con el servicio público sin exigencia añadida de que la afectación lo sea en función de su especial naturaleza o por haber sido objeto de algún tipo de acondicionamiento" y aplicó la agravante en un caso de daños a un coche de policía. Por el contrario, la SAP Granada —Sección 2ª— de 8 de marzo de 2004 (ponente: Flores Domínguez), FD 1º, rechazó la aplicación de esta agravación en un caso de daños a una nave de propiedad municipal, en atención a que estaba alquilada a un particular. En las anteriores sentencias la argumentación sobre el carácter público de los bienes giró en torno a los preceptos del Código civil, sin mencionarse la LPAP, que sí es utilizada por las más fundamentadas SAP Madrid —Sección 17ª— de 18 de julio de 2012 (ponente: Brobia Varona), FD 2º y SAP Barcelona —Sección 10ª— de 9 de junio de 2011 (ponente: Planchat Teruel), FD 4º, entendiendo ambas que los bienes en cuestión (parquímetros y contenedores, respectivamente) no eran de dominio público por ser propiedad de las respectivas empresas concesionarias, no dándose tampoco el elemento típico "uso público" por exigir éste "un acto normativo de afectación". Un concepto más amplio es preconizado por la SAP Madrid —Sección 6ª— de 4 de junio de 2010 (ponente Serrano Gassent), FD 3º, para la cual "el concepto actual de bienes de dominio público se basa en la idea de que el bien de que se trate esté afectado a un servicio público, bastando así con el simple criterio de la afectación o vinculación con el servicio público". Aplicando este criterio, la sentencia aplicó la agravante en el caso de unos grafitis hechos sobre una subestación eléctrica propiedad de Metro de Madrid, S.A.; con mayor corrección, la SAP Vizcaya —Sección 1ª— de 8 de abril de 2009 (ponente: Iracheta Undagoitia), FD 2º, niega la cualidad de bienes de dominio público a otros vagones de metro, en este caso propiedad de Metro de Bilbao, S.A., puesto que "aun cuando se trata de un bien afecto a un servicio público no merece la consideración de bien público conforme a la normativa de las entidades locales".

La jurisprudencia de las audiencias provinciales mostraba una preocupante falta de unidad de criterio sobre la inclusión o no dentro del delito de daños de los casos de pegada de carteles y los de pintadas o "graffiti", en los que el bien no sufría menoscabo en sentido estricto. Ello llevó a la creación de un tipo específico de falta de deslucimiento "de inmuebles de dominio público o privado" —no exento de críticas[22]—, que se da cuando tal conducta tenga lugar "sin la debida autorización de la Administración o de sus propietarios" (art. 626 CP, que prevé una localización permanente de 2 a 6 días o trabajos en beneficio de la comunidad de 3 a 9 días). Sin embargo, el problema reapareció transmutado: en respeto al principio de interpretación estricta, corolario del principio de legalidad penal, una línea jurisprudencial consideraba irrelevante penalmente la mencionada conducta cuando tiene lugar sobre bienes muebles (típicamente autobuses o vagones de tren), mientras que otra línea jurisprudencial, fingiendo ignorar la existencia del art. 626, sigue condenando por daños (para un excelente resumen de la polémica, con recientes citas jurisprudenciales, v. SAP Cuenca —sección 1ª—, de 14 enero de 2004, ponente: Puente, FD 2º, en la que se abogaba por la solución de la irrelevancia penal). Para zanjar la cuestión, la LO 5/2010, de 22 de junio, modificó la falta del artículo 626 para incluir dentro de la misma los bienes muebles, sean estos "de dominio público o privado".

Subsiste el problema de distinguir esta falta de los tipos de daños. La doctrina ha propuesto acudir al criterio de la dificultad de revertir la afectación: si la devolución del bien a su estado previo es sencilla, entonces nos encontramos ante una falta de deslucimiento; en caso contrario, ante un supuesto de daños. Esta solución es acogida por la jurisprudencia (SAP Ciudad Real —Sección 2ª— de 29 de noviembre de 2012 —ponente: Velázquez de Castro Puerta—, FD 3º, SAP Alicante —Sección 2ª— de 5 de julio de 2012 —ponente: Guirau Zapata—, FD 2º, pormenorizadamente, SAP Guadalajara —Sección 1ª— de 16 de mayo de 2012 —ponente: Serrano Frías—, FD 1º), si bien todavía hay supuestos en los que los grafiti se sancionan, sin justificar la dificultad de la reversión al estado original del bien, como falta de daños (v. SAP Madrid —Sección 2ª— de 15 de octubre de

---

[22]   Así, MESTRE DELGADO (2005: 307), alude a dos críticas esenciales: en primer lugar, que se trata de "una norma simbólica, destinada a criminalizar (...) comportamientos de protesta social (...) de escasa o nula peligrosidad criminal" y, en segundo lugar, que "habría sido más realista convertir esta infracción en una falta privada, denunciable tan sólo a instancia de la parte perjudicada; o suprimir sin más el requisito de autorización, claramente distorsionador en la aplicación de la falta".

2012, ponente: Esteban Meilan). La SAP Barcelona —Sección 8ª— de 13 de mayo de 2005 (ponente: Barrientos), condenó por falta de deslucimiento a un sujeto que defecó y embadurnó las paredes de la celda del calabozo en la que estaba detenido.

El art. 265 contiene otro tipo agravado del delito de daños, caracterizado porque éstos tienen lugar sobre "medios o recursos afectados al servicio de las Fuerzas Armadas o de las Fuerzas y Cuerpos de Seguridad". La laxitud de esta descripción típica contrasta con la ya estudiada agravación prevista para los delitos de hurto y robo, que requiere la "grave alteración" del servicio público. Ello ha llevado a la jurisprudencia a interpretar este artículo de forma marcadamente más mecánica. Así, la STS de 13 de octubre de 2000 (ponente: Jiménez Villarejo), FD 2º, entendió subsumible en este tipo penal el incendio provocado por el fuego prendido a la colchoneta de un calabozo de una Comisaría, que no se propagó "más allá de la planta de los calabozos", en atención a que los bienes destruidos estaban "afectados al servicio del Cuerpo Nacional de Policía".

A diferencia del resto de figuras delictivas analizadas hasta el momento, el delito de daños prevé su comisión imprudente, si bien con una doble restricción (art. 267): la imprudencia ha de ser grave (lo que, siguiendo de cerca la formulación clásica de Silvela, podemos definir como "aquella imprudencia que no cometería ni siquiera una persona poco prudente") y el daño causado ha de ser superior a 80.000 euros. Dándose estos requisitos, además de la exigencia de que medie denuncia de la persona agraviada o de su representante legal, corresponde aplicar la pena de multa de 3 a 9 meses.

Al igual que ocurre en el caso de la usurpación, la comisión de daños sobre los bienes de dominio público (en sentido estricto) se recoge paralelamente al CP en la LPAP. Según el art. 192 de esta última norma, los daños en bienes de dominio público pueden constituir infracción muy grave (si el daño supera el millón de euros), grave (si supera los 10.000 y no excede de un millón) y leve (cuando no supere los 10.000 euros), con una sanción (art. 193) de multa de hasta 10 millones de euros, de hasta un millón y de hasta 100.000 euros, respectivamente. De nuevo, en no pocos casos la sanción administrativa será fácticamente más dura que la penal, y ello aunque en algunos daños se prevé una pena privativa de libertad (ya que, como es sabido, los tribunales españoles suelen entender la previsión de suspensión de la pena de prisión de hasta dos años más como una regla que como una facultad y la conceden prácticamente siempre que la pena queda dentro de ese límite y se cumplen los demás requisitos del art. 80 CP).

III. PROTECCIÓN DE LOS BIENES PÚBLICOS A TRAVÉS DE LOS DELITOS CONTRA EL MEDIO AMBIENTE

Como se adelantó, los bienes públicos reciben protección penal en los delitos relativos a la ordenación del territorio y la protección del patrimonio histórico, en los delitos contra el medio ambiente y en los de estragos e incendio. Entre ellos, sin embargo, sólo los delitos contra el medio ambiente pretenden su protección de forma directa y exclusiva.

En los delitos relativos a la ordenación del territorio, la referencia a los bienes públicos se limita a la alusión por el art. 319.1 CP a que la construcción no autorizada se lleve a cabo "en suelos destinados (...) a bienes de dominio público"[23], mientras que en los delitos sobre el patrimonio histórico lo decisivo es que los bienes en cuestión presenten interés histórico, cultural o artístico, siendo irrelevante que sean bienes públicos o no[24]. Por su parte, los delitos de estragos e incendio protegen principalmente la vida y la integridad de las personas (TRAPERO BARREALES 2006: 69-71, 165), lo que explica tanto sus elevadas penas cuando concurre peligro para tales

---

[23] Cuál es el bien jurídico protegido a través de estos delitos es una cuestión discutida. En general, las opiniones se dividen en dos grandes bloques: a) los que consideran que el bien jurídico protegido es la ordenación del territorio entendida en términos puramente formales y que, en definitiva, supone la protección penal de la normativa administrativa en materia de ordenación del territorio; b) los que entienden que el bien jurídico protegido es la ordenación del territorio en sentido material y que, por tanto, lo que debe protegerse no es la actividad del legislador y de la Administración sino el resultado de esta actividad (el territorio ordenado), *v.* sobre esta discusión, GÓMEZ TOMILLO (2006: 20-28); también, ACALE SÁNCHEZ (2011: 118-141). Nuestra jurisprudencia parece inclinarse por la perspectiva material. Así, en la STS de 28 de marzo de 2006 (ponente: Berdugo), FD 9°, el TS afirma que en el "delito urbanístico" se tutela "el valor material de la ordenación del territorio, en su sentido constitucional de "utilización racional del suelo orientada a los intereses generales" (arts. 45 y 47 CE), es decir, la utilización racional del suelo como recurso natural limitado y la adecuación de su uso al interés general. Se trata así de un bien jurídico comunitario de los denominados "intereses difusos" pues no tiene un titular concreto, sino que su lesión perjudica —en mayor o menor medida— a toda una colectividad". También, la STS de 4 de junio de 2012 (ponente: Saavedra Ruiz), FD 2°, sostiene que en materia de tutela urbanística al Derecho penal no le corresponde "un papel inferior o meramente auxiliar respecto del derecho administrativo: ambos se complementan para mejorar la tutela de un interés colectivo de especial relevancia, ocupando cada uno de ellos su lugar específico, conforme a su naturaleza".

[24] Lo relevante es que sean bienes de gran significado cultural o social. De ahí que se sostenga que "estamos ante un bien jurídico cuya titularidad corresponde a la sociedad en su conjunto y no a los propietarios de los bienes de valor histórico, artístico o cultural", *v.* SUÁREZ LÓPEZ (2006: 124, 123-126).

bienes (de 10 a 20 años de prisión en el caso del delito de estragos —art. 346 CP— y el tipo básico de incendio —351 CP—) como la remisión que para el caso de no concurrir tal peligro efectúan ambos tipos al art. 266 (daños mediante incendio, explosiones o medio similar). La exposición que sigue, por lo tanto, se centrará en la protección penal del medio ambiente.

Para la mayoría de la doctrina y la jurisprudencia estamos ante uno de los pocos casos de "mandato constitucional expreso de criminalización"[25]. Sin embargo, lo cierto es que el art. 45.3 CE se refiere a la cuestión afirmando que "se establecerán sanciones penales o, en su caso, administrativas". El "en su caso" parece indicar que, de ser éste suficiente, la tutela del medio ambiente podría quedar restringida al Derecho administrativo sancionador (lo que sin embargo no podría hacerse en el caso del Patrimonio histórico, cultural y artístico, para el cual el art. 46 CE establece la protección penal incondicionada). La cuestión, no obstante, no resulta urgente, toda vez que por el momento no puede dudarse de la oportunidad de la protección penal del medio ambiente[26]. En este entendido, el CP 1995 dedica a la materia un Capítulo entero dentro del Título XVI del Libro II ("De los delitos relativos a la ordenación del territorio y la protección del patrimonio histórico y del medio ambiente", cuya última modificación ha tenido lugar con la LO 5/2010, de 22 de junio. El actual Capítulo III ("De los delitos contra los recursos naturales y el medio ambiente") comprende los arts. 325 a 331 CP, a los que hay que añadir las "Disposiciones comunes" a todo el Título de los arts. 338-340 CP. Frente a la regulación anterior al CP'95, actualmente se recogen más y más amplios tipos penales, que se sancionan con penas también más elevadas y para los que expresamente se prevé la posibilidad de comisión por imprudencia grave (art. 331, que establece que la pena será la del delito doloso correspondiente rebajada en un grado)[27].

---

[25] Para la cuestión en la doctrina v. por todos SANTANA VEGA (2001: 869-870). En la jurisprudencia, v. STS de 23 de noviembre de 2001 (ponente: Conde-Pumpido), FD 8º y STS de 2 de febrero de 2007 (ponente: Giménez García), FD 6º, que, al menos retóricamente, va más lejos y afirma que la Constitución "impone respuesta prisionizada".

[26] Al respecto, entre otros, JORGE BARREIRO (2005: 14-21); DE LA MATA BARRANCO/ DE LA MATA BARRANCO (2002: 334-335).

[27] En este sentido, SILVA SÁNCHEZ/MONTANER FERNÁNDEZ señalan que los rasgos característicos de la regulación actual "son el aumento significativo del número de tipos penales y de su alcance, el incremento generalizado de las penas imponibles, la previsión expresa de la responsabilidad penal de los funcionarios públicos con competencias en materia medio ambiental y, como gran novedad, el reconocimiento expreso

El tipo básico viene tortuosamente recogido en el art. 325[28], que sanciona con una pena de prisión de 2 a 5 años, multa de 8 a 24 meses e inhabilitación especial para profesión u oficio de 1 a 3 años a quien "contraviniendo las leyes u otras disposiciones de carácter general protectoras del medio ambiente, provoque o realice directa o indirectamente emisiones, vertidos, radiaciones, extracciones o excavaciones, aterramientos, ruidos, vibraciones, inyecciones o depósitos, en la atmósfera, el suelo, el subsuelo o las aguas terrestres, subterráneas o marítimas, incluido el alta mar, con incidencia incluso en los espacios transfronterizos, así como las captaciones de aguas que puedan perjudicar gravemente el equilibrio de los sistemas naturales". Como ha sido puesto de relieve por la doctrina (SILVA SÁNCHEZ/MONTANER FERNÁNDEZ, 2012: 37), en la anterior descripción típica aparecen tres elementos comunes en el Derecho comparado y ya presentes en el derogado art. 347 bis I: a) la infracción de normas administrativas; b) la descripción de procesos resultativos y c) la exigencia de que éstos tengan como resultado la puesta en peligro del medio ambiente.

En cuanto al primer extremo, nos encontramos ante un tipo penal en blanco para cuya integración ha de acudirse a la normativa administrativa[29], que puede venir constituida tanto por leyes como por otras disposiciones de ámbito general, sean estatales o autonómicas, según admiten tanto el TC como el TS (STC 120/1998, de 15 de junio, ponente: García-Mon, FJ 4ºB; STS de 22 de julio de 2004, ponente: Bacigalupo, FD 2º).

Por lo que respecta a los procesos resultativos, la extensa enumeración pretende, por un lado, evitar el reproche de infracción del principio de legalidad efectuado a la anterior inclusión jurisprudencial de los movimientos de sólidos (depósitos, aterramientos) en el concepto de "vertidos" y, por otro lado, dar acogida a supuestos de explotación irracional antes no recogidos (extracciones, excavaciones)[30]. La inclusión de la expresión "ruidos" ha llevado a condenar por este delito —en su modalidad de "contaminación acústica"— a propietarios de locales de ocio, a particulares que no cumplían con la regulación en materia de ruido y, últimamente, a los

---

de la responsabilidad penal de las personas jurídicas por ciertos delitos ecológicos" (2012: 22).

[28]   Ello ha motivado que algunos autores tilden la redacción del mencionado tipo legal como "torpe" o "defectuosa". Así, BLANCO LOZANO (1997: 76); LASCURAÍN SÁNCHEZ (2005: 288-289); POLAINO NAVARRETE (1996: 637).

[29]   Se adopta así un modelo de protección penal del medio ambiente "relativamente accesorio" o de "accesoriedad parcial" a la regulación administrativa. V. sobre ello, DE LA MATA BARRANCO (1996: 74-92); ESTEVE PARDO (2006: 126 y ss.).

[30]   Sobre esta cuestión, v. SILVA SÁNCHEZ/MONTANER FERNÁNDEZ (2012:57-59).

administradores de una mercantil que realizaban su actividad superando los límites de ruido permitidos (si bien casi siempre se ha tratado de casos en los que los sujetos en cuestión desobedecían de modo muy reiterado las conminaciones de la Administración)[31].

En lo tocante a la puesta en peligro, la interpretación literal de la expresión "que puedan perjudicar" permite entender que estamos ante un delito de peligro abstracto —esto es, una modalidad de delito de peligro en la que no se exige que del resultado de la acción típica se derive la *proximidad* de lesión a un concreto bien jurídico, sino sólo la peligrosidad de la conducta (MIR PUIG 2011: 239)—. El TS, quizás demasiado influido por la interpretación del anterior art. 347 bis I, en un principio afirmó tratarse de un delito de peligro concreto —modalidad esta que sí requiere que del resultado de la acción se derive la *proximidad* de una concreta lesión— (STS de 19 de mayo de 1999, ponente: Ramos Gancedo, FD 1°; en este mismo sentido v. STSS de 20 de junio de 2007, ponente: Maza Martín, FD 1° y de 29 noviembre de 2006, ponente: Ramos Gancedo, FD 9°). Sin embargo, la cuestión dista de estar cerrada y, como explica el mismo TS, "se va admitiendo, en la propia jurisprudencia de esta Sala, su caracterización como de peligro abstracto" (STS de 2 de junio de 2003, ponente: Aparicio Calvo-Rubio, FD 5°). En esta línea, la STS de 22 de julio de 2004 (ponente: Bacigalupo Zapater), FD 2°, establece que "el tipo penal del art. 325 CP sólo requiere una acción peligrosa y no un peligro concreto o una lesión del objeto de la acción"[32]. La doctrina, por su parte, afirma que ambas inter-

---

[31]   En este último sentido, STS de 24 de febrero de 2003 (ponente: Granados Pérez), por la que se condena al representante legal y administrador de una sala de fiestas por delito ecológico en su modalidad de contaminación acústica y de grave perjuicio para la salud de las personas; STS de 2 diciembre de 2011 (ponente: Maza Martín), que condena a los administradores de una mercantil dedicada a la manipulación de productos hortofrutícolas por realizar diversos actos generadores de ruidos al estacionar camiones frigoríficos en las proximidades de viviendas. Las condenas a particulares por esta modalidad de delito ecológico son de más reciente aparición en la jurisprudencia: v. STS de 20 de junio de 2007 (ponente: Maza Martín), donde se condena como autor de un delito contra el medio ambiente a un sujeto que a horas intempestivas mantenía en su domicilio la música por encima del doble del máximo permitido por la normativa administrativa, perturbando así las horas de descanso del vecindario. En general, sobre la relevancia jurídico-penal del ruido, *v.* SILVA SÁNCHEZ/FELIP I SABORIT (2004: 257-286).

[32]   En otras ocasiones el TS ha afirmado que se trata de infracciones "de peligro hipotético, también denominadas de peligro abstracto-concreto, peligro potencial o delitos de aptitud" (STS de 30 mayo de 2007, ponente: Marchena Gómez, FD 4°; en el mismo sentido: STS de 1 de abril de 2003, ponente: Conde-Pumpido, FD 7°; STS de 13 de febrero de 2008, ponente: Berdugo y Gómez de la Torre, FD 19ª; STS de 8 de abril de

pretaciones son posibles[33]. Así, se entiende que, si bien "*gramaticalmente* es posible la construcción del delito como un delito de peligro abstracto (no presunto, pero sí tanto general o estadístico como efectivo y real en el caso concreto)", si se sostiene un "punto de vista *sistemático,* cabría discutir la calificación de delito de peligro concreto, sobre todo si se tiene en cuenta que, en los preceptos que el legislador ha pretendido exigir como elemento típico un resultado de peligro concreto, lo ha señalado expresamente"[34].

El tipo básico se agrava para imponer la pena superior en grado cuando concurra alguna de las circunstancias dispuestas en el art. 326 CP, de las que aquí nos interesa recoger las siguientes: que la actividad se desarrolle clandestinamente, sin haberse obtenido la preceptiva autorización o aprobación administrativa de las instalaciones; que se hayan desobedecido los mandatos de corrección o suspensión de las actividades emitidos por la autoridad administrativa; que se haya falseado u ocultado información sobre los aspectos ambientales de la actividad y, finalmente, que se haya obstaculizado la actividad inspectora de la Administración. Sobre la primera circunstancia, el TS ha sostenido que la existencia de una solicitud de licencia no excluye la aplicación de esta agravación (STS de 26 de enero de 2005, ponente: Ramos Gancedo, FD 2º). Ahora bien, últimamente existe la tendencia de interpretar la clandestinidad desde una perspectiva mucho más material. De este modo, en algunas resoluciones, el TS ha considerado inaplicable esta circunstancia cuando, si bien no se disponía de la licencia pertinente, la Administración tenía igualmente conocimiento del desarrollo de la actividad ilícita[35].

2008, ponente: Varela Castro, FD 4º). Añadiendo aún otra fuente de incertidumbre, la STS de 20 de junio de 2007 (ponente: Maza Martín), FD 1º afirma estarse ante un tipo penal que "constituye, *generalmente,* un supuesto de peligro 'concreto' (o, al menos, 'hipotético')" (la cursiva es añadida). En definitiva, y tal y como reconoce la STS de 9 abril de 2007 (ponente: García Pérez), FD 19º, no puede sino concluirse que sobre este tema no existe una línea jurisprudencial definida.

[33]   *V.,* entre otros, RODRÍGUEZ RAMOS (2003).

[34]   *V.* SILVA SÁNCHEZ/MONTANER FERNÁNDEZ (2012: 104). Según estos autores, la tesis más coherente desde un punto de vista sistemático-teleológico es la "que concibe al delito como uno de *idoneidad concreta ex ante* —no presunta ni tampoco general o estadística—", p. 104; en la misma línea, MENDOZA BUERGO (2005: 112-121).

[35]   Así, la STS 8 de noviembre de 2011 (ponente: Martínez Arrieta), señalando que "la razón de la agravación hay que encontrarla en el incremento del riesgo derivado de la realización de una actividad arriesgada (...), sin obtener la autorización de la administración que actúa como agravante del bien jurídico. Esa autorización es la que permite la realización de inspecciones y control de la realización del servicio". En este caso, el TS consideró que ese incremento de riesgo no existía por la falta de autorización en la medida en la que la administración estaba al corriente de la ilícita actividad que se

Entre las novedades de la protección penal del medio ambiente en el CP 1995 se encuentra el que ésta no sólo se refiere a la conducta de los particulares, sino también a la de los funcionarios con competencia en materia medioambiental. En concreto, el art. 329 CP recoge una modalidad específica de prevaricación para aquellos funcionarios que hubieran resuelto, votado a favor o informado favorablemente la concesión de licencias manifiestamente ilegales o hubieran omitido informar acerca de las infracciones de la normativa de las que hubieran conocido con ocasión de su actividad de inspección o hubiera omitido la propia realización de inspecciones de carácter obligatorio[36]. En estos casos, a la sanción prevista para el delito de prevaricación (v. *infra*) se le añade una pena de prisión de 6 meses a 3 años y multa de 8 a 24 meses. Entre las críticas formuladas a la introducción de este tipo de prevaricación se alude a la menor responsabilidad penal que comporta su comisión en relación con el resto de figuras comunes de delito ecológico. Ello ha motivado su calificación como "tipo privilegiado", sobre todo si se tiene en cuenta que algunas de las conductas del mencionado precepto podrían ser constitutivas de autoría o participación en el delito del art. 325[37].

IV. PROTECCIÓN DE LOS BIENES PÚBLICOS A TRAVÉS DE LOS DELITOS CONTRA LA ADMINISTRACIÓN PÚBLICA

1. *Introducción: los delitos contra la Administración pública como protección frente a peligros internos y externos para su buen funcionamiento*

Según establece el art. 28 LPAP (y por lo demás se infiere del art. 103 CE), las Administraciones públicas han de proteger adecuadamente su patrimonio. A tal fin, tanto la LPAP como la regulación sectorial de las

---

realizaba. También, la STS de 28 de noviembre de 2012 (ponente: Sánchez Melgar) desestima la aplicación de este subtipo agravado en un supuesto en que, pese a no disponerse de la licencia de actividad solicitada, sí había conocimiento por parte de la Administración de la actividad y se disponía de un permiso provisional del ayuntamiento.

[36] Esta última modalidad de prevaricación medioambiental se ha introducido con la LO 5/2010, de 22 de junio.

[37] Al respecto, CANCIO MELIÁ (2005: 305-308); también, SILVA SÁNCHEZ/MONTANER FERNÁNDEZ (2012: 227 y ss.), poniendo de relieve que, si bien es cierto que en algunos casos el art. 329 supone un tipo privilegiado, en otros también supone la ampliación de la punibilidad de los funcionarios.

llamadas "propiedades especiales" establecen una serie de facultades de autotutela, al tiempo que imponen a los funcionarios y a los particulares deberes específicos respecto de los bienes públicos. Las disposiciones penales relativas al buen funcionamiento de la Administración pública sirven para asegurar el cumplimiento de tales deberes en aquellos casos en los que los incentivos para su incumplimiento son más elevados.

Si bien ha existido cierta discusión, a fin de cuentas doctrina y jurisprudencia están de acuerdo en que el bien jurídico (o interés) que protegen los delitos recogidos en el Título XIX del Libro II del CP (Delitos contra la Administración pública) es el buen funcionamiento de la Administración pública. No se protege a la Administración como organización (su "prestigio" o su "dignidad", como todavía se lee en ocasiones), sino a la administración en sentido funcional, como instrumento al servicio de los ciudadanos. Esto explica que en el Título que nos ocupa no sólo se recojan conductas realizadas por autoridades, funcionarios y personas que colaboran con la Administración en el ejercicio de las funciones públicas, sino también otras llevadas a cabo por particulares. Desde una consideración puramente formal, tal previsión no tiene sentido, toda vez que bastaría con actuar sobre los funcionarios: si el funcionario ni plantea propuestas ilícitas ni accede a éstas, el interés de la Administración permanecerá incólume. Sin embargo, no hace falta seguir el consejo del juez Holmes y examinar y proyectar el Derecho desde la perspectiva del "hombre malo" (HOLMES 1897: 993) para entender que, en el mundo real, los importantes recursos económicos de ciertos sectores de actividad privada y los inevitables déficit en el control de las personas que trabajan al servicio de la Administración hacen que algunas conductas de particulares supongan un peligro objetivo para el buen funcionamiento de la Administración. Ello supone que, desde un punto de vista preventivo, tenga sentido prohibirlas. Otra cosa es que, además, tal prohibición pueda justificarse desde un punto de vista axiológico (valorativo). En un Estado que se autodefine como Social y Democrático de Derecho, ello no debiera resultar especialmente problemático en tanto los deberes impuestos no revistan un carácter especialmente oneroso. En este tipo de Estado, los ciudadanos están unidos entre sí por vínculos de solidaridad más estrechos de lo que lo están en otros modelos de Estado, como pueda ser el Estado de derecho liberal. Por poner un ejemplo: en el caso de la tipificación del soborno, no puede considerarse que no interferir con el interés general omitiendo la oferta de dinero u otro tipo de recompensa a quien lo representa revista el antedicho carácter oneroso.

En los siguientes apartados se analizarán dos cuestiones generales a todos los delitos contra la Administración pública y que tienen que ver con la restricción de la condición de autor a sujetos que sean "autoridad" o "funcionario" (apdo. b). A continuación se analizarán los tipos delictivos de mayor importancia práctica: el de prevaricación, cohecho y malversación de fondos o caudales públicos (apdos. c-e). Finalmente, se hará referencia a la regulación penal de los deberes de colaboración en la protección del patrimonio público (apdo. f).

2. Concepto penal de funcionario y autoría y participación en los delitos contra la Administración pública

A) El concepto de funcionario

Buena parte de las infracciones contra la Administración pública se conciben como delitos "especiales" en los que la condición de autor se restringe a quienes posean la cualidad de "autoridad" o la de "funcionario". Ambos términos vienen definidos con carácter general por el legislador en el art. 24 CP, según el cual:

> 1. A los efectos penales se reputará autoridad al que por sí solo o como miembro de alguna corporación, tribunal u órgano colegiado tenga mando o ejerza jurisdicción propia. En todo caso, tendrán la consideración de autoridad los miembros del Congreso de los Diputados, del Senado, de las Asambleas Legislativas de las Comunidades Autónomas y del Parlamento Europeo. Se reputará también autoridad a los funcionarios del Ministerio Fiscal.
> 2. Se considerará funcionario público todo el que por disposición inmediata de la Ley o por elección o por nombramiento de autoridad competente participe en el ejercicio de funciones públicas.

Del juego de ambas definiciones resulta que, a efectos penales, quien es autoridad es al mismo tiempo funcionario, si bien lo contrario no es cierto (es decir, no todo funcionario a efectos penales es autoridad a tales efectos). Este dato, de relevancia práctica en los tipos penales que se refieren exclusivamente a las autoridades, no lo es en los que se analizan a continuación, dado que todo ellos prevén su comisión por funcionario.

La jurisprudencia ha procedido a una interpretación amplia, que va mucho más allá del concepto existente en el derecho administrativo y se articula de modo exclusivo en torno a la vaga noción de "participación en funciones públicas" (del Estado, comunidades autónomas o entidades locales), con olvido del resto de requisitos a los que se refiere el artículo 24. De este modo, se incluye tanto a los funcionarios interinos (SSTS de 24 de octubre de 2012, ponente: Marchena, FD 3º y de 17 de marzo de 2010, ponente Ramos Gancedo, FD 2º), como al personal laboral contratado (STS de 16 de junio de 2003, ponente: Martín Pallín, FD 2º) y a quienes trabajan en la Administración institucional (STS de 14 de marzo de 2012, ponente: Berdugo, FD 1º; STS de 27 de enero de 2003, ponente: Delgado García, FD 2º). Para ilustrar la extensión del concepto penal de funcionario, piénsese que la jurisprudencia ha entendido que son funcionarios a efectos penales los concejales electos, aun cuando aún no se haya constituido la corporación municipal (STS de 19 de diciembre de 2000, ponente: Martín Pallín, FD 8º), el patrón mayor de una cofradía de pescadores (STS de 18 de septiembre de 2006, ponente: Ramos Gancedo, FD 8º), el titular de un establecimiento de lotería (STS de 30 de abril de 1998, ponente: Conde-Pumpido Tourón, FD 5º), el comisario de una quiebra, nombrado por el juez (STS de 14 de febrero de 1997, ponente: Martín Pallín, FD 5º), y el supervisor de una estación de inspección técnica de vehículos (STS de 19 de diciembre de 1990, ponente: García Pérez, FD 3º). Por el contrario, la STS de 7 de abril de 1993 (ponente: Granados Pérez), FD 3º) no entendió posible extender el concepto hasta abarcar a los vigilantes jurados, con el argumento de que, tras la aprobación de la Ley 23/1992, de 30 julio, de Seguridad privada, estos no pueden ser considerados "agentes de la autoridad". Dada la elevada contratación de servicios de vigilancia privados por parte de las administraciones públicas[38], esta doctrina jurisprudencial podría acarrear dificultades para la adecuada protección de los bienes públicos, y es así mismo poco coherente con la extensión dada al término "funcionario" en otros ámbitos. Sin embargo, la STS de 14 de marzo de 2012 (ponente: Berdugo), FFDD 1º y 2º, seguida en este punto por la SAP Tenerife —Sección 5ª— de 19 de octubre de 2012 (ponente: Mulero Flores), FD 2º, consideran funcionarios a sujetos que han recibido encargos de supervisión, control o vigilancia (de zonas rurales, en el primer caso, de un centro de menores, en el segundo), una interpretación que se reputa más correcta.

B) Autoría y participación

El que los delitos contra la Administración pública se configuren como infracciones con especiales requisitos de autoría plantea el problema del tratamiento que haya de darse a los *extranei*, esto es, a los particulares (o funcionarios no incluidos dentro de la descripción típica) que intervienen

---

[38]   Las administraciones públicas contratan el 30% de los servicios de seguridad privada que se ofrecen en nuestro país (TORRENTE 2006: 102).

en el delito. En la discusión doctrinal, que presenta múltiples aristas, en esencia se han defendido dos posiciones[39]:

- Parte de la doctrina aboga por el respeto de los principios de accesoriedad (sólo se puede participar en una conducta típica y antijurídica) y unidad del título de imputación (el partícipe responde por la misma figura delictiva que el autor). Según esta opinión, quien interviene en un delito especial, si bien nunca podrá ser considerado autor, sí podrá ser considerado partícipe (inductor, cooperador necesario o cómplice, según la conducta realizada) del propio delito especial.

- Otra parte de la doctrina entiende que el *extraneus* debe responder por el delito común, si lo hay: en el caso de los delitos especiales propios, esto es, sin delito común equivalente, procederá la absolución.

La jurisprudencia cortó el nudo gordiano doctrinal y se decidió por la primera postura, esto es, por la admisión de la participación del *extraneus* en los delitos especiales, si bien al tiempo y de forma muy discutible venía aplicando una atenuante analógica para rebajar la pena de los *extranei*[40]. Tras la reforma operada por la Ley 15/2003, de 25 de noviembre, la posibilidad de atenuación se encuentra expresamente prevista en el art. 65.3 CP[41], que prevé la reducción facultativa en un grado de la pena de los *extranei* inductores o cooperadores necesarios[42]. La falta de mención del tercer tipo de partícipe previsto en el CP, el cómplice, plantea problemas. Por un

---

[39] Sobre la participación de *extranei* en los delitos especiales v. el exhaustivo e iluminador análisis de GÓMEZ MARTÍN (2006: 395-548).

[40] La aplicación de la atenuante analógica del 21.6 CP resultaba forzada, ya que la analogía no se establecía con ninguna otra circunstancia de las previstas en el art. 21, sino con el art. 65. El propio TS ha reconocido que tal solución (que ahora no le hace falta, por los motivos que se expresan a continuación) presentaba una "dudosa corrección dogmática" (STS de 18 de octubre de 2004, ponente: Soriano Soriano, FD 26°).

[41] Sobre el artículo 65.3 CP v. el incisivo análisis de ROBLES PLANAS (2007: 105-155).

[42] A pesar de que el tenor del art. 65.3 CP no permite dudar del carácter facultativo de la atenuación ("—...— los jueces o tribunales *podrán* imponer la pena inferior en grado a la señalada por la Ley para la infracción de que se trate"), el TS durante algún tiempo sostuvo que "aunque el art. 65.3 CP sólo contenga una atenuación facultativa de la pena, nuestra jurisprudencia, apoyada en el art. 1 CE, ha considerado que la pena del *extraneus* en delitos especiales propios debe ser necesariamente reducida respecto de la del autor, dado que no infringe el deber cuya infracción es determinante de la autoría, razón por la cual el contenido de la ilicitud es menor" (STS de 13 de julio de 2007, ponente: Bacigalupo Zapater, FD 2°, v. también STS de 23 de diciembre de 2009, ponente: Varela, FD 2°). Esta interpretación jurisprudencial ha sido abandonada (v. STS de 25 de enero de 2010, ponente: Marchena, FD 9°), de forma por completo co-

lado, puede pensarse que esta omisión muestra la intención del legislador de declarar su irresponsabilidad. Sin embargo, también es posible pensar que lo que el legislador quiere no es que su conducta quede impune, sino que no se le pueda rebajar la pena. Antes de la entrada en vigor de la reforma, la jurisprudencia admitía la punibilidad del *extraneus* a título de cómplice (STS de 20 de mayo de 2004, ponente: García Ancos, Recurso de P. E., FD 3°), doctrina que ha reiterado tras su entrada en vigor (SSTS de 25 de enero de 2010, ponente: Marchena, FD 9°, y de 19 de febrero de 2006, ponente: Sánchez Melgar, FD 2°).

3. El delito de prevaricación administrativa

Conforme al art. 404 CP, comete el delito de prevaricación la autoridad o funcionario público que, "a sabiendas de su injusticia, dictare una resolución arbitraria en un asunto administrativo". El objetivo de esta disposición es proteger el buen funcionamiento de la administración pública mediante la incriminación de la toma consciente de decisiones rotundamente infundadas. En relación con la protección de los bienes públicos, éstas pueden tener que ver con muy distintos aspectos[43]. Constituirá por ejemplo prevaricación la autorización, concesión o celebración de contratos administrativos para permitir la ocupación de bienes públicos por particulares cuando manifiestamente no se den los requisitos exigidos por el art. 89 LPAP, pero también la venta de un bien inmueble de carácter patrimonial sin sujetarse en absoluto a lo previsto en los arts. 135-141 LPAP. La STS de 17 de noviembre de 2005 (ponente: Andrés Ibáñez), condenó por este delito al director de un parque natural que concedió autorización para la extracción de madera muerta o deteriorada, a sabiendas de que lo que se iba a hacer era una tala.

Tres son los elementos en torno a los que gira la descripción típica: el concepto de *resolución*, la noción de *arbitrariedad* y la alusión a que la resolución ha de ser dictada *a sabiendas de su injusticia*.

---

rrecta: no es admisible que el TS "corrija" el claro tenor literal del art. 65.3 ("podrán") apoyándose en la nuda cita del art. 1 CE.

[43] Téngase en cuenta que el art. 404 recoge el tipo residual de prevaricación, que se verá desplazado por aquellos otros que se refieren al mismo comportamiento en ámbitos específicos, como por ejemplo los recogidos en los arts. 320, 322 y 329 CP (dentro de los delitos contra la ordenación del territorio, el patrimonio histórico y la protección del medio ambiente, respectivamente).

- Según una fórmula usual en la doctrina y la jurisprudencia (v. por todas la STS de 31 de marzo de 2004, ponente: García Ancos, FD 3º), a efectos penales se entiende por resolución cualquier acto administrativo que suponga una declaración de voluntad de contenido decisorio y que afecte a los derechos de los administrados o a la colectividad en general, no siendo necesario que se dicte por escrito (STS de 6 de mayo de 2013, ponente: Granados Pérez, FD 1º; ATS de 25 de febrero de 1998, ponente: Jiménez Villarejo, FD 3º). La jurisprudencia mayoritaria entiende que tampoco es preciso que suponga la conclusión de un procedimiento administrativo (STS de 9 abril de 2007, ponente: García Pérez, FD 16º)[44], ni que agote la vía administrativa: puede tratarse de resoluciones susceptibles de recurso (STS de 28 de diciembre de 1995, ponente: García-Calvo, FD 2º).

Problemas específicos plantean las decisiones intermedias o de informe /asesoramiento. ¿Se puede entender que tienen "carácter decisorio"? En contra de tal posibilidad apunta el que en algunos ámbitos el legislador haya dispuesto expresamente la punibilidad de tales conductas (como ocurre en las "prevaricaciones específicas" de los citados arts. 320, 322 y 329 CP, dentro de los delitos contra la ordenación del territorio, el patrimonio histórico y la protección del medio ambiente, respectivamente). La doctrina ha entendido que la solución más correcta es la de considerar que un informe no es una resolución, y por lo tanto que quien lo emite no puede ser considerado autor del delito de prevaricación, sin que esto excluya su eventual responsabilidad como partícipe (GONZÁLEZ CUSSAC 1997: 50, 53). Por su parte, la jurisprudencia ha afirmado que los informes no pueden integrar el elemento típico "resolución" (SSTS de 30 de junio de 2009, ponente Delgado García, FD 8º, y de 8 de junio de 2006, ponente: Martínez Arrieta, FD 4º), si bien ha mostrado indicios de pensar que la cuestión puede ser distinta en el caso de que estos tengan carácter vinculante (SSTS 17 de febrero de 1995, ponente: Carrero Ramos, FD Único y de 24 de junio de 1994, ponente: Ruiz Vadillo, FD 3º, advirtiendo que efectúa la distinción "a efectos dialécticos").

---

[44] V. sin embargo las SSTS de 6 de mayo de 2013 (ponente: Granados Pérez), FD 1º y de 8 de junio de 2006 (ponente: Martínez Arrieta), FD 1º, que remiten para la definición de resolución al art. 89 de la Ley 30/1992, exigiendo que se trate de un acto que ponga fin al procedimiento administrativo, decidiendo todas las cuestiones planteadas. A pesar de esta declaración, lo cierto es que la jurisprudencia incluye en el concepto actos que no suponen la conclusión del procedimiento (v. por ejemplo STS de 9 de abril de 2007, ponente García Pérez).

La solución expuesta resulta problemática en los casos de informe vinculante y en los de propuestas de resolución elevados a órganos superiores que, *de facto*, tienen pocas posibilidades de verificar su adecuación. Piénsese en casos como el resuelto por la STS de 28 de diciembre de 1995 (ponente: García-Calvo): un ayuntamiento efectuó a la Administración del Estado una propuesta de nombramiento para el cargo de Secretario General de Ayuntamiento. En tal propuesta se habían cometido flagrantes irregularidades en contra de una de las candidatas. Debido a la asimetría informativa existente entre la Administración del Estado y la Administración local en cuestión, sin embargo, este tipo de irregularidades pueden ser difíciles de apreciar[45]. Lo mismo puede ocurrir con facilidad, por ejemplo, en el caso de los informes emitidos durante el procedimiento de evaluación de impacto medioambiental (en adelante, EIA) de una determinada actividad o proyecto, especialmente por lo que se refiere a la declaración de impacto ambiental (dictamen preceptivo a la autorización del proyecto en cuestión[46]) que emite el órgano medioambiental en su caso competente[47]. Considerar impunes estos supuestos resulta problemático desde el punto de vista político-criminal. Sin embargo, la impunidad es el resultado al que se llega si se niega el carácter de resolución a estos informes:

En ambos casos (informes vinculantes/propuestas a órganos que fácticamente tienen pocas posibilidades de comprobación), es posible que quien finalmente "decide" lo haga ignorando que se trata de una resolución "injusta" y, por lo tanto, sin el dolo requerido por el tipo. En virtud del principio de accesoriedad limitada, quien informó no podrá participar de tal conducta, por no ser tan siquiera típica. Si no se puede hablar de participación, podría considerarse la posibilidad de que el tipo haya sido

---

[45]   En el caso citado el TS resolvió el problema de manera "pragmática", afirmando la existencia de una resolución aunque se tratara de una propuesta de resolución. Los evidentes problemas que tal solución comporta desde la perspectiva del principio de legalidad ocasionaron un interesante voto particular de Martín Pallín. Como a continuación se verá en el texto, el TS parece haber vuelto a una interpretación más estricta del término "resolución".

[46]   *V.* RAZQUIN LIZÁRRAGA (2000: 241).

[47]   Y es que la EIA constituye un instrumento de gestión público en el que además de sujetos privados (promotores del proyecto), participan varias autoridades administrativas. Así, mientras la Declaración de Impacto Ambiental (en adelante, DIA) la emite la autoridad ambiental competente (el Ministerio de Medio Ambiente para proyectos que deba aprobar la Administración General del Estado y para otra clase de proyectos el órgano equivalente en cada Comunidad Autónoma), la autorización del proyecto está en manos del que sea el órgano sustantivo competente. *V.* BETANCOR RODRÍGUEZ (2001: 895-897); ESTEVE PARDO (2005: 75).

cometido por autoría mediata (con error en el autor inmediato). Sin embargo, esta solución tiene el problema de que aquél a quien consideramos autor mediato nunca podría haber dictado la resolución él mismo (por no ser competente). Esto es: no habría podido ser autor inmediato, de modo que tampoco puede serlo mediato.

Las SSTS de 2 de febrero de 2011 (ponente: Varela Castro) y de 14 de noviembre de 2003 (ponente: Soriano Soriano, FD 11º) han declarado que las actas levantadas por la inspección fiscal no son resoluciones, ya que según el artículo 49 del Reglamento General de la Inspección Tributaria tales actas son tan sólo documentos preparatorios de las liquidaciones tributarias que incorporan una propuesta. Sin ignorar las "lagunas de punibilidad" que resultan de una interpretación jurisprudencial estricta, desde el punto de vista político-criminal parece oportuno que, en caso de duda, el TS opte por ésta: corresponde al legislador modificar el tenor literal de la regulación si no está de acuerdo con las consecuencias a las que ésta conduce.

– A la hora de analizar el calificativo "arbitraria" que en la redacción típica acompaña al término "resolución" resulta esencial advertir la diferencia entre "ilegalidad" y "arbitrariedad". Una resolución puede ser ilegal por basarse en una interpretación errónea o incluso discutible de una norma. Sin embargo, como de consuno manifiestan doctrina y jurisprudencia, el correcto respeto del principio de *ultima ratio* de la intervención penal hace oportuno que para solventar estos supuestos el ordenamiento jurídico se valga del sistema de recursos ante órganos superiores[48]. La arbitrariedad supone algo más que la ilegalidad: se ha de estar ante una resolución que ni siquiera superficialmente pueda justificarse "por medio de los instrumentos normativos admitidos por el ordenamiento jurídico". Según una reciente línea jurisprudencial, que consideramos plenamente acertada, dentro de tal expresión quedan abarcadas tanto las disposiciones de derecho positivo como los cánones y reglas interpretativas comúnmente admitidas (SSTS de 4 de junio de 2012, ponente: Saavedra, FD 2º, de 21 de julio de 2005, ponente: Berdugo, FD 14º

---

[48]   V. STS de 19 de febrero de 2006 (ponente: Sánchez Melgar), FD 2º: "no existen estos delitos cuando la resolución correspondiente es sólo una interpretación errónea, equivocada o discutible, como tantas veces ocurre en el ámbito del derecho; se precisa una discordancia tan patente y clara entre esa resolución y el ordenamiento jurídico que cualquiera pudiera entenderlo así por carecer de explicación razonable". En el mismo sentido, STS de 6 de mayo de 2013 (ponente: Granados), FD 1º.

y de 2 abril de 2003, ponente: Martínez Arrieta, FD 3° —Recurso de V. M.—).

Para determinar la concurrencia del elemento "arbitrariedad", la jurisprudencia viene aludiendo a tres aspectos (v. SSTS de 4 de junio de 2012, ponente: Saavedra Ruiz, FD 2°, de 28 de marzo de 2006, ponente: Berdugo, FD 14°, y de 5 de marzo de 2003, ponente: Colmenero Menéndez de Luarca, FD 9°):

- La absoluta falta de competencia de quien toma la resolución.

- La infracción de las más elementales normas procedimentales.

- Que el fondo de la resolución implique una contradicción "patente y grosera" con el ordenamiento jurídico o una desviación de poder.

- En la misma línea de reducción de la intervención penal a los casos más crasos de desatención del interés público, el CP de 1995 sólo prevé la modalidad de comisión dolosa. Además, la doctrina mayoritaria (pero no unánime) interpreta que el uso de la expresión "a sabiendas" excluye la punición a título de dolo eventual, debiendo tratarse de dolo directo[49]. La jurisprudencia sobre la imputación subjetiva en este delito no resulta muy clara[50]. Sin embargo, tras mostrar algunas dudas, se ha mostrado contraria a la punición en casos de dolo eventual (ATS de 13 de septiembre de 2010, ponente: Saavedra Ruiz, y SSTS de 1 de julio de 2009, ponente: Ramos Gancedo, y de 30 de mayo de 2002, ponente: Jiménez Villarejo, FD 2°)[51].

---

[49] V., entre otros, MORALES PRATS/RODRÍGUEZ PUERTA (2011: 1145); SERRANO GÓMEZ/SERRANO MAÍLLO (2010: 816). Admiten el dolo eventual, ORTS BERENGUER/GONZÁLEZ CUSSAC (2004: 752).

[50] En ocasiones ha hecho referencia, de forma un tanto extraña, a la necesidad de "un dolo muy concreto" (STS de 31 de marzo de 2004, ponente: García Ancos, FD 3°). En otros casos ha exigido que la resolución "sea dictada con la finalidad de hacer efectiva la voluntad particular de la autoridad o funcionario" (SSTS de 6 de mayo de 2013, ponente: Granados Pérez, FD 1° y de 5 de marzo de 2003, ponente: Colmenero Menéndez de Luarca, FD 9°), lo que literalmente hace pensar en un especial elemento subjetivo del injusto pero debe ser considerado más bien un exceso retórico.

[51] Como se dijo más arriba, el art. 331 establece la posibilidad de comisión imprudente de los delitos contra el medio ambiente. Como también se dijo entonces, entre éstos se encuentra la prevaricación específica del art. 329. De la conjunción de ambos artículos se sigue que en dicho ámbito cabe la comisión de una prevaricación por imprudencia. Si bien la doctrina ha mirado con ojos poco amistosos esta posibilidad, lo cierto es que no es ajena a nuestro derecho positivo (sin ir más lejos, está prevista para jueces y magistrados en el art. 447 CP).

Por último, hay que plantearse si es posible cometer una prevaricación en comisión por omisión, esto es, produciendo el resultado manifiestamente injusto mediante una omisión. La jurisprudencia, que hasta mediados de los noventa se mostró reticente, ha venido admitiendo esta posibilidad desde el Acuerdo de Sala de 30 de junio de 1997 (v. STS de 5 de julio de 2013, ponente: Maza Martín, FD 3º). La STS de 9 de junio de 1998 (ponente: Conde-Pumpido Tourón), FD 5º, entendió que cabe la comisión por omisión "cuando es imperativo realizar una determinada actuación administrativa y su omisión tiene efectos equivalentes a una denegación". La referencia a la *denegación,* que parece indicar la exigencia de una petición previa, debe sin embargo matizarse: con buen criterio, en la STS de 18 de octubre de 2006 (ponente: Granados Pérez), FD 2º, se confirma la condena a un alcalde que no inició el procedimiento de baja de oficio de unos empadronamientos indebidos a pesar de haber sido instado al efecto por la Delegación Provincial de la Oficina del Censo Electoral.

4. Los delitos de cohecho

En los arts. 419 a 427 CP, y bajo la denominación de "cohecho", se regulan una serie de comportamientos que tienen que ver con lo que en lenguaje cotidiano se denomina "soborno". Se trata de la única parte de los delitos contra la administración que ha sido reformada en profundidad por la LO 5/2010, en un triple sentido: se ha simplificado la regulación, se han elevado las penas y se prevé la responsabilidad penal de las personas jurídicas (art. 427.2), siempre que se den los requisitos exigidos por el art. 31 bis.

El objetivo de estas disposiciones es preservar el buen funcionamiento de la Administración mediante la evitación de la influencia del interés privado en el ejercicio de las funciones públicas, preservando su imparcialidad. Ello pretende lograrse principalmente mediante la tipificación de las conductas de exigencia o aceptación de dádiva o promesa por parte de los funcionarios para la realización de ciertos actos, o como recompensa por haberlos realizado (como ocurre, por ejemplo, cuando el funcionario exige una cantidad a cambio de conceder una licencia, o cuando acepta la cantidad que le ofrece un particular con el fin de que la conceda). Pero también se intenta conseguir tal objetivo por medio de la incriminación de las conductas de ofrecimiento de pago o promesa por parte de los particulares y de su aceptación de las exigencias de pago hechas por los funcionarios. En terminología tradicional, y no del todo intuitiva, el comportamiento del particular que lleva a cabo el soborno o acepta la exigencia del funcionario se denomina "cohecho activo"; el del funcionario que solicita o acepta la dádiva o promesa, "cohecho pasivo". Los adjetivos "activo" y "pasivo" no tienen que ver con la conducta (pedir, aceptar), sino con la condición del autor.

Tras la LO 5/2010, el Código utiliza cinco expresiones para referirse a los medios a través de los cuales puede cometerse el cohecho: dádiva, favor, retribución de cualquier clase, ofrecimiento y promesa. No hay problema en referirse a los tres primeros términos de modo conjunto con la expresión "dádiva". Tradicionalmente se entendía que ésta debía consistir en un bien o una prestación económicamente evaluable, lo que se infería de que la determinación de la pena en muchos de estos delitos se hacía a partir de su valor ("multa del tanto al triplo del valor de la dádiva")[52].

- Las distintas modalidades de *cohecho pasivo* se diferencian entre sí atendiendo a la conducta que habrá de llevar a cabo el funcionario a cambio de la dádiva. Ésta puede ir desde la comisión de un delito hasta el ejercicio legal de su cargo:

La modalidad más grave de cohecho pasivo viene prevista en el art. 419 CP, que establece pena de prisión de 3 a 6 años, multa de 12 a 24 meses e inhabilitación especial para empleo o cargo público de 7 a 12 años[53] para los casos de solicitud o recepción por parte del funcionario o autoridad (por sí mismo o por persona interpuesta) de una dádiva o la aceptación de una promesa para realizar, en el ejercicio de su cargo, un acto contrario a los deberes inherentes al mismo o para omitir o retrasar sin causa el acto que tiene obligación de practicar.

---

[52]   Probablemente por este motivo la STS de 19 de diciembre de 2000 (ponente: Martín Pallín) especificó que se ofreció un cargo de concejal "con un determinado sueldo". Económicamente evaluables son también los bienes fuera del (lícito) comercio: el ATS de 17 de junio de 2010 (ponente: Colmenero) se refiere a "una dádiva, consistente en 30 grs. de canabis, 6 grs. de hachís y 1 gr. de speed" (con un valor estimado de 142,21 euros).

[53]   Antes de la reforma la pena de prisión del cohecho para llevar a cabo una acción u omisión delictiva era de 2 a 6 años, mientras que la del cohecho para un acto ilícito no delictivo era de 1 a 4 años si se trataba de una conducta activa, y de multa, para el caso de conducta omisiva. Tras la reforma todos los supuestos tienen la misma pena de prisión, que además ya no entra dentro de las facultades ordinarias de suspensión y sustitución. la previsión de una pena de inhabilitación superior a 10 años supone que el plazo de prescripción del delito sea en todos los casos de quince años (art. 131.1, párrafo II), frente a los diez y los cinco años que antes de la reforma tenían los cohechos para la obtención de un acto ilícito no delictivo (activo y omisivo, respectivamente).

Igual que en el resto de los cohechos, estamos ante un delito de mera actividad, que se consuma con la solicitud o aceptación (con la oferta o la entrega, en el caso de actuación de particular), sin que sea necesario que la otra parte acepte la solicitud u oferta (STS de 3 de febrero de 2009, ponente: Varela) ni que se comience a realizar la conducta ilícita ulterior (ATS de 2 de junio de 2010, ponente: Colmenero).

La alusión a que el acto se realice "en el ejercicio de su cargo" se interpreta en el sentido de que tiene que tener conexión con las actividades públicas que desempeña el funcionario, que de este modo lo puede realizar con especial facilidad, pero "sin que haya de ser precisamente un acto que le corresponda ejecutar en el uso de sus específicas competencias" (STS de 26 de octubre de 2009, ponente: Maza). Desde la STS de 19 de diciembre de 2000 (ponente: Martín Pallín), de forma discutible el TS había venido admitiendo la existencia de este tipo de cohecho cuando no se vulneraba una ley concreta pero sí se producía una infracción de principios constitucionales. La cuestión ha de resultar ahora pacífica, dado que el reformado art. 419 alude a la realización de un acto contrario a los deberes inherentes al ejercicio del cargo, entre los que sin duda se encuentran los principios constitucionales, y a la omisión o retraso injustificado del que se tiene obligación de realizar[54].

Nótese que subsumen dentro de este artículo los casos en los que la conducta a realizar por el funcionario consista en la toma de una resolución injusta, ya que ésta constituye el delito de prevaricación administrativa del art. 404. Estaríamos ante un supuesto de este tipo, por ejemplo, si se solicita dinero para otorgar una concesión demanial sin concurrencia (contra lo que exige el art. 93.1 LPAP) o a cambio de concederla a persona incursa en causa de prohibición de contratar con la Administración y que por lo tanto no puede ser titular de concesiones sobre bienes y derechos demaniales (94 LPAP).

---

[54] La STS de 21 de mayo de 2007 (ponente: Puerta Luis) entiende que la solicitud de dinero por agilizar los trámites de una licencia es constitutiva de cohecho, aun cuando se den los requisitos legales para la concesión, en tanto atenta contra los principios de igualdad, imparcialidad y objetividad que a los poderes públicos exigen los arts. 9 y 103 CE. La STS de 21 de diciembre de 2007 (ponente: García Pérez) condena a un alcalde y un concejal que, ofreciendo una contraprestación económica, intentan persuadir a otro concejal para que no asista a la votación de la moción de censura contra el alcalde, con el argumento de que "decidir el resultado de una moción de censura, si se hace por motivaciones espúreas (*sic*), cuales las de obtener compensaciones económicas torticeras, encierra un acto constitucionalmente injusto".

En el art. 420 se tipifica la exigencia o aceptación de dádiva para llevar a cabo un acto propio del cargo y que no constituya ilegalidad alguna. De este modo, tras la LO 5/2010, se recogen en un solo artículo los supuestos del llamado "cohecho pasivo impropio" o "no corruptor", que antes se regulaban en dos artículos (425.1 y 426) cuya intrincada redacción hacía prácticamente imposible su distinción.

Como ya ocurría antes de la reforma, la amplitud del tenor literal de este artículo llevaría en principio a considerar cohecho la aceptación de cualquier tipo de regalo por el recto ejercicio de la profesión, incluso aquellos tradicionalmente denominados "de cortesía" (como por ejemplo la entrega de ciertos productos agrícolas de bajo valor al médico rural). La legislación extrapenal no es de gran ayuda a la hora de resolver la cuestión. El art. 54.6 de la Ley 7/2007, de 12 de abril, del Estatuto Básico del Empleado Público, sólo ordena el rechazo de regalos, favores o servicios en condiciones ventajosas cuando vayan "más allá de los usos habituales, sociales y de cortesía", añadiendo sin embargo la cláusula "sin perjuicio de lo establecido en el Código penal". El problema con esta remisión es que el tenor literal del Código penal incluye incluso los regalos socialmente habituales y de cortesía. El TS ha afirmado que "parece, en efecto, ilógico estimar que un regalo de ínfimo valor pueda influir en el cumplimiento de los deberes del funcionario o autoridad", motivo por el cual propone acudir a la exclusión de la tipicidad por adecuación social, definida ésta conforme a "módulos sociales generalmente admitidos en los que la aceptación de regalos o actos de cortesía forma parte de la normalidad de las relaciones personales" (STS de 23 de abril de 2013, ponente: Berdugo Gómez de la Torre, FD 5°, v. también STS de 13 de junio de 2008, ponente: Marchena Gómez).

Con el nombre de cohecho pasivo subsiguiente se hace referencia a aquellos casos, previstos en el art. 421 CP, en los que el funcionario, después de haber adoptado la decisión, solicita o recibe dádiva o favor por haberlo hecho[55]. Como ha puesto de manifiesto la doctrina, es muy probable que el verdadero objetivo del legislador sea permitir la imposición de una pena en aquellos casos en los que se puede demostrar la existencia de petición o recepción de dádiva, pero no su carácter previo al acto realizado. Por este motivo, parte de la doctrina se ha manifestado a favor de la

---

[55]   La STS de 16 de diciembre de 1998 (ponente: Martín Pallín), aplicó este tipo en el caso del adjudicatario de unas obras que entregó 300.000 euros a un funcionario que había desempeñado un papel relevante en la adjudicación.

supresión del artículo, entendiendo que si no se puede demostrar que la dádiva fue solicitada antes del acto no procede imponer la misma pena que ha de imponerse cuando la petición o recepción son previas al acto (es decir: cuando ha habido un acuerdo previo a la realización de la conducta). La pena imponible es la misma que correspondería de haberse recibido la dádiva o favor antes de actuar (lo que depende de si la conducta llevada a cabo fue contraria a los deberes inherentes al cargo —entonces penas previstas en el art. 419— o no —penas previstas en el artículo 420—).

Cierra la regulación de los cohechos "pasivos" o de funcionario el artículo 422, que se refiere de forma residual a aquellos supuestos en los que el funcionario o autoridad no lleva a cabo ni promete realizar ningún acto, ni legal ni ilegal (de hacerlo estaríamos ante uno de los supuestos anteriores), sino que simplemente recibe la dádiva o regalo (el Código no alude aquí ni al "favor" ni a la "retribución de cualquier clase") en atención al cargo o función que detenta.

La interpretación según la cual no se exige que la dádiva sea para un acto concreto es la tradicional, y fue corroborada por la STS de 17 de mayo de 2010 (ponente: Saavedra), dictada en un caso en el cual se acusaba al presidente de una Comunidad Autónoma de aceptar el pago de unos trajes en atención a su cargo. Mientras que el TSJ-Valencia insistió en la necesidad de probar que el pago fue en atención a alguna actividad concreta, el TS sostuvo la interpretación tradicional, citando su jurisprudencia según la cual "el término 'en consideración a su función' debe interpretarse en el sentido de que la razón o motivo del regalo ofrecido y aceptado sea la condición de funcionario de la persona cohechada, esto es, que sólo por la especial condición y poder que el cargo público desempeñado le otorga le ha sido ofrecida la dádiva objeto del delito".

– En su intento de resguardar el ejercicio de funciones públicas de influencias indebidas el legislador también recoge supuestos de cohecho activo, esto es, cometido por particulares. La finalidad de su expresa regulación es evitar los problemas que tradicionalmente ha venido presentando la participación de *extranei* en los delitos especiales: al establecerse tipos propios de autoría, el problema se soluciona para los particulares que ofrecen dádivas o promesas y los que aceptan las exigencias de los funcionarios. Distinto es el caso del particular que participa en la exigencia/aceptación del funcionario, debiendo en este supuesto acudirse a la atenuación facultativa para los *extranei* prevista en el art. 65.3 CP.

En concreto, los cohechos activos se recogen en el art. 424 CP, que pretende ser un reverso simétrico de los preceptos que recogen los cohechos pasivos: el particular que ofrezca o entregue dádiva o retribución de otra clase al funcionario será castigado con la misma pena de prisión y multa que le correspondería a éste. También será sancionado con la misma pena de prisión y multa correspondiente al funcionario el particular que atienda su solicitud.

Por su parte, el art. 426 CP, que sustituye al anterior art. 427 con un cambio menor, establece la siguiente exención de pena para el particular que "ocasionalmente" haya accedido a solicitud de funcionario y lo denuncie antes de que se abra el procedimiento, siempre que no hayan transcurrido más de dos meses (hasta la reforma por LO 5/2010 eran diez días) desde la fecha de los hechos. Como el cohecho es un delito de mera actividad y por lo tanto se consumó cuando se accedió a la solicitud, nos encontramos ante una cuestión dogmáticamente ubicada en sede de punibilidad (de excusa absolutoria hablan las SSTS de 31 de julio de 2006, ponente: García Pérez y de 9 de mayo de 2002, ponente: Martín Canivell). El sentido político-criminal es claro: incentivar la denuncia por el particular. La expresa alusión a que éste "haya accedido" (ocasionalmente) impide aplicar la exención de pena cuando es él quien efectúa el ofrecimiento y después se arrepiente: en estos supuestos podrá aplicarse la atenuante de confesión del art. 21.4ª CP.

La existencia de esta previsión ha generado cierta discusión doctrinal y algo de ansiedad en los organismos de seguimiento del cumplimiento de los tratados internacionales. Mientras parte de la doctrina duda de la eficacia de la disposición y pide su derogación, otra pide la ampliación de su aplicabilidad mediante la supresión del requisito temporal. Por su parte, tanto el Grupo de Estados contra la Corrupción (GRECO) del Consejo de Europa como el Grupo de Trabajo encargado de la evaluación del cumplimiento del convenio de la OCDE mostraron su preocupación por la posible impunidad que la aplicación de esta cláusula podría conllevar. Sin embargo, acudiendo a la aplicación jurisprudencial, los temores sobre los efectos de impunidad de esta cláusula parecen muy exagerados. En su análisis de la aplicación de la normativa entre 1996 y 2008, el GRECO sólo encontró un supuesto de aplicación: la TSJ-Madrid de 29 de noviembre de 2006 (ponente: Pedreira Andrade). Además de la anterior, la STS de 31 de julio de 2006 (ponente: García Pérez), alude al sobreseimiento libre de uno de los imputados por el TSJ-Cataluña en aplicación del antiguo art. 427 (actual 426).

5. Los delitos de malversación

En los delitos de malversación (arts. 432 a 435) se recogen conductas de ilícita administración de bienes y efectos públicos que suponen un doble ataque al buen funcionamiento de la administración pública. Por un lado, y al igual que en el resto de los delitos con los que comparte Título, se pone en entredicho que se estén sirviendo con objetividad los intereses generales; por otro, se produce un daño a los bienes con los que se lleva a cabo la actividad pública[56].

La jurisprudencia utiliza un concepto amplio de "caudal o efecto público", entendiendo por tales los bienes muebles o valores "con relevancia económica asignados a las Administraciones públicas para el cumplimiento de sus fines" (STS de 24 de enero de 2001, ponente: Ramos Gancedo, FD 2º), sin requerir que sean de propiedad pública, "bastando al efecto que se hallen en el circuito público, afectos a una determinada finalidad" (STS de 16 de marzo de 2004, ponente: Monterde Ferrer, FD 9º). De hecho, la jurisprudencia de modo constante incluye dentro del concepto de "caudal o efecto público" incluso bienes que no han ingresado efectivamente en la esfera de la Administración, afirmando que basta con que exista lo que se ha dado en llamar un "legítimo derecho expectante"[57]. En esta misma línea de ampliación del ámbito de relevancia típica, aunque según el Código los caudales o efectos públicos ha de tenerlos a su cargo el funcionario "por razón de sus funciones", la jurisprudencia se conforma con que el funcionario disponga de tales bienes "con ocasión" o "con motivo" de sus funciones, entendiendo que ello engloba todos los manejos de hecho autorizados y no contrarios a la legalidad (SSTS de 24 de octubre de 2012, ponente: Marchena Gómez, FD 3º, de 17 de marzo de 2010, ponente: Ramos Gancedo, FD 2º, de 12 de junio de 2007, ponente: Martín Pallín, FD 2º).

---

[56] En este sentido, entre otros, CÓRDOBA RODA (2004: 2056-2057); MUÑOZ CONDE (2010: 1032-1033).

[57] En ocasiones, y en contra del criterio doctrinal mayoritario, la jurisprudencia ha considerado punible el uso de personal al servicio de la Administración para tareas no propias de su cargo. Así, la STS de 19 de marzo de 1994 (ponente: Granados Pérez), FD 2º, que condena a tres miembros de una corporación municipal que utilizaron un alguacil para el cobro de recibos de una urbanización privada: "se deben conceptuar como caudales públicos cualquier bien y fuerza de trabajo, incluidos, por consiguiente, aquellos supuestos como el que nos ocupa, en el que se utiliza un empleado municipal, en horas en que debe prestar sus servicios al Ayuntamiento, en menesteres y tareas en beneficio particular". V. también la STS de 5 de octubre de 2012 (ponente: Jorge Barreiro), FD 6º.

Las conductas de malversación propia pueden consistir en la apropiación o en la distracción de los caudales públicos.

– Las conductas de *apropiación* se recogen en el art. 432 CP. Se exige la concurrencia de ánimo de lucro y que el sujeto pretenda la incorporación del efecto sustraído a su patrimonio. La conducta puede ser activa (sustracción) u omisiva (consentir la sustracción por un particular, en quien debe concurrir ánimo de lucro). La equiparación de ambas modalidades tiene como objetivo evitar el privilegio punitivo que se produciría en caso de que el funcionario, en virtud del principio de unidad del título de imputación, fuera considerado sólo partícipe en delito común cometido por el particular (p. ej., un hurto). La malversación tiene como pena base la prisión de tres a seis años acompañada de la inhabilitación absoluta de seis a diez años, si bien el art. 432.2 prevé una importante agravación de la pena (que pasa a ser de cuatro a ocho años de cárcel y de diez a veinte de inhabilitación absoluta) en tres casos:

a) cuando la malversación revistiera especial gravedad, atendiendo al valor de lo sustraído y al daño o entorpecimiento causado al servicio público. En alguna ocasión, el TS ha declarado que la agravante puede apreciarse a partir de los 12.000 euros, al igual que en el delito de estafa (STS de 17 de diciembre de 2003, ponente: Martínez Arrieta, FD 4°), si bien en otras resoluciones más recientes se aleja expresamente de la analogía entre ambos tipos penales (STS de 5 de octubre de 2012, ponente: Jorge Barreiro, FD 6°)[58]; b) cuando recaiga sobre bienes de valor histórico o artístico y c) cuando se trate de bienes destinados al alivio de una calamidad pública.

Por el contrario, el art. 432.3 sostiene que cuando la malversación es de menos de 4.000 euros procede la rebaja de la pena a la de multa de entre dos y cuatro meses, prisión de seis meses a tres años y suspensión de empleo o cargo público de hasta tres años.

---

[58]   En la STS de 7 de febrero de 2007 (ponente: Ramos Gancedo), FD 10°, se reconocía la existencia de cierta oscilación jurisprudencial en torno a si, para aplicar la agravación, es necesario que concurran el alto valor de lo sustraído y la existencia de daño o entorpecimiento causado al servicio público o se trata de requisitos de aplicación alternativa. En la STS de 5 de octubre de 2012 (ponente: Jorge Barreiro), FD 6°, se afirma que "han de computarse y darse ambos factores, si bien cuando la cuantía es muy elevada se considera que de la concurrencia de este primer elemento ya se deriva necesariamente el segundo".

– Las conductas de *distracción* vienen previstas en los arts. 433 y 434. El primero de ellos se ocupa de aquellos casos en los que el funcionario destina los caudales o efectos que tiene a su cargo a usos ajenos a la función pública. Se diferencia de los supuestos de apropiación antes vistos en que en este caso el sujeto no pretende hacer suyo el caudal o efecto distraído, sino sólo su utilización temporal para luego devolverlo. El párrafo II del art. 433 establece que si el funcionario no procede a la devolución del importe distraído en el plazo de diez días desde que se incoa el proceso, se le impondrán las penas del art. 432 (*apropiación* de caudal público). Esta disposición persigue motivar a quien sólo distrajo a la pronta devolución de los efectos para eludir la aplicación del tipo más grave. Si se puede declarar probado el ánimo de apropiación, no cabrá la aplicación del 433.2, aunque se proceda a la devolución: en estos casos se aplicará el art. 432 (STS de 23 de diciembre de 2004, ponente: Giménez García, FD 2º).

El art. 434 castiga una segunda modalidad de distracción: se trata de la "aplicación" privada y con ánimo de lucro propio o ajeno de bienes *muebles o inmuebles* pertenecientes a las administraciones públicas y sus organismos dependientes. La deficiente técnica legislativa ocasiona problemas de distinción con el art. 433 en los casos de aplicación privada de bienes muebles, ya que los verbos típicos ("aplicar", "destinar") son similares. En el art. 434 no se exige que los caudales o efectos estén puestos a cargo del funcionario "por razón de sus funciones" (en el 433 sí), pero sí se exige ánimo de lucro, propio o ajeno (en el 433 no). El problema es que esta exigencia de ánimo de lucro acerca el precepto al art. 432. La doctrina ha propuesto reservar el art. 434 para las conductas en las que se pretende la obtención de una ventaja económica derivada de la utilización privada de bienes muebles o inmuebles de la Administración sin ánimo apropiatorio (de haberlo, art. 432) ni desplazamiento físico del objeto material (de haberlo, art. 433)[59]. Con objeto de delimitar las conductas típicas de otras que por su poca entidad no merecen la tutela penal (ej.: uso moderado de teléfonos, faxes o máquinas fotocopiadoras), el artículo 434 exige que esta utilización cause "grave perjuicio para la causa pública".

– El art. 435 recoge la llamada malversación *impropia.* Mediante ésta, el delito de malversación resulta aplicable a sujetos que quedarían fuera del concepto de funcionario incluso con la amplia extensión que se viene dando a éste en el ámbito de los delitos contra la Administra-

---

59 *V.* MORALES PRATS/MORALES GARCÍA (2011: 1285).

ción pública. Se trata, por tanto, de una cláusula de extensión de la autoría: a cualquier sujeto que, por cualquier concepto, se encuentre encargado de fondos públicos (a); a los particulares designados por ley depositarios de caudales o efectos públicos (b) y a los administradores o depositarios de dinero o bienes embargados, secuestrados o depositados por autoridad pública (c). Mientras que la previsión de los dos primeros supuestos no resulta problemática, sí puede serlo la del tercero. Piénsese que en él no se exige que los bienes sean públicos. Y, si no lo son, es evidente que su malversación no puede poner en peligro la capacidad de prestación de la Administración[60].

6. La colaboración en la protección de los bienes públicos

Tal y como establece el art. 103 CE, para poder cumplir con sus fines la Administración precisa actuar de acuerdo con los principios de jerarquía y coordinación (entre otros). Los arts. 410 a 412 CP se refieren a conductas de desobediencia en sentido estricto y de denegación de auxilio que suponen trabas especialmente importantes a la realización de tales principios. Estos artículos serán también de aplicación en el caso de la protección de bienes públicos, superponiéndose a la obligación general de colaboración del personal al servicio de la Administración dispuesta en el art. 61 LPAP (cuyo incumplimiento podrá ser sancionado como infracción grave —art. 192.2.h LPAP— con una sanción de hasta un millón de euros —art. 193.1 LPAP—).

En el art. 410 se establece la pena de multa de 3 a 12 meses y la de inhabilitación especial para empleo o cargo público por tiempo de 6 meses a 2 años para el funcionario que se "negara abiertamente" a dar cumplimiento a cualquier resolución judicial u orden de alguna autoridad de superior jerarquía, siempre que ésta a) haya sido dictada dentro de su respectiva competencia y b) esté revestida de las formalidades legales. Se trata de una omisión pura, no es preciso que se produzca resultado alguno. El cumplimiento posterior de la orden no exime de responsabilidad (si bien puede

---

[60]   La jurisprudencia ha insistido de forma reiterada en que, para que entre en juego la extensión de la responsabilidad, la aceptación del cargo por la persona designada "debe estar precedida de una instrucción suficiente sobre las obligaciones y responsabilidades que contrae (...) y de la mutación jurídica que han experimentado los bienes secuestrados, embargados o depositados al convertirse ficticiamente en caudales públicos" (STS de 4 de enero de 2005, ponente: Sánchez Melgar, FD 3º). La apreciación de la insuficiencia de tal instrucción (que lleva a la impunidad), no es inusual.

ser tenido en cuenta a efectos atenuatorios vía art. 21.5 CP). Los mayores problemas interpretativos vienen ocasionados por la locución "abiertamente", hábilmente utilizada por las defensas para pedir la absolución cuando el imputado no ha proclamado públicamente su intención de desobedecer. Sin embargo, la jurisprudencia no ha mordido el anzuelo. Como explica la STS de 14 de junio de 2002 (ponente: García Ancos), FD 3°, la palabra *abiertamente* "ha de interpretarse, según constante jurisprudencia, no en el sentido literal de que la negativa haya de expresarse de manera contundente y explícita empleando frases o realizando actos que no ofrezcan dudas sobre la actitud desobediente, sino que también puede existir cuando se adopte una reiterada y evidente pasividad a lo largo del tiempo sin dar cumplimiento al mandato, es decir, cuando sin oponerse o negar el mismo tampoco realice la actividad mínima necesaria para llevarlo a cabo". En otras ocasiones, el TS habla de la necesidad de "contumacia o reiteración frente a lo ordenado" (STS de 24 de febrero de 2001, ponente: Saavedra, FD 3°)[61].

El párrafo II del art. 410 aclara que queda excluida la responsabilidad criminal de los funcionarios por el incumplimiento de aquellos mandatos que constituyan "infracción manifiesta, clara y terminante" de cualquier disposición general. Esta disposición ha sido objeto de cierta discusión doctrinal. Dejando de lado la cuestión de si estamos ante una causa de atipicidad o de justificación, de escasísima (si alguna) relevancia práctica, lo más polémico es si existe o no el deber de obedecer una orden ilegal cuando ésta no infrinja "manifiesta, clara y terminantemente" una disposición legal. Lo más razonable es entender que sí, ya que el principio de jerarquía se vería gravemente afectado si los subordinados pudieran negarse a seguir aquellas órdenes que consideraran ilegales. Es cierto que el interés público también se ve perjudicado cuando los funcionarios siguen órdenes ilegales, pero para paliar los posibles daños el CP efectúa una doble restricción: a) Respecto de los requisitos "formales": la orden ha de caer dentro de la competencia de quien la dicta y ha de cumplir las exigencias de forma legalmente establecidas; b) Respecto de los requisitos materiales: la orden

---

[61] El TS también se ha mostrado firme sobre la relevancia de las dudas en torno a la legalidad de la orden. Así, la STS de 6 de febrero de 2006 (ponente: Martín Pallín), FD 2° afirma, respecto de varios concejales y un alcalde que se negaron a dar cumplimiento a una resolución judicial, que "si estimaban que la orden no era clara, debieron solicitar su aclaración y, si consideraban que la resolución era injusta o contraria a derecho sólo tenían la vía de los recursos para tratar de cambiar su sentido y convertirlo en favorable para sus intereses".

no puede oponerse crasamente (manifiesta, clara y terminantemente) al ordenamiento jurídico material.

En el art. 411 se tipifica la conducta del funcionario que, habiendo suspendido la ejecución de una orden por algún motivo distinto de considerarla manifiestamente ilegal, se negare a obedecerla después de que sus superiores desaprueben la suspensión. La pena prevista es la de multa de 12 a 24 meses e inhabilitación especial para empleo o cargo público de 1 a 3 años. Como se ve, esta pena es más elevada que la que corresponde para el caso de "mera" negativa a obedecer. La doctrina ha interpretado que ello se debe a que en este caso hay una doble negativa a obedecer, si bien ello resulta dudoso: en la primera ocasión el sujeto ha de suspender la ejecución de la orden, y no desobedecerla (si no, habría cometido el delito del 410). La elevación de la pena no es muy comprensible.

En el art. 412 se recogen diversas conductas que suponen denegación de auxilio, bien a la Administración de Justicia u otro servicio público, bien a los particulares respecto de ciertos delitos. El art. 412.1 se refiere a la falta de cooperación con la Administración de Justicia u otro servicio público. El funcionario que de modo doloso incurriere en la misma será sancionado con la pena de multa de 3 a 12 meses y suspensión de empleo o cargo público de 6 meses a 2 años, previéndose el incremento de las penas para los casos en que el requerido es autoridad o responsable de una fuerza pública, o agente de la autoridad. En todos los casos tiene que haber existido requerimiento por parte de autoridad competente, y éste debe guardar ciertas formalidades. Así por ejemplo, en la STS 15 de marzo de 1997 (ponente: Montero Fernández-Cid), FD 3º, el TS entendió que no cumplía con las formalidades mínimas el requerimiento telefónico efectuado por el Juez de Guardia al concejal competente conminándole a abrir el depósito municipal para ingresar a un detenido. No es sin embargo preciso que la autoridad requirente sea superior jerárquico en sentido estricto: basta con que quien recibe el requerimiento venga legalmente obligado a obedecer (STS de 25 de febrero de 1997, ponente: de Vega Ruiz, FD 7º).

En el art. 412.3 se establece la responsabilidad del funcionario que se negare a cumplir con su deber cuando fuera requerido a ello por un particular con el fin de evitar un delito. La medida de su responsabilidad varía (de forma descendente) según se trate de (a) un delito contra la vida (b) uno contra la integridad, libertad sexual, salud o libertad de las personas o (c) cualquier otro delito. Los casos en los que un particular solicitara el auxilio del funcionario para evitar un delito contra un bien público se encuadrarían en este último supuesto, para el que se prevé una pena de 3 a 12 meses de multa y suspensión de empleo o cargo público de 6 meses a 2 años. En relación con este delito, téngase también en cuenta lo dispuesto por el art. 408, que sanciona con la pena de inhabilitación especial para empleo o cargo público de 6 meses a 2 años al funcionario que deje de promover la persecución de los delitos de que tenga noticia o de sus responsables.

Por lo que respecta a los particulares, el art. 450 (omisión del deber de impedir ciertos delitos) sólo se refiere a los delitos contra la vida, integridad o salud, libertad y libertad sexual, de modo que no tienen obligación penal de evitar delitos contra los bienes públicos. Tampoco podrían ser sancionados por una infracción leve conforme al art. 192 LPAP en relación con el art. 62 de esa misma ley, ya que éste impone el deber de colaboración con las Administraciones públicas "a requerimiento de éstas". Finalmente, ha de recordarse la pintoresca regulación del deber de denuncia de la comisión de delitos en el ordenamiento jurídico español, recogida en los arts. 259-264 LECrim, en los que se distingue entre tres situaciones: a) los hechos, constitutivos de "delito público" (perseguible de oficio), son presenciados: existe obligación de denunciarlos, bajo sanción de 25 a 250 (*sic*) ptas. (art. 259 LECrim); b) Los hechos, constitutivos de "delito público", son conocidos en el desempeño de cargo, profesión u oficio: existe obligación de denunciarlos, y el incumplimiento se sanciona con multa de 25 a 250 ptas., salvo que se trate de "profesor de medicina, cirugía o farmacia", supuesto en el que la sanción asciende a la todavía ridícula cantidad de 125 a 250 ptas. (art. 262 LECrim); c) si el conocimiento de la perpetración del delito tiene lugar "por cualquier medio diferente de los mencionados", el art. 264 LECrim afirma que el sujeto "deberá denunciarlo", pero no prevé sanción para el caso de que no lo haga. Atendiendo a las consecuencias de su incumplimiento, parece claro que la existencia del deber legal de denuncia no supone diferencia práctica alguna: denunciará sólo aquél particular que, por la razón que sea, tuviera previsto hacerlo[62].

LISTADO DE JURISPRUDENCIA

STC 18/1981, de 6 de junio de 1981 (ponente: Gómez-Ferrer)
STC 246/1991, de 19 de diciembre de 1991 (ponente: Tomás y Valiente)
STC 367/1993, de 13 de diciembre de 1993 (ponente: Díaz Eimil)
STC 59/1996, de 15 de abril de 1996 (ponente Viver Pi-Sunyer)
STC 120/1998, de 15 de junio de 1998 (ponente: García-Mon)
STC 166/1998, de 15 de julio de 1998 (ponente: González Campos)

---

[62] Sobre este precepto y las opiniones de la doctrina procesal al respecto, v. GÓMEZ POMAR/ORTIZ DE URBINA (2005: 87-90).

STC 142/2009, de 15 de junio (ponente: Casas Baamonde)
STS de 19 de diciembre de 1990 (ponente: García Pérez)
STS de 3 de diciembre de 1992 (ponente: Granados Pérez)
STS de 7 de abril de 1993 (ponente: Granados Pérez)
STS de 19 de marzo de 1994 (ponente: Granados Pérez)
STS de 28 de diciembre de 1995 (ponente: García-Calvo y Montiel)
STS de 5 de febrero de 1996 (ponente: Puerta Luis)
STS de 14 de febrero de 1997 (ponente: Martín Pallín)
STS de 25 de febrero de 1997 (ponente: de Vega Ruiz)
STS 15 de marzo de 1997 (ponente: Montero Fernández-Cid)
STS de 16 de marzo de 1998 (ponente: Bacigalupo Zapater)
ATS de 25 de febrero de 1998 (ponente: Jiménez Villarejo)
STS de 30 de abril de 1998 (ponente: Conde-Pumpido Tourón)
STS de 9 de junio de 1998 (ponente: Conde-Pumpido Tourón)
STS de 19 de mayo de 1999 (ponente: Ramos Gancedo)
STS de 10 de octubre de 2000 (ponente: Sánchez Melgar)
STS de 13 de octubre de 2000 (ponente: Jiménez Villarejo)
STS de 19 de diciembre de 2000 (ponente: Martín Pallín)
STS de 24 de enero de 2001 (ponente: Ramos Gancedo)
STS de 24 de febrero de 2001 (ponente: Saavedra Ruiz)
STS de 23 de noviembre de 2001 (ponente: Conde-Pumpido Tourón)
STS de 9 de mayo de 2002 (ponente: Martín Canivell)
STS de 16 de mayo de 2002 (ponente: Abad Fernández)
STS de 30 de mayo de 2002 (ponente: Jiménez Villarejo)
STS de 3 de junio de 2002 (ponente: Ramos Gancedo)
STS de 14 de junio de 2002 (ponente: García Ancos)
STS de 27 de enero de 2003 (ponente: Delgado García)
STS de 24 de febrero de 2003 (ponente: Granados Pérez)
STS de 5 de marzo de 2003 (ponente: Colmenero Menéndez de Luarca)
STS de 1 de abril de 2003 (ponente: Conde-Pumpido Tourón)
STS de 2 abril de 2003 (ponente: Martínez Arrieta)
STS de 2 de junio de 2003 (ponente: Aparicio Calvo-Rubio)
STS de 16 de junio de 2003 (ponente: Martín Pallín)
STS de 14 de noviembre de 2003 (ponente: Soriano Soriano)
STS de 17 de diciembre de 2003 (ponente: Martínez Arrieta)
STS de 16 de marzo de 2004 (ponente: Monterde Ferrer)
STS de 31 de marzo de 2004 (ponente: García Ancos)
STS de 20 de mayo de 2004 (ponente: García Ancos)
STS de 22 de julio de 2004 (ponente: Bacigalupo Zapater)
STS de 18 de octubre de 2004 (ponente: Soriano Soriano)
STS de 23 de diciembre de 2004 (ponente: Giménez García)
STS de 4 de enero de 2005 (ponente: Sánchez Melgar)
STS de 26 de enero de 2005 (ponente: Ramos Gancedo)
STS de 21 de julio de 2005 (ponente: Berdugo y Gómez de la Torre)
STS de 17 de noviembre de 2005 (ponente: Andrés Ibáñez)
STS de 6 de febrero de 2006 (ponente: Martín Pallín)
STS de 19 de febrero de 2006 (ponente: Sánchez Melgar)
STS de 28 de marzo de 2006 (ponente: Berdugo y Gómez de la Torre)
STS de 8 de junio de 2006 (ponente: Martínez Arrieta)
STS de 31 de julio de 2006 (ponente: García Pérez)

STS de 18 de septiembre de 2006 (ponente: Ramos Gancedo)
STS de 18 de octubre de 2006 (ponente: Granados Pérez)
STS de 29 de noviembre de 2006 (ponente: Ramnos Gancedo)
STS de 2 de febrero de 2007 (ponente: Giménez García)
STS de 7 de febrero de 2007 (ponente: Ramos Gancedo)
STS de 9 abril de 2007 (ponente: García Pérez)
STS de 21 de mayo de 2007 (ponente: Puerta Luis)
STS de 30 mayo de 2007 (ponente: Marchena Gómez)
STS de 12 de junio de 2007 (ponente: Martín Pallín)
STS de 20 de junio de 2007 (ponente: Maza Martín)
STS de 13 de julio de 2007 (ponente: Bacigalupo Zapater)
STS de 21 de diciembre de 2007 (ponente: García Pérez)
STS de 13 de febrero de 2008 (ponente: Berdugo y Gómez de la Torre)
STS de 8 de abril de 2008 (ponente: Varela Castro)
STS de 13 de junio de 2008 (ponente: Marchena Gómez)
STS de 3 de febrero de 2009 (ponente: Varela Castro)
STS de 30 de junio de 2009 (ponente: Delgado García)
STS de 1 de julio de 2009 (ponente: Ramos Gancedo)
STS de 26 de octubre de 2009 (ponente: Maza Martín)
STS de 23 de diciembre de 2009 (ponente: Varela Castro)
STS de 25 de enero de 2010 (ponente: Marchena Gómez)
STS de 17 de marzo de 2010 (ponente: Ramos Gancedo)
STS de 17 de mayo de 2010 (ponente: Saavedra)
STS de 2 de febrero de 2011 (ponente: Varela Castro)
STS de 8 de noviembre de 2011 (ponente: Martínez Arrieta)
STS de 2 diciembre de 2011 (ponente: Maza Martín)
STS de 14 de marzo de 2012 (ponente: Berdugo Gómez de la Torre)
STS de 4 de junio de 2012 (ponente: Saavedra Ruiz)
STS de 5 de octubre de 2012 (ponente: Jorge Barreiro)
STS de 24 de octubre de 2012 (ponente: Marchena Gómez)
STS de 28 de noviembre de 2012 (ponente: Sánchez Melgar)
STS de 23 de abril de 2013 (ponente: Berdugo Gómez de la Torre)
STS de 6 de mayo de 2013 (ponente: Granados Pérez)
STS de 5 de julio de 2013 (ponente: Maza Martín)
SAP Granada —Sección 2ª— de 25 noviembre de 1999 (ponente: Sáenz Soubrier)
SAP Cádiz —Sección 8ª— de 24 de julio de 2000 (ponente: Rodríguez Bermúdez de Castro)
SAP León —Sección 3ª—, de 6 noviembre de 2002 (ponente: Mallo Mallo)
SAP Barcelona —Sección 7ª— de 18 enero de 2002 (ponente: de Alfonso Laso)
SAP Valencia —Sección 4ª— de 7 de octubre de 2002 (ponente: Tomás Tío)
SAP Cuenca —Sección 1ª—, de 14 enero de 2004 (ponente: Puente Segura)
SAP Granada —Sección 2ª— de 8 de marzo de 2004 (ponente: Flores Domínguez)
SAP Barcelona —Sección 2ª— de 2 de noviembre de 2004 (ponente: Morales Limia)
SAP Barcelona —Sección 8ª— de 13 de mayo de 2005 (ponente: Barrientos Pacho)
SAP Lugo —Sección 2ª— de 14 de mayo de 2007 (ponente: Varela Prada)
SAP A Coruña —Sección 1ª— de 18 de febrero de 2009 (ponente: Sánchez Jiménez)
SAP Vizcaya —Sección 1ª— de 8 de abril de 2009 (ponente: Iracheta Undagoitia)
SAP Logroño —Sección 1ª— de 31 de marzo de 2010 (ponente: Díaz Roldán)
SAP Madrid —Sección 6ª— de 4 de junio de 2010 (ponente Serrano Gassent)
SAP Donostia —Sección 1ª— de 16 de junio de 2010 (ponente: Unanue Arratibel)
SAP Barcelona —Sección 5ª— de 14 de febrero de 2011 (ponente: Jiménez Jiménez)

SAP Barcelona —Sección 10ª— de 9 de junio de 2011 (ponente: Planchat Teruel)
SAP Guadalajara —Sección 1ª— de 16 de mayo de 2012 (ponente: Serrano Frías)
SAP Zaragoza —Sección 6ª— de 29 de mayo de 2012 (ponente: Lasala Albasini)
SAP Alicante —Sección 2ª— de 5 de julio de 2012 (ponente: Guirau Zapata)
SAP Madrid —Sección 17ª— de 18 de julio de 2012 (ponente: Brobia Varona)
SAP Madrid —Sección 2ª— de 15 de octubre de 2012 (ponente: Esteban Meilan)
SAP Tenerife —Sección 5ª— de 19 de octubre de 2012 (ponente: Mulero Flores)
SAP Ciudad Real —Sección 2ª— de 29 de noviembre de 2012 (ponente: Velázquez de Castro Puerta)
SAP A Coruña —Sección 1ª— de 6 de mayo de 2013 (ponente: Gómez Díaz)
SAP Palencia —Sección 1ª— de 13 de mayo de 2013 (ponente: Bugidos San José)

BIBLIOGRAFÍA

ACALE SÁNCHEZ, María: *Los nuevos delitos sobre la ordenación del territorio y el urbanismo.* Bosch, Barcelona 2011.

ALASTUEY DOBÓN, M. Carmen: "La responsabilidad civil y las costas procesales", en Gracia Martín (coordinador): *Tratado de las consecuencias jurídicas del delito.* Tirant lo Blanch, Valencia 2006, pp. 589-651.

BAUCELLS LLADÓS, Joan: "Delitos contra el patrimonio y contra el orden socioeconómico" (arts. 245 a 247), en CÓRDOBA RODA, J./ GARCÍA ARÁN, M. (dirs.), *Comentarios al Código penal. Parte especial,* Tomo I. Marcial Pons, Madrid 2004, pp. 725-739.

BETANCOR RODRÍGUEZ, Andrés: *Instituciones de Derecho ambiental.* La Ley, Madrid 2001.

BLANCO LOZANO, Carlos: *El delito ecológico. Manual operativo,* Madrid 1997.

CANCIO MELIÁ, Manuel: "La responsabilidad del funcionario por delitos contra el medio ambiente en el Código penal español", en JORGE BARREIRO, A. (dir.), *Estudios sobre la protección penal del medio ambiente en el ordenamiento jurídico español.* Comares, Granada 2005, pp. 295-333.

CARPIO BRIZ, David: "Non bis in ídem", en Ortiz de Urbina (coord.): *Memento Práctico Penal Económico y de la empresa.* Francis Lefebvre, Madrid 2011, pp. 292-303.

CÓRDOBA RODA, Juan: "Delitos contra la Administración pública" (arts. 404 a 445), en CÓRDOBA RODA, J./ GARCÍA ARÁN, M. (dirs.), *Comentarios al Código penal. Parte especial,* Tomo I. Marcial Pons, Madrid 2004, pp. 1903-2126.

DE LA FUENTE HONRUBIA, Fernando: *Las consecuencias accesorias del artículo 129 del Código Penal.* Lex Nova, Valladolid 2004.

DE LA MATA BARRANCO, Norberto, *Protección penal del Ambiente y Accesoriedad Administrativa.* Cedecs, Barcelona 1996.

DE LA MATA BARRANCO, Norberto: *La respuesta a la corrupción pública. Tratamiento penal de la conducta de los particulares que contribuyen a ella.* Comares, Granada 2004.

DE LA MATA BARRANCO, Norberto/ DE LA MATA BARRANCO, Ignacio: "El ambiente como objeto específico de tutela penal", en ECHANO BASALDÍA, J. I. (coord.), *Estudios jurídicos en memora de José María Lidón,* Bilbao 2002, pp. 331-348.

ESTEVE PARDO, Juan José: *Derecho del medio ambiente.* Marcial Pons, Madrid 2005; el mismo, "Protección penal y accesoriedad administrativa en la nueva regulación para la protección del medio ambiente", en *CDJ: Incidencia mediombiental y Derecho sancionador,* Madrid VIII-2006, pp. 119-138.

FEIJOO SÁNCHEZ, Bernardo José: *Sanciones para empresas por delitos contra el medio ambiente.* Civitas, Madrid 2002.

GARCÍA ARÁN, Mercedes: "Delitos contra el patrimonio y contra el orden socioeconómico" (arts. 262 a 269), en CÓRDOBA RODA, J./ GARCÍA ARÁN, M. (dirs.), *Comentarios al Código penal. Parte especial,* Tomo I. Marcial Pons, Madrid 2004, pp. 909-948.

GÓMEZ-JARA DÍEZ, Carlos: "Autoorganización empresarial y autorresponsabilidad empresarial. Hacia una verdadera responsabilidad penal de las personas jurídicas", en *Revista Electrónica de Ciencia Penal y Criminología* (en línea) 2006, núm. 08-05, p. 05 :1 - 05: 27. Disponible en Internet: http://criminet.ugr.es/recpc/08/recpc08-05.pdf (consultado el 03-08-2013).

GÓMEZ MARTÍN, Víctor: *Los delitos especiales.* Edisofer, Madrid 2006.

GÓMEZ POMAR, Fernando/ORTIZ DE URBINA GIMENO, Íñigo: *Chantaje e intimidación: un análisis jurídico-económico.* Civitas, Madrid 2005.

GÓMEZ POMAR, Fernando: "Responsabilidad civil derivada de delito", en Ortiz de Urbina (coord.): *Memento Práctico Penal Económico y de la empresa.* Francis Lefebvre, Madrid 2011, pp. 241-260.

GÓMEZ TOMILLO, Manuel: "De los delitos sobre la ordenación del territorio", en COBO DEL ROSAL, M. (dir.), *Comentarios al Código penal. Segunda época,* Tomo X (Vol. II). Cesej, Madrid 2006, pp. 17-115.

GONZÁLEZ CUSSAC, José Luis: *El delito de prevaricación de autoridades y funcionarios públicos,* 2ª ed. Tirant lo Blanch, Valencia 1997.

GONZÁLEZ GARCÍA, Julio: "Dominio Público", en GONZÁLEZ GARCÍA (dir.): *Diccionario de obras públicas y bienes públicos.* Iustel, Madrid 2007, pp. 322-335.

HOLMES, Oliver Wendell: "The Path of the Law", en *Harvard Law Review,* marzo de 1997 (originalmente publicado en 1897, fecha por la que se cita), pp. 991-1009.

JORGE BARREIRO, Agustín: "El bien jurídico protegido en los delitos contra el medio ambiente en el CP de 1995", en el mismo (dir.), *Estudios sobre la protección penal del medio ambiente en el ordenamiento jurídico español.* Comares, Granada 2005, pp. 1-72.

LASCURAÍN SÁNCHEZ, Juan Antonio: "Elogio del art. 325 del Código penal", en JORGE BARREIRO, A. (dir.), *Estudios sobre la protección penal del medio ambiente en el ordenamiento jurídico español.* Comares, Granada 2005, pp. 265-294.

MAGRO SERVET, Vicente: "Hacia la necesidad de implantación del plan de prevención jurídica en las empresas", en *Diario Jurídico La Ley,* 19 de mayo de 2011 (consultado en edición electrónica).

MARTÍNEZ-BUJÁN PÉREZ, Carlos: Derecho penal económico y de la empresa. Parte general. 3ª ed. Tirant lo Blanch, Valencia 2011.

MENDOZA BUERGO, Blanca: "El delito ecológico: configuración típica, estructuras y modelos de tipificación", en JORGE BARREIRO, A. (dir.), *Estudios sobre la protección penal del medio ambiente en el ordenamiento jurídico español.* Comares, Granada 2005, pp. 109-150.

MESTRE DELGADO, Esteban: "Delitos contra el patrimonio y contra el orden socioeconómico", en LAMARCA PÉREZ, C. (coord.), *Derecho penal. Parte especial,* 3ª ed. Colex, Madrid 2005, pp. 237-403.

MIR PUIG, Santiago: *Derecho penal. Parte general.* Reppertor, Barcelona 2011.

MIRÓ LLINARES, Fernando: "Reflexiones sobre el principio *societas delinquere non potest* y el artículo 129 del Código penal. (Al hilo de su décimo aniversario y de su escasa aplicación jurisprudencial).", en *Responsabilidad de las personas jurídicas en los delitos económicos. Especial referencia a los consejos de administración. Actuar en nombre de otro.* Consejo General del Poder Judicial, Madrid 2007, pp. 189-263.

MORALES PRATS, Fermín/RODRÍGUEZ PUERTA, María José: "Art. 404", en QUINTERO OLIVARES, G. (dir.), *Comentarios al Código penal español.* Tomo II, 6ª ed. Aranzadi, Cizur Menor 2011, pp. 1137-1147.

MORALES PRATS, Fermín/MORALES GARCÍA, Óscar: "Art. 432", en QUINTERO OLIVA-RES, G. (dir.), *Comentarios al Código penal español*. Tomo II, 6ª ed. Aranzadi, Cizur Menor 2011, pp. 1270-1290.

MUÑOZ CONDE, Francisco: *Derecho penal. Parte Especial,* 18ª ed. Tirant lo Blanch, Valencia 2010.

MUÑOZ CONDE, Francisco/GARCÍA ARÁN, Mercedes: *Derecho Penal. Parte General,* 8ª ed. Tirant lo Blanch, Valencia 2010.

MUÑOZ LORENTE, José: "Algunas cuestiones sobre la responsabilidad penal de las personas jurídicas en España: su contradictorio presente y su incierto futuro", en Guzmán Dabora/Serrano Maíllo (eds.): *Derecho penal y criminología como fundamento de la política criminal. Estudios en homenaje al profesor Alfonso Serrano Gómez.* Dykinson, Madrid 2006, pp. 945-967.

NIETO GARCÍA, Alejandro: *Derecho administrativo sancionador,* 4ª ed. Tecnos, Madrid 2005.

OCTAVIO DE TOLEDO Y UBIETO, Emilio: "Derecho Penal, poderes públicos y negocios (con especial referencia a los delitos de cohecho)", en: *El nuevo Código Penal: presupuestos y fundamentos: (libro homenaje al profesor Doctor Don Ángel Torío López).* Comares, Granada 1999, pp. 861-878.

OCTAVIO DE TOLEDO Y UBIETO, Emilio: "El delito de prevaricación de los funcionarios públicos en el Código Penal", en *Revista Jurídica La ley,* 1996, pp. 1.513-1.528.

ORTIZ DE URBINA GIMENO, Iñigo: "Delitos contra la Administración pública", en SILVA SÁNCHEZ, J. M. (dir.), *Lecciones de Derecho penal. Parte especial,* 3ª ed., Atelier, Barcelona 2011, pp. 327-358.

ORTIZ DE URBINA GIMENO, Iñigo: "Responsabilidad penal de las personas jurídicas. Cuestiones materiales", en Ortiz de Urbina (coord.): *Memento Práctico Penal Económico y de la empresa.* Francis Lefebvre, Madrid 2011, pp. 153-186.

ORTIZ DE URBINA GIMENO, Iñigo: "La responsabilidad penal de las personas jurídicas: un análisis económico", en Ayuso (dir.): *Justicia y Economía.* Manuales de Formación Continua del Consejo General del Poder Judicial, nº 49, Madrid 2010, pp. 187-223.

ORTS BERENGUER, Enrique/GONZÁLEZ CUSSAC, José Luis: *Compendio de Derecho Penal. Parte especial y Parte general.* Tirant lo Blanch, Valencia 2004.

POLAINO NAVARRETE, Miguel: "Aspectos político-criminales de los delitos contra el medio ambiente", en GONZÁLEZ RUS, J. J. (coord.), *Estudios penales y jurídicos,* Homenaje al Prof. Dr. Enrique Casas Barquero. Córdoba 1996, pp. 623-642.

QUINTERO OLIVARES, Gonzalo: "Art. 263", en el mismo, *Comentarios al Código penal.* Tomo II, 6ª ed. Aranzadi, Cizur Menor 2011, pp. 177-181.

RAZQUIN LIZÁRRAGA, José Antonio: *La Evaluación de Impacto Ambiental.* Aranzadi, Elcano 2000.

RODRÍGUEZ FERRÁNDEZ, Samuel: *La protección jurídico-penal del agua.* Dykinson, Madrid 2013.

ROBLES PLANAS, Ricardo: *Garantes y cómplices. La intervención por omisión y en los delitos especiales.* Atelier, Barcelona 2007.

ROBLES PLANAS, Ricardo: "Delitos contra el patrimonio" (I), en SILVA SÁNCHEZ, J. M. (dir.), *Lecciones de Derecho penal, parte especial.* Atelier, 3ª ed., Barcelona 2011, pp. 199-227.

ROBLES PLANAS, Ricardo/PASTOR MUÑOZ, Nuria: "Delitos contra el patrimonio" (III), en SILVA SÁNCHEZ, J. M. (dir.), *Lecciones de Derecho penal, parte especial.* Atelier, 3ª ed., Barcelona 2011, pp. 253-274.

ROCA AGAPITO, Luis: *El delito de malversación de caudales públicos.* Bosch, Barcelona 1999.

RODRÍGUEZ RAMOS, Luis: "Los riesgos de lo abstracto en el Derecho penal (el delito de contaminación ambiental como ejemplo)", en *Actualidad Jurídica Aranzadi* 2003, núm. 574 (http://www.westlaw.es).

SANTANA VEGA, Dulce María: "Las obligaciones constitucionales de castigar penalmente", en Quintero/Morales (coordinadores): *El Nuevo Derecho Penal Español. Estudios Penales en Memoria del Profesor José Manuel Valle Muñiz.* Aranzadi, Elcano 2001, pp. 865-883.

SANZ-DÍEZ DE ULZURRUN LLUCH, Marina: *Dolo e imprudencia en el Código penal español. Análisis legal y jurisprudencial.* Tirant lo Blanch, Valencia 2007.

SERRANO GÓMEZ, Alfonso/SERRANO MAÍLLO, Alfonso: *Derecho penal. Parte especial,* 15ª ed. Dykinson, Madrid 2010.

SILVA SÁNCHEZ, Jesús-María: *El Nuevo Código penal: cinco cuestiones fundamentales.* Bosch, Barcelona 1997.

SILVA SÁNCHEZ, Jesús-María/MONTANER FERNÁNDEZ, Raquel: *Los delitos contra el medio ambiente. Reforma legal y aplicación judicial.* Atelier, Barcelona 2012.

SILVA SÁNCHEZ, Jesús-María: "La aplicación judicial de las consecuencias accesorias para las empresas", en *InDret* 2/2006.

SILVA SÁNCHEZ, Jesús-María/FELIP I SABORIT, David: "El Derecho penal ante el ruido", en ARANA GARCÍA, E./TORRES LÓPEZ, M. A. (coords.), *Régimen jurídico del ruido. Una perspectiva integral y comparada.* Comares, Granada 2004, pp. 257-286.

SILVA SÁNCHEZ, Jesús-María/ORTIZ DE URBINA GIMENO, Íñigo: "El art. 31.2 del Código penal. ¿Responsabilidad penal de las personas jurídicas o mero aseguramiento del pago de la pena de multa?", en *InDret* 2/2006.

SUÁREZ LÓPEZ, José María: "De los delitos sobre el patrimonio histórico", en COBO DEL ROSAL, M. (dir.), *Comentarios al Código penal. Segunda época,* Tomo X (Vol. II). CESEJ, Madrid 2006, pp. 117-150.

TERRADILLOS BASOCO, Juan: "Código penal-leyes penales especiales. Diez cuestiones sobre una tensión no resuelta", en DÍEZ RIPOLLÉS et al (eds.): *La ciencia del Derecho penal ante el nuevo siglo. Libro homenaje al profesor doctor Don José Cerezo Mir.* Tecnos, Madrid 2002, pp. 511-530.

TORRENTE, Diego: "Vendiendo seguridad: servicios, conflictos y estrategias de la seguridad privada en España", en *Sistema* nº 192, 2006, pp. 77-103.

TRAPERO BARREALES, María A.: *Los delitos de incendio, estragos y daños tras la reforma de la LO 7/2000 y la LO 15/2003.* Tirant lo Blanch, Valencia 2006.

Capítulo XII

El mar. Dominio público marítimo-terrestre y medio marino[*]

MARÍA ZAMBONINO PULITO
Catedrática de Derecho Administrativo
Universidad de Cádiz

SUMARIO: I. INTRODUCCIÓN. LA INTENSIFICACIÓN DE LA PROTECCIÓN AMBIENTAL DEL MAR DERIVADA DE SU CARÁCTER DEMANIAL. II. EL MAR COMO BIEN JURÍDICO PROTEGIDO: SU DOBLE CONSIDERACIÓN COMO PARTE DEL AMBIENTE Y COMO BIEN DE DOMINIO PÚBLICO. 1. El concepto amplio de medio marino. Delimitación. 2. La delimitación de los espacios marítimos. 3. Naturaleza jurídica del mar: el carácter de dominio público estatal del mar territorial y de las aguas interiores. III. LA CONSIDERACIÓN DEL MAR COMO PARTE DEL TERRITORIO: PROBLEMÁTICA COMPETENCIAL. IV. LAS COMPETENCIAS EN RELACIÓN A LA PROTECCIÓN AMBIENTAL DEL MAR. ORGANIZACIÓN ADMINISTRATIVA. 1. La distribución de competencias para proteger el medio marino en función del origen de la contaminación. 2. Consecuencias organizativas: la dualidad de estructuras administrativas para la materialización de la protección del mar. V. LA PROTECCIÓN DEL MAR DESDE LAS PERSPECTIVAS AMBIENTAL Y DEMANIAL. 1. La caracterización como función pública de la protección del medio marino. El *plus* de protección demanial. 2. Las técnicas de protección del medio marino. A) Régimen jurídico de la protección del medio marino de la contaminación procedente de tierra. a) Régimen general de los vertidos en la legislación de costas. b) Los vertidos de sustancias peligrosas. B) Régimen jurídico de la protección del medio marino de la contaminación procedente del mar y del salvamento marítimo. a) Régimen de la actividad administrativa de control de la contaminación procedente del mar. b) El servicio público de salvamento y lucha contra la contaminación marina. C) Otras técnicas de protección: la planificación y la declaración de espacios protegidos. 3. La utilización del mar como bien de dominio público. A) La necesidad de desarrollar el régimen de utilización del mar en cuanto bien de dominio público. B) El supuesto peculiar de las instalaciones de generación de electricidad ubicadas en el mar. 4. Potestad sancionadora. VI. EL REFORZAMIENTO DE LAS GARANTÍAS DEL CUMPLIMIENTO DE LA FUNCIÓN ADMINISTRATIVA DE PROTECCIÓN DEL MAR: LA ACCIÓN PÚBLICA.

[*] Este trabajo se ha elaborado en el marco del Proyecto de excelencia de la Junta de Andalucía "Ordenación y gestión integradas del litoral de Andalucía" (SEJ 4770).

I. INTRODUCCIÓN. LA INTENSIFICACIÓN DE LA PROTECCIÓN AMBIENTAL DEL MAR DERIVADA DE SU CARÁCTER DEMANIAL

El mar, desde la perspectiva ambiental, es un espacio al que el orde-namiento jurídico presta una especial consideración. Este tratamiento, además, no es nuevo, pues se viene desarrollando y perfeccionando des-de 1954, año del que data el Acuerdo de Londres sobre contaminación del mar por hidrocarburos (OILPOIL). En este sentido, la protección am-biental del mar, desde la perspectiva jurídica, puede considerarse pionera respecto a otros sectores[1]. En la actualidad, las técnicas de protección dise-ñadas están bien definidas y, en general y sin perjuicio de que adolezca de algunas carencias[2], el ordenamiento jurídico prevé mecanismos suficientes para prevenir la contaminación del mar y reparar, en su caso, el ambiente dañado. Si a ello añadimos que el mar es calificado, por nuestra Norma Fundamental, como dominio público y teniendo en cuenta que la dema-nialidad comporta un haz de potestades dirigidas a la protección y defensa de los bienes públicos, debe concluirse el reforzamiento de dicha protec-ción —ya de por sí intensa, como he apuntado— que, en el caso del mar, viene avalada por su carácter de bien de dominio público natural.

El ordenamiento, sin embargo, no ofrece una respuesta pareja desde una y otra perspectiva, pues si bien desde la ambiental puede afirmarse que se dispone de un régimen bien diseñado de protección del medio marino, desde el punto de vista de su protección como bien de dominio público la regulación específicamente pensada para el mar es escasa, por lo que, en este punto, ha de acudirse a la legislación, supletoria, reguladora del domi-nio público marítimo-terrestre.

---

[1]   Los orígenes del Derecho ambiental suelen situarse, a nivel universal, a partir de que surja la preocupación por la calidad de vida, que comienza a sentirse a raíz de los movimientos ecologistas de la década de los 60, y que daría lugar a la declaración, en 1970, del "Año europeo de la conservación de la naturaleza". Será sin embargo, la Conferencia de las Naciones Unidas de Estocolmo en 1972 la que da el actual impulso al Derecho Ambiental, constituyendo la primera gran iniciativa de la ONU de la que nace el Programa de las Naciones Unidas sobre el Medio Ambiente (PNUMA) y que culminará en la Conferencia de Río de Janeiro de 1992. Anteriores son sin embargo, las fechas en la que la preocupación por el medio marino tiene su reflejo a nivel nor-mativo, por lo que puede afirmarse que el Derecho ambiental del mar tiene pues un origen anterior a la preocupación generalizada por el medio ambiente, pudiéndose considerar pionero en el ordenamiento jurídico.

[2]   Todo ello lo analicé en el trabajo *La protección jurídico-administrativa del medio marino: tutela ambiental y transporte marítimo*, Tirant lo Blanch, Valencia, 2001.

Ello porque la Ley 41/2010, de 29 de diciembre, de Protección del medio marino (en adelante LPMM), en lo que hace al régimen de protección y utilización del mar en cuanto bien de dominio público, se limita a reiterar los contenidos del art. 132 CE, y a introducir una serie de pautas muy genéricas en cuanto a su utilización en el único precepto que dedica al mar como bien de dominio público (art. 3), tales como la garantía del uso sostenible y del uso común general, remitiéndose, en lo que hace a otros usos y aprovechamientos, a la normativa sectorial que en cada caso corresponda aplicar[3]. Tan sólo se introduce la necesidad de informe favorable del Ministerio competente en materia de medio ambiente en los procedimientos que autoricen usos y aprovechamientos, y se regulan las autorizaciones para el manejo de especies marinas y de observación de cetáceos. Sin embargo, como se ha apuntado, el régimen de protección ambiental del medio marino, es un régimen muy completo, que se articula en torno a una serie de instrumentos dirigidos a proteger el mar de la contaminación procedente de tierra y del propio mar. Es también un régimen complejo, constituido por una normativa del más diverso origen y muy dispersa, respecto de la que no puede predicarse que la LPMM se haya configurado como marco regulador, pues esta se centra, en esencia, en la regulación de la planificación como técnica de protección ambiental, en relación a la cual resulta una auténtica novedad. Como se expondrá con posterioridad, la regulación de más detalle que se contiene en la LPMM es la relativa a las denominadas estrategias marinas, que se definen como los instrumentos esenciales de planificación del medio marino, cuyos objetivos se establecen en el art. 1.3, desarrollándose su régimen en el Título más extenso de la Ley (Título II, arts. 6 a 23). Por lo demás, la LPMM regula la denominada Red de Áreas Merinas Protegidas de España (Título III); establece una serie de determinaciones en relación a los vertidos desde buques, la incineración y la colocación de materias sobre el fondo marino (Título IV), remitiéndose a lo que se dispone en la normativa específica en lo que hace a los vertidos desde tierra al mar; y, por lo que respecta al régimen sancionador, el art. 36 se remite a "la legislación sectorial correspondiente".

La parquedad de la regulación del régimen demanial del mar contenida en la LPMM, hace que dicho régimen deba buscarse en la legisla-

---

[3] Los propios antecedentes de la LPMM explican esta mayor atención hacia lo ambiental, puesto que se dicta para transponer al sistema normativo español de la Directiva 2008/56/CE, de 17 de junio, por la que se establece un marco de acción comunitaria para la política del medio marino (Directiva marco sobre la estrategia marina) con el principal objetivo lograr o mantener un buen estado ambiental del medio marino a más tardar en el año 2020.

ción que regula el régimen general de protección del dominio público
marítimo-terrestre, en la legislación de costas que, si bien brinda una serie
de mecanismos de protección de especial intensidad, no está pensando en
el mar, sino en el litoral. De ahí que se pueda adelantar que, sin perjuicio
de la plena aplicación —y adaptación a las peculiaridades propias del bien
que nos ocupa— de las técnicas de protección establecidas en la legislación
de costas, no existe una regulación integral, específicamente diseñada para
la realidad que el mar comporta, que aborde la utilización del mar, su uso
racional, contemplando la diversidad de intereses en juego. No obstante
hemos asistido a la regulación, en detalle, de algún aspecto de usos específicos del mar. En este sentido, se ha regulado el procedimiento para la
autorización de un concreto tipo de actividad susceptible de realización
en el mar, las instalaciones de energía eólica en el mar, del que daremos
debida cuenta en páginas posteriores.

En las siguientes páginas se expone el régimen de protección del mar
desde la doble perspectiva ambiental y demanial. Para ello, partiremos de
la definición del bien jurídico protegido, analizando, a continuación, la
problemática competencial que se genera en estos espacios desde dos vertientes: su consideración como el que puedan desarrollar sus competencias materiales las distintas entidades implicadas y el régimen diferenciado,
en lo que hace a la atribución de competencias ambientales, en función
de la procedencia de la contaminación. Posteriormente se analizarán las
técnicas de protección del mar, desde su consideración tanto como valor
ambiental como bien demanial. Finalmente, se hará una breve referencia
a la acción pública, en cuanto mecanismo que, desde la perspectiva de las
garantías del cumplimiento de la función pública de protección del mar,
dota a éste, como bien de dominio público que es, de una tutela reforzada.

II. EL MAR COMO BIEN JURÍDICO PROTEGIDO: SU DOBLE CONSIDERACIÓN COMO PARTE DEL AMBIENTE Y COMO BIEN DE DOMINIO PÚBLICO

El concepto de medio ambiente desde el punto de vista jurídico presenta abundantes problemas de definición[4], que en el caso que nos ocupa se

---

[4]   Pueden verse los que pongo de manifiesto en el trabajo *La protección jurídico-administra-
        tiva del medio marino: tutela ambiental y transporte marítimo, ib.*, pp. 42 ss.

reducen, en la medida que el ordenamiento ha desarrollado una importante labor de delimitación de lo que deba entenderse por medio marino.

1. El concepto amplio de medio marino. Delimitación

Desde la perspectiva estrictamente ambiental, el medio marino ha sido objeto de un concepto que debe tildarse de extenso, en un entendimiento, del intenso alcance de la protección de que debe ser objeto el mar. Entendida la contaminación marina como la lesión al medio, el concepto de contaminación mantenido desde sus orígenes por la normativa reguladora de la materia es un concepto amplio, al incluirse en el mismo no sólo el daño medio natural, sino también el que se pueda producir a los recursos naturales o la salud humana, incluso el esparcimiento y otros usos legítimos de los mares (*v. g.* la pesca o la navegación)[5]. El mismo grupo normativo citado en nota coincide en definir la contaminación como el vertido en el mar, intencionado o derivado de las operaciones normales de los buques y plataformas, de sustancias o materiales que conlleven el referido efecto, debiendo entenderse comprendidas en las mismas tanto el hundimiento de buques, aeronaves, plataformas u otras construcciones en el mar, como la incineración por medio de buques y aeronaves, ya sea de forma intencionada o derivada de las operaciones normales de los buques.

Con independencia pues de la posición que se adopte en cuanto al medio ambiente en términos generales, en lo que al medio marino respecta y siguiendo el concepto jurídico comúnmente adoptado desde todas las instancias de poder, puede concluirse que abarca no sólo el mar en sí mismo considerado, sino que han de añadirse otros bienes jurídicos, tales como los recursos naturales, la salud humana, el recreo y cualquier uso legítimo del mar. El objeto de la protección jurídica aportada por las normas para prevenir y combatir la contaminación marina es pues este conjunto de bienes.

---

[5]   *Vid.*, el art. 1.4 Convención de las Naciones Unidas sobre Derecho del Mar; el Convenio de Londres para la prevención de la contaminación del mar por vertidos de desechos y otras materias de 1972; el Convenio de Oslo para la prevención de la contaminación marina provocada por vertidos desde buques de 1972; el Convenio de París para la prevención de la contaminación marina de origen terrestre, de 1974. En la normativa interna, la Orden de 26 de mayo de 1976, sobre prevención de la contaminación marina por vertidos desde buques o el Real Decreto 258/1989, de 10 de marzo, por el que se establece la normativa general sobre vertidos de sustancias peligrosas desde tierra al mar.

2. La delimitación de los espacios marítimos

El mar comprende una serie de espacios cuya delimitación ha sido necesaria para clarificar el régimen jurídico aplicable a cada uno de los mismos y que deriva de la normativa internacional, que en este sentido ha dado una respuesta común a la necesidad de determinar el alcance de las potestades de los Estados en relación al mar adyacente a sus costas. La naturaleza jurídica del mar, por otra parte y tal como tendré ocasión de exponer con posterioridad, varía en función del espacio marítimo del que se trate.

La determinación de los espacios marítimos resulta de especial relevancia por cuanto según de qué espacio se trate, el Estado ribereño tendrá soberanía, derechos soberanos o jurisdicción, teniendo tales atribuciones inmediatas consecuencias en orden a las posibilidades de actuar con objeto de proteger el medio marino. Naturalmente tal delimitación se ha llevado a cabo a través de Convenios internacionales[6], que han servido como marco a nuestro ordenamiento, constituido en este punto por la Ley 10/1977, de 4 de enero, sobre mar territorial y la Ley 15/1978, de 20 de febrero, sobre la zona económica del mar y sus playas. A estos efectos, los espacios marítimos, enumerados de tierra hacia el mar, son las aguas interiores, el mar territorial, la zona contigua, la zona económica exclusiva, la alta mar y la zona. La soberanía del Estado ribereño se extiende hasta el límite exterior del mar territorial —así como al espacio aéreo, a su lecho y subsuelo—, existiendo derechos soberanos o jurisdicción en la zona contigua y en la zona económica exclusiva[7]. A partir del límite exterior de la zo-

---

[6] Convención de Ginebra de 29 de abril de 1958, a la que España se adhiere el 25 de febrero de 1971, la Convención de las Naciones Unidas sobre Derecho del Mar, de 30 de abril de 1982, ratificada por Instrumento de 20 de diciembre de 1996 (BOE núm. 39, de 14 febrero 1997), en adelante Convención de las Naciones Unidas sobre Derecho del Mar.

[7] En el art. 1 de la Ley 10/1977, de 4 de enero se define el mar territorial como aquel adyacente a las costas españolas delimitado como sigue: el límite interior viene determinado por la línea de bajamar escorada y, en su caso, por las líneas de base recta que sean establecidas por el Gobierno —las líneas de base recta unen los puntos de referencia apropiados de la costa; el Real Decreto 2510/1977, de 5 de agosto, delimitó la línea interior de las aguas españolas—; el límite exterior viene determinado por una línea trazada de modo que los puntos que la constituyen se encuentren a una distancia de doce millas náuticas de los puntos más próximos de las líneas de base recta. Con anterioridad a la vigencia de la normativa citada, la Real Cédula de Carlos III de 17 de diciembre de 1760 determinó la anchura del mar territorial en doce millas. Por otra parte, cuando las costas de dos Estados sean adyacentes o se hallen situadas frente a frente, ninguno de dichos Estados tendrá derecho, salvo acuerdo en contrario, a extender su mar territorial más allá de una línea media cuyos puntos sean equidistan-

na económica comienza la alta mar, que queda abierta a todos los Estados, sean ribereños o sin litoral[8].

---

tes de los puntos más próximos de las líneas de base a partir de las cuales se mida la anchura del mar territorial de cada uno de esos Estados. No obstante, esta disposición no será aplicable cuando, por la existencia de derechos históricos o por otras circunstancias especiales, sea necesario delimitar el mar territorial de ambos Estados en otra forma (art. 15 Convención de las Naciones Unidas sobre Derecho del Mar). Las aguas interiores son las aguas marinas o no continentales que tienen su límite exterior en el mar territorial y en el interior de tierra firme, entrando en esta categoría los puertos y bahías cuyas costas pertenezcan a un solo Estado, lagos y ríos no internacionales, y mares interiores que pertenezcan igualmente a un sólo Estado. La zona contigua, por su parte, tiene una extensión de 24 millas marinas contadas desde las líneas de base a partir de las cuales se mide la anchura del mar territorial, y en ella el Estado ribereño podrá tomar las medidas de fiscalización necesarias para prevenir y sancionar las infracciones de sus leyes y reglamentos aduaneros, fiscales, de inmigración o sanitarios que se cometan en su territorio o en su mar territorial (art. 3 Convención de las Naciones Unidas sobre Derecho del Mar). La zona económica, también denominada "zona económica exclusiva" fue definida y regulada por la Ley 15/1978, de 20 de febrero, y comprende una franja de 200 millas náuticas de anchura, a contar desde el límite exterior del mar territorial. En ella el Estado ribereño tiene, por una parte, derechos de soberanía para los fines de exploración y explotación, conservación y administración de los recursos naturales, tanto vivos como no vivos, de las aguas suprayacentes al lecho y del lecho y el subsuelo del mar, y con respecto a otras actividades con miras a la exploración y explotación económicas de la zona, tal como la producción de energía derivada del agua, de las corrientes y de los vientos; y, por otra, jurisdicción con respecto al establecimiento, la utilización de islas artificiales, instalaciones y estructuras, la investigación científica marina y, lo que importa a efectos del presente trabajo, la protección y preservación del medio marino. La plataforma continental de un Estado ribereño comprende el lecho y el subsuelo de las áreas submarinas que se extienden más allá de su mar territorial y a todo lo largo de la prolongación natural de su territorio hasta el borde exterior del margen continental, o bien hasta una distancia de 200 millas marinas contadas desde las líneas de base a partir de las cuales se mide la anchura del mar territorial, en los casos en que el borde exterior del margen continental no llegue a esa distancia. En ella el Estado ribereño ejerce derechos de soberanía sobre la plataforma continental a los efectos de su exploración y de la explotación de sus recursos naturales, sin que estos derechos afecten a la condición jurídica de las aguas suprayacentes ni a la del espacio aéreo situado sobre tales aguas (arts. 76 a 78 Convención de las Naciones Unidas sobre Derecho del Mar). Definiciones similares de las aguas interiores, del mar territorial, de la zona contigua y de la zona económica exclusiva pueden encontrarse en la Ley 27/1992, de 24 de noviembre, de Puertos del Estado y de la Marina Mercante, que las delimita a los efectos de definir las distintas zonas de navegación. Sobre todo ello, *vid.,* GONZÁLEZ CAMPOS, J. D., SÁNCHEZ RODRÍGUEZ, L. I. y ANDRÉS SÁEZ DE SANTAMARÍA, P., *Curso de Derecho internacional público,* Ed. Civitas, 7ª Edición, Madrid (2002).

[8]   La libertad de la alta mar comprende, entre otras, la libertad de navegación, de sobrevuelo, de tender cables y tuberías submarinos, de construir islas artificiales y otras instalaciones permitidas por el derecho internacional, de pesca y de investigación cientí-

Partiendo de tierra, el mar territorial, y dentro de él, las aguas interiores, son el primero de los espacios que constituyen el mar. En el concepto de mar han de incluirse pues las aguas de los puertos y bahías cuyas costas pertenezcan a un solo Estado, lagos y ríos no internacionales, y mares interiores que pertenezcan igualmente a un sólo Estado. El límite interior del mar territorial vendrá constituido justamente por el límite exterior de la costa, denominada legalmente "ribera del mar" y que incluye, a su vez, la zona marítimo-terrestre y las playas[9]. A *sensu contrario*, todas estas zonas deben considerarse excluidas del concepto de mar territorial, por lo que

---

fica (art. 87 Convención de las Naciones Unidas sobre Derecho del Mar). Los fondos marinos y oceánicos y su subsuelo fuera de los límites de la jurisdicción nacional constituyen la denominada "zona"(art. 1.1 Convención de las Naciones Unidas sobre Derecho del Mar), definida como patrimonio común de la humanidad, y en la que ningún Estado podrá reivindicar o ejercer soberanía o derechos soberanos, ni apropiarse de parte de la misma o sus recursos. A partir de este límite, pues, el protagonismo en la protección del medio marino se deja a las instancias internacionales, concretamente a la denominada Autoridad Internacional de los Fondos Marinos, cuyo régimen y funcionamiento se regulan en los arts. 156 ss. Convención de las Naciones Unidas sobre Derecho del Mar, y que se encuentra habilitada, en virtud del art. 145 Convención de las Naciones Unidas sobre Derecho del Mar para establecer las normas, reglamentos y procedimientos apropiados para, entre otras cosas, prevenir, reducir y controlar la contaminación del medio marino y otros riesgos para éste, incluidas las costas, y la perturbación del equilibrio ecológico del medio marino, prestando especial atención a la necesidad de protección contra las consecuencias nocivas de actividades tales como la perforación, el dragado, la excavación, la evacuación de desechos, la construcción y el funcionamiento o mantenimiento de instalaciones, tuberías y otros dispositivos relacionados con tales actividades; y proteger y conservar los recursos naturales de la Zona y prevenir daños a la flora y fauna marinas.

[9] Art. 3 LC, precepto que ha venido también a aclarar zonas de dudosa calificación. Incluye en este sentido dentro del concepto de zona marítimo-terrestre las márgenes de los ríos hasta el sitio donde se haga sensible el efecto de las mareas, así como las marismas, albuferas, marjales, esteros y, en general, todos aquellos terrenos bajos que se inundan como consecuencia del flujo y reflujo de las mareas, de las olas o de la filtración del agua del mar. En este sentido, aplicando la normativa anterior (LC 69), STS 1 marzo 1982. Sobre su régimen puede verse MARTÍN MATEO, R., "La protección de las zonas húmedas en el ordenamiento español", *RAP* núm. 96 (1981), pp. 7 ss., quien analiza el doble régimen a que se someten las denominadas zonas húmedas, según se trate de zonas marítimas o interiores. Los estuarios se incluyen en el concepto legal de medio marino. Puede verse al respecto la Orden de 26 de mayo de 1976, sobre prevención de la contaminación marina por vertidos desde buques, que define la contaminación marina "la introducción por el hombre, directa o indirectamente, en el medio marino (incluido los estuarios) de sustancias o formas de energía que pueden constituir un peligro para la salud humana, perjudicar los recursos biológicos y la vida marina, reducir las posibilidades de esparcimiento u obstaculizar otros usos legítimos de los mares" (art. 1.1).

no entran dentro del objeto de este trabajo. A modo de síntesis, y como pusiera de relieve la STS 28 febrero 1986, "el perímetro del territorio español está formado por las fronteras de los países vecinos y el borde exterior de la zona marítimo-terrestre —actualmente la ribera del mar—, que a su vez es la línea interior del mar territorial".

3. Naturaleza jurídica del mar: el carácter de dominio público estatal del mar territorial y de las aguas interiores

Como señalé con anterioridad, la naturaleza jurídica del mar se determina en función de los distintos espacios que lo componen. Dependiendo de cual se trate, la titularidad del mismo corresponde al Estado ribereño o a la comunidad internacional, siendo, en cualquier caso, su titularidad pública[10]. En este sentido, la Constitución española, en su art. 132, ha determinado el carácter de dominio público estatal del mar territorial y de los recursos naturales de la zona económica exclusiva y de la plataforma continental[11], una declaración que, por lo demás, se reitera en el art. 2 LPMM. La garantía del carácter demanial de estos bienes al más alto nivel normativo tiene, básicamente, dos consecuencias fundamentales. Por una parte los bienes anteriormente relacionados quedan excluidos del tráfico jurídico

---

[10] Sobre la naturaleza jurídica del aire y el agua como bienes comunes, de titularidad pública, MARTÍN MATEO, R., *Tratado de Derecho Ambiental*, I, Trivium, Madrid, 1991, pp. 85 y 86.

[11] Nótese que se corresponde esta determinación con los espacios y recursos respectos de los cuales la Convención de las Naciones Unidas sobre el Derecho del Mar reconoce a los Estados bien soberanía (mar territorial) bien derechos soberanos o jurisdicción (recursos naturales de la zona económica y de la plataforma continental). Respecto de estas últimas la demanialidad no puede predicarse sino de los recursos naturales en ellas existentes pues el art. 132 CE es claro al respecto: "son bienes de dominio público estatal los que determine la ley y, en todo caso, la zona marítimo-terrestre, las playas, el mar territorial y los recursos naturales de la zona económica y la plataforma continental". Por lo que respecta a los restantes espacios, debemos dejar sentado el carácter de patrimonio común de la humanidad de la Zona, en virtud de lo dispuesto en el art. 136 Convención de las Naciones Unidas sobre Derecho del Mar. Más problemática es la determinación de la naturaleza jurídica de la alta mar, por cuanto no se establece una disposición similar en la Convención, y su tratamiento como *res comunis omnium* que pertenece *pro indiviso* a la comunidad internacional tiene difícil encaje al no establecerse un reparto igual de los derechos y deberes, sino que por el contrario, éstos se reparten entre los diferentes sujetos desigualmente, según la posición que ocupen respecto de dichos espacios. Puede verse al respecto, RODRÍGUEZ CARRIÓN, A., *Lecciones de Derecho Internacional Público*, Tecnos, última edición, en la lección dedicada a los "Espacios Patrimonio Común de la Humanidad".

privado y se someten al intenso régimen de protección del dominio público, y, por otra, su titularidad corresponde a la Administración Pública —en
el caso del demanio marítimo y por determinación de la Constitución a la
Administración General del Estado, que será por tanto, la Administración
que deberá ejercitar todas las potestades inherentes a dicho demanio—.

Para los bienes de dominio público marítimo-terrestre en general el
régimen de protección así como las potestades demaniales se definen en la
Ley 22/1988, de 28 de julio, de Costas (en adelante LC) y el Real Decreto
1471/1989, de 1 de diciembre, por el que se aprueba el Reglamento de la
Ley de Costas (en adelante RC), normas que en lo relativo al mar territorial
y a los recursos naturales de la zona económica y la plataforma continental,
tras reafirmar tal carácter, remiten su regulación a su legislación específica (art. 3 LC). En este punto, la LPMM incluye entre sus objetivos el de
asegurar el uso sostenible del medio marino, en cuanto bien de dominio
público. Ahora bien, tal y como se ha apuntado —y posteriormente se desarrollará—, los escasos contenidos que al respecto introduce la LPMM,
obligan, en lo que a la protección y régimen de utilización del demanio
marítimo respecta, a recurrir a la legislación de costas, en cuanto legislación general reguladora del dominio público marítimo-terrestre y, por
tanto, supletoria.

III. LA CONSIDERACIÓN DEL MAR COMO PARTE DEL TERRITORIO: PROBLEMÁTICA COMPETENCIAL

El adecuado análisis del tratamiento que en nuestro ordenamiento se
hace del mar —entendido como el conjunto de espacios definidos más
atrás—, pasa necesariamente por el esclarecimiento de su consideración,
o no, como parte del territorio español. De una parte, si el mar es parte de
ese territorio, habrá de considerarse como un espacio en el que las distintas
entidades públicas pueden ejercitar sus respectivas competencias, de modo
que ni su carácter demanial ni la de bien jurídicamente protegible desde la
perspectiva ambiental excluyen que sobre este espacio puedan ejercitarse
competencias materiales por entidades públicas distintas a las titulares del
demanio o de las competencias ambientales. De otro modo, si se considera
que el mar no es parte del territorio, las competencias de esas otras entidades se verían, cuanto menos, limitadas, pues como es sabido, el territorio es
el soporte espacial del sistema de distribución de competencias, ciñéndose
las competencias de las distintas entidades a su ámbito territorial.

La cuestión es objeto de debate, fundamentalmente a partir de determinados pronunciamientos constitucionales que, si bien no la han resuelto completamente, sí que han supuesto grandes avances para el deseable esclarecimiento de la misma[12]. En este punto, un hito fundamental lo constituye la STC 32/2002, de 14 de febrero, sobre la que necesariamente volveremos y que, a pesar de las críticas que ha recibido, ofrece las pautas para llegar una definitiva solución del debate, aunque desde mi punto de vista con cierta confusión, lo que lleva a un resultado, como señalaré, cuestionable[13].

Debe señalarse que la problemática a que nos referimos se limita al mar, debiendo entenderse superadas, en la actualidad, las dificultades que generaron idéntica polémica en relación a la zona marítimo-terrestre y en los puertos que, de considerarse en un momento inicial como espacios exentos de las competencias de entidades públicas distintas a la titular del demanio marítimo, al Estado —a la sazón y en un primer momento las entidades locales— han pasado a ser considerados parte del territorio municipal y autonómico, de ahí que tanto los Municipios como las Comunidades Autónomas vengan llamados a ejercer sus competencias, respectivamente, sobre la totalidad del término municipal y el conjunto de términos municipales que la integren[14]. Que este debate haya sido superado, sin embargo, no im-

---

[12]   En general, sobre esta cuestión, *vid.*, GONZÁLEZ GARCÍA, J. "Las aguas marítimas bajo soberanía o jurisdicción de las autoridades españolas y las competencias de las Comunidades autónomas" *RAP* núm. 158 (2002), pp. 51 a 76; TEIJEIRO LILLO, M. E., *El régimen jurídico de los cultivos marinos* (Tesis Doctoral, Inédita), Universidad de Cádiz, Jerez, 2006, pp. 62 ss.

[13]   La STC 32/2002 se dicta en relación con los conflictos positivos de competencia promovidos por el Gobierno de la Nación y por el Consejo de Gobierno de la Junta de Andalucía, en relación, el primero, con el Decreto de la Junta de Andalucía 418/1994, de 25 octubre, por el que se aprueba el plan de ordenación de los recursos naturales y el plan rector de uso y gestión del parque natural de Cabo de Gata-Níjar, y, el segundo, con la Orden del Ministerio de Agricultura, Pesca y Alimentación de 3 de julio de 1995, por la que se establece la reserva marina de Cabo de Gata-Níjar, estimando parcialmente el conflicto promovido por el Gobierno de la Nación y desestimando el del conflicto promovido por la Junta de Andalucía. Sobre la misma pueden verse, entre otros, los trabajos de JORDANO FRAGA, J., "El derecho ambiental del siglo XXI", *Revista Aranzadi de Derecho Ambiental*, núm. 1/2002, pp. 95 a 113 y SÁNCHEZ LAMELAS, A., "Dos cuestiones a propósito del título competencial "pesca marítima": el mar territorial como territorio autonómico y la delimitación de títulos competenciales concurrentes. Comentario a la STC 38/2002, de 14 febrero, sobre el parque natural y la reserva marina de Cabo de Gata-Níjar", *Repertorio Aranzadi del Tribunal Constitucional*, núm. 10/2002.

[14]   La producción jurisprudencial y doctrinal ha sido muy rica. En el ámbito del Tribunal Constitucional, por todas, STC 77/1984, de 3 de julio. Son ya emblemáticas las SSTS 2

plica que los conflictos hayan dejado de surgir, pero sí que se han sentado respuestas, claras y definitivas, para determinar cómo deben resolverse. El camino recorrido, por lo demás, puede y debe servir —porque entiendo que las soluciones pasan por idénticos planteamientos— para resolver los problemas que ahora nos ocupan.

Debo adelantar que parto de la consideración de que el mar es parte del espacio territorial español[15], tal y como se ha defendido por parte de algunos autores[16]. La consideración del mar como parte del territorio, por

---

octubre 1967, 24 enero 1974; 16 diciembre 1977; 17 marzo 1980 y los dictámenes del Consejo de Estado de 10 de mayo de 1952 y 14 de febrero de 1957.

[15]   En este sentido, TEIJEIRO LILLO, M. E., *El régimen jurídico de los cultivos marinos* (Tesis Doctoral, Inédita), Universidad de Cádiz, Jerez, 2006, p. 67, para quien, tras realizar un exhaustivo análisis del estado de la cuestión en la doctrina y la jurisprudencia, "la competencia autonómica, en la medida en que contienen actividades que con carácter general se han de realizar, habitual y necesariamente, en el ámbito marino ha de ser ejercitada también sobre los espacios marinos". En contra VALENCIA MARTÍN, G., "¿De quién es el mar?: La distribución de competencias entre el Estado y las Comunidades Autónomas en materia de protección del medio marino", *El Derecho Administrativo en el umbral del siglo XXI. Homenaje al Prof. Dr. D. Ramón Martín Mateo*, T. III, Tirant lo Blanch, Valencia, 2000, p. 3610, quien entiende que no hay un mar territorial autonómico. Por su parte, GARCÍA-TREVIJANO GARNICA, E., "El régimen jurídico de las costas españolas: La concurrencia de competencias sobre el litoral. Especial referencia al informe preceptivo y vinculante de la Administración del Estado", *RAP* núm. 144 (1997), pp. 11 a 112, basándose en la jurisprudencia, sobre la que volveremos, que niega la competencia municipal para exigir licencia de construcción cuando el mar territorial no se ha transformado.

[16]   Para ello se han utilizado diversos argumentos. Uno de ellos, el del carácter de territorio autonómico de las aguas archipelágicas. En este sentido, el art. 2 EA Canarias determina que "el ámbito territorial de la Comunidad Autónoma comprende el Archipiélago Canario", lo que no excluye, antes al contrario, a las aguas archipelágicas. En la línea citada, basándose en el reconocimiento de la figura de los Estados archipelágicos en la Convención sobre el Derecho del Mar, TEIJEIRO LILLO, M. E., *El régimen jurídico de los cultivos marinos* (Tesis Doctoral, Inédita), Universidad de Cádiz, Jerez, 2006, p. 64. archipelágicos, Instituto mantiene que el elemento espacial "territorio" debe entenderse como un espacio con tres dimensiones: terrestre, aérea y marítima citando a JIMÉNEZ PIERNAS, C., *La Revisión del estatuto territorial del Estado por el nuevo Derecho del mar: el caso de los Estados*, Instituto de Cultura "Juan Gil Albert", Alicante, 1990. Resulta de interés también, desde el punto de vista de la admisión del carácter de territorio del mar territorial, el análisis del régimen del patrimonio cultural subacuático, cabalmente realizado por GONZÁLEZ GARCÍA, J., *La protección del patrimonio cultural subacuático. Delimitación competencial*. Inédito, Conferencia impartida en el "Curso sobre su patrimonio arqueológico subacuático", UIMP, Valencia, y del que puede concluirse que se parte de la consideración del territorio marítimo español como territorio autonómico, sin hacer distinciones en función de la ubicación de los bienes.

lo demás, no constituye el límite, *per se* y salvo que del bloque de la constitucionalidad así se desprenda, para que las Comunidades Autónomas desarrollen sus competencias materiales[17]. Es en este sentido determinante el pronunciamiento contenido en la STC 149/1991, de 4 de julio, que resolvió los recursos de inconstitucionalidad planteados contra la LC, respecto de la competencia autonómica en materia de vertidos de tierra al mar y en base a la cual, el destino del vertido (sea la propia zona marítimo-terrestre, las aguas interiores o el mar territorial) no es el criterio que determina la competencia autonómica que se sustenta, por el contrario y como cabe deducir del tenor de la Sentencia, en un criterio material[18].

Por ello no comparto los argumentos, a mi modo de ver forzados, en los que se basa la STC 32/2002 en el intento de excluir el concepto de territorio al mar territorial. Entiendo este un intento de escasa utilidad, pues sea o no territorio, en el mar territorial pueden desarrollar sus competencias, como se ha dicho, las Comunidades Autónomas. Por otra parte, existiría una contradicción implícita si se admitiera que el límite del ejercicio de las competencias autonómicas venga constituido porque el mar territorial no tiene carácter de territorio y al propio tiempo, cuando se admiten las competencias autonómicas en aguas interiores, se admite, a su vez, que éstas, que también son mar, sean territorio o espacio territorial, si se quiere.

Si el mar es parte del territorio, sobre dicho territorio, y sin perjuicio de la titularidad estatal del dominio público marítimo, las Comunidades Autónomas pueden desarrollar sus competencias estatutariamente asumidas, siempre y cuando del bloque de la constitucional no se desprenda una limitación por razón justamente del territorio o espacio marítimo del que se trate —tal es el caso de la pesca marítima en relación a la cual las competencias se distribuyen en función del territorio, correspondiendo al

---

[17] En este sentido la STC 9/2001, de 18 de enero, por la que se resuelve el conflicto de competencia planteado contra la Ley gallega 6/1993, de 11 de mayo, de Pesca, considera que las competencias autonómicas se extienden a todas las áreas marinas que se integran en el litoral gallego, sin que existan límites espaciales. Asimismo, la STC 103/1989, dictada a consecuencia de los conflictos planteados contra la Ley 23/1984, de Cultivos Marinos, mantiene que las competencias en esta materia se extiende a las aguas del litoral sin restricciones, pues ni la Constitución ni los Estatutos han limitado la competencia autonómica a las aguas interiores.

[18] "Cabe afirmar por tanto, para concluir, que las Comunidades Autónomas que han asumido competencia para la ejecución de las normas sobre protección del medio ambiente son también competentes para llevar a cabo los actos de ejecución que impliquen la aplicación de las normas sobre vertidos, sea cual fuere el género de éstos y su destino".

Estado en el mar territorial y a las Comunidades Autónomas en las aguas interiores[19]—.

En este sentido, utilizando los propios argumentos ofrecidos por la STC 38/2002, el territorio *se configura como elemento definidor de las competencias de los poderes públicos territoriales...*[20], de modo que las competencias de las Comunidades se circunscriben a su ámbito territorial, si bien ello no impide que el ejercicio de las competencias de una Comunidad pueda tener repercusiones de hecho fuera de la misma[21] y si no se respetara tal ámbito competencial podría invadirse indebidamente el de otra Comunidad con olvido de lo que el propio Tribunal Constitucional ha dado en llamar la territorialidad de las competencias autonómicas[22].

Siendo esto así, el límite de las competencias autonómicas viene dado por su ámbito territorial, en el que entiendo comprendido —si en el bloque de la constitucionalidad no se excluye— el mar, en el que las competencias se ejercerán según un criterio material, desplegando así el Estado o la Comunidad Autónomas todas las potestades estatales (entendiendo aquí la referencia realizada al Estado como sujeto de Derecho Internacional) en toda su extensión en lo que respecta a las aguas interiores y al mar territorial y de manera limitada, según vimos más atrás, en relación a los recursos económicos de la zona económica y de la plataforma continental[23].

---

[19]   *Vid.* art. 148.1.11 CE, que expresamente hace referencia a la *pesca en aguas interiores*, debiéndose interpretarse, pues, la mención a la *pesca marítima* que se hace en el art. 149.1.19, referida al resto de los espacios marítimos.

[20]   Añade la Sentencia:... *y, en concreto, como definidor de las de cada Comunidad Autónoma en su relación con las demás Comunidades y con el Estado (STC 99/1986, de 10 de julio. Funcionalidad que, reconocida expresamente en los propios Estatutos, dimana de "la necesidad de hacer compatible el ejercicio simultáneo de las competencias asumidas por las distintas Comunidades"* (STC 44/1984, de 27 de marzo, F. 2), y que sirve directamente, en ocasiones, al objetivo de atribuir, localizándola en atención al ámbito en que se desarrollan las oportunas actividades materiales, la titularidad de la correspondiente competencia (ferrocarriles y carreteras, art. 148.1.5ª CE: SSTC 132/1996, de 22 de julio; 65/1998, de 18 de marzo; 132/1998, de 18 de junio; aprovechamientos hidráulicos e instalaciones eléctricas, art. 149.1.22ª), como de modo indubitado ha reconocido con carácter general la jurisprudencia de este Tribunal (STC 86/1988, de 3 de mayo) y, específicamente, en relación con las actividades de transporte (SSTC 97/1983, de 15 de noviembre, 180/1992, de 16 de noviembre; 118/1996, de 27 de junio).

[21]   *Vid.,* SSTC 37/1981, de 16 de noviembre Y 49/1988, de 22 de marzo.

[22]   SSTC 33/1982, de 8 de junio, 195/2001, de 4 de octubre, 101/1995, 20 de junio.

[23]   En este sentido GONZÁLEZ GARCÍA, J., *La protección del patrimonio cultural subacuático. Delimitación competencial.* Inédito.

Y a ello no es óbice que el mar se integre en el dominio público de titularidad estatal, pues como es sabido y se ha señalado ya, el título demanial no permite aislar a un territorio y considerarlo como una zona exenta de la competencia de otros entes públicos. De ahí que sobre un mismo espacio físico puedan intervenir todos aquellos entes territoriales que tengan atribuida competencias[24], siempre que dichas competencias tenga distinto objeto jurídico[25]. El requisito de la existencia de objetos jurídicos distintos es, pues, determinante para admitir la compatibilidad de diversas competencias materiales y así cabe concluirlo de la doctrina constitucional. En este sentido, en materia de puertos, se ha dejado sentado que sobre la misma realidad física e incluso sobre la actividad en ella desarrollada pueden incidir distintos títulos competenciales, configurándose así el título competencial en el criterio determinante de la existencia de objetos jurídicos diferenciados, pues como se añade por la doctrina constitucional señalada, "lo que no es posible es la concurrencia del mismo título competencial, pues entonces... se produce la identidad tanto del objeto físico como del jurídico"[26]. Tampoco entiendo que suponga un obstáculo la doctrina del Tribunal Supremo, representada principalmente por la STS 19 de junio de 1987[27], que negara la competencia municipal para exigir licencia urbanística en los casos de terrenos a ganar al mar antes de que este sea transformado físicamente. Porque la competencia municipal en relación tanto al planeamiento como a la ejecución de este y al otorgamiento de licencias de edificación, se niega por ir referida a la edificación y uso del *suelo*. Y es claro que el mar litoral no es suelo antes de ser transformado físicamente, de ahí que puedan negarse las competencias municipales referidas a los actos

---

[24]   Por todas, SSTC 77/1984, 103/1989, 227/1988, 149/1991. Al respecto, puede verse BELADÍEZ ROJO, M., "Problemas competenciales sobre la zona marítimo-terrestre y las playas", *Estudios sobre la Constitución Española*, Tomo IV, Civitas, Madrid, 1991, pp. 3677 ss.

[25]   STC 15/1998, de 22 de enero.

[26]   STC 193/1998, de 1 de octubre, dictada con ocasión del Recurso de inconstitucionalidad promovido por el Presidente del Gobierno contra la Ley andaluza de 2 noviembre 1988, de Puertos Deportivos, que viene a reiterar en este punto la doctrina contenida en la STC 40/1998, de 19 de febrero, que resolvió los recursos de inconstitucionalidad interpuestos contra la Ley 27/1992, de 24 de noviembre, de Puertos del Estado y de la Marina Mercante.

[27]   Aunque también contenida en las SSTS 20 noviembre 1984, 4 noviembre 1985 y 28 febrero 1986. La jurisprudencia señalada llevaría a GARCÍA-TREVIJANO GARNICA, E., "El régimen jurídico de las costas españolas: La concurrencia de competencias sobre el litoral. Especial referencia al informe preceptivo y vinculante de la Administración del Estado", *RAP* núm. 144 (1997), pp. 11 a 112, a mantener que el mar no forma parte del territorio autonómico.

de edificación y uso del suelo, cuando este no existe. Esta argumentación resultaría suficiente para negar la competencia municipal, sin que hubiera sido necesario acudir a la doctrina en virtud de la cual todo el territorio nacional se divide en términos municipales, de forma que no pueden quedar espacios territoriales excluidos de ellos[28].

Para la STC 32/2002, el caso del mar territorial es distinto del de la zona marítimo-terrestre y los puertos, pues *en el mar territorial excepcionalmente pueden llegar a ejercerse competencias autonómicas, eventualidad ésta que dependerá, bien de un explícito reconocimiento estatutario (vertidos industriales o contaminantes en aguas territoriales, salvamento marítimo: arts. 17.6 y 11 EAA) bien de la naturaleza de la competencia tal como resulta de la interpretación del bloque de la constitucionalidad (acuicultura: STC 103/1989, de 8 de junio; ordenación del sector pesquero: STC 158/1986, de 11 de diciembre; marisqueo: STC 9/2001, de 18 de enero).* Sin embargo esta doctrina basada en la excepcionalidad del reconocimiento de la competencia, quiebra, precisamente, en un supuesto que la propia Sentencia cita y que es objeto de este trabajo: los vertidos al mar desde tierra, pues en este concreto ámbito, tal y como se ha señalado, la STC 149/1991 reconoció la competencia autonómica con independencia del destino de vertido y, además, con carácter general para las Comunidades Autónomas costeras —todas en la actualidad— que hubieran asumido la competencia de desarrollo legislativo y ejecución en materia ambiental, sin limitarla a aquellas que hubieran asumido expresamente en sus Estatutos la competencia de ejecución en materia de vertidos al mar[29].

---

[28] De cualquier manera, de aceptarse definitivamente la tesis de que el mar territorial es parte del territorio, por ello también autonómico, habría que matizar la afirmación de que todo el territorio nacional se divide en términos municipales, pues, hasta el momento, el límite interior de los términos municipales se sitúan en la zona de tierra y el exterior vendría constituido, justamente, por el mar (los límites de los municipios vendrían determinados por los límites provinciales, *ex* art. 13 Ley 7/1985, de 2 de abril, de Bases del Régimen Local, debiéndose estar al Real Decreto de 30 de noviembre de 1833).

[29] *"Para evitar este absurdo no cabe otra vía que la de entender que la competencia asumida por las Comunidades Autónomas sobre vertidos industriales y contaminantes en el mar territorial no es más que una especificación de la competencia más amplia que todas ellas tienen para ejecutar la legislación del Estado sobre la protección del medio ambiente. Es cierto que esta interpretación hace en cierta medida redundantes los enunciados estatutarios relativos a vertidos y que infringe así uno de los postulados hermenéuticos más generalmente aceptados, pero también entre los principios hermenéuticos existe una cierta jerarquía y es difícil no otorgar un valor predominante al que ordena prescindir de aquellas interpretaciones que conducen al absurdo.*
Cabe afirmar por tanto, para concluir, que las Comunidades Autónomas que han asumido competencia para la ejecución de las normas sobre protección del medio ambiente son también compe-

Por ello entiendo que el reconocimiento estatutario explícito no es requisito para que las Comunidades Autónomas puedan ejercitar sus competencias en el mar territorial. Y en este sentido hay otras competencias atribuidas a las Comunidades Autónomas costeras y que pueden desarrollarse en el mar territorial, sin que se haya establecido explícitamente en los Estatutos y que no han sido discutidas por el Tribunal Constitucional en la STC 40/1998, como son la competencia exclusiva en materia de transporte marítimo que se lleve a cabo exclusivamente entre puertos o puntos de la Comunidad Autónoma o la de ejecución del salvamento marítimo[30].

Cuestión distinta es que la competencia, del bloque de la constitucional, resulte limitada a un espacio físico concreto, *v.gr.,* pesca en aguas interiores, en cuyo caso el territorio opera como límite conscientemente querido. Pero si no es así, no hay razón para entenderlo como tal, como ha mantenido la STC 149/1991. Por ello tampoco comparto el carácter excepcional que el Tribunal Constitucional atribuye a esta posibilidad[31]. Porque lo que es determinante, como por otra parte el propio Tribunal detenidamente analiza, son los títulos competenciales en juego (en el caso la pesca marítima y los espacios naturales protegidos, manteniendo el Estado que la ordenación que realiza la Comunidad Autónoma andaluza

---

tentes para llevar a cabo los actos de ejecución que impliquen la aplicación de las normas sobre vertidos, sea cual fuere el género de éstos y su destino".

[30]   En materia de transporte marítimo, *vid.,* arts. 64.1.2 EA Andalucía, 30.6 EA Baleares, 169.6 EA Cataluña, 49.1.15 EA Valencia, 10.1.6 EA Asturias, 24.7 EA Cantabria, 30.19 EA Canarias, 10.4 EA Murcia. En el caso de la Comunidad Autónoma de Galicia, el art. 2 de la Ley Orgánica 16/1995, de 27 de diciembre, transfiere a la Comunidad Autónoma idéntica competencia. Por lo que hace a la ejecución del salvamento marítimo, ha de estarse a los arts. 66.2 EA Andalucía, 32.12 EA Baleares, 132.3 EA Cataluña, 51.1.6 EA Valencia, 12.11 EA Asturias, 26.12 Cantabria, 33.9 EA Canarias, 12.11 EA Murcia, 29.3 EA Galicia.

[31]   Es de gran interés el voto particular formulado por el Magistrado don Pablo García Manzano que, en este punto, muestra su disconformidad con la idea de que sólo excepcionalmente puedan ejercitarse competencias autonómicas en el mar territorial. Tampoco resulta convincente el criterio de la movilidad del mar como argumento que utiliza la STC 38/2002 para la negación de las competencias autonómicas sobre actividades que se desarrollen en el mismo: *En efecto, de una parte, el mar territorial, como soporte topográfico del medio ambiente se integra en primer término por un elemento móvil —las aguas— que, por obvias razones físicas no pueden adscribirse de modo permanente a un lugar determinado y, de otra, en ellas se ejerce la competencia exclusiva del Estado sobre pesca marítima que recae sobre uno de los elementos del espacio natural —gran parte de la vida marina— que se halla más necesitado de protección.* La movilidad del mar es la misma si la actividad es la acuicultura, *v.gr.,* materia en la que el propio Tribunal ha reconocido la competencia autonómica con independencia del espacio marítimo en el que se realice, precisamente por la aplicación del criterio material.

afecta a la pesca marítima y la Junta de Andalucía que versa sobre espacios naturales protegidos).

No es el momento este de detenerse, porque excedería en mucho del objeto del presente trabajo, si la conclusión del Tribunal en la STC 38/2002 es acertada o no cuando determina que el contenido del Reglamento autonómico, en puridad, afecta a la pesca marítima —invadiendo en consecuencia, por afectar al mar territorial, la competencia estatal[32]—. Sí conviene dejar sentado, sin embargo, que es este el mayor valor, desde mi punto de vista, que la Sentencia aporta, el del razonamiento empleado para llegar al resultado final, analizando, en último término, cuáles son los títulos competenciales en juego y utilizando, por ello, el criterio material. Este criterio, combinado con el del alcance de las potestades del Estado según el espacio marítimo de que se trate, ha de emplearse en cada caso, de modo que se respeten las competencias de las distintas entidades llamadas a ejercitar funciones públicas en el mar. Tal respeto pasa, necesariamente, por las técnicas de coordinación interadministrativa, orgánicas —creación de órganos *ad hoc*— o funcionales —informes, *v.gr.*, vinculantes o no— y, sólo en el caso de que estas fueran insuficientes, cabría acudir a la técnica de la prevalencia, de modo que una competencia pueda llegar a desplazar a otra[33].

---

[32]   Para el Magistrado D. Pablo García Manzano, sin embargo, no se da tal invasión, pues como afirma en la argumentación que acompaña a su Voto Particular, "*No hay aquí, por tanto, pesca marítima, sino protección única y exclusivamente de la fauna piscícola próxima al litoral. En consecuencia, no cabe hablar aquí de vulneración de la competencia estatal exclusiva "ex" art. 149.1.19ª CE...*"Y por otra parte, el Estado, en la Orden discutida, tampoco está ejercitando realmente sus competencias en materia de pesca marítima, sino que es un Reglamento que afectaría a la competencia relativa a la protección de los espacios naturales: "*Habida cuenta de ello, el acudir al título competencial del art. 149.1.19 CE, para atribuir al Estado la competencia exclusiva en materia de pesca marítima no es más que una calificación formal, desprovista de verdadera acomodación al real contenido normativo de la Orden Ministerial, es decir, un mero "flatus vocis"... Lo procedente, pues, hubiera sido que la Sentencia recondujera esta mera calificación formal del título habilitante a su verdadero contenido material: la protección y tutela de un espacio marino a preservar por sus recursos naturales...*".

[33]   La propia STC 38/2002 así lo afirma: *La consecuencia de ello no fue sino que "es necesario insistir, una vez más, en orden a una adecuada articulación de las competencias autonómicas sobre la ordenación del territorio y de las competencias estatales sectoriales que afectan al uso del territorio, en el establecimiento de fórmulas de cooperación, que resultan especialmente necesarias en estos supuestos de concurrencia de títulos competenciales en los que deben buscarse aquellas soluciones con las que se consiga optimizar el ejercicio de ambas competencias (SSTC 32/1983; 77/1984; 227/1988 y 36/1994) pudiendo elegirse, en cada caso, las técnicas que resulten más adecuadas: el mutuo intercambio de información, la emisión de informes previos en el ámbito de la propia competencia, la creación de órganos de composición mixta, etc. (STC 40/1998).*

Justamente en relación a la protección ambiental del mar, se ha tenido que acudir a este mecanismo, desplazando un título estatal al autonómico, de modo que, cuando los vertidos al mar provengan de buques o plataformas, se considera prevalente el título marina mercante, atribuido en exclusiva al Estado (art. 149.1.20 CE), que de esta manera desplaza al título ambiental, tal y como ha dejado sentado también el Tribunal Constitucional en su STC 40/1998, de 19 de febrero, que resolvió los recursos de inconstitucionalidad interpuestos contra la Ley 27/1992, de 24 de noviembre, de Puertos del Estado y de la Marina Mercante, como seguidamente veremos.

IV. LAS COMPETENCIAS EN RELACIÓN A LA PROTECCIÓN AMBIENTAL DEL MAR. ORGANIZACIÓN ADMINISTRATIVA

1. *La distribución de competencias para proteger el medio marino en función del origen de la contaminación*

Desde la perspectiva de los Poderes públicos, y dentro de éstos de las Administraciones llamadas a garantizar la prevención y lucha contra la contaminación del mar, el origen de ésta se constituye en criterio diferenciador respecto del título aplicable para el reparto de poder. En este sentido, cuando la contaminación tenga su origen en el propio mar, el sistema de reparto de competencias se separa del general previsto para la materia ambiental que es por otra parte el aplicable a la protección del medio marino cuando la contaminación tiene origen en tierra. De esta manera, cuando los vertidos procedan del mar, las competencias resultan atribuidas, en exclusiva, a la Administración del Estado, y cuando su procedencia lo sea de tierra, la competencia quedará compartida entre Estado y Comunidades Autónomas. A esta dualidad de regímenes competenciales, y su ajuste a la Constitución, hizo ya referencia la STC 149/1991, de 4 de julio, que resolvió los recursos de inconstitucionalidad interpuestos contra la LC, y se ha confirmado más recientemente por la STC 40/1998, de 19 de febrero, que resuelve los recursos planteados contra la actualmente derogada Ley 27/1992, de 24 de noviembre, de Puertos del Estado y de la

---

Sin embargo es posible que esos cauces o fórmulas de cooperación resulten en algún caso concreto insuficientes para resolver los conflictos que puedan surgir, habiendo declarado este Tribunal Constitucional que en tales supuestos el Estado no puede verse privado del ejercicio de sus competencias exclusivas por la existencia de una competencia, aunque también sea exclusiva, de una Comunidad Autónoma (STC 56/1986, STC 149/1998, de 2 de julio).

Marina Mercante (en adelante LPEMM)[34]. La especial vinculación de la protección del ambiente marino a la ordenación del transporte marítimo ha supuesto la consideración de la marina mercante como título prevalente frente al ambiental.

Esta peculiar separación del esquema general de reparto de competencias previsto en materia ambiental va a tener su respuesta natural a nivel organizativo, diseñándose, en el caso de la protección del medio marino de la contaminación procedente del mar, unas estructuras también peculiares y separadas de las que se han creado para el desarrollo de la función pública ambiental y desde las cuales también se desarrollará la actividad administrativa dirigida a la protección del mar de los vertidos generados desde tierra.

Sin perjuicio de la referencia explícita que algunos Estatutos de Autonomía hacen a la competencia de ejecución en materia de vertidos, en especial los industriales y contaminantes en aguas territoriales del litoral autonómico[35], como ya se ha señalado, dicha competencia ha de entenderse incluida en la función de ejecución de la protección del medio ambiente y por tanto asumida por todas las Comunidades Autónomas costeras, pues como pone de manifiesto el propio Tribunal Constitucional, no es más que una especificación de la competencia más amplia que todas las Comunidades Autónomas tienen para ejecutar la legislación del Estado sobre la protección del medio ambiente (STC 149/1991, de 4 de julio).

Sin embargo, la protección del medio marino de la contaminación derivada del transporte marítimo se ha considerado inherente a la marina mercante, en relación a la cual el Estado ostenta competencias exclusivas (art. 149.1.20 CE)[36]. Tal inclusión se ha realizado a través de la delimitación del concepto de marina mercante que se hizo en el art. 6 LPEMM, y que se reproduce actualmente en el art. 6.1 TRLPEMM, precepto que, entre las actividades que incluye, menciona, en la letra f) "la prevención de la con-

---

[34] El Real Decreto Legislativo 2/2011, de 5 de septiembre, por el que se aprueba el Texto Refundido de la Ley de Puertos del Estado y de la Marina Mercante (en adelante TRLPEMM), refunde y deroga la LPEMM y la Ley 48/2003, de 26 de noviembre, de régimen económico y de prestación de servicios en los puertos de interés general, así como sus diversas modificaciones.

[35] Arts. 12.10 EA País Vasco; 11.10 EA Cataluña; 29.4 EA Galicia; 17.6 EA Andalucía; 12.1 EA Asturias; 22.1.1 EA Ceuta y 22.1.1 EA Melilla.

[36] Esta atribución debe complementarse con las competencias, ya señaladas, que las Comunidades Autónomas costeras han asumido en materia de transporte marítimo y de ejecución del salvamento marítimo.

taminación producida desde buques, plataformas fijas y otras instalaciones que se encuentren en aguas situadas en zonas en las que España ejerce soberanía, derechos soberanos o jurisdicción y la protección del medio ambiente marino". Conviene apreciar que el precepto parece distinguir entre dos materias distintas: la prevención de la contaminación producida desde buques, y la protección del medio ambiente marino. Tal distinción será el punto de partida que el Tribunal Constitucional utilice para hacer frente a las impugnaciones presentadas y confirmar la competencia estatal[37], partiendo para ello de la utilización de diferentes razonamientos según se refiera a cada una de las partes del precepto impugnado: la protección del medio ambiente marino o la prevención de la contaminación desde el mar.

Respecto de la protección del medio marino, el Tribunal da la razón a los recurrentes por el exceso que pudiera resultar denominar a la protección del medio marino "marina mercante", si tal denominación tuviera como consecuencia la inmediata asunción por parte del Estado de todas las competencias legislativas y ejecutivas sobre medio ambiente. Sin embargo, añade la Sentencia que el precepto por sí mismo no resulta contrario al orden constitucional de competencias siempre y cuando se interprete como una "norma de organización interna de las competencias que corresponden al Estado, en el sentido de que, a los efectos de la LPMM, esas competencias de tutela del medio ambiente, se consideran incardinadas en el título marina mercante". Añade el fallo que si bien al Estado le corresponde la competencia sobre la legislación básica, sin embargo, la determinación del concreto haz de facultades del Estado debe realizarse atendiendo a otros datos como son las facultades encaminadas a la protección del medio ambiente marino que el art. 132.2 CE otorga al Estado; la dimensión que pueden alcanzar ciertas catástrofes medioambientales que ponen en juego un interés superior al que estrictamente corresponde a una Comunidad Autónoma; o la existencia de actividades relacionadas con la limpieza de buques y descarga de lastre que, aunque evidentemente tengan incidencia

---

[37] El precepto fue impugnado por el Consejo del Gobierno de las Islas Baleares y por el Consejo Ejecutivo de la Generalidad de Cataluña basándose en que en los respectivos Estatutos de Autonomía se asumía la competencia para dictar normas adicionales de protección y para ejecutar la legislación ambiental del Estado a las Comunidades Autónomas, así como las competencias de ejecución con relación a los vertidos en las aguas territoriales del Estado de los litorales autonómicos, de lo que según los recurrentes, derivaría que el Estado no podría atribuirse una competencia exclusiva sobre protección del medio ambiente marino de forma indirecta mediante su calificación como marina mercante.

en el ambiente marino, pueden encontrar asimismo su acomodo natural en el título de marina mercante.

El segundo bloque de razonamientos para justificar la competencia estatal es el que se realiza en torno a la prevención de la contaminación producida desde buques, plataformas fijas y otras instalaciones que se encuentren en aguas situadas en zonas en las que España ejerce soberanía, derechos soberanos o jurisdicción, y la decisión del Tribunal en este punto es concluyente: tal atribución no resulta contraria a la competencia sobre vertidos de las Comunidades Autónomas costeras ya que ésta se limita a los realizados desde tierra y no a los que se llevan a cabo desde el mar, pues los preceptos estatutarios sobre la materia se refieren al mar territorial como lugar de recepción de los vertidos, no como origen de éstos. Utiliza en este sentido el Tribunal idéntico razonamiento al esgrimido por la STC 149/1991, de 4 de julio, recaída en torno a LC. A continuación la Sentencia añade que el art. 6.1.f LPEMM "se refiere a los vertidos realizados desde el propio mar, que son competencia del Estado y que, por tanto, pueden ser calificados por éste, a los efectos de la distribución interna de sus competencias como marina mercante, máxime cuando no se trata de una calificación artificial, sino que responde al concepto de marina mercante existente con anterioridad a la Constitución"[38].

---

[38]   Ciertamente el resultado no podía ser otro: la protección de la contaminación del medio marino cuando ésta proceda, o pueda proceder, del mar, es competencia exclusiva del Estado. Difiero sin embargo, del razonamiento empleado, en el que, en primer término, se aportan argumentos distintos para lo que según el Tribunal parecen ser actividades diversas (prevención de la contaminación, por una parte, y protección del medio marino por otra), y, en segundo lugar, no se profundiza en la auténtica razón de que la competencia deba ser estatal: la relación entre marina mercante y protección del medio marino. Así deben considerarse como argumentos válidos para justificar la competencia exclusiva estatal con relación a la protección —ya sea en su faceta preventiva o restauradora— del medio marino de la contaminación procedente de buques y plataformas, las facultades que para la protección del medio marino otorga al Estado el art. 132.2 CE, el interés supraautonómico en juego cuando de ciertas catástrofes medioambientales se trata, o el acomodo natural que en el título de marina mercante encuentran las actividades relacionadas con la limpieza de buques y descarga de lastre. Es en este último argumento así como en la alusión que en el Fundamento Jurídico que nos ocupa se hace de pasada al carácter de marina mercante de los vertidos realizados desde el propio mar por no tratarse de una calificación artificial y responder al concepto de marina mercante existente con anterioridad a la Constitución, donde se encuentra la auténtica razón de que la protección del medio marino haya de ser incluida en el concepto, y por ende en el título competencial, de marina mercante. No era misión desde luego de la Constitución definir el concepto de marina mercante, pero sin duda su significado, como mantiene el Tribunal Constitucional, "hay que ex-

2. Consecuencias organizativas: la dualidad de estructuras administrativas para la materialización de la protección del mar

Las diversas entidades territoriales a las que se encomienda, en virtud del reparto competencial expuesto, la protección ambiental del mar, y en definitiva el dar cumplimiento al mandato impuesto desde el art. 45 CE, han diseñado sus correspondientes estructuras para el ejercicio de tal función. De esta suerte, la protección del mar de la contaminación procedente de tierra, se encomienda a los órganos y entidades adscritos a aquellos entes territoriales que en general se han creado para el desarrollo de las funciones ambientales que a cada una corresponde.

La concentración de competencias para proteger el medio marino de la contaminación producida desde buques, plataformas fijas y otras instalaciones que se encuentren en aguas situadas en zonas en las que España ejerce soberanía, derechos soberanos o jurisdicción en un único ente territorial, su separación del esquema general en materia de medio ambiente, así como la definición de tal fin como uno de los contenidos de la marina mercante, han supuesto, en términos organizativos, la correlativa atribución de las funciones encaminadas a proteger el medio marino a órganos y entidades de la Administración del Estado distintos al que en el ámbito de ésta ejercita las restantes competencias ambientales, y que son, al propio tiempo, a los que se atribuye, en términos generales, las competencias en materia de marina mercante. Al conjunto de estos órganos, así como de las entidades a ellos adscritos, la LPEMM les vino a denominar "Administración Marítima", a la que dedicó el Capítulo III del Título III, en un intento por reorganizar y modernizar la estructura administrativa "en concordancia con la necesaria especialización que demanda la complejidad técnica del tráfico marítimo civil"[39]. Actualmente, las bases de esta organización administrativa se encuentran recogidas en el Título II del Libro II del TRL-PEMM.

La Administración Marítima queda, desde 1992, integrada por el Ministerio de Fomento en el ámbito central, y por las Capitanías Marítimas, en

---

[39] traerlo del sustrato cultural donde confluyen vectores semánticos ante todo y jurídicos en definitiva, con un contenido real procedente a su vez de distintos saberes y también de la experiencia". Inserta en ese contenido real se encuentra la seguridad marítima, concepto éste último en el que se incluye la protección del medio marino de la contaminación derivada del transporte marítimo.

[39] Exposición de Motivos Ley 27/1992, de 24 de noviembre, de Puertos del Estado y de la Marina Mercante.

el ámbito periférico, que fueron órganos de nueva creación[40]. Al primero se adscribe, además, la Sociedad de Salvamento y Seguridad Marítima, una *entidad pública empresarial adscrita al Ministerio de Fomento, dotada de perso-nalidad jurídica, patrimonio propio y plena capacidad de obrar, que desarrolla su actividad conforme al ordenamiento jurídico privado excepto en la formación de la voluntad de sus órganos, en el ejercicio de las potestades administrativas que tenga atribuidas y en los aspectos específicamente regulados en la Ley 6/1997, de 14 de abril, de Organización y Funcionamiento de la Administración General del Estado, en este capítulo y en sus estatutos, así como en la legislación general presupuestaria* (art. 267.1 TRLPEMM).

En este contexto, resultarán diversos los órganos y entidades a los que corresponda el ejercicio de las funciones de prevención y reparación am-biental del mar según la procedencia de la contaminación. Ello conlleva la necesidad de que se pongan en marcha en numerosas ocasiones me-canismos de coordinación interadministrativa, mecanismos que se han previsto, y desde esta perspectiva conviene pensar en la idoneidad de la publificación de la protección del medio marino, al hilo de la regulación del servicio público de salvamento y lucha contra la contaminación ma-rina[41].

V. LA PROTECCIÓN DEL MAR DESDE LAS PERSPECTIVAS AMBIENTAL Y DEMANIAL

1. La caracterización como función pública de la protección del medio ma-rino. El *plus* de protección demanial

Reducir, eliminar y prevenir la lesión al medio marino en todas sus modalidades son tareas que desde la perspectiva nacional, comunitaria e internacional se encomiendan al poder ejecutivo, concretamente a la Administración pública. Buena prueba de ello lo constituyen los Tratados internacionales celebrados con tal fin, en los que como fórmula genérica se faculta a los Estados Parte para que adopten "las medidas necesarias"

---

[40]   Las disposiciones relativas a su creación, estructura y funciones vienen determinadas en el art. 266 TRLPEMM. A nivel reglamentario, ha de estarse al, precepto que ha sido desarrollado por el Real Decreto 638/2007, de 18 de mayo, por el que se regulan las Capitanías Marítimas y los Distritos Marítimos, que derogó, a su vez, al Real Decreto 1246/1995, de 14 de julio.

[41]   Art. 268 TRLPEMM.

para prevenir y combatir la contaminación marina, y más concretamente se contiene el mandato a los Estados de designar las autoridades competentes para planificar, organizar, autorizar y supervisar las actividades por ellos reguladas. Ello supone una clara "administrativización" de la materia[42], una consideración del ambiente marino como función pública que debe hacerse extensible a toda la materia ambiental[43], y que entronca directamente con nuestra Norma Fundamental que, como es sabido, impone a los poderes públicos el mandato de defender y restaurar el medio ambiente. La complejidad de las tareas anteriormente mencionadas es manifiesta, aunque ha ido acompañada de un paulatino perfeccionamiento de las medidas previstas para dar cobertura a la actuación administrativa en el marco de un régimen especial de protección del medio marino dotado de una serie de instrumentos que facilitan la eficacia de tal protección.

En efecto, a las dificultades relativas al carácter complejo y multidisciplinar que tienen las cuestiones relativas al ambiente y que hacen que éstas afecten a los más variados sectores del ordenamiento jurídico[44], a la diversidad de reglamentaciones, al alto coste de las medidas de protección necesarias, a su compatibilización con el desarrollo económico o a la configuración de un sistema de protección eficaz de los bienes ambientales[45], deben añadirse en lo que a la protección del medio marino respecta, problemas tales como el de la falta de coincidencia en este campo entre los espacios ambientales con las jurisdicciones administrativas clásicas. En este último punto, sin embargo, la concienciación de la necesaria extensión de las facultades de la Administración del Estado ribereño para una eficaz protección del medio marino está dando resultados, y aunque el sistema deja todavía que desear, se han producido importantes avances.

Dadas las condiciones que caracterizan al mar, carecería de sentido, por inútil, el planteamiento de su protección desde la perspectiva de

---

[42] Sigo la terminología empleada por PAREJO ALFONSO, L., "El medio ambiente", El medio ambiente", en PAREJO, L., JIMÉNEZ-BLANCO, A., ORTEGA, L., *Manual de Derecho administrativo*, Madrid, Ariel, última edición, p. 599.

[43] Así lo ha entendido tempranamente la doctrina que ha tratado el tema. Es en este sentido de obligada referencia el trabajo de ESCRIBANO COLLADO, P. y LÓPEZ GONZÁLEZ, J. I., "El medio ambiente como función administrativa", *REDA* núm. 26 (1980), p. 367.

[44] STC 64/1982, de 4 de noviembre.

[45] Por todos, ESCRIBANO COLLADO, P. y LÓPEZ GONZÁLEZ, J. I., El medio ambiente como función administrativa" *op. cit.*, pp. 369 y 370.

un solo país: el carácter dinámico del medio marino haría que de nada sirviera la protección por severa que fuera brindada exclusivamente desde los ordenamientos internos, puesto que la movilidad de los agentes contaminantes, aun evacuados a distancias considerables, provocaría igualmente la contaminación de sus costas. La necesidad pues de una acción internacional parece incuestionable. Pero desde otro punto de vista, de nada sirve un Derecho internacional sumamente protector sin la colaboración real de los ordenamientos internos, dada la relativa obligatoriedad de los Tratados y Acuerdos internacionales, que se dejan a la disponibilidad de cada parte, constituyendo auténticas declaraciones de intenciones que necesitan de instrumentos jurídicos que garanticen su cumplimiento.

Es justamente en este punto en el que creo necesaria una labor de reforzamiento del cumplimiento de la normativa internacional por la normativa interna, mejor de cumplimiento efectivo de los resortes ofrecidos por ambas normativas. En otro lugar he sostenido la suficiencia de los mecanismos, sin duda mejorables aunque no tan deficientes como de manera apriorística se afirma, que tanto desde el Derecho internacional como interno se ofrecen para el logro del objetivo último: la preservación del medio marino[46]. Se trata, a mi modo de ver, fundamentalmente de una labor de voluntad de los operadores jurídicos que han de aplicar tal normativa. Entre tales operadores, la Administración de cada Estado alcanza un protagonismo evidente, como ya he puesto de manifiesto, y como no, la rama del ordenamiento jurídico que tiene por objeto a la Administración Pública, el Derecho administrativo.

Lo que vengo afirmando se pone de manifiesto en el propio contenido de aquellos Tratados y Acuerdos internacionales que tienen por objeto regular la protección del medio marino y que siguen las pautas más arriba indicadas comunes a toda la normativa ambiental: proporcionar una serie de medidas legales para prevenir y combatir la contaminación del mar. Tales medidas, sin embargo, se dejan de la mano de los Estados firmantes de los diversos Acuerdos y Tratados, y van, desde la obligación de los Estados de dictar las leyes y reglamentos administrativos necesarios para el fin perseguido hasta el deber impuesto por dichos Tratados de sancionar las infracciones de dichas leyes y reglamentos, pasando por las técnicas autorizatorias —con relación a las cuales los certificados alcanzan un papel

---

[46] ZAMBONINO PULITO, M., *La protección jurídico-administrativa del medio marino: tutela ambiental y transporte marítimo, cit.*

esencial—, de inspección y policía —de entre las cuales las detenciones de buques se configuran como de importancia indudable—, o la atribución de responsabilidad a la propia Administración, entre otras. La concreción de todas estas medidas, desde el punto de vista interno, se lleva a cabo, como se ha apuntado, por la rama del ordenamiento jurídico que tiene por objeto a la responsable de su efectividad, la Administración pública. En este punto debe señalarse el importante desarrollo que se está realizando de todas las técnicas mencionadas en la normativa administrativa en los últimos años, normativa que, a riesgo de un exceso de dispersión, detalla paulatinamente el contenido del régimen de ejercicio de las potestades administrativas en la materia y con ello intensifica el proceso de publificación de la actividad marítima.

Parece coherente pues el mantenimiento de una visión de la normativa internacional como marco al que debe sujetarse y desarrollar la normativa interna, que se configura por otra parte como el complemento necesario para hacer efectiva la primera, cuya finalidad es ofrecer las pautas al ordenamiento jurídico-administrativo y a la Administración como responsable de su aplicación. Desde este punto de vista, el criterio tradicional seguido, *v.gr.*, en la normativa internacional reguladora de la protección del medio marino de la contaminación procedente del mar, ha sido el de atribuir la facultad para la aplicación de dichas técnicas a la Administración del pabellón del buque. Sin embargo, ha de señalarse desde este momento que este criterio se ha visto modulado por el del Estado rector del puerto o ribereño, según el caso, al que, cada vez más, se dan nuevas atribuciones, si bien se encuentra sujeto todavía a serias limitaciones.

Pero la protección del mar se ve reforzada, desde el punto de vista de nuestro Derecho interno por la demanialización del bien que, como es sabido, se lleva a cabo por el art. 132 CE. Los efectos de esta *publicatio* se dejarán ver en el régimen de protección, pues a las técnicas mencionadas que el Derecho ambiental aporta, que se analizarán seguidamente, han de sumarse las que comporta su carácter de bien de dominio público marítimo-terrestre, como tal sujeto a las técnicas que en este sentido se diseñan por el ordenamiento jurídico para garantizar su indisponibilidad (v.gr., potestades de investigación, recuperación posesoria, desahucio administrativo, publicidad posesoria, deslinde, sancionadora; técnicas de control como los inventarios y catálogos). Junto a ello, habrán de tomarse en consideración las técnicas dirigidas a salvaguardar la utilización racional de este bien demanial.

2. Las técnicas de protección del medio marino

A) Régimen jurídico de la protección del medio marino de la contaminación procedente de tierra

a) Régimen general de los vertidos en la legislación de costas

Los vertidos al mar han sido objeto de atención por parte del legislador al regular el régimen de protección del dominio público marítimo-terrestre mediante la LC y el RC que, en el ámbito de los vertidos de tierra al mar, constituyen legislación básica ambiental (SSTC 149/1991 y 198/1991). Debe tenerse presente, por lo demás, la normativa autonómica de desarrollo.

Por lo que a la legislación básica respecta, es de señalar como uno de los fines que han de informar la actuación administrativa sobre el dominio público marítimo-terrestre es precisamente conseguir y mantener un adecuado nivel de calidad de las aguas y de la ribera del mar —art. 2.d) LC— En esta actuación administrativa, los entes implicados van a ser la Administración General del Estado, las Comunidades Autónomas y en menor medida los municipios. Al objeto de delimitar la intervención de cada una de dichas Administraciones, la LC dedica un Título completo, el Título VI, en el que por lo que respecta a la materia de vertidos se establecen, como competencias estatales, la elaboración y aprobación de las disposiciones sobre vertidos, así como la emisión de informe preceptivo y vinculante en relación a los planes y autorizaciones de vertidos industriales y contaminantes al mar desde tierra a efectos del cumplimiento de la legislación estatal y de la ocupación del dominio público marítimo-terrestre (arts. 110 y 112).

Por su parte, y de forma genérica, establece el art. 114 LC que las Comunidades Autónomas ejercerán las competencias que en materia de vertidos al mar tengan atribuidas en virtud de sus respectivos Estatutos. A este respecto debe tenerse presente que, considerándose por el Tribunal Constitucional incluida tal función en la de ejecución de la normativa ambiental, todas las Comunidades Autónomas tienen asumida tal competencia, a la que es adjetiva la competencia para regular los procedimientos para el otorgamiento de concesiones y autorizaciones y para la imposición de sanciones al respecto[47].

Por lo que respecta al municipio, el art. 115 LC dispone que sus competencias pueden abarcar funciones de mantenimiento de las playas y lugares

---

[47]   En este sentido art. 207.2 RC.

públicos de baño en las debidas condiciones de limpieza, higiene y salubridad, así como de vigilancia de la observancia de las normas e instrucciones dictadas por la Administración del Estado sobre salvamento y seguridad de las vidas humanas.

Incluida en el Capítulo IV, existe una Sección en la LC, dedicada exclusivamente a los vertidos, ya sean líquidos o sólidos, realizados en el dominio público marítimo-terrestre. Se remite la propia Ley, en cuanto a los vertidos al mar desde buques y aeronaves y a los de origen terrestre de sustancias que puedan comportar un peligro o perjuicio superior al admisible para la salud pública y el medio natural a su normativa específica (arts. 56.2 y 57.2), normativa a la que se hará referencia con posterioridad.

Por lo que hace a los vertidos objeto de la Ley de Costas, se parte de la prohibición del vertido de residuos sólidos y escombros al mar y su ribera, así como a la zona de servidumbre de protección, excepto cuando éstos sean utilizables como rellenos y estén debidamente autorizados[48]. En los demás casos, los vertidos se permiten, no obstante sujetarse por el art. 57 LC al control previo por parte de la Administración competente mediante el otorgamiento de la correspondiente autorización administrativa y al principio de limitación de vertidos. Junto a estas medidas de intervención administrativa, se prevé asimismo otra técnica de control por parte de la Administración competente, cual es la gestión de un Registro en el que, entre otros usos del dominio público marítimo-terrestre, deberán inscribirse las autorizaciones de vertidos contaminantes (art. 37.3 LC).

Como se ha afirmado, los vertidos permitidos se sujetan a autorización de la Administración competente de acuerdo con la legislación estatal y autonómica aplicable, sin perjuicio de la concesión de ocupación de dominio público, en su caso[49]. En este punto el art. 110 LC establecía la competencia estatal para otorgar autorizaciones en la servidumbre de protección y de vertidos desde tierra al mar, salvo los industriales y contaminantes —que se consideraban así de competencia autonómica—, así como la de coordinar e inspeccionar el cumplimiento por las Comunidades Autónomas de los acuerdos y convenios internacionales en la materia. La STC 149/1991, de 4 de julio, declaró la inconstitucionalidad de dichas previsiones por considerar que vulneraban el sistema constitucional de distribución de competencias[50].

---

[48]   Art. 56.3 en relación con los arts. 32 y 25 LC.
[49]   Art. 56.3 en relación con los arts. 32 y 25 LC.
[50]   Pues, como ya se señaló, según el Tribunal Constitucional, las Comunidades Autónomas que han asumido la competencia para la ejecución de las normas sobre protección del medio ambiente —todas las costeras, en la actualidad—, son también com-

La competencia para otorgar la autorización, y además para regular el procedimiento de otorgamiento de las mismas, resulta, en base a la doctrina contenida en la STC 149/1991, de 4 de julio, de innegable carácter autonómico, por lo que a la normativa que al respecto dicten las Comunidades Autónomas habrá de estarse, si bien, la LC, como legislación básica estatal y a la que por motivos de extensión me remito, impone una serie precisiones de necesaria observancia por tal normativa autonómica.

b) Los vertidos de sustancias peligrosas

Nos ocupamos en este lugar de la introducción por el hombre, directa o indirectamente, en el medio marino, incluidos los estuarios, de sustancias o energía que pueda traer como consecuencia constituir un peligro para la salud humana, perjudicar los recursos vivos y el sistema ecológico, reducir las posibilidades de esparcimiento u obstaculizar otros usos legítimos de los mares.

Debe señalarse en primer término, que, se parte del principio de permisión de ciertos vertidos contaminantes —sujetos a la correspondiente autorización administrativa—, siempre que no superen determinados límites de emisión, principio que se compatibiliza con el de prohibición de aquellos otros que pudieran introducir en el mar las sustancias consideradas más peligrosas. Desde el punto de vista de las técnicas de intervención administrativa, además de las mencionadas prohibiciones, autorizaciones y reglamentación de los límites de emisión, se prevén por la normativa de referencia las de vigilancia e inspección por parte de la Administración.

Dicha normativa tiene un triple origen —internacional, comunitario e interno— que, por motivos de extensión, me limito a citar. Desde el punto de vista del Derecho Internacional, ha de estarse a la Convención sobre el Derecho del Mar y al Convenio de París para la prevención de la contaminación marina de origen terrestre, de 1974. En el ámbito comunitario, debe partirse de la Directiva *2006/11/CE* del Parlamento Europeo y del Consejo, de 15 de febrero de 2006, relativa a la contaminación causada por determinadas sustancias peligrosas vertidas en el medio acuático de la Comunidad[51].

---

petentes para llevar a cabo los actos de ejecución que impliquen la aplicación de las normas sobre vertidos, sea cual fuere el género de éstos y su destino.

51   Esta Directiva sustituyó a la Directiva 76/464/CEE y sus modificaciones posteriores. Por lo demás, debe estarse a las distintas Directivas que han ido fijando los límites de

Por lo que respecta al Derecho español, la normativa viene básicamente constituida por el Real Decreto 258/1989, de 10 de marzo, por el que se establece la normativa general sobre vertidos de sustancias peligrosas desde tierra al mar, reglamento que incorpora la normativa general contenida en las Directivas comunitarias anteriormente señalas, y a tal efecto: a) fija las normas de vertido en las aguas interiores y el mar territorial de sustancias peligrosas, entendiendo como tales las mencionadas en el anexo I, para los vertidos procedentes de cualquier fuente, basándose en límites máximos de emisión para eliminar la contaminación por vertidos de sustancias de la lista I y en objetivos de calidad para reducir la contaminación por vertido de sustancias de la lista II; b) establece el procedimiento para controlar el cumplimiento de las normas de vertido; y c) regula el establecimiento de programas con el fin de evitar o eliminar la contaminación por las sustancias peligrosas mencionadas, cuando se trata de fuentes importantes de las mismas que no pueden ser sometidas a control de emisiones.

Nuevamente el sistema gira sobre la técnica autorizatoria, al sujetar el reglamento a autorización administrativa a todo vertido desde tierra en las aguas interiores y en el mar territorial español, que pueda contener una o varias de las sustancias peligrosas indicadas en el anexo II. Los vertidos que se produzcan de acuerdo con la autorización concedida tienen pues la adecuada cobertura jurídica, todo ello sin perjuicio del contenido de otras autorizaciones o licencias que sean preceptivas, y del respeto escrupuloso

---

emisión de sustancias: Directiva 82/176/CEE del Consejo, de 22 de marzo de 1982, relativa a los valores límite y a los objetivos de calidad para los vertidos de mercurio del sector de la electrólisis de los cloruros alcalinos, modificada por la Directiva 91/692/CEE del Consejo; Directiva 83/513/CEE del Consejo, de 26 de septiembre de 1983, relativa a los valores límite y a los objetivos de calidad para los vertidos de cadmio, modificada por la Directiva 91/692/CEE del Consejo. Directiva 84/156/CEE del Consejo, de 8 de marzo de 1984, relativa a los valores límite y a los objetivos de calidad para los vertidos de mercurio de los sectores distintos de la electrólisis de los cloruros alcalinos, modificada por la Directiva 91/692/CEE; Directiva 84/491/CEE del Consejo, de 9 de octubre de 1984, relativa a los valores límite y a los objetivos de calidad para los vertidos de hexaclorociclohexano; modificada por la Directiva 91/692/CEE del Consejo; Directiva 86/280/CEE del Consejo, de 12 de junio de 1986, relativa a los valores límite y los objetivos de calidad para los residuos de determinadas sustancias peligrosas comprendidas en la lista I del Anexo de la Directiva 76/464/CEE, modificada por las Directivas 88/347/CEE, 90/415/CEE y 91/692/CEE; Directiva 91/692/CEE del Consejo, de 23 de diciembre de 1991, sobre la normalización y la racionalización de los informes relativos a la aplicación de determinadas directivas referentes al medio ambiente; Directiva 2000/60/CE del Parlamento Europeo y del Consejo, de 23 de octubre de 2000, por la que se establece un marco comunitario de actuación en el ámbito de la política de aguas.

de las condiciones fijadas en el acto administrativo autorizatorio cuya infracción deberá dar lugar a las correspondientes consecuencias jurídicas y de responsabilidad que en su caso, pudiera derivarse[52].

B) Régimen jurídico de la protección del medio marino de la contaminación procedente del mar y del salvamento marítimo

La protección del medio marino de la contaminación procedente de buques y plataformas, para el Derecho, se encuentra vinculada, como una parte inescindible de la misma, a la seguridad marítima. Esta consideración, va a informar todo su régimen: seguridad marítima y prevención de la contaminación desde buques son consideradas como una sola cosa desde sus orígenes; la prevención de la contaminación marina se pone en relación con la seguridad de los buques, a fin de prevenir los accidentes que dan lugar a la contaminación, fundamentalmente porque los sucesos acaecidos ponen de manifiesto que la actividad de los buques no sólo afecta a la vida humana, sino muy especialmente al medio marino[53].

Junto a ello, antes de analizar dicho régimen de protección, ha de realizarse otra consideración previa y que siente el ámbito de la actuación administrativa que debe señalarse son los buques y plataformas tanto españoles como extranjeros. La normativa de aplicación mantiene en este sentido un concepto amplio de buque, que se identifica con toda embarcación que opere en el mar, y que incluye a las plataformas o instalaciones de dedicadas a la explotación de actividades en el mar[54].

---

[52] En relación a las normas de calidad de las aguas, ha de estarse al Real Decreto 60/2011, de 21 de enero.

[53] Muestra de ello es el lema del organismo internacional por excelencia en la materia, y al que posteriormente aludiré, la Organización Marítima Internacional (OMI): "por una navegación más segura y unos mares más limpios".

[54] Arts. 8.2 Ley 27/1992, de 24 de noviembre, de Puertos del Estado y de la Marina Mercante; 6.2 de la Orden de 26 de mayo de 1976, sobre prevención de la contaminación marina por vertidos desde buques y aeronaves; 1.3 de la Ley 27/1977, de 1 de abril, sobre aplicación de sanciones en los casos de contaminación marina provocada por vertidos desde buques, que en este punto continúa vigente; 2 Convenio Marpol 73/78. No incluyen a las plataformas en el concepto de buque, aunque la consideran dentro de su ámbito de aplicación los arts. 2 del Convenio de Londres de 1972, para la prevención de la contaminación del mar por vertidos de desechos y otras materias; y 2 del Convenio Internacional sobre cooperación, preparación y lucha contra la contaminación por hidrocarburos de 1990. Por otra parte debe señalarse la exclusión del ámbito de aplicación de esta normativa de los buques afectos a la defensa nacional o servicios públicos, por gozar de inmunidad soberana, en virtud de los Acuerdos internacionales

Y como decía, la actividad administrativa se extiende a los buques españoles, por una parte, siendo plena la jurisdicción de la Administración española sobre los buques de su pabellón con independencia del espacio marítimo en el que se encuentren —art. 252 TRLPEMM—. Pero también puede desarrollarse sobre los buques extranjeros siempre que estos operen en puertos o aguas españolas y con las limitaciones impuestas por los Tratados internacionales, que al respecto restringen las facultades de intervención del Estado del puerto o ribereño a las inspecciones, visitas, expedición de certificados, inmovilizaciones, detención de operaciones, e iniciación de procedimientos sancionadores[55]. En el ámbito comunitario se han dictado, entre otras disposiciones, la Directiva 2009/16/CE, del Parlamento Europeo y del Consejo, de 23 de abril, sobre el control de los buques por el Estado rector del puerto, que derogó la hasta entonces vigente Directiva 95/21/CE, del Consejo, de 19 de junio, y el Reglamento 417/2002, del Parlamento Europeo y del Consejo, de 18 de febrero de 2002, relativo a la introducción acelerada de normas en materia de doble casco o de diseño equivalente para petroleros de casco. La transposición de la normativa comunitaria a nuestro ordenamiento tuvo lugar mediante los Reales Decretos 1621/1997, de 24 de octubre y 91/2003, de 24 de enero, actualmente sustituidos por el Real Decreto 1737/2010, de 23 de diciembre, por el

---

aplicables. En este sentido, la Orden 25/1985, de 23 de abril del Ministerio de Defensa, por la que se aprueban las normas para escalas de buques de guerra extranjeros en puertos o fondeaderos españoles y su paso por el mar territorial español en tiempo de paz, ha configurado el régimen al que se someten los buques afectos a la defensa nacional en nuestro Derecho.

[55] Se trata del denominado "control por el Estado rector del puerto", técnica con la que se trata de hacer frente a la existencia de buques inframínimos —que no cumplen con la normativa— normalmente abanderados en terceros países cuyas Administraciones suelen flexibilizar el control del cumplimiento de dicha normativa, que por cierto no es únicamente la relativa a la prevención y lucha contra la contaminación, sino que también se extiende a la atinente a la seguridad marítima (Convenio para la Seguridad de la Vida Humana en el Mar de 1974 —SOLAS—) y a la formación de las tripulaciones (Convenio Internacional de 7 de julio de 1978, sobre normas de formación, titulación y guardia para la gente del mar —STCW—). En esta labor figura como hito fundamental el Memorándum de entendimiento sobre el control de los buques por el Estado del puerto de París de 1982, cuya naturaleza es la de un mero acuerdo administrativo entre las Autoridades Marítimas de varios países europeos, pero que será el verdadero germen de la inclusión de la técnica en los distintos Convenios aplicables a la materia y que al propio tiempo ha sido generalmente aceptado y seguido y cuyas principales aportaciones serán, por una parte, la armonización de los procedimientos de inspección, y por otra la de especificar los supuestos en los que se justifican las denominadas "inspecciones más detalladas", esto es, las inspecciones a buques que tras una inspección ordinaria se constate que incumple la normativa de referencia.

que se aprueba el Reglamento por el que se regulan las inspecciones de buques extranjeros en puertos españoles. A él debe añadirse, además el TRLPEMM, Real Decreto 1837/2000, de 10 de noviembre, por el que se aprueba el Reglamento de Inspección y Certificación de Buques Civiles, que afecta a los buques españoles. Por su parte, la LPMM regula únicamente un tipo de vertido en el mar: el denominado "vertimiento", del que seguidamente nos ocuparemos.

a) *Régimen de la actividad administrativa de control de la contaminación procedente del mar*

El grueso de la actividad administrativa viene enmarcado dentro de la denominada actividad de intervención, limitación o policía, que, al objeto de controlar la actividad de los particulares, se instrumenta mediante las técnicas tradicionales como la reglamentación, autorización, órdenes (prohibiciones y mandatos), registros, inspecciones, etc. y que en cualquier caso queda sujeta al cumplimiento de los principios que articulan las facultades de intervención como son el de legalidad, igualdad y proporcionalidad.

La normativa de aplicación, y por tanto su régimen jurídico, es diverso según que la actividad a intervenir sea el vertido deliberado, el vertimiento, o los vertidos derivados de las operaciones normales de los buques.

En el primer caso, el sistema, regulado en el Convenio de Londres de 1972 y en el ámbito interno por la LPMM y la Orden de 26 de mayo de 1976 y el TRLPEMM, afecta al vertimiento, o evacuación deliberada en el mar de desechos u otras materias desde buques, aeronaves, plataformas u otras construcciones en el mar[56]. El sistema parte de la prohibición, establecida con carácter general en el art. 32.3 LPMM, del vertido en el medio marino de desechos u otras materias. La regla general, tiene, no obstante, las siguientes excepciones: materiales de dragado; b) desechos de pescado o materiales resultantes de las operaciones de elaboración del pescado;

---

[56] Art. 32 LPMM, que incluye, en el concepto, además y de acuerdo con la normativa internacional aplicable, el hundimiento deliberado en el mar de buques, aeronaves, plataformas u otras construcciones en el mar; el almacenamiento de desechos u otras materias en el lecho del mar o en el subsuelo de éste desde buques, aeronaves, plataformas u otras construcciones en el mar; y el abandono o derribo in situ de plataformas u otras construcciones en el mar, con el único objeto de deshacerse deliberadamente de ellas. El precepto expresamente excluye del concepto de "vertido" la evacuación de desechos u otras materias resultante de las operaciones normales de los buques así como el depósito para fines distintos al de su mera evacuación.

materiales geológicos inorgánicos inertes; flujos de dióxido de carbono resultantes de los procesos de captura de dióxido de carbono para su secuestro[57].

En todo caso, el vertido de los materiales permitidos está sujeto a autorización de la autoridad competente y que corresponda según el ámbito geográfico —Autoridad Portuaria si se realiza en dominio público portuario, o autoridad marítima si se realiza fuera del mismo—. Esta regulación debe integrarse con la contenida en la todavía vigente Orden de 26 de mayo de 1976, clasifica las sustancias contaminantes se clasifican en una doble lista: la lista I, que contiene la relación de sustancias consideradas como más perjudiciales, y la lista II, que relaciona sustancias consideradas con menor grado de nocividad. La técnica de la prohibición entra en juego respecto de las sustancias contenidas en la lista I, cuyo vertido queda por ello en todo caso prohibido. Por su parte el vertido de sustancias contenidas en la lista II se sujeta a la denominada autorización especial así como al cumplimiento de determinadas obligaciones[58]. El resto de las sustancias, esto es, las no contenidas en ninguna de las listas, se sujeta a autorización administrativa ordinaria. La misma Orden regula el procedimiento de otorgamiento de las autorizaciones se regula en la Orden de 26 de mayo de 1976. En este punto, el art. 32 LPMM introduce las siguientes particularidades: en el procedimiento habrá de requerirse informe favorable del Ministerio competente en materia de medio ambiente, a los efectos de determinar su compatibilidad con la estrategia marina correspondiente, sin perjuicio de otros informes previstos en la legislación vigente; la autorización úni-

---

[57] Se establecen, no obstante, algunas limitaciones. Para todos los vertidos, el art. 32.4 LPMM prohíbe la autorización del de materiales con niveles de radiactividad mayores que las concentraciones de minimis (exentas) definidas por el Organismo Internacional de la Energía Atómica de la Organización de Naciones Unidas. En relación al vertido de los flujos de dióxido de carbono resultantes de los procesos de captura de dióxido de carbono para su secuestro, el art. 32.5 LPMM, dispone que sólo podrá autorizarse si se cumplen todas y cada una de las siguientes condiciones: que la evacuación se haga en una formación geológica del subsuelo marino; que los flujos estén constituidos casi en exclusividad por dióxido de carbono, si bien podrán contener algunas otras sustancias asociadas procedentes del material de origen y/o de los procesos de captura y secuestro utilizados; y que no se añadan desechos u otras materias cón el propósito de eliminar dichos desechos o materias. Además, se exige que tales actividades se encuentren expresamente permitidas por los convenios marinos regionales que resulten de aplicación en función de la zona geográfica donde se proyecte su realización.

[58] Que el vertido se lleve a cabo en aguas profundas y alejadas de la costa: debe existir un mínimo de 2.000 metros de profundidad y una distancia de la costa no inferior a 200 millas marinas.

camente podrá ser expedida cuando en la solicitud se justifique que los materiales se han evaluado siguiendo los procedimientos que resulten de aplicación de acuerdo a la normativa aplicable en función de la naturaleza de los desechos o, en su defecto, los criterios, directrices y procedimientos pertinentes adoptados por los convenios marinos regionales e internacionales que resulten de aplicación en función de la ubicación geográfica del lugar donde se solicita realizar el vertido; al presentar las solicitudes para el vertido de desechos u otras materias se demostrará que se ha prestado la debida atención a la jerarquía de opciones de gestión de desechos que la propia LPMM determina y que supone un impacto ambiental creciente (reducción, reutilización, reciclaje ex situ, destrucción de los componentes peligrosos, tratamiento para reducir o retirar los componentes peligrosos, y evacuación en tierra, en la atmósfera y en el mar). Resuelto el procedimiento, la realización de la actividad autorizada queda sujeta, finalmente, a las facultades de vigilancia y control, no contempladas en la normativa especial, por lo que en este punto habrá de estarse, como normativa supletoria, a la legislación de costas.

Por su parte, la intervención de la Administración para prevenir la contaminación por las operaciones normales de los buques, se articula mediante las siguientes técnicas: la reglamentación, que cobra un especial protagonismo en cuanto incluye las prescripciones técnicas a cumplir por los buques para evitar la contaminación del mar y directamente relacionadas con ésta la autorización de los equipos de los buques (homologaciones, etc.); las inspecciones, en su doble calidad de programadas o no, superadas las cuales se extiende el correspondiente certificado acreditativo; los mandatos desde la doble perspectiva de prohibiciones, en las que deben encuadrarse las retenciones o inmovilizaciones de buques así como la detención de operaciones, y obligaciones, señaladamente las impuestas a la tripulación; o los registros, que en estos supuestos presentan la peculiaridad de que en muchos casos deberán llevarse a bordo. El régimen es rico en el establecimiento de peculiaridades y modulaciones, fundamentalmente según el tipo de transporte, y por tanto de sustancia que pueda perjudicar al medio, que realice el buque, pero evidentemente no es posible exponerlo en este lugar.

La competencia para la realización de reconocimientos e inspecciones y la expedición de certificados, atribuida por el art. 263.e) TRLPEMM al Ministerio de Fomento, el cual la ejercerá a través de la Dirección General de la Marina Mercante y de las Capitanías Marítimas, en su calidad, estas últimas, de Administración Marítima periférica. Por tanto, en primer término, la ejecución material de dichas técnicas de intervención se llevará a cabo por el personal de la Administración marítima que preste servicios en la Capitanía Marítima del puerto en cuestión. Ahora bien, el propio art. 263 e) TRLPEMM, en su segundo párrafo, dispone que la realización efectiva de las inspecciones y controles antes señalados podrá efectuarse, a través de Entidades colaboradoras, en clara alusión a las organizaciones reconocidas por la Administración previstas en el Convenio Marpol 73/78 en diversas reglas y a las que se atribuyen las facultades —de carácter mínimo— de realizar reconocimientos e inspecciones, expedir los correspondientes certificados y exigir la realización de reparaciones en el buque[59].

b) El servicio público de salvamento y lucha contra la contaminación marina

El art. 87 LPEMM creó el denominado servicio público de salvamento de la vida humana en el mar y de la lucha contra la contaminación marina. Tal declaración, que se mantiene en el art 264 del vigente TRLPEMM, comportará, desde el punto de vista jurídico, una serie de consecuencias predicables de todas aquellas actividades vinculadas al interés general y de necesaria prestación para la sociedad, y que han de ser prestadas de forma regular y continua y que como tales, han sido publificadas y declaradas como servicios públicos. Son notas típicas de los servicios públicos, extensibles pues al que nos ocupa, las siguientes: la actividad es de titularidad pública, y tiene que haber sido declarada formalmente, por una norma con rango de ley, estatal o autonómica; la intervención de los particulares puede tener lugar en todo caso bajo la habilitación de la Administración titular, a través de cualquiera de las modalidades que para la gestión indirecta establece la legislación de contratos (concesión, etc.); la actividad empresarial que pueda desarrollarse queda, en todo caso bajo la dirección y control de la Administración titular; la actividad se encuentra sujeta a una intensa reglamentación.

El objeto del servicio público declarado en el art. 264 TRLPEMM es doble, comprendiendo tanto el salvamento marítimo como la lucha con-

---

[59] El TRLPEMM marca las pautas del régimen jurídico de estas colaboraciones, si bien deja al reglamento la regulación detallada de tal ejercicio, impone por otra parte el sometimiento de las Entidades a los criterios y directrices de la Administración, y establece, en tercer lugar, el régimen económico de la actividad, régimen que por otra parte se desarrolla en el art. 282 TRLPEMM, al que posteriormente aludiré. La respuesta reglamentaria a esta previsión legal llegaría de la mano del Real Decreto 877/2011, de 24 de junio, sobre reglas y estándares comunes para las organizaciones de inspección y reconocimiento de buques y para las actividades correspondientes de la Administración marítima.

tra la contaminación. Desde esta última perspectiva, además, la actividad publificada es, según el precepto, la protección del medio marino, sin especificarse si lo será respecto de la contaminación proveniente de tierra o del propio mar. Y no se especifica porque a mi entender servicio público es la protección del medio marino genéricamente considerada, lo que a su vez conlleva que existan diversas Administraciones titulares del servicio. En este sentido, la Administración del Estado será titular del servicio y tendrá que gestionarlo cuando venga referido a la lucha contra la contaminación procedente del mar. Cuando provenga de tierra, la titularidad del servicio quedará compartida, debiendo gestionarlo, en cuanto titulares de la competencia ejecutiva sobre la materia, las Comunidades Autónomas. Esquema similar habrá de seguirse en cuanto el servicio venga referido al salvamento marítimo, pues todas las Comunidades Autónomas costeras tienen asumida la competencia de ejecución en la materia[60]. Es tal el sentido del art. 264 TRLPEMM, a cuyo tenor, el servicio "...*se prestará por la Administración del Estado, así como por las restantes Administraciones públicas competentes, de acuerdo con el principio de coordinación, instrumentado a través de los planes y programas correspondientes. Estos contemplarán de forma integrada las actuaciones de cada Administración, así como los medios para desarrollarlas con independencia de su titularidad, de su adscripción funcional o de su localización territorial*".

Por lo demás, indicar que la reglamentación del servicio se lleva a cabo mediante la técnica de la planificación, habitualmente empleada en la reglamentación de los servicios públicos, planificación que tendrá, según el reparto de competencias en la materia, origen diverso según el caso: estatal o autonómica. De este modo, el TRLPEMM ha previsto diversos instrumentos al respecto: Plan Nacional de servicios especiales de salvamento de la vida humana en la mar y de la lucha contra la contaminación del medio marino, Programas sectoriales y territoriales y Planes autonómicos de salvamento marítimo[61].

---

[60]   Éste es por otra parte el sentido que ha de darse a la STC 40/1998 que al analizar el servicio público que nos ocupa ha entrado únicamente en la consideración del salvamento marítimo, declarando inconstitucional por ello un precepto que encomendaba la gestión del servicio a la Administración del Estado y sin tener presente que cuando la contaminación provenga del mar el servicio sí tiene que ser gestionado por ésta. No creo que hubiera necesidad de tal declaración, sino de una interpretación acorde con el reparto constitucional de competencias.

[61]   *Vid.* Resolución de 5 de octubre de 2010, de la Dirección General de la Marina Mercante, por la que se dispone la publicación del Acuerdo de Consejo de Ministros de 20 de agosto de 2010 por el que se aprueba el Plan Nacional de Servicios Especiales de Salvamento de la Vida Humana en la Mar y de la Lucha contra la Contaminación del

C) Otras técnicas de protección: la planificación y la declaración de espacios protegidos

La mayor novedad, y el mayor valor, que introduce la LPMM es la regulación de una técnica típica de protección ambiental que, a pesar de lo avanzado de la normativa que afecta al medio marino, no se había articulado en nuestro ordenamiento hasta la entrada en vigor de la LPMM. El instrumento central de planificación son las denominadas estrategias marinas, cuyos objetivos específicos se establecen en el art. 1.3 LPMM: proteger y preservar el medio marino, incluyendo su biodiversidad, evitar su deterioro y recuperar los ecosistemas marinos en las zonas que se hayan visto afectados negativamente; prevenir y reducir los vertidos al medio marino, con miras a eliminar progresivamente la contaminación del medio marino, para velar por que no se produzcan impactos o riesgos graves para la biodiversidad marina, los ecosistemas marinos, la salud humana o los usos permitidos del mar; garantizar que las actividades y usos en el medio marino sean compatibles con la preservación de su biodiversidad. Las estrategias marinas se definen, en el art. 7 LPMM, como los instrumentos de planificación de cada "demarcación marina", configurándose pues la demarcación como el ámbito especial de cada una de las estrategias marinas[62], que, en este sentido constituyen el marco general al que deberán ajustarse necesariamente las diferentes políticas sectoriales y actuaciones administrativas con incidencia en el medio marino que abarque la demarcación. Para dotar de coherencia al sistema, parece acertada la posibilidad que al efecto prevé el art. 4.2 LPMM, en cuya virtud, el Gobierno puede aprobar directrices comunes a todas las estrategias marinas[63].

Medio Marino para el periodo 2010/2018, que será objeto de revisión en el año 2013, con efecto a partir de 2014, en base al escenario presupuestario en esa fecha.

[62] Las demarcaciones marinas son, a su vez, subdivisiones de las regiones y subregiones marinas que se especifican en el art. 6 LPMM. Las regiones son la del Mar Mediterráneo y la del Atlántico Nororiental, dividiéndose ésta en la Subregión del Golfo de Vizcaya y las costas Ibéricas y en la Subregión Atlántico macaronésica de Canarias. Las demarcaciones cuyos límites se especifican igualmente en el art. 6 LPMM son la noratlántica, la sudatlántica, la del Estrecho y Alborán, la levantino-balear y la canaria.

[63] Tales directrices pueden referirse a aspectos como la Red de Áreas Marinas Protegidas de España, los vertidos en el mar, los aprovechamientos energéticos situados en el medio marino, la investigación marina y el acceso a los datos marinos, la evaluación y el seguimiento de la calidad ambiental del medio marino, la ordenación de las actividades que se llevan a cabo o pueden afectar al medio marino, o la mitigación de los efectos y la adaptación al cambio climático.

Por lo que respecta al contenido de cada estrategia marina, el art. 7 LPMM dispone que incluirá la evaluación del estado ambiental de las aguas, la determinación del buen estado medioambiental, la fijación de los objetivos medioambientales a conseguir, un programa de medidas para alcanzar dichos objetivos y un programa de seguimiento. Conforme a ello, en los arts. 8 a 11 LPMM se establece el detalle de la tramitación de estas actuaciones —salvo la del programa de medidas—, calificadas como preparatorias del procedimiento de aprobación de la estrategia marina. Aprobados los objetivos ambientales, se inicia propiamente el procedimiento de elaboración de la estrategia marina, a través de la confección del programa de medidas por parte del Ministerio competente en materia de medio ambiente, en colaboración con las Comunidades Autónomas y restantes Administraciones públicas implicadas[64]. Las estrategias marinas, que incluyen el Programa de Medidas, se aprueban por el Gobierno mediante Real Decreto, previo debate en el seno de la Conferencia Sectorial de Medio Ambiente, y previo informe de los Ministerios afectados, las Comunidades Autónomas afectadas, y del Consejo Asesor de Medio Ambiente, una vez cumplido el trámite de información pública (art. 15 LPMM). Su actualización, de una periodicidad de seis años, corresponde al Ministerio competente en materia de medio ambiente, salvo que fuera necesario modificar los objetivos ambientales, en cuyo caso, dicho Ministerio ha de elaborar una nueva propuesta que corresponde aprobar al Consejo de Ministros, cumpliendo los mismos trámites señalados para la aprobación de la estrategia[65].

---

[64] En todo caso, y de acuerdo con lo establecido en el art. 5 LPMM, las medidas que se introduzcan en cada estrategia habrán de inspirarse en los siguientes principios:
a) El principio de precaución.
b) El marco de exigencia en el ámbito internacional y comunitario a la hora de integrar las medidas en un programa, el respeto y aplicación de las normas contempladas en los tratados internacionales en la materia suscritos por el Estado español y la normativa europea.
c) El desarrollo sostenible y, en particular, el impacto social, ambiental y económico de las medidas contempladas.
d) El principio de acción preventiva.
e) El principio de corrección de daños ambientales en la misma fuente.
f) El principio de quien contamina paga.
g) La toma en consideración de las normativas sectoriales, en particular aquellas vinculadas con el interés general, la seguridad de suministro o las que tengan implicaciones de carácter estratégico, que pudiera verse afectada por la implantación de dichas medidas.

[65] Hasta el momento, se han aprobado los objetivos ambientales de las estrategias marinas españolas, mediante Acuerdo del Consejo de Ministros de 2 de noviembre de 2012. La Resolución de 13 de noviembre 2012, de la Secretaría de Estado de Medio

En segundo lugar, y por lo que respecta a la declaración de espacios protegidos, la Ley 42/2007, de 13 de diciembre, del Patrimonio Natural y de la Biodiversidad creó la figura de Área Marina Protegida como una de las categorías de espacios naturales protegidos y determinaba que éstas se integrarán en la Red de Áreas Marinas Protegidas (art. 32), cumpliendo así con la obligación impuesta a los Estados por él en el marco del Convenio sobre la Diversidad Biológica, firmado en Río de Janeiro en junio de 1992, de crear redes coherentes de áreas protegidas, tanto terrestres como marinas. La creación de la Red de Áreas Marinas Protegidas, sin embargo, tuvo lugar a través de la LPMM, que las regula en el Título III, estableciendo sus objetivos, los espacios naturales que la conforman y los mecanismos para su designación y gestión.

Los objetivos de la Red se establecen en el art. 25 LPMM en los siguientes términos:

1. Asegurar la conservación y recuperación del patrimonio natural y la biodiversidad marina.

2. Proteger y conservar las áreas que mejor representan el rango de distribución de las especies, hábitats y procesos ecológicos en los mares.

3. Fomentar la conservación de corredores ecológicos y la gestión de aquellos elementos que resulten esenciales o revistan primordial importancia para la migración, la distribución geográfica y el intercambio genético entre poblaciones de especies de fauna y flora marinas.

4. Constituir la aportación del Estado español a las redes europeas y paneuropeas que, en su caso, se establezcan, así como a la Red Global de Áreas Marinas Protegidas.

Por lo que hace a los espacios que integran la Red, el art. 24 LPMM dispone que estará constituida por espacios protegidos situados en el medio marino español, representativos del patrimonio natural marino, con independencia de que su declaración y gestión estén reguladas por normas internacionales, comunitarias y estatales, así como su marco normativo y el sistema de relaciones necesario para su funcionamiento. Pueden for-

Ambiente, dispuso la publicación de dicho Acuerdo y se remite, en lo que hace al Anexo del mismo, en el que enumeran y detallan los objetivos ambiéntales de las demarcaciones marinas noratlántica, sudatlántica, del Estrecho y Alborán, levantino-balear y canaria se encuentran en el anexo al presente acuerdo, a la página Web del Ministerio de Agricultura, Alimentación y Medio Ambiente, en la siguiente dirección: http://www.magrama.gob.es/es/costas/temas/estrategias-marinas.

mar parte de la Red, igualmente, espacios cuya declaración y gestión estén reguladas por normas autonómicas en el supuesto establecido en el 36.1 de la Ley 42/2007, de 13 de diciembre, que a los efectos determina que corresponde a las Comunidades autónomas la declaración y la determinación de la fórmula de gestión de los espacios naturales protegidos en su ámbito territorial y en las aguas marinas cuando, para estas últimas, en cada caso exista continuidad ecológica del ecosistema marino con el espacio natural terrestre objeto de protección, avalada por la mejor evidencia científica existente[66].

La declaración de las Áreas Marinas Protegidas de competencia estatal corresponde al Gobierno, a propuesta del Ministerio competente en materia de medio ambiente (27 LPMM). Su gestión, cuando formen parte de la Red, se ajustará a las directrices que al efecto apruebe el Consejo de Ministros mediante Real Decreto, y que en la actualidad se contienen en el Real Decreto 1599/2011, de 4 de noviembre, por el que se establecen los criterios de integración de los espacios marinos protegidos en la Red de Áreas Marinas Protegidas de España. La LPMM prevé también la elaboración de un Plan Director de la Red de Áreas Marinas Protegidas de España, que se aprobará mediante Real Decreto, con una vigencia de diez años, y cuyos contenidos mínimos se fijan en el art. 29 LPMM[67].

---

[66]   En este sentido, el art. 26 LPMM concreta los espacios protegidos que podrán formar parte de la Red de Áreas Marinas Protegidas de España: a) las Áreas Marinas Protegidas; b) las Zonas Especiales de Conservación y las Zonas de Especial Protección para las Aves, que conforman la Red Natura 2000; c) Otras categorías de espacios naturales protegidos, según establece el art. 29 Ley 42/2007, de 13 de diciembre; d) las áreas protegidas por instrumentos internacionales, sin perjuicio de que su declaración y gestión se ajustará a lo dispuesto en su correspondiente normativa internacional. Por su parte, las Reservas Marinas reguladas en el art. 14 de la Ley 3/2001, de 26 de marzo, de Pesca Marítima del Estado, quedan integradas en la Red, sin perjuicio de que su declaración y gestión tenga lugar conforme a lo dispuesto en dicha ley.

[67]   Son los siguientes: a) los objetivos estratégicos de la Red de Áreas Marinas Protegidas durante la vigencia del Plan Director, así como la programación de las actuaciones que desarrollará la Red para alcanzarlos; b) los objetivos a alcanzar en materia de cooperación y colaboración con otras administraciones u organismos, tanto en el ámbito nacional como internacional; c) las directrices para la planificación y la conservación de las Áreas Marinas Protegidas; d) el programa de actuaciones comunes de la Red, y los procedimientos para su seguimiento continuo y evaluación; e) la determinación de los proyectos de interés general que podrán ser objeto de financiación estatal.

3. La utilización del mar como bien de dominio público

A) La necesidad de desarrollar el régimen de utilización del mar en cuanto bien de dominio público

La LPMM limita la regulación del régimen de utilización del mar en cuanto bien de dominio público a unas cuantas disposiciones contenidas en el art. 3. En este precepto, tras declarar el carácter libre, público y gratuito de los usos de las aguas marinas compatibles con su naturaleza de bien de dominio público, renuncia, pura y simplemente, a regular el régimen del uso común especial o del uso privativo, al disponer que *fuera del uso común general descrito en el apartado anterior, no se admitirán sobre el medio marino más derechos de uso, explotación y aprovechamiento que los autorizados en virtud de la legislación sectorial aplicable.* Esta remisión a la legislación sectorial se acompaña de una doble exigencia. De un lado, los usos que se autoricen deben planificarse de acuerdo con la estrategia de la demarcación marina que corresponda o ser compatibles con ésta. De otra parte, para la autorización de cualquier actividad que requiera la ejecución de obras o instalaciones en las aguas marinas o la colocación o depósito de materias sobre el fondo marino, así como los vertimientos, se establece la necesidad de informe favorable del Ministerio competente en materia de medio ambiente respecto de la compatibilidad de la actividad o vertido con la estrategia marina correspondiente[68]. La única autorización que regula es la que habilita el manejo de especies marinas o la observación de cetáceos[69], a cuyos efectos atribuye la competencia para su otorgamiento al Ministerio competente en materia de medio ambiente y condiciona el mismo a la compatibilidad de la actividad con la estrategia marina, de conformidad con los criterios que se establezcan reglamentariamente, previo informe de la Comunidad Autónoma afectada en el supuesto de actividades que se vayan a realizar en espacios naturales declarados por éstas en virtud de lo dispuesto en el art. 36.1 de la Ley 42/2007, de 13 de diciembre.

---

[68] Entendemos que el término autorización no se utiliza en sentido técnico —puede referirse tanto a autorizaciones o concesiones, en función del tipo de uso de que se trate—.

[69] Se refiere el art. 3.4 LPMM a cualquier actividad que suponga el manejo de especies marinas de competencia estatal incluidas en el Catálogo Español de Especies Amenazadas o en los anexos de la Ley 42/2007, de 13 de diciembre, del Patrimonio Natural y de la Biodiversidad, y la observación de cetáceos regulada en el Real Decreto 1727/2007, de 21 de diciembre, por el que se establecen medidas de protección de los cetáceos.

Esta falta de regulación del régimen de utilización del mar obliga a tomar como legislación supletoria a la legislación de costas que, como ya se apuntó, se configura como legislación general respecto de la especial aplicable al mar territorial y a las aguas interiores[70]. Cierto es que lo ideal es que el mar dispusiera de un régimen de utilización específicamente pensado y adaptado a sus particularidades propias. Mas no siendo así, habrá de aplicarse, con la debida atención a sus peculiaridades, el régimen establecido en el Título III de la LC —y correlativo del RC—, que regula la "Utilización del Dominio público marítimo-terrestre", los principios que contiene y, en particular, la sujeción de los usos especial y privativo del demanio al correspondiente título habilitante (reserva o adscripción, autorización y concesión).

Desde esta perspectiva, ha de ponerse de manifiesto, nuevamente, la convergencia de diversos intereses en los espacios marítimos, susceptibles, como ha podido observarse al hilo del análisis del régimen competencial, de diferentes utilizaciones que deberán compatibilizarse, en la consecución del uso racional del mar. Desde un punto de vista funcional, las técnicas de coordinación interadministrativa deben pues, ponerse al servicio de dicha utilización racional, permitiendo la adecuada armonización de todos los intereses en juego. Es así de suma relevancia, el establecimiento de procedimientos que respondan a esta finalidad.

B) El supuesto peculiar de las instalaciones de generación de electricidad ubicadas en el mar

Un ejemplo al respecto, puede verse en la regulación contenida en el Real Decreto 1028/2007, de 20 de julio, por el que se establece el procedimiento administrativo para la tramitación de las solicitudes de autorización de instalaciones de generación eléctrica en el mar territorial, en el que se intenta dar respuesta, precisamente, a la necesidad señalada, de modo que en relación a un sector concreto referido a la ejecución de proyectos de generación eléctrica en el mar, se regula un procedimiento que da cabida

---

[70] Por lo demás, la Ley 10/1977, de 4 de enero, sobre mar territorial, se ciñe a definirlo y establecer sus límites. Por su parte, la Ley 15/1978, de 20 de febrero sobre la zona económica del mar y sus playas, en sus cinco artículos, se ocupa de definir la zona económica exclusiva y determinar el alcance los derechos soberanos del Estado español, al tiempo que reafirma los derechos de pesca reservados a los españoles y deja sentadas las libertades de navegación, sobrevuelo y tendido de cables submarinos en dicha zona económica.

a la pluralidad de Administraciones —y órganos administrativos de una misma Administración, incluso— intervinientes.

La regulación contenida en dicho Real Decreto, se asienta en una premisa de partida: la competencia estatal en relación a las autorizaciones administrativas para el otorgamiento de la autorización administrativa para la construcción, explotación, modificación sustancial, transmisión y cierre de las instalaciones de generación eléctrica que se encuentren ubicadas en el mar, de acuerdo con la concreción que al respecto se realiza en el art. 4 del Real Decreto 661/2007, de 25 de mayo, por el que se regula la actividad de producción de energía eléctrica en régimen especial[71]. Esta concreción, sin embargo, resulta dudosa desde el punto de vista de la distribución constitucional de competencias, según lo que se ha señalado más atrás, pues se trata de una delimitación de competencias en función del espacio físico que si bien no está claro que derive del bloque de la constitucionalidad, cuanto menos, habría que haber utilizado la doctrina de la suficiencia de rango que impone el Tribunal Constitucional y que, a mi modo de ver, no se cumple.

En efecto, siendo el punto de partida, desde la perspectiva de los límites espaciales de la competencia autonómica el art. 149.1.22 CE, en cuya virtud, el Estado ostenta competencias exclusiva en relación a la autorización de las instalaciones eléctricas cuando su aprovechamiento afecte a otra Comunidad o el transporte de energía salga de su ámbito territorial, el tenor de dicho precepto permitía, en mi opinión, que se hubiese asumido la competencia autonómica en relación a la autorización de este tipo de instalaciones cuando se ubicasen en el mar, entendido éste como ámbito territorial, también, autonómico. Siendo esto así, en los Estatutos, sin embargo, no se ha asumido expresamente la competencia sobre estas autorizaciones cuando la instalación se ubique en el mar, aunque en la mayoría de los supuestos cabría realizar una interpretación de las redacciones utilizadas en ese sentido[72].

---

[71]	Este Real Decreto es de aplicación transitoria, no obstante haber sido derogado por el Real Decreto-Ley 9/2013, de 12 de julio (disposición transitoria tercera).

[72]	Hay un conjunto de Estatutos de Comunidades Autónomas costeras que limita la competencia exclusiva autonómica en relación a las instalaciones de producción, distribución y transporte de energía, en los casos en los que el transporte no salga de la Comunidad y su aprovechamiento no afecte a otra Comunidad Autónoma (*vid.*, arts. 30.35 EA Baleares, 49.1.16 EA Valencia; 10.1.32 EA Asturias; 24.31 EA Cantabria; 10.28 EA Murcia: 27.13 EA Galicia). Esta redacción permitiría entender la competencia en relación a las instalaciones que se ubicaran en el mar adyacente a la costa de las Comunidades Autónomas, por no decirse expresamente otra cosa. A la misma conclusión

No es esta, sin embargo, la conclusión a la que se llega tras la lectura del art. 4 del Real Decreto 661/2007, de 25 de mayo, por el que se regula la actividad de producción de energía eléctrica en régimen especial, que establece un reparto competencial que parte de la competencia autonómica para la autorización de este tipo de instalaciones, excepcionando, no obstante, los supuestos en los que la Comunidad Autónoma donde esté ubicada la instalación no cuente con competencias en la materia, aquellos en que la potencia instalada supere los 50 MW o los que casos en los que las instalaciones estén ubicadas en más de una Comunidad Autónoma o *en el mar*. Se utiliza el mar, pues, como criterio delimitador de competencias, en cuya virtud, corresponde al Estado la competencia sobre las instalaciones que estén situadas en el mar.

Tal criterio de reparto competencial se confirma en la Ley 24/2013, de 26 de diciembre, del Sector Eléctrico, en cuyo art. 3.13 se establece la competencia estatal respecto de las autorizaciones de instalaciones de producción de energía eléctrica ubicadas en el mar territorial.

Bajo esta premisa, el Real Decreto 1028/2007, de 20 de julio, por el que se establece el procedimiento administrativo para la tramitación de las solicitudes de autorización de instalaciones de generación eléctrica en el mar territorial tiene por objeto la introducción de una regulación única que contemple en su totalidad el procedimiento de otorgamiento de las autorizaciones de instalaciones de generación de electricidad que se ubiquen en el mar. La necesidad de la coordinación administrativa es, como ya expusimos, indiscutible, dada la diversidad de intereses en juego. Cuestión distinta es la opinión que nos pueda merecer la forma en qué se hace y el título en el que se ampara la competencia estatal, que bien podría haberse

---

cabría llegar de la lectura del art. 30.26 Canarias, que establece, sin más límites que el constituido por las bases del régimen minero y energético, la competencia exclusiva de la Comunidad Autónoma, por lo que habría que interpretarla en el marco del art. 149.1.22 CE. En el caso del Estatuto de Andalucía, sin embargo, es difícil mantener la competencia en relación a este tipo de instalaciones cuando se ubiquen en el mar, dada la limitación expresa a que el transporte de energía transcurra íntegramente por el *territorio* de Andalucía y su aprovechamiento no afecte a otro *territorio* (*vid.*, art. 49.1.b EA Andalucía), y a la vista de la definición de territorio que se contiene en el art. 2 del mismo Estatuto, que lo equipara a la suma de los términos provinciales, que como ya se ha señalado, no comprenden los espacios marítimos. La misma limitación se contiene en el art. 133 EA Cataluña, aunque la conclusión, respecto al alcance espacial de la competencia puede ser distinta, pues el art. 9 EA Cataluña define el territorio como *el que corresponde a los límites geográficos y administrativos de la Generalitat en el momento de la entrada en vigor del presente Estatuto*, definición en la que cabría entender incluido el mar hasta donde alcance la soberanía del Estado español.

justificado en la necesidad de que el Estado garantice la coordinación, a la vista de la necesidad de que intervengan diversas entidades, y *la actuación conjunta de los diversos servicios y Administraciones implicadas, ya que puede estar en juego un interés nacional y supracomunitario*[73].

El Real Decreto 1028/2007 tras sujetar estas instalaciones al régimen establecido en la legislación de costas[74] y aclarar los órganos competentes de la Administración del Estado para el otorgamiento de las distintas autorizaciones y concesiones concurrentes[75], establece, más que un procedimiento, el orden temporal de los distintos procedimientos que darán como resultado el conjunto de actos administrativos necesarios para el inicio de la actividad. Para ello, y a los efectos del propio reglamento, se divide el dominio público marítimo-terrestre en áreas eólicas marinas (art. 5).

La concatenación de procedimientos diseñada es, muy brevemente, la que sigue:

- Solicitud de reserva de zona para la realización de estudios previos a la solicitud de autorización de un parque eólico (art. 7).

- Caracterización de área eólica marina (art. 9), requisito previo al acuerdo de iniciación del procedimiento de concurrencia y que se formaliza en un documento en el que se recopilan todos los informes emitidos por las Instituciones afectadas en relación con las previsibles afecciones que la instalación de un potencial parque eólico marino podría tener sobre el entorno que le rodea. Su objeto resulta de gran interés, por cuanto lo que se pretende con este documento, es determinar la incidencia que el proyecto eólico marino pueda tener sobre la diversidad de intereses que convergen, como puede verse tras la lectura del art. 10, en el que se determina el contenido de dicha caracterización, no son sólo ambientales, sino de todo tipo[76].

---

[73] STC 40/98, de 19 de febrero, que, a su vez, evoca, las SSTC 133/1990 y 118/1996.
[74] Art. 2.2.
[75] Art. 3.
[76] *Artículo 10. Contenido.*
La caracterización de área eólica marina contendrá la estimación de la cantidad de energía máxima evacuable a través de las redes eléctricas de transporte, así como la incidencia que un proyecto eólico marino tendría sobre los elementos que componen su entorno. En este sentido, se determinarán, al menos, los siguientes efectos:
a) Efectos sobre la actividad pesquera.
b) Efectos sobre la flora y fauna.
c) Efectos sobre las aves.
d) Efectos sobre la navegación marítima.
e) Efectos sobre la navegación aérea.

- Procedimiento de concurrencia, regulado en los arts. 14 a 18.

- Otorgamiento de la reserva de zona, que se atribuirá al solicitante que obtenga resolución favorable en el procedimiento de concurrencia.

- Evaluación de impacto ambiental, de acuerdo con lo establecido en el Texto Refundido de la Ley de Evaluación de Impacto Ambiental, aprobado por el Real Decreto Legislativo 1/2008, de 11 de enero, y en su normativa de desarrollo[77].

- Obtención del título de ocupación del dominio público marítimo-terrestre o portuario, que requerirá autorización de la Dirección General de la Marina Mercante, del Ministerio de Fomento, cuando puedan verse afectadas la seguridad marítima, de la navegación y de la vida humana en la mar[78].

- Autorización de la instalación, regulada en los arts. 24 ss.

- Autorización administrativa del anteproyecto de la instalación, aprobación del proyecto de ejecución y autorización de explotación de la instalación[79].

Junto a ello, en el art. 32 del Real Decreto 1028/2007, se regula un procedimiento simplificado, previsto para las autorizaciones y concesiones administrativas precisas para la construcción y ampliación de las instalaciones de generación de electricidad de origen renovable que se encuentren ubicadas físicamente en el mar territorial y de tecnología diferente a la eólica, que comienza con la solicitud de autorización de la instalación. El precepto añade la necesidad de presentar aval con el que se entiende cumplida la fianza provisional exigida en el artículo 88.1 de la LC, así como los

---

f) *Efectos sobre el turismo, patrimonio histórico y arqueológico y sobre el paisaje.*

g) *Efectos sobre la geomorfología y las comunidades biológicas del fondo marino.*

h) *Efectos sobre las playas.*

i) *Efectos sobre la dinámica litoral y la estabilidad de las costas adyacentes.*

j) *Efectos sobre los espacios marinos sometidos a un régimen de protección ambiental.*

k) *Efectos sobre la explotación de recursos minerales.*

l) *Incidencia en materia de defensa y seguridad.*

m) *Efectos sobre los cables y las tuberías submarinas.*

n) *Cualquier otro que se considere de interés.*

[77] Actualmente sustituido por la Ley 21/2013, de 9 de diciembre, de Evaluación Ambiental.

[78] Arts. 29 y 30.

[79] Reguladas en el art. 115 del Real Decreto 1955/2000, de 1 de diciembre, por el que se regulan las actividades de transporte, distribución, comercialización, suministro y procedimientos de autorización de instalaciones de energía eléctrica.

avales regulados en los artículos 124 o 59 bis o, en su caso, 66 bis del Real Decreto 1955/2000, de 1 de diciembre, por el que se regulan las actividades de transporte, distribución, comercialización, suministro y procedimientos de autorización de instalaciones de energía eléctrica. Examinado el procedimiento ordinario, puede observarse que, de la lectura de este precepto, podría inferirse la innecesariedad de la obtención del título de ocupación del dominio público, interpretación que no entiendo posible, pues de acuerdo con el principio de legalidad, no puede este reglamento obviar procedimientos exigidos por una ley sectorial, *v.gr.,* la obtención del título de ocupación demanial.

4. *Potestad sancionadora*

Desde el punto de vista de las medidas de protección de tipo represivo, alcanza un especial protagonismo el ejercicio de la potestad sancionadora de la Administración, potestad que, en lo que hace al medio ambiente, encuentra respaldo directamente en el tercer apartado del art. 45 CE, precepto que impone el establecimiento, en los términos fijados por la ley, de sanciones penales o, en su caso, administrativas, para quienes violen el deber de preservar el medio ambiente. Será, por el juego de los arts. 25 y 45.2 CE, la ley la que tenga que fijar tales sanciones administrativas. Dada la diversidad de titularidades y competencias que concurren sobre el mismo espacio físico, y de acuerdo con la premisa ya sentada en nuestra jurisprudencia según la cual la competencia en materia sancionadora sigue a la competencia sustantiva[80], el régimen de dicha potestad varía en función de que la infracción afecte al dominio público o al medio marino y, en este segundo supuesto, además, dependiendo de la procedencia de la infracción. En este punto, el único artículo del Título V de la LPMM, dedicado al régimen sancionador (art. 36), se remite a la legislación sectorial correspondiente.

Así, el régimen de la potestad sancionadora en materia de dominio público, ha de buscarse en Título V LC —y concordantes del Real Decreto 1471/1989, de 1 de diciembre, por el que se aprueba el Reglamento de la Ley de Costas—, régimen que, por otra parte, también será aplicable en los supuestos de infracciones en materia de medio marino cuando la contaminación provenga de tierra —sin perjuicio de que, en estos supuestos, las competencia para el ejercicio de la potestad sancionadora corresponda a

---

[80]   Por todas, SSTS 10 marzo, 13 noviembre 1995. Resume la doctrina constitucional que en la actualidad permanece invariable la STC 227/1988, de 29 de noviembre.

las Comunidades Autónomas—. De otro lado, si la infracción afecta al medio marino por razón del transporte marítimo, habrá de estarse al régimen previsto en el Título IV del Libro III TRLPEMM[81].

En cualquier caso deberán tenerse presentes, y a ellos habrá de acudirse en más de una ocasión, los principios que informan la potestad sancionadora de la Administración pública, recogidos, en el Título IX de la Ley 30/1992, de 26 de noviembre, de Régimen Jurídico de las Administraciones Públicas y del Procedimiento Administrativo Común (LPAC) y que van a resolver muchas de las dudas que pudiera ofrecer la legislación sectorial aisladamente considerada. Y ello como la propia Exposición de Motivos de la LPAC expresa, porque tales principios se consideran básicos al derivar de la Constitución y garantizar a los administrados un tratamiento común ante las Administraciones Públicas, dejando la regulación de los procedimientos materiales concretos como cuestión que afecta a cada Administración Pública en el ejercicio de sus competencias[82]. La LPAC, en base a estos títulos, regula los principios de la potestad sancionadora y del procedimiento sancionador (legalidad, tipicidad, proporcionalidad, prohibición absoluta de indefensión y culpabilidad), plenamente aplicables, pues, a las materias que son objeto de estudio en estas páginas.

VI. EL REFORZAMIENTO DE LAS GARANTÍAS DEL CUMPLIMIENTO DE LA FUNCIÓN ADMINISTRATIVA DE PROTECCIÓN DEL MAR: LA ACCIÓN PÚBLICA

Considerada la protección del medio marino como una función pública, corresponde realizar un esbozo de las garantías que el ordenamiento

---

[81]   En cuanto al procedimiento, debe estarse al Reglamento del procedimiento sancionador de las infracciones en el ámbito de la Marina Civil, aprobado por Real Decreto 1772/1994, de 5 de agosto (Anexo II).

[82]   La regulación de estos principios —término que ha entendido el legislador como sinónimo de "bases"— encuentra respaldo en la doctrina del Tribunal Constitucional establecida en la STC 198/1991, según la cual el título que legitima la regulación por parte del Estado del procedimiento sancionador es el art. 149.1.18 CE, concretamente, las bases del régimen jurídico de las Administraciones Públicas. A éste ha de añadirse, si la Ley pretende asegurar el tratamiento común de todos los administrados ante las Administraciones, como la propia Exposición de Motivos indica, el título atribuido al Estado en el art. 149.1.1 ("regulación de las condiciones básicas que garanticen la igualdad de todos los españoles en el ejercicio de los derechos y en el cumplimiento de los deberes constitucionales").

jurídico ofrece para hacer cumplir a la Administración el mandato de proteger el ambiente contenido en el art. 45 CE. Tales garantías deben contemplarse desde la doble perspectiva formal y material, esto es, desde el punto de vista de los mecanismos jurídicos previstos para la defensa frente al incumplimiento de tal mandato así como de la exigencia de responsabilidad a los sujetos que infrinjan los postulados del mismo precepto constitucional. Todas ellas comportan un interés innegable desde el punto de vista de la efectividad de la protección ambiental y la exigibilidad de que la Administración desarrolle la función pública a la que está llamada. Desde el punto de vista del estricto objeto de este trabajo, enfocado al análisis del *plus* de protección que la demanialidad aporta al mar, me limitaré, por lógicos motivos de extensión, a exponer la que contribuye a poner al mar en esa posición de bien ambiental con una protección reforzada por dicha demanialidad[83].

El debate en torno a la legitimación para accionar los mecanismos jurisdiccionales de defensa frente a la actividad —o inactividad— que la Administración viene llamada a desarrollar en cumplimiento de la función pública ambiental y, en concreto, si dicha legitimación se extiende a asociaciones representativas de intereses colectivos (*Vg.*, asociaciones ecologistas), incluso a todos los ciudadanos, no es exclusiva de la protección del medio marino, sino que por el contrario se extiende genéricamente a toda la materia ambiental, respecto de la que se han realizado verdaderos esfuerzos doctrinales para ampliar el campo de la legitimación, proponiéndose, cada vez con más fuerza, la configuración de la acción pública ambiental[84].

---

[83]   En otro lugar he desarrollado esta problemática, en concreto, los aspectos relativos a la tutela jurisdiccional de la función pública ambiental (incluso por inactividad) y a la responsabilidad de la Administración en este ámbito: ZAMBONINO PULITO, M., *La protección jurídico-administrativa del medio marino: tutela ambiental y transporte marítimo, cit.*, pp. 268 ss.

[84]   Existen al respecto posiciones que pugnan por el entendimiento de un derecho subjetivo al medio ambiente adecuado, fundamentalmente en los últimos años. Siendo éstas, para otros autores, demasiado ambiciosas, no faltan las posturas que han defendido la legitimación de las asociaciones en virtud de intereses colectivos. Desde el otro extremo, se niega la posibilidad de alegar un derecho e incluso un interés por parte de cualquier ciudadano o de una asociación, que legitime la impugnación de un acto administrativo al no encontrar base suficiente en el ordenamiento jurídico que justifique tal legitimación. Dos son las formas técnico-jurídicas para considerar tal legitimación extensible a la generalidad de los ciudadanos: mantener la existencia de un derecho subjetivo al medio ambiente adecuado, con lo que cualquier ciudadano estaría legitimado para emprender una acción, o el reconocimiento expreso de la legitimación, sin

Sin embargo, en lo que al ámbito marino se refiere, el reconocimiento expreso de la acción pública que tiene lugar en el art. 109 LC[85], resuelve, a mi modo de ver las posibles dudas en torno a la extensión de tal legitimación. Ello deriva de la consideración de la especialidad del régimen de protección del medio marino de la contaminación producida desde el mar respecto de la contaminación del propio medio que se produce desde tierra. Tal punto de partida tiene su apoyo legal en la Ley de Costas, que a su vez encuentra su respaldo correspondiente en la doctrina constitucional contenida en la Sentencia que enjuiciara dicha norma (STC 149/1991): recordemos que el art. 56.2 LC remite a su legislación específica la regulación de los vertidos al mar desde buques. Pero si tal carácter de normativa específica le hace prevalecer frente a la general —constituida en este caso por la legislación de costas—, no es menos cierto que ante la falta de regulación en la normativa específica habrá de estarse a lo establecido en la norma general, que por ello tiene carácter supletorio. La falta de previsión de la normativa especial al respecto obliga en este punto a considerar aplicable el reconocimiento de la acción pública formulada en el art. 109 LC como medio de protección del medio marino.

A tal razonamiento cabe añadir el propio tenor del precepto en el que me apoyo: el art. 109 LC declara pública la acción para exigir ante los órganos administrativos y los Tribunales la observancia de lo establecido en la LC y en la normativa de desarrollo, y, sin perjuicio de la posterior remisión a la normativa especial a la que se ha hecho referencia, la Ley, de forma expresa determina en su art. 1, como objeto de la misma "la protección del dominio público marítimo-terrestre", entre cuyas pertenencias se incluyen el mar territorial y los recursos naturales de la zona económica y de la plataforma continental, por imperativo de la propia Constitución (art. 132). A ello debe añadirse que entre los fines de la actuación administrativa sobre todo el dominio público marítimo-terrestre, sin distinciones, se establece,

---

especificar si hay o no derecho subjetivo o interés legítimo —éste sin embargo debe presuponerse mínimamente—, mediante la previsión de la acción pública para denunciar los daños ambientales. En el término medio estaría el entendimiento de que el medio ambiente constituye un interés difuso, pudiéndose establecer la denominada legitimación colectiva, que para algunos derivaría directamente de la Constitución y para otros necesitaría de reconocimiento legal expreso.

[85] El precepto determina en su primer apartado que "será pública la acción para exigir ante los órganos administrativos y los Tribunales la observancia de lo establecido en esta Ley y en las disposiciones que se dicten para su desarrollo y aplicación", estableciendo, en el apartado segundo el régimen de dicha acción, régimen que se desarrolla en el art. 202 del Reglamento.

por una parte, el de asegurar la integridad y adecuada conservación de dicho demanio, "adoptando, en su caso, las medidas de protección y restauración necesarias", y por otra el de "conseguir y mantener un adecuado nivel de calidad de las aguas y de la ribera del mar"[86]. Por ser éstos contenidos propios de la LC, su observancia, respecto de todo el dominio público marítimo-terrestre, y por ende del mar territorial y los recursos naturales de la zona económica y de la plataforma continental, y sea cual fuere la posible fuente de contaminación que amenazara su integridad y adecuada conservación, será exigible ante las Administraciones públicas y los Tribunales por cualquier ciudadano mediante la acción pública contemplada en el art. 109.1 Ley de Costas, cuyo régimen, como se ha apuntado, se regula, aunque de forma sucinta, en los arts. 109 LC y 202 RC.

En efecto, los preceptos citados únicamente se dirigen a la regulación del requisito para el ejercicio de la acción de fundamento suficiente, por una parte, y al régimen del abono de los gastos que la acción devengue por parte de la Administración a los denunciantes, por otra[87]. La acción pública así regulada podrá ejercitarla cualquier persona con capacidad procesal[88]. Ello incluye lógicamente a las entidades públicas; por si alguna duda hubiera, el art. 119 LC capacita a cualquier Administración Pública (estatal, autonómica o local) para impugnar directamente ante la jurisdicción contencioso-administrativa, con petición expresa de suspensión, los actos de otra Administración que infrinjan la LC o sus normas de desarrollo, a cuyos efectos el precepto citado los declara contrarios al interés

---

[86] Art. 2 LC, apartados a) y d).

[87] Al respecto el art. 202.3 RC establece que para que la acción pública se tramite, es necesario que los particulares fundamenten suficientemente los hechos que supongan infracción de la LC y su normativa de desarrollo, archivándose el expediente si la Administración no considera las pruebas suficientes, salvo que los hechos manifestados por el interesado se imputen al mismo órgano en el que se presenten, que en este caso lo elevará al inmediato superior. Junto a ello, y en el supuesto de que los denunciantes sufrieran gastos, el art. 109.2 LC determina que éstos deberán ser abonados por la Administración, siempre y cuando se cumplan los siguientes requisitos: justificación de los mismos; comprobación por la Administración de la existencia de infracción; que el hecho denunciado no sea materia de expediente sancionador en trámite o finalizado.

[88] Esto es, a tenor de lo dispuesto en los arts. 30 LPAC y 18 Ley 29/1998, de 13 de julio, reguladora de la Jurisdicción Contencioso-Administrativa, las personas que ostentan tal capacidad con arreglo a la Ley de Enjuiciamiento Civil —cualquier persona física o jurídica, nacional o extranjera, incluyéndose, por tanto, las asociaciones de vecinos, sindicatos, colegios profesionales, etc.—, a los que deben añadirse los menores de edad para el ejercicio y defensa de los derechos e intereses cuya actuación esté permitida por el ordenamiento jurídico-administrativo sin la asistencia de la persona que ejerza la patria potestad, tutela o curatela.

general. Finalmente, sobre el plazo de ejercicio de la acción nada establecen los preceptos legal y reglamentario que nos ocupan. Habrá de estarse por tanto a los plazos generales de interposición de los correspondientes recursos. Entiendo que, salvo en el caso de los actos presuntos, los plazos son demasiado fugaces para la protección que se pretendía otorgar al demanio marítimo, por lo que en este punto me parece criticable el que no se haya aprovechado la oportunidad para ampliar los plazos, al menos en los supuestos de infracciones más graves, tal y como sucede en el ámbito urbanístico.

Capítulo XIII

El dominio público marítimo-terrestre: la parte terrestre*

María del Pino Rodríguez González

Profesora Titular de Derecho administrativo
Universidad de las Palmas de Gran Canaria

SUMARIO: I. INTRODUCCIÓN. II. LA PROBLEMÁTICA QUE PLANTEA LA DEFINI-CIÓN DE LOS BIENES DE DOMINIO PÚBLICO MARÍTIMO-TERRESTRE. ALGUNAS CONSIDERACIONES TRAS LA APROBACIÓN DE LA LEY 2/2013. 1. Cuestiones previas. 2. Principales antecedentes legislativos. 3. La LC de 1988, como cristalización de dicho modelo ampliatorio del dominio público marítimo-terrestre: Sus principales luces y sombras. A) Consideraciones generales. B) En relación con los bienes de dominio público marítimo-terrestre por imperativo constitucional. a) La zona marítimo-terrestre. b) La playa. c) El mar territorial, las aguas interiores, con su lecho y subsuelo, y los recursos naturales de la zona económica y la plataforma continental. C) Bienes de dominio público marítimo-terrestre por determinación legal. a) "Las accesiones a la ribera del mar por depósito de materiales o por retirada del mar cualesquiera que sean las causas". b) "Los terrenos ganados al mar como consecuencia directa o indirecta de obras y los desecados en su ribera". d) "Los acantilados sensiblemente verticales, que estén en contacto con el mar o con espacios de dominio público marítimo-terrestre, hasta su coronación". e) "Los terrenos deslindados como dominio público que por cualquier causa han perdido sus características naturales de playa, acantilado o zona marítimo-terrestre". f) "Los islotes en aguas interiores y mar territorial". g) "Los terrenos incorporados por los concesionarios para completar la superficie de una concesión de dominio público marítimo-terrestre que les haya sido otorgada, cuando así se establezca en las cláusulas de la concesión". h) "Los terrenos colindantes con la ribera del mar que se adquieran para su incorporación al dominio público marítimo-terrestre". i) Otras dependencias que configuran el dominio público marítimo-terrestre por determinación legal. D) El régimen jurídico específico de la isla de Formentera. III. ALGUNAS CONSIDERACIONES GENERALES ACERCA DEL SISTEMA DE DISTRIBUCIÓN DE COMPETENCIAS SOBRE EL ESPACIO MARÍTIMO-TERRESTRE. 1. Planteamiento general de la cuestión. 2. El actual sistema de distribución de competencias de la Ley de Costas de 1988. 3. Las técnicas de colaboración y cooperación interadministrativas como mecanismos imprescindibles para la articulación de competencias. 4. La necesaria Gestión Integrada de las Zonas

---

* El presente capítulo fue entregado para su publicación en junio de 2013. Casi un año después, y por los retrasos propios de una obra colectiva, recibo las pruebas de la Editorial para su comprobación. Sin embargo, en el interior se ha tramitado el Reglamento de desarrollo de la Ley 2/2013 (que está en fase de aprobación) y se han publicado algunos libros y diversos artículos doctrinales, cuyo análisis resulta ya materialmente imposible de acometer en este capítulo (pese a que hubiese sido lo deseable).

I. INTRODUCCIÓN

Los bienes de dominio público marítimo-terrestre juegan un papel protagonista dentro de la categoría general de los bienes de dominio público. La importancia ambiental, social y económica de dichos bienes es incontestable, pues no debe olvidarse que, en la franja costera, se concentra la mayor parte de la oferta turística española (actividad que constituye una de las principales fuentes de nuestra economía y que depende, en buena medida, de una adecuada protección ambiental, de la preservación del territorio sobre el que se asienta, así como de sus recursos naturales) y que dicha franja también es objeto de explotación pesquera (que no puede sostenerse sin la preservación de los ecosistemas marinos), y susceptible de ser explotada como fuente de abundantes recursos mineros y petrolíferos, etc. Por tanto, se trata de terrenos valiosos por los recursos naturales que contienen, por las grandes posibilidades de aprovechamiento económico que ofrecen, así como por su valor social como lugar de ocio y disfrute de los ciudadanos; y, precisamente por todo ello, requieren de una protección medioambiental integral[1] y de un desarrollo sostenible en el tiempo.

En fechas recientes, su particular régimen jurídico, de determinación, protección, utilización y ordenación ha sido objeto de una modificación parcial, pero sustancial, a través de la denominada Ley 2/2013, de 29 de mayo, de Protección y Uso Sostenible del litoral y de modificación de la Ley 22/1988, de 28 de julio, de Costas (en adelante, Ley 2/2013).

Y es que, después de más de 25 años de vigencia de la citada Ley 22/1988, de 28 de julio, de Costas (LC de 1988, en lo sucesivo)[2], el anuncio de modificación, a principios de 2012, no sorprendió a nadie, pues venía a hacerse eco y a intentar dar respuesta a diversas iniciativas, propuestas y proposiciones de ley que, desde distintos ámbitos y ya desde 2007, propugnaban su reforma.

Consiguientemente, en esta tercera edición de la obra colectiva *Derecho de los bienes públicos,* en la que se inserta el presente capítulo, donde se examina, con carácter general, el régimen jurídico del "dominio público marítimo-terrestre: la parte terrestre" hemos llevado a cabo una primera

---

[1]   De conformidad con lo declarado por la STC 149/1991, de 4 de julio, *"el legislador estatal no sólo está facultado, sino obligado a proteger el demanio marítimo-terrestre, a fin de asegurar tanto el mantenimiento de su integridad física o jurídica, como su uso público y sus intereses paisajísticos"* (Fundamento Jurídico 1, D).

[2]   La LC de 1988 fue desarrollada por el RD 1471/1989, de 1 de diciembre (en lo sucesivo RC de 1989) —BOE núm. 297, de 12 de diciembre de 1989—. Así, se pretendió que este cuerpo normativo constituyese un instrumento adecuado para la aplicación ordenada y sistemática de la Ley, además de cumplir su mandato en aquellos puntos concretos en los que se preveía el desarrollo reglamentario. Es importante que se tenga en cuenta, no obstante, que el RD 1112/1992, de 18 de diciembre, introdujo importantes modificaciones en el RC, para adecuar el régimen de competencias que corresponde a la Administración del Estado y a las CCAA en el espacio litoral a las determinaciones introducidas por las SSTC 149/1991, de 4 de julio, y 198/1991, de 17 de octubre, sobre los conflictos positivos de competencias planteados en relación con determinados preceptos de la LC y su Reglamento; y, asimismo, para modificar otros preceptos no afectados por estas sentencias *"pero cuya matización parece conveniente para lograr una mayor coherencia del conjunto de la Norma".* Por su parte, el RD 1771/1994, de 5 de agosto, estableció también algunas modificaciones en el Derecho administrativo sancionador, para adaptarlo a los principios de la LRJ-PAC. También, el RD 1778/1994, de 5 de agosto, adecuó a la LRJ-PAC las normas reguladoras de los procedimientos de otorgamiento, modificación y extinción de autorizaciones, previendo que la falta de resolución expresa se considerará desestimatoria. Por último, el RD 268/1995, de 24 de febrero, actualizó los límites fijados en los artículos 99 de la LC y 189 de su Reglamento, en relación con la determinación de los órganos de la Administración General del Estado facultados para la imposición de multas.

aproximación a la nueva Ley 2/2013. Así las cosas, por razones de siste-mática y de coherencia expositiva, hemos mantenido, en líneas generales, el mismo esquema trazado en las dos ediciones anteriores, si bien, al hilo del análisis de cada uno de los aspectos que conforman su régimen jurídi-co, hemos ido desgranando las diversas e importantes modificaciones que aquella Ley 2/2013 introduce en la LC de 1988 y que, según explica su propia Exposición de Motivos, pretenden proporcionar *"seguridad jurídica estableciendo un marco en el que las relaciones jurídicas en el litoral puedan tener continuidad a largo plazo"*.

Más concretamente, a lo largo de las siguientes páginas y a la luz de dicha legislación y de la jurisprudencia más reciente, se examinan algunos de los aspectos más controvertidos del citado régimen legal de los bienes de dominio público marítimo-terrestre; a saber: La definición de los bienes que lo conforman; el tema competencial; la delimitación práctica de estos bienes a través del acto administrativo de deslinde; la cuestionada solución legal dada a los enclaves privados o, en última instancia, algunas cuestiones sobre su régimen de utilización; todo ello a fin de establecer si las modifi-caciones que, recientemente, introduce la citada Ley 2/2013 en algunos de esos aspectos, y que se irán reseñando puntualmente cuando corresponda, obedecen o no a los parámetros de sostenibilidad que deben alcanzarse en la ordenación y gestión del litoral, o si, por el contrario y como algunas voces apuntan ya, este nuevo régimen legal supone un retroceso en la pro-tección integral de estos bienes.

II. LA PROBLEMÁTICA QUE PLANTEA LA DEFINICIÓN DE LOS BIENES DE DOMINIO PÚBLICO MARÍTIMO-TERRESTRE. ALGUNAS CONSIDERACIONES TRAS LA APROBACIÓN DE LA LEY 2/2013

1. Cuestiones previas

Sin duda, uno de los aspectos más controvertidos del régimen jurídico del dominio público marítimo-terrestre ha sido el de la definición, y pos-terior determinación práctica de los bienes que lo conforman, particular-mente, de la zona marítimo-terrestre y de la playa, que integran la ribera del mar; cuya dependencia es la que se toma como referencia, al practicar el deslinde, para computar las diversas servidumbres y demás limitaciones legales en cada uno de los tramos del litoral, ya de propiedad privada. La regulación contenida, inicialmente, en la LC de 1988 y, sobre todo, la interpretación que de la misma han hecho, tanto la Administración estatal, como, posteriormente, nuestros Tribunales, ha generado enormes tensiones y conflictos, tanto entre las Administraciones del Estado, con las autonómicas y locales, así como con los particulares, titulares de diversos derechos sobre estos espacios.

Y ello porque, como bien se sabe, dicha LC de 1988 optó, en su momento, por ampliar notablemente el demanio costero, conformándose como el máximo exponente de una tendencia que abogaba por la demanialización absoluta de los bienes marítimo-terrestres, como medio idóneo para alcanzar su efectiva protección. Como luego se verá, la Ley 2/2013, al modificarla, intenta reconducir algunas de las definiciones contenidas en aquella.

Ahora bien, el camino hasta llegar a esa declaración de demanialidad absoluta de los espacios costeros pretendida por la citada LC de 1988 no fue nada fácil, entre otras razones, por la insuficiencia de las regulaciones legales anteriores y la constante pugna a lo largo de la historia entre los intereses públicos y privados sobre el litoral, consentidas en todo caso, durante mucho tiempo, por las sucesivas leyes que los han regulado y también por nuestras Administraciones públicas.

Por lo tanto, resulta necesario exponer, siquiera brevemente, cuáles son los principales antecedentes de la LC de 1988, porque *"Conocer el pasado es la única forma de entender el presente y de intuir el futuro"* (anónimo).

2. *Principales antecedentes legislativos*

En efecto, dicha concepción ampliatoria de la LC de 1988 contrasta notablemente con el desinterés normativo de otras etapas históricas. Y es que, en general, la legislación dictada a lo largo de la historia no reguló estos bienes con el debido rigor ni fue capaz de proporcionar normas adecuadas que los protegieran[3], lo que inicialmente se justificó por el escaso valor que se les atribuía al considerarlos zonas inapropiadas y peligrosas para la construcción de viviendas y para otros usos, permitiendo, incluso, su adquisición por los particulares. Como reflejo de dicha concepción tenemos la regulación que se contiene en los Textos romanos y en Las Partidas donde es cierto que se alude ya a la "ribera del mar", pero únicamente para

---

[3]   Entre las deficiencias que presentan dichas normas destaca la ausencia de instrumentos efectivos de protección, la permisividad de enclaves de propiedad privada en el litoral, la ausencia de normas conservacionistas del paisaje y del medio, la lentitud e ineficacia del régimen sancionador, etc.

referirse a un espacio muy limitado, esto es, a la zona bañada por el flujo y reflujo del mar, declarando su uso público, pero permitiendo paradójicamente, al mismo tiempo, su apropiación por los particulares[4].

A partir de dicho momento, los sucesivos textos legales (Ley de Aguas de 1866, Leyes de Puertos de 1880 y 1928) hasta la Ley de Costas de 1969 realizaron una progresiva ampliación de las dependencias conformadoras del dominio público marítimo-terrestre, como claro reflejo del progresivo valor que iban adquiriendo estos espacios; cosa que se pone de manifiesto no sólo en la mayor preocupación por regularlos jurídicamente, sino también en la expansión llevada a cabo en las dependencias que lo conforman.

Dentro del Derecho positivo español, fue la Ley de Aguas de 3 de agosto de 1866[5] la primera norma que reguló con carácter general las aguas marítimas y terrestres, y la que dio comienzo a la citada tendencia expansiva. En todo caso, incluyó dentro del dominio público marítimo-terrestre las costas o fronteras marítimas del territorio español con sus abras, ensenadas, calas, bahías y puertos; el mar litoral (hoy denominado mar territorial); las playas (sustituyendo este término al de ribera del mar utilizado primero por el Derecho romano y luego por Las Partidas), pero para referirse a la zona bañada por el flujo y reflujo del mar, definición que coincide en términos generales con el concepto de zona marítimo-terrestre acogido luego en las Leyes de Puertos de 1880 y 1928; así como, finalmente, los terrenos que se unen a las playas por accesiones o aterramientos ocasionados por el mar. No obstante, también esta norma, tras declarar el uso público de todos estos bienes, admitió la posibilidad de que los particulares fueran propietarios de las marismas y fincas colindantes con el mar o con sus playas o que adquirieran los terrenos ganados al mar mediante las obras de desecación de marismas propiedad del Estado o comunales.

---

[4]   Este uso público, que ya se consagró entonces, será una constante a lo largo de las sucesivas leyes reguladoras de estos bienes hasta nuestros días. No obstante, resulta paradójico que, pese a tal reconocimiento y como consecuencia de la expresada confusión, la legislación dictada durante el siglo XIX y a lo largo del siglo XX, hasta llegar a la promulgación de la Constitución Española (CE, en adelante), admitiera también, tal como hemos dicho, apropiaciones singulares de parcelas de la ribera del mar, con la única condición de que con ellas no se embargase el uso comunal.

[5]   En nuestro Derecho histórico era típica la regulación conjunta de las aguas *"terrestres o continentales"* y de las *"marítimas"*; criterio unificador que variaría a partir de la promulgación de la Ley de Aguas, de 13 de junio de 1879, fecha en que nuestro Derecho comenzó a dar un tratamiento diferenciado a uno y otro tipo de aguas al considerar que ambas planteaban problemas diversos.

Poco después se promulgó la Ley de Puertos de 1880, la cual introdujo escasas modificaciones respecto de la Ley de Aguas de 1866. Como ya hiciera ésta, previó dos zonas demaniales: el mar litoral y la zona marítimo-terrestre, así como los terrenos unidos a ella por las accesiones o aterramientos que ocasionase el mar[6], pero introdujo una importante novedad, pues, tanto en la versión inicial de 1880, como en la generalmente aceptada como vigente de 1928 (que constituye una réplica casi exacta de la de 1880), hasta la entrada en vigor de la Ley 27/1992, de 24 de noviembre, de Puertos del Estado y de la Marina Mercante[7], no empleó los conceptos de *"ribera del mar"* ni de *"playa"* utilizados por la normativa anterior, sino más correctamente aludió a la *"zona marítimo-terrestre"* para referirse a la zona bañada por el flujo y reflujo del mar, ampliando, en todo caso, la realidad física que abarcaba dicho concepto al establecer que tendrían la consideración jurídica de zona marítimo-terrestre *"los márgenes de los ríos hasta el sitio en que sean navegables o se hagan sensibles las mareas"*[8]; situación que se mantuvo luego en la Ley de Costas de 1969. En otro orden de cosas, al igual que su antecesora la Ley de Aguas de 1866, llama también la atención que, junto al dogma del uso público de estas zonas, esta norma también recogiera en su texto (artículos 1, 3, 7, 9, 11, 48, 51 y 57), de forma expresa y clara, el reconocimiento de la existencia de enclaves de propiedad privada, exigiendo únicamente, como condición, el sometimiento a las servidumbres de salvamento y vigilancia del litoral.

Con todo, fue la Ley de Costas de 1969 (que se constituyó en la norma básica para la regulación de estos bienes hasta la aprobación de la LC

---

[6] No obstante, como reflejo de esta tendencia expansiva y a diferencia de la Ley de Aguas de 1866, que preveía que cuando tales terrenos no fuesen ya bañados por el mar ni fuesen necesarios para los objetos de utilidad pública el Gobierno los declararía propiedad de los dueños de las fincas colindantes en aumento de ellas, la Ley de Puertos estableció, más restrictivamente, que en tales casos estos terrenos pasarían al patrimonio del Estado.

[7] Dicha norma fue modificada por la Ley 62/1997, de 26 de diciembre, por la Ley 48/2003, de 26 de noviembre y por la Ley 33/2010, de 5 de agosto; y, ya más recientemente, derogadas todas ellas de forma expresa por el Real Decreto Legislativo 2/2011, de 5 de septiembre, por el que se aprobó el Texto Refundido de la Ley de Puertos del Estado y de la Marina Mercante.

[8] Esta nueva configuración contrasta con la contenida en la Ley de Aguas de 1866, donde sólo se calificaba como dominio público las rías o desembocaduras de los ríos que tuvieran la consideración de *"puerto"*, por permitir la internada de *"las embarcaciones de cabotaje y altura que hacen el comercio marítimo"*, mientras que, en los demás casos, las riberas de los ríos conservaban su carácter de *"fluviales"* y se regían, por tanto, por las normas aplicables a las aguas *"terrestres"*, en terminología de dicha Ley.

de 1988), la que introdujo las innovaciones más sobresalientes, habiendo mantenido e incluso acentuado el criterio expansivo del dominio público marítimo-terrestre que, cada vez con mayor fuerza, se venía imponiendo en la legislación española. Así, de entre sus novedades, destaca el haber ampliado a cuatro las dependencias demaniales: la zona marítimo-terrestre, la playa (que se conforma como un espacio con sustantividad propia, independiente de la zona marítimo-terrestre), el mar territorial y el lecho y subsuelo de éste, y la plataforma submarina, hasta donde fuese posible la explotación de sus recursos naturales, que, en la legislación de puertos, no figuraba con este carácter, si bien la doctrina había postulado ya su naturaleza demanial.

Ahora bien, sin restar importancia a dichas novedades y a la bondad de las intenciones con que se promulgó, esa Ley tampoco fue capaz, como ha demostrado el paso del tiempo, de solventar la grave situación del litoral español, que ya se había convertido en el principal destino de portadores de divisas e inversionistas y también en el objetivo de los especuladores del suelo. Y ello, entre otras razones, porque no obstante la redacción inicial contenida en el Proyecto, eminentemente publicista, se cedió, por último, ante la fuerte presión de los partidarios de dejar a salvo, en todo caso, los derechos adquiridos por los particulares, dándoles finalmente cobertura en varios de sus artículos y condicionando el texto final de la Ley[9]. De este modo, se truncaron las expectativas de quienes querían acabar definitivamente con el fuerte deterioro que sufría ya entonces el litoral español, introduciendo una regulación del régimen jurídico de estos espacios mucho más pormenorizada, suprimiendo definitivamente la existencia de propiedades privadas y extremando al máximo las medidas tendentes a proteger los caracteres naturales del demanio costero y su uso público. Sin embargo, lejos de alcanzar tales objetivos, la Ley de Costas de 1969 mantuvo, en líneas generales, la regulación contenida en las Leyes de Puertos precedentes y apenas recogió disposiciones en relación con las aguas marinas.

---

[9]   El proyecto presentado por el Gobierno categorizaba, sin ninguna excepción, todas las zonas integrantes del dominio público como demaniales, pero una enmienda reintrodujo la polémica ya que, tras reconocer esto, añadió la frase *"sin perjuicio de los derechos legalmente adquiridos"*, todo ello en línea de continuidad con el planteamiento de las leyes precedentes de Puertos, de 1880 y 1928. Además, su artículo 2 reconocía la propiedad privada de las islas y el 4 contemplaba fundamentalmente el régimen de *"los terrenos de propiedad particular enclavados en las playas"*, con lo que se prolongó hasta la CE el debate doctrinal y jurisprudencial sobre la posible existencia de enclaves de titularidad privada en el dominio público marítimo-terrestre.

En este contexto se aprobó la CE de 1978, a través de la cual nuestro Ordenamiento Jurídico dio un paso decidido en ese camino hacia la demanialidad absoluta de los espacios costeros. Por vez primera en nuestra historia constitucional y sin que existan precedentes en el Derecho comparado, se hizo una declaración constitucional expresa e inequívoca a favor del carácter demanial de determinados bienes, con la particularidad de que los únicos a los que se atribuye directamente dicha calificación pertenecen al dominio público marítimo-terrestre, mencionando, expresamente, a la zona marítimo-terrestre, playa, mar territorial y recursos naturales de la zona económica y plataforma continental, declarando definitivamente su titularidad pública a favor del Estado y remitiendo al legislador estatal el establecimiento de su régimen jurídico.

3. La LC de 1988, como cristalización de dicho modelo ampliatorio del dominio público marítimo-terrestre: Sus principales luces y sombras

A) Consideraciones generales

En el marco legislativo descrito y tras la promulgación de la CE se aprobó la referida LC de 1988, en la que cristalizó el modelo expansivo del dominio público marítimo-terrestre, que progresivamente venía implantando la legislación anterior, tal como se ha descrito brevemente en las páginas anteriores, en unos momentos en que la Comunidad Internacional había dado grandes pasos en el proceso de concienciación sobre la necesidad de proteger el medio ambiente litoral; estado de ánimo internacional que se manifestó abiertamente en la Ley y en su propia Exposición de Motivos[10].

---

[10] La LC de 1988 parte de un análisis pesimista de la situación de las costas españolas, a la cual se ha llegado según declara su Exposición de Motivos, entre otras cosas, por no haber podido evitarse la degradación de algunas extensiones de nuestras playas, por el carácter fragmentario de la legislación precedente —entre otras, eran aplicables al dominio marítimo la Ley de Costas de 1969, su Reglamento de 1980 y la Ley de Protección de las Costas Españolas de 10 de marzo de 1980—, así como por el hecho de que ésta adoleciese de importantes fallos, entre los que destacan: 1) La escasa definición de la zona marítimo-terrestre y la playa; 2) La prevalencia de la propiedad particular amparada por el Registro de la Propiedad; 3) La adquisición privativa del dominio público; 4) Las servidumbres obsoletas e insuficientes; 5) La usucapión como título legitimador del uso; 6) La falta de medidas de conservación del medio; etc.

Ya de entrada, hay que decir que la LC de 1988 fue una Ley de una gran calidad técnica, en contraste con la recientemente aprobada Ley 2/2013[11], así como que fue una Ley necesaria en el momento en que se promulgó porque, de una parte, permitió frenar el desarrollo incontrolado al que se estaba sometiendo el litoral español, así como su degradación y la pérdida irreversible de sus valores naturales[12], en muchos de sus tramos; y, de la otra, abrió un debate a nivel institucional y en la sociedad, sobre la importancia y necesidad de preservar estos frágiles espacios, que todos tenemos derecho a utilizar y disfrutar[13]. Así, por ejemplo, entre sus principales méritos está el haber incorporado todo un completo catálogo de instrumentos de protección, para salvaguardar el carácter público de estos espacios y asegurar la defensa de sus ya degradadas características naturales —cosa que, de ningún modo, puede negársele—[14].

No obstante lo anterior, la LC de 1988 también fue una Ley sumamente controvertida desde su aprobación. Y ello, entre otras razones, porque esta Norma optó por ampliar notablemente el demanio costero, por encima de

---

[11]   Sobre este particular, compartimos totalmente la opinión de LOZANO CUTANDA, B., "Ley 2/2013, de 29 de mayo, de protección y uso sostenible del litoral: las diez reformas clave de la Ley de Costas", La Ley, junio 2013, p. 1, cuando declara que esta Ley adolece de una defectuosa técnica legislativa pues, por ejemplo, como reconoce su propia Exposición de Motivos, la modificación de la Ley de Costas se acomete mediante *"un conjunto heterogéneo de disposiciones"*, que están muy mal estructuradas, lo que obliga y al propio tiempo dificulta el manejo de las dos normas y demanda la pronta elaboración de un Texto Refundido. Además, tiene continuas remisiones al futuro Reglamento, obviando la regulación de determinadas cuestiones que son básicas o, en otros casos, dejando en el aire la propia aplicación de las modificaciones que ella misma introduce.

[12]   HORGUÉ BAENA, C., "Costas", en *Fundamentos del Derecho Urbanístico* (Dir. Martín Rebollo, Luis y Bustillo Bolado, Roberto), 2ª edic., Pamplona, Aranzadi, 2009, p. 1523.

[13]   En esta misma línea se han pronunciado otros autores, en particular, MEILÁN GIL, J. L., "Dominio público y protección del litoral. Relectura de la Ley de Costas", en *El Derecho de costas en España*, Madrid, La Ley, 2009, p. 60; GARCÍA PÉREZ, M., en diversos artículos doctrinales, por ejemplo, en "Reflexiones sobre la Ley de Costas", Anuario de la Facultad de Derecho de la Universidad A Coruña, 2009. En relación con el deslinde, en "La indeterminación del DPMT en la Ley de Costas de 1988. A propósito del deslinde de acantilados", RAP, n° 169, 2006, pp. 189 y ss.; así como en "El deslinde costas", Anuario de la Facultad de Derecho de la Universidad A Coruña, n° 8, 2004, p. 391 y ss.

[14]   Ciertamente, puede afirmarse que la LC de 1988 vino a cumplir el mandato expreso del artículo 132.2 de la CE y a desarrollar los principios de su artículo 45 —utilización racional de los recursos naturales—, de conformidad con los criterios contenidos en la Recomendación 29/1973 del Consejo de Europa, sobre protección de zonas costeras, en la Carta Europea del Litoral de 1981 y en otros planes, programas y recomendaciones de organismos internacionales.

otros fines que ella misma propugnaba (como por ejemplo, el desarrollo sostenible del litoral), al entender que esa vía (la demanialización absoluta) era la única posible para blindarlo y lograr así su efectiva protección, a través de su máxima herramienta: El deslinde.

De este modo, la definición de las distintas dependencias fue considerada por la LC de 1988 como punto de partida y elemento imprescindible del sistema de protección que ella instaura, constituyendo, pues, uno de sus objetivos prioritarios. De forma expresiva, puede decirse que esta Ley define primero el dominio público marítimo-terrestre[15] y luego lo protege.

A tal fin, incorporó nuevos bienes y, en la mayoría de los supuestos, amplió los conceptos de los que ya tenían esta calificación demanial. Como declara su Exposición de Motivos, se pretendía con ello no sólo mantener en el dominio público marítimo-terrestre los espacios naturales que reuniesen las características del medio, sino además, en ese afán expansivo que la caracteriza, establecer los mecanismos que favoreciesen la incorporación de nuevos terrenos al dominio público.

Las dudas planteadas inicialmente en torno a la legitimidad o no del legislador estatal para llevar a cabo tales definiciones fueron tajantemente contestadas, en su momento, por el TC, en su Sentencia 149/1991, de 4 de julio, dictada para resolver los recursos de inconstitucionalidad interpuestos contra varios artículos de la LC de 1988. En esta Sentencia el TC confirmó la opción del legislador estatal, tanto para concretar las dependencias que debían integrar las categorías del llamado dominio público necesario —zona marítimo-terrestre, playa, etc.—, como para definir los bienes de dominio público que no figuraban expresamente en el texto de la CE; añadiendo que al hacerlo gozaba aquél de un cierto margen de libertad, para introducir modificaciones en relación con la legislación de la que procedían aquéllos, pero respetando, en todo caso, ciertos límites. Y es que, como declaró entonces dicha Sentencia, aunque la facultad otorgada al legislador estatal por el artículo 132.2 de la CE no aparece acompañada de limitación expresa alguna, *"es evidente que de los principios y derechos que la Constitución consagra cabe deducir sin esfuerzo que se trata de una facultad limitada, que no puede ser utilizada para situar fuera del comercio cualquier bien o género*

---

[15] Con carácter previo, hay que destacar una primera innovación de la LC respecto de la normativa precedente, al acuñar una nueva expresión: *"dominio público marítimo-terrestre"*, para referirse a estos espacios, ya que, según aclara su Preámbulo, *"...ésta es más adecuada que la hasta ahora empleada de marítimo, precisamente porque pone de relieve la existencia y necesidad de un espacio terrestre complementario de aquél, para cuya denominación genérica se vuelve a utilizar la expresión tradicional de "ribera del mar"...".*

de bienes, si no es para servir de este modo a finalidades lícitas que no podrían ser atendidas eficazmente con otras medidas..."[16].

Inicialmente, podría parecer que la Ley 2/2013 asume el mismo objetivo que la LC de 1988. A tal efecto, el artículo 2 de esta última (que no es objeto de modificación), establece, como uno de los fines de la actuación de la Administración del Estado, el siguiente:

> *"a) Determinar el dominio público marítimo-terrestre y asegurar su integridad y adecuada conservación".*

Y, para ello, el legislador estatal cuenta con las medidas de protección y restauración necesarias que incluyen ahora, tras la aprobación de la citada Ley 2/2013, como novedad y cuando procedan, *"...las de adaptación, teniendo en cuenta los efectos del cambio climático"*[17].

---

[16]   Añade, además, esta STC 149/1991, de 4 de julio, al referirse particularmente a la definición de la zona marítimo-terrestre, que el hecho de que la Ley: *"...utilice para la delimitación de la zona marítimo-terrestre una definición distinta de un concepto ya utilizado por leyes anteriores sobre la materia, no es, ciertamente, razón alguna que abone su inconstitucionalidad. Una cosa es que las Instituciones Públicas o los Institutos de Derecho privado constitucionalmente garantizados no puedan ser modificados en términos que afecten a su contenido esencial, de manera que, aún conservándose la antigua denominación, ésta venga a designar un contenido en el que la conciencia social no reconoce ya la Institución garantizada y otra distinta que el legislador no pueda modificar las definiciones o los criterios definitorios de realidades naturales, no jurídicas, a las que la CE alude..."* (FJ 2.A). A tenor de estas declaraciones del TC y parafraseando lo declarado en su Sentencia, de 28 de julio de 1981, la regulación por el legislador estatal de 1988 de tales bienes, garantizadas por la CE, tendría que hacerse de modo que continuasen siendo *"recognoscibles para la idea que sobre ellas tiene la conciencia social en cada tiempo y lugar o, lo que es lo mismo, sin desnaturalizar tales conceptos".*

[17]   La Ley 2/2013 introduce, con carácter *"ex novo"*, una regulación específica para afrontar la lucha contra los efectos del cambio climático en el litoral. Así las cosas, por ejemplo, incorpora un régimen especial para aquellos tramos del litoral que estén en riesgo grave de regresión (art. 13, ter). También exige que los proyectos que vayan a ocupar el dominio público se acompañen de una evaluación prospectiva sobre los posibles efectos del cambio climático (art. 44.2). Asimismo, incorpora como una de las causas de revocación de las autorizaciones, sin derecho a indemnización, cuando los terrenos ocupados comporten un riesgo cierto de que el mar les alcance. También, en el artículo 76, m), se obliga al adjudicatario de las concesiones a adoptar las medidas requeridas por la Administración de adaptación a la subida del nivel del mar, los cambios de dirección del oleaje u otros efectos del cambio climático. Y en el 78, m) se recoge, como causa de revocación de la concesión, cuando las obras o instalaciones soporten un riesgo cierto de ser alcanzadas por el mar. En última instancia, junto a estas medidas jurídicas, la citada Ley 2/2013 impone en la Disposición Adicional Octava, al Ministerio de Agricultura, Alimentación y Medio Ambiente, la obligación de elaborar una estrategia para la adaptación de la costa a los efectos del cambio climático. Según

Sin embargo, al concretar ese objetivo general en su articulado, se comprueba que dicha Ley 2/2013 se aparta de la regulación, excesivamente ampliatoria, que se contenía en su predecesora. De este modo, si bien es cierto que en sus artículos 3, 4 y 5 reitera la mayoría de las definiciones contenidas en aquélla, también lo es que introduce algunas modificaciones de calado, particularmente, en relación con los conceptos de la zona marítimo-terrestre y de la playa, cuya aplicación, a través de los correspondientes deslindes, indudablemente conllevará importantes consecuencias prácticas, porque, en determinados tramos del litoral, el dominio público marítimo-terrestre se verá considerablemente reducido[18].

Las reacciones por las consecuencias que esta reducción del demanio costero, amparada por la Ley 2/2013, podrían comportar, sobre todo de cara a su protección integral, no se han hecho esperar, habiéndose alzado ya algunas voces críticas entre los que defienden a ultranza la demanialidad absoluta del litoral como la única vía para protegerlo y preservar su uso público (siendo la LC de 1988 el máximo exponente de esa tendencia) y los que ven, en esta opción del legislador estatal de 2013, una amenaza para ello.

Sin embargo, a nuestro juicio, no tiene que ser necesariamente así. De entrada, el legislador estatal de 2013, a través de las modificaciones que seguidamente se analizan, ha intentado reconducir algunos de los excesos del pasado. Y es que la LC de 1988 al definir determinados bienes, sobre todo la ribera del mar (integrada por la zona marítimo-terrestre y la playa), no sólo vino a modificar los conceptos recogidos en los textos anteriores, sino, que al hacerlo, además, utilizó conceptos imprecisos y ambiguos. La aplicación rígida, extensiva, homogénea y muchas veces arbitraria de tales definiciones abstractas a la realidad natural existente en cada tramo de nuestras costas, por parte de la Administración estatal, a través de la aprobación de los correspondientes actos administrativos de deslinde, ha dado lugar a extralimitaciones en muchos de sus tramos, al extender excesivamente el dominio público marítimo-terrestre hacia el interior, sacrificando

---

reza su Preámbulo, *"con ello se conseguirá disponer de un diagnóstico riguroso de los riesgos asociados al cambio climático que afectan a nuestra costa, y de una serie de medidas que permitan mitigarlos"*.

[18] Vid. los comentarios que realiza Martínez Cordero, J. R. sobre estos nuevos conceptos legales en "Modificaciones conceptuales de la Ribera del Mar, en la reforma de la Ley de Costas", en Pérez Gálvez (Dir.), *Costas y Urbanismo. El litoral tras la Ley 2/2013, de protección y uso sostenible del litoral y de modificación de Costas*, La Ley. El Consultor de los Ayuntamientos, Madrid, 2013, pp. 173 y ss.

los derechos legítimos de muchos propietarios o titulares de instalaciones o actividades que los han visto limitados o cercenados; pues, en el mejor de los casos, la LC de 1988 les ha otorgado un derecho concesional, a través de un criticable sistema de compensación que, pese a todo ello, recibió todas las bendiciones por parte del TC, en su Sentencia 149/1991, de 4 de julio[19].

Dicho todo esto, hay que añadir que siendo legítima esta opción de la Ley 2/2013, de reducir la extensión del dominio público marítimo-terrestre en algunos de sus tramos[20], también entendemos que es responsabilidad suya arbitrar todas las medidas necesarias, tanto para garantizar la conservación de los valores ambientales de dichos bienes, refortaleciendo los mecanismos de protección (en su vertiente preventiva y defensiva, tal cual declara su Exposición de Motivos), como para implantar un sistema de gestión de usos de sus recursos naturales, que permita una utilización responsable de los mismos; todo ello a través de la puesta en práctica de todos los instrumentos de cooperación y coordinación que resulten imprescindibles, para lograr una gestión conjunta e integrada de la zona costera (pública y privada), en los términos que luego se dirá y a los que nos remitimos para evitar reiteraciones innecesarias.

---

[19] Por su importancia, esta última cuestión de los enclaves privados será analizada de forma particular más adelante, al haber sido uno de los principales aspectos del régimen jurídico de las costas que más críticas ha suscitado, no sólo por los importantes efectos anudados al acto de deslinde, al declarar la posesión y la titularidad de los bienes deslindados a favor del Estado, sino, sobre todo, porque los efectos de esta LC de 1988 se proyectaron, además de hacia el futuro, hacia el pasado (opción ésta de la retroactividad, muy criticada durante años y censurada por la Unión Europea), lo que generó una enorme litigiosidad, conculcando, entre otros, principios básicos y de enorme arraigo en nuestro Ordenamiento Jurídico, como el de seguridad jurídica. Así lo declara expresamente, por ejemplo, la STS de la Sala 3ª, de 10 de febrero de 2004 (Ar. 1519), al señalar: *"La finalidad de la Ley de Costas 22/88, de 28 de julio no fue sólo la de conformar hacia el futuro una regulación eficaz para la protección del dominio público marítimo-terrestre sino la de imponer un remedio activo frente a las situaciones consumadas del pasado, en defensa de unos bienes constitucionalmente protegidos (art. 132 CE)"*. Todo lo cual se pondría de manifiesto, según reza esta sentencia, en el sistema transitorio previsto en la Ley, al que luego nos referiremos.

[20] Y es que la demanialización de la costa no tiene por qué ser la única vía para lograr la aludida protección, defensa de su uso público, así como una gestión sostenible del litoral, pudiendo las Administraciones autonómicas y locales arbitrar las medidas necesarias para ello a través de los correspondientes instrumentos de planificación territorial y urbanística, tomando éstos como base, en todo caso, las disposiciones contenidas en la LC.

A la vista de todo lo anterior, resulta necesario detenerse ahora, siquiera sintéticamente, a analizar con un poco más de detalle tales definiciones legales y apuntar las concretas novedades que la Ley 2/2013 introduce en algunas de ellas.

B) En relación con los bienes de dominio público marítimo-terrestre por imperativo constitucional

Como primer aspecto a tener en cuenta destaca la asunción por el legislador de 1988 y ahora por el de 2013 del término *"ribera del mar"*, volviendo, según palabras de la Exposición de Motivos de la LC de 1988, a *"nuestra tradición histórica"*, si bien se ha ampliado su ámbito al incluir dentro de dicho término, de forma diferenciada, la *"zona marítimo-terrestre"* y las *"playas"*, que aparecieron confundidas muchas veces en épocas anteriores[21], reafirmando asimismo su carácter comunal.

Dicha Ley 2/2013 introduce algunas precisiones de cierta relevancia, en relación con estas dos clases de bienes demaniales.

a) La zona marítimo-terrestre

De entrada, con los datos que inicialmente tenemos, no parece que la modificación que la Ley 2/2013 introduce en la definición legal de la zona marítimo-terrestre, para fijar su límite interior, tenga demasiada trascendencia o, al menos, resulta difícil de valorar sin saber cuál va a ser su desarrollo reglamentario. Y es que el artículo 3 se limita a reiterar la definición recogida en su homónima de 1988.

El artículo 3 de dicha LC de 1988 recogió *"la zona marítimo-terrestre"* (como parte integrante de la ribera del mar) y la definió como *"...el espacio comprendido entre la línea de bajamar escorada o máxima viva equinoccial, y el límite hasta donde alcanzan las olas en los mayores temporales conocidos, o cuando*

---

[21]   De este modo, se sistematiza una terminología que, en nuestro Derecho histórico, se había utilizado indistintamente para referirse a una misma realidad física: el lugar de encuentro entre la tierra y el mar. En efecto, conviene recordar que lo denominado *"ribera del mar"* en Las Partidas se llamó *"playa"* en la Ley de Aguas de 1866 y *"zona marítimo-terrestre"* desde las Leyes de Puertos de 1880 y 1928, mientras que la Ley de Costas de 1969 incorporó un concepto nuevo de *"playa"*, para definir un ámbito físico distinto de la zona marítimo-terrestre, aunque en determinados tramos coincidían ambas zonas.

lo supere, el de la línea de pleamar máxima viva equinoccial". Y, siguiendo la tra-dición legal, extiende esta zona "por las márgenes de los ríos hasta el sitio donde se haga sensible el efecto de las mareas".

Es obvio que dicho precepto era una manifestación del criterio expansivo que inspira toda la LC de 1988, puesto que se consagra normativamente el principio de que, incluso en costas con marea, la zona marítimo-terrestre se extiende a donde alcanzan los temporales. Así, se sustituye el criterio alternativo tradicional contenido en las Leyes de Puertos de 1880 y 1928, y en la Ley de Costas de 1969, cual es el *"alcance de las mareas cuando éstas son sensibles o de los temporales cuando no lo son"*, por un único criterio que es el de la mayor cota alcanzada por las aguas[22].

El problema se circunscribe, principalmente, a concretar el alcance o límite hacia tierra de estos espacios. Con esta redefinición legal, el borde interior de la zona marítimo-terrestre vendría fijado siempre, como regla general, por el límite de las olas en los mayores temporales conocidos, es decir, los extraordinarios, frente a los ordinarios de la legislación anterior; mientras que el límite alcanzado por las mareas —la línea de pleamar máxima viva equinoccial— sólo se tendría en cuenta excepcionalmente, cuando supere a aquél, esto es, cuando alcance una cota más elevada en tierra firme. Obviamente, esa referencia a *"los mayores temporales conocidos"* comporta una ampliación respecto de la resultante del criterio anterior de *"mayores olas en los temporales ordinarios"*.

Ahora, la Ley 2/2013 vuelve a utilizar ese mismo doble criterio que allí se contenía: en primer lugar, el *"límite hasta donde alcancen las olas en los mayores temporales conocidos"*, si bien introduce una precisión al respecto, al decir que, en tales casos, se hará *"de acuerdo con los criterios técnicos que se establezcan reglamentariamente"*, sin añadir nada más. Y, como segundo criterio o punto de referencia, cuando supere a aquél, se tendrá en cuenta para fijar el límite interior, tierra adentro, *"la línea de pleamar máxima viva equinoccial"*, extendiéndose, igualmente, dicha zona marítimo-terrestre *"por las márgenes de los ríos hasta el sitio donde se haga sensible el efecto de las mareas"*.

---

[22]   Esta declaración —que no resultaba clara en la Ley de Costas de 1969, en la que el criterio de los temporales era subsidiario respecto del de las mareas, en aquellas zonas donde éstas no fueran sensible— ya había sido acogida para el Mediterráneo por la jurisprudencia. Así, cabe citar las SSTS de la Sala 3ª, de 30 de junio de 1973 (Ar. 2455), 12 de febrero de 1977 (Ar. 557) y 22 de septiembre de 1983 (Ar. 3761), para la costa de Tarragona, y la de 24 de abril de 1972 (Ar. 1973), para la costa de Valencia.

Por consiguiente, sin perjuicio de la citada remisión expresa al futuro Reglamento (que está ya en fase de aprobación), la Ley tampoco añade nada realmente nuevo. Debe tenerse en cuenta que, ya en su momento, el RC de 1989, al desarrollar el citado artículo 3, recogía alguna precisión sobre el límite interior de la zona marítimo-terrestre, en el caso de los temporales, dada la amplitud y abstracción del concepto legal. A tal efecto, su artículo 4 señala que, para su determinación, se tendrían en cuenta *"las referencias comprobadas de que se disponga"*[23], aclarando al mismo tiempo que *"...las variaciones del nivel del mar debidas a las mareas incluirán también los efectos superpuestos de las astronómicas y de las meteorológicas..."*, así como que *"...no se tendrán en cuenta las ondas de mayor período de origen sísmico o de resonancia cuya presentación no se produzca de forma secuencial..."*. No obstante, lo cierto es que, en función de dicho criterio normativo, bastaba con que el terreno hubiese sido cubierto por un temporal una sola vez para ser declarado como dependencia demanial.

Con todo, el nuevo Reglamento introduce ahora, como novedad, un nuevo criterio, al señalar que para fijar el límite interior se considerarán "las variaciones del nivel del mar debidos a las mareas y el oleaje", añadiendo, como exigencia, que el límite será el alcanzado al menos en cinco ocasiones en un periodo de cinco años[24]. En buena lógica, este nuevo criterio ayuda a precisar mejor, modular y/o reconducir los excesos producidos durante estos años.

En otro orden de cosas, pero dentro todavía del concepto de zona marítimo-terrestre, cabría apuntar alguna otra modificación más de la Ley 2/2013, en relación *"con los terrenos bajos que se inundan como consecuencia del flujo y reflujo de las mareas, de las olas o de la filtración del agua del mar"*, que ya aparecían regulados en el artículo 3 de la LC de 1988, como integrantes de la zona marítimo-terrestre, junto con *"las marismas, albuferas, marjales, esteros"*. La primera novedad que introduce el legislador estatal de 2013

---

[23] A tal efecto, el artículo 4 del citado RC de 1989 declara expresamente: *"En la determinación de la zona marítimo-terrestre y de la playa, con arreglo a las definiciones contenidas en el artículo anterior, se tendrán en cuenta los siguientes criterios:*
a) Para fijar el límite hasta donde alcanzan las olas en los mayores temporales conocidos se utilizarán las referencias comprobadas de que se disponga.
b) Las variaciones del nivel del mar debidas a las mareas incluirán los efectos superpuestos de las astronómicas y de las meteorológicas. No se tendrán en cuenta las ondas de mayor período de origen sísmico o de resonancia cuya presentación no se produzca de manera secuencial...".

[24] El nuevo Reglamento añade, además, que para calcular el alcance de un temporal, se utilizarán las máximas olas registradas con boyas o satélites o calculadas a través de datos oceanográficos o meteorológicos.

consiste en que los incluye, nuevamente, como dependencia integrante de la zona marítimo-terrestre, pero modifica ahora su definición. A tal efecto, como criterio general, opta por incluir en dicho ámbito demanial, únicamente, **la parte** de los terrenos bajos que sean naturalmente inundables (*"las partes de esos terrenos bajos que se inundan..."*, dice ahora el artículo 3.1 de la Ley), pudiendo existir otras, por tanto, que al no ser naturalmente inundables, queden fuera.

Asimismo, siguiendo esta misma doctrina, excluye:

> *"...aquellos terrenos que sean inundados artificial y controladamente, como consecuencia de obras o instalaciones realizadas al efecto, siempre que antes de la inundación no fueran de dominio público".*

Hay que decir que, también aquí, el RC de 1989 ya contenía alguna precisión al respecto, al señalar en su artículo 6 que *"los terrenos inundados mediante técnicas artificiales, cuya cota sea superior a la de la mayor pleamar"* quedaban excluidos del dominio público marítimo-terrestre[25]; si bien, ahora la Ley 2/2013 va más allá, al extender dicha previsión a todos los terrenos inundados artificialmente, cualquiera que sea su cota (por tanto, incluyendo también los de cota baja).

Además, en coherencia con toda la anterior regulación, el legislador estatal de 2013 también viene a dar una nueva redacción al artículo 4.3. Si bien, como luego se dirá al analizar este último precepto, para evitar repeticiones innecesarias, toda esta regulación legal que tiende a demanializar sólo las partes de los terrenos que sean naturalmente inundadas, incurre en ciertas contradicciones o imprecisiones.

b) La playa

En relación con la playa, la modificación que introduce la Ley 2/2013 en su definición resulta, a nuestro juicio, sumamente relevante por las consecuencias prácticas que indudablemente conllevará a la hora de fijar, a través del deslinde, cuál es su límite interior en los tramos en los que exis-

---

[25] Concretamente, el artículo 6 del RC de 1989 disponía: *"2. Los terrenos inundados mediante técnicas artificiales, cuya cota sea superior a la de la mayor pleamar, no se considerarán incluidos en lo establecido en el apartado 3 del artículo anterior (el cual incluía dentro del dominio público marítimo-terrestre: a los terrenos invadidos por el mar que pasen a formar parte de su lecho por cualquier causa").*

tan dunas. Su artículo 3.1,b) define la playa, al igual que ya hiciera la LC de 1988, así:

> *"...la zona de depósito de materiales sueltos, tales como arenas, gravas y guijarros, incluyendo escarpes, bermas y dunas...".*

Si bien, acto seguido y sin definirla aún[26], acota ya su alcance al precisar que en el caso de estas últimas (refiriéndose a las dunas, en general, y no sólo a las fijadas por vegetación):

> *"se incluirán hasta el límite que resulte necesario para garantizar la estabilidad de la playa y la defensa de la costa".*

Con esta precisión, el legislador estatal de 2013 ha pretendido salir al paso de los excesos cometidos en el pasado, al aplicar la definición de playa recogida en la LC de 1988. Como bien se sabe, dicha norma, en su afán expansivo de demanializar todo el litoral, se apartó de las características y de los elementos definidores de la Ley de Costas de 1969, que hablaba *"de superficie casi plana"* (donde no tenían encaje las dunas, ni tampoco la vegetación[27]) e incluyó, expansivamente, los escarpes, bermas y *"las dunas, tengan o no vegetación, formadas por la acción del mar o del viento marino u otras causas naturales o artificiales"*. La inclusión expresa de las dunas ha sido, quizás, el punto más conflictivo de dicha definición legal de las playas, puesto que, al incluir ese nuevo elemento, se ampliaba dicha dependencia demanial, al referirse tanto a las denominadas *"dunas vivas"*, es decir, las que están en desarrollo, movimiento o evolución debido a la acción del mar o del viento marino, como también a las dunas fijadas por vegetación.

De este modo, como ya hiciera su predecesora de 1969, la LC de 1988 se limitó a describir elementos físicos o morfológicos —materiales sueltos— así como su causa —la acción del mar o del viento marino u otras causas naturales o artificiales que conforman su identidad—, pero no fijó una

---

[26]   Por el contrario, la LC de 1988 sí que definía inmediatamente las dunas, al conceptuar la playa como: *"la zona de depósito de materiales sueltos, tales como arenas, gravas y guijarros, incluyendo escarpes, bermas y dunas tengan o no vegetación, formadas por la acción del mar o del viento marino u otras causas naturales o artificiales...".*

[27]   La LC de 1988 suprimió la incompatibilidad entre las playas y la vegetación que podría ser incluso abundante —palmeras, pinos, matorrales, etc.—. No obstante, esta compatibilidad ya había sido reconocida con anterioridad a dicha LC por diversas SSTS; por todas, la de la Sala 3ª, de 30 de junio de 1976 (Ar. 3055), y la de la Sala 1ª, de 5 de diciembre de 1981 (Ar. 5400).

clara delimitación con respecto al otro componente de la ribera del mar —zona marítimo-terrestre—, ni tampoco aclaró los límites tierra adentro.

La aplicación de este concepto amplio e impreciso de la LC de 1988, carente de límites claramente perfilados[28], dio lugar en la práctica a extralimitaciones en muchos casos y, consecuentemente, a no pocos conflictos; todo ello pese a las matizaciones recogidas en el RC de 1989, que pretendían corregir esos posibles excesos a la hora de realizar el correspondiente deslinde. Así, dicha norma introdujo algunos criterios correctores, declarando que dentro del concepto de playa sólo cabe incluir "las cadenas de dunas que estén en desarrollo, desplazamiento o evolución debida a la acción del mar o del viento marino", esto es, las "dunas vivas" y, respecto de "las fijadas por vegetación", sólo se incluirían "...hasta el límite que resulte necesario para garantizar la estabilidad de la playa y la defensa de la costa", siendo esto último un concepto jurídico indeterminado.

Sin embargo, con carácter general y pese al acierto de esa previsión reglamentaria, los Tribunales, en concreto la Audiencia Nacional y el Tribunal Supremo, hicieron caso omiso de esa precisión reglamentaria y, tras algunos pronunciamientos vacilantes, sentaron una doctrina ciertamente rígida, e incluso podría decirse que hasta fundamentalista, que ha permanecido inamovible durante todos estos años, según la cual consideran inaplicables dichos correctores reglamentarios, al no estar recogidos éstos, de forma expresa, en la LC de 1988. Consecuentemente, de manera extensiva, incluyen dentro del concepto de playa tanto las dunas vivas como las artificiales.

Los efectos inmediatos de esa tesis jurisprudencial no se hicieron esperar, ya que la Administración, haciendo suya dicha doctrina y mencionándola, expresamente, en sus deslindes como justificación, procedió a aplicarla, dando lugar en diversos puntos del litoral peninsular e insular a una extensión abusiva del demanio costero hacia el interior, al haberse incorporado como bien de dominio público marítimo-terrestre (como parte integrante de la playa) cadenas de dunas que estaban muy lejos de la costa (por ejemplo, en Huelva, Maspalomas —en Gran Canaria—, o Corralejo —en la Isla de Fuerteventura—; o la Playa de Famara —en Lanzarote—, en donde las dunas se extienden varios kilómetros tierra adentro), generando, por ende —tal como hemos dicho—, una enorme conflictividad práctica.

Todo lo anterior explica que ahora el legislador estatal haya querido salir al paso de esa problemática incorporando, expresamente, ese crite-

---

[28] Puede decirse que la LC de 1988 vino a reproducir la imprecisión de la que adolecía la Ley de Costas de 1969.

rio corrector, antes contenido en el RC de 1989, en el propio articulado de la Ley 2/2013, elevando consecuentemente su rango para así evitar lo sucedido en el pasado y restringir el alcance de la playa, tierra adentro, en aquellos tramos de costa donde la cadena de dunas puede alcanzar una gran distancia hacia el interior, muy lejos del mar, y, por tanto, dónde no sería razonable afirmar ya que el terreno es playa. E incluso, al hacerlo, va más allá que el propio Reglamento, pues, con carácter *"ex novo"*, lo aplica no sólo a las dunas fijadas por vegetación, sino también a las vivas (la Ley no distingue), al referirse, en general, a todas las dunas que, únicamente, se incorporarán al dominio público marítimo-terrestre, como parte integrante de la playa, en la medida en que resulten *"necesarias para garantizar su estabilidad y la defensa de la costa"*; pero, eso sí, se vuelve a utilizar un concepto jurídico indeterminado.

En última instancia, para precisar mejor las distintas dependencias que conforman la ribera del mar, el legislador introduce un nuevo apartado 4º dentro del artículo 3, en el que, además de las dunas[29], define cada uno de los accidentes geográficos que menciona en el concepto de zona marítimo-terrestre y de playa, tales como la berma, duna, escarpe, estero, marisma o marjal[30].

c) *El mar territorial, las aguas interiores, con su lecho y subsuelo, y los recursos naturales de la zona económica y la plataforma continental*

También por imperativo del artículo 132.2 de la CE, la LC de 1988 (y ahora la de 2013 que mantiene en este punto dicha regulación) declara, como bien de dominio público marítimo-terrestre originario o por determinación constitucional, el mar territorial y las aguas interiores con su le-

---

[29] El artículo 3.4 de la Ley define las dunas como: *"...depósitos sedimentarios, constituidos por montículos de arena, tengan o no vegetación, que se alimentan de la arena transportada por la acción del mar, del viento marino o por otras causas"*. La Ley 2/2013 elimina ahora la referencia a causas naturales o artificiales que hacía su antecesora, lo que tampoco añadía nada nuevo.

[30] Asimismo, el citado artículo 3.4 de la Ley 2/2013 define la albufera como *"cuerpos de aguas costeras que quedan físicamente separados del océano, en mayor o menor extensión por una franja de tierra"*; la berma, como la *"parte casi horizontal de la playa, interior al escarpe o talud de fuerte pendiente causada por el oleaje"*; el escarpe, como el *"escalón vertical en la playa formado por la erosión de la berma"*; el estero como los *"caños en una marisma"*; la marisma como *"el terreno muy llano y bajo que se inunda periódicamente como consecuencia del flujo y reflujo de las mareas o de la filtración del agua del mar"*; y, finalmente, el marjal, como el *"terreno bajo cubierto por un manto de agua que da soporte a abundante vegetación"*.

cho y subsuelo, así como los recursos naturales de la zona económica y plataforma continental. Ahora bien, la citada legislación de costas dedica su mayor atención a las costas o litoral, en sustancia, a la ribera del mar y a las zonas de servidumbre, dejando en un segundo plano estas otras dependencias, cuya regulación remite a sus respectivas legislaciones específicas.

Así, el mar territorial aparece regulado en la Ley 10/1977, de 4 de enero. Según esta norma, el límite interior del mar territorial vendría determinado *"por la línea de bajamar escorada a lo largo de todas las costas de soberanía española, si bien se prevé que el Gobierno pueda acordar, en aquellos lugares que lo estime oportuno, el trazado de líneas de base rectas, de conformidad con las normas internacionales aplicables"*; mientras que el límite exterior estaría *"determinado por una línea trazada de modo que los puntos que la constituyen se encuentren a una distancia de 12 millas náuticas de los puntos más próximos de las líneas de base a que se refiere el artículo anterior"*[31].

En cuanto a la zona económica, está regulada y definida en la Ley 15/1978, de 20 de febrero, que fija su extensión en 200 millas náuticas a contar desde el límite exterior del mar territorial. No obstante, es importante resaltar que lo que realmente califica la LC como dominio público marítimo-terrestre no es propiamente la zona económica y la plataforma continental, sino los recursos naturales —de cualquier reino: animal, vegetal o mineral— del lecho y del subsuelo marino, y de las aguas suprayacentes, sobre los que el Estado tiene derechos soberanos a efectos de su exploración y explotación, prohibiéndolas sin la previa obtención del título administrativo correspondiente y asegurando la utilización racional de los recursos, conforme a lo previsto en el artículo 45 de la CE.

C) Bienes de dominio público marítimo-terrestre por determinación legal

Prácticamente, la Ley 2/2013 no altera la regulación contenida en los artículos 4 y 5 de la LC de 1988, que recogen y definen los demás bienes

---

[31] La peculiaridad estriba en que el cómputo de esa distancia no toma siempre como línea de base la de la bajamar escorada —límite exterior de la zona marítimo-terrestre—, sino que, tal como se ha visto, en las bahías y demás entrantes de la costa —siempre que la distancia entre sus extremos no exceda de 24 millas náuticas— pueden utilizarse como referencia las *"líneas de base recta"*, que resultan de unir los puntos naturales de entrada a la bahía. En el caso español, tales líneas de base recta han sido fijadas en el Decreto de 5 de marzo de 1976 y, posteriormente, revisadas por el Decreto 2510/1977, de 5 de agosto.

que conforman el llamado dominio público marítimo-terrestre derivado o por determinación legal[32], modificando, únicamente, el apartado 3, del artículo 4 relativo a los terrenos invadidos por el mar. Con todo, en las páginas que siguen se hace un breve comentario de todas y cada una de las definiciones legales de esta clase de bienes:

a) *"Las accesiones a la ribera del mar por depósito de materiales o por retirada del mar cualesquiera que sean las causas"*

En estos casos se produce una demanialización como consecuencia del aumento de la superficie ribereña, ya que las accesiones a la ribera pasan a formar parte de ella. En realidad, no se trata de un supuesto realmente nuevo, pues las Leyes de Puertos de 1880 y 1928 ya incluían en el dominio público marítimo-terrestre *"los terrenos que se unen a la zona marítimo-terrestre, por las accesiones y aterramientos que ocasione el mar"*; redacción esta que se modificó ligeramente por la Ley de Costas de 1969, la cual las limitó únicamente a aquéllas que tuvieran su origen en causas naturales. Además, la jurisprudencia anterior a la LC de 1988 venía admitiendo el carácter demanial de estos terrenos ganados al mar por accesión, aunque el título registral señalase como lindero el mar.

Tampoco parece que esta dependencia, tal como aparece configurada en la norma, añada nada nuevo a la definición de ribera del mar (que

---

[32] Al igual que sucediera con los bienes de dominio público declarados por imperativo constitucional, también se cuestionó inicialmente la constitucionalidad de las definiciones contenidas en estos artículos 4 y 5 de la LC de 1988, que fue finalmente confirmada en la citada STC 149/1991, de 4 de julio. Siguiendo la misma línea argumental utilizada entonces, el TC también entendió al respecto que el legislador de 1988 estaba facultado por el propio artículo 132.2 de la CE para completar el catálogo de bienes que, por imperativo constitucional, conforma el dominio público marítimo-terrestre, con aquéllos otros que se mencionan en los artículos 4 y 5. Sin embargo, reconoce que no se trata de una facultad ilimitada, pues no puede utilizarse para situar fuera del comercio cualquier bien o género de bienes si no es para servir, de este modo, a finalidades lícitas que no podrían ser atendidas eficazmente con otras medidas. Así, siguiendo al TC, puede decirse que la finalidad perseguida en el presente supuesto es, claro está, la determinación, protección, utilización y policía del dominio público marítimo-terrestre y, especialmente, de la ribera del mar; por lo que, atendida esta finalidad, no cabe imputar exceso alguno al legislador en ninguna de las determinaciones que los distintos apartados del artículo 4 hacen, ni menos aún en el contenido del artículo 5, que expresamente excluye la incorporación al dominio público de las islas que sean de propiedad privada de particulares o de Entidades públicas o procedan de la desmembración de éstas.

comprende la zona marítimo-terrestre y la playa), puesto que únicamente se limita a prever posibles cambios en la configuración de aquélla, bien por retirada del mar o bien por depósito de materiales. En otras palabras, las accesiones en cuestión o son zona marítimo-terrestre o son playa y, por tanto, forman parte de la ribera del mar, o bien dejan de tener las características naturales de esta y pasan a ser lo que, bajo la legislación anterior se denominaban terrenos *"sobrantes"*—de playa o zona marítimo-terrestre—, en cuyo caso, conforme prevé el artículo 4.5 de la LC de 1988, seguirían conservando ahora la denominación de dominio público, en consonancia con ese criterio ampliador que inspira todo su articulado, salvo que se proceda a su desafectación, de conformidad con el artículo 18 de la Ley.

b) *"Los terrenos ganados al mar como consecuencia directa o indirecta de obras y los desecados en su ribera"*

A primera vista, este supuesto puede parecer una mera especialidad del anterior, pues se trataría de un caso concreto de accesión por causas artificiales —obras—. Sin embargo, la realidad es otra porque, en este caso, tales terrenos —ganados al mar o desecados en su ribera— no pasarían a formar parte de esta, sino que transformaría o desplazaría, por efecto de las obras realizadas, sus límites interiores y exteriores hacia el mar.

Una de las primeras diferencias entre esta regulación y la contenida en la Ley de Costas de 1969 es, precisamente, que aquélla sólo se refería a terrenos *"ganados al mar"*, pero no a los *"desecados en su ribera"*, es decir, a la desecación de marismas. Sin embargo, el legislador de 1988 englobó ambos en su artículo 4.2, unificando la regulación de las distintas formas de ganar terrenos al mar anteriormente reconocidas, al tiempo que equiparó el tratamiento de estos espacios ganados artificialmente al propio de las accesiones naturales[33].

Además, la LC de 1988 llevó a cabo un giro de 360 grados con respecto a la derogada Ley de Costas de 1969, pues mientras aquélla (artículo 5.3) preveía que tales zonas pasaran a ser propiedad de quienes, debidamente autorizados, las hubieren llevado a cabo (solución que se repetía en

---

[33] Vid., sobre este particular, LEGUINA VILLA, J. y DESDENTADO DAROCA, E. "El régimen jurídico de los terrenos ganados al mar y la preservación del demanio costero", RAP núm. 167 (mayo/agosto, 2005), pp. 7 y ss., quienes realizan un completo análisis de la realidad histórica y actual de estos terrenos, de su significación, así como de su particular régimen jurídico.

el supuesto de terrenos desecados en la ribera del mar), ésta suprime tal posibilidad, al entender que aunque el otorgamiento de una concesión de utilización del dominio público marítimo-terrestre, del mar o su ribera para este fin, conlleve sin remedio la transformación física del ámbito concedido, los terrenos resultantes de dicha transformación deben quedar, en cualquier caso, incorporados al dominio público, ya no lógicamente como *"mar"* o *"ribera"*, sino como pertenencia artificialmente incluida en él[34].

No obstante lo anterior, pese a los términos tajantes con que se manifiesta en relación a los futuros terrenos que se ganen al mar, lo cierto es que dicha LC de 1988 matizó esa declaración, al respetar la situación jurídica existente con anterioridad, aplicándoles la siguiente Disposición Transitoria Segunda: *"...Los terrenos ganados o a ganar en propiedad al mar y los desecados en su ribera en virtud de cláusula concesional establecida con anterioridad a la promulgación de esta Ley, serán mantenidos en tal situación jurídica, si bien sus playas y zona marítimo-terrestre continuarán siendo de dominio público en todo caso. Los terrenos ganados al mar o los desecados en su ribera sin título suficiente continuarán siendo de dominio público"*[35].

c) *"Los terrenos cuya superficie sea invadida por el mar por causas distintas a las previstas en el último párrafo del artículo 3.1, letra a), y en todo caso tendrán esta consideración los terrenos inundados que sean navegables"*

Se trata del supuesto contrario al que hasta ahora hemos analizado. El mar avanza y cubre la tierra que antes estaba emergida, y la convierte en lecho marino. Este avance del mar tiene importantes consecuencias jurídicas. La más decisiva es la demanialización de los terrenos inundados[36].

---

[34] El legislador estatal de 1988, consciente además del cambio brusco introducido al declarar la demanialidad de tales espacios, consideró conveniente reiterar en el artículo 9.1 de la Ley la imposibilidad de que esos terrenos ganados al mar o desecados en su ribera fueran de propiedad privada, rompiendo aquí con dicha determinación el tradicional criterio privatizador.

[35] Cuestión distinta, aunque conexa, es la de la naturaleza jurídica de las obras que se ejecuten sobre ellos una vez terminado el relleno o la desecación. En estos casos, el criterio que se ha adoptado es el siguiente: Si dichas obras las hubiese construido el Estado, pertenecerán también al citado dominio por disposición expresa de la propia Ley (artículo 4.9); pero, en el caso de que hubieran sido ejecutadas por un concesionario —ya sea una entidad pública o un particular—, habría que entender, aunque la Ley no lo dice expresamente, que formarían parte del objeto y contenido de la concesión y que sobre ellas el concesionario sólo tendría los derechos de uso y aprovechamiento que le reconoce el propio título concesional, al ser éstos los únicos que la Ley admite sobre los bienes de dominio público marítimo-terrestre.

[36] En realidad, en la mayor parte de los casos no se tratará de una verdadera *"demanialización"*, sino de un cambio de calificación de un bien que ya era demanial, esto es, lo

Ahora bien, en coherencia con la modificación introducida en el artículo 3.1, letra a), sobre la zona marítimo-terrestre, la Ley 2/2013 da una nueva redacción al artículo 4.3 y restringe la demanialización de tales terrenos inundados, al declarar que sólo pertenecerán al dominio público marítimo-terrestre los terrenos cuya superficie sea invadida por el mar (se sobreentiende que pasan a formar parte de su lecho) **por causas distintas a las previstas en el último párrafo del artículo 3.1, letra a)**, es decir, "*aquellos cuya inundación no haya sido artificial y controlada, como consecuencia de obras e instalaciones realizadas al efecto*", apartándose así de la regulación contenida en la LC de 1988, que los incluía en dicho ámbito demanial, **cualquiera que fuera la causa de la invasión**[37].

Si bien, es cierto que la nueva Ley 2/2013 introduce al respecto dos matizaciones relevantes. La primera, al reseñar (artículo 3.1, a) que los terrenos inundados artificialmente "*no pasarán a formar parte del dominio público marítimo-terrestre*"y, por tanto, seguirán siendo de titularidad privada, "*siempre que antes de la inundación no fueran de dominio público*". Y la segunda, al declarar (art. 4.3) que, en todo caso (es decir, tanto si se trata de terrenos bajos inundados de forma natural como los inundados artificialmente), se considerarán como de dominio público "*los terrenos inundados que sean navegables*".

Ahora bien, dicho todo lo anterior, hay que añadir también que la nueva Ley vuelve a incurrir ahora (como ya ocurriera en 1988) en ciertas imprecisiones y/o contradicciones, porque, pese a esa tendencia general que acaba de exponerse, de considerar como dependencia demanial **las partes de los terrenos bajos que sean naturalmente inundables (art. 3.1,a), así como los terrenos invadidos por el mar por causas naturales (art. 4.3)**, el artículo 6.1 mantiene la posibilidad de que los propietarios de terrenos amenazados por la invasión del mar o de las arenas de las playas, tanto por causas naturales o artificiales, puedan construir obras de defensa, previa autorización o concesión (trayendo así a la Ley la regulación antes contenida en el RC de 1989); por lo que, consecuentemente y a tenor de lo expuesto, dependerá de la Administración pública su incorporación o no al dominio público, en la medida en que ella es la encargada de otorgar la correspondiente autorización o concesión que evite, en su caso, esa inun-

---

que era zona marítimo-terrestre o playa pasa a ser lecho del mar.

[37]   En efecto, en virtud de esa tendencia expansiva que la caracteriza, la LC de 1988 preveía la demanialización de los terrenos que fueran invadidos por el mar "*por cualquier causa*", es decir, admitiendo, por tanto, las de carácter natural, como las artificiales, como consecuencia de obras o instalaciones realizadas al efecto.

dación que, en principio y en algunos casos, se produciría de forma natural si no fuera por dichas obras, lo que, siguiendo la filosofía de la Ley 2/2013 debería suponer su inclusión en el demanio costero. Sin embargo, el único requisito que ésta exige es que tales obras *"no perjudiquen a la playa ni a la zona marítimo-terrestre, ni menoscaben las limitaciones y servidumbres legales correspondientes"*[38].

Igualmente, incurre en contradicción con ese nuevo criterio general cuando, en su Disposición Transitoria Primera, apartado 5, excluye del ámbito del dominio público marítimo-terrestre a *"las salinas"*, **aunque éstas sean naturalmente inundables**[39].

Y, en última instancia, también resulta contradictoria o, al menos, denota cierta falta de rigor técnico, la regulación de las urbanizaciones marítimo-terrestres o marinas que la Ley 2/2013 incorpora como novedad en la Disposición Adicional Décima, a las que define como *"los núcleos residenciales en tierra firme dotados de un sistema viario navegable, construido a partir de la inundación artificial de terrenos privados"*. Se trata del fenómeno opuesto a las obras de defensa frente al mar, pues aquí la realización de obras es la que provoca la invasión de terrenos que antes no eran de dominio público y que pasan a tener ahora este carácter como consecuencia de las mismas. Y sorprende su regulación porque se declara que *"el terreno inundado (se presupone que artificialmente, conforme a la anterior definición —añadimos nosotros—) se incorporará al dominio público marítimo-terrestre"* ¿Pero no se decía, en el precitado artículo 3.1, a) de la Ley, que los terrenos inundados artificial y controladamente quedaban excluidos del dominio público marítimo-terrestre **siempre que antes de la inundación no fueran de dominio público**, tal como sucede en el presente caso? ¿Y, por su parte, no insistía en esa misma idea el artículo 4.3 al declarar de dominio público los terrenos inundados (por causa distinta a las previstas en el último párrafo del art. 3.1, a), es decir, excluyendo los que lo fueran de modo artificial y controladamente)? En realidad, creemos que la Disposición Adicional Décima se está refiriendo, en ese apartado 3.1, a), a los terrenos inundados navegables, a los que

---

[38]   De este modo, conforme a esta nueva dicción literal del precepto, se elimina la prohibición que se contenía en la LC de 1988 y que prohibía a estas obras de defensa *"ocupar la playa y producir fenómenos perjudiciales en ésta o en la zona marítimo-terrestre, ni menoscabar las limitaciones y servidumbres legales correspondientes"*.

[39]   Dicho apartado 5, introducido *"ex novo"* por la Ley 2/2013, declara: *"No obstante lo dispuesto en los apartados anteriores, si los terrenos, a que estos se refieren, hubieran sido inundados artificial y controladamente como consecuencia de obras o instalaciones realizadas al efecto y estuvieran destinados a actividades de cultivo marino o a salinas marítimas se excluirán del dominio público marítimo-terrestre, aun cuando sean naturalmente inundables"*.

alude también el artículo 4.3, y que tienen la consideración de dominio público marítimo-terrestre, en todo caso.

Por lo demás, esa interpretación resulta acorde con lo declarado en el Preámbulo de la Ley cuando, refiriéndose a las urbanizaciones marítimo-terrestres, dice que se ha querido garantizar que *"los canales navegables sean de dominio público y que el instrumento de ordenación territorial o urbanística prevea, a través de viales, el tránsito y el acceso a los canales".*

En otro orden de cosas, resta añadir que la especialidad de dicha regulación legal de las marinas está, también, en el tratamiento dado a las servidumbres. La Ley 2/2013 incorpora a esta Disposición Adicional Décima algunas de las previsiones que se contenían en el artículo 43.6 del RC de 1989, al declarar que se mantiene la vigencia de la servidumbre de protección preexistente a las obras de inundación, sin generar una nueva en torno a los espacios inundados. La justificación dada a aquella precisión reglamentaria es que flexibilizaba sólo para este caso la aplicación de los preceptos legales sobre la mencionada servidumbre, facilitando, así, la ejecución de tales urbanizaciones, lo que sería difícilmente viable si hubiera que crear una nueva servidumbre de protección desde el límite interior de los canales artificialmente construidos. Ahora la Ley 2/2013 va todavía más allá que el RC de 1989 y extiende dicha previsión a la servidumbre de tránsito, declarando que tampoco se generará una nueva en torno a los espacios inundados, remitiendo a los instrumentos de ordenación territorial o urbanística *"la fijación de los viales de tránsito y acceso a los canales, en la forma que se establezca reglamentariamente".*

d) "Los acantilados sensiblemente verticales, que estén en contacto con el mar o con espacios de dominio público marítimo-terrestre, hasta su coronación"

En el caso de los acantilados, la nueva Ley no modifica la definición contenida en su predecesora, de 1988, y ni siquiera incorpora precisión alguna al respecto, cuya omisión nos parece criticable. Y ello porque, como bien se sabe, el litoral español es, en gran parte, escarpado, y en dichos tramos, el límite interior del dominio público marítimo-terrestre viene determinado por los acantilados. Desde luego, la definición, genérica e imprecisa, contenida en la LC de 1988, así como su determinación práctica, a través del deslinde, no ha hecho más que generar interpretaciones contradictorias, por la falta de criterios claros y objetivos, lo que ha provocado la interposición de numerosos litigios, en los que los propios Tribunales, precisamente por ello, no han logrado sentar una doctrina unánime.

Y es que no es justificable que, muchos años después de aprobarse la LC de 1988, todavía la Administración y nuestros Tribunales continúen planteándose qué es la ribera del mar o si los acantilados forman parte de ella, y cuál debe ser su línea interior; aspectos todos ellos que, sin duda, resultan enormemente relevantes de cara a fijar la extensión y alcance de las correspondientes servidumbres de tránsito y de protección[40].

Y ¿Por qué ha sucedido esto? Porque como ya hemos tenido ocasión de sostener[41], la LC de 1988, novedosamente, reguló los acantilados como dependencia independiente de la zona marítimo-terrestre frente al régimen tradicional que consideraba que la zona afectada por las olas o las mareas pertenecía al dominio público como zona marítimo-terrestre, dejando fuera de esa condición jurídica a la parte seca del acantilado. Por el contrario, la LC de 1988 le dio un tratamiento unitario[42], entendiendo que todo él era de dominio público, en parte como zona marítimo-terrestre y en el resto como tal acantilado *"hasta su coronación"*, siempre que se tratara de *"acantilados sensiblemente verticales y que estuvieran en contacto con el mar o con espacios de dominio público marítimo-terrestre"*[43].

---

[40]   Esta cuestión ya fue planteada en su momento por GARCÍA PÉREZ, M., "La indeterminación del dominio público marítimo-terrestre en la Ley de Costas de 1988. A propósito del deslinde de acantilados", RAP nº 169 (enero-abril, 2006), pp. 189 y ss., con ocasión del estudio de la doctrina sentada por dos SSTS, de 29 de octubre de 2003 y 20 de enero de 2004; todas cuyas aseveraciones compartimos. La autora, gran especialista en la materia, critica dicha doctrina porque entiende, a nuestro juicio acertadamente, *"que tales decisiones judiciales están afirmando algo que la norma no dice, asumiendo la judicatura un papel de creación del Derecho de dudosa atribución en este caso"*.

[41]   RODRÍGUEZ GONZÁLEZ, Mª P., *El dominio público marítimo-terrestre: Titularidad y sistemas de protección*, Madrid, Marcial Pons, 1999, pp. 88 y ss. Y, con posterioridad, en "El dominio público marítimo-terrestre: La parte terrestre, en *Derecho de los bienes públicos*, 2ª edic., Tirant lo Blanch, 2009, p. 451.

[42]   Como señala GARCÍA PÉREZ, M. "La indeterminación...", *op. cit.*, p. 195, podría decirse que la normativa costera concibe los acantilados como un accidente geográfico singular y unitario, multiforme (por zonas escarpado y horizontal, rocoso y arenoso), pero tratado con uniformidad, sin diferenciar el régimen jurídico que merecería cada metro cuadrado de acantilado por sus características morfológicas, sino como un todo.

[43]   La LC de 1988 empleó, para definirlo, el concepto jurídico indeterminado *"acantilados sensiblemente verticales"*, que luego fue precisado por el RC de 1989, que introdujo en su artículo 6.3 algunos criterios interpretativos, al establecer que *"son acantilados sensiblemente verticales aquellos cuyo parámetro, como promedio, pueda ser asimilado a un plano que forme un ángulo con el plano horizontal igual o superior a 60 grados sexagesimales, incluyendo en su definición las bermas o escalonamientos existentes antes de su coronación"*. Aun con dicha precisión, lo cierto es que, en la práctica, dicha definición de acantilado ha generado no pocos conflictos.

El mayor problema que ha generado esta definición legal es que, a la hora de practicar los deslindes, la Administración ha hecho coincidir sobre el plano de deslinde la línea interior del dominio público (que viene determinada por la coronación de los acantilados, en los tramos escarpados del litoral) con la línea interior de la ribera del mar; criterio éste que ha sido refrendado, en más de una ocasión, por nuestros Tribunales[44]. Y: ¿Con qué fin? Pues para salvar la servidumbre de protección, ya que una interpretación literal de la definición legal hubiese llevado a afirmar (como así debería haber sido) que una cosa es la ribera del mar (formada por la zona marítimo-terrestre y la playa) y otra el acantilado hasta su coronación, que conformaría, en todo caso, el límite interior del dominio público; y, siendo esto así, podría suceder, como de hecho así ha sido también, que el ancho del acantilado se superpusiera en parte, o incluso en su totalidad, a la zona de servidumbre, de modo que ésta se reduciría en parte o se eliminaría por completo.

A lo largo de estos años, la doctrina ha ofrecido algunas claves para dar solución a los diversos problemas que conlleva esta definición legal del acantilado[45]. Consiguientemente, entendemos que hubiese sido deseable que, al igual que se ha hecho con otras dependencias demaniales, tales como la zona marítimo-terrestre y las playas, el legislador estatal de 2013 hubiera aprovechado la ocasión para introducir alguna precisión en su definición y despejar las dudas que, precisamente por ello, ha planteado su aplicación práctica, garantizando así no sólo la preservación del medio ambiente costero, sino también la seguridad jurídica y los derechos de los legítimos propietarios en dichos tramos del litoral.

e) *"Los terrenos deslindados como dominio público que por cualquier causa han perdido sus características naturales de playa, acantilado o zona marítimo-terrestre"*

De entrada, lo primero que hay que advertir es que, de no haber existido en la LC de 1988 una previsión como la que allí se contiene, estos terre-

---

[44] A mero título de ejemplo, vid las SSTS concienzudamente analizadas por GARCÍA PÉREZ, M. "La indeterminación...", *op. cit.*, p. 189.

[45] Vid., por ejemplo, la opinión de cualificados especialistas, como MEILÁN GIL, J. L. "El dominio público natural y la legislación de costas", RAP, nº 139, 1996, pp. 41 y ss.; MENÉNDEZ REXACH, A., "La configuración del dominio público marítimo-terrestre", en *Ley de Costas: Legislación y jurisprudencia constitucional"*, Santiago de Compostela, EGAP, 1992, p. 61; GARCÍA PÉREZ, M. "La indeterminación...", *op. cit.*, pp. 215 y ss., entre muchos otros.

nos que han perdido las características físicas que le son propias hubiesen pasado a integrarse en el patrimonio del Estado, como así ocurrió durante la vigencia de la Ley de Costas de 1969 y, antes que ella, de la legislación de puertos. Es el fenómeno conocido doctrinalmente como *"degradación"* de las pertenencias del dominio público. Incluso, la Ley de Aguas de 1866 establecía en su artículo 4 que, en el supuesto más frecuente de desafectación natural por retirada del mar, tales terrenos descubiertos *"en caso de no resultar necesarios para los objetos de utilidad pública, el Gobierno los podría declarar propiedad de los dueños de las fincas colindantes"*.

Sin embargo, tanto la LC de 1988, como ahora la de 2013, optan por una regulación más restrictiva de la desafectación, la cual sólo es admitida excepcionalmente (artículo 18 en relación con el 4.5 y 10 de la LC), previo informe preceptivo del Ayuntamiento y de la Comunidad Autónoma afectados y previa declaración de innecesariedad para la protección o utilización del dominio público marítimo-terrestre. Lo verdaderamente innovador, en este punto concreto, es que el destino normal de estos bienes degradados físicamente es su permanencia en el dominio público, configurándose la desafectación como excepcional, lo cual —como acabamos de decir—, contrasta con la postura de la derogada Ley de Costas de 1969, en la que el destino normal de estos terrenos era su transformación en bienes patrimoniales salvo en los supuestos indicados.

f) *"Los islotes en aguas interiores y mar territorial"*

Sin ningún precedente en nuestro Derecho histórico, el deseo del legislador estatal de 1988 de extender el ámbito geográfico de la orla litoral motivó la calificación como dominio público marítimo-terrestre estatal de *"los islotes en aguas interiores y mar territorial"* (artículo 4.6), aunque, en realidad, esta previsión legal ya había sido avanzada por la jurisprudencia que, en la STS de 2 de diciembre de 1976, había afirmado: *"...las formaciones rocosas, arenosas, o terrosas que por su cota no son cubiertas por el mar pero quedan rodeadas por éste, tienen el carácter de accesiones o, en todo caso, de pequeñas islas propiedad del Estado..."*.

En íntima conexión con estas determinaciones legales, la LC de 1988 también declaró la demanialidad de las islas[46]. Su referencia, en este apartado, supone alejarse del orden legal hasta ahora seguido, pero obviamen-

---

[46]   Como ya anunciamos, el legislador estatal de 2013 no introduce ninguna modificación en la regulación de los islotes y de las islas, contenida en la LC de 1988.

te, por su relación con los islotes, es aquí donde debe abordarse. Así, el artículo 5 de la citada norma las define de la siguiente manera: *"Son también de
dominio público estatal las islas que estén formadas o se formen por causas naturales
en el mar territorial o en aguas interiores o en los ríos hasta donde se hagan sensibles
las mareas, salvo las que sean de propiedad privada de particulares o entidades públicas o procedan de la desmembración de ésta, en cuyo caso serán de dominio público
su zona marítimo-terrestre, playas y demás bienes que tengan este carácter conforme
a lo dispuesto en los artículos 3 y 4"*.

En todo caso, al igual que sucede con las islas, también en el caso de los
islotes se han respetado indefinidamente, pero con ciertas matizaciones,
los derechos adquiridos, al establecer: *"…los islotes de propiedad particular con
anterioridad a la entrada en vigor de la presente Ley conservarán esta condición,
si bien sus playas y zonas marítimo-terrestres seguirán siendo de dominio público en
todo caso…"*[47].

g) *"Los terrenos incorporados por los concesionarios para completar la superficie
de una concesión de dominio público marítimo-terrestre que les haya sido otorgada, cuando así se establezca en las cláusulas de la concesión"*

Se trata de un supuesto recogido en la LC de 1988 y, en su momento,
relativamente novedoso, en cuanto que ya estaba previsto en la Cláusula
8ª del Pliego de Condiciones Generales para las concesiones demaniales
en las playas y zona marítimo-terrestre y mar territorial, aprobada por Orden Ministerial de 8 de noviembre de 1985[48]. Con respecto a él hay que
destacar dos ideas principales: la primera es la voluntariedad, porque el
concesionario no está obligado a aportar esos terrenos; y la segunda que,
en este supuesto, no es la Ley la que de forma directa demanializa tales espacios, sino que ésta depende, en última instancia, de las condiciones que
se pacten entre Administración y concesionario. De este modo, el suelo
que, en su caso, aporte el concesionario quedará inicialmente incorporado
al dominio público, afecto a los fines amparados por la concesión, y, al vencimiento de ésta, al uso que prevea la Administración, pero, en todo caso,
manteniendo su calificación demanial.

---

[47]   Disposición Transitoria Segunda, 3 de la LC, reproducida por la Disposición Transitoria Sexta, 2 del RC de 1989.

[48]   Dicha Cláusula 8ª decía: *"En el caso de que existan terrenos de propiedad particular incorporados a la concesión, de formar una unidad para la explotación de la misma (…). A su extinción
mantendrán su calificación jurídica de dominio público"*.

Su inclusión en el demanio se producirá así: *"a partir de la fecha en que se suscriba la correspondiente acta de entrega por el concesionario y el representante del Ministerio de Obras Públicas y Urbanismo. A estos efectos, el concesionario debe aportar la documentación acreditativa de su dominio".*

h) *"Los terrenos colindantes con la ribera del mar que se adquieran para su incorporación al dominio público marítimo-terrestre"*

Se trata en este caso de terrenos que no reúnen, porque no las han tenido nunca o porque las han perdido, las características típicas de aquellos bienes demaniales que en nuestro Ordenamiento Jurídico han recibido esa calificación en función de su naturaleza —playa, zona marítimo-terrestre, etc.—; no obstante, guiado por la referida política expansiva, el legislador estatal optó por extender a estos el carácter demanial y otorgarles protección, con el objeto de asegurar propiamente una defensa más adecuada de esta estrecha franja costera.

Por lo demás, sólo procede resaltar la íntima conexión que guarda este supuesto (artículo 4.8 de la LC de 1988) con el previsto en su artículo 17, que se refiere a una clase de terrenos en particular, esto es, a la posibilidad de afectar al dominio público marítimo-terrestre los terrenos del patrimonio del Estado colindantes con él o emplazados en su zona de influencia, que resulten necesarios para la protección o utilización de dicho dominio.

i) *Otras dependencias que configuran el dominio público marítimo-terrestre por determinación legal*

Este último bloque de bienes, que la LC de 1988 incluyó en el dominio público marítimo-terrestre, no lo integran ya elementos naturales o terrenos patrimoniales afectados, adquiridos o expropiados para reforzar la protección o facilitar la utilización de la ribera del mar, sino obras de titularidad estatal emplazadas en dicho ámbito o fuera de él, pero vinculadas al mar, entre las cuales destacan las siguientes:

1) *"Las obras e instalaciones construidas por el Estado en dicho dominio".*

2) *"Las obras e instalaciones de iluminación de costas y señalización marítima[49], construidas por el Estado cualquiera que sea su localización, así como*

---

[49]   Su atribución a la titularidad del Estado resulta del todo evidente a la vista del artículo 149.1, 20 de la CE, que incluyó entre las materias sobre las que el Estado tiene

los terrenos afectados al servicio de las mismas, salvo lo previsto en el artículo 18".

3) Y *"los puertos e instalaciones portuarias de titularidad estatal, que se regularán por su legislación específica".*

Sin embargo, amén de la anterior enumeración, no es posible hacer aquí un análisis pormenorizado de tales dependencias, por razones obvias de espacio y porque ello supondría, además, adentrarse en materia de obras públicas que, por su amplio carácter y densidad, desbordaría con creces los límites de la presente exposición.

D) El régimen jurídico específico de la isla de Formentera

No podemos finalizar el análisis de las modificaciones introducidas por la Ley 2/2013, en la delimitación del dominio público marítimo-terrestre, sin aludir, si quiera brevemente, al régimen jurídico específico previsto en la Disposición Adicional Cuarta de la Ley para la isla de Formentera, en la medida en que excepciona, a nuestro juicio injustificadamente, toda la regulación general anteriormente expuesta, al definir de manera distinta y mucho más restrictiva la zona marítimo-terrestre y la playa, lo que determinará, tras la práctica de un nuevo deslinde, una reducción de la extensión del dominio público marítimo-terrestre.

De este modo y en relación con el límite interior de la zona marítimo-terrestre, dicha Disposición no toma en consideración los temporales conocidos, sino únicamente *"los ordinarios"*, recogiendo ya en la propia Ley una precisión al respecto, al señalar que a estos efectos *"se entiende que son temporales ordinarios los que se han repetido, al menos, en tres ocasiones en los cinco años inmediatamente anteriores al momento en que se inicie el deslinde".*

Y en relación con las playas, curiosamente y sólo para este caso, se vuelve a la definición contenida en la Ley de Costas de 1969, entendiendo *"por tales las riberas del mar o de las rías formadas por arenales o pedregales en superficie casi plana, con vegetación nula o escasa y característica"*, sin hacer alusión a las dunas.

---

competencias exclusivas la *"iluminación de costas y señales marítimas".* Con la legislación anterior tenían la calificación de bienes patrimoniales, si bien es más correcta su configuración actual como bienes de dominio público por la función que estas obras cumplen y también para reforzar su protección.

Una vez practicados los nuevos deslindes que, indudablemente y a tenor de estas definiciones legales conllevarán una reducción considerable del territorio declarado como dominio público marítimo-terrestre, la Ley ordena reintegrar a sus legítimos propietarios las propiedades inscritas en el Registro de la Propiedad antes de la entrada en vigor de la LC de 1988.

La única razón esgrimida por el legislador estatal, para justificar dicho régimen excepcional, es *"la especial configuración geomorfológica de Formentera"*; frente a lo cual habría que preguntarle si su zona marítimo-terrestre o sus playas tienen una configuración geomorfológica distinta a la del resto del territorio litoral peninsular e insular, cosa que no creemos. Consiguientemente, siendo esto así, no entendemos por qué no se aplica ese mismo régimen jurídico al resto del territorio litoral español conformado, igualmente, por playas y zona marítimo-terrestre; o, en última instancia, a otras islas, tales como La Graciosa, en Lanzarote, o la Isla de Lobo, en Fuerteventura.

En definitiva, lo que dicha regulación legal evidencia es que, efectivamente y sin perjuicio de la declaración constitucional de demanialidad de determinados bienes contenida en el artículo 132.2 de la CE, la concreta definición de esas dependencias y el alcance de las mismas (porque en dicho precepto constitucional no aparecen definidas) se dejan en manos del legislador estatal, quien, al hacerlo, puede optar por ampliarlas, como así hizo en la LC de 1988, o por restringir su extensión, como así ha hecho, con carácter general, en la Ley 2/2013, particularmente en relación con la zona marítimo-terrestre y con las playas. Ahora bien, siendo esto legítimo, lo que, desde luego, resulta cuestionable es que se excepcione ese criterio general elegido (ampliatorio del demanio costero o restrictivo, en su caso), singularmente, para la Isla de Formentera, favoreciendo así a determinados propietarios frente al resto, sin más justificación que la reseñada de su *"especial configuración geomorfológica"*.

III. ALGUNAS CONSIDERACIONES GENERALES ACERCA DEL SISTEMA DE DISTRIBUCIÓN DE COMPETENCIAS SOBRE EL ESPACIO MARÍTIMO-TERRESTRE

1. *Planteamiento general de la cuestión*

Tradicionalmente, la cuestión de la distribución de competencias sobre el dominio público marítimo-terrestre ha sido y continúa siendo el origen de fuertes polémicas entre las distintas Administraciones públicas territoriales (estatal, autonómica y local) derivadas de la concurrencia de diversas atribuciones sobre estos particulares espacios, escasos y de una enorme relevancia económica y social —tal como apuntamos al inicio de esta exposición—[50]; siendo éste uno de los aspectos del régimen jurídico de las costas más complejo y que ha obstaculizado, cuando no impedido, la instauración de una ordenación y gestión sostenible del litoral[51].

El carácter transversal de la LC de 1988, que afecta a competencias diversas (medio ambiente, obras públicas, ordenación del territorio y urbanismo, turismo, energía, acuicultura, pesca, puertos, etc.), que se ejercitan sobre un mismo territorio, por los distintos niveles de la Administración territorial (Administración General del Estado, CCAA y Administración local), planteó un escenario complejo, que hoy hace suyo la Ley 2/2013, siguiendo la estela de su predecesora, LC de 1988, al declarar en su Exposición de Motivos que *"se mantiene el complejo reparto de competencias que se da sobre el litoral"* establecido en el articulado de aquélla, *"...según la interpretación dada por el Tribunal Constitucional, en su Sentencia núm. 149/1991, de 4 de julio".*

Y es que, tempranamente, el TC sentó, en dicha Sentencia, las bases del juego e interpretó el articulado de la LC de 1988, estableciendo una consolidada doctrina sobre cuál debía ser el papel que correspondía jugar a cada una de las Administraciones territoriales concurrentes en el litoral, a fin de resolver las tensiones y conflictos competenciales que pudieran plantearse.

---

[50]   Esta carácter polémico vuelve a ponerse hoy de manifiesto, pues, tras la aprobación de la Ley 2/2013, porque cinco CCAA (Canarias, Andalucía, País Vasco, Cataluña y Asturias), que representan más de la mitad del litoral español, ya han anunciado su intención de recurrirla ante el TC, al entender que algunos de sus preceptos rompen la distribución constitucional de competencias, en cuanto, por ejemplo, violan la competencia exclusiva de las CCAA en materia de ordenación del territorio y urbanismo o, en su caso, suponen una clara vulneración de la autonomía municipal.

[51]   Vid. sobre la distribución competencial y la problemática que la misma plantea, la magnífica exposición que hacen GONZÁLEZ GARCÍA, J. V. y ZAMBONINO PULITO, E., "El Derecho de Costas y la distribución constitucional de competencias entre el Estado y las CCAA. Cuestiones recurrentes y controversias nuevas", en *El Derecho de Costas en España*, La Ley, 2010, pp. 101 y ss., en la que estos autores no sólo vuelven sobre algunas de las *"cuestiones recurrentes"* que suscita dicho sistema de distribución de competencias sobre el demanio costero, teóricamente ya resueltas por nuestros Tribunales, sino que, además y esto es lo más interesante, abordan *"otras controversias nuevas"*; a mero título de ejemplo, las que suscitan los nuevos Estatutos de Autonomía de diversas CCAA, que, redefiniendo su competencia sobre ordenación del litoral y de manera extensiva, han incluido en ella aspectos relativos a la ejecución y gestión del dominio público marítimo-terrestre.

Sin embargo, pese a ello, las diversas sentencias que se citan a continuación, a mero título de ejemplo y que, en líneas generales, reiteran aquella doctrina, evidencian que, lejos de haberse resuelto las mencionadas tensiones y conflictos, éstos han seguido sucediéndose en la práctica hasta el día de hoy, poniendo de manifiesto que no han bastado esas líneas maestras inicialmente trazadas por el TC y que han sido insuficientes los numerosos mecanismos de cooperación y coordinación interadministrativa arbitrados por la propia LC de 1988. Todas estas circunstancias han dificultado y, en muchos casos, impedido, a lo largo de todos estos años de vigencia de la citada Ley, la puesta en marcha de actuaciones claves para la protección y defensa integral del litoral español, tanto en la zona propiamente demanial, como en la colindante (mayormente de propiedad privada), obstaculizando su gestión global e integrada, y, por ende, el aprovechamiento racional, sostenible y a largo plazo de los recursos naturales que lo conforman.

Así las cosas, sobre esta cuestión del reparto competencial vuelve a pronunciarse, por ejemplo, la STS de 20 de noviembre de 2012, rec. núm. 236/2012, concretamente, sobre la coexistencia de competencias sobre un mismo espacio físico, reiterando, 24 años después de aprobarse la LC de 1988, la citada doctrina sentada por la STC 149/1991, en la que se declaró que, ciertamente, aun cuando la titularidad del Estado sobre tales bienes no es propiamente un título de atribución de competencias que sustraiga las que correspondan a otros entes públicos (SSTC 58/1982, de 27 de julio, 77/1984, de 3 de julio, 227/1988, de 29 de noviembre, 103/1989, de 8 de junio, 9/2001, de 18 de enero, 46/2007, de 1 de marzo, 204/2007, de 12 de diciembre, entre otras)[52], ello no obsta para que, en atención a la misma, el Estado tenga importantes facultades sobre el dominio público marítimo-terrestre; las cuales, por lo demás, derivan, igualmente, de otros títulos competenciales recogidos en el artículo 149.1 de la CE. A saber, por ejemplo, de su competencia para *"regular las condiciones básicas que garanticen la igualdad de todos los españoles en el ejercicio de los derechos y en el cumplimiento de los deberes constitucionales"* (art. 149.1.1ª)[53]; de su competencia sobre la

---

[52] Sobre el significado y alcance de esa titularidad estatal del dominio público marítimo-terrestre que se contiene en el artículo 132 de la CE, vid. GONZÁLEZ GARCÍA, J. V. y ZAMBONINO PULITO, E., "El Derecho de Costas...", *op. cit.*, pp. 117 y ss.

[53] A este respecto, la aludida STC 149/1991 señalaba: *"...No es ya la titularidad demanial, sino la competencia que le atribuye el citado artículo 149.1.1ª la que fundamenta la legitimidad de todas aquellas normas destinadas a garantizar, en condiciones básicamente iguales, la utilización pública, libre, y gratuita del demanio para los usos comunes y a establecer, correlativamente el régimen jurídico de aquellos usos u ocupaciones que no lo son. De otro lado, tanto para asegurar la integridad física y las características propias de la zona marítimo-terrestre como para garanti-*

legislación civil (art. 149.1.8ª); o de la que se le otorga para fijar *"las bases del régimen jurídico de las Administraciones públicas y del régimen estatutario de los funcionarios que, en todo caso, garantizarán a los administrados un tratamiento común ante ellas; el procedimiento administrativo común, sin perjuicio de las especialidades derivadas de la organización propia de las Comunidades Autónomas; legislación sobre expropiación forzosa; legislación básica sobre contratos y concesiones administrativas y el sistema de responsabilidad de todas las Administraciones públicas"* (art. 149.1.18ª); así como del artículo 149.1.23 de la CE, que le atribuye la competencia para dictar la legislación básica sobre protección del medio ambiente; títulos competenciales estos últimos que permiten declarar la constitucionalidad de la mayoría de las previsiones contenidas en la Ley en relación con la servidumbre de protección y la zona de influencia.

2. El actual sistema de distribución de competencias de la Ley de Costas de 1988

Por lo que ahora interesa, las competencias del Estado aparecen enunciadas en los artículos 110 y 111 de la LC de 1988, cuya regulación no ha sido objeto de modificación por la Ley 2/2013, dando cumplimiento así al art. 132 de la CE[54]. En líneas generales, tales atribuciones se circunscriben a determinar las concretas categorías de bienes que lo integran, así como a adoptar cuantas medidas sean necesarias para proteger y defender la integridad y el uso público de estos espacios[55] (por todas, la STS de 1 de junio de 2005 —Ar. 9347—). Precisamente, para cumplir con estos objetivos, la

---

zar su accesibilidad es imprescindible imponer servidumbres sobre los terrenos colindantes y limitar las facultades dominicales de sus propietarios, afectando así, de manera importante, el derecho que garantiza el art. 33.1 y 2 de la CE. La necesidad de asegurar la igualdad de todos los españoles en el ejercicio de este derecho no quedaría asegurada si el Estado, en uso de la competencia exclusiva que le otorga el art. 149.1.1 no regulase las condiciones básicas de la propiedad sobre los terrenos colindantes de la zona marítimo-terrestre...".

[54]   La LC de 1988 optó decididamente por la Administración estatal como el principal actor en los espacios, propiamente, de dominio público marítimo-terrestre; opción ésta que ahora mantiene la Ley 2/2013 y que (al igual que sucedió entonces, en 1988 y como ya hemos adelantado) ya ha suscitado críticas y una decidida oposición por parte de diversas CCAA ribereñas y de las Entidades locales (entre ellas, las de Canarias).

[55]   Y es que, tal como ha reseñado el TC en la tantas veces citada Sentencia 149/1991, de 4 de julio, la titularidad estatal sobre tales bienes conlleva, necesariamente, el establecimiento de un régimen de protección, pues *"el legislador estatal no sólo está facultado, sino obligado, a proteger el demanio marítimo-terrestre a fin de asegurar tanto el mantenimiento de su integridad física o jurídica, como su uso público y sus intereses paisajísticos"* (Fundamento Jurídico 1.D).

Ley reserva al Estado un importante abanico de potestades, entre las que merece destacar: **1)** El deslinde de los bienes de dominio público marítimo-terrestre, así como su afectación y desafectación, y la adquisición y expropiación de terrenos para su incorporación a dicho dominio; **2)** Por la alta significación ambiental del litoral, así como para configurar esa regulación mínima común, también le corresponde regular la utilización racional de los recursos naturales que lo integran (que incluye el otorgamiento de adscripciones, concesiones y autorizaciones, la declaración de zonas de reserva, etc.), con el objetivo de proteger y mejorar la calidad de vida, y defender y restaurar el medio ambiente costero, de conformidad con el artículo 45 de la CE[56]; **3)** Con esa misma finalidad protectora y de fijación de un mínimo común denominador, corresponde al Estado el establecimiento de las servidumbres destinadas a la protección medioambiental del litoral, competencia esta última que opera tanto sobre el demanio natural como sobre el artificial[57], debiendo las CCAA incorporar a su ordenación esos principios establecidos, como mínimos, por la Administración estatal sobre estos espacios; **4)** El ejercicio de los derechos de tanteo y retracto en las transmisiones de yacimientos de áridos y, en su caso, la expropiación de los mismos; **5)** La aprobación de las normas elaboradas conforme a lo establecido en el artículo 22 de la LC; **6)** La realización de obras y actuaciones de interés general o las que afecten a más de una Comunidad Autónoma, que aparecen enumeradas en el artículo 111. Interesa destacar, al respecto, la modificación introducida en dicho precepto por la Ley 53/2002, de 30 de diciembre, de Medidas fiscales, administrativas y del orden social para 2003[58], en cuanto viene a dar nueva redacción al listado de las obras

---

[56] Como acertadamente destacan GONZÁLEZ GARCÍA, J. y ZAMBONINO PULITO, E., "El Derecho de Costas...", *op. cit.*, pp. 129 y ss., en la competencia de demanializar se encuentra aneja/implícita la competencia para la ordenación del régimen de utilización de los bienes públicos y, consiguientemente, la de fijación del régimen básico de las concesiones de dominio público, ya que, sin este último aspecto, la demanialización sería una operación incompleta.

[57] Es, precisamente, esta relación directa existente entre la protección medioambiental y el establecimiento de la zona de servidumbre de protección la que, a juicio de determinados autores (por todos, los aludidos GONZÁLEZ GARCÍA, J. y ZAMBONINO PULITO, E., "El Derecho de Costas...", *op. cit.*, pp. 132 y 133, impide que prospere la actuación de determinadas CCAA que, en virtud de competencias exclusivas propias, como la de vivienda y urbanismo, pretenden eliminar la ordenación estatal y sustituirla para determinados municipios por otra que es claramente menos protectora del dominio público.

[58] Esta Ley de Medidas fiscales, administrativas y del orden social para 2003 (Ley 53/2002, de 30 de diciembre) modifica diversos artículos de la LC de 1988. No obstante, dicha norma fue muy criticada al considerarse que una Ley de Medidas, de Acompañamien-

de interés general[59] y a exigir, con carácter *"ex novo"*, para la ejecución de estas obras la solicitud de un informe a la Comunidad Autónoma y al Ayuntamiento en cuyos ámbitos territoriales incida, al objeto de verificar su conformidad o disconformidad con los instrumentos de planificación del territorio, cualquiera que sea su denominación y ámbito, que afecten al litoral y con el planeamiento urbanístico en vigor (art. 111.2)[60]. En última instancia, tal como reza su número 3, estas obras públicas de interés general no estarán sometidas a licencia o a cualquier otro acto de control por parte de las Administraciones locales, no pudiendo suspenderse su ejecución por otras Administraciones públicas, sin perjuicio de los recursos que procedan; **7)** La elaboración y aprobación de las disposiciones sobre vertidos, seguridad humana en lugares de baño y salvamento marítimo[61];

---

       to a los Presupuestos, no era el modo más adecuado para introducir variaciones sustanciales en la Ley, que afectan a los derechos de los ciudadanos, al tratarse de una vía rápida, sin apenas debate y análisis (en estos términos se manifestó, por ejemplo, Izquierda Unida durante los debates parlamentarios de la Ley —Enmiendas 107 del Congreso y 74 del Senado— quien pretendió la supresión de la reforma).

[59]   Conforme a esa nueva redacción, tendrán la calificación de obras de interés general de competencia de la Administración estatal las siguientes: **a)** Las que se consideren necesarias para la protección, defensa, conservación y uso del dominio público marítimo-terrestre, cualquiera que sea la naturaleza de los bienes que los integren (por tanto, con independencia de la ubicación de las mismas); **b)** Las de creación, regeneración y recuperación de playas (entre las que se incluirían los trabajos de dragado necesarios, en virtud del artículo 204.5 RC); **c)** Las de acceso público al mar no previstos en el planeamiento urbanístico; **d)** Las emplazadas en el mar y aguas interiores, sin perjuicio de las competencias de las CCAA (se elimina la referencia contenida en la anterior redacción, que limitaba estas competencias autonómicas a las de "acuicultura, en su caso"); **e)** Las de iluminación de costas y señales marítimas, etc.

[60]   Según esta Ley 53/2002, en caso de no emitirse estos informes se considerarían favorables por silencio administrativo positivo, mientras que si fueran formulados en sentido desfavorable el Ministerio de Medio Ambiente tendría que elevar el expediente al Consejo de Ministros, quien decidiría si procede ejecutar el proyecto y, en tal supuesto, ordenaría iniciar el procedimiento de modificación o revisión del planeamiento, de conformidad con la tramitación establecida legalmente. Por otra parte, si no existieran los instrumentos de ordenación antes citados o la obra de interés general no estuviera prevista en los mismos, el proyecto se remitiría a la Comunidad Autónoma y al Ayuntamiento afectados, para que redacten o revisen el planeamiento con el fin de acomodarlo a las determinaciones del proyecto, en el plazo máximo de seis meses desde su aprobación y, transcurrido dicho plazo sin que la adaptación del planeamiento se haya efectuado, se considerará que no existe obstáculo alguno para que pueda ejecutarse la obra (artículo 111.2, in fine, en su nueva redacción).

[61]   Estas normas afectan directamente al uso común, cuya defensa corresponde, prima facie, a la Administración del Estado, pero al mismo tiempo, conforme a su contenido, dicha competencia puede encuadrarse dentro del ámbito de la protección civil. Por tanto, se trata de una competencia concurrente, debiendo entenderse las normas

8) La iluminación de costas y señales marítimas, atribuida en exclusiva al Estado en virtud del artículo 149.1,20 de la CE; **9)** La prestación de toda clase de servicios técnicos relacionados con el ejercicio de las competencias anteriores y el asesoramiento a las CCAA, Corporaciones locales y demás Entidades públicas o privadas y a los particulares que lo soliciten, etc.

Por su parte, en virtud del artículo 148.1.3 y 6 de la CE, en relación con el artículo 114 y Disposición Adicional Sexta de la Ley 2/2013 (que, igualmente, reitera la anterior LC de 1988), a las CCAA les corresponde las competencias que, en materia de ordenación del litoral, puertos, urbanismo, vertidos al mar y demás relacionadas con el ámbito de dicha Ley tenga atribuidas por sus respectivos Estatutos[62]. Y, a su vez, a los Municipios se les reserva toda una serie de atribuciones en estos espacios (art. 115), que ejercitarán en los términos que fije la legislación que dicten las CCAA.

3. Las técnicas de colaboración y cooperación interadministrativas como mecanismos imprescindibles para la articulación de competencias

A tenor de todo lo expuesto, se comprueba la existencia de una diversidad de competencias que aparecen enunciadas en la Ley, que corresponden a cada una de las citadas Administraciones territoriales (Estado, CCAA y Administraciones locales) y que convergen o concurren sobre un mismo territorio. Precisamente por ello y a fin de evitar conflictos, nuestros Tribunales han venido declarando unánimemente, desde la citada STC 149/1991, que las situaciones de concurrencia competencial, como la que se da en el territorio litoral, deben intentar resolverse, en primer lugar, a través de las técnicas de colaboración y cooperación interadministrativas, que permitan articular las atribuciones en juego (sobre ello insiste la citada STS de 20 de noviembre de 2012, recogiendo la aludida doctrina sentada, entre otras, en la STC 77/1984, de 3 de julio, STC 227/1988 y reiterada

---

estatales como el mínimo indispensable que la Comunidad Autónoma puede ampliar para mayor garantía de los usuarios. Así, el precepto entendido en estos términos no es contrario a la CE, según declaró en su momento la STC 149/1991.

[62] En su momento, el artículo 120.6 de la Ley 53/2002, de 30 de diciembre, de Medidas Fiscales, Administrativas y del Orden Social, introdujo un segundo párrafo a este artículo 114, para limitar la competencia autonómica sobre ordenación territorial y del litoral al ámbito terrestre del dominio público marítimo-terrestre, sin alcanzar, pues, al mar territorial y aguas interiores. Si bien, con posterioridad, el TC declaró dicho párrafo inconstitucional y nulo por la Sentencia (Sala Pleno) 162/2012, de 20 de septiembre.

luego, por ejemplo, en la STC 42/2007[63]) y optimizar el ejercicio de las competencias estatales y autonómicas. Y sólo cuando estos cauces resulten insuficientes, para resolver los conflictos planteados, es cuando habrá que determinar cuál es el título competencial prevalente en función del interés público a satisfacer.

En última instancia, la distribución de competencias en este ámbito territorial concreto debe hacerse conforme a las previsiones del bloque de constitucionalidad[64], sin que, de ningún modo, el ejercicio por el Estado de sus competencias pueda impedir u obstaculizar la realización de las respectivas atribuciones del resto de las Administraciones (CCAA y Administraciones locales) concurrentes sobre estos mismos espacios físicos[65]. Sólo excepcionalmente, en la medida en que resulte necesario para lograr los aludidos fines proteccionistas, cabe que dicha Administración estatal pueda adoptar medidas de ordenación territorial o urbanística, de naturaleza supletoria. Se trata, pues, de una interpretación finalista avalada por el TC en diversos pronunciamientos[66].

---

[63]   A este respecto, dicha Sentencia alude, expresamente, a la exigencia de aplicar estos mecanismos de coordinación y cooperación, añadiendo que *"...la concurrencia competencial no puede resolverse en términos de exclusión sino que ha de acudirse a un expediente de acomodación e integración de los títulos competenciales —estatal y autonómico— que convergen sobre un mismo espacio físico y que, por eso mismo, están llamados a cohonestarse"*.

[64]   Así lo reitera el TC en diversos pronunciamientos, haciéndose eco —insistimos— de la doctrina sentada, inicialmente, por la Sentencia 149/1991, de 4 de julio.

[65]   El TS recoge dicha doctrina, entre otras, en sus Sentencias de 19 de junio de 1987 (Ar. 4899), de 28 de enero de 1992 (Ar. 7559), de 27 de junio de 1996 (Ar. 5490) y de 24 de enero de 1997 (Ar. 294).

[66]   Por todas, las SSTC 117/1984, de 5 de diciembre, y 56/1986, de 13 de mayo. Asimismo, la Sentencia 49/1984, de 5 de abril, afirma que para resolver los conflictos materiales de competencia debe tenerse presente *"junto con los definidos ámbitos competenciales, la razón o fin de la norma atributiva de competencias, y el contenido del precepto cuestionado"*. Esta dimensión teleológica justifica y explica las facultades y competencias que se reconocen a la Administración del Estado, pudiendo incidir, incluso, excepcionalmente, en las competencias autonómicas y locales. Y ello por el siguiente motivo, declarado por el TC en su Sentencia 149/1991, de 4 de julio: *"...La necesidad de preservar las características propias de tales bienes es título suficiente para justificar la incidencia por parte del Estado en numerosos aspectos que se han considerado por las Comunidades Autónomas recurrentes vulneradores de sus competencias exclusivas, al considerar que el legislador estatal está obligado a asegurar el mantenimiento de la "integridad física" y de la "integridad jurídica" de dicho dominio..."*. Ahora bien, en todo caso y como contrapartida, también supone que las limitaciones que, en su ejercicio, se impongan a las competencias autonómicas y locales deben ser, exclusivamente, las imprescindibles para alcanzar la aludida defensa y protección integral de estos espacios, así como su uso público, y no pretender ordenar directamente el territorio sustituyendo al titular de esta competencia.

A sensu contrario, como recuerda la STS de 1 de junio de 2005 (Ar. 9347), en aplicación del principio de reciprocidad, tampoco las CCAA y los Municipios, al ejercitar, por ejemplo, sus atribuciones en las materias de ordenación del territorio y urbanismo, están legitimados para adoptar cualquier decisión que pueda interferir o soslayar la competencia exclusiva estatal o perturbar el uso público del dominio público marítimo-terrestre[67]. Y ello porque la competencia de ordenación del territorio *"no puede ser entendida en términos tan absolutos que elimine o destruya las competencias que la propia CE reserva al Estado"*[68].

4. La necesaria Gestión Integrada de las Zonas costeras

A la vista de todo lo anterior, habría que preguntarse: ¿Qué es, entonces, lo que ha fallado, si las bases del reparto competencial habían sido tempranamente clarificadas por el TC, cuya doctrina, tal como se ha visto, ha venido reiterándose hasta nuestros días por los Tribunales? ¿Por qué este reparto de competencias, que aquí se ha expuesto sintéticamente, no ha hecho más que generar tensiones y conflictos competenciales en la gestión de las áreas litorales? Y todo ello, además, pese a que, tanto la LC de 1988, como ahora la Ley 2/2013, contienen una declaración general y de principios favorable a esa necesaria concertación, en la que se declara la obligación de las Administraciones públicas, cuyas competencias incidan sobre el ámbito espacial contemplado en la presente Ley, a ajustar sus relaciones recíprocas *"a los deberes de información mutua, colaboración, coordinación y respeto a aquélla"*, habiendo arbitrado para ello diversos instrumentos, que ahora la Ley 2/2013 viene a reforzar, por ejemplo, a través de los planes, o de la figura del informe, como mecanismo clave de coordinación[69].

---

[67]   Concretamente dicha Sentencia afirma que la competencia autonómica no puede implicar una afectación de los intereses generales o de otros títulos competenciales del Estado, añadiendo que resulta una necesidad lógica de la competencia exclusiva estatal *"...que las medidas de protección necesarias para asegurar la integridad de esa titularidad correspondan en exclusiva también al Estado..."*.

[68]   Así lo ha entendido también el TC, por todas, en su Sentencia 15/1998, de 22 de enero.

[69]   Dicho informe es esencial, por ejemplo, para la adecuada interrelación ordenación y gestión del territorio y urbanismo/ordenación y gestión del dominio público marítimo-terrestre. En este sentido, tal como tiene declarado el TS en diversos pronunciamientos, de conformidad con el artículo 112.1,a) de la LC de 1988 (que permanece igual en la vigente Ley 2/2013), el informe que debe emitir la Administración del Estado de costas, en los supuestos de aprobación y modificación de los planes y normas de ordenación territorial o urbanística, es preceptivo y vinculante, sólo *"por lo que*

A nuestro juicio, la razón principal del fracaso se debe a que, pese a la previsión de tales instrumentos de colaboración y de coordinación contenidos en la Legislación de Costas, la realidad ha demostrado su falta o deficiente utilización en la práctica, ya que, en la mayoría de los casos, han continuado prevaleciendo los enfoques sectoriales (cuando la realidad de nuestras costas demuestra que no estamos ante compartimentos estancos) frente a los planteamientos globales, unas veces por meras luchas de poder, otras por mantener el protagonismo o, en última instancia, por meros intereses económicos, discutiendo a quién corresponde ejercitar una determinada actuación, muchas veces vital para la protección, recuperación o gestión sostenible del litoral, haciendo dejación de sus responsabilidades[70].

Consiguientemente, a tenor de lo expuesto, resulta claro que, para seguir avanzando hacia un desarrollo sostenible del litoral es necesario poner en marcha, ya definitivamente, mediante la concertación, una gestión

---

respecta al cumplimiento de las disposiciones de dicha Ley y de las normas que se dicten para su desarrollo y aplicación" (STS de 13 de septiembre de 2012, Sala de lo Contencioso-Administrativo, Ar. 8694); es decir, sobre aspectos relativos a la determinación, protección y defensa del uso público de los espacios costeros. Así, por ejemplo, en relación con el otorgamiento de títulos para la ocupación o utilización del demanio, o en lo referente a la preservación de la servidumbre de tránsito y acceso público y gratuito a la ribera del mar, o al ejercicio de sus competencias de señalización, iluminación, obras públicas, puertos de interés general, etc., en cuyo caso la Comunidad Autónoma deberá modificar el correspondiente instrumento de ordenación territorial o urbanístico, en consonancia con lo dispuesto en el informe. Esta previsión es fundamental, pues, en virtud de dicha doctrina, la potestad del planificador urbanístico en la ordenación de suelos comprendidos en el dominio público marítimo-terrestre no es discrecional sino reglada, quedando vinculada por las determinaciones de la LC de 1988 (en este sentido se pronuncian, por ejemplo, las SSTS de 19 de enero de 2012, RJ. 41059, y de 2 de marzo de 2012, RJ. 4352. En el resto de los supuestos (es decir, cuando el informe negativo del Estado verse sobre aspectos que, a juicio de la Comunidad Autónoma, exceden de las atribuciones del Estado), la Administración autonómica podrá adoptar su decisión al margen de él, sin perjuicio de la posibilidad que el Estado tiene de atacar esa decisión por razones de constitucionalidad o de legalidad.

[70]   Estas palabras, que las escribí en el año 2009, tristemente continúan siendo una constante en la actualidad. La única manera de preservar el litoral y lograr su utilización sostenible es mediante la gestión integrada del mismo. En esta misma línea resultan muy expresivas las palabras de GONZÁLEZ GARCÍA, J. y ZAMBONINO PULITO, Mª "El Derecho de Costas...", *op. cit.*, p. 97, cuando señalan: *"en el fondo a los dos nos late la idea de que el dominio público marítimo-terrestre ha sido un ejemplo claro de descoordinación de las Administraciones públicas, lo que ha permitido que cada una de ellas haya ido por libre y, especialmente, las que están más cerca del litoral, esto es, los ayuntamientos y, en segundo lugar, las comunidades autónomas, que han olvidado los principios básicos que impulsaron la existencia del artículo 132 de la Constitución y han estimulado y/o avalado un desarrollo insostenible desde todo punto de vista...".*

integrada de las zonas costeras[71], esto es, tal como la define el Protocolo (GIZC-MED, en su art. 2,f), llevar a cabo:

> *"un proceso dinámico de gestión y utilización sostenibles de las zonas costeras, teniendo en cuenta simultáneamente la fragilidad de los ecosistemas y pasajes costeros, la diversidad de las actividades y los usos, sus interacciones, la orientación marítima de determinados usos y determinadas actividades, así como sus repercusiones a la vez sobre la parte marítima y la parte terrestre".*

Y para lograr dicho objetivo es imprescindible superar la visión compartimentada de la costa que a día de hoy todavía tienen las diversas Administraciones territoriales concurrentes en dicho territorio. Así las cosas, no será posible lograrlo, únicamente desde la legislación de costas y siendo la Administración del Estado su única protagonista, pues, a nuestro juicio, también, las CCAA y los municipios están llamados a jugar un papel primordial en esa ordenación y gestión del litoral, a través de los correspondientes instrumentos de planificación y ordenación territorial y urbanística, de su competencia[72]. Las modificaciones introducidas durante los últimos años en los Estatutos de Autonomía de diversas CCAA evidencian esa tendencia expansiva, asumiendo aquéllas mayores atribuciones en la ordenación y gestión de los espacios litorales[73]. Pero, dicho esto, entendemos que tampoco resultaría acorde con el actual sistema constitucional de distribución de competencias desapoderar por completo a la Administración del Estado de las atribuciones que, sin duda, tiene sobre el dominio público marítimo-terrestre, cuyo objetivo no es otro que lograr su protección ambiental integral. En todo caso, las determinaciones de la LC actuarían como *"mínimos"* para las CCAA y Municipios.

---

[71] En este punto y para evitar repeticiones innecesarias, me remito al análisis más pormenorizado de la GIZC que realizaremos al final de este capítulo.

[72] Como ya dijimos anteriormente, al analizar las definiciones legales de los bienes que conforman el dominio público marítimo-terrestre, no creemos que la demanialización del litoral sea la única vía para lograr una adecuada ordenación de los recursos naturales que lo conforman, así como una gestión sostenible de los mismos. Antes al contrario, las CCAA y los Municipios, en virtud de sus competencias exclusivas en materia de ordenación del territorio y urbanismo, pueden regular ambos extremos, tomando como base las previsiones que al respecto se contienen en la LC, o estableciéndolas con carácter "ex novo" para aquellos bienes que ahora, tras las modificaciones introducidas por la Ley 2/2013, queden excluidos de dicho demanio costero. A este respecto, por ejemplo, HORGUÉ BAENA, C., "Costas", en *Fundamentos...*, pp. 1532 y ss. menciona algunos de los instrumentos de planificación territorial y urbanística, a través de los cuales puede llevarse a cabo una ordenación y gestión de tales espacios costeros.

[73] De hecho, se observa ya en alguna legislación autonómica una actitud proteccionista más exigente en ocasiones de lo que demanda la normativa estatal de costas.

Por tanto, se trata de compatibilizar todas las antedichas actuaciones y la única vía es profundizar en la búsqueda de soluciones y técnicas de información mutua, de cooperación y de coordinación, teniendo en cuenta que la clave no está tanto en prever tales mecanismos (la legislación ya lo hace y, particularmente, la de costas), como en aplicarlos eficazmente, en la práctica, para optimizar la articulación de las aludidas competencias en la gestión de las zonas costeras, superando la sectorización y haciendo planteamientos de una manera global e integrada[74]. De no hacerse así, pese a las sucesivas modificaciones de la legislación de costas, el territorio costero continuará degradándose y destruyéndose.

IV. LA PROTECCIÓN DEL DOMINIO PÚBLICO MARÍTIMO-TERRESTRE

1. Técnicas generales de protección del dominio público y su aplicación al demanio costero

Como bien se sabe, uno de los objetivos prioritarios de la legislación de costas, tanto de la LC de 1988, como de la recientemente aprobada Ley 2/2013, que la modifica, es la protección de la integridad del litoral[75]. De hecho, el propio Título de esta última alude, expresamente, a *"la protección"*, pero también a la sostenibilidad (*"Ley de Protección y uso sostenible del litoral"*), lo que contrasta con el de su predecesora (LC de 1988); dato este

---

[74]   SANZ LARRUGA, F. J. "La Administración General del Estado y las políticas...", p. 1302 y ss.

[75]   En el caso de la costa española, esta exigencia de la conservación y protección ambiental es una exigencia constitucional, en la medida en que la CE, en su artículo 45.1, dentro del Capítulo de los principios rectores de la política social y económica, propugna, con carácter general, lo siguiente: *"Todos tienen el derecho a disfrutar de un medio ambiente adecuado para el desarrollo de la persona, así como el deber de conservarlo"* Y, asimismo, queda reforzada por el artículo 132.2 del propio texto constitucional, al declarar de dominio público estatal, otorgándoles el máximo nivel de protección, a una serie de bienes por sus características naturales, todos ellos integrantes del dominio público marítimo-terrestre, tales como la zona marítimo-terrestre, las playas, el mar territorial y los recursos naturales de la zona económica y la plataforma continental. A tenor de lo anteriormente expuesto y en virtud del artículo 45.2 de la CE es responsabilidad de los Poderes públicos velar por la protección de todos los recursos naturales y, en particular, del dominio público marítimo-terrestre *"con el fin de proteger y mejorar la calidad de la vida y defender y restaurar el medio ambiente, apoyándose en la indispensable solidaridad"*.

que lleva a preguntarnos si acaso aquella LC de 1988 no perseguía estos mismos objetivos.

Inicialmente, de la lectura de su artículo 2 (que la mencionada Ley 2/2013 no modifica) parece desprenderse la intención del legislador de conciliar, en ambas normas, las exigencias de desarrollo con los imperativos de protección del medio[76]. Sin embargo, si profundizamos algo más, tanto en el Preámbulo como en el articulado de la nueva Ley, se comprueba, en realidad, que las dos responden a concepciones bien diversas.

En efecto, la LC de 1988 fue una Ley eminentemente proteccionista[77], que puso todo su énfasis en la determinación, protección y policía del dominio público marítimo-terrestre (esto es, en demanializar, a toda costa, el litoral español como única vía para blindarlo y lograr su protección integral); pero, precisamente por ello, impidió y/u obstaculizó el establecimiento de un adecuado sistema de ordenación y gestión integrada de usos, que permitiera un aprovechamiento sostenible de los recursos naturales del litoral[78]. El modelo imperante en dicha norma era sumamente

---

[76]   Como ponen de relieve los Profesores GONZÁLEZ GARCÍA, J. y ZAMBONINO PULITO, E. "El Derecho de costas...", *op. cit.*, p. 97, según la STC 149/1991, de 4 de julio, la protección de las costas es, en esencia, protección del ambiente, cuya competencia está compartida entre el Estado (art. 149.1.23 CE) y las CCAA. En todo caso, dicha competencia estatal le habilita para regular los aspectos generales de protección del medio ambiente en el dominio público marítimo-terrestre y también para incorporar medidas de protección indirecta, como ocurre con la servidumbre de protección y la zona de influencia.

[77]   De conformidad con lo declarado por la STC 149/1991, de 4 de julio, *"el legislador estatal no sólo está facultado, sino obligado a proteger el demanio marítimo-terrestre, a fin de asegurar tanto el mantenimiento de su integridad física o jurídica, como su uso público y sus intereses paisajísticos"* (Fundamento Jurídico 1, D). Y es que, como acertadamente señala HORGUÉ BAENA, C., "Costas", en *Fundamentos...*, p. 1524, *"la Ley de Costas (se refería a la de 1988) puede calificarse como una Ley medioambiental, en la que la preocupación por la naturaleza vertebra todo su contenido, al asumir que España es uno de los países del mundo donde la costa está más gravemente amenazada"*. Como ya pusiera de relieve, en su momento, CALERO RODRÍGUEZ, J. R., en *Régimen jurídico de las costas españolas*, Pamplona, Aranzadi, 1995, pp. 77 y ss., el criterio de protección ambiental está presente en diversas determinaciones de la Ley, por ejemplo, en la regulación de las servidumbres, así como en la delimitación y limitación de los derechos sobre los inmuebles próximos al dominio público marítimo-terrestre, en la regulación de los usos y en el sistema sancionador, etc.

[78]   De hecho, el Informe de la Agencia de Evaluación y Calidad del año 2012, sobre el impacto de la Directiva Marco de Agua y de Estrategia Marina, la considera una Ley protectora. A este respecto, afirma que dicha Ley garantiza la protección del dominio público marítimo-terrestre, aunque de forma insuficiente en cuanto a estrategia en protección de zonas costeras (en referencia a la GIZC).

conservacionista y de blindaje del dominio público marítimo-terrestre, lo que, por otro lado, se comprende y se justifica por el momento en el que aquélla surgió.

Por su parte, el legislador estatal de 2013 se aparta de dicha concepción. De hecho, como ya anunciamos, consciente o inconscientemente, le da un nuevo Título a la Ley, distinguiendo ambas normas, queriendo remarcar los dos ejes, *"Protección y uso sostenible del litoral"*, alrededor de los cuales se vertebra la nueva regulación que ahora se pone en marcha.

De una parte, en su Exposición de Motivos insiste en *"el valor ambiental de la costa"*, que *"es connatural a ella, destacando su riqueza y diversidad biológica"*[79]. Si bien, el hecho de la propia ubicación de tales bienes *"franja de terreno en la que se encuentra el mar con la tierra"*, así como la enorme presión de usos que han venido soportando, desde hace más de dos décadas, los convierte en recursos frágiles, escasos y de difícil recuperación, lo que exige una intervención activa y continua, a fin de protegerlos[80]. En consecuencia, *"la protección de la costa constituye un deber inexcusable para los poderes públicos, y también para los ciudadanos y la sociedad en general"* (Preámbulo de la Ley). Sin duda, esa es una de las claves de la mencionada ecuación para lograr un desarrollo sostenible del litoral.

Sin embargo, de la otra, tampoco puede olvidarse que la costa española también se caracteriza porque sobre ella se asienta una parte importante de la actividad económica, por ejemplo, la turística o la relacionada con los cultivos marinos, entre muchas otras, lo que hace que sea un recurso estratégico de crucial importancia para el desarrollo de nuestro país. De ahí que el legislador estatal de 2013 insista en que, en pleno siglo XXI, no

---

[79] El litoral español alberga una gran variedad de ambientes climáticos, marinos, geológicos y sedimentarios a lo largo de los más de 8.000 kilómetros de costa. La gran variedad y singularidad de los ecosistemas que confluyen en este ámbito abarcan valores naturales, paisajísticos y socioeconómicos muy importantes. En el conjunto de la costa española hay espacios de gran valor ecológico, cultural, social y económico. Vid. sobre este particular, AFONSO, C. "Estrategia para la sostenibilidad de la costa. Nuevo modelo de gestión de la franja costera.", en Ambienta, 2007, pp. 20 y ss.

[80] Desde hace ya varias décadas la franja costera viene soportando una enorme presión de usos y ocupación. El litoral español se halla densamente poblado (población local y visitantes) y altamente ocupado (intensidad de usos). A todo lo anterior, hay que sumar los efectos del cambio climático. A este respecto, el Preámbulo de la nueva Ley 2/2013 declara, por ejemplo, lo siguiente: *"nuestro litoral se caracteriza por ser una de las zonas más densamente pobladas, en las que se concentra buena parte de la actividad turística y de la relacionada con los cultivos marinos, lo que hace que sea un recurso estratégico de crucial importancia para el país"*.

sólo es necesario prever en la Legislación de costas la protección de los valores ambientales de estos espacios costeros, sino que, además y en virtud del citado artículo 45 de la CE, también es responsabilidad del Estado regular y favorecer, en la práctica, una utilización racional de los recursos naturales que lo integran, con el fin de proteger y mejorar la calidad de vida y defender y restaurar el medio ambiente costero, a través de su gestión integrada[81]. La Exposición de Motivos de la recientemente aprobada Ley 2/2013 insiste en esta idea, al declarar lo siguiente:

> *"El reto que hoy debe encarar nuestra legislación de Costas es **conseguir un equilibrio entre un alto nivel de protección y una actividad respetuosa con el medio: El desarrollo sostenible se alimenta de la relación recíproca entre la actividad económica y la calidad ambiental**. Un litoral que se mantenga bien conservado contribuye al desarrollo económico y los beneficios de este redundan, a su vez, en la mejora medioambiental. **No se trata de una disyuntiva que nos obligue a emprender una dirección y abandonar la otra, sino todo lo contrario, el camino es único"**.*

A tal fin, la nueva Ley *"pretende sentar las bases de un uso del litoral que sea sostenible en el tiempo y respetuoso con la protección medio ambiental"*. Así las cosas, con carácter general, mantiene el completo cuadro de instrumentos de protección recogido en la LC de 1988, modificándolo puntualmente e incorporando, con carácter *"ex novo"*, toda una serie de previsiones que, según reza su Preámbulo, quieren *"refortalecer los mecanismos de protección, tanto en su vertiente preventiva, como defensiva"*.

A mero título de ejemplo, con carácter preventivo, dicha norma modifica la regulación del deslinde, en los términos que luego se dirán y a los que aquí nos remitimos para evitar reiteraciones innecesarias. Asimismo, prevé la posibilidad de que la Administración pueda declarar determinados tramos del litoral *"en situación de regresión grave"*, por riesgo de inundación u otras causas naturales, pudiendo limitar o denegar su ocupación en tales casos, en los términos establecidos en el artículo 13 ter., así como también realizar actuaciones de protección, conservación o restauración en tales espacios. Por lo que se refiere al régimen de ocupación y uso de las playas, distingue entre playas urbanas (contiguas a suelos urbanizados) y playas naturales (contiguas a espacios protegidos o suelo rural), estableciendo que, por vía reglamentaria, se establecerá un régimen diferenciado de

---

[81]   Vid., sobre este particular, el Informe sobre *"Gestión Integrada de Zonas Costeras en España"*, emitido para cumplir lo establecido en la Recomendación 2002/413/CE, de 2002 (Capítulo VII, 1) en el que, como uno de los objetivos estratégicos, propone el *"desarrollo sostenible"*: *"Mejorar las condiciones ambientales, económicas y sociales de la zona costera y el uso de sus recursos bajo los principios del desarrollo sostenible"*.

usos, fijando un nivel de protección mayor y de restricción de la ocupación en estas últimas (art. 33.6)[82]. Además, en relación con las actividades, proyectos, obras, etc., recoge toda una serie de medidas de control administrativo ambiental y de evaluación de los posibles efectos del cambio climático (arts. 44.2, 76, etc.). Asimismo, también incorpora ese tipo de medidas, por ejemplo, al regular la prórroga de las concesiones existentes, las cuales quedarán sometidas a un informe ambiental que determinará los efectos de dicha ocupación sobre el medio ambiente, pudiendo explicitar, en los casos en que proceda, las condiciones que sean precisas para garantizar la correcta protección del dominio público marítimo-terrestre. Además, con esta misma finalidad, la Ley introduce criterios de eficiencia energética y ahorro en las obras de reparación, mejora, consolidación y modernización que se permiten realizar en los inmuebles que ocupan el dominio público, así como en los situados en la zona de servidumbre de protección (Disposición Transitoria Cuarta, apartado 3). Ya como mecanismo reactivo y como mero botón de muestra, la citada norma regula, por ejemplo, la posibilidad de que la Administración General del Estado pueda suspender en vía administrativa los actos y acuerdos adoptados por las Entidades locales que afecten a la integridad del dominio público marítimo-terrestre o de la servidumbre de protección (art. 119.2); se trata de la conocida *"cláusula anti-algarróbico"*. Tal como declara el Preámbulo de la Ley 2/2013: *"se trata de posibilitar una actuación cautelar rápida y eficaz que evite la ejecución de un acto ilegal, sin perjuicio de que en el plazo de diez días deba recurrirse el mismo ante los Tribunales de lo Contencioso-Administrativo"*[83].

---

[82]   Dicha previsión legal resulta, en principio, criticable, porque, al igual que sucede en muchos otros preceptos, la Ley se remite al futuro Reglamento, que será quien regule estos usos, sin prever siquiera cuáles van a ser las bases de ese sistema de utilización o de protección que anuncia en dicho precepto.

[83]   Esa disposición legal ya ha sido cuestionada, entre otros, por el Gobierno de Canarias, al entender que dicha norma supondría una clara vulneración del principio de autonomía local. Y ello porque la capacidad para anular decisiones municipales corresponde, exclusivamente, a los Tribunales de Justicia, por lo que se estaría otorgando a la Delegación del Gobierno un poder de decisión y control sobre la autonomía municipal que vulneraría el actual reparto competencial. En la misma línea se manifiesta también el Gobierno andaluz, quien, además, considera que la Ley es ambigua en este punto, al no señalar si dicha posibilidad de suspensión es frente a cualquier tipo de acto o sólo en los casos de que revista especial gravedad, porque, de no ser así, se estaría habilitando a la Delegación del Gobierno a suspender, por nimia que fuera, cualquier actuación municipal que afectara a la integridad del dominio público marítimo-terrestre. En última instancia, el Gobierno andaluz recuerda que es suya la competencia para hacer frente a los acuerdos locales sobre la servidumbre de protección, salvo en supuestos excepcionales.

Con todo, esta nueva opción del legislador estatal de 2013 ya ha suscitado algunas críticas por parte de quienes sostienen que dicha Ley economiza la costa, sacrificando su protección para obtener un rendimiento económico, cuando, en todo caso, lo que debe prevalecer es la protección del medio ambiente consagrada a nivel constitucional[84]. En este sentido, se centran, por ejemplo, en las nuevas definiciones de la zona marítimo-terrestre y de las playas, y, dentro de esta última, en particular, de las dunas; en la exclusión de los terrenos artificialmente inundados con destino a cultivos marinos o salinas; o en la regulación de las urbanizaciones marítimo-terrestres; etc., al entender que la nueva norma introduce ambigüedad e inseguridad jurídica en tales definiciones y, por ende, en la protección definida por la Ley de Costas para los bienes de naturaleza pública, favoreciendo la privatización del espacio litoral, limitando el uso público y reduciendo el papel garantista de la Administración.

Frente a lo cual hay que decir que, *prima facie*, tales definiciones legales no son, desde luego, más ambiguas que las contenidas en la LC de 1988, las cuales tuvieron que ser complementadas igualmente, en su momento, a través de diversos criterios técnicos desarrollados por vía reglamentaria (RC de 1989). El carácter abstracto y ambiguo de aquéllas, así como la problemática que ha suscitado su aplicación práctica durante estos 25 años de aplicación de la LC de 1988, es un dato constatado en estas páginas. En todo caso y, como ya hemos declarado insistentemente, la demanialización de tales bienes no es la única vía para regular y limitar o excluir, en su caso, los usos no deseados sobre estos espacios y/o para lograr su efectiva protección, pudiendo arbitrarse por las CCAA y Municipios los mecanismo necesarios para lograr dicho objetivos, a través de los correspondientes instrumentos de ordenación territorial y urbanísticos, que deberán tomar como referencia, en todo caso, las disposiciones de la LC.

Consiguientemente, a la vista de todo lo anterior, será el paso del tiempo el que determine si la aplicación de estas y otras previsiones legales, que ahora se introducen con carácter *"ex novo"* por la Ley 2/2013, han sido o no suficientes para alcanzar los objetivos propuestos.

De hecho, esto es, precisamente, lo que ha sucedido con su predecesora, de 1988, porque, pese a su filosofía eminentemente conservacionista,

---

[84]   Así, por ejemplo, en opinión del Gobierno andaluz, que ha autorizado la interposición de un recurso ante el TC contra la Ley 2/2013, esta norma supone un ataque frontal a la protección del dominio público marítimo-terrestre, así como a las competencias autonómicas en ordenación del territorio y urbanismo.

que inspira y preside todo su articulado, lo cierto es que la interpretación y aplicación que de ella se ha hecho, durante estos 25 años, no ha sido suficiente, por sí sola, para conseguir la protección integral del litoral y su utilización sostenible[85]. Nos referimos, por ejemplo, al hecho de que, pese a la ampliación del dominio público marítimo-terrestre llevada a cabo, el proceso de deterioro físico y ambiental de la costa ha seguido avanzando; a que el modelo de gestión puesto en marcha por nuestras Administraciones, en las últimas décadas, ha sido muchas veces insostenible, como lo demuestra, por ejemplo, el que se haya permitido incrementar la artificialidad de la costa a lo largo de estos años (con la creación de nuevas playas artificiales, la construcción de muelles deportivos, de diques, etc.); a que no se ha logrado disminuir la presión urbanística en el litoral, permaneciendo ocupado en su mayoría con edificaciones, infraestructuras e instalaciones de todo tipo, en primera línea o cerca del mar, lo que ha impedido la regular interacción tierra mar, causando consecuentemente su regresión[86]; a que no se ha sabido dar una respuesta adecuada y justa a esos titulares de derechos adquiridos legítimamente con anterioridad a la entrada en vigor de aquélla, generando una enorme inseguridad jurídica en la práctica; o a que no ha logrado una adecuada cooperación y coordinación entre las diversas Administraciones públicas concurrentes en estos espacios, superando visiones sectoriales, lo que ha obstaculizado e/o impedido la toma de decisiones y puesta en marcha de determinadas actuaciones de gestión integrada; y, en última instancia, a que, frente a los efectos del cambio climático, haya faltado una adecuada planificación que se incorporase, con

---

[85] Y es que una cosa es que la LC de 1988 haya previsto todo este completo cuadro de instrumentos de protección (mérito que, de ningún modo, puede negársele) y otra muy distinta cómo éstos se han llevado a la práctica por las Administraciones públicas. De hecho, los conflictos generados por algunos de ellos han demorado en el tiempo o impedido, en algunos casos, que se cumplan los fines esenciales de la norma.

[86] Como se reseña en el citado Preámbulo de la Ley 2/2013, ello se debe, entre otras razones, *"al hecho de que el legislador estatal de 1988 optó porque los efectos de sus disposiciones, que introducían notables cambios en relación con el régimen anterior, no fuesen inmediatos sino que se demorasen en el tiempo"* (tal es el caso, por ejemplo, de las concesiones administrativas de 30 años renovables por otros 30 en las que se tradujeron los derechos de propiedad existentes en el dominio público marítimo-terrestre). Entre tanto, sigue diciendo: *"en atención a ese horizonte temporal declinante, la aplicación de la norma ha dado lugar a una litigiosidad crónica. Y en no pocos supuestos, ni siquiera ha llegado a aplicarse"*. En resumen, según la opinión del legislador estatal de 2013, *"tanto la aplicación conflictiva como la inaplicación o incluso la impotencia para imponerse sobre realidades sociales consolidadas"* son la prueba de que aquella concepción de la LC de 1988 debe ser corregida.

carácter permanente, en los instrumentos de ordenación y planificación del litoral, etc.

A la vista de todo lo anterior, resulta necesario dar un paso más y analizar, sintéticamente, los diversos instrumentos de protección contenidos en la LC de 1988 y, en particular, las modificaciones que en algunos ellos ha introducido la nueva Ley 2/2013.

2. *La Ley de Costas y su regulación de los instrumentos de protección*

Como ya se ha indicado, la LC de 1988 y, ahora, la Ley 2/2013 se autodefinen como normas eminentemente proteccionistas y, efectivamente, ambas lo son, si tomamos en consideración que, para asegurar esa indisponibilidad del dominio público marítimo-terrestre[87], regulan un completo cuadro de instrumentos ya existentes, con carácter general, pero quizás adaptados a este sector demanial específico, para salvaguardar la integridad y proteger el dominio público marítimo-terrestre. Entre las potestades otorgadas a la Administración del Estado hay que mencionar, por ejemplo, las siguientes: **1)** La facultad de investigación de la situación de los bienes y derechos que se presuman pertenecientes al dominio público marítimo-terrestre —que se configura como un derecho/deber de la Administración del Estado—, y que puede ser promovida no sólo de oficio, sino también a instancia de *"cualquier persona"*, a la que se notificará en su caso la incoación del expediente; **2)** La recuperación posesoria, de oficio y en cualquier tiempo —dada la imprescriptibilidad del dominio público—, de dichos bienes (SSTS de 5 de octubre de 2001 —Ar. 2002/6085— y 9 de junio de 2003 —Ar. 5550—), siempre que concurran dos requisitos fundamentales: que se demuestre que los bienes usurpados son, efectivamente, de dominio público, lo que se hace principalmente a través de la realización del deslinde[88], y que exista una prueba completa y acabada de que el uso público ha sido obstaculizado por la persona contra la que se dirige

---

[87] El término indisponibilidad comprende la trilogía clásica de las reglas de protección del dominio público: inalienabilidad, imprescriptibilidad e inembargabilidad, que aparecen recogidas por vez primera en el artículo 132.2 de la CE, dotándolas de validez ordenadora de carácter general y configurándolas como *"contenido mínimo"* del régimen jurídico de estos bienes y como instrumentos idóneos para su protección.

[88] De conformidad con el artículo 16.2 RC, cuando no exista deslinde, sólo podrá referirse a porciones de la ribera del mar o de este último, respecto de las que pueda acreditarse de forma plena e indubitada su carácter demanial.

la potestad recuperatoria[89]; **3)** La prohibición de interdictos[90] contra las resoluciones dictadas por la Administración, siempre que esta actúe en el ámbito de sus competencias y respete el procedimiento legalmente establecido, esto es, sin incurrir en *"vía de hecho"*; **4)** El desahucio administrativo[91]; **5)** La publicidad posesoria, en el sentido de que la inscripción juega aquí como un *"plus"*, en orden a su mejor y eficaz protección, respecto a lo cual, la Ley 2/2013 viene a establecerla ahora con carácter obligatorio en el artículo 11.2[92], para reforzar la protección del litoral; **6)** Los inventarios y catálogos; **7) y**, en última instancia, el completísimo régimen sancionador, que se regula en el Título V de la LC de 1988[93], cuyos preceptos han sido objeto de diversas modificaciones por la Ley 2/2013, dando nueva redacción al pormenorizado cuadro de infracciones (arts. 90 y 91) y sanciones (art. 97) que contiene, modificando los plazos de prescripción (art. 92, en relación con el 95.1), regulando de manera más completa el concurso de

---

[89]   Esta doble exigencia ha sido reiterada, entre muchas otras, por las SSTS de 4 y 28 de mayo de 1998 (Ar. 5097 y 4200), y 23 de marzo y 7 de octubre de 1999 ("El Derecho" 10360 y 32336, respectivamente).

[90]   Téngase en cuenta, al respecto, que las situaciones del pasado que permitían accionar contra las *"vías de hecho"* en la jurisdicción civil ya están superadas en favor del orden contencioso-administrativo, en virtud de lo dispuesto en el artículo 25.2 de la Ley 29/1998, de 13 de julio, reguladora de dicha jurisdicción.

[91]   A diferencia de la recuperación posesoria, que se lleva a cabo cuando se ha producido una usurpación por un particular o una actividad de *"inquietación"* de la pacífica *"posesión administrativa"* del demanio, sin título legítimo, procederá el desahucio administrativo cuando lo que se pretende es liberar el bien de la posesión de alguien que la venía ostentando legítimamente, pero cuyo título (autorización, concesión, etc.) devino en un momento determinado indebido o insuficiente.

[92]   A tal efecto, dicho precepto establece: *"Practicado el deslinde, la Administración del Estado deberá inscribir los bienes de dominio público marítimo-terrestre, de acuerdo con la Ley 33/2003, de 3 de noviembre de Patrimonio de las Administraciones Públicas"*. Y es que el Preámbulo de la Ley 2/2013 dice: *"se sigue así el criterio general establecido por la Ley de Patrimonio de las Administraciones Públicas, con el propósito de lograr la concordancia entre la realidad física de la costa y el Registro de la Propiedad"*, en garantía del principio de seguridad jurídica.

[93]   En todo caso, la competencia para conocer de estas infracciones e imponer la sanción correspondiente pertenece a la Administración del Estado, salvo que aquéllas se produzcan en la zona de servidumbre de protección, en cuyo caso sería de aplicación la siguiente doctrina del TC: *"...siendo las Comunidades Autónomas litorales las competentes para ejecutar las normas sobre protección del medio ambiente, habrán de ser ellas, en principio, las encargadas de perseguir y sancionar las faltas cometidas en la zona de servidumbre de protección e influencia, aunque pueda serlo también directamente el Estado cuando la conducta infractora atente contra la integridad del demanio o el mantenimiento de las servidumbres de tránsito y acceso que garantizan el libre uso..."* (SSTC 149/1991 y 198/1991). En igual sentido se pronuncian, entre otras, las SSTS de 10 de junio y 16 de julio, de 2002 (Ar. 2002/8606 y 2003/2321).

infracciones (art. 94.2), simplificando la atribución de las competencias sancionadoras (art. 99), así como, finalmente, incluyendo, con carácter *"ex novo"*, la conocida *"cláusula anti-algarróbico"* (art. 119.29)[94].

Con todo, la LC de 1988 situó al deslinde como instrumento estrella de todo este sistema de protección que aquí se ha descrito[95]; si bien, además, como medidas adicionales de protección, instauró toda una serie de limitaciones y servidumbres sobre los terrenos de propiedad particular colindantes con el dominio público marítimo-terrestre. No obstante, dada la relevancia práctica de uno y otro tipo de medidas, hemos creído conveniente dedicarles sendos apartados para exponer, siquiera brevemente, su régimen jurídico, contenido en la LC de 1988, así como la problemática que éste plantea, todo ello a la luz de las diversas modificaciones recientemente introducidas por la tantas veces citada Ley 2/2013.

En última instancia, reiteramos que, pese a lo completo que puede resultar este cuadro de instrumentos de protección de la LC de 1988, ratificado mayormente ahora por Ley 2/2013, al final y a la postre su eficacia dependerá de su adecuada gestión, siendo necesario para ello que efectivamente se realice un diagnóstico global del litoral y, consiguientemente, una planificación de la franja costera integrada con el resto del territorio, así como que se dote a la Administración competente de los medios económicos, técnicos y humanos suficientes para llevarlos a cabo, pues, en caso contrario, estaríamos una vez más ante una declaración de buenas

---

94   Concretamente, la Ley 2/2013 prevé la posibilidad de que, a instancia del Ministro de Agricultura, Alimentación y Medio Ambiente, y de acuerdo con el procedimiento previsto en el artículo 67 de la Ley 7/1985, de 2 de abril, reguladora de las Bases del Régimen Local (LRBRL, en adelante), el Delegado del Gobierno pueda suspender los actos y acuerdos adoptados por las entidades locales que afecten a la integridad del dominio público marítimo terrestre o de la servidumbre de protección o que supongan una infracción manifiesta de lo dispuesto en el artículo 25 de la Ley (esto es, que se trate de construcciones y actividades prohibidas en tales servidumbres). Dicha *"cláusula anti-Algarrobico"* es conocida así, porque con ella el legislador estatal de 2013 intenta evitar construcciones en el dominio público marítimo-terrestre, como la del hotel edificado en el Parque Natural de Cabo de Gata (Almería) que ha sido declarado ilegal por el TS.

95   En claro contraste con la escasa atención que las disposiciones legales vigentes, hasta la entrada en vigor de dicha LC de 1988, habían prestado al deslinde del dominio público marítimo-terrestre, el legislador estatal de 1988 introdujo por vez primera una completa regulación de este instrumento, al que configura como mecanismo delimitador y definidor del demanio marítimo-terrestre (artículo 11), y como elemento clave, me atrevo a decir que el principal, para lograr el "desideratum" legal de protección y defensa del litoral.

intenciones, sin mayores efectos para la protección del litoral, tal como tristemente ha ocurrido muchas veces en la práctica, durante estos 25 años de vigencia de la LC de 1988.

V. EN PARTICULAR, EL DESLINDE ADMINISTRATIVO

1. *La regulación del deslinde en la LC de 1988, como elemento clave para la delimitación del demanio costero y para su protección, a la luz de las modificaciones introducidas por la Ley 2/2013. Problemática que plantea*

Ya en relación con la figura del deslinde, hay que decir que tanto la LC de 1988, como ahora la Ley 2/2013, lo configuran como instrumento clave para la protección del litoral, pero también —añadimos nosotros— para lograr su gestión sostenible. La relevancia de este instrumento se comprende, porque de nada serviría definir en la Ley el dominio público marítimo-terrestre (de manera amplia o restrictiva, tal como se ha visto) si, acto seguido, la Administración estatal no procediera a deslindarlo, esto es, a identificar o concretar sobre cada tramo del territorio litoral las características físicas que se describen en las definiciones legales abstractas e imprecisas de los artículos 3, 4 y 5 de la LC de 1988. Concretamente, el artículo 11.1 señala[96]:

> *"Para la determinación del dominio público marítimo-terrestre se practicarán por la Administración del Estado los oportunos deslindes, atendiéndose a las características de los bienes que lo integran, conforme a lo dispuesto en los artículos 3, 4 y 5 de la presente Ley"*[97].

Precisamente, es en el momento de su realización cuando surge el verdadero conflicto entre los que defienden sus legítimos intereses y la Admi-

---

[96] Según la nueva redacción dada por la tantas veces citada Ley 2/2013, el párrafo único del artículo 11 de la LC de 1988 pasa a ser el apartado 1 y se introduce un nuevo apartado 2, al que ya hicimos referencia y en el que se preveía que, una vez practicado el deslinde, la Administración estatal debía proceder a inscribir los bienes de dominio público marítimo-terrestre.

[97] Consiguientemente, a tenor de dicho precepto legal, la justificación de esa potestad no es otra que la de determinar los límites del demanio costero, incluyendo en dicha categoría todos aquellos bienes que por naturaleza o determinación legal tengan dicha consideración (SSTS de 25 de enero, 21 de junio, 19 y 28 de julio, 6 de septiembre y 28 de diciembre de 2005).

nistración del Estado llamada a procurar la defensa y ampliación a ultranza del dominio público marítimo-terrestre, tal como le impone la LC de 1988.

Ahora bien, el problema que, inicialmente, plantean las modificaciones introducidas por la Ley 2/2013 en la delimitación de algunos de los bienes de dominio público marítimo-terrestre, a las que anteriormente ya hicimos una sucinta referencia, es que, pese a estar ya prácticamente deslindado todo el litoral español, habrá que volver a realizar nuevos deslindes en determinados tramos, revisando los existentes, para adaptarlos a la nueva configuración legal. Y ello porque, sin duda, la aplicación de las nuevas definiciones legales (particularmente, como hemos visto, de la zona marítimo-terrestre y de la playa) conllevará la exclusión de diversas dependencias del demanio costero, alterando su situación actual (tal es el caso, por ejemplo, de las dunas, marismas y salinas, en las que concurran los criterios recogidos en la Ley). A este respecto, el nuevo artículo 13.bis, en su apartado 1, prevé que se revisen los deslindes *"cuando se altere la configuración del dominio público marítimo-terrestre"*; obligación ésta que reitera la Disposición Adicional Segunda, al señalar que *"la Administración General del Estado deberá proceder a iniciar la revisión de los deslindes ya ejecutados y que se vean afectados como consecuencia de la aprobación de la presente Ley"*.

No obstante, debemos añadir que dicha posibilidad de revisión de los deslindes tampoco es realmente novedosa, porque la LC de 1988 ya la preveía en su artículo 12.6 (que ahora suprime la Ley 2/2013), *"cuando por cualquier causa se altere la configuración del dominio público marítimo-terrestre"*; previsión legal que, posteriormente, han ratificado numerosas sentencias, en las que se han ido concretando los diversos supuestos en que debe procederse a su revisión, por ejemplo, cuando el efectuado resulte incompleto; cuando se altera la configuración del demanio y, también, cuando no se haya hecho constar la localización de las servidumbres impuestas a los terrenos colindantes (STS de 29 de marzo de 2012, Sala de lo Contencioso, Ar. 5617); o cuando falte uno previo en el tramo de que se trate (Disposición Transitoria Tercera del RC de 1989). De cualquier modo, la existencia de deslindes previos no imposibilita la realización de otros posteriores si aquéllos resultan incorrectos, incompletos o inexactos (SSAN de 27 de enero de 2011 —dos— Ar. 52231 y Ar. 52229). Cualquiera de estas circunstancias es justificación suficiente para poner en marcha un expediente destinado a delimitar los bienes costeros, sin que se requiera motivación adicional (SAN de 3 de febrero de 2011, Ar. 58365).

Con todo, lo realmente relevante de esas modificaciones introducidas por la Ley 2/2013 en el régimen jurídico del deslinde es que, como así ha sucedido en el pasado, la práctica y posterior aprobación de esos futuros deslindes generará nuevas tensiones y litigios por los importantes efectos que dicho acto administrativo lleva aparejado, a los que luego nos referiremos con mayor detalle, lo que volverá a dilatar en el tiempo la implantación definitiva de un sistema de protección y gestión sostenible del litoral español.

En efecto, el deslinde del dominio público marítimo-terrestre ha sido y es una materia sumamente conflictiva que, tanto en el pasado como con mayor frecuencia en nuestros días, ha generado una interminable lista de litigios, particularmente, sobre los efectos que dicha LC le anuda en relación con los enclaves privados[98].

2. *Procedimiento*

De entrada, es importante tener en cuenta que, en la medida en que se trata de un procedimiento administrativo, la realización del deslinde deberá acomodarse a las determinaciones generales contenidas en la LRJ-PAC[99], así como también a las previsiones específicas recogidas en la LC de 1988, cuya norma supuso entonces un notable avance en este aspecto concreto, al ser la primera Ley reguladora del dominio público marítimo-terrestre que llevó a cabo una regulación pormenorizada del procedimiento de deslinde, particularmente, en sus artículos 12 y ss., concretándose ésta, todavía más, en su Reglamento de 1989[100].

---

[98]   Debe tenerse en cuenta, no obstante, que pese a constituir una de sus más importantes manifestaciones, este carácter fundamental del acto de deslinde no sólo se refleja en esta materia de enclaves privados. Como luego se dirá, la localización de las zonas de servidumbres legales está sujeta, en todo caso, a la previa delimitación del demanio costero y, concretamente, de la ribera del mar, a partir de la cual comienzan a contarse, por lo que difícilmente podrán establecerse aquéllas si antes no se delimita el litoral de conformidad con la LC. Igualmente, esta idea se puede trasladar a otras cuestiones concretas, tales como la configuración de los usos legales permitidos en el dominio público marítimo-terrestre y en su zona de servidumbre de protección (así, un claro ejemplo de la importancia de este instrumento lo encontramos en la Disposición Transitoria Séptima de la LC de 1988 que, en materia de usos, viene a condicionar las autorizaciones para ejecución de *"las obras, instalaciones o actividades en la zona de servidumbre de protección"* a la *"aprobación previa o simultánea del deslinde, que se tramitará con carácter preferente"*. Esta misma regla se exige también para la ocupación de los terrenos de dominio público e igualmente en el caso de obras a realizar por las Administraciones públicas en tales zonas; en materia de sanciones; etc.

[99]   El artículo 1 de la LRJ-PAC, en cumplimiento de lo dispuesto en el artículo 149.1, 18 de la CE, establece que el procedimiento administrativo que contiene es común a todas las Administraciones públicas y, por tanto, aplicable a todas ellas.

[100] El RC de 1989 desarrolló dicho precepto en el Capítulo III, Sección 2ª, particularmente en los artículos del 20 al 27, ambos inclusive, donde se detalla minuciosamente

Ahora bien, dicho esto hay que reconocer, también, que esta materia del procedimiento no ha sido, precisamente, la que ha generado los mayores conflictos al practicar el deslinde. No obstante lo cual, las diversas modificaciones introducidas en dicho procedimiento por la recientemente aprobada Ley 2/2013 merecen algunos breves comentarios. Así las cosas, con carácter general, dicha norma viene a modificar los artículos 11, 12.2 y 4 (suprimiendo su apartado 6), y el 13.2; así como a introducir un nuevo artículo 13 bis y 13 ter. Tales modificaciones inciden en dos cuestiones principales: asegurar la publicidad, y una amplia participación en el procedimiento de deslinde.

Por lo que se refiere a la publicidad, para lograr que *"los ciudadanos, en general, y los adquirentes, en particular, dispongan de la información exacta sobre los terrenos que están en dominio público o que pueden pasar a formar parte de él"*, el legislador estatal de 2013 modifica diversos preceptos de la LC de 1988. Así sucede, por ejemplo, con el artículo 11.2, en relación con la Disposición Transitoria Cuarta, estableciendo ahora la obligación de la Administración del Estado de inscribir los bienes de dominio público marítimo-terrestre ya deslindados, otorgándole para ello un plazo de dos años, contados a partir de su entrada en vigor. Hay que decir que dicha previsión legal no es realmente novedosa, porque ya se contenía en la LC de 1988, si bien con carácter voluntario, es decir, cuando la Administración *"lo estime conveniente"*. Por su parte, para garantizar, igualmente, dicha publicidad, en relación con los nuevos deslindes, el artículo 12.4 prevé que se notifique al Registro de la Propiedad el acuerdo de incoación del expediente de deslinde, acompañado del plano del área afectada por el mismo y de la relación de propietarios afectados, para que se emita la correspondiente certificación de dominio y cargas de las fincas inscritas a nombre de los titulares, así como para que quede constancia de la incoación del expediente de deslinde en el folio de cada una de ellas. Además, con carácter simultáneo a la expedición de la citada certificación, el Registrador de la Propiedad deberá extender anotación marginal en el folio de la finca, en la que queden reflejadas las anteriores circunstancias, así como la advertencia de que las mismas pueden quedar afectadas por el deslinde, pudiendo incorporarse, en todo o en parte, al dominio público marítimo-terrestre o quedar incluidas total o parcialmente en la zona de servidumbre de protección. De este modo, se intenta solventar los graves problemas de inseguridad jurídica generados

---

cada uno de los trámites del procedimiento de deslinde. Dicho procedimiento vuelve a detallarse ahora en el Proyecto de Reglamento de la Ley de Costas 2/2013, en sus artículos 19 y ss.

durante estos años de vigencia de la LC de 1988, en los que, pese a que es cierto que en muchos casos sí existían tales inscripciones registrales, en cambio en otros ha habido una clara descoordinación y/o falta de correspondencia entre la realidad y el Registro de la Propiedad.

En última instancia, la Ley 2/2013 no circunscribe la publicidad sólo al Registro de la Propiedad, sino que, en virtud de una nueva Disposición Adicional Primera, ordena que se publiquen las líneas de deslinde en la web del Ministerio de Agricultura, Alimentación y Medio Ambiente (proyecto que está en marcha y que, en su primera fase, permite ya acceder a los deslindes de Granada, Islas Baleares, Lugo y Tarragona).

En otro orden de cosas, por lo que se refiere a la participación, y en virtud del principio de contradicción que rige cualquier actuación procedimental[101], el artículo 12.2 de la Ley 2/2013 reitera la regulación contenida en la LC de 1988, al prever que en el citado procedimiento sean oídos los propietarios colindantes, previa notificación, y demás personas que acrediten su condición de interesados[102], si bien, en relación a la Comunidad Autónoma y Ayuntamiento, especifica que éstos tendrán que ser oídos a través de la emisión de un informe, que deberá ser emitido en el plazo de un mes[103]; previsión esta última que, por lo demás, tampoco es realmente novedosa, pues ya se contenía en el artículo 22 del RC de 1989.

En otro orden de cosas, dicho artículo 12.2 exige, además, que se garantice *"la adecuada coordinación entre los planos topográficos empleados en la tramitación del procedimiento y la cartografía catastral"*.

Por lo demás, de conformidad con la regulación que ya se contenía en la LC de 1988 y en su Reglamento de 1989, la Orden Ministerial que

---

[101] STS de la Sala 3ª, de 7 de julio de 2003 (Ar. 5920). Asimismo, esta participación es cumplimentada en los supuestos sobre los que versan las SSTS de 15 de junio y 5 de octubre de 2005 (Ar. 6681 y 7584).

[102] En todo caso, es importante tener en cuenta, también, que la providencia de incoación del expediente de deslinde implicará la suspensión del otorgamiento de concesiones y autorizaciones en el dominio público marítimo-terrestre y en su zona de servidumbre de protección, que será alzada una vez se resuelva aquél (artículo 12.5 de la LC); SSTS, de la Sala 3ª, de 6 de mayo de 2002 (Ar. 4245) y de 14 de marzo de 2005 (Ar. 4973).

[103] Asimismo, conforme declara dicho artículo 11.2: "Cuando el deslinde afecte al dominio público portuario estatal, se remitirá el expediente de deslinde, antes de su aprobación, al Ministerio de Fomento para que en el plazo de dos meses emita un informe sobre las materias que afecten a sus competencias. En caso de discrepancia entre ambos Ministerios sobre el deslinde del dominio público portuario, decidirá el Consejo de Ministros".

apruebe el deslinde debe ser única (art. 19.1 RC)[104] ¿Y qué quiere decir esto? Pues que se refiere a todas las pertenencias del dominio público marítimo-terrestre existentes en el tramo de costa de que se trate[105], debiendo reflejar sólo el límite interior de la última de las pertenencias, que será la única que tenga efectos jurídicos[106], sin perjuicio de que se puedan delimitar también los distintos bienes que lo integran. Además, se hará constar la localización de las servidumbres impuestas a los terrenos colindantes (artículo 26.1 RC).

Asimismo y a tenor de ese mismo precepto reglamentario, en el plano de deslinde se deberá fijar, también y en todo caso, el límite interior de la ribera del mar cuando éste no sea coincidente con el del dominio público, esto es, cuando existan otras dependencias del dominio público situadas por detrás. La razón estriba en que ese dato concreto es el que se toma como referencia para fijar la anchura (en función de la clasificación urbanística de los terrenos sobre los que recae) de las distintas servidumbres legales, así como de las demás limitaciones que la legislación de costas impone sobre los espacios colindantes con el dominio público marítimo-terrestre, que son ya de propiedad privada, y respecto de los que la Administración estatal tiene un ámbito de actuación mucho más reducido.

---

[104] Por lo que se refiere a los plazos, la inicial indeterminación de la LC de 1988, respecto a cuál debía ser el plazo que tenía la Administración para dictar resolución en el expediente de deslinde y notificarla a los interesados, fue resuelta, en su momento, por la Ley 53/2002, de 30 de diciembre, de Medidas fiscales, administrativas y del orden social, que, añadiendo un nuevo párrafo al artículo 12.1 de la LC de 1988, fijó un plazo de 24 meses para notificar la resolución de los procedimientos de deslinde que hubiesen sido iniciados a partir del 1 de enero de 2003.

[105] Así, ya no es posible deslindar sólo la zona marítimo-terrestre y no la playa, como se hacía en ocasiones con la Ley de Costas de 1969, sino que, en todo caso, el deslinde debe fijar el límite interior del dominio público marítimo-terrestre, de conformidad con las características de los bienes que lo integran. La línea de deslinde debe reflejar el límite interior de la última de las pertenencias, que será la única que tenga efectos jurídicos (esto es, será determinante para establecer el ámbito dentro del cual la Administración del Estado puede ejercitar legítimamente sus competencias de definición, defensa y protección), sin perjuicio de que se puedan delimitar también los distintos bienes que lo integran.

[106] El límite interior del dominio público marítimo-terrestre vendrá constituido, en unos casos, por la zona marítimo-terrestre (que existe siempre a lo largo de la costa), en otros tramos lo será el acantilado, mientras que si la costa es baja y arenosa o pedregosa, entonces por detrás de la zona marítimo-terrestre habrá un terreno que responderá a la definición de playa; e, incluso, puede ocurrir que el límite interior lo determinen terrenos que se han adquirido para su incorporación al dominio público o superficies que han sido aportadas por los concesionarios para completar el perímetro de la concesión, etc.

Consiguientemente, según lo expuesto, debe concluirse que es el acto de aprobación del deslinde el que traza, en cada tramo de nuestro litoral, la línea que separa el dominio público marítimo-terrestre del territorio colindante, mayormente de propiedad privada[107]; y ello con independencia de que sobre estos mismos espacios físicos concurran competencias de otras Administraciones (singularmente, las de ordenación territorial y urbanísticas que detentan las CCAA y los Municipios), que deberán coordinarse y cooperar en su ejercicio, según la dicción literal de la Ley. Además, su aprobación conlleva también, respecto de los bienes declarados demaniales, la puesta en marcha de toda una serie de mecanismos de protección medioambiental para su adecuada conservación y protección, así como el establecimiento de un régimen específico de usos; y, respecto de los espacios colindantes, todo un conjunto de limitaciones recogidas en la propia Ley, con una clara incidencia territorial y urbanística, a fin de preservar la integridad de las características naturales del dominio público marítimo-terrestre y conciliar éstas con un desarrollo responsable de la costa. Sin embargo, en última instancia y una vez más, la eficacia de unas y otras medidas dependerá de que se logre instaurar verdaderamente en la práctica un sistema de gestión integrada en el que participen todos los agentes implicados. No debe olvidarse que el territorio costero, llamado a proteger y gestionar, es sumamente amplio, tal como se deduce de la propia legislación de costas[108], y en él coexisten diversas competencias que, además, son ejercidas por distintas Administraciones, siendo particularmente necesario vincular en ese objetivo de defensa y gestión de la costa a la ordenación territorial y urbanística, en todo caso.

3. *Efectos del acto aprobatorio de deslinde*

La conflictividad que indudablemente provoca el acto de aprobación del deslinde se ha visto potenciada, sobre todo, por los importantes efectos

---

[107]   Como regla general y dada la naturaleza ejecutiva del acto administrativo de aprobación del deslinde, se produce un desplazamiento de la carga de accionar al particular, quién deberá probar que la Administración se ha equivocado al trazar la línea de deslinde y al calificar como dominio público terrenos que no reúnen las características físicas descritas en los referidos artículos 3, 4 y 5 de la LC. En esta línea se pronuncian, por ejemplo, las SSTS de la Sala 3ª, de 25 de noviembre, y de 18 y 30 de diciembre de 2003 (Ar. 8352, 9146 y 2004/72443).

[108]   En efecto, el litoral o la costa no viene conformado únicamente por los bienes declarados como de dominio público marítimo-terrestre, sino también y como mínimo por los terrenos que colindan con él sujetos a un régimen jurídico diferente.

que, en su momento, le otorgó la LC de 1988, siendo esta una de las materias donde se ha manifestado con mayor fuerza el carácter innovador y expansivo de dicha norma, en cuanto modificó, respecto de la legislación anterior, su propia naturaleza jurídica. En efecto, la LC de 1988 desconoció abiertamente el carácter tradicional de este acto, que aparecía configurado como de simple constatación de situaciones posesorias (de modo que, frente a titularidades registrales, todo lo más que podía hacer la Administración estatal para hacer suyos tales bienes era ejercitar las correspondientes acciones judiciales reivindicatoria o declarativa del dominio) y pasó a afirmar, de una parte, que el deslinde administrativamente aprobado no sólo declaraba la posesión sino también la titularidad dominical a favor del Estado, dando lugar al amojonamiento, lo que carecía de precedentes en el régimen legal de otros bienes de dominio público. Y, de la otra, que dicho acto administrativo prevalecía respecto de las situaciones jurídicas amparadas por el Registro de la Propiedad[109], siendo la resolución que lo aprobase título suficiente para que la Administración estatal pudiera rectificar, en la forma y condiciones establecidas reglamentariamente, las situaciones jurídicas registrales contradictorias con él y también para proceder a la inmatriculación de los bienes de dominio público; todo ello, claro está, sin perjuicio de las acciones que, en defensa de sus derechos, pudieran ejercitar los titulares registrales afectados, siendo susceptible de anotación preventiva la correspondiente reclamación judicial[110].

En líneas generales, la Ley 2/2013 mantiene dicha regulación, si bien introduce dos precisiones importantes, que hay que mencionar. La primera, relativa a los efectos que conlleva el acto de deslinde cuando, como consecuencia de la revisión de un deslinde anterior, determinados terrenos

---

[109]   STS de la Sala 3ª, de 16 de junio de 2003 (Ar. 5678).
[110]   Precisamente por ello, dado los importantes efectos que el deslinde produce respecto a los enclaves privados, es en el momento de su práctica cuando la Administración estatal, en aras de la mayor eficacia de este instrumento, debería llevar a cabo una interpretación flexible de las definiciones legales, siempre dentro de los límites socialmente reconocibles (y, muy en particular, fijar el casi siempre polémico y litigioso límite interior de las playas) y debiendo tener en cuenta, en todo caso, las características del tramo de costa de que se trate, y las circunstancias concurrentes en el mismo; sin que pareźca viable utilizar los mismos criterios para determinar el alcance del dominio público marítimo-terrestre en una zona urbanizada que en otra virgen y bien conservada. Es en estas últimas donde las previsiones de la LC de 1988 —entre las que se incluye como elemento principal el deslinde— deben extremarse al máximo, mientras que en las zonas urbanizadas se debería evitar una extensión abusiva de la franja costera, que multiplicaría los pleitos con las personas titulares de derechos urbanísticos adquiridos y consolidados en la zona, como así ha estado sucediendo en la práctica hasta ahora.

privados se integran en el dominio público marítimo-terrestre. El artículo 13.bis, 2 prevé ahora que dichos propietarios pasen a ser titulares de un derecho de ocupación y aprovechamiento, a cuyo efecto la Administración les otorgará la misma de oficio, salvo renuncia expresa del interesado, por un plazo máximo de 75 años, respetando los usos y aprovechamientos existentes, y sin obligación de pagar canon. Y la segunda, por cuanto pone especialmente de manifiesto la distinta filosofía que preside una y otra norma (LC de 1988 y Ley 2/2013). Así las cosas, esta última no sólo delimita mucho más restrictivamente el dominio público marítimo-terrestre, en virtud de las nuevas definiciones que contiene, sino que, yendo más allá, en su Disposición Adicional Quinta ordena que, una vez revisados los correspondientes deslindes y como efecto inmediato de éstos, se reintegren esos terrenos, que se incluyeron en el dominio público marítimo-terrestre por aplicación de aquella LC de 1988 y que ahora dejan de formar parte de él[111], a las personas que, en el momento de la entrada en vigor de la citada LC 1988, eran propietarias con título inscrito en el Registro de la Propiedad o a sus causahabientes[112]. Sin duda, esta nueva opción legal contrasta con los objetivos marcados por la Legislación de 1988, cuya Exposición de Motivos declaraba:

> *"...La presente Ley se propone (...) no sólo mantener en este dominio público los espacios que reúnen las características naturales del medio, sino además establecer mecanismos que favorezcan la incorporación de terrenos al dominio público, ampliando la estrecha franja costera que actualmente tiene esta calificación demanial".*

4. Los conflictos jurisdiccionales en materia de deslinde

Por lo que se refiere al control jurisdiccional del acto administrativo de deslinde, hay que decir que, en este tema específico y en contraste con la ampliación operada en otros aspectos de su régimen jurídico, la legislación

---

[111]   En esta misma línea, la Disposición Adicional Sexta de la Ley 2/2013 prevé, igualmente, el reintegro de los terrenos de las urbanizaciones marítimo-terrestres que dejen de formar parte del dominio público marítimo-terrestre. A tal efecto declara que, una vez revisados los correspondientes deslindes, se reintegren a *"las personas que, a la entrada en vigor de esta Ley, sean titulares de terrenos inscritos en el Registro de la Propiedad, situados en urbanizaciones marítimo-terrestres, que dejen de formar parte del dominio público marítimo-terrestre por aplicación de la misma"*.

[112]   Sobre dicha previsión legal de reintegro, vid. los comentarios de Desdentado Daroca, El, en "La reforma de la ley de Costas por la Ley 2/2013: ¿Una solución adecuada al problema de los enclaves privados?", RAP nº 193 (enero-abril, 2014), pp. 45 y ss.

de costas ha continuado con la tradición de mantener la dualidad de juris-dicciones[113].

La propia jurisprudencia ha venido defendiendo, con carácter general, este criterio del doble enjuiciamiento del acto de deslinde, atribuyendo a uno u otro orden jurisdiccional el conocimiento de los litigios derivados de aquél, según la materia sobre la que versen, declarando la incompetencia de la jurisdicción contencioso-administrativa para dictar la última palabra en las cuestiones de propiedad, por quedar estas reservadas a la jurisdic-ción civil ordinaria[114].

De conformidad con la citada tesis tradicional, el acto de deslinde del dominio público marítimo-terrestre, como cualquier otro acto administra-tivo, es recurrible ante la jurisdicción contencioso-administrativa cuando lo que se plantee en el recurso sea la determinación de la validez o no del acto (competencia, procedimiento, forma y motivación)[115], así como cuan-

---

[113] Los preceptos que aluden directamente al control jurisdiccional del deslinde son los artículos 13 y 14 de la LC. El primero, al regular los efectos de este acto, señala: *"En todo caso los titulares inscritos afectados podrán ejercitar las acciones que estimen pertinentes en defensa de sus derechos, siendo susceptibles de anotación preventiva la correspondiente reclama-ción judicial"*. Por su parte, el artículo 14 alude expresamente a su enjuiciamiento por los Tribunales civiles, disponiendo: *"Las acciones civiles sobre derechos relativos a terrenos incluidos en el dominio público deslindado prescriben a los cinco años, computados a partir de la fecha de su aprobación"*.

[114] En el orden jurisdiccional civil, la STS de 12 de noviembre de 1988 (RJ 8440) explica muy bien el alcance del deslinde administrativo sobre el dominio público y la diversi-dad jurisdiccional sobre las cuestiones que derivan del acto de deslinde, al decir: *"... Como ya recordó esta Sala, entre otras, en sentencia de 15 de septiembre de 1984 (Ar. 4327), si bien es cierto que el deslinde de la zona marítimo-terrestre es función administrativa y, como tal, revisable únicamente por la jurisdicción contencioso-administrativa, también lo es que la ubica-ción de un terreno dentro de tal zona, así como su calificación de dominio público o de propiedad privada es materia propia de la jurisdicción ordinaria, la que, sin interferir en modo alguno el terreno de la contencioso-administrativa, puede debatir plenamente el carácter de bien público o privado de la parcela..."*. En esta misma línea, se pronuncian también las de 5 de noviem-bre de 1990 (Ar. 8739), 6 de marzo de 1992 (Ar. 2396) y 20 de enero de 1993 (Ar. 477), entre otras.

[115] Con carácter general, el Ordenamiento Jurídico español reduce al máximo la invalidez por irregularidades formales, las cuales adquieren relevancia y tienen efecto anulato-rio cuando su existencia ha supuesto una disminución efectiva y real de garantías para el interesado, en cuanto lo ha dejado en una situación real o material de indefensión por dictarse una resolución contraria a sus intereses sin haber podido alegar o probar; doctrina ésta que se pone de manifiesto también en el ámbito de la tramitación de los expedientes de deslinde. Así, la Sala 3ª del TS y, en la misma línea, la Audiencia Nacional han venido declarando, entre otras cuestiones, lo siguiente: **a)** Que la orden aprobatoria del mismo ha de contener motivación suficiente y explícita apoyada en

do lo que se discute es si aquél se ajusta o no a los parámetros o criterios legales que sirven para su realización[116], esto es, si los terrenos afectados por el deslinde coinciden con algunas de las categorías descritas en los artículos 3, 4 y 5 de la LC[117]; remitiéndose al orden jurisdiccional civil el examen de todas las cuestiones referentes al dominio y propiedad privada de los terrenos incluidos en el dominio público deslindado[118].

Esta dualidad de acciones (ante las jurisdicciones contencioso-administrativa y civil) puede ejercitarse de forma alternativa, conjunta o sucesiva en el tiempo, si bien respetando el plazo de prescripción de cinco años que fija la LC de 1988 para ejercitar la correspondiente acción civil, que se computará a partir de la fecha de aprobación del deslinde (artículo 14). Con ello, esta norma vino a reducir notoriamente el límite temporal hasta

---

razones técnicas o experimentales, al afectar o limitar posibles derechos de los particulares (SSTS de 26 de abril —Ar. 1975— y 16 de noviembre de 1972 —Ar. 4690—); sin que, como tienen señalado las Sentencias de la Audiencia Nacional 143/1997, de 13 de marzo y 42/1997, de 31 de marzo, basten *"razones genéricas e inconcretas".* **b)** Que, en este mismo sentido, la Administración ha de acreditar debidamente que los bienes deslindados pertenecen a alguna de las categorías definidas por la vigente LC, sin que esto pueda hacerse, según reza la Sentencia de la Audiencia Nacional 128/1997, de 6 de marzo: *"...en solo tres líneas sin más sustento que el parecer de la comisión actuante..."*; **c)** Que, por el contrario, la falta de audiencia de los interesados en determinados momentos de la tramitación del expediente no debe considerarse, en todo caso, motivo de anulación de las actuaciones, si dicha falta no les produjo indefensión y si pudieron alegar y alegaron (SSTS, de 10 de diciembre de 2001 —2002/9879—, y de 18 de marzo y 15 de julio de 2002 —Ar. 1900 y 7656—); **d)** Y que es necesario justificar que las infracciones procesales han causado indefensión a la parte que las sufrió (STS, de 10 de diciembre de 2003 —Ar. 2004/108—).

[116] Este aspecto concreto supone una ampliación de la esfera de conocimiento de dicha jurisdicción contencioso-administrativa introducida por la LC de 1988, porque el ámbito de conocimiento de esta jurisdicción no quedó limitado a simples cuestiones de procedimiento, tal como hasta ese momento venía estableciendo la normativa precedente. Este mismo criterio se recogió en la STS de la Sala 3ª, de 22 de diciembre de 1995 (Ar. 9687) y también en las sentencias de la Audiencia Nacional, de 15 de junio de 1991 (Revista General del Derecho núm. 565-566, octubre-noviembre, 1991), 444/1997, de 17 de octubre, y 693/1997, de 19 de diciembre, entre otras muchas.

[117] En estos términos se pronuncian, por ejemplo, las SSTS de la Sala 3ª, de 26 de septiembre de 2001 ("El Derecho" 3088), 18, 24 y 25 de noviembre de 2003 (Ar. 8755, 8773 y 8352), 30 de diciembre de 2003 (Ar. 2004/85928) y 19 y 20 de febrero de 2004 (Ar. 1107 y Ar. 1108).

[118] Así lo recuerdan las SSTS, de la Sala 3ª, de 9, 10 y 30 de junio, 8 y 21 de julio y 24 de septiembre de 2003 (Ar. 5550, 5869, 5887, 5936, 5968 y 6439, respectivamente), 5 de marzo de 2004 (Ar. 2620 de 2005) y 23 de febrero de 2005 (Ar. 3782).

entonces vigente de 30 años propio de las acciones reales sobre bienes inmuebles, que se recoge en el artículo 1.963 del Código civil.

VI. LA PROTECCIÓN ACCESORIA: LAS SERVIDUMBRES LEGALES Y OTRAS LIMITACIONES A LA PROPIEDAD

1. *Consideraciones previas*

En ese afán proteccionista y expansivo que la caracteriza, la LC de 1988 extendió su ámbito de regulación sobre los terrenos de propiedad privada contiguos al dominio público marítimo-terrestre[119], estableciendo en su Título II un conjunto de servidumbres y limitaciones legales a las que configuró como instrumentos idóneos e imprescindibles para la salvaguardia de la franja costera. Estas disposiciones tienen el carácter de regulación mínima y complementaria de la que dicten las CCAA en el ámbito de sus competencias, exceptuándose, únicamente, de esta sujeción a los terrenos expresamente declarados de interés para la seguridad y defensa nacional conforme a su legislación específica.

La problemática que plantea la regulación legal de estas servidumbres estriba no tanto en su propia existencia[120], sino en el excesivo detalle con el que la LC de 1988 reguló alguna de ellas, particularmente, *"la servidumbre de protección"*, así como por las previsiones que al respecto se contienen en sus Disposiciones transitorias. De entrada, una de las mayores polémicas se manifiesta en el campo competencial, originada por el fuerte intervencio-

---

[119]   Como así lo justifica su Exposición de Motivos, la LC de 1988 parte de que la garantía de la conservación del dominio público marítimo-terrestre no puede obtenerse sólo mediante una acción eficaz sobre la estrecha franja costera, sino que es imprescindible, igualmente, la actuación sobre la zona privada colindante, para evitar la interrupción del transporte eólico de los áridos y el cierre de las perspectivas visuales por construcción de edificaciones en pantalla, la propia sombra que proyectan sobre la ribera del mar, el vertido incontrolado y, en general, la incidencia negativa de la presión edificatoria y de los usos y actividades, porque todo ello puede causar daños irreparables o de muy difícil y costosa reparación.

[120]   Pese a las dudas que suscitó la imposición de estas medidas legales, el TC se pronunció a favor de su constitucionalidad (STC 149/1991) argumentando que la fijación y regulación de tales limitaciones a las propiedades colindantes con el dominio público marítimo-terrestre, que, por razón de la protección de éste y del medio ambiente, estableció el Título II de la LC de 1988, aparecen plenamente justificadas constitucionalmente —artículo 33.2 de la CE— y, por ello, son totalmente ajenas al concepto de expropiación.

nismo del Estado en una esfera que, en principio, es propia de las CCAA y Municipios, a quienes corresponde la competencia exclusiva en materia de ordenación del territorio y urbanismo. En estos espacios es evidente que la *"titularidad demanial del Estado"* tiene una proyección indirecta y, por ello, justificaría sólo y únicamente las actuaciones necesarias y esenciales para la defensa del uso público y la protección del demanio costero, esto es, para la imposición de las *"servidumbres de tránsito"* y *"acceso público y gratuito al mar"*, sin que dicho título y, por ende, la potestad reguladora del régimen jurídico del demanio costero otorgue cobertura legal suficiente para legitimar la actuación del Estado en el resto de la *"servidumbre de protección"* y en la *"zona de influencia"*[121]. En estos casos, el fundamento de dicha actuación se ha basado principalmente en otros títulos competenciales sectoriales (artículos 149.1,1 y 149.1, 23 de la CE), si bien tampoco estos pueden justificar cualquier intervención estatal en dichos espacios colindantes, tal como el TC ha rubricado parcialmente[122]; razón por la cual, en el marco de la cooperación y colaboración, siempre necesarias, el protagonismo en estas zonas corresponde a las CCAA y a los Municipios a través de sus respectivos instrumentos de ordenación del territorio y del urbanismo, que deberán tomar como referencia, en todo caso, las previsiones contenidas en la LC.

---

[121]   Así, por ejemplo y conforme a ello, la sanción de la conducta infractora consistente en la edificación, sin título administrativo habilitante, sobre bienes integrantes del demanio marítimo o sobre terrenos colindantes afectados por las servidumbres de tránsito y protección corresponderá, según consolidada jurisprudencia de los Tribunales Constitucional y Supremo, a las instancias estatales en caso de afección a la servidumbre de tránsito (STS de 10 de junio de 2002 —Ar. 8606—) y a las autonómicas en caso de afección a la servidumbre de protección, atendiendo en este supuesto a su competencia exclusiva —estatutariamente asumida— en materia de ordenación del litoral, pero sin que esto suponga, en ningún caso, menoscabo de las potestades estatales en defensa de la integridad del demanio (SSTS de la Sala 3ª, de 17 de diciembre de 2001 —Ar. 2002/9838— y de 28 de mayo, 24 de junio y 16 de julio de 2002 —Ar. 7745, 7057 y 2321—).

[122]   En efecto, el TC no utilizó los argumentos de *"la titularidad del Estado"* sobre el dominio público marítimo-terrestre y *"el propio título demanial"* como fundamento para legitimar la actuación estatal en estos espacios colindantes, acudiendo así al menos a dos títulos competenciales: el artículo 149.1,1 de la CE y, sobre todo, el artículo 149.1,23, que atribuye al Estado la competencia para dictar la legislación básica en materia de protección del medio ambiente; si bien, respecto a este último título competencial, entendió que, aunque las limitaciones establecidas por la LC de 1988 encontraban justificación en él, su ejecución correspondía, en principio, a las CCAA, sin que ello excluyera tampoco la posibilidad de que el Estado pudiera utilizar otras competencias sectoriales para actuar en estos espacios como, por ejemplo, sucede con la de defensa (art. 149.1,4 de la CE).

2. Servidumbres legales

Concretamente, la citada LC de 1988 previó una serie de servidumbres, que se establecen en tres bandas longitudinales a lo largo de la costa, que son las denominadas servidumbres de protección, de tránsito y la zona de influencia, así como también una servidumbre de acceso público y gratuito al mar. Dicha norma vino a actualizar las viejas limitaciones que tradicionalmente, se habían recogido en nuestro Derecho positivo y, de modo más inmediato, en la precedente Ley de Costas de 1969. Dichas servidumbres son imprescriptibles en todo caso (artículo 21.1 de la LC de 1988).

Como no podría ser de otro modo, dada la naturaleza de la obra en la que se inserta el presente capítulo, la exposición que se hace, a continuación, sin perjuicio de ofrecer una visión general o panorámica del régimen jurídico de cada una de tales servidumbres y limitaciones contenido en la LC de 1988, destaca, particularmente, las principales modificaciones introducidas por la Ley 2/2013, que se han centrado en el régimen transitorio aplicable a la servidumbre de protección (para ampliar los supuestos en que es posible reducir su anchura), así como en la ampliación de los tipos de obras que pueden acometerse, tanto en ella como también en la servidumbre de tránsito (Disposiciones transitorias tercera y cuarta de la LC de 1988).

A) La servidumbre de protección

En efecto, la Ley 2/2013 mantiene la regulación general contenida en el artículo 23.2 de la LC de 1988, que declara que su extensión será, como regla general, de *"100 metros medida tierra adentro desde el límite interior de la ribera del mar"*[123], la cual es susceptible de ser ampliada por la Administración estatal, de acuerdo con la Comunidad Autónoma y el Ayuntamiento correspondiente, hasta un máximo de otros 100 metros, cuando resulte necesario para asegurar su efectividad, en atención a las peculiaridades del tramo de costa de que se trate. Esta ampliación será determinada por las normas de protección o por el planeamiento territorial o urbanístico (artículo 43.3 del RC de 1989)[124]. Pero, al propio tiempo, el legislador estatal

---

[123]   Dicha LC de 1988 amplía la extensión de esta servidumbre, al menos, en aquella franja de nuestras costas en las que exista playa, al incorporar como criterio de referencia para fijar su extensión *"la ribera del mar"*, en lugar de la *"zona marítimo-terrestre"* que empleaba la LC de 1969.

[124]   Debe tenerse en cuenta que el régimen transitorio previsto en las Disposiciones Transitoria Tercera y Cuarta de la LC de 1988 (y Séptima, Octava, Novena, Duodécima y

de 2013 amplía los supuestos que permiten reducir esa anchura de 100 a 20 metros.

De una parte, incluye *"ex novo"* dicha posibilidad de reducción en relación con *"las márgenes de los ríos hasta donde sean sensibles las mareas"*, que podrá llevarla a cabo la Administración del Estado, de acuerdo con la Comunidad Autónoma y el Ayuntamiento correspondiente, *"en atención a las características geomorfológicas, a sus ambientes de vegetación, y a su distancia respecto de la desembocadura, conforme a lo que reglamentariamente se disponga"* (art. 23.3)[125].

Y, de la otra, su Disposición Transitoria Primera modifica la aplicación de la Disposición Transitoria Tercera, apartado 3 de la LC de 1988, para poder extender esa reducción de la anchura de 100 a 20 metros que en aquélla se preveía, para los suelos clasificados como *"urbanizables"* (en los términos previstos en el apartado 2 de la citada Disposición)[126]

Decimotercera del RC de 1989) resulta de aplicación tanto a la servidumbre de protección como a la zona de influencia. De conformidad con el apartado 1 de dicha Disposición Transitoria Tercera de la LC de 1988, las disposiciones contenidas en el Título II, sobre las zonas de servidumbre de protección y las limitaciones de la zona de influencia, serían aplicables a los terrenos que, a la entrada en vigor de la Ley, estuvieran clasificados como suelo urbanizable no programado y suelo no urbanizable; y, por lo que se refiere a la servidumbre de protección, esta se aplicaría en toda su extensión (100 metros). Las posteriores revisiones del planeamiento que previesen la urbanización de dichos terrenos y su consiguiente cambio de clasificación deberían respetar íntegramente las citadas disposiciones.

[125] El Preámbulo de la Ley 2/2013 señala que esa posibilidad de reducción de la servidumbre de protección en los márgenes de los ríos es *"excepcional"*, aunque, posteriormente, a la hora de regularlo en el artículo 23.3 omite esa excepcionalidad, limitando esa posible reducción a la concurrencia o no de una serie de condiciones físicas y remitiéndose, en lo demás, a lo que reglamentariamente se disponga.

[126] En el suelo urbanizable programado o apto para urbanizar se mantendría el aprovechamiento urbanístico que tuviera atribuido, aplicándose, de conformidad con la Disposición Transitoria Tercera, 2 de la LC de 1988, que no es modificada por la Ley 2/2013, las siguientes reglas: **a)** Si no cuentan con Plan parcial aprobado definitivamente a la entrada en vigor de la LC de 1988, dicho Plan deberá respetar íntegramente y en los términos del apartado anterior las disposiciones de dicha norma, esto es, el mantenimiento de la servidumbre de protección, genéricamente fijada en 100 metros y sin posibilidad de reducirla a 20 metros (STS de 20 de abril de 2006 —Ar. 3026—), siempre que no se dé lugar a indemnización de acuerdo con la legislación urbanística; **b)** Si cuentan con Plan parcial aprobado definitivamente, se ejecutarán las determinaciones del Plan respectivo con sujeción a lo previsto en el apartado siguiente para el suelo urbano, pudiéndose reducir la servidumbre, sin que en ningún caso pueda ser inferior a los 20 metros establecidos en la legislación costera (STS de 21 de junio de 2005 —Ar. 8965—). No obstante, los Planes parciales aprobados definitivamente entre el 1 de enero de 1988 y el 20 de julio de 1988, fecha de entrada en vigor de la LC, o los aprobados con anterioridad que no se hayan podido llevar a efecto en el plazo previsto

y "urbanos"[127], a la entrada en vigor de la LC de 1988, **a los núcleos urbanos entonces existentes**, que *"sin poder acogerse a lo dispuesto en la disposición transitoria tercera de las Ley de Costas, por no ser suelo calificado como urbano, si tenían en aquella fecha características propias de él"* (Preámbulo de la Ley 2/2013).

Concretamente, la nueva Ley otorga un plazo de dos años, desde su entrada en vigor, a la Administración urbanística competente para que inste dicha ampliación *a los núcleos o áreas que, a su entrada en vigor, no estuvieran clasificados como suelo urbano pero que, en ese momento, reunieran una serie de requisitos*, que taxativamente enumera; a saber:

> *"a) En municipios con planeamiento, los terrenos que, o bien cuenten con acceso rodado, abastecimiento de agua, evacuación de aguas residuales y suministro de energía eléctrica y estuvieran consolidados por la edificación en al menos un tercio de su superficie, o bien, careciendo de alguno de los requisitos citados, estuvieran comprendidos en áreas consolidadas por la edificación como mínimo en dos terceras partes de su superficie, de conformidad con la ordenación de aplicación.*
>
> *b) En municipios sin planeamiento, los terrenos que, o bien cuenten con acceso rodado, abastecimiento de agua, evacuación de aguas residuales y suministro de energía eléctrica y estuvieran consolidados por la edificación en al menos un tercio de su superficie, o bien, careciendo de algunos de los requisitos citados, estuvieran comprendidos en áreas consolidadas por la edificación como mínimo en la mitad de su superficie".*

De lo expuesto se deduce que la citada Ley 2/2013 extiende dicha posibilidad tanto a los núcleos o áreas delimitados como tales en el planeamiento urbanístico ya aprobado, como también a aquellos otros que no lo estén, en cuyo caso correspondería su delimitación a la Administración urbanística competente (normalmente, a los Ayuntamientos). Sin embargo, por lo que se refiere al resto de la regulación contenida en esta Disposición Transitoria Primera, hay que decir que, como poco, la misma resulta algo confusa y contradictoria. De una parte, porque exige que, *"en ambos casos"*, se emita un informe previo favorable del Ministerio de Agricultura, Alimentación y Medio Ambiente que deberá pronunciarse, según reza di-

---

por causas no imputables a la Administración, cualquiera que sea la fecha de su aprobación definitiva, que resulten contrarios a lo previsto en ella, deberán ser revisados para adaptarlos a sus disposiciones, siempre y cuando no se dé lugar a indemnización de acuerdo con la legislación urbanística.

[127] De conformidad con la Disposición Transitoria Tercera.3 de la LC de 1988 *"los terrenos clasificados como suelo urbano a la entrada en vigor de la presente Ley estarán sujetos a las servidumbres establecidas en ella, con la salvedad de que la anchura de la servidumbre de protección será de 20 metros".*

cha norma, *"sobre la delimitación y compatibilidad de tales núcleos o áreas con la integridad y defensa del dominio público marítimo-terrestre"*. No se entiende muy bien porqué requiere este nuevo informe respecto de aquellos núcleos que ya estén clasificados como tales en los planes municipales aprobados y para cuya aprobación tuvo que solicitarse, en su momento, los correspondientes informes (entre ellos, los de Costas), contraviniendo ahora, al tener que solicitar uno nuevo, el principio de irretroactividad de las leyes. Y, de la otra, tampoco se entiende por qué, inicialmente, en el número 1 otorga un plazo de 2 años, desde la entrada en vigor de la Ley, para instar la extensión de dicha Disposición a los citados núcleos, cuando luego, más adelante, en el número 3 señala, expresamente, que la Administración urbanística tiene un plazo de 3 meses, desde la entrada en vigor de la Ley 2/2013 para solicitar el mentado informe estatal (¿Son 2 años o 3 meses?). Por lo demás, dicho plazo de 3 meses resulta, desde luego, muy exiguo si se compara con los 18 meses que se otorga a la Administración estatal para la emisión del suyo, a contar desde que haya sido solicitado por la citada Administración urbanística, transcurrido el cual se entenderá que es favorable.

A la vista de la antedicha regulación, no nos queda muy claro cuál es verdaderamente la intención del legislador estatal de 2013, en relación con estos núcleos costeros. Y ello porque si, de entrada, su objetivo era consolidarlos, resulta ilógico esperar, como mínimo, casi 2 años para saber si se les considera o no urbanos; plazo, a nuestro juicio, excesivo y carente de justificación, cuando lo cierto es que el planeamiento o, en su caso, la Administración competente en materia urbanística ya los ha clasificado como tales, en atención a los requisitos legales ya reseñados. Pero es que, además, del tenor literal del número 4 de dicha Disposición Transitoria Primera tampoco se desprende con claridad qué usos podrán realizarse en los núcleos que se declaren urbanos (y cuya servidumbre de protección pasaría de 100 a 20 metros)[128], porque, tal como está redactada la norma, parece

---

[128] La Ley 2/2013 introduce alguna modificación puntual en la regulación de la LC de 1988 sobre los tipos de actividades previstos en la zona de servidumbre de protección que, en todo caso, son los siguientes: **1)** Las libremente permitidas, como los cultivos y plantaciones o también aquellas instalaciones o actividades que, por su naturaleza, no puedan tener otra ubicación, como los establecimientos de cultivo marino o las salinas marítimas, o aquellos que presten servicios necesarios o convenientes para el uso del dominio público marítimo-terrestre, así como las instalaciones deportivas descubiertas (debiendo quedar, en todo caso, expedita los primeros 6 metros correspondientes a la servidumbre de tránsito para ser utilizada según sus fines); **2)** Las prohibidas, que son realmente las actividades de mayor enjundia y trascendencia (art. 25.1); **3)** Y, por último, las actividades o usos excepcionalmente autorizados (artículo 25.3 de la LC y

que se impide que puedan autorizarse *"nuevas construcciones de las prohibidas en el artículo 22/1988, de 28 de julio, de Costas"* en todo el núcleo o área.

A nuestro juicio y por coherencia con el resto de la regulación legal, entendemos que dicho número 4 se está refiriendo, única y exclusivamente, a los 20 metros de la servidumbre de protección y que el resto de núcleo o área quedaría sujeto, en todo caso, a las previsiones contenidas en el correspondiente planeamiento territorial y urbanístico. Pero es que, aun siendo así, nos parece que el régimen legalmente previsto resulta incomprensiblemente mucho más restrictivo que el recogido en la Disposición Transitoria Tercera para el *"suelo urbano"*, al que intentan equipararse estos *"núcleos o áreas urbanos"*, en donde sí se permite que puedan autorizarse nuevos usos y construcciones, incluso los prohibidos en el artículo 25 de la Ley[129], cuando concurran los requisitos que en aquélla se señalan[130].

---

47 del RC) por el Consejo de Ministros, por razones de utilidad pública debidamente acreditadas (SSTS de 25 de mayo y 8 de junio de 1998 —Ar. 3866 y 4389—, y 23 de octubre de 2002 —Ar. 10227—).

[129] Conforme establecen los artículos 25 de la LC y 45 del RC de 1989, en la zona de servidumbre de protección quedan prohibidos los siguientes usos y actividades: "**1.** Las edificaciones destinadas a residencia o habitación, especificando el RC: que se incluyen las hoteleras y se excluyen los campamentos con instalaciones desmontables debidamente autorizados. **2.** La construcción o modificación de vías de transporte interurbanas y las de intensidad de tráfico superior a la que se determine reglamentariamente (500 vehículos/día de media anual en el caso de carreteras), así como de sus áreas de servicio, siempre que el trazado de tales carreteras transcurra longitudinalmente a lo largo de la servidumbre de protección. **3.** Las actividades que impliquen la destrucción de yacimientos de áridos *naturales o no consolidados, entendiéndose por tales los lugares donde existen acumulaciones de materiales detríticos tipo arenas o gravas.* **4.** El tendido aéreo de líneas eléctricas de alta tensión. **5.**– El vertido de residuos sólidos, escombros y aguas residuales sin depuración, salvo los escombros utilizables en rellenos debidamente autorizados. **6.** La publicidad a través de carteles o vallas o por medios acústicos o audiovisuales".

[130] De conformidad con la Disposición Transitoria Tercera, 3 de la LC de 1988, según la redacción dada por la Ley 53/2002, de 30 de diciembre (y que ahora la Ley 2/2013 mantiene), en estos suelos clasificados como urbanos a la entrada en vigor de la LC de 1988 se respetarán los usos y construcciones existentes, así como las autorizaciones ya otorgadas, en los términos previstos en la Disposición Transitoria Cuarta. Asimismo, se podrán autorizar nuevos usos y construcciones de conformidad con los planes de ordenación en vigor, siempre que se garantice la efectividad de la servidumbre y no se perjudique el dominio público marítimo-terrestre. El señalamiento de alineaciones y rasantes, la adaptación o reajuste de los existentes, la ordenación de los volúmenes y el desarrollo de la red viaria se llevará a cabo mediante Estudios de Detalle y otros instrumentos urbanísticos adecuados, que deberán respetar las disposiciones de la LC y las determinaciones de las normas que se aprueben con arreglo a la misma. En todo caso, la autorización de nuevos usos y construcciones se hará de acuerdo con los instru-

En última instancia, también es importante reseñar las modificaciones introducida por la Ley 2/2013 respecto del tipo de obras que pueden realizar los titulares de las construcciones o instalaciones que ocupen la zona de servidumbre de tránsito y de protección, tanto en aquellas que queden incorporadas a dichas zonas como consecuencia de la revisión de los deslindes (art. 13, bis), como en las construidas con anterioridad a la entrada en vigor de la LC, y queden emplazadas en las mismas (Disposición Transitoria Cuarta de la LC de 1988). Concretamente, la Ley reconoce ahora a sus titulares la posibilidad de acometer *"obras de reparación, mejora, consolidación y modernización siempre que no impliquen aumento de volumen, altura ni superficie de las construcciones existentes y sin que el incremento del valor que aquellas comporten pueda ser tenido en cuenta a efectos expropiatorios"*[131], tanto a quienes tengan sus edificaciones situadas en la zona de servidumbre de tránsito (en cuyo caso y con carácter previo la Administración estatal debe emitir un informe favorable en el que conste que tal servidumbre queda garantizada), como a los que la tengan en la zona de servidumbre de protección; si bien también exige que tales obras supongan una mejora de la eficiencia energética, en los términos establecidos en la Ley. En todo caso, mediante una declaración responsable ante la Administración competente, los titulares deberán acreditar que cumplen todos los precitados requisitos legales.

B) La servidumbre de tránsito

Al igual que las servidumbres de acceso al mar y la de áridos, esta servidumbre de tránsito se encuentra integrada en la zona de servidumbre de protección, aunque guarda cierta independencia de ella. Recae sobre una franja de 6 metros, medida tierra adentro desde el límite interior de la ribera del mar, si bien, en lugares de tránsito difícil o peligroso, podrá ampliarse dicha anchura en lo que resulte necesario hasta un máximo de 20 metros. Su imposición corresponde al Estado, pues, como ha señalado el TC, tanto esta servidumbre como la de acceso al mar están conectadas con la competencia estatal sobre vigilancia del litoral y con el deber que la titularidad demanial impone al Estado de asegurar la libre utilización del dominio público marítimo-terrestre (STC 149/1991, de 4 de julio).

---

mentos de ordenación y conforme a las reglas que se contienen en dicha Disposición Transitoria Tercera, 3 (STS de la Sala 3ª, de 23 de octubre de 2002 —Ar. 10227—).

[131] La LC de 1988 era más restrictiva y sólo admitía, previa autorización administrativa, *"las pequeñas reparaciones que exija la higiene, ornato y conservación"*.

En cuanto a los usos permitidos en estos espacios, sin perjuicio de remitirnos a lo ya dicho en el apartado anterior respecto al régimen aplicable a las construcciones e instalaciones existentes con anterioridad a la entrada en vigor de la LC de 1988, hay que decir que, con carácter general, el artículo 27 señala que esta zona debe dejarse permanentemente expedita para el paso público peatonal y para los vehículos de vigilancia y salvamento, salvo en espacios especialmente protegidos. De ahí que sólo se admitan algunos usos puntuales y esporádicos, como cultivos —siempre y cuando no impidan la finalidad de la servidumbre— y, excepcionalmente, su ocupación por obras a realizar en el dominio público marítimo-terrestre, en cuyo caso deberá sustituirse esta servidumbre por otra análoga de forma que se garantice la continuidad del tránsito. En último término, la LC de 1988 previó también la posibilidad de su ocupación para la ejecución de paseos marítimos, los cuales deberán localizarse fuera de la ribera del mar y ser preferentemente peatonales, toda vez que éstos, sin impedir la finalidad de la servidumbre, cumplen con otros objetivos descritos en la Ley de vital importancia para el citado dominio.

Por lo demás, esta servidumbre se aplica cualquiera que sea la clasificación del suelo (Disposición Transitoria Séptima, 2 del RC de 1989), lo cual está justificado por la defensa del uso general del dominio público.

C) La servidumbre de acceso al mar

Esta servidumbre tiene por finalidad garantizar, en palabras del legislador, el acceso público y gratuito al mar. Recae sobre los terrenos colindantes o contiguos al dominio público marítimo-terrestre, en la longitud y anchura que demanden la naturaleza y finalidad del acceso[132]. La finalidad de esta servidumbre, al igual que la de tránsito, es garantizar el uso común del litoral y será de aplicación, en todo caso, cualquiera que sea la clasificación del suelo.

La determinación de su longitud y anchura deberá hacerse a través de las normas del artículo 22 de la LC de 1988 y de los planes y normas de ordenación territorial y urbanística del litoral. Salvo en espacios de especial

---

[132] El TC declaró la constitucionalidad de esta servidumbre, repitiendo al efecto los mismos argumentos esgrimidos respecto a las otras dos. En este sentido, reafirmó que se trata de una medida indispensable para la efectividad de la defensa del uso general de este dominio público marítimo-terrestre, siendo válido que para conseguir estos objetivos, se imponga a los instrumentos de ordenación unos mínimos destinados a garantizar la existencia de suficientes accesos al mar y aparcamientos.

protección, estos deberán prever suficientes accesos al mar y aparcamientos fuera del dominio público marítimo-terrestre, respetando, en todo caso, los estándares mínimos que se contienen en el artículo 28.2 de la LC de 1988, según los cuales, en zonas urbanas o urbanizables, los accesos para tráfico rodado deberán estar separados entre sí como máximo 500 metros y los peatonales 200 metros, teniendo que estar ambos señalizados y abiertos al uso público a su finalización[133].

A efectos expropiatorios o de imposición de la servidumbre de paso, la LC de 1988 declara de utilidad pública los terrenos que sean necesarios para ampliar o modificar los accesos públicos al mar y los aparcamientos previstos en el planeamiento urbanístico.

3. Otras limitaciones de la propiedad

La LC de 1988 recogió, bajo esta denominación, toda una serie de medidas tendentes a controlar la extracción de áridos y favorecer su incorporación a la dinámica litoral, aplicables cualquiera que sea la clasificación del suelo. En primer lugar, se alude al deber de mantener en los tramos finales de los cauces la aportación de áridos a sus desembocaduras, exigiéndose para autorizar su extracción el informe favorable de la Administración del Estado en cuanto a su incidencia en el dominio público marítimo-terrestre. En segundo término, se contempla el derecho de tanteo y retracto, a favor de la Administración estatal, en cualquier operación de venta, cesión o cualquier otra forma de transmisión de los yacimientos de áridos emplazados en la zona de influencia, para su aportación a las playas. Con esta misma finalidad, se declaran estos yacimientos de utilidad pública a los efectos de su expropiación total o parcial, en su caso, y de la ocupación temporal de los terrenos que resulten necesarios.

---

[133] El régimen transitorio aplicable se recoge en las Disposiciones transitorias tercera, 5 y 6 de la LC de 1988 (que la Ley 2/2013 no modifica) y Undécima de su Reglamento, que siguen, en líneas generales, la tónica de la LC de mantener, en todo caso, el uso público de la ribera del mar. En tal sentido, resulta interesante destacar dos previsiones fundamentales: De una parte, el mantenimiento de las servidumbres de paso al mar existentes a su entrada en vigor en los mismos términos o formas de ejercicio con que fueron impuestas; y, de la otra, la conservación para su uso público de los accesos al mar existentes y los construidos en virtud del planeamiento urbanístico aprobado con anterioridad a esa fecha, de tal manera que los que no estuvieran abiertos al público debían abrirse a él.

4. La zona de influencia

Este conjunto de medidas legales de protección constituye otra de las determinaciones de la LC de 1988, en donde se ha puesto nuevamente de manifiesto esa tendencia expansiva que la caracteriza en aras de lograr la protección integral del litoral, mediante la extensión de su campo de acción, tierra adentro, a zonas en la mayoría de los casos urbanizadas o que cuentan con planes de ordenación.

Ahora bien, la Ley remite la determinación de la zona de influencia a los planes de ordenación territorial y urbanística, los cuales deberán establecer una zona contigua a la ribera del mar y que será, como mínimo, de 500 metros contados a partir del límite interior de la ribera del mar. Por razones de protección del dominio público, en esta zona deberán respetarse las siguientes pautas que tienen el carácter de *"mínimos"*: **a)** En tramos con playa y con acceso de tráfico rodado, dichos planes deberán prever reservas de suelo para aparcamientos de vehículos en cuantía suficiente para garantizar el estacionamiento fuera de la zona de servidumbre de tránsito; **b)** Y, con carácter general, las construcciones deberán adaptarse a lo establecido en la legislación urbanística, evitando la formación de pantallas arquitectónicas o acumulación de volúmenes junto a la costa. A estos efectos, se establece que la densidad de la edificación en esta zona no puede ser superior *"a la media del suelo urbanizable programado o apto para urbanizar en el término municipal respectivo"*[134].

---

[134] Únicamente, a modo de puntualización y teniendo en cuenta que el régimen transitorio coincide con el propio de la denominada servidumbre de protección, al que me remito, cabe añadir que las disposiciones legales sobre la zona de influencia no podrán ser aplicadas en ningún caso: 1) A los terrenos que, a la entrada en vigor de la LC de 1988, estuviesen clasificados como suelo urbano. 2) Al suelo urbanizable programado con Plan Parcial aprobado definitivamente con anterioridad al 1 de enero de 1988. 3) Al suelo urbanizable programado con Plan Parcial aprobado con posterioridad a la citada fecha y antes de entrar en vigor la LC de 1988. 4) A los que no tuviesen Plan Parcial, en cuyo supuesto, al igual que para el anterior, se señala que tales normas se aplicarán sólo cuando no puedan dar lugar a indemnización de acuerdo con la legislación urbanística. 5) La misma regla se aplicará al suelo urbanizable con Plan Parcial cuya ejecución no se hubiera llevado a efecto en el plazo previsto por causas no imputables a la Administración, cualquiera que fuese la fecha de aprobación definitiva.

VII. LA SUPRESIÓN DE LOS ENCLAVES PRIVADOS COMO TÉCNICA DE PROTECCIÓN DEL LITORAL Y COMO EFECTIVA REALIZACIÓN DE LA TITULARIDAD PÚBLICA SOBRE EL DEMANIO COSTERO

1. Planteamiento general

El análisis anterior quedaría incompleto si no aludiéramos, acto seguido y siquiera brevemente, al régimen jurídico arbitrado en la legislación de costas para los enclaves de propiedad privada situados en el dominio público marítimo-terrestre.

Puede decirse que los importantes efectos anudados al acto administrativo de deslinde, junto con el tratamiento legal dispensado a los enclaves privados situados en el dominio público marítimo-terrestre, así como la regulación de las limitaciones impuestas a los terrenos incluidos en la zona de servidumbre de protección, han sido tres de las cuestiones más controvertidas de la regulación contenida en la LC de 1988. Y, en gran medida, incluso no es aventurado afirmar que los conflictos generados por su aplicación han sido los auténticos detonantes de la puesta en marcha del proceso de reforma que, finalmente, culminó con la aprobación de la Ley 2/2013, tras un amplio debate dentro y fuera de las fronteras de nuestro país, a nivel institucional, entre los especialistas en la materia, así como por el empresariado y por la sociedad, en general.

Veamos, pues, los aspectos más relevantes de dicha regulación legal, así como, particularmente, algunas de las modificaciones introducidas ahora por la Ley 2/2013.

2. En relación con las propiedades enclavadas en el dominio público marítimo-terrestre

De entrada, hay que destacar que ambas cuestiones, deslinde y enclaves privados, aparecen inexorablemente unidas en la legislación de Costas. Así las cosas, como ya se dijo, el artículo 13 de la LC de 1988 anudó importantes efectos jurídicos al acto de deslinde y, entre ellos, y particularmente, el de declarar la posesión y la titularidad en favor del Estado de las dependencias deslindadas como dominio público marítimo-terrestre, prevaleciendo frente a las inscripciones registrales en contrario. A tal efecto, dicho precepto disponía lo siguiente:

> *"El deslinde aprobado, al constatar la existencia de las características físicas rela-cionadas en los artículos 3, 4 y 5, declara la posesión y la titularidad dominical a favor del Estado, dando lugar al amojonamiento..."*[135].

Consiguientemente, a partir de la aprobación del deslinde, resulta inadmisible el mantenimiento de enclaves de propiedad privada dentro de las lindes del territorio declarado de dominio público marítimo-terrestre[136].

Al igual que hizo con el deslinde, el legislador estatal de 1988 configuró la supresión de los enclaves de propiedad privada situados en el dominio público marítimo-terrestre como un instrumento clave para lograr la protección integral del litoral y, por ende, la efectiva realización de la titularidad pública de estos espacios, devolviéndolos a su uso común propio. Sin embargo, siendo consciente de que no podía suprimir sin más esos derechos dominicales y, por ende, para evitar el carácter confiscatorio de dicha decisión legal, la LC de 1988, en su Disposición Transitoria Primera (y Cuarta de su Reglamento) arbitró toda una serie de contraprestaciones o *"justiprecio"*, de distinto alcance y contenido, a favor de los titulares de dichas propiedades; todo ello, además, porque el legislador estatal era consciente de que muchos de esos enclaves particulares habían sido adqui-

---

[135]   Como señala la STS de 28 de abril de 2011, FJ. 4 (Ar. 4314), en todo caso, a partir de la aprobación del deslinde, las propiedades declaradas demaniales son excluidas del tráfico jurídico privado. La Administración se encuentra legitimada para utilizar todos los instrumentos previstos en la legislación de Costas para lograr la recuperación de los bienes declarados demaniales por el deslinde (a través, por ejemplo, de la facultad de investigación, recuperación posesoria, desahucio administrativo, etc.), así como para aplicarles un régimen de protección especial y un sistema de usos restrictivo acorde también con dicha naturaleza demanial y tendentes a su salvaguardia.

[136]   Cierto es que artículo 132 de la CE proclama, con carácter general, la indisponibilidad de los bienes de dominio público y declara, en su apartado 2, que *"son bienes de dominio público estatal los que determine la ley y, en todo caso, la zona marítimo-terrestre, las playas, el mar territorial y los recursos naturales de la zona económica y la plataforma continental".* Consiguientemente, dicha declaración conlleva la prohibición de titularidades distintas de la demanial del Estado en tales espacios. El constituyente había querido cerrar de esa manera la posibilidad de futuras adquisiciones por los particulares de terrenos en el dominio público marítimo-terrestre, si bien lo que no resultaba tan sencillo dilucidar era el alcance de dicha declaración, pues dicho precepto constitucional no define tales bienes, ni tampoco se desprende de él si tiene o no un efecto inmediato sobre los enclaves privados ya existentes y, en efecto, no lo tiene, porque eso no resultaría coherente con el derecho de propiedad (artículo 33 CE) que consagra y, singularmente, con el principio de interdicción de la confiscación. En todo caso, la LC de 1988 concretó ambos aspectos, definiendo, de una parte, los bienes que tenían dicha condición y declarando, en sus artículos 7, 8 y 9, su indisponibilidad, así como, de otra parte, fijando un sistema de compensación.

ridos legítimamente en el pasado, como consecuencia, por ejemplo, de los procesos de desamortización y desafectación de espacios costeros, por la propia mutabilidad del litoral e incluso por el mismo reconocimiento de tales titularidades sobre la zona marítimo-terrestre y las playas en las sucesivas leyes. De ese modo, no sólo pretendía conformar hacia el futuro una regulación eficaz para la protección del demanio costero, sino también imponer un remedio efectivo frente a las situaciones consumadas del pasado, en defensa de los bienes constitucionalmente protegidos[137].

Por ello, no resulta difícil comprender el fuerte impacto que, en su momento, supuso la adopción de esas medidas arbitradas en la Ley para la consecución de la demanialidad absoluta del litoral. En primer lugar, porque dicha declaración no sólo se proyectó hacia el futuro, sino también hacia el pasado, obligando a arbitrar todo un sistema de derecho transitorio, que ha venido aplicándose hasta nuestros días; y, en segundo término, porque, en el mejor de los casos, los propietarios eran compensados con un mero derecho concesional de 30 años renovables por otros 30. Ello explica la constante polémica que, durante todo este tiempo, ha rodeado la aplicación de esta norma, así como los numerosos litigios interpuestos por los particulares, muchos de los cuales aún penden de sentencia. No obstante, por razones obvias, resulta imposible analizarlos en este instante; y tampoco es posible examinar aquí los discutibles fundamentos jurídicos de la STC 149/1991, en los que, con carácter general y sin perjuicio de algunas matizaciones, que seguidamente destacamos, se dio la bendición a la más que dudosa contraprestación arbitrada en la citada Disposición Transitoria Primera de la LC de 1988, declarándola constitucional, al considerar que una concesión temporal era justiprecio suficiente por la pérdida de tales derechos de propiedad.

Con todo, dado que dicha regulación legal ha sido ya ampliamente analizada y debatida por la doctrina más autorizada[138], nos limitaremos a continuación a sintetizar, muy brevemente, los distintos supuestos que, finalmente, han quedado incluidos en los diversos apartados de la citada Disposición Transitoria, así como la solución arbitrada en cada caso, a la luz de la interpretación hecha por nuestros Tribunales de Justicia; máxime teniendo en cuenta que, en principio y con carácter general, la recientemente aprobada Ley 2/2013 mantiene la regulación de su predecesora, LC

---

[137] STS de la Sala 3ª, de 10 de febrero de 2004 (Ar. 1519).
[138] Por ejemplo, por DESDENTADO DAROCA, E., "Las expropiaciones...", cit., p. 15 y 104 ss.

de 1988, sin perjuicio de alguna modificación puntual que iremos comentando en su momento oportuno[139]. A saber:

a) El apartado 1 otorga una concesión de 30 años, prorrogables por otros 30 (STS de 27 de enero de 2004 —Ar. 3490—)[140], respetando los usos y aprovechamientos existentes, sin obligación de pagar canon alguno, y debiendo, además, solicitar la correspondiente concesión en el plazo de 1 año a contar desde la mencionada fecha[141], a las siguientes personas:

Para aquellos titulares de espacios de la zona marítimo-terrestre, playa y mar territorial que hubieran sido declarados de propiedad particular por sentencia judicial firme anterior a la entrada en vigor de la LC de 1988 (Apartado 1, de la Disposición Transitoria Primera); si bien, a raíz de la interpretación hecha por los Tribunales, también se extiende esta opción a aquellos que obtengan dicho reconocimiento con posterioridad[142].

---

[139]   Vid. sobre la nueva regulación legal de esta Disposición Transitoria Primera, los comentarios que hace Desdentado Daroca, E., "La reforma...", cit. pp. 66 y ss.

[140]   Una vez más, el RC de 1989 vino a completar dicho régimen legal al establecer su Disposición Transitoria Primera, 3, que la prórroga por un nuevo plazo de 30 años debería ser solicitada por el interesado, dentro de los 6 meses anteriores al vencimiento, y se otorgaría salvo que la concesión estuviese incursa en caducidad; y también al decir: *"...La concesión se otorgará con arreglo a lo previsto en la LC, aunque limitada a los usos y aprovechamientos existentes a la entrada en vigor de la misma..."*. Respecto al resto de la superficie de antigua propiedad privada, el RC señala que *"...queda sujeto al régimen general de utilización del dominio público marítimo-terrestre..."* (Disposición Transitoria Primera, 3), si bien concluye: *"El anterior propietario tendrá derecho preferente, durante un período de sesenta años, para la obtención de las concesiones para nuevos usos o aprovechamientos que puedan otorgarse sobre la totalidad de la superficie de antigua propiedad privada..."* (Disposición Transitoria Primera, 4 del RC de 1989), los cuales se ajustarán íntegramente a lo previsto en la LC de 1988, incluyendo la limitación de plazo y la obligación de pagar canon.

[141]   Aunque la LC de 1988 estableció la exigencia de que se solicitase la concesión en el plazo de 1 año, la Disposición Transitoria Primera, 2 del RC de 1989 aclaró que, aun cuando transcurriera dicho plazo legal, el propietario tendría derecho a esa concesión, que se entendería otorgada automáticamente salvo renuncia expresa del interesado. Es más, el TC, en su Sentencia 149/1991, utilizó luego esta precisión reglamentaria como argumento de apoyo de la existencia en estos casos de una auténtica expropiación, al entender (Fundamento Jurídico 8º) que no se trata de una libre opción del particular, *"...sino de una decisión expropiatoria en la que es la misma Ley la que fija el quantum de la indemnización..."*.

[142]   Esta previsión legal obliga a precisar que, aun cuando esta Disposición alude a *"sentencias anteriores a la LC"*, deberán entenderse incluidas también en dicho supuesto las titularidades sobre las que se haya planteado contienda y estén aún pendientes de sentencia o ésta no sea todavía firme, así como aquéllas que se planteen en el futuro, tendentes a conseguir el reconocimiento del derecho de los particulares.

b) Sólo en un supuesto (el contemplado en el apartado 2 de la Disposición Transitoria Primera de la LC de 1988) **se otorgaba al particular una menor contraprestación. Es el caso de los titulares de terrenos de la zona marítimo-terrestre o playa que no hubieran podido ser ocupados por la Administración estatal al practicar un deslinde anterior a la entrada en vigor de la LC de 1988, porque sus dueños aportaron títulos registrales amparados por el artículo 34 de la Ley Hipotecaria (Disposición Transitoria Primera, 2 del RC de 1989)**[143]. La citada Ley declaró que dichos titulares quedarían sujetos al régimen previsto en ella para la utilización del dominio público; si bien también concedió a dichos propietarios, de una parte, la posibilidad de solicitar, en el plazo de 1 año a contar desde la entrada en vigor de la Ley, *"la legalización de usos existentes, mediante la correspondiente concesión, en los términos de la Disposición Transitoria Cuarta"* —referente a las obras e instalaciones emplazadas en esos terrenos—; y, de la otra y sólo en la medida en que hubieran obtenido dicha legalización, tenían un derecho preferente *"durante un período diez años, para la obtención de los derechos de ocupación o aprovechamiento que, en su caso, pudieran otorgarse sobre dichos terrenos, por un plazo máximo de treinta años"* (Disposición Transitoria Segunda, 4 del RC de 1989). En su momento, el TC, en su Sentencia 149/1991, justificó esta menor contraprestación en la mayor debilidad del título que éstos oponían frente a la demanialidad del litoral[144].

Sin embargo, la Ley 2/2013, haciéndose eco de las críticas hechas durante todos estos años, viene a modificar este apartado 2, ampliando también en este caso, sus derechos (al otorgarles una concesión de 30 años, para realizar los usos y aprovechamientos existentes). En efecto, particularmente, en este caso, pese a haberse negado durante todos estos años (tanto por la Administración como por los Tribunales) la virtualidad de los títulos registrales inscritos en el Registro de la Propiedad antes de la entrada en

---

[143]   Como pone de relieve LOZANO CUTANDA, B., "Ley 2/2013...", *op. cit.*, p. 5, la jurisprudencia extendió este supuesto a los terrenos inequívocamente privados u otros sobre los que existían títulos privados amparados en el artículo 34 de la Ley Hipotecaria, que nunca pudieron hacerse valer ante la Administración por no practicarse el correspondiente deslinde (por ejemplo, STS de 27 de octubre de 2003, Ar. 7849).

[144]   En este sentido, el Tribunal entendió que, frente a la publicidad natural del demanio, no podía prevalecer, de ningún modo, la publicidad registral y que las dudas que pudieran suscitarse en cuanto a la constitucionalidad de este número, dada la menor compensación, quedaban finalmente despejadas al incluir el inciso final del propio apartado, en el que expresamente se salva el derecho de esos titulares para acudir a las acciones civiles en defensa de sus derechos.

vigor de la LC de 1988[145]. También a estos propietarios registrales que, por ser adquirentes de buena fe, podían acogerse en 1988 a la protección del artículo 34 de la Ley Hipotecaria, la Ley 2/2013 les reconoce ahora, expresamente, el derecho *"a ser titulares de un derecho de ocupación y aprovechamiento del dominio público marítimo-terrestre, por treinta años, respetando los usos y aprovechamientos existente, a cuyo efecto deberán solicitar la correspondiente concesión"*.

Además, en aras de favorecer la seguridad jurídica, la citada Ley 2/2013 intenta dar respuesta a algunos de los mayores problemas suscitados con la aplicación de su predecesora LC de 1988, como era la falta de correspondencia entre la realidad y los asientos registrales. Esta situación ha generado no pocos conflictos en la práctica con los propietarios nacionales y/o extranjeros (terceros, adquirentes de buena fe) que compraron viviendas en la costa peninsular e insular, comprobando luego que aquéllas estaban deslindadas como dominio público marítimo-terrestre o, en el mejor de los casos, afectadas por la zona de servidumbre de protección (sin que hubiera constancia de ello en los correspondientes asientos registrales). A tal efecto y como ya se dijo al analizar el deslinde, se modifican diversos preceptos de la Ley (arts. 11.2, 13.2. Disposición Transitoria Cuarta, Disposición Adicional Primera, etc.), a fin de favorecer la publicidad registral y que *"los ciudadanos, en general, y los adquirentes, en particular, dispongan de la información exacta sobre los terrenos que están en el dominio público o que pueden pasar a formar parte de él"* (Exposición de Motivos)[146].

c) Para los titulares de bienes que no se hubieran deslindado o lo estuvieran parcialmente a la entrada en vigor de la referida LC de 1988[147]

---

[145] Así, por ejemplo, la citada STS de 15 de febrero de 2012 (Ar. 5336) declara que no pueden oponerse dichas inscripciones registrales como razón de prevalencia frente a la naturaleza demanial de los bienes deslindados, menos considerando la prohibición de enclaves particulares en el dominio público marítimo-terrestre. En estos casos, lo que procede es la aplicación de la Disposición Transitoria Primera, 2 de la LC de 1988, que faculta a los titulares de los bienes amparados por el artículo 34 de la Ley Hipotecaria para solicitar la legalización de usos existentes, mediante la correspondiente concesión, en los términos de la Disposición Transitoria Cuarta. Tras la aprobación de la reciente Ley 2/2013 se entiende que estos titulares registrales, a los que se refiere esta Sentencia, podrán volver a solicitar, ahora, a la Administración del Estado una concesión de 30 años, tal como prevé el apartado 2, de su Disposición Transitoria Primera.

[146] A este respecto y para evitar reiteraciones innecesarias, nos remitimos a las precisiones que se hicieron, en su momento, al analizar el régimen jurídico del deslinde.

[147] Se considerará parcial el deslinde cuando no se hubiera incluido en él todos los bienes calificados como de dominio público según la Ley de Costas de 1969 —Disposición

(Disposición Transitoria Primera, apartado 3); en cuyo momento y como consecuencia de la aprobación de los nuevos deslindes practicados, conforme a las definiciones legales contenidas en dicha LC de 1988, vieron sus propiedades incluidas en el dominio público marítimo-terrestre. Inicialmente, conforme a su tenor literal, estos propietarios eran privados de su propiedad sin compensación alguna; cuando lo cierto es que su situación había sido provocada por la actitud pasiva y negligente de la Administración pública, en la medida en que la Ley de Costas de 1969 recogía en su Disposición Transitoria Primera la obligación de la Administración de deslindar todo el demanio costero en el plazo de 5 años, cosa que evidentemente no hizo. Así lo entendió también el TC quien, en la referida Sentencia 149/1991, señaló que el tenor literal de ese apartado 3 suponía una privación de derechos, si bien, finalmente, salvó su constitucionalidad a través de una interpretación extensiva de las referidas Disposiciones, entendiendo que: *"...también en estos casos deberá ser indemnizada la privación de derechos en términos análogos a los previstos en los dos apartados anteriores...".*

La Ley 2/2013, haciéndose eco de dicha doctrina jurisprudencial, añade expresamente a continuación que, en todo caso, se aplicará lo siguiente:

> *"...los titulares registrales de los terrenos, amparados por el artículo 34 de la Ley Hipotecaria, que resulten comprendidos en el deslinde practicado pasarán a ser titulares de un derecho de ocupación y aprovechamiento del dominio público marítimo-terrestre en los términos previstos en el apartado segundo de esta disposición"* (es decir, **de un derecho de ocupación y aprovechamiento del dominio público marítimo-terrestre por 30 años, respetando los usos y aprovechamientos existentes, para lo cual deberán solicitar la correspondiente concesión**).

d) Y, por último, para los propietarios de los terrenos situados en tramos de costa en los que esté completado el deslinde del dominio público marítimo-terrestre a la entrada en vigor de la LC de 1988, pero que hubiera de practicarse uno nuevo para adecuarlo a las características establecidas en aquélla para los distintos bienes (Disposición Transitoria Primera, apartado 4), se declara lo siguiente:

> *"los terrenos que resulten comprendidos entre la antigua y la nueva delimitación* **quedarán sujetos al régimen establecido en el apartado primero de esta disposición**, *computándose el plazo de 1 año para la solicitud de la concesión a que el mismo se refiere a partir de la fecha de aprobación del correspondiente deslinde"*[148].

Transitoria Tercera, 2 del RC de 1989—.

[148] Así sucedió, por ejemplo, en las SSTS de 7 y 23 de diciembre de 2011, rec. núm. 5497/2008 y 6508/2008. Además, el TS recuerda que, aun en el caso de solicitudes

Por tanto, de conformidad con ello, los propietarios de dichos terrenos pasarían a ser titulares de un derecho de ocupación y aprovechamiento del dominio público marítimo-terrestre, en los términos y con los mismos requisitos exigidos en el referido número 1 de dicha Disposición Transitoria Primera, cuyos regímenes se equiparan.

En otro orden de cosas y con el mismo objetivo de *"dotar a las relaciones jurídicas que se dan en el litoral de una mayor seguridad jurídica"*, porque *"su ausencia ha generado problemas que van más allá de los estrictamente jurídicos, y que han provocado desconfianza y desconcierto"* (Preámbulo de la Ley 2/2013), el legislador estatal intenta reforzar las antedichas concesiones compensatorias, ampliando su plazo de duración hasta los 75 años[149]. A tal efecto, el artículo segundo de esta Ley 2/2013 dispone que las concesiones otorgadas antes de su entrada en vigor, **así como las concesiones de ocupación y aprovechamiento amparadas en la citada Disposición Transitoria Primera**, podrán realizar una solicitud de prórroga desde la entrada en vigor de dicha Ley y antes de que se extinga el plazo para el que fue concedida (más restrictivamente, la LC de 1988 exigía que se solicitase ésta, "dentro de los 6 meses anteriores al vencimiento"). Incluso, la Ley prevé que se pueda acordar un plazo concesional inferior a 75 años, en función de los usos, pudiendo prorrogarse sucesivamente dentro de aquél límite temporal máximo[150].

---

    extemporáneas, el derecho concesional seguiría vivo, pudiendo repercutirse el retraso en la duración del título, pero nunca determinar la extinción de dicho derecho.

[149]   En efecto, la Ley 2/2013 regula, como novedad, esta ampliación del plazo concesional. Ya de entrada, se refiere a ella en el artículo 13, bis, al declarar que *"los titulares de los terrenos que tras la revisión del deslinde se incorporen al dominio público marítimo-terrestre pasarán a ser titulares de un derecho de ocupación y de aprovechamiento, a cuyo efecto la Administración otorgará de oficio la concesión, salvo renuncia expresa del interesado"*; cuya concesión *"se otorgará por setenta y cinco años, respetando los usos y aprovechamientos existentes, sin obligación de abonar canon"*. Y, asimismo, alude nuevamente a dicho plazo, al fijar el régimen general de las concesiones, en el artículo 66.2, sustituyendo el plazo máximo de duración de 30 años por el de 75 (al igual que el fijado en la Ley de Patrimonio de las Administraciones Públicas y en el Texto Refundido de la Ley de Aguas), si bien hay que decir que no lo establece con carácter general, sino en función de los usos a que las mismas se destinen. Además, tampoco se regula en la propia Ley los términos en que se llevará a cabo dicha ampliación, remitiéndose para ello al futuro Reglamento. En última instancia, la Ley sí que contempla un supuesto específico y es el del concesionario que presente proyectos de regeneración de playas y de lucha contra la erosión y los efectos del cambio climático, aprobados por la Administración; en cuyo caso prevé, expresamente, que deberá respetarse en todo caso dicho plazo de 75 años.

[150]   Según reza la Exposición de Motivos de esta Ley 2/2013, la razón que ha llevado a regular dicha prórroga no es otra que la cercanía en el tiempo del año 2018, año en

Sin embargo, por lo pronto, esta nueva regulación de los plazos suscita, a nuestro juicio, algunas dudas iniciales; a saber: Si aquellos propietarios que llevan, por ejemplo, 18 años disfrutando de una concesión tendrían derecho a pedir ahora una prórroga por otros 75 años, pues, de conformidad con el régimen legal contenido en ese artículo 2, parece que nada lo impide, aunque lo cierto es que, en tal caso, el cómputo total de la concesión (que no de la prórroga) sería muy superior a los 75 años; o, también, cuándo sería más conveniente pedir la prórroga, porque, en realidad, la Ley sólo exige que no haya expirado el plazo para el que fue concedida (entendemos que se está refiriendo al plazo de la anterior); en última instancia, sería posible, de conformidad con dicha norma, otorgar al antiguo propietario una prórroga inferior a los 75 años, en atención al tipo de usos, pero, en nuestra opinión, entre el plazo inicial y la prórroga deberían respetarse, como mínimo, los 60 años considerados, por el TC, como justiprecio por la pérdida de un derecho de propiedad y su transformación en un derecho real de concesión administrativa temporal[151]; etc.

Además y siempre con el mismo objetivo de reforzar los citados derechos concesionales de los antiguos titulares de enclaves privados en el litoral, la Ley 2/2013 introduce otras dos modificaciones más. De una parte, prevé que tales propietarios puedan transmitir dichas concesiones *"por actos inter vivos[152]*

---

que comenzarían a extinguirse las concesiones otorgadas a los antiguos propietarios que vieron transformados sus derechos de propiedad en concesión administrativa por la LC de 1988.

[151] Sobre la interpretación que debe darse, a esta nueva cláusula legal de los 75 años, vid. por ejemplo, la opinión de González García, "Cuestiones problemáticas de protección del litoral en el Proyecto de la Ley de reforma de la Ley de Costas", *Revista de Urbanismo y Edificación, núm. 26/2013;* o Desdentado Daroca, E., "La reforma...", cit., pp. 58 y ss.

[152] La razón esgrimida, en su momento, para no otorgar a los propietarios ese derecho de transmisión inter-vivos era que, de ese modo, la propiedad y, por ende, su precio se depreciaba, siendo más fácil su adquisición o compra para reintegrar tales espacios al dominio público marítimo-terrestre. Sin embargo, lo cierto es que, como regla general y durante estos años, la Administración del Estado no ha utilizado dicha vía para agilizar la liberalización del dominio público marítimo-terrestre ocupado (mayormente, por razones presupuestarias). Consiguientemente y tal como hemos seguido denunciando durante años, el modelo de compensación previsto en la LC de 1988 era un modelo, a coste cero, que, a la postre, no ha logrado los objetivos propuestos. Además, ha hecho recaer el mayor sacrificio económico en los legítimos propietarios, los cuales podrán ahora transmitir sus derechos concesionales, mientras no se agote el plazo por el que éste haya sido otorgado, que, insistimos, no deberá ser nunca inferior a los 60 años, declarados por el TC (STC 149/1991), como plazo suficiente de compensación y, por ende, como justiprecio.

y mortis causa[153]", condicionando, no obstante, la validez de la transmisión inter vivos al reconocimiento previo por parte de la Administración de que el adquirente cumple *"las condiciones establecidas en la concesión"*, en los términos regulados en el artículo 70. Y, de la otra, permite que éstos puedan llevar a cabo, asimismo, obras de reparación, mejora, consolidación y modernización, siempre que no impliquen aumento de volumen, altura ni superficie de las construcciones existentes (Disposición Transitoria Cuarta, 3).

A la vista de todo lo anterior, hay que reconocer, al menos, el esfuerzo realizado en la Ley 2/2013 para ampliar el haz de facultades de los antiguos propietarios, a través de una regulación más completa de su derecho concesional. De este modo, el legislador estatal ha pretendido salir al paso de las críticas que, desde distintos ámbitos[154] e incluso desde Europa, se habían vertido contra la solución arbitrada, en su día, por la LC de 1988; y ello, hasta el punto de que, en un informe del Parlamento Europeo de 20 de febrero de 2009 (denominado Informe Auken), se instó a las autoridades españolas a revisar urgentemente y, en su caso, modificar la Ley de Costas *"a fin de proteger los derechos de los legítimos propietarios de viviendas y de aquellos que poseen pequeñas parcelas en zonas de la costa que no tienen un impacto negativo sobre el medio ambiente costero"*. Entre otros considerandos, se afirmaba que España *"estaba aplicando la Ley de Costas de forma retroactiva, con arbitrariedad y sin indemnización suficiente"*.

Sin embargo, dejando al margen cualquier consideración en torno a si esta nueva regulación legal (derecho concesional reforzado) supone, realmente, un justiprecio equiparable a un título de propiedad[155], habría que

---

[153]   A este respecto, la Ley 2/2013 mantiene el régimen de transmisibilidad *"mortis causa"* de estos bienes, que se contenía ya en la legislación anterior, si bien amplía ahora el plazo de 1 año a 4, para que los causahabientes del concesionario comuniquen a la Administración el fallecimiento de aquél y su decisión de subrogarse.

[154]   Diversas plataformas de ciudadanos afectados por la LC de 1988 lucharon activamente, tanto dentro de España como en el seno de la Unión Europea, por sus derechos e intereses legítimos (al ser propietarios de viviendas o titulares de actividades empresariales que, tras la realización del correspondiente deslinde, habían visto como éstas quedaban incluidas en el dominio público o en su zona de servidumbre de protección), al entender que la respuesta arbitrada por la Disposición Transitoria Primera de la LC de 1988 era insuficiente y contraria a sus derechos.

[155]   Como ya hemos declarado en diversas ocasiones y seguimos manteniendo ahora la conversión de un derecho de propiedad privada en concesional no es justiprecio suficiente, por mucho que se amplíe el plazo de esta última, pues el primero implica un derecho a usar, disfrutar y disponer de los bienes sin limitación temporal alguna, mientras que la concesión otorga derechos limitados, tanto en el contenido como en el tiempo, desdibujando la idea que la propia sociedad tiene sobre tal derecho de pro-

plantearse, por lo que ahora interesa, si al menos ésta resulta la solución más idónea para lograr los fines proteccionistas que propugna la Ley, porque lo cierto es que, a primera vista, lo que hace es dilatar todavía más en el tiempo la recuperación de estos espacios, manteniendo esa *"demanialidad ocupada"*, que desde hace años venimos criticando. Y es que basta una mirada a nuestro litoral peninsular e insular para comprobar que esa solución (*"demanialidad ocupada"*) no logra los fines proteccionistas pretendidos, al impedir la recuperación de las características naturales de estos espacios, así como su uso público.

El propio legislador estatal de 2013 parece reconocer esto mismo en su Exposición de Motivos, al señalar que la opción del legislador estatal de 1988 de demorar en el tiempo los efectos de sus disposiciones (tal es el caso, decimos nosotros, de estas concesiones demaniales) ha dado lugar a una litigiosidad crónica y, en no pocos supuestos, a la inaplicación de sus disposiciones, tolerándose situaciones inaceptables medioambientalmente, que aún no han sido resueltas. Según sus palabras: *"Tanto la aplicación conflictiva como la inaplicación o incluso la impotencia de la norma para imponerse sobre realidades sociales consolidadas son la prueba de que aquella concepción debe ser corregida"*. Sin embargo, luego se contradice en su articulado, al perpetuar todavía más en el tiempo (hasta 75 años o más) la ocupación del dominio público marítimo-terrestre por los concesionarios (que no propietarios)[156].

En última instancia, tampoco parece muy congruente la solución arbitrada en la Disposición Adicional Séptima de la Ley 2/2013, en relación

---

piedad. Incluso, aun considerando válido dicho sistema compensatorio y admitiendo el hecho de que, efectivamente, evita el desembolso de importantes cantidades de dinero por parte de la Administración, de las que, desde luego, hoy tampoco dispone, también lo es que la concesión puede resultar inadecuada por no constituir un justiprecio en todos los supuestos, al no atender la regulación legal a las características particulares de cada caso (la propia STC viene a reconocer esta realidad). En contra, LOZANO CUTANDA, B., "Ley 2/2013...", *op. cit.*, pp. 9 y ss. entiende que *"si al amplísimo plazo de prórroga se le une la posibilidad de transmitir los títulos inter vivos y de llevar a cabo obras de consolidación y mejora, la concesión resultante resulta bastante equiparable a un título de propiedad"*.

[156] Consiguientemente, dicha regulación (tanto la contenida en la LC de 1988, como, ahora, la recogida en la Ley 2/2013) hace pensar que no era necesario demanializar la costa y, por ende, publificar tales titularidades privadas, para llegar a los objetivos alcanzados, pues, hubiese sido suficiente para ello ordenar a través de los correspondientes instrumentos legales y de planificación, los usos permitidos en tales espacios, fijando las normas necesarias para su preservación y utilización racional de sus recursos naturales.

con los núcleos de población existentes en el dominio público marítimo-terrestre. Y ello porque, como poco, resulta sorprendente (como así ha declarado con acierto ya algún autor[157]) que el legislador estatal haya procedido a realizar *"desadscripción demanial por Ley de bienes de dominio público natural"* que afecta, solamente, a 12 núcleos, que aparecen relacionados en un Anexo, en la extensión fijada en la planimetría incorporada al propio Anexo, es decir, que aparecen deslindados por Ley, con todas las consecuencias jurídicas que ello comporta. La Exposición de Motivos se limita a decir, para justificar esta exclusión con nombres y apellidos, que ninguno de los terrenos excluidos *"pertenece a los bienes definidos en el artículo 3.1 de la Constitución"*, pues, de no ser así, tal desascripción devendría inconstitucional, en cuanto contraria al carácter demanial por naturaleza del dominio público marítimo-terrestre. Y sigue diciendo que esta exclusión legal se justifica porque *"los terrenos sobre los que están edificados, por su degradación y sus características físicas actuales, resultan absolutamente innecesarios para la protección o utilización del dominio público marítimo-terrestre"*, añadiendo que tales bienes se encuentran incorporados al dominio público marítimo-terrestre por deslindes anteriores a la LC de 1988 y que las viviendas también son anteriores a dicha fecha. En definitiva, termina señalando que *"se trata de áreas de viviendas históricamente consolidadas y altamente antropizadas, cuya situación de inseguridad jurídica, arrastrada desde 1988, debe ser resuelta por esta Ley"*. A la vista de esta justificación, no se entiende muy bien por qué sólo se excluyen en la Ley estos 12 núcleos, cuando lo cierto es que existen muchos otros con características similares o, incluso, con otras que justificarían en mayor grado su exclusión (tal es el caso de los núcleos tradicionales con valor etnográfico existentes en las costas Canarias, cuya inclusión en la Ley fue demandada en diversas ocasiones, durante su tramitación, sin éxito alguno).

VIII. LA UTILIZACIÓN DEL DOMINIO PÚBLICO MARÍTIMO-TERRESTRE

1. *Introducción*

Con todo, esta exposición panorámica del régimen jurídico aplicable al dominio público marítimo-terrestre contenido en la LC de 1988, a la

---

[157]   LOZANO CUTANDA, B., "Ley 2/2013...", op *cit.*, p. 5.

luz de las modificaciones introducidas por la recientemente aprobada Ley 2/2013, no puede concluirse sin aludir, siquiera brevemente, a su utilización. Y ello, entre otras razones, porque dicha norma introduce importantes modificaciones en diversos aspectos de su regulación legal, particularmente, en el régimen concesional, para lograr el reto de alcanzar: *"un equilibrio entre un alto nivel de protección y una actuación respetuosa con el medio"*, en la medida en que, conforme declara su Preámbulo: *"el desarrollo sostenible se alimenta de la relación recíproca entre la actividad económica y la calidad ambiental"*. De ahí, la nueva propuesta de fomentar el uso sostenible del litoral a través de la incorporación de toda una serie de medidas, que van acompañadas de un control administrativo ambiental. Así, por ejemplo, como ya se adelantó, mediante la previsión de un sistema de usos diferenciados en las playas, en función de que se trate de tramos de playa urbanos o naturales; la ampliación de los tipos de obras a realizar en las construcciones existentes en el dominio público marítimo-terrestre y en sus zonas de servidumbre de tránsito y de protección; la ampliación de los plazos de las autorizaciones y concesiones, así como la previsión de una prórroga extraordinaria de las concesiones existentes; el reconocimiento de la transmisibilidad de las concesiones; así como, en última instancia, la previsión de un nuevo régimen de cánones y tasas[158]; etc. A continuación nos referiremos, particularmente, a algunas de estas cuestiones.

2. *Principios comunes que rigen la utilización del demanio costero*

Sin perjuicio de lo anterior, lo cierto es que, salvo alguna novedad puntual, como en el caso de la utilización de las playas (art. 33.6)[159] o de la

---

[158]   En este sentido, la Ley 2/2013 incluye diversas modificaciones en el régimen previsto en la LC de 1988 sobre cánones y tasas, e introduce un nuevo capítulo en el que prevé la imposición de contribuciones especiales cuando, de la ejecución de las obras que se realicen en el dominio público marítimo-terrestre para su protección, defensa o mejora, o para la de los terrenos colindantes, pueda conllevar un beneficio especial para determinadas personas físicas o jurídicas. Sin embargo, sin perjuicio de esta breve mención, no es posible realizar en las páginas siguientes un análisis exhaustivo de tales medidas, porque ello escaparía con creces al objetivo principal de este capítulo, que es ofrecer una visión general o panorámica de todo el régimen jurídico del dominio público marítimo-terrestre, a la luz de las modificaciones recientemente introducidas por la Ley 2/2013, lo que nos impide entrar a examinar con detalle cada una de las cuestiones planteadas.

[159]   La Ley 2/2013 prevé un nuevo apartado 6 en el artículo 33 referente al régimen de ocupación de las playas, que ya ha despertado alguna crítica por parte de determinadas CCAA (por ejemplo, la de Canarias), en la medida en que, inicialmente, la Ley

autorización puntual de la publicidad (art. 38)[160], la Ley 2/2013 mantiene los criterios generales contenidos en la LC de 1988 (arts. 31 a 41), para salvaguardar la integridad y el uso común general propio de la naturaleza de esta categoría de bienes, aplicables a todos los bienes de dominio público marítimo-terrestre, cualquiera que sea el régimen de utilización (ya se trate de reservas, adscripciones, autorizaciones o concesiones) y cualquiera que sea la Administración competente. Así las cosas, los únicos derechos que la legislación de costas admite sobre el dominio público marítimo-terrestre son los de uso y aprovechamiento que se adquieran conforme a ella.

Siguiendo una tradicional clasificación en la dogmática iuspublicista, dicha norma distingue entre usos comunes y privativos, según se excluya o no el uso de los demás. En el supuesto del uso común es posible distinguir, a su vez, entre el uso común general y el uso común especial según concurran o no circunstancias especiales de intensidad o peligrosidad. Asimismo, el uso privativo —que implica la ocupación del demanio costero por un particular de modo que limite o excluya el uso de los demás— puede ser normal o anormal, dependiendo de que esa utilización excluyente o limitativa sea o no la propia de esa categoría de bienes. En última instancia, es posible que la Administración estatal, titular de tales dependencias, se reserve para sí el uso privativo a título de reserva demanial.

De este modo, continuando con nuestra tradición legislativa, en el ámbito del dominio público marítimo-terrestre y, en todo caso, del mar y su ribera, se consagra el carácter público, libre y gratuito para los usos comunes y acordes con la naturaleza de aquél, tales como pasear, estar, bañarse, navegar, embarcar y desembarcar, varar, pescar, coger plantas y mariscos y otros actos semejantes que no requieren obras e instalaciones de ningún tipo y que se realicen de acuerdo con las leyes y reglamentos o normas

---

remite al Reglamento el desarrollo de dicho régimen de ocupación y uso de las playas, en función de la naturaleza del tramo de que se trate (es decir, si son urbanas o no), lo que, a juicio de éstas, genera cierta incertidumbre e inseguridad jurídica, pues entienden que, al menos, la regulación mínima de tales usos debería estar recogida en la propia Ley. Y, además, porque estiman que tal regulación supone una invasión en las competencias autonómicas al arrogarse el Estado facultades de ordenación en las playas, que compete en exclusiva a las CCAA, mientras que a aquél sólo le corresponde fijar unos máximos y mínimos para el uso en dichas zonas.

[160]　Concretamente, el artículo 38 prohíbe la publicidad *"permanente"*, pero, novedosamente, admite que se autorice la publicidad *"excepcionalmente y en las condiciones que se establezcan reglamentariamente"* siempre que *"sea parte integrante o acompañe a instalaciones o actividades permitidas en el dominio público marítimo-terrestre y siempre que sea compatible con su protección"*.

aprobadas conforme a ella (artículo 31.1 de la LC de 1988). Se trata, pues, del uso común general para el que todos se encuentran habilitados por la Ley, dentro de las condiciones que ésta y sus Reglamentos establezcan.

Por el contrario, los usos o actividades en los que concurran especiales circunstancias de intensidad, peligrosidad o rentabilidad o que requieran la ejecución de obras e instalaciones sólo podrán ampararse en la previa existencia de reserva (art. 47)[161], adscripción[162], autorización y concesión, con sujeción a lo previsto en la legislación de costas, en otras normas especiales, en su caso, y en las disposiciones generales y específicas correspondientes, sin que pueda invocarse derecho alguno en virtud de usucapión,

---

[161] De este modo, conforme al artículo 47 de la LC de 1988, la Administración del Estado podrá reservarse, en exclusiva, la utilización total o parcial de determinadas pertenencias del dominio público marítimo-terrestre para el cumplimiento de fines de su competencia, siempre que se trate de actividades o instalaciones que, por su naturaleza, no puedan tener otra ubicación y que se respeten los límites establecidos en el artículo 32. La reserva podrá ser para la realización de estudios e investigaciones o para obras, instalaciones o servicios de finalidad y carácter público. Su duración se limitará al tiempo necesario para el cumplimiento de los fines que la justifican. Dicha reserva prevalecerá frente a cualquier otra utilización del dominio público y llevará implícita la declaración de utilidad pública y la necesidad de ocupación, a efectos expropiatorios de los derechos preexistentes que resulten incompatibles con ella. Asimismo, conforme dispone el artículo 48 de la LC de 1988, la utilización o explotación de las zonas de reserva se podrá realizar por cualquiera de las modalidades de gestión directa o indirecta que se determinen reglamentariamente, prohibiéndose que la misma pueda amparar, en ningún caso, la realización de otros usos o actividades distintas de las que justificaron la declaración.

[162] Por su parte, la adscripción es una técnica por la que la Administración del Estado cede a las CCAA determinadas porciones del dominio público marítimo-terrestre con la finalidad exclusiva de construir nuevos puertos y vías de transporte de titularidad de aquéllas o de ampliar o modificar los existentes. En todo caso, el dominio público adscrito conservará su calificación jurídica, correspondiendo únicamente a la Comunidad Autónoma su utilización y gestión, de acuerdo con su finalidad. Por lo que se refiere a los plazos, la Ley 2/2013 ha venido a modificar el plazo de las concesiones que se otorguen en los bienes adscritos, que con la LC de 1988 no podía ser superior a 30 años. Sin embargo, ahora el artículo 49.1 declara que "*incluidas las prórrogas, no podrá ser superior al plazo máximo de vigencia establecido en la legislación estatal para las concesiones sobre dominio público portuario en los puertos de interés general*". Y, asimismo, dicha Ley 2/2013 permite, en relación con los usos permitidos en la zona de servicio portuaria de los bienes de dominio público marítimo-terrestre adscritos (siempre, claro es, que no reúnan las características del art. 3), además de los usos necesarios para el desarrollo de la actividad portuaria, los "*usos comerciales y de restauración, siempre que no se perjudique el dominio público marítimo-terrestre, ni la actividad portuaria y se ajusten a lo establecido en el planeamiento urbanístico. En todo caso, se prohíben las edificaciones destinadas a residencia o habitación*". Si bien, remite al futuro Reglamento la fijación de los criterios de asignación de superficie máxima para la realización de tales usos.

cualquiera que sea el tiempo transcurrido (artículo 31.2 de la LC de 1988). Por su parte, el artículo 32 abunda en la excepcionalidad de tales ocupaciones[163].

3. En particular: El régimen jurídico de las autorizaciones y concesiones a la luz de las modificaciones introducidas por la Ley 2/2013

A) La autorización

De conformidad con los artículos 51 y ss. de la LC de 1988 será necesaria autorización previa para la realización de actividades en el dominio público marítimo-terrestre en las que, sin requerir obras o instalaciones de ningún tipo, concurran circunstancias especiales de intensidad, peligrosidad o rentabilidad y, asimismo, cuando se ocupe aquél con instalaciones desmontables o con bienes muebles (tales como los servicios de temporada en las playas[164], etc.).

---

[163] Así, de conformidad con dicho artículo 32 de la LC de 1988, únicamente se permitirá la ocupación del dominio público marítimo-terrestre para aquellas actividades o instalaciones que, por su naturaleza, no puedan tener otra ubicación; es decir: a) Las que desempeñen una función o presten un servicio que, por sus características, requieran la ocupación del dominio público marítimo-terrestre; b) Y las de servicio público o al público que, por la configuración física del tramo de costa en que resulte necesario su emplazamiento, no puedan ubicarse en los terrenos colindantes con el demanio costero. En ambos supuestos, la ocupación deberá ser la mínima posible. Por tanto, la Administración deberá ponderar en cada caso la necesidad misma de la ocupación para el interés público, evitando en lo posible interpretaciones extensivas de la norma que favorezcan el otorgamiento generalizado de autorizaciones y concesiones administrativas sobre el dominio público marítimo-terrestre.

[164] Corresponde a los Ayuntamientos que lo soliciten el otorgamiento de las autorizaciones para la explotación de los servicios de temporada en las playas, que sólo requieran instalaciones desmontables, con sujeción a las condiciones establecidas en las normas generales y específicas correspondientes. En modo alguno, el otorgamiento de dichas autorizaciones podrá desnaturalizar el principio del uso público de las playas. No obstante lo anterior, el artículo 54 de la LC prevé también la posibilidad de que pueda otorgarse la explotación total o parcial de los servicios de temporada a los titulares de concesiones de creación, regeneración o acondicionamiento de playas, en los términos que se establezcan en los títulos correspondientes. La Ley 13/2003, de 23 de mayo, reguladora del contrato de concesión de obra pública vino a completar dicha previsión legal al añadir un segundo párrafo al citado artículo 54, según el cual: "2. *Igualmente podrá otorgarse la autorización para la explotación total o parcial de los servicios de temporada en las playas, como contraprestación al coste de la ejecución de la obra pública relacionada con estas que, por su naturaleza y características, no sea susceptible de explotación económica*".

Uno de los requisitos básicos para su otorgamiento consiste en la presentación de un estudio económico-financiero del uso, cuya ausencia —en la medida en que se considera trámite esencial para garantizar el correcto funcionamiento de los servicios y detectar posibles afecciones perjudiciales al demanio costero— determina la nulidad del acto autorizatorio (STS de 23 de octubre de 2002 —Ar. 9392—).

En todo caso, las autorizaciones se otorgarán con carácter personal e intransferible intervivos, salvo en el supuesto de vertidos, y no serán inscribibles en el Registro de la Propiedad. La Ley 2/2013 introduce alguna novedad en su régimen jurídico, particularmente respecto de su plazo de vencimiento, que es ampliado de 1 a 4 años.

A su vez, la Administración del Estado puede revocar unilateralmente las autorizaciones, en cualquier momento y sin derecho a indemnización, cuando resulten incompatibles con la normativa aprobada con posterioridad, produzcan daños en el dominio público, impidan su utilización para actividades de mayor interés público o menoscaben el uso público. La Ley 2/2013 incluye, también como posible causa de revocación, *"cuando los terrenos ocupados soporten un riesgo cierto de que el mar les alcance y cuando resulten incompatibles con la normativa aprobada con posterioridad"*. Si bien, en este último caso, *"sólo se revocará la autorización, si en el plazo de tres meses desde que le fuera comunicada tal circunstancia a su titular, este no hubiera adaptado su ocupación a la nueva normativa o la adaptación no fuera posible física o jurídicamente"*. Extinguida la autorización, su titular tendrá derecho a retirar fuera del dominio público y de sus zonas de servidumbre las instalaciones correspondientes. En todo caso, estará obligado a dicha retirada cuando así lo determine la Administración competente, en el plazo fijado por ella, que no sobrepasará los 15 días, a contar desde la fecha de extinción de la autorización, estando siempre obligado a restaurar la realidad física alterada.

B) La concesión

La ocupación por el particular de determinadas parcelas del dominio público marítimo-terrestre, con obras e instalaciones no desmontables[165], estará sujeta a la previa obtención de concesión otorgada por la Administración del Estado (STS de 3 de noviembre de 2005 —Ar. 10096—), cuya

---

[165] Como destacan las SSTS de 16 de abril y 4 de mayo de 1998 (Ar. 3454 y 5097), este es el caso de las construcciones permanentes destinadas a vivienda y a industria.

ausencia constituye una infracción administrativa[166]. Conforme señala ahora la Ley 2/2013, el concesionario tendrá derecho al uso privativo de los bienes objeto de concesión, si bien, en todo caso y de acuerdo con lo que reglamentariamente se establezca, las autoridades y funcionarios podrán acceder y transitar por tales terrenos cuando sea necesario *"por razones de defensa nacional, de salvamento, seguridad marítima, represión del contrabando"*, así como *"para el ejercicio de las funciones de policía de dominio público marítimo-terrestre y para el cumplimiento de las demás funciones que tengan atribuidas"*. En última instancia, también se prevé la posibilidad de que se depositen *"las embarcaciones y sus pertrechos"* en tales terrenos, objeto de la concesión, en caso de accidente en el mar o cuando por razones de seguridad en el tráfico marítimo se estime necesario.

En ningún caso, el otorgamiento de dicha concesión exime a su titular de solicitar aquellas otras concesiones y autorizaciones que sean exigibles por otras Administraciones públicas en virtud de sus competencias en materia de puertos, vertidos u otras específicas.

La Ley 2/2013 excluye, expresamente, como titular de estas concesiones a las *"personas en quienes concurra alguna de las prohibiciones de contratar previstas en el Real Decreto Legislativo 3/2011, de 14 noviembre, por el que se aprueba el Texto Refundido de la Ley de Contratos del Sector Público"*. Y, asimismo, prevé la extinción de la concesión cuando el titular incurra en alguna de dichas prohibiciones con posterioridad a su otorgamiento. En última instancia y también en relación con la extinción de las concesiones, el legislador estatal de 2013 dispone que, en los casos de declaración de concurso, no se producirá aquélla, mientras no se haya abierto la fase de liquidación, siempre y cuando *"su titular haya prestado las garantías suficientes, a juicio de la Administración"* (concepto jurídico indeterminado y ciertamente ambiguo, que otorga un amplio margen de discrecionalidad a la Administración pública), *para continuar con la ocupación en los términos previstos en el título concesional"*.

---

[166]   Este es el supuesto de la ejecución de obras sobre zonas declaradas de dominio público marítimo-terrestre en virtud de deslinde o sobre zonas sujetas a servidumbre, sin título concesional. Ante uno de estos supuestos puede intentarse la reconducción de las mismas a la legalidad si así lo aconsejan razones de interés general y, en caso de no ser posible (como sucede con las enjuiciadas en las SSTS de 24 de junio, 3 de julio y 16 de octubre de 2002 —Ar. 7057, 9956 y 9559— y 14 de abril de 2003 —Ar. 3757—), se procederá a su demolición y a la reposición de las cosas a su estado originario (STS de 12 de junio de 2002 —Ar. 9550—).

Las concesiones se otorgarán sin perjuicio de tercero y dejando a salvo los derechos preexistentes.

Por lo que se refiere a los plazos, hay que decir que se trata de un título temporal *"per natura"* al venir referido a unos bienes imprescriptibles e inalienables. El plazo será el que se determine en el título correspondiente en función de los usos a que los mismos se destinan. A este respecto, la Ley 2/2013 introduce novedades importantes:

De una parte, modifica el artículo 66.2 de la LC de 1988, ampliando el plazo máximo de 30 años de las concesiones, contenido en aquélla, a 75 años (asimilándolo, así, al previsto en el artículo 93 de la Ley 33/2003, de 3 de noviembre, de Patrimonio de las Administraciones Públicas, así como en el artículo 59 del Decreto Legislativo 1/2001, de 20 de julio, por el que se aprobó el Texto Refundido de la Ley de Aguas). Además, la nueva Ley recoge la posibilidad de que, reglamentariamente, puedan fijarse plazos menores en función de los usos a los que se destinen las concesiones, los cuales podrán ser ampliados, conforme a los criterios que dicho Reglamento establezca, debiendo respetar, en todo caso el plazo máximo de 75 años, cuando *"el concesionario presente proyectos de regeneración de playas y de lucha contra la erosión y los efectos del cambio climático, aprobados por la Administración"*.

Y, de la otra y respecto a la ocupación del dominio público, prevé en su artículo segundo una prórroga de las concesiones otorgadas con anterioridad a su entrada en vigor. El concesionario podrá solicitar la prórroga de la concesión desde la entrada en vigor de la citada Ley 2/2013 y, en todo caso, antes de que se extinga el plazo de la anterior, sin que la misma pueda exceder de 75 años. En su momento, al analizar la problemática planteada los enclaves privados situados en el dominio público marítimo-terrestre, ya aludimos a esta cuestión de los plazos y a las dudas que inicialmente plantea su cómputo, en la medida en que dicha prórroga se aplica igualmente a estos titulares; y, asimismo, también mencionamos el nuevo régimen de transmisibilidad de las concesiones que introduce la citada Ley 2/2013. Por todo ello, nos remitimos a lo allí dicho, para evitar reiteraciones innecesarias[167].

En cuanto al procedimiento para su otorgamiento y con carácter previo a la resolución sobre la solicitud de la concesión, habrá que abrir un período de información pública y una oferta de condiciones de la Adminis-

---

[167] Damos por reproducidos aquí los comentarios hechos en su momento, en el epígrafe VII de este Capítulo.

tración del Estado al peticionario, sin cuya aceptación aquélla no se podrá otorgar. Cumplidos estos trámites, el Departamento ministerial competente dictará discrecionalmente la resolución correspondiente, que deberá hacerse pública. El otorgamiento de la concesión podrá implicar la declaración de utilidad pública por el Departamento ministerial competente, a efectos de ocupación temporal o expropiación forzosa de los bienes o derechos afectados por el objeto de aquélla.

Las concesiones serán inscribibles en el Registro de la Propiedad y, extinguida aquélla, la inscripción será cancelada de oficio o a petición de la Administración o del interesado.

Por lo que se refiere a su extinción[168] y sin perjuicio de los otros supuestos en que la misma opera, debe tenerse en cuenta lo siguiente: a) Las concesiones pueden ser revisadas de oficio por la Administración otorgante en cualquier tiempo, siempre en atención al interés general y cuando concurran circunstancias de esta índole que lo justifiquen (STS de 4 de junio de 2001 —Ar. 2002/3119— y de 25 de julio de 2003 —Ar. 5987—); b) En cualquier caso, no sólo el transcurso del tiempo es causa de caducidad de las concesiones, siendo también el incumplimiento de las condiciones que hubiesen sido motivo determinante de la misma (SSTS de 8 de julio y 21 de octubre de 2002 —Ar. 9957 y 9382—, de 8 y 15 de julio de 2003 —Ar. 6219 y 5961— y de 31 de mayo de 2005 —Ar. 9346—). Así, el incumplimiento del clausulado de la concesión, tanto por exceso (abuso concesional) como por defecto (notoria falta de explotación) de las actuaciones anudadas a la misma, determina su caducidad (STS de 24 de septiembre de 2001 — Ar. 7822—); c) Finalmente, debe recordarse que el rescate urgente de la concesión por su afectación a la realización de obras de regeneración del demanio costero sí tiene un evidente sentido expropiatorio, consistente en una auténtica privación singular de derechos de contenido patrimonial. En este sentido se pronuncia, por ejemplo, la STS de 24 de diciembre de 2001 (Ar. 2002/4988), al decir: *"...si bien es cierto que dadas las particularidades propias del demanio marítimo y del derecho expropiado, la expropiación presenta en estos casos peculiaridades respecto de otros bienes y derechos, no por ello queda excluido el régimen común de la Ley de Expropiación Forzosa en lo no regulado de*

---

[168] Sobre este particular, hay que decir que la Ley 2/2013 ha venido a modificar el artículo 78 de la LC de 1988, no sólo para incorporar algunos supuestos nuevos de extinción de la concesión —las letras j) a m) de dicho precepto—, sino, además, para ampliar el plazo para notificar la resolución del procedimiento por el que se declare la extinción del derecho a la ocupación del dominio público, que pasa de los 12 meses que preveía aquélla a los *"dieciocho meses"*.

forma expresa para el rescate de concesiones". Por ello, las ausencias de declaración previa de utilidad pública y del previo dictamen del Consejo de Estado, demandadas en el ordenamiento jurídico aplicable, determinan la improcedencia del rescate, sin que intentos de subsanación posterior de estos defectos alteren en absoluto esa imposibilidad.

En último lugar, debe tenerse en cuenta que, en todos estos supuestos de extinción de una concesión, será la Administración la que, de oficio o a instancia del interesado, decida sobre el mantenimiento de las obras e instalaciones o su levantamiento y retirada del dominio público marítimo-terrestre y de su zona de servidumbre de protección por aquél y a sus expensas. Si bien, conforme declara ahora la Ley 2/2013 (art. 72.2), deberá procederse, en todo caso, a dicho levantamiento y retirada, cuando la extinción de la concesión se deba al riesgo cierto de que las obras o instalaciones puedan ser alcanzadas por el mar.

IX. LA ORDENACIÓN DEL LITORAL: HACIA UNA GESTIÓN INTEGRADA DE LAS ZONAS COSTERAS

1. Consideraciones generales

Sin duda, toda la exposición anterior no hace sino poner de manifiesto, de una parte, que la regulación contenida, hasta ahora, en la LC de 1988, parcialmente modificada por la reciente Ley 2/2013, ha resultado bastante más exhaustiva y protectora del demanio costero que sus predecesoras. Sin embargo, lo cierto es que, con sus luces y sombras, que han quedado perfectamente acreditadas en las páginas anteriores y tras 25 años de vigencia, dicha norma no ha logrado alcanzar los ambiciosos objetivos de demanialidad absoluta, protección integral y utilización sostenible de la costa que se propuso, en su día como reto[169]; y ello, entre otras razones y recordando lo ya dicho en el presente capítulo, porque su aplicación,

---

[169]   Sobre esta función protectora de la LC de 1988 y, particularmente, sobre la demanialización como mecanismo para lograr la protección medioambiental, véase VILLANUEVA CUEVAS, A., PUNZÓN MORALEDA, J. y SÁNCHEZ RODRÍGUEZ, F., "La protección medioambiental de las costas", en *Tratado de Derecho ambiental* (Dirs. Ortega Álvarez, L. y Alonso García, C.), Tirant lo Blanch, Valencia, 2013, pp. 593 y ss. Si bien, nosotros ya nos hemos pronunciado a este respecto, con anterioridad, reseñando que "la declaración de demanialidad" no es la única vía para alcanzar tales objetivos proteccionistas y de gestión sostenible de la costa que se pretenden.

durante estos 25 años de vigencia, no ha hecho más que generar enormes conflictos en la práctica, lo que unas veces ha dificultado y otras impedido su eficacia. Me refiero, por ejemplo, a las fuertes luchas competenciales entre las Administraciones territoriales con atribuciones sobre los espacios costeros, propiciadas por el sistema de distribución de competencias que ella instaura[170], así como a la ineficaz puesta en marcha de los numerosos instrumentos de cooperación y coordinación previstos en ella; o a los importantes conflictos generados con los particulares y/o con otras Administraciones públicas al haber extendido excesivamente el dominio público marítimo-terrestre hacia el interior, como consecuencia de las definiciones abstractas e imprecisas que en ella se contienen; o al hecho de que, pese al completo cuadro de instrumentos jurídicos de protección consagrados en dicha Norma, su aplicación haya resultado ineficaz, en muchos casos, al no haberse dotado a las Administraciones públicas competentes de los medios económicos y materiales suficientes para llevarlos a la práctica; o, en última instancia, a los innumerables litigios generados por la aplicación de las soluciones (a coste cero) prevista en su Disposición Transitoria Primera, para los enclaves privados situados en el demanio costero, mediante el otorgamiento de concesiones, que sólo han retrasado y ahora, tras la aprobación de la Ley 2/2013, podríamos decir, incluso, que han perpetuado su ocupación y, por ende, la recuperación y/o regeneración de muchos tramos del litoral español degradados y abandonados, consiguiéndose, así, precisamente, el efecto contrario, esto es, lo que ha venido a llamarse "demanialidad ocupada"[171]; etc.

Asimismo, la exposición realizada hasta el momento evidencia, también, que la LC de 1988 y ahora la Ley 2/2013 no han apostado abiertamente en su articulado por un sistema de Gestión Integrada de la Zona Costera (GIZC, en lo sucesivo), limitándose, por el contrario, a ofrecer una visión sectorial y fraccionada de la costa, basada en conocimientos muy limitados de los procesos y dinámica costera, y sin tener en cuenta sus posibles

---

[170]   En este punto resultan expresivas las aseveraciones de LÓPEZ DE URALDE, J. (Director Ejecutivo de Greenpeace España) recogidas ya, en su momento, en el Informe "Destrucción a toda costa, 2006", pero que, no obstante el tiempo transcurrido, siguen ilustrando perfectamente cuál es la consecuencia de estas luchas competenciales o incluso, en otras ocasiones, de la propia dejación de nuestras Administraciones, al decir que: *"...mientras el territorio es destruido, los responsables de las distintas administraciones públicas siguen discutiendo sobre a quién corresponden las competencias. Poco importará al final quién gestione un territorio machacado y empobrecido por la búsqueda de un beneficio a corto plazo...".*

[171]   Esta expresión fue acuñada, en su momento, por GONZÁLEZ-VARAS IBÁÑEZ, S. *El deslinde de las costas",* Marcial Pons, Madrid, 1995.

efectos y consecuencias a largo plazo, sobre todo porque, frecuentemente, estas han respondido a intereses económicos o de otro tipo, o a corto plazo y, por ende, a una gestión insostenible del litoral.

Una simple mirada al litoral peninsular e insular sigue siendo suficiente para confirmar esta realidad que acaba de describirse y comprobar que el panorama actual debería ser otro, a la luz de los diversos instrumentos jurídicos previsto en la LC de 1988 para la protección y defensa del uso público de estos espacios, así como para la explotación responsable de sus recursos naturales. Sin embargo, la realidad es que el modelo seguido continúa siendo insostenible[172]. Así las cosas, continuamos asistiendo a un incremento de la artificialidad de la costa[173], al desbordamiento de la capacidad de carga por el aumento de la urbanización y a la falta de infraestructuras ambientales adecuadas de muchos puntos del litoral español, propiciada por la concentración de población en la costa, por la masiva afluencia de turistas, por la realización de actividades económicas favorecedoras del masivo uso y ocupación de la estrecha franja litoral (principalmente, como consecuencia de la actividad turística y de la urbanística) y por el hecho de que, en algunas CCAA, más del 75% de los terrenos colindantes con el mar están clasificado como urbanos o urbanizables y casi el 25% del litoral es costa artificial.

Todo lo anterior ha contribuido a favorecer que la costa española haya continuado erosionándose, que se degeneren velozmente importantes ecosistemas y hábitat en ella presentes, que se contamine el suelo y el agua, etc., a todo lo cual habrá que sumar, además, los graves efectos que el cambio climático está generando sobre el litoral, y que, desde luego, continuará haciéndolo en el futuro, si no se adoptan las medidas adecuadas para evitarlo[174]. Nos referimos, por ejemplo, en relación con las playas, al

---

[172]   Así vuelve a denunciarlo el Informe de Greenpeace "Destrucción a toda costa 2013. Análisis del litoral a escala municipal", publicado en julio de 2013, en el que, ya de entrada, hace un breve apunte crítico de la nueva Ley 2/2013, a la que califica de poco protectora en comparación con la anterior, de 1988, por primar los intereses privados en detrimento del bien público (al definir más restrictivamente el dominio público marítimo-terrestres, al reducir la anchura de la servidumbre de protección, al ampliar el plazo de las concesiones, etc.). Con todo y sin perjuicio de estas aseveraciones iniciales, dicho Informe se centra en estudiar el estado actual de nuestra costa, a escala municipal, tomando como referencia una franja de 500 metros, en la que se encadenan 500 Municipios, pertenecientes a 23 provincias de 10 CCAA.

[173]   Vid. sobre este particular, el Informe de Greenpeace, "Destrucción... 2013", *op. cit.*, pp. 12 y ss.

[174]   Como pone de manifiesto el citado Informe de Greenpeace, "Destrucción...2013", *op. cit.*, pp. 23 y ss., *"el Estado debe delimitar el espacio que necesita la franja litoral y sus ecosistemas para seguir su ritmo evolutivo, acotar la zona de inseguridad (técnicamente, la zona de peligro-*

aumento de la cota de inundación (que oscilará entre 20 centímetros en la costa del Mediterráneo, a 35 centímetros en la costa gallega y en las islas Canarias), así como en el retroceso de la de la línea de costa (así, por ejemplo, los expertos señalan que, para el año 2050 en las islas Baleares y en el sur de las islas Canarias el retroceso puede alcanzar hasta 70 metros. En el resto del litoral puede alcanzar los 20 metros)[175].

Estas y otras razones son las que justifican la conveniencia de seguir realizando estudios e investigaciones que profundicen en el conocimiento de la franja costera y de la dinámica litoral, que inviten a reflexionar acerca del futuro de estos espacios, de enorme riqueza natural pero, al mismo tiempo, extremadamente sensibles y vulnerables, a fin de que, de una vez por todas, cristalicen en la implantación de nuevos modelos de gestión costera globales e integradores, que favorezcan el aprovechamiento racional, sostenible y a largo plazo de los recursos naturales que lo conforman. En efecto, estas son las ideas que presiden la siguiente exposición, en la que se reafirma la acuciante necesidad de implantar en nuestro Ordenamiento Jurídico un modelo eficaz de GIZC, en el que los correspondientes instrumentos de planificación y, particularmente, los de ordenación territorial y urbanística se conforman como un mecanismo idóneo para ello, en cuanto permiten analizar, de manera global y con mayor amplitud, la situación y los problemas que aquejan a dicho territorio, admitiendo la confluencia e integración de las acciones de las distintas Administraciones públicas, la actuación conjunta y la superposición de toma de decisiones en los distintos niveles, así como la participación de los diversos agentes (económicos y sociales) que inciden en esa zona.

Si bien, conscientes de la relevancia y complejidad que esta cuestión tiene, de los numerosos trabajos realizados por prestigiosos especialistas que, de manera específica, han analizado esta materia en profundidad[176],

---

sidad) y cuantificar su vulnerabilidad, tal y como se establece en las Recomendaciones de Obras Marítimas de Puertos del Estado (2001) y las Directivas Marco del Agua (2000) e Inundaciones (2006), y especificar los escenarios probables de ascenso del nivel del mar por el calentamiento global".

175 Estos datos los ofrece el Informe de Greenpeace, "Destrucción...2013", *op. cit.*, pp. 24 y ss.

176 No podemos aludir a la GIZC sin hacer referencia a SANZ LARRUGA, F. J., especialista en la materia y autor de diversos trabajos, a los que me remito para completar lo que aquí se dice muy sintéticamente, por cuestiones obvias de espacio y tiempo. A saber, entre otros, los recogidos en la Obra dirigida por él, en la que participan numerosos especialista en la materia, *Estudios sobre la ordenación, planificación y gestión del litoral: Hacia un modelo integrado y sostenible*, Fundación Pedro Barrié de la Maza y Observa-

así como, en última instancia, de las ya aludidas limitaciones de espacio y tiempo, propias de este tipo de publicaciones, se ha optado por ofrecer una visión general de dicho sistema de GIZC, así como reseñar algunas de las cuestiones que suscita su implantación. De este modo, con carácter previo, se alude muy sucintamente a las dificultades que, para su eficaz instauración, plantea el actual sistema de reparto de competencias que rige en el espacio costero porque, como ya se dijo, en él confluyen competencias de diversas Administraciones públicas territoriales (estatal, autonómica y local) que, en todo caso, resulta necesario articular. Así pues, se hace una breve referencia a los instrumentos de cooperación y coordinación, siendo necesaria su aplicación eficaz para lograr el reto propuesto. Seguidamente, se declara la necesidad de integrar las distintas atribuciones a través de la implantación de un sistema de GIZC. A partir de ahí, se define éste muy brevemente y se estudia el marco normativo internacional y comunitario, así como el nacional, que le sirve de base y referencia. Posteriormente, tras la anterior afirmación, confirmamos la necesidad de implantar una GIZC, en el marco global que ofrece la planificación y, más particularmente, los instrumentos de ordenación territorial y urbanística. Y, por último, se analiza brevemente el caso de Canarias, porque su Ordenamiento Jurídico ofrece instrumentos legislativos y administrativos suficientes (Directrices y planeamiento territorial y urbanístico) para realizar las actuaciones sectoriales, territoriales y urbanísticas necesarias para una GIZC.

2. *Marco competencial de referencia*

Como ya apuntamos en su momento[177], a día de hoy la articulación de las diversas competencias que confluyen sobre el litoral (que incluye tanto el espacio propiamente de dominio público marítimo-terrestre —su parte

---

torio del Litoral de la Universidad A Coruña, 2009. Asimismo, "España y la gestión integrada de las costas en el marco de ordenación internacional sobre protección del Mar Mediterráneo y de la política ambiental de la Unión Europea", pp. 1295 y ss.; "La Administración General del Estado y las políticas y estrategias sobre la ordenación y gestión de las costas (1988-2009), pp. 1357 y ss.; y "Estado compuesto e iniciativas sobre ordenación y gestión del litoral en las Comunidades Autónomas", pp. 1421 y ss., en *el Derecho de Costas en España, Madrid, La Ley, 2010,* entre muchos otros.

[177] Nos remitimos en este punto al análisis realizado en el apartado II de este capítulo sobre el sistema de reparto de competencias contenido en la LC de 1988, en donde no sólo se mencionan cada uno de los preceptos legales que otorgan concretas atribuciones a cada una de las Administraciones territoriales concurrentes en estos espacios costeros; sino, también y sobre todo, se analiza cómo debe realizarse dicho reparto a la luz de la interpretación que de tales preceptos legales hace el TC, en sus Sentencias

terrestre y marina—, así como el territorio colindante) continúa siendo un tema complejo y espinoso.

Así, la LC de 1988, y ahora la Ley 2/2013, que hace suyo el sistema de reparto de competencias de su predecesora, enumeran en su articulado un completo cuadro de atribuciones correspondientes a cada una de las Administraciones territoriales. En efecto, los artículos 110 y 111 recogen las que son propias de la Administración del Estado, a la que se otorga el máximo protagonismo en los espacios de dominio público marítimo-terrestre; en el artículo 114 se enumeran las que se otorgan a las CCAA[178]; y, en el artículo 115, a los Municipios[179], teniendo estos dos últimos más protagonismo en los espacios colindantes con el dominio público marítimo-terrestre, en su mayor parte ya de propiedad privada. Sin embargo, la realidad ha puesto de manifiesto que, en estos 25 años de vigencia de la LC de 1988, aún no

---

149/1991, de 4 de julio, y 198/1991, de 17 de octubre, reiteradas luego por el propio TC y por el TS en diversas ocasiones.

[178]　Todo ello en virtud de lo dispuesto, con carácter general, en el artículo 148.1.3 y 6 de la CE, en relación con el citado artículo 114 y la Disposición Adicional Sexta de la LC. Así las cosas, las CCAA tienen la competencia exclusiva en materia de ordenación del territorio, del litoral, puertos, urbanismo y vertidos al mar, así como aquellas otras relacionadas con el dominio público marítimo-terrestre reconocidas en sus respectivos Estatutos de Autonomía, dentro de las cuales hay que destacar la relativa a la protección del medio ambiente, materia esta cuya legislación básica corresponde al Estado (artículo 149.1.23), siendo las CCAA las encargadas de desarrollarla y también (y esto es lo que me interesa destacar ahora) de ejecutarla. Esta competencia autonómica, de ejecución de la legislación estatal medioambiental, resulta aquí de vital importancia, en cuanto otorga a éstas la competencia de declarar determinados espacios como espacios naturales protegidos, así como, en su caso, elaborar y aprobar planes de ordenación de los recursos naturales de la zona costera o litoral, como instrumentos idóneos para su preservación y gestión sostenible.

[179]　El último escalón, pero no por ello menos importante, lo ocupan los Municipios, los cuales juegan también un papel principal en la ordenación del litoral, en la medida en que dicho territorio forma parte, físicamente, del término municipal. Así, a las competencias urbanísticas y de planeamiento que a estos corresponde, hay que añadir las enumeradas en el artículo 115 de la LC de 1988, todas las cuales deben desarrollarse dentro del ámbito establecido por la legislación autonómica y estatal, en su caso. Dicho precepto legal otorga a los Ayuntamientos la facultad de informar los deslindes del dominio público marítimo-terrestre y las solicitudes de reservas, adscripciones, autorizaciones y concesiones para la ocupación y aprovechamiento del dominio público marítimo-terrestre; explotar, en su caso, los servicios de temporada que puedan establecerse en las playas a través de cualquiera de las formas de gestión directa o indirecta previstas en la legislación de Régimen Local; mantener las playas y lugares públicos de baño en las debidas condiciones de limpieza, higiene y salubridad; y vigilar la observancia de las normas e instrucciones dictadas por la Administración del Estado sobre salvamento y seguridad de las vidas humanas; etc.

se ha logrado articular tales competencias eficazmente en la práctica, lo que ha impedido alcanzar una protección integral del dominio público marítimo-terrestre, y defender su uso público, habiendo sido también imposible instaurar una GIZC.

Y ello porque, como también tuvimos ocasión de señalar[180], cuando en un mismo espacio físico confluyen competencias sectoriales de diversas Administraciones públicas (como ocurre en el que ahora se analiza) surge como necesidad y aspiración el propósito de armonizar tales actuaciones, para evitar contradicciones, descoordinaciones, solapamientos y, más aún, conflictos; todo ello dentro del respeto a las correspondientes competencias de cada Administración pública, máxime teniendo en cuenta que ninguna de ellas, por sí sola, puede alcanzar esa GIZC.

3. *El necesario juego de los instrumentos de cooperación, coordinación e integración*

Con carácter general, los principios de cooperación y coordinación aparecen consagrados en el artículo 103 de la CE, cuando declara: "1. La Administración Pública sirve con objetividad los intereses generales y *actúa de acuerdo con los principios de eficacia, jerarquía, descentralización, desconcentración y coordinación con sometimiento pleno a la ley y al Derecho*"; exigencia esta que se reitera, luego, en el artículo 3.1 de la Ley 30/1992, de 26 de noviembre, de Régimen Jurídico de las Administraciones Públicas y del Procedimiento Administrativo Común, modificada por la Ley 4/1999, de 13 de enero (en adelante, LRJ-PAC), añadiendo su apartado 2: "*Las Administraciones públicas, en sus relaciones, se rigen por el principio de cooperación y colaboración, y en su actuación por los criterios de eficiencia y servicio a los ciudadanos*"[181].

---

[180] Sobre este particular, ya me pronuncié tempranamente, en RODRÍGUEZ GONZÁLEZ, Mª P., "El dominio público marítimo-terrestre. Titularidad y sistemas de protección", Marcial Pons, Madrid, 1999, pp. 119 y ss.

[181] En el ámbito local, la LRBRL declara la obligatoriedad de tales principios, cuya regulación resumimos, a continuación, al ser clara y precisa a los efectos que aquí se quieren destacar: 1) En primer lugar, como ya hiciera la normativa estatal, de que "*...la Administración local y las demás Administraciones públicas ajustarán sus relaciones recíprocas a los deberes de información mutua, colaboración, coordinación y respeto a los ámbitos competenciales respectivos*" (artículo 10.1); 2) Añade que: "*...Procederá la coordinación de las competencias de las Entidades locales entre sí y, especialmente, con las de las restantes Administraciones públicas, cuando las actividades o los servicios locales trasciendan al interés propio de las correspondientes Entidades, incidan o condicionen relevantemente los de dichas Administraciones o sean concurrentes o complementarios de éstas*" (artículo 10.2); 3) Asimismo, dispone: "*...Para la*

Por su parte, el TC se ha ocupado de destacar, también, la capital importancia que estas fórmulas de cooperación interadministrativa tienen en el ámbito de la gestión del dominio público marítimo-terrestre (por todas, en sus Sentencias 77/1984, de 3 de julio, 227/1988, de 29 de noviembre, 149/1991, de 4 de julio, 36/1994, de 10 de febrero, 118/1998, de 4 de junio, 149/1998, de 2 de julio, 38/2002, de 14 de febrero, y 46/2007, de 1 de marzo).

Particularmente, por lo que se refiere al litoral, la propia LC de 1988 hizo una proclamación general del deber de colaboración y cooperación en su artículo 116, que la Ley 2/2013 mantiene al declarar que las Administraciones públicas cuyas competencias incidan sobre el ámbito costero deberán ajustar sus relaciones recíprocas a los deberes de información mutua, colaboración, coordinación y respeto a aquéllas.

A tal efecto, se ha proclamado que la cooperación es la vía preferente para lograr una solución satisfactoria, integrando todos los intereses concurrentes. La LC de 1988 previó diversas técnicas para su consecución (que ahora la Ley 2/2013 ha venido a implementar), tales como, a mero título de ejemplo: 1) El asesoramiento de la Administración estatal a las demás Administraciones con competencias sobre estos espacios (artículo 110.K); 2) La apertura de un período de consultas entre las Administraciones competentes para resolver de común acuerdo las diferencias manifestadas (artículo 22.2); 3) La exigencia de ese mismo común acuerdo de la Administración del Estado con la de la Comunidad Autónoma y el Ayuntamiento

---

efectividad de la coordinación y eficacia Administrativa, las Administraciones del Estado y de las Comunidades Autónomas, de un lado, y las Entidades locales, de otro, deberán en sus relaciones recíprocas: a) Respetar el ejercicio legítimo por las otras Administraciones de sus competencias y de las consecuencias que del mismo se deriven para las propias; b) Ponderar, en la actuación de las competencias propias, la totalidad de los intereses públicos implicados y, en concreto, aquellos cuya gestión esté encomendada a las otras Administraciones..." (artículo 55); Además, declara que: *"...A fin de asegurar la coherencia de la actuación de las Administraciones Públicas, en los supuestos previstos en el número 2 del artículo 10 y para el caso de que dicho fin no pueda alcanzarse por los procedimientos contemplados en los artículos anteriores o estos resultaran manifiestamente inadecuados por razón de las características de la tarea pública de que se trate, las Leyes del Estado y de las Comunidades Autónomas, reguladoras de los distintos sectores de la acción pública, podrán atribuir al Gobierno de la Nación o al Consejo de Gobierno la facultad de coordinar la actividad de la Administración local y, en especial, de las Diputaciones Provinciales en el ejercicio de sus competencias..."*. Y, en última instancia, establece que *"...La coordinación se realizará mediante la definición concreta y en relación con una materia, servicio o competencia determinados de los intereses generales o comunitarios, a través de planes sectoriales para la fijación de los objetivos y la determinación de las prioridades de la acción pública en la materia correspondiente..."* (artículo 59.1 y 2).

correspondiente para ampliar la zona de servidumbre de protección o, en su caso y en virtud de la nueva previsión introducida por la Ley 2/2013, para reducir la extensión de la servidumbre de protección en las márgenes de los ríos hasta donde sean sensible las mareas (art. 23); 4) La posibilidad de celebrar convenios de financiación de obras de competencia estatal (artículo 83) o de colaboración[182]; etc.

Pero, en todo caso, si aun con el juego de todos esos mecanismos, las Administraciones públicas concurrentes no llegaren a un acuerdo, habría que resolver el conflicto mediante la aplicación de la regla de la "prevalencia", que consagra el artículo 149.3 de la CE, en los términos ya analizados[183].

De ahí que, incluso con ese completo cuadro de instrumentos de colaboración y cooperación al que hemos hecho referencia, la LC de 1988 haya previsto, también, ciertos instrumentos de coordinación interadministrativa para garantizar dicha prevalencia[184]. En relación con esto último,

---

[182] A través de tales convenios de colaboración, las distintas Administraciones arbitran actuaciones conjuntas. Tal es el caso, por ejemplo, de los convenios de colaboración firmados, en su momento, entre el Ministerio de Medio Ambiente y el Gobierno de Cantabria, para la gestión integral y sostenible del litoral (BOE número 93, de 18.04.2007) o del suscrito con este mismos fin con el Gobierno de Canarias (BOE nº 94, de 19.04.2007).

[183] Haciéndose eco de la doctrina sentada por el TC, que ya comentamos en su momento, es evidente que, de conformidad con el actual sistema de reparto constitucional de competencias, el Estado, como titular de estos bienes, tiene la competencia prevalente para establecer en el espacio propiamente de dominio público marítimo-terrestre su régimen jurídico y, dentro de este, determinar, proteger y defender la integridad y el uso público de los mismos, pudiendo condicionar las competencias de ordenación del territorio y urbanismo que corresponden a las CCAA y Municipios. Pero, para que el condicionamiento legítimo no se transforme en usurpación ilegítima, es indispensable, sin embargo, que el ejercicio de esas otras competencias se mantenga dentro de sus límites propios, sin utilizarlas para proceder, bajo su cobertura, a la ordenación del territorio en la que ha de ejercerse. En este sentido se pronuncia la aludida STC 149/1991, de 4 de julio. En cualquier caso, está claro, a tenor de lo expuesto, que todo aquello que se aleje de la finalidad apuntada (esto es, de la preservación de la integridad física y del uso público de estos bienes demaniales) carecería de toda justificación y, por consiguiente, supondría un exceso por parte de la Administración estatal.

[184] El TC, entre otras, en su Sentencia 27/1987 (Fundamento Jurídico 2º) ya tuvo ocasión de destacar la relevancia de estos instrumentos de coordinación, al señalar que tales mecanismos favorecen: *"...la fijación de medios y de sistemas de relaciones que hagan posible la información recíproca, la homogeneidad técnica en determinados aspectos y la acción conjunta de las Administraciones coordinadora y coordinada en el ejercicio de sus respectivas competencias, de manera que se logre la integración de los actos parciales en la globalidad del sistema; integración que la coordinación persigue para evitar contradicciones y reducir disfunciones que, de subsistir, impedirían o dificultarían el funcionamiento del mismo".* Las cursivas son nuestras

cabe citar, por ejemplo, las decisiones estratégicas (como la denominada *"Estrategia para la Sostenibilidad de la Costa"*, a la que luego nos referiremos con mayor detalle) o el informe al que la citada LC de 1988 otorgó un papel protagonista como elemento de concertación, que es reafirmado ahora por la Ley 2/2013.

En efecto, los informes juegan un papel clave como instrumento de coordinación[185], en cuanto aseguran la defensa de los intereses concurrentes sobre la franja costera. Particularmente, en los artículos 112[186]

---

    para destacar la finalidad última de los instrumentos de coordinación. A este respecto, PALLARÉS SERRANO, A. "El concepto de coordinación en nuestro ordenamiento jurídico: diferenciación con el concepto de cooperación y colaboración y relación con el concepto de integración", REDA núm. 131 (julio/septiembre, 2006), pp. 507 y ss., señala que la coordinación puede ejercitarse mediante normas, que coordinan directamente y que se dictan en virtud de títulos competenciales propios, o a través de instrumentos concretos que requieren una actuación ejecutiva de la Administración, pudiendo ser preventivas o no. Por lo que aquí nos interesa destacar, dicha autora menciona el planeamiento como medida ejecutiva y de coordinación.

[185]   La regulación de tales informes en la LC de 1988, así como el alcance que las citadas sentencias del TC les otorgó, fueron ya tempranamente analizados en RODRÍGUEZ GONZÁLEZ, Mª P., "El dominio público...", *op. cit.*, pp. 118 y ss.

[186]   En este precepto se garantiza la intervención de la Administración estatal en la tramitación de todo instrumento de ordenación territorial y urbanística, en su modificación o revisión, que incidan en el dominio público marítimo-terrestre, declarando el carácter preceptivo de los mismos y, asimismo, su vinculatoriedad. A este respecto, el artículo 205 del RC aclara que la necesidad de este informe se refiere a *"todos los instrumentos de ordenación territorial y urbanística, incluyendo los Proyectos de Delimitación del Suelo Urbano y los Estudios de Detalle u otros de similar contenido, que incidan sobre el dominio público marítimo-terrestre y sus zonas de servidumbre"*. No obstante, el TC introdujo importantes matizaciones al declarar en su sentencia 149/1991, de 4 de julio, que dicho informe sólo sería vinculante cuando verse sobre materias de su competencia (esto es, sobre aspectos relacionados con la determinación, protección y defensa del uso público de los espacios costeros, en cuyo caso la Administración autonómica habría de modificar los instrumentos de ordenación territoriales o urbanísticos, en consonancia con lo dispuesto en el informe. En el resto de los supuestos (es decir, cuando el informe negativo verse sobre aspectos que, a juicio de la Comunidad Autónoma, exceden de las atribuciones del Estado), esta podrá adoptar su decisión al margen de él, sin perjuicio, claro está, de la posibilidad que se le ofrece a la Administración estatal de atacar esa decisión por razones de constitucionalidad o de legalidad (STC 149/1991, de 4 de julio —Fundamento Jurídico 7º, D—). Sin lugar a dudas, esta dualidad de soluciones encuentra clara justificación en el hecho de que, de ningún modo, los instrumentos de coordinación pueden suponer una sustracción o menoscabo de las competencias de ordenación que corresponden a las CCAA, las cuales sólo podrán quedar condicionadas en los términos y con los límites vistos anteriormente (STC 2/1983, de 4 de octubre). En esta misma línea se pronuncia la STC 306/2000 (Fundamento Jurídico 10), en relación con la coordinación ejercida por el Estado sobre la competencia au-

y 117[187] de la LC de 1988 (que no son modificados por la citada Ley 2/2013) se garantiza, mediante este mecanismo, la participación de la Administración General del Estado, así como la prevalencia de sus decisiones en aquellos asuntos que le son propios, en los procedimientos donde la competencia la ostentan otras Administraciones.

En cualquier caso y no obstante todas estas previsiones contenidas en la legislación de costas, y los diversos mecanismos de colaboración y coordinación arbitrados en ella, la realidad ha demostrado que éstos han resultado ineficaces en la práctica, para integrar y armonizar las distintas competencias concurrentes en los espacios costeros y lograr una línea de actuación común y estable, a través de instrumentos eficaces de GIZC. Y la razón principal ha sido porque las Administraciones públicas han optado por actuar aisladamente, esto es, ejerciendo cada una sus respectivas competencias como si de compartimentos estancos se tratara. Así, por ejemplo, las mayoría de las decisiones que, durante años, se han adoptado en dicho ámbito territorial, se han caracterizado por la falta de un conocimiento integral de la dinámica costera y de los problemas que la aquejan; por los bajos niveles de planificación; por su naturaleza sectorial; por su falta de integración, lo que ha favorecido la dispersión, ambigüedad e, incluso, indefinición de las decisiones adoptadas y de las propias responsabilidades de nuestras Administraciones públicas; porque han respondido a intereses económicos a corto plazo e incluso, en ocasiones, de carácter particular (basta citar la corrupción urbanística generalizada que se cierne sobre la mayoría de los Municipios costeros)[188]; etc.

En definitiva, es necesario superar dicho escenario con planteamientos competenciales exclusivistas, frutos del recelo, a favor de otros más amplios

---

tonómica de ordenación del territorio y desarrollo de la legislación estatal de medio ambiente; o, por ejemplo, en la STS de 7 de junio de 2001 (RJ 2001/5783), entre muchas otras.

[187] Este artículo 117 regula detalladamente este informe, diferenciando dos momentos: Un informe inicial, que comprende sugerencias y observaciones, y que deberá emitirse antes de la aprobación inicial del Plan, y uno definitivo, preceptivo y vinculante, emitido por la Administración estatal, una vez que haya concluido la tramitación del Plan e inmediatamente antes de su aprobación definitiva. En todo caso, tal como acaba de apuntarse en la nota anterior, está claro que la fuerza vinculante del informe previsto en el artículo 112 queda debilitada por lo dispuesto en este artículo 117 y así lo ha entendido, también, el TC, en la citada Sentencia 149/1991. GARCÍA PÉREZ, M., "Reflexiones...", *op. cit.*, pp. 214 y ss., expone cuáles son esos concretos argumentos esgrimidos por el TC.

[188] Sobre este particular, resultan sumamente ilustrativos los datos que proporciona el Informe de Greenpeace, "Destrucción...2013", *op. cit.*, pp. 30 y ss.

e integradores (cooperativos y participativos), que tenga en cuenta la protección del medio ambiente y, al propio tiempo, las exigencias propias de un desarrollo sostenible.

4. Algunas reflexiones sobre el sistema de gestión integrada de la zona costera (GIZC)

A) Planteamiento general

Consiguientemente, debe darse un paso más y concebir el litoral de una manera más amplia, como una unidad territorial de gestión. Y ello no es posible sólo desde una de las perspectivas implicadas, sino desde un planteamiento global, mediante una GIZC.

Precisamente, tal como ha sido ampliamente definido por la doctrina más autorizada, la GIZC se concibe como *"una gestión de conjunto de la zona costera, teniendo en cuenta objetivos locales, regionales, nacionales e internacionales. Una gestión de este tipo supone que uno se preocupa ante todo de las interacciones entre las diferentes actividades y demandas en el seno de la zona costera y entre las actividades de esta zona y de otras regiones"*[189].

Mediante la instauración de un modelo de GIZC[190] se pretende armonizar todas las políticas sectoriales que convergen en la costa, de tal forma que las distintas Administraciones, poderes públicos y actores intervinientes ejerzan sus propias competencias con toda autoridad, pero colaborando activamente entre ellos y coordinándose entre sí para lograr unos objetivos comunes, que consisten no sólo en preservar los recursos ambientales del litoral, mejorándolos para las generaciones futuras, sino, además, en gestionar las riquezas que este proporciona a la sociedad y a la economía

---

[189] Vid., a este respecto, ORGANIZACIÓN DE COOPERACIÓN Y DESARROLLO ECONÓMICOS: Gestión de zonas costeras. Políticas integradas, OCDE-Ediciones Mundiprensa, Madrid, 1995, p. 37. Y, asimismo, BRETÓN, F., "El litoral: bases para el planeamiento y la gestión integrada de un espacio dinámico y vulnerable", en Quaderns d' Ecología Aplicada, 13 (1996), pp. 45-100, citados por SANZ LARRUGA, F. J., en "Bases doctrinales y jurídicas para un modelo de gestión integrada y sostenible del litoral de Galicia, Colección técnica medio ambiente", Xunta de Galicia, 2003, p. 23.

[190] El artículo 2, f) del Protocolo de GIZC-MED de 2008, al que seguidamente nos referiremos, define la GIZC como *"un proceso dinámico de gestión y utilización sostenibles de las zonas costeras, teniendo en cuenta simultáneamente la fragilidad de los ecosistemas y paisajes costeros, la diversidad de las actividades y los usos, sus interacciones, la orientación marítima de determinados usos y determinadas actividades, así como sus repercusiones a la vez sobre la parte marina y la parte terrestre".*

española, mediante unos criterios de integración que compatibilicen la preservación y defensa del uso público de los espacios costeros con una gestión racional y equilibrada de los mismos.

B) Origen y fundamento

El origen y fundamento del modelo de GIZC hay que buscarlo, en primer lugar, en el ámbito internacional y europeo.

En el ámbito internacional, hay que tener en cuenta que España ha suscrito muchos Acuerdos Internacionales que postulan la necesidad de un enfoque integrado para la gestión de los espacios litorales y ciertos aspectos sectoriales de gran importancia para esta zona singular. A tal efecto hay que citar, por ejemplo, la Convención sobre los Humedales (Ramsar 1971); el Convenio Internacional sobre la Prevención de la Contaminación del Mar por Vertidos de Desechos u otros materiales (Londres, 1972); La Convención para la protección del Mediterráneo (Barcelona, 1976[191]); La Convención sobre la Biodiversidad (Río, 1992) y el Convenio para la protección del Medio Ambiente Marino del Atlántico Nordeste OSPAR 92 (Oslo-París, 1992). Y, ya más recientemente, interesa destacar el nuevo 7º Protocolo de *"Gestión Integrada de las Zonas Costeras del Mediterráneo"*, del citado Convenio de Barcelona para la protección del medio marino y la región costera del Mediterráneo, de 1995. Se trata del primer instrumento jurídico internacional obligatorio, que recoge los principios, las bases y los instrumentos para una GIZC, cuya aprobación tuvo lugar en Madrid, en enero de 2008, entrando en vigor el 24 de marzo de 2011, después de ser ratificado por seis países, entre ellos por España (el 22 de junio de 2010). Y, por lo que a nuestro país se refiere, ello implica que ya es de obligado cumplimiento y que, consiguientemente, se deberán poner en marcha las leyes que garanticen su aplicación, al menos en el área del Mediterráneo[192].

---

[191] Dicho Convenio fue modificado en 1995. Los Protocolos aprobados en este contexto se proponen proteger el medio ambiente marino y costero del mediterráneo al tiempo que se promueven planes regionales y nacionales que contribuyen al desarrollo sostenible.

[192] Tal como pone de relieve SAZ LARRUGA, F. J., "España...", *op. cit.*, p. 1349: *"Dicho Protocolo exige, de una parte, una verdadera revolución cultural, administrativa e institucional, y, en particular, una cultura administrativa cooperativa y colaborativa que supere las tradicionales inercias sectorizadas sobre el territorio; y, de otra parte, impone un nuevo estilo de gestión pública y privada que se suele identificar bajo la expresión "gobernanza del litoral", y que, entre otras condiciones, exige una efectiva participación de los actores sociales en el proceso de ordenación, planificación y gestión de las zonas costeras".*

La Unión Europea también se ha preocupado de destacar la importancia de gestionar integradamente las zonas costeras. Así, desde hace ya tiempo, ésta ha venido reclamando a los Estados miembros la implantación de políticas más ambiciosas y coherentes de GIZC[193]. Precisamente con este fin, durante los años 1996-1999, se puso en marcha El Programa de Demostración sobre la Gestión Integrada de las Zonas Costeras, cuya experiencia se plasmó en dos importantes documentos estratégicos de la Comisión: el denominado *"Hacia una estrategia europea para la gestión integrada de las zonas costeras: Principios generales y opciones políticas"*[194] y el que lleva por título*: "Lecciones del Programa de Demostración de la Comisión Europea sobre la Gestión Integrada de las Zonas Costeras"*. Y ya entonces se llamó la atención acerca de la situación insostenible del litoral motivada, sobre todo, por los conflictos existentes entre los distintos usos que podían realizarse en la zona costera, por el aumento de la población residente y flotante (turismo, principalmente) y, además, por la sustitución de los usos de poco impacto por otros más intensivos, que resultaban lucrativos a corto plazo, pero que minarían a largo plazo el potencial de la costa al reducir su capacidad de recuperación; por la inadecuada coordinación entre los diversos sectores de la Administración, y, entre las políticas aplicadas por cada uno de ellos y en última instancia, por la escasa participación de las partes interesadas[195].

---

[193] Desde mediados de los años setenta, las instituciones comunitarias se mostraron interesadas en abordar los problemas de gestión y ordenación que se estaban produciendo en las zonas costeras.

[194] Este Programa estaba basado en 35 proyectos locales y regionales destinados a demostrar la aplicación de la estrategia. De ellos se desprendieron 7 principios que habrían de regir una gestión sostenible; a saber: 1. Adoptar una perspectiva amplia. 2. Basarse en el conocimiento de las condiciones específicas de la zona. 3. Trabajar en sintonía con los procesos naturales. 4. Aplicar una planificación participativa para suscitar el consenso. 5. Conseguir el apoyo y la participación de todas las instancias administrativas competentes. 6. Utilizar una combinación de elementos. 7. Adoptar decisiones que no hipotequen el futuro. El Programa de Demostración puso de manifiesto que no hay un único planteamiento de gestión integrada por las diversas condiciones físicas, sociales, culturales y económicas, siendo necesario una estrategia flexible que parta de un enfoque territorial integrado y participativo que garantice la sostenibilidad ambiental, pero también el desarrollo económico y la cohesión social. Vid sobre la GIZC en la Unión Europea, TROS-DE-LLARDUYA, FERNÁNDEZ, Mª T., "El reto de la gestión integrada de las zonas costeras (GIZC) en la Unión Europea", Boletín de la AGE, núm. 47, 2008, pp. 143 y ss.

[195] A partir del Diagnóstico realizado en el antedicho Programa, la Unión Europea publicó la "Comunicación de la Comisión al Consejo y al Parlamento Europeo sobre la Gestión Integrada de las Zonas Costeras: Una estrategia para Europa" (COM/00/547), la "Propuesta de Recomendación del Parlamento Europeo y del Consejo sobre la aplicación de la Gestión Integrada de las Zonas Costeras en Europa" (COM/545) y se emitió

Dicho Programa de Demostración de Gestión Integrada de Zonas Costeras, así como la Comunicación COM (2000) 547 final, son los textos en
los que se basaría el Parlamento Europeo y el Consejo para promulgar,
posteriormente, la Recomendación 2002/413/CE, de 30 de mayo de 2002,
sobre la aplicación de la GIZC de Europa[196], la cual constituye la base jurídica directa de la GIZC. Y es que, a pesar de no tener carácter vinculante
para los Estados miembros, sí que existió un compromiso formal de seguir
las prioridades trazadas por ella. En todo caso, el logro fundamental de
dicha Recomendación ha sido *"codificar un conjunto común de principios que
deben sustentar una buena ordenación y gestión de las zonas costeras"*. A tal efecto,
la Recomendación fijó cuatro puntos de partida: 1º) El establecimiento
de un inventario nacional de los principales agentes, legislación aplicable
e instituciones que influyen en la gestión de la zona costera en todos sus
niveles; 2º) El desarrollo, en función de dicho inventario, de una estrategia nacional para aplicar los principios de la GIZC; 3º) La cooperación y
coordinación de respuestas entre los diversos países; 4º) Y la información y
revisión de la recomendación[197].

En última instancia, partiendo de esos compromisos internacionales, a
través del citado 7ª Protocolo del Convenio de Barcelona, de las recomendaciones hechas desde el ámbito comunitario (la citada Recomendación
2002/143/CE), así como respecto del medio marino, mediante la transposición de la Directiva 2008/56/CE Marco sobre la Estrategia Marina, el
Estado Español está llamado a implantar una GIZC[198].

---

un dictamen del Comité de las Regiones sobre ambos documentos (2001/C148/07),
con el objetivo de definir y desarrollar una Estrategia Europea de GIZC para promover
un desarrollo sostenible, capaz de combinar la conservación de la biodiversidad con el
desarrollo económico-social y con la preservación de los valores culturales de las costas
europeas.

[196]   SANZ LARRUGA, F. J. lleva a cabo un estudio sistemático de dicha Recomendación, en
"España...", *op. cit.*, pp. 1326 y ss.

[197]   Con posterioridad, en el año 2007 y en cumplimiento de dicha Recomendación, la
Comisión presentó, ante el Parlamento Europeo y el Consejo, un informe de la GIZC
en Europa, como balance del grado de asimilación de la mencionada Recomendación por parte de los Estados miembros. España cumplimentó su informe "Gestión
Integrada de las Zonas Costeras en España" en febrero de 2006. En todo caso, los resultados generales arrojados por dicha evaluación no eran muy optimistas, señalando
que continúan prevaleciendo los enfoques sectoriales y que aún existen pocos indicios
de que existan mecanismos efectivos de aplicación de la GIZC propuesta por la citada
Recomendación. En cualquier caso, sí se ha producido una mayor sensibilización y eso
es positivo.

[198]   Esta Directiva 2008/56/CE, de 17 de junio (Directiva marco sobre la estrategia marina), por la que se establece un marco de acción comunitaria para la política del me-

C) La GIZC en el Ordenamiento Jurídico español

Ya dentro del Ordenamiento Jurídico español es evidente que la instauración de cualquier sistema de GIZC ha de partir, necesariamente, de los postulados contenidos en la CE y, particularmente, del sistema constitucional de distribución de competencias ya reseñado.

Así las cosas, la Administración del Estado ocupa una posición central en la gestión del litoral, porque, en virtud de las atribuciones exclusivas que el artículo 149.1.1, 13 y 23 de la CE otorga a la Administración estatal, es evidente que se encuentra legitimada para impulsar iniciativas que den contenido a los principios de coordinación, cooperación y coherencia de las políticas de ordenación y gestión de la costa con las CCAA y los Gobiernos locales. Todo ello explica que, partiendo del marco normativo que acaba de describirse, iniciara su andadura para impulsar la implantación de una política costera basada en una gestión sostenible, integrada y concertada del litoral.

Por ello, para cumplir los compromisos con Europa y alcanzar los objetivos propuestos, el Gobierno español, a través de la entonces Dirección General de Costas del Ministerio de Medio Ambiente, presentó su informe sobre "Gestión Integrada en las Zonas Costeras en España". En dicha propuesta de Estrategia española de GIZC (que abarcaba del año 2002 al 2010) previó la elaboración y aprobación de un "Plan Director para la Gestión Sostenible de la Costa", que, además de incorporar las citadas Recomendaciones europeas sobre la aplicación de la GIZC, debía establecer toda una serie de directrices para, desde la sostenibilidad medioambiental, concretar las actuaciones y los criterios de gestión integrada y concertada en nuestros espacios costeros[199]. No obstante, dicho Plan no fue realizado como estaba previsto y, en el año 2007, ya no se hablaba de Plan Director, sino de Estrategia[200].

En efecto, de cara a intensificar los esfuerzos para lograr los fines pretendidos, la Ministra de Medio Ambiente presentó ante el Consejo de Mi-

---

dio marino, ha sido transpuesta al Ordenamiento Jurídico español a través de la Ley 41/2010, de 29 de diciembre, de Protección del Medio Marino. El principal objetivo de dicha normativa es lograr o mantener un buen estado ambiental del medio marino a más tardar en el año 2020, para cuya consecución se crean las estrategias marinas como herramienta de planificación del medio marino.

[199]   Para un análisis más profundo de este Plan, vid. PEÑA, C., "El plan director para la gestión sostenible de la costa", Ambienta, núm. 50, diciembre 2005, pp. 7 y ss.

[200]   SANZ LARRUGA, F. J., "La Administración General del Estado...", *op. cit.*, p. 1397.

nistros, celebrado el 5 de octubre de 2007, *"la Estrategia para la Sostenibilidad de la Costa"*, a través del cuyo instrumento el Ministerio pretendía generar un cambio en el modelo de gestión de la costa, comprometiéndose a implantar una planificación global, integrada y concertada (mediante la participación de todos los agentes e instituciones interesadas) que, a través de criterios de sostenibilidad medioambiental, tendiera a lo siguiente: 1) A establecer los objetivos generales que debían presidir la gestión de la franja costera para garantizar su conservación y recuperación para el dominio público; 2) A determinar los objetivos específicos para cada unidad geográfica de gestión; 3) Y a fijar los ejes prioritarios de actuación para su consecución[201].

Desde luego, como expresamente declara el Documento de Inicio de la precitada *"Estrategia para la Sostenibilidad de la Costa"*, no se trataba, propiamente, de un instrumento de planificación territorial, en sentido estricto, porque, como ya hemos dicho, esa función pública corresponde, en exclusiva, a las CCAA, sino, más bien, de una planificación estratégica con incidencia territorial, cuya finalidad era proporcionar coherencia a las competencias que la LC de 1988 atribuye a la Administración General del Estado, desde una visión territorial y amplia, incorporando los principios de sostenibilidad y GIZC, cuyas propuestas debían respetarse, en todo caso, por la actividad de las CCAA, siempre y cuando, claro está, aquéllas se mantuvieran dentro de sus límites propios.

El punto de partida sobre el que se iniciaría la Estrategia vendría determinado por la elaboración de un documento en el que se recogería un *"diagnóstico preliminar de la costa y un avance de las propuestas de actuación"*. De este modo, tras una serie de estudios (a través del análisis de los componentes físicos, naturales, socio-económicos y urbanísticos de cada tramo del litoral o "unidad de gestión"), el Ministerio de Medio Ambiente llegaría a un *"diagnóstico preliminar, pero de detalle"* de la costa, que le permitiría establecer una serie de actuaciones prioritarias para poder atajar los problemas detectados (entre las cuales se preveía el rescate de concesiones de uso del dominio público, la construcción de diques submarinos para evitar la pérdida de playas, la demolición de edificios que ocuparan dunas, el rediseño de los puertos que alterasen la dinámica costera, la expropiación de terrenos colindantes para su incorporación al litoral, la adquisición de fincas a lo largo del litoral español, al objetó de controlar y limitar los efectos de la

---

[201]   Documento de inicio de la "Estrategia para la Sostenibilidad de la Costa", septiembre, 2007, pp. 14 y ss.

regresión y la amenaza que suponen determinados proyectos urbanísticos para la sostenibilidad de la costa; etc.). A partir de aquí, se llevaría a cabo una fase de información y participación activa para definir unas estrategias comunes, que pudieran ser luego desarrolladas en el ámbito autonómico y local, a través del planeamiento territorial y urbanístico. Se trataba de crear un marco estable de discusión y de complicidad en torno a esos objetivos comunes de todos los actores involucrados (Administraciones públicas, sectores económicos, sociales, culturales, y ciudadanía en general).

Con todo, aun reconociendo la importancia que, sin duda, tienen los documentos a los que aquí se ha hecho referencia, lo cierto es que, a día de hoy, la citada Estrategia está todavía en una fase inicial (el Documento de inicio es de septiembre de 2007), no se ha cumplido el calendario propuesto y no tenemos noticias de si el actual Ministerio de Agricultura, Alimentación y Medio Ambiente tiene intención de retomarla. Consiguientemente, España sigue sin contar con una verdadera estrategia de GIZC.

5. La implantación de la GIZC a través de la planificación y, particularmente, a través de los planes de ordenación territorial

A) Planteamiento

En este concreto ámbito de la GIZC, sin afectar a las competencias legítimas del Estado, las CCAA y los Municipios pueden jugar un papel decisivo, a través de la planificación de su litoral, gozando de verdadera autonomía para la gestión de sus respectivos intereses (artículo 137 de la Constitución Española), cuya ordenación debe extenderse no sólo a la parte terrestre, sino también al medio marino[202], pues está claro que no puede conseguirse una ordenación racional del conjunto de la costa, entendido en su sentido más amplio, ni asegurar su debida protección, ni adoptar estrategias integrales de actuación sostenible, si los instrumentos de ordenación de sus ámbitos terrestre y marino no están perfectamente integrados y, menos aún, si se dan la espalda o entran en contradicción entre sí[203].

---

[202] Como ya se dijo, la modificación del art. 114 de la LC de 1988, introducida por la Ley 53/2002, de 30 de diciembre, de Medidas Fiscales, Administrativas y de Orden Social, y que limitaba las competencias autonómicas al ámbito terrestre del dominio público marítimo-terrestre, excluyendo el mar territorial y las aguas interiores, fue declarada inconstitucional y nula por Sentencia del TC 162/2012, de 20 de septiembre.

[203] En este sentido, FERNÁNDEZ PÉREZ, J. "La protección del litoral", El Consultor del Ayuntamiento, 2009, p. 395.

Como ya se dijo, la planificación constituye un instrumento idóneo para establecer una línea común y estable e integrada de actuación (mediante fórmulas de colaboración y cooperación) en el litoral. Y ya más particularmente, de conformidad con la doctrina constitucional expuesta sobre el reparto competencial diseñado por la CE y con la interpretación llevada a cabo por el TC, en su Sentencia 149/1991, de 4 de julio, entre muchas otras, así como con el nuevo papel asumido por las distintas CCAA (mediante la reforma de sus respectivos Estatutos de Autonomía), hay que insistir en que la implantación de la GIZC debe hacerse en el marco general que ofrece "la ordenación del territorio"[204], correspondiendo su materialización a las CCAA a través de su respectiva legislación territorial y urbanística, pero contando activamente con el resto de Administraciones y agentes (económicos y sociales) implicados[205].

Y ello porque la ordenación del territorio *"tiene por objeto la actividad consistente en la delimitación de los diversos usos a que puede destinarse el suelo o espacio físico territorial"* (SSTC 77/1984 y 149/1991) y *"...el equilibrio entre las distintas partes del mismo..."* (SSTC 36/1994 y 28/1997), permitiendo la interacción de todos los factores y agentes implicados, así como la toma de decisiones desde todos los niveles y ámbitos. El propio legislador estatal reconoce que la defensa de la costa no puede lograrse sin vincular en ello a la ordenación territorial y urbanística, pues la desconexión de estas dos esferas de la acción pública ha influido en la degradación de tales espacios[206].

---

[204] Sobre este particular FABEIRO MOSQUERA, A., "La protección del paisaje: Su creciente importancia en el ámbito internacional y la dispersión de instrumentos jurídicos para su protección integral en el Derecho español", REDA núm. 131 (julio-septiembre, 2006), p. 517.

[205] En este sentido, resultan sumamente expresivas las palabras de GARCÍA AGUDÍN, F. "Incidencias de la Ley de Costas en la gestión y planificación urbanística", en Cuadernos de Derecho Judicial "Dominio público: Aguas y costas", CGPJ, Madrid, 1993, p. 199, al señalar que *"...sólo una continua y fructífera cooperación entre todas las Administraciones implicadas en la materia podrá ser el camino a seguir para evitar que se erice de espinas el tránsito hacia la completa y vertebrada ordenación del territorio...".*

[206] Y es que, como bien destaca GARCÍA PÉREZ, M., "Reflexiones...", *op. cit.*, pp. 211 y ss., *"quien asume como competencia propia la ordenación del territorio, ha de tomar en consideración para llevarla a cabo la incidencia territorial de todas las actuaciones de los poderes públicos, a fin de garantizar de ese modo el mejor uso de los recursos del suelo y del subsuelo, del aire y del agua y el equilibrio entre las distintas partes del territorio del mismo".* Y es que la idea de *"ordenación"* (o de *"planificación"* que es el término utilizado en otras lenguas europeas) del territorio nació justamente para coordinar o armonizar, desde el punto de vista de la proyección del territorio, los planes de actuación de las distintas Administraciones. Si bien y en todo caso, cuando la función ordenadora se atribuye a una sola de estas Administraciones, aquí, a la autonómica, esa atribución no puede entenderse en térmi-

En todo caso, esta atribución de la ordenación del litoral que corresponde a las CCAA no puede ser vista de un modo absoluto y excluyente, pues el contenido de tales normas y planes deberán respetar, en todo caso y entre otras, las previsiones contenidas en la legislación de costas sobre la utilización del dominio público marítimo-terrestre y sobre los terrenos contiguos[207], pudiendo el Estado incidir en dicha ordenación territorial, pues, como ya ha tenido ocasión de señalar el TC en su sentencia 149/1998, de 2 de julio (Fundamento Jurídico 3º), el titular de dicha competencia de ordenación estaría obligado a respetar las competencias ajenas con repercusión sobre el territorio, coordinándolas o armonizándolas desde el punto de vista de su proyección territorial[208].

B) El planeamiento territorial y urbanístico, como marco normativo para una GIZC

De entrada, hay que advertir que, al día de hoy, son diversas las CCAA costeras que, en el ejercicio de su competencia exclusiva sobre ordenación del territorio y urbanismo (la cual, según disponen sus Estatutos de Autonomía, se extiende sobre *"el litoral"*), han establecido, en sus respectivas legislaciones, instrumentos de diversa naturaleza, alcance y contenido, que han constituido verdaderos intentos de GIZC. Es, por ejemplo, el caso de las Directrices de Ordenación General y las Directrices de Ordenación del Turismo de Canarias, aprobadas por la Ley 19/2003, de 14 de abril, a las que luego nos referiremos; del Plan de Ordenación del Litoral de Cantabria[209], aprobado por la Ley 2/2004, de 27 de septiembre; de la Propuesta de Estrategia Andaluza de Gestión Integrada de Zonas Costeras, del año

---

nos tan absolutos que elimine o destruya las propias competencias que la CE reserva al Estado, aunque el uso que este haga de ellas condicione necesariamente la ordenación del territorio.

[207] HORGUÉ BAENA, C. "Costas...", *op. cit.*, p. 1532 y ss.

[208] Sentencia citada por LOBO RODRIGO, A., "La ordenación del litoral: Usos e infraestructuras", en Veinte años de Derecho urbanístico canario, Montecorvo, Madrid, 2007, pp. 770 y ss., quien, asimismo, destaca la importancia de otros instrumentos para lograr la integración de los diversos intereses implicados, como, por ejemplo, a través de las denominadas Conferencias Sectoriales, en la medida en que facilitan y hacen más viable el ejercicio de competencias ajenas o para el buen funcionamiento del Estado de las Autonomías, incluso al margen del reparto competencial entre Estado y CCAA.

[209] Este Plan de Ordenación del Litoral de Cantabria (POL) tiene como objetivo fundamental la protección efectiva e integral de la costa de dicha Comunidad Autónoma. El Gobierno de Cantabria ha cumplido el compromiso adquirido de elaborar y tramitar este Instrumento de Ordenación del Territorio, que ha culminado con su aprobación

2007 (que, a día de hoy sigue siendo una propuesta); o, más recientemente, del Plan de Ordenación del Litoral de Galicia, aprobado por Decreto 20/2011, de 10 de febrero, entre otros.

En todo caso, entendemos que la implantación de un sistema de GIZC debe partir, necesariamente, del escalón regional, en la medida en que los intereses públicos aquí en juego (la ordenación y gestión del territorio costero) tienen una naturaleza marcadamente supramunicipal y, por tanto, exigen que se aborden, en un primer momento, desde la perspectiva más amplia y globalizadora (incluyendo determinaciones medioambientales, de desarrollo económico, previsión de infraestructuras y urbanismo, etc.) que ofrecen los instrumentos de ordenación territorial supramunicipal regionales y los que se dicten en desarrollo de éstos[210].

Y lo cierto es que la legislación territorial y urbanística autonómica contiene instrumentos de planeamiento, de naturaleza regional idóneos para la GIZC, en cuanto permiten hacer un análisis riguroso de la situación actual del litoral y un diagnóstico global de los procesos costeros y de la potencialidad económica y ecológica de estos espacios. A partir de estas premisas, el planeamiento territorial procedería a integrar y armonizar la definición y protección del demanio costero con las actividades y demás intereses públicos y privados que se hacen efectivos en dicho territorio, tales como el desarrollo urbanístico y económico, en virtud de las actividades turísticas, pesquera, extractivas, comunicaciones, etc., así como el establecimiento de los distintos usos, según la clase de suelo que se trate y atendiendo a la problemática concreta que planteen, etc. En última instancia y al propio tiempo, dicho sistema de planeamiento permite la incorporación de los principios, recomendaciones y directrices, tanto internacionales, como europeas y estatales, ya analizadas.

Podría alegarse que la posición aquí mantenida pugna, abiertamente, con el principio de autonomía local, en la medida en que se relega a un segundo término el planeamiento urbanístico que, en todo caso, podría verse condicionado o limitado e, incluso, predeterminado por los criterios y normas que establezcan los planes de ordenación territorial autonómicos,

---

por el Parlamento de Cantabria en sesión celebrada de 13.09.2004 y su publicación en el BOC de fecha 28.09.2004.

[210] En esta línea se pronuncia, por ejemplo, PAREJO AFONSO, L., "La Ordenación del territorio y el urbanismo", en Parejo Alonso, L, Jiménez Blanco, A y Ortega Álvarez, L., *Manual de Derecho Administrativo, Ariel, 1990*. Y, más recientemente, LOZANO CUTANDA, B., "Urbanismo y corrupción: Algunas reflexiones desde el Derecho Administrativo", RAP núm. 173 (enero/abril, 2007), pp. 345 y ss.

a fin de lograr los objetivos fijados por las políticas regionales de carácter supralocal.

Y, aunque como destaca la Profesora Blanca Lozano, los Ayuntamientos son hoy, más que nunca, los agentes determinantes del planeamiento y la autonomía con que actúan en este ámbito no tiene parangón en toda Europa occidental, lo cierto es que, siendo esto así, la realidad viene demostrando que es, precisamente, en el nivel local del Gobierno donde la corrupción y especulación urbanística adquiere su máximo desarrollo[211].

Al respecto, debe recordarse que la garantía institucional de la autonomía municipal, constitucionalmente garantizada[212], sólo establece un mínimo indisponible por el legislador que se concreta, básicamente, en el derecho de la Administración local a participar en cuantas cuestiones le atañen, graduándose la intensidad de la participación en función de la relación existente entre los intereses locales y supralocales dentro de tales materias[213].

En última instancia, la ordenación, gestión y protección del litoral no es, desde luego, un asunto de ámbito meramente municipal; antes al contrario, como aquí se ha dicho, constituye un interés supralocal o supramunicipal que, consiguientemente, exige una regulación regional del uso y ordenación equilibrada e integral del territorio. De este modo, sin olvidar el papel fundamental que corresponde al planeamiento urbanístico municipal en el logro de los objetivos propuestos de una GIZC, los planes y directrices de ordenación territorial autonómicos pueden incidir en dicho planeamiento, estableciendo limitaciones o condicionantes previos, así como llevando a cabo un control estricto sobre los mismos[214], siempre y cuando se respete ese mínimo indisponible de la autonomía local.

---

[211] LOZANO CUTANDA, B. "Urbanismo y corrupción...", *cit.*, p. 343. Asimismo, en el referido Informe de Greenpeace "Destrucción...2013", *op. cit.*, se citan innumerables ejemplos de especulación urbanística por parte de los Ayuntamientos y sus gobernantes.

[212] Conforme al principio de autonomía local, garantizado por la CE (artículos 137 y 140), las Administraciones municipales desarrollan sus competencias, en coordinación con las demás Administraciones territoriales, en materia de urbanismo, medio ambiente y actividades clasificadas.

[213] Así resulta de la doctrina de la STC 240/2006, entre muchas otras.

[214] En esta línea, aunque sin referirse propiamente al demanio costero, se pronuncia, por ejemplo, LOZANO CUTANDA, B., "Urbanismo y corrupción...", *op. cit.*, pp. 348 y ss., quien señala que el control que las CCAA realizan sobre el planeamiento municipal, cuando está en juego un interés público supramunicipal (como sucede en el presente caso), no sólo es de legalidad, sino también de oportunidad, que es el que atañe a la

6. A modo de ejemplo: El caso de Canarias

Como en el resto de las CCAA, Canarias ha asumido, a través del artículo 30.15 de su Estatuto de Autonomía, la competencia de ordenación del territorio y del litoral; atribución que reitera el artículo 2.1 del Texto Refundido de las Leyes de Ordenación del Territorio de Canarias y de Espacios Naturales de Canarias, aprobado por Decreto Legislativo 1/2000, de 8 de mayo (TR-00, en lo sucesivo, publicado en el BOC 60, 15.5.2000), al declarar que: *"La actividad de ordenación de los recursos naturales, territorial, del litoral y urbanística es una función pública y corresponde, en el ámbito de sus competencias, a la Comunidad Autónoma, a las Islas y a los Municipios"*[215].

Al igual que en el resto del territorio español, las competencias se encuentran repartidas entre diferentes Administraciones y escalas territoriales, destacando, particularmente, la figura de los Cabildos Insulares. No obstante, durante todos estos años, el recelo competencial entre estas Administraciones, la dispersión normativa y, sobre todo, su carácter inconexo, ha obstaculizado y mayormente impedido alcanzar, en la práctica, los objetivos de ordenación integral propuestos, aun cuando han contado y cuentan con instrumentos jurídicos suficientes para hacerlo.

Precisamente, en virtud de las competencias asumidas, la Comunidad Autónoma de Canarias aprobó, en su momento, mediante la Ley 19/2003, de 14 de abril, las Directrices de Ordenación General y las Directrices de Ordenación del Turismo de Canarias, de ámbito regional, que establecen el marco territorial de los recursos naturales y del desarrollo de las políticas sectoriales. Particularmente, su artículo 57 constituye el marco jurídico de referencia para establecer la GIZC[216]; si bien, sus determinaciones no son de aplicación directa, sino que su naturaleza es, propiamente, la de una norma directiva. A tales efectos dispone lo siguiente:

---

compatibilidad entre el Plan municipal y los Planes o Directrices de ordenación territorial autonómica.

[215] Por lo que a la ordenación del litoral se refiere, interesa destacar la modificación de dicho Texto legal, llevada a cabo por la Ley 7/2009, 6 mayo, de modificación del TR-00, sobre declaración y ordenación de áreas urbanas en el litoral canario. Sobre este particular, VILLAR ROJAS, F. J., "Las Áreas urbanas en el litoral (A propósito de la Ley 7/2009)" en *10 años de la Ley de Ordenación del Territorio en Canarias,* Tirant lo Blanch, 2010, pp. 257 y ss.

[216] Para un examen más profundo de estos instrumentos de ordenación, vid. LOBO RODRIGO, A., "El planeamiento territorial y urbanístico" en Villar Rojas, F., *Derecho Urbanístico de Canarias, Instituto de Estudios Canarios,* 2004, pp. 108 y ss.; y FAJARDO ESPÍNOLA, F., *Sistema de planeamiento en Canarias,* Montecorvo, 2006, pp. 70 y ss.

1. El planeamiento insular y, en su marco, el general, considerarán el espacio litoral como una zona de valor natural y estratégico, notablemente sobreutilizada, orientando sus determinaciones en consonancia con dichas circunstancias.

2. Los Planes Insulares deberán delimitar ámbitos que conformen unidades litorales homogéneas, con entidad suficiente para su ordenación y gestión, estableciendo determinaciones para su desarrollo mediante planes territoriales parciales que tendrán por objeto la protección y ordenación de los recursos litorales, así como de las actividades, usos, construcciones e infraestructuras susceptibles de ser desarrolladas en el espacio litoral.

3. Cuando la línea del litoral se encuentre clasificada como suelo urbano o urbanizable o categorizada como asentamiento rural u ocupada por grandes infraestructuras viarias, portuarias o aeroportuarias, el planeamiento podrá ordenar los terrenos contiguos conforme al modelo territorial que éste haya establecido.

4. Cuando la línea del litoral no se encuentre ocupada, la implantación de nuevas infraestructuras y la clasificación de nuevos sectores de suelo urbanizable en la zona de influencia del litoral, de 500 metros de anchura, tendrá carácter excepcional y habrá de ser expresamente prevista y justificada por las directrices de regulación sectoriales y por el planeamiento municipal.

Este artículo 57 de las Directrices Generales preveía, además, la elaboración de unas Directrices de Ordenación del Litoral (que aún no se han aprobado, pese al tiempo transcurrido y a la importancia estratégica que el litoral tiene para Canarias[217]), las cuales, en todo caso y conforme a la dicción literal del citado precepto, debían estar orientadas a la disminución de la presión urbana y de infraestructuras en el litoral, así como a su regeneración, recuperación y acondicionamiento para el uso y disfrute públicos.

En todo caso, en la elaboración de estas Directrices debía realizarse un diagnóstico de la situación del litoral y del resto del territorio canario (hay dos diagnósticos elaborados en el año 2005, una memoria y material cartográfico). Consiguientemente, a tenor de lo expuesto, sería necesario reto-

---

[217] Por Decreto 28/2004, de 23 de marzo, se acordó iniciar el procedimiento de elaboración de las Directrices de Ordenación del Litoral (DOL, en adelante, publicadas en el BOC núm. 66, de 5 de abril de 2004), de las que hay disponible un Avance. Mediante Anuncio, de 13 de noviembre de 2009 (BOC núm. 233, de 27 de noviembre de 2009), se abrió un período de 45 días para presentar alegaciones al citado Avance de las DOL.

mar éstas y actualizar dicho diagnóstico, teniendo en cuenta la interacción entre ambos, ya que la mayoría de los factores que han determinado la actual situación de degradación del litoral, así como su inadecuada gestión, tienen su origen fuera del propio demanio costero. Con este fin, habría que analizar no sólo el medio físico natural (marino y terrestre), sino también el estado de las infraestructuras (carreteras, aeropuertos, puertos, etc.), instalaciones hidrológicas, infraestructuras ambientales, energéticas y de telecomunicaciones, así como los equipamientos, dotaciones y población. Ese diagnóstico global permitiría a las Directrices establecer pautas de actuación y normas, que serían de obligado cumplimiento para los correspondientes Planes Insulares de Ordenación[218] y, a partir de estos, para el resto del planeamiento jerárquicamente inferior.

Por lo tanto, la ordenación integral del litoral canario debería partir, necesariamente, de este primer escalón regional. El Gobierno autonómico, en estrecha colaboración con la Administración del Estado y con los Cabildos Insulares de cada una de las islas[219], así como con los Ayuntamientos costeros y el resto de agentes (económicos y sociales), deberían liderar esta GIZC, a través de las citadas Directrices de Ordenación General y del Litoral.

A partir de dicho marco legal, el propio artículo 57 de las Directrices de Ordenación General remite a una serie de instrumentos de ordenación territorial, que serían los encargados de materializar y desarrollar los postulados contenidos en las citadas Directrices del litoral que, en su día, se aprueben.

Precisamente, su apartado 3 se refiere a los Planes Insulares de Ordenación del Territorio (PIO), que, a su vez, se conforman como Planes de Ordenación de los recursos naturales, algunos de carácter litoral. Dichos Planes son los encargados de delimitar *"ámbitos que conformen unidades litorales homogéneas, con entidad suficiente para su ordenación y gestión"*, así como de *"establecer determinaciones para su desarrollo mediante Planes Territoriales Parciales que tengan por objeto la protección y ordenación de los recursos litorales, así como la ordenación de las actividades, usos, construcciones e infraestructuras susceptibles de ser desarrollados en el espacio litoral"*.

Para la fijación de tales determinaciones, los Planes Insulares deben llevar a cabo, a su vez, un diagnóstico del territorio, a nivel insular, teniendo

---

[218] Los *"Planes Insulares de Ordenación"* se definen como *"instrumentos de ordenación de los recursos naturales, territorial y urbanístico de la isla"*, a través de los cuales se diseña *"el modelo de organización y utilización del territorio para garantizar su desarrollo sostenible"*.

[219] Mediante convenios, instrumentos de participación, información, transparencia, etc.

en cuenta su propia realidad, todo ello (insistimos) dentro del marco establecido por las referidas Directrices de Ordenación General y del Litoral, lo que permitiría obtener una visión integrada y unitaria de la isla. A su vez, cada Plan Insular habría de fijar distintas zonas en función, por ejemplo, de su riqueza y valores naturales, de su estado de conservación, de las actividades económicas imperantes, etc., para adoptar un modelo respetuoso y equilibrado, en clave de sostenibilidad, en su triple dimensión ambiental, económica y social, donde el equilibrio territorial se configure como un elemento estratégico de un estilo de desarrollo más sostenible y, especialmente, más racional.

Los postulados contenidos en los correspondientes PIO serán desarrollados por los Planes Territoriales Parciales de Ordenación del Litoral (PT-POL), que llevarán a cabo una ordenación del litoral desde una perspectiva global e integradora, ordenando los usos e infraestructuras, atendiendo a todos los elementos e intereses en juego. A tal efecto, el artículo 23.2 del TR 00 dispone que estos Planes tendrán por objeto la ordenación integrada de partes concretas del territorio diferenciadas por sus características naturales o funcionales y solamente podrán formularse en desarrollo de PIO, pudiendo referirse, entre otros ámbitos, a los espacios litorales.

En última instancia, como ya se adelantó, está claro que la instauración de un modelo de GIZC requiere la intervención del planeamiento urbanístico, el cual estaría obligado, en todo caso, a respetar todas las anteriores determinaciones de superior jerarquía.

En todo caso, sólo resta añadir que, con este modelo de GIZC, se modificaría la tendencia hasta ahora imperante de situar en el escalón municipal la ordenación del litoral, pues la realidad ha demostrado que los Planes urbanísticos no son, en principio, los más indicados para ordenar *"ab initio"* el territorio litoral, porque los diversos intereses que confluyen en estos espacios van más allá del propio término municipal; por lo que, consiguientemente, su regulación debe ser supramunicipal. Y, además, porque la realidad también ha demostrado que los planes municipales, lejos de responder a una visión integrada del territorio y respetuosa con los valores naturales del litoral, han cedido ante la presión demográfica y especulativa, dando lugar a sucesivas modificaciones que desvirtúan, finalmente, el contenido inicial de los mismos y ponen de manifiesto la ausencia de un modelo objetivo de ordenación de sus espacios costeros[220].

---

[220]   Como simple botón de muestra de lo que acabo de decir, me remito al Informe de Greenpeace "Destrucción...", *op. cit.*, pp. 31 y ss.

BIBLIOGRAFÍA SUMARIA

BARNES VÁZQUEZ, J. "Ley de Costas y garantía indemnizatoria", Revista Andaluza núm. 2, 1990.

BELADÍEZ ROJO, M. "Problemas competenciales sobre la zona marítimo-terrestre y las playas", en Estudios Homenaje al Profesor García de Enterría, vol. IV, Civitas, Madrid 1995.

BLASCO DÍAZ, J. L. *Régimen jurídico de las propiedades particulares en el litoral*, Tirant lo Blanch, Valencia, 1999.

BRETÓN, F., "El litoral: bases para el planeamiento y la gestión integrada de un espacio dinámico y vulnerable", en Quaderns d' Ecología Aplicada, 13 (1996).

CALERO RODRÍGUEZ, J. R. *Régimen jurídico de las costas españolas*, Aranzadi, Pamplona, 1996.

DESDENTADO DAROCA, E. *La expropiación de los enclaves privados en el litoral*, Thomson-Civitas, Madrid, 2007.

–   "La reforma de la Ley de Costas por la Ley 2/2013; ¿una solución adecuada al problema de los enclaves privados?" RAP nº 193, 2014.

DÍAZ FRAILE, J. M. *El dominio público marítimo-terrestre. Exégesis y comentario del Título Primero de la Ley 22/1988, de 28 de julio, de Costas.* Colegio de Registradores de la Propiedad y Mercantiles de España, Madrid, 1989.

FABEIRO MOSQUERA, A., "La protección del paisaje: Su creciente importancia en el ámbito internacional y la dispersión de instrumentos jurídicos para su protección integral en el Derecho español", REDA núm. 131 (julio-septiembre, 2006).

FAJARDO ESPÍNOLA, F., *Sistema de planeamiento en Canarias*, Montecorvo, 2006.

FERNÁNDEZ RODRÍGUEZ, T. R., "La urbanización de las costas", Revista de Urbanismo y Edificación, núm. 2, 2001.

GARCÍA AGUDÍN, F., "Incidencias de la Ley de Costas en la gestión y planificación urbanística", en *Cuadernos de Derecho Judicial, "Dominio público: Aguas y costas"*, CGPJ, Madrid, 1993.

GARCÍA DE ENTERRÍA, E. "Las expropiaciones legislativas desde la perspectiva constitucional. En particular, el caso de la Ley de Costas, RAP núm. 141, 1996.

GARCÍA PÉREZ, M. *La utilización del dominio público marítimo-terrestre*, Marcial Pons, Madrid, 1995. "El deslinde costas", Anuario de la Facultad de Derecho de la Universidad A Coruña, nº 8, 2004. "La indeterminación del dominio público marítimo-terrestre en la Ley de Costas de 1988. A propósito del deslinde de acantilados", RAP, núm. 169 (enero-abril, 2006). "Reflexiones sobre la Ley de Costas", Anuario de la Facultad de Derecho de la Universidad A Coruña, 2009.

GARCÍA-TREVIJANO GARNICA "El régimen jurídico de las costas españolas: la concurrencia de competencias sobre el litoral. Especial referencia al informe preceptivo y vinculante de la Administración del Estado", RAP núm. 144 (septiembre-diciembre 1997).

GONZÁLEZ GARCÍA, J. V., "Cuestiones problemáticas de la protección del litoral en el Proyecto de Ley de reforma de la ley de Costas", Reserva de Urbanismo y Edificación, nº 26/2013.

GONZÁLEZ GARCÍA J. V. y ZAMBONINO PULITO, E., "El Derecho de Costas y la distribución constitucional de competencias entre el Estado y las Comunidades Autónomas. Cuestiones recurrentes y controversias nuevas", en *El Derecho de Costas en España*, La Ley, 2010.

GONZÁLEZ SALINAS, J. *Régimen jurídico actual de la propiedad en las costas*, Civitas, Madrid, 2000.

GONZÁLEZ-VARAS IBÁÑEZ, S. *El deslinde de las costas*, edit. Marcial Pons, Madrid, 1995.

GREENPEACE, "Destrucción a toda costa, 2013".

HORGUÉ BAENA, C. "Costas", en *Fundamentos del Derecho* Urbanístico, 2ª edil., Aranzadi, 2009.

LEGUINA VILLA, J. y DESDENTADO DAROCA, E. "El régimen jurídico de los terrenos ganados al mar y la preservación del demonio costero", RAP núm. 167 (mayo/agosto, 2005).

LÓPEZ MENUDO, F. "La utilización del mar y su ribera", Revista Andaluza núm. 2, 1990.

LOZANO CUTANDA, B. "El régimen sancionador y la acción pública en defensa del litoral", en Jornadas sobre la Ley de Costas y su Reglamento, IVAP, 1993.

LOBO RODRIGO, A., "El planeamiento territorial y urbanístico" en Villar Rojas, F., *Derecho Urbanístico de Canarias, Instituto de Estudios Canarios,* 2004.

LOZANO CUTANDA, B. "Urbanismo y corrupción: Algunas reflexiones desde el Derecho Administrativo", RAP núm. 173 (enero/abril, 2007). "Ley 2/2013, de 29 de mayo, de protección y uso sostenible del litoral: Las diez reformas claves de la Ley de Costas", La Ley, junio 2013.

MARTÍNEZ CORDERO, J. R., "Modificaciones conceptuales de la ribera del mar en la reforma de la Ley de Costas", en Pérez Gálvez (Dir.), Costas y Urbanismo. El litoral tras la Ley 2/2013, de protección y uso sostenible del litoral y de modificación de la ley de Costas, La Ley - El Consultor de los Ayuntamientos, Madrid, 2013.

MECO TEBAR, F. *Deslinde de costas,* edit. Tirant lo Blanch, Valencia, 1998.

MEILÁN GIL, J. L. *Régimen jurídico del dominio público marítimo-terrestre en la Ley de Costas,* Oñate 1990. "El dominio público natural y la legislación de costas", RAP núm. 139 (enero-abril 1996). "Dominio público y protección del litoral. Relectura, de la Ley de Costas", en el Derecho de Costas en España, La Ley, 2009.

MENÉNDEZ REXACH, A. "La configuración del dominio público marítimo-terrestre, en la Ley de Costas", Estudios Territoriales núm. 34, 1990 y "Problemas jurídicos del deslinde del dominio público marítimo-terrestre", Oñate, 1993.

MIRALLES GONZÁLEZ, I. *Dominio público y propiedad privada en la nueva Ley de Costas,* Civitas, Madrid, 1992.

MONTORO CHINER, M. J. "La Ley de Costas ¿Un proyecto viable?", REDA núm. 58 (abril-junio, 1988).

MORENO CÁNOVES, A. *Régimen jurídico del litoral,* Tecno, Madrid, 1990.

NOGUERA DE LA MUELA, B. *Las servidumbres de la Ley de Costas de 1988,* Marcial Pons, Madrid, 1995.

ORGANIZACIÓN DE COOPERACIÓN Y DESARROLLO ECONÓMICOS, *Gestión de zonas costeras. Políticas integradas,* OCDE-Ediciones Mundiprensa, Madrid, 1995.

PALLARÉS SERRANO, "El concepto de coordinación en nuestro ordenamiento jurídico: diferenciación con el concepto de cooperación y colaboración y relación con el concepto de integración", REDA núm. 131 (julio/septiembre, 2006).

PAREJO ALFONSO, L. "Dominio público: un ensayo de reconstrucción de la categoría", RAP núm. 100-102 (enero-diciembre, 1983).

PAREJO ALFONSO, L., "La Ordenación del territorio y el urbanismo", en Parejo Alonso, L, Jiménez Blanco, A y Ortega Álvarez, L., *Manual de Derecho Administrativo, Ariel, 1990.*

PÉREZ ANDRÉS, A. A., "La ordenación del territorio, una encrucijada de competencias planificadoras", RAP núm. 147 (septiembre/diciembre, 1998).

PÉREZ CONEJO, L. *Las costas marítimas: Régimen jurídico y competencias administrativas,* Comares, Granada, 1999.

RODRÍGUEZ GONZÁLEZ, Mª DEL P. "Reconocimiento de titularidades privadas en el dominio público marítimo-terrestre. Alcance y límites", RAP núm. 146 (mayo-agosto 1998). *El dominio público marítimo-terrestre: Titularidad y sistemas de protección,* Marcial Pons, Madrid, 1999. "El dominio público marítimo-terrestre", en *Derecho de los bienes públicos*

(Dir. González García, J. V.), Tirant lo Blanch, Valencia, 2005. "Hacia una gestión integrada: Ordenación, protección y gestión del espacio costero", en *Veinte años de Derecho urbanístico canario* (Dir. Parejo Alfonso, L.), Montecorvo, Madrid, 2007.

RODRÍGUEZ LÓPEZ, P. Comentarios a la Ley de Costas, Dijusa, Madrid 2003.

SANZ LARRUGA, F. J., Bases doctrinales y jurídicas para un modelo de gestión integrada y sostenible del litoral de Galicia, Colección técnica medio ambiente, Xunta de Galicia, 2003.

SAINZ MORENO, F. "Dominio público estatal en las playas y en la zona marítimo-terrestre", RAP núm. 99 (septiembre-diciembre, 1982) y "Comentarios al artículo 132", en Comentarios a las Leyes Políticas, Tomo X, Madrid, 1985.

VILLAR ROJAS, F. J., "Las Áreas urbanas en el litoral (A propósito de la Ley 7/2009)" en *10 años de la Ley de Ordenación del Territorio en Canarias*, Tirant lo Blanch, 2010.

Capítulo XIV

El Dominio Público Hidráulico

CARMEN PLAZA MARTÍN
Profesora Titular de Derecho Administrativo
Universidad de Castilla-La Mancha

tos reconocidos a favor del Estado o las Comunidades Autónomas. C) Usos privativos adquiridos por concesión. a) Otorgamiento y condiciones generales. b) Modificación, transmisión, extinción y renovación. D) La cesión de derechos al uso privativo de las aguas y los centros de intercambio de agua: el llamado "mercado del agua". a) La introducción en la Ley de Aguas de los contratos de cesión al uso privativo de las aguas. b) Limitaciones y condiciones impuestas a la celebración de contratos de cesión. c) Los Centros de intercambio de derechos de uso del agua. E) Limitaciones legales a los usos privativos. F) El control de los aprovechamientos privativos del agua: los sistemas de medición o contadores del agua. VIII. LA PROTECCIÓN DEL DOMINIO PÚBLICO HIDRÁULICO Y DE LA CALIDAD DE LAS AGUAS. 1. Técnicas de protección de la calidad de las aguas y de su uso racional. A) El control de los vertidos de sustancia contaminantes al medio acuático: las normas de emisión y el régimen de autorización. B) Limitaciones medioambientales a las autorizaciones y concesiones sobre el uso del dominio público hidráulico: el control de los caudales ecológicos y el estudio o la evaluación de su impacto ambiental. C) Instrumentos económicos: el canon de control de vertidos, el precio del agua y las ayudas públicas a particulares para la mejora de la calidad de las aguas. D) Zonas de policía y perímetros de protección del dominio público hidráulico. E) Declaración de sobreexplotación y salinización de acuíferos. F) Medidas de ahorro. La reutilización de las aguas residuales. 2. Técnicas de garantía de la identidad del dominio público hidráulico. A) El deslinde. B) El Registro de Aguas. C) El Registro de Zonas Protegidas. 3. El régimen sancionador de la Ley de Aguas. IX. LAS OBRAS HIDRÁULICAS (remisión).

I. INTRODUCCIÓN

"Sin agua no hay vida posible. Es un bien preciado, indispensable a toda actividad humana". Con tan simple y rotunda afirmación se abre la Carta Europea del Agua, adoptada por el Consejo de Europa en 1967. Los recursos de agua dulce no son inagotables, como continúa advirtiendo este documento, y alterar su calidad "es perjudicar la vida del hombre y de los otros seres vivos que de ella dependen". El agua apta para el consumo humano y para el desarrollo de las actividades hidrodependientes es, en efecto, un recurso vital y limitado que soporta cada vez más presiones: su demanda mantiene un incremento constante[1], al tiempo que las aguas afectadas o gravemente amenazadas por la contaminación constituyen un importante porcentaje del conjunto de este recurso (la contaminación difusa y puntual ejerce una presión significativa en aproximadamente el 38%

---

[1]   El agua dulce constituye solo el 2% del agua del planeta y demandas competidoras pueden llevar a un déficit de la oferta de agua a nivel mundial que se estima en el 40% para 2030 (*vid*. Comisión Europea, "Plan para salvaguardar los recursos hídricos de Europa" COM(2012)673 final, p. 2). En Europa un tercio de los habitantes vive en países donde los recursos hídricos están sometidos a una gran presión (*vid*. Agencia Europea de Medio Ambiente (AEMA), *Towards efficient use of water resources in Europe*, 1/2012, p. 53; *El Medio Ambiente en Europa - Estado y perspectivas 2010*, Copenhague, 2010, p. 83.

y el 22%, respectivamente, de las masas de agua de la Unión Europea)[2]. La práctica totalidad de las actividades humanas, como las desarrolladas en el marco de los sectores económicos clave (industria, agricultura, generación de energía, turismo...) no sólo necesitan disponer de agua, sino que también pueden afectar negativamente a la calidad de este bien, menoscabando su utilidad y valor, y perjudicando a los ecosistemas que sustenta. El agua está expuesta, en definitiva, a dos grandes amenazas que es preciso controlar: la sobreexplotación y la contaminación. Y tanto la una como la otra son causa de la pérdida de hábitats y biodiversidad, amenazan la salud humana e hipotecan el desarrollo social y económico del futuro.

Estos problemas confluyen en importantes zonas del sudeste de la Península Ibérica con el de la desertización, que va de la mano de las sequías prolongadas o recurrentes y que se ve agravada por la sobreexplotación de los acuíferos, con lo que se contribuye a cerrar el siguiente círculo vicioso: el estrés hídrico desencadenado por las sequías —y acentuado por la sobreexplotación de acuíferos— provoca alteraciones y agotamiento de la cubierta vegetal; la reducción de la cubierta vegetal lleva aparejada, a su vez, una reducción de la infiltración de agua en el suelo para recarga de los acuíferos y el consiguiente incremento de la escorrentía superficial que causa la erosión del suelo apto para el desarrollo de vegetación. Así avanza el desierto. Y esta situación podría empeorar en los próximos años como consecuencia del cambio climático: se prevé que el calentamiento global afecte a la disponibilidad de recursos hídricos en toda Europa, pero en especial en las regiones más áridas; las últimas previsiones en materia de cambio climático sugieren que en el futuro tendrán lugar significativas sequías estivales en diversas partes de Europa, en particular en los países del sur, en donde se acentuará este fenómeno[3].

Por todo ello resulta vital, hoy más que nunca, contar con normas que, partiendo de un análisis adecuado de las características de este recurso y de los problemas que plantea su gestión, regulen su uso eficiente y sostenible conforme con los intereses generales; normas que garanticen el derecho al

---

[2]   CE, "Plan para..." *op. cit.* p. 8. Fuera de la Unión Europea se vive una dramática crisis de agua: Naciones Unidas estima que aproximadamente 884 millones de personas carecen de acceso a agua potable y más de 2.600 millones de personas no tienen acceso a saneamiento básico, y cada año fallecen aproximadamente 1,5 millones de niños menores de 5 años a consecuencia de enfermedades relacionadas con el agua y el saneamiento (vid. Resolución 64/292 de la Asamblea General, "El derecho humano al agua y el saneamiento", 3 de agosto de 2010.

[3]   *Vid.* AEMA, *El Medio Ambiente en Europa..., op. cit.* p. 40.

agua[4], y que han de jugar un papel decisivo en la configuración del modelo social y económico al que aspire un Estado.

En principio, y tal y como puso de relieve entre nuestra doctrina JOR-DANA DE POZAS, "las normas e instituciones jurídicas relacionadas con el agua son tanto más complejas, desarrolladas e incluso perfectas cuanto mayor es la escasez de dicho elemento, o la frecuencia con que significa un obstáculo o peligro para la vida y actividades de los hombres"; asimismo, en la medida en que el progreso científico, económico y social ha ido incrementando la demanda de agua, el Derecho de aguas ha evolucionado hacia formas cada vez más elaboradas[5]. En el caso concreto de España estos factores —la escasez y los desequilibrios hídricos, por una parte, y la importancia capital de este recurso para el desarrollo económico y social del país, por otra— han sido determinantes en la progresiva independización de la titularidad de las aguas de la de los predios en las que se ubican o por los que discurren, y en su concepción como bienes demaniales que corresponde al Estado ordenar, gestionar y proteger. De forma que, a través de los principales hitos de nuestro moderno Derecho de aguas, se puede ver cómo ha evolucionado hacia la demanialización de la práctica totalidad de las aguas continentales, así como hacia una progresiva intensificación

---

[4] En el ámbito internacional, algunos instrumentos internacionales lo mencionan ya expresamente (por ej., en la Convención sobre los Derechos del Niño, la Convención sobre la eliminación de todas las formas de discriminación contra la mujer y la Convención sobre los derechos de las personas con discapacidad), y se entiende implícito en otros instrumentos generales de protección de los derecho humanos. En 2002, el Comité de Derechos Económicos, Sociales y Culturales de las Naciones Unidas aprobó su "Observación general N° 15 sobre el derecho al agua", en la que este derecho se definió como el derecho de todos "a disponer de agua suficiente, salubre, aceptable, accesible y asequible para el uso personal y doméstico". En 2006, la Subcomisión de Promoción y Protección de los Derechos Humanos, de las Naciones Unidas, aprobó las directrices para la realización del derecho al agua potable y al saneamiento. El Programa de las Naciones Unidas para el Desarrollo (PNUD) también ha subrayado que el punto de partida y el principio unificador de la acción pública en relación con el agua y el saneamiento es el reconocimiento de que el derecho al agua es un derecho humano básico; vid., con carácter general, ONU, *El Derecho al Agua*, Folleto informativo n° 35, 2011, disponible en http://www.ohchr.org/Documents/Publications/FactSheet35sp.pdf.; "El derecho al agua en el marco de la evolución del Derecho de aguas", en EMBID IRUJO (Coord.), *El derecho al agua*, 2006, pp. 15-56; A. MENÉNDEZ REXACH, "El Derecho al agua en la legislación española", en J. AGUDO GONZÁLEZ (Coord.), *El Derecho de aguas en clave europea*, La Ley, 2010, pp. 23-67.

[5] L. JORDANAS DE POZAS, "La evolucion del Derecho de las aguas en España y en otros países", RAP n° 34, 1962, pp. 52-54.

de las medidas para proteger su calidad y los ecosistemas asociados a este recurso.

Ya el Preámbulo de la modélica Ley de Aguas de 1866 ponía de manifiesto el desafío al que se enfrentó el Legislador español del siglo XIX cuando decidió, por vez primera, reunir en una sola ley cuanto se refería "al dominio, ya fuera público o privado, del agua". Partía de la lógica premisa de que no podía regularse el aprovechamiento de las aguas públicas sin resolver antes la cuestión cardinal de cuáles eran éstas, y para ello se propuso fijar reglas para definir y deslindar las aguas pertenecientes al dominio público y al privado. Con esta Ley se va a dar un importante impulso a la demanialización de los recursos hídricos en el moderno Estado español, si bien ésta va a quedar limitada, hasta la adopción de la Ley de Aguas de 1985, a las aguas superficiales.

La Ley 29/1985 de Aguas (en adelante LA), que más de un siglo después se adopta con fin de adecuar la regulación del agua a la nueva realidad política, jurídica y socioeconómica de España, refleja también en su Preámbulo la singular naturaleza del agua como bien esencial para el desarrollo humano: "El agua es un recurso natural escaso, indispensable para la vida y para el ejercicio de la inmensa mayoría de las actividades económicas; es irremplazable, no ampliable por la mera voluntad del hombre, irregular en su forma de presentarse en el tiempo y en el espacio, fácilmente vulnerable y susceptible de usos sucesivos". Fundamentada en un mejor conocimiento científico del ciclo hidrológico, va a extender la demanialización de las aguas también a las subterráneas, argumentando que "no cabe distinguir entre aguas superficiales y subterráneas", ya que "unas y otras se encuentran íntimamente relacionadas, presentan una identidad de naturaleza y función y, en su conjunto, deben estar subordinadas al interés general y puestas al servicio de la nación". Siguió así los postulados que defendían que la generalización de la condición de las aguas como bienes demaniales facilitaría la intervención del Estado en la ordenación de los usos de las aguas y, por ende, el buen aprovechamiento y protección de este recurso[6].

---

[6]   La doctrina más cualificada había venido defendiendo la demanialización de las aguas subterráneas (así, por ej., S. MARTÍN RETORTILLO, *Aguas públicas y obras hidráulicas. Estudios jurídico-administrativos*, Madrid, 1966; A. NIETO "Aguas subterráneas: subsuelo árido y subsuelo hídrico", RAP 56, 1968, p. 68), y recibió con elogios el paso dado por la Ley de Aguas de 1985 (vid., por ej., A. GALLEGO ANABITARTE "El Derecho español de aguas en la historia y ante el Derecho comparado", en A. GALLEGO ANABITARTE, A. MENÉNDEZ REXACH y J. M. DÍAZ LEMA, *El Derecho de Aguas en España*, MOPU, Madrid, 1986, p. 420). No obstante, y tal y como ha puesto de relieve S. MARTÍN RETORTILLO (*Derecho de Aguas*, Civitas, Madrid, 1997, pp. 86-89), no faltan

Intervención que resulta particularmente relevante, como nos recuerda A. EMBID IRUJO, en todos aquellos ordenamientos correspondientes a países con recursos hídricos escasos o desigualmente repartidos como es España[7]. No obstante, esta Ley va a dejar también una puerta abierta, en los términos que se examinan en el apartado IV, a la existencia de aguas de dominio privado.

Por otra parte, la creciente importancia que en las cuatro últimas décadas ha adquirido la protección del medio ambiente ha contribuido a intensificar los instrumentos de intervención pública en la regulación de este recurso natural, si bien ya al margen de su configuración como bien demanial o como bien privado[8]. El deber que asumen los poderes públicos de proteger el medio ambiente —al que responden importantes actuaciones en materia de aguas tanto en foros internacionales como en la esfera de la Comunidad Europea, a la que nos integraremos a partir de enero de 1986— va a quedar reflejado en nuestro ordenamiento en el art. 45 de nuestra Constitución de 1978, y, en el ámbito de nuestro Derecho de aguas, tanto en la Ley 29/1985 como en las principales modificaciones que ha sufrido dicho texto en los últimos años. Tras la reforma que la Ley 46/1999, de 13 de diciembre, operó en la Ley de Aguas de 1985, se aprueba por Real Decreto Legislativo 1/2001 el Texto Refundido de la Ley de Aguas (en adelante TRLA). Texto que, con posterioridad ha sufrido también modificaciones en varias ocasiones, siendo sin duda las más importantes las introducidas por la Ley 62/2003, de medidas fiscales, administrativas y del orden Social, con el fin de adecuar nuestro ordenamiento jurídico a lo que ha venido a ser la directiva más relevante de las hasta ahora adoptadas por la Comunidad Europea en materia de protección de las aguas: la Directiva 2000/60/CE, por la que se establece un marco comunitario de actuación en el ámbito de la política de aguas[9] (en adelante DMA). En esta Directiva, que ha dado un importante impulso al proceso de armonización de las

---

tendencias doctrinales que señalan que lo importante es regular el régimen de utilización y protección de las aguas con independencia de sus titularidad pública o privada. En esta línea *vid.*, por ej., G. ARIÑO ORTIZ, *Principios de Derecho Público Económico*, Ed. Comares, Granada 2001, pp. 800-831.

[7]   *Vid.* A. EMBID IRUJO, "La evolución del Derecho de aguas y las características de la actual problemática del agua", en A. EMBID IRUJO, El nuevo Derecho de aguas: las obras hidráulicas y su financiación, Civitas, 1998, pp. 57-58.

[8]   Sobre la relación entre dominio público y medio ambiente *vid.* F. LÓPEZ RAMÓN, "Dominio público y protección del medio ambiente", en VVAA, *Ordenación del territorio y medio ambiente*, IVAP, Oñate, 1988, pp. 585 ss.

[9]   DOCE L 327/1, 22.12.2000.

legislaciones de los Estados miembros de la Unión Europea en materia de protección de las aguas (tanto las superficiales continentales y subterráneas, como las de transición y costeras), también se va a poner de relieve la singularidad de este recurso: "El agua —dice— no es un bien comercial como los demás, sino un patrimonio que hay que proteger, defender y tratar como tal". No obstante, sus disposiciones —dirigidas a proteger la calidad y buen estado ecológico de las aguas— no van a prejuzgar el régimen de titularidad de las aguas por el que puedan haber optado cada Estado miembro (público o privado).

Todos estos textos legales, señeros en el desarrollo del moderno Derecho de aguas en nuestro Estado, reflejan el papel esencial atribuido a la intervención de la Administración en la ordenación y tutela de este recurso. En este marco el legislador español ha optado por el instituto jurídico del dominio público como la vía para garantizar su utilización racional y su defensa conforme al interés general; opción ésta respaldada en su momento por el Tribunal Constitucional[10].

II. EL DERECHO DE AGUAS EN ESPAÑA HASTA LA LEY DE 1985

Según el Preámbulo de la Ley de Aguas 1866 —de cuya mano podemos hacer un breve recorrido por los hitos más importantes de la regulación de las aguas en el territorio español hasta el momento de su adopción— los comentadores de la legislación romana trataron de conciliar el texto de las Instituciones, donde se declaran públicos todos los ríos[11], con el del Digesto, en donde se reconoce la distinción entre ríos públicos y privados al precisarse que eran públicos "casi todos los ríos y los puertos"[12]. Las Instituciones, conviene añadir, declaraban todas las "aguas corrientes" (*aqua profluens*) como "cosas comunes" (*res communes omnium*)[13], esto es, cosas que por Derecho natural pertenecían a todos los hombres y que cualquiera podía usar conforme a sus necesidades siempre que no se lesionase el mis-

---

[10] Sentencia 227/88, FJ. 14. Para un comentario exhaustivo de de dicha Sentencia *vid.* A. GALLEGO ANABITARTE, "Concepto de dominio público hidráulico. El concepto de dominio público y la Sentencia del Tribunal Constitucional de 29 de noviembre de 1988", en VVAA, *La Ley de aguas: análisis de la Jurisprudencia Constitucional*, MAP, Madrid 1990, pp. 17 ss.

[11] Instituta Libro II, epígrafe 2.

[12] Digesto, Libro I, Título VIII, Ley 4: "sed flumina paene omnia et portus publica sunt".

[13] Instituta Libro II, epígrafe 1.

mo derecho reconocido a los demás. Dentro de las *aqua profluens*, las aguas de los ríos perennes (*flumina perennia*) se consideraban, a su vez, "cosas públicas" del tipo *res publico usui destinatae* (pertenecientes al pueblo como comunidad organizada en Estado), que no podían ser objeto de dominio privado: eran *extra commercium* y quedaban sometidas a la gestión y tutela de la autoridad pública[14]. A la luz de estos textos, y en particular del Digesto, parece ser que se aceptaba comúnmente la existencia de ríos cuyas aguas —al no ser públicas— pertenecían a la categoría de cosas comunes, susceptibles de apropiación por cualquiera. Dista de estar clara, sin embargo, la regla que servía para distinguirlos de los ríos públicos[15].

Tras la caída del Imperio romano, la regulación de las aguas en Castilla resulta particularmente fragmentaria y poco clara. Las Partidas —vigentes a partir de 1348 y hasta bien entrado siglo XIX— van a limitarse a incluir las aguas de lluvia entre las cosas que comunalmente pertenecen a todas las

[14]   Sobre dichas categorías *vid.* J. IGLESIAS, *Derecho Romano. Instituciones de Derecho Privado*, Ed. Ariel, 1988, pp. 242-243.

[15]   Algunos autores han apuntado a la cualidad de un río de ser o no navegable como criterio distintivo (*vid.*, por ej., R. PARADA VÁZQUEZ, *Derecho Administrativo*, vol. III, 11ª ed., Marcial Pons, Madrid, 2007, p. 82). No obstante, esta es una cuestión sobre la que no hay una respuesta unánime en la doctrina. Así, romanistas como J. IGLESIAS han destacado como *res publico usui destinatae* los ríos perennes (*flumina perennia*) conforme a la doctrina establecida por el jurisconsulto Cassio (D. 43, 12,3: "*Fluminum quaedam publica sunt, quadam non, publicum flumen esse Cassius definit, quod perenne sit*"), *vid.* J. IGLESIAS, *Derecho Romano...*, *op. cit.*, p. 243. Entre los administrativistas, GALLEGO ANABITARTE señala que entre los ríos públicos destacaban, en efecto, los navegables —especialmente protegidos en el Derecho romano—, pero no identifica dicha cualidad como la única definitoria de las aguas de un río como cosa pública frente a otros cursos de agua considerados simplemente *res communes omnium*; de hecho este autor ha puesto de manifiesto cómo, de entre todos los bienes públicos y comunes, el agua corriente es, en el Derecho Romano, uno de los más conflictivos jurídicamente puesto que se superponen las dos categorías (las de cosa común y cosa pública); *vid.* A. GALLEGO ANABITARTE, "El Derecho español de aguas en la historia y ante el Derecho comparado", en A. GALLEGO ANABITARTE, A. MENÉNDEZ REXACH y J. M. DÍAZ LEMA, *El Derecho de Aguas en España*, MOPU, Madrid, 1986, p. 100. Por su parte, el Preámbulo de la Ley de Aguas de 1866 da cuenta de cómo en el Derecho Romano los criterios para calificar las aguas de los ríos como cosa pública o como cosa común (y, en definitiva, susceptibles de apropiación por cualquiera), distaban de estar claros: "El jurisconsulto Cassio calificó de público a todo río perenne, y aun cuando Celso aprobó este parecer, Ulpiano sólo se atrevió a calificarlo de probable. Si, pues, aun los mismos jurisconsultos romanos, que tan profundamente conocían su propio derecho, no podían establecer una regla cierta para la clasificación de los ríos, no es de extrañar que tampoco hayan podido fijarla sus comentadores e intérpretes, limitados a estudiar los mutilados fragmentos que de aquellos nos quedan y a cotejarlos con los de otros escritores coetáneos".

criaturas[16], a considerar las fuentes y pozos como parte del fundo en el que se ubicasen (con el consiguiente derecho del dueño a utilizar libremente esas aguas con el límite de no disminuir de mala fe el agua de una fuente o pozo vecino)[17], y a prohibir que en los ríos navegables —cuyas aguas las Partidas consideran públicas— se ejecutasen obras que pudieran obstaculizar la navegación[18]. Nada disponían acerca del dominio de los ríos no navegables, ni concedían derecho alguno a los ribereños para la derivación de las aguas, siendo este, conforme al Preámbulo de la Ley de Aguas de 1866 "uno de los puntos más obscuros e inciertos de la antigua legislación de Castilla". Según el mismo texto jurídico, vino a imperar, finalmente, la opinión de que eran públicos todos los ríos continuos ("que corren tanto en invierno como en verano"), y privados los torrentes (los que "sólo corren en invierno"). Tal y como ha puesto de relieve la doctrina, los propietarios de las fincas ribereñas de las aguas públicas gozaban de facto del privilegio de utilizarlas con la limitación de no perjudicar el uso común y no afectar al tráfico fluvial; por otra parte, era competencia del Rey tutelar su uso y la libertad de navegación, al tiempo que podía otorgar concesiones o derechos privativos sobre dichos ríos (pesca, molinos...), de manera que la Corona mantenía así una regalía o dominio sobre los ríos y aguas públicas (pese a que Ley de las Partidas no citaba a los ríos entre las típicas regalías de la misma); el resto de las aguas corrientes iban a ser aguas comunes, apropiables por el ribereño o por quien tuviera acceso a ellas[19].

Este régimen sufría importantes modulaciones con la constitución o formación de feudos por el Rey, a cuyos titulares se otorgaba, entre otros, también el "señorío" (esto es, según la Tercera Partida, Título II, Ley XXVII, "poder que el hombre ha en la cosa de hacer de ella e en ella lo que quisiere: según Dios y según Fuero") sobre las aguas corrientes y estanca-

---

16   Partida Tercera, Título XXVIII, Ley III.
17   Partida Tercera, Título XXXII, Ley XIX.
18   Partida Tercera, Título XXVIII, Leyes VI y VIII.
19   *Vid.* A. GALLEGO ANABITARTE, "El Derecho español de aguas...", *op. cit.*, pp. 130-143. Nótese que este autor —a diferencia de lo que se pone de relieve en la exposición de motivos de la Ley de Aguas de 1866, que sostiene que eran públicos todos los cursos de agua permanentes— considera que, en esta época, salvo los ríos *navegables* (que son de uso común o público) el resto de las aguas "serán aguas comunes, no en el sentido de *res comunes*, sino comunes a un grupo de personas determinadas, o sencillamente aguas sujetas al aprovechamiento del ribereño ("facer en su heredad") o de la persona que tenga correspondiente autorización". No obstante, también advierte de la dificultad de conocer a ciencia cierta la realidad jurídica de las aguas en Castilla desde la Edad Media al s. XIX, dando cumplida cuenta de las divergencias mantenidas en este ámbito entre la doctrina.

das de sus tierras; y lo mismo ocurría con los fueros y cartas de población en los que los reyes otorgaban el aprovechamiento y propiedad común de las aguas de un término a favor de los habitantes de un Concejo, como privilegio dirigido a favorecer la repoblación de dichas tierras[20].

En la Corona de Aragón, y en particular en el Reino de Valencia, la regulación de las aguas resultó, en cambio, más elaborada y proclive a una intervención pública más intensa que en Castilla: con carácter general eran públicas y de uso común las aguas corrientes perennes, reservándose los reyes, como una de las regalías llamadas menores (o derechos propios de la Corona de tipo patrimonial), la concesión de su aprovechamiento para usos privativos. En la zona de Levante, en donde el cultivo de regadío alcanzó un notable desarrollo por influencia de los árabes[21], nunca se llegó a considerar las aguas de los ríos —cualesquiera que fueran sus características— como propiedad de los ribereños, ni los propietarios de dichas tierras se consideraban titulares del derecho de aprovechar dichas aguas haciendo derivaciones de ellos: para cualquier aprovechamiento de este recurso —incluso el de las aguas subterráneas— era necesario en todo caso obtener previamente autorización o permiso del Real Patrimonio, ejerciendo así el Rey su poder público o señorío sobre las mismas[22].

A principios del siglo XIX, y tras la caída del Antiguo Régimen[23], se inicia una progresiva ampliación de las competencias del Estado sobre las aguas y las obras públicas. El concepto jurídico de dominio público va a aparecer en el Derecho de Aguas español a mediados del siglo XIX[24], momento en el que la concienciación sobre los problemas de escasez y diferencias hídricas en España, sobre la importancia del agua para su de-

---

[20] *Ibid.*

[21] Floreciendo las obras para garantizar el regadío y regularizar, en la medida de lo posible, el abastecimiento.

[22] Para un exhaustivo análisis histórico de la evolución del Derecho de Aguas en España hasta la Ley de Aguas de 1985 *vid.* A. GALLEGO ANABITARTE, "El Derecho español...", *op. cit.*; esta obra ofrece, además, excelentes anexos y un apéndice documental en donde se pueden consultar los principales textos jurídicos (y algunos doctrinales) sobre el dominio y aprovechamiento de las aguas desde el Derecho romano hasta la adopción de la Ley de Aguas de 1866. *Vid.* también L. JORDANA DE POZAS, "La evolución del Derecho de las Aguas en España y en otros países", RAP 34, 1962, pp. 16 ss.; F. DELGADO PIQUERAS, *Derecho de aguas y medio ambiente*, Tecnos, 1992, pp. 72-89.

[23] Con el Decreto de 6 de agosto de 1811 se abolieron los señoríos jurisdiccionales y con ellos los privilegios fundados en los mismos.

[24] En la Ley de Aguas de 1866, si bien antes había aparecido ya en normas de rango inferior, como la Real Orden de 24 de mayo de 1853, según da cuenta A. GALLEGO ANABITARTE, "El Derecho español...", *op. cit.*, p. 143.

sarrollo económico y social, y sobre la necesidad de ordenar y priorizar sus usos en línea con los intereses generales, estaba impulsando la gestación de una primera Ley o Código General de Aguas en España[25]. Pionera en su género en Europa, y muy alabada por su gran calidad técnica[26], la Ley de Aguas de 3 de agosto de 1866 vino a articular en nuestro Estado, durante más de un siglo —si bien en los términos en que quedó después recogida en la Ley de Aguas de 1879, a la que hacemos referencia a continuación— la ordenación y aprovechamiento de las aguas. Dicha Ley, que bebió de las costumbres así como de los diversos textos normativos que hasta entonces habían regulado el uso y aprovechamiento de las aguas, reguló el reparto de este recurso ordenando los intereses económicos en conflicto en función de lo que se percibía entonces como los intereses generales de la nación[27]. Con ella se culmina el proceso de declaración progresiva de

---

[25] Tal y como da cuenta S. MARTÍN RETORTILLO en su obra *La Ley de Aguas de 1866*, los trabajos conducentes a la adopción de dicha Ley parten del Proyecto de Código General de Aguas que publica Cirilo FRANQUET, quien había ocupado cargos como el de Director General de la Administración y el de gobernador civil. Con expresa referencia al trabajo de FRANQUET, se nombra por Real Decreto de 1859 una Comisión encargada de redactar un proyecto de ley general de aprovechamiento de aguas, presidida por el ex Ministro de Fomento ALONSO MARTÍNEZ, y en la que destacaría la aportación jurídica del Decano de la Universidad de Valencia, RODRÍGUEZ DE CEPEDA, quien como ponente general elaborará un proyecto de Ley de Aguas presentado a la Comisión en 1961. De los trabajos y debates de la Comisión saldrá, finalmente, el proyecto de Ley que se presenta al Senado en 1963. En el Dictamen de la Comisión especial del Senado que informó del proyecto de Ley de Aguas se puso de relieve como "el aumento de la población y las crecientes exigencias del cultivo hacen ya indispensable un Código General, como el que nos ocupa, para precaver los conflictos que con frecuencia ocurren y evitar los abusos que suelen cometerse en el aprovechamiento de las aguas por falta de una legislación precisa, uniforme y completa", *vid.* S. MARTÍN RETORTILLO, *La Ley de Aguas de 1866. Antecedentes y elaboración*, Ed. Centro de Estudios Hidrográficos, Madrid, 1963., pp. xxi, xxvi-xxviii.

[26] Así, por ej., E. GARCÍA DE ENTERRÍA la ha calificado como "el monumento legal más prestigioso de toda nuestra legislación administrativa del XIX", en su obra *Dos estudios sobre la usucapión en Derecho administrativo*, Tecnos, Madrid, 2ª ed., 1974, p. 65; y S. MARTÍN RETORTILLO, atribuyó la larga vida de las normas de la Ley de 1866 (tal y como fueron recogidas después en la de 1879) "a la perfección de su técnica", en S. MARTÍN RETORTILLO, *La Ley de Aguas de 1866. Antecedentes y elaboración, Ed. Centro de Estudios Hidrográficos*, Madrid, 1963, p. xviii. El propio Preámbulo de la Ley de Aguas de 1985 tampoco escatimó elogios para su antecesora (la Ley de Aguas de 1879, heredera directa de la Ley de 1866), calificándola como "modelo en su género y en su tiempo".

[27] La Ley va a distinguir entre usos comunes generales que, por no consumir el agua o consumirla sólo en una pequeña cantidad y no impedir otros usos iguales, toda persona podía hacer libremente sin autorización (como beber, lavar ropas, vajillas y

las aguas corrientes superficiales (que denomina "aguas vivas") como bienes de dominio público, que se había iniciado ya en 1845 mediante Reales Órdenes[28]; su aprovechamiento queda sometido a un control previo por parte del Estado[29], siguiendo así las líneas esenciales que ordenaban los usos del agua en el Real Patrimonio del Reino de Valencia[30]. No todas las aguas continentales superficiales fueron, sin embargo, declaradas públicas: las denominadas "aguas muertas o estancadas" (los lagos, lagunas o char-

---

cualesquiera otros objetos, bañarse, o abrevar el ganado —art. 166—), usos comunes especiales, en tanto estaban sometidos a previa autorización administrativa (como la pesca en los ríos navegables —art. 172—); y aprovechamientos especiales (los que en la actualidad conocemos como "usos privativos"), para los que se precisaba previa concesión adquisitiva o la adquisición del derecho de aprovechamiento por prescripción, y en relación con los cuales se estableció una prelación de usos en su art. 207, conforme a la percepción que se tenía de cuáles constituían los fines de mayor interés público, que era la siguiente: 1) abastecimiento de poblaciones; 2) abastecimiento de ferrocarriles; 3) riegos; 4) canales de navegación; 5) molinos y otras fábricas; 6) estanques para viveros o criaderos de peces. Esta regulación de los aprovechamientos de aguas públicas pasaría, en iguales términos, a la Ley de 1879, en sus artículos 126 a 30 (usos comunes), y 149 ss.

[28]   Hay que matizar, sin embargo, dicha afirmación general, ya que en las "aguas vivas o corrientes" no se asume un criterio absoluto y coexisten las aguas de titularidad pública con las privadas, si bien en esta categoría la existencia de aguas privadas va a ser, en realidad, residual: sólo serán privadas "las aguas continuas o discontinuas que nacen en predios de dominio privado, mientras discurren por ellos (tal y como establecía en su art. 5.1 y, después, confirmaba el art. 408 Cc); mientras que serán públicas, por el contrario, las aguas de los ríos desde su nacimiento a su desembocadura (incluidas las denominadas "aguas subálveas", esto es el caudal que discurre de manera subterránea), las aguas continuas y discontinuas de *manantiales* y *arroyos* que corran por sus cauces naturales, y las aguas que nacen continua o discontinuamente en terrenos de dominio público así como las halladas en la zona de trabajos de obras públicas o las sobrantes de fuentes, cloacas, y establecimientos públicos (art. 4 LA de 1866 y arts. 407 y 339 Cc).

[29]   Nótese que si bien la Ley de Aguas de 1866-1879 regulaba la concesión administrativa como título para otorgar a un particular derechos para usos privativos del agua (aprovechamientos especiales), también contemplaba la adquisición de dichos derechos por prescripción, mediante el disfrute durante 20 años, sin que mediase oposición de la Administración o de tercero, de un aprovechamiento especial de aguas públicas (art. 149). Por otra parte, los usos comunes quedaban sometidos a la regulación general impuesta por la Ley.

[30]   Esto es, las de la España seca pero, no obstante, fértil por haber conseguido regular eficientemente los usos de un agua escasa y desigualmente repartida en el espacio y en el tiempo. Tal y como ha subrayado JORDANA DE POZAS, no deja de ser significativo el hecho de que todos los anteproyectos sobre los que se construyó la Ley de Aguas de 1866 (sobre los mismos *vid.* la nota 1127 *infra*) salieron de la mente de autores naturales de Valencia, Murcia o Zaragoza, L. JORDANA DE POZAS, "La evolución del...", *op. cit.*, p. 24.

cas) quedaron en manos públicas o privadas en función de la titularidad de los terrenos en que se ubicasen, conforme al principio de accesión del agua a la tierra. Por lo que se refiere a la titularidad de las aguas subterráneas, se atribuyó al alumbrador de las mismas —en vez de al dueño del suelo[31]— de forma que permanecieron así, hasta la Ley de Aguas de 1985, en la esfera del dominio privado[32]. Los distintos regímenes de propiedad que dicha Ley atribuyó a las aguas, que estaban en función de las diversas formas físicas en que se presentaran —como "aguas vivas o corrientes", "estancadas o muertas", subterráneas, pluviales, subálveas...—, pudieron deberse, al margen de otros motivos ideológicos o económicos, a un insuficiente conocimiento, en ese momento histórico, de los principios básicos del ciclo hidrológico y de la configuración de este recurso como una unidad indivisible[33] —descono-

---

[31]   Fórmula dirigida a incentivar la búsqueda y explotación de dichas aguas en aras del desarrollo económico del país, y, en particular, de la agricultura de regadío. Según estableció primero la Ley de Aguas de 1866, la titularidad correspondía "al que las hallare o hiciese surgir" cuando "se buscare el alumbramiento por medio de pozos artesianos o socavones o galerías" (art. 48), si bien para hacer calicatas en busca de aguas subterráneas se requería la expresa autorización de los dueños (art. 51); no obstante, dicha autorización podía ser impuesta por la Administración a favor de terceros en determinados casos específicos (en terrenos baldíos y de secano, y "cuando la negativa del dueño pudiese frustrar fundadas esperanzas de hallazgo de aguas según criterio pericial"). Con el Decreto-Ley de Minas de 1868 se pasa a considerar el subsuelo dominio del Estado, incluidas las aguas subterráneas. Se abre así un paréntesis en el criterio consagrado en la Ley de 1866 que se cerrará mediante Real Orden de 1876 y, después, en la Ley de Aguas de 1879, la cual vuelve al criterio de atribuir la propiedad del agua subterránea al alumbrador, si bien va a suprimir las referencias a la potestad de la Administración (a través del Gobernador) de autorizar la perforación y extracción de agua por terceros pese a la oposición del dueño del suelo (confirmando después del art. 414 CC esta tendencia más favorable para los propietarios de la tierra). Para un exhaustivo análisis del régimen de regulación de las aguas subterráneas por la Ley de Aguas de 1866, la ulterior Ley de Aguas de 1879 y el Código civil, así como los principales problemas a que dio lugar la aplicación de estas normas *vid.* A. NIETO, "Aguas subterráneas: subsuelo árido y subsuelo hídrico", RAP 56, 1968, pp. 9 ss.

[32]   No obstante, el Estado iba después a intentar ordenar el incesante incremento del uso y aprovechamiento de las aguas subterráneas en España: durante la Segunda República se va a instaurar el Registro de Manantiales en el que obligatoriamente debían inscribirse todos los pozos y manantiales de aguas privadas (para evitar que dichos aprovechamientos se consideraran abusivos), y se habilitó a las Jefaturas de Minas para suspender dichos aprovechamientos en ciertos casos en que se estuvieran realizando de forma contraria las indicaciones de los ingenieros de las propias Jefaturas (*vid.* los Decretos de 23 de agosto de 1934, el primero de regulación de las aguas subterráneas, y, el segundo, por el que se aprueba el Reglamento de la Policía Minera y Metalúrgica).

[33]   *Vid.* en este sentido EMBID IRUJO, "Aguas continentales en general"; en Materiales para el Estudio del Derecho, Derecho Administrativo, IUSTEL.

cimiento que queda puesto de relieve incluso en algunas denominaciones utilizadas por la Ley, como la de "aguas muertas o estancadas" para hacer referencia a las aguas de lagos, lagunas o charcas—.

Tras la Revolución "Gloriosa" de 1868, la implantación de la recién alumbrada Ley de Aguas —cuyo desarrollo reglamentario estaba aún pendiente— fue puesta en cuestión, derogándose parte de su articulado. Ya en el marco de la Restauración, las disposiciones de la Ley de 1866 serán recogidas, si bien con algunas modificaciones, en la Ley de Aguas de 13 de junio de 1879, siendo una de las más notables la exclusión de las "aguas marítimas" de su ámbito objetivo de aplicación, ya que éstas serán reguladas posteriormente por la Ley de Puertos de 1880[34]. No deja de ser curioso que la separación drástica entre aguas continentales y marinas, que desde entonces ha caracterizado la regulación de este recurso en nuestro Estado, se vea ahora parcialmente superada por influjo del Derecho comunitario, puesto que la Directiva 2000/60/EU marco de aguas ha venido a regular como una unidad, si bien a los solos efectos de la protección de su calidad, las aguas "terrestres", las "aguas en transición" y las "costeras".

Apenas una década después de la aprobación de la Ley de Aguas de 1879, el Código Civil de 1889 va a regular las aguas como una de las llamadas propiedades especiales (arts. 407-425). La coexistencia de dos grupos normativos sobre la misma materia —y que en algunos puntos iban a partir de sistemáticas y enfoques diferentes— dio lugar a no pocos problemas en su aplicación, a los que se intentará poner fin con la Ley de Aguas de 1985, cuya Disposición derogatoria primera dispuso que dichos preceptos del Código Civil quedaban derogados en todo aquello en que se opusieran a sus preceptos[35].

En vigor durante más de un siglo y cuarto, según se iban sucediendo los notables avances científicos y técnicos, y los cambios económicos, políticos

---

[34]   Para un análisis crítico sobre las diferencias entre la Ley de Aguas de 1866 y la Ley de Aguas de 1879 vid. A. NIETO, "Aguas Subterráneas...", op. cit., quien, tras examinar las diversas modificaciones que introduce la Ley de Aguas de 1879, califica su técnica jurídica como indudablemente inferior a la del texto de 1866, de la que es heredera. Sobre el contenido de la Ley de 1876 y su posterior evolución vid. también L. JORDANA DE POZAS, "La evolución del...", op. cit., pp. 24 ss.; la ya citada obra de S. MARTÍN RETORTILLO, La Ley de Aguas de 1866, y A. MENÉNDEZ REXACH, "La Ley de aguas de 13 de junio de 1879 y la evolución posterior", en A. GALLEGO ANABITARTE, A. MENÉNDEZ REXACH y J. M. DÍAZ LEMA, El Derecho..., op. cit., pp. 419-511.

[35]   Vid. al respecto S. MARTÍN RETORTILLO, Derecho de aguas, op. cit., pp. 112-121, quien hace una valoración crítica de dicha disposición, poniendo de relieve la imprecisión de la que hace gala y la falta de certeza que suscita.

y sociales que caracterizaron al siglo XX, la Ley de Aguas de 1866-1879 fue paulatinamente dejando de ser un instrumento adecuado para regular este recurso. Pese a su reconocida e indiscutible calidad técnica, el paso del tiempo fue poniendo de manifiesto determinadas carencias, y dando forma a nuevos problemas y necesidades en la gestión y protección de las aguas a los que esta Ley decimonónica ya no alcanzaba a dar una respuesta satisfactoria, ni siquiera con el refuerzo de las modificaciones parciales que fue sufriendo a lo largo de los años o de la adopción de normas complementarias[36].

III. EL MARCO JURÍDICO DEL NUEVO DERECHO DE AGUAS EN ESPAÑA Y SU EVOLUCIÓN

En la legislación de aguas del siglo XIX, y hasta bien avanzado el siglo XX, se va a regular este recurso —tal y como hemos señalado— como un factor de producción cuyo aprovechamiento por los particulares debía ser ordenado y promovido por los poderes públicos, estableciendo reglas de prioridad y compatibilidad entre los distintos usos para favorecer el desarrollo de determinadas actividades que se consideraban esenciales para el desarrollo económico del país (primero actividades como la implantación del ferrocarril y el regadío, más tarde los aprovechamientos hidroeléctricos, etc.). Pero a finales de la década de los años 60 y durante los años 70 del siglo XX se producen una serie de cambios en el panorama internacional y nacional de singular calado, que hace que este enfoque quede necesariamente superado, y que surja un nuevo marco político y jurídico al que debe adaptarse el Derecho de aguas.

Desde finales de los años 60, la creciente preocupación social por la protección del medio ambiente comienza a cristalizar en diversos instrumentos internacionales que van a poner de manifiesto, entre otras cuestiones, la necesidad de garantizar la protección y gestión racional y sostenible de este recurso. Además, los avances científicos y técnicos de las últimas décadas fueron proporcionando un mejor conocimiento del ciclo del agua y de los problemas y retos a los que se enfrenta la ordenación y conservación de este recurso.

---

[36] Hasta el punto de que A. EMBID IRUJO la ha calificado como un "fósil viviente" en sus últimos años de vigencia; *vid.* "Evolución del Derecho y de la política del agua en España", RAP nº 156, 2001, p. 60.

En este contexto cabe destacar la Carta Europea del Agua, adoptada en 1967 por el Consejo de Europa, que impulsa una serie de principios básicos sobre la regulación y gestión de este recurso (tales como el de la planificación hidrológica, la administración del agua en el marco de las cuencas naturales, la preservación de su calidad de acuerdo con normas adaptadas a los diversos usos previstos, su concepción como "un patrimonio común cuyo valor debe ser reconocido por todos", y su uso racional), a los que posteriormente va a responder nuestra Ley de Aguas de 1985. Poco después, en la Declaración de Estocolmo de las Naciones Unidas sobre el medio humano, de 16 de julio de 1972, se ponía de relevancia, en su Principio n° 2, la necesidad de preservar, para las generaciones presentes y futuras, los recursos naturales de la Tierra, incluido el agua, mediante una "cuidadosa planificación u ordenación". Principios éstos en los que décadas después se ha seguido insistiendo tanto en el marco de la Declaración de Río y de la Agenda 21, adoptadas en la Conferencia de Naciones Unidas sobre Medio Ambiente y Desarrollo Sostenible de 1992, como en la Cumbre Mundial sobre Desarrollo Sostenible de Johannesburgo de 2002, así como en el Foro Mundial del Agua que, también bajo los auspicios de Naciones Unidas, celebró su tercera edición en Kyoto en marzo de 2003.

Por otra parte, y también desde comienzos de los años 70, la entonces Comunidad Económica Europea —a la que nos íbamos a adherir en 1986[37]— comienza a prestar una especial atención a la tutela de la calidad de las aguas en el marco de su entonces incipiente acción en defensa del medio ambiente[38]. Y ya en nuestro ordenamiento interno, la Constitución de 1978 establece un nuevo marco político y jurídico para el Estado español que va a reflejar también el valor que nuestra sociedad atribuye a la protección del medio ambiente (art. 45), así como a los bienes de dominio público estatal (art. 132), y en el que se articula, además, una nueva organización territorial de España (Título VIII).

Al marco constitucional y comunitario en el que se ha de encuadrar nuestra legislación de aguas, y a dar una visión panorámica del desarrollo y evolución de ésta, dedicamos los siguientes apartados.

---

[37] El Tratado de Adhesión a las Comunidades va a entrar en vigor el 1 de enero de 1986, al igual que la Ley de Aguas de 1985.

[38] Sobre el desarrollo y evolución de la política ambiental comunitaria *vid.* C. PLAZA MARTÍN, *Derecho ambiental de la Unión Europea*, Tirant lo Blanch, 2004.

1. La Constitución y la ordenación y protección de las aguas

Comenzando por el nuevo marco creado por la Constitución de 1978, tres son, tal y como acabamos de apuntar, las disposiciones que van a determinar algunos de los principales rasgos a los que responde el Derecho de aguas postconstitucional en España: (i) el art. 45 CE, sobre la protección del medio ambiente; (ii) el art. 132, cuyos dos primeros apartados se refieren a los bienes de dominio público; (iii) y el art. 149, que enumera las competencias exclusivas del Estado y, por tanto, determina el límite de las que pueden asumir las Comunidades Autónomas en sus respectivos Estatutos.

A) El Derecho de aguas a la luz del artículo 45 de la Constitución

El art. 45 CE, al imponer a los poderes públicos el "deber de velar por la utilización racional de todos los recursos naturales, con el fin de proteger y mejorar la calidad de la vida y defender y restaurar el medio ambiente", va a dar una nueva impronta al Derecho de Aguas en España: a la luz de este principio rector de la Política económica y social, el legislador ya no puede limitarse a regular este recurso como si tan sólo fuera un factor (escaso) de producción, sino que en el Derecho de aguas que adopte tendrá que integrar debidamente en sus disposiciones las exigencias de protección del medio ambiente. En definitiva, su papel como elemento indispensable para el desarrollo económico va a tener que conciliarse con el de su condición de recurso natural, crucial para la conservación y protección del medio ambiente en general, pasando así a un primer plano la necesidad de garantizar su uso racional y sostenible, y de forma que se preserve su calidad y se protejan los ecosistemas que de él dependen.

B) El Derecho de aguas y el artículo 132 de la Constitución

En segundo lugar, de la mano del art. 132 de la Constitución de 1978 tiene lugar en nuestro ordenamiento, en palabras de EMBID IRUJO, una revalorización de la propiedad pública[39]. En este precepto se va a encomendar al legislador la determinación de qué bienes han de formar parte del *dominio público estatal*, precisando que, en todo caso, forman parte de

---

[39] A. EMBID IRUJO, Evolución del Derecho y de la política del agua en España, RAP nº 156, 2001, p. 60.

él la zona marítimo-terrestre y las playas, imponiendo así al legislador la obligación de regularlos como tal (apartado 2º)[40].

Durante los debates que dieron lugar al texto constitucional se planteó ampliar el elenco del dominio público constitucionalizado para incluir en él también las aguas continentales, pero dichas propuestas no tuvieron finalmente éxito, quedando así en manos del legislador ordinario determinar qué otros bienes o recursos diferentes al dominio público marítimo-terrestre (como las aguas continentales) formarían parte del dominio público estatal[41]. Sobre esta base, la Ley de Aguas de 1985 procedió a la declaración como bienes demaniales del Estado de la práctica totalidad de los recursos hidráulicos —con importantes excepciones dirigidas a respetar algunos de los derechos adquiridos conforme a la antigua legislación de aguas, en los términos que se analizan en el apartado IV— lo que implicó un cambio sustancial con respecto a la legislación preconstitucional, en especial en relación con la titularidad de las aguas subterráneas. No obstante, y tal y como el Tribunal Constitucional puntualizó en su Sentencia 227/1988, el art. 132.2 no es en sí mismo una norma de distribución de competencias: "Lo que establece, junto a la asignación directa y expresa de algunas categorías genéricas de bienes al dominio público estatal, es una reserva de ley —obviamente de ley del Estado— para determinar qué otros bienes han de formar parte de ese mismo dominio público adscrito a la titularidad estatal"[42]. Por ello se va a apoyar también en el art. 149.1.1 y 8, para concluir que, inequívocamente, corresponde al legislador estatal en exclusiva la potestad para separar genéricamente del tráfico jurídico privado las aguas continentales e integrarlas en el dominio público del Estado[43]. Jurisprudencia esta que ha sido reiterada en la Sentencia del Tri-

---

[40]   *Vid.* al respecto la STC 149/1991, de 4 de julio, al hilo de la impugnación del artículo 3.1, a) de la Ley de Costas.

[41]   *Vid.* el Diario de Sesiones del Congreso nº 87, de 13.6.1978, pp. 3195-3196; y el Diario de Sesiones del Senado nº 52, 8.9 1978, pp. 2474-2476. *Vid.* J. BARCELONA LLOP, Consideraciones sobre el dominio público natural, en F. SOSA WAGNER (Coord.), El Derecho Administrativo en el umbral del siglo XXI. Homenaje al Profesor Dr. D. Ramón Martín Mateo, Tirant, lo Blanch, Valencia 2000; pp. 2085-2112. L. MARTÍN RETORTILLO, "Las aguas subterráneas como bienes de dominio público", en el Libro homenaje al profesor José Luis Villar Palasí, Madrid, Civitas, 1989, pp. 677 ss.

[42]   FJ 14.

[43]   Según el Tribunal, la regulación de la clasificación primaria de los bienes en susceptibles o no de dominio privado constituye parte de la legislación civil, ámbito en el que el Estado tiene la competencia exclusiva (art. 149.1.8ª) sin perjuicio del carácter público de la legislación que fije el régimen exorbitante de protección y uso de los bienes públicos; va a añadir, además, que atañe a las condiciones básicas o posiciones jurídicas

bunal Constitucional de 12 de diciembre de 2007, por la que se resolvió el recurso de inconstitucionalidad interpuesto por la Comunidad Autónoma de Aragón contra el nuevo Estatuto de Autonomía de la Comunidad Valenciana.

C) La distribución de competencias en la Constitución y la jurisprudencia del Tribunal Constitucional

a) Los artículos 148.1.10 y 149.1.22 de la Constitución

Por lo que respecta a la distribución de competencias que establece la Constitución en materia de aguas, el art. 149.1.22. CE va a reconocer al Estado competencia exclusiva sobre la "legislación, ordenación y concesión de recursos y aprovechamientos hidráulicos cuando las aguas discurran por más de una Comunidad Autónoma".

A diferencia de las Comunidades Autónomas constituidas conforme al art. 151 CE —que desde un primer momento pudieron recabar para sí, en sus Estatutos de Autonomía, cualquier competencia que no estuviera reservada en exclusiva al Estado[44]—, las Comunidades Autónomas constituidas por el procedimiento del art. 143 CE únicamente pudieron asumir, en un principio, las competencias recogidas en el art. 148 CE que, en materia de aguas, se limitaba a "proyectos, construcción y explotación de los aprovechamientos hidráulicos, canales y regadíos de interés de la Comunidad Autónoma; las aguas minerales y termales" (148.1.10. CE)[45]. Tras los

---

fundamentales de todos los españoles en el ejercicio de los derechos constitucionales, respecto de los que el Estado debe garantizar la igualdad sustancial (art. 149.1.1).

[44] La mayoría de estas Comunidades Autónomas optaron por una fórmula estatutaria en la que se atribuían en exclusiva competencia en materia de aprovechamientos hidráulicos, canales y regadíos cuando las aguas discurran íntegramente dentro del territorio de la Comunidad, aguas subterráneas y aguas termales.

[45] Nótese que aunque tanto el art. 149.1.22 como el 148.1.10 se refieren a los recursos hídricos, éstos utilizan criterios distintos, no coincidentes, para atribuir la competencia al Estado y a las Comunidades Autónomas: el primero utiliza un criterio territorial para atribuir la competencia al Estado ("aguas que discurran por más de una Comunidad Autónoma); mientras que el segundo utiliza un criterio funcional ("interés de la Comunidad Autónoma"); por otra parte, el primero utiliza, además del término "aprovechamiento", también el de "recurso", mientras que el segundo sólo usa el término más limitado y preciso de "aprovechamiento". Tal y como reconocía el TC en su Sentencia 227/1988 (FJ. 13), estas diferencias no facilitaron la delimitación de competencias que en materia hídrica se ha de inferir de la Constitución y de los Estatutos de Autonomía. En este contexto, se aprobaron Estatutos de Autonomía cuyas disposicio-

Pactos autonómicos de 1992, todas las Comunidades Autónomas pudieron asumir finalmente "la ordenación y administración de los recursos y aprovechamientos hidráulicos cuando las aguas discurran íntegramente por el ámbito territorial de la Comunidad Autónomas"[46], con el lógico límite de que existan, en efecto, ese tipo de aguas en sus territorios[47].

En la Ley de Aguas de 1985 esta distribución de competencias se concretó y perfiló, además, sobre la base del principio de unidad de gestión de cada cuenca hidrográfica —definida entonces como "territorio en la que las aguas fluyen al mar a través de una red de cauces secundarios que convergen en un cauce principal único" (arts. 13.2 y 14 LA 1985)[48]—. En este contexto, el criterio geográfico de que las aguas "discurran por más de una Comunidad" fijado por la Constitución, que preside la distribución de competencias en materia de aguas entre el Estado y las Comunidades Autónomas, determina, tal y como ha señalado la doctrina, que corresponda al Estado la regulación y gestión de la mayor parte de las aguas del

---

nes en materia de aguas estaban redactadas en términos que no eran inequívocos en cuanto al alcance de las competencias que asumían algunas Comunidades Autónomas, e incluso alguno en el que claramente se asumían competencias en este ámbito que no respetaban el dictado constitucional (como ocurría con el de Aragón, puesto que a pesar de que esta Comunidad había accedido a la autonomía por la vía del art. 143 de la Constitución, recabó para si desde el principio la "ordenación de recursos y aprovechamientos hidráulicos... cuando las aguas discurran íntegramente dentro del territorio de Aragón"); vid., al respecto, A. EMBID IRUJO, "Competencias del Estado y de las Comunidades Autónomas", en A. EMBID IRUJO, *Diccionario de Derecho de Aguas*, Civitas, 2007, p. 331-332; T. CARBALLEIRA RIBERA, "El reparto competencial en materia de aguas", en S. GONZÁLEZ-VARAS IBÁÑEZ (Coord.), Nuevo Derecho de Aguas, Civitas, Madrid, 2007, pp. 273-300.

46   Los Pactos de 1992 dieron lugar a la LO 9/1992 de Transferencia de competencias a las Comunidades Autónomas que accedieron a la autonomía por la vía del art. 143.2 CE, con la que se transfirió a dichas Comunidades, entre otras, la competencia exclusiva sobre "ordenación y concesión de recursos y aprovechamientos hidráulicos, cuando las aguas discurran íntegramente por el ámbito territorial de la Comunidad Autónoma" (art. 2.a). Competencias que fueron asumidas en sus respectivos Estatutos mediante la reforma que de los mismos tuvo lugar en 1994.

47   Para un análisis exhaustivo del reparto de competencias en materia de aguas entre Estado y Comunidades Autónomas, y de los problemas que se suscitan en torno a dicho reparto vid. S. MARTÍN RETORTILLO, "Competencias constitucionales y autonómicas en materia de aguas", RAP n° 128, 1992, pp. 23. ss.; A. EMBID IRUJO (Dir.) *Legislación del Agua en las Comunidades...*, op. cit.; A. FANLO LORAS, "La articulación de las competencias de las Comunidades Autónomas en la gestión del agua", en A. EMBID IRUJO, Gestión del agua y medio ambiente, Civitas, Madrid, 1997, pp. 125 ss.; y, del mismo autor, "Las competencias del Estado y el principio de unidad de gestión de cuenca a través de las confederaciones hidrográficas", RAP n° 183, 2010, pp. 109-334.

48   STC 227/1988, FJ. 15. Vid. al respecto lo expuesto en el apartado V infra.

territorio español, al integrarse en cuencas de carácter "intercomunitario"; ello con la evidente excepción de las aguas de las Comunidades isleñas (Canarias y Baleares), y las que pertenecen a cuencas "intracomunitarias" de Comunidades Autónomas que, evidentemente, sólo pueden existir en las Comunidades del litoral peninsular (como es el caso en Cataluña, Galicia, o País Vasco)[49].

A esta descripción básica sobre la distribución de competencias en materia de aguas entre el Estado y las Comunidades Autónomas, es necesario hacer, al menos, dos precisiones:

(i) En primer lugar, hay que tener presente que el Estado no sólo ostenta competencias en el marco de las cuencas intercomunitarias, sino también sobre aquellas aguas que discurran por cuencas intracomunitarias por razón de la demanialidad estatal de las mismas: tal y como admitió en la Sentencia 227/1988, el Estado tiene potestad para regular el régimen de la propiedad de las aguas y para declararlas del dominio público estatal, así como para determinar el régimen de protección de los bienes del dominio público hidráulico y establecer las reglas básicas del sistema concesional (aun cuando incidan, como es obvio, en el régimen de aprovechamiento de las aguas continentales sobre las que las Comunidades Autónomas extienden sus competencias)[50].

(ii) En segundo lugar, es preciso recordar que sobre un mismo ámbito físico, como el del dominio público hidráulico, se pueden proyectar diversos títulos competenciales tanto del Estado como de las Comunidades Autónomas (agricultura, medio ambiente, obras públicas, energía, sanidad, ordenación del territorio, pesca fluvial...)[51]. Concurrencia que puede dar lugar a problemas de entrecruzamientos y prevalencias de unos títulos sobre otros por lo que, en los casos en que Estado y Comunidad Autónoma ejerzan sus respectivas competencias sobre la misma realidad física, va a ser imprescindible en

---

[49] *Vid.* A. FANLO LORAS, "La administración hidráulica en el Plan Hidrológico Nacional", en A. EMBID IRUJO, El Plan Hidrológico Nacional, Civitas, Madrid, 1993, pp. 67 ss.

[50] STC 227/1988, FJ 18. *Vid.* también la STC 149/91 de 4 de julio, FJ 1, y la STC 15/1998, FJ 1.

[51] Particularmente recurrentes han sido los pronunciamientos del Tribunal Constitucional sobre la colisión entre la competencia del Estado sobre aprovechamientos hidráulicos y la autonómica sobre pesca fluvial y protección de ecosistemas; *vid.* las SSTC 243/1993, 15/1998, 110/1998 y 123/2003.

aras del buen funcionamiento de ambos —y tal y como ha insistido de forma reiterada el Tribunal Constitucional— la 'mutua colaboración' entre el Estado y las Comunidades Autónomas cuyo territorio forme parte total o parcialmente de una cuenca hidrográfica[52]. Además, y como precisó el Alto Tribunal en la STC 161/1996, el modo más directo que tiene una Comunidad Autónoma para incidir en los intereses afectados por la administración de las aguas en las cuencas que se extienden más allá de su territorio, es mediante su participación, en los términos previstos por la legislación estatal, en los órganos de gobierno de las correspondientes Confederaciones Hidrográficas, en los términos previstos en la legislación estatal[53]. En definitiva, conforme a la doctrina del Tribunal Constitucional, la atribución de una competencia sobre un ámbito físico determinado, como el del dominio público hidráulico, no impide necesariamente que se ejerzan otras competencias en ese espacio siempre y cuando ambas tengan distinto objeto jurídico, y que el ejercicio de las competencias autonómicas no interfieran o perturben el ejercicio de las estatales, por lo que, frecuentemente, resultará imprescindible el establecimiento de mecanismos de colaboración que permitan la necesaria coordinación y cooperación entre las Administraciones públicas implicadas. Mecanismos de colaboración que se analizan en el apartado V *infra*[54].

b) La situación tras la reforma de los Estatutos de Autonomía a la luz de la jurisprudencia del Tribunal Constitucional

Dentro de este marco constitucional de distribución de competencias en materia de aguas, es necesario examinar las repercusiones del proceso de modificación de los Estatutos de Autonomía abierto en el año 2006. Los nuevos estatutos adoptados por Andalucía, Aragón, Castilla y León, Cata-

---

[52]   *Vid.*, entre otras las SSTC 227/1988, FJ 20; 161/1996, FJ. 15; 15/1998, FJ 3; 110/1998, FJ 2; y 123/2003, FJ 2. *Vid.* al respecto, A. FANLO LORAS, "La articulación de las competencias de las...", *op. cit.*, pp. 124 ss.

[53]   FJ 5.

[54]   Nótese que tras la transposición en nuestro ordenamiento de la Directiva marco de aguas en los términos en que se examina en epígrafes posteriores, dentro de los organismos de las cuencas intercomunitarias van a cobrar especial importancia, en particular, los Comités de Autoridades Competentes como órganos creados específicamente "para garantizar la adecuada cooperación en la aplicación de las normas de protección de las aguas", tal y como se expone en los apartados III.3.C y V.4 de este capítulo.

luña y Valencia, fueron objeto de recursos ante el Tribunal Constitucional por cuestiones de agua[55], dando lugar a un nuevo episodio en la doctrina constitucional en este ámbito que ha sido calificada, en algunos puntos, como desigual[56].

Tal y como puso en su momento de relieve EMBID IRUJO, la distribución de competencias en materia de aguas prevista por la Constitución, en la forma en que fue interpretada por el Tribunal Constitucional desde su Sentencia 227/1988, no satisfizo a algunas Comunidades Autónomas que siguieron reclamando un mayor protagonismo en la gestión de los recursos hidráulicos de las cuencas intercomunitarias, bien sobre la base del peso que han cobrado determinadas competencias autonómicas que se entrecruzan con la de la gestión del agua (como medio ambiente, agricultura, turismo, industria...), bien esgrimiendo como argumento el hecho de que algunas cuencas intercomunitarias discurren en "su casi totalidad" por su territorio (es el caso, por ejemplo, del Guadalquivir en Andalucía, o del Duero en Castilla y León)[57]. Por otra parte, los desencuentros entre Comunidades Autónomas suscitados en torno a los trasvases hidrológicos han dejado también su huella en la reforma de los Estatutos de Autonomía de las Comunidades implicadas: así, las ásperas disputas entre Comunidades "donantes" y "receptoras" del proyectado y frustrado trasvase del Ebro (aprobado primero en el marco de la Ley 10/2001 y derogado después por Real Decreto-Ley 2/2004) se reflejan en disposiciones de los nuevos Estatutos de Aragón, Cataluña y Valencia; y el existente y polémico trasvase Tajo-Segura fue también abordado en el fallido proyecto de nuevo Estatuto de la Comunidad de Castilla-La Mancha, con el objetivo de recuperar progresivamente la utilización exclusiva de las aguas del Tajo[58].

Al examinar los textos de los Estatutos reformados destaca, en primer lugar, la tendencia a reservar en favor de las Comunidades Autónomas la

---

[55]   Durante la legislatura en que fueron aprobados se presentaron un total de doce recursos de inconstitucionalidad contra los estatutos de cuatro de las comunidades autónomas que han llevado a término su reforma, con la excepción del Estatuto balear. En la mayoría se han planteado cuestiones relacionadas con la competencia en materia de aguas, y en algunos casos, en particular, las disposiciones de los Estatutos en materia de aguas han sido el objeto principal de los recursos.

[56]   A. FANLO LORA, "La unidad de cuenca en la jurisprudencia constitucional", Anuario Jurídico de la Rioja, n° 14, 2009, p. 17.

[57]   *Vid.* A. EMBID IRUJO, "Competencias del Estado...", *op. cit.*, pp. 337 ss.; y, dirigido por el mismo autor, *Agua y Territorio (Consideración especial de la Reforma de los Estatutos de Autonomía)*, Civitas, Madrid, 2007.

[58]   *Ibid.* Sobre el tema de los trasvases *vid.* lo expuesto en el apartado VI.3 *infra.*

"competencia exclusiva" en materia de aguas en las cuencas hidrográficas intracomunitarias[59]. Ello pese a que, tal y como ya hemos señalado, el Tribunal Constitucional en su Sentencia 227/1988 puso de relieve cómo el Estado está también habilitado para actuar sobre aquellas aguas que discurran por cuencas intracomunitarias por razón de la demanialidad estatal de las mismas (en lo que se refiere al régimen de la propiedad de las aguas, al de protección de los bienes del dominio público hidráulico y a las reglas básicas del sistema concesional)[60]. La constitucionalidad de estas disposiciones ha sido confirmada por el Tribunal Constitucional[61], en la medida en que se refiere al ejercicio de potestades de regulación, planificación y gestión de dichas aguas, y siempre sin perjuicio de la necesaria intervención del Estado —en su condición de titular del dominio público hidráulico— para establecer el régimen de protección de los bienes del dominio público hidráulico y las reglas básicas del sistema concesional, así como del legítimo ejercicio de aquellos títulos competenciales que le correspondan y que puedan concurrir o proyectarse sobre dicha materia[62].

---

[59]   Así, el Artículo 117 del Estatuto de Autonomía de Cataluña (Ley Orgánica 6/2006, de 19 de julio, de reforma del Estatuto de Autonomía de Cataluña) atribuye a la Generalitat la "competencia exclusiva en materia de aguas que pertenezcan a cuencas hidrográficas intracomunitarias", precisando las funciones (de ordenación, planificación y gestión) que integran dicha competencia. En iguales términos se recoge la competencia de Aragón en el art. 72 de su Estatuto (en la redacción dada por la Ley Orgánica 5/2007, de 20 de abril). También el art. 50 del Estatuto de Andalucía (Ley Orgánica 2/2007, de 19 de marzo, de reforma del Estatuto de Andalucía) reclama la competencia sobre las cuencas o aguas intracomunitarias con carácter exclusivo. Por su parte, la Generalidad Valenciana se va a reservar la competencia exclusiva en materia de "Aprovechamientos hidráulicos, canales y regadíos, cuando las aguas discurran íntegramente dentro del territorio de la Comunidad" (Artículo 31 de su Estatuto reformado por Ley Orgánica 1/2006, de 10 abril).

[60]   Conforme a la STC 227/1988, "...no puedan estimarse inconstitucionales ni invasoras de competencias autonómicas las normas del Estado que determinan el régimen de protección de los bienes del dominio público hidráulico y establecen las reglas básicas del sistema concesional, aun cuando incidan, como es obvio, en el régimen de aprovechamiento de las aguas continentales sobre las que las Comunidades Autónomas extienden sus competencias en virtud del art. 149.1.22ª de la Constitución y preceptos concordantes de los Estatutos de Autonomía" (FJ 18).

[61]   Vid., entre otras, las SSTC 110/2011 FJ. 11; y 31/2010, FJ 65.

[62]   Nótese que, como ha puesto de relieve A. EMBID IRUJO (en "Competencias del Estado...", op. cit., pp. 338-339), desde un principio hubo Estatutos de Autonomía (como el de Cataluña) que ya asumieron estas competencias como "exclusivas", las cuales fueron asumidas e interpretadas de forma tal que no dieron lugar a declaración de inconstitucionalidad alguna.

En cuanto a la planificación y gestión de las cuencas intercomunitarias, varios Estatutos de Autonomía establecen disposiciones en las que se regulan vías de participación de las Comunidades Autónomas en la planificación y en los órganos estatales de gestión de los recursos de las cuencas intercomunitarias, así como competencias de ejecución en relación con dichas aguas[63]. Como ha puesto de relieve el Tribunal Constitucional en su Sentencia 31/2010 (sobre el Estatuto de Autonomía de Cataluña), este tipo de disposiciones son coherentes con la necesaria participación y cooperación de las Comunidades Autónomas en la actividad de la Administración estatal sobre las aguas de las cuencas intercomunitarias[64], a la que anima el propio Tribunal Constitucional en su jurisprudencia y el legislador estatal en los términos previstos por la Ley de Aguas[65]. Así, por ejemplo, los nuevos estatutos han establecido disposiciones exigiendo la emisión de informes o dictámenes preceptivos por parte de la Comunidad correspondiente en el marco de determinadas decisiones estatales (como es el caso del art. 117.4 del Estatuto de Cataluña, que establece que la Generalitat deberá emitir "un informe preceptivo para cualquier propuesta de trasvase de cuencas que implique la modificación de los recursos hídricos de su ámbito territorial")[66]. Como ha destacado el Tribunal Constitucional, se trata de mecanismos que se compadecen con el principio de cooperación, y las disposiciones sobre su emisión serían inconstitucionales tan sólo en la medida en que dichos informes pretendieran condicionar o vincular las decisiones del Estado en materias de su competencia[67].

Por lo que respecta a las disposiciones en las que se atribuyen a algunas Comunidades Autónomas competencias ejecutivas sobre el dominio

---

[63]   *Vid.*, por ej., el art. 117 del Estatuto de Cataluña, o el art. 50 del Estatuto de Andalucía.

[64]   En este sentido *vid.* A. EMBID IRUJO, "Competencias del Estado...", *op. cit.*, pp. 340 ss.

[65]   *Vid.* al respecto los puntos 3 y 5 del apartado V *infra.*

[66]   *Vid.* también el art. 72.3 del Estatuto de Aragón, según el cual "la Comunidad Autónoma emitirá un informe preceptivo para cualquier propuesta de obra hidráulica o de transferencia de aguas que afecte a su territorio", o el 102 de la Propuesta de modificación del Estatuto de Castilla La Mancha, que impone la emisión de un informe preceptivo de la Junta de Comunidades en el procedimiento de otorgamiento de concesiones con cargo a las reservas que se establezcan para demandas futuras en el ámbito de sus competencias.

[67]   Este enfoque es el que ha seguido el Tribunal Constitucional en su Sentencia de 12 de diciembre de 2007, cuando sostiene la constitucionalidad del art. 17 del Estatuto de Autonomía de la Comunidad Valenciana (FJ 20), o en su Sentencia 31/2010 en la que sostiene la constitucionalidad del art. 117.4 del Estatuto de Autonomía de Cataluña (FJ 65).

público hidráulico de las cuencas intercomunitarias, no han sido tachadas como inconstitucionales en tanto estén condicionadas a lo que establezca la legislación estatal (o a la celebración de convenios entre el Estado y la Comunidad Autónoma en el caso de la explotación o gestión de obras hidráulicas de titularidad estatal)[68], o en tanto en cuanto puedan ser interpretadas como meras "invitaciones" o "sugerencias" al legislador o a la Administración estatal para que consideren la posibilidad de habilitar vías (por Ley o convenios) que permitan ampliar el ámbito de actuación de las Comunidades Autónomas en las cuencas intercomunitarias, sin menoscabo de la titularidad de las competencias estatales y la perfecta libertad que en su ejercicio corresponde a los órganos del Estado[69].

Sí han sido objeto de reproche constitucional, por el contrario, las disposiciones estatutarias que atribuían a la "competencia exclusiva" de ciertas Comunidades Autónomas (Andalucía y Castilla y León) las aguas de ríos intercomunitarios que discurren por sus territorios (así, el artículo 51 del Estatuto de Autonomía de Andalucía atribuía a la Junta "las competencias exclusivas sobre las aguas de la Cuenca del Guadalquivir que transcurren por su territorio y no afectan a otra Comunidad"; mientras que el art. 75.1 del Estatuto de Castilla y León, otorgaba competencias de "desarrollo legislativo y de ejecución en materia de recursos y aprovechamientos hidráulicos de las aguas de la cuenca del Duero que tengan su nacimiento en Castilla y León y deriven a Portugal sin atravesar ninguna otra Comunidad Autónoma"). En sus Sentencias 30/2011 y 32/2012 el Tribunal Constitucional declaró inconstitucionales y nulas estas disposiciones del Estatuto de Andalucía y del Estatuto de Castilla y León, respectivamente, por compartimentar el régimen jurídico y la administración de las aguas pertenecientes a una misma cuenca hidrográfica supracomunitaria, estableciendo un criterio fragmentador de su gestión con el objeto de asumir competencias que corresponden al Estado conforme al art. 149.1.22, a lo que se une la inadecuación formal del Estatuto de Autonomía para la concreción del criterio territorial de delimitación de las competencias reservadas al Estado por dicho precepto constitucional"[70].

---

[68]   *Vid.*, por ej., el art. 117.3 y 4 del Estatuto de Cataluña, o el art. 50.2 del Estatuto de Andalucía.

[69]   *Vid.*, STC 31/2010, FJ 65; STC 30/2011, FJ 12.

[70]   STC 30/2011, FJ. 11 y STC 32/2011, FJ. 6. Para un análisis exhaustivo de estas sentencias vid. A. FANLO LORAS, "La unidad de cuenca en la jurisprudencia constitucional", Anuario Jurídico de la Rioja, nº 14, 2009, pp. 11 ss.

En el caso del art. 51 del Estatuto de Andalucía, sin embargo, antes de que el Tribunal Constitucional se pronunciase sobre el mismo, su contenido se vio materializado a través de un Acuerdo entre la Administración del Estado y la Junta de Andalucía para el traspaso de la gestión de la cuenca andaluza del Guadalquivir, urdido en el seno de la Comisión Bilateral de Cooperación Junta de Andalucía-Estado el 12 de noviembre de 2007, posteriormente recogido por Real decreto 1666/2008. Se produjo así una cesión de la gestión de las aguas de la cuenca del Guadalquivir a favor de la Administración autonómica que prácticamente vació de competencias a la Confederación Hidrográfica del Guadalquivir. La declaración de inconstitucionalidad del art. 51 del Estatuto de Andalucía ha determinado, a su vez, la de la nulidad del Real Decreto que articulaba dicho traspaso[71]. Pese a ello, el Gobierno de la Nación, por Real Decreto-ley 12/2011[72] persistió en permitir al traspaso de las competencias de policía de dominio público hidráulico en las cuencas intercomunitarias, a favor de aquellas Comunidades Autónomas que tuvieran prevista la competencia ejecutiva sobre las facultades de policía de dominio público hidráulico en sus Estatutos de Autonomía, mediante la introducción de una nueva disposición adicional en el texto refundido de la Ley de Aguas[73]. Disposición que fue finalmente derogada, por el Gobierno entrante tras las elecciones generales de 2011, mediante Real Decreto-ley 17/2012 de medidas urgentes en materia de medio ambiente.

Por último, y en relación con los problemas y confrontaciones que han suscitado los trasvases y la distribución de recursos hídricos entre diversas comunidades autónomas, encontramos en diversos Estatutos de Autonomía disposiciones dirigidas, según el caso, bien a evitar o limitar (a) o, por el contrario, a propiciar (b) el trasvase de aguas entre distintas cuencas:

a) Entre las primeras, comunidades "donantes" o "potencialmente donantes" han incluido en su Estatuto previsiones como las del art. 19.3 del Estatuto de Autonomía de Aragón, que impone a los poderes públicos aragoneses el deber de "velar especialmente para evitar transferencias de aguas de las cuencas hidrográficas de las que forma parte la Comunidad Autónoma que afecten a intereses

---

[71]   SSTS 3596/2011 de 13 de junio, y 3784 y 5042/2011, de 14 de junio.

[72]   Real Decreto-ley 12/2011, de 26 de agosto, por el que se modifica la Ley 1/2000, de 7 de enero, de Enjuiciamiento Civil, para la aplicación del Convenio Internacional sobre el embargo preventivo de buques y se regulan competencias autonómicas en materia de policía de dominio público hidráulico.

[73]   DA 14ª.

de sostenibilidad, atendiendo a los derechos de las generaciones presentes y futuras". Disposición que, en su redacción definitiva, no formula una prohibición de cualquier tipo de trasvase, sino un principio de actuación de las autoridades autonómicas con el fin de valorar cualquier decisión que se pueda tomar en relación con un trasvase prestando especial atención a su impacto en el medio ambiente. Más allá de este principio, en la práctica el Estatuto se limita a prever, como medio para alcanzar su objetivo, la emisión de un informe preceptivo para cualquier propuesta de obra hidráulica o de transferencia de aguas que afecte a su territorio[74]. En la misma línea, el Artículo 117.4 del Estatuto Catalán establece que la Generalitat deberá emitir un informe preceptivo para cualquier propuesta de trasvase de cuencas que implique la modificación de los recursos hídricos de su ámbito territorial. La constitucionalidad de estas disposiciones ha sido aceptada en tanto que estas disposiciones se consideran como "meras pautas de orientación", que al atribuir competencias acerca de este extremo a la Comunidad Autónoma las limitan a la emisión de "un informe preceptivo para cualquier propuesta de obra hidráulica o de transferencia de aguas que afecte a su territorio", técnica ésta que, como las de cualquier informe preceptivo pero que no vincule al Estado en la decisión que a éste le corresponde adoptar, no contradice el reparto constitucional de competencias. Asimismo, el encargo que se hace a los poderes autonómicos de "velar" para que no se realicen trasvases no sostenibles ha de ejercerse "de acuerdo con el principio de unidad de cuenca, la Constitución, la legislación estatal y la normativa comunitaria aplicables"[75].

También encontramos alguna disposición dirigida a garantizar una reserva de agua o, incluso, el uso preferente de los caudales que transcurren por su territorio[76]. En la misma línea, el Tribunal Constitucional ha declarado la constitucionalidad de este tipo de medidas siempre que se interprete que no establece una reserva sobre el cau-

---

[74] Art. 72.3 Estatuto de Aragón.
[75] STC 110/2011, FJ 9.
[76] *Vid.* la disposición adicional quinta del Estatuto de Aragón, que dispone que "la planificación hidrológica concretará las asignaciones, inversiones y reservas para el cumplimiento del principio de prioridad en el aprovechamiento de los recursos hídricos de la cuenca del Ebro y de los derechos recogidos en el artículo 19 del presente Estatuto, considerando que la resolución de las Cortes de Aragón de 30 de junio de 1992 establece una reserva de agua para uso exclusivo de los aragoneses de 6.550 hm3".

dal hídrico que obligue al Estado sino como una manifestación de participación de la Comunidad Autónoma en la planificación hidrológica que compete al estado[77].

b) Por el contrario, en las comunidades autónomas receptoras o potencialmente receptoras de agua mediante trasvases encontramos disposiciones como la del art. 17 del Estatuto de la Comunidad Valenciana, en el que se proclama el "derecho de los valencianos y valencianas a disponer del abastecimiento suficiente de agua de calidad", el cual se concreta en "el derecho de redistribución de los sobrantes de aguas de cuencas excedentarias atendiendo a criterios de sostenibilidad de acuerdo con la Constitución y la legislación estatal", así como en el "derecho a gozar de una cantidad de agua de calidad, suficiente y segura" de acuerdo con la ley. Esta disposición es, precisamente, la que dio lugar al primer pronunciamiento por parte del Tribunal Constitucional sobre los nuevos Estatutos: en su Sentencia 247/2007 el Tribunal la consideró como un mero mandato o directriz dirigida a los poderes públicos autonómicos, y cuyo objeto no condiciona el ejercicio de competencias estatales puesto que en su formulación se remite al marco dispuesto por la Constitución, la legislación estatal, y la ley (estatal o autonómica)[78].

A la luz de todas estas disposiciones y de los conflictos que se han suscitado, resultó ser particularmente precisa y premonitoria la valoración general que del proceso de reforma estatutario hizo en su momento el profesor TORNOS, y en la que destacaba cómo "...la problemática del agua ha recibido en diversos Estatutos una atención especial, lo que ha supuesto que en la práctica en la regulación de esta importante cuestión haya primado el interés por reivindicar la propiedad de este recurso escaso sobre las cuestiones relativas a su uso racional y solidario. Si bien en ocasiones las previsiones estatuarias se limitan a meras declaraciones de voluntad sobre la forma de gestionar agua, lo cierto es que pueden constituir un problema de orden político cuando deban adoptarse las decisiones concretas sobre la administración de esta agua en los órganos competentes"[79].

---

[77]   STC 110/2011, FJ 17.
[78]   FJ 18.
[79]   J. TORNOS, "Valoración general", VVAA, *Informe de las Comunidades Autónomas 2006*, Instituto de Derecho Público, 2007.

2. El Derecho comunitario y la calidad de las aguas

A) Las primeras directivas de aguas

Desde que la Comunidad inició su acción en defensa del medio ambiente, a comienzos de los años 70[80], hasta el momento presente, el legislador comunitario ha adoptado un importante cuerpo de directivas relacionadas directamente con la protección de las aguas[81]. Directivas a las que, a partir de nuestra incorporación en la Comunidad Europa en 1986, ha tenido que adaptarse nuestro ordenamiento interno.

En la década de los 70 y principios de los 80 los Estados miembros, preocupados por la incipiente contaminación que estaba amenazando la calidad de este recurso natural, aprobaron en el seno del Consejo de Mi-

---

[80]   En julio de 1971, en los prolegómenos de la Conferencia de las Naciones Unidas sobre el Medio Ambiente Humano, que tendría lugar en Estocolmo del 5 al 16 de junio de 1972, la Comisión de la entonces Comunidad Económica Europea lanzó al Consejo la idea de que era necesario adoptar un programa comunitario de acción en defensa del medio ambiente. Tras la adopción a escala mundial de la Declaración de Estocolmo, los Jefes de Estado y de Gobierno de los Estados miembros de las Comunidades, reunidos en la Cumbre de París celebrada del 19 al 21 de octubre de 1972, asumieron expresamente el compromiso político de que la entonces Comunidad Económica Europea llevase a cabo una acción para la protección del medio ambiente. A raíz de este impulso político se aprueba en 1973 el primero de los seis programas plurianuales de medio ambiente en torno a los cuales la Comunidad ha venido articulando desde entonces su acción en defensa del medio ambiente. Para un análisis general del desarrollo y evolución del Derecho ambiental comunitario *vid.* C. PLAZA MARTÍN, *Derecho Ambiental de la Unión Europea*, Tirant lo Blanch, 2005, pp. 41-56.

[81]   Sobre las directivas comunitarias de aguas *vid.* E. ALONSO GARCÍA, *Derecho ambiental de la Comunidad Europea*, vol. II, Civitas, Madrid, 1993, pp. 21 ss.; A. FANLO LORAS, "La evolución del Derecho comunitario europeo sobre las aguas", en A. EMBID IRUJO (Dir.), *El nuevo Derecho de aguas: las obras hidráulicas y su financiación*, Civitas, Madrid 1998, pp. 173 ss.; y del mismo autor "Perspectivas del Derecho comunitario de aguas: la nueva Directiva marco", XII Congreso ítalo-español de Derecho Administrativo, Bari-Lecce, 1, 2 y 3 de octubre de 1998; L. KRAMER, "El Derecho de aguas en la Unión Europea. Situación actual y perspectivas, visto desde España", en VVAA, *Derecho de Aguas*, Fundación Instituto Euromediterráneo del Agua, Murcia, 2006, pp. 91 ss.; D. ORDOÑEZ SOLÍS, "Aguas, medio ambiente y Unión Europea", en S. GONZÁLEZ-VARAS IBÁÑEZ, *Nuevo Derecho de Aguas*, Civitas, 2007, pp. 101 ss.; C. PLAZA MARTÍN, "El coste de los incumplimientos de las Directivas comunitarias de calidad de las aguas", Revista del Instituto de Estudios Económicos n° 4/2001, pp. 209-246; M. VAN RIJSWICK, "EC Water Law in Transition: The Challenge of Integration", YEEL vol. IV, 2004, pp. 249 ss. Sobre las directivas en general, y su alcance y efectos, como principal instrumento jurídico para llevar a cabo la acción y política ambiental comunitaria, *vid.*, en general, C. PLAZA MARTÍN, *Derecho ambiental...*, *op. cit.*, pp. 428-450; 1183-1238.

nistros de la Comunidad Económica Europea una serie de directivas que establecían niveles de calidad para las aguas en función de sus usos (consumo humano[82], aguas de baño[83], aguas piscícolas[84], aguas para el cultivo de moluscos[85]) y medidas para controlar la contaminación provocada por determinadas sustancias especialmente peligrosas[86]. Durante la década de los 80 y principios de los 90 la actividad normativa de la Comunidad se enfocó hacia el establecimiento de algunos valores límite de emisión y normas de calidad del agua con respecto a determinadas sustancias contaminantes[87], así como al control de fuentes de contaminación difusa,

---

[82] Directiva 75/440/CEE del Consejo, de 16 de junio de 1975, relativa a la calidad requerida para las aguas superficiales destinadas a la producción de agua potable en los Estados miembros, DOCE L 194 de 25.07.1975; Directiva 79/869/CEE del Consejo, de 9 de octubre de 1979, relativa a los métodos de medición y a la frecuencia de los muestreos y del análisis de las aguas superficiales destinadas a la producción de agua potable en los Estados miembros, DOCE L 271 de 29.10.1979; complementada después con la Directiva 80/778/CEE del Consejo, de 15 de julio de 1980, relativa a la calidad de las aguas destinadas al consumo humano, DOCE L 229 de 30.08.1980 (derogada y sustituida, a partir del 25 de diciembre de 2003, por la Directiva 98/83/CE, relativa a la calidad de las aguas destinadas al consumo humano, DOCE L 330 de 05.12.1998).

[83] Directiva 76/160/CEE sobre calidad de las aguas de baño, DOCE L 31, de 5.2.1976.

[84] Directiva 78/659/CEE del Consejo de 18 de julio de 1978, relativa a la calidad de las aguas continentales que requieren protección o mejora para ser aptas para la vida de los peces, DOCE L L 222 de 14.08.1978.

[85] Directiva 79/923/CEE del Consejo, de 30 de octubre de 1979, relativa a la calidad exigida a las aguas para cría de moluscos, DOCE L 281 de 10.11.1979.

[86] Directiva 76/464/CEE del Consejo, de 4 de mayo de 1976, relativa a la contaminación causada por determinadas sustancias peligrosas vertidas en el medio acuático de la Comunidad, DOCE L 129 de 18.05.1976 (y las sucesivas directivas adoptadas en ejecución de ésta); complementada después con la Directiva 80/68/CEE del Consejo, del 17 de diciembre de 1979, relativa a la protección de las aguas subterráneas contra la contaminación causada por determinadas sustancias peligrosas, DOCE L 20 de 26.01.1980.

[87] A lo largo de la década de los 80 se adoptó, en desarrollo de la Directiva 76/464/CEE (y tal y como se había previsto en su art. 6) una serie de Directivas "hijas" para establecer los límites de emisión y objetivos de calidad de algunas de las sustancias identificadas en su anexo I (la lista de dicho anexo comprende determinadas sustancias escogidas principalmente por su alta toxicidad, persistencia y bioacumulación): la Directiva 82/176/CEE relativa a los valores límite y a los objetivos de calidad para los vertidos de mercurio del sector de la electrólisis de los cloruros alcalinos (DOCE L 81 de 27.03.1982; modificada por las Directivas 90/656/CEE y 91/692/CEE del Consejo); la Directiva 83/513/CEE relativa a los valores límite y a los objetivos de calidad para los vertidos de cadmio (DOCE L 291 de 24.10.1983; modificada por las directivas 90/656/CEE y 91/692/CEE del Consejo); la Directiva 84/156/CEE relativa a los valores límite y a los objetivos de calidad para los vertidos de mercurio de los sectores distintos de la electrólisis de los cloruros alcalinos (Diario Oficial L 74 de 17.03.1984; modificada por las Directivas 90/656/CEE y 91/692/CEE); la Directiva 84/491/CEE relativa a los

abordando temas tales como el de la prevención de la contaminación por nitratos utilizados en la agricultura[88] y el tratamiento de las aguas residuales urbanas[89].

B) El nuevo enfoque de la política ambiental comunitaria y la Directiva marco de aguas

A partir de mediados de los años 90 se va a producir un importante giro en la actuación comunitaria: el enfoque fragmentario y no siempre coherente ni eficaz seguido hasta entonces —tanto en el sector de las aguas, en particular, como en la lucha contra la contaminación, en general— se va a intentar reconducir hacia una política comunitaria integrada y más global en estos ámbitos.

Comenzando con la lucha global contra la contaminación, la adopción de la Directiva 96/61/CE relativa a la prevención y control integrado de la contaminación[90], conocida por su acrónimo en inglés (IPPC), supuso la superación de la tradicional regulación contra la contaminación que se venía adoptando de forma sectorial y aislada para cada uno de los distintos medios (agua, atmósfera, suelo). Esta Directiva, cuyo objetivo es evitar o, cuando ello no sea posible, reducir las emisiones contaminantes en la atmósfera, el agua y el suelo procedentes de las actividades industriales con un elevado potencial contaminante (las listadas en su Anexo I), estableció un enfoque integrado en la concesión de autorizaciones a las instalaciones que se dediquen a dichas actividades: a la hora de otorgar una autorización se ha de tener en cuenta de forma conjunta las emisiones que pueden contaminar la atmósfera, el agua y el suelo, y fijar en la autorización los valores límites a las mismas conforme a las "mejores técnicas disponibles", y los requisitos en materia de control de residuos.

---

valores límite y a los objetivos de calidad para los vertidos de hexaclorociclohexano (DOCE L 274 de 17.10.984; modificada por las Directivas 90/656/CEE y 91/692/CEE del Consejo); y la Directiva 86/280/CEE relativa a los valores límite y los objetivos de calidad para los vertidos de determinadas sustancias peligrosas comprendidas en la lista I del anexo de la Directiva 76/464/CEE (DOCE L 181 de 04.07.1986; modificada por las Directivas 90/656/CEE y 91/692/CEE).

[88] Directiva 91/676/CEE del Consejo, de 12 de diciembre de 1991, relativa a la protección de las aguas contra la contaminación producida por nitratos utilizados en la agricultura, DOCE L 375 de 31.12.1991.

[89] Directiva 91/271/CEE del Consejo, de 21 de mayo de 1991, relativa al tratamiento de las aguas residuales urbanas, DOCE L 135 de 30.05.1991.

[90] DOCE L 257/26 de 10.10.96.

De esta forma se intenta evitar que la regulación y autorización aislada de emisiones o vertidos de sustancias contaminantes a un determinado medio —por ejemplo, a las aguas— pueda provocar, en vez de una reducción global de la contaminación, su transferencia a otro medio —por ejemplo, la atmósfera o el suelo—[91]. Este enfoque exigió que los Estados miembros adoptasen las medidas de coordinación necesarias cuando en dicho procedimiento intervienen varias autoridades competentes. La Directiva combinó la imposición de los valores límite de emisión (VLEs)[92] fijados por las autoridades nacionales —sobre la base de las que sean las "Mejor Técnicas Disponibles"[93] para cada sector industrial (MTDs)— con normas de calidad del medio comunitarias que no se deben rebasar[94]. Su transposición al ordenamiento español tuvo lugar —con casi tres años de retraso y mediando ya una Sentencia del Tribunal de Justicia de la Unión Europea declarando este incumplimiento[95]—, por Ley 16/2002 de prevención y control integrado de la contaminación[96], y cuyo desarrollo reglamentario, mediante Real Decreto 509/2007, tuvo que esperar casi cinco años más[97]. Esta normativa ha introducido en España importantes cambios en los mecanismos de control ambiental previos a la puesta en marcha de actividades con un alto potencial de contaminación. Cambios que se han materializado a través de la creación de la denominada Autorización Ambiental Integrada, en cuya tramitación participan todas las administracio-

---

[91] Para un análisis de esta Directiva *vid.* F. B. LÓPEZ-JURADO y A. RUIZ DE APODACA, *La autorización ambiental integrada: Estudio sistemático de la Ley 16/2002, de prevención y control integrados de la contaminación*, Civitas, Madrid, 2002, pp. 93-99; J. BAUCELLS I LLADOS y J. VERNET I LLOBET (Coord.), *La prevención y el control integrados de la contaminación*, Marcial Pons, Barcelona, 2004.

[92] Definidos como "la masa expresada en relación con determinados parámetros específicos, la concentración o el nivel de emisión cuyo valor no debe superarse dentro de uno o varios períodos determinados".

[93] El concepto "mejores técnicas disponibles" se define como "la fase más eficaz y avanzada de desarrollo de las actividades y de sus modalidades de explotación, que demuestre la capacidad práctica de determinadas técnicas para constituir, en principio, la base de los valores límite de emisión destinadas a evitar o, cuando ello no sea practicable, reducir en general las emisiones y el impacto en el conjunto del medio ambiente".

[94] El concepto "normas de calidad medioambiental" es definido en el art. 2.7 de la Directiva como "el conjunto de requisitos, establecidos por la legislación comunitaria, que deben cumplirse en un momento dado en un entorno determinado o en una parte determinada de éste".

[95] STJCE de 7 de marzo de 2002, en el asunto C-29/01 *Comisión c. España*, Rec. I-2503.

[96] BOE nº 157, de 2.7.2002.

[97] Real Decreto 509/2007, de 20 de abril, por el que se aprueba el Reglamento para el desarrollo y ejecución de la Ley 16/2002, de 1 de julio, de prevención y control integrados de la contaminación, BOE nº 96 de 21.4.2007.

nes públicas implicadas a los efectos de establecer en la misma todos los requisitos ambientales que deberá cumplir la actividad de que se trate, incluida la fijación de los valores límite de emisión de los contaminantes al aire y al agua y así como los relacionados con la gestión de residuos. La Directiva europea sufrió ulteriormente diversas modificaciones, siendo todas ellas codificadas en la Directiva 2008/1, la cual será sustituida a su vez, a partir de 2014, por la Directiva 2010/75/EU sobre las emisiones industriales. Igualmente, la Ley 16/2002 ha sido ulteriormente modificada por Ley 5/2013 para trasponer las nuevas disposiciones de la Unión.

En cuanto a la regulación de las aguas, y siguiendo las indicaciones políticas del Consejo, la Comisión presentó a mediados de los 90 una serie de iniciativas dirigidas a simplificar la normativa comunitaria de aguas, hacerla más eficaz y coherente y, en aplicación del principio de subsidiariedad, centrarla "en el respeto de parámetros esenciales para la calidad y salubridad del agua", dejando la posibilidad a los Estados miembros de añadir parámetros suplementarios. A comienzos de 1996 la Comisión aprobó una Comunicación relativa a la política de aguas comunitaria[98], en la que dicha institución fijó los objetivos de la misma y, además, para racionalizar la legislación existente en materia de gestión y contaminación de las aguas e intensificar los controles de la contaminación a nivel comunitario, avanzó la idea de elaborar una directiva marco sobre recursos hídricos. Tras más de tres años de debates sobre dicha Propuesta, el 23 de octubre de 2000 el Parlamento Europeo y el Consejo adoptaron finalmente la **Directiva 2000/60/CE, por la que se establece un marco para la actuación comunitaria en el ámbito de la política de aguas**[99], cuyo fin es garantizar suficientes cantidades de agua de buena calidad en toda Europa. Por su importancia —ha abierto el proceso de armonización de las legislaciones nacionales en materias de aguas más ambicioso de la historia de la Comunidad— conviene exponer, si bien brevemente, las líneas básicas de esta Directiva:

1°) El **objetivo** de la Directiva 2000/60/CE es, según su art. 1, establecer un marco comunitario para la protección de las aguas superficiales continentales, de transición, costeras y subterráneas que sirva para prevenir o reducir su contaminación, promover su uso sostenible y proteger el medio acuático; un marco que contribuya,

---

[98]   COM(96) 59 final.
[99]   Directiva 2000/60/CE del Parlamento Europeo y del Consejo, de 23 de octubre de 2000, por la que se establece un marco comunitario de actuación en el ámbito de la política de aguas - DOCE L 327 de 22.12.2000.

asimismo, a paliar los efectos de las inundaciones y las sequías, a garantizar un suministro suficiente de agua superficial o subterránea, a reducir de forma significativa la contaminación de las aguas subterráneas, a proteger las aguas territoriales y marinas, y a lograr el cumplimiento de los acuerdos internacionales en materia de protección de las aguas de los que es parte la Comunidad. Esta Directiva, que va a sustituir en un plazo de trece años a siete de las adoptadas en materia de aguas en la década de los 70[100], fija una serie de "objetivos medioambientales" para las aguas superficiales y subterráneas, y objetivos específicos para "zonas protegidas"[101]

---

[100] Según su art. 22, que establece el calendario de derogaciones, a partir del 22 de diciembre de 2007 han quedado derogadas la Directiva 75/440/CEE, relativa a la calidad requerida para las aguas superficiales destinadas a la producción de agua potable, y la Directiva 79/869/CEE, relativa a los métodos de medición y la frecuencia de muestreos y del análisis de las aguas superficiales destinadas a la producción de agua potable; y en diciembre de 2013 quedarán derogadas la Directiva 78/659/CEE, relativa a la calidad de las aguas aptas para la vida de los peces (sustituida por la Directiva 2006/44/CE, en la que se codifican la Directiva original con todas las modificaciones sufridas tras su adopción en 1978); la 79/923/CEE, relativa a la calidad de las aguas aptas para la vida de los moluscos (sustituida por la Directiva 2006/113/CE, en la que se codifican la Directiva original con todas las modificaciones sufridas tras su adopción en 1979); la 80/68/CEE, sobre la protección de las aguas subterráneas contra determinadas sustancias peligrosas, y la 76/464/CEE, sobre vertidos de sustancias peligrosas al medio acuático, salvo su art. 6, que quedó derogado en la fecha de entrada en vigor de la Directiva Marco, esto es, el 22.12.2000 (posteriormente sustituida por la Directiva 2006/11/CE, en la que se codifican la Directiva original con todas las modificaciones sufridas tras su adopción en 1976). Por lo tanto, las directivas de aguas previas a la Directiva Marco de Aguas que quedan en vigor son la 91/271/CEE, sobre aguas residuales; la 76/160/CEE, sobre aguas de baños (que está actualmente en proceso de revisión por las instancias comunitarias); la Directiva 91/676/CEE sobre contaminación de las aguas por nitratos, y la Directiva 98/83/CE sobre agua potable, así como las directivas que establecen valores límite de emisión y objetivos de calidad adoptadas en desarrollo de la Directiva 76/464/CEE sobre vertidos de sustancias peligrosas.

[101] Estas zonas figuran en el Anexo IV de la Directiva marco sobre aguas, y vienen reguladas por diversas directivas anteriores a la Directiva marco de agua: zonas designadas para la captación de agua destinada al consumo humano, zonas designadas para la protección de especies acuáticas significativas desde un punto de vista económico (piscícolas y moluscos), masas de agua declaradas de uso recreativo, incluidas las zonas declaradas como aguas de baño, zonas sensibles en lo que a nutrientes respecta (incluidas las zonas declaradas vulnerables en virtud de la Directiva sobre nitratos y de la Directiva sobre tratamiento de las aguas urbanas residuales) y zonas designadas para la protección de hábitats o especies, incluidos los lugares Natura 2000, conforme a la Directiva 92/43 relativa a la conservación de los hábitats naturales y de la fauna y flora.

dirigidos a lograr un buen estado ecológico y químico[102] en todas las aguas interiores y costeras para diciembre del año 2015 (art. 4)[103].

2º) Con el fin de abordar el problema de la contaminación, la Directiva marco ha optado por un enfoque en el que se combina el control de la contaminación en la fuente mediante el establecimiento de valores límites de emisiones —para reducir los vertidos contaminantes evacuados al medio acuático— con el establecimiento de normas mínimas de calidad de las distintas masas de agua —que establecen las características cualitativas que ha de respetarse en el medio receptor— orientadas a asegurar que los Estados miembros cumplen con los objetivos de la "buena calidad ecológica" en la fecha prevista (art. 16). Aunque el **enfoque combinado para la prevención y control de la contaminación** no era nuevo (se había usado ya en alguna otra directiva como en la IPPC y, anteriormente, en la Directiva 91/271/CEE relativa al tratamiento de las aguas residuales urbanas), lo cierto es que con la Directiva marco se consolida definitivamente como la vía más adecuada para controlar la conta-

---

[102] La Directiva introduce el concepto de "estado ecológico", que implica la adopción de una serie de criterios (detallados en el Anexo V de la Directiva) para medir el estado de salud de los ecosistemas en su conjunto, y no sólo su calidad físico-química. En relación con las aguas subterráneas también se introduce el concepto de "buen estado cuantitativo", para hacer referencia a la situación de equilibrio a largo plazo entre las extracciones y la alimentación de acuíferos.

[103] Contiene, sin embargo, diversas disposiciones que flexibilizan la consecución de tan ambiciosos objetivos: permite, por ejemplo, bajo ciertas condiciones, retrasar la fecha límite (diciembre de 2015) para alcanzar los objetivos de la Directiva hasta en doce años más (art. 4.4); también establece diversas circunstancias o situaciones en la que los Estados miembros pueden quedar dispensados de alcanzarlos (así, por ejemplo, conforme al art. 4.6, el deterioro temporal del estado de las aguas no constituirá infracción cuando se deba a ciertas causas naturales o de fuerza mayor excepcionales y que no hayan podido razonablemente preverse, como graves inundaciones, sequías prolongadas, o accidentes; y establece que tampoco se considerará infracción de la Directiva cuando el hecho de no lograr los objetivos se deba a nuevas modificaciones de las características físicas de una masa de agua superficial o alteraciones del nivel de las masas de aguas subterráneas, siempre que se cumplan una serie de condiciones listadas en el art. 4.7). También permite a los Estados miembros rebajar tales objetivos en ciertas circunstancias (por ejemplo, en los casos en que hayan procedido a la declaración de ciertas masas de agua como "artificiales o muy modificadas", conforme a los criterios establecidos en el art. 4.3, y que están redactados, en algunos puntos, de forma muy abierta y utilizando conceptos jurídicos indeterminados que darán lugar, sin duda, a problemas de interpretación y aplicación.

minación de las aguas[104]. La Directiva exige la progresiva reducción
de los vertidos de emisiones o sustancias peligrosas, con vistas a su
completa eliminación para el año 2020. A tales efectos, y conforme
a lo dispuesto en su artículo 16, el Consejo y el Parlamento adoptó
la Decisión nº 2455/2001/CE, por la que se aprueba la lista de sustancias prioritarias en el ámbito de la política de aguas[105]. La Decisión, que identifica también las sustancias peligrosas respecto de las
que urge fijar normas de calidad y medidas de control de las emisiones a escala comunitaria, completa en este punto a la Directiva, convirtiéndose en su Anexo X[106]. En desarrollo de estas disposiciones
de la Directiva marco la Unión Europea ha adoptado nuevas directivas con "normas de calidad medioambiental"[107] y ha definido los
valores que determinan el "buen estado químico" de las aguas[108].

---

[104] La pauta general seguida hasta entonces en las directivas comunitarias de aguas era la
de o bien optar por establecer simplemente normas de calidad del medio (como, por
ej., en la Directiva de aguas de baño), o bien por el denominado "enfoque paralelo",
que consistía en permitir a los Estados miembros elegir, de forma alternativa, entre la
aplicación de normas de calidad del medio receptor (o normas de inmisión), o la aplicación de valores límite de emisión (o normas de emisión de sustancias contaminantes), como era el caso, por ejemplo, de la Directiva 76/464/CEE relativa a la contaminación causada por determinadas sustancias peligrosas vertidas en el medio acuático
de la Comunidad, así como de las "directivas hijas" adoptadas en su desarrollo. Este
enfoque unilateral o paralelo adolecía, sin embargo, de notables deficiencias que se
traducían en habituales incumplimientos de las normas de calidad. *Vid.* al respecto, E.
ALONSO GARCÍA, *Derecho ambiental...*, vol. II, *op. cit.*, pp. 39 ss.; A. FANLO LORAS, "La
evolución...", *op. cit.*, pp. 187 ss.

[105] DOCE L 331 de 15.12.2001.

[106] La lista comprende 33 "sustancias prioritarias", de las cuales 11 han sido clasificadas
como "sustancias peligrosas prioritarias".

[107] *Vid.* la Directiva 2008/105/CE del Parlamento Europeo y del Consejo relativa a las
normas de calidad ambiental en el ámbito de la política de aguas, por la que se modifican y derogan ulteriormente las Directivas 82/176/CEE, 83/513/CEE, 84/156/
CEE, 84/491/CEE y 86/280/CEE del Consejo, y por la que se modifica la Directiva
2000/60/CE (DO L 348 de 24.12.2008), cuyo objeto es limitar la presencia en las
aguas superficiales de la UE de algunas sustancias químicas que presentan riesgos importantes para el medio ambiente o la salud.

[108] *Vid.* la Directiva 2006/118/CE del Parlamento Europeo y del Consejo, de 12 de diciembre de 2006, relativa a la protección de las aguas subterráneas contra la contaminación y el deterioro, DOUE L 372 de 27.12.2006. En esta Directiva la Unión Europea
establece un marco de medidas de prevención y control de la contaminación de las
aguas subterráneas y, en particular, medidas de evaluación del estado químico de las
aguas y otras dirigidas a reducir la presencia de contaminantes. Entre dichas medidas
se incluyen: (i) criterios para evaluar el estado químico de las aguas; (ii) criterios para
determinar tendencias al aumento significativas y sostenidas de concentraciones de

También ha impulsado la adopción de medidas de control de emisiones, que irán desde la reducción hasta la eliminación por etapas, en un período de 20 años, de los vertidos al agua de las peores sustancias contaminantes, las "sustancias peligrosas prioritarias"[109]. Como complemento a la Directiva marco de aguas en este punto, la Unión Europea ha adoptado medidas legislativas que ampliarán el ámbito de aplicación de la política del agua de la UE para abordar la evaluación y gestión de inundaciones[110], así como la protección del medio marino[111].

3°) En la consecución de tales objetivos la Directiva otorga a la **programación y la planificación** un papel clave. Como unidad administrativa de gestión de las cuencas hidrográficas[112] y, por tanto, de la elaboración de dichos programas y planes, la Directiva se decanta por la **"demarcación hidrográfica"**, que queda definida como "la zona marina y terrestre compuesta por una o varias cuencas hidrográficas vecinas y las aguas subterráneas y costeras asociadas" (art. 2). En definitiva, la planificación y programación hidrográfica para alcanzar tales objetivos no sólo ha de comprender las aguas continentales (como era el caso en España de la planificación, gestión y protección de las aguas, tal y como estaban reguladas por la Ley de Aguas de 1985), sino que también comprende las aguas de transición y las costeras. El legislador comunitario, al optar por esta solución, parte de la estrecha interrelación entre la gestión y protección de las aguas continentales y los diferentes sistemas acuáticos del litoral (como estuarios, deltas, plataforma costera...), ya que el equilibrio

---

contaminantes en las aguas subterráneas y definir puntos de partida de inversión de dichas tendencias; (iii) prevención y limitación de los vertidos indirectos de contaminantes en las aguas subterráneas (como resultado de su filtración a través del suelo o del subsuelo).

[109] Directiva 2006/11/CE del Parlamento Europeo y del Consejo relativa a la contaminación causada por determinadas sustancias peligrosas vertidas en el medio acuático de la Comunidad (DOUE L 64 de 4.4.2006), derogada por la Directiva marco del agua a partir del 22 de diciembre de 2013.

[110] Directiva 2007/60/EC relativa a la evaluación y gestión de los riesgos de inundación (DOUE L 288, 6.11.2007).

[111] Directiva 2008/56/CE del Parlamento Europeo y del Consejo por la que se establece un marco de acción comunitaria para la política del medio marino, DO UE L 164 de 25.6.2008.

[112] Definidas, a su vez, como "la superficie de terreno cuya escorrentía superficial fluye en su totalidad a través de una serie de corrientes, ríos y, eventualmente, lagos hacia el mar por una única desembocadura, estuario o delta" (arts. 2.13).

de todas estas zonas depende en buena medida de la calidad de las aguas continentales que fluyen hacia ellas. Además, también contempla la existencia de demarcaciones hidrográficas internacionales allí en donde una cuenca hidrográfica abarque el territorio de más de un Estado miembro, en cuyo caso se exige a los socios de la Unión involucrados que se coordinen para la aplicación de dicha Directiva en sus territorios (pudiendo solicitar a la Comisión que intervenga para facilitar la adopción de las medidas preceptivas)[113]. Siendo estos planes y programas instrumentos clave para alcanzar los ambiciosos objetivos de la Directiva, en sus disposiciones se regula de forma particularmente exhaustiva cuál ha de ser el contenido de tales programas (art. 11)[114] y planes (art. 13)[115].

---

[113]   La Directiva impone a los Estados miembros la determinación de todas las cuencas hidrográficas que se encuentran en su territorio y su asignación a demarcaciones hidrográficas, así como la designación de una autoridad competente para cada demarcación para el 22 de diciembre de 2003, y su posterior comunicación (a más tardar seis meses después de dicha fecha) a la Comisión (art. 3). Los programas de medidas para cada demarcación hidrográfica (o para la parte de la demarcación internacional situada en su territorio) debían ser adoptados antes de diciembre de 2009. Y para la misma fecha los Estados miembros debían aprobar los "planes hidrológicos de cuenca" para cada demarcación hidrográfica situada totalmente en su territorio, o, en su caso, la adopción coordinada de un único plan para las demarcaciones hidrográficas internacionales. Programas y planes que deberán ser revisados y actualizados periódicamente. La primera revisión deberá tener lugar para diciembre de 2015, y posteriormente cada seis años (art. 11.7, y 13.7).

[114]   *Vid.* en particular el art. 11, que impone a los Estados miembros la obligación de adoptar "programas de medidas" para alcanzar los objetivos del art. 4 —prevenir el deterioro, proteger, mejorar y regenerar las aguas—, y describe minuciosamente qué "medidas básicas" han de incluir tales programas, así como una lista indicativa de "medidas complementarias" que se pueden adoptar para alcanzar mejor los objetivos de la Directiva. Estos programas se insertan a su vez en los Planes hidrológicos de cuenca regulados en el art. 13, siendo una parte esencial de los mismos.

[115]   Entre los contenidos de planes de cuenca que impone la Directiva (art. 13 en relación con el Anexo VII) se encuentran los siguientes: un resumen de las presiones e incidencias significativas de las actividades humanas en el estado de las aguas superficiales y subterráneas; la identificación y elaboración de mapas de las zonas protegidas; una lista de los objetivos ambientales específicos establecidos para cada masa de agua; un resumen del programa de medidas establecido para conseguir los objetivos ambientales; un análisis económico del uso del agua y de las medidas para la aplicación del principio de recuperación íntegra de costes; un resumen del proceso de información pública y de los consiguientes cambios efectuados; un registro de zonas protegidas conforme a las distintas directivas ambientales que utilizan como herramienta la zonificación, incluyendo las zonas de interés comunitario que forman parte de la red Natura 2000.

4°) Por otra parte, y en aplicación de uno de los principios fundamentales de la Política ambiental comunitaria, el principio de "quien contamina paga" consagrado en el art. 174 TCE, la Directiva propugna "la recuperación de los costes de los servicios relacionados con el agua" (en los que se incluyen no sólo los costes de carácter puramente económico, sino también los ambientales). A tales efectos, el art. 9 impuso a los Estados miembros la adopción, a más tardar en 2010, de una **política de precios** que proporcione incentivos para que los usuarios utilicen de forma más eficiente del agua. La tarificación del agua se considera, en definitiva, como un instrumento esencial para incentivar un uso más sostenible del agua y evitar su despilfarro[116]. No obstante, la Directiva deja un amplio margen a los Estados miembros para tener en cuenta los efectos sociales, medioambientales y económicos de la recuperación de costes, así como las condiciones geográficas y climáticas de las regiones afectadas. La Directiva, en definitiva, no aspira a establecer un precio determinado al agua en toda la Unión Europea, sino a que cada Estado miembro establezca el que considere más adecuado, tomando en cuenta los diversos criterios y circunstancias arriba mencionados.

5°) Además, la Directiva parte de la premisa de que la **información y participación** de todos los posibles interesados (las distintas administraciones implicadas, ONGs y público en general), durante todas las fases de su ejecución y puesta en práctica en los Estados miembros, resultan vitales para la transparencia y eficacia de todo el proceso[117]. Por ello impone a los socios comunitarios la obligación de fomentar la participación activa de todas las partes interesadas en la aplicación de sus disposiciones y, en particular en la elaboración, revisión y actualización de los planes hidrológicos de cuenca (art. 14), detallando a tales efectos la información que debe ser puesta en todo caso a disposición del público y los requisitos mínimos que debe cumplir dicha participación.

A la luz de lo hasta aquí expuesto, se puede observar que la Directiva no aborda, ni mucho menos, todos los aspectos relacionados con la gestión del agua: las medidas e instrumentos que impone a los Estados (tanto las

---

[116] *Vid.*, al respecto, la Comunicación de la Comisión al Consejo, al Parlamento Europeo y al Comité Económico y Social: política de tarificación y uso sostenible de los recursos hídricos, julio 2000.

[117] *Vid.* su Considerando Decimocuarto.

normas de calidad y de emisión, como los programas de medidas y planes hidrográficos, pasando por la recuperación de costes de los servicios del agua) están dirigidas primordialmente, tal y como hemos visto, a preservar y promover la calidad del medio ambiente acuático; no va a regular directamente, sin embargo, los distintos usos del agua y la ordenación de su aprovechamiento. Ello sin perjuicio de que los Estados miembros deberán garantizar en todo momento que la gestión que se haga en su territorio de los recursos hídricos no vaya en menoscabo de la consecución de los objetivos ambientales de la Directiva.

Pese a que uno de los objetivos perseguidos por el legislador comunitario cuando se inició la elaboración de esta Directiva era simplificar la normativa de aguas, lo cierto es que el resultado ha sido una Directiva compleja, de difícil lectura, y cuya transposición a los ordenamientos nacionales, y posterior ejecución (de acuerdo con el prolijo calendario escalonado que ha establecido) está planteando importantes retos a los Estados miembros[118]. A la vista de lo cual, y para apoyar este proceso, la Comisión Europea decidió crear grupos de "expertos gubernamentales" en materias de aguas cuyas reuniones han servido como foro de debate e intercambio de opiniones y experiencias, y para elaborar una "estrategia común" para la ejecución de la Directiva marco de aguas en sus respetivos

---

[118] Para un análisis general de la Directiva y de su impacto en el ordenamiento español *vid.*, entre otros, J. AGUDO GONZÁLEZ (Coord.), *El Derecho de Aguas en clave europea*, La Ley, 2010; I. *CARO-PATÓN CARMONA*, "*La Directiva marco de aguas y su transposición al Derecho español*: análisis jurídico general", *Revista Aranzadi de derecho ambiental*, n° 9, 2006, pp. 37-57; L. CASADO CASADO, "Principales repercusiones de la Directiva Marco de Aguas en el ordenamiento jurídico español", en S. GONZÁLEZ-VARAS IBÁÑEZ, *Nuevo Derecho...*, *op. cit.*, pp. 157-197; F. DELGADO PIQUERAS, "*La transposición de la Directiva Marco de Aguas en España*", RAP n° 165, 2004, pp. 181-214; y del mismo autor, "*El proceso de aplicación de la Ley de Aguas de 1985 y las nuevas exigencias de protección del dominio hidráulico que plantea la Directiva marco del Agua*", *Revista Aranzadi de derecho ambiental*, n° 10, 2006, pp. 47-66; A. *EMBID IRUJO*, "*El derecho de aguas de la Unión Europea contemplado desde la perspectiva española. Consideración especial de la directiva marco comunitaria 2000/60/CE*", en VVAA, *El agua en el siglo XXI: gestión y planificación* (coord. por J. M. Cuadrat Prats), 2006, pp. 57-82; y del mismo autor, "La Directiva Marco de Agua y algunos de los problemas de su proceso de implantación en España y en otros países, Ingeniería y Territorio, n° 80, 2007, pp. 20-27; L. KRAMER, "El Derecho de Aguas en la Unión Europea. Situación actual y perspectivas visto desde España" en INSTITUTO EUROMEDITERRÁNEO DEL AGUA, Derecho del Agua, 2006, pp. 91-107; S. *MARTÍN RETORTILLO*, "*Desarrollo sostenible y recursos hidráulicos*: Reflexiones en el entorno de la reciente Directiva estableciendo un marco comunitario de actuación en el ámbito de la política de aguas", RAP n° 153, 2000, pp. 27-40.

territorios[119]. En este programa de trabajo común participan los Estados miembros y otros países, amén de las partes interesadas y las ONG, y promueve el entendimiento común y el intercambio de mejores prácticas e información sobre algunos de los principales problemas que suscita.

Las dificultades que han surgido en el marco de este proceso han sido objeto de análisis también en documentos como la *Comunicación de la Comisión al Parlamento Europeo y al Consejo —Hacia una gestión sostenible del agua en la Unión Europea— Primera fase de aplicación de la Directiva Marco del Agua (2000/60/CE)*, presentada en el año 2007, en la que dicha institución ha identificado la deficiente transposición y la falta de análisis económicos como algunos de los principales problemas que presenta la aplicación de la Directiva marco[120]. A la vista de lo cual la Comisión se comprometió, entre otras medidas, a renovar la cooperación con los Estados miembros en el marco de la Estrategia Común de Aplicación.

Las repercusiones que hasta el momento ha tenido esta Directiva en el Derecho de Aguas español, y los problemas que afronta su aplicación en nuestro Estado, serán objeto de análisis en apartados posteriores.

Por último, y volviendo a la arena de la Política Ambiental de la Unión Europea en general, conviene recordar que el Sexto Programa de Acción comunitario en Materia de Medio Ambiente[121] incluyó entre dichos objetivos el de "lograr niveles de calidad de las aguas subterráneas y superficiales que no den lugar a riesgos o efectos significativos en la salud humana y el medio ambiente, y asegurarse de que el ritmo de extracción de recursos hídricos sea sostenible a largo plazo" (art. 7.1), y para ello estableció entre sus acciones prioritarias la de trabajar en pos de la completa aplicación de la Directiva marco de aguas, desarrollar medidas destinadas al cese de los vertidos, las emisiones y los escapes de sustancias peligrosas prioritarias, de acuerdo con lo establecido en la Directiva marco, y garantizar un nivel elevado de las aguas de baño, conforme a la Directiva relativa a la calidad

---

[119]   *Vid.* al respecto el documento *Strategic document, Common Strategy on the Implementation of the Water Framework Directive*, de 2.5.2001. Dicha estrategia, así como las adoptadas en años sucesivos, y las directrices adoptadas por grupos de trabajo que se reúnen en el marco de esta estrategia común, pueden ser consultadas en http://ec.europa.eu/environment/water/water-framework/objectives/implementation_en.htm, visitado por última vez el 1 de julio de 2013.

[120]   COM/2007/0128 final. *Vid.* también los ulteriores informes de aplicación periódicos de esta Directiva, que pueden ser consultados en http://ec.europa.eu/environment/water/water-framework/objectives/implementation_en.htm.

[121]   Adoptado por Decisión nº 1600/2002/CE del Parlamento Europeo y del Consejo, DOCE L 242/1 de 10.9.2002.

de las aguas de baño cuya revisión está en la actualidad en curso. Objetivos estos que deberán ser retomados en el marco del nuevo Séptimo Programa de Acción. De hecho, en la Propuesta de Decisión **relativa al Programa General de Medio Ambiente de la Unión hasta 2020, "Vivir bien, respetando los límites de nuestro planeta"**, se pone de manifiesto cómo, "a pesar de los considerables esfuerzos realizados hasta la fecha, el requisito que, en relación con el objetivo que impone la Directiva Marco de Agua de conseguir un «buen estado ecológico» de aquí a 2015 solo es probable que se cumpla en el 53% de las masas de agua superficiales de la UE"[122].

C) La ejecución de las directivas de aguas en España. La responsabilidad del Estado y de las Comunidades Autónomas en caso de incumplimiento

La incorporación de España a las Comunidades Europeas no ha supuesto una alteración de la distribución constitucional de competencias entre el Estado y las Comunidades Autónomas y, por lo tanto, la ejecución de las directivas comunitarias en nuestro Estado corresponde al ente político territorial que tenga atribuida la competencia, según las reglas del Derecho interno, sobre la materia que éstas regulen[123]. Generalmente la ejecución de las directivas de protección de las aguas va a corresponder tanto al Estado como a las Comunidades Autónomas conforme al reparto de competencias que establece la Constitución en materia de protección del medio ambiente (según al art. 149.1.23 CE corresponde al Estado adoptar la legislación básica en esta materia, y a las Comunidades Autónomas la adopción de normas de desarrollo o adicionales de protección, así la gestión). Este título competencial se aplica cuando el objetivo predominante de la Directiva en cuestión sea el de la protección de las aguas y del medio ambiente acuático. Ello sin perjuicio de que en ocasiones, y en relación con algunas disposiciones específicas de ciertas directivas de aguas, puedan entrar en juego otros títulos competenciales como el de la ordenación y gestión de los recursos hidráulicos (que ya hemos examinado), o el de sanidad (en el que, conforme al art. 149.1.16 CE compete al Estado las bases y la coordinación general).

---

[122] SWD (2012) 397 final; Datos que se toman, a su vez, del Documento de la Comisión, "Plan para salvaguardar los recursos hídricos…, *op. cit.*

[123] *Vid.* STC 252/1988; STC 79/1992; STC 80/1993; STC 105/1992, STC 146/1996, entre otras.

Pero ante la Unión Europea el Estado va a ser el único responsable de los incumplimientos del Derecho comunitario que tengan lugar en su territorio, con independencia de quién lo sea desde el punto de vista interno (si el Estado, una o varias Comunidades Autónomas, o Entes locales). Para controlar el respeto por los Estados miembros de sus obligaciones comunitarias la Comunidad cuenta con un importante instrumento: el recurso de incumplimiento regulado en los arts. 226 a 228 Tratado CE. Si un Estado miembro no cumple con las obligaciones impuestas por una directiva dentro del plazo establecido en sus disposiciones (adaptando completa y correctamente su legislación a la directiva y, tomando las decisiones administrativas y las medidas prácticas que sean necesarias para alcanzar los objetivos de sus disposiciones)[124], la Comisión Europea puede incoar, conforme al art. 226 del Tratado CE, un procedimiento de infracción contra dicho Estado que, en sede judicial, puede culminar con una declaración por el Tribunal de Justicia de las Comunidades de dicho incumplimiento. Pero, además, si el incumplimiento persiste y el Estado miembro no ejecuta esa sentencia declarativa en un plazo razonable, la Comisión tiene la posibilidad de iniciar un segundo procedimiento en cuyo marco, y de acuerdo con el apartado 2º del art. 228 TCE que fue introducido con el Tratado de Maastricht, el Tribunal podrá imponer una multa coercitiva o el pago de una cantidad a tanto alzado a dicho Estado.

Las sentencias el Tribunal de Justicia de las Comunidades Europeas en las que se han llegado a declarar formalmente incumplimientos por parte de España de las directivas de aguas (en virtud del art. 226 TCE o del art. 228 Tratado CE) nos sirven para aproximarnos a los problemas y dificultades que ha encontrado nuestro Estado para cumplir las obligaciones en ellas impuestas.

Conviene destacar, en primer lugar, que la segunda multa coercitiva en la historia de la Comunidad impuesta a un Estado miembro conforme al art. 228 TCE[125] recayó precisamente sobre España, por incumplimiento de la Directiva 76/160/CEE relativa a la calidad de las aguas de baño[126]. En su Sentencia de 25 de noviembre de 2003, en el asunto C-278/01, *Comisión c. España*, el Tribunal condenó a España por no haber adoptado a tiempo todas las medidas necesarias para la ejecución de su Sentencia en el asun-

---

[124]   Recuérdese que conforme al art. 249 Tratado CE, "La directiva obligará al Estado miembro destinatario en cuanto al resultado que deba conseguirse, dejando, sin embargo, a las autoridades nacionales la elección y los medios".
[125]   La primera se impuso a Grecia en el asunto C-387/97, *Comisión c. Grecia*, Rec. I-5047.
[126]   *Cit.* nota 1185 *infra*.

to C-92/96, en la que se declaraba el previo incumplimiento del Estado español de la citada directiva. En esta se ponía de manifiesto que las Autoridades Públicas españolas no habían tomado todas las medidas necesarias para que las aguas continentales de aquellas zonas declaradas o usadas como zonas de baño se ajustasen a los valores límite de calidad fijados por la Directiva. El importe de la multa impuesta fue de 624.150 euros al año por cada punto porcentual de zonas de baño no conformes a los valores límite de la Directiva, cantidad que se pagó hasta finales de 2005, cuando, a la vista de la mejora de la situación, la Comisión decidió cerrar el caso[127].

En ejecución de esta Directiva —que había sido transpuesta al ordenamiento estatal por el Real Decreto 734/1988, de 1 de julio de 1988, por el que se establecen las normas de calidad de las aguas de baño[128], derogado y sustituido posteriormente por el Real Decreto 1341/2007 sobre la gestión de la calidad de las aguas de baño[129]— compete a las Comunidades Autónomas establecer las zonas de baño de acuerdo con el concepto dado por la Directiva (e incorporado por el Real Decreto), así como la toma de muestras, la realización de Planes de Saneamiento para proteger la calidad de las aguas de baño conforme a los valores establecidos en la Directiva, y la declaración de excepciones temporales en las zonas de baño cuando por razones tasadas se sobrepasen los criterios de calidad mínima establecidos por esta norma. La Administración Central es solamente competente de la recogida de la información de las muestras tomadas en las zonas de baño y sobre las declaraciones temporales de excepción prohibiendo el baño que adopten las Comunidades Autónomas. Por tanto, la responsabilidad del incumplimiento en este caso fue, fundamentalmente, de las Comunidades Autónomas.

Posteriormente la Comisión abrió nuevos procedimientos contra España, conforme al art. 228.2 TCE, por incumplimiento de sentencias declarando la infracción de otras directivas de aguas. Este ha sido el caso, en particular, de la Directiva 91/676/CEE, relativa a la protección de las aguas contra la contaminación producida por nitratos utilizados en la agricultura[130], y de la Directiva 76/464/CEE, relativa a la contaminación causada

---

[127] *Vid. Commission Staff Working Paper, Seventh Annual Survey on the implementation and enforcement of Community environmental law - 2005*, Bruselas, 8.9.2006, SEC(2006) 1143.
[128] BOE nº 167, de 13.7.1988.
[129] BOE nº 257, de 26 octubre 2007.
[130] En la STJCE de 1.10.1998 (en el as. C-71/97, *Comisión c. España* —Nitratos I—, Rec. I-5991) el Tribunal declaró que España había incumplido las obligaciones que le incumben en virtud de los artículos 3 y 4 de la Directiva 91/676/CEE, por no haber

por determinadas sustancias peligrosas vertidas al medio acuático[131], cuya ejecución en ambos casos comparten el Estado y las Comunidades autónomas[132], y que no han culminado, por el momento, con la imposición de nuevas multas coercitivas contra el Estado español.

El Tribunal también se ha pronunciado, en el marco del art. 226 TCE, sobre el incumplimiento de España de las obligaciones impuestas por la Directiva 98/83/CE relativa a la calidad de las aguas destinadas al consumo humano[133], o la Directiva 91/271/CE sobre aguas residuales[134], debido a

---

designado y comunicado a la Comisión como "zonas vulnerables" las superficies del territorio cuya escorrentía fluyese hacia aguas afectadas o que pudieran verse afectadas por contaminación por nitratos y que contribuyesen a su contaminación, así como por no haber elaborado y comunicado a la Comisión en el plazo debido los códigos de buenas prácticas agrarias de varias Comunidades Autónomas. Posteriormente esta Directiva dio lugar a un nuevo pronunciamiento del Tribunal de Justicia el 13 de abril de 2000, en el asunto C-274/1998 (*Comisión c. España* —Nitratos II—, Rec I-2823), esta vez por incumplir la obligación de elaborar programas de reducción y control de la contaminación por nitratos en el plazo de dos años a partir de la fecha en que tenían que haber sido designadas las zonas vulnerables. En este caso, la Comisión inició un segundo procedimiento conforme al art. 228 TCE por incumplimiento de la Sentencia de 13 de abril de 2000 (Commission Press Release, DN: IP/01/1157 de 31.7.2001), que finalmente se cerró tras comunicar España todos los programas de acción en cuestión (*vid. Commission Staff Working Paper, Third Annual Survey on the implementation and enforcement of Community Environmental Law*, SEC(2002)1041, p. 9).

[131]   En la STJCE de 25.10.1998, en el asunto C-214/96 ("Vertidos I", Rec. I-7661), el Tribunal de Justicia abordó únicamente el incumplimiento de la obligación de adoptar programas de reducción de la contaminación de las aguas continentales y de las aguas marinas territoriales para las sustancias de la lista II de dicha Directiva tal y como exigía el art. 7 de la Directiva. Posteriormente, en julio de 2001, la Comisión anunció su decisión de iniciar un segundo procedimiento de infracción contra España, con arreglo al artículo 228 del Tratado CE, por falta de ejecución de la Sentencia de 1998 (Commission Press Release, DN: IP/01/1061).

[132]   Para un examen detallado de estos asuntos, *vid.* C. PLAZA MARTÍN; *Derecho ambiental...*, *op. cit.*, pp. 816 ss.

[133]   STJCE de 16.1.2003, asunto C-29/02, *Comisión c. España*, Rec. I-811, en el que el TJCE declaró que España incumplió la Directiva al no haber adoptado en el plazo debido las disposiciones legales, reglamentarias y administrativas necesarias.

[134]   STJCE de 15.5.2003 en el asunto C-419/01, *Comisión c. España*, Rec. 4947, en el que se declaró que el Estado español había incumplido las obligaciones que le incumbían en virtud del artículo 5 de la Directiva 91/271/CEE sobre el tratamiento de las aguas residuales urbanas, al no haber identificado las zonas sensibles de la cuenca hidrográfica intracomunitaria de la Comunidad Autónoma de Cataluña y de las aguas costeras de las Comunidades Autónomas del País Vasco, Cataluña, Valencia, Baleares y Canarias y de la Ciudad Autónoma de Ceuta. Esta Directiva ha sido objeto de otros pronunciamientos por parte del TJCE, como en el caso de la Sentencia de 8.9.2005, asunto C-416/02, Rec. I-7487, en el que se declaró que España ha incumplido las obligaciones

incumplimientos de diversa índole en los que se han visto envueltos, en distinto grado según el caso, tanto el Estado, como las Comunidades Autónomas, o los entes locales[135].

En cuanto a la ejecución de la Directiva Marco de Aguas, los retrasos en la ejecución de algunas de las obligaciones que impone a los Estados miembros ha dado lugar ya a dos Sentencias:

(i) En la primera, en el año 2009, el Tribunal de Justicia de la Unión Europea declaró la no designación en plazo de las autoridades competentes para la aplicación de sus disposiciones en determinadas demarcaciones hidrográficas de cuencas intracomunitarias en cinco Comunidades Autónomas (Galicia, País Vasco, Andalucía, Baleares y Canarias); mientras que las de las cuencas intercomunitarias y las compartidas por otros países, se adoptaron en su momento por Real Decreto 125/2007 por el que se fija el ámbito territorial de las demarcaciones hidrográficas, la designación de las restantes competía, por lo tanto, a las Comunidades Autónomas en cuestión[136].

---

que le incumben en virtud de las Directivas del Consejo 91/271/CEE, de 21 de mayo de 1991, sobre el tratamiento de las aguas residuales urbanas, y 91/676/CEE, de 12 de diciembre de 1991, relativa a la protección de las aguas contra la contaminación producida por nitratos utilizados en la agricultura, al no someter las aguas residuales urbanas de la aglomeración de Vera a un tratamiento como el previsto en el artículo 5, apartado 2, de la Directiva 91/271, es decir, un tratamiento más riguroso que el descrito en el artículo 4 de esta Directiva, y al no declarar la Rambla de Mojácar como zona vulnerable, en contra de lo dispuesto en el artículo 3, apartados 1, 2 y 4, de la Directiva 91/676; la Sentencia de 19.4.2007, asunto C-219/05, *Comisión c. España*, Rec. I-56, en la que, a raíz de una denuncia presentada ante la Comisión en la que se alertaba sobre la contaminación de las aguas de baño de la playa de la Motilla, en la provincia de Valencia, el Tribunal de Justicia acabó declarando que España estaba incumpliendo las obligaciones que le incumben en virtud de la Directiva 91/271, al no haber adoptado las medidas necesarias para garantizar que, a 31 de diciembre de 1998, las aguas residuales urbanas de la aglomeración de Sueca, de las pedanías costeras de ésta, así como de determinados municipios de la comarca de La Ribera, fueran sometidas a un tratamiento adecuado antes de ser vertidas en una zona (L'Albufera) declarada sensible; o la Sentencia de 14.4.2011, asunto C-343/10, *Comisión c. España*, al no haber adoptado las medidas necesarias en relación con la recogida de las aguas residuales urbanas en diversas aglomeraciones de más de 15.000 e-h/ *Comisión c. España* (del entorno del Valle de Güimar, Valle del Gerra y otros).

[135] Para un análisis de las causas de estos incumplimientos y de las Sentencias del TJCE *vid.* C. PLAZA MARTÍN; *Derecho ambiental...*, *op. cit.*, pp. 846 ss.

[136] STJUE de 7.5.2009, asunto C-516/07, *Comisión c. España*, Rec. I-76. En relación con las cuencas supracomunitarias y de cuencas compartidas por otros países, se adoptó en su momento el Real Decreto 125/2007 por el que se fija el ámbito territorial de las demarcaciones hidrográficas.

(ii) El segundo incumplimiento declarado por Sentencia, en 2012, fue por no haber adoptado, a 22 de diciembre de 2009, los planes hidrológicos de cuenca —salvo en el caso del Distrito de la Cuenca Fluvial de Cataluña—, y al no haber enviado a la Comisión Europea y a los demás Estados miembros interesados, a 22 de marzo de 2010, un ejemplar de dichos planes, conforme a los artículos 13 y 15 de la Directiva Marco; así como por no haber iniciado en varias cuencas hidrográficas, a más tardar el 22 de diciembre de 2008, el procedimiento de información y consulta públicas sobre los proyectos de los planes hidrológicos de cuenca[137], conforme al artículo 14 de la citada Directiva[138].

A la vista del creciente número de procedimientos de incumplimiento abiertos contra España, era urgente clarificar, desde la perspectiva puramente interna, en qué medida y de qué manera van a responder las Comunidades Autónomas (o, llegado el caso, los entes locales) de las multas coercitivas que el Tribunal de Justicia de las Comunidades Europeas pueda imponer al Estado Español cuando otros entes territoriales sean las responsables, total o parcialmente, de los incumplimientos que originan dichas multas.

Pese a su importancia, el Legislador estatal no dio hasta recientemente una respuesta global a este problema —apta para cualquier incumplimiento en cualquier sector del Derecho de la Unión— conformándose en un primer momento con abordarlo de forma sectorial y parcial. Tan solo existía normativa dispersa en relación con la gestión de fondos procedentes de la Unión Europea, los compromisos adquiridos en materia de estabilidad presupuestaria, los servicios del mercado interior, los daños medioambientales al medio marino, y en materia de aguas en general.

En el ámbito del Derecho de aguas —en donde, como hemos visto, España sufrió su primera multa coercitiva impuesta por el Tribunal de Justicia de la Unión Europea, y existe un riesgo cierto de que la situación se repita en el futuro— la Ley 62/2003, de medidas fiscales, administrativas y del orden social[139] introdujo un nuevo art. 121 bis en el TRLA, sobre

---

[137] A excepción de los planes hidrológicos de Distrito de la Cuenca Fluvial de Cataluña, Islas Baleares, Tenerife, Guadiana, Guadalquivir, Cuenca Mediterránea Andaluza, Tinto-Odiel-Piedras, Guadalete-Barbate, Galicia-Costa, Miño-Sil, Duero, Cantábrico Occidental y Cantábrico Oriental.

[138] STJUE de 4.10.2012, asunto C-403/11, *Comisión c. España.*

[139] BOE nº 313, de 31.12.2003, pp. 23910. En este caso resulta especialmente criticable que la transposición de la Directiva marco de aguas a nuestro ordenamiento se haya

"Responsabilidad comunitaria", con motivo de la ejecución de la Directiva marco de aguas a nuestro ordenamiento. En dicha disposición estableció que las Administraciones públicas competentes en cada demarcación hidrográfica (en donde confluyen, como veremos en el apartado V.4 *infra*, la Administración General del Estado, Organismos de cuenca, y las Administraciones de las Comunidades Autónomas y de los Entes Locales) que incumplan los objetivos ambientales fijados en la planificación hidrológica o el deber de informar sobre estas cuestiones, dando lugar a que el Reino de España sea sancionado por las instituciones europeas, "asumirán en la parte que les sea imputable las responsabilidades que de tal incumplimiento se hubieran derivado". En cuanto a la vía o el procedimiento a través del cual se va a hacer efectiva dicha responsabilidad, este artículo se limita a señalar que en "el procedimiento de imputación de responsabilidad que se tramite se garantizará, en todo caso, la audiencia de la Administración afectada, pudiendo compensarse el importe que se determine con cargo a las transferencias financieras que la misma reciba".

Esta disposición precisaba de una mayor concreción vía reglamentaria, de forma que se diesen respuestas a algunas cuestiones básicas para su aplicación, como el órgano competente para tomar dicha decisión o los criterios para repartir la responsabilidad cuando tanto el Estado como las Comunidades Autónomas estén implicadas en un mismo incumplimiento, tal y como suele ser habitual cuando nos movemos en el ámbito de la ejecución de directivas de medio ambiente.

Años después, la Ley 2/2011 de Economía Sostenible estableció una cláusula de responsabilidad por incumplimiento de normas de Derecho comunitario[140] que debía ser objeto de un desarrollo reglamentario que finalmente no se produjo.

Finalmente, tan solo recientemente se ha dado respuesta normativa completa a las cuestiones que suscitaba la distribución de responsabilidad entre diversas administraciones por incumplimiento del Derecho de la Unión: la Ley Orgánica 2/2012 de Estabilidad Presupuestaria y Sosteni-

---

hecho, finalmente, por la vía de una Ley de acompañamiento. Si bien las ventajas que ofrecen dicha leyes al Gobierno, por lo que a su tramitación se refiere, permitió al Estado español cumplir *in extremis* con el plazo impuesto por la Directiva para su transposición, hay que advertir que la trascendencia de esta Directiva, y el alcance de las modificaciones que ha exigido a nuestro Derecho de aguas, hacían especialmente aconsejable que la adecuación del TRLA a la misma se tramitara como una Ley con entidad propia y sin menguar las posibilidades de debate en el Parlamento.

[140]   DA 1ª.

bilidad Financiera ha regulado con carácter general el principio de responsabilidad por incumplimiento de normas de la Unión, estableciendo la repercusión a la Administración incumplidora de las responsabilidades derivadas de cualquier acción u omisión contraria al ordenamiento europeo que haya realizado en el ejercicio de sus competencias[141], precisándose las disposiciones para su aplicación en el Real Decreto 515/2013, de 5 de julio, por el que se regulan los criterios y el procedimiento para determinar y repercutir las responsabilidades por incumplimiento del Derecho de la Unión Europea.

3. La Ley de Aguas de 1985: desarrollo y evolución

A) La adopción de la Ley de aguas de 1985: principales aportaciones

Dentro del marco constitucional y comunitario que hemos descrito en los apartados anteriores, el legislador español va a adoptar la Ley 29/1985, de 2 de agosto, de Aguas. Esta Ley, que sustituyó a la de 1879, abordó la regulación jurídica de las aguas continentales desde la nueva concepción autonómica del Estado, partiendo, asimismo, de las transformaciones sufridas por la sociedad española, y tomando en consideración los notables avances científicos y tecnológicos experimentados, el constante incremento de la demanda, y las exigencias de la protección del medio ambiente y de mejora de la calidad de vida consagradas en nuestra Constitución.

En su primer artículo se precisa que el objeto de esta Ley es la regulación del dominio público hidráulico, del uso del agua y del ejercicio de las competencias atribuidas al Estado en las materias relacionadas con dicho dominio conforme al art. 149 de la CE (su adecuación a la Directiva marco de aguas por Ley 62/2003 supondrá después, tal y como se analiza más adelante, que se añada como objeto de la misma, en su apartado 2º, "el establecimiento de las normas básicas de protección de las aguas continentales, costeras y de transición").

---

[141] El art. 8 dispone que "Las Administraciones Públicas que incumplan las obligaciones contenidas en esta Ley, así como las que provoquen o contribuyan a producir el incumplimiento de los compromisos asumidos por España de acuerdo con la normativa europea, asumirán en la parte que les sea imputable las responsabilidades que de tal incumplimiento se hubiesen derivado". Y conforme a la DA 2ª cuando las Administraciones Públicas y cualesquiera otras entidades integrantes del sector público incumplieran obligaciones derivadas de normas del Derecho de la Unión Europea, dando lugar a que el Reino de España sea sancionado, asumirán en la parte que les sea imputable las responsabilidades que se devenguen.

También en este primer artículo se va a proclamar que "Las aguas continentales superficiales, así como las subterráneas renovables, integradas todas ellas en el ciclo hidrológico, constituyen un recurso unitario, subordinado al interés general, que forma parte del dominio público estatal como dominio público hidráulico"[142]. Disposición que hay que leer conjuntamente con el art. 2, en el que se detallan, como se analiza en el apartado IV *infra*, todos los elementos que forman parte del dominio público hidráulico. Pese a esta declaración general de demanialidad, la Ley admite que en ciertos casos, y bajo ciertas condiciones que se analizarán en el siguiente epígrafe, determinadas aguas permanezcan en régimen de propiedad privada. Por último, pone de manifiesto otra novedad: que la planificación hidrológica se va a configurar como el instrumento central para la ordenación y protección de este recurso.

La Ley de Aguas de 1985 se va a articular en torno a una serie de nuevos principios, propugnados en instrumentos internacionales —como la Carta del Agua, o la Declaración de Estocolmo, a los que ya hemos aludido— o en nuestra Constitución, y que quedan plasmados en su art. 13 (ahora art. 14 TRLA, sobre los Principios rectores de la gestión en materia de aguas):

(i)   Unidad de gestión, tratamiento integral, economía del agua, desconcentración, descentralización, coordinación, eficacia y participación de los usuarios.

(ii)   Respeto a la unidad de la cuenca hidrográfica, de los sistemas hidráulicos y del ciclo hidrológico[143].

(iii) Compatibilidad de la gestión pública del agua con la ordenación del territorio, la conservación y protección del medio ambiente y la restauración de la naturaleza.

Con esta Ley el agua va a dejar de verse fundamentalmente como un factor de producción y, en virtud del art. 45 CE, su papel como recurso que debe ser explotado y aprovechado en aras del desarrollo económico de nuestro país va a tener que conciliarse con el de la conservación y protección del medio ambiente. Pasa así a un primer plano la necesidad de velar por la calidad del agua y de los ecosistemas que de este recurso dependen. En esta línea la Ley va a incluir, entre sus objetivos fundamentales, el de "conseguir y mantener un adecuado nivel de calidad de las aguas, impedir

---

[142]   Antiguo apartado 2, actualmente apartado 3.

[143]   Nótese, sin embargo, que en España existía ya entonces una larga tradición de gestión del agua por cuencas hidrológicas, siendo éste uno de los aspectos en los que el Derecho español ha sido pionero.

la acumulación de compuestos tóxicos o peligrosos en el subsuelo, capaces de contaminar las aguas subterráneas y evitar cualquier otra actuación que pueda ser causa de su degradación")[144]; y va a establecer diversos mecanismos para velar por la protección del demanio público hidráulico (sistema de control de vertidos contaminantes, zonas de servidumbre y protección, declaración de sobreexplotación o salinización de acuíferos etc.). En definitiva, el objeto del legislador va a ser promover una utilización sostenible, prudente y racional del agua; principio este, el del "uso racional", que aparece en el mismo Preámbulo y que se va a reiterar, a modo de hilo conductor, en numerosas disposiciones a lo largo de la Ley de Aguas de 1985[145], y de cuya mano se van a integrar también las exigencias de protección del medio ambiente en la nueva regulación del aprovechamiento y uso de las aguas[146].

La Ley de Aguas de 1985 fue objeto de un exhaustivo examen por el Tribunal Constitucional en su Sentencia 227/1988 de 29 de noviembre de 1988, en la que, si bien algunos de sus preceptos fueron declarados inconstitucionales, se confirmó en términos generales, tal y como se examina en diversos apartados de este capítulo, el marco normativo creado por dicha Ley en materia de aguas.

En cuanto a su desarrollo reglamentario, este vino de la mano del Real Decreto 849/1986, de 11 de abril, por el que se aprueba el Reglamento del Dominio Público Hidráulico (en adelante RDPH), que desarrolla los títulos Preliminar, I, IV, V, VI y VII de la Ley 29/1985, de 2 de agosto, de Aguas[147], y del Real Decreto 927/1988, de 29 de julio, por el que se aprueba el Reglamento de la Administración Pública del Agua y de la Planificación Hidrológica, en desarrollo de los títulos II y III de la Ley de Aguas[148] (en adelante RAPA).

Como complemento indispensable a este cuadro normativo, hay que añadir los Reales Decretos por los que, en ejecución de la Ley 29/1985,

---

[144]   Antiguo art. 84 LA. Los objetivos de protección están en la actualidad regulados en el art. 92 TRLA tal y como fue modificado por la Ley 62/2003.
[145]   Sobre el uso de este término en la Ley de Aguas de 1985 *vid.*, A. EMBID IRUJO "La utilización racional de las aguas y los abastecimientos urbanos. Algunas reflexiones", *RAr AP*, nº 10, 1997, pp. 209 ss.
[146]   *Vid.*, al respecto, con carácter general, F. DELGADO PIQUERAS, *Derecho de aguas..., op. cit.*; M. CALVO, *Escritos de Derecho Ambiental*, Tirant lo Blanch, Valencia, 2004 (versión electrónica en Tirant on line: epígrafe 8, "La Ley de Aguas 29/1985. Una visión Ecológica del agua").
[147]   BOE nº 103, de 30.4.86.
[148]   BOE nº 209, de 31.8.88.

se han adoptado los Planes Hidrológicos de cuenca[149], así como la Ley 10/2001 por la que se aprueba el Plan Hidrológico Nacional[150], y que serán objeto de un especial análisis en el apartado VI.

B) Las novedades introducidas por la Ley 46/1999 y la adopción del Texto Refundido de la Ley de Aguas

Desde su adopción, la Ley 29/1985 sufrió modificaciones parciales en varias ocasiones, siendo particularmente relevantes las operadas por la Ley 46/1999[151], que afectó a 41 de sus 113 artículos con el fin de adaptarla a las nuevas necesidades de nuestro Estado en relación con la cantidad de agua disponible, su gestión y la protección de la calidad de este recurso. La Ley 46/1999 vino a reforzar el enfoque ambiental de la Ley de Aguas, introduciendo la figura de los "caudales ecológicos" o "demandas ambientales" como una restricción que se impone con carácter general a los usos y sistemas de explotación del agua, y regulando de forma más estricta el régimen de vertidos. También reguló nuevos mecanismos para hacer frente a los problemas de escasez de agua —como la desalación, la reutilización o el ahorro mediante el fomento de mejores técnicas agrícolas— e incorporó nuevas medidas dirigidas a aumentar la transparencia en la gestión del agua y la promoción de políticas de ahorro y uso eficiente de este recurso (como la obligación de medir los consumos y los vertidos en cada Confederación Hidrográfica o la flexibilización del régimen concesional para fomentar una mejor asignación del agua). Impulsó, además, la información pública en general, el carácter participativo de las Confederaciones Hidrográficas y el papel de las Comunidades de usuarios. La Ley 46/1999, abordó, por último, algunos aspectos de las obras hidráulicas como clase específica de las obras públicas, modificando el procedimiento de aprobación de las obras hidráulicas de interés general o que afecten a más de una Comunidad Autónoma (desplazando la decisión final de las Cortes Generales al Consejo de Ministros), e introdujo nuevas disposiciones para potenciar la participación de los usuarios y la colaboración de otras Administraciones distintas de la General del Estado en la gestión del agua.

---

[149] Real Decreto 1664/1998 por el que se aprobaron los Planes Hidrológicos de las cuencas intercomunitarias del Norte (I, II y III), del Duero, del Tajo, del Guadiana (I y II), del Gualdalquivir, del Segura, del Júcar, del Ebro, y del Sur), BOE n° 191, de 11.8.1998.

[150] BOE n° 161 de 6.7. 2001.

[151] BOE n° 298, de 14.12.1999.

La disposición final segunda de la Ley 46/1999, ordenó al Gobierno que, en el plazo de un año a partir de su entrada en vigor, dictase un Real Decreto legislativo para refundir y adaptar la normativa legal existente en materia de aguas. Plazo que se amplió posteriormente en la Ley 6/2001, de 8 de mayo, de modificación del Real Decreto legislativo 1302/1986, de 28 de junio, de evaluación de impacto ambiental. El Texto Refundido de la Ley de Aguas fue finalmente aprobado por el Real Decreto legislativo 1/2001[152], de 20 de julio.

C) Modificaciones posteriores: en especial, las modificaciones legales y reglamentarias derivadas de la transposición de la Directiva marco de aguas

Pero los cambios en nuestro actual Derecho de Aguas —en constante agitación en los últimos años— no paran aquí. El Legislador ha seguido introduciendo novedades en el texto consolidado por el Real Decreto Legislativo; y, en más de una ocasión, lo hizo a través de la tan justamente criticada vía de las llamadas "leyes de acompañamiento" —a los Presupuestos Generales del Estado—[153]. De estas modificaciones, se recogen a continuación brevemente las más relevantes, y que en varios casos van a estar relacionadas con la transposición de directivas comunitarias a nuestro ordenamiento:

1) Mediante Ley 16/2002, de 1 de julio, de prevención y control integrados de la contaminación[154], que transpuso a nuestro ordenamiento la Directiva IPPC, se modificó el artículo 105, añadiendo un segundo párrafo en el apartado 2º a), y se introdujo una nueva disposición adicional 10ª, ambas disposiciones relacionadas con la autorización de vertidos a las aguas continentales de cuencas intercomunitarias en los casos relacionados con instalaciones sometidas a la autorización ambiental integrada regulada en dicha Ley).

---

[152]   BOE nº 176, de 24.07.2001.
[153]   *Vid.* la Ley 53/2002, de 30 de diciembre, de Medidas Fiscales, Administrativas y del Orden Social (BOE nº 313, de 31.12.2002, pp. 46186), que modificó los artículos 55 (sobre las facultades de los Organismos de cuenca en relación con el aprovechamiento y control de los cauces cedidos) y 116 (acciones constitutivas de infracción); y la Ley 24/2001, de 27 de diciembre, de Medidas Fiscales, Administrativas y del Orden Social (BOE nº 313, de 31.12.2002, p. 50595), que introdujo un segundo párrafo en el art. 132.1, sobre el régimen jurídico de las sociedades estatales de aguas.
[154]   BOE nº 157, de 2.7.2003, pp. 23910.

2) La Ley 62/2003, de 30 de diciembre, de medidas fiscales, administrativas y del orden social[155], modificó diecisiete artículos e introdujo más de una docena de nuevas disposiciones en el TRLA con el fin de transponer a nuestro ordenamiento la Directiva marco de aguas, en los términos que se irán analizando en los siguientes apartados. Sobre esta intervención del Legislador, baste con avanzar aquí que con las modificaciones introducidas por la Ley 62/2003 se añade como nuevo objetivo de la Ley "el establecimiento de las normas básicas de protección de las aguas continentales, costeras y de transición, sin perjuicio de su calificación jurídica y de la legislación específica que les sea de aplicación" art. 1.2 del TRLA)[156]; con ello se amplía su ámbito de aplicación, en lo que a tutela de la calidad de las aguas se refiere, a las aguas costeras; también supone la modificación del contenido y alcance de los planes hidrológicos de cuenca y la creación de las Demarcaciones Hidrográficas como nuevas unidades administrativas para gestión y protección de estas aguas, así como de un Comité de Autoridades Competentes en cada una de las demarcaciones a fin de lograr una eficaz coordinación de todas las Administraciones implicadas en la protección de dichas aguas.

3) Posteriormente la Ley 11/2005 por la que se modifica la Ley 10/2001 del Plan Hidrológico Nacional[157] va a introducir también importan-

---

[155] BOE n° 313, de 31.12.2003, pp. 23910. En este caso resulta especialmente criticable que la transposición de la Directiva marco de aguas a nuestro ordenamiento se haya hecho, finalmente, por la vía de una Ley de acompañamiento. Si bien las ventajas que ofrecen dichas leyes al Gobierno, por lo que a su tramitación se refiere, permitió al Estado español cumplir *in extremis* con el plazo impuesto por la Directiva para su transposición, hay que advertir que la trascendencia de esta Directiva, y el alcance de las modificaciones que ha exigido a nuestro Derecho de aguas, hacían especialmente aconsejable que la adecuación del TRLA a la misma se tramitara como una Ley con entidad propia y sin menguar las posibilidades de debate en el Parlamento.

[156] Las aguas costeras se definen en el art. 16bis TRLA como "las aguas superficiales situadas hacia tierra desde una línea cuya totalidad de puntos se encuentra a una distancia de una milla náutica mar adentro desde el punto más próximo de la línea de base que sirve para medir la anchura de las aguas territoriales y que se extienden, en su caso, hasta el límite exterior de las aguas de transición". En nuestro ordenamiento jurídico forman parte del dominio público marítimo-terrestre. Nótese que las llamadas "aguas de transición", que se van a definir en el art. 16bis TRLA, conforme a la Directiva Marco, como "las masas de agua superficial próximas a la desembocadura de los ríos que son parcialmente salinas como consecuencia de su proximidad a las aguas costeras, pero que reciben una notable influencia de flujos de agua dulce" se han considerado siempre en nuestro Derecho parte del dominio público hidráulico.

[157] BOE n° 149 de 23.6.2005.

tes reformas en la Ley de Aguas, entre las que cabe destacar: (i) las disposiciones dirigidas a la demanialización total de las aguas desaladas (modificación del art. 2 y del art. 13 TRLA); (ii) la racionalización de la toma de decisiones sobre nuevas obras de interés general, a través de un estudio previo de sus costes económicos y ambientales (modificación del art. 46.5); (iii) medidas para favorecer la mayor integración de la protección y la gestión sostenible del agua en otras políticas, como las relativas a energía, transporte, ordenación del territorio y urbanismo, agricultura, pesca, o turismo (modificación del art. 25); (iv) la definición cualitativa de los caudales ecológicos, por su importancia para la conservación del medio ambiente hídrico y terrestre asociado, y la determinación en los planes hidrológicos de cuenca de las reservas naturales fluviales, con la finalidad de preservar los tramos de ríos con escasa o nula intervención humana (modificación del apartado 1.b.c' del artículo 42); (v) la exigencia de mediciones precisas de los caudales efectivamente consumidos o utilizados por los distintos titulares del derecho al uso privativo de las aguas (modificación del apartado 4 del artículo 55); (vi) medidas de refuerzo de la policía de aguas (art. 94), y de protección específica de las aguas destinadas a consumo humano y a riegos, garantizando la asignación de las aguas de mejor calidad al abastecimiento de poblaciones (modificación del art. 99 bis); (vii) la responsabilidad del concesionario para mantener los estándares de calidad de las aguas reutilizadas, que quedan asimismo demanializadas (modificación del art. 109); (viii) mecanismos de coordinación entre Administraciones para la mejor aplicación del principio de recuperación de costes (modificación del art. 111.bis y 103); y (ix) la previsión de una normativa específica sobre seguridad de presas y embalses (modificación del art. 129).

4) El Real Decreto-Ley 4/2007[158] modificó de nuevo el texto refundido de la Ley de Aguas con el fin de otorgar la competencia para autorizar vertidos efectuados en cualquier punto de la red de alcantarillado o de colectores gestionados por las Administraciones autonómicas o locales (o por entidades dependientes de las mismas) al órgano autonómico o local competente de dicha gestión. Su competencia se había establecido previamente en el último inciso del artículo 245.2 del Reglamento del Dominio Público Hidráulico —aprobado por el

---

[158] BOE nº 90 de 14.4.2007.

Real Decreto 849/1986, de 11 de abril, en la redacción dada por el Real Decreto 606/2003, de 23 de mayo—, pero esta disposición fue declarada nula por la sentencia de la Sección Quinta de la Sala de lo Contencioso-Administrativo del Tribunal Supremo, de 18 de octubre de 2006 por estimar que la atribución a los entes locales de una competencia específica mediante una norma reglamentaria conculcaba lo dispuesto en los artículos 2.2, 7.1 y 25.3 de la Ley 7/1985, de 2 de abril, reguladora de las Bases de Régimen Local, según los cuales sólo por una norma legal cabe determinar las competencias municipales. La declaración de nulidad supuso, en concordancia con lo establecido en el artículo 245.2 del Reglamento del Dominio Público Hidráulico, que la competencia para autorizar los vertidos indirectos a aguas superficiales pasase a ser de los organismos de cuenca. Estos carecían de la información y medios necesarios a tales efectos, y se vieron desbordados e incapaces de ejercer dicha competencia. Para hacer frente a esta situación se "devolvió" mediante este Real Decreto-Ley la competencia a los órganos autonómicos o locales competentes.

5) La Ley 42/2007, de 13 de diciembre, del Patrimonio Natural y de la Biodiversidad[159] incluyó dos disposiciones modificando el Texto Refundido de la Ley de Aguas: (i) la disposición final tercera, que modifica el art. 13 TRLA en materia de desalación (para precisar los órganos y organismos del Estado que podrán explotar las obras e instalaciones de desalación declaradas de interés general del Estado, y los posibles beneficiarios de dichas obras o instalaciones, así como para atribuir al Estado la competencia para otorgar concesiones "en el caso de que dichas aguas se destinen a su uso en una demarcación hidrográfica intercomunitaria"); y (ii) la disposición final cuarta, que modifica el art. 19 TRLA con el fin de perfilar directamente algunos aspectos esenciales de la composición y funcionamiento del Consejo Nacional del Agua (cuestiones estas que antes se dejaban totalmente en manos de la Administración vía reglamentaria).

6) Con motivo de la transposición de otra norma de la Unión Europea, en este caso la Directiva 2006/123/CE relativa a los servicios en el mercado interior, la Ley 25/2009 de modificación de diversas leyes para su adaptación a la Ley 17/2009 sobre el libre acceso a las actividades de servicios y su ejercicio, introduce en su Título Quinto, sobre

---

[159] BOE núm. 299, de 14.12.2007.

"Servicios medioambientales y de agricultura", nuevas modificaciones en la Ley de Aguas. En concreto, sustituyen por declaraciones responsables las autorizaciones inicialmente exigidas en los siguientes dos supuestos: el ejercicio de los usos comunes especiales referidos a la navegación y flotación, establecimiento de barcas de paso y sus embarcaderos y cualquier otro uso que no excluya la utilización del recurso por terceros (artículo 51); y la navegación recreativa en embalses (artículo 78)[160].

7) En el marco del debate sobre el principio de unidad de gestión de cuenca, el Real Decreto-ley 12/2011 introdujo una nueva disposición adicional en el texto refundido de la Ley de Aguas con la finalidad de conferir a las Comunidades Autónomas que lo tuvieran previsto en sus Estatutos de Autonomía el ejercicio de facultades de policía de dominio público hidráulico en las cuencas intercomunitarias, así como para la tramitación en las mismas de los procedimientos a que dieran lugar sus actuaciones hasta la propuesta de resolución. Medida que se justificó con el pretendido fin de "dotar de mayor seguridad jurídica a las relaciones interadministrativas en materia de aguas, todo ello conforme a la reciente doctrina del Tribunal Constitucional contenida en la Sentencia 30/2011". Esta disposición, que ha sido objeto de crítica por un importante sector doctrinal por menoscabar de forma importante la gestión unitaria e integral de las cuencas intercomunitarias[161], sería posteriormente derogada, tras el cambio de Gobierno, por el Real Decreto-ley 17/2012, de Medidas Urgentes en Materia de Medio Ambiente, para evitar que con esta reforma legal pudiera verse afectado el principio de unidad de gestión de las cuencas hidrográficas intercomunitarias, "elevado a principio constitucional por el Tribunal Constitucional en sus sentencias 227/1988, 161/1996 y 30 y 32/2011", así como "salir al paso de los desarrollos normativos que sobre esta materia hayan realizado o puedan realizar las Comunidades Autónomas habilitadas por esa disposición adicional".

---

[160] Se modifica también, en consecuencia, el art. 116.3.i) y j), para tipificar como infracción administrativa la falta de presentación de declaración responsable, así como la inexactitud, falsedad u omisión de datos o documentos en la misma.

[161] *Vid.* A. FANLO LORAS, "La unidad...", *op. cit.*, p. 69-79; F. LÓPEZ RAMÓN, *Sistema Jurídico de los bienes públicos*, Civitas, 2012, p. 217; y B. LOZANO CUTANDA, y P. POVEDA, "Medidas Urgentes en materia de Medio Ambiente (Real Decreto-ley 17/2012), en *Análisis*, Gómez Acebo & Pombo, mayo 2012, p. 3.

8) Más recientemente, la Ley 12/2012 **de Medidas Urgentes en materia de Medio Ambiente**, resultado de la tramitación como proyecto de Ley del Real Decreto-ley 17/2002, implantó una serie de medidas en materia de medio ambiente que implicó, en el ámbito que nos ocupa, la modificación de diversas disposiciones del Texto Refundido de la Ley de Aguas. Así, junto a la derogación de la disposición adicional introducida por el Real Decreto-ley 12/2011, con el fin de preservar el principio de unidad de gestión de cuenca intercomunitarias, se introducen una serie de medidas para reforzar una gestión eficaz del agua y proteger este recurso. En línea con la Directiva Marco de Agua, se regulan las masas de agua subterránea y el buen estado de las mismas introduciendo modificaciones dirigidas a reaccionar con rapidez ante los problemas que se detecten en las masas de aguas subterráneas así como una mayor flexibilidad para gestionar las disponibilidades de agua en las masas que cuenten con un plan de actuación[162]. También incorpora medidas para incentivar la transformación de los derechos de aprovechamiento privados de agua que subsisten a derechos concesionales. Se introduce, a su vez, una disposición para fomentar la cesión de derechos de aprovechamientos de agua en el ámbito territorial del Plan Especial del Alto Guadiana, dirigida a posibilitar —con carácter que se califica de "excepcional"— la regularización de miles de pozos ilegales sin incremento de la explotación hídrica, con el fin de intentar dar una salida al conflicto existente en la zona entre la explotación agrícola sostenida con estas aguas y una reordenación de los derechos de uso de las aguas tendente a la recuperación ambiental de los acuíferos. Precisa las disposiciones sobre el régimen económico y financiero del uso del agua, para reforzar la aplicación del principio de recuperación de los costes relacionados con la gestión de las aguas, incluyendo los costes ambientales y del recurso. Por último, se refuerza la potestad

---

[162] Se sustituye el concepto de "acuífero sobreexplotado" por el de "masa de agua que está en riesgo de no alcanzar un buen estado cuantitativo o químico" de la Directiva Marco del Agua. Se suprime el dictamen preceptivo del Consejo del Agua para que la Junta de Gobierno del organismo de cuenca declare una masa de agua en esta situación y se introduce mayor flexibilidad para aplicar los programas de actuación en función de si mejora o no el estado de la masa de agua subterránea. También se elimina, al derogarse el apartado 1º de la DA 7ª del TRLA, la posibilidad de otorgar concesiones de aguas subterráneas en los acuíferos declarados sobreexplotados o en riesgo de estarlo "sólo en circunstancias de sequía previamente constatadas y de acuerdo con el Plan de ordenación para la recuperación del acuífero".

sancionadora en materia de aguas al incrementarse el importe de las sanciones, y se introducen criterios para la valoración de los daños causados al dominio público hidráulico. Esto último era necesario tras la declaración de nulidad parcial por Sentencia del Tribunal Supremo de la Orden MAM/85/2008, por la que se establecían los criterios técnicos para la valoración de los daños al dominio público hidráulico y las normas sobre toma de muestras y análisis de vertidos de aguas residuales[163], de modo que ahora se incorporan al texto refundido de la Ley los criterios generales que se tomarán en cuenta en la valoración del daño causado en el dominio público hidráulico, determinantes para calificar la infracción, garantizando así el ejercicio de la potestad sancionadora con pleno respeto al principio de legalidad.

Todos estos cambios legislativos van a exigir la adecuación y actualización de los reglamentos que en su momento desarrollaron y complementaron la Ley de Aguas de 1985.

Sin embargo, en un primer momento la Administración se limitó a aprobar una reforma parcial del Reglamento del Dominio Público Hidráulico, mediante Real Decreto 606/2003[164], con el objeto de abordar sólo algunos de los aspectos más necesitados de desarrollo reglamentario tras la adopción del Real Decreto Legislativo 1/2001. Se va a tener que esperar hasta el año 2007 para contar con nuevas reformas de los reglamentos que desarrollan la Ley de Aguas. Reformas que van a ser también parciales y cuyo principal objetivo va a ser completar la necesaria ejecución normativa de la Directiva marco de aguas. De este modo van a estar relacionadas fundamentalmente con la Administración del agua y con la planificación hidrológica: (a) por Real Decreto 125/2007 se ha fijado el ámbito territorial de las demarcaciones hidrográficas[165]; (b) mediante Real Decreto 126/2007 se ha regulado la composición, funcionamiento y atribuciones de los comités de autoridades competentes de las demarcaciones hidrográficas con cuencas intercomunitarias[166]; (c) y, finalmente, se ha aprobado un nuevo Reglamento de la Planificación Hidrológica, por Real Decreto 907/2007[167], que completa, con un notable retraso, la transposición de las disposiciones sobre planificación de la Directiva marco de aguas y deroga la parte sobre

---

[163]   STS de 4.11. 2011, Recurso de casación núm. 6062/2010.
[164]   BOE n° 135, de 6.6.2003.
[165]   BOE n° 30 de 3.2.2007.
[166]   BOE n° 30 de 3.2.2007.
[167]   BOE n° 162, de 7.7.2007.

planificación del Reglamento de la Administración Pública del Agua y de la Planificación Hidrológica, y se aprueba la Orden ARM/2656/2008 de la Instrucción de Planificación Hidrológica, posteriormente modificada por Orden ARM/1195/2011.

Ya más recientemente, se aprobó el Real Decreto 1290/2012 que modifica el Reglamento del Dominio Público Hidráulico, y cuya necesidad se ha justificado, fundamentalmente, porque la transposición de la Directiva Marco de Agua "ha dado lugar a la incorporación de nuevos contenidos en los planes hidrológicos de cuenca relacionados, en su mayor parte, con la protección, conservación y mejora del estado de las masas de agua y, en general, del dominio público hidráulico", lo cual, según su exposición de motivos, "ha puesto de manifiesto la carencia de diversas disposiciones normativas, en el desarrollo reglamentario del texto refundido de la Ley de Aguas [...] que permitan una actuación homogénea en los distintos Organismos de cuenca y otras administraciones competentes a la hora de la gestión de la utilización y protección del dominio público hidráulico en asuntos relacionados con los contenidos antes citados de los planes hidrológicos". A ello se une otras insuficientes a las que este Real Decreto intenta dar respuestas para establecer una regulación común para todas las demarcaciones hidrográficas. Se adecúan, así mismo, disposiciones sobre normas de calidad ambiental en el ámbito de las aguas, de acceso a la información del Censo de Vertidos conforme a los principios de la Ley 27/2005 por la que se regulan los derechos de acceso a la información, participación pública y de acceso a la justicia en materia de medio ambiente, y se adapta la clasificación de los vertidos conforme a la Clasificación Nacional de Actividades Económicas 2009 aprobada por Real Decreto 475/2007, a efectos del cálculo del canon de control de vertidos, conforme a los nuevos códigos aprobados por el mismo.

La Ley de 1985 ha estado sometida, en definitiva, a numerosas reformas y desarrollos reglamentarios. Reformas que —como ha puesto de relieve la más autorizada doctrina— no siempre han estado suficientemente meditadas, afectando en algunos casos a la coherencia del texto de la Ley, por lo que en alguna ocasión se ha llegado hasta a abogar por la elaboración de una nueva Ley de aguas[168].

---

[168] *Vid.*, A. EMBID IRUJO, "A vueltas con la propiedad de las aguas. La situación de las aguas subterráneas a veinte años de la entrada en vigor de la Ley de Aguas de 1985. Algunas propuestas de modificación normativa", *Justicia Administrativa*, nº extraordinario, 2006, p. 205.

IV. ELEMENTOS QUE CONFORMAN EL DOMINIO PÚBLICO HIDRÁULICO. LA DELIMITACIÓN ENTRE AGUAS PÚBLICAS Y AGUAS PRIVADAS TRAS LA LEY 29/1985

Partiendo de la concepción del agua como un recurso unitario, y del respeto al ciclo hidrológico, el artículo 1.2 de la Ley de Aguas de 1985 (ahora art. 1.3 TRLA) declaró que todas las aguas continentales, tanto las superficiales como las subterráneas renovables, constituyen parte del dominio público hidráulico. Van a quedar fuera del ámbito de aplicación de la Ley las aguas no renovables, que no se integran en el dominio público estatal, y las minerales y termales que, según el apartado 4 del mismo artículo (ahora apartado 5), se van a regular por su legislación específica salvo en lo que respecta a las normas básicas de protección de las aguas (aspecto este en el que sí les serán aplicables las previsiones de la Ley de Aguas).

El art. 2 va a precisar qué bienes constituyen parte del dominio público hidráulico del Estado. Este artículo hay que leerlo de forma conjunta con otros del mismo texto legal en los que se van a establecer determinadas excepciones al mismo, y cuyo análisis se emprende en los siguientes epígrafes. Conviene adelantar aquí, sin embargo, algunas de las conclusiones básicas a las que dicho análisis conduce: (i) en primer lugar, no todas las aguas continentales se van a integrar en el dominio público hidráulico, puesto que, pese a la declaración general de demanialización que se lleva a cabo en el art. 1.2, se mantiene la existencia de aguas privadas en determinados supuestos, respetando así derechos adquiridos conforme a la Ley de Aguas de 1866-1879 (tanto en el caso de aguas superficiales como las de ciertos lagos, lagunas y charcas, y las pluviales, como en el caso de aguas subterráneas conforme al régimen transitorio regulado por la LA de 1985); (ii) en segundo lugar, el dominio público hidráulico comprende también elementos que no son agua, sino tierra o formaciones geológicas por las que discurre o en las que se contiene dicho recurso; (iii) y, por último, en aquellos casos en que excepcionalmente se admite la existencia de titularidad privada sobre elementos que en principio, y según la declaración general de demanialidad, podrían integrarse en el dominio público (como es el caso de las aguas subterráneas, de las aguas y lechos de lagos, lagunas o charcas, o de determinados cauces), la Ley somete su propiedad privada a notables limitaciones.

1. Las aguas subterráneas

La demanialización de la aguas subterráneas constituye una de las novedades más relevantes de la LA de 1985, pero está sujeta a notables excepciones que han posibilitado que sigan existiendo bajo dominio privado importantes masas de este recurso.

Conviene advertir, antes de comenzar con su análisis, que las aguas subterráneas constituyen un recurso de singular importancia: se estima que el agua subterránea proporciona alrededor del 65% de toda el agua potable europea, y que el 60% de las ciudades europeas explotan excesivamente sus recursos de agua subterránea; como consecuencia de ello el 50% de las "tierras húmedas" se encuentran en "situación de riesgo"[169]. En España se ha calculado que una tercera parte de la población se abastece para los usos urbanos con aguas subterráneas y que los regadíos españoles que se alimentan de aguas subterráneas son notablemente más productivos que aquellos que utilizan aguas superficiales[170]. La sobreexplotación a la que durante décadas han estado sometidos los acuíferos en España ha tenido como consecuencia la desecación o reducción de humedales de gran importancia, la merma de arroyos e, incluso, de tramos de ríos como el Segura, y el deterioro y salinización de estos importantes recursos de agua subterránea; el agua subterránea se ha utilizado, en fin, de forma no sostenible[171]. Y si bien esta situación surge en un primer momento al amparo de la Ley de 1879, la aplicación de la Ley de Aguas de 1985 no ha resultado ser, como veremos a continuación, lo suficientemente eficaz como para controlar dicho problema.

---

[169] Datos extraídos de CE, "La Directiva Marco relativa al Agua: ¡Utilícela racionalmente!", Luxemburgo: Oficina de Publicaciones Oficiales de las Comunidades Europeas, 2002.

[170] M. R. LLAMAS MADURGA, "Las aguas subterráneas en España", Revista El Campo, Madrid, 1994, pp. 129 ss.

[171] El *Libro Blanco del Agua en España* elaborado por el Ministerio de Medio Ambiente en 1998, puso entonces de manifiesto que en más de un 20% de la unidades hidrogeológicas, localizadas fundamentalmente en el Sureste, en algunas zonas del litoral Mediterráneo y en La Mancha, la relación entre el bombeo y la recarga era mayor que la unidad, lo que revelaba una utilización no sostenible del acuífero. En el conjunto nacional destacan por una mayor utilización de las aguas subterráneas las cuencas del Júcar y el Guadiana. En esta cuenca las extracciones son, en valor medio, superiores a la recarga natural, y en otras, como las del Sur, Segura, Júcar, Cuencas Internas de Cataluña y las Islas, la relación entre el bombeo y la recarga alcanza valores elevados, entre el 50 y el 80%; MIMAM, *Libro Blanco del Agua en España - Documento de Síntesis*, Madrid, 4.12.1998, p. 7.

A) Las aguas subterráneas no renovables o fósiles: su exclusión del dominio público hidráulico

En el apartado a) del art. 2 TRLA se precisa que forman parte del dominio público hidráulico las "aguas subterráneas renovables con independencia del tiempo de renovación". De esta disposición se infiere —en línea con lo dispuesto en el apartado 3 del art. 1 TRLA— que quedan fuera de la calificación como bien demanial las aguas subterráneas *no renovables* o también llamadas *aguas fósiles*.

Esta opción del Legislador ha sido objeto de autorizadas críticas por la doctrina: al margen de que desde un punto de vista jurídico carezca de sentido darles un tratamiento diferenciado, desde un punto de vista técnico se ha llegado a cuestionar la existencia en la Península Ibérica de aguas subterráneas no sometidas a proceso de renovación alguna, por lento que éste sea, y, por tanto, completamente ajenas al ciclo hidrológico; por otra parte, y en el caso de admitir su posible existencia, su identificación o, en definitiva, la determinación de si una masa de agua está sometida a algún grado de renovación o, por el contrario, a una absoluta inmovilidad e incomunicación con el resto de aguas, plantea serios problemas[172].

Dejando de lado las cuestiones técnicas, y a la luz de las disposiciones de Ley de Aguas citadas, las aguas no renovables han sido consideradas por autores como DE LA CUÉTARA como *res nullius*, si bien, en la opinión de este mismo autor —para quien tampoco tiene sentido su exclusión del demanio público hidráulico— tal calificación carece en la práctica de operatividad alguna[173].

---

[172] Desde un punto de vista técnico, *vid.*, en particular, el trabajo de los hidrogeólogos R. LLAMAS MADURGA y E. CUSTODIO, *El Proyecto de Ley de Aguas* - Informe científico técnico, Instituto de Estudios Económicos, Madrid, 1985, p. 7. Para una crítica jurídica, *vid.*, entre otros, S. MARTÍN RETORTILLO, *Derecho de Aguas, op. cit.*, pp. 158-160; J. L. MOREU BALLONGA, *Aguas públicas y aguas privadas*, Bosch, Barcelona, 1996, pp. 278-282, y del mismo autor, "Los problemas de la legislación sobre aguas subterráneas en España: posibles soluciones", en S. DEL SAZ, J. M. FORNÉS, M. R. LLAMAS (ed.), *Régimen jurídico de las aguas subterráneas*, Mundi-Prensa, 2002, p. 1.

[173] J. M. DE LA CUÉTARA, *El nuevo régimen de las aguas subterráneas en España*, Tecnos, Madrid, 1989, pp. 86-87.

B) Las aguas minerales y termales: su exclusión del ámbito de regulación de la Ley de Aguas

El art. 1.4 TRLA remite la regulación de las aguas minerales y termales "a su legislación específica", que no es otra sino la Ley 22/1973 de Minas. Por su parte el art. 1.4 RDPH precisa que en el expediente para su calificación como tales "se habrá de oír al Ministerio de Obras Públicas y Urbanismo [referencia que hoy día hay que entender hecha al Ministerio de Medio Ambiente, que ahora es el competente en materia de aguas] a los efectos de su exclusión del ámbito de la Ley de Aguas, si procediere". Exclusión esta que ha sido muy criticada por la doctrina en tanto en cuanto las aguas minerales y termales se integran en el ciclo hidrológico, fenómeno que fundamenta la regulación del agua como un recurso unitario y, por tanto, la uniformidad de su régimen jurídico como tal, a la que aspira la Ley de 1985[174].

Hay que tener en cuenta, no obstante, que el art. 2.2 de la Ley de Minas se remite a su vez, a la hora de determinar el dominio de las aguas minerales y termales, "a lo dispuesto en el Código Civil y las Leyes especiales, sin perjuicio de lo que establece la presente Ley en orden a su investigación y aprovechamiento"; por tanto, dichas aguas van a formar parte del dominio público hidráulico, o van a quedar excepcionalmente bajo dominio privado, en los mismos términos previstos por la Ley de Aguas de 1985 para todas las aguas subterráneas, cuyo examen se completa en el siguiente apartado[175]. Pero al margen de esta remisión, que queda limitada a los efectos de la determinación del dominio de dichas aguas, la Ley de Minas se reserva, como hemos visto, la regulación de su régimen de aprovechamiento[176], por lo que no deja de ser cierto que, pese a estar integradas en el ciclo hidrológico, no les será aplicables los "Principios rectores en materia de gestión de aguas" consagrados en el art. 14 TRLA y, en particular, los principios de unidad de gestión y tratamiento integral del agua, y el de

---

[174] *Vid.*, entre otros, S. MARTÍN RETORTILLO, *Derecho de Aguas, op. cit.*, p. 185 ss.; F. DELGADO PIQUERAS, *Derecho de aguas..., op. cit.*, p. 132.

[175] *Cfr.* I. BARRIOBERO MARTÍNEZ, "La discutida naturaleza demanial de las aguas minerales y termales", en VVAA, *Derecho de Aguas, op. cit.*, p. 181, quien afirma que tras la aprobación de la LA de 1985, "únicamente la aguas minerales y termales pertenecientes al ciclo hidrológico que hayan visto la luz a partir de esa fecha (1985) pueden quedar incluidas dentro de la cláusula demanializadora contenida en el art. 1.3 del TRLA".

[176] Arts. 23 y ss.

respeto a la unidad de la cuenca hidrográfica, de los sistemas hidráulicos y del ciclo hidrológico.

Por el contrario, a las aguas minerales y termales les son aplicables las disposiciones sobre la protección de las aguas del TRLA, tal y como precisó la Ley 62/2003[177].

C) Las aguas subterráneas renovables

a) *Su demanialización general y las excepciones amparadas por las Disposiciones Transitorias 2ª y 3ª de Ley de Aguas de 1985*

En los artículos 1 y 2 de Ley de Aguas de 1985 se declararon con carácter general parte del dominio público hidráulico las aguas subterráneas renovables. No obstante, la Ley de Aguas de 1985 compatibilizó la declaración legal del dominio público de las aguas continentales subterráneas —hasta entonces objeto de apropiación por los particulares— con el respeto de las situaciones jurídicas privadas preexistentes mediante una fórmula que permitía a los titulares de aguas privadas conforme a la Ley de 1879 elegir entre el mantenimiento de esas titularidades privadas o la conversión de la propiedad de las aguas en derechos de aprovechamiento sobre las mismas con la protección del Registro de Aguas regulado por la Ley de 1985.

Según las Disposiciones Transitorias 2ª a 3ª LA, los titulares de algún derecho sobre aguas privadas pudieron optar entre:

(i) Acogerse al sistema publificador de la Ley de 1985, para lo cual se les daba un plazo de tres años a partir de la entrada en vigor de la Ley de Aguas (el 1 de enero de 1986) para acreditar e inscribir su derecho en el Registro de Aguas como aprovechamiento temporal de aguas privadas, respetándose dicho régimen por un plazo máximo de cincuenta años[178], transcurrido el cual su derecho de

---

[177] Su art. 129.3 introdujo el apartado 2 del art. 1 (añadiendo como objeto de la Ley el establecimiento de normas básicas de protección de las aguas "sin perjuicio de su calificación jurídica y de la legislación específica que les sea aplicables"), así como el último inciso del apartado 5 del mismo artículo, en el que se señala que a las aguas minerales y termales les serán aplicables lo dispuesto en el apartado 2.

[178] La generalidad de la doctrina asume que durante esos cincuenta años previstos en las disposiciones transitorias 2ª y 3ª —esto es, desde que el particular inscribe sus derechos en el Registro del Agua hasta que se convierten en un derecho de preferente para obtener una concesión— las aguas permanecen como privadas; en esta línea vid., entre otros, R. PARADA VÁZQUEZ, *Derecho Administrativo, op. cit.*, p. 91; S. MARTÍN

propiedad se verá transformado en el derecho a obtener de forma preferente una concesión para disfrutar del uso privativo de las mismas aguas, pero ya convertidas en públicas.

(ii) O seguir manteniendo "su titularidad en la misma forma" que hasta entonces, pero sin poder "gozar de la protección administrativa que se deriva de la inscripción en el Registro de Aguas".

Es decir, las aguas subterráneas podían pasar al dominio público o permanecer en la esfera de lo privado, pero sin la tutela administrativa que ha de facilitar a los derechos de usos privativos sobre este recurso la inscripción en el Registro de Aguas que se regula en el artículo 80 TRLA. Además, el Legislador precisó que "el carácter opcional de la alternativa" eximía a la Administración de cualquier obligación compensatoria, siendo este sistema considerado conforme con nuestra Constitución (y, en particular, con su art. 33, en el que se protege el derecho a la propiedad privada) en la STC 227/1988 (FJ 8°).

b) *Las limitaciones legales sobre los aprovechamientos de aguas subterráneas privadas y la obligación de inscripción en el Catálogo de aguas privadas*

El aprovechamiento de las aguas privadas va a quedar sometido con la LA a importantes limitaciones:

(i) En primer lugar, y tal y como dispone el apartado 3 de ambas Disposiciones Transitorias, el incremento de los caudales totales utilizados en cualquiera de los dos supuestos (se acoja o no el titular a la demanialización), así como la modificación de las condiciones o régimen de aprovechamiento, requerirá de una concesión que ampare la totalidad de dicha explotación. Limitación cuantitativa y cualitativa esta que fue aceptada como constitucional en la STC 227/1988, en la que de forma muy expresiva el Alto Tribunal la describía como una "congelación" del alcance material de los derechos preexistentes en el momento de entrar en vigor la Ley de Aguas de 1985, y que va a excluir desde ese momento la posibilidad de apropiación patrimonial de incrementos eventuales de los caudales utilizados, o de modificaciones en el régimen y condiciones de explotación, a menos que la Administración otorgue un título concesional

RETORTILLO, *Derecho de Aguas...*, *op. cit.*, p. 146; J. L. MOREU BALLONGA, "Los problemas de la legislación sobre aguas subterráneas en España: posible soluciones", en S. DEL SAZ, J. M. FORNÉS, M. R. LLAMAS, *Régimen jurídico...*, *op. cit.*, p. 8.

que pase a amparar todo el aprovechamiento, lo que conlleva, en definitiva, la demanialización de dichas aguas privadas[179]. Además, con el fin de fomentar la conversión de la titularidad de aguas privadas a concesiones sobre aguas públicas, por Ley 11/2012 se introdujo una nueva Disposición transitoria tercera bis que ahora exige a los titulares de aguas privadas que gocen de un aprovechamiento temporal inscrito en el Registro de Aguas, o que hayan optado por mantener su titularidad sin acceder a este Registro, obtener una concesión para la totalidad de la explotación en el caso de llevar a cabo cualquier modificación de la situación inicial (no sólo ya por el incremento de caudales utilizados o la modificación de las condiciones o régimen de aprovechamiento, sino por cualquier variación del pozo así como la de la superficie sobre la que se aplica el recurso en caso de regadío). En estos casos, para facilitar el proceso, la concesión se otorgará sin competencia de proyectos y con preferencia para la obtención de nueva concesión una vez expirado el plazo de la primera.

(ii) En segundo lugar, en el apartado 4º de las mismas disposiciones, se va a establecer que a dichos aprovechamientos les serán aplicables también las normas que regulan "la sobreexplotación de acuíferos, los usos del agua en caso de sequía grave o de urgente necesidad y, en general, las relativas a las limitaciones del uso del dominio público hidráulico" y que permiten a la Administración imponer en determinados supuestos límites a los usos que los particulares pueden hacer del agua[180]. Límites éstos que también fueron aceptados por

---

[179] En su FJ 12, en el que el Tribunal estimó que "esta congelación del sustrato material de los derechos consolidados con anterioridad no implica en modo alguno una expropiación parcial de los mismos". Un sector de la doctrina, crítico con esta disposición, ha tendido a interpretar de forma restrictiva dichas limitaciones, defendiendo que esta ley permite conservar el mismo grado de utilidad y aprovechamiento material, o rentabilidad económica, de estas aguas, por lo que no se excluiría la posibilidad, por ejemplo, de realizar obras en dichos aprovechamientos (por ejemplo, profundizar en los pozos cuando el nivel de la capa freática haya descendido) para mantener el mismo caudal o nivel de aprovechamiento (*vid.*, en este sentido, entre otros, S. DEL SAZ, *Aguas subterráneas, Aguas Públicas (El nuevo Derecho de Aguas*, Marcial Pons, Madrid, 1990, p. 78; de la misma autora, "¿Cuál es el contenido de los derechos privados sobre las aguas subterráneas?", en S. DEL SAZ, J. M. FORNÉS, M. R. LLAMAS, *Régimen jurídico...*, *op. cit.*, pp. 69 ss.; J. L. MOREU BALLONGA, "Los problemas de...", *op. cit.*, p. 32; y F. DELGADO PIQUERAS e I. GALLEGO CÓRCOLES, *Aguas subterráneas privadas, teledetección y riego*, Ed. Domarzo, 2007, p. 99.

[180] Sobre dichas normas *vid.* el apartado VII.F) *infra*.

el Tribunal Constitucional, al considerar que carecían de virtualidad expropiatoria por tratarse de prescripciones generales que delimitan el contenido del derecho de propiedad privada conforme con la función social que los recursos hidráulicos están llamados a cumplir (FJ 12 de la STC 227/1988). No obstante, en un primer momento el Tribunal Supremo interpretó que, aunque esas limitaciones podían aplicarse tanto a los aprovechamientos de aguas públicas como privadas, cuando se aplicaban a las aguas privadas tenían un significado expropiatorio y debían ser, por tanto, adecuadamente indemnizadas[181]. El Tribunal Supremo acabará por apartarse expresamente de ese criterio en 1999, para sostener —ya en línea con la jurisprudencia del Tribunal Constitucional formulada en la Sentencia 227/1988—, que el sometimiento de la propiedad privada de las aguas a decisiones administrativas como las previstas en el caso de sequía excepcional o sobreexplotación de acuíferos, "constituye una delimitación ordinaria del dominio privado" y que, "siempre que esta clase de medidas se adopten con la debida generalidad [...] no constituyen una privación singular de derechos sino tan sólo aplicación de una previsión legal que forma parte del estatuto jurídico de las aguas privadas"[182], no dando lugar, en consecuencia, a indemnización. Posición esta que se ha visto después reflejada expresamente en la propia Ley de aguas mediante las modificaciones introducidas por la Ley 46/1999 y en el RDPH[183], si bien es cierto que sólo para las limitaciones que por sobreexplotación de acuíferos o sequía puede acordar la Administración conforme al art. 58 TRLA[184].

---

[181] *Vid.* las STS de 30.1.1996 y de 14.5.1996, de la Sala 3ª, Sección 3ª. Para un comentario de estas Sentencias *vid.* I. BARRIOBERO MARTÍNEZ, "La sobreexplotación grave de los acuíferos (Comentario a las Sentencias del Tribunal Supremo de 30 de enero y 14 de mayo de 1996)" RAP nº 144, 1997, pp. 219 ss.; y J. CANTERO MARTÍNEZ, "El régimen transitorio de la Ley de Aguas", RAP, 159, 2002, pp. 243 ss.

[182] *Vid.* la STS de 18.3.1999 (Sala tercera, Sección 6ª), reiterada posteriormente en iguales términos en otras Sentencias del TS, como las pronunciadas por la Sala tercera, Sección 5ª, de 31.10.2000; de 22.1.2002; y de 13.10.2003.

[183] *Vid.* la Disposición Adicional 2ª de la Ley 46/1999 (ahora Disposición Adicional 7ª TRLA) y el art. 171 RDPH, tal y como fue modificado por el RD 606/2003, en el que se regula la declaración de sobreexplotación de acuíferos..

[184] Razón por la que S. DEL SAZ no considera esta cuestión definitivamente zanjada, en tanto en cuanto nada prevé el legislador para el caso de otras limitaciones que pueden imponerse a dichos derechos y que no están relacionadas con la sequía o sobreexplotación de acuífero, de donde, según esta autora, cabría deducir que dichas limitaciones

Por otra parte, a los titulares de aprovechamientos de aguas calificadas como privadas por la legislación anterior a la Ley 29/1985 se les impuso también la obligación, en la Disposición Transitoria 4ª LA, de declararse como sus titulares legítimos ante los Organismos de cuenca para que estos los incluyeran en el Catálogo de aprovechamiento de aguas privadas de la cuenca. Esta declaración e inscripción —que según dispuso inicialmente el art. 195 RDPH debía hacerse en un plazo de tres años a partir de la entrada en vigor de la Ley de Aguas[185]— resultaba esencial, junto con las inscripciones en el Registro de Aguas, para conocer todos los aprovechamientos de aguas subterráneas existentes y sus características. Era, en definitiva, imprescindible para obtener todos los datos necesarios para una adecuada gestión de las aguas subterráneas y un eficaz control administrativo sobre su aprovechamiento por los particulares. Téngase en cuenta, por otra parte, que el Catálogo de aguas privadas, "no es un Registro con efectos civiles sino simplemente administrativo, esto es sin efecto sustantivo sobre las titularidades privadas", y con la función de mero control (lo que hace que sea la Administración la más interesada en la inscripción de dichos aprovechamientos)[186]. Por ello, y debido al innegable interés público de estas inscripciones, la Administración podía imponer, conforme a lo establecido en el apartado 3 de la Disposición transitoria 4ª de la LA, multas coercitivas a los infractores de esta disposición (disposición esta que conlleva que el plazo de tres años no pudiera entenderse como un plazo preclusivo, sino el plazo a partir del cual la Administración puede imponer el cumplimiento de dicha obligación mediante la imposición de dichas multas)[187].

---

        sí que son indemnizables "porque si no lo fueran, el legislador las habría incluido en la nueva disposición", vid. S. DEL SAZ, "¿Cuál es el contenido...", op. cit., pp. 82 ss.

[185]   Así se disponía en el art. 195 RDPH antes de que fuera modificado por el Real Decreto 606/2003.

[186]   STS de 20.9.2001 (Sala 3ª, Sección 3ª), entre otras.

[187]   Vid., entre otras, la STS de 23.12.2002 (sección 3ª, Sala 3ª), en la que se subraya que el plazo de tres años previsto en el artículo 195.2 del RDPH, no podía interpretarse "como plazo fatal" a partir del cual ni se mantiene el derecho de aprovechamiento ni cabe su anotación en el Catálogo, sino más bien, "como plazo a partir del cual cabe la imposición de las multas coercitivas, por incumplimiento de la obligación de declarar la existencia del aprovechamiento, a los fines de su inclusión en el Catálogo" (FJ 3º). Para un exhaustivo análisis de esta cuestión, y de la jurisprudencia del Tribunal Supremo sobre la misma vid. F. DELGADO PIQUERAS e I. GALLEGO CÓRCOLES, Aguas subterráneas..., p. 59 ss.

c) *Los resultados alcanzados con la aplicación del régimen transitorio de la Ley de Aguas y los problemas que plantea el cierre del plazo para la inscripción de aprovechamientos en el Catálogo de aguas privadas*

Por lo que se refiere a la situación de las aguas subterráneas en España, hay que señalar que el resultado perseguido con la declaración general de demanialidad de las aguas subterráneas se ha visto en parte debilitado por los resultados obtenidos en la práctica con la aplicación de las Disposiciones Transitorias 2ª y 3ª. Tal y como ha puesto de relieve MOREU BALLONGA, las aguas de pozos y manantiales alumbradas antes de la Ley de Aguas de 1985, y que habían sido estimados en más de medio millón, han quedado prácticamente en la misma situación que estaban: se calculó que tan sólo entre el 10 y 20% de propietarios de pozos los inscribieron en el Registro de Aguas y que, por tanto, pasarán a ser públicas, en régimen de concesión entre los años 2036 y 2038, y que el resto permanecen como propietarios de las aguas alumbradas antes de la Ley de 1985, a lo que hay que sumar que el Tribunal Supremo reconoce la propiedad privada sobre la parte oculta de la corriente alumbrada (otorgando la acción reivindicatoria frente a las mermas del caudal del pozo causadas por otro pozo); en definitiva, gran parte del agua subterránea sigue siendo, en la práctica, privada[188].

Es más, según ha denunciado R. LLAMAS, quien ha calificado la situación de la propiedad de las aguas subterráneas como caótica, pasados tres lustros desde la entrada en vigor de la Ley 28/1985 se desconocía aún el número de aprovechamientos existentes, aunque podía estimarse que superaban ya ampliamente el millón, y las captaciones con una inscripción legal regularizada apenas superaban las 100.000, por lo que más del 90% de las realmente existentes estaban "en una situación jurídica irregular"[189]. Panorama que se ha visto si cabe aún más ensombrecido por las denuncias sobre la existencia de un "mercado negro del agua" en ciertos puntos de nuestra geografía: según las mismas, dicho mercado se articula en torno a la creación de pozos clandestinos, explotados de forma ilegal para vender agua a los agricultores y otros usuarios en zonas en donde se producen pro-

---

[188] J. L. MOREU BALLONGA, "Los problemas de...", *op. cit.*, pp. 8 ss.; *vid.* también M. R. LLAMAS MADURGA, quien afirma que "La realidad es que actualmente casi todas las aguas subterráneas que se utilizan en España siguen siendo, de hecho y de derecho, de propiedad privada", en la "Presentación" de S. DEL SAZ, J. M. FORNÉS, M. R. LLAMAS (ed.), *Régimen jurídico...*, *op. cit.*, p. ix.

[189] *Vid.* M. R. LLAMAS MADURGA, "Presentación", *ibid.*

blemas de déficit hídricos, y que parecen operar sin que la Administración responsable de la gestión y regulación de este recurso haya conseguido poner fin a tales ilícitos[190].

En este sentido, la Ley 12/2012 ha introducido nuevas medidas (en la disposición adicional decimocuarta) dirigidas a la regularización de los pozos de aguas subterráneas para la extracción de agua para regadío en el Alto Guadiana que afecta a acuíferos declarados sobreexplotados y que consiste en la transmisión de derechos de aprovechamientos de aguas inscritos en el Registro de Aguas o anotados en el Catálogo de aguas privadas, transmitirlos de forma irreversible y bien en su totalidad, o en una parte, a titulares de otros aprovechamientos que habrán de adquirirlos mediante concesión, y cumpliéndose una serie de prescripciones dirigidas a que en ningún caso se incremente las extracciones de estos acuíferos, que tienen un notable impacto en la conservación de espacios naturales tan importantes como el Parque Nacional de Tablas de Daimiel[191].

Sin el debido conocimiento real del uso que se está haciendo de las aguas subterráneas, difícilmente puede la Administración abordar una adecuada planificación y gestión de este recurso; desconocimiento que también dificulta el control sobre los aprovechamientos ilegales. Ante esta situación, una de las medidas adoptadas en los últimos años ha sido la de intentar regularizar definitivamente las inscripciones de los aprovechamientos de aguas calificadas como privadas conforme a la Ley de 1879. Más de diez años después de que terminara el plazo previsto inicialmente por el art. 195 RDPH para la inscripción de dichos derechos en el Catálogo de aguas privadas —tras el cual la Administración podía proceder a la imposición de multas coercitivas para forzar la citada inscripción, conforme a la Disposición 4º LA—, el Legislador optó por establecer en la Ley 10/2001 del Plan Hidrológico Nacional un nuevo plazo para la declaración de derechos sobre aguas privadas: en la Disposición Transitoria 2ª de dicha Ley se otorgó —a los titulares de aprovechamientos de aguas privadas que no hubieran inscrito en plazo tal titularidad en el Catálogo de aprovechamiento de aguas privadas de cuenca— un nuevo plazo *improrrogable* de tres meses, contados a partir de la entrada en vigor de la Ley del PHN, para solicitar su

---

[190]   *Vid.* el informe que, bajo el título "Aguas limpias, manos limpias. Corrupción e irregularidades en la gestión del agua en España", presentó en enero de 2004 la Fundación Nueva Cultura del Agua (p. 45 ss. del Informe).

[191]   *Vid.* B. LOZANO y P. POVEDA, "La Ley 11/2012 de medidas urgentes en materia de medio ambiente", en *Análisis*, Gómez Acebo & Pombo, enero 2013, p. 4, y de los mismos autores "Medidas Urgentes..., *op. cit.*, 2.

inclusión en dicho catálogo[192]. Es decir, dicho plazo se diseñó esta vez con un efecto de cierre del período de inscripción, de forma que "transcurrido este plazo sin haberse cumplimentado esta obligación no se reconocerá ningún aprovechamiento de aguas calificadas como privadas si no es en virtud de resolución judicial firme". Con esta disposición el Legislador pretendió así actualizar y ultimar el Catálogo de aguas privadas, como alternativa —cabe plantearse— a la incapacidad de la Administración de hacerlo mediante el sistema contemplado en la Disposición Transitoria 4ª de la LA de 1985.

La Disposición Transitoria 2ª de la Ley 10/2001 dista de ser unívoca y es susceptible de diversas lecturas. Entre las interpretaciones barajadas por MOREU —que ha calificado esta disposición como un "despropósito"— una primera más radical sería la de entender que establece la extinción del derecho de propiedad sobre aguas cuya inscripción no se haya realizado en dicho plazo, a menos que exista una Sentencia judicial firme en la que se reconozca, con carácter previo, dicho derecho; interpretación esta que parece irreconciliable con el art. 33.3 CE[193]. Como opción más respetuosa con los derechos preexistentes, el mismo autor baraja otra interpretación según la cual el cierre del período de inscripción en el Catálogo de aguas privadas, y el hecho de que la Administración no pueda después reconocer el aprovechamiento sobre aguas privadas si no ha habido inscripción, simplemente significan la imposibilidad de inscripción futura en el citado Catálogo de esos derechos y "la pérdida de sus débiles efectos probatorios", si bien subsistirán los derechos sobre las aguas privadas, que podrían gozar de los efectos protectores de otros medios de prueba frente a la Administración, como el Registro de la Propiedad[194]. Una tercera lectura, a medio camino entre ambas y especialmente ajustada a la letra de la Disposición Transitoria 2ª de la Ley 10/2001, es aquella que no niega la existencia de dichos derechos sobre aguas privadas si una vez pasado el plazo de inscripción no se ha procedido a la misma, y que acepta que dichos derechos puedan ser después reconocidos e inscritos por la Administración pero sólo si se obtiene una sentencia judicial firme en la que se reconozcan; en caso contrario, o hasta que se obtenga dicha sentencia, tal derecho será ignorado por la Administración, que podrá otorgar concesiones sin tenerlos en cuenta y en su perjuicio o, incluso, proceder a actuar contra el titular de dichos derechos por usar el agua sin acreditar

---

[192] Plazo que vencía el 26 de octubre de 2001.
[193] *Vid.* J. L. MOREU BALLONGA, "Los problemas de...", *op. cit.*, pp. 1 y 16 ss.
[194] *Ibid.* pp. 20 ss.

el debido título público o privado. En estos casos el particular se verá
obligado a pleitear para conseguir en los Tribunales el reconocimiento de
su derecho[195]. Esta última interpretación tiene para la Administración la
ventaja de que, sin implicar la negación absoluta y ciega de los derechos
preexistentes (en tanto en cuanto se permite que su existencia sea acreditada ante los tribunales), refuerza notablemente el valor de la inscripción
en el Catálogo[196]. Finalmente, hay autores que incluso defienden que, dado que la Disposición Transitoria 4ª de la Ley sigue en vigor, aún es válido
el argumento según el cual la solicitud de anotación puede solicitarse en
todo momento[197].

En cualquier caso, la Disposición Transitoria 2ª de la Ley 10/2001 del
Plan Hidrológico Nacional merece una crítica negativa, por su ambigüedad y por la inseguridad que ha generado. Hasta el momento la jurisprudencia tan sólo ha disipado en parte algunos de los interrogantes que se
plantean en relación, en concreto, con los efectos de la falta de inscripción
los aprovechamientos de aguas privadas (que el Tribunal Supremo ha equiparado a la inexistencia del derecho frente a la Administración)[198]. Cabe
cuestionar, además, hasta qué punto la regularización de las inscripciones
de los derechos sobre aguas privadas no se podría haber alcanzado a través
de la aplicación estricta del apartado 3 de la Disposición Transitoria 4ª LA
—esto es, mediante la imposición, a partir de la fecha estipulada, de multas
coercitivas a todos los titulares de derechos no inscritos, con el fin de forzar
el cumplimiento de dicha obligación— antes de recurrir a la apertura de

---

[195]   F. DELGADO PIQUERAS e I. GALLEGO CÓRCOLES (*Aguas subterráneas...*, *op. cit.*,
        p. 69), al examinar que tipo de proceso judicial permite lleva este asunto ante un
        tribunal, han puesto de relieve como, si bien es posible promover expedientes de juris-
        dicción voluntaria (regulados en el libro tercero de la LEC de 1981) para impulsar la
        solicitud de inscripción, en este tipo de procedimientos es fácil que exista una autén-
        tica contradicción que haría inviable su tramitación.
[196]   En esta línea *vid.* S. DEL SAZ, ¿Cuál es el contenido..., *op. cit.*, pp. 75 ss.; y F. DELGA-
        DO PIQUERAS e I. GALLEGO CÓRCOLES, *Aguas subterráneas...*, *op. cit.*, 70, y 84 ss.,
        quienes analizan de forma pormenorizada la jurisprudencia del Tribunal Supremo
        que apunta en esta dirección.
[197]   *Vid.* M. BELTRÁN JIMÉNEZ, J. I. RUIZ MARTÍNEZ, E. BELTRÁN BUENO, J. ALAR-
        CÓN ROS, "La pervivencia de los aprovechamientos privados de aguas subterráneas
        tras la reforma de la Ley 29/1985, de 2 de agosto, de aguas", en VVAA, *Derecho de...*, p.
        291.
[198]   *Vid.* las SSTS de 18.10.1998 (Ponente: González Rivas), y de 29.6.2004 (Ponente: Yagüe
        Gil). Jurisprudencia que ha sido analizada críticamente por J. CANTERO MARTÍNEZ,
        "El régimen transitorio...", *op. cit.*, pp. 239 ss.; y, más recientemente y de forma particu-
        larmente exhaustiva, por F. DELGADO PIQUERAS e I. GALLEGO CÓRCOLES, *Aguas
        subterráneas...*, *op. cit.*, 85 ss.,

un nuevo plazo de inscripción, esta vez con un efecto de cierre de consecuencias inciertas y que puede disparar la litigiosidad sobre la existencia de estos derechos.

Finalmente hay que destacar que la reciente Ley 17/2012, de medidas urgentes en materia de medio ambiente, ha incluido también otra cláusula dirigida a facilitar que los titulares de aprovechamientos de agua inscritos en el Catálogo de aguas privadas opten a su inclusión en el Registro de Aguas mediante la solicitud de la concesión, pues ésta se otorgará sin competencia de proyectos y con validez hasta el 31 de diciembre de 2035, momento a partir del cual los concesionarios tendrán, asimismo, preferencia para obtener una nueva concisión.

Conviene reiterar, finalmente, en línea con lo que han venido sosteniendo algunos autores y también la propia Administración, que para superar la situación en que se encuentra el uso de las aguas subterráneas —sean públicas o privadas— es imprescindible en todo caso reforzar la operatividad de los organismos responsables de la gestión de las cuencas hidrográficas y, con ello, del Registro de Aguas y del Catálogo de Aguas privadas como instrumentos esenciales para articular una correcta gestión del recurso desde el conocimiento y control de los aprovechamientos existentes[199], dotando a los Organismos de cuenca de los medios necesarios para llevar a cabo las tareas que se les encomienda, y superando así lo que algunos autores han calificado como "una escasa capacidad para controlar y racionalizar el aprovechamiento de aguas subterráneas"[200]. En este sentido, son imprescindibles iniciativas como el Programa Alberca (puesto en marcha en su momento por el Ministerio de Medio Ambiente), que tiene entre sus fines la actualización de los Registros de Aguas en las Confederaciones Hidrográficas y la caracterización completa de todos los aprovechamientos actualmente declarados por sus titulares, para poder avanzar hacia

---

[199] En el Libro Blanco del Agua en España de 1998 se ponía de manifiesto como la situación de Registro adolecía de graves problemas, calificándolo de "inoperante, tanto por la incapacidad demostrada para dar cumplimiento efectivo a las Disposiciones Transitorias de la vigente Ley de Aguas en materia de aguas subterráneas, como por la ausencia de inscripción en situaciones como la de derechos adquiridos por prescripción o como la de gran parte del abastecimiento y del regadío del Estado"; *El Libro Blanco, op. cit.*, p. 47.

[200] J. L. MOREU BALLONGA, "Los problemas de...", *op. cit.*, p. 1; *vid*, también M. R. LLAMAS MADURGA, "Presentación", *op. cit.*, p. x; y F. DELGADO PIQUERAS e I. GALLEGO CÓRCOLES, *Aguas subterráneas...*, p. 23. Por lo que respecta a la propia Administración, *vid.* MIMAM, *Libro Blanco, cit.*, pp. 38 ss.

un conocimiento y registro de los usos de aguas acorde con el desarrollo tecnológico actual[201].

2. *Las aguas continentales superficiales*

Pertenecen al dominio público las aguas continentales corrientes, ya sean continuas o discontinuas. Por lo que se refiere a lo que la antigua Ley de 1866-1879 denominaba, de forma poco afortunada, "aguas muertas o estancadas" (las aguas de los lagos, lagunas y charcas) conviene hacer algunas precisiones: tras la LA de 1985 las aguas de lagos y lagunas son aguas superficiales que se integran, en principio, en el dominio público; ello salvo en aquellos casos en que existieran *inscripciones expresas* sobre su titularidad privada en el Registro de la Propiedad, en cuyo caso van a conservar, según la Disposición Adicional Primera de la LA, el carácter dominical que ostentasen en el momento de entrar en vigor la Ley[202]. En el caso de las charcas, a las que también se aplica la citada disposición adicional, el art. 10 LA dispone, además, que en aquellos casos en que estén situadas en predios de propiedad privada "se considerarán como parte integrante de los mismos"[203]. Se mantiene en todos estos supuestos, y de forma excepcional, el principio de accesión del agua a la tierra, si bien en el caso de las charcas no inscritas el uso del agua se condiciona a que "se destinen al servicio exclusivo de tales predios", y "sin perjuicio de la aplicación de la legislación ambiental correspondiente". Por lo que se refiere a esta segunda precisión —la exigencia de que se aplique la legislación ambiental a las

---

[201]   *Vid.* http://www.magrama.gob.es/es/agua/temas/concesiones-y-autorizaciones/uso-privativo-del-agua-registro-del-aguas/alberca/.

[202]   En los casos de lagos, lagunas o charcas sobre los que hubiera derechos adquiridos antes de la entrada en vigor de la LA 1985, pero sobre los que no hubiera inscripciones registrales expresas, se ha defendido la aplicación por analogía de lo dispuesto en las DT 2ª y 3ª para las aguas subterráneas, puesto que de otro modo no se verían respetados esos derechos adquiridos.

[203]   Nótese que ni el TRLA, ni el RDPH, definen qué ha de entenderse por lago, laguna y charca, siendo la distinción entre éstos una cuestión de tamaño que no deja de ser relativa, pese a que su determinación resulta particularmente relevante a los efectos de la aplicación del art. 10 TRLA. *Vid.* para un análisis detallado de estas disposiciones, y de jurisprudencia recaída sobre las mismas, L. MORELL OCAÑA, "Las titularidades sobre aguas privadas", RAP nº 154, 2001, p. 14 ss. En relación con las cuestiones que se pueden suscitar en función del origen del agua almacenado en la charca (de lluvias o de manantiales, en el caso de charcas naturales, así como los que se plantean en el caso de charcas construidas artificialmente, *vid.* S. MARTÍN RETORTILLO, *El Derecho de Aguas...*, pp. 163-165.

mismas; normativa que va a ser particularmente intensa por lo que se refiere a la protección de los humedales como las charcas por su especial valor ecológico[204]— ésta resulta en realidad ociosa por ser evidente: el Derecho ambiental se aplica a todos aquellos recursos que sean objeto de regulación por éste, con independencia de su titularidad pública o privada; por tanto, su aplicación es predicable también, en su caso, en relación con las lagunas y los lagos privados, pese a no aparecer expresamente exigida en la Ley de Aguas.

Por último, nada precisa de forma expresa el TRLA sobre la titularidad de las aguas pluviales. Tras la Ley de Aguas de 1985 no han faltado autores que han argumentado que las aguas de lluvia son privadas mientras discurran por terrenos privados, siguiendo así el principio de accesión del agua a la tierra que regía en la anterior legislación de aguas[205]; y tampoco aquellos que las han considerado incluidas en el dominio público[206]. Esta última postura podía apoyarse en una determinada interpretación del art. 54.1 TRLA (antes art. 52 LA), según el cual los propietarios de terrenos pueden "*aprovechar* las aguas pluviales que discurran por ella y las estancadas, dentro de sus linderos, sin más limitaciones que las establecidas en la presente Ley y las que se deriven de derechos de tercero y de la prohibición del abuso del derecho", de lo que se podría inferir que dichas aguas son públicas, si bien se reconoce por Ley el derecho a un uso privativo sobre las mismas en los términos previstos en dicho artículo[207]. El Tribunal Constitucional se ha decantado, no obstante, por una interpretación de dicha disposición que excluye la concepción de las aguas pluviales como aguas de dominio público, entendiendo, por tanto, que siguen por accesión el régimen de propiedad de las fincas por las que fluyan[208].

---

[204]   *Vid.* al respecto, F. DELGADO PIQUERAS, *Derecho de aguas...*, *op. cit.*, 249 ss.; M. CALVO, *El régimen jurídico de los humedales*, Madrid 1996 y, de la misma autora, *Escritos de...*, *op. cit.* (versión en formato electrónico en Tirant on line: epígrafe 17, "*Las Zonas Húmedas. Aguas públicas, aguas privadas*").

[205]   *Vid.*, por ej., J. L. GONZÁLEZ BERENGUER URRUTIA, *Comentarios a la Ley de Aguas*, Abella, Madrid, 1985, pp. 72 ss.

[206]   *Vid.*, entre otros, A. MENÉNDEZ REXACH, "El Derecho de aguas...", *op. cit.*, pp. 522 ss., J. GONZÁLEZ PÉREZ, J. TOLEDO JAUDENES, C. ARRIETA ÁLVAREZ, *Comentarios a la Ley de Aguas*, Civitas, Madrid, 1987, pp. 110; F. DELGADO PIQUERAS, *Derecho de aguas...*, *op. cit.*, p. 131; A. EMBID IRUJO, "Aguas continentales en general", *op. cit.*, apartado 2.

[207]   En este sentido *vid.*, por ej., A. EMBID IRUJO, "Aguas continentales en general", *op. cit.*, apartado 2.

[208]   Según el análisis realizado por el Tribunal Constitucional en su Sentencia 227/1988, el apartado 1º del art. 52 LA de 1985 (ahora art. 54 TRLA) "se refiere a la utilización

3. Los cauces de corrientes naturales, continuas o discontinuas

Forman también parte del dominio público hidráulico, conforme al apartado b) del art. 2 TRLA, los cauces de corrientes naturales, continuas o discontinuas. Estos se definen en el art. 4 TRLA como "el terreno cubierto por las aguas en las máximas crecidas ordinarias"[209]. Las riberas (esto es, "las fajas laterales de los cauces públicos situadas por encima del nivel de las aguas bajas", conforme al art. 6 TRLA) siguen el mismo régimen que los cauces.

Serán privados, no obstante, los cauces por los que ocasionalmente discurran aguas pluviales, y en tanto atraviesen, desde su origen, únicamente fincas de dominio particular (art. 5 TRLA). Dominio privado que se ha visto, sin embargo, sometido a ciertas limitaciones establecidas por la propia Ley de Aguas, en tanto que dispone que sus titulares no tienen derecho a hacer en ellos labores ni construir obras que puedan hacer variar el curso natural de las aguas o alterar su calidad[210] en perjuicio del interés público o de tercero, o cuya destrucción por la fuerza de las avenidas pueda ocasionar daños a personas o cosas (apartado 2 del art. 5).

A diferencia de lo previsto para los cauces de corrientes naturales, en el art. 49 TRLA se precisa que "en toda acequia o acueducto —esto es, en los conductos o canalizaciones realizadas por el hombre— el cauce, los cajeros y las márgenes serán considerados como parte integrante de la heredad o edificio a que vayan destinadas las aguas o, en caso de evacuación, de los que procedieran". Y, como contraposición al concepto de "terreno cubierto por las aguas en las máximas crecidas ordinarias", el art. 11 TRLA (sobre "las zonas inundables") declara que los terrenos que puedan resultar inundados durante las crecidas no ordinarias de ríos o arroyos "conservarán la calificación jurídica y la titularidad dominical que tuvieren".

En estos casos de zonas inundables, la Ley habilita al Gobierno de la Nación, y a los de las Comunidades Autónomas, para establecer las limi-

---

de aguas que no son de dominio público, según la propia Ley, lo que supone una delimitación general ex lege de las facultades del propietario de las fincas por las que discurren aguas pluviales o en las que se encuentran aguas estancadas (apartado 1)" (FJ 23 e).

[209] Vid. el art. 4.2 del RDPH que determina cómo se calcula el caudal de la máxima crecida, así como los arts. 8 TRLA y 11 RDPH, que se remiten al Código Civil la regulación de las situaciones jurídicas derivadas de las modificaciones naturales de los cauces.

[210] La referencia a la alteración de su calidad fue introducida por la Ley 46/1999.

taciones que estimen necesarias en el uso de dichas zonas para garantizar la seguridad de las personas y bienes. También se dispone que los Organismos de cuenca darán traslado a las Administraciones competentes en materia de ordenación del territorio y urbanismo (es decir, a las Comunidades Autónomas y Ayuntamientos) de los datos y estudios disponibles sobre avenidas, al objeto de que se tengan en cuenta en la planificación del suelo y, en particular, en las autorizaciones de usos que se acuerden en las zonas inundables. Por su parte, el art. 28.2 de la Ley 10/2001 del Plan Hidrológico Nacional va a puntualizar que corresponde a estas últimas —las autoridades competentes en materia de ordenación del territorio y urbanismo— delimitar las zonas inundables teniendo en cuenta los estudios y datos disponibles que los Organismos de cuenca les deben trasladar, para lo cual contarán con el apoyo técnico de estos Organismos y, en particular, con la información relativa a caudales máximos en la red fluvial, que la Administración hidráulica deberá facilitar. Además, en el apartado 2 del mismo artículo de la Ley 10/2001, se impone al Ministerio de Medio Ambiente la obligación de promover convenios de colaboración con las Administraciones Autonómicas y Locales que tengan por finalidad eliminar las construcciones y demás instalaciones situadas en dominio público hidráulico y en zonas inundables que pudieran implicar un grave riesgo para las personas y los bienes y la protección del mencionado dominio. Una medida adicional para coadyuvar a una mayor seguridad de la población es la introducida por la nueva Ley del Suelo 8/2007[211], cuyo art. 15.2 establece que deberá incluirse un "mapa de riesgos naturales del ámbito objeto de ordenación" en el marco del "informe de sostenibilidad ambiental" que ahora tiene que realizarse con carácter previo a la aprobación de instrumentos de ordenación de actuaciones de urbanización.

Las situaciones jurídicas derivadas de las modificaciones naturales de los cauces se regirán por lo dispuesto en el Código Civil[212]; pero en los casos en que las modificaciones se originen por las obras legalmente autorizadas se estará, sin embargo, a lo establecido en la concesión o autorización correspondiente (art 8 TRLA).

---

[211]   BOE nº 128 de 29.5. 2007.
[212]   *Vid.* los arts. 366 a 374 Cc.

4. Los lechos de los lagos y lagunas y los de los embalses superficiales en cauces públicos

Los lechos de los lagos y lagunas y los de los embalses superficiales en cauces públicos, en los términos en que se definen en el art. 9 TRLA[213], forman también parte del dominio público hidráulico. Esto hay que entenderlo sin perjuicio de lo dispuesto en la Disposición Adicional Primera TRLA sobre la titularidad privada de los lagos y lagunas, a la que ya hemos hecho referencia[214]. En cuanto a los terrenos que puedan verse inundados durante las crecidas no ordinarias de los lagos, lagunas y embalses, el art. 11 TRLA también precisa para estos supuestos que mantendrán la calificación o titularidad dominical que originalmente tuvieren y que les será de aplicación sus disposiciones sobre posibles limitaciones, por motivos de seguridad, a los usos de dichas zonas inundables.

5. Los acuíferos subterráneos. Su nueva definición a la luz de la Directiva marco de aguas

Se integran en el dominio público hidráulico, asimismo, los acuíferos subterráneos, si bien a los solos efectos "de los actos de disposición o de afección de los recursos hidráulicos" (art. 2.d). Por ello, en el art. 12 se precisa que el dominio público de los acuíferos se entiende sin perjuicio de que el propietario del fundo pueda realizar cualquier obra que no tenga por finalidad la extracción o aprovechamiento del agua, ni perturbe su régimen ni deteriore su calidad, y con la salvedad prevista en el apartado 2 del art. 54, en el que se regula el derecho de un uso privativo a las aguas de manantiales de hasta 7000 metros cúbicos al año.

Hasta recientemente el concepto de acuífero venía definido en el art. 15.1 RDPH en los siguientes términos: "se entiende por acuíferos, terrenos acuíferos o acuíferos subterráneos, aquellas formaciones geológicas que contienen agua, o la han contenido y por las cuales el agua puede fluir", lo que venía identificándose con el "continente" de las aguas subterráneas. Tal definición se ha visto ligeramente modificada en el TRLA con motivo de la transposición de la Directiva marco mediante la Ley 62/2003. En el

---

[213] Lecho o fondo de los lagos y lagunas "es el terreno que ocupan sus aguas en las épocas en que alcanzan su mayor nivel ordinario"; lecho o fondo de un embalse superficial "es el terreno cubierto por las aguas cuando éstas alcanzan su mayor nivel a consecuencia de las máximas crecidas ordinarias de los ríos que lo alimentan".

[214] Vid el apartado 2 de este mismo epígrafe.

nuevo art. 40.bis) TRLA se va a incorporar la definición de acuífero en los mismos términos que los utilizados en el art. 2.11) de la Directiva marco; esto es, "una o más capas subterráneas de roca o de otros estratos geológicos que tienen la suficiente porosidad y permeabilidad para permitir ya sea un flujo significativo de aguas subterráneas o la extracción de cantidades significativas de aguas subterráneas". Y si bien tal definición se presenta en el citado art. 40 bis "a los efectos de la planificación hidrológica y de la protección de las aguas objeto de esta Ley" (lo cual es, en definitiva, el ámbito de acción propio de la Directiva) difícilmente puede mantenerse que el nuevo concepto que facilita el propio TRLA de este tipo de accidente geológico no sea aplicable también a los efectos de precisar qué se entiende por "acuífero" como elemento integrante del dominio público hidráulico. Es indiscutible que la cuestión de la titularidad pública del agua y del resto de los bienes que integran el demanio público hidráulico es una opción normativa puramente interna de nuestro legislador, en la que la Directiva marco no entra; sin embargo, puede verse afectada indirectamente por ésta, debido a que las disposiciones del TRLA en las que se transpone la norma comunitaria no pueden mantenerse como compartimentos estancos de las que tienen una factura de corte estrictamente nacional, particularmente cuando se trata de definir o concretar realidades físicas —como lo son los acuíferos— cuya concepción no puede verse alterada en función del origen, comunitario o no, de cada disposición en la que se regulen cuestiones relacionadas con las mismas.

6. *Las aguas procedentes de la desalación de agua de mar*

La desalación de agua de mar[215] se ha venido utilizando en España desde finales de los años sesenta para el abastecimiento de Ceuta, Lanzarote, Fuerteventura y Gran Canaria, ocupando en la actualidad nuestro Estado el primer lugar de Europa en cuanto a volumen de agua desalada; no obstante —tal y como se puso de manifiesto en su momento en el Libro Blanco del Agua en España— el proceso de desalación presenta todavía limitaciones y problemas (como la eliminación de salmueras, los altos costes energéticos o la alta repercusión de la amortización de la inversión de las instalaciones), y supone aún una limitada aportación a la disponibilidad de

---

[215]   Entendida como un proceso industrial mediante el que se elimina la sal de las aguas marinas o salobres continentales con el fin de obtener un producto susceptible de consumo humano para usos tales como el abastecimiento de poblaciones o el riego, *vid.* el *Libro Blanco del Agua en España*, MIMAM, septiembre 2000, p. 173.

recursos hídricos, si bien son imprescindibles para resolver graves problemas locales de abastecimiento[216]. Aportación que, por otra parte, en los últimos años ha ido en aumento en determinadas zonas del sureste peninsular y que, tras la derogación de las disposiciones del PHN sobre el trasvase
del Ebro, se está incrementando de forma significativa en la actualidad[217].

En un principio, la Ley de Aguas de 1985 no regulaba ni esta actividad
ni la condición de las aguas resultantes[218]. Pese a que venía practicándose
ya en diversos puntos de nuestra geografía desde hacía más de una década,
parece ser que el Legislador de 1985 no alcanzó a ver la importancia que
la desalación podría tener en el futuro como fuente no convencional de
abastecimiento de aguas aptas para el consumo y uso humano. La regulación general de esta actividad para todo el territorio español va a adoptarse
diez años después, por medio de una norma de carácter reglamentario,
el RD 1327/1995, de 28 de julio, sobre las instalaciones de desalación de
agua marina o salobre[219]. Según dicho reglamento se podía autorizar el
desempeño de esta actividad a particulares, corporaciones locales o comunidades de usuarios que pretendieran desalar agua del mar, pero sólo para
su autoconsumo o para prestar un servicio público de su competencia (art.
4); en el resto de los casos esta actividad se llevaba a cabo en un régimen
de concesión (art. 3), lo que suponía la publificación de gran parte de esta
actividad. En dicho Real Decreto se declaraba, además, que las aguas resultantes de la desalación se integraban en el ciclo hidrológico, conjuntamente con las aguas continentales y las subterráneas renovables, "formando
parte del dominio público a los efectos de la aplicación de la Ley de Aguas"
(art. 2)[220].

---

[216] *Libro Blanco del Agua en España - Documento de síntesis, cit.*, p. 11.
[217] *Vid.* el apartado VI.3 *infra.*
[218] Por el contrario, la desalación sí ha sido regulada desde mediados de los años 80 en la
       Comunidad Autónoma en donde mayor relevancia ha tenido hasta el momento dicha
       actividad: Canarias. Inicialmente en la Ley 10/1987 (cuyo Capítulo VII versaba sobre
       "El Servicio Público de la producción industrial de agua") y posteriormente por la Ley
       12/1990 que la sustituyó. Para un análisis de dichas normas *vid.* C. JIMÉNEZ SHAW,
       Régimen jurídico de la desalación del agua marina, Tirant lo Blanch, Valencia, 2003 (dispo-
       nible en la base de datos Tirant on Line).
[219] BOE n° 189, de 9.8.1995.
[220] Dicho Real Decreto fue adoptado, en una situación de vacío normativo, para dar una
       respuesta rápida a la grave situación de sequía que había venido asolando a nuestro
       Estado durante la primera mitad de los años 90. Su conformidad con el principio de
       legalidad fue, sin embargo, cuestionada ante los tribunales, entre otros motivos por
       proceder a publificar la actividad de la desalación (salvo para los supuestos de auto-
       consumo), y a declarar demaniales las aguas resultantes, sin habilitación para ello por

Con las reformas introducidas en 1999 en la Ley de Aguas se va a dar la adecuada cobertura legal a la desalación, y su regulación va a estar orientada a incentivar dicha actividad a fin de satisfacer las demandas de este recurso en cuencas o zonas hidrológicamente deficitarias. Para ello se modificó el art. 2 LA, ampliando los elementos que componen el dominio público hidráulico para incluir en el mismo, como supuesto (e), las "aguas procedentes de la desalación de agua de mar, una vez que fuera de la planta de producción se incorporen a cualquiera de los elementos señalados en los apartados anteriores". Y se introdujo, además, un nuevo capítulo en el Título I de la Ley (Capítulo V, De las aguas procedentes de la desalación), con un único artículo, el 12 bis (ahora art. 13 TRLA), en el que se regularon los elementos esenciales de la actividad de desalación del agua de mar.

Con el fin de fomentar la desalación del agua del mar, el citado artículo la reguló, en primer lugar, como actividad libre que puede desarrollar "cualquier persona física o jurídica", si bien para ello iba a ser preciso obtener previamente las correspondientes autorizaciones administrativas respecto a los vertidos que procedan, a las condiciones de incorporación al dominio público hidráulico de las aguas desaladas y a los requisitos de calidad, según los usos a los que se destine el agua. Además, era necesario contar con las autorizaciones y concesiones demaniales que sean precisas de acuerdo con la Ley 22/1988 de Costas[221], y aquellas otras que procedan conforme a la legislación sectorial aplicable si a la actividad de desalación se asocian otras actividades industriales reguladas, así como las derivadas de los actos de intervención y uso del suelo. Se superaba así el sistema concesional establecido con carácter principal en el Real Decreto

---

una norma con rango de Ley; no obstante el Tribunal Supremo desestimó el recurso interpuesto contra la misma, argumentando que el efecto publificador de dicho Real Decreto "no es sino consecuencia lógica de las previsiones contenidas en normas con rango de ley", citando en concreto para ello el art. 1.3 LA (sobre la planificación hidrológica) y el art. 1.2 LA (sobre la consideración del agua como un recurso unitario subordinado al interés general); *vid.* STS de 19 de mayo de 1998 de la Sala 3ª, Sección 3ª, del Tribunal Supremo, FJ. 2).

Para un análisis de este Real Decreto *vid.*, en general, EMBID IRUJO, "Reutilización y desalación de aguas. Aspectos jurídicos", en A. EMBID IRUJO (Dir.) *La Reforma de la Ley de Aguas (Ley 46/1999, de 13 de diciembre)*, Civitas, Madrid, 2000, pp. 155 ss.; E. COLOM PIAZUELO, "El dominio público hidráulico. Novedades", en la misma obra, pp. 329 ss.; C. JIMÉNEZ SHAW, *Régimen jurídico de la desalación...*, *op. cit.*; y MOREU BALLONGA, *Aguas públicas...*, *op. cit.*, pp. 338 y ss.

[221] *Vid.* el art. 31.2 de la Ley de Costas.

1327/1995[222]. Y, en segundo lugar, las aguas procedentes de la desalación de aguas del mar no pasaban a integrarse de forma automática e incondicional en el dominio público hidráulico del Estado: conforme a la redacción recibida por el apartado (e) del art. 2, dichas aguas solamente pasaban a formar parte del mismo cuando fueran incorporadas a uno de los elementos enumerados en el art. 2 como pertenecientes al mismo. En definitiva, en tanto en cuanto las aguas marinas desaladas no entrasen en contacto con uno de esos elementos no pasarían a ser parte del demanio público hidráulico del Estado y podían, en definitiva, integrarse en el tráfico jurídico privado[223].

---

[222] Derogado expresamente por el RD 606/2003, de 23 de mayo, por el que se modificó el Reglamento del Dominio Público Hidráulico, por oponerse a la regulación introducida por la Ley 46/1999, y quedando así las disposiciones del TRLA sobre aguas procedentes de la desalación sin un desarrollo reglamentario.

[223] A la luz de dicha disposición es necesario plantearse la naturaleza de las aguas marinas desaladas antes de que se integren —o cuando no se integren— en el dominio público hidráulico. Para J. L. MOREU BALLONGA la alternativa es doble: o son bienes integrantes del dominio público marítimo terrestre, o son de carácter privado (*vid.* J. L. MOREU BALLONGA, "La desalación de aguas marinas en la ley 46/1999", RAP n° 152, 2000, pp. 45 ss.). *Cfr.* I. MARTÍNEZ DE PISÓN, "Sociedades estatales, obras públicas hidráulicas y desalación de las aguas marinas: algunas acotaciones al talante privatizador de la última reforma de la Ley de Aguas", en VVAA, *Estudios de Derecho Público Económico - Libro Homenaje al Prof. Dr. S. Martín Retortillo*, Civitas 2003, pp. 310 ss.; este autor va a precisar que "El término contrario a dominio público hidráulico no es aguas privadas, sino no-dominio público hidráulico. Y bajo esta expresión cabe tanto el concepto de aguas privadas como de aguas públicas patrimoniales y aguas del dominio público marítimo-terrestre". A lo que se podría añadir la precisión de que cabe bajo dicha expresión "aguas del dominio público de otros entes distintos al Estado" y que, por tanto, no se integran en el dominio público hidráulico que, en todo caso, es del Estado.

Para dar una respuesta a esta cuestión es necesario partir del carácter demanial de las aguas marinas integradas en el "mar territorial y las aguas interiores" (art. 3 Ley de Costas), y del hecho de que para proceder a su desalación será preciso contar con la concesión pertinente (conforme al art. 32 Ley de Costas). La cuestión es si, una vez tiene lugar el uso consuntivo de esa agua, procesándose industrialmente y eliminando su sal, se considera que los caudales así tratados son susceptibles de apropiación, dejando de ser demaniales y patrimonializándose. En sentido afirmativo se han manifestado diversos autores, si bien han manejado argumentos a favor de esta conclusión no siempre coincidentes (*vid.* A. EMBID IRUJO, "Reutilización y desalación...", *op. cit.*, p. 157; R. MARTÍN MATEO, "Situación actual y perspectivas futuras de la reutilización de aguas residuales como una fuente de recursos hidráulicos", Ingeniería del Agua, vol. 3, n° 1, marzo 1999, p. 75; J. L. MOREU BALLONGA, "La desalación de...", *op. cit.*, pp. 52 ss.; E. COLOM PIAZUELO, "El dominio público...", *op. cit.*, p. 347). Frente a los autores que se decantan abiertamente por el carácter privado de las aguas desaladas antes de su incorporación al dominio público hidráulico, *Cfr.* I. MARTÍNEZ DE PISÓN,

La derogación de las disposiciones del PHN sobre el trasvase del Ebro en favor de una política que va a apostar por la desalación para abordar los problemas de déficit hídrico de la costa del sureste español, conllevó, a su vez, la inclusión en la Ley 11/2005 de una disposición en la que se reformaron los artículos sobre desalación de la Ley de Aguas, en aras de la "demanialización total de las aguas desaladas", retornando, en definitiva, a un sistema más intervencionista que suprime el sistema previo de autorización en favor de la figura de la concesión, más acorde con la naturaleza demanial que se atribuye finalmente a estas aguas. Con este fin la Disposición final primera de dicha Ley eliminó del apartado e) del artículo 2 TRLA cualquier referencia al momento en que se produce la demanialización de las aguas procedentes de la desalación (poniendo así punto y final a la polémica sobre la naturaleza de las aguas desaladas no incorporadas a un elemento del dominio público hidráulico, puesto que ahora serán, en todo caso, demaniales)[224] y también se modificó la redacción del art. 13 TRLA para someter la actividad de desalación "al régimen general establecido en esta Ley para el uso privativo del dominio público hidráulico" (sin perjuicio, no obstante, de las autorizaciones y concesiones demaniales que sean precisas de acuerdo con la Ley Costas las demás que procedan conforme a la legislación sectorial aplicable). El nuevo apartado 3 va a precisar, además, que cuando el uso no vaya a ser directo y exclusivo del concesionario, la Administración concedente "aprobará los valores máximos y mínimos de las tarifas, que habrán de incorporar las

---

"Sociedades estatales, obras...", *op. cit.*, pp. 313 ss., para quien no queda claro que tal efecto apropiativo tenga lugar, en tanto que la Ley de Costas no contempla expresamente supuestos concesionales en los que el uso exclusivo de bienes del demanio marítimo-terrestre tenga legalmente asignada la finalidad de una explotación comercial o económica del bien y su puesta en el mercado; si bien dicho autor también reconoce que tampoco los prohíbe expresamente. No obstante, admitiendo que es posible que el agua de mar desalada sea susceptible de apropiación cuando sean los particulares los que adopten la iniciativa de la desalación, y en pro de objetivos integrados en el interés privado, también señala que las aguas desaladas de mar no han de tener necesariamente siempre la consideración de recursos susceptibles de apropiación: precisa en este sentido que cuando la actividad de desalación trae causa de intereses públicos o está vinculada a un fin de interés público concreto (llevándose a cabo en el marco de reservas demaniales a favor de la Administración y de obras públicas hidráulicas) la solución no puede ser la misma, y, en estos casos, el producto resultante es un bien público, del que no se puede disponer libremente; de modo que cuando la desalación se lleva a cabo por una Sociedad Estatal debe responder siempre a fines públicos, lo que excluye que en ese contexto se lleve a cabo tal actividad para comerciar con el producto en el mercado.

[224]   *Vid.* al respecto, la nota precedente.

cuotas de amortización de las obras", en línea con lo dispuesto en otras disposiciones de la ley sobre las tarifas que deben pagar los beneficiarios de ciertas obras de infraestructuras en concepto de amortización de las mismas[225]. Por último, en el apartado 4 del art. 13 TRLA se introdujo la posibilidad de que los concesionarios de la actividad de desalación que tengan inscritos sus derechos en el Registro de Aguas puedan participar en las operaciones de los centros de intercambio de derechos de uso del agua[226].

El art. 13 TRLA fue ulteriormente retocado mediante la Disposición final tercera de la nueva Ley 42/2007 del Patrimonio Natural y de la Biodiversidad[227], con el objeto de precisar el alcance de las competencias del Estado en materia de desalación. De este modo, en el apartado 2 se añade que las obras e instalaciones de desalación declaradas de interés general del Estado podrán ser explotadas directamente por los órganos del Ministerio de Medio Ambiente, por las Confederaciones Hidrográficas o por las sociedades estatales de aguas (a las que se refiere el capítulo II del título VIII del TRLA), y que, conforme con lo previsto en el artículo 125, las comunidades de usuarios o las juntas centrales de usuarios podrán, mediante la suscripción del correspondiente convenio con los citados órganos y organismos del Estado, ser beneficiarios directos de las obras e instalaciones de desalación que les afecten (nuevo apartado 2). También se especifica que cuando las aguas desaladas se destinen a su uso en una demarcación hidrográfica intercomunitaria corresponde a la Administración General del Estado otorgar las concesiones de las mismas y que, por último, en el caso de que las comunidades de usuarios o las juntas centrales de usuarios hayan suscrito el convenio específico al que se hace referencia el nuevo apartado 2 del art. 13, las concesiones de aguas desaladas podrán otorgarse directamente a éstas comunidades o juntas.

---

225 *Vid.* el art. 119, sobre la "tarifa de utilización del agua" que tienen que satisfacer los beneficiados por otras obras hidráulicas específicas financiadas total o parcialmente a cargo del Estado, incluidas las de corrección del deterioro del dominio público hidráulico, y que está destinada a compensar los costes de inversión que soporte la Administración estatal y a atender a los gastos de explotación y conservación de tales obras.

226 Para un análisis exhaustivo de las cuestiones jurídicas que sigue planteando la desalación del agua de mar *vid.* C. JIMÉNEZ SHAW, "Desalación", en A. EMBID IRUJO (Dir.), *Diccionario...*, *op. cit.*, pp. 636 ss.; y de la misma autora, "La desalación. Cuestiones jurídicas que plantea", La Ley, nº 7366, 2012, pp. 21-23.

227 BOE nº 299 de 14.12. 2007.

V. LA ADMINISTRACIÓN PÚBLICA DEL AGUA

El Título II del Texto Refundido de la Ley de Aguas, "De la Administración pública del agua", contiene un primer capítulo sobre los principios generales aplicables a dicha Administración, y dos capítulos más en los que se regulan el Consejo Nacional del Agua —como órgano consultivo y de participación de ámbito nacional—, y los Organismos de cuenca —responsables de la planificación, gestión y protección del dominio público hidráulico—. Pese a definirse como "corporaciones de derecho público" encontramos fuera de este Título la regulación de las comunidades de usuarios —que se ubica en el Título IV, dedicado a la utilización del dominio público hidráulico— y que analizaremos también en este apartado. Se examinan aquí, asimismo, los mecanismos de cooperación y coordinación funcional entre las distintas Administraciones implicadas en la gestión y protección de las aguas —que se han visto notablemente reforzadas con la Ley 46/1999—, y las novedades introducidas en nuestro ordenamiento a raíz de la ejecución de la Directiva marco de aguas, que van a suponer la creación de las denominadas "demarcaciones hidrográficas" y de los "Comités de Autoridades Competentes" dentro de los organismos cuenca, así como la inserción de nuevas disposiciones para fomentar una administración del agua más transparente y participativa.

1. *Principios generales*

El art. 14 TRLA consagra los "Principios rectores de la gestión en materia de aguas", algunos de los cuales van a perfilar directamente los rasgos esenciales de la organización de la Administración hidráulica en nuestro país (en particular, los principios de unidad de gestión, desconcentración, descentralización, coordinación, eficacia, participación de los usuarios y respeto a la unidad de la cuenca hidrográfica).

Ya se ha tratado en un apartado precedente la importante cuestión de la distribución de competencias, conforme a lo dispuesto por la Constitución, entre el Estado y las Comunidades Autónomas en materia de aguas, y los entrecruzamientos y conflictos de competencias que pueden producirse debido a que el agua es soporte físico de múltiples actividades sobre las que se proyectan diversos títulos competenciales tanto del Estado, como de las Comunidades Autónomas. Cuestiones estas que hay que tener presentes para abordar la organización de la Administración del agua en España y a cuya exposición en el apartado III.1 nos remitimos. No obstante, conviene precisar en este punto que la distribución de competencias que deriva de la

Constitución se va a concretar y perfilar en la Ley de Aguas de 1985 sobre la base del principio de unidad de gestión de cada cuenca hidrográfica, y en los términos que se exponen a continuación.

La "cuenca hidrográfica" fue definida en el art. 14 LA de 1985 como "el territorio en el que las aguas fluyen al mar a través de una red de cauces secundarios que convergen en un cauce principal único"; definición que se ha visto modificada ligeramente por la Ley 62/2003 para transponer literalmente la establecida en la Directiva marco de aguas —en esencia similar pero algo más detallada—, y que encontramos ahora en el art. 16 TRLA: "la superficie de terreno cuya escorrentía superficial fluye en su totalidad a través de una serie de corrientes, ríos y eventualmente lagos hacia el mar por una única desembocadura, estuario o delta". Sobre el principio de unidad de cuenca, así concebida, la Ley de Aguas va a precisar las funciones que ejercerá el Estado en "las cuencas que excedan del ámbito territorial de una sola Comunidad Autónoma" o cuencas "intercomunitarias", y que, conforme al que ahora es el art. 17 TRLA, serán fundamentalmente las siguientes: a) la planificación hidrológica y la realización de los planes estatales de infraestructuras hidráulicas o cualquier otro estatal que forme parte de aquéllas; b) la adopción de las medidas precisas para el cumplimiento de los acuerdos y Convenios internacionales en materia de aguas; c) el otorgamiento de concesiones referentes al dominio público hidráulico en las cuencas hidrográficas que excedan del ámbito territorial de una sola Comunidad Autónoma; y d) el otorgamiento de autorizaciones referentes al dominio público hidráulico, así como la tutela de éste, en las cuencas hidrográficas que excedan del ámbito territorial de una sola Comunidad Autónoma (tramitación que podrá, no obstante, ser encomendada a las Comunidades Autónomas).

La Ley de Aguas también establece las bases que han de respetar las Comunidades Autónomas cuando, conforme a sus Estatutos de Autonomía, ejerzan competencias sobre el dominio público hidráulico "en cuencas hidrográficas comprendidas íntegramente dentro de su territorio" o "intracomunitarias". En virtud del que ahora es el art. 18 TRLA —sobre el *"Régimen jurídico básico aplicable a las Comunidades Autónomas"*— dichas bases son dos: a) la aplicación de los principios rectores de la gestión en materia de aguas recogidos en el 14 TRLA; y b) la representación de los usuarios en los órganos colegiados de la Administración hidráulica, que no deberá ser inferior al tercio de los miembros que los integren[228].

---

[228] Conviene recordar, además, que en el que era antes el art. 16 de la LA de 1985 se incluía una tercera "base" que implicaba la designación por el Estado de un "Delegado

La utilización por el Legislador de la cuenca hidrográfica como unidad de gestión con el fin de delimitar territorialmente las competencias del Estado y de las Comunidades Autónomas fue aceptada por el Tribunal Constitucional como conforme con lo establecido en el art. 149.1.22 CE. Tal y como argumentó el Alto Tribunal, "el criterio de la cuenca hidrográfica como unidad de gestión permite una administración equilibrada de los recursos hidráulicos que la integran, en atención al conjunto de intereses afectados los cuales, cuando la cuenca se extiende al territorio de más de una Comunidad Autónoma, son manifiestamente supracomunitarios"[229]. Para reforzar esta idea el Tribunal Constitucional recordó, además, los principios que se incluyen en la Carta Europea del Agua de 1967 —en la que se declara que "el agua no tiene fronteras" (punto 12) y, en concreto, el principio según el cual "la administración de los recursos hidráulicos debiera encuadrarse más bien en el marco de las cuencas naturales que en el de las fronteras administrativas y políticas" (punto 11)—, e invocó, asimismo, la experiencia de gestión de estos recursos en nuestro país, articulada en torno a la unidad de cada cuenca, desde que se adoptó una concepción global de la política hidráulica[230].

Por otra parte, la Administración del agua, vertebrada territorialmente sobre la base de la distinción entre las cuencas hidrológicas intercomunitarias e intracomunitarias, no sólo va a responder al principio de descentralización político-territorial sino que, como veremos en los siguientes apartados, va a quedar en manos de entes públicos instrumentales, especializados en la planificación, gestión y protección de este recurso —los Organismos de cuenca—, respondiendo así también al principio de descentralización funcional, y cuya organización interna se articula conforme al principio de desconcentración de competencias entre órganos jerárquica, funcional y espacialmente organizados.

En cuanto a los principios de participación y coordinación la Ley de Aguas va a establecer, en la Administración hidráulica de competencia estatal, órganos de composición mixta en los que se van a integrar, participan-

---

del Gobierno" en la Administración hidráulica de las Comunidades Autónomas para asegurar "la comunicación con los organismos de la Administración del Estado, a efectos de la elaboración del Plan Hidrológico de cuenca, del cumplimiento de la legislación hidráulica estatal y de las previsiones de la planificación hidrológica"; figura ésta que el Tribunal Constitucional declaró inconstitucional en su Sentencia 227/1988 (FJ 21.c) por vulnerar la potestad que tiene toda Comunidad Autónoma de auto-organizar su propia Administración pública.

[229] STC 227/1988, FJ. 15.
[230] *Ibid.*

do en el ejercicio de sus funciones, representantes de la Administración general del Estado, de las Comunidades Autónomas y de los Entes Locales[231], así como de los usuarios de las aguas. Dichos órganos se conciben como foro de encuentro, participación y cooperación de los distintos interesados en la gestión del agua, así como de las diversas Administraciones entre las que es necesario establecer vías de cooperación y coordinación para evitar disfunciones y conflictos, en el ejercicio de sus respectivas competencias, que puedan afectar a la ordenación, gestión y protección del dominio público hidráulico. La coordinación, cooperación y participación de carácter orgánico va a cobrar, en definitiva, un especial relieve en nuestra Administración hidráulica tal y como se detalla a continuación. No obstante, también se han establecido importantes cauces de cooperación interadministrativas de carácter funcional, así como vías de información y participación del público en general (y no ya sólo de los usurarios), y subsiste, asimismo, una figura de autoadministración típica en nuestro Derecho de Aguas — las comunidades de usuarios— que serán igualmente objeto de atención en los siguientes apartados.

2. *El Consejo Nacional del Agua*

El art 19 TRLA, tal y como fue modificado por la Disposición adicional cuarta de la Ley 42/2007 del Patrimonio Natural y de la Biodiversidad, regula el Consejo Nacional del Agua como órgano consultivo y de participación, determinando quiénes forman parte del mismo: la Administración del Estado, las de las Comunidades Autónomas, las de los Entes Locales a través de la asociación de ámbito estatal con mayor implantación[232], los Organismos de cuenca, las organizaciones profesionales y económicas más representativas, de ámbito nacional, relacionadas con los distintos usos del agua, las organizaciones sindicales y empresariales más representativas en el ámbito estatal, y las entidades sin fines lucrativos de ámbito estatal cuyo objeto esté constituido por la defensa de intereses ambientales. La presencia de representantes sindicales y de las organizaciones ambientales fue

---

[231]   Los responsables del abastecimiento de agua potable a las poblaciones, y tratamiento de las aguas residuales, conforme al art. 26 LRBRL.

[232]   La participación de los entes locales en el Consejo Nacional del Agua fue introducida por el art. 3 de la Ley 11/1999 de 21 de abril, de modificación de la Ley 7/1985 de 2 de abril, Reguladora de las Bases de Régimen Local y otras medidas para el desarrollo del Gobierno Local en materia de tráfico, circulación de vehículos a motor y seguridad vial y en materia de aguas. En la actualidad la asociación de ámbito estatal con mayor implantación es la Federación Española de Municipios y Provincias (FEMP).

introducida, de hecho, por la reforma operada en este artículo en el seno de la Ley 42/2007. Se vino a cubrir así la significativa laguna que implicaba el hecho de que, pese a ser la protección del medio ambiente acuático uno de los principales objetivos de la Ley de Aguas en la actualidad, no estuvieran representados en el principal órgano consultivo creado por la misma las organizaciones que aglutinan y representan a los intereses ambientales.

Otra novedad introducida por la Ley 42/2007 es que en esta disposición se va a precisar que la presidencia del Consejo Nacional del Agua recae en el titular del Ministerio de Medio Ambiente. Para la determinación del resto de detalles relacionados con composición y con su estructura orgánica y funcionamiento la Ley se remite a su regulación por Real Decreto. Dichas normas se contenían en el Capítulo II del Reglamento de la Administración Pública del Agua y de la Planificación Hidrológica, de 1988, las cuales han sido derogadas y sustituidas por el Real Decreto 1383/2009, por el que se determina la composición, estructura orgánica y funcionamiento del Consejo Nacional del Agua, con el fin de adecuarlo a los diversos cambios que ha experimentado el art. 19 TRLA.

Conforme al art. 20 TRLA a este órgano compete informar, con carácter preceptivo pero no vinculante, el proyecto del Plan Hidrológico Nacional (antes de su aprobación por el Gobierno para su remisión a las Cortes), los planes hidrológicos de cuenca (antes de su aprobación por el Gobierno), y los planes y proyectos de interés general de ordenación agraria, urbana, industrial y de aprovechamientos energéticos o de ordenación del territorio en tanto afecten sustancialmente a la planificación hidrológica o a los usos del agua (y, aunque no se precisa expresamente en el art. 20 TRLA, se entiende que ha de informar también todos los proyectos de modificación de dichos planes); informará, asimismo, sobre las cuestiones comunes a dos o más Organismos de cuenca en relación con el aprovechamiento de recursos hídricos y demás bienes del dominio público hidráulico; por último, con la Ley 62/2003 se añadió un nuevo supuesto relacionado con la tutela de la calidad de las aguas: informará los proyectos de las disposiciones de carácter general de aplicación en todo el territorio nacional relativas a la protección de las aguas y a la ordenación del dominio público hidráulico.

Además, en su calidad de órgano consultivo deberá emitir informes sobre todas aquellas cuestiones relacionadas con el dominio público hidráulico que pudieran serle consultadas por el Gobierno o por los órganos ejecutivos superiores de las Comunidades Autónomas, y puede proponer a las Administraciones y organismos públicos las líneas de estudio e investigación para el desarrollo de las innovaciones técnicas necesarias en lo que se refiere a la obtención, empleo, conservación, recuperación, tratamiento integral y economía del agua.

El Consejo Nacional del Agua puede actuar en Pleno o en Comisión Permanente, y el Pleno puede acordar la constitución de Comisiones Especiales para el estudio e informe de los asuntos que decida encomendarle. Por lo que se refiere al régimen de las deliberaciones y acuerdos que adopte el Consejo Nacional del Agua, en Pleno o en algunas de sus Comisiones, el art. 11 de su Reglamento remite a la Ley de Procedimiento Administrativo (remisión que hoy hay que entender hecha a las disposiciones sobre el funcionamiento de órganos colegiados de la Ley 30/1992 del Régimen Jurídico de las Administraciones Públicas y del Procedimiento Administrativo Común)[233].

3. Los Organismos de cuenca

Conforme a los principios de unidad de gestión, descentralización y respeto a la unidad de la cuenca hidrográfica, los Organismos de cuenca van a ser las únicas Administraciones encargadas de la gestión del agua en cada cuenca o grupos de pequeñas cuencas hidrográficas[234]. En las cuencas intercomunitarias o de competencia estatal la Ley de Aguas los denomina Confederaciones Hidrográficas (que son los Organismos de cuenca en los que se concentra este apartado). En cuanto a las cuencas intracomunitarias nos limitaremos a recordar aquí que, según dispone Disposición adicional 2ª del TRLA, las funciones que la Ley atribuye a los Organismos de cuenca serán ejercidas por las Administraciones hidráulicas de las Comunidades que, en su propio territorio y en virtud de sus estatutos de autonomía, ejerzan competencias sobre el dominio público hidráulico. En esos casos corresponde a las Comunidades Autónomas diseñar la estructura de dichas Administraciones —si bien deberán respetar en todo caso limitaciones básicas impuestas por la Ley de Aguas estatal en aras del principio de participación[235]—, las cuales han recibido en la legislación autonómica

---

[233]   Sobre sus funciones y funcionamientos *vid.* I. GALLEGO CÓRCOLES, en A. EMBID IRUJO, *Diccionario...*, *op. cit.*, pp. 451-456.

[234]   Nótese que el principio de unidad en la gestión de la cuenca se aplica sin perjuicio de que en algunas pequeñas cuencas se pueda unir y formar un solo ámbito territorial a efectos de su gestión, como ocurre, por ejemplo, en las cuencas del Norte, del Sur, o en las cuencas internas de Cataluña y Galicia.

[235]   Dos son, fundamentalmente, estas limitaciones: (1) la impuesta con carácter general en el art. 18 TRLA, que exige que la representación de los usuarios en los órganos

las más diversas denominaciones ("Instituto Balear del Agua y la Energía", "Agencia Catalana del Agua", Aguas de Galicia o, en Canarias, "Consejos Insulares de Aguas"[236]).

La articulación de la Administración del agua sobre la base de la cuenca hidrográfica como ámbito de unidad de gestión no es una novedad introducida por la Ley de Aguas de 1985, sino que en España se remonta a principios del siglo XX, siendo ésta una de las más importantes aportaciones hechas por el Derecho español en materia de gestión de las aguas. Tal y como ha puesto de relieve la doctrina[237], las Confederaciones Hidrográficas actuales tienen sus raíces en las Conferencias Sindicales Hidrográficas, creadas durante la dictadura de Primo de Rivera por Real Decreto-Ley de 5 de marzo de 1926, que se configuran como personas jurídicas descentralizadas del Estado (si bien sometidas a su acción fiscalizadora), y con un amplio margen de autonomía funcional, con la finalidad de concentrar en sus manos todas las actividades e intereses relativos a la gestión de las aguas sobre la base territorial de la cuenca de un "río principal"[238]. Sus funciones

---

colegiados de la Administración hidráulica autonómica no sea inferior al tercio de los miembros que los integren; y (ii) la más específica impuesta por el art. 36.2 TRLA en relación con los órganos colegiados responsables de la planificación hidrológica en las demarcaciones intracomunitarias, según el cual "la Comunidad Autónoma correspondiente garantizará en dichos órganos la participación social en la planificación hidrológica respetando las representaciones mínimas de usuarios y organizaciones interesadas establecidas en dicho artículo, debiendo asegurar, asimismo, que estén igualmente representadas en dichos órganos todas las Administraciones públicas con competencias en materias relacionadas con la protección de las aguas y, en particular, la Administración General del Estado en relación con sus competencias sobre el dominio público marítimo terrestre, puertos de interés general y marina mercante".

[236] Para un examen de las administraciones hídricas de las distintas Comunidades Autónomas *vid.* A. EMBID IRUJO (Dir.), *Diccionario...*, *op. cit.*, pp. 55-177.

[237] Para un exhaustivo análisis de los orígenes y evolución de la Administración hidráulica en nuestro Derecho *vid.* las obras de A. FANLO LORAS, *Las Confederaciones hidrográficas y otras Administraciones Hidráulicas*, Civitas, Madrid, 1996, pp. 43 ss.; y S. MARTÍN RETORTILLO, *Derecho de Aguas*, *op. cit.*, pp. 454 ss., cuya exposición seguimos en esta síntesis.

[238] Nótese que la Ley de Aguas de 1866-1879 no creó una Administración hidráulica especializadas. Las funciones relacionadas con las autorizaciones y concesiones sobre las aguas públicas, así como su tutela erar llevadas a cabo por la Administración del Estado, que la ejercía a través de sus órganos ordinarios (Ministro, Gobernador Civil y Alcalde). Si bien en un principio la administración periférica del agua se organizaba, como el resto de los servicios administrativos, por provincias, a cuyo frente estaba el Gobernador Civil, a partir de 1906 la cuenca hidrográfica va a sustituir a la provincia como división administrativa para el ejercicio de las funciones propias de la Administración en materia de aguas.

primordiales iban a ser la formación de un plan de aprovechamiento de todos los recursos de la cuenca para su gestión integrada y conjunta, así como la ejecución y explotación —con la participación de los usuarios— de las obras hidráulicas necesarias. Uno de sus rasgos más notables va a ser, precisamente, el de su carácter participativo, estando representados proporcionalmente todos los sectores de usuarios de las aguas en algunos de sus órganos. La idea original con la que vieron la luz fue posteriormente debilitándose hasta convertirse en organismos autónomos del Estado encargados meramente de las tareas de ejecución, construcción y explotación de obras hidráulicas, proceso que culminó con la creación de las Comisarías de Aguas, por Decreto de 8 de octubre de 1959, como órganos sin personalidad jurídicas propia y dependientes jerárquicamente del Ministerio de Obras Públicas, que van a asumir en cada cuenca las funciones ejecutivas sobre el otorgamiento de concesiones, autorizaciones, deslinde y policía de aguas. Las Confederaciones fueron perdiendo, asimismo, su condición de órganos de carácter participativo, consolidándose su nueva condición burocrática con el Decreto 1348/1962 que las clasificó como organismos autónomos sometidos a la Ley de Entidades Estatales Autónomas de 1958. Posteriormente, y por Real Decreto 1097/1977, las Confederaciones van a ser catalogadas como organismos autónomos de carácter "comercial" (en vez de "administrativo"), conforme a las categorías establecidas en la Ley General Presupuestaria de 1977. Calificación que, como ha puesto de relieve la doctrina, no guardaba relación con las funciones materiales ejercidas por las Confederaciones, siendo su única explicación la de permitirlas beneficiarse del régimen económico y presupuestario más flexible que, como contraposición al de los organismos autónomos administrativos, se aplicaba a los de carácter comercial[239].

Tras la aprobación de la Constitución de 1978 se invierte este proceso a favor de la recuperación del carácter participativo de las Confederaciones y del fortalecimiento de sus competencias: con el Real Decreto 2419/1979 se va a modificar la composición de las Confederaciones con el fin de potenciar en su seno el principio de participación, y poco antes de la aprobación de la Ley de Aguas de 1985 se suprimen por Real Decreto 1821/1985 las Comisarías de Aguas, traspasándose sus funciones a las Confederaciones. Proceso que va a culminar con la Ley de Aguas de 1985, con la que las Confederaciones se consolidan como los únicos organismos que administran el agua en las cuencas hidrográficas de competencia estatal.

---

[239] *Vid.* A. FANLO LORAS, *Las Confederaciones hidrográficas...*, op. cit., pp. 152 ss.; y S. MARTÍN RETORTILLO, *Derecho de Aguas*, op. cit., pp. 476 ss.

La regulación general de las Confederaciones Hidrográficas está recogida, en la actualidad, en el Título II del Texto Refundido de la Ley de Aguas (arts. 21 a 39). El Real Decreto 927/1988 por el que se aprueba el Reglamento de la Administración Pública del Agua y de la Planificación Hidrológica (RAPA), aprobado precisamente en desarrollo de los Títulos II y III de la Ley de Aguas de 1985, va a precisar los detalles relacionados con las funciones y órganos de gobierno y de administración de tales Organismos, así como de su hacienda y su patrimonio, si bien en estos momentos está pendiente de las modificaciones necesarias para responder debidamente a las modificaciones que la Ley de Aguas ha sufrido en los últimos años[240]. Además, en ejecución del art. 20.3 LA (art. 22.3 del TRLA) —según el cual el ámbito territorial de las Confederaciones "comprenderá una o varias cuencas hidrográficas indivisas con la sola limitación derivada de las fronteras internacionales"— se aprobó el Real Decreto 650/1987[241] por el que se definieron los ámbitos territoriales de los Organismos de cuenca (junto con el de los planes hidrológicos, conforme al entonces art. 38.2 LA)[242]. Finalmente, los Reales Decretos 924 a 931/1989, de 21 de julio, concretaron dichas disposiciones para cada una de las nueve Confederaciones que se han establecido[243].

El art. 20.1 LA de 1985 definió las Confederaciones hidrográficas como "entidades de Derecho público con personalidad jurídica propia y distinta de la del Estado, adscritas a efectos administrativos al Ministerio de Obras Públicas y Urbanismo y con plena autonomía funcional". A la sombra de esta definición, poco precisa, los Decretos constitutivos de cada una de las

---

[240] Arts. 24 a 69 del RAPA. Aún está pendiente su adecuación a las modificaciones sufridas por la Administración hidráulica con las Leyes 46/1999, 62/2003 y 11/2005.

[241] BOE nº 122, de 22.5.1987.

[242] Nótese que el ahora art. 40.2 TRLA ha modificado dicho artículo para establecer que el ámbito territorial de cada plan hidrológico de cuenca será coincidente con el de la demarcación hidrográfica correspondiente (figura introducida con la Ley 62/2003, en ejecución de la Directiva Marco de Aguas, y que analizamos en el siguiente apartado). En consecuencia, el art. 2 del RAPA ha sido modificado recientemente por la Disposición final 1ª del Real Decreto 125/2007, con el objeto de determinar que "los ámbitos territoriales de los planes hidrológicos coincidirán con los ámbitos territoriales de las demarcaciones que se fijan en el Real Decreto 125/2007, de 2 de febrero, por el que se fija el ámbito territorial de las demarcaciones hidrográficas", que analizamos en el siguiente apartado.

[243] Son las siguientes: Confederación Hidrográfica del Norte, Confederación Hidrográfica del Duero, Confederación Hidrográfica del Tajo, Confederación Hidrográfica del Guadiana, Confederación Hidrográfica del Guadalquivir, Confederación Hidrográfica Sur, Confederación Hidrográfica del Segura, Confederación Hidrográfica del Júcar y Confederación Hidrográfica del Ebro.

Confederaciones mantuvieron su calificación como organismos autónomos comerciales, la cual resultaba manifiestamente inadecuada a la luz de
las funciones que les encomienda la Ley, y que exponemos a continuación.
Esta situación fue subsanada finalmente por la Ley 46/1999, que modificó
el que ahora es el art. 22 TRLA para calificar a las Confederaciones como
"organismos autónomos de los previstos en el artículo 43.1.a) de la Ley
6/1997, de 14 de abril, de Organización y Funcionamiento de la Administración General del Estado, adscritos, a efectos administrativos, al Ministerio de Medio Ambiente"[244]. Consecuentemente sus actos y resoluciones
ponen fin a la vía administrativa (artículo 22.2 del Texto Refundido de la
Ley de Aguas).

Las Confederaciones tienen atribuidas **funciones** de planificación,
administración y fomento. Tal y como se precisa en el art. 23 TRLA les
compete: a) la elaboración del plan hidrológico de cuenca, así como su
seguimiento y revisión para su posterior aprobación por el Gobierno; b) la
administración y control del dominio público hidráulico; c) la administración y control de los aprovechamientos de interés general o que afecten
a más de una Comunidad Autónoma; d) el proyecto, la construcción y
explotación de las obras realizadas con cargo a los fondos propios del organismo, y las que les sean encomendadas por el Estado; e) las que se deriven
de los convenios con Comunidades Autónomas, Corporaciones Locales y
otras entidades públicas o privadas, o de los suscritos con los particulares.
Para desempeñar tales funciones tienen, entre otros, los siguientes cometidos: el otorgamiento de autorizaciones y concesiones referentes al dominio público hidráulico (salvo las relativas a las obras y actuaciones de
interés general del Estado, que corresponderán al Ministerio de Medio
Ambiente); la inspección y vigilancia del cumplimiento de las condiciones
de concesiones y autorizaciones relativas al dominio público hidráulico; la
realización de aforos, estudios de hidrología, información sobre crecidas y
control de la calidad de las aguas; el estudio, proyecto, ejecución, conservación, explotación y mejora de las obras incluidas en sus propios planes,
así como de aquellas otras que pudieran encomendárseles; la definición de
objetivos y programas de calidad de acuerdo con la planificación hidrológica; la realización de planes, programas y acciones que tengan como objeti-

---

[244] Nótese que tras la creación del Ministerio de Medio Ambiente en 1996, por Real Decreto 758/1996 de reestructuración de Departamentos ministeriales (BOE nº 110, de
6.5. 1996), las Confederaciones pasaron a estar adscritas a este Departamento, al cual
se atribuyen las competencias de la Administración General del Estado en materia de
aguas.

vo una adecuada gestión de las demandas, a fin de promover el ahorro y la eficiencia económica y ambiental de los diferentes usos del agua mediante el aprovechamiento global e integrado de las aguas superficiales y subterráneas, y la prestación de toda clase de servicios técnicos relacionados con el cumplimiento de sus fines específicos y, cuando les fuera solicitado, el asesoramiento a la Administración General del Estado, Comunidades Autónomas, Corporaciones Locales y demás entidades públicas o privadas, así como a los particulares (arts. 24 TRLA)[245].

Con la creación por acuerdo del Consejo de Ministros de sociedades estatales para la construcción, explotación o ejecución de obra pública hidráulica —que son objeto de análisis en otra parte de esta obra— se va a sustraer a las Confederaciones una competencia que habían venido desempeñando tradicionalmente y sin interrupción desde su creación. Tal y como ha señalado A. FANLO LORAS, la sujeción de las Confederaciones Hidrográficas al régimen común de los organismos autónomos, que encaja bien con las tareas típicamente administrativas que desempeñan (planificación y administración de las aguas), podía implicar, sin embargo, un cierto encorsetamiento en relación la actividad inversora de las mismas[246]. Encorsetamiento que se va a soslayar con la creación de estas sociedades, que asumen las tareas relacionadas con la construcción y explotación de las obras públicas y que van a desarrollar su actividad en régimen de Derecho privado. Pese a que el art. 23.2 TRLA prevé mecanismos para que las Confederaciones puedan participar en el capital —y por tanto, en el control— de las Sociedades Estatales[247], la creación de estas últimas implica, en definitiva, que las competencias de los Organismos de cuenca van

---

[245] Estos dos últimos cometidos, dirigidos a reforzar las actuaciones dirigidas a mejorar la gestión del agua (mediante planes, programas y acciones) y facilitar asesoramiento a otras Administraciones públicas, fueron añadidos por la Ley 46/1999.

[246] *Vid.* A. FANLO LORAS, "Problemática general de los Organismos de cuenca en España", en A. EMBID. IRUJO (Dir.), *El Derecho de aguas en Iberoamérica y España: cambio y modernización en el inicio del tercer milenio*, Civitas, 2002, *op. cit.*, pp. 369 ss.

[247] El art. 23.2 TRLA prevé la posibilidad de que las Confederaciones puedan adquirir por suscripción o compra, enajenar y, en general, realizar cualesquiera actos de administración respecto de títulos representativos de capital de sociedades estatales que se constituyan para la construcción, explotación o ejecución de obra pública hidráulica, o de empresas mercantiles que tengan por objeto social la gestión de contratos de concesión de construcción y explotación de obras hidráulicas, previa autorización del Ministerio de Hacienda; pueden también suscribir convenios de colaboración o participar en agrupaciones de empresas y uniones temporales de empresas que tengan como objeto cualquiera de los fines anteriormente indicados; o conceder préstamos y, en general, otorgar crédito a cualquiera de las entidades que acabamos de citar.

a concentrarse esencialmente en las de planificación, gestión y protección de las aguas. Cambios que deben facilitar la evolución de una política hidráulica que tradicionalmente ha estado basada fundamentalmente en la gestión de la oferta de agua (mediante el fomento las obras hidráulicas para aumentar la disponibilidad de este recurso, potenciando su consumo en usos productivos y fundamentalmente en el regadío, responsable de aproximadamente el 80% del consumo del agua en nuestro país), a una política hidráulica que empiece a situar su centro de gravedad en la gestión de la demanda (basada en potenciar el ahorro y el uso más eficiente del agua), así como en su gestión ambiental, para conservar, proteger y mejorar de la calidad del medio ambiente, y promover la utilización prudente y racional de los recursos naturales[248].

Por lo que se refiere a la **organización** de las Confederaciones, se va a distinguir entre: (i) órganos de Gobierno (la Junta de Gobierno y el Presidente); (ii) órganos de gestión en régimen de participación (la Asamblea de Usuarios, la Comisión de Desembalse, las Juntas de Explotación y las Juntas de obras); y (iii) órgano de participación y planificación (el Consejo del Agua de la demarcación, denominado antes de la Ley 62/2003 Consejo del Agua de la cuenca). Con la Ley 62/2003 se va a introducir, además, un nuevo "órgano para la cooperación", creado específicamente para actuar en el marco de las obligaciones establecidas por la Ley para la protección de las aguas: el "Comité de Autoridades Competentes". Salvo en el Comité de Autoridades Competentes, formado únicamente por representantes de las Administraciones estatal, autonómica y local, en los demás órganos de carácter colegiado van a estar representados los intereses de los usuarios (se echa en falta, no obstante, la representación de los intereses ambientales, cuestión ésta que tendrá que abordarse en la cada vez más urgente reforma del RAPA); además, en las Juntas de Gobierno y en los Consejos del Agua de las demarcaciones se integran, asimismo, representantes de las Comunidades Autónomas y de los Entes Locales cuyos territorios formen parte total o parcialmente de la cuenca hidrográfica en cuestión:

1º) Los **Presidentes** de los Organismos de cuenca son los órganos unipersonales de gobierno de las Confederaciones, que serán nombrados y cesados por el Consejo de Ministros a propuesta del Ministro de Medio Ambiente. Entre sus funciones figuran las siguientes: la representación legal del organismo, la presidencia de la Junta de

---

[248] Necesidad de cambio que ya fue reconocida por la propia Administración en el *Libro Blanco del Agua* en España, *cit.*, p. 20.

Gobierno y los otros órganos colegiados, el desempeño de la superior función directiva y ejecutiva del organismo, y el control a los órganos colegiados del Organismo de cuenca (estando legitimado para impugnar ante la Jurisdicción Contencioso-administrativa los actos y acuerdos que puedan constituir infracción de Leyes o no se ajusten a la planificación hidrológica). Tal y como precisa el art. 33 del RAPA, también les compete el ejercicio de cualquier otra función de la Confederación que no esté expresamente atribuida a otro órgano, así como —en el marco de su función directiva— ordenar la ejecución de los acuerdos de la Junta de Gobierno y de los demás órganos colegiados que preside, otorgar las concesiones y autorizaciones de aprovechamiento del dominio público hidráulico y las autorizaciones relativas al régimen de policía de aguas y cauces (salvo las que competa al Ministerio de Medio Ambiente), aplicar las normas del RDPH en materia de policía de aguas y sus cauces, y resolver los recursos administrativos que se deduzcan contra las resoluciones de las Comunidades de Usuarios y del propio Organismo de cuenca (con la excepción de los que correspondan por su contenido a la Junta de Gobierno del Organismo o al Ministerio de Medio Ambiente).

2º) La **Junta de Gobierno** de cada Organismo está compuesta por un Presidente, que será el del Organismo de cuenca, dos Vicepresidentes (el primero será elegido por las Comunidades Autónomas incorporadas al Organismo de cuenca), y un número de vocales en los que estarán representados órganos de la Administración General del Estado, los usuarios, las Comunidades Autónomas y las provincias conforme a los umbrales o criterios fijados en el art. 27 TRLA, y que viene determinado en cada caso por los Reales Decretos constitutivos de los Organismos de cuenca. Las competencias de las Juntas de Gobierno se han visto notablemente incrementadas por la Ley 46/1999, fortaleciendo así su posición frente a la Presidencia[249]. A la Junta de Gobierno le corresponde ahora, entre otras, las siguientes funciones: aprobar los planes de actuación del organismo[250]; elaborar la propuesta de presupuesto y conocer la liquidación de los mis-

---

[249] *Vid.*, para un exhaustivo análisis de las modificaciones operadas en este punto por la Ley 46/1999, A. FANLO LORAS, "Problemática general...", *op. cit.*, pp. 370 ss.

[250] Antes de la Ley 46/1999 se limitaba a proponer el Plan de Actuación, y su aprobación correspondía al Presidente. El cambio resulta en un notable refuerzo de la posición de la Junta General frente al Presidente.

mos; acordar, en su caso, las operaciones de crédito necesarias para finalidades concretas relativas a su gestión, así como para financiar las actuaciones incluidas en los planes de actuación, con los límites que reglamentariamente se determinen; adoptar los acuerdos que correspondan en el ejercicio de las funciones atribuidas en el art. 23 TRLA a los Organismos de cuenca[251], así como los relativos a los actos de disposición sobre el patrimonio de los Organismos de cuenca; aprobar las modificaciones sobre la anchura de las zonas de servidumbre y de policía de los márgenes de los cauces; declarar acuíferos sobreexplotados o en riesgo de estarlo y determinar los perímetros de protección de los acuíferos, aprobar las medidas de carácter general contempladas en el artículo 55 TRLA en relación con el régimen de explotación de los embalses establecidos en los ríos y de los acuíferos subterráneos, y adoptar las medidas para la protección de las aguas subterráneas frente a intrusiones de aguas salinas a que se refiere el artículo 99 TRLA; imponer, cuando el interés general lo exija, la constitución de los distintos tipos de comunidades y juntas centrales de usuarios, y establecer en su defecto las ordenanzas de las mismas; aprobar criterios generales para la determinación de las indemnizaciones por daños y perjuicios ocasionados al dominio público hidráulico, de acuerdo con el artículo 118 TRLA, y proponer al Consejo del Agua de la demarcación la revisión del plan hidrológico correspondiente (art. 28 TRLA).

3º) Por lo que respecta a los **órganos de gestión en régimen de participación**, hay que comenzar advirtiendo que su denominación resulta equívoca puesto que, tal y como ha señalado la doctrina, en realidad son órganos auxiliares o de apoyo de los órganos de gobierno que sólo tienen facultad de propuesta o de informe no vinculante, recayendo la decisión última en los órganos de gobierno[252]. Además, tal y como ha puesto de relieve la doctrina, estos órganos no son los únicos en los que va a haber representación y participación de los usuarios (también la hay, como ya hemos señalado, en la Junta de Gobierno y en el Consejo del Agua de la demarcación), si bien es cierto que en ellos predomina claramente la representación de los usuarios frente a la de las Administraciones públicas[253]. Las

---

[251]   Competencia ésta de gran calado que también le fue atribuido con la Ley 46/1999.
[252]   *Vid.* R. PARADA VÁZQUEZ, *Derecho Administrativo, op. cit.*, p. 111.
[253]   A. FANLO LORAS, "Confederaciones hidrográficas", en A. EMBID IRUJO, *Diccionario..., op. cit.*, pp. 442.

funciones de estos órganos son las siguientes: (i) las *Juntas de Explotación* tienen como misión coordinar, respetando los derechos derivados de las correspondientes concesiones y autorizaciones, la explotación de las obras hidráulicas y de los recursos de agua de aquel conjunto de ríos, río, tramo de río o unidad hidrogeológica cuyos aprovechamientos estén especialmente interrelacionados; sus propuestas en el ámbito de sus competencias se trasladarán al Presidente del Organismo de cuenca (art. 32 TRLA); (ii) la *Asamblea de Usuarios*, integrada por todos aquellos usuarios que forman parte de las Juntas de Explotación, tiene por finalidad coordinar la explotación de las obras hidráulicas y de los recursos de agua en toda la cuenca, sin menoscabo del régimen concesional y derechos de los usuarios (art. 31 TRLA); (iii) a la *Comisión de Desembalse*, cuya composición y funcionamiento se regula en los arts. 46 y 47 RAPA atendiendo al criterio de representación adecuada de los intereses afectados, le compete deliberar y formular propuestas al Presidente del organismo sobre el régimen adecuado de llenado y vaciado de los embalses y acuíferos de la cuenca, atendidos los derechos concesionales de los distintos usuarios (art. 33 TRLA); (iv) en cuanto a las *Juntas de Obras*, en las que participarán los usuarios conforme a lo dispuesto en el art. 51 RAPA, son órganos colegiados que podrán ser constituidos por la Junta de Gobierno, a petición de los futuros usuarios de una obra ya aprobada, a fin de que estén directamente informados del desarrollo e incidencias de dicha obra (art. 34 TRLA).

4°) El **órgano de planificación** de cada Confederación va a ser el **Consejo del Agua de la demarcación** (denominado antes de la Ley 62/2003 Consejo del Agua de la cuenca)[254]. En sus manos se deja la elaboración de los planes hidrológicos. Al Consejo del Agua de la demarcación compete promover la información, consulta y participación pública en el proceso planificador, y elevar al Gobierno, a través del Ministerio de Medio Ambiente, el plan hidrológico de la cuenca y sus ulteriores revisiones. Asimismo, podrá informar las

---

[254] Como ha puesto de relieve F. DELGADO PIQUERAS, "La transposición...", *op. cit.*, p. 194, como consecuencia (indirecta) de la transposición de la Directiva marco de aguas en nuestro ordenamiento, se ha extendido el ámbito físico en el que tenían jurisdicción los antiguos Consejos del Agua de cuenca (limitado a las cuencas hidrográficas correspondiente), para abarcar el ámbito de la Demarcación, que incluye a las aguas costeras.

cuestiones de interés general para la demarcación y las relativas a la protección de las aguas y a la mejor ordenación, explotación y tutela del dominio público hidráulico. Las Comunidades Autónomas cuyo territorio forme parte total o parcialmente de una demarcación hidrográfica y que se incorporen al Consejo del Agua correspondiente tienen así la oportunidad participar en la elaboración de la planificación hidrológica y en las demás funciones del mismo. La composición del Consejo del Agua se establecerá mediante Real Decreto aprobado por el Consejo de Ministros, ajustándose a las directrices establecidas en el art. 36 TRLA (en el cual se exige que estén representados diversos Ministerios de la Administración General del Estado, los servicios técnicos del Organismo de cuenca, de los servicios periféricos de Costas del Ministerio de Medio Ambiente cuyo territorio coincida total o parcialmente con el de la demarcación hidrográfica, cada Autoridad Portuaria y Capitanía Marítima afectadas por el ámbito de la demarcación hidrográfica[255], las Comunidades Autónomas que participen en el Consejo de Gobierno, las entidades locales cuyo territorio coincida total o parcialmente con el de la cuenca, los usuarios y asociaciones y organizaciones de defensa de intereses ambientales, económicos y sociales relacionados con el agua)[256].

5º) El último órgano que forma parte de las Confederaciones Hidrográficas es el Comité de Autoridades Competentes; órgano de cooperación interadministrativa recientemente creado por la Ley 62/1999 con el fin de facilitar la ejecución de la Directiva marco en nuestro Estado por "demarcaciones hidrográficas", y que, por su novedad, así como por las particularidades que presenta, se analiza de forma independiente en el siguiente apartado.

En relación con la composición mixta de los órganos colegiados de las Confederaciones que acabamos de examinar, conviene apuntar, para finalizar, que precisamente en aquellos más importantes por tener competencias decisorias y de planificación —en la Junta de Gobierno y en el Consejo del Agua— predomina la representación estatal: se reserva a órganos unipersonales o personal técnico de las Confederaciones, y a representantes de diversos órganos de la Administración General del Estado, un núme-

---

[255] Sobre el concepto de Demarcación Hidrográfica *vid.* el siguiente apartado.
[256] Para un análisis de las novedades que supuso en su composición la Ley 46/1999 *vid.* A. FANLO LORAS, "La reforma de la Ley de Aguas y las Entidades Locales: especial referencia a la articulación de competencias concurrentes", RArAP nº 16, 2000, p. 331.

ro de miembros que va a garantizar la preeminencia estatal. No ocurre así, sin embargo, en los denominados órganos de gestión en régimen de participación, en los que la representación de los usuarios es mayoritaria pero que, como ya hemos advertido, sólo tienen competencia para elevar propuestas no vinculantes a los órganos de gobierno. Y tampoco es ese el caso del Comité de Autoridades Competentes, en el que se establece la paridad entre los representantes de órganos estatales y de las Comunidades Autónomas. Por otra parte, y a través del desarrollo reglamentario que le compete, también se reserva a la Administración del Estado el poder de determinar, dentro de las directrices establecidas en las disposiciones del TRLA, la composición definitiva de estos órganos[257].

4. *Las demarcaciones hidrográficas y el Comité de Autoridades Competentes de los Organismos de cuenca conforme a la Directiva Marco de Agua*

Tal y como ya advertimos en el apartado III.3, con motivo de la transposición de la Directiva marco de aguas la Ley 62/2003 va a ampliar su ámbito de aplicación, en lo que a tutela de la calidad y del buen estado ecológico de las aguas se refiere, más allá de las aguas continentales, para abarcar también aguas costeras, cuya calidad depende en gran medida de la cantidad y calidad de los aportes de agua dulce de los ríos. A tales efectos se va a crear, en el art. 16 bis TRLA, la figura de "demarcación hidrográfica", definida como "la zona terrestre y marina compuesta por una o varias cuencas hidrográficas vecinas y las aguas de transición, subterráneas y costeras asociadas a dichas cuencas". Para abarcar la protección de todas esas aguas, desde las continentales a las costeras, la demarcación hidrográfica se configura como "la principal unidad a efectos de la gestión de cuencas" (apartado 4° del art. 16 bis), incluyendo en su ámbito, por tanto, las aguas costeras asociadas a las cuenca[258]. Se constituye, en definitiva, como el nue-

---

[257]　Tarea que en su momento se hizo a través del Real Decreto 927/1988, de 29 de julio, por el que se aprueba el Reglamento de la Administración Pública del Agua y de la Planificación Hidrológica, en desarrollo de los títulos II y III de la Ley de Aguas (RAPA), el cual, en lo que a la administración del agua se refiere, precisa ser reformado para responder adecuadamente en este ámbito a las novedades introducidas en la Ley de Aguas en los últimos años.

[258]　Las aguas costeras se especificarán e incluirán en la demarcación o demarcaciones hidrográficas más próximas o más apropiadas. En cuanto a los acuíferos que no correspondan plenamente a ninguna demarcación en particular, se incluirán en la demarcación más próxima o más apropiada, pudiendo atribuirse a cada una de las demarcaciones la parte de acuífero correspondiente a su respectivo ámbito territorial, y

vo espacio administrativo en el que se aplican las normas de protección de las citadas aguas, y que se superpone al tradicionalmente utilizado en nuestro Derecho como ámbito territorial de gestión administrativa de las aguas: la cuenca hidrográfica[259]. Si bien, y como ha constatado el Tribunal Constitucional en su Sentencia 149/2012, "el legislador estatal no ha considerado pertinente, al introducir la nueva unidad de la demarcación hidrográfica, alterar la distribución de las competencias en materia de planificación hidrológica que existía cuando la unidad de gestión hidrológica era la cuenca hidrográfica"[260].

Además, el ámbito de los planes hidrológicos se va a extender, en consecuencia, para abarcar también las zonas marinas y las aguas costeras (art. 42 TRLA). Y todo ello, según el apartado 4 del art. 16 bis), "sin perjuicio del régimen específico de protección del medio marino que pueda establecer el Estado".

Nótese que, conforme a nuestro ordenamiento, las denominadas "aguas costeras" están sometidas a un régimen jurídico diferente al de las aguas continentales: las aguas marinas no se integran en el dominio público hidráulico, sino en el dominio público marítimo-terrestre, que se rige por la Ley 22/1988 de Costas; y, por lo que respecta a la distribución de competencias entre el Estado y las Comunidades Autónomas, en las cuestiones directamente relacionadas con la protección del medio ambiente marino (y, entre ellas, la de la calidad de sus aguas), va a regir el art. 149.1.23 CE,

---

debiendo garantizarse, en este caso, una gestión coordinada mediante las oportunas notificaciones entre demarcaciones afectadas. La figura de la demarcación se superpone así, a tales efectos, al que hasta ahora había sido el único criterio para determinar la base territorial de organización administrativa de las aguas: la cuenca hidrográfica.

[259] Para un análisis exhaustivo de las implicaciones de la Directiva marco en la organización de la administración del agua en España *vid.* A. EMBID IRUJO, "Cuestiones institucionales: demarcaciones y cuencas hidrográficas, planificación hidrológica y su relación con el principio de recuperación de costes", Justicia administrativa: Revista de Derecho Administrativo, nº Extra 1, 2012, pp. 15-38; "Organización de las cuencas hidrográficas", en A. EMBID IRUJO (Dir.) *Agua y Territorio (Consideración especial de la Reforma de los Estatutos de Autonomía)*, Civitas, Madrid, 2007; A. FANLO LORAS, "Demarcaciones hidrográficas", en A. EMBID IRUJO (Dir.), *Diccionario...*, *op. cit.* 528-532.

[260] STC 149/2012, de 5 de julio, FJ 7º. *Vid.* también la Sentencia 30/2011, FJ 5º. En la STC 149/2012 el TC ha precisado también, en relación con la habilitación al Gobierno para configurar las demarcaciones hidrográficas por vía reglamentaria, que, conforme al criterio adoptado por el legislador de seguir considerando noción central la cuenca hidrográfica, son de competencia estatal las demarcaciones hidrográficas de carácter intercomunitario, si bien hay que tener en cuenta, también, que sólo al Estado compete delimitar la parte española de las demarcaciones hidrográficas internacionales.

según el cual compete al Estado adoptar la legislación básica y las Comunidades Autónomas las normas de desarrollo o normas adicionales de protección, así como la competencia de ejecución y gestión. En consecuencia, corresponde a las Comunidades Autónomas autorizar los vertidos desde la costa al mar, tal y como declaró el Tribunal Constitucional en su Sentencia 149/1991[261]. No obstante, cuando se trata de la contaminación que pueden originarse desde los buques, plataformas fijas y otras instalaciones situadas en zonas en las que España ejerce soberanía, el art. 6 de la Ley 27/1992 de Puertos del Estado y de la Marina Mercante integra tales actividades dentro del concepto de "marina mercante", ámbito que el art. 149.1.20 atribuye a la competencia exclusiva del Estado, y que el Tribunal Constitucional ha confirmado en su Sentencia 40/1998 sobre la Ley de Puertos[262].

Por consiguiente, en las demarcaciones hidrográficas van a confluir distintas Administraciones, y dentro de éstas, distintos órganos con responsabilidad en la gestión y protección de las aguas continentales y costeras: las Confederaciones Hidrográficas —en lo que a las aguas continentales de las cuencas intercomunitarias se refiere— y los órganos de la Administración del Estado competentes en materia de costas, de marina mercante y de puertos de interés general; los órganos competentes en materia de medio ambiente de las Comunidades Autónomas, y los Organismos de cuenca autonómicos en los casos de Comunidades Autónomas con cuencas intercomunitarias; y, además, los Entes Locales, responsables en materia de depuración de aguas residuales, y de autorizar la construcción y funcionamiento de instalaciones cuya actividad puede afectar a la calidad de las aguas.

Dado que la Directiva concibe la protección de las aguas continentales y costeras a ellas asociadas como un todo, y lo organiza administrativamente en torno a las demarcaciones hidrográficas, va a ser preciso establecer mecanismos de cooperación y coordinación efectivos entre todas estas Administraciones a fin de ejecutar correctamente la Directiva. Con este fin, la Ley 62/2003 optó por crear dentro de los organismos de las cuencas intercomunitarias los Comités de Autoridades Competentes, como órganos "para garantizar la adecuada cooperación en la aplicación de las normas de protección de las aguas" (art. 36 bis TRLA). Y, en el caso de demarcaciones hidrográficas de cuencas intracomunitarias, que deben ser identificadas y

---

[261] FJ. 4°.
[262] Sobre el régimen de protección de las aguas marinas *vid.*, en general, M. ZAMBONINO PULITO, *La protección jurídica-administrativa del medio marítimo: tutela ambiental y transporte marítimo*, Tirant lo Blanch, Valencia, 2001.

organizadas administrativamente por las Comunidades Autónomas, exige a éstas que en los organismos de esas cuencas se garantice el principio de unidad de gestión de las aguas, la cooperación en el ejercicio de las competencias que en relación con su protección ostenten las distintas Administraciones públicas y, en particular, las que corresponden a la Administración General del Estado en materia de dominio público marítimo terrestre, portuario y de marina mercante (apartado 4º del art. 36 bis TRLA).

El Comité de Autoridades Competentes de la demarcación hidrográfica tendrá como funciones básicas: a) favorecer la cooperación en el ejercicio de las competencias relacionadas con la protección de las aguas que ostenten las distintas Administraciones públicas en el seno de la respectiva demarcación hidrográfica; b) impulsar la adopción por las Administraciones públicas competentes en cada demarcación de las medidas que exija el cumplimiento de las normas de protección de la Ley de Aguas; c) proporcionar a la Unión Europea, a través del Ministerio de Medio Ambiente, la información relativa a la demarcación hidrográfica que se requiera, conforme a la normativa vigente.

La Ley especifica expresamente que la creación de este órgano "no afectará a la titularidad de las competencias que en las materias relacionadas con la gestión de las aguas correspondan a las distintas Administraciones públicas, que continuarán ejerciéndose de acuerdo con lo previsto en cada caso en la normativa que resulte de aplicación". Precisión que parece innecesaria por resultar evidente (desde el punto de vista de la transposición de la Directiva marco, a la luz del principio de autonomía institucional que rige la ejecución del Derecho comunitario, y, desde el punto de vista interno, debido a la naturaleza y funciones —de mera coordinación— que se atribuyen a estos comités).

Por lo que se refiere a su composición, el Comité de Autoridades Competentes estará integrado por los órganos de la Administración General del Estado con competencias sobre el aprovechamiento, protección y control de las aguas objeto de la Ley de Aguas, con un número de representantes que no supere el de las Comunidades Autónomas; los órganos de las Comunidades Autónomas, cuyo territorio forme parte total o parcialmente de la demarcación hidrográfica, con competencias sobre la protección y control de las aguas objeto de esta Ley, con un representante por cada Comunidad Autónoma; y los Entes Locales, cuyo territorio coincida total o parcialmente con el de la demarcación hidrográfica, con competencias sobre la protección y control de las aguas objeto de esta Ley, representados en función de su población dentro de la demarcación, a través de las correspondientes federaciones territoriales de municipios[263]. La composición concreta de estos Comités deberá determinarse con exactitud para cada demarcación.

Al igual que ocurre con la determinación del ámbito territorial de las demarcaciones, el listado de las autoridades competentes de cada demarcación, debían ser comunicadas a la Comisión Europea a más tardar el 22 de junio de 2004[264]. Por su parte, la Ley 62/2003 estableció el apartado 5 del art. 16 bis) TRLA, a tales efectos, que "el Gobierno, por real decreto, oídas las Comunidades Autónomas, fijará el ámbito territorial de cada demarcación hidrográfica que será coincidente con el de su plan hidrológico", y determinó en el art. 36.ter) TRLA que le correspondía al Ministerio de Medio Ambiente facilitar a la Comisión Europea una lista de las autoridades competentes españolas.

Las obligaciones impuestas por la Directiva en este sentido no fueron cumplidas en plazo por el Estado español, por lo que en el año 2005 la Comisión comenzó los procedimientos de incumplimiento por no haber no haber proporcionado información sobre las demarcaciones y sobre las autoridades responsables de su gestión[265].

El año 2007, con más de 3 años de retraso sobre la fecha debida, el Estado adoptó un reglamento esencial para dar cumplimiento a todas estas obligaciones: el RD 125/2007 por el que se fija el ámbito territorial de las demarcaciones hidrográficas. Si bien hay que advertir que, conforme al reparto interno de competencias este Reglamento atañe únicamente a las cuencas de competencia estatal. El ámbito territorial de las demarcaciones de cuencas intracomunitarias debe ser fijada por las Comunidades Autónomas[266] (con independencia de que su comunicación a la Comisión competa, como siempre, al Estado). De hecho, el retraso en la determinación de estos ámbitos por parte de varias comunidades autónomas con cuencas intracomunitarias dio finalmente lugar a la Sentencia del Tribunal de Jus-

---

[263]   *Vid.* al respecto la STC en la que declara que esta disposición no supone vulneración alguna del principio de autonomía local.

[264]   Art. 3.7 en relación con el art. 24 DMA.

[265]   Commission Staff Working Document, *Seventh Annual Survey on the implementation and enforcement of Community environmental law - 2005*, Bruselas, 8.9.2006, SEC(2006) 1143, p. 16.

[266]   *Vid.* N. GARRIDO CUENCA y L. ORTEGA ÁLVAREZ, "La Sentencia del Tribunal Supremo de 20 de octubre de 2004 que anula el Plan Hidrológico del Júcar. Una decisión clarificadora sobre la distribución competencial en materia de aguas", RAP nº 167, 2005, p. 211.

ticia de la Unión Europea, de 7 de mayo de 2009, en el asunto C-516/07, declarando el incumplimiento por parte del Estado español de esta obligación[267].

Como señala la Exposición de motivos de dicho Reglamento, "se ha optado por mantener, en la medida de lo posible, la actual estructura de cuencas hidrográficas mediante la correspondiente adición de las aguas de transición y las costeras". También va a considerar incluidas en cada demarcación todas las aguas subterráneas situadas bajo los límites definidos por las divisorias de las cuencas hidrográficas de la correspondiente demarcación, remitiendo al proceso de planificación la articulación de los mecanismos de coordinación entre los Organismos competentes de cada demarcación que garanticen la consecución de los objetivos ambientales establecidos para dichas masas. En el caso de los acuíferos compartidos entre varias demarcaciones hidrográficas (los definidos como tales por el PHN) se atribuye a cada una de ellas la parte de acuífero correspondiente a su respectivo ámbito territorial, debiendo garantizarse una gestión coordinada entre las demarcaciones afectadas. En cuanto a las cuencas internacionales, que deben definirse conjuntamente con los Estados que forman parte de las mismas, en este Real Decreto el Estado español lo único que puede hacer es determinar cuál es la parte nacional de esas demarcaciones internacionales. Como ha puesto de relieve el profesor FANLO, este Real Decreto supone una nueva delimitación de las cuencas hidrográficas que altera la establecida en el RD de 1987 y que, en algunos casos, establece exclusiones de las cuencas intercomunitarias de difícil justificación[268].

Por otra parte, con el Real Decreto 126/2007 se ha regulado finalmente la composición, funcionamiento y atribuciones de los comités de autoridades competentes de las demarcaciones hidrográficas con cuencas intercomunitarias (y de la parte nacional de las cuencas internacionales). Regulación imprescindible para que puedan llevar a cabo el papel que el art. 36.bis) le atribuye en la consecución de los objetivos de calidad de las aguas impuestos por la Directiva marco[269].

---

[267]   *Vid.* apartado 2.C) *supra*.

[268]   Es el caso, como apunta el profesor FANLO, de la subcuenca del Chanza, traspasada a la Comunidad andaluza, entre otros; vid. A. FANLO LORAS, "Demarcaciones hidrográficas", en A. EMBID IRUJO (Dir.), *Diccionario..., op. cit.* 532.

[269]   *Cfr.* A. FANLO LORA, quien lleva a cabo un análisis crítico de este nuevo órgano y de las funciones que tiene atribuidas, llegando a la conclusión de que "el Comité es un órgano innecesario, pues la "autoridad competente", en el caso de las demarcaciones hidrográficas con cuencas intercomunitarias, es el Presidente de la Confederación correspondiente, organismo de cooperación y coordinación, en el que están ya integra-

5. La cooperación funcional entre las Confederaciones Hidrográficas y las Administraciones de las Comunidades Autónomas y de los Entes Locales

La principal disposición del TRLA sobre cooperación funcional entre los Organismos de cuenca y otras Administraciones públicas va a ser el art. 25 TRLA. El que antes fuera art. 23 LA de 1985 se limitaba, en un principio, a insistir en la colaboración orgánica en los siguientes términos: "Los Organismos de cuenca y las Comunidades Autónomas podrán establecer una mutua colaboración en el ejercicio de sus respectivas competencias, especialmente mediante la incorporación de aquéllas a la Junta de Gobierno de dichos organismos, según lo determinado en esta Ley". Dejaba así abierta otras vías de cooperación funcional, pero sin precisarlas. La Ley 46/1999 modificó dicho artículo (ahora art. 25 TRLA) para añadir tres párrafos más, detallando los distintos mecanismos de cooperación funcional que pueden establecerse entre los Organismos de cuenca, las Comunidades Autónomas y los Entes Locales, que se centran en los instrumentos convencionales y procedimentales que detallamos a continuación:

1°) Se prevé, en primer lugar, la posibilidad de que se celebren convenios de colaboración entre los organismos de las cuencas intercomunitarias, las Comunidades Autónomas, las Administraciones Locales y las Comunidades de usuarios para el ejercicio de sus respectivas competencias, conforme a lo dispuesto en la legislación vigente[270].

2°) En segundo lugar, se establece el sometimiento de los expedientes que tramiten los Organismos de cuenca en el ejercicio de sus competencias sustantivas sobre la utilización y aprovechamiento del dominio público hidráulico a informe previo de las Comunidades Autónomas, para que manifiesten "lo que estimen oportuno, en materias de su competencia, y en el plazo y supuestos que reglamentariamente se determinen"[271]. Al mismo trámite de informe se

---

das la Administración del Estado y las Comunidades Autónomas costeras". Postulando, no obstante, "para mayor seguridad jurídica" y a los solos efectos de garantizar la protección de la calidad de las aguas marinas "ampliar el ámbito territorial y funcional de las Confederaciones haciéndolo coincidir con el de la demarcación"; en *Diccionario...*, *op. cit.*, p. 446.

[270] *Vid.* la Ley 30/1992 RJAPPAC, la Ley 12/1983 del Proceso Autonómico y la Ley 7/1985 RBRLC.

[271] Nótese que en el art. 110 RDPH ya se preveía, si bien sólo para el procedimiento de otorgamiento de concesiones, el trámite de informe previo de la Comunidad Autónoma, en el que se otorga un plazo de tres meses para que ésta "pueda manifestar lo

someterán los planes, programas y acciones que adopten las Confederaciones que tengan como objetivo una adecuada gestión de las demandas, a fin de promover el ahorro y la eficiencia económica y ambiental de los diferentes usos del agua mediante el aprovechamiento global e integrado de las aguas superficiales y subterráneas. La Ley especifica que "las autorizaciones y concesiones de los Organismos de cuenca sometidas a dicho trámite de informe previo no estarán sujetas a ninguna *otra intervención ni autorización administrativa respecto al derecho a usar el recurso,* salvo que así lo establezca una Ley estatal". Con esta previsión se intenta poner freno a las exigencias de informes vinculantes o autorizaciones que han proliferado en determinadas normas sectoriales de las Comunidades Autónomas, y que, si bien se adoptan sobre la base de títulos competenciales propios (como medio ambiente o pesca fluvial), pueden llegar a obstaculizar o impedir el desempeño de actividades ya autorizadas o el disfrute de usos otorgados por las Confederaciones Hidrográficas en ejercicio de sus competencias conforme a la Ley de Aguas. En dicha disposición se añade, no obstante, que ello será "sin perjuicio de las que sean exigibles por otras Administraciones Públicas *en relación a la actividad de que se trate o en materia de intervención o uso de suelo".* Salvedad con la que el Legislador estatal se manifiesta respetuoso con las competencias asumidas por las Comunidades Autónomas que se ejerciten sin invadir las de las Confederaciones Hidrográficas relacionadas con *el derecho a usar el agua.* Estas disposiciones se hacen eco de la jurisprudencia en la que el Tribunal Constitucional ha declarado inconstitucional disposiciones de leyes autonómicas en las que se exigía una autorización independiente de la Comunidad Autónoma, sin articulación alguna con las competencias del Organismo de cuenca, sobre cuestiones directamente relacionadas con la gestión del dominio público hidráulico[272]. No

---

que estime oportuno en materias de su competencia". El apartado 3º del art. 25 TRLA generaliza y perfecciona este trámite.

[272] *Vid.,* en particular, las declaraciones del Tribunal Constitucional sobre el art. 22 de la Ley 1/1992, de 7 de mayo, de Pesca Fluvial, de Castilla-La Mancha, que sometía a autorización de la Administración autonómica el agotamiento o la disminución notable del volumen de agua embalsada o circulante cuando pudiera dañar la pesca existente, imponiendo a los concesionarios de los aprovechamientos hidráulicos el obligado cumplimiento de las condiciones que se determinasen en la autorización. En este caso el Tribunal declaró que "no se trata, aquí, de desconocer la competencia de la Comunidad Autónoma para informar y ser informada acerca de cualquier disminución drástica de caudales que pueda poner en peligro los recursos pesqueros existentes en

obstante, y tal y como ha analizado en detalle A. FANLO LORAS, no siempre va a ser sencillo distinguir cuándo estamos ante una autorización o licencia regulada por una Comunidad Autónoma que duplica ilegítimamente la autorización o concesión demanial otorgada por el Organismo de cuenca, o cuándo ante una autorización complementaria necesaria y legítima en ejercicio de sus propias competencias (particularmente en materias como la adopción de medidas adicionales de protección del medio ambiente o la pesca fluvial)[273].

3º) En tercer lugar, se prevé el sometimiento de los actos y planes que las Comunidades Autónomas hayan de aprobar en el ejercicio de sus competencias (entre otras, en materia de medio ambiente, ordenación del territorio y urbanismo, espacios naturales, pesca, montes, regadíos y obras públicas de interés regional) a previo informe de las Confederaciones Hidrográficas, en el plazo y supuestos que reglamentariamente se determinen, siempre que tales actos y planes afecten al régimen y aprovechamiento de las aguas continentales o a los usos permitidos en terrenos de dominio público hidráulico y en sus zonas de servidumbre y policía, teniendo en cuenta a estos efectos lo previsto en la planificación hidráulica y en las planificaciones sectoriales aprobadas por el Gobierno. Este apartado fue modificado por la disposición final 1ª de Ley 11/2005, con el fin de reforzar estos mecanismos, de cooperación funcional, extendiéndolos a los entes locales: a diferencia de la redacción originalmente dada por la Ley 46/1999, se va a exigir ahora, tanto en relación a los actos o planes de las comunidades autónomas como a los de las entidades locales cuando éstos comporten nuevas demandas hídricas, que la Confederación Hidrográfica se pronuncie "expresamente sobre la existencia o inexistencia de recursos suficientes para satisfacer tales demandas", y se establece que el informe —al contrario de lo

---

la cuenca, o para prohibir una reducción arbitraria de aquéllos cuando se perjudique gravemente a la riqueza piscícola. Por el contrario, lo que conduce a la declaración de inconstitucionalidad es el modo en que la Ley autonómica pretende desarrollar el ejercicio de esa competencia, pues se exige una autorización independiente de la Comunidad Autónoma, sin articulación alguna con las competencias del Organismo de cuenca sobre las reducciones de caudales, lo que conduce a un inevitable desconocimiento de las competencias concurrentes ajenas (STC 15/1998, FJ 8; *vid.* en igual sentido las SSTC 166/2000, FJ 6; y 110/1998, FJ 4, *in fine*).

[273]   *Vid.* A. FANLO LORAS, "problemática general...", *op. cit.*, p. 382, y "La reforma de la Ley de Aguas...", *op. cit.*, pp. 331 ss.

que se establecía originariamente— se entenderá desfavorable si no se emite en plazo. Además, se precisa que lo dispuesto en este apartado "será también de aplicación a los actos y ordenanzas que aprueben las entidades locales en el ámbito de sus competencias, salvo que se trate de actos dictados en aplicación de instrumentos de planeamiento".

A esto hay que añadir que la Ley 46/1999 introdujo también en otros artículos, además de en el antiguo art. 23 LA, disposiciones sobre cooperación o coordinación funcional en ámbitos o materias específicas: este es el caso, en concreto, del apartado 2º del art. 11 TRLA sobre las zonas inundables[274] y del art. 128 TRLA en el nuevo Título sobre las obras hidráulicas[275].

6. Las comunidades de usuarios

El Derecho español de aguas va a recoger fórmulas históricas de autoadministración de las aguas, como es el caso de las Comunidades de Regantes, a las que se va a otorgar la consideración de Corporaciones de Derecho Público. Las Comunidades de Regantes fueron, de hecho, la primera estructura organizativa en materia de aguas, de carácter consuetudinario, de las que se hace eco la Ley de Aguas de 1866-1879. Estas Comunidades, que se constituían con carácter preceptivo entre los regantes que extraían el agua de una misma toma, tenían encomendadas la organización de los aprovechamientos de riegos, y funciones de policía y de arbitraje entre sus miembros en relación su distribución de las aguas públicas que utilizaban[276].

La Ley de Aguas de 1985 acoge esta figura, generalizándola para todos los tipos de usos del agua y otros bienes del dominio público hidráulico de una misma toma o concesión que puedan llevarse a cabo de forma colectiva. Cuando el destino dado a las aguas sea principalmente el riego, seguirán denominándose Comunidades de Regantes; en otro caso, las comunidades recibirán el calificativo que caracterice el destino del aprovechamiento colectivo (art. 81 TRLA).

---

[274]   Vid. lo ya expuesto en el apartado IV.3, *supra*.
[275]   Vid. el apartado IX, *infra*.
[276]   Sobre las Comunidades de Regantes en la Ley de Aguas de 1879 en general *vid.* S. MARTÍN RETORTILLO, *De las Administraciones autónomas de las aguas públicas*, Sevilla, 1960; sobre los problemas que suscitó su naturaleza jurídica en el régimen político anterior *vid.* T. R. FERNÁNDEZ RODRÍGUEZ, "Sobre la naturaleza de las Comunidades de Regantes", REDA, pp. 290 ss.

Por lo que se refiere a su naturaleza y a su régimen jurídico, la Ley de Aguas las va a configurar como "Corporaciones de Derecho público", adscritas al Organismo de cuenca, que velarán por el cumplimiento de sus estatutos u ordenanzas y por el buen orden del aprovechamiento; también dispone que actuarán conforme a los procedimientos establecidos en la propia Ley de Aguas, en sus reglamentos y en sus estatutos y ordenanzas, y de acuerdo con lo previsto en la Ley 30/1992 RJAP-PAC. Su calificación como Corporaciones de Derecho público no ha estado exenta de críticas por la doctrina, que ha puesto de relieve cómo —a diferencia de lo que ocurre con otras Corporaciones de Derecho público como los Colegios profesionales o Cámaras de Comercio, Industria o Navegación— los Organismos de cuenca ejercen sobre ellos poderes "cuasi jerárquicos (órdenes vinculantes, resoluciones de recursos de alzada frente a sus decisiones) que no se compadecen con la independencia con que actúa una corporación del tipo de una Cámara de Comercio o un Colegio profesional"[277]. En cuanto a su régimen jurídico, hay que precisar que, dado su sustrato de naturaleza privada, solo cuando actúen en su condición de Administraciones públicas (esto es, cuando realicen, por mandato de la Ley y con la autonomía que en ella se les reconoce, las funciones de policía, distribución y administración de las aguas que tengan concedidas por la Administración[278]) quedarán sometidas al Derecho Administrativo, estando sujetas en todo lo demás (personal, bienes, contratos, responsabilidad extracontractual, etc.) al Derecho privado y al orden jurisdiccional correspondiente. Sus principales rasgos son los siguientes:

1º) Tienen la obligación de constituirse en Comunidad todos los usuarios que, de forma colectiva, utilicen la misma toma de aguas procedentes o derivadas de manantiales, pozos, corrientes naturales o canales construidos por el Estado o usen un mismo bien o conjunto de bienes de dominio público hidráulico. Si la concesión de las aguas comprendiera varias tomas, el Organismo de cuenca determinará si todos los usuarios han de integrarse en una sola Comunidad o en varias Comunidades independientes y la relación que entre ellas ha de existir (art. 198 RDPH).

---

[277]   *Vid.* R. PARADA VÁZQUEZ, *Derecho Administrativo...*, *op. cit.*, p. 113, quien considera esta calificación inapropiada, y señala que más que un supuesto de autoadministración independiente, como es la tónica de la administración corporativa "responden a un caso de gestión privada colectiva, forzada y forzosa, de bienes públicos, rigurosamente intervenida, como viene siendo el caso de los sindicatos de propietarios franceses".

[278]   *Vid.* el art. 199.2 RDPH.

2°) Los usuarios que se integran en la Comunidad redactarán y apro-
barán sus propios estatutos u ordenanzas, que regularán la organización de la Comunidad, así como la explotación en régimen de
autonomía interna de los bienes hidráulicos inherentes al aprovechamiento[279]. Estos deberán ser sometidos, para su aprobación administrativa, al Organismo de cuenca, que no podrá denegarla, ni
introducir modificaciones en estas normas, sin previo dictamen del
Consejo de Estado (art. 81 TRLA)[280]. Las Comunidades de Usuarios
que carezcan de Ordenanzas vendrán obligadas a presentarlas para
su aprobación en el plazo de seis meses a partir del momento en
que fueran requeridas para ello por el Organismo de cuenca. En
caso de incumplimiento, este Organismo podrá establecer las que
considere procedentes, previo dictamen del Consejo de Estado[281].

3°) Las comunidades de usuarios estarán obligadas a realizar las obras e
instalaciones que la Administración les ordene, a fin de evitar el mal
uso del agua o el deterioro del dominio público hidráulico, pudiendo el Organismo de cuenca competente suspender la utilización
del agua hasta que aquéllas se realicen. Las deudas a la comunidad
de usuarios por gastos de conservación, limpieza o mejoras, así como cualquier otra motivada por la administración y distribución de
las aguas, gravarán la finca o industria en cuyo favor se realizaron,
pudiendo la comunidad de usuarios exigir su importe por la vía
administrativa de apremio y prohibir el uso del agua mientras no
se satisfagan, aun cuando la finca o industria hubiese cambiado de

---

[279] Los estatutos y ordenanzas de las comunidades de usuarios incluirán la finalidad y el
ámbito territorial de la utilización de los bienes del dominio público hidráulico, regularán la participación y representación obligatoria, en relación con sus respectivos
intereses, de los titulares actuales y sucesivos de bienes y servicios y de los participantes
en el uso del agua; y obligarán a que todos los titulares contribuyan a satisfacer en
equitativa proporción los gastos comunes de explotación, conservación, reparación
y mejora, así como los cánones y tarifas que correspondan. Los estatutos y ordenanzas de las comunidades, en cuanto acordados por su junta general, establecerán las
previsiones correspondientes a las infracciones y sanciones que puedan ser impuestas
por el jurado de acuerdo con la costumbre y el procedimiento propios de los mismos,
garantizando los derechos de audiencia y defensa de los afectados (art. 82.2 TRLA).

[280] El nuevo apartado 9 del art. 2001 RDPH, introducido por el RD 606/2003, establece
que "Se entenderán denegados los estatutos u ordenanzas sobre los que no haya sido notificada la resolución expresa en el plazo de seis meses contados a partir de su
presentación en el Organismo de cuenca". Previsión que choca frontalmente con la
exigencia de dictamen del Consejo de Estado, exigido por la Ley, para la denegación
de su aprobación.

[281] Art. 82.4 TRLA, en relación con el art. 205.4 RDPH.

dueño. El mismo criterio se seguirá cuando la deuda provenga de multas e indemnizaciones impuestas por los tribunales o jurados de riego.

4°) En cuanto a la organización de las comunidades de usuarios, se establece una estructura mínima que todas deben respetar: toda comunidad de usuarios tendrá una Junta General o asamblea, una Junta de Gobierno y uno o varios jurados. La *Junta General*, constituida por todos los usuarios de la comunidad, es el órgano soberano de la misma, correspondiéndole todas las facultades no atribuidas específicamente a algún otro órgano. La *Junta de Gobierno*, elegida por la Junta General, es la encargada de la ejecución de las ordenanzas y de los acuerdos propios y de los adoptados por la Junta General. Tanto los acuerdos de la Asamblea como de la Junta General en el ámbito de sus competencias son ejecutivos y recurribles en alzada ante el Organismo de cuenca. Sus funciones se han visto notablemente ampliadas por la Ley 46/1999[282]. A los *Jurados* les corresponde conocer las cuestiones de hecho que se susciten entre los usuarios de la comunidad en el ámbito de las ordenanzas e imponer a los infractores las sanciones reglamentarias, así como fijar las indemnizaciones que puedan derivarse de la infracción. Los procedimientos serán públicos y verbales en la forma que determine la costumbre y el reglamento, y sus fallos serán ejecutivos. Los Jurados de aguas toman el testigo de los Jurados de riego regulados en la Ley de Aguas 1866-1879, en relación con los cuales el art. 85 TRLA va establecer la pervivencia de la organización tradicional de los mismos, "cualquiera que sea su denominación peculiar". Además, están también amparados por el art. 125 CE, que prevé que los ciudadanos pueden participar en la Administración de Justicia mediante los Tribunales consuetudinarios y tradicionales, así como por el art. 19 de la LOPJ, en donde se proclama expresamente el carácter de Tribunal consuetudinario y tradicional del Tribunal de

---

[282] Su posición se ha visto reforzada por la Ley 46/1999 a lo largo de diversas disposiciones de la Ley de Aguas: les ha atribuido competencia para gestionar los sistemas de medición de consumo por Comunidades de usuarios; contempla su participación en la celebración de los contratos de cesión, y en la gestión de cánones y tasas; refuerza su papel en la gestión de las aguas subterráneas; y prevé la encomienda por la Administración a los usuarios respecto de la construcción y explotación de las obras hidráulicas. Además, se otorga a los usuarios la iniciativa para la declaración de una obra como de interés general.

Aguas de la Vega Valenciana y del Consejo de Hombres Buenos de Murcia[283].

5°) Por último, las comunidades de usuarios tienen potestad para ejecutar por sí mismas y con cargo al usuario, los acuerdos incumplidos que impongan una obligación de hacer (excepcionándose aquellas obligaciones que revistan un carácter personalísimo); el coste de la ejecución subsidiaria será exigible por la vía administrativa de apremio. Serán, además, beneficiarias de la expropiación forzosa y de la imposición de las servidumbres que exijan sus aprovechamientos y el cumplimiento de sus fines.

7. Información y participación pública en la Administración del agua

En los últimos años se han introducido en nuestro Derecho de aguas, por exigencia del Derecho ambiental comunitario, una serie de disposiciones dirigidas a posibilitar una mejor información y participación del público en relación con las actuaciones administrativas que afecten a la gestión y al estado de las aguas. Participación pública que también ha sido propugnada por diversos instrumentos de carácter internacional, como el capítulo dedicado a las aguas dulces de la Agenda 21[284], adoptada por Naciones Unidas en la Cumbre de Río, o la Declaración de Dublín sobre el agua y el desarrollo sostenible[285].

El acceso de los ciudadanos a la información de que disponen las autoridades públicas es un requisito fundamental para hacer posible su adecuada participación en las decisiones de las autoridades públicas y, en definitiva, para lograr una Administración más transparente y democrática. En 1990 la Comunidad adoptó la Directiva 90/313/CEE sobre acceso a la información en materia de medio ambiente que obre en poder de los poderes públicos[286], Directiva que ha sido durante años la piedra angular en la Comunidad sobre conciencia y participación pública, y que fue

---

[283] *Vid.* al respecto la STC 113/2004, que resuelve un recurso de amparo interpuesto por una empresa contra una Sentencia del "Consejo de Hombre Buenos de Murcia", en donde el Alto Tribunal analiza la naturaleza jurídica de los tribunales consuetudinarios de aguas.

[284] Punto 18.50.b).iii).

[285] Doc. A/CONF. 151/PC/112, de 12 de marzo de 1992; Declaración realizada en el marco de la Conferencia Internacional sobre el Agua y el Medio Ambiente de Naciones Unidas, celebrada en Dublín en enero de 1992.

[286] DOCE L 151/1, de 15.6.1990.

transpuesta a nuestro ordenamiento jurídico por la Ley 38/1995 sobre el derecho de acceso a la información en materia de medio ambiente[287]. A raíz de la firma en 1998 y la ratificación en curso del Convenio CEPE/ ONU sobre acceso a la información y participación pública (Convenio de Aarhus), la Unión Europea y sus Estados miembros se han comprometido a facilitar aún una mayor participación y a proporcionar más información al público en materia de medio ambiente. Ello ha llevado a la adopción de un nuevo paquete de directivas para cumplir con las exigencias de dicho Convenio en la Unión, entre las que figura la nueva Directiva 2003/4/CE del Parlamento y del Consejo, relativa al acceso del público a la información medioambiental[288] (que deroga la de 1990 con efectos desde el 14 de febrero de 2005), así como Directiva 2003/35/CE, por la que se establecen medidas para la participación del público en la elaboración de determinados planes y programas relacionados con el medio ambiente[289]. Pero en el Derecho comunitario no sólo encontramos estas disposiciones de carácter general sobre el derecho de información y participación pública en materia de medio ambiente (las cuales se aplican, lógicamente, a toda aquella información en manos de las Administraciones Públicas que pueda afectar a la protección de las aguas), también la Directiva marco de aguas va a introducir disposiciones específicas sobre información y participación pública en relación con la planificación y protección de las aguas (art. 14).

En ejecución de estas exigencias, la Ley 46/1999 introdujo un nuevo art. 13.bis LA (ahora art. 15 TRLA) que reconoce a todas las personas físicas o jurídicas el "derecho a acceder a la información en materia de aguas en los términos previstos en la Ley 38/1995, de 12 de diciembre, sobre el derecho a la información en materia de medio ambiente, y, en particular, a la información sobre vertidos y calidad de las aguas". Referencia que en la actualidad hay que entender hecha a la más reciente Ley 27/2006 de 18 de julio, por la que se regulan los derechos de acceso a la información, de participación pública y de acceso a la justicia en materia de medio ambiente[290]. Sin perjuicio de que dicha Ley establece una serie de límites y excepciones al derecho de acceso a la información sobre medio ambiente, en aras de la protección de una serie de intereses públicos o derechos subjetivos tasados, en ella se va a consagrar un concepto de información sobre medio ambiente de amplio alcance, en el que va a quedar comprendida la

---

[287] BOE núm. 297, de 13.12.1995.
[288] DOCE L 41/26 de 14.2.2003.
[289] DOCE L 156/17 de 25.6.2003.
[290] BOE nº 171, de 19.7.2006.

información sobre cualquier situación o actuación administrativa que directa o indirectamente pueda afectar al medio ambiente acuático, incluida la información sobre concesiones (que pueden repercutir negativamente en los caudales ecológicos o en la explotación racional de los acuíferos), o sobre planes o programas sectoriales que, aunque no versen directamente sobre la gestión o protección de las aguas, puedan tener impacto sobre las mismas[291].

Tras la Ley 46/1999, la Ley 10/2001 por la que se aprueba el PHN vino a incluir también una serie de disposiciones ordenando al entonces Ministerio de Medio Ambiente la adopción de medidas activas para mejorar la información puesta a disposición del público sobre el estado del agua. En su art. 33 se impone a dicho Departamento la obligación de mantener un registro oficial de datos hidrológicos que incluirá diversa información sobre el estado de los caudales en ríos, los acuíferos, las existencias embalsadas, y la calidad de las aguas continentales; y de que, además, en las cuencas intercomunitarias, defina una red básica oficial de medida de datos hidrológicos que debe mantenerse actualizada. Medidas sin duda necesarias, pero hoy día insuficientes: una mejora real de la información al público exige en la actualidad, de conformidad con medios técnicos disponibles, que se presenten en tiempo real los datos sobre las condiciones de las aguas y de su calidad, tanto a escala local como por medio de Internet. Objetivo este que debería asumir una Administración transparente y moderna, particularmente cuando la información se refiera a situaciones o acontecimientos que puedan tener efectos sobre la salud y seguridad de las personas. Dirección ésta en la que está ya trabajando la Comisión Europea, como muestra algunas de las directivas sobre aguas aprobadas en los últimos años[292].

Finalmente, con la Ley 62/2003 se completa la transposición de las disposiciones de la Directiva marco sobre información y participación pública en lo que a la planificación hidrológica se refiere: se modifica la regulación del Consejo del Agua de la cuenca (ahora Consejo del Agua de la demarcación) para definirlo como "órgano de participación y planificación" (art. 26.3 TRLA), y, consecuentemente, para incluir entre sus funciones el fomento de la información, consulta pública y participación activa en el

---

[291] Para una reflexión sobre este derecho en materia de aguas (si bien articulada en torno a la antigua Ley 38/1994) *vid.* J. DOMPER FERRANDO, "El derecho de acceso a la información en materia de aguas", en A. EMBID IRUJO, *La reforma de la Ley..., op. cit.*, 352 ss.

[292] *Vid.* por ej., el art. 12 de la Directiva 2006/7/CE relativa a la calidad de las aguas de baño.

proceso planificador que lleva a cabo este órgano (art. 35 TRLA). En cuanto a la forma en que se va a articular la participación en el procedimiento de elaboración del plan, el artículo 41 TRLA remite a la vía reglamentaria la regulación de dicho procedimiento, pero el Legislador va a exigir que contemple, en todo caso, "la programación de calendarios, programas de trabajo, elementos a considerar y borradores previos para posibilitar una adecuada información y consulta pública desde el inicio del proceso". En la Disposición adicional 12ª del TRLA se precisa, en relación con esta cuestión, que antes de iniciarse el procedimiento para la aprobación o revisión del correspondiente plan hidrológico, el Organismo de cuenca o administración hidráulica competente de la Comunidad Autónoma debe comenzar a publicar y a poner a disposición del público, de forma escalonada y en unos plazos muy amplios (de hasta tres años), una serie de documentos con el fin de facilitar su ulterior participación durante el procedimiento (un calendario y un programa de trabajo con indicación de las fórmulas de consulta que se adoptarán en cada caso, un esquema provisional de los temas importantes que se plantean en la cuenca hidrográfica y, finalmente, el proyecto de plan hidrológico de cuenca). Por último, en los planes hidrológicos se debe incluir un resumen de las medidas de información pública y de consulta tomadas, sus resultados y los cambios consiguientes efectuados en el plan (art. 42.1.i TRLA) durante dicho proceso, de forma que se garantice que la consulta pública no es un mero trámite a pasar, sino que las observaciones o alegaciones que hayan formulado los particulares son debidamente tomadas en consideración por la Administración. Exigencias estas que deberán hacerse efectivas en las futuras modificaciones de los Planes hidrológicos de cuenca ya aprobados.

El nuevo Reglamento de Planificación Hidrológica (RPH), aprobado por RD 907/2007, dedica su título segundo a los aspectos procedimentales de elaboración y aprobación de los planes hidrológicos, en donde se han incluido varias disposiciones desarrollando las previsiones sobre participación pública previstas en los artículos 41 y 42[293]. Destaca también el hecho de que, tal y como constata el art. 71.6 del RPH, los planes hidrológicos serán objeto del procedimiento de evaluación ambiental estratégica conforme a lo establecido en la Ley 9/2006, de 28 de abril, sobre evaluación de los efectos de determinados planes y programas en el medio ambiente. Procedimiento con el que deberá coordinarse el de elaboración de los planes hidrológicos, para evitar posibles disfunciones como la duplicación

---

[293]   Los artículos 72 a 75 del Reglamento.

de trámites, por ejemplo, en materia de información y participación pública[294].

VI. LA PLANIFICACIÓN HIDROLÓGICA

1. *Funciones y objetivos de la planificación hidrológica; cuestiones generales sobre los planes hidrológicos*

Una de las novedades más importantes que introduce la Ley de Aguas
de 1985, junto a la demanialización de las aguas subterráneas, es la de instaurar la planificación hidrológica como instrumento indispensable para
articular una gestión racional y ordenada de los recursos hídricos en cada
cuenca hidrográfica y en el conjunto del territorio nacional, garantizando
la satisfacción de las demandas existentes sin perjuicio del buen estado
ecológico de las aguas y del medio ambiente[295].

Los planes hidrológicos previstos por la Ley juegan un papel clave en
el actual Derecho de Aguas al configurarse como una pieza indispensable
para la aplicación de muchas de las disposiciones del TRLA en las diversas
cuencas hidrográficas (y, en el futuro, en las demarcaciones hidrográficas),
hasta el punto de que su efectividad queda condicionada por las previsiones que se adopten en dichos planes[296]. De los planes hidrológicos dependen cuestiones tan esenciales como el orden de preferencia de los distintos

---

[294]   *Vid.* los artículos 10 y 21 de la Ley 9/2006.

[295]   La Ley de Aguas de 1866-1879 no contenía, en efecto, disposición alguna sobre planificación. No obstante, existen diversas experiencias previas de planificación en las
que la doctrina ha reconocido los antecedentes de la planificación hidrológica: este
es el caso de los Planes de Obras Hidráulicas adoptados a principios del siglo XX; si
bien, los antecedentes más directos los encontramos en los "planes de aprovechamiento general coordinados y metódicos de las aguas" cuya elaboración se encomendó
a las Confederaciones Hidrográficas en el Real Decreto-Ley de 1926 por el que se
crearon dichos organismos. Además, poco antes de la adopción de la Ley de Aguas
de 1985, el RD 3029/79 reguló la adopción de Planes hidrológicos; *vid.* A. EMBID
IRUJO, *La planificación hidrológica: régimen jurídico*, Tecnos, Madrid, 1991; p. 29 ss.; S.
MARTÍN RETORTILLO, *De las Administraciones..., op. cit.*, pp. 148 y 177 ss.; A. MENÉN-
DEZ REXACH y J. M. DÍAZ LEMA, "La Ley de Aguas de 2 de agosto de 1985: análisis
institucional", en A. GALLEGO ANABITARTE, A. MENÉNDEZ REXACH y J. M. DÍAZ
DE LEMA, *El Derecho de Aguas..., op. cit.*, pp. 592 ss.

[296]   *Vid.* MARTÍN RETORTILLO, *Derecho de Aguas, op. cit.*, p. 275; y A. EMBID IRUJO, "El
Plan Hidrológico Nacional como norma", en A. EMBID IRUJO (Dir.), *El Plan Hidrológico Nacional*, Civitas, Madrid, 1993, p. 30.

usos que pueden darse a los recursos hídricos, los caudales que se reservan a los diversos tipos de aprovechamientos, la determinación de los caudales ecológicos necesarios para preservar los hábitats y especies de fauna y flora que dependen de este recurso, la identificación de zonas protegidas, las obras necesarias en la cuenca, las condiciones en que pueden otorgarse concesiones para el uso privativo de las aguas (así como proceder a su prórroga, revisión o extinción), los valores límites y condiciones de los vertidos a las aguas, o los trasvases entre cuencas. De hecho, tal y como se reconoce en el art. 1.4 TRLA, *toda actuación sobre el dominio público hidráulico* deberá someterse a la planificación hidrológica.

La Ley de Aguas atribuye la función de planificación al Estado (art. 1.3 y 17 TRLA), al que compete la aprobación de los distintos tipos de planes previstos en la Ley: el Plan Hidrológico Nacional y los Planes Hidrológicos de cuenca, tanto intercomunitarios como intracomunitarios (en este último caso, aunque su elaboración compete a las Administraciones hidráulicas de las Comunidades Autónomas, su aprobación corresponde también al Gobierno de la Nación, tal y como examinamos en el siguiente apartado). Atribución que el Tribunal Constitucional ha considerado constitucional conforme al art. 149.1.13 CE, que otorga competencia exclusiva al Estado sobre las bases y coordinación de la planificación general de la actividad económica"[297].

Sin discutir que la planificación es un instrumento necesario a la hora de ordenar la gestión y protección de este recurso (tal y como se ha reconocido, por lo demás, en diversos instrumentos internacionales como la Carta Europea del Agua, la Declaración de Estocolmo, o la Declaración de Río; y ahora, con la Directiva marco de aguas, también en el Derecho de la Unión Europea), un importante sector de nuestra doctrina ha criticado el planteamiento maximalista que de este instrumento ha hecho nuestra Ley de Aguas, considerándolo excesivamente ambicioso, hasta el punto de cuestionarse su operatividad y eficacia en la práctica[298].

---

[297]　STC 227/1989, FJ 20.

[298]　Diversos autores comenzaron a poner en duda la viabilidad y eficacia de la ambiciosa planificación prevista por la Ley de Aguas —aunque sin cuestionar en términos absolutos la necesidad de recurrir en este ámbito a la técnica planificadora— mucho antes de que pudiera vislumbrarse en el horizonte la aprobación de los planes en ella previstos. En este sentido *vid.* E. GARCÍA DE ENTERRÍA en el Prólogo al libro de S. DEL SAZ, *Aguas subterráneas...*, *op. cit.*, p. 6, quien afirma que estos planes son "más un desiderátum técnico que una verdadera mecánica operativa. [...] más una ilusión tecnocrática que un instrumento efectivamente seguro y disponible con alguna seguridad objetiva". También R. GÓMEZ FERRER (en "La planificación hidráulica: aspectos

Conforme al art. 40.1 TRLA —modificado primero por la Ley 46/1999, y después por la Ley 62/2003, para poner un mayor énfasis en la protección de las aguas— la planificación hidrológica tiene como objetivos generales nada menos que "conseguir el buen estado y la adecuada protección del dominio público hidráulico y de las aguas objeto de esta Ley, la satisfacción de las demandas de agua, el equilibrio y armonización del desarrollo regional y sectorial, incrementando las disponibilidades del recurso, protegiendo su calidad, economizando su empleo y racionalizando sus usos en armonía con el medio ambiente y los demás recursos naturales".

Los planes hidrológicos son públicos y vinculantes, debiendo ser respetados tanto por los particulares como por las Administraciones públicas. No obstante, la Ley precisa que no crearán por sí solos derechos en favor de particulares o entidades, por lo que "su modificación no dará lugar a indemnización, salvo en los casos en que conlleven la revisión de concesiones conforme al artículo 65 TRLA (art. 40.4 TRLA), tal y como examinamos más adelante, en el apartado VI.2.C). A la luz de los efectos que les reconoce la Ley de aguas, la doctrina mayoritaria va a considerar que tienen naturaleza normativa[299]. De forma que, aunque la Ley establece que no

---

jurídicos", en VVAA, *La Ley de aguas: análisis...*, *op. cit.*, p. 51) ha dejado constancia de sus fundadas dudas en torno a la cuestión de si el sistema de planificación previsto en la LA de 1985 podía tener una aplicación efectiva o, visto desde otra perspectiva, de "si la Administración tiene capacidad de gestión suficiente para llevar a cabo la planificación hidráulica contemplada en la Ley"; y S. MARTÍN RETORTILLO (en *Derecho de Aguas...*, *op. cit.*, pp. 274 ss.) se ha referido a la "ambiciosa y teórica exaltación de una planificación hidrológica, cuyo significado, las posibilidades efectivas de su puesta en práctica, la realización misma y el propio sentido común obligan a relativizar". Tras el largo y difícil proceso que finalmente ha llevado —más de tres lustros después de la entrada en vigor de la LA de 1985— a la aprobación de los Planes hidrológicos, la misma crítica no ha perdido vigencia; así A. EMBID IRUJO (en "Evolución del Derecho...", p. 70-71) señala, ya con todos los planes ya en vigor, cómo "la ambición de la técnica planificadora en el TRLA es, al tiempo, uno de los principales enemigos de su eficacia".

[299] *Vid.*, entre otros autores, A. EMBID IRUJO, *La Planificación...*, *op. cit.*, pp. 121 ss.; S. DEL SAZ, *Aguas subterráneas...*, pp. 84 ss.; F. DELGADO PIQUERAS, *Derecho de Aguas...*, *op. cit.*, pp. 172 ss. quienes han argumentado extensamente a favor de su pleno valor normativo. Esta no ha sido, sin embargo, una cuestión pacífica en la doctrina, y no han faltado autores que han puesto en tela de juicio su valor normativo; *vid.*, por ej., A. MENÉNDEZ REXACH y J. M. DÍAZ LEMA, "La Ley de Aguas...", *op. cit.*, p. 670, quienes han defendido que su eficacia es esencialmente interna, calificándolo como una figura a caballo entre la instrucción y el reglamento. Nótese que la Administración ha reconocido el valor normativo de los Planes Hidrológicos que fueron aprobados por el Real Decreto 1664/1998, al ordenar la publicación de sus "determinaciones de contenido normativo"; *vid.* al respecto la nota 1401 *infra*.

crearán por si sólo derechos a favor de los particulares, su condición como normas permite a los particulares impugnar las decisiones administrativas que conculquen las disposiciones de los planes en detrimento de los intereses legítimos que éstos puedan alegar.

Dos son los tipos de planes hidrológicos previstos por nuestra legislación de aguas: los Planes Hidrológicos de cuenca (que pueden ser intercomunitarios o intracomunitarios según que su ámbito territorial esté incluido o no íntegramente en una Comunidad Autónoma), y el Plan Hidrológico Nacional (art. 40.3 TRLA), cuyas características esenciales analizamos en los siguientes apartados. No obstante, conviene señalar en este punto que la ambición con que la Ley de Aguas reguló el contenido de estos planes, su gran complejidad técnica, y los múltiples intereses políticos y económicos involucrados en los mismos, hicieron que su proceso de adopción resultara particularmente largo y difícil[300]. Inicialmente, la planificación hidráulica se llevó a cabo en dos fases: (i) en un primer momento, y tras ser informados favorablemente por el Consejo Nacional del Agua, se aprobaron los Planes Hidrológicos de cuenca mediante el Real Decreto 1664/1998, de 24 de julio[301]; (ii) en un segundo momento, se aprobó el Plan Hidrológico Nacional, por Ley 10/2001[302].

Entre doce y quince años tardaron, en definitiva, en aprobarse todos los instrumentos que el Legislador de 1985 concibió como la espina dorsal de nuestro Derecho de aguas, lo que evidencia las dificultades técnicas y políticas que tuvieron que salvarse en su elaboración y adopción. Dificultades que van a encontrarse también, indefectiblemente, en su posterior ejecu-

---

[300] La Ley no especificaba cuáles de estos tipos de planes debía ser adoptado primero, si el PHN o los Planes Hidrológicos de cuenca, y en un principio se optó por elaborar y aprobar primero el PHN, presentando el Gobierno socialista un Anteproyecto de PHN en abril de 1993. No obstante, ante las críticas que suscitó, la falta de consenso político y social, y, en definitiva, las especiales dificultades que iba a plantear su aprobación, se acabó por dar prioridad política, tal y como solicitó el Parlamento, a la aprobación de los Planes Hidrológicos de cuenca (el Senado se había manifestado a favor de aprobar primero los Planes Hidrológicos de cuenca en una moción aprobada el 28 de septiembre 1994 y también el Senado, por proposición no de Ley 162/97 aprobada el 8 de abril de 1997). Aprobación que va a tener finalmente lugar ya con el Gobierno resultante de las elecciones de 1996.

[301] BOE de 11.8.1998. Conforme a la disposición final única del Real Decreto 1664/98, se ha dispuesto —mediante diversas Órdenes Ministeriales de 13 de agosto de 1999 y de 6 de septiembre del mismo año— la publicación de las determinaciones de contenido normativo de los distintos planes, con la finalidad de facilitar su consulta (*vid.* BOE 27.08.1999, BOE 16.09.1999, y BOE 17.09.1999).

[302] BOE nº 161, 6.7.2001.

ción, tarea esta que supone un reto sin parangón, particularmente para una Administración hidráulica que, como se ha reconocido, adolece de notables carencias de medios y recursos, y que no ha resultado plenamente operativa para desempeñar todas las funciones que tiene atribuidas[303].

Es más, el arduo proceso de planificación sigue hoy día abierto: por exigencia de la Directiva marco de aguas los Planes Hidrológicos de cuenca tenían que ser modificados para diciembre de 2009. Con el fin de guiar esta segunda etapa del proceso de planificación, se aprobó, por RD 907/2007, el nuevo Reglamento de Planificación Hidrológica al que ya hemos hecho referencia. Este Reglamento, que deroga y sustituye las disposiciones del Título II del Reglamento de la Administración Pública del Agua y de la Planificación Hidrológica (RAPA), ha desarrollado, de forma muy prolija y no siempre clara, las disposiciones en materia de planificación de la Ley de Aguas tal y como fueron modificadas por la Ley 62/2003 con el objeto de adecuarse a la Directiva marco, y, en particular, las relativas al contenido y al procedimiento de elaboración de los planes hidrológicos. Reglamento éste que viene a completar en algunos aspectos la plena adecuación de nuestro ordenamiento a la Directiva marco de aguas. Ha sido igualmente necesario, para proseguir con el proceso planificador, aprobar los Reales Decretos que regulan las demarcaciones hidrográficas (su ámbito territorial y el comité de autoridades competentes).

2. *Los Planes Hidrológicos de cuenca*

El principio de respeto a la unidad de la cuenca hidrográfica determinó que ésta fuera el ámbito territorial de estos planes. Nuestro Derecho de aguas recoge dos tipos de Planes Hidrológicos de cuenca, los intracomunitarios o intercomunitarios, según que su ámbito territorial esté incluido o no íntegramente en una Comunidad Autónoma. La LA de 1985 dispuso en su art. 38.2 que el ámbito territorial de cada Plan Hidrológico de cuenca se determinaría reglamentariamente. Previsión que se hizo efectiva por RD 650/1987, en el que se definieron los ámbitos territoriales de Organismos de cuenca y de los Planes Hidrológico, sobre la base exclusivamente de

---

[303] En el propio Libro Blanco del Agua, que precedió a la elaboración del PHN de 2001, se reconocía que la Administración hidráulica no estaba dotada, en absoluto, de los medios económicos ni personales necesarios para llevar a cabo las tareas que la competente, *vid. Libro Blanco..., op. cit.*, p. 23.

la cuenca hidrográfica[304]. Tras la Ley 62/2003, el que ahora es el artículo 40.3 TRLA establece que el ámbito territorial de los Planes hidrológicos será coincidente con el de la demarcación hidrográfica correspondiente, con lo que se amplía su ámbito territorial y objetivo para abarcar las aguas costeras de las zonas marinas de cada demarcación.

Todos los Planes Hidrológicos de cuenca los aprueba el Gobierno de la Nación mediante Real Decreto, y previo informe del Consejo Nacional del Agua, tanto si se trata de los Planes Hidrológicos de las cuencas inter-comunitarias, como de los Planes Hidrológicos de las cuencas intracomunitarias en las que las Comunidades ejercen sus competencias en materia de aguas (apartado 5º del art. 40). Pero en este último caso la elaboración y propuesta de revisiones de los planes hidrológicos se realiza por la Administración hidráulica autonómica (art. 41 TRLA) y su aprobación por Real Decreto del Gobierno de la Nación no podrá ser denegada si se ajustan a las prescripciones de los artículos 40.1 (en el que se establecen los objetivos que ha de perseguir la planificación), 40.3 (que prescribe que el ámbito territorial de cada plan hidrológico de cuenca será coincidente con el de la demarcación hidrográfica correspondiente), 40.4 (sobre el carácter público y vinculantes de los planes) y 42 (sobre el contenido que han de tener los Planes Hidrológicos de cuenca)[305].

Con el fin de llevar a cabo una adecuada planificación hidrológica, tras las modificaciones introducidas por la Ley 62/2003 en ejecución de la Directiva marco, se va a exigir que con carácter previo a la elaboración y propuesta de revisión del plan hidrológico de cuenca se preparare un progra-

---

[304] *Vid.* al respecto la STS de 20 de octubre de 2004, en la que se anuló la Orden de 13 de agosto de 1999, que dispuso la publicación de las determinaciones de contenido normativo del Plan Hidrológico del Júcar, aprobado por el RD 1664/1998, por cuanto el Tribunal estimó que se incluían en las mismas aguas intracomunitarias cuya regulación y planificación era competencia autonómica. Esta sentencia ha sido objeto de valoraciones diversas por parte de la doctrina: en sentido crítico vid. A. FANLO LORAS, "La sorpresiva e inesperada anulación por el Tribunal Supremo del Plan Hidrológico del Júcar", Repertorio Aranzadi del Tribunal Constitucional 17, 2005; *Cfr.*, acogiendo favorablemente esta resolución, I. GALLEGO CÓRCOLES, "Crónica de una invalidez anunciada: notas sobre la STS de 20 de octubre de 2004, que anula parte del Plan Hidrológico del Júcar", Actualidad Jurídica Aranzadi nº 659, marzo 2005; y N. GARRIDO CUENCA y L. ORTEGA ÁLVAREZ, "La Sentencia del...", *op. cit.*

[305] Apartado 6º del art. 40 TRLA. Así se ha aprobado ya el Plan Hidrológico de algunas cuencas intracomunitarias; *vid.*, en particular, el RD 378/2001 por el que se aprobó el Plan Hidrológico de las Islas Baleares, y el RD 103/2003 del Plan Hidrológico de Galicia-Costa. Sobre la postura del Tribunal del Tribunal Constitucional al respecto *vid.* la STS 227/1988, FJ 20.

ma de trabajo que incluya, además del calendario sobre las fases previstas para dicha elaboración o revisión, el estudio general sobre la demarcación correspondiente. Dicho estudio general incorporará, en los términos que ahora se precisan en el art. 78 RPH, una descripción general de las características de la demarcación, un resumen de las repercusiones de la actividad humana en el estado de las aguas superficiales y de las aguas subterráneas, y un análisis económico del uso del agua[306].

La Ley remite a la vía reglamentaria la regulación del procedimiento para elaboración y revisión de los planes hidrológicos[307], si bien establece unos requisitos o contenidos mínimos que en todo caso deben respetar dichas normas reglamentarias, que están relacionadas con cuestiones como la participación pública en todo el proceso planificador —que ya hemos analizado en el apartado V.7—, la participación de los departamentos ministeriales interesados, o la coordinación con otros instrumentos de planificación. En relación con este último punto se exige que los planes hidrológicos se elaboren en coordinación con las diferentes planificaciones sectoriales que les afecten, tanto respecto a los usos del agua como a los del suelo, y especialmente con lo establecido en la planificación de regadíos y otros usos agrarios (art. 41 TRLA). Tal y como ha señalado el Tribunal Constitucional, la coordinación de los planes hidrológicos de cuenca que corresponde elaborar a la Administración del Estado, o a Organismos de ella dependientes, con las diferentes planificaciones que les afecten "ha de realizarse primordialmente a través del procedimiento de elaboración de aquéllos", a cuyo efecto, resulta necesaria la participación de las Comunidades Autónomas en los términos que la Ley de Aguas dispone[308], y que ya se han examinado.

Por lo que se refiere al contenido de los Planes, la Ley va a distinguir entre: (i) el contenido que obligatoriamente deben contener (art. 42 TRLA); (ii) y aquellas previsiones que son potestativas (art. 43 TRLA).

---

[306]   Conforme a la Disposición adicional undécima del TRLA, estos análisis y estudios previos debían estar terminados el 31 de diciembre de 2004, se actualizarían de nuevo antes de 31 de diciembre de 2013, y posteriormente cada seis años. Esta previsión, exigida por la Directiva marco de aguas, garantiza que los conocimientos que sirven de base para elaborar los planes hidrológicos se pongan al día periódicamente, de forma que las modificaciones previstas de dichos planes respondan de la forma más fiel posible a la realidad de cada demarcación.

[307]   Cuestiones estas reguladas en la actualidad en el Título II del RD 907/2007.

[308]   STC 227/1988, FJ 20.e).

(i) Comenzando por el contenido necesario de todo Plan Hidrológico de cuenca, hay que advertir que éste se ha sido modificado por la Ley 62/2003, incrementándose notablemente las previsiones relacionadas con la protección de las aguas y de determinados espacios o zonas especiales, de conformidad con las disposiciones sobre planificación de la Directiva marco. Dichos contenidos son, en esencia, los siguientes: a) la descripción general de la demarcación hidrográfica incluyendo, entre otras cuestiones, el inventario de los recursos superficiales y subterráneos, sus regímenes hidrológicos y las características básicas de calidad de las aguas; b) la descripción general de los usos, presiones e incidencias antrópicas significativas sobre las aguas (incluyendo aquí los criterios de prioridad y de compatibilidad de usos, así como el orden de preferencia entre los distintos usos y aprovechamientos); c) la identificación y mapas de las zonas protegidas; d) las redes de control establecidas para el seguimiento del estado de las aguas superficiales, de las aguas subterráneas y de las zonas protegidas y los resultados de este control; e) la lista de objetivos medioambientales para las aguas superficiales, las aguas subterráneas y las zonas protegidas, incluyendo los plazos previstos para su consecución, la identificación de condiciones para excepciones y prórrogas, y sus informaciones complementarias; f) un resumen del análisis económico del uso del agua, incluyendo una descripción de las situaciones y motivos que puedan permitir excepciones en la aplicación del principio de recuperación de costes; g) un resumen de los Programas de Medidas adoptados para alcanzar los objetivos previstos incluyendo, entre otros, un resumen de las medidas necesarias para aplicar la legislación sobre protección del agua, un informe sobre las acciones prácticas y las medidas tomadas para la aplicación del principio de recuperación de los costes del uso del agua, un resumen de controles sobre extracción y almacenamiento del agua y sobre vertidos y otras actividades con incidencia en el estado del agua, las directrices para recarga y protección de acuíferos; las normas básicas sobre mejoras y transformaciones en regadío que aseguren el mejor aprovechamiento del conjunto de recursos hidráulicos y terrenos disponibles; y las infraestructuras básicas requeridas por el plan; h) un registro de los programas y planes hidrológicos más detallados relativos a subcuencas, sectores, cuestiones específicas o categorías de aguas; y i) un resumen de las medidas de información pública y de consulta tomadas, sus resultados y los cambios consiguientes efectuados en el plan.

Además, la primera actualización del plan hidrológico (inicialmente prevista para diciembre de 2009), y todas las actualizaciones posteriores, comprenderán obligatoriamente un resumen de todos los cambios efectuados, una evaluación de los progresos realizados en la consecución de los objetivos medioambientales, un resumen y una explicación de las medidas previstas en la versión anterior del plan hidrológico de cuenca que no se hayan puesto en marcha, y un resumen de todas las medidas adicionales transitorias adoptadas, desde la publicación de la versión precedente del plan hidrológico de cuenca, para las masas de agua que probablemente no alcancen los objetivos ambientales previstos. Previsiones todas ellas impuestas por la Directiva marco con el fin de facilitar una evaluación continua de la eficacia de los planes.

(ii) En cuanto a las previsiones no obligatorias de los Planes Hidrológicos, el art. 43 TRLA, que no se ha visto afectado por la Ley 62/2003, dispone que en los planes hidrológicos de cuenca se podrán establecer reservas, de agua y de terrenos, necesarias para las actuaciones y obras previstas (apartado 1º); y que podrán ser declarados de protección especial determinadas zonas, cuencas o tramos de cuencas, acuíferos o masas de agua por sus características naturales o interés ecológico, de acuerdo con la legislación ambiental y de protección de la naturaleza, en cuyo caso los planes hidrológicos recogerán la clasificación de dichas zonas y las condiciones específicas para su protección (apartado 2º). Previsiones estas que conforme al apartado 3º del mismo artículo, deberán ser respetadas en los diferentes instrumentos de ordenación urbanística del territorio, estableciéndose así la prevalencia de la planificación hidrológica sobre la territorial (apartado 3º). El Tribunal Constitucional ha aclarado, en relación con las reservas de terrenos para llevar a cabo infraestructuras hidráulicas, que si la programación de las mismas es una facultad inherente a las competencias sobre protección y aprovechamiento del dominio público hidráulico, también debe serlo la reserva de terrenos imprescindible para realizarlas; pero sólo en este supuesto la reserva de terrenos contenida en los planes hidrológicos estatales puede vincular el ejercicio de las competencias de las Comunidades Autónomas sobre ordenación del territorio[309]. En cuanto a la declaración de zonas, cuencas, o tramos de especial protección, esta

---

[309] STC 227/1988, FJ 20.e). Téngase en cuenta, por otra parte, que la Disposición adicional 5ª del TRLA ha establecido que las posibles limitaciones en el uso de suelo y reservas de terreno "se aplicarán sin menoscabo de las competencias que las Comunidades Autónomas puedan ejercer en materia de ordenación del territorio". Pero dada la dificultad para dilucidar en cada caso si una reserva de terrenos prevista en un plan hidrológico menoscaba o no las competencias autonómicas, el Tribunal Constitucional ha apelado a la necesidad de cooperación y coordinación entre las distintas planificaciones. Y ha insistido, asimismo, en que no serán legítimas en ningún caso las reservas de terrenos previstas en un plan hidrológico que afecten a un ámbito superior al estrictamente necesario para realizar las infraestructuras requeridas por dicho plan.

disposición supone la incorporación a los planes hidrológicos de decisiones tomadas sobre la base de otras normas sectoriales de medio ambiente, y su vinculación a las mismas, en lo que se refiere a la protección de zonas especiales. En estos casos, como ha señalado el Alto Tribunal, el apartado 2º del art. 43 no condiciona quiénes son las autoridades competentes, de acuerdo con la legislación ambiental aplicable al caso, para declarar de protección especial esos espacios o masas de agua[310]; no atribuye, en definitiva, tal competencia a la Administración que elabora el correspondiente plan hidrológico, puesto que se limita a señalar que estos planes "recogerán" la clasificación de dichas zonas y las condiciones específicas para su protección. Cualquiera que sea la entidad administrativa competente para realizar la referida declaración de protección especial, dicha declaración vincula el contenido de los planes hidrológicos y debe, por tanto, recogerse o incluirse en los mismos, con la obligada consecuencia de que tales reglas tuitivas del demanio hídrico deben ser respetadas a su vez por los diferentes instrumentos de ordenación del territorio[311].

Los Planes Hidrológicos de cuenca que fueron aprobados por el Real Decreto 1664/98 tenían, por tanto, que ser revisados para adoptar nuevas medidas de planificación que respondieran en su ámbito de aplicación y su contenido a las modificaciones introducidas por la Ley 62/2003 en ejecución de la Directiva marco. Conforme a la Disposición Adicional 11ª del TRLA (y a la Directiva marco), los planes hidrológicos de cuenca tendrían adaptados a estas novedades deberían haber entrado en vigor el 31 de diciembre de 2009, revisándose desde esa fecha cada seis años[312]. Obligación esta que no se cumplió en plazo, salvo por lo que respecta a algunos planes de cuencas intracomunitarias, dando así lugar a la Sentencia del Tribunal de Justicia de la Unión Europea de 4 de octubre de 2012, en el asunto

---

[310]   Nótese que la declaración de espacios naturales protegidos, conforme a la Ley 4/1989, de conservación de los espacios naturales y de la flora y fauna silvestre, constituye un acto de "gestión" y compete, tal y como afirmó el Tribunal Constitucional en su Sentencia 102/1995, a las CCAA.

[311]   STC 227/1988, FJ 20.e). Para un análisis de esta disposición, en el se hace una serie de importantes matizaciones al alcance que debe atribuírsele, *vid.* A. FANLO LORAS, "La articulación de las competencias...", *op. cit.*, pp. 173 ss.; para un análisis general de la articulación de la planificación hidrológica con la ordenación de los recursos naturales *vid.* F. DELGADO PIQUERAS, *Derecho de aguas...*, *op. cit.*, pp. 173 ss.

[312]   *Vid.*, en particular, A. EMBID IRUJO, "Planificación hidrológica", en A. EMBID IRUJO, *Diccionario...*, pp. 767 ss.; A. FANLO LORAS, "Planificación hidrológica en España: Estado actual de un modelo a fortalecer", RAP nº 169, 2006, pp. 265 ss.; A. PALLARES SERRANO, *La planificación hidrológica de cuenca como instrumento de ordenación ambiental sobre el territorio*, Tirant lo Blanch, 2007.

C-403/11, en la que se declaraba dicho incumplimiento por parte del Estado español[313].

En el marco de este nuevo ciclo de planificación hidrológica, en 2005 se culminó el primer análisis de las demarcaciones hidrográficas previsto en el art. 41.5 TRLA y que, conforme al art. 5.1 de la Directiva Marco, tenía que ser entregado a la Comisión para el 22 de marzo de 2005 a más tardar.

El nuevo Reglamento de Planificación Hidrológica de 2007, junto con la nueva Instrucción de Planificación Hidrológica en 2008[314], van a establecer las disposiciones y criterios técnicos necesarios para homogeneizar y sistematizar los trabajos de elaboración de los planes hidrológicos de cuenca.

Tal y como dispone el art. 71.6 del Reglamento de la Planificación Hidrológica, y conforme a Ley 9/2006 sobre la evaluación de los efectos de determinados planes y programas en el medio ambiente, los nuevos planes hidrológicos fueron objeto de una evaluación ambiental estratégica con el fin de integrar los aspectos ambientales en dicha planificación. Se articularon, asimismo, vías de participación pública conforme a los artículos 72 a 75 del mismo Reglamento. Finalmente, los nuevos planes hidrológicos de las diferentes demarcaciones, intercomunitarias e intracomunitarias, comenzaron a ser aprobados por Real Decreto a partir de 2012[315].

Por último, conviene advertir que, tal como vimos en el apartado III.2.B), esta Directiva establece una serie de exigencias de coordinación interestatal en relación con las cuencas hidrográficas que discurran por más de un Estado miembro. Ello implica que en las cuencas que nuestro Estado comparte con Portugal ambos Estados tendrán que intensificar los mecanismos cooperación ya existente (acuerdos bilaterales) para planifi-

---

[313]   Vid. el epígrafe 2.C, supra.
[314]   Orden ARM/2656/2008, posteriormente modificada por Orden ARM/1195/2011.
[315]   Vid. el Real Decreto 478/2013, de 21 de junio, por el que se aprueba el Plan Hidrológico de la parte española de la Demarcación Hidrográfica del Duero; Real Decreto 399/2013, de 7 de junio, por el que se aprueba el Plan Hidrológico de la Demarcación Hidrográfica del Cantábrico Occidental; Real Decreto 400/2013, de 7 de junio, por el que se aprueba el Plan Hidrológico de la parte española de la Demarcación Hidrográfica del Cantábrico Oriental; Real Decreto 354/2013, de 17 de mayo, por el que se aprueba el Plan Hidrológico de la parte española de la Demarcación Hidrográfica del Guadiana; Real Decreto 355/2013, de 17 de mayo, por el que se aprueba el Plan Hidrológico de la Demarcación Hidrográfica del Guadalquivir; Real Decreto 285/2013, de 19 de abril, por el que se aprueba el Plan Hidrológico de la parte española de la Demarcación Hidrográfica del Miño-Sil; Real Decreto 1329/2012, de 14 de septiembre, por el que se aprueba el Plan Hidrológico de la Demarcación Hidrográfica del Tinto, Odiel y Piedras.

car adecuadamente las medidas para proteger la calidad de las aguas de estas "demarcaciones hidrográficas internacionales"[316].

3. *El Plan Hidrológico Nacional*

El Plan Hidrológico Nacional —cuyo ámbito de aplicación alcanza, como su nombre indica, a todo el territorio del Estado— se aprueba por Ley (art. 45 TRLA). Jerárquicamente superior a los Planes Hidrológicos de cuenca[317], su principal función va a ser establecer las medidas necesarias de coordinación entre los distintos Planes Hidrológicos de cuenca, así como dar respuestas a aquellos problemas cuya solución rebase el ámbito de uno de ellos. El art. 45.1 TRLA establece, en consecuencia, que el PHN contendrá, en todo caso: a) las medidas necesarias para la coordinación de los diferentes Planes Hidrológicos de cuenca; b) la solución para las posibles alternativas que aquéllos ofrezcan; c) la previsión y las condiciones de las transferencias de recursos hidráulicos entre ámbitos territoriales de distintos Planes Hidrológicos de cuenca (trasvases); d) las modificaciones que se prevean en la planificación del uso del recurso y que afecten a aprovechamientos existentes para abastecimiento de poblaciones o regadíos. La Ley de aprobación del Plan Hidrológico Nacional implicará, en su caso, la adaptación de los Planes Hidrológicos de cuenca a las previsiones de aquél.

El Plan Hidrológico Nacional fue aprobado por Ley 10/2001. Sin embargo, tras su adopción siguió siendo campo de batalla de intereses políticos, sociales y económicos contrapuestos, lo que derivó en su modificación al producirse el cambio de Gobierno mediante por Real Decreto-ley 2/2004. Este Real Decreto-ley fue posteriormente convalidado y tramitado como Ley, dando lugar a la Ley 11/2005 que, por una parte, deroga los preceptos que regulan el trasvase y, por otra, aprueba el desarrollo de aquellos proyectos urgentes y prioritarios que más directamente pueden incidir en una mejora de la disponibilidad de recursos en las cuencas mediterráneas, y, por otra incorporan determinadas reformas a la Ley de Aguas.

Tras reiterar los objetivos que ha de perseguir la planificación hidrológica, la Ley del Plan Hidrológico Nacional va a establecer en sus arts. 5 a

---

[316]   España comparte con Portugal las cuencas fluviales de los ríos Miño, Limia, Duero, Tajo y Guadiana, lo que representan, el 41% de la superficie total de España y el 62% de la de Portugal.; *vid.* MIMAM, *Libro Blanco del Agua...*, *op. cit.* p. 31.

[317]   Sobre las relaciones entre el PHN y los PPHHC *vid.* A. EMBID IRUJO, *La planificación...*, *op. cit.*, pp. 84 ss.

10 una serie de disposiciones sobre la coordinación de los Planes Hidrológicos de cuenca ya aprobados, las cuales se limitan a fijar los principios y
elementos básicos de coordinación entre Planes Hidrológicos de cuenca.

En cuanto a la "solución a las posibles alternativas que ofrezcan los Planes Hidrológicos de cuenca", conforme al art. 11 LPHN, las únicas que han
previsto los Planes Hidrológicos de cuenca, y cuya solución se va a afrontar
inicialmente en esta Ley, son las relativas a las transferencias de recursos,
esto es, a los trasvases que fueron derogadas por Ley 11/2005[318]. Por otra
parte, la Disposición adicional 1ª de la LPHN aborda la regulación del
régimen de las transferencias existentes a la entrada en vigor de la Ley: los
aprovechamientos de aguas que constituyan una transferencia de recursos
entre ámbitos territoriales de distintos Planes Hidrológicos de cuenca, y
que estén amparados en títulos legales aprobados con anterioridad al 1 de
enero de 1986, se mantienen y seguirán rigiéndose por lo dispuesto en la
legislación que los regula. Conviene recordar, al respecto, que si bien en el
Derecho de aguas previo a la Ley de 1985 no había una regulación general
de los trasvases, se aprobaron leyes singulares para llevar a cabo estas transferencias de recursos entre cuencas, siendo la más importante de todas las
previstas en la Ley 21/1971 de aprovechamiento conjunto de los ríos Tajo
y Segura, complementada por la Ley 52/1980 sobre el régimen económico
de la explotación del acueducto Tajo-Segura[319].

El PHN también introduce algunas "normas complementarias a la planificación", que van a versar sobre cuestiones diversas, tales como la constitución de reservas hidrológicas por motivos ambientales, caudales ecológicos, gestión de la sequía, aprovechamiento de las aguas subterráneas,
gestión eficaz de las aguas para abastecimiento, humedales...

Finalmente su anexo II va a recoger un listado de inversiones en las
obras hidráulicas programadas en el PHN para el período 2001-2008.

La Ley 10/2001 va a estar cuajada, a lo largo de todo su texto, de continuas referencias a la protección del medio ambiente y al desarrollo sostenible, así como a la recuperación de los costes que impliquen las trasfe-

---

[318]   De hecho, el núcleo inicial del PHN fueron las disposiciones sobre transferencias de
recursos hídricos entre ámbitos territoriales de distintos Planes Hidrológicos de cuenca y, en particular, las del trasvase que preveía el art. 13 de la Ley, de hasta 1.050 hectó-
metros cúbicos al año desde el Bajo Ebro, en la provincia de Tarragona, para abastecer
las Cuencas Internas de Cataluña, la del Júcar, la del Segura, y del Sur.
[319]   Nótese que en la Disposición derogatoria única de la LPHN sólo se deroga el art. 2 de
la Ley 21/1971, de 19 de junio, sobre el aprovechamiento conjunto Tajo-Segura en lo
que se refiere al embalse de Alarcón.

rencias: así, su Exposición de Motivos de la LPHN comienza recordando la obligación que el art. 45 CE impone a los poderes públicos, de velar por la utilización racional de todos los recursos naturales, con el fin de proteger y mejorar la calidad de la vida y defender y restaurar el medio ambiente, y afirma también que el Plan Hidrológico Nacional recoge los principios esenciales de la Directiva marco de Aguas; igualmente, en los principios generales regulados en el art. 12, se afirma que "toda transferencia se basará en los principios de garantía de las demandas actuales y futuras de todos los usos y aprovechamientos de la cuenca cedente, incluidas las restricciones medioambientales, sin que pueda verse limitado el desarrollo de dicha cuenca amparándose en la previsión de transferencias", y que se atenderá, entre otros, al principio "de sostenibilidad", así como al de "recuperación de costes", de acuerdo con los principios de la Ley de Aguas y de la normativa comunitaria.

Pese a todo ello, el contenido original de la LPHN fue objeto de severas críticas, procedentes tanto de diversos sectores de la comunidad científica como de la doctrina jurídica, por no considerarse dicho contenido plenamente coherente con los fundamentos ambientales y económicos en los que la Ley proclama sustentarse[320]. Así, por ejemplo, se manifestaron serias dudas sobre si, antes de optar por el trasvase en los términos en que dicha Ley lo hace, se exploraron convenientemente todas las posibilidades de ahorro, eficiencia en el uso y control de las expectativas futuras de usos de aguas. En este sentido se criticó que el PHN no abordase, en primer lugar, la necesidad de poner fin a los pozos y regadíos ilegales en las cuencas calificadas como deficitarias[321]; irregularidades susceptibles de menoscabar gravemente la consecución del objetivo de "una gestión racional de este recurso". Se temía, además, que al optarse por la alternativa de incrementar la oferta de agua en esas cuencas, se estuvieran generando expectativas

---

[320] *Vid.*, entre otros, los informes recogidos entre expertos de diversas disciplinas en libro coordinado por P. ARROJO AGUDO, *El plan Hidrológico Nacional a debate*, Fundación nueva cultura del agua, Bilbao, 2001; las alegaciones que el Gobierno de Aragón hace al Plan Hidrológico Nacional, publicadas por Civitas, Madrid, 2001; y, sobre el trasvase, en particular, A. EMBID IRUJO, "Régimen económico-financiero del trasvase del Ebro en la Ley 10/2001, de 5 de julio, del Plan Hidrológico Nacional, y consideraciones sobre los aspectos económico-financieros de los trasvases en general", RAP n° 159, 2002, pp. 291 ss.

[321] Sobre el problema de los pozos y regadíos ilegales *vid.*, entre otros, los datos que facilitan M. CUERDO MIR y J. L. RAMOS GOROSTIZA, "Economía del agua y gestión sostenible: reflexiones en torno al caso español", n° 4/2001 Revista del Instituto de Estudios Económicos, p. 100; y en P. ARROJO AGUDO, *El plan Hidrológico Nacional...*, *op. cit.*, p. 19.

de "regularización" de los regadíos ilegales, y se incitasen nuevos tirones
de la demanda, tanto por parte de usos agrícolas como de un desarrollo
urbanístico en la costa no sostenible[322]. En directa conexión con todo esto,
se achacó a la LPHN haberse decantado más hacia el viejo enfoque de la
gestión de la oferta (consistente en aumentar la disponibilidad de recursos
para atender unas demandas siempre crecientes) que el imprescindible
enfoque de gestión de la demanda (en el que se pone en primer plano la
necesidad de ahorrar y de hacer un uso más eficiente del agua disponible).
También se pusieron en cuestión los conceptos de "cuencas excedentarias"
y "cuencas deficitarias" y la forma en que se utilizaban por la LPHN (así,
por ejemplo, se ha señalado que en la LPHN hablaba de "cuencas excedentarias", de las que trasvasar en los próximos 50 años agua, sin tener debidamente en cuenta ni sus impactos ambientales, ni las repercusiones que el
fenómeno de cambio climático tendrá sobre la disponibilidad de recursos
hídricos en las mismas. Desde el punto de vista ambiental, criticó duramente el impacto que el trasvase *per se* podía tener en el ecosistema del Delta
del Ebro[323], una zona que debe estar especialmente protegida conforme a
la normativa nacional, comunitaria e internacional de espacios protegidos,
así como el impacto que podía tener la ejecución de todas las obras de infraestructuras directa o indirectamente vinculadas al trasvase y las posibles
afecciones de otros espacios de la Red Natura 2000 (Directiva Habitat). Por
último, se argumentó que el PHN no era conforme con el principio de recuperación de costes consagrado por la Directiva marco de aguas: el ahora
derogado art. 22 establecía un tributo ecológico denominado "canon del
trasvase" que debía atender tanto a los costes de las transferencias autorizadas por la Ley, como a los derivados de las compensaciones de carácter
ambiental a las cuencas cedentes por el agua trasvasada, pero que no exigía
que todos los costes de las inversiones necesarias se integrasen en la base
imponible del tributo, sino sólo el de aquellas que se considerasen "inversiones repercutibles", lo que apuntaba a la posibilidad de no contabilizar

---

[322] En este sentido parecía cuando menos necesario abordar de forma decidida, con carácter previo, cuestiones esenciales en la gestión del agua como la necesidad de una
reforma (o refuerzo) de la Administración hidráulica, la mejora y actualización sistema de registro y control de los derechos al uso privativo de las aguas públicas y de las
aguas privadas, la revisión del régimen económico y financiero de este recurso y, por
encima de todo, atajar el incumplimiento de las disposiciones de la Ley de Aguas en
casos como los de los pozos y regadíos ilegales.

[323] Pese a las medidas de mejora ambiental y revalorización de los recursos del Delta del
Ebro, que se puedan adoptar en marco del Plan Integral de Protección del Delta del
Ebro previsto en la Disposición adicional décima de la Ley del PHN.

una parte de las mismas, y también se argumentó que el análisis económico que acompañaba al PHN había hecho un cálculo sesgado, a la baja, del coste real que va a tener el agua trasvasada[324].

Tras la aprobación de la Ley el Ministerio de Medio Ambiente elaboró el documento "Evaluación Ambiental Estratégica (EAE) del Plan Hidrológico Nacional", con el que objetivo declarado de proporcionar las mayores garantías respecto a la incorporación de consideraciones ambientales en el proceso de toma de decisiones conducente a la definición del Plan. A este documento cabía objetar, entre otros aspectos, que una Evaluación Ambiental Estratégica ha de realizarse antes de que se apruebe el plan que se someta a esta técnica de valoración. De otro modo no servirá a su finalidad, que no es otra que las Autoridades Públicas tomen la decisión sobre su aprobación valorando debidamente todos los impactos ambientales que dicho plan o programa puede tener, y las alternativas posibles al mismo[325]; se corre el riesgo, en definitiva, de que el documento resultante se configure como una forma de justificar retrospectivamente la opción ya adoptada, en lugar de ser un instrumento a tener en cuenta en la etapa de planificación. Posteriormente, también se sometió a Evaluación de Impacto Ambiental, conforme al Real Decreto Legislativo 1302/1986, de evaluación de impac-

---

[324] *Vid.*, en general, las críticas recogidas en P. ARROJO AGUDO, *El plan Hidrológico Nacional... op. cit.;* A. EMBID IRUJO, "Régimen económico-financiero...", *op. cit.*, entre otros.

[325] El procedimiento seguido no se ajustaba por ello al espíritu de la Directiva comunitaria 2001/42/CE relativa a la evaluación de los efectos de determinados planes y programas en el medio ambiente, cuyo objetivo es contribuir a la integración de aspectos medioambientales en la *preparación y adopción* de planes y programas de carácter sectorial o territorial que puedan tener efectos significativos en el medio ambiente mediante la evaluación de su impacto ambiental. A la luz de lo hasta aquí expuesto, parece que dicha EAE se realizó más bien para dar respuesta a las críticas que la LPHN había suscitado en relación con su impacto ambiental y al examen al que la Comisión Europea estaba sometiendo al PHN como consecuencia de las denuncias que esta institución había recibido en el sentido de que conculcaba varias directivas comunitarias de medio ambiente (y en particular la Directiva 79/409/CEE, relativa a la conservación de las aves silvestres, la Directiva del Consejo 92/43/CEE, relativa a la conservación de los hábitats naturales y de la fauna y flora silvestre, y la propia Directiva marco de aguas). Téngase en cuenta que para la financiación del PHN el Gobierno español contaba con obtener una importante aportación de los Fondos Europeos. Fondos que podrían haber quedado comprometidos si se demostraba que el PHN conculcaba los principios de la Directiva marco de aguas, así como las disposiciones de otras Directivas, como la Directiva Aves o la Directiva Hábitats. Sobre los problemas de compatibilidad del PHN con dichas Directivas comunitarias *vid.* A. LA CALLE MARCOS, "El Plan Hidrológico Nacional español: su incompatibilidad con el Derecho comunitario", Gaceta Jurídica de la UE, n° 216, 2001, pp. 36 ss.

to ambiental, modificado por la Ley 6/2001, el proyecto de transferencias autorizadas por el artículo 13 de la Ley 10/2001, esto es, el proyecto de trasvase desde el Ebro a las cuencas mediterráneas. Evaluación ambiental que se zanjó condicionando dicho proyecto al establecimiento de 210 medidas ambientales para proteger la fauna, la vegetación, las aguas y los espacios protegidos de la Red Natura 2000 a lo largo de todo el recorrido[326].

Nada de esto pudo evitar que el trasvase de agua desde el bajo Ebro hacia las cuencas hidrológicas de Cataluña, Júcar, Segura y del Sur se convirtiera en un campo de batalla en donde se enfrentaban encarnizadamente distintos intereses políticos, económicos y sociales. Durante su elaboración, y una vez aprobado, fue contestado duramente desde ciertas instancias políticas y sectores sociales (especialmente desde la Comunidades afectadas como "donantes", y sobre todo desde Aragón), así como por determinados ámbitos científicos[327]. El cambio de signo político del Gobierno de la Nación, en el primer trimestre de 2004, trajo consigo la paralización de la ejecución de dicho trasvase: mediante el Real Decreto-ley 2/2004, por el que se modifica la Ley 10/2001 del Plan Hidrológico Nacional[328], por el que derogaron las disposiciones de la Ley 10/2001 en la que se autorizaba dicho trasvase, se regulaban sus condiciones, y se declaraban se interés general las obras necesarias. A cambio se aprobaban dos nuevos anexos al PHN: el Anexo III (que contiene un nuevo listado de actuaciones de interés general, en donde priman la construcción de plantas desaladoras y de tratamiento para reutilización de aguas residuales en las cuencas a las que iba a ir destinada el agua del trasvase) y el Anexo IV (en el que se determinan cuáles son las actuaciones prioritarias y urgentes). El Real Decreto-ley fue posteriormente convalidado y tramitado como Ley, dando lugar a la Ley 11/2005.

Este cambio radical ha estado, igualmente, envuelto en una agria polémica. La alternativa estaba basada, fundamentalmente en actuaciones como la desalación de aguas marinas. Pero hay que advertir que esta opción plantea también importantes problemas. Entre ellos, se ha señalado que el factor esencial que condiciona la aplicación del proceso de desalinización

---

[326] *Vid.* la Resolución de 31 de octubre de 2003, de la Secretaría General de Medio Ambiente, por la que se formula declaración de impacto ambiental sobre el proyecto de transferencias autorizadas por el artículo 13 de la Ley 10/2001, de 5 de julio, del Plan Hidrológico Nacional, de la Secretaría de Estado de Aguas y Costas, del Ministerio de Medio Ambiente, BOE n° 262, de 1.11. 2003.

[327] *Vid.* nota 1422 *infra*.

[328] BOE n° 22453, de 19.6.2004.

del agua del mar es el coste de este proceso, que depende mucho del coste de la energía (entre el 50 y 75% de los costes de explotación), y que a día de hoy no está del todo claro hasta qué punto es sensato desde la perspectiva ambiental, y viable económicamente, utilizar energía primaria para obtener agua potable por medio de procesos de desalinización. Al margen de los costes de las instalaciones, y del agua resultante, así como el impacto de las salmueras vertidas al mar por las plantas desaladoras, hay que tener en cuenta otras cuestiones relevantes tales como el del consumo de energía necesario para el funcionamiento de todas las que se proyectaron en sustitución del trasvase, y el consiguiente incremento en las emisiones de CO_2 de nuestro país[329]. También ha habido dificultades en la puesta en marcha de las plantas proyectadas, y se ha puesto en cuestión el correcto diseño y gestión del plan de construcción de las mismas por estar sobredimensionado y no corresponder con la demanda actual[330]. Dificultades cuya solución pasa por aquellos avances en la técnica aplicable a los procesos de desalinización que permitan reducir el coste, al tiempo que se pone freno al uso ilegal del agua, y se fomenta una nueva cultura del ahorro y uso más eficiente de este recurso que permita un desarrollo sostenible ambiental, económica y socialmente en el Levante y Sureste Español.

VII. USOS Y APROVECHAMIENTOS DEL DOMINIO PÚBLICO HIDRÁULICO

En el Título IV del TRLA, "De la utilización del dominio público hidráulico", se regula la forma en que las aguas integradas en el dominio público hidráulico pueden ser usadas o aprovechadas por los particulares, así como por las Administraciones públicas. Por usos del agua se va a entender, conforme al art. 40bis) TRLA introducido por la Ley 62/2003 en ejecución de la Directiva marco, "las distintas clases de utilización del recurso, así como cualquier otra actividad que tenga repercusiones significativas en el estado de las aguas". La Ley de Aguas va a distinguir —siguiendo en térmi-

---

[329]　De hecho, un informe de la Agencia Europea de Medio Ambiente ha estimado necesario realizar "un estudio minucioso" para aclarar estos interrogantes; *vid.* AEMA, *¿Es sostenible el uso del agua...?, op. cit.*, p. 31. *Vid.* también A. ESTEBAN, Desalación, energía y medio ambiente. *Panel científico-técnico de seguimiento de la política de aguas*, Nueva Cultura del Agua, 2006, 259-305.

[330]　*Vid.* "Desaladoras a medio gas", Cinco Días, 22.03.2013, en *http://cincodias.com/ cincodias/2013/03/21/empresas/1363894065_862737.html*, visitado por última vez el 22.04.2013.

nos generales el modelo que estableció la Ley de Aguas 1866-1879— entre usos comunes (generales o especiales) y usos privativos[331]. En todo caso, cualquier uso de las aguas debe tener lugar en la actualidad —conforme al principio establecido en el art. 45 CE y según se precisó también en el propio Preámbulo de la Ley de Aguas de 1985— de forma que se logre "una utilización racional y una protección adecuada del recurso", exigencias en las que los Planes Hidrológicos van a jugar, como hemos visto, un papel fundamental y que aparecen reiteradas en muchas de las disposiciones del mismo Título IV del TRLA[332].

1. Usos comunes generales y usos comunes especiales

La Ley de Aguas contempla dos tipos de usos comunes: los usos comunes generales y los usos comunes especiales.

Los usos comunes generales son aquellos que, según el art. 50, todos pueden hacer sin necesidad de autorización administrativa, y de conformidad con las Leyes o Reglamentos: "usar de las aguas superficiales, mientras discurren por sus cauces naturales, para beber, bañarse y otros usos domésticos, así como para abrevar el ganado". Cuando un particular procede a este tipo de usos, que en principio no debe obstaculizar ni impedir el uso del agua por otros, deberá respetar una serie de límites establecidos a tales efectos en el apartado 2 del mismo artículo: habrán de llevarse a cabo de forma que no se produzca una alteración de la calidad y caudal de las aguas; cuando se trate de aguas que circulen por cauces artificiales, tendrán, además, las limitaciones derivadas de la protección del acueducto; y, en ningún caso, las aguas podrán ser desviadas de sus cauces o lechos, debiendo respetarse el régimen normal de aprovechamiento.

Los usos comunes especiales son aquellos que, por implicar un aprovechamiento particularmente intenso, peligroso, o rentable, van a reque-

---

[331] Vid. nota 1129 infra.

[332] Vid., por ej., el art. 50.4, donde se pone de relieve, con carácter general, que la Ley no ampara, sea cual sea el título que se alegue para usar el agua, el abuso del derecho en la utilización de las aguas ni el desperdicio o mal uso de las mismas; el art. 50.2, que exige que los usos comunes generales se lleven a cabo de forma que "no se produzca una alteración de la calidad y caudal de las aguas"; el art. 59.2, que dispone que las concesiones para usos privativos se otorguen teniendo en cuenta la explotación racional conjunta de los recursos superficiales y subterráneos; o el art. 77.2 TRLA, que requiere que al otorgarse autorizaciones o concesiones se consideren sus posibles incidencias ecológicas desfavorables y se exijan las adecuadas garantías para la restitución del medio.

rir en la actualidad declaración responsable o autorización[333]. El art. 51 TRLA cita como usos comunes especiales sujetos a declaración responsable, la navegación y flotación, el establecimiento de barcas de paso y sus embarcaderos, y "cualquier otro uso, no incluido en el artículo anterior, que no excluya la utilización del recurso por terceros"[334], entre los que se encuentran el uso de embalses o tramos de río por hidroaviones conforme al art. 71 RDPH. No obstante, los usos comunes especiales que por su especial intensidad puedan afectar a la utilización del recurso por terceros siguen requiriendo autorización, conforme a lo dispuesto en los artículos 72 a 77 RDPH. Entre estos otros usos especiales hay que entender que se encuentra también la pesca, en relación con la cual el art. 50.3 TRLA dispone que "la protección, utilización y explotación de los recursos pesqueros en aguas continentales, así como la repoblación acuícola y piscícola, se regulará por la legislación general del medio ambiente y, en su caso, por su legislación específica". Asimismo, están sujetos a autorización, y pueden considerarse como usos comunes especiales, el aprovechamiento de pastos, la siembra, plantaciones y corta de árboles en terrenos del dominio público hidráulico como los cauces, y la extracción de áridos *cuando no impliquen el uso exclusivo de un tramo de río o de cauce*, el establecimiento de baños o zonas recreativas y deportivas, las derivaciones de agua de carácter temporal que no pretendan un derecho al uso privativo de ella[335]. Por último, también se han de incluir en esta categoría los vertidos de aguas residuales y de productos susceptibles de contaminar las aguas continentales o cualquier otro elemento del dominio público hidráulico, que estarán prohibidos salvo que se cuente con la previa autorización administrativa[336]; ello tanto a la luz del nuevo concepto de "usos del agua" que, como hemos visto, se introduce en el art. 40.bis) TRLA, como del hecho de que suponen el "uso" del dominio público hidráulico como canal de evacuación, tienen repercusiones significativas en el estado de las aguas, otorgan una especial ventaja a quien se deshace así de ellos, y pueden suponer un riesgo para usuarios aguas abajo.

Conforme al art. 54 RDPH, las autorizaciones para usos especiales se otorgarán sin menoscabo del derecho de propiedad y sin perjuicio de

---

[333] Sobre las normas generales de los usos comunes especiales *vid.* los arts. 51 a 54 RDPH.
[334] Conforme a la modificación introducida por la Ley 25/2009 de modificación de diversas leyes para su adaptación a la Ley 17/2009 sobre el libre acceso a las actividades de servicios y su ejercicio, tal y como se explica en el epígrafe 3.C) *supra*.
[335] *Vid.* los arts. 77 y 78 TRLA, y los arts. 70 a 77 RDPH.
[336] *Vid.* el art. 100 TRLA y los arts. 245 ss. RDPH.

tercero, con independencia de las condiciones específicas que puedan establecerse en cada caso concreto. Las autorizaciones estarán sujetas, además, al pago de una tasa conforme al art. 112 TRLA, denominada canon por utilización de bienes del dominio público hidráulico, cuando versen sobre la utilización, ocupación o aprovechamiento de cauces y los lechos de lagos, lagunas y embalses superficiales en cauces públicos. En cualquier caso, el titular de la autorización quedará obligado, incluso en caso de revocación de aquélla, a dejar el cauce en condiciones normales de desagüe[337]. Por último, y conforme al art. 113 TRLA, los vertidos estarán sometidos al canon de control de vertidos tal y como se examina en el apartado VIII.C).

2. Usos privativos

Los usos privativos del dominio público son aquellos que implican la utilización de una parte del mismo que limita o impide cualquier otro aprovechamiento de dicha parte por un tercero. Los derechos al uso privativo del dominio público hidráulico se configuran, de este modo, como derechos reales administrativos que confieren a su titular una serie de facultades para el aprovechamiento exclusivo de una porción de los recursos que lo integran[338]; derechos de contenido patrimonial, inscribibles en el Registro de la Propiedad, que son oponibles frente a terceros y frente a la propia Administración que los ha otorgado.

El artículo 50 de la Ley de 1985 (en la actualidad art. 52 TRLA) vino a establecer que el derecho al uso privativo del dominio público hidráulico, sea o no consuntivo, se adquiere sólo por disposición legal o por concesión administrativa, prohibiendo de forma expresa y tajante, en su apartado 2º, la posibilidad de que se puedan adquirir por prescripción (posibilidad que antes se contemplaba el art. 149 de la antigua Ley de Aguas de 1879). A los usuarios de aguas que, al amparo de la regulación anterior, habían adquirido y acreditado un derecho a tal uso por prescripción, la Disposición Transitoria 1ª de la Ley 29/1985 les otorgó la posibilidad de seguir disfrutando del mismo por un plazo adicional máximo de 75 años a partir de la entrada en vigor de la misma. En el segundo párrafo de esta Disposición Transitoria se otorgaba también la posibilidad de que en aquellos supuestos de pres-

---

[337] *Vid.* art. 54 RDPH.
[338] Sobre la categoría de los derechos reales administrativos *vid.*, entre otros, el trabajo de J. GONZÁLEZ PÉREZ, *Los derechos reales administrativos*, Civitas, Madrid, 1984, pp. 13 ss.

cripción consumada a la entrada en vigor de dicha Ley, pero no acreditada en ese momento, sus titulares pudieran legalizar tal aprovechamiento en un plazo improrrogable de tres años mediante inscripción en el Registro de Aguas y previa acreditación del derecho a dicha utilización por acta de notoriedad y de conformidad con los requisitos de la legislación notarial e hipotecaria.

En cuanto a su extinción, esta tiene lugar: a) por término del plazo de su concesión; b) por caducidad de la concesión en los términos previstos en el artículo 66 TRLA —que se examinan más adelante en el punto 2.C) de este apartado—; c) por expropiación forzosa; d) por renuncia expresa del concesionario (art. 53.1 TRLA). En los casos de derechos adquiridos por disposición legal, éstos se perderán "según lo establecido en la norma que los regule o, en su defecto, por disposición normativa del mismo rango" (art. 53.5 TRLA); cabe destacar a este respecto que según el art. 66.2 TRLA "el derecho al uso privativo de las aguas, *cualquiera que sea el título de su adquisición*, podrá declararse caducado por la interrupción permanente de la explotación durante tres años consecutivos siempre que aquélla sea imputable al titular", añadiéndose así a la expropiación y a la renuncia como causa de extinción de los usos privativos adquiridos por disposición legal. En cualquier caso, la declaración de la extinción del derecho al uso privativo del agua requerirá la previa audiencia de los titulares del mismo (art. 53.2 TRLA).

Se examinan a continuación las disposiciones que en la actual Ley de Aguas regulan las formas de adquisición de usos privativos (el reconocimiento por disposición legal de usos privativos a favor de particulares, las reservas y aprovechamientos reconocidos a favor de las Administraciones Públicas, y los usos privativos adquiridos por medio de concesión administrativa), las limitaciones legales a las que están sometidos y los mecanismos de control sobre dichos usos.

A) Usos privativos reconocidos a favor de los particulares por disposición legal

Conforme al art. 52 TRLA, el derecho al uso privativo del dominio público hidráulico se puede adquirir por disposición legal.

El art. 54 TRLA va a reconocer directamente a los propietarios de terrenos el derecho al aprovechamiento de los caudales de aguas que se encuentren en los mismos, ya se trate de aguas superficiales pluviales o estancadas (apartado 1 del art. 54) o subterráneas (apartado 2 del art. 54)[339]. No obstante, hay que recordar que el Tribunal Constitucional ha considerado que las aguas pluviales y estancas no son, en realidad, de domino público y, por consiguiente, lejos de establecerse en dicho apartado el derecho a un uso privativo sobre bienes demaniales, se trata en realidad de "una delimitación general *ex lege* de las facultades del propietario de las fincas por las que discurren aguas pluviales o en las que se encuentren aguas estancadas[340]". Por el contrario, el en el apartado 2 del art. 54 si se crea, con carácter general, un derecho de uso privativo de aguas procedentes de manantiales de dominio público a favor del titular del predio en cuyo interior se encuentren dichas aguas, uso que no requiere concesión administrativa, configurándose como una excepción a la regla general establecida en el art. 59 TRLA. No obstante, en dicho artículo se va a imponer un límite máximo de 7.000 metros cúbicos por año, de forma que cualquier aprovechamiento privativo que exceda dicho límite requerirá de la correspondiente concesión[341]. Este aprovechamiento legal tampoco va a requerir de autorización previa, salvo en el caso de aguas subterráneas que pertenezcan a acuíferos que hayan sido declarados como sobreexplotados o en riesgo de estarlo, en cuyo caso no podrán realizar nuevas obras para disfrutar de ese derecho sin la correspondiente autorización[342].

Junto a las limitaciones que se establecen expresamente en el art. 54 TRLA, en el RDPH encontramos una serie de límites adicionales a dichos aprovechamientos, así como ciertas obligaciones que se imponen a sus ti-

---

[339] Nótese que, además, el apartado 1 del art. 59 va a precisar que "todo uso privativo de las aguas *no incluido en el artículo 54* requiere concesión administrativa". Precepto que parece reducir el alcance del art. 52.1 TRLA a los supuestos del art. 54. No obstante, S. MARTÍN RETORTILLO ha señalado que no es correcta tal interpretación: en primer lugar, porque en el apartado 5º del mismo art. 59 se contiene ya una excepción a lo dispuesto en el apartado 1 (al no exigir concesión administrativa para que los órganos de la Administración del Estado o de las Comunidades Autónomas accedan a un uso privativo del agua) y, además, porque se olvida de incluir el supuesto de aprovechamientos privativos de las aguas directamente otorgado por medio de ley, posibilidad que ha sido admitida en la STS de 20.1.1989. *Vid.* S. MARTÍN RETORTILLO, *Derecho de Aguas, op. cit.* pp. 249 ss.
[340] STS 227/1988, FJ. 23.e).
[341] De hecho, y según se establece en el art. 87 RDPH, "Si el volumen anual a derivar fuera superior a 7.000 metros cúbicos, el propietario del predio solicitará la concesión de la totalidad de aquél, siguiendo el procedimiento indicado al efecto en el presente Reglamento". Lo que parece indicar que la concesión no deberá solicitarse tan sólo por el volumen de agua que supere la cifra de los 7.000 metros cúbicos al año, sino por el total del aprovechamiento resultante.
[342] *Vid.* también el art. 84.2 RDPH.

tulares. Entre dichos límites destaca, en primer lugar, la prohibición de que las aguas sean utilizadas en finca distinta de aquéllas en las que nacen, discurren o están estancadas[343]. A esto hay que añadir que, en los casos en que el volumen total anual de aguas subterráneas que se quiera aprovechar en un predio supere los 3.000 metros cúbicos, el interesado deberá justificar que la dotación utilizada es acorde con el uso dado a las aguas, sin que se produzca el abuso o despilfarro prohibido en el que ahora es el art. 50.4 TRLA[344]. Por lo que respecta a la extracción de las aguas mediante la apertura de pozos, estos deberán respetar las distancias mínimas entre éstos o entre pozos y manantial que señale el Plan Hidrológico de cuenca y, en su defecto, las que se establecen el apartado 2 del art. 87 RDPH. Por otra parte, la principal obligación que se impone en el RDPH al propietario de la finca o al que, en su nombre, ejercite el derecho reconocido en el artículo 54 TRLA, es la de comunicar al Organismo de cuenca las características de la utilización que se pretende, adjuntando documentación acreditativa de la propiedad de la finca (con indicación de, entre otras cuestiones, las obras a realizar y la superficie regable, y ubicación de los manantiales o pozos que se pretendan aprovechar o construir). Se comunicará, asimismo, cualquier cambio en la titularidad de la finca que afecte al aprovechamiento o a las características de éste[345]. Comunicación que el apartado 1 del art. 85 exige a meros efectos administrativos de control, estadísticos y de inscripción en el Registro de Aguas. El Organismo de cuenca, con reconocimiento sobre el terreno si lo considera preciso, comprobará la suficiencia de la documentación aportada y la adecuación técnica de las obras y caudales que se pretendan derivar para la finalidad perseguida. En caso de conformidad, lo comunicará al dueño de la finca, procediendo a inscribir la derivación a su favor, con indicación de sus características; en caso contrario también lo comunicará al dueño del predio, señalando las omisiones de la documentación, la causa de inadecuación técnica de las obras o caudales, las modificaciones que en su caso sea preciso introducir o la causa de ilegalidad de la derivación, *prohibiendo al mismo tiempo la misma*, sin perjuicio de que el usuario pueda reiterar su petición una vez corregidas aquéllas[346].

---

[343] Art. 84.3 RDPH.
[344] Art. 87.1 RDPH.
[345] Arts. 85 y 87 RDPH.
[346] El sistema de comunicación establecido por el RDPH ha sido calificado por S. DEL SAZ como un sistema de autorización y no de simple comunicación, considerando que el ejercicio del derecho no resulta jurídicamente posible mientras que la Administración no conceda la necesaria autorización; *vid.* S. DEL SAZ, *Aguas subterráneas...*,

Finalmente, y por lo que se refiere a la extinción de este derecho, esta puede ocurrir, además de por expropiación o la renuncia (art. 53.1 TRLA), por caducidad declarada por la Administración cuando la explotación sea interrumpida de forma permanente, por causa imputable al titular, durante tres años consecutivos, tal y como dispone al art. 66.2 TRLA.

La regulación que de este derecho de aprovechamiento legal encontramos en la Ley de Aguas ha sido objeto de autorizadas críticas por la doctrina. Tal y como ha puesto de relieve S. DEL SAZ, llama la atención, en primer lugar, el establecimiento de un límite máximo uniforme para toda la península[347], sin tener en cuenta que las necesidades a que tal aprovechamiento tiene por fin atender —los usos domésticos— pueden variar significativamente de un punto a otro de nuestra geografía en virtud de factores tales como el clima, el tipo de explotación, o las costumbres; y, en segundo lugar, ni la Ley ni el Reglamento definen el concepto de predio, de forma que el límite máximo para el aprovechamiento legal se aplica de forma igual a todas las fincas con independencia de su extensión (igual para una pequeña finca minifundista que para un latifundio) y, además, esta falta de definición, unida a la falta de previsión en el RDPH de qué ocurre en caso de división de una finca, puede dar lugar a la práctica de parcelaciones con el único objetivo de obtener así el aprovechamiento de un mayor volumen de agua sin necesidad de concesión[348]. No obstante, uno de los efectos más negativos que se ha atribuido al reconocimiento de un derecho directo al aprovechamiento de las aguas subterráneas es, sin duda, que pueda favorecer alumbramientos ilegales, sin título administrativo previo, y dificultar el control de la Administración hidrológica sobre dichos aprovechamientos[349]; ello particularmente

---

op. cit., p. 209. No obstante, las disposiciones que hemos citado pueden interpretarse también en el sentido de que el titular del derecho puede ejercerlo sin perjuicio de la obligación que tiene de comunicar la información y documentación que precisa el RDPH (cuyo incumplimiento podrá ser objeto, en su caso, de sanción), y de que en caso de que la Administración no esté conforme con la documentación en cuestión, y considere que el aprovechamiento se está haciendo de forma contraria a derecho, pueda prohibir al titular de la finca dicha explotación de las aguas.

[347] Nótese que esta disposición no es aplicable al archipiélago canario, en virtud de la DA 3ª LA; y ahora tampoco en el ámbito de la Comunidad Autónoma de las Illes Balears, conforme al art. 22.1 de su Ley 10/2003, de 22 diciembre.

[348] Vid. S. DEL SAZ, Aguas subterráneas..., op. cit., p. 214.

[349] Vid. R. PARADA, Derecho Administrativo, op. cit., p. 97; también J. L. MOREU BALLON-GA, "Los problemas...", op. cit., p. 43, quien ha sugerido que habría que suprimir el que ahora es el art. 54.2 de la Ley de Aguas porque "es una invitación permanente a la indisciplina y al incumplimiento de la ley [...] en este país tan dado a la picaresca"; y A. EMBID IRUJO, "A vueltas con la propiedad...", op. cit. p. 195.

a la vista de que dicho control parece haber sufrido hasta el momento serias dificultades[350].

B) Reservas sobre el dominio público hidráulico y aprovechamientos reconocidos a favor del Estado o las Comunidades Autónomas

En diversas disposiciones de la Ley de Aguas se va a contemplar la posibilidad de que la Administración establezca reservas sobre determinados caudales de agua. Así, por ejemplo, en el art. 42 TRLA se incluye entre los elementos que los planes hidrológicos de cuenca *deben* contener necesariamente "la asignación y reserva de recursos para usos y demandas actuales y futuros, así como para la conservación o recuperación del medio natural" (apartado 1, letra b, b»), y en el art. 43 se contempla también, como previsiones que se *pueden* incluir en tales planes, el establecimiento de reservas, de agua y de terrenos, necesarias para las actuaciones y obras previstas en dichos planes[351]. Su contenido, alcance y fin precisos se determinan, en definitiva, en cada plan hidrológico de cuenca y dichas reservas se aplicarán exclusivamente para el destino concreto y en el plazo máximo fijado en el propio plan (y, en ausencia de tal previsión, se entenderá como plazo máximo el de seis años establecido en el artículo 89 RPH)[352]. Estas reservas se configuran en la Ley de Aguas como reservas objetivas o de usos, cuyo fin es garantizar un determinado destino del agua (conforme a lo previsto en los planes hidrológicos de cuenca en cuanto a las demandas a satisfacer: abastecimientos, regadíos, usos industriales, aprovechamientos hidroeléctricos, etc.) sin que ello tenga que ir necesariamente ligado a la explotación por el propio Estado de los caudales o terrenos reservados[353]. Reservas que son compatibles, en definitiva, con el aprovechamiento privativo de esos caudales (o terrenos) por los particulares —que se regirá por el régimen concesional ordinario—, o que también pueden, en algunos casos, ser utilizadas directa por la Administración para satisfacer servicios públicos u otros fines de utilidad pública[354]. En definitiva, como ha señalado S. MARTÍN RETORTILLO, "la

---

[350]   *Vid.* al respecto los problemas sobre la proliferación de pozos ilegales a los que se ha hecho ya referencia en el apartado IV (ii).

[351]   Su regulación se desarrolla en los arts. 92 RDPH, y el art. 20 RPH.

[352]   Art. 20 RPH.

[353]   *Vid.* en este sentido S. DEL SAZ, *Aguas subterráneas...*, *op. cit.*, p. 201; y F. DELGADO PIQUERAS, *Derecho de aguas...*, *op. cit.*, p. 199.

[354]   Así se puede inferir de lo dispuesto en los arts. 20 RPH y 92 RDPH.

reserva, por encima de cualquier otra valoración, supone el apartamiento del bien de las formas normales de aprovechamiento de esa categoría de bienes, quedando aquel vinculado a la finalidad para la que, en concreto, se establece la reserva"[355].

Para optimizar el uso de los caudales reservados, la Ley ha previsto la posibilidad de que, mientras que estos no se asignen de forma definitiva para aprovechamientos conformes con tal reserva, puedan ser utilizados de forma provisional para otros usos. Según el art. 55.3 TRLA, cuando existan caudales reservados o comprendidos en algún plan del Estado que no sean objeto de aprovechamiento inmediato, "podrán otorgarse concesiones a precario que no consolidarán derecho alguno ni darán lugar a indemnización si el Organismo de cuenca reduce los caudales o revoca las autorizaciones". Revocación que, evidentemente, no puede ser arbitraria, y que ha de responder en todo caso a la necesidad de garantizar los usos para los cuales dichos caudales fueron reservados.

Un supuesto especial de reserva, regulado al margen de las disposiciones que acabamos de señalar, es el de las reservas hidrológicas acordadas por el Consejo de Ministros conforme a lo dispuesto por la Ley 10/2001 por la que se aprueba el Plan Hidrológico Nacional. Según su art. 25, el Consejo de Ministros, a propuesta del Ministerio de Medio Ambiente, podrá reservar determinados ríos, tramos de ríos, acuíferos o masas de agua de las cuencas intercomunitarias para su conservación en estado natural, previo informe de las Comunidades Autónomas afectadas, además de las previsiones que puedan estar ya incluidas en los Planes Hidrológicos de cuenca al amparo de lo establecido en el artículo 42.d) TRLA arriba citado. En el caso de las cuencas intracomunitarias, por el contrario, corresponderá a la Comunidad Autónoma el establecimiento, en su caso, de las reservas hidrológicas que se estime oportuno.

El objetivo de dichas reservas, que podrán implicar la prohibición de otorgar autorizaciones o concesiones sobre el bien reservado, es la protección y conservación de los bienes de dominio público hidráulico que, por sus especiales características o su importancia hidrológica, merezcan una especial protección. En caso de que el Consejo de Ministros proceda a establecer dichas reservas, se incorporarán a los Planes Hidrológicos de cuenca intercomunitarias, considerándose —al igual que ocurre, como veremos, con los llamados "caudales ecológicos"— como limitaciones a introducir en los análisis de sus sistemas de explotación. Las partes del domi-

---

[355] S. MARTÍN RETORTILLO, *Derecho de Aguas...*, *op. cit.*, p. 218.

nio público hidráulico reservadas con dichos fines quedarán excluidas, en definitiva, de cualquier posible solicitud de aprovechamiento que pueda menoscabar su valor natural, siendo la única finalidad de estas reservas la de la protección del medio ambiente hídrico[356].

Por último, es preciso señalar que el TRLA prevé en el art. 59.5, como excepción a la regla general de que todo uso privativo de las aguas no incluido en el artículo 54 requiere concesión administrativa, que "los órganos de la Administración Central o de las Comunidades Autónomas podrán acceder a la utilización de las aguas previa autorización especial extendida a su favor o del Patrimonio del Estado, sin perjuicio de terceros" (apartado 5). Se trata, en definitiva, del reconocimiento legal de un aprovechamiento a favor de las Administraciones del Estado y de las Comunidades Autónomas que únicamente precisa de autorización para hacerse efectivo. Se ha puesto de relieve, sin embargo, que en estos casos estamos, más que ante una autorización propiamente dicha como las previstas para los usos especiales, ante "un acto de reserva demanial de caudales justificado por una necesidad de servicio público"[357]. En cualquier caso, no deja de ser sorprendente el hecho de que entre las Administraciones cuyos órganos no precisan de concesión para ser titulares de un derecho al uso privativo del agua no se haya incluido a las Corporaciones Locales, pese a que compete precisamente a Ayuntamientos y Mancomunidades garantizar el servicio esencial de abastecimiento de poblaciones. Omisión que ha sido objeto de merecidas críticas por la doctrina[358], y que el legislador podría haber solventado en alguna de las diversas ocasiones en que, en los últimos años, ha abordado la modificación de la Ley de Aguas de 1985. Finalmente, hay que advertir que si bien estos aprovechamientos se van a reconocer con la única limitación de que se hagan "sin perjuicio de tercero" —esto es, de derechos previamente adquiridos o reconocidos para el uso del agua—, parece lógico, no obstante, entender que también les serán aplicables las limitaciones que pueda establecer la Administración, con carácter general,

---

[356] Tal y como se precisa en el apartado 3º del art. 25 LPHN —modificado por la Ley 11/2005— los Planes Hidrológicos de cuenca "incorporarán las referidas reservas, y las considerarán como limitaciones a introducir en los análisis de sus sistemas de explotación". Estas reservas podrán integrarse, a propuesta de las Comunidades Autónomas, en las redes de protección que la Comunidad haya previsto en el ejercicio de sus competencias.

[357] *Vid.* R. PARADA VÁZQUEZ, *Derecho Administrativo, op. cit.*, p. 95.

[358] *Vid.* S. DEL SAZ, *Aguas subterráneas..., op. cit.* p. 199.

en situaciones de sequía, sobreexplotación o salinización de acuíferos, y cuyo fin es garantizar el uso racional de este recurso[359].

C) Usos privativos adquiridos por concesión

Tras la adopción de la Ley de Aguas de 1985, todo uso privativo de las aguas no incluido en el artículo 54 TRLA va a requerir concesión administrativa (art. 59 TRLA); ello salvo en el caso de los órganos de la Administración Central o de las Comunidades Autónomas que, tal y como hemos visto en el apartado anterior, podrán acceder a la utilización de las aguas mediante simple autorización. Con la Ley 46/1999 se va a introducir, no obstante, una nueva excepción a esta regla en la nueva redacción que dio al art. 101 LA de 1985 (ahora art. 109 TRLA) con el objeto de regular y fomentar la reutilización de aguas ya usadas: si bien el uso privativo de este tipo de aguas —procedentes de un aprovechamiento ya existente— requiere como norma general de concesión administrativa, en aquellos casos en que la reutilización sea solicitada por el titular de una autorización de vertido de aguas ya depuradas se requerirá solamente una *autorización* administrativa, en la cual se establecerán las condiciones necesarias complementarias de las recogidas en la previa autorización de vertido.

La concesión es, en definitiva, el título por excelencia mediante el que la Administración puede atribuir derechos de usos privativos sobre el dominio público hidráulico conforme a los criterios de interés público y social que se detallan en el Capítulo III del Título IV de la Ley de Aguas, y a través del cual los particulares (u otras administraciones) van a adquirir derechos reales administrativos sobre esos bienes demaniales, los cuales estarán sometidos a las condiciones y limitaciones acordadas por la administración competente conforme a lo dispuesto en la misma Ley. Por su contenido patrimonial dichos derechos pueden ser inscritos en el Registro de la Propiedad —con los efectos propios de éste—, si bien las concesiones de agua deben ser, además, inscritas de oficio en el Registro de Aguas regulado en el art. 80 TRLA[360].

---

[359]   *Vid.* en este sentido, F. DELGADO PIQUERAS, *Derecho de aguas...*, *op. cit.*, p. 198; S. DEL SAZ, *Aguas subterráneas...*, *op. cit.* p. 199.

[360]   Sobre los efectos de la inscripción en el Registro de Aguas, *vid.* el apartado VIII.2.B).

a)　*Otorgamiento y condiciones generales*

Tal y como dispone expresamente el art. 59.4 TRLA, el otorgamiento de las concesiones administrativas es discrecional: la Administración no está obligada a otorgar una concesión por el mero hecho de que existan recursos disponibles, si bien cualquier decisión que tome al respecto deberá ser adoptada en función del interés público, y dicha discrecionalidad va a quedar notablemente acotada y condicionada por todo un conjunto de elementos reglados (finalidad, criterios y condiciones generales a los que deben responder las concesiones, procedimiento...) a los que, conforme la propia Ley de Aguas, debe atender la Administración hidráulica al resolver sobre el otorgamiento o no de las concesiones sobre el dominio público hidráulico, y cuyo respeto puede ser objeto de control por la jurisdicción contencioso-administrativa (art. 121 TRLA). Control al que contribuye de forma decisiva la exigencia que impone el propio art. 59.4 TRLA de que toda resolución al respecto sea debidamente motivada[361]:

1°) En primer lugar, el art. 59 TRLA establece una serie de criterios materiales a los que debe atender la Administración en toda concesión para que ésta responda efectivamente al interés público: toda resolución se adoptará teniendo en cuenta la explotación racional conjunta de los recursos superficiales y subterráneos, conforme a las previsiones de los Planes Hidrológicos (apartados 2 y 4)[362]. Precisamente con el fin de lograr el uso racional de este recurso, a la hora de asignar los caudales disponibles la Administración ha de observar, tal y como precisa el art. 60.1 TRLA, el orden de preferencia de usos que establecen dichos Planes Hidrológicos de cuenca o la propia Ley con carácter subsidiario (i), y tomar en consideración "las exigencias para la protección y conservación del recurso y su entorno" (ii).

---

[361]　Sobre el alcance y control de esta discrecionalidad *vid.* también S. MARTÍN RETORTILLO, *Derecho de Aguas, op. cit.*, pp. 285-293; F. DELGADO PIQUERAS, *Derecho de aguas..., op. cit.* pp. 204-209. Cfr. S. DEL SAZ, quien ha llegado al extremo de cuestionar incluso que la Administración tenga discrecionalidad alguna al otorgar la concesión, afirmando que "la aparente discrecionalidad en el otorgamiento de las concesiones, desaparece bajo los límites que la propia Ley impone", en *Aguas subterráneas..., op. cit.*, pp. 226-227.

[362]　Hasta el momento en que se adoptaron los Planes Hidrológicos de cuenca, las concesiones debían otorgarse atendiendo a "la existencia de caudales suficientes" (DT 6ª LA) y, en el caso de las aguas subterráneas, "sin perjuicio de captaciones anteriores legalizadas" (art. 68 LA).

(i) Debido a que el agua es un recurso limitado, a la necesidad de garantizar su uso racional, y a la estrecha interrelación que existe entre los distintos usos posibles (generalmente en términos de exclusión), dichos usos no se han articulado en la Ley de Aguas con arreglo a un principio de compatibilidad, sino conforme al de preferencia o jerarquía. Este principio se plasma en una escala de preferencias recogida tradicionalmente en nuestra legislación de aguas. En la actualidad la determinación de esta escala u orden de preferencias entre los distintos usos y aprovechamientos constituye, conforme al art. 42 TRLA, uno de los contenidos necesarios de los Planes Hidrológicos de cuenca; no obstante, la Ley de Aguas ha establecido con carácter subsidiario —y "a falta de dicho orden de preferencias"— el siguiente (art. 60.3 TRLA)[363]: 1º) Abastecimiento de población, incluyendo en su dotación la necesaria para industrias de poco consumo de agua situadas en los núcleos de población y conectadas a la red municipal; 2º) regadíos y usos agrarios; 3º) usos industriales para producción de energía eléctrica; 4º) otros usos industriales no incluidos en los apartados anteriores; 5º) Acuicultura; 6º) usos recreativos; 7º) navegación y transporte acuático; 8º) otros aprovechamientos. Y también precisa que el orden de prioridades que pueda establecerse específicamente en los Planes Hidrológicos de cuenca deberá respetar, en todo caso, la supremacía del uso para abastecimientos consignado en el apartado 1º de la precedente enumeración[364]. Además, dentro

---

[363] Previsión particularmente oportuna a la vista de lo que iban a tardar en aprobarse los Planes Hidrológicos, y que encontramos también en la DT 6ª LA.

[364] Para una crítica general al sistema de prelación existente, así como de la prioridad que, en principio, se ha venido dando a los usos agrícolas frente a otros usos como los industriales, vid. G. HERAS MORENO, "Usos del agua y eficiencia económica. Una propuesta de revisión y de actualización", nº 4/2001, Revista del Instituto de Estudios Económicos, pp. 62 ss. También sobre la prelación de los distintos tipos de aprovechamiento vid. las muy interesantes reflexiones de S. MARTÍN RETORTILLO, Derecho de Aguas, op. cit., pp. 297 ss., entre las cuales destaca la particularmente acertada crítica que realiza de la preferencia que con carácter absoluto se otorga a los "abastecimientos de poblaciones". Tal y como dicho autor pone de relieve "parecería obligado recoger al respecto distintas matizaciones conforme a las posibilidades técnicas que hoy se ofrecen, a la vista de los muy distintos usos de las aguas que indiscriminadamente se incluyen entre las destinadas a los abastecimientos de poblaciones", señalando certeramente este autor que no toda el agua que se destina de forma preferente a abastecimiento de poblaciones se dirige a satisfacer "necesidades de igual valor".

de cada clase de uso, y en caso de incompatibilidad entre los de un mismo tipo, serán preferidos aquellos de mayor utilidad pública o general, o aquellos que introduzcan mejoras técnicas que redunden en un menor consumo de agua o en el mantenimiento o mejora de su calidad (art. 60.4 TRLA). El orden de preferencias establecido en los Planes, o, subsidiariamente, el establecido en la Ley de Aguas, resulta relevante no sólo porque condiciona el otorgamiento de concesiones, sino también porque conlleva la sujeción de toda concesión a expropiación forzosa —de conformidad con lo dispuesto en la legislación general sobre la materia— a favor de cualquier aprovechamiento que le preceda según el orden de preferencias establecido en el Plan Hidrológico de cuenca (art. 60.2 TRLA).

(ii) Por lo que se refiere a la necesidad de tener en cuenta las exigencias de protección y conservación del recurso y su entorno, a la hora de otorgar concesiones para el uso privativo del agua la Administración tendrá que atender fundamentalmente a las limitaciones que pueden suponer los denominados "caudales ecológicos" o "demandas ambientales" regulados en el art. 59.7 TRLA y cuyo respeto también se exige en el art. 98 TRLA, así como a la obligación, impuesta en este último artículo de realizar un estudio de impacto ambiental en el curso de la tramitación de concesiones y autorizaciones que afecten al dominio público hidráulico y que pudieran implicar riesgos para el medio ambiente o, en los casos en que el Organismo de cuenca presuma la existencia de un riesgo grave para el medio ambiente, su sometimiento al procedimiento formal de evaluación de impacto ambiental[365]. Cuestiones estas que se examinan con más detalle en el apartado VIII *infra.*

La aplicación de estas exigencias deberá garantizarse caso por caso, para lo cual serán especialmente útiles las precisiones que puedan contener los planes hidrológicos sobre la gestión y protección de las aguas en cada cuenca. En cualquier caso, y pese al notable grado de abstracción y generalidad de algunas de ellas —como la de velar por "la explotación racional conjunta de los recursos superficiales

---

[365] Sobre el procedimiento de evaluación de impacto ambiental *vid.* el Real Decreto Legislativo 1/que aprueba el texto refundido de la Ley de Evaluación de Impacto Ambiental de proyectos.

y subterráneos", o la de proteger y conservar el recurso y su entorno— constituyen, sin duda alguna, elementos a través de los cuales los tribunales pueden entrar a controlar el correcto ejercicio de la discrecionalidad que tiene la Administración, y cuyo incumplimiento determinará la nulidad de las concesiones resultantes[366].

2°) En segundo lugar, hay que tener en cuenta que toda concesión se otorgará con carácter temporal y por plazo no superior a setenta y cinco años (apartado 4 del art. 59 TRLA). No obstante, cuando para la normal utilización de una concesión sea absolutamente necesaria la realización de determinadas obras, cuyo coste no pueda ser amortizado dentro del tiempo que falta por transcurrir hasta el final del plazo de la concesión, éste podrá prorrogarse por el tiempo preciso para que las obras puedan amortizarse, con un límite máximo de diez años y por una sola vez, siempre que dichas obras no se opongan al Plan Hidrológico correspondiente y se acrediten por el concesionario los perjuicios que se le irrogarían en caso contrario (apartado 6 del art. 59). En el caso de los derechos a uso privativo de aguas públicas adquiridos a perpetuidad antes de la Ley de Aguas de 1985, la Disposición Transitoria 1ª LA de 1985 va a imponer un límite temporal a tales derechos, al establecer que sus titulares seguirían disfrutando de los mismos, "de acuerdo con el contenido de sus títulos administrativos y lo que la propia Ley establece, durante un plazo máximo de setenta y cinco años a partir de la entrada en vigor de la misma, de no fijarse en su título otro menor". Disposición esta que fue aceptada como constitucional en

---

[366] Tal y como se ha puesto de relieve, entre otras, en la Sentencia de 30 septiembre de 2003 del Tribunal Supremo (Sala 3ª, Sección 5ª). En dicha Sentencia se va a declarar nula una concesión para el aprovechamiento de las aguas subterráneas, destinadas a su comercialización y explotación como aguas de manantial envasada, por estimarse que "el aprovechamiento solicitado obstaculiza la explotación racional conjunta de los recursos superficiales y subterráneos, razón suficiente para denegar su concesión, según lo establecido en el artículo 57.2 de la Ley de Aguas" (ahora art. 59.2 TRLA), y por perjudicar "el abastecimiento de la población del municipio de Sant Feliu de Buixalleu, que, conforme a lo dispuesto por el entonces 58.3 LA (ahora art. 60.3 TRLA), es preferente, por lo que se ha infringido, al otorgar la mentada concesión, lo dispuesto concordadamente en los aludidos artículos 57.2 (ahora art. 59.2 TRLA) y 58.1 y 3 (ahora art. 60.1 y 3) de la misma Ley, al no haberse tenido en cuenta la explotación racional conjunta del agua ni las exigencias para la protección y conservación del recurso y de su entorno". (FJ 8ª).

la STC 227/1988[367]. En definitiva, con la Ley de Aguas de 1985 se pone fin a la posibilidad de otorgar concesiones a perpetuidad, y se transforman en temporales las hasta entonces adquiridas sin límite alguno con la Ley 1866-1879.

3°) En tercer lugar, toda concesión queda sometida a una serie de condiciones generales, conforme a lo dispuesto en los arts. 61 TRLA, entre las que se pueden destacar las siguientes:

(i) Toda concesión se entenderá hecha sin perjuicio de tercero, por lo que no podrá afectar a derechos preexistentes.

(ii) En principio, el agua que se conceda quedará adscrita a los usos indicados en el título concesional, sin que pueda ser aplicada a otros distintos, ni a terrenos diferentes si se tratase de riegos; ello con la excepción de lo previsto en el artículo 67, en el que se regula el contrato de cesión de derechos que fue introducido por la Ley 46/1999 con el fin de flexibilizar el régimen concesional, y que analizaremos en un apartado posterior.

(iii) La Administración concedente podrá imponer la sustitución de la totalidad o de parte de los caudales concesionales por otros de distinto origen, con el fin de racionalizar el aprovechamiento del recurso. En estos casos la Administración responderá únicamente de los gastos inherentes a la obra de sustitución, pudiendo repercutir estos gastos sobre los beneficiarios.

(iv) Cuando el destino de las aguas fuese el riego, el titular de la concesión deberá serlo también de las tierras a las que el agua vaya destinada, salvo en los casos de concesión otorgada a comunidades de usuarios, o en los casos de concesiones para riego en régimen de servicio público, en cuyo caso podrán otorgarse a empresas o particulares, aunque no ostenten la titularidad de

---

[367] El Alto Tribunal argumentó que no se trataba de una ablación de esos derechos de carácter expropiatorio, sino que se trataba de una nueva regulación del contenido de los mismos "que afecta, sin duda, a un elemento importante de los mismos, pero que no restringe o desvirtúa su contenido esencial"; añadiendo, para reforzar este argumento, que "a diferencia del derecho de propiedad privada, no sujeto por esencia a límite temporal alguno conforme a su configuración jurídica general, es ajeno al contenido esencial de los derechos individuales sobre bienes de dominio público, garantizado indirectamente por la Constitución a través de la garantía expropiatoria, su condición de derechos a perpetuidad o por plazo superior al máximo que determine la ley", FJ 11. Para una valoración crítica de este juicio del Tribunal Constitucional *vid.* S. MARTÍN RETORTILLO, *Derecho de Aguas...*, *op. cit.* p, 261 ss.

las tierras eventualmente beneficiarias del riego, siempre que el peticionario acredite previamente que cuenta con la conformidad de los titulares que reunieran la mitad de la superficie de dichas tierras (art. 62 TRLA). El Organismo de cuenca también podrá otorgar concesiones colectivas para riego a una pluralidad de titulares de tierras que se integren mediante convenio en una agrupación de regantes. En este supuesto, la nueva concesión llevará implícita la caducidad de las concesiones para riego preexistentes de las que sean titulares los miembros de la agrupación de regantes en las superficies objeto del convenio. La concesión para riego podrá prever la aplicación del agua a distintas superficies alternativa o sucesivamente o prever un perímetro máximo de superficie dentro del cual el concesionario podrá regar unas superficies u otras.

4ª) Por lo que respecta al procedimiento que debe seguirse en el otorgamiento de la concesión, hay que tener en cuenta que, tal y como dispone al art. 79 TRLA, el procedimiento ordinario se ajustará a los principios de publicidad y tramitación en competencia, prefiriéndose, en igualdad de condiciones, "aquéllos que proyecten la más racional utilización del agua y una mejor protección de su entorno"; si bien el principio de competencia podrá eliminarse cuando se trate de abastecimiento de agua a poblaciones (procedimiento cuyos trámites se regulan detalladamente en los arts. 104 y ss. del RDPH). Siguiendo lo dispuesto en el apartado 3º del art. 79 TRLA, para las concesiones de escasa importancia por su cuantía, incluidas las destinadas a aprovechamientos hidroeléctricos de pequeña potencia, el RDPH ha establecido procedimientos simplificados acordes con sus características, en los que se prescindirá del trámite de competencia de proyectos, y la información pública se realizará únicamente mediante anuncio en el boletín oficial de la provincia donde esté ubicada la toma, y en los ayuntamientos de los municipios en cuyos términos municipales radique cualquier obra o instalación o se utilicen las aguas, sin perjuicio de la facultad del Organismo de cuenca de ampliar el ámbito de esta publicación, cuando discrecionalmente lo estime pertinente (arts. 128 y ss. del RDPH). Finalmente, en el caso de concesiones y autorizaciones en materia de regadíos u otros usos agrarios, será preceptivo un informe de la correspondiente Comunidad Autónoma y del Ministerio competente en materia de Agricultura en relación con las materias propias de su competencia, y en especial, respecto a su posible afección a los planes de actuación existentes (apartado 4º art. 79 TRLA).

5ª) En cuanto al contenido mínimo que deben tener las concesiones de aguas públicas, en ellas se ha de fijar, en todo caso, su finalidad, su plazo, el caudal máximo cuyo aprovechamiento se concede (indicando el período de utilización cuando se haga en jornadas restringidas), el caudal medio continuo equivalente y el término municipal y provincia donde esté ubicada la toma. En las concesiones de agua para riegos se fijará, además, la extensión de la zona regable en hectáreas, términos municipales y provincias en que la misma esté situada, volumen de agua máximo a derivar por hectárea y año, y volumen máximo mensual derivable que servirá para tipificar el caudal instantáneo concesional. En las concesiones de agua para usos hidroeléctricos se fijarán también las características técnicas de los grupos instalados y el tramo de río afectado, entendiendo por tal el comprendido entre las cotas de máximo embalse normal en el punto de toma y de restitución al cauce público (art. 102 RDPH).

6º) Por último, en el caso del uso privativo de las aguas subterráneas el régimen general de concesión va a sufrir ciertas modulaciones conforme a las disposiciones de los arts. 73 a 75 TRLA (relacionadas con la necesidad de realizar investigaciones previas para su descubrimiento, y con la propiedad del terreno sobre el que se lleven a cabo las investigaciones pertinentes y su posterior alumbramiento):

(i) Cuando para determinar la existencia de caudales de agua subterráneas sea necesario llevar a cabo prospecciones o investigaciones, será preciso obtener una autorización de investigación de la Administración hidráulica.

(ii) El Organismo de cuenca podrá otorgar autorizaciones para investigación de aguas subterráneas previo el trámite de competencia entre los proyectos de investigación concurrentes que pudieran presentarse. En estos casos la Ley de Aguas reconoce a los propietarios de los terrenos afectados por las peticiones de investigación preferencia para el otorgamiento de la autorización, si bien este derecho queda condicionado por el mismo orden de prelación de usos establecido en el art. 60 TRLA.

(iii) El plazo de la autorización no podrá exceder de dos años y su otorgamiento llevará implícita la declaración de utilidad pública a efectos de la ocupación temporal de los terrenos necesarios para la realización de las labores.

(iv) Si finalmente la investigación fuera favorable, el interesado autorizado deberá, en un plazo de seis meses, formalizar la petición de concesión, que se tramitará ya sin competencia de proyectos.

(v) A falta de Plan Hidrológico de cuenca, o de definición suficiente en el mismo, la Administración concedente considerará para
el otorgamiento de concesiones de aguas subterráneas su posible afección a captaciones anteriores legalizadas y, en su caso, el
titular de la nueva concesión deberá indemnizar los perjuicios
que pudieran causarse a los aprovechamientos preexistentes
como consecuencia del acondicionamiento e instalaciones necesarios para asegurar la disponibilidad de los caudales anteriormente explotados.

(vi) Cuando el concesionario no sea propietario del terreno en que
se realice la captación, y el aprovechamiento hubiese sido declarado de utilidad pública, el Organismo de cuenca determinará el lugar de emplazamiento de las instalaciones con el fin
de que sean mínimos los posibles perjuicios al propietario, cuya
indemnización se fijará con arreglo a la legislación de expropiación forzosa.

b) Modificación, transmisión, extinción y renovación

Toda modificación de las características de una concesión requiere previa autorización administrativa del mismo órgano otorgante (art. 64 TR-
LA). Tal y como precisa el art. 144 RDPH, no podrán variarse las características esenciales de una derivación de aguas, ni las condiciones de la
concesión, sin la autorización administrativa del mismo órgano otorgante,
y dicha autorización será denegada, cualquiera que sea la variación solicitada, si en el examen inicial de la modificación a realizar por el Organismo
de cuenca no se pudiera alcanzar una compatibilidad previa de la misma
con el Plan Hidrológico de cuenca. Las solicitudes de autorización para
estas modificaciones serán sometidas a información pública con el ámbito
que determine el Organismo de cuenca, siempre que a juicio de éste puedan suponer afecciones para terceros, y en su tramitación se pedirán los informes de otros Organismos que sean preceptivos en los supuestos de concesión, o que se consideren por el Organismo de cuenca imprescindibles
para la resolución. Además, el expediente de modificación también puede
incoarse de oficio por el Organismo de cuenca cuando se trate de acomodar el caudal concedido a las necesidades reales del aprovechamiento,

restringiendo su caudal o manteniéndolo (apartado 4º del art. 144 RDPH), lo cual supone el reconocimiento con carácter general de una causa de revisión de la concesión que, como veremos a continuación, el art. 65 TRLA sólo prevé, y con una serie de matizaciones especiales, en la revisión de las concesiones para el abastecimiento de poblaciones y para regadío.

Conforme al art. 65 TRLA, la Administración podrá revisar las concesiones cuando de forma comprobada se hayan modificado los supuestos determinantes de su otorgamiento, también en casos de fuerza mayor a petición del concesionario, así como cuando lo exija su adecuación a los Planes Hidrológicos, siendo este último supuesto —el de la adecuación a los Planes Hidrológicos— el *único en el que se prevé que el concesionario perjudicado tendrá derecho a indemnización,* de conformidad con lo dispuesto en la legislación general de expropiación forzosa. Por lo que se refiere a las concesiones para el abastecimiento de poblaciones y regadíos, el art. 65.2 dispone que podrán revisarse en los supuestos en los que se acredite que el objeto de la concesión puede cumplirse con una menor dotación o una mejora de la técnica de utilización del recurso, que contribuya a un ahorro del mismo[368]. A estos efectos la Ley prevé que las Confederaciones Hidrográficas realicen auditorias y controles de las concesiones, a fin de comprobar la eficiencia en la gestión y utilización de los recursos hídricos objeto de la concesión. La modificación de las condiciones concesionales en estos supuestos tampoco otorgará al concesionario derecho a compensación económica alguna, si bien reglamentariamente podrán establecerse ayudas a favor de los concesionarios para ajustar sus instalaciones a las nuevas condiciones de la concesión (apartado 4 del art. 65 TRLA).

En cuanto a la transmisión de aprovechamientos (total o parcial) o la constitución de gravámenes sobre los mismos, en el caso de los aprovechamientos de agua que impliquen un servicio público, requerirá autorización administrativa previa. En los demás casos solo será necesario acreditar de modo fehaciente la transferencia o la constitución del gravamen (art. 63 TRLA), en el plazo y forma establecidos en los artículos 145 y ss. del RDPH.

Por lo que se refiere a la extinción del uso privativo adquirido mediante concesión, esta puede tener lugar por término del plazo para la que fue

---

[368]   *Vid.* también el art. 23.2 Ley 10/2001 por la que se aprueba el PHN, en el que se dispone que cuando con motivo de la modernización y mejora de las redes de abastecimiento a poblaciones se acuerde una reducción de volumen concesional, la parte reducida se mantendrá como reserva para el mismo abastecimiento, sin perjuicio de que puedan otorgarse aprovechamientos sobre dichos volúmenes, que lo serán en precario.

otorgada, por expropiación forzosa, por renuncia expresa del concesionario, o por caducidad (art. 53 TRLA). Las concesiones podrán declararse
caducadas, tal y como dispone el art. 66 TRLA, por incumplimiento de
cualquiera de las condiciones esenciales o plazos en ella previstos, y por la
interrupción permanente de la explotación durante tres años consecutivos
siempre que aquélla sea imputable al titular. En relación con este último
supuesto, hay que precisar que en aquellos casos en que medie un contrato
de cesión de derechos (figura que analizamos en el siguiente apartado),
los caudales que sean objeto de cesión se computarán como de uso efectivo
de la concesión a los efectos de evitar la posible caducidad del título concesional del cedente (art. 69.2 TRLA). Además, para los supuestos de contratos de cesión se añade como "causa para acordar la caducidad del derecho concesional" el incumplimiento de los requisitos establecidos para la
celebración de dichos contratos (art. 67 TRLA). Al extinguirse el derecho
concesional, revertirán a la Administración competente gratuitamente y libres de cargas cuantas obras hubieran sido construidas dentro del dominio
público hidráulico para la explotación del aprovechamiento, sin perjuicio
del cumplimiento de las condiciones estipuladas en el documento concesional (apartado 4º del art. 53 TRLA).

Finalmente, hay que señalar que la renovación de las concesiones no
suele plantear problemas y que va a estar en la práctica casi asegurada, en
especial cuando el destino dado a las aguas concedidas sea el abastecimiento de población o el riego, en cuyo caso el titular de la concesión podrá
obtener una nueva con el mismo uso y destino para las aguas, debiendo
formular la solicitud en el trámite de audiencia previa del expediente de
declaración de extinción o durante los últimos cinco años de la vigencia de
aquélla. En caso de producirse la solicitud, y siempre que a ello no se opu-
siere el Plan Hidrológico Nacional, el Organismo de cuenca tramitará el
expediente excluyendo el trámite de proyectos en competencia (apartado
3º del 53.3 TRLA).

D) La cesión de derechos al uso privativo de las aguas y los centros de intercambio de agua: el llamado "mercado del agua"

a) La introducción en la Ley de Aguas de los contratos de cesión al uso privativo de las aguas

La Ley 46/1999, en su búsqueda de soluciones alternativas a la crisis
del agua ocasionada por las sequías sufridas en nuestro país durante los
primeros años de la década de los 90, y con el fin de "potenciar la eficien-

cia en el empleo del agua", introdujo el "contrato de cesión de derechos al uso privado del agua" como vía para flexibilizar el régimen concesional establecido en la Ley de Aguas. Figura que permitiría, según la Exposición de motivos de la citada Ley 46/1999, "optimizar socialmente los usos de un recurso tan escaso". Con el mismo fin se va a introducir también la posibilidad de crear centros de intercambio de derechos de uso en los Organismos de cuenca, modelo que en cierto grado ha estado inspirado en el del Banco de Aguas de California[369].

Dirigido a articular lo que comúnmente ha sido denominado el "mercado del agua"[370], el entonces art. 61 bis LA (art. 67 TRLA) vino a posibilitar así que los concesionarios o titulares de algún derecho al uso privativo de las aguas puedan ceder con carácter temporal, y previa autorización administrativa, la totalidad o parte de sus derechos de uso (si bien sólo sobre los caudales que *de facto* esté aprovechando) a otro concesionario o titular de derecho de igual o mayor rango según el orden de preferencia establecido en el PHC correspondiente, a cambio de una contraprestación económica pactada libremente por ambas partes. En estos casos el cesionario o adquirente se subroga en las obligaciones que correspondan al cedente ante el Organismo de cuenca respecto al uso del agua, sin que el cedente deje de ser el titular del derecho.

Con esta figura se deja así un importante margen de maniobra a las decisiones y acuerdos que puedan tomar los particulares en relación con el destino de los caudales sobre los que tienen derechos, se proporciona un valor económico a los derechos de uso privativo del agua con el fin de fomentar su uso eficiente y el ahorro, y se introducen, en definitiva, elementos de mercado en su gestión[371]. Entre los argumentos a favor de esta

---

[369]   Sobre el mercado del agua en California *vid.* C. J. BAUER; "El mercado de aguas en California", en A EMBID IRUJO (Dir.), *Precios y mercados...*, pp. 180 ss.

[370]   Denominación de la que ha huido el legislador en el texto de la Ley de Aguas, y cuyo uso no ha estado exenta de crítica por la doctrina. *Vid.*, por ej., A. MENÉNDEZ REXACH, "Consideraciones sobre los mercados de aguas en España. En especial, los contratos de cesión de derechos de aprovechamiento en la legislación de aguas", en A. EMBID IRUJO (Dir.) *El Derecho de aguas en Iberoamérica...*, *op. cit.*, p. 66, donde este autor ha señalado como "en un ordenamiento caracterizado por la consideración general de los recursos hidráulicos como bienes de dominio público, no es admisible, en términos generales, la existencia de un mercado del agua, en sentido propio, porque se trata de bienes excluidos del tráfico ordinario".

[371]   Para un examen exhaustivo de este instrumento *vid.* NAVARRO CABALLERO, T. M., *Los instrumentos de gestión del dominio público. Estudio especial del contrato de gestión de derechos al uso privativo de las aguas y de los bancos públicos del agua*, Tirant lo Blanch, Valencia, 2007.

reforma se ha esgrimido que con la celebración de los contratos de cesión se pueden reconducir los recursos hídricos de aquellos aprovechamientos menos rentables económica y socialmente hacia otros más provechosos[372]. Y también se ha señalado que la flexibilización por esta vía del sistema concesional de la LA podría contribuir a atajar el problema de la compraventa ilegal de agua[373], ventaja esta que, conviene puntualizar, sólo podrá hacerse efectiva si la Administración hidráulica refuerza notablemente, y de forma decidida, el ejercicio de las potestades que tiene atribuidas para controlar y sancionar los usos ilegales de este recurso, puesto que mientras existan pozos ilegales existirá un mercado negro del agua (mercado negro que, además, puede menoscabar el buen funcionamiento del sistema de contratos de cesión que estamos analizando).

Esta fue, sin duda, una de las novedades más importantes y polémicas de las introducidas por la citada Ley, y no han faltado críticas poniendo de relieve los problemas de compatibilidad o de encaje jurídico que este mecanismo contractual plantea en relación con el sistema concesional de aprovechamiento del agua como bien demanial[374]; y tampoco han faltado voces advirtiendo de los problemas de especulación y reparto a que puede

---

[372]   A. EMBID IRUJO, "Evolución del Derecho...", *op. cit.*, p. 78.

[373]   *Vid.* M. CALVO, *Escritos de...*, *op. cit.* (versión en formato electrónico en Tirant on line, epígrafe 10: "La regulación del agua en el siglo XXI. El RD Legislativo 1/2001. Nuevas fórmulas de protección ecológica del agua. Conclusión").

[374]   *Vid.* al respecto A. EMBID IRUJO (Dir.), *Precios y mercados del agua*, Ed. Civitas, Madrid, 1996, y en especial la contribución a esta obra de A. MENÉNDEZ REXACH, "Reflexiones sobre un mercado de derechos de aguas en el ordenamiento jurídico español", pp. 139 ss.; y, del mismo, "Consideraciones sobre los mercados...", *op. cit.*, pp. 66 ss. —autor para quien el sistema de contratos de cesión consagra "la "patrimonialización" del dominio público hidráulico, no, desde luego, en términos generales, pero si desde la perspectiva de los concretos aprovechamientos—"; *vid.* también S. MARTÍN RETOR-TILLO, *Derecho de aguas...*, *op. cit.*, p. 522, nota 49, quien cuestionó la conveniencia de asumir fórmulas de "desregularizar los aprovechamientos" que permitieran su venta conforme a los criterios de mercado por parte de quienes tienen derecho al agua. La postura de la doctrina no ha sido, sin embargo unánime, y tampoco han faltado valoraciones positivas de esta novedad, tanto desde el punto de vista jurídico como económico (*vid.* por ej., G. ARIÑO ORTIZ, *Principios de Derecho...*, *op. cit.*, p. 817, para quien "desde el punto de vista constitucional, ninguna traba hay para la implantación de un mercado del agua, ya que no vulnera el art. 132.1 CE que declara del dominio público inalienable, porque lo que se pretende no es "privatizar" las aguas sino permitir la transmisión de derechos de aprovechamiento sobre las mismas, manteniéndose —si se quiere—, como hasta ahora, la naturaleza de éstas. No estamos, por tanto, refiriéndonos a la compraventa de un bien de dominio público"; *vid.* asimismo C. VÁZQUEZ "La regulación de los contratos de cesión de los derechos de usos de aguas", en A. EMBID IRUJO (Dir.), *La reforma de...*, *op. cit.*, pp. 192 ss., quien también rechaza que

dar lugar[375]. En cuanto a su justificación —la necesidad de potenciar la eficiencia en el empleo del agua, y optimizar socialmente los usos de un recurso tan escaso—, se ha señalado cómo la Ley de Aguas contaba ya con mecanismos jurídicos dirigidos a adecuar y reajustar los derechos de usos privativos del agua con el fin de garantizar la asignación eficiente del agua: la posibilidad de transmisión de las concesiones (regulada ahora en el art. 63 TRLA, tal y como ya hemos visto)[376], su modificación para adecuarlas a nuevas circunstancias (conforme al art. 64 TRLA), o la revisión de oficio de las concesiones para los casos en que un concesionario no necesite realmente la totalidad de caudales otorgados (art. 65 TRLA) para su posterior reasignación por la propia Administración a otros usos que si los precisen[377]. Pero hay que advertir que el régimen jurídico del contrato de cesión de derechos reúne ciertas características que hace que se diferencie notablemente, en cuanto a los efectos que produce y las posibilidades que ofrece, de las figuras arriba mencionadas: así, por ejemplo, y contrastándolo con la figura de la transmisión, mientras que con el contrato de cesión el cedente no pierde la titularidad del derecho y se puede producir un cambio de uso —generalmente a favor de uno de mayor rango—, con la transmisión hay, por una parte, un cambio definitivo en la titularidad de la concesión, y, por otra, no se produce cambio alguno en cuanto el destino del agua. La transmisión podía combinarse, ciertamente, con la modificación de las características de las concesiones, lo cual posibilitaría —junto al cambio de titular vía transmisión— el cambio de destino del agua; pero la operación se complica y su autorización resulta más incierta que en los casos de contrato de cesión de derechos[378]. El contrato de cesión de derechos

---

haya atisbo alguno de privatización de las aguas en el art. 61 bis introducido por la Ley 46/1999 en la LA).

[375] *Vid.* L. BERNALDO DE QUIRÓS, "Un mercado para el agua", Rev. del Instituto de Estudios Económicos, n° 4/2001, p. 283, quien pone de relieve cómo este tipo de de mecanismos se pueden prestar a la aparición de intermediarios dispuestos a sacar beneficios ajenos al uso racional del agua, así como al acaparamiento de recursos hídricos a manos de los más poderosos económicamente.

[376] De hecho han existido "mercados de derechos concesionales", por ejemplo, entre las compañías eléctricas, típica transmisión de derechos sin cambiar el *tipo de uso*.

[377] *Vid.* B. SETUÁIN MENDÍA, "Aspectos normativos...", *op. cit.*, p. 359 ss., quien sostiene que la LA contenía mecanismos suficientes para proceder a reasignaciones de caudales, de manera que los que estuvieran infrautilizados, o no usados en absoluto, pudieran destinarse allí donde fueran más precisos, negando la necesidad de instaurar en nuestro ordenamiento la figura de los contratos de cesión de derechos al uso privativo del agua.

[378] Conforme al art. 64, TRLA la Administración puede denegar la autorización de modificación de forma motivada, mientras que con la nueva figura del contrato de cesión

al uso del agua va a suponer, en definitiva, una ampliación y flexibilización de las posibilidades previamente existentes en la LA —posibilidades estas que, todo hay que decirlo, no fueron en su momento suficientemente explotadas en aras de una gestión más eficaz del agua[379]—.

Tras hacer un análisis crítico desde el punto de vista estrictamente jurídico de la nueva figura del contrato de cesión de derechos de uso del agua, A. MENÉNDEZ REXACH nos ofrece una explicación particularmente clara y convincente de las razones que en realidad pudieron llevar a su introducción en la Ley de Aguas: para este autor "la regulación de la cesión de derechos de uso del agua sólo se entiende en el terreno puramente práctico (alejado de la pureza de los principios), habida cuenta, por un lado, de la incapacidad de la Administración para revisar masivamente las concesiones existentes (muchas de ellas muy antiguas y con límites poco o mal definidos) y, por otro, del estímulo que al ahorro puede suponer el «premio» de ese beneficio adicional para el concesionario"[380]. De este modo el impulso en la reasignación eficiente de los recursos hídricos se deja en gran medida en manos de la iniciativa privada, que va a contar con un doble aliciente para celebrar estos contratos de cesión de derechos: por una parte, el hecho de que con ellos no pierden la titularidad de los derechos, cuyo disfrute recuperarán una vez vencido el plazo del contrato; y, por otra, la "compensación económica" que obtienen de los cesionarios.

No obstante, conviene advertir que uno de los principales peligros para el buen funcionamiento de este sistema de reasignación de los recursos

---

la autorización administrativa sólo puede denegarse en los supuestos previstos en el art. 68.3. Para un sucinto análisis de los cambios que implica el contrato de cesión con respeto de la regulación anterior de la Ley de Aguas *vid.* A. MENÉNDEZ REXACH, "Consideraciones sobre los mercados...", *op. cit.*, pp. 78 ss.

[379] En este punto justa es la crítica realizada B. SETUÁIN MENDÍA, "Aspectos normativos de los mercados de aguas: últimas aportaciones desde la reforma del reglamento del dominio público hidráulico", RAP 163, n° 349, 2004, p. 360, quien sugiere que las disposiciones de la LA diseñadas para garantizar la eficacia en la gestión del agua (las que regulan la transmisión, modificación, revisión o extinción de las concesiones) no han dado mejores resultados más por inacción de la Administración a la hora de aplicarlas que por un fallo en su estructura, lamentando que no se hayan aplicado hasta el límite de sus posibilidades antes de incluir en la LA otras disposiciones, como las que regulan el contrato de cesión, que, "en caso de análogo inejercicio, puede verse avocadas también al fracaso". Precisamente en relación con la figura de la transmisión de las concesiones, R. MARTÍN MATEO ha señalado que se "admite, con una amplitud que me parece no ha sido suficientemente explotada", *vid.* de este autor "El agua como mercancía", RAP n° 152, 2000, p. 19.

[380] A. MENÉNDEZ REXACH, "Consideraciones sobre los mercados...", *op. cit.*, pp. 68-70.

hídricos es, tal y como ya hemos apuntado, la falta de un eficaz control administrativo de los usos ilegales del agua: en tanto en cuanto sigan existiendo impunemente pozos y regadíos ilegales, particularmente en el marco de algunas cuencas como las del Segura y Sur, los hipotéticos incentivos económicos que pueden ofrecer a muchos particulares los contratos de cesión quedarán sencillamente aguados. En definitiva, también para que funcionen estas disposiciones es esencial reforzar la aplicación efectiva las medidas de inspección y sanción en la Ley de Aguas.

Aunque se ha observado que esta regulación ha dado lugar a escasas transacciones entre particulares, acudiéndose a este mercado normalmente en situaciones límites de sequía[381], el mecanismo de cesión de derechos al uso privativo se ha valorado positivamente en tanto en cuanto ha contribuido a paliar algunos de los efectos perjudiciales de la misma[382].

b) Limitaciones y condiciones impuestas a la celebración de contratos de cesión

Los contratos de cesión están en la actualidad regulados en los artículos 67 a 72 TRLA, y el desarrollo reglamentario de estas disposiciones, esencial para posibilitar su efectiva celebración, se llevó a cabo mediante el RD 606/2003, que introdujo los artículos 343 a 354 en el RDPH. Tal y como veremos a continuación al analizar dicha regulación, el legislador ha impuesto importantes límites y condiciones a la celebración del contrato de cesión con el fin de evitar que deriven en un aumento en el consumo de agua, y que se desvirtúe el sistema de usos del agua en perjuicio de los intereses generales que la Administración debe tutelar[383]:

---

[381]   *Vid.* al respecto A. GARRIDO, D. CALATRAVA y J. DEL REY, "Water Trading in Spain", en L. STEFANO y R. LLAMAS (Ed.), *Water, Agriculture and the Environment in Spain: can we square the circle?* CRC Press/Balkema, 2012, pp. 205-216, p. 207; y N. HERNÁNDEZ-MORA y L. DE STEFANO, "Los mercados informales de aguas en España: una primera aproximación", Fundación Botín, 2013, p. 9, disponible en http://www.fundacionbotin.org/file/49911/.

[382]   A. EMBID IRUJO, "Asignación del agua y gestión de la escasez en España: los mercados de derechos de aguas", 2008, disponible en *http://www.zaragoza.es/contenidos/medioambiente/cajaAzul/35S11-P1-Antonio%20EmbidACC.pdf.* Apenas se encuentra información pública sobre el uso de este mecanismo, constituyendo, de hecho, la falta de transparencia, una de las dificultades para el buen funcionamiento de este mecanismo.

[383]   Límites que han sido criticados como excesivos por la doctrina que más decididamente se ha decantado a favor de introducir mecanismos de mercado para flexibilizar la gestión del agua y conseguir una asignación más eficaz de este recurso, hasta el punto de que se ha pronosticado que conllevarían el fracaso del "mercado del agua" en España; *vid.* en tal sentido M. SASTRE BECEIRO, crear un mercado al amparo de la

1º) Límites y condiciones para ser parte en un contrato de cesión de derechos al uso privativo del agua:

Conforme al art. 67 TRLA el contrato sólo puede celebrarse entre aquellas personas que ya sean concesionarios o titulares "de algún derecho al uso privativo de las aguas". Nadie puede, por tanto, adquirir por vez primera el derecho a un uso privativo de este recurso a través de esta vía. Además, dicho artículo exige que el cesionario sea titular de un derecho análogo o de superior rango en el orden de prelación de usos (previsto en el PHC pertinente o, subsidiariamente, en el art. 60 TRLA) que aquel que va a ser objeto de la cesión; solamente en casos justificados por razones de interés general se prevé que, con carácter excepcional y temporal, el Ministro de Medio Ambiente pueda autorizar expresamente cesiones de derechos de uso del agua que no respeten las citadas normas sobre prelación de usos.

El art. 343 RDPH ha precisado que por "concesionarios y titulares de derechos al uso privativo de las aguas" ha de entenderse: (i) "los concesionarios de aguas superficiales y subterráneas"; (ii) y "los titulares de aprovechamientos temporales de aguas privadas inscritos en el Registro de Aguas conforme a las disposiciones transitorias segunda y tercera TRLA"[384]. Pese a que el Reglamento no lo menciona, cabría entender que también pueden celebrar el contrato de cesión los titulares de derechos al uso privativo de aguas que fueron adquiridos por usucapión conforme a la Ley de Aguas de 1866-1879, o los titulares de los adquiridos por disposición legal, como los regulados en el art. 54.2 TRLA[385]. En este último caso se puede objetar, sin embargo, que los derechos que reconoce el art. 54 TRLA no están sujetos al régimen de preferencias de usos establecidos en los PHC, por lo que la aplicación de la condición de que se sólo se cedan a favor de otro "titular de derecho de igual o mayor rango" puede resultar de imposible cumpli-

---

nueva Ley de Aguas", Rev. del Instituto de Estudios Económicos nº 4, 2001, p. 294; y G. ARIÑO ORTIZ, *Principios de Derecho...*, *op. cit.*, pp. 823-825.

[384] Nótese sin embargo que estas aguas siguen siendo privadas, si bien temporalmente, hasta que pase el plazo previsto en las DT 2ª y 3ª TRLA (*vid.* nota 1280 *infra*), lo que plantea la cuestión de si esta disposición del RDPH es coherente con lo establecido en los arts. 67 y ss. del TRLA, que regulan el contrato de cesión de derechos al "uso privativo de las aguas", término utilizado para hacer referencia a un tipo de aprovechamiento de aguas públicas.

[385] *Vid.*, en este sentido, A. MENÉNDEZ REXACH, "Consideraciones sobre los mercados...", *op. cit.*, p. 71; y B. SETUÁIN MENDÍA, "Aspectos normativos...", *op. cit.*, pp. 362.

miento[386]. El art. 343 RDPH también precisa que no podrán en ningún caso celebrar el contrato de cesión de derechos al uso privativo de las aguas (i) los titulares de concesiones o autorizaciones concedidas a precario (ii) ni los titulares de las autorizaciones especiales a las que se refiere el artículo 59.5 TRLA (las solicitadas por órganos de la Administración del Estado o de las Comunidades Autónomas para usos privativos del agua).

Por otra parte, esta figura está prevista para las aguas demaniales, por lo que no podrán utilizarla los titulares de aguas privadas, los cuales pueden celebrar libremente cualquier otro negocio jurídico sobre sus aguas[387], si bien dentro de las limitaciones impuestas directa o indirectamente por la Ley de Aguas[388]. De hecho, el apartado 4º del art. 343 RDPH señala que "los titulares de derechos incluidos en el catálogo de aprovechamientos de aguas privadas no pueden acogerse a lo establecido en este capítulo, salvo que previamente transformen su derecho en una concesión de aguas públicas e insten su inscripción en el Registro de Aguas".

Una última limitación en este ámbito es la prohibición a los concesionarios o titulares de derechos de usos privativos de carácter no consuntivo (este es el caso, fundamentalmente, de los aprovechamientos para la producción de energía hidroeléctrica) de ceder sus derechos a favor de usos que tengan carácter consuntivo (por ejemplo, para abastecimiento de poblaciones o para riego). Con ello se intenta evitar, según señala CALVO, que el control sobre los usos del agua acabe quedando en manos de las hidroeléctricas, que son de hecho las titulares de los derechos de aguas almacenadas en los mayores embalses de España[389].

Conforme al TRLA y al RDPH, van a quedar excluidos como sujetos del contrato, los titulares de ciertos aprovechamientos que no han sido objeto de inscripción en el Registro, como los adjudicados a favor de regadíos de interés general (y que carecen de la condición de uso concesional).

---

[386] Este problema no se plantearía, sin embargo, en los casos en que la cesión se realizase entre dos titulares conforme al art. 54.2 TRLA, puesto que se puede entender que son usos del mismo rango.

[387] *Vid.* A. MENÉNDEZ REXACH, "Consideraciones sobre...", *op. cit.*, p. 72; J. L. MOREU BALLONGA, "La oscura reducción...", *op. cit.*, p. 289; B. SETUÁIN MENDÍA, "Aspectos normativos...", *op. cit.*, pp. 362-363. Téngase en cuenta, no obstante, el comentario hecho en la nota 1486 sobre los derechos temporales inscritos en el Registro de Aguas.

[388] Sobre las limitaciones a las que quedan sometidas las aguas privadas *vid.* lo expuesto en el apartado IV *infra*.

[389] M. CALVO, *Escritos de...*, *op. cit.* (versión en formato electrónico en Tirant on line: epígrafe 10, "La regulación del agua en el siglo XXI. El RD Legislativo 1/2001. Nuevas fórmulas de protección ecológica del agua. Conclusión").

No obstante, el legislador ha hecho posible el contrato de cesión de estos aprovechamientos en situaciones de sequía[390].

También se va a ampliar el ámbito subjetivo de aplicación de esta figura mediante el RD 1620/2007, por el que se establece el régimen jurídico de la reutilización de las aguas depuradas[391], que en su artículo 2 establece que los titulares de la concesión de reutilización y los titulares de la autorización complementaria para reutilización de las aguas, podrán suscribir contratos de cesión de derechos de uso de agua de acuerdo con lo establecido en los artículos 67 y 68 TRLA, sometidos, eso sí, a una serie de particularidades derivadas de las características del proceso de reutilización[392].

2°) Límites en el volumen de agua que puede ser objeto de cesión:

El contrato de cesión puede tener por objeto la totalidad o una parte de los derechos de uso del cedente, pero el art. 69.1 establece como límite objetivo que el volumen anual de agua susceptible de cesión no sea superior al efectivamente utilizado por el cedente (art. 69 TRLA), limitación dirigida a evitar que el efecto de estos contratos sea un incremento de facto en los usos de agua. Nótese que en aquellos casos en que un concesionario no utiliza todo el volumen de agua al que tiene derecho parece que lo más procedente es, tal y como ha señalado A. MENÉNDEZ REXACH, que la Administración impulse la revisión de dicha concesión para adecuarla a las necesidades reales del concesionario conforme a los principios de uso racional y eficaz que han de presidir la gestión del agua. En estos casos,

---

[390] Así, se hizo posible el contrato de cesión de estos aprovechamientos en virtud del Real Decreto-Ley 15/2005, de Medidas urgentes para la regulación de las transacciones de derechos al aprovechamiento de agua. Adoptado a raíz de la situación crítica de las reservas de agua los años 2004 y 2005, el Real Decreto-ley va a añadir estos aprovechamientos a aquellos que pueden ser objeto del contrato de cesión de derechos con el objeto de "permitir que sea una realidad la posibilidad de llevar a cabo transacciones de derechos del uso del agua". Tal y como afirma la Exposición de motivos de este Real Decreto-ley, con la legislación prevista en el TRLA y en el RDPH, las transacciones que entonces podían llevarse a cabo resultaban "insuficientes": a la vista de que los aprovechamientos de los que disfrutan los regadíos de interés general se acercan al 80% de la totalidad de los recursos superficiales existentes, este Real Decreto-ley va permitir que estas transacciones puedan ser celebradas por los titulares de derechos al uso de agua de las Zonas Regables de Interés Nacional. Las disposiciones de este Real Decreto-Ley (cuya vigencia expiraba el 30 de noviembre de 2006) fueron posteriormente prorrogadas mediante sucesivos Reales Decreto-ley hasta el 30 de noviembre de 2009.

[391] BOE n° 294, de 8.12.2007.

[392] Relacionadas con los límites al volumen anual susceptible de cesión, y con la necesidad de que la Administración vigile que se cumplan los criterios de calidad en relación a los usos a que se vayan a destinar los caudales cedidos.

tal y como sugiere el mismo autor, se podría llevar a cabo dicha revisión al tiempo que se reconoce la facultad de cesión de los derechos sobre los dichos caudales efectivamente utilizados, conjugando así las dos figuras: la de la revisión de oficio de las concesiones y la de cesión de derechos[393].

En cuanto a las reglas para calcular el volumen anual susceptible de cesión, estas se han concretado, conforme a las directrices que marca el art. 69.1 TRLA, en el art. 345 RDPH: se toma como referencia el volumen realmente utilizado durante los cinco últimos años por el cedente, y el valor resultante podrá ser corregido, en aras de un buen uso del agua, atendiendo a una serie de factores relacionados con las previsiones de los PHC y las circunstancias ambientales[394]. Además, en ningún caso el volumen susceptible de cesión podrá ser superior al que resulte de los acuerdos que pueda adoptar el Organismo de cuenca en función de la situación hidrológica de cada año.

La obligación impuesta a los titulares de usos privativos de instalar y mantener sistemas de medición que garanticen información precisa sobre los caudales de agua en efecto utilizados y, en su caso, retornados (introducida también con la Ley 46/1999 en los términos que se examinan en un apartado posterior) es determinante para establecer sin problemas los caudales que *como máximo* puede ser objeto de cesión en cada supuesto[395], siempre, claro está, que la Administración vele debidamente por el efectivo cumplimiento de esta obligación. Por el contrario, la aplicación de las reglas sobre las correcciones que pueden imponerse sobre dichos caudales para atender al "buen uso del agua" resultan aún mucho más compleja y problemática, en tanto en cuanto están formuladas de forma particularmente abierta y dejan un muy amplio margen de discrecionalidad a la Administración en su aplicación.

3°) Limites a la fijación del precio:

La cesión de derechos de uso del agua podrá conllevar una compensación económica que se fijará de mutuo acuerdo entre los contratantes y

---

393   A. MENÉNDEZ REXACH, "Consideraciones sobre...", pp. 66 y 73. Figuras que, como advierte este autor se han superpuesto en la Ley de Aguas hasta el punto en que podrían considerarse, en principio, contradictorias.

394   En particular, "La dotación objetivo que fije el PHC, los retornos que procedan, las circunstancias hidrológicas extremas y el respeto a los caudales medioambientales o, en su defecto, al buen uso del agua".

395   Antes de la reforma introducida por la Ley 46/1999 en este sentido no van existir, sin embargo, medios suficientes para acreditar cuáles han sido los caudales efectivamente utilizados, en tanto que tales valores no han sido objeto de un registro adecuado.

deberá explicitarse en el contrato. El apartado 3° del art. 69 TRLA precisa también que reglamentariamente podrá establecerse el importe máximo de dicha compensación. El RD 606/2003 no ha concretado, sin embargo, un precio máximo para el agua, limitándose a precisar que el Ministerio de Medio Ambiente podrá establecer el importe máximo de la compensación "atendiendo a la situación del mercado y a sus desviaciones" (art. 345 RDPH). Se deja así abierta la posibilidad de que la Administración proceda a la intervención administrativa del precio, en previsión de que puedan darse situaciones o circunstancias que propicien precios abusivos sobre dicho recurso.

4°) Límites y requisitos formales, e intervención de la Administración:

Conforme dispone el art. 68 TRLA, los contratos de cesión deberán ser formalizados por escrito (conteniendo, como mínimo, las especificaciones establecidas en el art. 344 RDPH). En el plazo de quince días desde su firma se dará traslado de una copia del mismo al Organismo de cuenca, solicitando simultáneamente la autorización requerida por el artículo 67 TRLA, así como a las comunidades de usuarios a las que pertenezcan el cedente y el cesionario, para éstas puedan formular las alegaciones que estimen convenientes sobre la cesión contratada, en el plazo de 15 días, ante el Organismo de cuenca (conforme al art. 344.2 RDPH). Además, cuando las aguas objeto del contrato de cesión vayan a destinarse al abastecimiento de poblaciones, se acompañará a la solicitud de autorización informe de la autoridad sanitaria sobre la idoneidad del agua para dicho uso; y cuando la cesión de derechos se refiera a una concesión para regadíos y usos agrarios, el Organismo de cuenca dará traslado de la copia del contrato a la correspondiente Comunidad Autónoma y al Ministerio de Agricultura, Pesca y Alimentación, para que emitan informe previo en el ámbito de sus respectivas competencias en el plazo de 10 días (artículos 68. 2 y 70.3 TRLA, y 346 RDPH), de forma que se posibilita la participación de otras Administraciones que, por su ámbito de competencias, puedan tener interés en el expediente.

La Administración hidráulica debe autorizar el contrato de cesión para que este pueda producir efectos[396]. No obstante, se establece un sistema de

---

[396] En los casos en que se trate de recurso hídricos pertenecientes a cuencas intercomunitarias, esta tarea compete a las Confederaciones Hidrográficas; en los casos en que se trate de aguas de las cuencas intracomunitarias su ejecución corresponderá a la Administración hidráulica de la correspondiente Comunidad Autónoma (art. 68.5 TRLA).

silencio positivo[397], y unos plazos tan breves para su otorgamiento que, como han señalado algunos autores, este sistema puede interpretarse como "una dejación de las facultades que debe ejercer el titular del dominio"[398]: los contratos se entenderán autorizados, sin que hasta entonces produzcan efectos entre las partes, en el plazo de un mes a contar desde la notificación efectuada al Organismo de cuenca, cuando se trate de cesiones entre miembros de la misma comunidad de usuarios, y en el plazo de dos meses en el resto de los casos (art. 68.2 TRLA). Conforme al apartado 3º del art. 68 TRLA el Organismo de cuenca sólo podrá denegar la autorización a la cesión de derechos de uso del agua —mediante resolución motivada, dictada y notificada en el plazo señalado— si la misma afecta negativamente al régimen de explotación de los recursos en la cuenca, a los derechos de terceros, a los caudales medioambientales, al estado o conservación de los ecosistemas acuáticos o si incumple algunos de los requisitos señalados en las disposiciones del TRLA en las que se regulan dichos contratos, sin que ello dé lugar a derecho a indemnización alguna por parte de los afectados.

Además, también se reconoce a favor de la Administración hidráulica un derecho de adquisición preferente del aprovechamiento de los caudales a ceder (apartado 3º del art. 68 TRLA). En los mismos plazos y casos que hemos señalado en el párrafo anterior, el Organismo de cuenca podrá acordar la adquisición del aprovechamiento de los caudales objeto del contrato, en virtud de dicho derecho de adquisición preferente, adquisición que quedará condicionada al abono por el Organismo de cuenca al cedente, en un plazo de tres meses a partir del acuerdo de adquisición, de una cantidad igual a la de la compensación económica pactada por las partes (art. 349 RDPH).

Los Organismos de cuenca inscribirán los contratos de cesión de derechos de uso del agua en el Registro de Aguas al que se refiere el artículo 80. Posteriormente, podrán inscribirse, además, en el Registro de la Pro-

---

[397] Nótese que admitir el silencio positivo en estos casos no se compadece con la regla del silencio negativo impuesta por el art. 43.2 de la Ley 30/1992 para aquellos casos en que la estimación de las solicitudes tenga como consecuencia la transferencia "al solicitante o a terceros de facultades relativa al dominio público".

[398] *Vid.* A. EMBID IRUJO, "Evolución del Derecho...", *op. cit.*, p. 79; y también B. SETUÁIN MENDÍA, "aspectos normativos de...", *op. cit.*, pp. 358 ss. En sentido contrario *vid.* M. SASTRE BECEIRO, "Régimen jurídico...", *op. cit.*, p. 298, quien considera que el plazo de uno o dos meses es tiempo suficiente para que la Administración hidráulica supervise si dicha transferencia afecta negativamente a los recursos de la cuenca cedente, a los derechos de terceros o a los caudales ambientales.

piedad, en los folios abiertos a las concesiones administrativas afectadas (art. 68.4º TRLA).

5º) Condiciones y limitaciones para el uso de las infraestructuras necesarias:

Para hacer efectiva la cesión puede ser necesario contar con infraestructuras para el transporte de las aguas. Tal y como dispone el art. 70 TRLA:

(i)   Cuando la realización material de las cesiones acordadas requiera el empleo de instalaciones o infraestructuras hidráulicas de las que fuesen titulares terceros, su uso se establecerá por libre acuerdo entre las partes.

(ii) En el caso de que las instalaciones o infraestructuras necesarias sean de titularidad del Organismo de cuenca, o bien tenga éste encomendada su explotación, los contratantes deberán solicitar, a la vez que dan traslado de la copia del contrato para su autorización, la determinación del régimen de utilización de dichas instalaciones o infraestructuras, así como la fijación de las exacciones económicas que correspondan de acuerdo con la legislación vigente.

(iii) Por último, si para la realización material de las cesiones acordadas fuese necesario construir nuevas instalaciones o infraestructuras hidráulicas, los contratantes deberán presentar, a la vez que solicitan la autorización, el documento técnico que defina adecuadamente dichas obras e instalaciones.

El uso de obras públicas o la construcción de nuevas infraestructuras tendrá que ser también debidamente autorizada por la Administración: la autorización del contrato de cesión no implica por sí misma la autorización para el uso o construcción de dichas infraestructuras, y la resolución del Organismo de cuenca sobre el uso o construcción de las susodichas infraestructuras será independiente de la decisión que adopte sobre la autorización o no del contrato de cesión, y no se aplicarán a la misma los plazos a que se refiere el artículo 68 apartado 2. El art. 351.5 RDPH ha establecido un plazo de cuatro meses para que el Organismo de cuenca se pronuncie sobre las solicitudes para el uso o construcción de estas infraestructuras, transcurrido el cual se podrá entender concedida la autorización[399]. A dife-

---

[399]   Nótese que al ser el plazo para la autorización de uso o construcción de infraestructuras superior al de la autorización del contrato de cesión, y en aquellos casos en que el uso de esas infraestructuras sea imprescindible para realizar la cesión, la viabilidad y validez del contrato de cesión quedará condicionada a que posteriormente el Organismo de cuenca otorgue la necesaria autorización del uso o construcción de infraestructuras.

rencia del silencio positivo establecido para la autorización de los contratos de cesión en el art. 68.2 TRLA, el silencio positivo que prescribe esta disposición reglamentaria no tiene cobertura legal (no aparece en el TRLA) y, en aquellos casos en que se trate de infraestructuras de dominio público o que vayan a ocupar elementos del dominio público, el silencio positivo entra en abierta contradicción con lo dispuesto en el art. 43.2 de la Ley 30/1992, que prescribe el silencio negativo en aquellos casos en que de estimarse la solicitud, ello tendría como consecuencia la transferencia "al solicitante o a terceros de facultades relativas al dominio público".

Más estricta va a ser la regulación del uso de infraestructuras para posibilitar la cesión de derechos al uso privativo del agua entre distintas cuencas hidrológicas, en tanto en cuanto el art. 72 dispone que sólo se podrán usar infraestructuras que interconecten territorios de distintos Planes Hidrológicos de cuenca para transacciones reguladas en esta sección si así lo han previsto el Plan Hidrológico Nacional[400] o las leyes singulares reguladoras de cada trasvase. En este caso, la competencia para autorizar el uso de estas infraestructuras y el contrato de cesión corresponderá al Ministerio de Medio Ambiente, entendiéndose desestimadas las solicitudes de cesión una vez transcurridos los plazos previstos sin haberse notificado resolución administrativa (art. 72 TRLA). No obstante, el Real Decreto-Ley 15/2005 de Medidas urgentes para la regulación de las transacciones de derechos al aprovechamiento de agua, al que ya hemos hecho referencia, va a autorizar que las transacciones puedan realizarse a través de las infraestructuras de conexión intercuencas, ante la falta de previsión en el PHN o en leyes especiales de trasvase, ya que las zonas "potencialmente cedentes y cesionarias" estaban situadas en áreas geográficas pertenecientes a ámbitos distintos de planificación hidrológica (art. 3). De otro modo, los costes de transporte del el uso de infraestructuras entre cuencas hubieran hecho inviable económicamente la celebración de estos contratos.

5º) Las previsiones específicas en el ámbito territorial del Plan Especial del Alto Guadiana:

En el ámbito territorial del Plan Especial del Alto Guadiana[401], en donde el problema de los pozos ilegales ha sido especialmente grave y afectado

---

[400] *Vid.* al respecto las previsiones sobre trasvases previstas en el Capítulo III, de la Ley 10/2001 del PHN, "Previsión y condiciones de las transferencias", en las que no se ha contemplado de modo general esta posibilidad.

[401] Plan aprobado por Real Decreto 13/2008, de 11 de enero, conforme al mandato de la disposición adicional 4ª de la Ley 10/2001 de 5 de julio del Plan Hidrológico Nacional

a la sostenibilidad de los recursos hídricos[402], el Real Decreto-ley 17/2012 de medidas urgentes en materia de medio ambiente introdujo una disposición específica dirigida a flexibilizar los requisitos y las condiciones previstas con carácter general en la Ley para la cesión de derechos de uso de las aguas. En particular, no se va a requerir que la cesión se realice a otro concesionario o titular de derecho de igual o mayor rango según el orden de preferencias establecido en el Plan Hidrológico de la cuenca. Además, se va a permitir la transmisión de forma irreversible y en su totalidad a otros titulares de aprovechamientos, si bien se sustituye la previsión de que se haga por autorización por el otorgamiento de una concisión al cesionario que determine los nuevos usos a los que va destinado el agua[403]. Por otra parte, no se va a exigir expresamente que el volumen de agua cedido no supere al realmente utilizado por el cedente, si bien sí que, cuando el uso sea el regadío, no se incremente la superficie ya reconocida al cedente, al tiempo que se precisa que "el volumen de agua concedido será un porcentaje del volumen objeto de transmisión", porcentaje que se determinará "en atención a las condiciones técnicas y ambientales que concurran y, en su caso, vinculado al programa de actuación para la recuperación del buen estado de la masa de agua". Con esta fórmula se pretende facilitar la regularización de determinados usos, mantener la sostenibilidad de las instalaciones agrícolas que procedan a tales cesiones y, según señala la exposición de motivos del Real Decreto-ley, impedir "un nuevo deterioro del acuífero"[404].

c) Los Centros de intercambio de derechos de uso del agua

La Ley 46/1999 introduce también la posibilidad de crear Centros de intercambio de derechos de uso, en cuyo marco los Organismos de cuenca quedarán autorizados para realizar ofertas públicas de adquisición de

---

(PHN), que determinó la realización de una serie de actuaciones que han de tener como objetivo conseguir un uso sostenible de los acuíferos del Alto Guadiana.

[402]   Las extracciones de aguas subterráneas en el Alto Guadiana aumentaron de forma preocupante en las últimas décadas, hasta el punto de que dos de las seis unidades hidrogeológicas de la zona fueron declaradas sobreexplotadas.

[403]   DA 14ª TRLA.

[404]   Para un análisis exhaustivo de la situación del Alto Guadiana, de la intervención de la Administración en la misma, y de la regulación actual vid. I. SANZ RUBIALES e I. CARO-PATON CARMONA, "Los mercados artificiales de los recursos naturales", en F. SANZ LARRUGA, M. GARCÍA PÉREZ, y J. J. PERNAS GARCÍA (Dirs.), *Libre mercado y protección ambiental. Intervención y orientación ambiental de las actividades económicas*, INAP, 2013, pp. 473-479.

derechos de uso del agua para posteriormente cederlos a otros usuarios mediante el precio que el propio Organismo oferte (art. 71 TRLA). Es decir, en estos Centros (a los que comúnmente se ha denominado "bancos de agua") la Administración actúa como intermediaria para promover la redistribución de los recursos hídricos.

Su creación, por Acuerdo del Consejo de Ministros y a propuesta del Ministerio de Medio Ambiente, se reserva para las situaciones reguladas en los artículos 55 TRLA (cuando así lo exija la disponibilidad del recurso para garantizar su explotación racional), 56 TRLA (aguas subterráneas "en riesgo de no alcanzar el buen estado cuantitativo o químico"; o los denominados "acuíferos sobreexplotados" antes de la reforma de 2012) y 58 TRLA (circunstancias de sequías extraordinarias, de sobreexplotación grave de acuíferos, o en similares estados de necesidad, urgencia o concurrencia de situaciones anómalas o excepcionales), y en aquellas otras que reglamentariamente se determinen por concurrir causas análogas[405]. Si bien su constitución parece tener un carácter excepcional, al limitarse en principio a los supuestos de los artículos 55, 56 y 58 del TRLA, las circunstancias previstas en el art. 55 están formuladas con tal amplitud que en la práctica la Administración podrá crear estos Centros siempre que lo estime conveniente para garantizar la explotación racional de este recurso. Una vez creados, las Comunidades Autónomas podrán instar a los Organismos de cuenca a realizar las adquisiciones arriba citadas para atender fines concretos de interés autonómico en el ámbito de sus competencias.

Es importante destacar que, a diferencia de lo que ocurre con los contratos de cesión, tanto las aguas públicas como las privadas pueden ser objeto de intercambio en estos centros: según el art. 354.2 RDPH sólo podrán participar en las operaciones de los centros de intercambio, para ceder sus derechos, los concesionarios y los titulares de aprovechamiento al uso privativo de las aguas que tengan inscritos sus derechos en el Registro de Aguas o en el catálogo de aprovechamientos de aguas privadas de la cuenca respectivamente; la admisión de los titulares de derechos inscritos en el Catálogo de aprovechamiento de la cuenca pone de manifiesto, en definitiva, que los Centros de intercambio están abiertos a las aguas privadas.

Las adquisiciones y enajenaciones del derecho al uso del agua que se realicen por esta vía deberán respetar los principios de publicidad y libre concurrencia y se llevarán a cabo conforme al procedimiento y los criterios

---

[405] El RD 606/2003 no ha añadido ningún supuesto adicional a los previstos en el art. 71 TRLA (*vid.* el art. 354 RDPH).

de selección que reglamentariamente se ha establecido en los arts. 354 y 355 que el RD 606/2003 introdujo en el RDPH.

La aprobación por el Consejo de Ministros de la constitución del centro de intercambio de derechos de uso del agua facultará al Organismo de cuenca para realizar ofertas públicas de adquisición de derechos. La creación de un Centro de intercambio no precisa de especiales arreglos institucionales o de infraestructura. Simplemente se va a requerir que se lleve a cabo la contabilidad y registro de las operaciones que se realicen en su seno, lo cual se hará, según precisa el art. 71.1 TRLA, separadamente respecto al resto de actos en que puedan intervenir los Organismos de cuenca.

Tal y como dispone el art. 355 RDPH el Organismo de cuenca deberá publicar la oferta pública de adquisición de derechos de uso del agua en el "Boletín Oficial del Estado", en el diario oficial de las comunidades autónomas afectadas y, al menos, en dos diarios de amplia difusión. En el anuncio se hará referencia a la existencia de un folleto explicativo de la oferta, que estará a disposición de los interesados en la sede del Organismo de cuenca. En la oferta pública de adquisición se concretarán necesariamente una serie de datos que se detallan en el apartado 3 del citado artículo. Recibidas las solicitudes de los interesados en participar en la oferta pública de adquisición, el Organismo de cuenca resolverá sobre la determinación de los derechos que han resultado adjudicatarios de la oferta, y la resolución se notificará a los afectados, se publicará en el "Boletín Oficial del Estado" y se inscribirá en el Registro de Aguas.

Aunque ni el TRLA ni el RDPH lo establecen expresamente, la lógica del sistema establecido por la Ley de Aguas demanda que a los titulares de derechos al uso privativo de aguas públicas que quieran participar en estas ofertas públicas también se les aplique la limitación de que sólo podrán ceder a través de estos Centros caudales que sean efectivamente utilizados (tal y como sí prescribe la Ley para los casos de celebración de contratos de cesión). El agua que no está siendo totalmente aprovechada por el titular de un derecho a un uso privativo no debería ser objeto de transacción en estos Centros, correspondiendo a la Administración hidráulica en esos casos impulsar la revisión de oficio de la concesión conforme dispone el art. 65 TRLA para adecuarla a las necesidades reales de su titular; o, en su caso, y si hay una interrupción permanente de la explotación imputable al titular y no se están usando en absoluto los caudales durante un plazo superior a tres años, proceder a la declaración de caducidad del derecho conforme al art. 66 TRLA.

Por decisión aprobada el 15 de octubre de 2004, el Consejo de Ministros autorizó por vez primera la constitución de Centros de Intercambio de derechos del uso del agua en las Confederaciones Hidrográficas del Segura, Júcar y Guadiana, posteriormente se autorizaría también el del Guadalquivir. De forma que las citadas Confederaciones pueden realizar ofertas públicas de adquisición y cesión de derechos de uso del agua mediante el precio que figure en la oferta pública. Por Real Decreto-ley 9/2006 se adoptaron medidas dirigidas a reforzar la eficacia de los centros de intercambios de derecho de aguas, ampliando el ámbito de la reasignación de recursos de forma que este instrumento sirviera para dar respuesta a objetivos medioambientales o de interés de las Comunidades Autónomas para dar respuesta "más ágil" a los problemas de la sequía. De esta forma, en su Disposición adicional tercera ("Destino de los recursos adquiridos por los Centros de intercambio de derechos del uso") va a establecer que los Centros de intercambio de derechos del uso del agua de las cuencas "quedan autorizados para realizar ofertas públicas de adquisición, temporal o definitiva, de derechos de uso del agua con el fin de destinar los recursos adquiridos a: (i) la consecución del buen estado de las masas de agua subterránea o a constituir reservas con finalidad puramente ambiental, tanto de manera temporal como definitiva"; o (ii) su cesión a las Comunidades Autónomas, previo convenio que regule la finalidad de la cesión y posterior utilización de las aguas.

Las valoraciones realizadas hasta el momento, si bien consideran a estos centros en principio una buena idea, han puesto de manifiesto notables debilidades en su ejecución[406].

E) Limitaciones legales a los usos privativos

Todos los usos privativos, cualquiera que sea el título por el que se hayan adquirido, van a quedar sometidos a las limitaciones previstas por la Ley de Aguas con el fin de superar, conforme al principio de uso racional de las aguas, situaciones especiales o de crisis hídricas. Y en directa relación con estas limitaciones hay que entender lo dispuesto en el art. 59.2 TRLA, en el que se va a precisar que el título concesional no garantiza la disponibilidad

---

[406]   *Vid.* A. GARRIDO, D. CALATRAVA y J. DEL REY, "Water Trading in Spain"..., *op. cit.*, p. 214 ss.; especialmente crítico *vid.* el informe de WWF, "El fiasco del Banco de España en el Alto Guadiana: WWF denuncia la compra pública de agua fantasma por 66 millones de euros y el fracaso del Banco de Agua", 2012, disponible en http://awsassets. wwf.es/downloads/factsheet_aguas_fin.pdf.

de los caudales concedidos; disponibilidad que puede verse afectada en los siguientes casos:

1°) Cuando así lo exija la disponibilidad del recurso, el Organismo de cuenca podrá fijar el régimen de explotación de los embalses establecidos en los ríos y de los acuíferos subterráneos, régimen al que habrá de adaptarse la utilización coordinada de los aprovechamientos existentes, y también podrá fijar el régimen de explotación conjunta de las aguas superficiales y de los acuíferos subterráneos (art. 55.1 TRLA). Para garantizar su explotación racional el Organismo de cuenca podrá, asimismo, *condicionar o limitar* el uso del dominio público hidráulico con carácter temporal; no obstante, en aquellos casos en que se ocasione una modificación de caudales que genere perjuicios a unos aprovechamientos en favor de otros, los titulares beneficiados deberán satisfacer la oportuna indemnización, correspondiendo al Organismo de cuenca, en defecto de acuerdo entre las partes, la determinación de su cuantía (art. 55.2 TRLA).

2°) En el caso de las masas de agua subterránea en riesgo de no alcanzar el buen estado cuantitativo o químico (antes de la Ley 11/2012, los acuíferos sobreexplotados) el Organismo de cuenca, podrá proceder a declararlas como tal y, en este caso, si no hubiera una comunidad de usuarios la constituirá o encomendará sus funciones con carácter temporal a una entidad representativa de los intereses concurrentes; además, previa consulta con la comunidad de usuarios, la Junta de Gobierno aprobará en el plazo máximo de un año, desde que haya tenido lugar la declaración, un programa de actuación para la recuperación del buen estado de la masa de agua, que se incluirá a su vez en el programa de medidas de la demarcación hidrográfica dirigido a alcanzar los objetivos ambientales consagrados en artículo 92.bis) de la Ley de Aguas. Hasta el momento de la aprobación del programa de actuación, se podrá adoptar, como medida cautelar, las limitaciones de extracción así como las medidas de protección de la calidad del agua subterránea que sean necesarias. Además, la Ley 11/2012 flexibilizó también el régimen de aplicación de las limitaciones que se impongan en estas zonas, al establecer que cuando, como consecuencia de la aplicación del programa de actuación, mejore el estado de la masa de agua subterránea, el organismo de cuenca, de oficio o a instancia de parte, podrá reducir progresivamente las limitaciones del programa y aumentar, de forma proporcional y equitativa, el volumen que se puede utilizar, teniendo en cuenta, en todo caso, que no se ponga en riesgo la permanencia de los objetivos generales ambientales previstos en el artículo 92 y ss.

3°) Por último, en circunstancias de sequías extraordinarias, de sobre-explotación grave de acuíferos, o en similares estados de necesidad, urgencia o concurrencia de situaciones anómalas o excepcionales, el Gobierno, mediante Decreto acordado en Consejo de Ministros, puede adoptar para la superación de dichas situaciones las medidas que sean precisas en relación con la utilización del dominio público hidráulico, "aun cuando hubiese sido objeto de concesión". La aprobación de tales medidas llevará implícita la declaración de utilidad pública de las obras, sondeos y estudios necesarios para desarrollarlos, a efectos de la ocupación temporal y expropiación forzosa de bienes y derechos, así como la de urgente necesidad de la ocupación (art. 58 TRLA). En estos casos el Tribunal Supremo ha desechado que pueda sostenerse paralelismo alguno entre lo dispuesto en el art. 58 TRLA y lo establecido en el art. 55.2 a efectos de que los usuarios afectados puedan reclamar una indemnización, ya que el primero se refiere a circunstancias extraordinarias de sequías, sobreexplotación de acuíferos y similares estados de necesidad, en los que las medidas adoptadas no perjudican a unos titulares de aprovechamientos en beneficio de otros, sino que se trata de medidas de carácter general que afectan a todos los que se encuentren en tales circunstancias[407].

F) El control de los aprovechamientos privativos del agua: los sistemas de medición o contadores del agua

Los sistemas de medición o contadores del consumo del agua son un importante instrumento para conocer y controlar efectivamente el suministro y uso consuntivo de este recurso, y para incentivar su ahorro (particularmente si actúa de la mano de una política adecuada de precios); facilitan, en definitiva, información imprescindible para promover el uso racional y la protección de este recurso[408].

---

[407] *Vid.* las Sentencias del Tribunal Supremo (Sala 3ª, Sección 5ª) de 31 de octubre de 2000, de 22 de enero de 2002, y de 13 octubre 2003.

[408] Tal y como se ha puesto de relieve en un estudio promovido por la Agencia Europa del Medio Ambiente, la introducción de contadores origina ahorros inmediatos en el uso de agua entre un 10 y un 25% del consumo, AEMA, *¿Es sostenible el uso del agua...*, *op. cit.*, p. 29.

Los usos privativos al agua, tanto los reconocidos mediante disposición legal (el art. 54.2), como los adquiridos mediante concesión, otorgan un caudal máximo que su titular puede aprovechar, pero la carencia de mecanismos adecuados de medición imposibilitaban saber en cada caso cuál era el caudal efectivamente consumido. Información esta que es imprescindible tanto para proceder de oficio a la modificación de la concesión para acomodar el caudal concedido a las necesidades reales del aprovechamiento, como para posibilitar la celebración de los contratos de cesión de derechos al uso privativo del agua examinados en el apartado anterior. Va a ser con la Ley 46/1999 cuando se afronte la necesidad de introducir en la Ley de Aguas disposiciones en las que se regule la obligación de medir los caudales consumidos y vertidos mediante sistemas homologados de control o por medio de la fijación administrativa de consumos de referencia para regadíos. Conforme al que ahora es el art. 55.4 TRLA, se atribuye a los Organismos de cuenca la determinación, en su ámbito territorial, de los sistemas de control efectivo de los caudales de agua utilizados y de los vertidos al dominio público hidráulico que deban establecerse para garantizar el respeto a los derechos existentes, medir el volumen de agua realmente consumido o utilizado, permitir la correcta planificación y administración de los recursos, y asegurar la calidad de las aguas. A tales efectos los titulares de las concesiones administrativas de aguas, y todos aquellos que por cualquier otro título tengan derecho a su uso privativo, están obligados a instalar y mantener los correspondientes sistemas de medición que garanticen información precisa sobre los caudales de agua en efecto utilizados y, en su caso, retornados. A las comunidades de usuarios se les permite exigir el establecimiento de análogos sistemas de medición a los comuneros o grupos de comuneros que se integran en ellas. La obligación de instalar y mantener sistemas de medición se extiende también a quienes realicen cualquier tipo de vertidos en el dominio público hidráulico. Los sistemas de medición serán instalados en el punto que determine el Organismo de cuenca previa audiencia a los usuarios.

Para que funcione esta medida, sin duda imprescindible para controlar el uso del agua y posibilitar una gestión racional del mismo, la Administración del agua debe estar en condiciones de establecer mecanismos de comunicación e inspección efectivos con todos los usuarios. Pero también en este caso hay que advertir que la importante contribución que los mecanismos de medición pueden hacer a la gestión racional de este recurso quedará en entredicho si simultáneamente no se pone freno a la grave situación que genera la existencia de miles de pozos y de hectáreas de regadío ilegales en algunas de las cuencas más sobreexplotadas de nuestro territorio. Por otra parte, no se aprovechará todo el potencial que tiene como instrumento para fomentar el ahorro del agua en tanto en cuanto no se combine con el establecimiento de un precio adecuado sobre el consumo de agua con el que incentive un uso de este recurso lo más eficiente posible. Precio que, como veremos en el apartado VIII.1.C) viene de la mano de la Directiva marco de aguas.

VIII. LA PROTECCIÓN DEL DOMINIO PÚBLICO HIDRÁULICO Y DE LA CALIDAD DE LAS AGUAS

A fin de reducir los peligros que implica el deterioro de las aguas para la salud y los ecosistemas, así como para la disponibilidad del recurso mismo, es esencial prevenir su contaminación y sobreexplotación, y proteger y utilizar de un modo sostenible los ecosistemas que captan, filtran, almacenan y nos suministran el agua, como ríos, pantanos, bosques y suelos. Por ello junto a las disposiciones que regulan la utilización del dominio público hidráulico, el otro pilar básico de nuestro Derecho de aguas está formado por aquellas disposiciones dirigidas a garantizar su protección y, en particular, las diseñadas para proteger la calidad de las aguas y garantizar su uso racional.

La Ley de Aguas va a fijar una serie de objetivos de protección del dominio público hidráulico que en la actualidad, tras ser sensiblemente reforzados con motivo de la ejecución de la Directiva marco de aguas, son los siguientes: a) prevenir el deterioro, proteger y mejorar el estado de los ecosistemas acuáticos, así como de los ecosistemas terrestres y humedales que dependan de modo directo de los acuáticos en relación con sus necesidades de agua; b) promover el uso sostenible del agua, protegiendo los recursos hídricos disponibles y garantizando un suministro suficiente en buen estado; c) proteger y mejorar el medio acuático estableciendo medidas específicas para reducir progresivamente los vertidos, las emisiones y las pérdidas de sustancias prioritarias, así como para eliminar o suprimir de forma gradual los vertidos, las emisiones y las pérdidas de sustancias peligrosas prioritarias; d) garantizar la reducción progresiva de la contaminación de las aguas subterráneas y evitar su contaminación adicional; e) paliar los efectos de las inundaciones y sequías; f) alcanzar, mediante la aplicación de la legislación correspondiente, los objetivos fijados en los tratados internacionales en orden a prevenir y eliminar la contaminación del medio ambiente marino; y g) evitar cualquier acumulación de compuestos tóxicos o peligrosos en el subsuelo o cualquier otra acumulación que pueda ser causa de degradación del dominio público hidráulico (art. 92 TRLA).

Para llevar a cabo estos objetivos se dota a la Administración hidráulica de una serie de potestades públicas de distinto alcance, que le permite utilizar un variado elenco de técnicas e instrumentos, tanto de carácter preventivo como reactivo, y dirigidas tanto a proteger la integridad como la identidad del dominio público hidráulico. Examinamos a continuación las más relevantes.

1. *Técnicas de protección de la calidad de las aguas y de su uso racional*

Pese a que en la Ley de Aguas de 1985 se va a prestar ya una especial atención a la protección de la calidad de las aguas, la prevención y control de la contaminación de este recurso todavía afrontan importantes retos. Tal y como reconoció el *Libro Blanco del Agua*, la calidad general de las aguas españolas no es del todo satisfactoria a la luz de la legislación vigente y de las aspiraciones existentes en el seno de la sociedad"[409], aunque hay indicios de cierta mejoría en los últimos años[410].

Las disposiciones de nuestro Derecho relacionadas con la calidad de las aguas van a ser en gran medida tributarias de las directivas comunitarias de medio ambiente. Las normas de calidad[411] establecidas las primeras directivas comunitarias de aguas en función de los distintos usos que se da a dicho recurso (consumo humano, aguas de baño, aguas piscícolas, aguas para el cultivo de moluscos)[412] quedaron recogidas en los anexos del

---

[409]   Si bien en las cabeceras de algunos ríos de la mitad norte peninsular la calidad de las aguas es buena, los problemas de contaminación se agravan progresivamente a medida que éstas van discurriendo por núcleos urbanos e industriales, llegando, en algunos casos, a un estado muy degradado en los tramos medios y finales de su recorrido hacia el mar. En lo que se refiere a la calidad de las aguas en la mitad sur peninsular, esta es, en general bastante peor como consecuencia de los menores caudales presentes, lo que origina una menor dilución de los vertidos contaminantes; *vid.* MIMAM, *Libro Blanco del Agua...*, *op. cit.*, p. 12.

[410]   *Vid.* MAGRAMA, *Perfil Ambiental de España 2011: Informe basado en indicadores*, 2012, pp. 56 ss.; Á. VILLANUEVA RÍO, J. A. SAINZ SASTRE, La situación del agua en España: recursos, gestión y tendencias, EOI, 2008, pp. 81 ss.

[411]   El concepto "norma de calidad ambiental" lo encontramos en la actualidad definido en el art. 245.5.a) RDPH en términos similares a los de la Directiva marco: "la concentración de un determinado contaminante o grupo de contaminantes en el agua, en los sedimentos o en la biota, que no debe superarse con el fin de proteger la salud humana y el medio ambiente".

[412]   Directivas citadas en el apartado III.2.A).

Reglamento de la Administración Pública del Agua y de la Planificación Hidrológica (RAPA). En cuanto al control de los vertidos de sustancias contaminantes, los arts. 92 a 100 de la LA de 1985 (ahora arts. 100 a 108 TRLA, sensiblemente modificados primero por la Ley 46/1999 y después por la Ley 62/2003) van a trasponer las "normas de emisión" (o "valores límite de emisión")[413] de la Directiva 76/464/CE relativa a la contaminación causada por determinadas sustancias peligrosas vertidas en el medio acuático[414], y de la Directiva 80/68/CEE, de 17 de diciembre, relativa a la protección de las aguas subterráneas contra la contaminación causada por determinadas sustancias peligrosas[415]. Disposiciones estas que fueron desarrolladas por los arts. 245 a 273 RDPH (ahora 245 a 271 tras las modificaciones operadas por el Real Decreto 606/2003).

Posteriormente, mediante Real Decreto 1514/2009, por el que se regula la protección de las aguas subterráneas contra la contaminación y el deterioro, se incorpora al ordenamiento interno la Directiva 2006/118/CE. Igualmente, se incorporan exigencias de la Directiva Marco relativas al estado químico de las aguas subterráneas[416], en desarrollo de las previsiones contenidas en este ámbito por el TRLA (artículo 92 ter) y del Reglamento de Planificación Hidrológica (artículo 32). Además de las disposiciones relativas al estado químico de las aguas subterráneas, este Real Decreto establece las medidas para determinar e invertir las tendencias significativas y sostenidas al aumento de las concentraciones de contaminantes y para prevenir o limitar las entradas de contaminantes en las aguas subterráneas.

Finalmente, el Real Decreto 60/2011, sobre las normas de calidad ambiental en el ámbito de la política de aguas, ha transpuesto la Directiva 2008/105/CE relativa a las normas de calidad ambiental en el ámbito de la política de aguas, adoptada con el objeto es establecer normas de calidad ambiental para las sustancias prioritarias y para otros contaminantes, con el objetivo de conseguir un buen estado químico de las aguas superficiales conforme a la Directiva Marco de Aguas. Transpone, a su vez, la Directiva 2009 por la que se establecen, de conformidad con la Directiva 2000/60/

---

[413] Conforme al art. 245.5.b) RDPH, por "valor límite de emisión" se entiende "la cantidad o la concentración de un contaminante o grupo de contaminantes, cuyo valor no debe superarse por el vertido. En ningún caso el cumplimiento de los valores límites de emisión podrá alcanzarse mediante técnicas de dilución".

[414] Sustituida por la versión consolidada que se recoge en la Directiva 2006/11/CE la cual, a su vez, quedará derogada en 2013 por la Directiva Marco de Agua.

[415] Derogada y sustituida en 2013 por la Directiva 2006/118/CE relativa a la protección de las aguas subterráneas contra la contaminación y el deterioro.

[416] Los apartados 2.3, 2.4 y 2.5 del anexo V de la Directiva 2000/60/CE.

CE, las especificaciones técnicas del análisis químico y del seguimiento del estado de las aguas. Con este Real Decreto también se adapta parte de la legislación española que traspone la Directiva 74/464/CEE, relativa a la contaminación causada por determinadas sustancias peligrosas vertidas en el medio acuático de la Comunidad (Directiva que ha ido derogándose progresivamente, conforme a los plazos de las Directiva Marco de Agua y de la Directiva 2008/105/CE, y cuya derogación completa tendrá lugar el 22 de diciembre de 2013). En particular, a efectos de la aplicación de las obligaciones derivadas de la protección de las aguas superficiales frente a sustancias peligrosas previstas en el Reglamento de Dominio Público Hidráulico y en el Reglamento de Planificación Hidrológica se entenderán como sustancias peligrosas a todas las sustancias contenidas en los Anexos I y II de este real decreto.

Se deben tener presentes, además, algunas normas para la protección de la calidad de las aguas —aprobadas también en ejecución de directivas comunitarias— que no van a quedar encuadradas en el marco de la Ley de Aguas ni de sus reglamentos de desarrollo. Estas normas fueron adoptadas por el Estado como normas básicas para la protección del medio ambiente, y son esenciales para cubrir algunas importantes lagunas de las que adolecía la Ley de Aguas y sus reglamentos en relación con la tutela de la calidad de las aguas:

(i) El Real Decreto-ley 11/1995, de 28 de diciembre, por el que se establecen las normas aplicables al tratamiento de las aguas residuales urbanas[417] regula, en ejecución de la Directiva 91/271/CEE[418], los distintos tipos de tratamientos de depuración a los que deben someterse las aguas residuales urbanas antes de su vertido a las aguas continentales o marítimas (dependiendo, entre otros criterios, del número de habitantes-equivalentes de las aglomeraciones urbanas), y se fijan, asimismo, una serie de plazos escalonados para poner en marcha las infraestructuras de colectores necesarias[419].

---

[417] BOE, n° 312, de 30.12.1995.
[418] Sobre dicha Directiva *vid.* la nota 1191 *infra.*
[419] Plazos que culminan el 31 de diciembre del año 2005. El Real Decreto-ley 11/1995 fue posteriormente desarrollado por el Real Decreto 509/1996, de 15 de marzo, y este ha sido modificado, a su vez, por el Real Decreto 2116/1998. A través de la puesta en marcha y desarrollo del Plan Nacional de Saneamiento y Depuración de 1995 el Estado ha realizado un importante esfuerzo inversor —parcialmente financiado con fondos de la Unión Europea— para alcanzar estos objetivos.

(ii) El Real Decreto 261/1996, de 16 de febrero, sobre protección de las aguas contra la contaminación producida por los nitratos procedentes de fuentes agrarias[420], por el que se ejecuta la Directiva 91/676/CEE[421], resulta fundamental para luchar contra la contaminación difusa de la aguas por nitratos. En él se fijan las normas de calidad que deberán respetar las aguas en relación con la contaminación por este agente, y las medidas que deben llevar a cabo la Administración General del Estado para alcanzar dichos objetivos en ejecución de la Directiva (la determinación de las masas de agua que se encuentran afectas por contaminación por nitratos en las cuencas hidrográficas que excedan del ámbito territorial de una Comunidad Autónoma), así como las que corresponden a las Comunidades Autónomas (la identificación de las aguas contaminadas en el resto de los casos, la designación de zonas vulnerables a la contaminación por nitratos, la elaboración de programas de prevención y reducción de la contaminación para dichas zonas, y la elaboración de códigos de buena conducta agraria con el mismo fin).

(iii) El Real Decreto 1341/2007 de gestión de la calidad de las aguas de baño, que transpone la Directiva 2006/7/CE, relativa a la gestión de la calidad de las aguas de baño y por la que se deroga la Directiva 76/160/CEE[422], que establece las medidas sanitarias y de control necesarias para la protección de la salud de los bañistas, siendo éste el objeto principal de este Real Decreto, así como el de conservar, proteger y mejorar la calidad del medio ambiente en complemento de la Directiva Marco de Aguas.

En los últimos años, y especialmente con motivo de la ejecución de la Directiva marco de aguas, se han modificado sustancialmente las disposiciones sobre protección de las aguas en nuestro Derecho, con el fin de reforzarlas. Tras la última reforma, operada por la Ley 62/2003, el art. 92 TRLA transcribe como objetivos de protección de las aguas y del dominio público hidráulico los muy ambiciosos fines que fija con carácter general la Directiva marco de aguas en su art. 1; objetivos que van a insistir en la prevención, protección y mejora de las aguas y de los ecosistemas acuáticos,

---

[420] BOE Nº 61, de 11.3.1996, p. 9735.
[421] Sobre dicha Directiva *vid.* la nota 1190 *infra.*
[422] Este Real Decreto deroga y sustituye al Real Decreto 734/1988, por el que se establecen normas de calidad de las aguas de baño, que incorporó a nuestro ordenamiento jurídico la Directiva 76/160/CE, relativa a la calidad de las aguas de baño.

en su uso sostenible, y en la reducción progresiva de los vertidos de sustancias contaminantes[423]. También se asume el concepto de "contaminación"
en los mismos términos en que lo hace el art. 2 de la Directiva marco: "la
acción y el efecto de introducir materias o formas de energía, o inducir
condiciones en el agua que, de modo directo o indirecto, impliquen una
alteración perjudicial de su calidad en relación con los usos posteriores,
con la salud humana, o con los ecosistemas acuáticos o terrestres directamente asociados a los acuáticos; causen daños a los bienes; y deterioren o
dificulten el disfrute y los usos del medio ambiente". En cuanto al concepto
de "degradación del dominio público hidráulico" se precisa que incluye
"las alteraciones perjudiciales del entorno afecto a dicho dominio" (art. 93
TRLA).

Los objetivos ambientales para la protección de los distintos tipos de
masas de aguas que diferencia la Directiva marco (aguas superficiales, las
aguas subterráneas y masas de aguas artificiales y muy modificadas) se recogen en el art. 92.bis TRLA[424]:

a) Para las aguas superficiales, prevenir el deterioro del estado de las
   masas de agua superficiales; proteger, mejorar y regenerar todas las
   masas de agua superficial con el objeto de alcanzar un buen estado
   de las mismas; reducir progresivamente la contaminación procedente de sustancias prioritarias, y eliminar o suprimir gradualmente los
   vertidos, las emisiones y las pérdidas de sustancias peligrosas prioritarias.

b) Para las aguas subterráneas, evitar o limitar la entrada de contaminantes en las aguas subterráneas y evitar el deterioro del estado de
   todas las masas de agua subterránea; proteger, mejorar y regenerar
   las masas de agua subterránea y garantizar el equilibrio entre la extracción y la recarga a fin de conseguir el buen estado de las aguas
   subterráneas; e invertir las tendencias significativas y sostenidas en el
   aumento de la concentración de cualquier contaminante derivada
   de la actividad humana con el fin de reducir progresivamente la contaminación de las aguas subterráneas.

---

[423]   Sobre dichos objetivos *vid.* el apartado III.2.B) *supra.*
[424]   Las condiciones técnicas definitorias de cada uno de los tipos o estados de las aguas,
        así como los criterios para su clasificación, se determinarán reglamentariamente y de-
        berán seguir las directrices que vaya adoptando la Comunidad Europea en desarrollo
        de la Directiva marco.

c) Para las zonas protegidas, cumplir las exigencias de las normas de protección que resulten aplicables en una zona y alcanzar los objetivos ambientales particulares que en ellas se determinen.

d) Para las masas de aguas artificiales y masas de agua muy modificadas (como embalses, canales, etc.), proteger y mejorarlas "para lograr un buen potencial ecológico y un buen estado químico de las aguas superficiales".

Por otra parte, los Planes Hidrológicos de las demarcaciones, recientemente adoptados en 2013, van a jugar también un papel esencial a la hora de proteger la calidad de las aguas. Recuérdese que entre sus objetivos figura el de conseguir "el buen estado y la adecuada protección del dominio público hidráulico y de las aguas". En ellos se establece la lista de objetivos medioambientales para las distintas masas de aguas y zonas protegidas, así como los plazos previstos para su consecución. Papel que se ve complementado con el de los programas que se adoptan para alcanzar dichos objetivos en cada demarcación hidrológica, en los que se concretarán las actuaciones y las previsiones necesarias a tales efectos, y cuya regulación se precisa en los arts. 43 a 58 RPH. Las medias establecidas por los programas podrán ser básicas (los requisitos mínimos que deben cumplirse en cada demarcación y que se regulan en los arts. 44 a 53 RPH) o complementarias (aquellas que en cada caso deban aplicarse con carácter adicional para la consecución de los objetivos medioambientales o para alcanzar una protección adicional de las aguas). En los casos en que existan masas de agua muy afectadas por la actividad humana o sus condiciones naturales hagan inviable la consecución de los objetivos señalados o exijan un coste desproporcionado, se señalarán objetivos ambientales menos rigurosos en las condiciones que se establezcan en cada caso mediante los planes hidrológicos. Además, en cada demarcación hidrográfica se deberá establecer también programas de seguimiento del estado de las aguas que permitan obtener una visión general coherente y completa de dicho estado. Estos programas se incorporarán a los programas de medidas que deben desarrollarse en cada demarcación (art. 92.ter TRLA).

Tal y como establece la Disposición adicional 11ª TRLA, en línea con el calendario fijado por la Directiva marco, los objetivos medioambientales del artículo 92 bis, deberán alcanzarse antes de 31 de diciembre de 2015, salvo el primer objetivo fijado para las aguas superficiales (el de prevenir su deterioro), exigible desde la entrada de la Ley 62/2003, imponiendo así, en teoría, una situación de *status quo* que implica la conservación de su calidad conforme a los parámetros registrados en ese momento. Dicho plazo podrá, no obstante, prorrogarse respecto de determinadas masas de agua si se garantiza que no se producirá un nuevo deterioro de su estado y se da alguna de las siguientes circunstancias: que las mejoras necesarias para obtener el objetivo sólo puedan lograrse, debido a las posibilidades técnicas, en un plazo que exceda del establecido; que el cumplimiento del plazo establecido diese lugar a un coste desproporcionadamente alto; o que las condiciones naturales no permitan una mejora del estado en el plazo señalado. Estas prórrogas, su justificación y las medidas necesarias para la consecución de los objetivos medioambientales en las masas de agua afectadas se incluirán en el plan hidrológico de cuenca, sin que puedan exceder la fecha de 31 de diciembre de 2027 (salvo en los supuestos de que sean condiciones naturales las que impidan lograr los objetivos). Por lo que se refiere a los programas de medidas para alcanzar los objetivos ambientales fijados en los planes, estos deberán estar aprobados antes de 31 de diciembre de 2009 —actualizados en el 2015 y revisados después cada seis años— y todas las medidas incluidas en el programa deberán estar operativas en el año 2012. En cuanto a los programas de seguimiento, deberán estar operativos el 31 de diciembre de 2006.

Todas las disposiciones introducidas en el TRLA con motivo de la ejecución de la Directiva marco profundizan, en efecto, en la dimensión ambiental de nuestra Ley de Aguas. Pero desde un primer momento la mejora de la calidad de las aguas en nuestro Estado pasaba necesariamente por la aplicación eficaz de las disposiciones ya previstas a tales efectos por la Ley de Aguas de 1985 y, en particular, de las disposiciones sobre el control de los vertidos contaminantes; aplicación que, como ha puesto de relieve la doctrina, ha dejado mucho que desear en las pasadas décadas[425]. En este contexto, la reciente inclusión de objetivos y disposiciones más ambiciosos —y también notablemente más complejos— en aras de la protección de la calidad de las aguas correrá el riesgo de quedar en mero papel mojado, sin alcanzar sus objetivos, si no se solventa el déficit de ejecución por parte de la Administración hidráulica de las medidas dirigidas a prevenir y controlar la contaminación.

---

[425] *Vid.* A. FANLO LORAS, "La protección de la calidad de las aguas en el ordenamiento jurídico español: algunas consideraciones en relación con el régimen jurídico de los vertidos", en F. SOSA WAGNER (Coord.), El Derecho Administrativo en el umbral del siglo XXI. Homenaje al Profesor Dr. D. Ramón Martín Mateo. Vol. III; Tirant lo Blanch, Valencia, 2000, pp. 3520 ss.; M. SÁNCHEZ MORÓN, "Aspectos ambientales de la modificación de la Ley de Aguas", en A. EMBID IRUJO, La reforma..., *op. cit.*, pp. 89 ss.

A) El control de los vertidos de sustancia contaminantes al medio acuático: las normas de emisión y el régimen de autorización

Una de las principales técnicas para proteger la calidad de las aguas es el control de la contaminación en la fuente misma, mediante la fijación de valores límite de emisión para los vertidos contaminantes. Técnica esta que, como hemos señalado en el apartado anterior, en el Derecho comunitario se va a combinar con el establecimiento de normas de calidad del medio.

La Ley de Aguas de 1985 va a prohibir con carácter general los vertidos que contaminen las aguas (art. 89 LA de 1985), sin perjuicio de que la Administración pueda permitir determinados vertidos mediante autorización, en la que se impondrán las condiciones y medidas correctoras pertinentes (art. 92-100 LA). Vertidos que quedarán sujetos a un canon, cuyo importe va a depender de la carga contaminante del efluente (art. 105 LA), asumiéndose así el principio de política ambiental de "quien contamina paga".

Las normas sobre control de vertidos que vamos a encontrar en la Ley y en sus Reglamentos de desarrollo son, en gran medida, el resultado de la transposición a nuestro ordenamiento de la Directiva 76/464/CEE, de 4 de mayo de 1976, de sustancias peligrosas, desarrollada posteriormente por diversas «Directivas-hijas». Esta Directiva impuso a los Estados miembros la obligación de adoptar ciertas medidas para *eliminar* la contaminación causada por los vertidos al medio acuático de las sustancias peligrosas incluidas en su Anexo I (la denominada "lista negra", que contiene las sustancias especialmente peligrosas por su toxicidad, persistencia o bioacumulación), así como para *reducir* la producida por los vertidos que contengan las sustancias que figuran en el Anexo II (la denominada "lista gris", que contienen sustancias que tienen efectos perjudiciales sobre el medio acuático pero que pueden limitarse en función de las aguas receptoras y su localización). Las primeras quedaron sometidas a un régimen de autorización, que debe respetar los límites de emisión fijados por la Directiva; en el caso de las últimas, la Directiva obliga a los Estados miembros a adoptar programas de reducción de la contaminación que incluyan objetivos de calidad para las aguas, y a aplicar un sistema de autorizaciones para los vertidos de dichas sustancias conforme al cual en cada autorización se debe especificar las normas de emisión establecidas por las autoridades competentes, calculadas en función de los objetivos de calidad prescritos por los citados programas. Para la protección de las aguas subterráneas la Directiva 80/68/CEE estableció medidas aún más estrictas: prohibía cualquier vertido directo de sustancias de la lista I, y sometía a una investigación previa las acciones de eliminación o depósito susceptibles de ocasionar un vertido indirecto de dichas sustancias, así como cualquier vertido directo de las sustancias del la lista II.

Las principales disposiciones nacionales a través de las que se ejecutó esta Directiva fueron los arts. 92 a 99 LA de 1985 (que establecía las líneas generales del régimen de autorización de vertidos de sustancias contaminantes), desarrolladas por el art. 254 del RDPH (en el que se establecían las limitaciones a las autorizaciones de vertido de las sustancias de la lista negra y de la lista gris conforme a la Directiva 76/464/CEE), así como por los arts. 79 y 80 del RAPA en los que se establece el papel que van a jugar los PHC al respecto. Además, hay que tener en cuenta la Orden Ministerial de 23.12.1986 por la que se dictaron normas complementarias en relación con las autorizaciones de vertidos de aguas residuales[426], en la que se estableció un plazo que concluía el 31 de enero de 1987 para que todos los causantes de vertidos directos o indirectos a los cauces públicos regularizaran su situación. Disposición esta que fue en gran medida ignorada.

Ante la preocupante cantidad de vertidos industriales directos a las aguas sin la autorización preceptiva o con simples autorizaciones provisionales, se adoptó posteriormente el Real Decreto 484/1995[427], cuyo objeto era, también, "la regularización del procedimiento y el establecimiento de medidas complementarias para la adaptación de vertidos que se producen en el ámbito territorial de las cuencas hidrográficas competencia del Estado, a las previsiones en la materia de la Ley 29/1985 de Aguas", disposición que tampoco alcanzaría resultados notables

En definitiva, la ejecución de la Directiva de vertidos en España ha planteado numerosos problemas, y los resultados alcanzados han sido más bien pobres. De hecho, en su Sentencia de 25.10.1998 (asunto C-214/96 *Comisión c. España*), el Tribunal de Justicia de las Comunidades Europeas declaró el incumplimiento por parte del Estado español de la obligación de establecer los programas de reducción de la contaminación previstos para las sustancias del Anexo II[428], y dado que este incumplimiento es sólo

---

[426] BOE nº 312, de 30.12.1986.
[427] BOE nº 95, de 21.4.1995.
[428] Este incumplimiento fue debido tanto a la inactividad del Estado como de las Comunidades Autónomas: no se cumplió con la obligación de elaborar estos programas de reducción y control de la contaminación causada por las sustancias peligrosas comprendidas en dicho Anexo de la Directiva ni por parte del Estado, en el marco de sus competencias sobre la planificación hidrológica de las cuencas intercomunitarias, ni por parte de varias Comunidades Autónomas en el marco de las suyas (en relación

un botón de muestra de la deficiente aplicación de las disposiciones de la Directiva, están en curso varios procedimientos más por infracción de la misma. Lamentablemente este incumplimiento no se solventó después con la aprobación de los Planes Hidrológicos de cuenca porque, pese a lo dispuesto por el art. 80.3 del RAPA, dichos Planes no incluyeron finalmente programas específicos de reducción de la contaminación que abarcaran todas y cada una de las sustancias incluidas en el Anexo II de la Directiva. Por ello tuvo que adoptarse después el Real Decreto 995/2000, de 20 de junio de 2000, por el que se fijan objetivos de calidad para determinadas sustancias contaminantes y que modifica el RDPH[429], con el que el Estado español intentó de atajar esa situación de incumplimiento y evitar así que progresase un segundo recurso de incumplimiento contra España, conforme al art. 228.2 TCE, ante el Tribunal de Luxemburgo. En sus disposiciones se fijan objetivos generales de calidad para las sustancias incluidas en el Anexo II de la Directiva, que serán tomados en consideración en la revisión, renovación u otorgamiento de autorizaciones (autorizaciones en las que se incorporarán plazos y medidas para reducir la contaminación causada por dichas sustancias)[430].

Volviendo al texto de la Ley de Aguas, la Ley 46/1999 enmendó —con la vista ya puesta en la Directiva marco, entonces a punto de ser aprobada— los antiguos artículos 89 a 97 LA con el fin de endurecer el régimen de control de los vertidos y de la contaminación de las aguas subterráneas. Esas nuevas disposiciones —que pasaron a ser los artículos 100 a 108 en el TRLA— fueron desarrolladas reglamentariamente por el RD 606/2003,

---

con los programas relativos a los vertidos de sustancias peligrosas desde tierra a mar, y también de los vertidos en las cuencas intracomunitarias).

[429] BOE n° 147, de 20.6.2000, p. 21558.

[430] Sin embargo, la adopción de este Real Decreto sigue siendo insuficiente para cumplir la obligación de establecer programas para las sustancias del Anexo II impuesto por el art. 7 de la Directiva, entre otras razones porque el Real Decreto incluye sólo algunas de las sustancias del Anexo II de la Directiva, y no todas, limitándose a habilitar al Ministro de Medio Ambiente para ampliar el número de sustancias reguladas, así como para modificar los objetivos de calidad. Además, esta medida no reunía los requisitos formales que, conforme a la jurisprudencia del Tribunal de Justicia han de tener los planes o programas adoptados en ejecución de las directivas comunitarias; para un análisis detallado de estos problemas *vid.* C PLAZA MARTÍN, *Derecho Ambiental...*, *op. cit.* De hecho en el año 2001 la Comisión Europea inició un segundo procedimiento de infracción contra España, con arreglo al artículo 228 del Tratado CE por no considerarse que se había puesto fin al incumplimiento ya declarado en el Asunto C-214/96, *Comisión c. España*.

modificó las disposiciones sobre vertidos del RDPH (en los art. 245 a 271 y 289 a 295).

Una vez aprobada la nueva Directiva marco, algunos de estos artículos sobre vertidos del TRLA se han visto de nuevo retocados y completados por medio de la Ley 62/2003, poniéndose así en evidencia la precipitación con la que se abordó la modificación del régimen de vertidos en la Ley 46/1999.

En la actualidad sigue estando prohibido, con carácter general, el vertido directo o indirecto de aguas y de productos residuales susceptibles de contaminar las aguas continentales o cualquier otro elemento del dominio público hidráulico, salvo que se cuente con la previa autorización administrativa —a tales efectos se considerarán vertidos "los que se realicen directa o indirectamente en las aguas continentales, así como en el resto del dominio público hidráulico, cualquiera que sea el procedimiento o técnica utilizada"[431]—. Pero la autorización de vertido tendrá como objeto ahora la consecución "de los objetivos medioambientales establecidos", de acuerdo con las normas de calidad, los objetivos ambientales y las características de emisión e inmisión establecidas en el RDPH y en el resto de la normativa en materia de aguas, normas que podrán ser concretadas para cada cuenca por el respectivo plan hidrológico, de acuerdo con el art. 4 (sobre el contenido de los planes hidrológicos) y los arts. 43 y ss. (sobre los programas de medidas) del RPH. Además, y siguiendo el enfoque integrado establecido por la Directiva marco, se otorgarán teniendo en cuenta no ya sólo las normas de calidad ambiental y los límites de emisión fijados reglamentariamente, sino también las mejores técnicas disponibles para la prevención y control de la contaminación. Por otra parte, y al igual que se preveía antes, cuando la Administración otorgue una autorización o se modifiquen sus condiciones, podrán establecerse plazos y programas de reducción de la contaminación para la progresiva adecuación de las características de los vertidos a los límites que en ella se fijen (art. 100.4 TRLA).

Las autorizaciones establecerán las condiciones en que deben realizarse con el fin proteger el medio ambiente, en los términos que se han establecido vía reglamentaria[432], si bien la Ley precisa que, en todo caso, se deberán especificar las instalaciones de depuración necesarias y los ele-

---

[431]   Sobre el concepto, tipos y régimen jurídico de los vertidos *vid.*, con carácter general, I. SANZ RUBIALES, *Los vertidos en aguas subterráneas. Su régimen jurídico*, Marcial Pons, Madrid, 1997; y L. CASADO CASADO, *Los vertidos en aguas continentales - Las Técnicas de intervención administrativa*, Comares, Granada, 2004.

[432]   *Vid.* el art. 251 RDPH.

mentos de control de su funcionamiento, así como los límites cuantitativos y cualitativos que se impongan a la composición del efluente y el importe del canon de control del vertido definido en el artículo 113 TRLA (art. 101 TRLA). Se otorgan por un plazo máximo de cinco años, renovables sucesivamente, y condicionadas a que se cumplan las normas de calidad y objetivos ambientales exigibles en cada momento, puesto que, de lo contrario, podrán ser modificadas o revocadas. Además, el Organismo de cuenca podrá revisar las autorizaciones de vertido antes de que pase dicho plazo, y sin que ello dé derecho a indemnización alguna, cuando sobrevengan circunstancias que, de haber existido anteriormente, habrían justificado su denegación o el otorgamiento en términos distintos; para adecuar el vertido a las normas y objetivos de calidad de las aguas que sean aplicables en cada momento; en casos excepcionales, por razones de sequía o en situaciones hidrológicas extremas a fin de garantizar los objetivos de calidad. Y también, a solicitud del interesado, cuando se produzca una mejora en las características del vertido (art. 104 TRLA).

Tras las adopción en de la Ley 16/2002 de Prevención y Control Integrados de la Contaminación —que se adopta en ejecución de la Directiva 96/61/CE IPPC[433]— las autorizaciones de vertidos a las aguas continentales de cuencas intercomunitarias solicitadas para llevar a cabo las actividades listadas en el anejo 1 de la Ley 16/2002 se va a tener que integrar en la llamada "autorización ambiental integrada". Una de las finalidades de la "autorización integrada" que regula la Ley 16/2002 es, precisamente, aunar en un solo acto y en un solo procedimiento todas las autorizaciones ambientales existentes, cuya tramitación y otorgamiento corresponde a las Comunidades Autónomas. En los casos en que se trate de la autorización de vertidos a las cuencas intercomunitarias, el Legislador ha optado por que dicha integración se produzca sin menoscabo de las competencias de las Confederaciones Hidrográficas: en estos supuestos la resolución de la Confederación sobre la autorización o no de un vertido se sustituye por un informe preceptivo y vinculante para la autoridad de la Comunidad Autónoma que esté tramitando la autorización integrada[434]. Informe que, en cuanto al fondo, en nada se diferencia del contenido de una autorización de vertidos (la Confederación fijará las condiciones pertinentes a los vertidos). Además, en relación con dichos vertidos la Confederación seguirá ejerciendo todas las competencias que le atribuye el TRLA para velar por la

---

[433] Sobre dicha Directiva *vid.* el apartado III.2.B) *infra.*
[434] *Vid.* la DA 10ª del TRLA introducida por la DF 2.2 de la Ley 16/2002.

calidad de las aguas: liquidar el canon de control de vertido, inspeccionar, sancionar...[435].

Cuando el Organismo de cuenca detecte la existencia de un vertido no autorizado, o que no cumpla las condiciones de la autorización, el Organismo de cuenca deberá incoar un procedimiento sancionador y de determinación del daño causado a la calidad de las aguas y liquidará el canon de control de vertido, de conformidad con lo establecido en el artículo 113 TRLA. Complementariamente puede, además, acordar: (i) la iniciación de un procedimiento de revocación de la autorización de vertido, cuando la hubiera, para el caso de incumplimiento de alguna de sus condiciones; (ii) de autorización del vertido, si no la hubiera, cuando éste sea susceptible de legalización; (iii) o, finalmente, de declaración de caducidad de la concesión de aguas en los casos especialmente cualificados de incumplimiento de las condiciones o de inexistencia de autorización, de los que resulten daños muy graves en el dominio público hidráulico. Revocaciones y declaraciones de caducidad que, obviamente, no darán derecho a indemnización (art. 105 TRLA). Además, el Gobierno podrá, en el ámbito de sus competencias, ordenar cautelarmente la suspensión de las actividades que den origen a vertidos no autorizados, de no estimar más procedente adoptar las medidas precisas para su corrección, sin perjuicio de la responsabilidad civil, penal o administrativa en que hubieran podido incurrir los causantes de los mismos (art. 106 TRLA).

Como bienes de valor económico negativo que son, la Ley contempla la posibilidad de que las aguas residuales puedan ser objeto de transacciones económicas. A tales efectos se prevé la posibilidad de que se creen empresas de vertido que se hagan cargo, a cambio de una contraprestación, de las aguas residuales de terceros para conducirlas, tratarlas y verterlas conforme a las autorizaciones que se otorguen a su favor. Las autorizaciones para estas empresas incluirán, además de las condiciones exigidas con carácter general, las de admisibilidad de los vertidos que van a ser tratados por la empresa, las tarifas máximas y el procedimiento de su actualización periódica, y la obligación de constituir una fianza para responder de la continuidad y eficacia de los tratamientos (art 108 TRLA).

---

[435]   Sobre la autorización integrada y su relación con otras autorizaciones *vid.* F. B LÓPEZ-JURADO y A. RUIZ DE APODACA, *La autorización ambiental...*, *op. cit.*, pp. 283 ss.; y J. BAUCELLS I LLADOS y J. VERNET I LLOBET (Coord.), *La prevención y el control...*, *op. cit.*

Por último, y esta es la novedad más llamativa en materia de vertidos que resulta de la transposición de la Directiva marco, se introduce un nuevo artículo sobre vertidos marinos (el art. 108 bis), en el que se fijan los objetivos generales de la protección de las aguas marinas: "interrumpir o suprimir gradualmente los vertidos, las emisiones y las pérdidas de sustancias peligrosas prioritarias, con el objetivo último de conseguir concentraciones en el medio marino cercanas a los valores básicos por lo que se refiere a las sustancias de origen natural y próximas a cero por lo que respecta a las sustancias sintéticas artificiales". No obstante, la Ley se limita a enumerar dichos objetivos a los efectos de que se "recojan" en la legislación sectorial aplicable en cada caso. Legislación entre la que se encuentra la Ley de Costas —en relación con los vertidos de tierra a mar—, la Ley de Puertos —para los vertidos desde buques, plataformas fijas y otras instalaciones—, y la normas adicionales de protección del medio marino que, en ejercicio de su competencia en materia de medio ambiente, puedan adoptar las Comunidades Autónomas.

Al afrontar todas estas novedades normativas conviene no perder de vista la experiencia acumulada en este ámbito hasta el momento: el control efectivo de los vertidos depende, tanto como de la letra de la Ley, de que la Administración cuente con medios suficientes para aplicarla, y esto último depende, a su vez, de que el Ejecutivo tenga una firme voluntad de hacer cumplir la normativa en vigor. Si esto falla de poco sirve establecer un régimen más estricto y sofisticado de control de vertidos.

B) Limitaciones medioambientales a las autorizaciones y concesiones sobre el uso del dominio público hidráulico: el control de los caudales ecológicos y el estudio o la evaluación de su impacto ambiental

El art. 98 TRLA exige que los Organismos de cuenca, en las concesiones y autorizaciones que otorguen, adopten todas las medidas necesarias para hacer compatible el aprovechamiento con el respeto del medio ambiente y garantizar los caudales ecológicos o demandas ambientales previstas en la planificación hidrológica.

A la hora de otorgar concesiones para el uso privativo del agua la Administración tendrá que respetar, en primer lugar, las limitaciones que a tales efectos van a imponer los denominados "caudales ecológicos" —esto es, los caudales imprescindibles, en cuanto a cantidad y características físico-químicas de las aguas, para el adecuado mantenimiento de los ecosistemas acuáticos y de los valores ecológicos directamente dependientes de dichos caudales— previstos en el art. 59.7 TRLA. Estos caudales —cuya regulación se introduce por primera vez en la Ley de Aguas con la Ley 46/1999— deberán determinarse en los Planes Hidrológicos de cuenca, tras la realización de los necesarios estudios para cada tramo de río, y no van a tener el carácter de uso a los efectos de lo previsto en el art. 59 TRLA, sino que se configuran como una restricción que se impone con carácter general a los sistemas de explotación, si bien se aplicará también a los caudales medioambientales la regla sobre supremacía del uso para abastecimiento de poblaciones (art. 59.7 TRLA)[436]. El art. 26.1 de la Ley 10/2001 del PHN (modificado por Ley 11/2005), insiste en su configuración como limitación a los distintos aprovechamientos privativos del agua, y añade que para su establecimiento, los Organismos de cuenca realizarán "estudios específicos para cada tramo de río, teniendo en cuenta la dinámica de los ecosistemas y las condiciones mínimas de su biocenosis". Finalmente, la fijación de los caudales ambientales se realizará con la participación de todas las Comunidades Autónomas que integren la cuenca hidrográfica, a través de los Consejos del Agua de las respectivas cuencas.

En segundo lugar, para propiciar que en las concesiones y autorizaciones que otorguen los Organismos de cuenca se adopten las medidas necesarias para hacer compatible el aprovechamiento con el respeto del medio ambiente va a ser imprescindible recurrir a un instrumento básico de política ambiental: la evaluación de impacto ambiental. A tales efectos el art. 98 dispone que en la tramitación de concesiones y autorizaciones que afecten

---

[436] Si bien las disposiciones regulando los denominados "caudales ecológicos" que se acaban de citar fueron introducidas, en efecto, por la Ley 46/1999, pasando después al TRLA, desde un principio existían en la Ley de Aguas de 1985 algunas disposiciones relacionadas con este concepto, las cuales van a poner de manifiesto la obligación de garantizar unos caudales mínimos en aras de la protección del medio ambiente: así, por ej., se va a exigir que los Planes Hidrológicos de cuenca precisen, entre otras cuestiones, la reserva de recursos "para la conservación o recuperación del medio natural" (art. 40.d LA, ahora art. 42.d TRLA); asimismo, el RDPH va a establecer que, en la tramitación de los expedientes de concesión, la Administración hidráulica deberá tener en cuenta "los caudales mínimos que respetar para usos comunes o por motivos sanitarios o ecológicos" (art. 115.2.g). Sobre el concepto y regulación de los caudales ecológicos vid. A. EMBID IRUJO, "Usos del agua e impacto ambiental: Evaluación de impacto ambiental y caudal ecológico", en A. EMBID IRUJO (Coord.), *La calidad de las aguas*, Civitas, Madrid, 1994, pp. 149 ss.; D. LOPERENA ROTA, "Los caudales ecológicos y la planificación hidrológica"; en A. EMBID IRUJO (Dir.), *Planificación hidrológica y política hidráulica*, Civitas; Madrid, 1999, pp. 203 ss.; y M. CALVO, *Escritos de..., op. cit.* (versión en formato electrónico en Tirant on line: epígrafe 10, "La regulación del agua en el siglo XXI. El RD Legislativo 1/2001. Nuevas fórmulas de protección ecológica del agua. Conclusión").

al dominio público hidráulico que pudieran implicar riesgos para el medio ambiente, será preceptiva la presentación de un informe sobre los posibles efectos nocivos para el medio, del que se dará traslado al órgano ambiental competente para que se pronuncie sobre las medidas correctoras que, a su juicio, deban introducirse como consecuencia del informe presentado. Además, en los casos en que el Organismo de cuenca presuma la existencia de un riesgo grave para el medio ambiente, someterá igualmente a la consideración del órgano ambiental competente la conveniencia de iniciar el procedimiento de evaluación de impacto ambiental. Sólo en estos últimos casos deberá iniciarse el largo y complejo procedimiento de evaluación de impacto ambiental regulado en la actualidad en el Real Decreto Legislativo 1/2008 por el que se aprueba el texto refundido de la Ley de Evaluación de Impacto Ambiental de proyectos[437]; procedimiento que va a implicar la participación del órgano ambiental competente y la información y participación del público interesado[438]. En el primer caso, cuando simplemente se presuponga que las concesiones y autorizaciones puedan implicar algún riesgo para el medio ambiente, bastará con la elaboración de un informe previo sobre los posibles efectos para que el Organismo de cuenca lo tenga presente en su resolución final, y que pueden servir para motivar la necesidad de introducir modificaciones, medidas correctoras o ciertas condiciones en el proyecto presentado para autorización o concesión. Informe que, por otra parte, puede ser también el medio de detectar la existencia de algún riesgo grave, no evidente en un principio, que haga necesario acudir al procedimiento reglado de evaluación de impacto.

C) Instrumentos económicos: el canon de control de vertidos, el precio del agua y las ayudas públicas a particulares para la mejora de la calidad de las aguas

La Ley de Aguas de 1985 sometió los vertidos autorizados al pago de un canon destinado a la protección y mejora del medio receptor de cada

---

[437] Real Decreto legislativo por el que se transpuso al ordenamiento español la Directiva 85/337/CEE relativa a la evaluación de las repercusiones de determinados proyectos públicos y privados sobre el medio ambiente, modificada posteriormente por la Directiva 97/11/CE.

[438] Sobre el procedimiento de evaluación de impacto ambiental, y su aplicación al ámbito que nos ocupa *vid.* M. SÁNCHEZ MORÓN, "Aspectos ambientales...", *op. cit.*, pp. 97 ss.; y, en general, J. ROSA MORENO, "La evaluación de impacto ambiental en España ", en A. EMBID IRUJO "El Derecho de Aguas en Iberoamérica...", *op. cit.*, Tomo I, pp. 259 ss.

cuenca hidrográfica que va a responder al principio de política ambiental de "quien contamina paga". Principio acuñado en 1972 en el seno de la OCDE y asumido después por la Comunidad Europea —que lo recogió en el que ahora es el art. 174.2 TCE—, y que implica que quien contamina debe cargar con los gastos de la aplicación de las medidas adoptadas para asegurar que el medio ambiente se mantenga en un estado aceptable, de forma que el coste de las mismas se acabe reflejando en el de los bienes y servicios cuya producción y/o consumo causan la contaminación (concepto de internalización de los costes ambientales). Pero el canon de vertidos previsto en la Ley de Aguas no resultó, en la práctica, un instrumento eficaz para proteger las aguas; su eficacia recaudatoria era muy baja, lo que se debía no sólo a la forma en que el canon estaba regulado (se aplicaba sólo a los vertidos autorizados, pero no a los ilegales, que han sido durante mucho tiempo han sido particularmente abundantes), sino también a la baja efectividad del sistema de cobro gestionado por los Organismos de cuenca. Circunstancias estas que impedían la recuperación de los recursos financieros necesarios para una adecuada vigilancia, control, administración, y protección del dominio público hidráulico[439]. Para poner fin a esta situación, la Ley 46/1999 introdujo varias modificaciones en los preceptos de la LA reguladores del canon de vertidos.

En la actualidad, el canon —que pasa a denominarse "canon de control de vertidos"— se califica expresamente como tasa que va a gravar "todos los vertidos al dominio público hidráulico", y que se destinará "al estudio, control, protección y mejora del medio receptor de cada cuenca hidrográfica, que se denominará canon de control de vertidos" (art. 113 TRLA). Canon que ahora se va a aplicar también, por tanto, a los vertidos ilegales o no autorizados: cuando se compruebe la existencia de un vertido, cuyo responsable carezca de la autorización administrativa, y con independencia de la sanción que corresponda, el Organismo de cuenca liquidará el canon de control de vertidos por los ejercicios no prescritos. Con ello se elimina la ventaja económica que, a efectos del pago del canon, implicaba carecer de autorización. Su importe se calcula multiplicando el volumen de vertido autorizado por el precio unitario de control de vertido (precio que se calculará sobre la base del precio básico establecido en el apartado 3° del art. 113, y tomando en cuenta los criterios que se establecen reglamentariamente en función de la naturaleza, características y grado de contaminación del vertido, así como por la mayor calidad ambiental

---

[439]   Vid. MIMAM, *Libro Blanco...*, *op. cit.* p. 43.

del medio físico en que se vierte)[440]. En los casos de vertidos ilegales el importe del canon se calculará por procedimientos de estimación indirecta conforme a lo establecido en el art. 292 del RDPH. En el supuesto de cuencas intercomunitarias este canon será recaudado por el Organismo de cuenca o bien por la Administración Tributaria del Estado, en virtud de convenio con aquél (en cuyo caso el Organismo de cuenca debe remitir a la Agencia Tributaria los datos y censos pertinentes que faciliten su gestión, e informará periódicamente, y el canon recaudado será puesto después a disposición del Organismo de cuenca correspondiente). Previsión esta que puede contribuir de forma significativa a mejorar los resultados de dicha recaudación. Así mismo, tras las modificaciones introducidas por la Ley 11/2005 en el apartado 5 de este artículo, se ha añadido la posibilidad de establecer convenios también con las Comunidades Autónomas para que éstas recauden el canon en su ámbito territorial, y en el apartado 8 la posibilidad de que los sujetos pasivos del canon puedan deducir de su importe el de cualquier otro tributo vinculado a la protección, mejora y control del medio recepto que haya satisfecho a la comunidad autónoma.

En cuanto al precio del agua, como ya hemos señalado en apartados anteriores, el mero consumo o uso privativo del agua como tal por los particulares ha sido hasta el momento gratuito. Ello sin perjuicio de que la Ley de Aguas exija a los usuarios, cuando sean los beneficiarios de obras de regulación de las aguas superficiales o subterráneas, o de otras obras hidráulicas específicas financiadas total o parcialmente a cargo del Estado —incluidas las de corrección del deterioro del dominio público hidráulico—, el pago de ciertas tasas o tarifas destinada a compensar los costes de inversión que soporte la Administración estatal y a atender a los gastos de explotación y conservación de tales obras (art. 114 TRLA). Esta situación debe cambiar con motivo de la aplicación de la Directiva marco. Como ya mencionamos en el apartado III.2.B), la Directiva consagra el principio de la recuperación de los costes de los servicios relacionados con el agua, *"incluidos los costes medioambientales y los relativos a los recursos"*, principio que deberán tener en cuenta los Estados miembros. También les impone la obligación de articular una política de precios que proporcione incentivos adecuados para que los usuarios utilicen de forma más eficiente del agua, y que debía ser efectiva a más tardar en el año 2010. El precio se concibe, en definitiva, como un instrumento esencial para fomentar un uso más sostenible del agua y evitar su despilfarro y deterioro. En esta línea, la

---

[440] *Vid.* los arts. 289 y ss. del RDPH, y su Anexo IV, sobre el cálculo del control de vertidos.

Ley 62/2003 insertó un nuevo art. 111.bis en el título VI ("Del régimen económico-financiero de la utilización del dominio público hidráulico" del TRLA) que, tras las modificaciones introducidas por la Ley 11/2012, incorpora el principio de recuperación de costes a nuestro Derecho de aguas en los siguientes términos: "Las Administraciones públicas competentes, en virtud del principio de recuperación de costes y teniendo en cuenta proyecciones económicas a largo plazo, establecerán los oportunos mecanismos para repercutir los costes de los servicios relacionados con la gestión del agua, incluyendo los costes ambientales y del recurso, en los diferentes usuarios finales".

Según dicho artículo la aplicación de este principio deberá hacerse de manera que incentive el uso eficiente del agua y, por tanto, contribuya a los objetivos medioambientales perseguidos. Asimismo, deberá implicar una contribución adecuada de los diversos usos, de acuerdo con el principio del que contamina paga, si bien "se tendrán también en cuenta las consecuencias sociales, ambientales y económicas, así como las condiciones geográficas y climáticas de cada territorio, siempre y cuando ello no comprometa ni los fines ni el logro de los objetivos ambientales establecidos". Por último, los planes hidrológicos de cuenca deberán motivar las excepciones a la aplicación del principio de recuperación de costes que se puedan adoptar como consecuencia de la consideración de estos factores.

En desarrollo de estas disposiciones el RPH ha precisado que "a efectos de la aplicación del principio de recuperación de costes, los usos del agua deberán considerar, al menos, el abastecimiento de poblaciones, los usos industriales y los usos agrarios" (art. 3), que los planes hidrológicos de cuenca deberán incluir "un resumen del análisis económico del uso del agua, incluyendo una descripción de las situaciones y motivos que puedan permitir excepciones en la aplicación del principio de recuperación de costes", así como un informe sobre "las acciones prácticas y las medidas tomadas para la aplicación del principio de recuperación de los costes del uso del agua" (art. 4.f y g). Además, exige que el plan hidrológico incluya también la siguiente información sobre la recuperación de los costes de los servicios del agua:

a) Los servicios del agua, describiendo los agentes que los prestan, los usuarios que los reciben y las tarifas aplicadas.

b) Los costes de capital de las inversiones necesarias para la provisión de los diferentes servicios de agua, incluyendo los costes contables y las subvenciones, así como los costes administrativos, de operación y mantenimiento.

c) Los costes ambientales y del recurso.

d) Los descuentos, como los debidos a laminación de avenidas o a futuros usuarios.

e) Los ingresos de los usuarios por los servicios del agua.

f) El nivel actual de recuperación de costes, especificando la contribución efectuada por los diversos usos del agua, desglosados, al menos, en abastecimiento, industria y agricultura.

El plan hidrológico también incorporará la descripción de las situaciones y motivos que permitan excepciones en la aplicación del principio de recuperación de costes, analizando las consecuencias sociales, ambientales y económicas, así como las condiciones geográficas y climáticas de cada territorio, siempre y cuando ello no comprometa ni los fines ni el logro de los objetivos ambientales establecidos, de acuerdo con lo establecido en el artículo 111 bis 3 del texto refundido de la Ley de Aguas (apartado 4°).

Por último, conviene recordar que ya desde un principio la Ley de Aguas del 85 contempló la posibilidad de que el Estado otorgue ayudas para fomentar actividades que mejoren la calidad de las aguas entre los particulares. Estas ayudas, que se deben determinar en cada caso reglamentariamente, podrán concederse a quienes procedan al desarrollo, implantación o modificaciones de tecnologías, procesos, instalaciones o equipos, así como a cambios en la explotación, que signifiquen una disminución en los usos y consumos de agua o bien una menor aportación en origen de cargas contaminantes a las aguas utilizadas; a quienes realicen plantaciones forestales, cuyo objetivo sea la protección de los recursos hidráulicos; y a quienes procedan a la potabilización y desalinización de aguas y a la depuración de aguas residuales, mediante procesos o métodos más adecuados a la implantación de sistemas de reutilización de aguas residuales, o desarrollen actividades de investigación en estas materias[441]. Estos incentivos económicos, que en todo caso deberán respetar las limitaciones que a las ayudas públicas han impuesto los artículos 87 y 88 del Tratado CE, puede ser un medio eficaz para fomentar comportamientos más respetuosos con el medio ambiente en beneficio de la calidad de las aguas.

---

[441]   *Vid.* al respecto el art. 110 TRLA en relación con el 274 del RDPH.

D) Zonas de policía y perímetros de protección del dominio público hidráulico

La Ley de Aguas prohíbe, con carácter general, toda actividad susceptible de provocar la contaminación o degradación del dominio público hidráulico, y, en particular: la acumulación de residuos sólidos, escombros o sustancias, cualquiera que sea su naturaleza y el lugar en que se depositen, que constituyan o puedan constituir un peligro de contaminación de las aguas o de degradación de su entorno; las acciones sobre el medio físico o biológico afecto al agua, que constituyan o puedan constituir una degradación del mismo, y el ejercicio de actividades dentro de los perímetros de protección, fijados en los Planes Hidrológicos, cuando pudieran constituir un peligro de contaminación o degradación del dominio público hidráulico (art. 97 TRLA)

Para proteger las aguas va a ser imprescindible evitar o reducir en su entorno más inmediato actuaciones que puedan derivar directa o indirectamente en un deterioro accidental de las mismas. A tales efectos la Ley de Aguas ha establecido, a lo largo de los cauces por los que discurren las aguas una zona de policía de 100 metros de anchura en la que se condicionará el uso del suelo y las actividades que en ella se desarrollen (art. 6.1.b TRLA). Zona de policía que también se aplica a los márgenes de lagos, lagunas y embalses (art. 96 TRLA). De manera que quedan sometidas a una estrecha intervención administrativa las siguientes actividades y usos del suelo: las alteraciones sustanciales del relieve natural del terreno, las extracciones de áridos, las construcciones de todo tipo, tengan carácter definitivo o provisional, y cualquier otro uso o actividad que suponga un obstáculo para la corriente en régimen de avenidas o que pueda ser causa de degradación o deterioro del dominio público hidráulico. La ejecución de cualquier obra o trabajo en la zona de policía de cauces precisará autorización administrativa previa del Organismo de cuenca, sin perjuicio de los supuestos especiales regulados en el RDPH (art. 9 del RDPH).

Asimismo, y para proteger las aguas subterráneas frente a los riesgos de contaminación, el Organismo de cuenca podrá determinar perímetros de protección del acuífero o unidad hidrogeológica en los que será necesaria la autorización del Organismo de cuenca para la realización de obras de infraestructura, extracción de áridos u otras actividades e instalaciones que puedan afectarlo (art. 56.3 TRLA). Dichos perímetros tendrán por finalidad la protección de captaciones de agua para abastecimiento a poblaciones o de zonas de especial interés ecológico, paisajístico, cultural o económico. La delimitación de los perímetros se efectuará por la Junta de

Gobierno del Organismo de cuenca, previo informe del Consejo de Agua, de oficio en las áreas de actuación del Organismo de cuenca, o a solicitud de la autoridad medioambiental, municipal o cualquier otra en que recaigan competencias sobre la materia. Dentro de dicho perímetro, el Organismo de cuenca podrá imponer limitaciones al otorgamiento de nuevas concesiones de aguas y autorizaciones de vertido, con objeto de reforzar la protección del acuífero. También podrán imponerse condicionamientos a ciertas actividades o instalaciones que puedan afectar a la cantidad o a la calidad de las aguas subterráneas, las cuales precisarán de informe favorable del Organismo de cuenca para ser autorizadas por la Administración competente[442]. Condicionamientos que deberán ser tenidos en cuenta en los diferentes planes urbanísticos o de ordenación del territorio con los que se relacionen (art. 173 del RDPH).

E) Declaración de sobreexplotación y salinización de acuíferos

La sobreexplotación de las aguas subterráneas, que se produce cuando las extracciones de agua de un acuífero son superiores a su capacidad de recarga natural, puede causar la intrusión salina en los acuíferos costeros y la subida de aguas excesivamente ricas en minerales o de peor calidad de los acuíferos más profundos en los pozos de abastecimiento. Problemas que revisten una especial gravedad y cuya reversión, incluso si se toman las medidas adecuadas, puede durar varias décadas[443]. Para evitarlos va a ser necesario que se reconozcan importantes facultades al Organismo de cuenca, no sólo cuando ya se ha llegado a esa situación de sobreexplotación, sino también cuando se esté en riesgo de llegar a ella.

En España se ha calculado que en más de un 20% de la unidades hidrogeológicas —localizadas fundamentalmente en el Sureste, en algunas zonas del litoral Mediterráneo y en La Mancha— la relación entre el bombeo y la recarga es mayor que la unidad, lo que revela una utilización no sostenible del acuífero[444]. La demanialización de las aguas subterráneas

---

[442] Estas instalaciones o actividades serán las siguientes: minas, canteras, extracción de áridos, fosas sépticas, cementerios, almacenamiento, transporte y tratamiento de residuos sólidos o aguas residuales, depósito y distribución de fertilizantes y plaguicidas, riego con aguas residuales y granjas, almacenamiento, transporte y tratamiento de hidrocarburos líquidos o gaseosos, productos químicos, farmacéuticos y radiactivos, industrias, alimentarias y mataderos, campings, y zonas de baños.

[443] *Vid.* al respecto MIMAM, *Las aguas continentales en la Unión Europea*, 2004, pp. 163 y 209 ss.

[444] MIMAM, *Libro Blanco del Agua, op. cit.*, p. 7.

operada por la Ley de 1985 no es por sí misma una garantía suficiente frente a las situaciones de sobreexplotación y descontrol de los acuíferos, y tampoco parece que se haya aplicado con especial rigor las medidas especiales previstas inicialmente en su art. 54 para afrontar los problemas de sobreexplotación y salinización de los acuíferos. Modificado por la Ley 46/1999, la Ley 11/2012 ha vuelto a modificar el que ahora es el art. 56 del TRLA para regular la actuación de la Administración en supuestos en que las "masas de agua subterránea" estén "en riesgo de no alcanzar el buen estado cuantitativo o químico"[445], adecuándose así a la terminología de la Directiva Marco de Agua. En estos casos, la Junta de Gobierno del Organismo de Cuenca "sin necesidad de consulta al Consejo del Agua, podrá declarar que una masa de agua subterránea está en riesgo de no alcanzar un buen estado cuantitativo o químico", y llevará a cabo las medidas de protección ya expuestas en el apartado VII.2.E *supra*. Lamentablemente, la Ley no ha dado el paso de exigir dicha declaración cuando estemos ante casos de acuíferos notoriamente sobreexplotados[446], configurándolo como una decisión discrecional de la Administración.

Por lo que se refiere a la protección de las aguas subterráneas frente a intrusiones de aguas salinas de origen continental o marítimo, el art. 99 TRLA dispone que se llevará a cabo, entre otras acciones, mediante la limitación de la explotación de los acuíferos afectados y, en su caso, la redistribución espacial de las captaciones existentes. Los criterios básicos para ello serán incluidos en los Planes Hidrológicos de cuenca, correspondiendo al Organismo de cuenca la adopción de las medidas oportunas[447].

F) Medidas de ahorro. La reutilización de las aguas residuales

Por reutilización de las aguas se entiende, de acuerdo con el artículo 2 del RD 1620/2007 por el que se establece el régimen jurídico de la reutilización de las aguas depuradas[448], la "aplicación antes de su devolución al dominio público hidráulico y al marítimo terrestre para un nuevo uso

---

[445]   *Vid.* también el Real Decreto 1514/2009, de 2 de octubre, por el que se regula la protección de las aguas subterráneas contra la contaminación y el deterioro.

[446]   *Vid.* el art. 171 RDPH en donde se establecen los criterios para determinar cuándo un acuífero está sobreexplotado o en riesgo de estarlo.

[447]   Sobre la sobreexplotación de los acuíferos, *vid.* E. ALCAIN MARTÍNEZ, "La prevención y la gestión de los acuíferos sobreexplotados tras la reforma de la Ley de Aguas", en A. EMBID IRUJO, *La reforma de la Ley...*, *op. cit.*, pp. 291 ss.

[448]   BOE nº 294, de 8.12.2007.

privativo de las aguas que, habiendo sido utilizadas por quien las derivó, se han sometido al proceso o procesos de depuración establecidos en la correspondiente autorización de vertido y a los necesarios para alcanzar la calidad requerida en función de los uso a que se van a destinar".

La Ley de Aguas de 1985 dedicó un breve artículo 101 a la reutilización de las aguas, en el que se limitaba a remitir al Gobierno la regulación de las condiciones básicas para dicha reutilización y a señalar que la actividad de reutilización requería de una concesión propia, independiente de todas las otras que puedan resultar exigidas legalmente. Sin embargo, el desarrollo reglamentario de esta disposición nunca fue llevado a cabo, quedando así condenada a la inoperancia.

Con la Ley 46/1999 se modifica dicha disposición para intentar dar un impulso a la reutilización de las aguas. En el que ahora es el art. 109 del TRLA, se reitera que la reutilización de las aguas procedentes de un aprovechamiento requiere concesión administrativa como norma general. Sin embargo, se van a precisar una serie de puntos importantes: (i) en primer lugar, se señala que en el caso de que la reutilización sea solicitada por el titular de una autorización de vertido de aguas ya depuradas, se requerirá solamente una autorización administrativa, en la cual se establecerán las condiciones necesarias complementarias de las recogidas en la previa autorización de vertido (apartado 2); (ii) en segundo lugar, se prevé la posibilidad de que cualquier persona física o jurídica que haya obtenido una concesión de reutilización de aguas pueda subrogarse por vía contractual en la titularidad de la autorización de vertido de aquellas aguas, con asunción de las obligaciones que ésta conlleve, incluidas la depuración y la satisfacción del canon de control de vertido; estos contratos deberán ser autorizados por el correspondiente Organismo de cuenca, a los efectos del cambio de titular de la autorización de vertido (apartado 3); (iii) y por lo que se refiere a los supuestos en que la concesión se haya otorgado respecto a aguas efluentes de una planta de depuración, las relaciones entre el titular de ésta y el de aquella concesión serán reguladas también mediante un contrato que deberá ser autorizado por el correspondiente Organismo de cuenca (apartado 4).

Pero estas precisiones no iban a ser suficientes *per se* para impulsar la reutilización de la aguas residuales, debido a la falta de un desarrollo reglamentario adecuado para fomentar su aplicación[449]. El art. 109 fue sustan-

---

[449]　El RD 606/2003 que modificó por última vez el RDPH no fue aprovechado para reformar o complementar los viejos artículos del Reglamento sobre la reutilización (arts.

cialmente modificado, con posterioridad, por la Ley 11/2005, que añadió en su apartado 1° la precisión de que el titular de la concesión o autorización "debe sufragar los costes necesarios para adecuar la reutilización de las aguas a las exigencias de calidad vigentes en cada momento" y suprimió los apartados 3 y 4.

En este Reglamento se regulan las condiciones básicas de reutilización, estableciendo los usos admitidos y los usos prohibidos de esta agua, así como la obligación de cumplir con determinados criterios de calidad en función de los usos a los que se destinen. Especialmente relevante es el hecho de que las posibilidades de subrogación de terceros en la titularidad de la concesión, que fueron eliminadas con las reformas introducidas por la Ley 11/2005, van a ser sustituidas por la posibilidad de que los titulares de la concesión de reutilización y los titulares de la autorización complementaria para reutilización de las aguas, puedan suscribir contratos de cesión de derechos de uso de agua de acuerdo con lo establecido en los artículos 67 y 68 TRLA, si bien sometidos a ciertas peculiaridades relacionadas con el volumen anual susceptible de cesión (que no será superior al que figure en la concesión o autorización otorgada) y con la necesidad de que la Administración vigile que se cumplan los criterios de calidad en relación a los usos a que se vayan a destinar los caudales cedidos[450]. El RD prevé también que las distintas Administraciones públicas territoriales, en el ámbito de sus respectivas competencias, adopten planes y programas para fomentar la reutilización (art. 7). En cuanto al procedimiento para obtener la concesión de reutilización, se precisa, entre otros aspectos, que cuando la solicitud e concesión para reutilización sea formulada por quien es ya concesionario para la primera utilización de las aguas, el procedimiento se tramite sin competencia de proyectos.

2. *Técnicas de garantía de la identidad del dominio público hidráulico*

A) El deslinde

El deslinde del dominio público hidráulico implica la delimitación, con respecto de los predios colindantes, del álveo o cauce natural de las corrientes continuas o discontinuas, de los lechos de los lagos, lagunas y charcas de dominio público, y de las zonas húmedas y embalses. Con la

---

272 y 273) pese a la premura del complemento normativo necesario.
[450] Art. 6.

Ley 46/1999 se va a reforzar la protección que implica el deslinde, puesto que sus efectos se van a regular en términos sustancialmente iguales a los previstos en la Ley de Costas para el dominio público marítimo terrestre: el deslinde aprobado declara la posesión y la titularidad dominical a favor del Estado, dando lugar al amojonamiento, y la resolución de aprobación del deslinde será título suficiente para rectificar las inscripciones del Registro de la Propiedad contradictorias con el mismo, en la forma y condiciones que se determinan reglamentariamente[451], siempre que haya intervenido en el expediente el titular registral, conforme a la legislación hipotecaria. Dicha resolución será título suficiente, asimismo, para que la Administración proceda a la inmatriculación de los bienes de dominio público cuando lo estime conveniente. En todo caso los titulares de los derechos inscritos afectados podrán ejercitar las acciones que estimen pertinentes en defensa de sus derechos, siendo susceptible de anotación preventiva la correspondiente reclamación judicial.

El deslinde se efectúa por los Organismos de cuenca según el procedimiento establecido en el RDPH[452]. Puede iniciarse de oficio o a instancia de interesado[453] —si bien en este último supuesto todos los gastos que se deriven de la tramitación del expediente y de las operaciones sobre el terreno necesarias, correrán a cargo del solicitante—[454]. Para su resolución se tendrá en consideración, además de las características y condiciones topográficas y geomorfológicas del tramo o terreno que se va a deslindar, las alegaciones de los propietarios de los terrenos ribereños, de los prácticos y de los técnicos del Ayuntamiento de los municipios afectados.

El deslinde resulta absolutamente esencial para que la Administración pueda actuar en defensa del dominio público hidráulico hasta el punto de que el art. 28 LPHN ha previsto que el Ministerio de Medio Ambiente impulse de forma preferente la tramitación de los expedientes de deslinde del dominio público hidráulico en aquellos tramos de ríos, arroyos y ramblas que se considere necesario para prevenir, controlar y proteger dicho dominio, por correr el riesgo de ser usurpado, explotado abusivamente o degradado[455].

---

[451]   *Vid.* el art. 95 TRLA en relación con el art. 242 ter, añadido por el RD 606/2003.
[452]   *Vid.* los arts. 242 a 242 bis, tal y como fueron modificados por el RD 606/2003.
[453]   Conforme al art. 384 Cc, se entenderá como tal al propietario del predio y a los titulares de derechos reales sobre el mismo.
[454]   Art. 242.1 RDPH.
[455]   Sobre los trabajos llevados a cabo por el Ministerio responsable de medio ambiente para deslindar el dominio público hidráulico, *vid. http://www.magrama.gob.es/es/agua/te-*

B) El Registro de Aguas

La Ley de Aguas de 1985 va a regular el Registro de Aguas como un instrumento de publicidad y de garantía frente a terceros de los usos privativos sobre aguas públicas adquiridos por concesión del Organismo de cuenca, por disposición legal o por prescripción adquisitiva antes de la entrada en vigor de la Ley de Aguas de 1985.

Conforme al art. 80 TRLA, "los Organismos de cuenca llevarán un Registro de Aguas en el que se inscribirán de oficio las concesiones de agua, así como los cambios autorizados que se produzcan en su titularidad o en sus características". Cada Organismo de cuenca tendrá un único Registro de Aguas, formado por una estructura informática de datos y un libro de Inscripciones, cuya organización en varias secciones se detalla en el art. 190 RDPH. El Registro de Aguas tendrá carácter público, pudiendo solicitarse al Organismo de cuenca las oportunas certificaciones sobre su contenido. La inscripción registral no sólo es medio de prueba de la existencia y situación de la concesión, sino que también es un importante instrumento de protección frente a cualquier perturbación o ingerencia por parte de un tercero en el ejercicio de los derechos al uso privativo del agua: tal y como establece el apartado 3º del art. 80 TRLA, "los titulares de concesiones de aguas inscritas en el Registro correspondiente podrán interesar la intervención del Organismo de cuenca competente en defensa de sus derechos, de acuerdo con el contenido de la concesión y de lo establecido en la legislación en materia de aguas". Protección que también podrán solicitar los titulares de otros derechos inscritos en el Registro de Aguas, como los adquiridos por disposición legal (art. 193.3 del RDPH)[456].

C) El Registro de Zonas Protegidas

Conforme al art. 6 de La Directiva marco de aguas los Estados miembros deben establecer uno o más registros de todas las zonas incluidas en cada demarcación hidrográfica "que hayan sido declaradas objeto de una protección especial en virtud de una norma comunitaria específica relativa a la protección de sus aguas superficiales o subterráneas o a la conservación de los hábitats y las especies que dependen directamente del agua". Registro cuyo resumen ha de introducirse en el Plan Hidrológico de cuenca con

---

mas/delimitacion-y-restauracion-del-dominio-publico-hidraulico/delimitacion-dph-proyecto-linde.
[456] Sobre la relación entre el Registro de Aguas y el Registro de la Propiedad, vid. S. DEL SAZ, Aguas subterráneas..., op. cit., pp. 301 ss.

mapas indicativos de la ubicación de cada zona protegida y una descripción de la legislación comunitaria, nacional o local con arreglo a la cual han sido designadas.

En ejecución de dicho artículo, la Ley 62/2003 ha introducido en el TRLA un nuevo art. 99.bis en el que se detallan las zonas que deberán incluidas en tales registros en cada demarcación hidrográfica. Se trata de zonas que han sido objeto de protección especial en virtud de normas específicas sobre protección de aguas superficiales o subterráneas, o sobre conservación de hábitats y especies directamente dependientes del agua, en ejecución de directivas comunitarias, y en particular: a) las zonas en las que se realiza una captación de agua destinada al consumo humano, siempre que proporcione un volumen medio de al menos 10 metros cúbicos diarios o abastezca a más de cincuenta personas, así como, en su caso, los perímetros de protección delimitados; b) las zonas que, de acuerdo con el respectivo plan hidrológico, se vayan a destinar en un futuro a la captación de aguas para consumo humano; c) las zonas que hayan sido declaradas de protección de especies acuáticas significativas desde el punto de vista económico; d) las masas de agua declaradas de uso recreativo, incluidas las zonas declaradas aguas de baño; e) las zonas que hayan sido declaradas vulnerables en aplicación de las normas sobre protección de las aguas contra la contaminación producida por nitratos procedentes de fuentes agrarias; f) las zonas que hayan sido declaradas sensibles en aplicación de las normas sobre tratamiento de las aguas residuales urbanas; g) las zonas declaradas de protección de hábitats o especies en las que el mantenimiento o mejora del estado del agua constituya un factor importante de su protección; h) los perímetros de protección de aguas minerales y termales aprobados de acuerdo con su legislación específica.

Las Administraciones competentes por razón de la materia (que serán las Comunidades Autónomas cuando se trata de zonas de especial protección por razones ambientales[457]) facilitarán, al Organismo de cuenca correspondiente, la información precisa para mantener actualizado el Registro de Zonas Protegidas de cada demarcación hidrográfica bajo la supervisión del Comité de Autoridades Competentes de la demarcación[458].

La principal ventaja que ofrece la creación de este nuevo Registro es que por vez primera se va a recoger e integrar de forma ordenada información sobre la designación de las distintas zonas de protección en ejecución

---

[457]   *Vid.* al respecto la STC 102/1995.
[458]   *Vid.* arts. 24 y 25 RPH.

de varias directivas comunitarias (como las zonas de baño designadas en ejecución de la Directiva 2006/7/CE, relativa a la gestión de la calidad de las aguas de baño y por la que se deroga la Directiva 76/160/CEE, las zonas sensibles en lo que a nutrientes respecta y las zonas vulnerables declaradas en virtud de la Directiva 91/676/CEE sobre protección de las aguas contra la contaminación por nitratos, las zonas declaradas sensibles en el marco de la Directiva 91/271/CEE relativa al tratamiento de las aguas residuales urbanas, o las zonas de la Red Natura 2000 designadas en el marco de la Directiva 92/43/CEE relativa a los hábitats y de la Directiva 79/409/CEE relativa a la protección de las aves). Zonas sobre las que, hasta el momento, no ha habido información sistematizada disponible al público y cuya designación ha carecido en algunos casos incluso de cualquier forma publicidad oficial[459]. Este Registro contribuirá a garantizar que la Administración del Agua tome todas las medidas necesarias, cuando actúe en el marco de sus competencias, para proteger estas zonas conforme a las disposiciones comunitarias, nacionales o autonómicas que en cada caso les sean aplicables.

3. *El régimen sancionador de la Ley de Aguas*

El régimen sancionador establecido en la Ley de Aguas para reprimir las conductas contrarias a la regulación y gestión administrativa del dominio público hidráulico va a prestar una especial atención a la defensa de su integridad y de los valores ambientales que sustenta. Así el art. 116 del TRLA va a tipificar como infracciones administrativas:

a) Las acciones que causen daños a los bienes de dominio público hidráulico y a las obras hidráulicas.

b) La derivación de agua de sus cauces y el alumbramiento de aguas subterráneas sin la correspondiente concesión o autorización cuando sea precisa.

c) El incumplimiento de las condiciones impuestas en las concesiones y autorizaciones administrativas a que se refiere esta Ley, sin perjuicio de su caducidad, revocación o suspensión.

d) La ejecución, sin la debida autorización administrativa, de otras obras, trabajos, siembras o plantaciones en los cauces públicos o en

---

[459] Este ha sido el caso, por ejemplo, de las Zonas de Especial Protección para las Aves designadas por las Comunidades Autónomas en ejecución de la Directiva 79/409/CEE relativa a las aves silvestres, cuya designación y debida ubicación territorial ha carecido en algunos casos de publicidad oficial alguna.

las zonas sujetas legalmente a algún tipo de limitación en su destino o uso.

e) La invasión, la ocupación o la extracción de áridos de los cauces, sin la correspondiente autorización.

f) Los vertidos que puedan deteriorar la calidad del agua o las condiciones de desagüe del cauce receptor, efectuados sin contar con la autorización correspondiente.

g) El incumplimiento de las prohibiciones establecidas en la presente Ley o la omisión de los actos a que obliga.

h) La apertura de pozos y la instalación en los mismos de instrumentos para la extracción de aguas subterráneas sin disponer previamente de concesión o autorización del Organismo de cuenca para la extracción de las aguas.

i) La no presentación de declaración responsable o el incumplimiento de las previsiones contenidas en la declaración responsable para el ejercicio de una determinada actividad o de las condiciones impuestas por la Administración para el ejercicio de la misma.

j) La inexactitud, falsedad u omisión en los datos, manifestaciones o documentos que se incorporen o acompañen a la declaración responsable

De acuerdo con el art. 117 TRLA estas infracciones se calificarán reglamentariamente de leves, menos graves, graves, o muy graves, atendiendo a su repercusión en el orden y aprovechamiento del dominio público hidráulico, a su trascendencia por lo que respecta a la seguridad de las personas y bienes y a las circunstancias del responsable, su grado de malicia, participación y beneficio obtenido, así como al deterioro producido en la calidad del recurso, pudiendo ser sancionadas con las siguientes multas de 1.000.000 de euros, conforme a las modificaciones establecidas por la Ley 11/2012 endureciendo el régimen sancionador. Esta Ley también ha precisado que "para la valoración del daño en el dominio público hidráulico y las obras hidráulicas se ponderará su valor económico", y que, en el caso de daños en la calidad del agua, se tendrá en cuenta el coste del tratamiento que hubiera sido necesario para evitar la contaminación causada por el vertido y la peligrosidad dél mismo", todo ello, de acuerdo con lo que reglamentariamente se establezca.

También se prevé la posibilidad de imponer multas coercitivas en los supuestos contemplados en la Ley de Régimen Jurídico de las Administraciones Públicas y del Procedimiento Administrativo Común (por una cuantía que no superará, en ningún caso, el 10 por 100 de la sanción máxima fijada para la infracción cometida), así como la de adoptar, con carácter provisional, las medidas cautelares que resulten necesarias para evitar la continuación de la actividad infractora, como el sellado de instalaciones, aparatos, equipos y pozos, y el cese de actividades mientras dure el procedimiento sancionador (art. 119 TRLA).

Al margen de las sanciones que pueda imponerse, el art. 118 establece que la Administración podrá obligar a los infractores a reparar los daños y perjuicios ocasionados al dominio público hidráulico, así como a reponer las cosas a su estado anterior; el órgano sancionador fijará ejecutoriamente las indemnizaciones que procedan, y tanto el importe de las sanciones como el de las responsabilidades a que hubiera lugar, podrán ser exigidos por la vía administrativa de apremio. Disposición esta que se ha visto superada por la nueva Ley 6/2007 de responsabilidad medioambiental[460], aplicable a los daños ambientales que pueda sufrir el demanio público hidráulico, y que viene a colmar una importante laguna en el Derecho ambiental español.

IX. LAS OBRAS HIDRÁULICAS (remisión)

Ver el Capítulo XXX de esta obra.

BIBLIOGRAFÍA

AEMA, *Europe's environment - The fourth assessment*, Copenhague, 2007.
- *El medio ambiente en Europa 1995 —Informe para la revisión del Quinto Programa de acción sobre el medio ambiente—*, Copenhague, 1998.
- *¿Es sostenible el uso del agua en Europa? Situación perspectivas y problemas*, Informe elaborado por S. C. NIXON, T. J. LACK y DTE HUNT, Copenhague, 2000.
- *El Medio Ambiente en Europa - Estado y perspectivas 2010*, Copenhague, 2010.
- *Towards efficient use of water resources in Europe*, 1/2012, Copenhague, 2012.
ALCAIN MARTÍNEZ, E., "La prevención y la gestión de los acuíferos sobreexplotados tras la reforma de la Ley de Aguas", en A. EMBID IRUJO (Dir.), *La Reforma de la Ley de Aguas (Ley 46/1999, de 13 de diciembre)*, Civitas, Madrid, 2000.
AGUDO GONZÁLEZ, J. (Coord.), *El Derecho de aguas en clave europea*, La Ley, 2010.
ALONSO GARCÍA, E., *Derecho ambiental de la Comunidad Europea*, vol. II, Civitas, Madrid, 1993.
ARIÑO ORTIZ, G., *Principios de Derecho Público Económico*, Ed. Comares, Granada, 2001.

---

[460] BOE nº 255 de 24.10.2007. Para un comentario de esta ley vid. B. LOZANO CUTANDA (Dir.), *Comentarios a la Ley de Responsabilidad Medioambiental*, Madrid, Civitas, 2008.

ARROJO AGUDO, P. (Coord.), *El Plan Hidrológico Nacional a debate*, Bakeaz-Nueva Cultura del Agua, 2001.

BARCELONA LLOP, J., "Consideraciones sobre el dominio público natural", en F. SOSA WAGNER (Coord.), *El Derecho Administrativo en el umbral del siglo XXI. Homenaje al Profesor Dr. D. Ramón Martín Mateo*, Tirant, lo Blanch, Valencia, 2000.

BARRIOBERO MARTÍNEZ, I., "La sobreexplotación grave de los acuíferos (Comentario a las Sentencias del Tribunal Supremo de 30 de enero y 14 de mayo de 1996)" RAP n° 144, 1997, pp. 219 ss.

– "La discutida naturaleza demanial de las aguas minerales y termales", en V.V.A.A., *Derecho de Aguas*, Fundación Instituto Euromediterráneo del Agua, Murcia, 2006.

BAUCELLS I LLADOS, J. y VERNET I LLOBET, J. (Coord.), *La prevención y el control integrados de la contaminación*, Marcial Pons, Barcelona, 2004.

BAUER; C. J., "El mercado de aguas en California", en A EMBID IRUJO (Dir.), *Precios y mercados del agua*, Ed. Civitas, Madrid, 1996.

BELTRÁN JIMÉNEZ, M., RUIZ MARTÍNEZ, J. I.; BELTRÁN BUENO, E. y J. ALARCÓN ROS, "La pervivencia de los aprovechamientos privados de aguas subterráneas tras la reforma de la Ley 29/1985, de 2 de agosto, de aguas", en VVAA, *Derecho de Aguas*, Fundación Instituto Euromediterráneo del Agua, Murcia, 2006.

BERNALDO DE QUIRÓS, L., "Un mercado para el agua", Rev. del Instituto de Estudios Económicos, n° 4/2001.

BLANQUER D., La iniciativa privada y el ciclo integral del agua, Tirant lo Blanch, Valencia, 2005.

CALLE MARCOS, A., "El Plan Hidrológico Nacional español: su incompatibilidad con el Derecho comunitario", Gaceta Jurídica de la UE, n° 216, 2001.

CALVO, M., *El régimen jurídico de los humedales*, BOE-Instituto Pascual Madoz Madrid, 1996.

– *Escritos de Derecho Ambiental*, Tirant lo Blanch, Valencia, 2004.

CANTERO MARTÍNEZ, J., "El régimen transitorio de la Ley de Aguas", RAP, 159, 2002.

CARBALLEIRA RIBERA, "El reparto competencial en materia de aguas", en S. GONZÁLEZ-VARAS IBÁÑEZ (Coord.), *Nuevo Derecho de Aguas*, Civitas, Madrid, 2007, pp. 273 ss.

CARO-PATÓN CARMONA, I., "La Directiva marco de aguas y su trasposición al Derecho español: análisis jurídico general", Revista Aranzadi de derecho ambiental, n° 9, 2006, pp. 37 ss.

CASADO CASADO, L., *Los vertidos en aguas continentales - Las Técnicas de intervención administrativa*, Comares, Granada, 2004.

– Principales repercusiones de la Directiva Marco de Aguas en el ordenamiento jurídico español", en pp. en S. GONZÁLEZ-VARAS IBÁÑEZ (Coord.), *Nuevo Derecho de Aguas*, Civitas, 2007.

COLOM PIAZUELO, E., "El dominio público hidráulico. Novedades", en A. EMBID IRUJO (Dir.), *La Reforma de la Ley de Aguas (Ley 46/1999, de 13 de diciembre)*, Civitas, Madrid, 2000.

COMISIÓN EUROPEA, "Plan para salvaguardar los recursos hídricos de Europa" COM(2012)673 final, p. 2.

COMMISSION STAFF WORKING DOCUMENT, *Seventh Annual Survey on the implementation and enforcement of Community environmental law - 2005*, Bruselas, 8.9.2006, SEC(2006) 1143,

DELGADO PIQUERAS, F., *Derecho de aguas y medio ambiente*, Tecnos, Madrid, 1992.

– "La transposición de la Directiva Marco de Aguas en España", RAP n° 165, 2004, pp. 181 ss.

- "El proceso de aplicación de la Ley de Aguas de 1985 y las nuevas exigencias de protección del dominio hidráulico que plantea la Directiva marco del Agua", Revista Aranzadi de derecho ambiental, nº 10, 2006, pp. 47 ss.
- "Organización de las cuencas hidrográficas", en A. EMBID IRUJO (Dir.) *Agua y Territorio (Consideración especial de la Reforma de los Estatutos de Autonomía)*, Civitas, Madrid, 2007.

DELGADO PIQUERAS y GALLEGO CÓRCOLES, I., *Aguas subterráneas privadas, teledetección y riego*, Ed. Bomarzo, 2007.

DE LA CUÉTARA, J. M., *El nuevo régimen de las aguas subterráneas en España*, Tecnos, Madrid, 1989.

DEL SAZ, S., *Aguas subterráneas, Aguas Públicas (El nuevo Derecho de Aguas)*, Marcial Pons, Madrid, 1990.

- "¿Cuál es el contenido de los derechos privados sobre las aguas subterráneas?", en S. DEL SAZ, J. M. FORNÉS, M. R. LLAMAS, *Régimen jurídico de las aguas subterráneas*, Mundi-Prensa, Madrid, 2002.

DEL SAZ, S., FORNÉS, J. M., LLAMAS, M. R. (ed.), *Régimen jurídico de las aguas subterráneas*, Mundi-Prensa, Madrid, 2002.

DOMPER FERRANDO, J., "El derecho de acceso a la información en materia de aguas", en A. EMBID IRUJO, *La reforma de la Ley de Aguas (Ley 46/1999, de 13 de diciembre)*, Civitas, Madrid, 2000.

EMBID IRUJO, A. *La planificación hidrológica: régimen jurídico*, Tecnos, Madrid, 1991.

- (Dir.), *Legislación del agua en las Comunidades Autónomas*, Tecnos, Madrid, 1993.
- "El Plan Hidrológico Nacional como norma", en A. EMBID IRUJO (Dir.). *El Plan Hidrológico Nacional*, Civitas, Madrid, 1993.
- (Dir.). *El Plan Hidrológico Nacional*, Civitas, Madrid, 1993.
- "Usos del agua e impacto ambiental: Evaluación de impacto ambiental y caudal ecológico", en A. EMBID IRUJO (Coord.), *La calidad de las aguas*, Civitas, Madrid, 1994.
- (Dir.), *Precios y mercados del agua*, Ed. Civitas, Madrid, 1996.
- "Público y privado en la construcción, explotación, y mantenimiento de obras hidráulicas", en A. EMBID IRUJO (Dir.), *Gestión del agua y medio ambiente*, Civitas, 1997.
- "La utilización racional de las aguas y los abastecimientos urbanos. Algunas reflexiones", RAr AP, nº 10, 1997.
- "La evolución del Derecho de aguas y las características de la actual problemática del agua", en A. EMBID IRUJO, *El nuevo Derecho de aguas: las obras hidráulicas y su financiación*, Civitas, 1998.
- "Aguas continentales en general"; en Materiales para el Estudio del Derecho, Derecho Administrativo, IUSTEL.
- "Reutilización y desalación de aguas. Aspectos jurídicos", en A. EMBID IRUJO (Dir.), *La Reforma de la Ley de Aguas (Ley 46/1999, de 13 de diciembre)*, Civitas, Madrid, 2000.
- "Evolución del Derecho y de la política del agua en España", RAP nº 156, 2001.
- (Dir.), *El Derecho de Aguas en Iberoamérica y España: cambio y modernización en el inicio del tercer milenio*, Civitas, 2002.
- "Régimen económico-financiero del trasvase del Ebro en la Ley 10/2001, de 5 de julio, del Plan Hidrológico Nacional, y consideraciones sobre los aspectos económico-financieros de los trasvases en general", RAP nº 159, 2002.
- "El derecho al agua en el marco de la evolución del Derecho de aguas", en EMBID IRUJO (Coord.), *El derecho al agua*, 2006, pp. 15-56.
- "El derecho de aguas de la Unión Europea contemplado desde la perspectiva española. Consideración especial de la directiva marco comunitaria 2000/60/CE", en

VVAA, El agua en el siglo XXI: gestión y planificación (coord. por J. M. Cuadrat Prats), 2006.

– "A vueltas con la propiedad de las aguas. La situación de las aguas subterráneas a veinte años de la entrada en vigor de la Ley de Aguas de 1985. Algunas propuestas de modificación normativa", *Justicia Administrativa*, n° extraordinario, 2006, p. 183 ss.

– "Competencias del Estado y de las Comunidades Autónomas", en VVAA *Diccionario de Derecho de Aguas* (Dir. A. Embid Irujo), Civitas, 2007.

– "Planificación hidrológica", en VVAA *Diccionario de Derecho de Aguas* (Dir. A. Embid Irujo), Civitas, 2007.

– *Agua y Territorio (Consideración especial de la Reforma de los Estatutos de Autonomía)*, Civitas, Madrid, 2007.

– "La Directiva Marco de Agua y algunos de los problemas de su proceso de implantación en España y en otros países, *Ingeniería y Territorio*, n° 80, 2007, pp. 20-27.

– "Agua y territorio: nuevas reflexiones jurídicas", Rev. Andaluza de Administración Pública, n° 71-72, 2008, pp. 15-66.

– "Asignación del agua y gestión de la escasez en España: los mercados de derechos de aguas", 2008, disponible en http://www.zaragoza.es/contenidos/medioambiente/cajaAzul/35S11-P1-Antonio%20EmbidACC.pdf

– "Cuestiones institucionales: demarcaciones y cuencas hidrográficas, planificación hidrológica y su relación con el principio de recuperación de costes", *Justicia administrativa: Revista de Derecho Administrativo*, n° Extra 1, 2012, pp. 15-38.

ESTEVAN, A. "Desalación, energía y medio ambiente". *Panel científico-técnico de seguimiento de la política de aguas*, Nueva Cultura del Agua, 2006, 259-305.

ESTRELA MONREAL, T., "El proceso de planificación en las demarcaciones hidrográficas españolas: una visión global", Ingeniería y territorio, n° 80, 2007, pp. 12

FANLO LORAS, A., "La administración hidráulica en el Plan Hidrológico Nacional", en A. EMBID IRUJO, *El Plan Hidrológico Nacional*, Civitas, Madrid, 1993.

– *Las Confederaciones hidrográficas y otras Administraciones Hidráulicas*, Civitas, Madrid, 1996.

– "La articulación de las competencias de las Comunidades Autónomas en la gestión del agua", en A. EMBID IRUJO, *Gestión del agua y medio ambiente*, Civitas, Madrid, 1997.

– "La evolución del Derecho comunitario europeo sobre las aguas", en A. EMBID IRUJO (Dir.), *El nuevo Derecho de aguas: las obras hidráulicas y su financiación*, Civitas, Madrid, 1998.

– "Perspectivas del Derecho comunitario de aguas: la nueva Directiva marco", XII Congreso ítalo-español de Derecho Administrativo, Bari-Lecce.

– "La reforma de la Ley de Aguas y las Entidades Locales: especial referencia a la articulación de competencias concurrentes", RArAP n° 16, 2000.

– "La protección de la calidad de las aguas en el ordenamiento jurídico español: algunas consideraciones en relación con el régimen jurídico de los vertidos", en F. SOSA WAGNER (Coord.), *El Derecho Administrativo en el umbral del siglo XXI. Homenaje al Profesor Dr. D. Ramón Martín Mateo*. Vol. III; Tirant lo Blanch, Valencia, 2000.

– "Problemática general de los organismos de cuenca en España", en A. EMBID. IRUJO (Dir.), *El Derecho de Aguas en Iberoamérica y España: cambio y modernización en el inicio del tercer milenio*, Civitas, 2002.

– "La sorpresiva e inesperada anulación por el Tribunal Supremo del Plan Hidrológico del Júcar", Repertorio Aranzadi del Tribunal Constitucional 17, 2005.

- "Planificación hidrológica en España: Estado actual de un modelo a fortalecer", RAP n° 169, 2006, pp. 265 ss.
- "Confederaciones hidrográficas", en VVAA, *Diccionario de Derecho de Aguas* (Dir. A. Embid Irujo), Civitas, 2007.
- "Demarcaciones hidrográficas", en VVAA, *Diccionario de Derecho de Aguas* (Dir. A. Embid Irujo), Civitas, 2007.
- "La unidad de cuenca en la jurisprudencia constitucional", Anuario Jurídico de la Rioja, n° 14, 2009, pp. 11 ss.
- "Las competencias del Estado y el principio de unidad de gestión de cuenca a través de las confederaciones hidrográficas", RAP n° 183, 2010, pp. 109-334.

FERNÁNDEZ RODRÍGUEZ, T. R., "Sobre la naturaleza de las Comunidades de Regantes", REDA n° 2, 1974.

GALLEGO ANABITARTE, A., "El Derecho español de aguas en la historia y ante el Derecho comparado", en A. GALLEGO ANABITARTE, A. MENÉNDEZ REXACH y J. M. DÍAZ LEMA, *El Derecho de Aguas en España*, MOPU, Madrid, 1986.
- "Concepto de dominio público hidráulico. El concepto de dominio público y la Sentencia del Tribunal Constitucional de 29 de noviembre de 1988", en VVAA, *La Ley de aguas: análisis de la Jurisprudencia Constitucional*, MAP, Madrid, 1990.

GALLEGO ANABITARTE, A., MENÉNDEZ REXACH, A. y DÍAZ LEMA, J. M., *El Derecho de Aguas en España*, MOPU, Madrid, 1986.

GALLEGO CÓRCOLES, I., "Crónica de una invalidez anunciada: notas sobre la STS de 20 de octubre de 2004, que anula parte del Plan Hidrológico del Júcar", Actualidad Jurídica Aranzadi n° 659, marzo 2005
- "El Consejo Nacional del Agua", en VVAA, *Diccionario de Derecho de Aguas* (Dir. A. Embid Irujo), Civitas, 2007.

GARCÍA DE ENTERRÍA, E., *Dos estudios sobre la usucapión en Derecho administrativo*, Tecnos, 2ª ed., Madrid, 1974.

GARRIDO, A.; CALATRAVA, D. y DEL REY, J., "Water Trading in Spain", en L. STEFANO Y R. LLAMAS (Ed.), *Water, Agriculture and the Environment in Spain: can we square the circle?* CRC Press/Balkema, 2012, pp. 205-216.

GARRIDO CUENCA, N. y ORTEGA ÁLVAREZ, L., "La Sentencia del Tribunal Supremo de 20 de octubre de 2004 que anula el Plan Hidrológico del Júcar. Una decisión clarificadora sobre la distribución competencial en materia de aguas", RAP n° 167, 2005, p. 211.

GARRORENA MORALES, A., "El Derecho de Aguas ante la reforma de la Constitución y de los Estatutos de Autonomía", en VVAA, *Derecho de Aguas, op. cit.*, pp. 1097 ss.

GOBIERNO DE ARAGÓN, Alegaciones al Plan Hidrológico Nacional de 2000, Civitas, Madrid, 2001.

GÓMEZ FERRER, R., "La planificación hidráulica: aspectos jurídicos", en VVAA, *La Ley de aguas: análisis de la Jurisprudencia Constitucional*, MAP, Madrid, 1990.

GONZÁLEZ BERENGUER, J. L., *Comentarios a la Ley de Aguas*, Abella, Madrid, 1985.

GONZÁLEZ PÉREZ, J., *Los derechos reales administrativos*, Civitas, Madrid, 1984.

GONZÁLEZ PÉREZ, J., TOLEDO JAUDENES, J., ARRIETA ÁLVAREZ, C., *Comentarios a la Ley de Aguas*, Civitas, Madrid, 1987.

GONZÁLEZ-VARAS IBÁÑEZ (Coord.), *Nuevo Derecho de Aguas*, Civitas, Madrid, 2007

HERAS MORENO, G., "Usos del agua y eficiencia económica. Una propuesta de revisión y de actualización", n° 4/2001, Revista del Instituto de Estudios Económicos.

HERNÁNDEZ-MORA, N y DE STEFANO, L., "Los mercados informales de aguas en España: una primera aproximación", Fundación Botín, 2013.

IGLESIAS, J., *Derecho Romano. Instituciones de Derecho Privado*, Ed. Ariel, Barcelona, 1988.

JIMÉNEZ SHAW, C., *Régimen jurídico de la desalación del agua marina*, Tirant lo Blanch, Valencia, 2003.
- "La desalación. Cuestiones jurídicas que plantea", La Ley, n° 7366, 2012, pp. 21-23.
JORDANAS DE POZAS, L., "La evolución del Derecho de las aguas en España y en otros países", RAP n° 34, 1962.
KRAMER, L., "El Derecho de aguas en la Unión Europea. Situación actual y perspectivas, visto desde España", en VVAA, *Derecho de Aguas*, Fundación Instituto Euromediterráneo del Agua, Murcia, 2006.
LOPERENA ROTA, D., "Los caudales ecológicos y la planificación hidrológica"; en A. EMBID IRUJO (Dir.), *Planificación hidrológica y política hidráulica*, Civitas; Madrid, 1999.
LÓPEZ-JURADO, F. B. y RUIZ DE APODACA, A., *La autorización ambiental integrada: Estudio sistemático de la Ley 16/2002, de prevención y control integrados de la contaminación*, Civitas, Madrid, 2002.
LÓPEZ RAMÓN, F., "Dominio público y protección del medio ambiente", en VVAA, *Ordenación del territorio y medio ambiente*, IVAP, Oñate, 1988.
Sistema Jurídico de los bienes públicos, Civitas, 2012,
LOZANO CUTANDA, B. (Dir.), *Comentarios a la Ley de Responsabilidad Medioambiental*, Madrid, Civitas, 2008.
LLAMAS MADURGA, M. R., "Las aguas subterráneas en España", Revista El Campo, Madrid, 1994.
LLAMAS MADURGA, M. R. y CUSTODIO, E., *El Proyecto de Ley de Aguas* - Informe científico técnico, Instituto de Estudios Económicos, Madrid, 1985.
MAGRAMA, *Perfil Ambiental de España 2011: Informe basado en indicadores*, 2012, pp. 56 ss.
MARTÍN MATEO, R., "Situación actual y perspectivas futuras de la reutilización de aguas residuales como una fuente de recursos hidráulicos", Ingeniería del Agua, vol. 3, n° 1, marzo, 1999.
- "El agua como mercancía", RAP, n° 152, 2000.
MARTÍN RETORTILLO, L., "Las aguas subterráneas como bienes de dominio público", en el *Libro homenaje al profesor José Luis Villar Palasí*, Madrid, Civitas, 1989.
MARTÍN RETORTILLO, S., *De las Administraciones autónomas de las aguas públicas*, Sevilla, 1960.
- *La Ley de Aguas de 1866. Antecedentes y elaboración*, Ediciones Centro de Estudios Hidrográficos, Madrid, 1963.
- *Aguas públicas y obras hidráulicas. Estudios jurídico-administrativos*, Madrid, 1966.
- *Problemas de la ordenación jurídica de los recursos hidráulicos*, Coplanarh, 1976.
- "Competencias constitucionales y autonómicas en materia de aguas", RAP n° 128, 1992.
- *Derecho de Aguas*, Civitas, Madrid, 1997.
- "Acotaciones sobre el nuevo Derecho de aguas", RAP 101, 1999.
- *Las obras hidráulicas en la Ley de Aguas*, Civitas, Madrid, 2000.
- "Desarrollo sostenible y recursos hidráulicos: Reflexiones en el entorno de la reciente Directiva estableciendo un marco comunitario de actuación en el ámbito de la política de aguas", RAP n° 153, 2000, pp. 27 ss.
MARTÍNEZ DE PISON, I., "Sociedades estatales, obras públicas hidráulicas y desalación de las aguas marinas: algunas acotaciones al talante privatizador de la última reforma de la Ley de Aguas", en VVAA, *Estudios de Derecho Público Económico - Libro Homenaje al Prof. Dr. S. Martín Retortillo*, Civitas, 2003.
MENÉNDEZ REXACH, A., "La Ley de aguas de 13 de junio de 1879 y la evolución posterior", en A. GALLEGO ANABITARTE, A. MENÉNDEZ REXACH y J. M. DÍAZ LEMA, *El Derecho de Aguas en España*, MOPU, Madrid, 1986.

- "Reflexiones sobre un mercado de derechos de aguas en el ordenamiento jurídico español", en A. EMBID IRUJO (Dir.), *Precios y mercados del agua*, Ed. Civitas, Madrid, 1996.
- "Consideraciones sobre los mercados de aguas en España. En especial, los contratos de cesión de derechos de aprovechamiento en la legislación de aguas", en A. EMBID IRUJO (Dir.), *El Derecho de aguas en Iberoamérica y España: cambio y modernización en el inicio del tercer milenio*, Civitas, 2002.

MENÉNDEZ REXACH, A. y DÍAZ LEMA, J. M., "La Ley de Aguas de 2 de agosto de 1985: análisis institucional", en A. GALLEGO ANABITARTE, A. MENÉNDEZ REXACH y J. M. DÍAZ DE LEMA, *El Derecho de Agua en España*, MOPU, Madrid, 1986.
- "El Derecho al agua en la legislación española", en J. AGUDO GONZÁLEZ (Coord.), La Ley, 2010, pp. 23-67.

MORELL OCAÑA, L., "Las titularidades sobre aguas privadas", RAP, n° 154.

MOREU BALLONGA, J. L., *Aguas públicas y aguas privadas*, Bosch, Barcelona, 1996.
- "La desalación de aguas marinas en la ley 46/1999", RAP n° 152, 2000.
- "Los problemas de la legislación sobre aguas subterráneas en España: posible soluciones", en S. DEL SAZ, J. M. FORNÉS, M. R. LLAMAS, *Régimen jurídico de las aguas subterráneas*, Mundi-Prensa, Madrid, 2002.

NAVARRO CABALLERO, T. M., *Los instrumentos de gestión del dominio público. Estudio especial del contrato de gestión de derechos al uso privativo de las aguas y de los bancos públicos del agua*, Tirant lo Blanch, Valencia, 2007.

NIETO, A., "Aguas subterráneas: subsuelo árido y subsuelo hídrico", RAP, n° 56, 1968.
- "La legislación de aguas en Canarias", en A. EMBID IRUJO (Dir.), *Legislación del agua en las Comunidades Autónomas*, Tecnos, Madrid, 1993.

ORDÓÑEZ SOLÍS, D., "Aguas, medio ambiente y Unión Europea", en S. GONZÁLEZ-VARAS IBÁÑEZ, *Nuevo Derecho de Aguas*, Civitas, 2007.

ONU, *El Derecho al Agua*, 2011, disponible en http://www.ohchr.org/Documents/Publications/FactSheet35sp.pdf.

PALLARES SERRANO, A., *La planificación hidrológica de cuenca como instrumento de ordenación ambiental sobre el territorio*, Tirant lo Blanch, 2007.

PARADA VÁZQUEZ, R., *Derecho Administrativo*, vol. III, 11ª ed., Marcial Pons, Madrid, 2007

PLAZA MARTÍN, C., *Derecho ambiental de la Unión Europea*, Tirant lo Blanch, Valencia, 2005.

ROSA MORENO, A., "La evaluación de impacto ambiental en España ", en A. EMBID IRUJO (Dir.), *El Derecho de aguas en Iberoamérica y España: cambio y modernización en el inicio del tercer milenio*, Civitas, 2002.

SÁNCHEZ MORÓN, M., "Aspectos ambientales de la modificación de la Ley de Aguas", en A. EMBID IRUJO, *La Reforma de la Ley de Aguas (Ley 46/1999, de 13 de diciembre)*, Civitas, Madrid, 2000.

SANZ RUBIALES, I., *Los vertidos en aguas subterráneas. Su régimen jurídico*, Marcial Pons, Madrid, 1997.
- "Administraciones públicas y mercados en la gestión del agua", Revista General de Derecho Administrativo, n° 25/2010.

SANZ RUBIALES, I. y CARO-PATON CARMONA, I., "Los mercados artificiales de los recursos naturales", en F. SANZ LARRUGA, M. GARCÍA PÉREZ, y J. J. PERNAS GARCÍA (Dirs.), *Libre mercado y protección ambiental. Intervención y orientación ambiental de las actividades económicas*, INAP, 2013, pp. 473-479.

SASTRE BECEIRO, M., "Posibilidades de crear un mercado al amparo de la nueva Ley de Aguas", Rev. del Instituto de Estudios Económicos n° 4, 2001.

SETUÁIN MENDÍA, B., "Aspectos normativos de los mercados de aguas: últimas aportaciones desde la reforma del reglamento del dominio público hidráulico", RAP 163, nº 349, 2004.

SOSA WAGNER, F. (Coord.), El Derecho Administrativo en el umbral del siglo XXI. Homenaje al Profesor Dr. D. Ramón Martín Mateo, Tirant, lo Blanch, Valencia, 2000

TORNOS, J., "Valoración general", VVAA Informe de las Comunidades Autónomas 2006, Instituto de Derecho Público, 2007.

VAN RIJSWICK, M., "EC Water Law in Transition: The Challenge of Integration", YEEL, vol. IV, 2004.

VÁZQUEZ, C., "La regulación de los contratos de cesión de los derechos de usos de aguas", en A. EMBID IRUJO (Dir.), A. EMBID IRUJO (Dir.), *La Reforma de la Ley de Aguas (Ley 46/1999, de 13 de diciembre)*, Civitas, Madrid, 2000.

VILLANUEVA RÍO, J. A. SAINZ SASTRE, La situación del agua en España: recursos, gestión y tendencias, EOI, 2008.

VVAA, Ordenación del territorio y medio ambiente, IVAP, Oñate, 1988.

VVAA, *La Ley de aguas: análisis de la Jurisprudencia Constitucional*, MAP, Madrid, 1990.

VVAA, *Estudios de Derecho Público Económico - Libro Homenaje al Prof. Dr. S. Martín Retortillo*, Civitas, 2003.

VVAA, *Derecho de Aguas*, Fundación Instituto Euromediterráneo del Agua, Murcia, 2006.

VVAA, *Diccionario de Derecho de Aguas* (Dir. A. Embid Irujo), Civitas, 2007.

ZAMBONINO PULIDO, La protección jurídico-administrativa del medio marino: tutela ambiental y transporte marítimo, Tirant lo Blanch, Valencia, 2001.

Capítulo XV
Régimen jurídico de los Montes

Mª José Bobes Sánchez
Profesora Titular Interina de Derecho Administrativo
Universidad Complutense de Madrid

SUMARIO: I. INTRODUCCIÓN. II. LA LEGISLACIÓN FORESTAL. 1. Derecho Europeo. 2. Legislación estatal y autonómica. 3. La reciente jurisprudencia constitucional sobre la legislación de montes. III. CONCEPTO DE MONTE. 1. Terrenos incluidos en el concepto de monte. 2. Terrenos excluidos del concepto de Monte. IV. CLASIFICACIÓN JURÍDICA DE LOS MONTES. 1. Origen de la clasificación jurídica de los Montes. 2. La aplicación de los criterios demaniales a la clasificación de Montes. 3. Clases de Montes: públicos y privados. A) Montes públicos: demaniales o patrimoniales. B) Montes protectores y protección de montes. V. GESTIÓN FORESTAL. 1. Información Forestal. 2. Ordenación de los montes. A) Planificación de la política forestal: La Estrategia Forestal Española y el Plan Forestal Español. B) Planes de ordenación de los recursos forestales. C) Proyectos de Ordenación y planes dasocráticos. VI. RÉGIMEN DE USOS Y APROVECHAMIENTOS FORESTALES. VII. INCENDIOS FORESTALES.

I. INTRODUCCIÓN

La dimensión ecológica de los montes ha pasado a primer plano desde principios de los años noventa para consagrarse definitivamente en la legislación forestal vigente, con la Ley 43/2003, de 21 de noviembre (en adelante, LM). Así, es un lugar común entre quienes se han ocupado de esta materia, afirmar que la preocupación económica que presidía la anterior Ley de Montes de 1957 y su "orientación productivista"[1], ha resultado desplazada por la *gestión forestal sostenible*, según la expresión de la

---

[1]   Vid., CALVO SÁNCHEZ, L., "Régimen Jurídico de los Montes", en GONZÁLEZ GARCÍA, J. (Dir.) *Derecho de los bienes públicos*, 2ª ed., Tirant lo Blanch, Valencia, 2009 p. 634. También MORENO MOLINA, J. A., y DOMÍNGUEZ ALONSO, P., "Montes y Urbanismo", en LÓPEZ RAMÓN, F., y ESCARTÍN ESCUDÉ, V. (Dirs.), *Bienes, públicos, Urbanismo y Medio ambiente*, Marcial Pons, 2013, p. 448. SARASÍBAR IRIARTE, M., "Montes y Medio Ambiente", en p. 461, o MORENO MOLINA, J. A., "Protección Jurídica de los Montes", en PAREJO ALFONSO, L., y PALOMAR OLMEDA, A. (Dirs.) *Derecho de los Bienes Públicos*, Thomson-Aranzadi, Pamplona, 2009, p. 432, destacan la preponderancia de la función económica del monte en la ley anterior.

propia Exposición de Motivos de aquella ley[2]. Ahora bien, ni la anterior ley de Montes, de 1957, estaba huérfana de referencias medioambientales[3], ni la actual obvia la dimensión económica de los montes. Y es que se puede presumir fácilmente que encontrar el equilibrio entre ambos extremos, confiado al criterio ya apuntado de la sostenibilidad, es esencial en un país en el que las dos terceras partes de sus montes son propiedad de particulares[4].

A pesar de dicho cambio producido en los principios rectores de la legislación actual, perviven también otras viejas cuestiones como la confusa clasificación jurídica de los montes, pese a las novedades introducidas en la reforma de la ley en 2006, o la escasa participación de los entes locales, que siguen siendo los mayores propietarios públicos de montes y tienen en ellos un importante factor de desarrollo rural y de estabilización poblacional. De todas estas cuestiones y, en general, del régimen jurídico de los montes se trata en las páginas que siguen.

II. LA LEGISLACIÓN FORESTAL

La valorización del medio ambiente ha tenido un marco internacional. Y las prioridades, objetivos e incluso los conceptos plasmados en relación con el medio, se han ido reproduciendo escalonadamente en los niveles políticos inferiores, en el seno de la Unión Europea primero, y en el ámbito nacional después.

Es habitual mencionar la Conferencia de Estocolmo sobre el Medio Ambiente Humano de 1972, como primer paso trascendental en el reconocimiento de la perspectiva medioambiental, siendo la Declaración de

---

[2]   Así dice: "La Ley se inspira en unos principios que vienen enmarcados en el concepto primero y fundamental de la gestión forestal sostenible". La perspectiva medioambiental también es la causante de su primera y principal modificación llevada a cabo por la Ley 10/2006, de 18 de abril, mientras que la Ley 25/2009, de 22 de diciembre, ha modificado el art. 15 sobre régimen de usos en el dominio público forestal, en concreto, respecto a los principios que han de regir los correspondientes procedimientos de autorización y concesión.

[3]   DE VICENTE DOMINGO, R., *Espacios forestales (Su ordenación jurídica como recurso natural)*, Civitas, Madrid, 1995, p. 67. MARTÍN MATEO, R., *Tratado de Derecho Ambiental*, Trivium, Madrid, 1992, pp. 473 a 477.

[4]   Vid., Estrategia Forestal Española (EFE), p. 110. Entre las Administraciones públicas son los entes locales los mayores propietarios si bien la gestión ha estado siempre en manos de las CCAA.

Río de Janeiro sobre el Medio Ambiente y el Desarrollo de 1992, donde se mencionan los bosques expresamente[5].

La propia exposición de motivos de nuestra LM, comienza con la declaración de la Asamblea de Naciones Unidas en su sesión especial de junio de 1997, en la que se dispone que "La ordenación, la conservación y el desarrollo sostenible son fundamentales para el desarrollo económico y social, la protección del medio ambiente y los sistemas sustentadores de la vida en el planeta. Los bosques son parte del desarrollo sostenible". Por último, en la reciente Cumbre de Río+20, celebrada en junio de 2012, la Conferencia de Naciones Unidas sobre el desarrollo sostenible, ha situado en el centro de las discusiones la economía ecológica o economía verde y la mejora de la coordinación internacional para lograr un desarrollo sostenible[6].

1. *Derecho Europeo*

En el ámbito de la Unión Europea, la política forestal sigue siendo responsabilidad de los Estados Miembros, por lo que aquélla actúa conforme a los principios de subsidiariedad y complementariedad, tal como exige el art. 5 del TFUE.

Las medidas que afectan a la materia forestal, han de buscarse principalmente en la Política Agraria Común y por ello siguen revistiendo la forma de ayudas y subvenciones, en particular, las referidas al Desarrollo Rural[7], como las contenidas en el Fondo Europeo Agrícola de Desarrollo Rural

---

[5]   En el seno de la conferencia de las Naciones Unidas para el Medio Ambiente y el Desarrollo (CNUMAD).

[6]   Sobre el papel de los bosques, puede consultarse la resolución aprobada por la Asamblea General el 11 de septiembre de 2012, y titulada: *El futuro que queremos*. A/RES/66/288. Vid., en concreto, pp. 42 y 43.

[7]   La transposición del Reglamento (CE) de Desarrollo Rural de 1999, sustituido por el Reglamento (CE) 1698/2005, de 20 de septiembre, citado en el texto, ha tenido lugar mediante el RD 4/2001, de 12 de enero, por el que se establece un régimen de ayuda a la utilización de métodos de producción agraria compatibles con el medio ambiente, ha sido modificado por el RD 708/2002, de 19 de julio y por el RD 12003/2006, de 20 de octubre. De la ayuda a la forestación, se ocupa el RD 6/2001, de 12 de enero sobre fomento de la forestación de tierras agrícolas. Recientemente ha sido aprobado el Reglamento (CE) 1305/2013, de 17 de diciembre por elq ue se deroga el Reglamento (CE) 1698/2005, de 20 de septiembre, anteriormente citado.

(FEADER)[8], cuyo periodo de aplicación está comprendido entre 2014 y 2020[9].

Desde otras políticas se incide también sobre la protección de los bosques. Dos ejemplos claros son la conservación de la biodiversidad, objetivo del que surge la denominada Red Natura 2000, compuesta por los Lugares de Importancia Comunitaria, la Zonas especiales de Conservación y las Zonas de Especial Protección para las Aves, definidos conforme a la Directiva 92/43/CEE del Consejo, de 21 de mayo de 1992; o también, la lucha contra los incendios y la contaminación atmosférica, que se tratan ahora conjuntamente en el Reglamento (CE) 2152/2003 del Parlamento Europeo y del Consejo, de 17 de noviembre de 2003 (conocido como Eje Bosques) sobre el seguimiento de los bosques y de las interacciones medioambientales en la Comunidad.

En todo caso, ha de señalarse que desde la *Estrategia forestal para la Unión Europea*, adoptada por Resolución de 15 de diciembre de 1998[10], se han sucedido ininterrumpidamente numerosos documentos cuyo objetivo común ha sido la defensa de los bosques para hacer frente a su constante degradación. Una vez que se ha demostrado la situación excedentaria de muchos productos agrícolas y los beneficios que para terceros se derivan de la ampliación de la extensión de los terrenos forestales, la conversión del destino agrícola al forestal, es otra de las medidas incentivadas por las políticas comunitarias. Por ello, para compensar las pérdidas económicas de los agricultores que acceden a tal conversión, las ayudas cubren tanto los primeros costes de forestación como los de mantenimiento[11].

---

[8]   El Reglamento (CE) 1305/2013, de 17 de diciembre regula ahora las ayudas al desarrollo rural. En los artículos 21 a 26, las destinadas a la utilización sostenible de tierras forestales.

[9]   Siendo sus ejes principales, los siguientes:
– Mejora de la competitividad del sector agrícola y forestal, mejorando la formación, las infraestructuras de modo que repercutan en la mejora de la calidad de los productos.
– Mejora del medio ambiente y del entorno rural, entre otras medidas destinadas a mejorar los recursos forestales con un objetivo medioambiental.
– Calidad de vida en las zonas rurales y diversificación de la economía rural, fomentando acciones no agrarias que protejan el patrimonio natural en un marco de desarrollo sostenible.
– LEADER: adopción de estrategias mediante los denominados "grupos de acción local" que han de perseguir algunos de los puntos anteriores.

[10]   Vid., Resolución del Consejo, DO/1999/C 56/01.

[11]   Se prevé igualmente una compensación para aquellos cuyos terrenos tenían uso agrícola y han perdido ingresos como causa de la forestación. Vid., Reglamentos citados

En aquella primera resolución, quedaron ya establecidos como principios comunes para la silvicultura en Europa, los de *gestión sostenible* y *multifuncionalidad*, que se recogen hoy en nuestras normas positivas, tanto estatales como autonómicas[12]. Los documentos posteriores, profundizan igualmente en dichos principios y analizan la forma de lograrlos de una manera coordinada. Así puede observarse, entre los más recientes, en el *Libro Verde sobre protección de los bosques e información forestal en la UE: preparación de los bosques ante el cambio climático*, donde se estudian las distintas opciones para adoptar una estrategia común sobre protección de los bosques e información forestal, en el marco del Plan de Acción de la UE para los bosques[13]. Entre sus prioridades se persigue que los bosques sigan cumpliendo con todas sus funciones productivas, socioeconómicas y ambientales y se subraya el problema de la adaptación de los bosques al cambio climático pues, constatada la deforestación de los montes, que ocupan una extensión del 42% del territorio comunitario[14], se corre el riesgo de que

---

en nota 7.

[12] Si bien es posible encontrar ambos principios en nuestras normas de derecho positivo, como se verá más adelante en el texto, la Conferencia Ministerial sobre Protección de Bosque de Europa, definió, ya en 1993, la gestión forestal sostenible como: "la administración y uso de los bosques y tierras forestales de forma e intensidad tales que mantengan su biodiversidad, productividad, capacidad de regeneración, vitalidad y potencial para atender, ahora y en el futuro, las funciones ecológicas, económicas y sociales relevantes a escala local, nacional y global, y que no causen daño a otros ecosistemas". Por lo que se refiere a la multifuncionalidad, o funciones forestales, destaca entre las socioeconómicas, el empleo, ingresos y materias primas para la industria y la producción de energía renovable que los bosques proporcionan, y su protección de asentamientos e infraestructuras. Entre las funciones ambientales destaca la protección del suelo y la regulación de los suministros de agua dulce, su protección de la biodiversidad y su condición de sumideros y fuentes de carbono y su influencia en las condiciones meteorológicas.

[13] En la Estrategia Forestal se basó la posterior *Acción de la UE para los bosques*, que plantea entre otras medidas la creación de un sistema forestal de seguimiento forestal europeo. Vid., COM (2006) 302.

[14] Los documentos de la UE, acogen las definiciones que emplean tanto la Organización de las Naciones Unidas para Agricultura y la Alimentación, como la Conferencia Ministerial sobre Protección de Bosques de Europa (MCPFE). Se distingue normalmente entre bosques y otras tierras boscosas que, se incluyen, sin embargo, entre nosotros conjuntamente bajo del concepto de monte. Por ello se ha planteado ya la necesidad de deslindarlos. Vid., SARASÍBAR IRIARTE, M., "La necesaria construcción de un concepto jurídico independiente de bosque", *RAAP*, 28, 2006, pp. 11 a 36.

pierdan su condición de sumidero[15] para pasar a ser, ellos mismos, fuentes de emisión de dióxido de carbono[16].

2. *Legislación estatal y autonómica*

Con anterioridad a la vigente LM, otras leyes afectaban al régimen jurídico de los montes[17], como la Ley del Patrimonio Forestal del Estado, de 1941, la Ley de Incendios Forestales de 1968 y la Ley de Fomento de la Producción Forestal de 1977, principalmente, habiendo sido derogadas en 2003[18], sin afectar, sin embargo, a sus respectivos reglamentos de desarrollo, en tanto no se dictasen otros sustituyéndolos y siempre que no contradijeran la recién aprobada Ley, lo que ha provocado alguna situación denunciada por la doctrina[19].

Si bien, en la actualidad, parte de estos contenidos se incluyen en la propia LM, como es el caso de la prevención de Incendios Forestales, que ocupa el Capítulo III del Título dedicado a la Conservación y Protección de los Montes, otros figuran en distintas leyes. Es el caso de la Ley 42/2007, de 13 de diciembre, del Patrimonio Natural y de la Biodiversidad, sucesora de la importante Ley 4/1989, de 27 de marzo, de Conservación de los espacios Naturales y paisajes Protegidos, norma que introdujo definitivamente la dimensión ambiental como objetivo de la política forestal y marcó el cambio de orientación para los montes, al disponer en su art. 9, que:

1. La utilización del suelo con fines agrícolas, forestales y ganaderos deberá orientarse al mantenimiento del potencial biológico y capaci-

---

[15]   La función de sumidero, según el Grupo Intergubernamental de Expertos sobre Cambio Climático *Informe especial del IPCC. Uso de la tierra, cambio de uso de la tierra y silvicultura* (2000), p. 22, se define como "todo proceso, actividad o mecanismo que hace desaparecer de la atmósfera un gas de efecto invernadero, un aerosol o un precursor. Un reservorio dado puede ser un sumidero de carbono atmosférico si, durante un intervalo de tiempo, es mayor la cantidad de carbono que afluye a él que la que sale de él".

[16]   SEC 2010 (163) final. Véase también la Resolución del Parlamento Europeo sobre el mismo votada el 11 de mayo de 2011. Sobre esta cuestión, vid., SARASÍBAR IRIARTE, M.; *El Derecho forestal ante el cambio climático: las funciones ambientales de los bosques*, Thomson-Aranzadi, Cizur Menor, 2007.

[17]   Puede consultarse a este respecto los clásicos trabajos de GUAITA, A., Régimen *jurídico-administrativo de los montes*, Porto y Cía, Santiago de Compostela, 1956 y *Derecho Administrativo. Aguas, montes y minas*, Civitas, Madrid, 1986.

[18]   Por la Disposición Derogatoria única de la Ley 43/2003, apartado primero.

[19]   CALVO SÁNCHEZ, L., *op. cit.*, pp. 638 y 639.

dad productiva del mismo, con respecto a los ecosistemas del entorno.

2. La acción de las Administraciones Públicas se orientará a lograr la protección, restauración, mejora y ordenado aprovechamiento de los montes, cualquiera que sea su titularidad, y su gestión técnica deberá ser acorde con sus características legales, ecológicas, forestales y socio-económicas, prevaleciendo en todo caso el interés público sobre el privado.

Sus notas principales, por ejemplo, el respeto a los ecosistemas del entorno, la titularidad de los montes como cuestión secundaria y, en definitiva, la prevalencia del interés público sobre el privado, están hoy presentes en toda la legislación forestal. De modo que fue la ley estatal dedicada a los recursos naturales y no una ley forestal la que introdujo la perspectiva ambiental en relación con los montes.

Ahora bien no sería justo ignorar la labor desempeñada por las normas autonómicas que fueron las que impulsaron con anterioridad la renovación de los principios en materia forestal como consecuencia de la distribución competencial surgida de la CE, que les permitió dictar normas en esta materia. Así, mientras que al Estado le corresponde dictar la legislación básica en materia de "montes, aprovechamientos forestales y vías pecuarias", según el art. 149.1.23ª CE, a las Comunidades Autónomas les corresponde el desarrollo normativo de la legislación básica del Estado y las competencias ejecutivas[20]. Por ello la legislación forestal se integra hoy por la LM y las distintas normas que, en ejercicio de sus competencias, han dictado distintas Comunidades Autónomas.

La mayoría de ellas habían sido promulgadas antes de la aprobación de la LM estatal: la Ley 6/1988, de 13 de marzo, Forestal de Cataluña; Ley 13/1990, de 31 de diciembre, de Protección y Desarrollo del Patrimonio Forestal de Navarra; Ley 2/1992, de 15 de junio, de Ordenación Forestal de Andalucía; Ley 3/1993, de 9 de diciembre, Forestal de Valencia; Ley 5/1994, de 16 de mayo, de Fomento de los Montes Arbolados de Castilla-León; la Norma Foral 3/1994, de 2 de junio, de Montes y Administración de espacios protegidos de Vizcaya; Ley de 10 de febrero de 1995, de Protección y Desarrollo del Patrimonio Forestal de La Rioja y Ley 16/1995, de 4 de mayo, Forestal y de Protección de la naturaleza de Madrid.

---

[20]   Sobre esta cuestión, vid., LÁZARO BENITO, F., *La ordenación constitucional...* pp. 53 y ss.

Con posterioridad a la LM, fueron aprobadas la Ley 3/2004, de 23 de noviembre, de Montes y Ordenación Forestal del Principado de Asturias; la Ley 15/2006, de 28 de diciembre, de Montes de Aragón; la Norma Foral 7/2006, de 20 de octubre de Guipúzcoa, y la Norma Foral 11/2007 de 26 de marzo de Montes de Álava Ley 3/2008, de 12 de junio, de Montes y Gestión Sostenible de Castilla-La Mancha; Ley 3/2009, de 6 de abril, de Montes de Castilla y León y, por último, La ley 7/2012, de 28 de junio, de Montes de Galicia[21].

El hecho de que muchas Comunidades Autónomas ya habían aprobado su legislación antes de que el Estado hubiese dictado su legislación básica, lo que podía provocar las consabidas dificultades relativas a una posible colisión entre normas ante una nueva definición de lo básico, se vio conjurada, en este aspecto, porque la LM acogió numerosas disposiciones contenidas en aquellas[22]. Una asunción lógica pues aquellas se habían aprobado con pleno conocimiento de los dictados constitucionales. En concreto, del derecho de toda persona a disfrutar de un medio ambiente adecuado y el deber de conservarlo y la obligación de los poderes públicos de velar por el aprovechamiento racional de los recursos naturales, con el fin de proteger y mejorar la calidad de la vida y defender y restaurar el medio ambiente, según dispone el art. 45 CE. Pero también, y más importante aún, teniendo en cuenta los objetivos y prioridades del sector forestal contenidos en los distintos instrumentos y documentos internacionales y comunitarios, algunos ya citados, en los que están visibles los principios que orientan hoy toda la legislación forestal, básicamente la gestión sostenible y la denominada multifuncionalidad[23].

---

[21]   Otras CCAA no han legislado sobre Montes pero sí sobre Incendios Forestales, como es el caso de Extremadura y su Ley 5/2004, de 24 de julio, sobre Prevención y Lucha Contra Incendios forestales, o lo han hecho en distintas leyes, como en el caso de Galicia que ha aprobado además de su Ley de Montes, la Ley 3/2007, de 9 de abril, de Prevención y Defensa contra los incendios forestales de Galicia.

[22]   No ha ocurrido únicamente en esta materia que las Comunidades Autónomas se hayan anticipado a la legislación básica estatal y, ésta haya adoptado después muchos contenidos de aquéllas. Este fue también el caso de la regulación sobre los bienes públicos, en concreto, respecto a las leyes patrimoniales de las CCAA, antes de que el Estado aprobase su Ley 33/2003, de 3 de noviembre de Patrimonio de las Administraciones Públicas.

[23]   Vid., art. 3LM, que hace referencia no sólo a la gestión sostenible y la multifuncionalidad de los montes, sino también a su integración en la ordenación del territorio, el desarrollo del medio rural, la conservación de la biodiversidad, la integración de la política forestal española de los objetivos internacionales sobre protección del medio ambiente, en concreto en materia de desertificación, cambio climático y biodiversi-

En este sentido, también han sido las Comunidades Autónomas quienes han acogido tempranamente, la ya mencionada función de sumidero de los bosques, antes de que lo hiciera la legislación estatal. Ha de citarse, en primer lugar, la Ley 3/1993, de 9 de diciembre, Forestal de la Comunidad Valenciana, que a pesar de no mencionarla expresamente, la recoge tan sólo un año después de su definición por la Convención Marco de las Naciones Unidas sobre el Cambio Climático. Según ésta, se entiende por "sumidero" cualquier proceso, actividad, o mecanismo, que absorbe un gas de efecto invernadero u aerosol o un precursor de un gas de efecto invernadero de la atmósfera[24], mientras que la citada ley se refiere a la función de absorción de los bosques para paliar el proceso de erosión y la modificación de las condiciones climáticas. Un ejemplo de regulación expresa de la función de sumidero de los bosques figura en la Ley 3/2004, de 23 de noviembre, de Montes y Ordenación Forestal del Principado de Asturias. Entre los aspectos a tener en cuenta al establecer los incentivos por las externalidades ambientales de los montes, se señala la fijación del dióxido de carbono como medida de contribución a la mitigación del cambio climático[25].

Por su parte, en la legislación estatal, la función de sumidero de los bosques se recoge en dos leyes distintas: en la propia LM y bastantes años después en la Ley 2/2011, de 4 de marzo, de Economía Sostenible. Si bien en la primera de ellas, ya se recogía una referencia al problema del calentamiento del cambio global, y a la función de sumidero como principio, y de forma expresa al referirse a la "fijación del carbono atmosférico", como una de las funciones sociales del suelo, es, en realidad, tras la reforma de la ley, en 2006, cuando se subraya esta condición y se añade entre los principios orientadores de la norma, además del principio de precaución, "la adaptación de los montes al cambio climático fomentando una gestión

---

dad, la colaboración y cooperación de las diferentes Administraciones públicas en las políticas forestales, como de los sectores sociales y económicos implicados. A ellos la modificación de la ley de 2006, ha añadido el principio de precaución y la adaptación de los montes al cambio climático, fomentando la resiliencia y resistencia de los bosques a aquel.

[24] Vid., art. 1.8.
[25] Art. 87 de la Ley 3/2004, de 23 de noviembre, de Montes y Ordenación Forestal, del Principado de Asturias. El resto de leyes autonómicas aprobadas con posterioridad a la Ley de Montes también recogen esta función como es el caso de la Norma Foral 11/2007, de 26 de marzo de Montes de Álava, en su art. 11. La ley 3/2008, de 12 de junio, de Montes y Gestión Forestal Sostenible de Castilla-La Mancha, arts. 27 y 78, la ley 3/2009, de 6 de abril, de Montes de Castilla y León, arts. 4 y 70. Y, por último, la Ley 7/2012, de 28 de junio, de Montes de Galicia, art. 6. 4, 6.11 o 100.2.e).

encaminada a la resiliencia y resistencia de los montes al cambio climáti-co[26]. Por su parte, en la ley 2/2011, de 4 de marzo, de Economía Soste-nible, se manifiesta la intención de adoptar las medidas necesarias para conseguir la reducción de gases con efecto invernadero comprometida en la UE para el 2020 y también las que incentiven las acciones para in-crementar la capacidad de captación de CO2 de los sumideros españoles. En este mismo sentido, se dispone la creación de un sistema voluntario de compensación de emisiones mediante medidas que redunden en el man-tenimiento e incremento de masas forestales, y se anuncia, por último, un Fondo para la compra de créditos de carbono con el objeto de incentivar la participación de las empresas españolas en los ya existentes Mecanis-mos de Flexibilidad del Protocolo de Kioto[27]. Recordemos que cuando los bosques se degradan o destruyen, en concreto, mediante la tala o los incendios forestales se convierten en una fuente de dióxido de carbono, al liberar a la atmósfera los gases que, hasta ese momento, habían absorbido y almacenado.

3. *La reciente jurisprudencia constitucional sobre la legislación de montes*

Hoy puede decirse que la legislación forestal y el reparto competencial entre Estado y Comunidades Autónomas ha quedado establecido, en par-ticular tras las recientes sentencias del Tribunal Constitucional que resuel-ven los recursos interpuestos por varias Comunidades Autónomas frente a la LM. Si bien los principios que rigen la legislación forestal son comunes por las razones ya apuntadas y no se planteaban problemas en este sentido, tan sólo cuatro años después de su aprobación, la LM resultó modificada por la Ley 10/2006, de 28 de abril, que, entre otras medidas, expresaba, por lo que ahora interesa, su intención de "garantizar la correcta adecua-ción al orden constitucional de distribución de competencias".

Al haberse modificado el texto de la LM estando pendientes de resolu-ción dichos recursos, la controversia competencial perdió su objeto respec-to a la mayor parte de alegaciones vertidas por la Comunidad Autónoma. En concreto, respecto a la entrega de competencias ejecutivas al Estado que desaparecieron de la primera versión de la LM. Así lo constata la STC

---

[26]   Vid., arts. 4 y. 3.k LM, respectivamente.
[27]   Vid., SANZ RUBIALES, I., "Reducción de emisiones" en la obra colectiva BELLO PA-REDES, S.A. (Dir.) *Comentarios a la Ley de Economía Sostenible*, La Ley, Madrid, pp. 433 a 456.

49/2013, de 28 de febrero, que da respuesta al recurso interpuesto por la Generalidad de Cataluña y confirma la constitucionalidad de la ley[28].

Los otros dos recursos de inconstitucionalidad, interpuestos respectivamente por la Comunidad de La Rioja y la de Castilla y León, ahora respecto a algunos preceptos de la Ley 10/2006, de 28 de abril, han sido también resueltos recientemente por las SSTC 84/2013, de 11 de abril y 97/2013, de 23 de abril, respectivamente, que han confirmado igualmente la constitucionalidad de la ley.

Únicamente ha de señalarse que al título habilitante específico sobre "montes y aprovechamientos forestales", ha de sumarse la competencia en materia medioambiental que igualmente figura en el art. 149.1.23ª CE y otorga la competencia exclusiva para dictar la legislación básica al Estado, sin perjuicio de las facultades autonómicas para dictar normas adicionales de protección y de las competencias de gestión de éstas últimas[29]. El título en materia de medio ambiente, en la interpretación dada por la STC 170/1989, de 19 de octubre, FJ 2º, según la cual, la regulación básica del Estado en la materia habrá de consistir en una "ordenación mediante mínimos", había sido empleado por las CCAA, también por las que recurrieron los preceptos de la segunda versión de la LM, *dada la evidente dimensión ambiental de los montes,* para discutir las atribuciones que la ley

---

28 Con una sola excepción y en todo caso menor, pues si inicialmente la DT 2ª LM amparaba el art. 56.1 LM en el título del art. 149.1.15º CE, el Alto Tribunal indica la inconstitucionalidad de tal aseveración, pero para reconducir la competencia estatal al título sobre montes incluido en el apartado 23ª. Lo hace con el siguiente razonamiento: "Tenemos declarado que el título competencial del art. 149.1.15 CE, es susceptible de ser utilizado respecto de cualquier género de materias con independencia de cuál sea el titular de la competencia para su ordenación (SSTC 53/1988, fundamento jurídico 1; y 186/1999, de 3 de octubre, FJ 7). Pero también hemos señalado que, para que sea de aplicación este título competencial, debe resultar patente que la actividad principal o predominante debe ser la investigadora (STC 242/1999, de 21 de diciembre FJ 14). Debe tenerse en cuenta que la finalidad de las citadas redes y parcelas de seguimiento es la de recopilar una información fiable sobre el estado de los montes, información que puede estar o no relacionada con una determinada actividad investigadora. Por lo expuesto, y como quiera que no cabe concluir del precepto que la actividad investigadora es la principal o predominante, debemos entender que el título competencial habilitante no es, como señala la disposición final segunda, el del art. 149.1.15 CE, sino el general de la Ley, esto es, legislación básica en materia de montes (art. 149.1.23 CE). Debemos, declarar la inconstitucionalidad de la disposición final segunda en el sentido dicho, con independencia de la conclusión a que lleguemos sobre la constitucionalidad del art. 56.1 de la Ley de montes." FJ 7º.

29 Vid., SSTC 64/1982, de 4 de noviembre, 102/1995, de 26 de junio y 32/2006, de 1 de febrero.

había conferido al Estado. Es un hecho que en esta materia, como en muchas otras, se entrecruzan distintas perspectivas, y así lo ha reconocido el propio Tribunal Constitucional en jurisprudencia constante y, lo reitera en las últimas sentencias que resuelven los mencionados recursos. Recuerda la preferencia por la competencia específica, y rechaza así el argumento de las recurrentes:

> "...en materias como la ordenación del territorio, el urbanismo, el medio ambiente y la ordenación de los recursos forestales existen profundas interacciones. (...) el título competencial preferente y más específico desde el que ha de juzgarse la ley impugnada, cuyo objeto es la regulación del régimen jurídico de los montes públicos y privados, es el referido a la competencia exclusiva del Estado en materia de legislación básica sobre montes y aprovechamientos forestales (art. 149.1.23 *in fine* CE), ello sin perjuicio de que exista una vertiente ambiental integrada en este título competencial sectorial y de que, incluso, algunos preceptos de la Ley, que en su momento analizaremos, pudieran encontrar su justificación constitucional en otros títulos competenciales..."[30].

La mencionada relación del medio ambiente y de los montes y aprovechamientos forestales con la ordenación del territorio y el urbanismo, nos da pie para anunciar el objeto de las páginas siguientes, pues dicha interacción está presente en la relación entre la planificación urbanística y la forestal, o en el aprovechamiento urbanístico de los terrenos forestales incendiados, pero también y en primer lugar, en la propia definición de monte.

III. CONCEPTO DE MONTE

Si bien el actual concepto de monte parte de las definiciones contenidas en normas anteriores, se ha querido romper con el carácter negativo o

---

[30] STC 49/2013, de 28 de febrero. FJ 5° in fine. El Alto Tribunal, continúa por lo que al concreto recurso se refiere: "Esta conclusión, de alguna forma, viene a ser admitida por la Generalitat que, pese a haber ubicado la Ley de montes bajo el amparo del título competencial de medio ambiente, opone a la competencia estatal del art. 149.1.23 CE la competencia autonómica prevista en el art. 9.10 EAC de 1979, que se refería, precisamente, a los "montes, aprovechamientos y servicios forestales, vías pecuarias y pastos, espacios naturales protegidos y tratamiento especial de zonas de montaña", cuando dicho Estatuto contaba con un título específico referido a la protección del medio ambiente. En el vigente Estatuto de Autonomía de Cataluña, el art. 116.2 b) atribuye a la Generalitat la competencia compartida para la regulación y el régimen de intervención administrativa y de uso de los montes, de los aprovechamientos y los servicios forestales y de las vías pecuarias de Cataluña".

residual de su definición, incorporando las funciones que todo monte ha de poder cumplir, lo que se pretende le otorga un claro carácter positivo y le distancia definitivamente del concepto de la anterior ley de montes de 1957. Otras características del actual concepto son la amplitud de su contenido, con lo que aumentan considerablemente los terrenos que merecen la condición de forestales, y, por último, ha de señalarse igualmente que no se trata de un concepto cerrado, dada la participación que se reserva en la definición de monte a las Comunidades Autónomas.

1. Terrenos incluidos en el concepto de monte

Comienza señalando el art. 5.1 LM que: "A los efectos de esta ley, se entiende por monte todo terreno en el que vegetan especies forestales arbóreas, arbustivas, de matorral o herbáceas, sea espontáneamente o procedan de siembra o plantación, que cumplan o puedan cumplir funciones ambientales, protectoras, productoras, culturales, paisajísticas o recreativas".

Hasta la actual LM, eran terrenos forestales, fundamentalmente, aquellos no rústicos[31], de ahí su caracterización como negativo o residual. Y por ello, entre "las distintas funciones del territorio forestal", se detallan las ambientales, protectoras, productoras, culturales, paisajísticas o recreativas. Si bien esta delimitación positiva de las funciones de los montes había sido incorporada por algunas Comunidades Autónomas[32], responde como hemos visto a los diferentes documentos europeos e internacionales en los que se ha venido subrayando el principio de multifuncionalidad que quiere englobar funciones socioeconómicas y medioambientales. No está muy claro, sin embargo, que el desglose de las funciones ambientales fuese necesario o que aporte algo más a la afirmación de la perspectiva ambiental que predomina en la legislación forestal desde los años noventa. Tampoco que la alusión a dichas funciones deba figurar en la definición de monte, como ha sido subrayado por la doctrina[33], siendo en realidad parte de los principios orientadores de la legislación forestal. En todo caso, al igual que

---

[31] Todo terreno rústico no agrícola, estuviese o no poblado por especies forestales. Vid., ESTEVE PARDO, J., *Realidad y perspectivas de la ordenación jurídica de los montes (Función ecológica y explotación racional)*, Civitas, Madrid, 1995, p. 85.

[32] En concreto por la Ley andaluza y la valenciana.

[33] CALVO SÁNCHEZ, L., "Régimen jurídico de los montes", *op. cit.*, p. 641, quien además entiende que pese a todo, la definición sigue haciéndose por relación a los usos, aquellos con vocación forestal, y los no urbanos ni agrícolas. También LÓPEZ RAMÓN, F., "Crítica jurídica...", *cit.*, p. 16, nota 30.

la dimensión ambiental de los recursos naturales ha destacado sólo cuando la sociedad ha tomado conciencia del riesgo de que dichos recursos se agotaban, la dimensión residual del concepto de monte era acorde con la realidad que reflejaba, que otorgaba mayor importancia al uso agrícola y al ganadero, lo que no parece criticable teniendo en cuenta que el término de comparación son los conceptos que ofrecían las normas de siglos pasados y, más reciente, una norma del año 57.

Antes de describir la mayor extensión del actual concepto de monte, recordemos que el mismo art. 5.1 LM, añade en su segundo párrafo que otros terrenos que "Tienen también la consideración de monte" son:

a) Los terrenos yermos, roquedos y arenales

b) Las construcciones e infraestructuras destinadas al servicio del monte en el que se ubican

c) Los terrenos agrícolas abandonados que cumplan las condiciones y plazos que determine la comunidad autónoma, y siempre que hayan adquirido signos inequívocos de su estado forestal.

d) Todo terreno que, sin reunir las características descritas anteriormente, se adscriba a la finalidad de ser repoblado o transformado al uso forestal, de conformidad con la normativa aplicable

e) Los enclaves forestales en terrenos agrícolas con la superficie mínima determinada por la Comunidad Autónoma".

Es decir, tanto los terrenos que ya cumplan con las características de lo que se considera monte, es decir, terrenos forestales con especies arbóreas, arbustivas, de matorral o herbácea[34], como aquellas que puedan cumplir con ellas en un futuro, o que siendo antes agrícolas hayan sido abandonados y hayan adquirido signos inequívocos de su estado forestal o vayan a ser transformados al uso forestal, son montes. En este sentido, la amplitud del concepto concuerda con el objetivo de ampliar la masa forestal asumiendo de este modo el beneficio colectivo que se deriva de las funciones ecológicas que proporcionan los montes. Pero alguno del resto de supuestos que también se consideran montes, puede resultar extraña.

---

[34] Se parte por tanto de la definición de la Ley de Montes de 1957. La mención a las distintas especies forestales que pueden vegetar en el monte ya figura con anterioridad en las Ordenanzas Generales de Montes de 22 de diciembre de 1833 cuyo art. 1, incluye en la definición de montes" todos los terrenos cubiertos de árboles a propósito para la construcción naval o civil, carboneo, combustibles y demás necesidades comunes, ya sean montes altos, bajos, bosques, sotos, plantíos o matorrales...".

En concreto, la inclusión de los "terrenos yermos, roquedos y arenales" o el de "las construcciones e infraestructuras destinadas al servicio del monte en el que se ubican". El primer supuesto, parece responder a que pueden albergar hábitats de interés comunitario, como los arenales, mientras que el segundo, si bien es lógico en otros bienes públicos que implican la construcción de obra pública, como las carreteras, que requiere de dichas instalaciones para su mantenimiento, conservación, y en ocasiones para su integridad misma, o para la seguridad de su uso[35], no se entiende en el caso de un recurso natural[36].

La preferencia del destino forestal sobre el agrario, es conforme con la inclusión en el concepto de aquellos "terrenos agrícolas abandonados que cumplan las condiciones y plazos que determine la comunidad autónoma y siempre que hayan adquirido signos inequívocos de su estado forestal" e igual sentido tiene el siguiente supuesto que incluye los terrenos objeto de repoblación o que sea "transformado al uso forestal". Por último, la modificación de 2006 de la LM, introdujo el apartado e), el de los enclaves forestales en terrenos agrícolas "con la superficie mínima determinada por la Comunidad Autónoma". Siendo su tradicional sentido evitar la fragmentación de los mismos, parece ser su fin actual, eximirlos de la aplicación de la ley[37], y evitar la complicación en la gestión de aquellos terrenos que, pese a tener la condición de montes, resultarían demasiado pequeños. Ha de advertirse que la dimensión mínima del monte determina si están obligados o no a aprobar un instrumento de gestión forestal y, en otro orden, también determina la posibilidad del ejercicio de los derechos de adquisición preferente[38].

---

[35]   Así por ejemplo, resulta coherente con la definición del dominio público de las carreteras la inclusión en su concepto de los denominados elementos funcionales que son aquellos destinados a la conservación o explotación de la carretera, entre los que expresamente se incluyen las vías de servicio, áreas de servicios, centros operativos, de conservación y mantenimiento, y, en general, toda zona permanentemente afecta a la conservación de la misma o a su explotación como las zonas destinadas a descanso, estacionamiento, auxilio y atención médica de urgencia, parada de autobuses, etc. Vid., Arts. 21.2 LECrim y 55.1 RGC. BOBES SÁNCHEZ, Mª J., *La Teoría del dominio público y el Derecho de carreteras*, Iustel, Madrid, 2007, pp. 149 y ss.

[36]   En este sentido, según indica CALVO SÁNCHEZ, L., *op. cit.*, p. 647, si la intención era proteger almacenes, refugios, torres de vigilancia, etc., hubiera sido suficiente, con tipificar dichas conductas como ilícitos.

[37]   Puesto que según el art. 5.3 indica "Las Comunidades Autónomas, de acuerdo con las características de su territorio, podrán determinar la dimensión de la unidad administrativa mínima que será considerada monte a los efectos de aplicación de esta Ley".

[38]   Vid. Art. 25.1.a).1.

Como consecuencia de dicha ampliación se incluye ahora todo terreno rústico no agrario en el que vegetan especies forestales, aunque sean matorral o herbáceas. Se produce así una asimilación entre monte y bosque, entendiendo por éste último aquel terreno forestal arbolado, que, sin embargo, parece estar necesitado de una delimitación si atendemos a los documentos anteriormente citados, como es el caso del *Libro Verde*[39]. Diversos documentos, entre ellos, el Plan Forestal Español[40], constatan que la superficie forestal española asciende a un 51, 93% del territorio, aunque sólo el 56%, por estar arbolada, se puede considerar bosque.

2. Terrenos excluidos del concepto de Monte

El concepto de monte se cierra con el apartado 2, dedicado a los terrenos excluidos de la consideración de forestales y así se dispone que no tienen la consideración de monte:

a) Los terrenos dedicados al cultivo agrícola

b) Los terrenos urbanos y aquellos otros que excluya la comunidad autónoma en su normativa forestal y urbanística

Si bien el primer supuesto vuelve a recordar la definición de los terrenos forestales como aquellos no destinados a usos agrícolas, lo que hace dudar tanto de que se haya roto con el concepto residual anterior como con su definición por relación a los usos del suelo, el segundo responde a la interacción con el título competencial de la ordenación del territorio y del urbanismo, que aún siendo propio de las Comunidades Autónomas, se ve sometido a las disposiciones de la legislación básica.

Destacar la condición del monte como suelo rústico y no urbano, al excluir los suelos urbanos o urbanizables del concepto de monte[41], fue

---

[39] Además, como recuerda SARASÍBAR IRIARTE, I., *Montes y medio ambiente, cit.*, p. 469, nota 12, no todo monte o terreno forestal, puede cumplir con la función de sumidero.
[40] Vid., p. 9.
[41] Así por ejemplo, La Ley 6/1988, de 30 de marzo, Forestal de Cataluña, señala en su art. 3 que no tienen la consideración de terreno forestal: a) Los suelos calificados legalmente como urbanos o como urbanizables programados. La Ley 16/1995, de 4 de mayo, Forestal y de Protección de la Naturaleza de la Comunidad de Madrid, declara en su art. 4. Que no tendrán la consideración de montes o terrenos forestales los "que se califiquen por el planeamiento urbanístico como urbano o urbanizable". También incluyen disposiciones semejantes, la Ley 3/2004, de 23 de noviembre, de Montes y Ordenación Forestal del Principado de Asturias, en su art. 5.2 que añade "o incluidos en la categoría de núcleos rurales"; La ley 15/2006, de 28 de diciembre de Montes

obra de las Comunidades Autónomas quienes igualmente dirigieron mandatos al planificador urbanístico[42]. Respecto a este último supuesto, ha de distinguirse entre las leyes autonómicas que, como la Ley Forestal y de Protección de la Naturaleza de la Comunidad de Madrid[43], dispone que "todo monte o terreno forestal tiene la clasificación de suelo no urbanizable, con la protección que en cada caso se establezca en esta ley, sin perjuicio de los mecanismos que establece la legislación urbanística para los cambios de calificación de suelo", de aquellas otras que lo vinculan al planeamiento urbanístico sólo en el caso de aquellos montes que gozan de un nivel de protección mayor, como son los declarados de utilidad pública, los protectores, o los demaniales[44].

La LM dispone que cuando el planeamiento urbanístico afecte a la calificación de terrenos forestales, requerirá el informe forestal de la Administración forestal competente que será vinculante si se trata de montes catalogados o protectores[45] y parecidas disposiciones, respecto de la administración forestal o medioambiental contienen las distintas leyes autonómicas forestales.

Se ha señalado, por último, la condición abierta de la definición de Monte dada la participación de las Comunidades Autónomas que prevé la LM. La propia Exposición de Motivos anunciaba esta intención al señalar que "El concepto de monte... da entrada a las Comunidades Autónomas en el margen de regulación sobre terrenos agrícolas abandonados, suelos urbanos y urbanizables y la determinación de la unidad mínima que será considerada monte a efectos de la Ley". Y en efecto, así se comprueba en el texto de la ley[46], en particular, cuando les permite efectuar exclusiones del concepto de monte, lo que no deja de resultar extraño a la definición de una ley básica y en cierta medida contradictorio con las prioridades de la

---

de Aragón en su art. 6.6, y la ley 3/2008, de 12 de junio de Montes y Gestión Forestal Sostenible de Castilla-La Mancha, en su art. 3.2.

[42]   Vid., CALVO SÁNCHEZ, L. y MENÉNDEZ SEBASTIÁN, E., p. 1303. Así por ejemplo, las leyes forestales de Andalucía (art. 27), de Madrid (arts. 6.1 y 9.2) o la Norma Foral de Navarra (art. 26.1).

[43]   Vid., art. 6 de la Ley de Madrid.

[44]   La ley 1/2006, de Aragón dispone en su art. 33.2 incluso que "la modificación de la calificación urbanística a suelo urbano o urbanizable de los montes demaniales o protectores o de parte de ellos, requerirá, correlativamente, su previa descatalogación, cuando proceda y su desafectación o la previa exclusión del Registro de Montes Protectores".

[45]   Vid., art. 39 LM.

[46]   Vid., arts. 5.1 c y d, 5.2b) y 5.3.

ley que deberían fomentar la inclusión de terrenos. La previa existencia de
leyes forestales autonómicas parece que también ha condicionado en este
caso el tenor de lo dispuesto en la LM[47].

Ya, por último, sólo resta añadir que el concepto de monte, ha sido
siempre esencial en la legislación forestal, pues viene a delimitar además el
ámbito de aplicación de la ley[48]. Quedan fuera de su ámbito de aplicación
los terrenos de condición mixta agrosilvopastoral y dehesas, a los que la
ley sólo les resulta aplicable en lo relativo a sus características y aprovechamientos forestales[49] y también los montes vecinales en mano común, las
vías pecuarias y los montes que sean espacios naturales protegidos, pues
cuentan con su legislación específica, por lo que la LM sólo les resulta de
aplicación en cuanto no la contradigan[50].

IV. CLASIFICACIÓN JURÍDICA DE LOS MONTES

La primera clasificación que distingue a los montes en públicos y privados (los montes de particulares de la anterior ley) viene presidida por la
importante función social que cumplen todos ellos y que supone que se les
apliquen iguales normas referentes a conservación, protección y defensa.

La función social de los montes es definida por la propia ley en su art. 4,
según el cual: "Los montes, independientemente de su titularidad, desempeñan una función social relevante, tanto como fuente de recursos naturales como por ser proveedores de múltiples servicios ambientales, entre
ellos, de protección del suelo y del ciclo hidrológico; de fijación del carbono atmosférico; de depósito de la diversidad biológica y como elementos
fundamentales del paisaje"[51].

---

[47] Vid., art. 31.3. Critica la posibilidad de exclusión del concepto, LÓPEZ RAMÓN, F.,
      "Crítica jurídica...", *cit.*, p. 19. También, CALVO SÁNCHEZ, L., *op. cit.*, p. 648.
[48] El at. 2 indica: "Esta ley es de aplicación a todos los montes españoles de acuerdo con
      el concepto contenido en el art. 5".
[49] Vid., art. 2 LM.
[50] Se trata de La Ley 42/2007, del Patrimonio Natural y de la Biodiversidad. Ley 55/1980,
      de 11 de noviembre de Montes Vecinales en Mano Común, si bien ha de tenerse en
      cuenta la legislación autonómica como es el caso de la Ley de Galicia que incluye la
      regulación sobre montes vecinales en mano común en la propia Ley de Montes de 28
      de junio de 2012, y, por último, la Ley 3/1995, de 3 de marzo, de vías pecuarias.
[51] Puede entenderse que la *función social* de los montes incluye las funciones que los
      montes pueden cumplir y que hemos visto se contienen hoy en el concepto de monte
      para intentar subrayar su definición positiva y su importancia. En todo caso, no creo

Si bien la cuestión de la pertenencia de los Montes a los particulares o al Estado y con ella la distinción entre Montes públicos y privados, debería pasar hoy a un según plano, al considerarse comunes las obligaciones que impone una gestión forestal sostenible y, por tanto, independientes de la titularidad de aquéllos, dos cuestiones obligan a describir brevemente los antecedentes de la clasificación jurídica de los montes. En primer lugar, su característico origen y, en segundo lugar, la confusión producida con posterioridad ante la inseguridad de caracterizar a los montes públicos como demaniales o patrimoniales. El resultado actual es la superposición de las nuevas prioridades ambientales a la regulación tradicional, provocando la confusión entre categorías siendo patente la revisión que aún necesita este aspecto.

1. *Origen de la clasificación jurídica de los Montes*

Tal como ya ha sido explicado por la doctrina, en el proceso desamortizador, la tensión entre el mantenimiento en mano pública o la venta de los bienes del Estado, se manifestó singularmente en el caso de los montes[52].

No existiendo diferencia alguna entre montes públicos y privados, al ser considerados como cualquier otra finca rústica, la primera opción acorde con las tendencias liberalizadoras imperantes en la época fue la de apoyar su venta. Sin embargo, la recepción en nuestro país de la ciencia forestal alemana a principios del XIX, que destacaba la importancia económica y ecológica de los montes, provocó largas discusiones sobre si debían o no

---

que deban confundirse los objetivos que están detrás de ambas disposiciones. La multifuncionalidad de los montes (funciones socioeconómicas y medioambientales) que figuran en todos los documentos e instrumentos internacionales, pretende subrayar la dimensión medioambiental de los bosques y atender a los beneficios que a largo plazo y para la sociedad en su conjunto aquellos proveen. Sin embargo, la mención a la función social de los montes creo que ha de relacionarse con la idea de la delimitación de la propiedad privada que según nuestro art. 33 CE exige que cada ley sectorial, en este caso la forestal o de montes defina el contenido de dicha propiedad privada. A la inversa, también implica el conjunto de obligaciones que pueden imponerse a la propiedad privada forestal por la función social que representa. Aunque referida al Derecho urbanístico, un excelente trabajo sobre la función social de la propiedad privada en el que se recuerda el papel de la ley en su definición, en MUÑOZ GUIJOSA, A., *El Derecho de la propiedad del suelo: de la constitución a la ordenación urbana*, Civitas, Madrid, 2009.

52   Se trata de un fenómeno bien estudiado por la doctrina. En el texto seguimos las principales pautas de tal supuesto que expone MUÑOZ MACHADO, S., en su *Tratado de Derecho Administrativo y Público general*, I, Iustel, 2006, pp. 841 a 845.

venderse e incluirse así en el programa desamortizador. Parecía claro que el Estado debería quedarse con los montes maderables, puesto que necesitan largos turnos para su aprovechamiento, lo que no era rentable para los propietarios privados pero tampoco para los pueblos dados sus problemas financieros. Pero era necesario establecer unos criterios que determinaran objetivamente los montes que podrían venderse frente a los que habían de continuar siendo propiedad del Estado.

Al coincidir la organización de la administración forestal con la tramitación de la Ley Madoz sobre desamortización civil, la excepción a la venta generalizada de los montes logró ser recogida en la norma, si bien de un modo harto ambiguo y otorgando una plena libertad a la Administración para decidir, en su art. 2.6, en relación a "los montes y bosques cuya venta no crea oportuna el Gobierno".

En ausencia de criterios, los enfrentamientos entre los Ministerios de Fomento, favorable a la conservación de los montes, y de Hacienda, que pretendía por el contrario su libre venta, continuaron, por lo que se encargó finalmente a la Junta facultativa de ingenieros de Montes un informe para terciar en la cuestión. El informe, que fue evacuado el 8 de octubre de 1855, proponía que los criterios para decidir la venta se hicieran depender de la especie arbórea dominante, y se propuso su clasificación en tres grupos, perteneciendo al primero los que por razones cosmológicas y económicas no debían ser enajenados, y al tercero los que podían serlo sin problemas. Los criterios para caracterizar los montes a incluir en el segundo grupo seguían sin adoptarse.

Tras sucesivos desencuentros entre los ministerios citados, se implantó por RD de 22 de enero de 1862, una nueva etapa que dio lugar a la sustitución del criterio de la especie arbórea dominante para establecer un nuevo criterio que determinaría las excepciones de venta de aquellos montes que tuvieran al menos 100 hectáreas y estuviesen poblados por tres especies: pino, roble y haya. Esta clasificación pasó a la primera Ley de Montes de 1863 y al RD de 17 de mayo de 1865 que la desarrolló.

Con posterioridad, se decidió incluir en un catálogo, a modo de inventario, aquellos montes que debían ser exceptuados de su venta, mientras que la Ley de Presupuestos de 30 de junio de 1892, dispuso que podrían ser libremente enajenados aquellos cuya venta ni por su importancia ni tampoco por "su influencia en el régimen de aguas" debía impedirse. Ya por último, en esta misma Ley se establece como nuevo criterio, que se segregarán del catálogo aquellos montes que no sean de *utilidad pública* por lo que finalmente resultó que sólo los de utilidad pública quedaron exceptuados de las ventas.

El Real Decreto de 20 de septiembre de 1896, estableció lo que debía entenderse por utilidad pública: "a los efectos del artículo 8 de la Ley de 30 de agosto último, sobre modificación de impuestos, se entenderá que son montes de utilidad pública las masas de arbolado y terrenos forestales que por sus condiciones de situación, de suelo y de área sea necesario para mantener poblados o repoblar de vegetación arbórea forestal, para garantizar por su influencia física en el país o en las comarcas naturales donde tengan su asiento, la salubridad pública, el mejor régimen de las aguas, la seguridad de los terrenos, o la fertilidad de las tierras destinadas a la agricultura, revisándose, con sujeción a este criterio, el actual catálogo de montes exceptuados por su especie y calidad". La relación de montes integrantes del catálogo como consecuencia de exclusión de la desamortización por causa de utilidad pública fue aprobada por Real Decreto de 1 de febrero de 1901[53].

2. *La aplicación de los criterios demaniales a la clasificación de Montes*

Puede así comprobarse la importancia adquirida por el Catálogo de Montes de Utilidad pública, considerado la institución por excelencia del derecho forestal, una vez que abandona su condición de simple inventario de los montes públicos y pasa a convertirse en el primer instrumento que garantiza su protección y les anuda un régimen jurídico específico.

Dichos montes, los catalogados, fueron casi con exclusividad los denominados montes públicos hasta que comenzaron a aplicarse las categorías y principios derivados de la teoría del dominio público[54], cuya elaboración coincide en el tiempo con la clasificación jurídica de los montes. Construida sobre las disposiciones del Código Civil y la elaboración de la doctrina francesa, la teoría del dominio público distinguía los bienes de dominio público, entendidos como propiedad pública del Estado, de los bienes patrimoniales, en cuanto propiedad de aquel pero privada. La mayor protección jurídica que otorgaba la condición de bien demanial, debía ser como consecuencia de la afectación del bien en cuestión al uso público, al servicio público o al fomento de la riqueza nacional[55]. Siendo los patrimoniales, entonces como aún hoy, una categoría residual de los bienes públicos en

---

[53] La posterior Orden Ministerial de 31 de mayo de 1966, dictó las normas oportunas para actualizar el catálogo y mantiene su vigencia aún hoy.

[54] Sobre el origen del dominio público en nuestro país, vid., MUÑOZ MACHADO, S., *Tratado de Derecho público, cit.*, pp. 821 y ss.

[55] Vid., 339 y ss. CC.

los que pesaba especialmente la posibilidad de obtener rentas por su explotación, algo que en la época parecía estar vedado a los demaniales.

La importancia de los montes les hacía para muchos merecedores de la condición de demaniales, que es donde otros bienes han encontrado su mayor protección jurídico-pública[56]. Sin embargo, no todas las notas del régimen demanial les resultaban aplicables. En concreto, la de su imprescriptibilidad, pues vencía ante su posesión en concepto de dueño, pública, pacífica y no interrumpida durante treinta años[57].

Así, un bien encuadrable claramente (al menos hoy) en la categoría del fomento de la riqueza nacional, necesitaba estar afectado a uso o a un servicio público para merecer la condición de demanial si bien, una vez conseguida la protección jurídica de los montes gracias a su inclusión en el Catálogo de Montes y con ello la permanencia de grandes masas forestales en mano pública, la calificación sobre si eran demaniales o patrimoniales podía considerarse subsidiaria, no dejó de reflejarse de manera contradictoria en la legislación posterior. Si la Ley de 1957 expresa en su Preámbulo que "Hoy no es necesario mostrar aquí, como lo fue hace un siglo, las excelencias de los montes ni justificar la necesidad de conservarlos mejorando los existentes...", el Reglamento de 22 de febrero de 1962, dice en su art. II que "Los montes públicos tienen la condición jurídica de *bienes patrimoniales* y que por consiguiente "son de la propiedad privada del Estado o de las Entidades a que pertenecen...". Sin embargo, señala también que "no obstante, tanto los montes del Estado como los de las Provincias, a que se refiere el artículo 282 de la Ley de Régimen Local, y los de los demás entidades públicas, tendrán la condición de *bienes de dominio público* cuando estén adscritos a algún uso público o a algún servicio público".

Tras la CE, los denominados bienes demaniales por naturaleza, resultaron explícitamente incluidos en ella, pero orientado principalmente el art. 132 CE a proteger el dominio público marítimo-terrestre la calificación jurídica de los montes continuó sin ser unánime, entendida su naturaleza bien como propiedad especial, como propiedad pública (demanial equivalente o no a su condición de monte catalogado) o como bien patrimonial

---

[56]   Así entre la doctrina moderna, CASTILLO BLANCO, F., "La propiedad forestal", en SÁNCHEZ MORÓN, M. (Dir.) *Los Bienes públicos. Su régimen jurídico*, Madrid, 1997. Sin embargo, GUAITA, A., en su clásica monografía sobre el Régimen Jurídico administrativo de los montes, *cit.*, optó por considerarlos una propiedad especial pero no demanial.

[57]   Según figuraba en la anterior Ley de Montes y en su reglamento de desarrollo. RM 64.1 y 2) Arts. 14.b) y 64.1 y 2 respectivamente.

y, por tanto, de propiedad privada del Estado hasta la actual legislación que ha procedido a calificar a los montes catalogados también como demaniales.

3. Clases de Montes: públicos y privados

Los montes pueden ser, en primer lugar, públicos o privados.

Son montes públicos, los que pertenecen al Estado, a las Comunidades Autónomas, a las Entidades Locales y a otras corporaciones de derecho público. Mientras que los privados son los pertenecientes a una persona física o jurídica de derecho privado, sea individualmente o en régimen de copropiedad[58].

Los montes privados se gestionan por su titular, tal como anunciaba la Exposición de Motivos al afirmar que "La ley establece como principio general que los propietarios de los montes sean los responsables de su gestión técnica y material, sin perjuicio de las competencias administrativas de las Comunidades Autónomas en todos los casos". Se permite que contraten su gestión con personas físicas o jurídicas, de derecho público o privado, o con los órganos forestales de la Comunidad Autónoma correspondiente, debiendo aprobarse el instrumento de gestión o planificación forestal, de modo que el órgano forestal supervisará así la gestión del monte en cuestión.

Los bienes públicos sin embargo, no siempre se gestionan por sus propietarios, sino que suelen serlo por el órgano forestal competente. En concreto, los Entes Locales, los mayores propietarios públicos de montes en nuestro país, siguen siendo tutelados por las Comunidades Autónomas en las que se integran.

A) Montes públicos: demaniales o patrimoniales

Dentro de los montes públicos han de distinguirse los de dominio público de los patrimoniales. Estos últimos, los patrimoniales, al igual que los bienes patrimoniales en general, se definen como categoría residual[59], es decir, como los de propiedad pública que no sean demaniales sin que la ley

---

[58]　Vid., Art. 12 LM.
[59]　De modo residual se definen tradicionalmente como puede verse en el Código Civil, arts. 340, 341 y 344; en el RBEL, art. 6.1 y en la LPAP, art. 7.1.

les dedique mayor atención. Tan sólo precisa las reglas de su prescripción adquisitiva, por la posesión en concepto de dueño, pública, pacífica e ininterrumpida durante treinta años[60]. Su régimen jurídico ha de buscarse en la legislación de los bienes públicos de la Administración pública, estatal, autonómica o local, titular de los mismos.

Los montes demaniales, son ahora no sólo los que hayan sido afectados a un uso o servicio público, como corresponde al concepto tradicional de bienes demaniales, sino los montes incluidos en el Catálogo de Montes de Utilidad Pública[61], verdadera novedad de la LM, y también los montes comunales.

La clasificación de los montes catalogados entre los demaniales había sido ya adelantada por la legislación forestal de algunas Comunidades Autónomas[62], las que también pueden a partir de la LM incluir montes en el Catálogo de Utilidad Pública[63]. En concreto, cuando cumplan algunas de las características de los montes protectores u otras figuras de especial protección, o los que sin reunir todas sus características, sean destinados a la restauración, repoblación o mejora forestal con los fines protectores de aquéllos, además de los que establezca la legislación de la Comunidad Autónoma correspondiente.

Como ha sido ya observado, la categoría de los Montes Catalogados, gracias a la inclusión en el Catálogo de aquellos considerados de utilidad pública, era el instrumento específico de la legislación forestal que otorgaba la máxima protección a los montes, equiparable en su función con la otorgada a los bienes demaniales, con la excepción de la nota de la imprescriptibilidad.

---

[60] Vid., art. 19, donde figuran también nuevas reglas para la interrupción de la prescripción.

[61] Sobre las dificultades para demanializar todos los montes públicos, optándose finalmente por considerar demaniales a los catalogados, CALVO, J. L., *op. cit.*, pp. 666 y 667.

[62] La primera ley que califica los montes públicos de demaniales es la Ley 2/1992, de 15 de junio, Forestal de Andalucía. Después, también la Comunidad Valenciana aplicó la categoría demanial a sus montes públicos pero manteniendo los montes catalogados como categoría separada de aquéllos. Vid., Ley 3/1993, de 9 de diciembre, Forestal de la Comunidad Valenciana.

[63] El catálogo es un registro público de carácter administrativo cuya llevanza corresponde a las Comunidades Autónomas en sus respectivos territorios. Éstas darán traslado al Ministerio de Medio Ambiente de las inscripciones que realicen, así como de las resoluciones administrativas y sentencias judiciales firmes que conlleven modificaciones en el catálogo, incluidas las que atañen a permutas, prevalencias y resoluciones que supongan la revisión y actualización de los montes catalogados.

La utilidad pública que determinaba la inclusión en el catálogo venía referida por la función defensiva que determinados montes aportaban al sistema hidrogeológico. Estas causas vienen hoy recogidas en el art. 24 LM, que viene a recoger los supuestos de la legislación anterior. Se han añadido como causas de su inclusión, la de que contribuyan a la preservación de la biodiversidad y la de montes incluidos en algunas de las figuras de los planes de protección de los recursos naturales[64]. El régimen jurídico anudado a la inclusión en el Catálogo de los montes debe considerarse hoy superado por el régimen demanial al que pertenecen: Los montes de dominio público forestal son inalienables, imprescriptibles e inembargables, no estando sujetos a tributo alguno[65]

No es fácil señalar los objetivos perseguidos con esta inclusión de los montes catalogados en el régimen del dominio público sin que al tiempo se haya procedido a unificar verdaderamente su régimen jurídico, existiendo en ocasiones reglas jurídicas diferentes para los montes catalogados[66].

Si bien en la Estrategia Forestal, se ofrece alguna razón para otorgar a la titularidad de los montes un papel secundario, parece ser realmente la ausencia de un régimen jurídico alternativo que otorgue igual protección jurídica que la que ofrecen las categorías demaniales, la razón que ha aconsejado incluirlos en dicha categoría. Las claras razones ofrecidas en este documento merecen su reproducción en este texto. Así, la Estrategia Forestal, afirma

> "que ya no tiene sentido mantener como norma básica una legislación que, entre otros aspectos, fundamenta el control y los incentivos económicos en categorías basadas en la titularidad, lo que a la luz de la resolución firmada en la Conferencia de Lisboa no resulta aplicable en toda su magnitud. Sin embargo, el hecho de que todavía hoy en gran parte los contornos de los actuales Montes de Utilidad Pública coincidan con espacios naturales declarados como protegidos, hasta el punto de que en muchos de ellos sus límites coinciden con el suelo no desarrollado urbanística o agrariamente, o con potenciales corredores, islas o pulmones ecológicos, hace pensar que abandonar totalmente la categoría, sin sustituirla por otras figuras alternativas puede suponer un enorme riesgo para la conservación de la Naturaleza y de las propias masas forestales.
>
> Debe tenerse en cuenta, además, que el Catálogo de Montes de Utilidad Pública cumple también funciones de seguridad jurídica esenciales para las Administraciones Públicas como la presunción posesoria o el régimen de inembargabilidad, inalienabilidad e imprescriptibilidad, por lo que su desaparición, sin la creación de un régimen similar de protección jurídica, supondría dejar innumerables bienes es-

---

[64] Vid. Art. 24.bis LM.
[65] Vid., art. 14 LM.
[66] Es el caso de la desafectación vid., art. 17 LM.

tatales con múltiples funciones sociales indefensos ante presiones exteriores al sector. Asimismo, dada la manifiesta carencia de medios en la inmensa mayoría de los
Ayuntamientos rurales, la Administración Forestal no puede hacer dejación, hoy por
hoy, de la tutela que ejerce sobre los montes catalogados de pertenencia municipal,
excepción hecha de aquellas Corporaciones Locales que acrediten su suficiencia de
medios técnicos o de las que a tal fin se mancomunen convenientemente"[67].

Subyace en todo caso en el documento la idea de que los montes están
mejor conservados y protegidos en manos de las Administraciones públicas
que en manos de particulares, lo que dada la imposición actual de obligaciones comunes y la supervisión del órgano forestal competente, como
veremos, de sus usos y aprovechamiento forestales a lo fijado en sus planes
de ordenación, puede hacer ya indispensable la revisión de las viejas reglas
contenidas aún hoy en la LM procedentes de otras épocas ya pretéritas[68].
Aunque posiblemente, la necesidad de la revisión de las categorías de Montes no pueda llevarse a cabo sin proceder antes a la revisión de la regulación de los bienes o cosas públicas en general.

B) Montes protectores y protección de montes

La última clasificación que menciona la ley es precisamente la de los
montes protectores y otras figuras de especial protección *de montes*. Los
primeros son los situados en cabeceras de cuencas hidrográficas o aquéllos
que contribuyan a la regulación del régimen hidrológico o a la conservación de suelos frente a procesos de erosión, mientras que los segundos
reúnen en sí mismos valores dignos de protección[69].

Ambos deben ser aprobados tras la declaración como tales por la Administración forestal de la Comunidad Autónoma correspondiente, previo
expediente en el que deben ser oídos los propietarios y la entidad local

---

[67]   Vid. pp. 111 y 112 de la Estrategia Forestal Española.
[68]   Es el caso del Derecho de retracto forestal que ha sido objeto de una reciente juris-
       prudencia contencioso administrativa estudiada por CANO CAMPOS, T., "Privaciones
       patrimoniales y retractos forestales sin causa (un supuesto de invalidez sobrevenida de
       los actos administrativos. Comentario a la STS de 21 de marzo de 2011)", *El Cronista del
       Estado Social y de Derecho*, núm. 22, 2011, pp. 50 a 57. Y, en especial, respecto a la política
       andaluza, CARRILLO SALCEDO, J. A., "Hacia la configuración de un Derecho de
       "reversión" del ejercicio de tanteos y retractos forestales por pérdida sobrevenida de la
       causa. A propósito de la STS de 21 de marzo de 2011", *REDA*, 2012, núm. 154, pp. 209
       a 235.
[69]   Vid., arts. 24 y 24bis. CALVO SÁNCHEZ, L., *op. cit.*, habla por ello, de montes protec-
       tores y protegidos, pp. 658 y 659.

donde radiquen. La desclasificación sigue igual procedimiento una vez que desaparezcan las circunstancias que justificaron la declaración de la que se trate. Las Comunidades Autónomas que procedan a declarar montes protectores u otras figuras de especial protección han de crear los correspondientes registros administrativos, pero su inclusión no lleva aparejado el régimen jurídico que seguía a los montes catalogados. La gestión de estos montes corresponde a sus propietarios, quienes, en defecto de PORF aprobado, han de presentar el correspondiente proyecto de ordenación o plan dasocrático.

Antes de comentar el régimen de los usos y aprovechamiento forestales ha de explicarse en qué consiste la gestión y la ordenación forestal impuesta por la ley que garantizan que sean conformes con un uso sostenible de los montes.

V. GESTIÓN FORESTAL

Si la gestión forestal sostenible, ha de erigirse en el principio alrededor del que gire toda la regulación forestal, la necesidad de contar con una ordenación de los montes que regule sus usos y aprovechamientos, estableciendo preferencias y prioridades, parece evidente y ello sólo se puede elaborar si se dispone previamente de suficiente información que permita aprobar los correspondientes instrumentos o planes de ordenación[70].

1. *Información Forestal*

La información forestal es lógicamente, por tanto, el punto de partida del resto de pasos de la ordenación y la gestión sostenible de los recursos forestales, por lo que no parece difícil justificar la inclusión de un artículo sobre la *Estadística forestal española*, enmarcado en el capítulo I titulado Información forestal del título III, dedicado a la gestión forestal sostenible. Pero su inserción en la norma cumple sobre todo con los requerimientos de información estadística que figuran en el Reglamento CEE 1615/1989,

---

[70] La definición que de gestión forestal sostenible ofrece la propia ley en su art. 6, es la siguiente: la organización, administración y uso de los montes de forma e intensidad que permita mantener su biodiversidad, productividad, vitalidad, potencialidad y capacidad de regeneración, para atender, ahora y en el futuro, las funciones ecológicas, económicas y sociales relevantes en el ámbito local, nacional y global, y sin producir daños a otros ecosistemas.

del Consejo, de 29 de mayo, por el que se crea un Sistema de Información y Comunicación Forestal y que se mantiene como objetivo para la creación de un sistema europeo, según se puede observarse en el *Libro Verde sobre protección de los bosques e información forestal en la UE,* ya citado.

Los instrumentos de información son el Inventario Forestal Nacional, el Mapa Forestal de España y el Inventario Nacional de Erosión de suelos que integrarán la *Estadística Forestal Española,* con el fin de tener conocimiento actualizado de toda la información forestal relevante. En concreto, la LM menciona la relativa a repoblaciones, relación de montes ordenados, producción forestal y actividades industriales forestales, incendios forestales, seguimiento de la interacción de los montes y el medio ambiente, caracterización del territorio forestal incluidos en la Red Natura 2000, diversidad biológica de los montes de España, estado de protección y conservación de los principales ecosistemas forestales españoles y efectos del cambio climático en los mismos o la percepción social de los montes.

La sistematización de la información se ha buscado mediante distintos procedimientos de coordinación entre el Ministerio de Medio Ambiente, el de Agricultura y entre aquél y las demás Administraciones públicas competentes y se prevé su puesta a disposición a favor del resto de Administraciones públicas, pero también de empresas, industrias forestales y demás agentes interesados, siendo de acceso público al incluirse de forma obligatoria en el Banco de Datos de la Naturaleza.

2. Ordenación de los montes

Los instrumentos que la LM refiere para ordenar el uso de los recursos forestales son la Estrategia Forestal y el Plan Forestal Español, por un lado y los Planes de Ordenación de los Recursos Forestales (PORF) por otro, que si bien se recogen todos bajo el capítulo II, denominado "Planificación Forestal", tienen distinta naturaleza pues sólo los segundos tienen naturaleza jurídica.

A) Planificación de la política forestal: La Estrategia Forestal Española y el Plan Forestal Español

La *Estrategia Forestal,* se define en la propia LM, como documento de referencia para establecer la política forestal española, y ha de contener "el diagnóstico de la situación de los montes y del sector forestal español, las previsiones de futuro, de conformidad con sus propias necesidades y con los compromisos contraídos por España, y las directrices que permiten articular la política forestal española".

Se elabora por el Ministerio de Medio Ambiente, oídos el resto de ministerios afectados, con la participación de las Comunidades Autónomas y con el informe de la Comisión Nacional de Protección de la Naturaleza y del Consejo Nacional de Bosques, previo informe favorable de la conferencia sectorial, para ser finalmente aprobada por el Consejo de Ministros mediante acuerdo[71].

El Consejo de Ministros también aprueba mediante acuerdo, el *Plan forestal español*, un instrumento de planificación a largo plazo de la política forestal española que desarrolla al documento anterior (la Estrategia forestal española), y es elaborado por el Ministerio de Medio Ambiente en colaboración con las Comunidades Autónomas, teniendo en cuenta sus planes forestales y los informes de la Comisión Nacional de Protección de la Naturaleza y del Consejo Nacional de Bosques, previo informe favorable de la conferencia sectorial.

Ambos documentos (Estrategia forestal española y Plan forestal español) fueron aprobados con carácter previo a la promulgación de la LM, y adelantaban la filosofía y los principios que después se recogerían en la Ley y que ésta pareció validar[72].

B) Planes de ordenación de los recursos forestales

En qué consiste la ordenación de los montes nos lo dice el Plan Forestal Español, donde se subraya que se trata de una herramienta indispensable de la gestión sostenible y también se indica que ordenar un monte implica fijar unos objetivos y definir las acciones necesarias para su consecución, ejecutar lo planificado y evaluar el grado de cumplimiento[73].

Puesto que una gestión forestal sostenible, que como se apuntaba al comienzo de estas páginas, ha de equilibrar las dimensiones ambiental y económica forestales, resulta coherente que una planificación ordene los recursos forestales. La insistencia en la planificación de los recursos forestales se deduce tanto de la ley como, sobre todo, de los documentos mencionados, la Estrategia y el Plan Forestal español.

---

[71]   Vid., art. 29 LM.
[72]   Sobre su tramitación, vid., LÓPEZ RAMÓN, F., "Crítica Jurídica de la nueva Ley de Montes", REDA, núm. 121, 2004, pp. 9 a 12.
[73]   Vid., Plan Forestal Español, p. 82.

Dicha ordenación forestal se ha entregado a los Planes de Ordenación de Recursos Forestales (PORF), que se enmarcan además en la planificación de la ordenación del territorio. Estos instrumentos se inspiran confesadamente en los Planes de Ordenación de Recursos Naturales (PORN), procedentes de la legislación de la conservación de la naturaleza y espacios naturales protegidos, participando de su misma identidad.

No obstante, es importante subrayar que, pese a lo razonable de su existencia como instrumento para cumplir los objetivos de la ley, y la insistencia en su importancia, no todos los montes han de dotarse de un PORF e incluso pueden sustituirse por otras figuras de planeamiento ambiental o forestal.

En primer lugar, porque son las Comunidades Autónomas las que deciden si aprueban este instrumento para lo que previamente han de delimitar el territorio a planificar, que harán "cuando las condiciones de mercado de los productos forestales, los servicios y beneficios generados por los montes o cualquier otro aspecto de índole forestal que se estime conveniente sean de especial relevancia socioeconómica en tales territorios"[74]. La LM señala a este respecto que la delimitación territorial que abarca un PORF, es la comarcal respecto a aquellos "territorios forestales con características geográficas, socioeconómicas, ecológicas, culturales o paisajísticas homogéneas, de extensión comarcal o equivalente", aunque se prevé su adecuación a la ordenación del territorio y las divisiones administrativas propias de la Comunidad Autónoma respectiva[75].

En segundo lugar, cuando ya exista un plan aprobado de ordenación de recursos naturales, de conformidad con la Ley 4/1989, de 27 de marzo de Conservación de los Espacios Naturales y de la Fauna y la Flora Silvestres u otro plan equivalente de acuerdo con la normativa autonómica, que abarque el mismo territorio forestal que el delimitado en los términos anteriormente indicados, estos planes podrán tener el carácter de un Plan de Ordenación de Recursos Forestales (PORF), y por tanto, hacer a éste innecesario[76]. Para que ello sea posible ha de contarse con el informe favorable del órgano forestal cuando sea distinto del órgano que aprueba el Plan de Ordenación de los Recursos Naturales (PORN). La razón que se ha dado para explicar esta aparente contradicción de la filosofía ordenadora de la ley, es que, en realidad, los terrenos forestales ya están incluidos, en

---

[74]   Vid., art. 31.5 LM.
[75]   Vid., art. 31.4 LM.
[76]   Vid., art. 31.8 LM.

numerosas ocasiones, en espacios naturales protegidos[77]. Además, muchas Comunidades Autónomas ya tenían su propio instrumento de ordenación, por lo que parece que evitar duplicidades innecesarias en ambos casos ha sido el motivo de admitir la alternativa entre varias figuras de planeamiento prevista por la LM[78].

Estos instrumentos, integrados en la ordenación del territorio, se elaboran por las Comunidades Autónomas, siendo su contenido obligatorio y ejecutivo en las materias reguladas por la LM[79], mientras que respecto a otras actuaciones, planes o programas sectoriales, tendrán un carácter indicativo. La ley prevé un amplio cauce de participación ciudadana en su elaboración, pues incluye la consulta o audiencia a todos los interesados, las entidades locales, los propietarios privados a través de sus órganos de representación y a los demás afectados sociales e institucionales interesados, previéndose también el trámite de información pública. Pero olvida un importante aspecto como es el de su articulación con el resto de planes sin que se les dote de la prevalencia de que gozan los PORN.

En todo caso, y más sorprendente aún, es que insistiéndose en la necesidad de dicho planeamiento, en tanto que "herramienta indispensable" o de una gestión forestal sostenible, se admita con tanta facilidad, no que se

---

[77] Un 77% de ellos son terrenos forestales, Vid., PFE, p. 18.
[78] Así lo interpreta CALVO SÁNCHEZ, L., *op. cit.*, pp. 686 y 687.
[79] El contenido que pueden albergar se contiene en el art. 31.6 LM: Delimitación del ámbito territorial y caracterización del medio físico y biológico; b) Descripción y análisis de los montes y los paisajes existentes en ese territorio, sus usos y aprovechamientos actuales, en particular los usos tradicionales, así como las figuras de protección existentes, incluyendo las vías pecuarias; c) Aspectos jurídico-administrativos: titularidad, montes catalogados, mancomunidades, agrupaciones de propietarios, proyectos de ordenación u otros instrumentos de gestión o planificación vigentes; d) Características socioeconómicas: demografía, disponibilidad de mano de obra especializada, tasas de paro, industrias forestales, incluidas las dedicadas al aprovechamiento energético de la biomasa forestal y las destinadas al desarrollo del turismo rural; e) Zonificación por usos y vocación del territorio. Objetivos, compatibilidades y prioridades; f) Planificación de las acciones necesarias para el cumplimiento de los objetivos fijados en el plan, incorporando las previsiones de repoblación, restauración hidrológico-forestal, prevención y extinción de incendios, regulación de usos recreativos y ordenación de montes, incluyendo, cuando proceda, la ordenación cinegética, piscícola y micológica g) Establecimiento del marco en el que podrán suscribirse acuerdos, convenios y contratos entre la Administración y los propietarios para la gestión de los montes; h) Establecimiento de las directrices para la ordenación y aprovechamiento de los montes, garantizando que no se ponga en peligro la persistencia de los ecosistemas y se mantenga la capacidad productiva de los montes; i) criterios básicos para el control, seguimiento, evaluación y plazos para la revisión del plan.

acuda a otro plan sino llanamente el hecho de que no existan[80]. En dicho caso, se prevé que se atengan en diversos aspectos, como es el caso de los aprovechamientos, a lo dispuesto por los instrumentos de gestión de los montes: los proyectos de ordenación o lo planes dasocráticos.

C) Proyectos de Ordenación y planes dasocráticos

A los anteriores Planes de Ordenación de Recursos Forestales (PORF), siguen los proyectos de ordenación y por último los planes dasocráticos que, en cuanto instrumento de gestión forestal, están vinculados a los primeros[81].

Los proyectos de ordenación se definen como el documento que sintetiza la organización en el tiempo y en el espacio de la utilización sostenible de los recursos forestales, maderables y no maderables, en un monte o grupo de montes. Y el plan dasocrático o plan técnico es el proyecto de ordenación de montes que por su singularidad —pequeña extensión, funciones preferentes distintas a las de producción de madera o corcho, masas inmaduras, etc.— precisa una regulación más sencilla de la gestión de sus recursos arbóreos[82].

Tras la elaboración del *Plan Forestal Español* se comprobó que muy pocos montes contaban con un instrumento de ordenación, fuesen aquéllos públicos o privados. En primer lugar, la ordenación ha venido ocupándose principalmente de los suelos por sus condiciones urbanísticas olvidándose de los rústicos y, en otro orden, ni las Administraciones públicas parecían tener fondos o disponerlos para la elaboración de dichos instrumentos, mientras que para los particulares, la actividad forestal seguía sin representar una actividad rentable[83]. Por ello ahora, la LM fomenta que las Administraciones impulsen técnica y económicamente la ordenación de todos

---

[80]   Arts. 23.3: 36.3, 37.a).

[81]   Así se indica en la propia ley cuando advierte en su art. 33.4 que el instrumento de gestión forestal "deberá tener como referencia, en su caso, el PORF, en cuyo ámbito se encuentre el monte". En el mismo sentido, se dispone que el PORF ha de contener el "establecimiento de las directrices para la ordenación y aprovechamiento de los montes", vid., art. 31.6.h). Por último, "Los aprovechamientos de los recursos forestales se realizarán de acuerdo con las prescripciones para la gestión de montes establecidas en los correspondientes planes de ordenación de recursos forestales, cuando existan". Los aprovechamientos se condicionan por tales instrumentos, tal como se recoge en el art. 36.2.

[82]   Vid., art. 6.-ñ).

[83]   Vid., PFE, p. 83.

los montes, sean públicos o privados, a diferencia de su primera versión donde tal obligación sólo incumbía a los públicos. Si bien, esta exigencia vuelve a relativizarse pues son las Comunidades Autónomas de nuevo, las que concretan esta obligación al determinar la superficie que conforme a las características de su territorio deba incluirse en esta obligación[84]. Y, porque la ley también prevé un amplio espacio temporal para proceder a su aprobación: quince años desde la entrada en vigor de la ley, según se dispone en la Disposición Transitoria 2ª.

La ordenación de los montes está informada por unas instrucciones básicas que deberán ser elaboradas por el Ministerio de Medio Ambiente y las Comunidades Autónomas a través de la Conferencia Sectorial previa consulta al Consejo Nacional de Bosques, e informadas por la Comisión nacional de Protección de la Naturaleza y propuestas para su aprobación por real decreto. La iniciativa para aprobar el concreto proyecto de ordenación o plan dasocrático, partirá del titular del monte o bien del órgano forestal competente, pues ha de tenerse en cuenta que, en ocasiones, la misma Administración pública puede ser la titular del monte. En el caso de que lo sean las entidades locales, deberán informar el proyecto con anterioridad a su aprobación[85], pues puede ser que no tengan atribuida la gestión del mismo, como ha sido tradicionalmente. Queda así relativizada la anunciada participación de dichas Administraciones en la Exposición de Motivos de la LM "reconociendo con ello su papel como principales propietarios forestales públicos en España y su contribución a la conservación de unos recursos naturales que benefician a toda la sociedad". En su art. 9 se dispone que "en el marco de la legislación básica del Estado y de la legislación de las Comunidades Autónomas, ejercen las siguientes competencias[86]:

a) La gestión de los montes de su titularidad no incluidos en el Catálogo de Montes de Utilidad Pública.

b) La gestión de los montes catalogados de su titularidad cuando así se disponga en la legislación forestal de la comunidad autónoma

c) La disposición del rendimiento económico de los aprovechamientos forestales de todos los montes de su titularidad, sin perjuicio de lo dispuesto en el artículo 38 de la Ley de Montes en relación con el

---

[84]   Art. 33.2LM.
[85]   Vid., art. 9.b) y d).
[86]   El TRRL y el RBEL, atribuyen a los entes locales en sus arts. 84 y 38 a 40, respectivamente, competencias de ordenación, explotación y mejora de sus montes.

fondo de mejoras de montes catalogados o, en su caso, de lo dispuesto en la normativa autonómica.

d) La emisión del informe preceptivo en el procedimiento de elaboración de los instrumentos de gestión relativos a los montes de su titularidad incluidos en el Catálogo de Montes de Utilidad Pública

e) La emisión de otros informes preceptivos previstos en esta ley, relativos a los montes de su titularidad

f) Aquellas otras que, en la materia objeto de esta ley, les atribuya, de manera expresa, la legislación forestal de la comunidad autónoma u otras leyes que resulten de aplicación".

En un intento de concienciar al público de la necesidad de los instrumentos de ordenación forestal la LM ha incluido la posibilidad de que se emita una certificación forestal que garantiza que la gestión forestal es conforme con los criterios ambientales, económicos y sociales, en la línea de lo ya previsto en diversos sistemas internacionales y también el consumo responsable de los productos forestales[87].

VI. RÉGIMEN DE USOS Y APROVECHAMIENTOS FORESTALES

La ley de Montes dedica su art. 15 al régimen de los usos del dominio público forestal y sin mencionar la distinción entre uso común, especial y privativo, viene a regular una parecida intervención administrativa a la que se produce en aquellos casos que el uso ha de autorizarse en todo caso por la Administración gestora de los montes demaniales.

En primer lugar, lo que podría considerarse un uso común, que por definición es libre y accesible a todos sin observar más restricciones que las que regulan la compatibilidad en el mismo, resulta desdibujada por cuanto parece ser que es la Administración gestora la que "puede" dar carácter público a aquellos usos respetuosos con el medio natural, siempre que se realicen sin ánimo de lucro y de acuerdo con la normativa vigente, en particular con lo previsto en los instrumentos de planificación y gestión aplicables "y cuando sean compatibles con los aprovechamiento, autoriza-

---

[87] La LM también ha previsto que en los procedimientos de contratación pública, las AAPP adopten: "las medidas oportunas para evitar la adquisición de madera y productos derivados procedentes de talas ilegales de terceros países y para favorecer la adquisición de aquéllos procedentes de bosques certificados". Vid., art. 35.

ción o concesiones legalmente establecidos". De la disposición legal no se deduce ninguna preferencia del uso común respecto a otros usos, como los aprovechamientos o aquellos cubiertos por autorizaciones o concesiones, lo que invierte la lógica tradicional demanial.

Los usos que implican la utilización privativa del dominio público forestal se someten al otorgamiento de una concesión, mientras que las actividades que por su intensidad, peligrosidad o rentabilidad lo requieran, exigen la obtención de una autorización para su práctica. Y en ambos supuestos, si se trata de montes catalogados el órgano forestal de la comunidad autónoma debe emitir un informe preceptivo y favorable a la correspondiente actividad.

Ha de tenerse en cuenta, en segundo lugar, que los aprovechamiento forestales reciben una regulación distinta, en otro capítulo de la ley, donde se establece un régimen común para todos con independencia de la clase de monte donde se realicen. Es decir, su régimen es de aplicación a toda clase de montes, sean privados o públicos y dentro de estos últimos, sean demaniales o patrimoniales, estén catalogados o no.

Los aprovechamientos forestales se definen como "los maderables, leñosos, incluida la biomasa forestal, los de corcho, pastos, caza, frutos, hongos, plantas aromáticas y medicinales, productos apícolas y los demás productos y servicios con valor de mercado característicos de los montes"[88], y su regulación se remite a los arts. 36 y 37 LM que distinguen entre los aprovechamientos forestales y los maderables y leñosos.

El titular del monte será el propietario de los recursos forestales producidos en su monte, si bien ha de sujetarse a las prescripciones establecidas en el PORF, si lo hubiere y también en su caso al proyecto de ordenación, plan dasocrático o instrumento equivalente.

En el caso de aprovechamientos maderables y leñosos, el titular del aprovechamiento deberá comunicarlo al órgano forestal quien comprobará si se ajusta al correspondiente instrumento de ordenación, exigiéndose autorización previa en caso de que no exista instrumento aprobado. Si es el órgano forestal quien gestiona estos aprovechamientos habrá de estarse a lo que regule la Comunidad Autónoma[89].

---

[88]   Vid., Art. 6.-i).
[89]   No parece de recibo según ha explicado la doctrina, que en tal caso, se entregue la regulación de los aprovechamientos a los que diga el propio órgano forestal. Vid., CALVO SÁNCHEZ, L., *op. cit.*, pp. 695 a 697.

VII. INCENDIOS FORESTALES

La preocupación por la lucha contra los incendios ha de ser una constante de toda política forestal y así vimos cómo con anterioridad a la aprobación de la LM de 2003, este objetivo contaba con su legislación específica, en concreto, con la ley de Incendios Forestales 81/1968, de 5 de diciembre y el Reglamento aprobado por Decreto 3769/1972, de 23 de diciembre. Hoy, todo el territorio español está clasificado como zona de alto riesgo en la Decisión de la Comisión de la Unión Europea de 24 de junio de 1993 y se disponen distintas medidas entre las que ha de mencionarse la coordinación entre el Estado y las Comunidades Autónomas de programas que buscan investigar las causas de los incendios, pues no siempre son intencionados sino producto en muchas ocasiones de la negligencia, lo que revela la escasa cultura ambiental de conservación de la naturaleza, o la errónea política de repoblación forestal. Por ello, entre otras medidas como la regulación de montes y áreas colindantes del ejercicio de todas aquellas actividades que puedan dar lugar a riesgo de incendio, vigilancia disuasoria de las fuerzas y cuerpos de seguridad, constitución y formación de grupos de voluntarios para colaborar en la prevención de incendios, también se dispone la delimitación de "zonas de alto riesgo de incendio" a declarar por las Comunidades Autónomas, que contarán con sus respectivos planes de defensa.

El director técnico de la operación tiene la condición de agente de la autoridad y puede movilizar medios públicos y privados para actuar de acuerdo con el plan de operaciones. Se incluye la posibilidad de entrada de medios y equipos en fincas forestales sin contar con la autorización de su propietario, circulación por caminos privados, etc. en zonas en las que se estime que pueden ser consumidas por el incendio. Se contempla también la obligación de aviso.

Las competencias estatales se limitan a la homologación de la formación, preparación y equipamiento del personal y la normalización de los medios materiales que intervengan en los trabajos de extinción.

Se dedica a la materia el capítulo III del Título IV "Conservación y protección de montes" de la LM, con pocos artículos si tenemos en cuenta dicha legislación anterior. Sin embargo, ha de observarse que la competencia tanto para la extinción como para la prevención corresponde a las CCAA y así han incluido este aspecto en su legislación forestal, a veces dedicándoles una ley específica como es el caso de la Ley 5/2004, de 24 de junio, de Prevención y Lucha contra los Incendios Forestales, de Extremadura. Son, en todo caso, las CCAA las que disponen un mando unificado para cada incendio.

Inicialmente la LM había dispuesto en su art. 50 que "las Comunidades Autónomas deberán garantizar las condiciones para la restauración de la vegetación de los terrenos forestales incendiados, quedando prohibido el cambio del uso forestal por razón del incendio. Igualmente, determinarán los plazos y procedimientos para hacer efectiva esta prohibición".

La modificación del año 2006, ha incidido en esta cuestión estableciendo la prohibición de cambiar el uso forestal del suelo quemado para convertirlo en urbanizable antes del transcurso de un periodo de 30 años, que es el plazo considerado como mínimo para que se pueda permitir la regeneración de la vegetación forestal. Esta medida que persigue claramente evitar que aumenten las expectativas de recalificaciones futuras de suelos no urbanizables, ha sido adoptada por alguna Comunidad Autónoma, como es el caso de la Ley 3/2008, de 12 de junio, de Montes y Gestión Sostenible de Castilla-La Mancha.

Finalmente también se contempla parecida medida en la legislación estatal urbanística con una referencia a los suelos forestales incendiados, de modo que los terrenos forestales que hayan sido incendiados han de permanecer en la situación de suelo rural y destinados al uso forestal, al menos durante el plazo previsto en la Ley estatal de Montes. Es la Administración forestal la que debe comunicar al registro de la Propiedad el supuesto del terreno incendiado. El título para la inscripción es la certificación emitida por aquélla con los datos catastrales que identifican las fincas de que se trate acompañadas del plano topográfico de los terrenos incendiados[90].

Además ha de señalarse que según el Código Penal, ya en 1995, se atribuyó a Jueces y Tribunales la potestad de acordar que la calificación del suelo en las zonas afectadas por un incendio forestal no pueda modificarse en un plazo de hasta treinta años. Igualmente podrán acordar que se limiten o supriman los usos que se vinieran llevando a cabo en las zonas afectadas por el incendio, así como la intervención administrativa de la madera quemada procedente del incendio[91].

---

[90] Vid., DA 6ª de la Ley 8/2007 incluida hoy en el Decreto legislativo 2/2008 de 20 de junio por el que se aprueba el Texto Refundido de la Ley del Suelo.

[91] Vid., art. 355 del Código Penal.

BIBLIOGRAFÍA

CALVO SÁNCHEZ, L. (Coord.), *Comentarios sistemáticos a la Ley 43/2003, de 21 de noviembre de Montes*, Thomson-Civitas, Cizur Menor, 2005.
- "Régimen Jurídico de los Montes", en GONZÁLEZ GARCÍA, J. (Dir.) *Derecho de los bienes públicos*, 2ª ed., Tirant lo Blanch, Valencia, 2009.

CALVO SÁNCHEZ, L., y MENÉNDEZ SEBASTIÁN, E., "Montes y Urbanismo", en MARTÍN REBOLLO, L., y BUSTILLO BOLADO, R. (Coords.), *Fundamentos de Derecho Urbanístico*, T. II, Thomson Reuters, Madrid, 2009, pp. 1770 a 1804.

CANO CAMPOS, T., "Privaciones patrimoniales y retractos forestales sin causa (un supuesto de invalidez sobrevenida de los actos administrativos. Comentario a la STS de 21 de marzo de 2011)", *El Cronista del Estado Social y de Derecho*, núm. 22, 2011, pp. 50 a 57.

CARRILLO SALCEDO, J. A., "Hacia la configuración de un Derecho de "reversión" del ejercicio de tanteos y retractos forestales por pérdida sobrevenida de la causa. A propósito de la STS de 21 de marzo de 2011", *REDA*, 2012, núm. 154, pp. 209 a 235.

CASTILLO BLANCO, F. A., "La propiedad forestal" en M. SÁNCHEZ MORÓN, *Los Bienes públicos (Régimen jurídico)*, Tecnos, 1997, Madrid, pp. 261 a 300.

DE VICENTE DOMINGO, R., *Espacios forestales (su ordenación como recurso forestal)*, 1995, Civitas, Madrid, 1995.

ESTEVE PARDO, J., *Realidad y perspectivas de la ordenación jurídica de los montes (función ecológica y explotación racional)*, Civitas, Madrid, 1995.

GONZÁLEZ BUSTOS, Mª A., "La política forestal de la Unión Europea y su influencia en la Política Forestal Española", *Noticias de la Unión Europea*, núm. 240, 2005, pp. 35 a 44.

GUAITA, A, *Régimen jurídico-administrativo de los montes*, Porto y Cía, Santiago de Compostela, 1956.

LÁZARO BENITO, F., *La Ordenación constitucional de los recursos forestales*, Tecnos, Madrid, 1993.

LÓPEZ RAMÓN, F. (2002), *Principios de Derecho Forestal*, Aranzadi, Cizur Menor, 2002.
- "Crítica jurídica de la nueva Ley de Montes", *REDA*, núm. 121, pp. 5 a 24.

MARTÍN MATEO, R., 1997, *Tratado de Derecho Ambiental*, T. III, Trivium, Madrid

MORENO MOLINA, J. A., *La protección ambiental de los bosques*, Marcial Pons, Madrid.
- "Protección Jurídica de los montes", en PAREJO ALFONSO, L., PALOMAR OLMEDA, A. (Dirs.) *Derecho de los bienes públicos*, T. III, Aranzadi, Madrid, pp. 429 a 465.
- "Montes y urbanismo," en LÓPEZ RAMÓN, F., ESCARTÍN ESCUDÉ, V. (Dirs.), *Bienes Públicos, Urbanismo y Medio Ambiente*, Marcial Pons, Madrid, 2013, pp. 445 a 460.

MUÑOZ MACHADO, S., *Tratado de Derecho administrativo y Derecho Público General*, vol. I, 3ª ed., Iustel, Madrid, 2011.

PIZARRO NEVADO, R., *Conservación y mejora de terrenos forestales. Régimen jurídico de la repoblación*, Lex Nova, Valladolid, 2000.

ROMERO REY, C., "Aproximación al nuevo régimen jurídico forestal español: La Ley 43/2003, de 21 de noviembre", *Actualidad Administrativa*, núm. 8, 2005, pp. 900 a 916.

SARASÍBAR IRIARTE, M, "La necesaria construcción de un concepto jurídico independiente de bosque", *RAAP*, 28, 2006, pp. 11 a 36.
- *El Derecho Forestal ante el cambio climático: las funciones ambientales de los bosques*, Thomson-Aranzadi, Cizur Menor, Navarra, 2007.
- "Montes y medio ambiente", en LÓPEZ RAMÓN, F., ESCARTÍN ESCUDÉ, V., *Bienes Públicos y Urbanismo*, Marcial Pons, 2013, Madrid, pp. 461 a 481.

Capítulo XVI
Vías pecuarias

JUAN ANTONIO CARRILLO DONAIRE
Profesor Titular de Derecho Administrativo
Universidad Loyola

SUMARIO: I. INTRODUCCIÓN: AUGE Y DECADENCIA DE LA TRASHUMANCIA EN ESPAÑA. EL NUEVO VALOR FUNCIONAL DE LAS VÍAS PECUARIAS. II. NATURALEZA JURÍDICA DE LAS VÍAS PECUARIAS EN PERSPECTIVA HISTÓRICA. 1. La regulación de la trashumancia en la época de la Mesta en régimen regaliano de privilegio corporativo (1273-1836). 2. La supresión de la Mesta y la creación de la Asociación General de Ganaderos (1836-1931). La regulación de las vías pecuarias como servidumbres en el Código Civil y la evolución normativa hacia un régimen demanial público "relajado". 3. La centralización de las vías pecuarias en el Ministerio de Agricultura (1931-1978). 4. La descentralización de las vías pecuarias tras la Constitución y su consideración como dominio público "superreforzado". III. EL REPARTO DE COMPETENCIAS ENTRE EL ESTADO Y LAS COMUNIDADES EN MATERIA DE VÍAS PECUARIAS. LEGISLACIÓN BÁSICA ESTATAL Y DESARROLLO NORMATIVO AUTONÓMICO: LA TITULARIDAD AUTONÓMICA DEL DOMINIO PÚBLICO CAÑADIEGO. IV. CONCEPTO Y CLASES DE VÍAS PECUARIAS. V. LA INTERVENCIÓN ADMINISTRATIVA SOBRE LAS VÍAS PE-CUARIAS ESTÁ ORIENTADA AL CUMPLIMIENTO DE UN TRIPLE OBJETIVO: LA PRE-SERVACIÓN, LA ADECUACIÓN O SUFICIENCIA Y LA GARANTÍA DE USO PÚBLICO DEL DEMANIO CAÑADIEGO. VI. POTESTADES DE POLICÍA DEMANIAL DIRIGIDAS A LA PRESERVACIÓN DE LA TITULARIDAD Y POSESIÓN PÚBLICA DE LAS VÍAS PE-CUARIAS. 1. Potestades declarativas. A) Investigación: una potestad venida a menos en la órbita del demanio cañadiego. B) La clasificación de vías pecuarias como acto sin-gular de afectación demanial: consecuencias jurídicas. C) Deslinde y amojonamiento de vías pecuarias. El problema de los derechos de propiedad privada preexistentes. 2. Potestades ejecutorias: la recuperación de oficio y el desahucio administrativo de vías pecuarias. VII. POTESTADES DIRIGIDAS A LA ADECUACIÓN (IDONEIDAD Y SUFI-CIENCIA) DEL DOMINIO PÚBLICO CAÑADIEGO. 1. La desafectación de vías pecua-rias como potestad excepcional. Especial consideración de los tramos de vías urbanas que atraviesan suelo urbano o urbanizable. 2. Modificación del trazado. 3. Creación, ampliación o restablecimiento de vías pecuarias. La virtualidad de una técnica que toma plena carta de naturaleza tras la aprobación de la LPAP: el establecimiento de servidumbres administrativas de uso público. VIII. POTESTADES DESTINADAS A GA-RANTIZAR EL RÉGIMEN DE USOS Y SU CONTROL. 1. Tipología de usos y control pre-ventivo de los mismos. A) Usos comunes. a) Usos comunes generales. b) Usos comunes especiales sujetos a autorización demanial. B) Usos privativos sujetos a concesión. 2. Control represivo de usos. A) Potestad sancionadora. B) Resarcimiento de daños. IX. LA PROTECCIÓN ADICIONAL DE LAS VÍAS PECUARIAS POR RAZONES TERRITORIA-LES, AMBIENTALES Y CULTURALES.

I. INTRODUCCIÓN: AUGE Y DECADENCIA DE LA TRASHUMANCIA EN ESPAÑA. EL NUEVO VALOR FUNCIONAL DE LAS VÍAS PECUARIAS

El tránsito pecuario a través de caminos de trashumancia tiene su origen en la milenaria necesidad ganadera de complementar los pastizales locales con otros ubicados en regiones más o menos lejanas. Desde el neolítico, la ganadería ha sido una de las fuentes de subsistencia más importantes de los pueblos. Pero el desarrollo de la trashumancia a gran escala requiere la concurrencia de singulares factores de carácter geográfico, político y económico que, en el contexto histórico europeo, se dieron de forma localizada en el Reino de Castilla a partir de la reconquista —a mediados del s. XIII— de las llanuras de Extremadura y de la Bética. Sentado el presupuesto político-geográfico, la aglutinación de los intereses económicos del sector en torno a un poderoso gremio ganadero como el Honrado Concejo de la Mesta, y la selección de una raza ovina productora de la apreciada lana merina, proporcionaron el florecimiento de una de las actividades que mayores beneficios económicos aportó a la Corona de Castilla en el medievo.

El fenómeno atrajo a su órbita a amplias capas de la población en los territorios situados entre los pastos serranos de la alta meseta y los riberiegos del sur (dueños de ganados trashumantes, propietarios de dehesas, arrendadores de tierras, comerciantes norteños, pastores, esquiladores, carreteros, recaudadores de rentas, etc.), y el poder público se implicó de lleno en el mantenimiento de la infraestructura cañadiega para asegurar los cíclicos desplazamientos de la grey. La "blanca fina merina" se convirtió en la principal fuente de divisas del Reino (fue el único producto español que llegó a cotizar en la bolsa de Ámsterdam), lo que provocó la extensión de la práctica trashumante a otros lugares de España (Casa de ganaderos de Zaragoza, Facerías de Navarra, etc.), unido al acrecentamiento y diversificación de las cabañas trashumantes (que junto a las cabezas de merinas comenzaron a integrar ganado caprino, vacuno y yeguar). Sin embargo, la pérdida de nuestro monopolio lanero en la Europa decimonónica trajo consigo la desarticulación y el declive de la ganadería mesteña tradicional, así como la paulatina degradación e infrautilización de las vías pecuarias hasta el presente.

La trashumancia que se practicó en Castilla durante casi seis siglos entre las Sierras castellanas de la Submeseta septentrional y las meridionales llanuras de Extremadura y Andalucía, comprometía intereses tan complejos y contrapuestos que no hubiera sido viable sin una reglamentación jurídica que los armonizase y un poder centralizado que la aplicase. En efecto, la trashumancia sólo pudo realizarse con regularidad sobre la base de una organización poderosa como la Mesta y el cobijo protector de la Corona. Pero la condición indispensable de las prácticas trashumantes es el mantenimiento del sistema viario pastoril. Un sistema que a lo largo de la Historia se ha mostrado sumamente frágil y permanentemente amenazado por muy diversas intrusiones y ocupaciones, aunque sintéticamente pueda decirse que la agricultura y los intereses de los pueblos de tránsito han sido los tradicionales enemigos de las cañadas y la trashumancia en general. A ellos se unieron, en tiempos más recientes, la implantación de grandes infraestructuras de transporte a finales del s. XIX, que determinaron un paulatino abandono de la red cañadiega de largo recorrido y el correlativo empleo del transporte por ferrocarril y por carretera. A lo que se suman los avances tecnológicos en materia de alimentación y sanidad animal que permiten la explotación estabulada de grandes rebaños. Otro factor determinante de la pérdida y deterioro de parte de estas vías proviene, finalmente, del desarrollo urbanístico desordenado durante gran parte del s. XX (concentraciones parcelarias, ensanches de ciudades, necesidades del tráfico rodado, instalaciones turísticas, vertederos incontrolados, etc.). Todas estas agresiones a los caminos pecuarios y a la actividad trashumante han hecho necesaria una intensa regulación jurídica que a la postre ha permitido, pese a los intrusismos, construcciones, cultivos ilegales y del masivo deterioro en tramos concretos, la preservación de este sorprendente legado histórico, que ha llegado a nuestros días con una integridad considerable. Esta constatación es la base sobre la que se apoya la vigente legislación, claramente orientada a la delimitación, protección y conservación activa del patrimonio cañadiego.

No obstante, la función pecuaria de estas vías, de la mayor importancia en épocas pasadas, ha quedado muy reducida en la actualidad a consecuencia de la evolución de los sistemas de explotación de la ganadería[1].

---

[1]   Que en la actualidad se hace fundamentalmente en régimen estabular. Ello no obsta para que, si bien cada vez más relegada, subsista en nuestros días la trashumancia a pie, en coexistencia con otros desplazamientos viarios más cortos, ya entre provincias o comarcas colindantes (trasterminancia), ya entre pastos y rastrojeras de un mismo término municipal. Es más, el trasporte de ganado por ferrocarril y carretera tampoco ha eliminado una cierta trashumancia de corto recorrido, dirigida a cubrir los kilómetros que separan las localidades de origen y destino del ganado con los puntos de embarque y desembarque, generando una nueva forma de trashumancia "intermodal" que combina los nuevos medios de transporte con el tradicional tránsito pecuario a pie.

Por ello, la revitalización de estos caminos tras la decadencia económica de la ganadería trashumante pasaba por descubrir nuevos fines de las vías pecuarias que incrementaran y diversificaran su funcionalidad. Este es el verdadero *leiv motif*, y a la postre el mayor logro, de la Ley estatal 3/1995, de 23 de marzo, de Vías Pecuarias (en adelante, LVP) y de las disposiciones autonómicas que la desarrollan, que han instaurado una nueva concepción de las vías pecuarias que las dota de un "nuevo valor funcional"[2] y sitúa su regulación jurídica ante un "nuevo paradigma"[3]. De acuerdo con esta nueva consideración, que consolida y amplía con determinación el tímido paso dado en este sentido por la anterior Ley de 27 de junio de 1974[4], las vías pecuarias pueden ser utilizadas no sólo para el desplazamiento del ganado, que continúa siendo el uso común preferente de estas vías, sino también para usos agrarios compatibles con el pecuario, a los que se suman ahora una serie de afectaciones secundarias que conforman otros tantos usos de carácter complementario: recreativos, ecológicos y culturales, que se concretan en las siguientes funciones asignadas a las vías pecuarias[5]:

1ª) *Tránsito pecuario y comunicaciones agrarias*, que son —en particular la primera— las funciones tradicionales y prioritarias de estas vías.

2ª) *Función ecológica.* Las funciones que en este ámbito pueden desempeñar las vías pecuarias son varias[6]: 1) por el valor ecológico intrínseco de la red cañadiega; 2) por su aptitud para ser corredores ecológicos de conexión entre enclaves naturales; 3) como franjas

---

[2]   Véase, en este sentido, CANALS i AMETLLER, D., "El nuevo valor funcional de los caminos públicos", Comunicación al XIII Congreso Ítalo-español de Profs. de Derecho Administrativo, Salamanca, octubre 2000 Cedecs, Barcelona, 2002, donde la autora analiza el abanico de modernos valores funcionales de las vías pecuarias y demás caminos públicos.

[3]   En expresión de ALENZA GARCÍA, J. F., *Vías pecuarias*, Civitas, Madrid, 2001, p. 50.

[4]   Que calificaba como principal, pero no exclusivo, el tránsito pecuario, permitiendo el uso de las vías pecuarias para usos rurales y, en especial, las comunicaciones y el paso de tractores y maquinaria agraria (art. 11).

[5]   El art. 1 de la LVP, tras definir conceptualmente las vías pecuarias como "las rutas o itinerarios por donde discurre o ha venido discurriendo tradicionalmente el tránsito ganadero", afirma, en su apdo. 3°, que dichas vías "podrán ser destinadas a otros usos compatibles y complementarios en términos acordes con su naturaleza y sus fines, dando prioridad al tránsito ganadero y otros usos rurales, e inspirándose en el desarrollo sostenible y el respeto al medio ambiente, al paisaje y al patrimonio natural y cultural".

[6]   Véase, sobre el particular, FRANCO CASTELLANOS, C., "El régimen jurídico de los usos ambientales de las vías pecuarias", en *El Derecho Administrativo en el umbral del siglo XXI*, libro Homenaje al Prof. Martín Mateo, tomo III, Tirant lo Blanch, Valencia, 2001, pp. 3833-3852.

de protección del espacio natural; 4) por su interés paisajístico; y, 5) como aulas de la naturaleza para la educación ambiental. Por ello, si en su día las vías pecuarias pudieron describirse como pastos alargados, hoy podrían considerarse como una especie corredores verdes o de "parques naturales alargados o lineales"[7].

3ª) *Ocio y esparcimiento.* Según dice la Exposición de Motivos de la LVP, "atendiendo a una demanda social creciente, las vías pecuarias pueden constituir un instrumento favorecedor del contacto del hombre con la naturaleza". De ahí que la Ley sitúe "las vías pecuarias al servicio de la cultura y el esparcimiento ciudadano". Por ello, entre los usos complementarios de las vías pecuarias se encuentran algunas de las actividades de esa creciente demanda social: "el paseo, el senderismo o la cabalgada y otras formas de desplazamiento deportivo sobre vehículos no motorizados siempre que respeten la prioridad del tránsito ganadero" (art. 17.1) y no resulten incompatibles con "la protección de ecosistemas sensibles, masas forestales con alto riesgo de incendio, especies protegidas y prácticas deportivas tradicionales" (art. 17.3); en cuyo caso podrán ser eliminados o restringidos, de modo que la viabilidad de estos usos complementarios está supeditada a los dos anteriores usos principales (trashumancia ganadera y función ecológica).

4ª) *Función histórico-cultural.* Las vías pecuarias son un testimonio del pasado que forma parte de nuestro patrimonio cultural que, como dice la Exposición de Motivos de la LVP, las convierte "en un legado histórico de interés capital, único en Europa", lo que determina que eventualmente puedan protegerse como bienes integrantes del patrimonio histórico.

Apoyada en estas dimensiones medioambiental, sociocultural y de ocio que son expresión de los valores enunciados por los arts. 40.1, 43.3 y 45.1

---

7   La expresión es de GARCÍA MARÍN, P., "El patrimonio viario de la trashumancia española", en la obra colectiva coordinada por él mismo, junto a SÁNCHEZ BENITO, J. Mª, *Contribución a la historia de la trashumancia en España*, 2ª ed., Ministerio de Agricultura, Pesca y Alimentación, Madrid, 1996. p. 153. Como señala este autor, desde una perspectiva territorial, la red de vías pecuarias supone una urdimbre de ecosistemas de considerable complejidad. Su conexión o superposición con otras tramas lineales relativamente excluidas de usos intensivos adiciona razones para su consideración como "corredores ecológicos" que, al tiempo que conectan espacios naturales distantes, sirven de "hábitats" favorables para el refugio y alimento de especies escasas o amenazadas.

de la CE, la red de vías pecuarias ha diversificado enormemente su valor funcional[8]. En definitiva, el viejo paradigma según el cual las vías pecuarias eran caminos destinados únicamente al tránsito pecuario y agrícola (abocados a su la enajenación si dejaban de ser utilizados), ha sido superado, hasta el punto de poder afirmar que si algún día dejaran de ser utilizadas por completo para los desplazamientos ganaderos, podrían mantener su condición demanial gracias a las otras funciones públicas que les reconoce la legislación vigente[9].

II. NATURALEZA JURÍDICA DE LAS VÍAS PECUARIAS EN PERSPECTIVA HISTÓRICA

Desde un punto de vista estrictamente jurídico, la evolución de la normativa de las vías pecuarias pone de relieve un paulatino proceso de demanialización que toma carta de naturaleza en un momento inmediatamente posterior a la aprobación del Código Civil. En este proceso, el punto de inflexión de la técnica jurídica sobre la que se articula el régimen de las vías pecuarias se sitúa en el tránsito de su consideración como servidumbres a su conceptuación como bienes de dominio público. Paralelamente, junto

---

[8]   En este sentido, HERRÁIZ SERRANO ha argumentado que los usos comunes, adicionales o complementarios, y los usos especiales y privativos de las vías pecuarias tienen un mero carácter enunciativo, por lo que son *numerus apertus, Régimen jurídico de las vías pecuarias*, Comares, Granada, 2000, pp. 358 y ss. De hecho, algunas Comunidades Autónomas, al desarrollar las previsiones de usos de los arts. 16 y 17 de la LVP, han contemplado otros usos distintos. Así, por ejemplo, la Ley madrileña de vías pecuarias de 1998 añade entre los usos comunes complementarios de las vías pecuarias actividades como "el cicloturismo, el esquí de fondo o cualquier otra forma de desplazamiento deportivo sobre vehículo no motorizado, siempre que respeten la prioridad del tránsito ganadero" (art. 32.1). Por su parte, la Ley castellano manchega de 2003 menciona entre los usos complementarios "la realización de actividades educativas y formativas en materia de medio ambiente y del acervo cultural" (art. 32).

[9]   Con ello, las utilidades agrícolas compatibles con el tránsito ganadero, y las más novedosas que tienen que ver con el esparcimiento o con la protección medioambiental, han puesto de relieve algo que propio el Tribunal Constitucional reconoció en su STS 227/1988 relativa a la constitucionalidad de la Ley de Aguas: que al margen del uso o servicio público que justifica primigeniamente una declaración de demanialidad pública existen "otros fines constitucionales legítimos, vinculados en última instancia a la satisfacción de necesidades colectivas primarias, como, por ejemplo, la que garantiza el artículo 45 de la Constitución, o bien a la defensa y utilización racional de la riqueza del país, en cuanto que subordinada al interés general", que subyacen a dicha declaración de demanialidad y también pueden, por tanto, justificarla (FJ 14º).

a esa mutación de su naturaleza jurídica, es posible advertir una progresiva estatalización y centralización de la gestión de estas vías que, sin embargo, se ha visto truncada desde la aprobación de la vigente LVP. Siguiendo a los autores que se han ocupado de esta cuestión[10], la consideración histórica de la naturaleza de las vías pecuarias puede analizarse periódica y sistemáticamente en función de las cuatro etapas diferenciadas que han marcado los distintos modelos organizativos de gestión: la primera se caracteriza por la gestión corporativa de la Mesta (de 1273 a 1836); la segunda, por el protagonismo de la Asociación General de Ganaderos (de 1836 a 1931); la tercera, por la centralización de competencias en el Ministerio de Agricultura (de 1931 a 1978); la cuarta y última se corresponde con la descentralización de las vías pecuarias en el contexto constitucional (1978-1995).

1. La regulación de la trashumancia en la época de la Mesta en régimen regaliano de privilegio corporativo (1273-1836)

Las primeras normas sobre la trashumancia datan de la época visigótica, concretamente del reinado de Eurico (año 504). Más tarde fueron recopiladas durante el reinado de Sisenando y recogidas en el Fuero Juzgo (Título IV del Libro VIII), que marca las rutas pecuarias y reglamenta su uso con el fin de favorecer la trashumancia ganadera. Sin embargo, no puede hablarse de trashumancia a gran escala hasta la segunda mitad del siglo XII, coincidiendo con la constitución de una corporación de ganaderos que, hasta el advenimiento del Estado constitucional, supo atraerse el favor de la Corona: el Honrado Concejo de la Mesta de Pastores, creado en virtud de las Cartas de privilegio *de Gualda*, otorgadas por el Rey Alfonso X *el sabio* en 1273.

Las tierras de tránsito, las cañadas, los caminos pecuarios menores (cordeles, veredas, etc.) y los elementos accesorios de la red cañadiega (zonas de descanso, abrevaderos, vados, majadas, etc.) constituían elementos de un denso entramado que, bajo el dominio y la gestión de la Mesta, fueron

---

[10] Desde una perspectiva histórica destacan: KLEIN, J., *La Mesta. Estudio de la historia económica española 1273-1836*, Alianza editorial, Madrid, 1979; MANGAS NAVAS, *Vías pecuarias*, Cuadernos de trashumancia, núm. 0, ICONA, 2ª ed., Madrid, 1995; GARCÍA MARTÍN, P. y SÁNCHEZ BENITO, J. Mª, *Contribución a la historia de la trashumancia... op. cit.* En el campo del Derecho administrativo han estudiado detenidamente esta evolución: HERRÁIZ SERRANO, O., *op. cit.*, pp. 134 a 147; ALENZA GARCÍA, J. F., *op. cit.*, pp. 59 a 265, y BENSUSÁN MARTÍN, Mª P., *Las vías pecuarias*, Marcial Pons, Madrid-Barcelona, 2003, pp. 17 a 112.

configurándose a través de una larga evolución marcada por el fuero y la idea de privilegio. En este periodo histórico fueron muchos y muy heterogéneos los derechos y privilegios concedidos a la Mesta: fiscales, pastueños (el más importante era el derecho de *possesion* instaurado por los Reyes Católicos, consistente en el disfrute indefinido de pastizales a cambio de una remuneración tasada), de arrendamientos de pastos y hierbas, etc. Pero el privilegio esencial, sobre el que se asienta la trashumancia misma, eran las libertades de paso franco (por terrenos no acotados) y de tránsito pecuario por la red cañadiega (de vías acotadas)[11]. No obstante, dichas libertades venía limitada por los requerimientos de los campos cultivados, en particular por las llamadas "cinco cosas vedadas": viñas, tierras sembradas de cereal o *panes* (en ambos casos hasta que fuesen alzados o recogidos los frutos), huertas, prados de guadaña (aquellos en los que la hierba se regaba y segaba para su posterior aprovechamiento) y dehesas boyales; limitaciones que justificaron, por lo demás, el paulatino acotamiento de las cañadas con una determinada anchura[12]. Asimismo, el Real Concejo de la Mesta tenía, entre otras atribuciones, el control del tráfico ganadero y la inspección y preservación de las vías pecuarias, actuando con potestades jurisdiccionales en los supuestos de usurpación y en las contiendas sobre el aprovechamiento de los pastizales.

Como ha explicado ALENZA GARCÍA[13], la naturaleza de las vías trashumantes en un primer momento histórico se soporta en la técnica de la servidumbre y, por tanto, en la doctrina de los *iura in re aliena*. Esta calificación es especialmente apropiada en la Baja Edad Media, donde proliferaban las cañadas abiertas (no acotadas), que permitían el tránsito de los

---

[11]   Entre los privilegios de Gualda ya se contemplaba el de tener abiertas las cañadas por donde pasaban los ganados trashumantes. En 1347, el Rey Alfonso XI extendió su protección sobre todos los ganados del Reino. A todos ellos los acoge en la Cabaña Real y generaliza el derecho de los ganados de andar salvos y seguros "por todas las partes de los nuestros reynos", paciendo las hierbas y bebiendo las aguas, siempre que respetaran "las cinco cosas vedadas". La Confirmación general de los privilegios mesteños de los Reyes Católicos dada en 1489, refuerza el sistema de protección de las cañadas, distinguiendo entre los lugares con cañada, y los lugares donde no hay cañada, en los que rige la libertad de paso con la salvedad de las cinco cosas vedadas.

[12] - En este sentido destaca la Provisión de 16 de enero de 1554, reiterada en sucesivas ocasiones hasta su incorporación a la Novísima Recopilación de 1805, que ordenó la reapertura de las cañadas que estuvieran cerradas y fijó su anchura en 90 varas. Asimismo, se regula el procedimiento de amojonamiento de las cañadas, y se fija la anchura de los cordeles y veredas en 45 varas y 25 varas, respectivamente (Novísima Recopilación, Libro VII, Título XXVII, Ley XI, Capítulo 9).

[13]   *Op. cit.*, pp. 149 y ss.

ganados por extensos campos abiertos y despoblados, atravesando tierras que eran propiedad de la Corona, de los Señores —laicos o eclesiásticos—, o de los pueblos. Así consideradas, las cañadas podían calificarse de servidumbres de paso sobre cosa ajena, a las que eventualmente se asociaba un derecho de uso (pasto). No obstante, a medida que las cañadas abiertas fueron acotándose conforme a la anchura legalmente establecida y se sometían a un régimen exorbitante de utilización y protección a fin de garantizar la utilidad pública a la que servían e impedir los usos y prácticas obstativas que contraviniesen su destino, su naturaleza jurídica originaria se va enriqueciendo con elementos exorbitantes que hacen insuficiente su consideración exclusiva como *iura in re aliena*. Así, el carácter privado de los terrenos que atraviesan se desvanece desde el momento en que las Cañadas se denominan "Reales", que si bien no implica la titularidad de la Corona, sí expresa una peculiar forma de cobijarlas bajo su protección y jurisdicción[14]. Asimismo, existen aspectos de su régimen jurídico que recuerdan a lo que más tarde representarían los conceptos jurídicos de afectación y de dominio público: las ocupaciones y roturaciones de las cañadas prolongadas en el tiempo no daban lugar a la usucapión, y siempre cabía la reapertura de la vía ocupada; las cañadas se utilizaron para delimitar los términos concejiles, quedando en consecuencia fuera de la propiedad privada; e, igualmente, muchos caminos públicos se superpusieron a las cañadas, aunque estas no perdieran su originaria función pecuaria.

No obstante, estos rasgos exorbitantes no eran ni tan generalizados ni tan incisivos como para pretender vislumbrar una especie de dominio público embrionario sobre las vías pecuarias, para las que en muchas ocasiones bastaba la protección jurídica que brindaba la técnica de la servidumbre, ya fuera ésta administrativa o de utilidad pública (la de paso de ganado), ya meramente privada (típicamente la de abrevadero), lo que demuestra la dificultad de pretender dar una calificación única a una situación de naturaleza heterogénea, que se asienta sobre presupuestos ju-

---

[14] Para que tal amparo fuera efectivo, una de las principales medidas acordadas por la Corona fue la creación, bajo el reinado de Alfonso X, de la figura del Alcalde entregador de mestas y cañadas, un funcionario de la Corona (aunque acabó integrándose en la estructura interna de la Mesta en la segunda mitad del s. XVI), Magistrado itinerante, cuya función consistía en garantizar el paso expedito de la trashumancia, y cuya competencia jurisdiccional venía determinada, precisamente, por el trazado de las cañadas. Esta singular vinculación de las cañadas a la Corona, de la que la figura de los Alcaldes entregadores no constituye sino un botón de muestra, ha permitido a HERRÁIZ SERRANO calificar a las vías pecuarias bajo el Antiguo Régimen como un ejemplo de "bienes regalianos", *op. cit.*, p. 166 y ss.

rídicos muy diferentes a los que impusieron la Ilustración y el positivismo decimonónico.

2. La supresión de la Mesta y la creación de la Asociación General de Ganaderos (1836-1931). La regulación de las vías pecuarias como servidumbres en el Código Civil y la evolución normativa hacia un régimen demanial público "relajado"

El comienzo de la decadencia de la ganadería trashumante y, consiguientemente, la de las vías pecuarias, coincide con los estertores de la monarquía absoluta, al tiempo que la correlación de fuerzas enfrentadas comienza a inclinarse a favor de las cabañas estantes y de los labradores, terminará por cuestionarse desde el propio poder el apoyo a la trashumancia en régimen de privilegio. La supresión del cargo de "Alcalde mayor entregador de mestas y cañadas" del Honrado Concejo en Castilla, en 1796, y la abolición de las "corporaciones de mestas" en Navarra, en 1817, constituyen testimonios de este ocaso. Más tarde, las ancestrales corporaciones ganaderas empiezan a considerarse incompatibles con los principios del constitucionalismo liberal, como prueba la abolición de la Mesta en 1836, durante el trienio liberal, y la pérdida de parte del patrimonio cañadiego propiciada por la desamortización de la Ley Madoz de 1 de mayo de 1855[15].

No obstante, la oposición del liberalismo a la agremiación tradicional no implicó la supresión de la actividad pecuaria itinerante. De hecho, las disposiciones dictadas por las Cortes durante los períodos constitucionales de 1812 y 1820-23 son respetuosas con los peculiares usos y costumbres de la trashumancia[16], y lo cierto es que, tras la desaparición de la Mesta en

---

[15] Como señala ALENZA GARCÍA, en la supresión de la Mesta resultaron muy influyentes las críticas realizadas por la Ilustración en el último tercio del siglo XVIII. Todos sus privilegios eran vistos como obstáculos que se oponían al progreso de la agricultura y que por ello habían de ser removidos. Solamente uno de esos privilegios es considerado justo: las cañadas. Merece la pena destacarlo porque esta defensa de las cañadas, plasmada en el *Informe en el Expediente de la Ley Agraria*, fue asumida por la legislación y los pensadores posteriores (caso, por ejemplo, de los primeros administrativistas que se ocuparon del tema, como Posada Herrera o Colmeiro) y sirvió para que las cañadas no fueran liquidadas a lo largo del siglo XIX, *op. cit.*, pp. 158 y ss.

[16] Así, el Decreto de 8 de junio de 1813 declara el cerramiento de todas las heredades rústicas particulares "sin perjuicio de las cañadas, abrevaderos, caminos, travesías y servidumbres" de paso de ganado. Análogamente, el Decreto desamortizador de 29 de junio de 1822 excepciona la enajenación de "terrenos baldíos o realengos, de propios y arbitrios", "los de las cuatro sierras nevadas de Segovia, León, Cuenca y Soria", para

1836, sus funciones fueron confiadas a la Asociación General de Ganaderos en línea de continuidad con el sistema de privilegios mesteños anteriormente vigente[17], incluyendo la controvertida función inspectora y jurisdiccional[18]. En este contexto, la Asociación de Ganaderos asume una función

---

dejar fuera las zonas en que se asientan las cuadrillas de los hacendados mesteños. En la misma línea, el Decreto de 25 de septiembre de 1820 establece que "no se impedirá a los ganados de todas especies, trashumantes, estantes o riberlegas, el paso por sus cañadas, cordeles, caminos o servidumbres"; "tampoco se les impedirá pacer en los pastos comunes de los pueblos de tránsito en que se les ha permitido hasta ahora, mientras conserven esta cualidad, no entendiéndose por pastos comunes los propios de los pueblos ni los baldíos arbitrados"; y que "no se exigirán a los ganados trashumantes, estantes o riberiegos los impuestos que con varios títulos se cobraban por particulares y corporaciones, pero sí los de barcos y pontones, quedando libres dichas corporaciones y particulares de darles los auxilios que les franqueaban por efecto de aquellas prestaciones".

[17]   Durante el período preconstitucional de 1833-36 acaecen cambios significativos en el entramado político-administrativo que acabaron dando al traste con el gremio mesteño. Así ocurre con el cargo de Presidente, en cuyo ejercicio venían alternando tradicionalmente los miembros del Consejo Real de Castilla hasta 1834, año en que —con motivo de la supresión del citado Consejo— se mandó que este cargo recayese en un ministro cesante del mismo. Ante tal circunstancia, persuadida la Corona de la necesidad que tenía la Corporación de un Presidente que reuniese los conocimientos administrativos y económicos que la dirección que la cabaña española reclamaba, se dictó la Real Orden de 16 de febrero de 1835 que conminaba a la Corporación a proponer para su nombramiento como Presidente a la persona que estimase más conveniente, pero sin determinar cuáles habían de ser sus funciones y facultades. Tras ello, la Corporación presentó bases para su nueva organización y para disciplinar el régimen de la ganadería. Como respuesta se arbitra una solución de compromiso cuya concreción normativa aparece dosificada en tres Reales Órdenes dictadas durante 1836. En primer lugar, la Real Orden de 31 de enero, por la cual se dispuso que el Honrado Concejo de la Mesta se denominara en adelante "Asociación General de Ganaderos". En segundo lugar, la Real Orden de 14 de mayo, que contenía los principios organizativos y las pautas administrativas a que debería acomodarse dicha Asociación. Finalmente, la Real Orden de 15 de julio, aclaratoria de la anterior, disponía "1°) que hasta la formación de las leyes que deroguen o reformen las que actualmente rigen en el expresado ramo, sigan éstas en observancia; 2°) que la presidencia de la Asociación general de ganaderos continúe ejerciendo las atribuciones gubernativas y administrativas que las mismas leyes señalan al presidente del antiguo Concejo de la Mesta, como lo ha verificado hasta ahora; y, 3°) que igualmente sigan desempeñando los demás funcionarios del ramo sus respectivos encargos, y que los gobernadores civiles y demás autoridades cooperen al cumplimiento de estas disposiciones".

[18]   Tras la proclamación de la Constitución liberal de 1837 se pretende romper con la situación de privilegio jurisdiccional heredada de la Mesta. La primera medida es suprimir la figura de los Alcaldes entregadores por Real Decreto de 4 de septiembre de 1838, resolviendo que la suprema inspección de cañadas reales y demás caminos pastoriles correspondería a la Superintendencia General de Caminos, adscrita al Mi-

de delegataria de la Administración en el ejercicio de funciones públicas sobre las vías pecuarias[19], como se desprende del primer Reglamento para la organización y régimen de la Asociación, aprobado por el Real Decreto de 31 de marzo de 1854, y de la normativa subsiguiente[20], que pone fin a la larga etapa en que la responsabilidad sobre dichas vías había correspondido a las instituciones representativas del gremio ganadero.

En esta época de transición las cañadas van a conservar su condición de caminos protegidos, a pesar de que las circunstancias socioeconómicas

---

nisterio de la Gobernación. Complementariamente, por Real Orden de 24 de febrero de 1839, se encarga a los Gobernadores Civiles que mantengan desembarazadas las servidumbres pecuarias al tránsito de los trashumantes. Esta readaptación a la lógica constitucional no fue aceptada de buen grado por el gremio pecuario, que presionó para que se retrotrajese la competencia inspectora a la Asociación de Ganaderos, cosa que finalmente hizo el Real Decreto de 27 de junio de 1839, por el que se derogaba el mencionado Real Decreto de 4 de septiembre de 1838 y se ordenaba la aplicación de la antes comentada Real Orden de 15 de julio de 1836, con lo que la Asociación Ganaderos volvió a ostentar las competencias anteriormente reconocidas a la Mesta en orden a la inspección de caminos y servidumbres pastoriles.

[19]   Como ha explicado MARTÍN-RETORTILLO, L., la Asociación de Ganaderos se benefició así de una suerte de "descentralización" funcional en la que el Estado el empleo de la fuerza y la coacción, "El proceso de apropiación por el Estado de las vías pecuarias", RAP núm. 51, 1966, p. 113.

[20]   El Reglamento de 1854 encomendaba al Presidente de la Asociación, entre otros cometidos, el de promover los apeos y deslindes de los caminos pastoriles y servidumbres pecuarias, correspondiendo al Ministerio de Fomento, "la suprema inspección y jurisdicción sobre las cañadas reales, cordeles y caminos pastoriles, con sus descansaderos, abrevaderos y demás servidumbres públicas de la ganadería, a cuya conservación y libre uso atiende como a los demás caminos públicos y servidumbres generales del Estado, con arreglo a las leyes orgánicas de la administración y a los reglamentos generales de los mismos, y a la organización especial con que se ordena el ramo en el presente" (art. 20). Consecuentemente, "el Presidente de la Asociación, como delegado del Gobierno, vigila y reclama lo conveniente a fin de que las expresadas cañadas y servidumbres a ellas anejas se conserven libres y expeditas, a fin de que a los ganaderos a su paso por las mismas no se les exijan cantidades indebidas, ni se les infiera ningún agravio, y para que se cumplan y ejecuten las leyes y reglamentos que conciernen a la ganadería" (art. 21), cometidos para los que se auxilia de visitadores provinciales de ganadería y cañadas (arts. 91 y ss.), visitadores de partido (arts. 93 y ss.) y de visitadores extraordinarios (arts. 96 y ss.). Posteriormente, la Asociación General de Ganaderos fue reorganizada mediante sendos Reales Decretos de 3 de marzo de 1877 y, más tarde, por otros dos Reales Decretos de 13 de agosto de 1892. En la Exposición de Motivos de estos últimos, se dice expresamente que la citada Corporación ejerce diversas atribuciones administrativas por delegación del Gobierno; y en el primero de ellos se especifican sus cometidos (art. 3), en cuya gestión obra como entidad administrativa y por delegación del Gobierno (art. 4).

y políticas no eran favorables a la trashumancia[21]. Las principales disposiciones dictadas en esta etapa marcan la línea de continuidad referida, calificando a los distintos caminos de trashumancia como servidumbres pecuarias, de donde pasan al Código Civil de 1889[22]. En efecto, el Código civil no incluye a las vías pecuarias entre los bienes de dominio público, a pesar de que podrían haber encajado en el concepto de dominio público que el propio Código maneja (ya estaban afectadas a un uso público —el tránsito de los ganados— y también servían al fomento de la riqueza nacional). Sin embargo el Código incluyó las vías pecuarias entre las servidumbres legales de paso para ganados (art. 570), como especie de las servidumbres legales de utilidad pública (las constituidas a favor de un conjunto determinado de usuarios o del público en general); figura ésta de gran raigambre en nuestro Derecho histórico y que cuenta con importantes antecedentes en la órbita conceptual de las vías y caminos[23].

Sin embargo, muy poco después de la aprobación del Código Civil, y por obra de la remisión que el citado art. 570 hace a las "Ordenanzas y Reglamentos del ramo", la legislación administrativa sectorial propició, a partir de Real Decreto de 13 de agosto de 1892, un cambio radical en la conceptuación de estas vías, que de servidumbres pasaron a considerarse bienes de dominio público[24], como resultado de un intrincado proceso de estatalización de estos de bienes magistralmente narrado por MARTÍN-RETORTILLO[25].

La contradicción entre la regulación del Código Civil y la normativa sectorial administrativa inmediatamente posterior se explica por el dogmatismo propio de la época que demandaba una calificación unitaria de las

---

21 HERRÁIZ SERRANO relata pormenorizadamente los factores que favorecieron el "ambiente de hostilidad" contra los gremios y prácticas trashumantes desde finales del s. XVIII, *op. cit.*, pp. 47 y ss.

22 En esta calificación fue decisivo el Real Decreto de 3 de marzo de 1877 que aprobó el Reglamento de la Asociación de Ganaderos del Reino y que calificaba expresamente a las vías pecuarias como servidumbres pecuarias de paso.

23 Véase nuestra monografía sobre *Las servidumbres administrativas*, Lex Nova, Valladolid, 2003, pp. 188 y ss.

24 Así, el citado Real Decreto de 1892 define a las vías pecuarias como bienes de dominio público estableciendo un régimen que permanecería vigente durante más de tres décadas y en el que las diferencias con el Código Civil son esenciales: la consideración de bienes demaniales las sitúa fuera del comercio de los hombres, mientras que la calificación del Código Civil como servidumbres las configura como derechos reales sobre propiedad ajena. Es decir, que los terrenos de la vía pecuaria serían —según el Código— de propiedad privada, aunque con el deber de soportar el paso del ganado.

25 *Op. cit.*, pp. 97 y ss.

vías pecuarias, a pesar de que los caminos para el ganado eran muy hetero-géneos. La solución fue no interpretar esas calificaciones como excluyen-tes, sino admitir que junto a las vías pecuarias de dominio público seguían existiendo caminos para el paso de ganados que se configuraban como meras servidumbres. Es decir, que ni la regulación del Código Civil impidió la consolidación de la demanialización de las vías pecuarias, ni ésta supuso la desaparición de las servidumbres pecuarias. Esta tesis conciliadora es la que se impuso en la jurisprudencia del Tribunal Supremo, de la que es pa-radigmática la STS de 10 de noviembre de 1962 (Ar. 4436), relativa al caso del "Veredón de Morales", que trata de superar la antinomia normativa admitiendo una doble acepción de la expresión vía pecuaria:

> "Una, amplia y vulgar, de zona de terrenos destinada al tráfico de ganado en la que pueden estimarse comprendidos tanto los caminos y carreteras, como los gravámenes existentes para la aludida finalidad en fincas privadas, y las franjas de suelo nacional que desde los mediavales privilegios reales que constituyen la carta de la Mesta y su Honrado Concejo han tenido especial regulación; y otra [acepción] restringida, ceñida exclusivamente a esas franjas últimamente indicadas, acepción de la cual quedan fuera otras nociones abarcadas en la acepción amplia o vulgar"[26].

Tras ello, el Tribunal Supremo concluye que las vías pecuarias podían incluirse en el concepto de servidumbre de utilidad pública cuando el paso de ganado se realizara sobre un predio sirviente de titularidad privada, por lo que sería de aplicación lo dispuesto en el Código Civil; mientras que si la zona considerada estaba destinada al uso público del tránsito pecuario y era de dominio público —a tal calificación responde la acepción restrin-gida de estas vías— sería de aplicación el Derecho administrativo especial.

Esta ambivalencia es definitivamente superada con la aprobación del Real Decreto-Ley para la clasificación y deslinde de las vías pecuarias de 5 de junio de 1924. Desde entonces, la demanialidad pública ha presidido el régimen y la naturaleza de estos bienes, aunque no sin ciertas particularida-des que llevaron a GUAITA a calificar las vías pecuarias como un dominio público "relajado" o atenuado[27] en el que la nota de la imprescriptibilidad no jugaba con el mismo rigor.

---

[26]   Pueden consultarse, como antecedentes de este pronunciamiento, las SSTS de 14 de noviembre de 1955 (Ar. 3434), y de 18 de abril de 1956 (Ar. 2233). HERRÁIZ SERRA-NO (*op. cit.*, y 219 y ss.) y ALENZA GARCÍA (*op. cit.*, pp. 307 y ss.) hacen una exposición completa de esta línea jurisprudencial conciliadora.

[27]   *Derecho Administrativo especial*, vol. III, 2ª ed., Zaragoza, 1967, p. 288.

De hecho, puede decirse que con anterioridad a la aprobación de la LVP de 1995, la regulación de las vías pecuarias había entrado en una senda de desafectación orientada a la enajenación y, en suma, a la subordinación de este dominio público a otros intereses públicos y aun privados. En efecto, aunque las vías pecuarias habían logrado eludir, al menos directamente, el impacto de la desamortización decimonónica, en el siglo XX van a tener su propio proceso desamortizador a partir del citado Real Decreto-Ley de 1924. Y es que pese a que esta disposición confirma la condición de dominio público de las vías pecuarias que ya enunciaba el Real Decreto de 13 de agosto de 1892, introduce importantes excepciones a las notas típicas del demanio. Por un lado, la inalienabilidad sólo se aplica a las vías pecuarias que sean clasificadas como "necesarias", permitiendo y favoreciendo la enajenación de las vías pecuarias innecesarias para buscar una fuente de ingresos al erario público. Por otro, aunque proclama con carácter general la imprescriptibilidad de las vías pecuarias, admite la existencia de ocupaciones irreivindicables para la Administración cuando se acredite la posesión treintenal. La admisión de esta usucapión trascendió a la propia vigencia del Real Decreto-Ley de 1924, puesto que el silencio del Reglamento de Vías Pecuarias de 23 de diciembre de 1944[28] sobre la cuestión fue suplido por la jurisprudencia recurriendo a las previsiones del mencionado Real Decreto-Ley y del propio Código Civil, hasta que la posterior Ley de Vías Pecuarias de 27 de junio de 1974 volvió a recoger expresamente la prescripción adquisitiva[29].

---

[28] Esta norma se inscribe en un contexto de reformas importantes en el sector pecuario (cuyo máximo exponente es la Ley de hierbas, pastos y rastrojeras de 7 de octubre de 1938, que impulsó decididamente el aprovechamiento de los pastos por el ganado transterminate y trashumante). El Reglamento se inspira en los principios del Real Decreto-Ley de 1924 al que desarrolla, pero actualizando y mejorando la técnica jurídica empleada por aquél. Como ha señalado ALENZA GARCÍA, la importancia de esta norma trasciende a su larga vigencia —de casi treinta años— en la medida en que muchos de sus postulados pasaron a la Ley de Vías Pecuarias de 1974 e, incluso, a vigente Ley de 1995, *op. cit.*, p. 229.

[29] Disponiendo, en su Disposición Final Primera, que la imprescriptibilidad de estos bienes demaniales debía entenderse "sin perjuicio de los derechos legalmente adquiridos que hayan hecho irreivindicables los terrenos ocupados de vías pecuarias, y cuyas situaciones se apreciaran por los Tribunales de justicia"; además de admitir la protección registral en los términos del art. 34 de la Ley Hipotecaria. Sobre esta cuestión es de sumo interés el trabajo de BERMÚDEZ SÁNCHEZ, J., "Imprescriptibilidad y recuperación de oficio de las vías pecuarias: un análisis de la Disposición Final Primera de la Ley de 27 de junio de 1974", *Anuario de Derecho Civil*, t. XLVI, fasc. I, 1993, pp. 220 y ss.

3. La centralización de las vías pecuarias en el Ministerio de Agricultura (1931-1978)

El advenimiento de la Segunda República supuso una nueva orientación en la gestión del dominio público pecuario. Así, por Decreto de 28 de mayo de 1931, se acuerda la "reintegración" en la Administración del Estado de las facultades delegadas en la Asociación General de Ganaderos respecto a la clasificación y deslinde de las vías pecuarias, atribuyéndose a la Dirección General de Agricultura todas las competencias que sobre esta materia ostentaba la referida Asociación. Tras ello, el Decreto de 30 de mayo de 1931 crea la Dirección General de Ganadería e Industrias Pecuarias adscrita al Ministerio de Fomento, cuyas bases generales de organización fueron objeto de otro Decreto, de 7 de diciembre del mismo año, en el que se contempla un nuevo régimen jurídico-administrativo para las vías pecuarias[30]. Pese a ello, la regulación de las vías pecuarias bajo el periodo republicano fue parcial y supeditada a la esperada Reforma agraria. En este sentido, la Ley de Bases para la Reforma Agraria, de 15 de septiembre de 1932, declaraba exceptuados de la expropiación agraria que pensaba acometerse, entre otros, "los bienes comunales pertenecientes a los pueblos, las vías pecuarias, abrevaderos y descansaderos de ganado y las dehesas boyales de aprovechamiento comunal" (Base 6ª). Asimismo, se mantiene la idea de que hay vías pecuarias innecesarias para las que se prevé un nuevo destino, que no es ahora la enajenación sino los requerimientos de la reforma agraria.

En plena Guerra Civil, y en el marco de la política de contrarreforma agraria y recuperación agrícola del "Nuevo Estado", se dicta la Ley de 7 de octubre de 1938 para la regulación de los aprovechamientos de hierbas, pastos y rastrojeras, que, como reza su Preámbulo, surge como respuesta a "las perturbaciones que el actual régimen de aprovechamientos de hierbas,

---

[30]   Dicho régimen se explicita a través de 17 bases generales en las que, tras encomendar la gestión u administración de las vías pecuarias a la citada Dirección General, se definen éstas como bienes de dominio público, y, en cuanto tales, reivindicables y rescatables, sin perjuicio de administrar los terrenos sobrantes según "el criterio y contenido de la reforma agraria" en las zonas afectadas por ella, fuera de las cuales se efectuarán cesiones en usufructo a asociaciones de labradores, y, tratándose de terrenos intrusados, serán rescatados cuando sean ostentados por "labradores ricos y pudientes", y continuarán en el usufructo "los labradores que sean pobres", a cuyos efectos servirá para conceptuación de pobreza el cómputo de la riqueza imponible. Asimismo se dispone que en la clasificación de vías pecuarias se tendrá en cuenta lo previsto en Real Decreto-Ley de 5 de junio de 1924 "hasta que se publique la reglamentación definitiva".

pastos y rastrojeras producen en los términos municipales de explotación agrícola parcelada, que impone la necesidad de una ordenación que, respetando normas consuetudinarias basadas en características comarcales, coordine los intereses agrícolas y ganaderos, atendiendo al mayor rendimiento, de acuerdo con el interés nacional". Tal regulación, que se instrumento a través de las Juntas Locales y Provinciales de Fomento Pecuario, habría de repercutir más allá del estricto ámbito municipal, toda vez que se posibilita a los no vecinos la licitación en las subastas de recursos pastables de los polígonos o cuartos sobrantes, impulsando con ello los movimientos trashumantes y trasterminantes del ganado.

Por lo que respecta a las vías pecuarias, éstas figuran entre los objetivos y tareas a desarrollar por el efímero Servicio Nacional de Reforma Económica y Social de la Tierra (1938-39), hasta que la Orden de 4 de noviembre de 1939, sobre organización del Ministerio de Agricultura, dispuso que el Servicio de Vías Pecuarias quedara afecto a la Dirección General de Ganadería. Partiendo de estos precedentes, se dicta el Decreto de 23 de diciembre de 1944 por el que se aprueba el anteriormente citado Reglamento de Vías Pecuarias, cuyo contenido apenas presenta novedades en el régimen demanial preexistente (al recoger gran parte de la normativa de 1924), aunque ordena la constitución del Archivo General de Vías Pecuarias (art. 4) al tiempo que consolida el Servicio de Vías Pecuarias en el seno de la Dirección General de Ganadería, de donde ya no saldrá hasta que, en 1971, se adscriba su gestión al Instituto para la Conservación de la Naturaleza (ICONA)[31].

Mediado el siglo XX, la gestión y administración ordinarias del entramado viario apenas supone un leve paliativo contra la marea de intrusismo agrícola, protagonizado no ya sólo por la roturación de tierras en extensas áreas minifundistas (Castilla, Aragón, Valencia), sino también por asentamientos espontáneos y masivos de jornaleros en las proximidades de los latifundios de campiña en Andalucía[32]. Asimismo, la red cañadiega

---

[31]   Por obra del Decreto Ley 17/1971, de 28 de octubre, se adscriben las competencias sobre vías pecuarias al ICONA, organismo autónomo cuya estructura orgánica fue aprobada por Decreto de 9 de marzo de 1972 y desarrollada por Orden de 27 de marzo siguiente.

[32]   Como explica MANGAS NAVAS, la impotencia de la Administración en la recuperación y salvaguarda del dominio público pecuario es manifiesta, y de ello dan prueba fehaciente los sucesivos informes que se ocupan del asunto. La recuperación es ciertamente ardua, pues las posturas de agricultores y ganaderos siguen encontradas. De ahí que se considere fundamental, conforme a lo dispuesto en el art. 4 del Reglamento de 1944, contar con el "Archivo General de Vías Pecuarias", pues frecuentemente "hay

se resiente de la aplicación práctica de las dos directrices que marcaron la política agraria de los años cincuenta: la colonización agrícola, que por entonces alcanza su apogeo, y la concentración parcelaria[33]. Entre tanto, los movimientos migratorios campesinos hacia las ciudades, que durante años van a originar verdaderos éxodos de población, conllevan la proliferación de asentamientos marginales en las zonas periurbanas y, con ello, la ocupación incontrolada de terrenos del dominio público pecuario.

En este contexto de indefinición del destino de las vías pecuarias y de clara regresión del tránsito pecuario, que coincide con un momento de desarrollismo económico y de especulación urbanística carente de sensibilidad para respetar los viejos caminos pastoriles, se dicta la Ley 22/1974 de Vías Pecuarias y su Reglamento (aprobado por el Real Decreto 2876/1978, de 3 de noviembre). Estas disposiciones no entrañan novedades significativas respecto de sus antecedentes, estableciendo una regulación continuista en la protección que otorga a las vías pecuarias "necesarias" y desamortizadora por lo que respecta a las vías clasificadas de "innecesarias" (inten-

---

que recurrir a las informaciones testificales, las cuales en muchos casos son partidistas y erróneas, por anteponer intereses locales y particulares a los generales del Estado y la ganadería, ocurriendo que ocultan vías pecuarias o las consideran de distinta categoría a que en realidad tienen, ocurriendo lo contrario en los Ayuntamientos y Hermandades en que domina el elemento ganadero, que pretenden que hasta los más insignificantes caminos sean considerados como vías pecuarias", *op. cit.*, p. 61.

[33] En este sentido, el Decreto-Ley de 5 de marzo de 1954, que modifica la Ley de 20 de diciembre de 1952, reguladora del régimen de concentración parcelaria, manifiesta en su Exposición de Motivos que "otra de las dificultades previsibles para la rápida y eficaz realización del proceso de concentración se deriva de la necesidad de deslindar previamente, con absoluta exactitud, la superficie sobre la que se ha de operar, porque dentro del término municipal afectado existirán muchas veces, aparte de las fincas excluidas, carreteras, riberas de río y vías pecuarias cuyo trazado es indispensable conocer para determinar la superficie que va a ser objeto de concentración". Para soslayar estas dificultades, el citado Decreto-Ley dispone que "del perímetro de la concentración sean excluidas las carreteras, riberas de los ríos y demás superficies pertenecientes al dominio público" (art. 4), añadiendo que "cuando se trate de vías pecuarias, montes públicos o cualesquiera otras superficies del dominio público correspondientes a la Jurisdicción del Ministerio de Agricultura, se ordenará por éste al Organismo correspondiente, tan pronto como se publique el Decreto acordando la concentración, que proceda a realizar la determinación de las superficies que han de ser excluidas (art. 5)". Así pues, el programa de clasificación de vías pecuarias deberá acomodarse no sólo al régimen sino al ritmo impuesto por las declaraciones de concentración parcelarla, que se incrementaron espectacularmente al amparo de la Ley de 14 de abril de 1962.

sificando, incluso, las posibilidades de enajenación del patrimonio viario pastoril)[34].

4. La descentralización de las vías pecuarias tras la Constitución y su consideración como dominio público "superreforzado"

Como veremos al analizar el régimen jurídico vigente, el pleno carácter demanial de las vías pecuarias ha quedado definitivamente aclarado a partir de la aprobación de la LVP de 1995, en consonancia con la nueva funcionalidad turística, recreativa y medioambiental que les ha asignado a estas vías. Por otra parte, la legislación básica estatal ha descentralizado la titularidad y gestión de las vías pecuarias a favor de las Comunidades Autónomas, titulares ahora del dominio público cañadiego.

A la luz de esta nueva legislación se ha dicho con todo acierto que las vías pecuarias han pasado de ser un dominio público atenuado, sometido a una desamortización fáctica, a convertirse en un dominio público "superreforzado"[35]. Ciertamente, la LVP afianza las típicas notas del demanio (especialmente las de imprescriptibilidad e inalienabilidad) al tiempo que refuerza notablemente otras técnicas de protección, paradigmáticamente el deslinde (que, siguiendo el modelo de la Ley de Costas, tiene —en los términos que veremos— carácter declarativo de la titularidad ad-

---

[34]   Este último aspecto se justifica así en el Preámbulo de la Ley: "la función de las vías pecuarias, de la mayor importancia económica en épocas pasadas, se ha alterado en la actualidad para venir a ser, más que caminos de pura trashumancia, instrumentos para la transterminancia, aprovechamientos de pastos municipales en masa común y demás comunicaciones rurales. De ahí ha seguido el abandono de parte de ellas, con incremento no sólo de los difíciles problemas de mantenimiento y conservación, sino también de la frecuencia de las ocupaciones abusivas que se venían produciendo. Esta falta de actualidad en la utilización de las vías pecuarias coincide con la necesidad de una vigorosa actuación en el sector ganadero para impulsar y fomentar el desarrollo pecuario, así como de elevar el nivel de vida del sector agrario más aceleradamente que el de los demás sectores, con el fin de conseguir la paridad económica y social entre los mismos. Parece, en consecuencia, oportuno facilitar el cambio de utilización de estos terrenos, en la medida en que resulten innecesarios al cumplimiento de su función primitiva, bien mediante su aplicación a la satisfacción de las nuevas necesidades, bien mediante su conversión en valor dinerario, con destino específico de los fondos resultantes a la mejora de la rentabilidad y vida del sector ganadero y de toda la población campesina y, por ende, de la comunidad nacional".

[35]   Así lo han destacado HERRÁIZ SERRANO, O., *op. cit.*, pp. 143 y ss., y ALENZA GARCÍA, J. F., *op. cit.*, pp. 324 y ss.

ministrativa y eficacia bastante para rectificar las situaciones registrales que lo contradigan).

Pese a este carácter reforzado del dominio público cañadiego, lo cierto es que los problemas de intromisión y usucapión de las vías pecuarias no han cesado, sino que más bien se han recrudecido en los últimos tiempos, por lo que la problemática jurídica relativos a la clasificación y deslinde de estas vías sigue siendo crucial. Al mismo tiempo, podremos comprobar que la proclamada naturaleza demanial de las vías pecuarias no está reñida con supuestos excepcionales de prescripción a favor de terceros. En este contexto, el objetivo de la plena recuperación y restablecimiento del demanio cañadiego parece abocado a contar cada vez más con técnicas y potestades que concilien los intereses públicos en juego con los derechos posesorios y de propiedad asentados. Esto da carta de naturaleza a las potestades de modificación del trazado y de desafectación, pero también abre la puerta para la eventual consideración de las vías pecuarias, siquiera sea con carácter instrumental y ciertamente excepcional, como servidumbres administrativas de uso público.

III. EL REPARTO DE COMPETENCIAS ENTRE EL ESTADO Y LAS COMUNIDADES EN MATERIA DE VÍAS PECUARIAS. LEGISLACIÓN BÁSICA ESTATAL Y DESARROLLO NORMATIVO AUTONÓMICO: LA TITULARIDAD AUTONÓMICA DEL DOMINIO PÚBLICO CAÑADIEGO

El art. 149.1.23ª de la CE atribuye al Estado la legislación básica sobre "montes, aprovechamientos forestales y vías pecuarias". Como se deduce de los debates de las Cortes constituyentes, las razones aducidas para atribuir al Estado la legislación básica en relación a las vías pecuarias fueron, de un lado, su carácter territorial extracomunitario y, de otro, la conveniencia de no exponer estos bienes demaniales a regímenes de titularidad y gestión diferenciados que pudieran poner en peligro su funcionalidad e integridad. No obstante, y a diferencia de lo que sucede con los montes y los aprovechamientos forestales, el art. 148 de la CE omite cualquier referencia a las vías pecuarias, por lo que las Comunidades Autónomas cuyo marco venía establecido por el art. 149 de la CE estaban facultadas para asumir —como hicieron— el desarrollo y ejecución de las bases estatales sobre los caminos de trashumancia desde su acceso a la autonomía. Asimismo, muchas de las Comunidades Autónomas cuyo marco debía limitarse al listado del art. 148 de la CE recogieron en sus Estatutos las competencias de desarrollo de las bases y ejecución sobre tales vías. Con todo, la diversidad de situaciones estatutarias no adquirió ningún tinte conflictivo, dada la asunción generalizada de todas las Comunidades Autónomas de funciones normativas y ejecutivas sobre las vías pecuarias en virtud de los Decretos de Transferencias, aunque no siempre con apoyo del mismo título, y por la posterior igualación del techo competencial de todas las Comunidades Autónomas. En consecuencia, la distribución de competencias sobre vías pecuarias quedó asentada en el esquema bases-desarrollo y ejecución autonómica de las bases estatales[36].

No obstante, debe resaltarse el carácter polifacético de la materia objeto de reparto. En efecto, aunque en primer término la materia "vías pecuarias" hace alusión al conjunto o entramado de caminos destinados al tránsito de ganado, lo cierto es que también alude a un espacio físico en cuya ordenación concurren otros títulos competenciales: el de ordenación del territorio u urbanismo, la protección del medio ambiente e, incluso, de ordenación de otros usos, como los turísticos o recreativos, que están asociados al nuevo valor funcional de estos caminos públicos[37].

Así, resulta innegable que las vías pecuarias son terrenos en los que, además de su finalidad típica, la interrelación entre la flora y la fauna y el medio natural es especialmente relevante a fines de protección de la naturaleza. SÁNCHEZ BLANCO estudió la incorporación de la competencia estatal sobre vías pecuarias al precepto constitucional, poniendo de relieve cómo la consideración integrada de los montes, de los aprovechamientos forestales y de las vías pecuarias, así como su localización a continuación del régimen de compartición de competencias sobre medio ambiente, es significativa del marco interrelacionado en el que se sitúan las vías pecuarias, dependientes y conectadas al medio natural[38]. La vertiente medioambiental que presentan hoy las vías pecuarias se ha añadido a su finalidad típica,

---

[36] Sobre el proceso de traspaso en relación a las vías pecuarias y, en general, el reparto de competencias en la materia véanse HERRÁIZ SERRANO, O., *op. cit.*, pp. 102 y ss.; ALENZA GARCÍA, J. F., *op. cit.*, pp. 280 y ss.; y BENSUSAN MARTÍN, P., "Las vías pecuarias en Andalucía", *Revista Andaluza de Administración Pública*, número extraordinario 2/2003 publicado con ocasión del vigésimo aniversario del Estatuto de Autonomía de Andalucía, volumen I, pp. 385 y ss.

[37] Sobre la confluencia de legislaciones sectoriales véase BENSUSAN MARTÍN, P., *Las vías pecuarias, op. cit.*, pp. 125 a 145.

[38] "Distribución constitucional de competencias en materia de recursos naturales", en *Estudios sobre la Constitución española*, libro homenaje al Prof. GARCÍA DE ENTERRÍA, vol. IV, Civitas, Madrid, 1991, p. 3583.

no siendo casual que esta materia, desde la perspectiva de delimitación de competencias, se encuentre en el mismo precepto constitucional que los montes, y ambos junto al de protección del medio ambiente. En cualquier caso, como señalara el Tribunal Constitucional en la STC 102/1995, de 26 de junio, en el título competencial de medio ambiente encajarían exclusivamente las medidas de protección de determinados recursos naturales.

Asimismo, las vías pecuarias son infraestructuras viarias que se asientan sobre el territorio y que, por tanto, configuran los usos que del mismo se pueden hacer, lo que significa, como ha puesto de relieve la doctrina, que la red cañadiega es un elemento más de la política de ordenación del territorio[39]. Además, aunque la mayor parte de la superficie de las vías pecuarias está ubicada en suelo no urbanizable, muchos de los problemas jurídicos que afrontan hoy en día las vías pecuarias se dan al atravesar los cascos urbanos de pueblos y ciudades. Y es aquí donde los instrumentos de planificación del territorio y del urbanismo tienen una utilización y eficacia más intensa sobre la configuración de las vías pecuarias. Junto a esta normativa habrá que tener en cuenta la legislación sectorial que puede afectar a las vías pecuarias en algún aspecto de su protección o de su utilización, como son la legislación de sanidad animal, la legislación de tráfico y circulación de vehículos motorizados en el medio natural, la legislación de espacios naturales, las leyes de caza o las de concentración parcelaria.

Por otro lado, es de resaltar que la LVP califica las vías pecuarias de dominio público de titularidad autonómica (art. 2). De esta forma, que HERRÁIZ SERRANO ha identificado como un supuesto de mutación demanial por causas subjetivas[40], el legislador estatal ha descentralizado la materia mucho más de lo que exigía la Constitución. La opción de la LVP parece adecuada en cuanto que la trashumancia suprautonómica no tiene relevancia suficiente para demandar la gestión estatal de las vías pecuarias que rebasen el ámbito de una Comunidad Autónoma, aunque lo cierto es que circunscribe las facultades de la Administración del Estado en relación a las vías pecuarias a un papel muy reducido. Papel que se limita a actuaciones de cooperación económica y técnica en orden a mantener la integridad y garantizar la conservación de las vías (art. 3.2 de la LVP) y a la creación de una Red Nacional de Vías Pecuarias en la que se integran las cañadas cuyo itinerario sea intercomunitario, así como las vías pecuarias

---

[39]   Véase, en este sentido, el trabajo de PORTO REY, E., y FRANCO CASTELLANOS, C., *Urbanismo y vías pecuarias*, Cuadernos de urbanismo, Montecorvo, Madrid, 2000, en especial, pp. 70 y ss.

[40]   *Op. cit.*, p. 289.

que sirvan de enlace para los desplazamientos ganaderos de carácter in-terfronterizo y aquellas otras vías pecuarias intracomunitarias que comuniquen con la Red Nacional, siempre que —en este último caso— lo soliciten expresamente las Comunidades Autónomas interesadas (arts. 18 y 2 LVP).

La existencia de esta Red Nacional no confiere, sin embargo, potestades destacables a la Administración estatal. Sólo supone que la Comunidad Autónoma titular de la vía tenga que solicitar un informe ministerial (no vinculante, por lo demás) durante la tramitación de los procedimientos de desafectación, de expropiación y de adquisición, así como la necesidad de que la aprobación del deslinde de una vía integrada en la Red haga constar tal circunstancia, que la señalización de las mismas refleje esa integración y, finalmente, que todos los actos administrativos autonómicos que afecten a las vías pecuarias de la Red Nacional se incorporen a un fondo documental (art. 18.3 y 4). A la vista de lo expuesto, las competencias estatales no parecen suficientes para garantizar la integridad de dicha Red y evitar su deterioro en los términos que propugna el art. 2 de la LVP.

En este orden de consideraciones, un sector de la doctrina ha destacado que la declaración de la titularidad autonómica de estas vías parece hacer quebrar el principio, establecido por el Tribunal Constitucional, según el cual el Estado ha de ser titular de todos los bienes del demanio natural —el constituido por géneros enteros de bienes que la Ley afecta al uso público en función de sus características físicas o naturales—[41]. Sin embargo estos autores parten del postulado de que las vías pecuarias son bienes demaniales naturales[42], lo que no es en absoluto evidente a nuestros ojos, pues —al igual que el dominio público viario y los caminos rurales— creemos que están más cerca del concepto de dominio público artificial. Dudas que sostienen también autores bien conocedores de la categoría, como ALENZA

---

[41]   Esta es la doctrina que se desprende de las sentencias del Tribunal Constitucional recaídas en relación a las Leyes de Aguas (STC 227/1998, de 29 de noviembre, FJ 14) y Costas (STC 149/1991, de 4 de julio, FJ 1.C), dos claros ejemplos de bienes inscribibles en la categoría de dominio público por naturaleza.

[42]   Así las califica GONZÁLEZ GARCÍA, J., *La titularidad de los bienes de dominio público,* Marcial Pons, Madrid, 1998, pp. 201 y ss., argumentando que se trata de bienes demanializados directamente por la Ley, que no han sido resultado de ninguna obra pública y que se ubican en el medio natural. Opinión que se enmarca en la tesis del autor que cuestiona la utilidad de la categoría del llamado demanio público natural o por naturaleza. De forma más matizada, DARNACULLETA i GARDELLA, M., también ha sostenido la calificación de las vías pecuarias como dominio público natural, *Recursos naturales y dominio público: el nuevo régimen del demanio natural,* Cedecs, Barcelona, 2000, p. 193.

GARCÍA[43] y PONCE SOLÉ[44], y que otra especialista en la materia, la Profa. HERRÁIZ SERRANO, niega con sólidos argumentos[45]. De acuerdo con esta autora, no cabe calificar a las vías pecuarias como demanio natural porque, de un lado, son producto de la actividad humana o necesitan de ésta para existir y, de otro, la declaración legal de demanialidad no basta por sí sola para afectar estos bienes a un uso público, sino que tal declaración ha de ser completada *a posteriori* por un acto de afectación concreto (la "clasificación", a la que luego nos referiremos).

En todo caso, la titularidad autonómica de las vías pecuarias que proclama la LVP, unida al carácter básico de la LVP, ha determinado que algunas Comunidades Autónomas hayan dictado sus propias disposiciones sobre la materia[46]. Sin embargo, como ha puesto de relieve ALENZA GARCÍA, el juicio que cabe hacer de esta legislación autonómica no es muy positivo, ya que, en general, no ha desarrollado todas las posibilidades que la ley básica estatal dejaba abiertas en materias como la descripción y régimen usos no contemplados en la ley estatal, la regulación de los procedimientos autorizatorios y de los usos "anormales", o los instrumentos de coordinación con la legislación de ordenación del territorio y de espacios naturales protegidos[47]; aunque también ha de reconocerse que la regulación básica de la LVP no dejaba mucho margen para que las Comunidades Autónomas desarrollen una "política propia" en la materia[48], ya que las cuestiones

---

[43]   *Op. cit.*, pp. 321 y ss.

[44]   *Op. cit.*, p. 45.

[45]   *Op. cit.*, pp. 304 y ss.

[46]   Estas disposiciones son, por orden cronológico: Reglamento de vías pecuarias en la Comunidad Autónoma de Extremadura (Decreto 143/1996, de 1 de octubre); Ley Foral 19/1997, de 15 de diciembre, de vías pecuarias de Navarra; Reglamento por el que se regulan las vías pecuarias de la Comunidad Autónoma de La Rioja (Decreto 3/1998, de 9 de enero); Ley 8/1998, de 15 de junio, de vías pecuarias de la Comunidad de Madrid; Reglamento de vías pecuarias de la Comunidad Autónoma de Andalucía (Decreto 155/1998, de 21 de julio); Ley 9/2003, de 20 de marzo, de vías pecuarias de Castilla La Mancha; y Ley 10/2005, de 11 de noviembre, de vías pecuarias de Aragón. Puede verse un completo análisis sistemático de esta normativa en BENSUSAN MARTÍN, P., *Las vías pecuarias, op. cit.*, pp. 207 a 244.

[47]   *Op. cit.*, pp. 292.

[48]   Debe tenerse en cuenta que junto a los numerosos preceptos de la LVP a los que su Disposición Adicional Primera confiere carácter básico (los relativos al concepto, naturaleza, fines, clases, potestades para la defensa y protección, desafectación, modificación del trazado, régimen de uso y régimen sancionador), la propia LVP contiene aspectos de Derecho registral cuya regulación corresponde en exclusiva al Estado de conformidad con el art. 149.1.8ª de la CE (destacando, en este sentido, las previsiones sobre la eficacia del deslinde para rectificar situaciones registrales, el régimen de inma-

sustantivas aparecen recogidas por la LVP —en muchos casos— con bastante grado de detalle, de modo que la regulación autonómica sólo se ha desplegado con desenvoltura en aspectos procedimentales o puramente adjetivos.

IV. CONCEPTO Y CLASES DE VÍAS PECUARIAS

Con una longitud de 124.336 km, que ocupan una superficie de 421.081 hectáreas[49] (que supone casi el 1% del territorio nacional), nuestro país cuenta con una red de vías pecuarias única en el mundo. Dicha red comprende tres grandes sistemas: el Central o segoviano, el Occidental o leonés y el oriental o manchego. Las grandes arterias de la red son las nueve grandes Cañadas Reales que recorren la Península de norte a sur: Cañada Vizana o de la Plata[50], Cañada Leonesa Occidental[51], Cañada Leonesa Oriental[52], Cañada Segoviana[53], Cañada Soriana Occidental[54], Cañada Soriana Oriental[55], Cañada Galiana o Riojana[56], Cañada Conquense[57], y Cañada del Reino de Valencia[58].

---

triculación de vías pecuarias y el ejercicio de acciones civiles sobre terrenos incluidos en el dominio público cañadiego).

[49] De un total de 6.100 vías pecuarias y lugares asociados que constan en los inventarios y catálogos obrantes en el Ministerio de Medio Ambiente, 991 están clasificadas como cañadas, 959 como cordeles y 2.062 como veredas, a las que hay que sumar 835 descansaderos-abrevaderos.

[50] Con un recorrido total 500 kilómetros, comienza en el alto de Viganos, situado entre Asturias y León, y muere en la ciudad extremeña de Trujillo.

[51] Recorre 700 kilómetros desde León a Badajoz.

[52] También con 700 kilómetros de recorrido, comienza cerca de Riaño, cruza León y Palencia pasando por las Provincias de Segovia, Ávila, Toledo, Cáceres y Badajoz.

[53] Con unos 500 kilómetros de longitud, arranca de la Sierra de Neila en Burgos y termina su recorrido en Granja de Torrehermosa.

[54] Recorre 700 kilómetros y cruza de modo diagonal el centro norte de la península saliendo de Soria y pasando por Valladolid, Segovia y Ávila.

[55] Con 800 kilómetros es la más larga de todas, comienza en Soria y muere en Sevilla. Tiene un peculiar trazado diagonal distinto a las demás, y atraviesa otras cañadas a su paso por Soria y Extremadura. Cruza la galiana a la altura de la Sierra de Cabreras, la segoviana en el Puerto de Somosierra, la leonesa oriental en Sancho Reja (Ávila) y la de la plata en San Esteban de la Sierra, cerca de Béjar.

[56] Nace al Sur de la Rioja y recorre 400 kilómetros entre las provincias de Soria, Guadalajara, Madrid, Toledo y Ciudad Real.

[57] Sus 350 kilómetros discurren por las Provincias de Cuenca, Ciudad Real y Jaén.

[58] La de menor trazado, de unos 250 kilómetros de longitud, arranca de la sierra de Tragacete y atraviesa Cuenca terminando en Valencia.

En este contexto, la LVP define las vías pecuarias como las "rutas o itinerarios por donde discurre o ha venido discurriendo tradicionalmente el tránsito ganadero" (art. 1.2), definición que ha sido acogida por la legislación autonómica. Siguiendo el criterio del art. 570 del CC, la LVP clasifica los tipos de vías pecuarias en tres categorías (art. 4.1):

a) *Cañadas*, que son aquellas vías cuya anchura no exceda de los 75 metros.

b) *Cordeles*, de anchura no superior a los 37,5 metros.

c) *Veredas*, son las vías que tienen una anchura no superior a los 20 metros[59].

La propia LVP especifica que estas denominaciones son compatibles con otras de índole consuetudinaria, tales como azagadores, cabañeras, caminos ganaderos, carreradas, galianas, ramales, traviesas y otras que reciban en las demás lenguas españolas oficiales (art. 4.2). Y, junto a ello, dispone que los abrevaderos, descansaderos, majadas y demás lugares asociados al tránsito ganadero tendrán la superficie que determine el acto administrativo de clasificación, que igualmente habrá de determinar la anchura de las coladas (art. 4.3).

Como ha precisado ALENZA GARCÍA la definición legal debe ser completada en un doble sentido: de un lado, con la adición de las servidumbres de paso, públicas o privadas, que, junto a vías y caminos, integran el sistema cañadiego, así como esos otros lugares asociados al tránsito ganadero a los que se refiere el citado art. 4.3 de la LVP (abrevaderos, descansaderos, majadas, etc.); de otro, con la inclusión de los usos compatibles y complementarios que reflejan las nuevas funciones de las vías pecuarias. A la luz de estas consideraciones, el referido autor define las vías pecuarias como "el sistema integrado por caminos (y otros elementos asociados) de dominio público, que estén destinados al tránsito pecuario (o que lo hayan estado) o a la protección ambiental, y que son susceptibles de constituir el soporte de diversas actividades compatibles y complementarias del tránsito pecuario y de la protección ambiental"[60].

---

[59] Estas anchuras máximas se corresponden con las que tradicionalmente establecía la normativa castellana (90 varas para las cañadas, 45 varas para los cordeles y 25 varas para las veredas). En términos generales puede decirse que las cañadas, que son las vías pastoriles principales, transcurren por varias Provincias; los cordeles afluyen a las cañadas comunicando dos Provincias limítrofes; las veredas, por último, ponen en comunicación varias comarcas de una misma Provincia.

[60] *Op. cit.*, p. 296.

V. LA INTERVENCIÓN ADMINISTRATIVA SOBRE LAS VÍAS PECUARIAS ESTÁ ORIENTADA AL CUMPLIMIENTO DE UN TRIPLE OBJETIVO: LA PRESERVACIÓN, LA ADECUACIÓN O SUFICIENCIA Y LA GARANTÍA DE USO PÚBLICO DEL DEMANIO CAÑADIEGO

Como hemos señalado en otro lugar[61], la LVP ofrece un válido criterio sistemático de la intervención administrativa en esta materia al condicionar y "funcionalizar" la titularidad demanial autonómica de las vías pecuarias, desde un punto de vista teleológico, al cumplimiento de tres finalidades específicas: *preservación, adecuación y garantía de uso público*. De este modo, tal y como expresamente dice la Exposición de Motivos de la LVP, la actuación de las Comunidades Autónomas como titulares del dominio público cañadiego "deberá estar orientada hacia la preservación y adecuación de la red viaria, así como a garantizar el uso público de las mismas", lo que es luego refrendado por el art. 3 de la LVP al establecer los fines y los objetivos que han de perseguir las Comunidades Autónomas sobre las vías pecuarias ubicadas en su territorio. Los principios rectores enunciados (preservación, adecuación y garantía de uso público) se configuran, pues, como tres vectores que enmarcan y fundamentan las diversas potestades y prerrogativas que toman cuerpo en la intervención administrativa en esta materia.

Así, en primer término, la finalidad de preservación justifica la aplicación de la clásica serie de potestades de policía demanial, de orientación conservacionista, mediante las que se garantiza la defensa y protección de la titularidad pública y la incolumidad posesoria (que analizamos en el punto VI). En segundo lugar, la finalidad de adecuación aporta una perspectiva funcional y territorial que atiende a la idoneidad y suficiencia del demanio cañadiego, a la operatividad o funcionalidad permanente de las vías pecuarias[62]. Esta pretensión de racionalizar la constitución y la gestión de los bienes demaniales en general, y de las vías pecuarias en particular, da sentido a las potestades administrativas que permiten alterar o hacer desaparecer la afectación de la vía, modificar su trazado o ampliar y restablecer la red cañadiega (punto VII). En tercer lugar, la finalidad de garan-

---

[61]   "*La intervención administrativa sobre las vías pecuarias*", *Revista Andaluza de Administración Pública*, núm. 59, 2005, pp. 25 a 73.

[62]   Téngase en cuenta que la idoneidad y suficiencia son dos de los nuevos principios inspiradores de la gestión de los bienes demaniales que recoge expresamente el artículo 6.b) de la LPAP.

tía del uso público configura una serie de potestades y deberes orientados a la preservación del uso asignado a las vías y a controlar las desviaciones, tanto con carácter preventivo como represivo (punto VIII). Finalmente, las vías pecuarias pueden recibir eventualmente una protección adicional a la de su propia normativa por otras disposiciones relativas a la ordenación del territorio y al urbanismo, a la protección ambiental o la protección de los bienes de interés cultural, lo que justifica la exposición de las potestades administrativas contempladas como medidas adicionales de protección por la legislación sectorial que incide en la materia (punto IX).

VI. POTESTADES DE POLICÍA DEMANIAL DIRIGIDAS A LA PRESERVACIÓN DE LA TITULARIDAD Y POSESIÓN PÚBLICA DE LAS VÍAS PECUARIAS

Tradicionalmente, la legislación demanial ha contemplado un conjunto de potestades tendentes a la identificación y declaración de la posesión pública de los bienes integrantes del dominio público (fundamentalmente, la investigación y el deslinde), así como a la reivindicación de la posesión perdida o amenazada (recuperación de oficio y desahucio). Todas estas potestades son aplicables a la protección demanial de las vías pecuarias pese a que no todas están expresamente reconocidas en la legislación de vías pecuarias (el art. 5 de la LVP sólo cita las potestades declarativas de investigación, clasificación, deslinde y amojonamiento). No obstante, ha de tenerse en cuenta que la legislación de vías pecuarias es especial respecto de la legislación general de la materia que actualmente contiene la Ley 33/2003, de 3 de noviembre, del Patrimonio de las Administraciones Públicas (en adelante LPAP), que regula las potestades ejecutorias o reivindicativas no contempladas expresamente por la LVP (la recuperación de oficio y el desahucio) y, en general, aporta importantes novedades respecto a la legislación general de patrimonio anteriormente vigente en el sentido de reforzar las facultades y prerrogativas de defensa demanial[63].

---

[63]   Sobre el particular, véase mi trabajo sobre las "Facultades y prerrogativas para la defensa de los patrimonios públicos", en los *Comentarios a la Ley 33/2003, del Patrimonio de las Administraciones Públicas*, dirigidos por CHINCHILLA MARÍN, C., Thomson-Civitas, Madrid, 2004, pp. 323 a 369.

1. *Potestades declarativas*

A) Investigación: una potestad venida a menos en la órbita del demanio cañadiego

En relación a la potestad de investigación, el art. 5.a) de la LVP se limita a enunciar "el derecho y el deber" que tienen las CCAA en orden a "investigar la situación de los terrenos que se presuman pertenecientes a las vías pecuarias", sin aludir a los presupuestos o el régimen de ejercicio de esta potestad. Por su parte, el art. 45 de la LPAP (que tiene carácter básico) establece que "las Administraciones públicas tienen la facultad de investigar la situación de los bienes y derechos que presumiblemente formen parte de su patrimonio, a fin de determinar la titularidad de los mismos cuando ésta no les conste de modo cierto".

La potestad de investigación se configura así, más que como una potestad genérica que pueda proyectarse sobre cualquier bien de titularidad indeterminada, como una potestad de ámbito más restringido que deriva siempre de una presunción de dominio. En efecto, como se desprende del art. 45 de la LPAP, el presupuesto para el ejercicio de la potestad de investigación es la indeterminación de la titularidad del bien, de la que se requieren dos condiciones: que existan indicios de su pertinencia pública y que no haya datos o documentos públicos que puedan acreditarla. Es decir, la investigación está siempre presidida por una confusión o incertidumbre de títulos de propiedad, con independencia que haya o no confusión de los límites de dicha propiedad y de su estado posesorio (aunque el ejercicio de la potestad investigadora sólo parece tener sentido cuando la Administración no tiene la posesión), pues con su ejercicio se persigue exclusivamente averiguar si la titularidad pública del bien, en principio indiciaria, se corresponde con la realidad jurídica.

Pese a su alto potencial jurídico (tiene naturaleza declarativa de la propiedad de los bienes públicos calificados como tales *ministerio legis*, permitiendo su inscripción —art. 47.d LPAP y art. 53 RBCL— y el inicio de todas las acciones pertinentes para recuperar la posesión) es una potestad en desuso, probablemente por ser demasiado tributaria de su originaria configuración al servicio de la política desamortizadora de bienes en "manos muertas", escondidos o de titularidad incierta, y su finalidad ligada a paliar la Deuda[64].

---

[64] En desarrollo de la Ley de bienes mostrencos de 9 de mayo de 1835, el Real Decreto de 10 de abril de 1852 estableció la obligación de poner en conocimiento de los

Su virtualidad en relación a las vías pecuarias es menor aún en la actualidad, incluso si se piensa que pudiera emplearse esta potestad para averiguar la situación jurídica de determinados terrenos o elementos que *pudieran ser parte* de una vía pecuaria, es decir, cuando existe incertidumbre no ya sobre la titularidad sino sobre la extensión de la vía; pues, en todo caso, la función formalmente declarativa de la existencia de la vía, incluida la determinación de sus características generales (extensión, anchura y trazado) es el contenido propio de la potestad de clasificación, que absorbe en gran medida la función que la potestad investigadora pudiera desempeñar en este campo. Acaso la principal virtualidad de la investigación pudiera estar en la utilidad auxiliar que la potestad de inspección y el deber de colaboración que acompañan el ejercicio de la acción investigadora (en virtud de lo dispuesto en el art. 62 de la LPAP) pudieran prestar a la hora de determinar la existencia y características generales de la vía y de sus elementos accesorios (majadas, descansaderos, abrevaderos, etc., que, según dispone el art. 4.3 de la LVP habrán de constar en la clasificación).

---

fiscales la existencia de bienes vacantes o sin dueño conocido, gratificando con un tercio de su valor a los particulares que investigasen su situación jurídica. Con este precedente, la Ley desamortizadora de 11 de julio de 1856 (que reformaba la Ley Madoz de 1 de mayo de 1855) reguló la potestad de investigación con carácter general, asignando al Ministerio de Hacienda la tarea de disponer reglamentariamente todo lo necesario para la investigación de los bienes vendibles. Anteriormente, la Instrucción de 31 de mayo de 1855, dictada en desarrollo de la Ley Madoz con objeto de fijar las atribuciones de los distintos órganos de Hacienda en la administración y enajenación de los bienes desamortizados, había designado a la Dirección General de Ventas de Bienes Inmuebles (creada por Real Decreto de 15 de mayo de 1855) como "autoridad superior gubernativa" en todos los negocios de bienes, confiriéndole la específica potestad de promover "la investigación de las fincas, censos, foros y demás propiedades que se hayan ocultado para que sin más demora que la indispensable se incaute de ellas el Estado" (art. 6). En el ámbito de estas disposiciones, correspondía a los Gobernadores civiles promover las investigaciones en cada Provincia. Éstos, a su vez, designarían a los "comisionados" encargados de descubrir en cada distrito las propiedades ocultas o ignoradas a cambio de un porcentaje sobre el valor de venta. Posteriormente, la Real Orden de 8 de junio de 1896 reguló un sencillo procedimiento de investigación, cuya competencia se atribuyó a las Delegaciones Provinciales de Hacienda (creadas por la Ley de 9 de diciembre de 1881). Poco más tarde, con la aprobación del Reglamento de Inspección de bienes de 15 de abril de 1902, el procedimiento de investigación queda definido en todos sus perfiles. Si bien, el Real Decreto de 11 de enero de 1908 reformó el ámbito de la potestad investigadora para constreñirla tan sólo a los bienes cuyo descubrimiento pudiera ser de alguna utilidad para el Tesoro público.

B) La clasificación de vías pecuarias como acto singular de afectación demanial: consecuencias jurídicas

La clasificación es una potestad muy singlar que tiene su razón de ser en el carácter artificial y la historia de auge y declive de estas vías. El sentido histórico de la potestad de clasificación de las vías pecuarias está íntimamente unido al peculiar proceso de desamortización que sufrieron estos caminos a partir el Real Decreto-Ley de 1924 que, como vimos, configuraba la clasificación como un acto de determinación de la necesidad o innecesariedad de la vía con vistas a su enajenación (para lo que era necesario levantar acta previa de su existencia y realidad física).

Toda vez que la legislación vigente ha desterrado la finalidad desamortizadora que en mayor o menor medida caracterizó a la legislación anterior, la clasificación concibe en la LVP como un procedimiento administrativo de carácter declarativo en cuya virtud se determina la existencia, anchura, trazado y demás características físicas generales de cada vía pecuaria (art. 7). También corresponde al acto de clasificación la determinación de la superficie de los elementos asociados a las vías (abrevaderos, descansaderos, majadas y demás lugares asociados al tránsito ganadero), así como la determinación de la anchura de las coladas (art. 4.3). Parece así que la lógica de la potestad de clasificación responde a la necesidad de determinar sobre el terreno la existencia de cada vía, en tanto que éstas no se definen en la Ley por remisión a una realidad natural, lo que justifica que el ejercicio de esta potestad sea una pieza necesaria y preceptiva para la puesta en práctica del régimen legal de protección (hasta el punto de que la Disposición Adicional Primera de la LVP prevea la urgente clasificación de las vías pecuarias no clasificadas con anterioridad).

En relación a la naturaleza jurídica de esta potestad, la jurisprudencia tiene declarado que la clasificación no tiene efectos jurídicos constitutivos de la posesión o de la titularidad, para lo que se requiere el ulterior deslinde[65]. La clasificación se ciñe, pues, a determinar la existencia de la vía fijando sus características físicas generales al objeto de su posible identificación en el acto de deslinde, que ya se ocupará de precisar las características concretas de la vía. La importancia de este acto reside, por tanto, en la determinación de la existencia de la vía, de modo que su contenido jurídico declarativo no es sino la concreción de la afectación legal genérica.

---

[65] *Vid.*, por todas, la STS de 27 de abril de 1999 (Ar. 3327), con cita de la jurisprudencia anterior.

Esta afectación singular de la vía a la categoría de bien demanial que consagra el acto de clasificación constituye una declaración jurídica de la máxima importancia. La razón es —como antes apuntábamos— que las vías pecuarias (a diferencia de otras declaraciones demaniales) no son bienes de dominio público "naturales" o "por naturaleza"[66] cuya condición demanial quede definida por remisión del legislador a una realidad necesariamente identificable y reconocible. Antes bien, las vías pecuarias pertenecen al llamado dominio público "artificial" porque, de un lado, son producto de la actividad humana o necesitan de ésta para existir y, de otro, porque la declaración legal de demanialidad no basta por sí sola para afectar estos bienes a un uso público, sino que tal declaración ha de ser completada *a posteriori* por el acto de afectación concreto en qué consiste la clasificación. Con lo cual, hasta que no se haya clasificado la vía no serán de aplicación las prerrogativas de protección demanial ni las notas típicas del demanio y, en consecuencia, hasta ese momento quedarían a salvo los derechos de propiedad, sin que pueda considerarse que tales derechos, siempre que se hayan consolidado con anterioridad al acto de clasificación, se extinguen por la misma.

A pesar de su importancia declarativa, la LVP no regula el procedimiento de clasificación, limitándose a señalar que los actos de clasificación acordados por las Comunidades Autónomas que afecten a vías pecuarias integradas en la Red nacional se incorporarán al Fondo Documental de Vías pecuarias de la Administración del Estado (art. 18.5). En desarrollo de las escasas previsiones de la LVP, la legislación autonómica concibe la clasificación como una potestad dirigida a la fijación de las características físicas y morfológicas de las vías pecuarias con vistas a determinar su eje y trazado (y, en su caso, los elementos sobrantes de cada vía), que se orienta a declarar la existencia e identificación de una vía pecuaria con objeto de proceder a su posterior deslinde, del que la clasificación tiene carácter preparatorio; por lo que puede decirse que clasificación y deslinde se configuran como piezas separadas un procedimiento integrado en el que el deslinde sería el acto ejecutivo de la clasificación[67].

---

[66]   Pese a que algunos autores afirmen tal condición, como hace GONZÁLEZ GARCÍA, J. V., *La titularidad de los bienes de dominio público*, Marcial Pons, Madrid, 1998, pp. 201 y ss.; o, de forma más matizada, DARNACULLETA i GARDELLA, M., *Recursos naturales y dominio público: el nuevo régimen del demanio natural*, Cedecs, Barcelona, 2000, p. 193. Cosa que es contradicha por ALENZA GARCÍA, *op. cit.*, pp. 321 y ss.; o PONCE SOLÉ, J., *Régimen jurídico de los caminos y Derecho de acceso al medio natural*, Marcial Pons, Madrid-Barcelona, 2003, p. 45; y HERRÁIZ SERRANO, O., *op. cit.*, pp. 304 y ss.

[67]   HERRÁIZ SERRANO, O., *op. cit.*, p. 439 y 454 y ss.

La clasificación de las vías pecuarias se tramita mediante un expediente autonómico al que han de servir como fundamento cuantos antecedentes existan en el Fondo Documental de vías pecuarias, en los Ayuntamientos afectados y en cualquier otro organismo[68]. Junto a ello, la legislación autonómica prevé que, una vez emitido el acuerdo de clasificación se proceda al reconocimiento y recorrido de la vía pecuaria con los representantes y prácticos del lugar designados, al objeto de redactar la propuesta de clasificación, que determinará la dirección, anchura y longitud aproximada de la vía junto a la descripción detallada de su itinerario, linderos, superficie aproximada y características de los descansaderos, majadas y abrevaderos; determinándose asimismo los terrenos sobrantes e innecesarios.

En el contexto de los expedientes de clasificación y deslinde que actualmente gestionan muchas Comunidades Autónomas ha surgido el problema, de la mayor relevancia práctica, de si el particular que solo tiene conocimiento del acto de clasificación en el momento del deslinde (normalmente muy posterior) puede, entonces, impugnar aquella clasificación. El problema se ve agravado por lo frecuente que resulta que los interesados desconozcan la existencia del acto de clasificación, ya que muchas de las clasificaciones sobre las que operan los actuales deslindes fueron efectuadas por la Administración a mediados del siglo pasado (a partir de la aprobación del reglamento de 1944), cuando la normativa entonces vigente no establecía la exigencia de notificación individualizada de la clasificación ni otras garantías procedimentales que hoy establece la legislación autonómica[69]. La duda se centra en torno a si la referida notificación del acto de clasificación es o no un elemento sustancial del mismo que pueda desvirtuar su validez en caso de incumplimiento, lo que debe responderse en función de la naturaleza jurídica del acto de clasificación.

En este sentido, alguna jurisprudencia ha sostenido que dado que la clasificación no es constitutiva ni declarativa de posesión o de la propiedad, sino tan solo de la existencia de la vía, difícilmente podrá argüirse el desconocimiento de derechos preexistentes por el acto de clasificación que,

---

[68] En este sentido hay que recordar que la LVP prevé la existencia de un Fondo Documental de Vías Pecuarias en el Ministerio de Agricultura, Pesca y Alimentación, donde se recogen la clasificación y demás actos que afecten a las vías pecuarias integradas en la Red Nacional de Vías Pecuarias (art. 18.5 Ley de Vías Pecuarias). Las Comunidades Autónomas han previsto sus propios Fondos Documentales para el mejor conocimiento y gestión de las vías pecuarias que discurren por su territorio.

[69] Sobre esta importante cuestión véase, por todos, el excelente trabajo de PÉREZ ANDRÉS, E., "El deslinde de las vías pecuarias y su control judicial", *Revista Andaluza de Administración Pública*, núm. 59, 2005, pp. 75 y ss.

en puridad, no puede comportar por sí mismo privación de derechos patrimoniales. De ahí que, transcurrido el plazo ordinario de recurso frente al acto de clasificación, tal resolución devenga firme y, en consecuencia, la vía pecuaria —todavía no concretada sobre el terreno hasta su deslinde— gozará desde entonces de la condición de dominio público, por lo que no podrá después impugnarse su deslinde invocando únicamente razones que tiendan a demostrar que no concurría el presupuesto necesario para la clasificación de los terrenos como vía pecuaria o que dicho acto no fue notificado[70]. Frente a esta argumentación, la más reciente STS de 12 de mayo de 2006 (Ar. 10064) afirma rotundamente que,

> "dada la conexión entre la clasificación y el deslinde, y, vista la evidente vinculación de la primera sobre el segundo (...) la intervención de los interesados en el procedimiento de clasificación de las vías pecuarias se impone como obligatoria, de conformidad con los artículos 24 y 105 de la Constitución Española".

De ello, el Tribunal Supremo extrae que la obligación de que la Administración proceda a la notificación individualizada del acto de clasificación a los interesados, incluso en aquellos supuestos en que el deslinde practicado partía de actos de clasificación que no fuera preciso notificar individualmente conforme a la normativa aplicable en el momento en

---

[70] Tal es la línea interpretativa sentada por algunos Tribunales Superiores de Justicia. El que probablemente lo haya afirmado de forma más reiterada es el de Andalucía, a partir de una importante sentencia de 22 de diciembre de 2003 que luego comentaremos más detenidamente. Según este pronunciamiento, "no es condición de validez del expediente administrativo de clasificación la investigación sobre la identidad de los colindantes y de los poseedores con o sin título de los terrenos por los que *in genere* ha de transcurrir la vía pecuaria, ni por lo tanto tampoco la notificación personal a cada uno de ellos, del mismo modo que tampoco se exige como condición de validez dicha notificación personal —sino publicidad en diarios oficiales y trámite de información pública— para otros actos administrativos que pueden afectar a situaciones jurídico-privadas, como son la clasificación de espacios naturales, el planeamiento urbanístico, etc. La razón es bien simple: como antes se ha razonado, el acto de clasificación no comporta por sí solo en ningún caso privación, perjuicio o expropiación automática de titularidades jurídico-privadas consolidadas con anterioridad, las cuales podrán hacerse valer en el momento en que se proceda al deslinde y, ahora sí, con notificación personal suficiente, se concrete sobre el terreno, metro cuadrado por metro cuadrado, el trazado de la vía pecuaria. Pero el interés diferenciado del poseedor o pretendido dueño de terrenos afectados se agota en la defensa de su posesión o propiedad, sin que goce por esa circunstancia de especiales posibilidades o garantías para la eventual impugnación del acto de clasificación". A la misma conclusión llegan sendas sentencias del Tribunal Superior de Justicia de Extremadura de 14 de julio de 2005 (rec. núms. 794/2003 y 804/2003).

que se produjo la clasificación, de modo que, de no haberse practicado dicha notificación conforme a lo dispuesto en la LRJPAC, ésta habrá de considerarse defectuosa, por lo que sólo surtirá efectos cuando se den los presupuestos del art. 58.3 de dicha Ley. La esencialidad del requisito de la notificación del acto de clasificación deriva de la máxima, que la propia sentencia expresa, de que

> "En Derecho la forma por la forma no tiene valor jurídico, los requisitos formales valen en cuanto incorporan y garantizan derechos materiales".

En todo caso, y con independencia de la notificación del acto de clasificación, la firmeza del mismo no impediría la eventual interposición de un recurso extraordinario de revisión contra dicha clasificación si se dan los presupuestos de las reglas 1ª o 2ª del art. 118.1 de la LRJAP y PAC, o su revisión en virtud de los arts. 102 ó 103 de dicha Ley. O acaso, más allá de los motivos de legalidad en los que se sustentan las mencionadas vías revisorias, también debe considerarse la posibilidad de que pueda prosperar una pretensión de revisión de la clasificación basada en motivos de oportunidad que concluyesen con la eventual desclasificación (desafectación) de la vía o la modificación de su trazado, o en la imposición de alguna medida más respetuosa con los derechos preexistentes como sería la del establecimiento de una servidumbre administrativa, que son técnicas en las que luego abundaremos.

C) Deslinde y amojonamiento de vías pecuarias. El problema de los derechos de propiedad privada preexistentes

Entre las potestades administrativas que la LVP ha regulado en orden a la conservación y defensa de las vías pecuarias destaca la incisiva regulación del deslinde (art. 8), que merece especial consideración por nuestra parte. Como antes señalábamos, el deslinde aparece contemplado en la regulación de las vías pecuarias desde mediados del s. XIX, donde la potestad era configurada de acuerdo con sus perfiles clásicos; esto es, como la facultad de fijar los límites físicos concretos de las vías pecuarias respecto de las fincas colindantes mediante la práctica de operaciones técnicas de comprobación o, en su caso, de rectificación de situaciones jurídicas acreditadas, que tenían por objeto delimitar los linderos de las vías y a declarar la posesión de las mismas. En origen, por tanto, el deslinde no tiene como finalidad necesaria —a diferencia de la acción reivindicatoria— solventar una controversia posesoria (aunque tiene efectos posesorios declarativos), siendo su finalidad típica la de constatar la identificación de unos bienes que se encuentran en una situación de colindancia imprecisa, al objeto de comprobar la armonía del título de propiedad con la realidad y con independencia de las situaciones de usurpación o perturbación posesoria[71].

De la regulación anterior del deslinde de vías pecuarias, que respondía a la caracterización tradicional de esta potestad, se deducía claramente que la naturaleza del deslinde no era declarativa de propiedad, ciñendo sus efectos al estricto ámbito posesorio. Así, la jurisprudencia señaló en numerosas ocasiones que la potestad de deslinde no supone una acción reivindicatoria y que, desde luego, no es título suficiente para sustentar el derecho de propiedad[72]. El deslinde declara simplemente la posesión

---

[71] Siguiendo esta concepción clásica del deslinde, la legislación condiciona el ejercicio de dicha potestad a un doble presupuesto de hecho: que los límites entre propiedades a deslindar "sean imprecisos o existan indicios de usurpación" (art 50.1 LPAP y 56.1 RBCL). No se trata, pese a lo que pudiera desprenderse de la literalidad de la expresión legal, de un requisito alternativo, ya que la jurisprudencia ha declarado reiteradamente que la confusión de linderos es un presupuesto inexcusable para el ejercicio de la acción de deslinde (ya sea esta civil o administrativa), con independencia de que haya o no indicios de usurpación. Así, el deslinde no es viable "cuando los inmuebles se encuentran perfectamente identificados y delimitados, con la consiguiente eliminación de la incertidumbre respecto de la aparente extensión superficial del fundo y a la manifestación del estado posesorio" (STS de 18 de abril de 1984 —Ar. 1959—). Por su parte, las STS de 3 de noviembre de 1989 (Ar. 7844), declara que "para proceder al deslinde de inmuebles es requisito imprescindible que los límites estén confundidos, de manera que no se tenga conocimiento exacto de la línea perimetral de cada propiedad". Pues, como afirmaba la Sala Primera del Supremo en su antigua sentencia de 13 de mayo de 1959, "la acción de deslinde es semejante a la antigua *finium regundorum,* con la que mantiene puntos notorios de semejanza y, aunque no pueda con ella identificarse, requiere como supuestos fundamentales el dominio de las fincas cuyo deslinde se pretende y la confusión de linderos con otra del demandado y cuya propiedad pertenece a este". Por otro lado, la consideración que hace la legislación la existencia de "indicios de usurpación" como presupuesto del deslinde administrativo, provoca una cierta asimilación entre los presupuestos legitimadores del ejercicio de esta potestad y los de la recuperación de oficio. Ello obliga a delimitar qué haya de entenderse por "indicios de usurpación" a los efectos de estimar procedente la acción de deslinde o la de recuperación de oficio, cuyo ejercicio reclama la consumación de la usurpación, es decir, que la posesión se haya perdido indebidamente (como expresa el art. 55.1 de la LPAP).

[72] En palabras de la STS de 3 de marzo de 1992 (Ar. 1775), "el deslinde no puede convertirse en una acción reivindicatoria simulada, y no puede con tal pretexto la Administración hacer declaraciones de propiedad sobre terrenos en los que los particulares ostenten derechos de propiedad y prueben una posesión superior a un año, ya que el deslinde sólo sirve para la fijación precisa de la situación posesoria entre las fincas deslindadas". Véanse, en parecido sentido, las SSTS de 26 de enero de de 1984 (Ar. 159), de 22 de mayo de 1985 (Ar. 2935), de 17 de junio de 1987 (Ar. 4550), de 3 de marzo de 1994 (Ar. 2416), de 7 de febrero de 1996 (Ar. 985) y 27 de mayo de 2003 (Ar. 4104).

de lo deslindado (así lo dice expresamente el art. 57.2 del RBCL), pero ni siquiera es un título de posesión pleno, pues no destruye la presunción posesoria que se deriva a favor del titular registral. En este sentido, cabe recordar que la Ley Hipotecaria (LH) dispone que, a todos los efectos, se presumirá que los derechos reales inscritos en el Registro de la propiedad existen y pertenecen a su titular en la forma determinada por el asiento respectivo, añadiendo que el que tenga inscrito el dominio de inmuebles o derechos reales sobre los mismos tiene su posesión, no pudiendo ejercitarse ninguna acción contradictoria del dominio o de derechos reales inscritos a nombre de persona o entidad determinada sin que, previamente o a la vez, se entable demanda civil de nulidad o cancelación registral (art. 38 LH). Inatacabilidad de los derechos inscritos que corroboran los arts. 32 y 34 de la LH al fijar los efectos de la fe pública registral y los 1 y 40 de la LH al disponer que los asientos practicados en los libros de Registro están bajo la salvaguarda de los Tribunales y producirán sus efectos mientras no se declare su inexactitud en los términos establecidos en la propia LH.

La gran novedad de la vigente LVP es haberle otorgado al deslinde unos efectos hasta ahora desconocidos en la órbita del dominio público cañadiego, a fin de dispensar a éste la máxima protección. En este sentido, ha tenerse presente que, con anterioridad, la legislación sectorial en materia de costas (art. 13 de la Ley 22/1988, de 28 de julio) y de aguas (en los términos que actualmente recoge el art. 95 del Texto Refundido de 20 de julio de 2001), dotaron al deslinde de efectos declarativos de la posesión y de la titularidad demanial, a la vez que conferían a dicho título eficacia prevalente respecto a las titularidades registrales contradictorias, lo que elevaba el alcance y efectos de esta potestad mucho más allá de los limitados y provisionales efectos declarativos de la posesión que le confiere la legislación general sobre patrimonios públicos. Pues bien, la legislación de vías pecuarias equipara la naturaleza y efectos del deslinde a lo prevenido en la legislación de costas y de aguas, afirmando que el acto resolutorio del deslinde declara la posesión y la titularidad demanial a favor de la Comunidad Autónoma, sin que las inscripciones preexistentes del Registro de la Propiedad puedan prevalecer frente a la naturaleza demanial de las vías deslindadas, ya que la aprobación del deslinde es título suficiente rectificar las situaciones jurídicas registrales contradictorias con el mismo y, en caso de terrenos que nunca accedieron al Registro, para inmatricular el bien a favor de la Comunidad Autónoma (art. 8.3 y 4 LVP). Todo ello sin perjuicio de las acciones civiles de los afectados, cuya situación posesoria y reivindicativa pueden anotarse marginalmente y preventivamente en la inscripción del deslinde (art. 8.4 y 5 de la LVP)[73].

De este modo, la vigente LVP ha reforzado las notas de la imprescriptibilidad e inalienabilidad del dominio público cañadiego para poner fin a la orientación legislativa anterior que, en mayor o menor medida, venía reconociendo efectos a las posesiones legitimadas por el transcurso del tiempo y, en general, a los derechos de propiedad consolidados[74]. Esta extralimitada configuración del deslinde, que difiere mucho de su tradicional alcance, sitúa a la Administración en una posición impropia que no sólo se aparta de la regulación de esta figura en la LPAP y en el RBCL sino que, a nuestro juicio, supone también una falla importante para el sistema registral inmobiliario y para la tradicional concepción de la dualidad jurisdiccional que informa la competencia de los Tribunales para conocer las actuaciones administrativas dirigidas a la defensa de los patrimonios públicos (que actualmente plasma el art. 43 de la LPAP), en la medida que consagra la ruptura del monopolio del juez civil para conocer de cualquier cuestión relativa al dominio, aun cuando éste fuera de titularidad pública, atribuyendo a la Administración autonómica que promueve el deslinde la facultad de decidir —en vía administrativa— sobre la posesión y la titula-

---

[73] En este punto es obligada la remisión al estudio HORGUÉ BAENA sobre las consecuencias jurídicas que tiene esta nueva consideración del deslinde, *El deslinde de costas*, Tecnos, Madrid, 1995, pp. 311 y ss.

[74] La legislación anterior sobre vías pecuarias, aparte de limitar los efectos del deslinde a la declaración posesoria a favor de la Administración, dejó siempre una puerta abierta al reconocimiento de la usucapión y de otros títulos de propiedad. Así, el art. 1 del Real Decreto-Ley de 5 de junio de 1924, tras decir que "las vías pecuarias son bienes de dominio público" que "no serán susceptibles de prescripción y no podrá alegarse para su apropiación el mayor o menor tiempo que hubieran sido ocupadas, ni en ningún caso podrán legitimarse las usurpaciones de que sean objeto", excepciona la facultad de restablecimiento y reivindicación de las mismas por parte de la Administración en "los casos en que se haya legitimado, conforme a las Leyes, el derecho adquirido, haciéndose la adquisición irreivindicable". Parecida redacción se repite en la base 2ª del Decreto de 7 de diciembre de 1931 y en el art. 1 del Decreto de 23 de diciembre de 1944, por el que se aprobó el Reglamento de vías pecuarias. Por su parte, el art. 1 de la anterior Ley 22/1974, de 27 de junio, de vías pecuarias, insistió en que "las vías pecuarias (...) no son susceptibles de prescripción ni de enajenación, ni podrá alegarse para su apropiación el tiempo que hayan sido ocupados, ni legitimarse las usurpaciones de que hayan sido objeto". No obstante, el problema de la propiedad privada sobre las vías pecuarias se mantuvo vivo desde el momento en que la Disposición Final primera preveía que "lo dispuesto en esta Ley se entiende sin perjuicio de los derechos legalmente adquiridos que hayan hecho irreivindicables los terrenos ocupados de vías pecuarias, y cuyas situaciones se preciarán por los Tribunales de Justicia".

ridad dominical a favor de la Comunidad Autónoma, dando lugar al consiguiente amojonamiento, y sin que las inscripciones registrales puedan prevalecer frente a la naturaleza demanial de los bienes deslindados, hasta el punto de que la realidad extraregistral del deslinde administrativo goza del valor de enervar la presunción *iuris tantum* que confiere el Registro de la Propiedad a las titularidades inscritas.

No obstante, pese al incisivo alcance del deslinde, debe subrayarse que los efectos declarativos de la propiedad y la posesión administrativa del deslinde de vías pecuarias se producen sin perjuicio de que los titulares inscritos puedan hacer valer sus derechos ante la jurisdicción civil, tal y como reconoce el propio art. 8 de la LVP (apdos. 4 *in fine* y 6) y como ha declarado la jurisprudencia en relación al deslinde de costas[75]. En efecto, aunque a partir de la aprobación vigente LVP la jurisprudencia no podrá recurrir, como antaño hacía, al plazo treintenal para impedir la reivindicación administrativa de las vías pecuarias[76], ello no significa necesariamente que la Administración pueda reivindicar cualquier terreno que en el pasado haya tenido tal carácter. Al admitir la competencia del orden jurisdiccional civil sobre las cuestiones de propiedad en los conflictos de fondo suscitados a raíz del deslinde de las vías pecuarias, se está admitiendo implícitamente que el juez civil pueda reconocer derechos de propiedad a favor de terce-

---

[75] SSTS de 10 de febrero de 1998 (Ar. 1586), de 31 de marzo de 1998 (Ar. 3940), de 19 de mayo de 1999 (Ar. 4154), de 5 de julio de 2001 (Ar. 5022), y de 24 de septiembre de 2001 (Ar. 7665).

[76] Aunque el Real Decreto de 1892 no establecía un plazo definido para la usucapión de las vías pecuarias en favor de poseedores de buena fe (de ocupaciones "de larga fecha" hablaba su art. 13.2), el posterior Real Decreto-Ley de clasificación y deslinde de las vías pecuarias de 5 de junio de 1924 estableció la prescripción treintenal como límite de la reivindicación de las vías pecuarias por la Administración. Pero la normativa posterior, tras proclamar la imprescriptibilidad de las vías pecuarias, reconoció la existencia de usurpaciones irreivindicables para la Administración sin fijar, de nuevo, un plazo de prescripción. Ante tal circunstancia, la jurisprudencia se remontó a los antecedentes legales y al propio al Código Civil para admitir la prescripción treintenal de las vías pecuarias. Para la jurisprudencia el dominio público o es absolutamente imprescriptible o no lo es, y como las vías pecuarias no lo son, porque la normativa admitía la legitimación de algunas ocupaciones, el plazo de prescripción debía ser el treintenal del Código Civil (SSTS de 22 de marzo de 1958 —Ar. 1352—, de 4 de mayo de 1959 —Ar. 1888—, de 15 de noviembre de 1962 —Ar. 4454—, de 31 de mayo de 1988 —Ar. 4060—, de 10 de febrero de 1989 —Ar. 998—, o de 22 de marzo de 1990 —Ar. 5426—, entre otras muchas). Sobre esta cuestión véanse PARRA LUCÁN, Mª A., *Vías pecuarias y propiedad privada*, Dykinson, Madrid, 2002, en especial, pp. 75 y ss.; y ALENZA GARCÍA, J. F., *op. cit.*, pp. 387 y ss.

ros, cosa que puede suceder en esos tres supuestos, que son los que señala la STJS de Andalucía de 22 de diciembre de 2003 (rec. núm. 2101/1998)

a) que el terreno hubiese sido enajenado o permutado en el pasado por la Administración (como permitía la legislación anterior, previa clasificación de innecesariedad de la vía);

b) que se hubiese legalmente usucapido conforme a los arts. 1940 y ss. del Código Civil; o

c) que se hubiese producido una adquisición de las prevenidas por el art. 34 de la LH que, más allá de la presunción *iuris tantum* de exactitud y de posesión sentada por el art. 38 de la LH, reconoce *ex lege* el derecho inatacable de quien, confiado en la publicidad y seguridad registral, adquiere a título oneroso y de buena fe a quien no es dueño pero figura como tal en el Registro.

A mi juicio, en estos supuestos en los que existe un título adquisitivo que genera una confianza legítima en el ocupante la Administración no podrá alegar la imprescriptibilidad que fundamenta a los efectos declarativos del deslinde, sino que deberá acudir, como certeramente ha apuntado ALENZA GARCÍA, al mecanismo de la expropiación y afectación posterior de la vía[77] (para lo que la Administración contará ya con la declaración de utilidad pública que le confiere el art. 6 de la LVP a los efectos del "restablecimiento de la vía"); tesis que cuenta con algún respaldo jurisprudencial reciente[78]. En todo caso, la inatacabilidad de los derechos de terceros está condicionada a que la adquisición alegada se hayan producido antes del acto administrativo de clasificación, pues, como vimos, éste acto consagra la afectación de la vía pecuaria y declara el carácter demanial de la misma, que sería así el *dies a quo* para la aplicación plena del régimen de protección exorbitante y del predicado de las notas de inalienabilidad e imprescriptibilidad[79].

---

[77]   *Op. cit.*, p. 403.

[78]   La antes citada STSJ de Andalucía, de 22 de diciembre de 2003, afirma certeramente que "por exigencias del art. 33 de la Constitución, debe mantenerse intacto el principio de que allí donde se haya producido conforme a la normativa (civil e hipotecaria) vigente en su memento, una adquisición plena y firme del derecho de propiedad (con o sin inscripción registral) sobre terrenos que después vayan a ser deslindados, ese derecho podrá esgrimirse frente a la Administración y será obstáculo para la adquisición plena de los terrenos a favor de la Comunidad Autónoma correspondiente, mientras no se produzca formalmente la expropiación".

[79]   En función de que se haya o no producido la clasificación, la STSJ de Andalucía de 22 de diciembre de 2003, diferencia casuísticamente y con toda exactitud los posibles supuestos de reivindicación demanial frente al deslinde por parte de los particulares: "en el caso de la usucapión, si ésta se consumó por posesión continuada de treinta años,

En este orden de consideraciones, la doctrina ha puesto de relieve algunos de los problemas que ocasiona esta exorbitante regulación del deslinde de las vías pecuarias en relación a los derechos de terceros. Así, PARRA LUCÁN ha denunciado que la LVP parece suponer el carácter usurpador de todas las ocupaciones habidas sobre las vías pecuarias, pasando por alto los derechos de posesión y propiedad que pueden tener un origen legítimo y ser dignos de mayor protección. La misma autora advierte la dificultad de comprender la previsión de unos efectos tan exorbitantes para el deslinde de las vías pecuarias habida cuenta que estos bienes no integran, a diferencia de las costas o las aguas, el llamado dominio público natural, ni la Ley las identifica —ni podría hacerlo— por sus características físicas intrínsecas, sino por una circunstancia aleatoria: el hecho de ser o haber sido caminos de trashumancia[80].

Por su parte, ALENZA GARCÍA ha formulado dos graves reproches al art. 8 de la LVP: el de su innecesariedad y el de su inconstitucionalidad[81].

---

en concepto de dueño, pública y pacifica antes de la fecha de la clasificación, está claro que el usucapiente, y sus causahabientes (herederos, donatarios, compradores, etc.) estarán protegidos frente a la posterior clasificación y deslinde, pudiendo hacer prevalecer su derecho"; caso éste al que habría que equiparar, en mi opinión, el supuesto de adquisiciones privadas por enajenación o permuta operadas por la Administración con anterioridad a la clasificación de la vía (bien previa desafectación, bien —justamente— por su clasificación de vía "innecesaria" conforme a la legislación anterior). A lo que la citada sentencia añade que "si la usucapión no se había consumado antes de la clasificación, entonces jugará de pleno la regla de imprescriptibilidad del dominio público, decayendo, sin derecho a indemnización por justiprecio. La única excepción a esta regla la comportaría el caso de desafectación, que permitiría una usucapión posterior a la misma. Pero evidentemente, entonces tendrían que acreditarse los treinta años de posesión posteriores al acto de clasificación, sin que resulten computables los años que se poseyó con anterioridad al mismo". Y lo mismo ocurre con la eficacia de la fe pública registral, ya que, como precisa la citada sentencia "si antes de la fecha de la clasificación algún particular adquirió con todos los requisitos del artículo 34 de la Ley Hipotecaria (es decir, adquirió de quien constaba en el Registro como titular y con facultades para transmitir, a título oneroso, de buena fe, e inscribiendo a su nombre), entonces su adquisición sería mantenida a pesar de la clasificación posterior, gozando también de protección, en consecuencia, sus causahabientes posteriores (herederos, compradores, etc.). Nótese que en este caso ya no está haciéndose prevalecer la inscripción sobre el acto de deslinde, sino el derecho adquirido, no por la inscripción, sino por el mecanismo de la protección de la fe pública registral establecido en el artículo 34 de la Ley Hipotecaria. Pero si esta misma adquisición con los requisitos de dicho artículo se produce después de la clasificación, ha de prevalecer la protección reforzada de lo que ya tiene consideración de dominio público, sin necesidad alguna de inscripción registral, y sin perjuicio, desde luego, de las eventuales acciones civiles del adquirente contra el transmitente por evicción".

[80]   *Op. cit.*, en especial, pp. 174 y ss.
[81]   *Op. cit.*, pp. 422 y ss.

Según el razonamiento del citado autor, el reforzamiento de la eficacia del deslinde de vías pecuarias es innecesario por dos razones: en primer lugar, porque en este ámbito las inscripciones registrales por sí solas no invalidaban ni paralizaban el deslinde[82]; en segundo lugar, es innecesario otorgar al deslinde esta eficacia porque en las vías pecuarias es la clasificación la que determina su existencia, configurándose el deslinde como un acto subordinado a la clasificación, como acto de ejecución complementario de la misma[83]. Para ALENZA, todo ello ha escapado de la inteligencia del legislador, que no ha caído en la cuenta de que es posible que los efectos del deslinde puedan enervarse si las inscripciones registrales se oponen con éxito a la clasificación, de la cual no puede separarse el deslinde. En cuanto a la posible inconstitucionalidad, el citado autor expone que si bien la privación de derechos que se derivaba de la regulación del deslinde de costas era compensada por la propia Ley de costas, al prever la transformación de esos derechos en concesiones administrativas sobre el dominio público marítimo-terrestre, la traslación de la eficacia del deslinde de costas a las vías pecuarias no ha sido acompañada de compensación alguna por la privación de derechos que impliquen los nuevos deslindes. En este último orden de consideraciones, MARTÍN REBOLLO ha propuesto una interpretación conciliadora para salvar la constitucionalidad de la LVP: que la eficacia del nuevo deslinde sólo pueda operar respecto inscripciones registrales posteriores a la vigencia de la Ley de Vías Pecuarias[84].

Por otra parte, debe recordarse la dualidad jurisprudencial que rige esta materia (art. 8.6 LVP y 43 LPAP), que limita el conocimiento de la jurisdicción contencioso-administrativa a la existencia de vicios formales de competencia o procedimiento[85] (a los que habría que asimilar los su-

---

[82]   Según la jurisprudencia, el deslinde sólo debía respetar las inscripciones registrales cuando eran corroboradas por otros documentos y circunstancias que probaran la prescripción de la vía pecuaria o su inexistencia (STS de 10 de junio de 1991 —Ar. 4676—).

[83]   Por ello el deslinde de vías pecuarias siempre ha tenido una eficacia más limitada que el practicado sobre otros bienes de dominio público, ya que no puede alterar lo dispuesto en la clasificación, como declaran las SSTS de 23 de mayo de 1979 (Ar. 2527) y de 12 de abril de 1985 (Ar. 3519).

[84]   "Régimen jurídico de los caminos", en el libro homenaje al Prof. MARIENHOFF, *Derecho Administrativo*, Abeledo-Perrot, Buenos Aires, 1998, p. 1135.

[85]   El art. 43 de la LPAP regula el control judicial de los actos administrativos dictados en los procedimientos que se sigan para el ejercicio de las facultades de defensa patrimonial. El precepto no innova el régimen vigente ni la regulación precedente. Siguiendo las previsiones ya contenidas en art. 8.2 de la LPE, así como en el art. 101 de la LRJPAC, comienza declarando la inviabilidad de la acción interdictal para la tutela sumaria de

puestos de contradicción entre el acto de deslinde y la clasificación —*ex* art. 8.1 LVP—), sin que pueda fundarse la impugnación del deslinde ante este orden jurisdiccional en la sola apreciación de que se desconozcan derechos de propiedad preexistentes, pues en este caso la competencia es de la jurisdicción civil (sin perjuicio, claro está, del posible pronunciamiento prejudicial de los Juzgados y Tribunales de lo contencioso-administrativo en los términos que permite el art. 4 de la LJCA)[86].

En relación al procedimiento de deslinde, el art. 8 de la LVP contiene algunas determinaciones básicas y otras de aplicación plena para las Comunidades Autónomas. A la luz de las mismas cabe afirmar que se trata de un acto condicionado por el de clasificación, a cuyas determinaciones el deslinde añade un estudio posesorio de ocupaciones o intrusiones (dados sus efectos jurídicos) y de colindancias. La legislación autonómica suma a estas previsiones las oportunas garantías de publicidad, información pública y participación de los Ayuntamientos en cuyo término radique la vía a deslindar.

---

la posesión prevista en el artículo 250.4º de la LEC frente a las actuaciones administrativas de ejecución de las potestades de autotutela de los bienes públicos. Junto a ello, los arts. 41.2 y 43.2 de la LPAP recogen la tradicional dualidad jurisdiccional según la cual tales actos y actuaciones sólo podrán ser recurridos ante la jurisdicción contencioso-administrativa por infracción de las normas sobre competencia y procedimiento, previo agotamiento de la vía administrativa, y sin perjuicio del ejercicio por quienes se consideren perjudicados por dichos actos, en cuanto a su derecho de propiedad u otros de naturaleza civil, de las acciones pertinentes ante la jurisdicción civil, en el entendido de que en estos casos habrá de interponerse la previa reclamación en vía administrativa (tal y como recoge el art. 41.1.b de la LPAP en conexión con prevenido por el art. 43.2 *in fine* de la propia LPAP). La previsión supone un especie de reedición de la doctrina de los "actos separables" en la medida que sienta la competencia del orden contencioso-administrativo sobre los vicios de los actos dictados y de las actuaciones materiales acordadas en desarrollo de las prerrogativas de protección y defensa patrimonial, así como sobre el control de los motivos del ejercicio de dichas prerrogativas en orden a verificar los hechos determinantes de la decisión administrativa.

[86] En este orden de consideraciones, es de consignar que la reiterada Sentencia del Tribunal Superior de Justicia de Andalucía de 22 de diciembre de 2003, llega a afirmar que, pese a la dicción literal del art. 8.6 de la LVP, en aplicación de los principios de economía procesal y unidad del ordenamiento sería posible admitir un recurso contencioso-administrativo contra el deslinde fundado únicamente en la conculcación de un derecho de propiedad preexistente cuando el quebranto al derecho sea "notorio e incontrovertido" (de modo que no necesite pruebas, valoraciones o razonamientos jurídicos) por haber evidencia del mismo en el expediente (por adjuntarse al mismo, v.gr., una sentencia judicial firme, o prueba documental de una transmisión efectuada anteriormente por la Administración), en cuyo caso el orden contencioso-administrativo podría conocer por desviación de poder.

Una vez aprobado el deslinde habrá de procederse al amojonamiento o señalización del terreno, configurado legalmente como la materialización de la realidad física del deslinde (art. 9 LVP), que es el título jurídico que fundamenta el amojonamiento; quedando éste relegado, así, a una simple actividad material que, desde su consideración estrictamente jurídica, equivaldría a la *traditio*, en la medida en que da efectividad a la toma de posesión. Por consiguiente, la diferenciación entre amojonamiento y deslinde que hace la LVP (cuyo art. 5, al enunciarlas por separado, parece querer singularizar la primera frente a la segunda) es equívoca, ya que el amojonamiento de las vías pecuarias no es sino un mero acto de ejecución del deslinde, que no tiene sustantividad sin aquél. El propio art. 9 de la LVP sienta este carácter subordinado del amojonamiento al definirlo como "el procedimiento administrativo en virtud del cual, una vez aprobado el deslinde, se determinan los límites de la vía pecuaria y se señalizan con carácter permanente sobre el terreno". Según dispone la LVP, la señalización que plasma el amojonamiento se efectúa mediante hitos o mojones, que cuando se refieran a vías pecuarias de la Red Nacional deberán reflejar dicha circunstancia (art. 18.4 LVP).

2. *Potestades ejecutorias: la recuperación de oficio y el desahucio administrativo de vías pecuarias*

Entre las facultades para la defensa de las vías pecuarias de corte ejecutorio o reivindicativo destacan las clásicas potestades de recuperación de oficio o *interdictum proprium* y la de desahucio administrativo. Nada dice la LVP, sin embargo, sobre estas potestades de defensa demanial, que, no obstante, pueden entenderse comprendidas en la genérica cláusula remisoria de su art. 5.f). Más claramente, la aplicabilidad de estas prerrogativas al ámbito del demanio cañadiego deriva del carácter básico con que las contempla la LPAP que, junto a la potestad de recuperación de oficio de la posesión indebidamente perdida de bienes y derechos tradicionalmente contenida en la legislación patrimonial (art. 55 LPAP) regula con carácter general el régimen de desahucio en vía administrativa de los poseedores de inmuebles demaniales cuando desaparece o decae el título posesorio o las condiciones y circunstancias que amparaban su tenencia (art. 58 LPAP)[87].

---

[87]   Con anterioridad a la LPAP, el desahucio sólo contaba con una regulación general para el ámbito local (art. 120 y ss. RBCL), aparte de las previsiones contenidas en alguna Ley demanial de carácter sectorial (p.ej. art. 108 Ley de Costas) y en la legislación expropiatoria (art. 53 y ss. del REF).

Tal y como se desprende de la LPAP, la diferencia entre la potestad de recuperación de oficio y el desahucio reside en la existencia o no de un título administrativo previo que legitime la ocupación. Así, la recuperación de oficio de las vías pecuarias procederá cuando la ocupación posesoria carezca de la oportuna autorización o concesión de uso demanial, lo que permite que la Administración ejerza esta acción interdictal sin necesidad de prejuzgar cuestión alguna de propiedad, de modo que —como tiene declarado la jurisprudencia[88]—, la potestad puede actuar tanto contra el detentador de un bien de titularidad pública constatada como de titularidad presuntamente pública, por lo que su ejercicio no está supeditado al previo deslinde. Ahora bien, en estos casos, la jurisprudencia viene exigiendo la "existencia de una prueba completa y acabada" de la posesión administrativa (el uso público del bien cuestionado), sin perjuicio de su verdadera naturaleza dominical, pues la potestad de recuperación de oficio ciñe sus efectos al estricto ámbito posesorio, sin extenderse a cuestiones de titularidad[89].

Por su parte, el desahucio procederá cuando haya ocupaciones privativas o autorizaciones de uso especial que impliquen ocupación de la vía pecuaria, ya que presupone la previa declaración administrativa de la caducidad o extinción del título (autorización o concesión) que otorgaba el derecho de utilización (art. 59.1 de la LPAP, en conexión con el art. 93.1 de la LRJAP y PAC —pues el desahucio es una variante de la coacción administrativa—), bien porque acaezca alguna causa de extinción legalmente tipificada o bien porque desaparezcan las circunstancias o condiciones que en su día legitimaron su ocupación por terceros y proceda su rescate o revocación. (art. 100 de la LPAP)[90].

---

[88]   *Vid.*, por ejemplo, la STS de 4 de enero de 1991 (Ar. 559).
[89]   Así, entre otras, SSTS de 20 de octubre de 1980 (Ar. 3920), de 5 de julio de 1991 (Ar. 5792), o de 3 de marzo de 2004 (Ar. 86116).
[90]   Téngase en cuenta, en este último sentido que, junto al tradicional rescate de concesiones por desaparición de las circunstancias que legitimaron su otorgamiento (con derecho a indemnización), la LPAP ha sentado el principio general de revocación unilateral de las autorizaciones demaniales "por razones de interés público, sin generar derecho a indemnización, cuando resulten incompatibles con las condiciones generales aprobadas con posterioridad, produzcan daños en el dominio público, impidan su utilización para actividades de mayor interés público o menoscaben el uso general" (art. 92.4), consagrando una genérica cláusula *a precario* para estos títulos de uso que desconoce los supuestos indemnizatorios que tradicionalmente acompañaban la revocación de licencias por motivos de oportunidad o adopción de nuevos criterios de apreciación (art. 16.1 y 3 del RSCL) y que, a nuestro juicio, pone en tela de juicio el

VII. POTESTADES DIRIGIDAS A LA ADECUACIÓN (IDONEIDAD Y SUFICIENCIA) DEL DOMINIO PÚBLICO CAÑADIEGO

Analizaremos bajo este epígrafe la serie de potestades administrativas dirigidas a mantener la idoneidad y suficiencia del demanio cañadiego en el sentido de procurar su operatividad o funcionalidad permanente (en los términos que hoy consagra el art. 6.b de la LPAP), que se inspira en la pretensión de racionalizar la constitución y la gestión de los bienes y derechos que integran el dominio público. Esta orientación da sentido a las potestades administrativas que permiten alterar o hacer desaparecer la afectación de las vías pecuarias, modificar su trazado o ampliarlas y restablecerlas. Todas ellas expresan la pretensión del legislador de arbitrar soluciones para conciliar los intereses contrapuestos que históricamente han caracterizado la gestión de estas vías, que si en un tiempo enfrentaron a ganaderos y agricultores, hoy tienen que conciliar la satisfacción de unos usos públicos más variados (no sólo la trashumancia ganadera) con los requerimientos de la ordenación territorial y urbanística y los intereses contrapuestos de los colectivos afectados (a los que, aparte de los ganaderos, agricultores y colindantes, hoy hay que sumar a los grupos ecologistas, a los promotores de turismo rural, etc.)[91].

1. *La desafectación de vías pecuarias como potestad excepcional. Especial consideración de los tramos de vías urbanas que atraviesan suelo urbano o urbanizable*

La desafectación de vías pecuarias no fue precisa mientras subsistió la posibilidad de clasificar la vía de "innecesaria", ya que una clasificación tal suponía la desafectación implícita de la vía y su paso directo a la con-

---

principio constitucional de resarcimiento en casos de privación de derechos patrimoniales (art. 33.3 CE).

[91] La utilización de las potestades de desafectación y —sobre todo— de modificación del trazado de la vía como alternativas al deslinde ha sido ponderada por GONZÁLEZ-VARAS IBÁÑEZ, S., "Vías pecuarias irrealizables. La oportunidad de la potestad de modificación del trazado de la vía", *Revista Andaluza de Administración Pública*, núm. 63, 2006, pp. 81 y ss. Al hilo de la más reciente jurisprudencia de los Tribunales Superiores de Justicia, el autor propone la modificación o la desafectación como vías idóneas de conciliación de los intereses contrapuestos en aquellos casos en los que el deslinde aparece como desproporcionado o fácticamente inviable por el alto grado de consolidación urbanística existente sobre la vía o por otras circunstancias fácticas que lo hacen desaconsejable.

dición de bienes enajenables (sin ni siquiera pasar antes la categoría de bienes patrimoniales, como expresamente aclaraba la Exposición de Motivos de la LVP de 1974). Actualmente, y en consonancia con el régimen reforzado de domino público que consagra la vigente legislación de vías pecuarias, el art. 10 de la LVP contempla la potestad de desafectación autonómica en términos excepcionales, estableciendo para ello límites precisos: sólo podrá efectuarse cuando los terrenos de las vías pecuarias no sean "adecuados" para el tránsito pecuario o "susceptibles de los usos" complementarios o compatibles que justifican su naturaleza demanial[92]. Asimismo, se reconoce ahora que "los terrenos ya desafectados o que en lo sucesivo se desafecten tienen la condición de bienes patrimoniales de las Comunidades Autónomas y en su destino prevalecerá el interés público o social".

Por su parte, la legislación autonómica ha acentuado la excepcionalidad de los supuestos de desafectación. No obstante, la excepcionalidad y carácter restrictivo del ejercicio de esta potestad puede colisionar eventualmente con intereses urbanísticos cuando estemos ante vías pecuarias o tramos de ellas que transcurren por suelo urbano o urbanizable[93].

Con carácter general, la legislación urbanística autonómica considera las vías pecuarias desde la perspectiva del suelo no urbanizable de especial protección (en concordancia con lo que implícitamente se desprende del vigente art. 12.2.a) de la Ley 8/2007, de 8 de mayo, del Suelo), por lo que, en principio, su situación básica de suelo rural las preservaría de su clasificación urbanística como suelo urbano o urbanizable[94] que, de darse,

---

[92]   Límites que se convierten en prohibición absoluta en algunas legislaciones autonómicas (como, por ejemplo, en la Ley 9/2003, de 20 de marzo, de vías pecuarias de Castilla y La Mancha), cuando se trate de vías declaradas de interés natural o cultural (aunque, en realidad, esta declaración supone sólo un límite formal adicional: para la desafectación de tales vías será preciso retirar previamente la declaración de interés natural o cultural).

[93]   Sobre el particular es de especial interés la Disposición Adicional Primera del Reglamento Andaluz de Vías Pecuarias que preveía un supuesto específico para los tramos de vía pecuaria afectados por el planeamiento urbanístico. Dicha Disposición fue objeto de nueva redacción por la Ley autonómica de 17/1999, de 28 de diciembre, que estableció el régimen de desafectación forzosa de los tramos de vías pecuarias insertas en suelo urbano o urbanizable (en este último caso "siempre que haya adquirido características de suelo urbano).

[94]   Lo que la propia ley del Suelo refuerza al afirmar que "la utilización de los terrenos con valores ambientales, culturales, históricos, arqueológicos, científicos y paisajísticos que sean objeto de protección por la legislación aplicable, quedará siempre sometida a la preservación de dichos valores, y comprenderá únicamente los actos de alteración

formaría la modificación del trazado en los términos que luego veremos. Sin embargo, creemos que no es incompatible con la legislación urbanística la integración excepcional de estas vías en suelo urbano o urbanizable, pudiendo conservar su condición dentro de estas otras categorías de suelo si se logra que sigan al servicio de alguna de las funciones, distintas al tránsito pecuario, que les son igualmente propias[95]. Para ello caben, en mi opinión, dos posibilidades: 1ª) que dichas vías o tramos se ordenen como elementos del "sistema general de comunicaciones" (en el bien entendido que serían comunicaciones agrarias —no automovilísticas y por lo tanto compatibles con el destino demanial de la vía—)[96]; o, 2ª) que se ordenen como elementos del "sistema general de espacios libres", si su uso principal es el medioambiental o el recreativo.

En ambos caso, estaríamos ante sistemas generales ya obtenidos que, por lo tanto, no pueden ser adscritos a efectos de su obtención (salvo que se vayan a crear, en cuyo caso cabe adscribirlos u obtenerlos por expropiación u ocupación directa en marco de una actuación asistemática). Pero de no darse ninguno de estos usos que permiten su integración en estas categorías de suelo, si algún tramo de vía pecuaria quedara incluido en una unidad de ejecución de suelo urbano o urbanizable, la Administración autonómica estaría obligada a efectuar operaciones de mutación demanial o de desafectación.

---

del estado natural de los terrenos que aquella legislación expresamente autorice" (art. 13.4). Y la para los espacios que integran la Red Natura 2000 (donde, como veremos, eventualmente pueden tener cabida algunas vías pecuarias) la excepcionalidad de su la alteración como suelo rural es mayor, pues "sólo podrá alterarse la delimitación de los espacios naturales protegidos o de los espacios incluidos en la Red Natura 2000, reduciendo su superficie total o excluyendo terrenos de los mismos, cuando así lo justifiquen los cambios provocados en ellos por su evolución natural, científicamente demostrada. La alteración deberá someterse a información pública, que en el caso de la Red Natura 2000 se hará de forma previa a la remisión de la propuesta de descatalogación a la Comisión Europea y la aceptación por ésta de tal descatalogación" (art. 13.4 *in fine*).

[95]   Sobre esta cuestión, véase, con carácter general, PORTO REY, E., "Integración de las vías pecuarias en el planeamiento urbanístico", *Revista de Derecho Urbanístico*, núm. 126, 1992, pp. 95 a 120; y del mismo autor, en colaboración con FRANCO CASTELLANOS, E., *Urbanismo y vías pecuarias... op. cit.*

[96]   Pues, como afirma la STS de 22 de abril de 2003 (Ar. 3723) la excepcional integración de un tramo de vía pecuaria en suelo urbano está condicionada, en todo caso, a la especificación mediante la calificación urbanística de un destino legalmente compatible con la naturaleza demanial de la vía.

2. *Modificación del trazado*

La modificación del trazado de una vía pecuaria tiene una doble dimensión jurídica: por un lado, supone la desafectación de los terrenos que abandona el nuevo trazado; por otro lado —y al mismo tiempo—, implica la afectación de las superficies del nuevo itinerario. La legislación prevé (art. 11 a 13 de la LVP) un supuesto genérico y dos específicos (que cuentan con procedimientos especiales *ad hoc* en la legislación autonómica de desarrollo):

1) Modificación del trazado *por razones de interés público o excepcionales razones de interés particular debidamente motivadas*

El art. 11.1 de la LVP enuncia este supuesto genérico de desafectación posibilitando que, "por razones de interés público y, excepcionalmente y de forma motivada, por interés particular, previa desafectación, se podrá variar o desviar el trazado de una vía pecuaria siempre que se asegure el mantenimiento de la integridad superficial, la idoneidad de los itinerarios y de los trazados, junto con la continuidad del tránsito ganadero y de los demás usos compatibles y complementarios con aquél"[97].

Por lo que se refiere a las condiciones que deben darse para que sea posible una modificación del trazado de la vía pecuaria, la primera es la previa desafectación del tramo de vía pecuaria a modificar, ya sea por causa de interés público o particular. No obstante, estos casos no parece que sea de aplicación la previsión contenida en el art. 10 de la LVP según la cual en el destino de las vías pecuarias desafectadas "prevalecerá el interés público o social". Más bien debe pensarse que en estos supuestos de modificación del trazado el destino que ha de prevalecer es la específica causa que motiva la modificación.

Además de la desafectación, el precepto transcrito establece una condición inexcusable para que sea posible la modificación del trazado: la Administración autonómica tendrá que asegurarse de que el terreno que aporten las Administraciones o los particulares tenga la misma superficie que el terreno de vía pecuaria a modificar, así como comprobar que el nuevo

---

[97]   Es de consignar que alguna normativa autonómica, como la Ley 8/1998, de 15 de junio, de vías pecuarias de la Comunidad de Madrid, ha constreñido aún más el ejercicio de esta potestad discrecional regulando un presupuesto de hecho específico para las modificaciones instadas por interés particular, exigiendo que el mencionado interés particular quede "completamente acreditado" y se acredite igualmente la imposibilidad de satisfacerlo "a través de medios distintos a la modificación del trazado" (art. 23.1).

itinerario sea el adecuado para que no se interrumpa el tránsito ganadero y en él se puedan ejercitar el resto de los usos compatibles y complementarios regulados en los artículos 16 y 17 de la LVP.

Para los casos en que la modificación del trazado se lleva a cabo a instancia de parte "por razones de interés particular", la normativa autonómica prevé la repercusión de los costes de adquisición y afectación de los nuevos terrenos a los particulares interesados[98]. Asimismo, la legislación autonómica añade, por lo general, una serie de previsiones específicas relativas a los actos de expropiación, enajenación y permuta que pueden acordarse para la obtención de los terrenos necesario para reubicar la vía, aunque, en este sentido, ha de tenerse presente que muchas de las nuevas previsiones de la LPAP sobre adquisición de bienes son de aplicación plena para las Comunidades Autónomas (así lo es, por ejemplo, la regulación de los modos de adquirir del art. 15, la ocupación de bienes a la que se refiere el art. 23 o el régimen de las adquisiciones derivadas del ejercicio de la potestad expropiatoria del art. 24).

2)   Modificación del trazado *por razones de una nueva ordenación territorio o urbanística*:

Al igual que ocurría para las modificaciones por razón de interés público o particular, el art. 12 de la LVP dispone que en las que deriven de "cualquier forma de ordenación territorial" (entre las que hay que entender comprendida la planificación urbanística), el nuevo trazado "deberá asegurar con carácter previo el mantenimiento de la integridad superficial,

---

[98]   Así, por ejemplo, el art. 23.3 de la Ley 8/1998, de 15 de junio, de vías pecuarias de la Comunidad de Madrid, establece que "la entidad pública o, excepcionalmente y de forma motivada, el sujeto particular, en su caso, cuyo interés motivase el desvío del trazado, habrá de hacerse cargo de los costes que genere el nuevo trazado y facilitar a la Comunidad, con carácter previo los terrenos sobre los que discurrirá el mismo", exigiendo el apdo. 4º del mismo precepto "una compensación a la Comunidad de Madrid, cuando el valor del tramo desviado y el de los terrenos aportados no coincidan, aunque tuviesen la misma extensión". En parecidos términos se expresa el Decreto 3/1998, de 9 de enero, que aprueba el Reglamento de Vías Pecuarias de la Rioja. Por su parte, el art. 12 de la Ley Foral 19/1997, de 15 de diciembre, de vías pecuarias de Navarra, establece que el solicitante de la modificación correrá con los gastos "de trasiego y colocación de mojones del antiguo al nuevo trazado, siguiendo las instrucciones del Departamento de Economía y Hacienda en cuanto al punto y modo de colocación de aquéllos y con sujeción al expediente aprobado". El art. 17 de la Ley 9/2003, de 20 de marzo, de Vías Pecuarias de Castilla-La Mancha, prevé que los particulares que insten las modificaciones de trazado acrediten fehacientemente la titularidad y la plena disponibilidad de los terrenos que ofrecen para el nuevo itinerario, asumiendo los costes de su adquisición.

la idoneidad de los itinerarios y la continuidad de los trazados, junto con la del tránsito ganadero, así como los demás usos compatibles y complementarios de aquél". En relación a las modificaciones que traen causa en una reordenación territorial o urbanística, la jurisprudencia ha precisado que aquí en no son exigibles las formalidades que contempla el art. 11 de la LVP para las modificaciones de trazado fundadas en razones de interés público o particular, ya que no las que no exige expresamente el art. 12 de la LVP ni puede decirse que ésta las imponga de modo implícito, pues en estos supuestos la modificación de la vía pecuaria se incardina en un procedimiento más complejo y de garantías mucho más cumplidas, como son los procedimientos de elaboración de los Planes de Ordenación Territorial y los Planes urbanísticos (STS de 11 de diciembre de 2002 —Ar. 182 de 2003—).

En este orden de consideraciones, la lacónica previsión del art. 12 de la LVP es completada en el plano procedimental por la legislación autonómica, que establece procedimientos especiales para encauzar esta causa de alteración del trazado[99].

3) Modificación del trazado por la *realización de obras públicas y cruces con otras vías de comunicación*:

El art. 13.1 de la LVP prevé que cuando se proyecte una obra pública sobre el terreno por el que discurra una vía pecuaria, la Administración actuante deberá asegurar que el trazado alternativo de la vía pecuaria garantice el mantenimiento de sus características y la continuidad del tránsito ganadero y de su itinerario, así como los demás usos compatibles y complementarios de aquél, precisando en su apdo. 2º que "en los cruces de las vías pecuarias con líneas férreas o carreteras se deberán habilitar suficientes pasos al mismo o distinto nivel que garanticen el tránsito en

---

[99] La Ley pionera en la materia fue la Ley Foral 6/1987, de 10 de abril, de Normas Urbanísticas Regionales para la protección y uso del territorio, que arbitró medidas específicas de protección de las vías pecuarias como elementos integrantes de la ordenación territorial (art. 29). Otras disposiciones autonómicas abordan la cuestión desde la perspectiva de las modificaciones de trazado que vienen determinadas por una nueva ordenación territorial, como hacen el Reglamento extremeño de vías pecuarias (arts. 26 a 28), el Reglamento riojano (arts. 33 y 34) o la Ley madrileña de vías pecuarias (art. 26). Por su parte, el Reglamento Andaluz de Vías pecuarias (arts. 39 a 42) prevé, para el caso de la modificación del trazado por efecto del planeamiento urbanístico, un procedimiento incardinado en parte en de evaluación y protección ambiental, en la medida en que la modificación del trazado en estos casos requiere un Estudio de Impacto y una Declaración de Impacto en los términos contemplados en la Ley 7/1994, de Protección Ambiental de Andalucía.

condiciones de rapidez y comodidad para los ganados". Como ha declarado algún pronunciamiento jurisprudencial, estos supuestos de paso a nivel también deben satisfacer, en todo caso y de forma adecuada, los objetivos enunciados en el apdo. 1º del art. 13 de la LVP[100].

3. Creación, ampliación o restablecimiento de vías pecuarias. La virtualidad de una técnica que toma plena carta de naturaleza tras la aprobación de la LPAP: el establecimiento de servidumbres administrativas de uso público

Las potestades de desafectación y de modificación del trazado resumen las alternativas que la legislación de vías pecuarias ofrece al secular enfrentamiento de intereses contrapuestos en torno al demanio cañadiego. Estas técnicas, inscritas en la dogmática clásica del dominio público, son las principalmente llamadas a resolver los problemas de compatibilidad del destino de las vías pecuarias con las necesidades del uso público y de los intereses particulares[101]. Sin embargo, creemos que las posibilidades que ofrece el ordenamiento en orden a la conciliación de los mencionados intereses no se agotan en las citadas potestades y que es posible aplicar otra técnica jurídica de alto poder conciliador que no implica, a diferencia de la desafectación de la vía o de la modificación del trazado, la desaparición de la afectación pública: el establecimiento de servidumbres administrativas de uso público concebidas como gravámenes reales que se benefician del régimen tutelar de protección exorbitante que caracteriza la demanialidad y que, en esa medida, son proyección y elemento integrante del dominio público.

La afirmación que acaba de hacerse puede sorprender a quienes, imbuidos de la tradicional creencia de que el dominio público no puede consistir en derechos reales limitados distintos del pleno dominio sobre la cosa (que es la concepción "cosificada" del dominio público que luce en el Código Civil y en la anterior Ley de Patrimonio del Estado), consideran imposible la existencia de *iura in re aliena* de naturaleza demanial. Pero esta creencia, justificada durante largo tiempo por el Derecho positivo, ha sido desterrada por la nueva LPAP que contempla implícitamente la existencia

---

[100] Es particularmente ilustrativa de las condiciones que han de reunir los pasos alternativos la sentencia del Tribunal Superior de Justicia de Andalucía de 30 de junio de 2005 (rec. apelación núm. 172/2002).

[101] Véase GONZÁLEZ-VARAS IBÁÑEZ, S., "Vías pecuarias irrealizables...", *op. cit.*.

de servidumbres administrativas de carácter demanial al reconocer como objeto posible del dominio público no sólo a los bienes, sino también los derechos (art. 5), permitiendo así que pueda hablarse con toda propiedad de la existencia de derechos de naturaleza demanial (y, entre ellos, los derechos reales limitados como el de servidumbre).

Quiere decirse, con ello, que la noción legal de dominio público se concibe con independencia de la cualidad material de las cosas sobre las que recae, pudiendo estar integrado, en consecuencia, por derechos reales limitados distintos al dominio pleno sobre la cosa. En mi opinión, no cabe contrargumentar que ello represente un riesgo de desbordamiento del régimen de la demanialidad, sino, más bien, entender esta previsión legal como una superación de las deficiencias que tenía la dogmática clásica a la hora de explicar los fenómenos de disociación entre titularidad y afectación demanial, aparte de representar una apuesta clara por la racionalización del concepto mismo de dominio público, cuyo primer requerimiento es, probablemente, admitir la existencia de regímenes demaniales diversificados en función de los diferentes tipos de bienes o derechos sobre los que la categoría puede proyectase. Aun más, la consideración legal de que el dominio público está formado por bienes o cosas y también por derechos reales limitados, como el de servidumbre, tiene, a la par de un valor ordenador y conceptual, otras utilidades adicionales. En primer lugar, permite aplicar el régimen de protección de la policía y la autotutela demanial a los mencionados derechos limitados de servidumbre que pueden integrar el dominio público (como se deduce de los arts. 6.e y 41 y ss. de la LPAP que reconocen el ejercicio de las potestades de defensa demanial en relación a los "bienes" y "derechos"). Y, en segundo lugar, lo que quizás sea aún más relevante desde un punto de vista práctico, al admitir que las servidumbres administrativas forman parte del dominio público y que son una proyección de éste (de su régimen jurídico) cabe deducir que no siempre es necesario expropiar todo el dominio para conseguir la afectación de un bien a un uso público (con las importantes consecuencias económicas que eso conlleva) sin perder, además, las ventajas de la tutela demanial para proteger dicho uso.

El proceso de demanialización que han vivido las vías pecuarias ha afectado en más de un caso a los bienes privados que en algún momento histórico se vieron gravados con servidumbres de uso público. Incluso podría decirse que el engrosamiento progresivo de la demanialidad, que es una constante histórica del Derecho Administrativo, ha tenido uno de sus campos de expansión natural en las propiedades particulares de algún modo afectadas al uso público, lo que ha motivado, en consecuencia, un retroceso paralelo en la aplicación práctica de la figura de las servidumbres administrativas de uso público (no se olvide que el art. 570 del CC calificaba expresamente a las vías pecuarias como servidumbres de paso). Sin embargo, como suele suceder cuando la legislación tiende el manto del dominio público sobre una entera categoría de bienes, las excepciones al esquema demanial público no son raras de encontrar (piénsese, por ejemplo, en la evolución legislativa en materia de aguas continentales o de costas). No es de extrañar, por tanto, que en estos sectores demanializados pervivan ocasionalmente servidumbres de uso público "marginales" que no han sido alcanzadas por el efecto de fagocitación que el régimen demanial produce sobre los bienes privados antaño afectos *servitutis causa* a un uso público[102].

---

[102] Es ejemplo paradigmático de ello, en la órbita de las vías y caminos, la Ley gallega 3/1996, de 10 de mayo, de protección de los Caminos de Santiago, que, tras consagrar que "el camino de Santiago está constituido por vías de dominio público u uso público" (art. 1) que "constituyen bienes de dominio público de carácter cultural" (art. 4), establece expresamente que sobre los tramos del Camino que estén aún en manos privadas "se constituye una servidumbre pública para el paso del Camino sobre propiedad privada de una anchura de tres metros" (art. 2.2), en tanto no se recuperen y adquieran naturaleza demanial; lo que supone la utilización complementaria de la técnica jurídica de la servidumbre personal de uso público que ya contaba con algún precedente en relación al mismo Camino (el Decreto Foral 290/1988, de 14 de diciembre, de delimitación del Camino a su paso por Navarra, dispone que las porciones del Camino que se encuentren en manos privadas serán objeto de expropiación o, en su caso, se establecerán sobre ellas las correspondientes servidumbres de uso público —art. 5—). Este es también el caso de los caminos rurales destinados al servicio de explotaciones agrarias o forestales que en muchos supuestos son objeto de un uso público inveterado para el paso de personas, vehículos o ganado, pese a que, en la inmensa mayoría de los casos, se trata de caminos de propiedad privada protegidos por la tutela posesoria e incluso registral. Como consecuencia de ello, los problemas posesorios que presentan estos caminos ha aflorado invariablemente cuando las Administraciones locales han intentado su recuperación o la tutela demanial de su uso público ante actos obstativos de los propietarios, amparándose en la naturaleza demanial de los caminos que se deduce del art. 79.3 de la LBRL y del art. 3.1 del RBCL. Pero de todos es conocido que frente al titular registral que se opone interdictalmente ante semejante pretensión administrativa, los proclamados dogmas de la imprescriptibilidad y la reipersecutoriedad demanial se desvanecen fácilmente. Esta circunstancia explica que la jurisprudencia haya buscado en muchas ocasiones un término medio, viendo en estos caminos rurales un tipo de bienes singularmente aptos para ser gravados con una servidumbre personal de uso público a favor de los vecinos de la zona (SSTS de 2 de octubre de 1997 —Ar. 7033—, de 5 de enero de 1988 —Ar. 186—, de 13 de junio de 1981 —Ar. 2684—, de 5 de enero de 1971 —Ar. 114— y de 10 de diciembre de 1948 — Ar. 1475—); cosa ante la que ha comenzado a reaccionar una incipiente legislación autonómica que proclama con rotundidad la naturaleza demanial de estos caminos, de la que el mejor exponente es la Ley extremeña 12/2001, de 15 de noviembre, de Caminos Públicos, cuyo art. 6 llega a declarar que "las detentaciones privadas carecerán de

En este orden de consideraciones, la doctrina ha destacado que ciertos usos públicos que históricamente se han dado en la trashumancia ganadera, instrumentados jurídicamente como servidumbres de paso, han quedado al margen del proceso de demanialización de las vías pecuarias al que nos referíamos[103], como la jurisprudencia civil ha puesto certeramente de relieve[104].

A mi juicio, es posible defender la posibilidad de que éstos y otros derechos de paso se articulen técnicamente como servidumbres administrativas de uso público; derechos limitados sobre cosa ajena que, además, gozarían del régimen de protección del dominio público en orden a su delimitación, protección y reivindicación posesoria. Lo que además puede postularse incluso como un uso principal de la categoría, no meramente complementario o marginal, en el contexto de la rehabilitación y restablecimiento de estos caminos o de sus elementos accesorios (majadas, descansaderos, abrevaderos, etc.), cuando sobre los mismos puedan existir derechos de propiedad consolidados. La virtualidad de esta técnica adquiere su mayor potencialidad, así, en relación a las actividades de "creación, ampliación y restablecimiento de las vías pecuarias" a las que se refiere el art. 6 de la

---

valor frente a la titularidad pública, con independencia del tiempo transcurrido". No obstante, teniendo en cuenta los nuevos valores funcionales que hoy están adquiriendo los caminos y rutas de toda índole, parece que la técnica de la servidumbre de uso público podría desempeñar un papel nada despreciable, no sólo ya en este contexto de los caminos rurales, sino también en otros que cobran pujanza como las rutas o itinerarios culturales y turísticos. En este último sentido destaca la Ley balear 13/2000, de 21 de diciembre, del *Camí de Cavalls* de Menorca (un antiguo vial que circunvala la isla) que, ante la pérdida de su uso militar tradicional y la emergencia de nuevos usos, lo declara sujeto a una "servidumbre pública de tránsito y, en consecuencia, es libre, público, de acceso y utilización gratuitos" (art. 2).

[103] Así, HERRÁIZ SERRANO, O., *op. cit.*, pp. 201 y ss., y 213 y ss.; PONCE SOLÉ, J., *op. cit.*, pp. 70 y ss.; y yo mismo, en *Las servidumbres... op. cit.*, pp. 112 y ss., y 188 y ss.

[104] Particularmente, la STS de 10 de noviembre de 1962, que resuelve un caso en el que, frente a la legislación administrativa que ya entonces propugnaba claramente la consideración de las vías pecuarias como dominio público, la Sala 1ª del TS acaba decantándose por la naturaleza de servidumbre pecuaria del "Veredón de Morales", que tiene "en cuanto a su acomodación a la clasificación de éstas en prediales y personales, un carácter doble o mixto, ya que es predial en cuanto está establecido a favor de los predios colindantes, y personal en cuanto su uso se extiende también a la comunidad de todos los vecinos de Posadas (Córdoba), según permite el artículo 531 del Código Civil". Esto significa que la regulación dada por el Código civil en relación con las servidumbres puede seguir en pie junto a la regulación administrativa que surgió tras ella, e incluso puede prevalecer sobre la misma, tal y como afirmó MARTÍN-RETORTILLO, L., al comentar esta importante sentencia en "El proceso de apropiación..." *op. cit.*, pp. 97 y ss.

LVP, que además, precisa que estas actuaciones "llevan aparejadas la declaración de utilidad pública a efectos expropiatorios de los bienes y *derechos* afectados"; derechos afectados que, como el de servidumbre administrativa de uso público, pueden obtenerse por expropiación.

VIII. POTESTADES DESTINADAS A GARANTIZAR EL RÉGIMEN DE USOS Y SU CONTROL

La finalidad de garantía del uso público de las vías pecuarias configura una serie de potestades administrativas y de deberes de los usuarios orientados a la preservación del destino público asignado a las vías y a controlar las desviaciones, tanto con carácter preventivo (régimen de usos) como represivo (potestad sancionadora y resarcimiento de daños).

1. *Tipología de usos y control preventivo de los mismos*

En relación a las técnicas de carácter preventivo, la LVP recoge la posibilidad de restringir ciertos usos y de condicionar los más intensos a la previa obtención de un título administrativo de autorización o concesión para ciertos aprovechamientos y ocupaciones. Como ha quedado dicho, la nueva concepción de las vías pecuarias que adopta la LVP se asienta en la diversidad funcional y la multiplicidad de usos, auténtica piedra de toque para la recuperación de las cañadas para la sociedad en su conjunto. Así, junto al uso principal de estas vías (el tránsito pecuario y agrario), la Ley regula el régimen de los usos compatibles (art. 16), de los usos complementarios (art. 17), de las ocupaciones temporales (art. 14) y de los aprovechamientos sobrantes de las vías pecuarias (art. 15).

Debe señalarse, en este orden de consideraciones, que la LPAP es básica en algunos aspectos relativos al régimen de los títulos de uso (autorizaciones y concesiones demaniales reguladas en los arts. 91 y ss.), y que la legislación autonómica de desarrollo de la LVP ha introducido prohibiciones específicas de usos considerados incompatibles con el destino de estas vías[105],

---

[105]   Entre las que destaca la Ley 8/1998, de 15 de junio, de la Comunidad de Madrid, que prohíbe la caza en todas sus formas, la extracción de rocas, áridos o gravas, los vertidos de cualquier clase, el asfaltado o cualquier procedimiento semejante que desvirtúe su naturaleza, la publicidad (con la única excepción de los paneles de información o interpretación) el tránsito en vehículos todoterreno, motocicleta o cualquier otro ve-

al tiempo que ha ampliado los supuestos de utilización especial o privativa de las mismas[106].

Por otra parte, en relación a la gestión y control preventivo de usos, hay que advertir preliminarmente que llama la atención el escaso y poco relevante papel que tanto la legislación estatal como la autonómica atribuyen a los Ayuntamientos que, aparte de ser los primeros interesados en el destino del suelo, podrían desarrollar una importante tarea de colaboración en este terreno (en mi opinión mucho más propicio que otros para descargar tareas ejecutivas o promover la colaboración de los Ayuntamientos). Sin embargo, la LVP se limita a prever un trámite de información pública y el informe preceptivo del Ayuntamiento afectado en relación a las ocupaciones temporales (art. 14)[107].

Finalmente, pese a la sistemática legal que diferencia entre usos tradicionales, compatibles y complementarios de las vías pecuarias, el estudio de los usos posibles de las vías pecuarias resulta más claro si se hace conforme a la clasificación tradicional de los usos del dominio público[108]; pudiendo distinguirse, así, entre usos comunes generales, usos comunes especiales y usos privativos de las vías pecuarias.

A) Usos comunes

Los usos compatibles y los complementarios con el tradicional uso trashumante de las vías, a los que se refieren los arts. 16 y 17 de la LVP son, en

---

hículo motorizado, y las ocupaciones o instalaciones de cualquier tipo, no autorizadas (art. 43).

[106] Es paradigmática, en este sentido, la Ley 9/2003, de 20 de marzo, de Vías Pecuarias de Castilla-La Mancha, que en sus arts. 22 a 34 regula un exhaustivo régimen de ocupaciones, aprovechamientos y usos compatibles y complementarios de las vías pecuarias.

[107] Alguna legislación autonómica ha querido ha querido paliar esta escasez competencial de los Ayuntamientos. Así, el Reglamento Andaluz, aparte de contener ciertas previsiones que abundan en su condición de interesados en algunos procedimientos relativos al uso de las vías pecuarias (art. 48 y el art. 58.2), recoge la necesidad de establecer "fórmulas de cooperación con otras Administraciones Públicas y de colaboración con entidades públicas y privadas sin fines lucrativos" (art. 11) para optimizar la gestión y aprovechamiento de estas vías (que, sin embargo —y en buena lógica—, no podrán comprender la facultad de autorización o concesión de ocupaciones y aprovechamientos). Asimismo, la Ley aragonesa de vías pecuarias dedica su Título III, por entero, a la cooperación interadministrativa en la materia, con especial consideración a la actividad concertada entre la Comunidad Autónomas y las entidades locales (art. 41).

[108] Como hacen HERRÁIZ SERRANO, O., *op. cit.*, pp. 334 y ss., y ALENZA GARCÍA, J. F., *op. cit.*, pp. 461 y ss.

puridad, usos comunes generales o especiales. Los primeros no necesitan autorización administrativa, pero pueden someterse a ciertas restricciones; los segundos, en cambio, necesitan de una autorización demanial que legitime el uso en virtud del principio de que nadie puede, sin título jurídico que lo autorice, ocupar bienes de dominio público o utilizarlos en forma que exceda el derecho de uso que corresponde a todos (art. 84.1 de la LPAP).

a) *Usos comunes generales*

1) El *uso propio* y prioritario es el tránsito de ganado. Los movimientos de ganado sobre las vías pecuarias son libres y gratuitos, aunque deberán respetar las disposiciones de la legislación sobre sanidad animal, la normativa de tráfico respecto del tránsito por carreteras en supuestos de cruce con las mismas y lo prevenido —como veremos— en los Planes de Ordenación de los Recursos Naturales cuando transcurran por Parques o Reservas Naturales (Disposición Adicional Tercera de la LVP).

2) *Usos compatibles.* Se definen como "los usos tradicionales que, siendo de carácter agrícola y no teniendo la naturaleza jurídica de la ocupación, puedan ejercitarse en armonía con el tránsito ganadero" (art. 16.1 LVP). También son libres y prioritarios a los demás usos (art. 1.3 LVP), que, no obstante, siempre se supeditan a los requerimientos del tránsito pecuario, lo que explica que alguno de ellos, como las comunicaciones agrarias y las plantaciones, se sometan a ciertas restricciones[109].

3) *Usos complementarios.* No se definen exhaustivamente en la LVP, que ofrece una mera relación enunciativa en la que cita el "paseo, la práctica del senderismo, la cabalgada y otras formas de desplazamiento deportivo sobre vehículos no motorizados" (art. 17.1). Además de reproducir estos usos complementarios, la legislación autonómica incide especialmente en los de carácter mediambiental, al objeto de poder considerar las vías pecuarias como auténticos "corredores

---

[109]   Así, las comunicaciones rurales y, en particular, el desplazamiento de vehículos y maquinaria agrícola, deberán respetar la prioridad del paso de los ganados, evitando el desvío de éstos o la interrupción prolongada de su marcha. Por su parte, las plantaciones lineales, cortavientos u ornamentales, sólo se consideran compatibles cuando permitan el tránsito normal de los ganados (art. 16 LVP).

verdes"[110]. En todo caso, se trata de usos libres que no necesitan autorización previa, aunque —al igual que los usos compatibles antes citados— pueden ser objeto de restricciones temporales en caso de incompatibilidad con determinados factores (entre los que el art. 17.3 de la LVP cita las necesidades de proteger ecosistemas sensibles, masas forestales con alto riesgo de incendio, especies protegidas, o prácticas deportivas tradicionales).

b) Usos comunes especiales sujetos a autorización demanial

Se trata de usos compatibles o complementarios que, pese a no ser excluyentes de los demás usos, requieren de autorización administrativa (y el eventual pago de una tasa) por la concurrencia de circunstancias especiales de intensidad, peligrosidad o rentabilidad. Debe recordarse, en este punto, que la LPAP ha sentado un principio de libre revocabilidad de estas autorizaciones sin derecho a indemnización (art. 92.4), consagrando así una suerte de cláusula *a precario* legal que rompe —como antes dijimos— con la regulación tradicional de en la materia y se compadece mal con las previsiones constitucionales sobre el derecho a indemnización derivado de las privaciones de derechos. Los supuestos que se inscriben en esta tipología de uso son:

1) Autorización de *circulación de vehículos motorizados* que no tengan carácter agrícola, que sólo podrá ser otorgada con carácter excepcional y para uso específico y concreto, sin que pueda serlo en momentos de tránsito pecuario ni para aquellas vías que revistan interés ecológico y cultural (art. 16.1 LVP).

2) *Instalaciones desmontables* que se precisen para el desarrollo de ciertos usos complementarios (art. 17.2 LVP), como pudieran ser los puntos de información o las llamadas "aulas de la naturaleza".

3) Usos *complementarios organizados y colectivos*. En desarrollo de las previsiones de la LVP, algunas normas autonómicas han establecido que cuando los usos recreativos y deportivos de las vías pecuarias se rea-

---

[110] Es paradigmático el art. 2.f) de la Ley aragonesa, que señala como una de las finalidades de la Ley "considerar las vías pecuarias como un instrumento de conservación de la naturaleza y mantener en ellas, como corredores naturales, la diversidad biológica, la presencia de flora ligada a estas áreas y el desplazamiento de las especies de fauna".

licen de forma colectiva y organizada sea preciso el otorgamiento de una autorización previa[111].

B) Usos privativos sujetos a concesión

Los usos privativos, por su carácter exclusivo y excluyente, se otorgan por concesión. Sobre el régimen jurídico de estas concesiones hay que tener en cuenta algunas previsiones básicas de la LPAP: que su otorgamiento debe hacerse con respeto a los principios de publicidad y concurrencia (art. 93.1 de la LPAP, aunque cabe adjudicación directa en los supuestos del art. 137.4); que han de formalizarse en documento administrativo (que, según el art. 93.2 de la LPAP es título suficiente para su inscripción en el Registro de la Propiedad); que pueden ser gratuitas o sujetas a tasas o precios públicos (cuando hay rendimiento patrimonial o utilidad económica, según precisa el art. 93.4 de la LPAP, cosa que siempre ocurre en los usos privativos previstos en la LVP que, además, prevé que el precio público percibido se aplique a la conservación y vigilancia de la vía); y que no podrán ser titulares de concesiones demaniales las personas en las que concurra alguna de las prohibiciones de contratar reguladas en el Texto Refundido de la Ley de Contratos de las Administraciones Públicas. Por lo demás, la LVP reduce a diez años renovables el plazo máximo de 75 años que para las concesiones demaniales fija la LPAP (art. 93.3).

La LVP prevé dos supuestos específicos:

1) *Ocupaciones temporales.* Por razones de interés público y, excepcionalmente y de forma motivada, por razones de interés particular, se podrán autorizar ocupaciones de carácter temporal, siempre que la mismas no alteren el tránsito ganadero ni impidan los demás usos compatibles o complementarios con aquél (art. 14 LVP).

2) *Aprovechamientos sobrantes.* Según el art. 15 de la LVP, los frutos y productos no utilizados por el ganado trashumante podrán ser objeto de aprovechamiento privativo, que podrá ser revisado por la Administración cuando se hayan modificado los supuestos determinantes de su otorgamiento y, en caso de fuerza mayor, a petición del interesado (que son dos causas de extinción especiales que se suman a las generales del art. 100 de la LPAP).

---

[111] Así lo prevé expresamente, por ejemplo, el art. 58.2 del Reglamento andaluz, que en su art. 55.4 añade la exigencia de autorización demanial para el uso de vehículos motorizados no agrícolas.

2. Control represivo de usos

A) Potestad sancionadora

Siguiendo la sistemática del art. 129.1 de la LRJAP y PAC, el Título IV de la LVP clasifica las infracciones que tipifica en atención al reproche social de la conducta punible, distinguiendo entre infracciones leves, graves y muy graves. La intensidad de la gravedad se modula en función de la incidencia que tenga la actuación infractora sobre los usos de las vías pecuarias y sobre su integridad, siendo más grave la infracción cuanto mayor sea la obstaculización de dichos usos o más perjudicial sea la usurpación (art. 21), lo que tiene lógica correspondencia con las sanciones pecuniarias previstas por la LVP (art. 22), que se impondrán atendiendo a su repercusión en la seguridad de las personas y bienes, así como al impacto ambiental que producen y a las circunstancias del responsable, su grado de culpa, reincidencia, participación, beneficios obtenidos y demás criterios previstos en el art. 131.3 de la LRJPAC (en consonancia con el art. 193.1 de la LPAP).

El régimen sancionador debe cohonestarse con la responsabilidad penal derivada de la comisión de delitos relativos a la Ordenación del Territorio, la protección del Patrimonio Histórico y del medio ambiente (arts. 325 y ss. del Código Penal). En este sentido, ha de tenerse presente que la reforma ampliatoria del delito ambiental (Ley Orgánica 15/2003, de 25 de noviembre, de reforma del Código Penal) determina que muchos de los tipos infractores consagrados en la LVP puedan ser considerados hechos delictivos; lo que debe ponerse en conexión con el alcance del principio de *non bis in idem* y con los efectos interruptivos de las actuaciones penales (art. 23 LVP).

Con independencia de las multas que puedan corresponder en concepto de sanción, es asimismo de destacar la posibilidad de imponer multas coercitivas en relación a la ejecución de aquéllas (art. 19.3 de la LVP), de conformidad con lo dispuesto en el art. 99 de la de la LRJAP y PAC (que no podrán superar el 20% de la multa fijada por la infracción correspondiente).

Finalmente, respecto a la aplicación de este régimen sancionador hay que consignar el criterio jurisprudencial de exigir como presupuesto de la potestad sancionadora la previa clasificación y deslinde de la vía pecuaria intrusada[112]; si

---

[112]   Criterio sentado, entre otras, por las SSTS de 5 de febrero de 1986 (Ar. 1232) y de 22 de noviembre de 1996 (Ar. 8548).

bien este presupuesto es sólo exigible cuando la existencia de la vía pecuaria o de sus límites sea dudosa[113].

B) Resarcimiento de daños

Como es habitual en la legislación sectorial de dominio público, la LVP contempla expresamente, junto a la potestad sancionadora, el deber de resarcimiento de daños causados a las vías pecuarias[114]. Se trata, como es sabido, de una potestad orientada sobre la idea de la *restitutio in integrum*, de forma que su principal objetivo es lograr la completa restauración de la vía pecuaria al ser y estado anteriores a la agresión mediante el abono de todos los daños y perjuicios causados en la cuantía y plazo que ejecutoriamente establezca el órgano competente para imponer la sanción (art. 20.1 de la LVP en relación con el 193.3 de la LPAP); hasta el punto de que cuando no es posible la restauración *in natura* en el lugar afectado, la LVP prevé una reparación equivalente que permita la recuperación de daño "en otro espacio donde cumpla la finalidad de la vía pecuaria" (art. 20.1), sin perjuicio de la ejecución subsidiaria (art. 20.2.).

IX. LA PROTECCIÓN ADICIONAL DE LAS VÍAS PECUARIAS POR RAZONES TERRITORIALES, AMBIENTALES Y CULTURALES

El régimen de la intervención administrativa sobre las vías pecuarias ha de completarse con la normativa sectorial que prevé un régimen de protección adicional, como fundamentalmente posibilita la normativa en materia de ordenación del territorio y al urbanismo, de protección ambiental o de protección de los bienes de interés cultural (sin olvidar otras perspectivas, como la turística, que también pudieran proporcionar algún régimen de protección adicional[115]).

---

[113]   Como precisa la STS de 8 de octubre de 1999 (Ar. 7943).

[114]   Sobre la configuración y alcance de esta potestad en relación a las vías pecuarias véase HERRÁIZ SERRANO, O., *op. cit.*, pp. 579 y ss. Con carácter general, téngase en cuenta el trabajo de FONT i LLOVET, T., "La protección del dominio público en la formación del Derecho Administrativo español. Potestad sancionadora y resarcimiento de daños", RAP, núm. 123, 1990, pp. 7 y ss.

[115]   En este sentido, véase, por todos, ALENZA GARCÍA, J. F., "Turismo y caminos de la naturaleza", en el libro homenaje al Prof. Eduardo ROCA ROCA, *Panorama jurídico de*

1) En primer lugar, la ordenación del territorio, en cuanto técnica de coordinación de las diversas actuaciones con incidencia territorial, brinda un instrumento fundamental para la conservación de la red cañadiega. Por ello, la legislación autonómica sobre ordenación del territorio ha sido sensible a la peculiar situación de estas vías, arbitrando técnicas de preservación fundamentalmente orientadas a mantener su integridad superficial cuando la ordenación territorial determina —como vimos— un cambio de trazado de las mismas.

Mayor virtualidad protectora tiene el planeamiento urbanístico y, en particular, las normas sobre clasificación de suelo, dada la natural vinculación de las vías pecuarias al régimen urbanístico del suelo no urbanizable de especial protección. No obstante, antes hemos advertido que la predisposición de las vías pecuarias a su clasificación como suelo no urbanizable no excluye su eventual inclusión por el planeamiento general en el suelo urbano o urbanizable, pudiendo conservar su condición dentro de estas otras categorías de suelo si se logra, en los términos que veíamos, que sigan al servicio de las funciones que le son propias.

2) Las vías pecuarias reciben asimismo una especial protección por parte de la normativa ambiental en dos supuestos diferenciados que han sido oportunamente analizados por la doctrina[116]. En primer lugar, cuando atraviesan espacios naturales protegidos quedan sometidas al régimen específico del espacio natural de que se trate, como expresamente prevé la Disposición Adicional Tercera de la LVP y ha confirmado la jurisprudencia, al afirmar con rotundidad que "la normativa del Parque Natural y la de los espacios naturales, son prioritarios y prevalecen, sobre las generales de las vías pecuarias"[117]. En segundo lugar, cuando las vías pecuarias son consideradas en sí mismas como espacios naturales también pueden beneficiarse de una protección específica: ya sea mediante su inclusión en alguna de las categorías en el Capítulo II del Título III de la Ley 4/1989, de 27 de marzo, de

---

las Administraciones Públicas en el siglo XXI, INAP/BOE, Madrid, 2002, pp. 23 y ss.

[116] FRANCO CASTELLANOS, C., "El régimen jurídico de los usos ambientales..." *op. cit.*, pp. 3833 y ss.; y ALENZA GARCÍA, J. F., *op. cit.*, pp. 450 y ss.

[117] SSTS de 11 de noviembre de 1997 (Ar. 8455 y 8456) y de 14 de julio de 1998 (Ar. 6780), las tres referidas a la impugnación de la revisión del Plan rector de uso y gestión de Doñana, en las que los recurrentes alegaban la supuesta infracción de la LVP por el Plan fundada en materia de modificación de los usos y pasos de las vías pecuarias y de la competencia para autorizarlos.

conservación de los espacios naturales y de la flora y fauna silvestres (particularmente la de "paisaje protegido" del art. 17), o de las previstas en la legislación autonómica de espacios naturales; ya por la aplicación de la Directiva 92/43/CEE, de 21 de mayo, relativa a la conservación de los hábitats naturales y de la fauna y flora silvestres, uno de cuyos objetivos es la creación de una Red de espacios naturales significativos a nivel europeo (la llamada Red Natura 2000), en la que pueden integrarse "aquellos elementos que, por su estructura lineal y continua o por su papel de puntos de enlace resultan esenciales para la migración, la distribución geográfica y el intercambio genético de las especies silvestres" (art. 10). Condiciones que cumplen plenamente las vías pecuarias, como reconoció el art. 7 del RD 1997/1995, de 7 de diciembre, por el que se establecen medidas para contribuir a garantizar la biodiversidad.

3) Finalmente, las características morfológicas de las vías pecuarias, en las que naturaleza y cultura están fuertemente imbricadas, predisponen singularmente a estos caminos para su utilización con fines de turismo cultural y educativo. La relevancia cultural de las vías pecuarias ha motivado que algún autor haya postulado su inclusión en el Patrimonio Histórico, en orden a su protección como tal, mediante su genérica declaración como Conjunto o "Camino" Histórico —siguiendo el ejemplo del Camino de Santiago—[118]. No obstante, hay quién señala las dificultades jurídicas para lograr dicha declaración respecto de toda la red de vías pecuarias (que, por ejemplo, no parecen tener la "unidad de asentamiento" que demanda la LPHA para Conjuntos Históricos —art. 15—), por lo que, más moderada y específicamente, circunscriben las posibilidades protectoras que brinda la legislación de Patrimonio Histórico, tanto estatal como autonómica, a aquellas vías pecuarias o tramos de ellas claramente identificados en los que se acredite la existencia de un auténtico interés histórico-cultural[119].

En este orden de consideraciones, debe tenerse en cuenta que algunas leyes autonómicas sobre vías pecuarias (como la madrileña y la castellano-manchega) prevén expresamente la posibilidad de que estas vías sean declaradas bienes de interés cultural, sin que dicha calificación suponga —sin

---

[118] Véase HERRÁIZ SERRANO, O., "Algunas consideraciones críticas en torno a la eventual clasificación de las vías pecuarias como patrimonio cultural", *Revista Aragonesa de Administración Pública*, núm. 12, 1998, p. 244.

[119] ALENZA GARCÍA, J. F., *Vías pecuarias, op. cit.*, p. 459.

embargo— un cambio sustancial de las normas generales de protección, más allá de algunas medidas protectoras adicionales y de una regulación específica del régimen de usos compatibles[120]. No obstante, la posibilidad abierta por estas leyes autonómicas determina la remisión a la legislación sobre patrimonio-histórico de cada Comunidad Autónoma considerada, en la medida en que esta legislación pueda brindar un régimen específico de protección a las vías pecuarias cuando sean susceptibles de encajar en alguna de las categorías protectoras incluidas en esa genérica declaración de bien de interés cultural[121].

BIBLIOGRAFÍA BÁSICA SOBRE VÍAS PECUARIAS

ALENZA GARCÍA, J. F., *Vías pecuarias*, Civitas, Madrid, 2001.
BENSUSÁN MARTÍN, Mª P., *Las vías pecuarias*, Marcial Pons, Madrid-Barcelona, 2003.
CANALS AMETLLER, D., "El nuevo valor funcional de los caminos públicos", *Congreso Ítalo-español de Profs. de Derecho Administrativo*, Salamanca, Ed. Cedecs, Barcelona, 2002.
CARRILLO DONAIRE, J. A. "La intervención administrativa sobre las vías pecuarias", *Revista Andaluza de Administración Pública*, núm. 59, 2005, pp. 25 a 73.

---

[120] Medidas específicas de protección consistentes, por ejemplo, en la imposibilidad de desafectación de las vías pecuarias calificadas de interés cultural, o en la adopción de medidas cautelares frente a las ocupaciones no autorizadas, como las que contempla la Ley castellano-manchega.

[121] En el caso de Castilla-La Mancha, la Ley 4/1990 del Patrimonio Histórico no establece categorías de protección propias, por lo que habrá de estarse a las de la Ley estatal. Atendiendo a las definiciones que ésta ofrece de los Monumentos, Jardines Históricos, Conjuntos Históricos, Sitios Históricos y Zonas arqueológicas, se verá que sólo de manera muy forzada las vías pecuarias podrían encajar en el concepto de Sitio Histórico, definido como el "lugar o paraje natural vinculado a acontecimientos o recuerdos del pasado, a tradiciones populares, creaciones culturales o de la naturaleza y a obras del hombre, que posean valor histórico, etnológico, paleontológico o antropológico" (art. 15). Por su parte, la Ley madrileña 10/1998 de Patrimonio Histórico sí define diferentes categorías de bienes de interés cultural (art. 9.2), añadiendo a las estatales la de "lugar de interés etnográfico", que define como "el paraje natural susceptible de delimitación espacial o conjunto de construcciones o instalaciones vinculadas a las formas de vida, cultura, costumbres, acontecimientos históricos y actividades tradicionales significativas del pueblo madrileño o de los lugares que, dentro del ámbito territorial de la Comunidad de Madrid merezcan ser preservados por su interés etnológico". En la medida en que se le logre acreditar el valor etnológico de una vía pecuaria podría inscribirse en esta categoría, como, en su caso, podría hacerse en la de Sitio Histórico si, por el contrario, se estima que constituye un lugar, en términos del art. 9.2. d) de la Ley madrileña, "vinculado a acontecimiento o tradiciones del pasado, creaciones culturales o de la naturaleza, y a obras del hombre que posean valores históricos, artísticos o técnicos".

FRANCO CASTELLANOS, C., "El régimen jurídico de los usos ambientales de las vías pecuarias", en *El Derecho Administrativo en el umbral del siglo XXI*, libro Homenaje al Prof. Martín Mateo, tomo III, Tirant lo Blanch, Valencia, 2001, pp. 3833-3852.

GARCÍA MARTÍN, P., *Cañadas, cordeles y veredas*, Junta de Castilla y León, Valladolid, 1991.

– *La ganadería mesteña en la España borbónica*, 2ª ed., Ministerio de Agricultura, Ganadería y Pesca, Madrid, 1992.

– *Por los caminos de la trashumancia*, Consejería de Agricultura y Ganadería de la Junta de Castilla y León, Ed. Evergráficas, León, 1994.

GARCÍA MARTÍN, P., y SÁNCHEZ BENITO, J. Mª, *Contribución a la historia de la trashumancia en España*, 2ª ed., Ministerio de Agricultura, Pesca y Alimentación, Madrid, 1996.

HERRÁIZ SERRANO, O., "Algunas consideraciones críticas en torno a la eventual declaración de las vías pecuarias como patrimonio cultural", *Revista Aragonesa de Administración Pública*, núm. 12, 1998, pp. 239-256.

– *Régimen jurídico de las vías pecuarias*, Ed. Comares, Granada, 2000.

KLEIN, J., *La Mesta. Estudio de la historia económica española 1273-1836*, Alianza editorial, Madrid, 1979.

MANGAS NAVAS, J. Mª, *Vías pecuarias*, Cuadernos de la trashumancia núm. 0, ICONA, 2ª ed., Madrid, 1995 (puede consultarse en http://www. mma.es/).

MARTÍN REBOLLO, L., "Régimen jurídico de los caminos", en *Derecho Administrativo*, obra homenaje al Prof., Miguel S. Marienhoff, Abeledo-Perrot, Buenos Aires, 1998, pp. 1123-1165.

MARTÍN-RETORTILLO BAQUER, L., "El proceso de apropiación por el Estado de las vías pecuarias", *Revista de Administración Pública*, núm. 51, 1966, pp. 97-149.

MARTÍNEZ SERRANO, F., *La Mesta: aspectos jurídicos, económicos y político-sociales*, Madrid, 1973.

PARRA LUCÁN, Mª A., *Vías pecuarias y propiedad privada*, Ed. Dykinson, Madrid, 2002.

PÉREZ ANDRÉS, E., "El deslinde de las vías pecuarias y su control judicial", *Revista Andaluza de Administración Pública*, núm. 59, 2005, pp. 75 a 118.

PONCE SOLÉ, J., *Régimen jurídico de los caminos y derecho de acceso al medio natural*, Marcial Pons, Madrid-Barcelona, 2003.

PORTO REY, E., "Integración de las vías pecuarias en el planeamiento urbanístico", *Revista de Derecho Urbanístico*, núm. 126, 1992, pp. 95-120.

PORTO REY, E., y FRANCO CASTELLANOS, E., *Urbanismo y vías pecuarias*, Cuadernos de Urbanismo, Montecorvo, Madrid, 2000.

Capítulo XVII
Dominio minero

ELOY COLOM PIAZUELO
Profesor Titular de Derecho Administrativo
Universidad de Zaragoza

SUMARIO: I. EL DOMINIO MINERO. SU CONFIGURACIÓN COMO DOMINIO PÚ-
BLICO ESTATAL. II. EL DOMINIO MINERO. SU APROVECHAMIENTO POR LA AD-
MINISTRACIÓN O POR TERCEROS. III. EL APROVECHAMIENTO DEL DOMINIO
MINERO POR LA ADMINISTRACIÓN PUBLICA. LAS RESERVAS DEMANIALES. IV. EL
APROVECHAMIENTO DEL DOMINIO MINERO POR TERCEROS. LOS APROVECHA-
MIENTOS DE LA SECCIÓN A). V. EL APROVECHAMIENTO DEL DOMINIO MINERO
POR TERCEROS. LOS APROVECHAMIENTOS DE LA SECCIÓN B). 1. El aprovecha-
miento de aguas minerales y termales. 2. El aprovechamiento de los yacimientos de
origen no natural. 3. La utilización de estructuras subterráneas. VI. EL APROVECHA-
MIENTO DEL DOMINIO MINERO POR TERCEROS. LOS APROVECHAMIENTOS DE
LAS SECCIONES C) y D). 1. Determinación de los recursos susceptibles de aprovecha-
miento: la cuadrícula minera y los terrenos francos y registrables. 2. Los permisos de
exploración de los recursos mineros. 3. Los permisos de investigación de los recursos
mineros. 4. La explotación de los recursos mineros. La concesión de explotación. VII.
NORMAS COMUNES APLICABLES A LA EXPLOTACIÓN DE LOS RECURSOS DE LAS
DIVERSAS SECCIONES. EL EJERCICIO DE LA POTESTAD EXPROPIATORIA. VIII. EL
FOMENTO DE LA ACTIVIDAD MINERA Y LA PROTECCIÓN DEL MEDIO AMBIENTE.

I. EL DOMINIO MINERO. SU CONFIGURACIÓN COMO DOMINIO PÚBLICO ESTATAL

Dentro de los bienes de dominio público se incluye el dominio minero.
Estos bienes se rigen por la Ley 22/1973, de 21 de julio, de Minas (en adelante LM) y el Reglamento General para el Régimen de la Minería aprobado por Real Decreto 2857/1978, de 25 de agosto (en adelante, RGRM). La
Ley de Minas mencionada ha sido modificada posteriormente por diversas
leyes y ha sido complementada por la Ley 6/1977, de 4 de enero, de Fomento de la Minería[1].

---

[1]   La LM ha sido modificada por la Ley 54/1980, de 5 de noviembre, Ley 50/1985, de
27 de diciembre, Real Decreto Legislativo 1303/1986, de 28 de junio, Ley 12/2007, de
2 de julio, Ley 25/2009, de 22 de diciembre, y Ley 40/2009, de 29 de diciembre. A su
vez la Ley de Fomento de la Minería ha sido modificada por la Ley 43/1995, de 27 de
diciembre, y Ley 12/2007, de 2 de julio. Vid., también, el Real Decreto 1778/1994, de

También resulta de aplicación la legislación aprobada por las Comunidades Autónomas en desarrollo de las bases de régimen minero dictadas por el Estado (artículo 149.1.25 de la Constitución). Competencias autonómicas normativas y ejecutivas en esta materia que están contempladas en los diversos Estatutos de Autonomía y que inicialmente y de forma parcial ya se preveían en la Constitución, si bien referidas exclusivamente a aguas minerales y termales (artículo 148.1.10 de la Constitución)[2].

Las normas reguladoras de la minería mencionadas no se aplican a todo tipo de recursos. En la propia Ley de Minas se excluyen ciertos supuestos o se prevé la aplicación prioritaria de otras normas. Así, en su artículo 1.2 se dice que quedan fuera de su ámbito, regulándose por las disposiciones que les sean de aplicación, los hidrocarburos, líquidos y gaseosos. Hidrocarburos que en la actualidad se rigen por la Ley 34/ 1998, de 7 de octubre, del Sector de Hidrocarburos, y serán objeto de estudio en un capítulo posterior de la presente obra. O en el artículo 1.3 de la LM se dice que la investigación y el aprovechamiento de minerales radioactivos se regirán por esta Ley en los aspectos que no estuvieran específicamente establecidos en la Ley reguladora de la Energía Nuclear de 29 de abril de 1964 y disposiciones complementarias. Ley esta última que se estudiará en un capítulo posterior. O en el artículo 1.4 de la LM se establece que la investigación o explotación de las estructuras subterráneas para su utilización como almacenamiento geológico de dióxido de carbono se regirá por su legislación específica. O por lo que respecta a las aguas susceptibles de aprovechamientos mineros, en el artículo 2.2 de la LM se dice que en cuanto al dominio de las aguas, se estará a lo dispuesto en el Código civil y leyes especiales, sin perjuicio de lo que establece la presente Ley en orden

---

5 de agosto. También se han dictado otras normas que es preciso tener en cuenta. Entre ellas pueden mencionarse el Real Decreto 3255/1983, de 21 de diciembre, por el que se aprueba el Estatuto del Minero; el Real Decreto 863/1985, de 2 de abril, por el que se aprueba el Reglamento General de Normas Básicas de Seguridad Minera, modificado posteriormente por el Real Decreto 150/1996, de 2 de febrero, y Real Decreto 249/2010, de 5 de marzo. Normas reglamentarias estas últimas que se mantienen expresamente vigentes de conformidad con lo previsto en la Disposición derogatoria de la Ley 31/1995, de 8 de noviembre, de Prevención de riesgos Laborales.

2   ·   Precisamente, en ejercicio de sus competencias las Comunidades Autónomas han aprobado diversas normas. Pueden mencionarse, por ejemplo, la Ley gallega 3/2008, de 23 de mayo, de ordenación minera, o la Ley gallega 9/1985, de 30 julio, reguladora de la protección de piedras ornamentales; la Ley asturiana 1/1997, de 4 abril, de infracciones y sanciones en materia de seguridad minera; y la Ley 8/1990, de 28 diciembre, de Castilla-La Mancha reguladora del aprovechamiento, ordenación y fomento de aguas minerales y termales.

a su investigación y aprovechamiento. Remisión que se entiende realizada al Real Decreto Legislativo 1/2001, de 20 de julio, por el que se aprueba el Texto refundido de la Ley Aguas. Ley esta última que se ha examinado en otro capítulo de la presente obra.

La aplicación prioritaria de las normas específicas sobre minas que se han mencionado frente a las reglas contenidas en las leyes generales sobre dominio público está expresamente prevista en artículo 5.4 de la LPAP. En este último precepto se dice que los bienes y derechos de dominio público se regirán por las leyes y disposiciones especiales que les sean de aplicación y, a falta de normas especiales, por esta Ley y las disposiciones que la desarrollen o complementen.

En la legislación que regula esta clase de recursos y que se acaba de exponer se configuran las minas como una propiedad calificada como dominio público susceptible de aprovechamiento[3]. En este sentido, en el artículo 2.1 de la LM se dice que todos los yacimientos de origen natural y demás recursos geológicos existentes en el territorio nacional, mar territorial y plataforma continental, son bienes de dominio público, cuya investigación y aprovechamiento el Estado podrá asumir directamente o ceder en la for-

---

[3]   Esto supone una de las posibles soluciones adoptadas históricamente. Así, se ha planteado también que el dominio pueda atribuirse por ley al dueño del terreno superficiario, al descubridor de la mina o al Estado. De las diversas soluciones adoptadas históricamente por el legislador se deduce la existencia de cinco sistemas. El primero de ellos es el fundiario, en el que el propietario del suelo lo es también del subsuelo sin limitación alguna, siendo propietario de las minas; esta teoría se fundamenta en la concepción de la extensión del dominio privado en el Derecho romano y en la figura de la accesión mediante la cual el subsuelo, que es lo accesorio, sigue al suelo, que es lo principal. El segundo de ellos es el denominado industrial o de la ocupación y para él las minas o yacimientos minerales son considerados como res nullius y, por tanto, del dominio del primero que los descubra y ocupe; con ello se persigue estimular los trabajos de descubrimiento de nuevos yacimientos. El tercer sistema es el sistema feudal o regaliano, basado en el dominio señorial o supremo, y por el cual al príncipe le pertenece el subsuelo con sus riquezas, aunque no se aprovechen la totalidad de las sustancias mineras. Con este tercer sistema el monarca se asegura importantes ingresos. El cuarto sistema es el sistema demanial y supone un paso más allá del sistema regaliano, en la medida que se atribuye las minas a la nación, utilizando el concepto de dominio público; se trata de una concepción publicista de la riqueza minera que lleva su regulación al Derecho administrativo. Y el quinto sistema es el de la nacionalización de las minas, variante del sistema anterior, que supone un movimiento de la gestión privada de la explotación minera a la gestión pública. De todos ellos el sistema regalista ha imperado en nuestro país desde la Edad Media hasta el siglo XIX; y a partir del siglo XIX y, en particular, las Leyes de 1849 y 1856 el sistema de regalía se sustituye por el de dominio público.

ma y condiciones que se establecen en la presente Ley y demás disposiciones vigentes en cada caso. Calificación como dominio público que no ha quedado alterada por la aprobación de la LPAP de 2003, en la medida en que su artículo 5 se establece que son bienes de dominio público no solo los destinados a un uso o servicio público, sino aquellos a los que una ley otorgue expresamente el carácter de demaniales. Carácter que otorga la Ley de Minas al dominio minero, según se ha visto.

La calificación de las minas como dominio público tiene sus precedentes. En el artículo 339.2 del Código civil de 1889 se decía que eran bienes de dominio público los que pertenecieran privativamente al Estado, sin ser de uso común, y estuvieran destinados a algún servicio público o al fomento de la riqueza nacional como las minas, mientras no se otorgase su concesión. Esta última salvedad prevista en el citado artículo planteó la cuestión sobre la conversión del demanio minero en propiedad privada, una vez que hubiera sido objeto de concesión. Controversia que ha quedado superada con la declaración de demanialidad prevista en la Ley de Minas de 1973 y que no contempla ningún tipo de excepción. La Ley vigente parte de que las minas son bienes de dominio público y pueden ser objeto de concesión, sin que por este hecho pasen a considerarse dominio privado (v.gr. Sentencia de la Sala 1ª del Tribunal Supremo de 14 de junio de 2002 y de la Sala 3ª, Sección 6ª, del mismo Tribunal de 20 marzo 2002). Calificación de las minas como dominio público que no impide considerar privado el mineral que ha sido extraído del yacimiento por aquellas personas que tengan derecho al aprovechamiento de acuerdo con las reglas contenidas en la Ley de Minas.

La consideración de la propiedad minera como dominio público implica admitir la división vertical del dominio. La propiedad está integrada verticalmente por el suelo, vuelo y subsuelo. De estos tres elementos podrán pertenecer a un mismo dueño el suelo, el vuelo y algunas utilidades del subsuelo; sin embargo, los recursos mineros existentes en el subsuelo corresponderán a la Administración, al ser el titular del dominio público minero. Esta división vertical de la propiedad se refleja en el artículo 350 del Código civil. En dicho precepto se dice que el propietario de un terreno es dueño de su superficie y de lo que está debajo de ella, y puede hacer en él las obras, plantaciones y excavaciones que le convengan, salvas las servidumbres, y con sujeción a lo dispuesto en las leyes sobre minas y aguas y en los reglamentos de policía.

La división vertical del dominio y la atribución de los diferentes elementos que la componen a diversos titulares tienen numerosas consecuencias. Por ejemplo, si una finca es objeto de expropiación, no puede valorarse dentro del justiprecio abonado al particular propietario del suelo, vuelo y algunas utilidades del subsuelo, los posibles recursos mineros existentes en la propiedad que se le expropia, puesto que estos recursos son de dominio público y de titularidad de la Administración. En todo caso, lo que podrá valorarse es el derecho al aprovechamiento de los citados recursos que hubiera obtenido de acuerdo con lo previsto en la Ley de Minas.

II. EL DOMINIO MINERO. SU APROVECHAMIENTO POR LA ADMINISTRACIÓN O POR TERCEROS

La utilización y aprovechamiento del dominio minero se rige por la Ley de Minas de 1973 y el Reglamento General para el Régimen de la Minería de 1978. Así, en el artículo 1.1 de la LM se dice que la presente Ley tiene por objeto establecer el régimen jurídico de la investigación y aprovechamiento de los yacimientos minerales y demás recursos geológicos cualesquiera que fueren su origen y estado físico.

La aplicación prioritaria de la Ley de Minas a los aprovechamientos de esta clase de bienes de dominio público está prevista en el artículo 114 de la LM. En dicho precepto se dice que los actos dictados en ejecución de la Ley de Minas se regirán, conforme a su naturaleza, por los preceptos de aquélla y disposiciones reglamentarias; supletoriamente, por las restantes normas de Derecho administrativo y, en su defecto, por las de Derecho privado. Y también se deduce de lo previsto en el artículo 84.3 de la LPAP. En este último precepto se establece que las concesiones y autorizaciones sobre bienes de dominio público se regirán en primer término por la legislación especial reguladora de aquéllas y, a falta de normas especiales o en caso de insuficiencia de éstas, por las disposiciones de esta Ley.

Para regular el aprovechamiento de los recursos mineros se utiliza un doble criterio en la Ley de Minas: la persona que realiza el aprovechamiento y el recurso que es objeto del mismo. De esta forma, se diferencia entre aquellos realizados directamente por la Administración o por terceros, y entre los diversos tipos de yacimientos minerales y recursos geológicos que son susceptibles de aprovechamiento.

Por lo que respecta al primer criterio, el sujeto que realiza el aprovechamiento, en el artículo 2.1 de la LM se establece que la investigación y aprovechamiento puede ser asumido directamente por el Estado o cederlo en la forma y condiciones que se establecen en la presente Ley y demás disposiciones vigentes en cada caso. En el supuesto de que sean aprovechados por la Administración será de aplicación la regulación contenida en la Ley de Minas sobre las zonas de reserva y las reservas demaniales. Zonas cuya regulación será examinada en un apartado específico posteriormente. Y en el caso de que sean terceras personas las que sean titulares del derecho al aprovechamiento de los recursos, deben cumplir las condiciones generales previstas para cada tipo de recurso objeto de aprovechamiento contempladas en la LM[4].

Y en cuanto al segundo criterio que se ha mencionado con anterioridad, que se refiere al recurso que es susceptible de aprovechamiento, en el artículo 3 de la LM se establece que los yacimientos minerales y demás recursos geológicos se clasifican en las Secciones A), B) y C). Secciones a la que se ha añadido la Sección D) por la Ley 54/1980, de 5 de noviembre. En cada una de estas Secciones se incluyen los siguientes recursos:

- Sección A). Pertenecen a la misma los de escaso valor económico y comercialización geográficamente restringida, así como aquellos cuyo aprovechamiento único sea el de obtener fragmentos de tamaño y forma apropiados para su utilización directa en obras de infraestructura, construcción y otros usos que no exigen más operaciones que la de arranque, quebrantado y calibrado.

- Sección B). Incluye con arreglo a las definiciones que establece el Capítulo I del Título IV de la LM, y que se comentarán en otro apartado posterior, las aguas minerales, las termales, las estructuras subterráneas y los yacimientos formados como consecuencia de operaciones reguladas por esta Ley.

- Sección C). Comprende esta Sección cuantos yacimientos minerales y recursos geológicos no estén incluidos en las anteriores Secciones o en la Sección D) y sean objeto de aprovechamiento conforme a la Ley de Minas.

- Sección D). Se consideran comprendidos los carbones, los minerales radiactivos, los recursos geotérmicos, las rocas bituminosas y cualesquiera otros yacimientos minerales o recursos geológicos de interés energético que el Gobierno acuerde incluir en esta Sección.

El aprovechamiento de los recursos de cada una de estas Secciones tendrá una regulación específica. De ahí que se examinen en apartados

---

4 Debe advertirse que las condiciones específicas para ser titulares de derechos mineros exigidas en los arts. 89 y ss. de la LM han sido derogadas por la Ley 25/2009, de 22 de diciembre.

independientes. No obstante, la regulación de las Secciones C) y D) se expondrá conjuntamente, dado que la norma que ha creado la Sección D) ha establecido que las reglas por las que se rige son las mismas que las de Sección C), salvo determinadas especialidades.

La existencia de una regulación independiente de cada una de las Secciones mencionadas no impide que en la propia Ley de Minas se contemple una serie de normas comunes a todas ellas, que se examinarán a continuación.

Así, salvo determinados supuestos, es preciso que el particular que pretenda realizar un aprovechamiento lo solicite. Petición que dará lugar a la tramitación del correspondiente procedimiento administrativo para obtener la autorización, permiso o concesión del aprovechamiento. Dicho procedimiento será administrativo y se regirá por la Ley de Minas y las disposiciones de desarrollo; y en lo no previsto en la misma será aplicable la legislación general sobre procedimiento administrativo.

De la misma forma, en el artículo 117 de la LM se prevé que sea la Administración la que proceda a la inspección y vigilancia de los trabajos de exploración, investigación, explotación y aprovechamiento de recursos regulados por la LM y de los establecimientos de beneficio y de los productos obtenidos en los términos fijados en la LM. Actuaciones que pueden determinar la suspensión de los trabajos de aprovechamiento de recursos que estuviesen autorizados en las condiciones que se determinan en el artículo 116 de la LM. Cuando dicha suspensión se acuerde por causa no imputable al titular, la autorización, permiso o concesión se ampliará por el plazo de aquella.

Por otra parte, las cuestiones que se planteen entre los titulares de derechos mineros o entre ellos y terceros afectados, con motivo de colisión de intereses por incompatibilidad de trabajos, deslindes, superposiciones, rectificación de perímetros de demarcación o de protección e intrusión de labores, tendrán carácter y trámite administrativo.

No obstante, en el artículo 120 de la LM se establece que cuando ante los tribunales pendiera procedimiento entre el titular o poseedor de un derecho minero y un tercero que lo pretenda, conservará éste el que pueda corresponderle en caso de sentencia a su favor, aun cuando el primero hubiese hecho dejación de sus derechos a la autorización, permiso o concesión o dado lugar a la declaración de caducidad de los mismos, siempre que estos hechos se hayan producido con posterioridad a la demanda judicial, acto de conciliación o requerimiento notarial. A estos efectos será precisa la comunicación formal de la pretensión del demandante a la Administración.

Y, finalmente, en el artículo 115 de la LM se dice que la intervención de los tribunales de la jurisdicción ordinaria en cuestiones de índole civil o penal atribuidas a su competencia no interrumpirá la tramitación administrativa de los expedientes ni la continuidad de los trabajos, ni el ejercicio de las funciones gestoras o inspectoras de la Administración. Además, cuando los tribunales decretasen el embargo de los productos de los aprovechamientos y se tratara de recursos que legalmente deban ser puestos a disposición del Estado, sólo será embargable el importe que arroje la valoración oficial de los mismos a medida que fuera realizada su entrega.

III. EL APROVECHAMIENTO DEL DOMINIO MINERO POR LA ADMINISTRACIÓN PUBLICA. LAS RESERVAS DEMANIALES

En el artículo 2 de la LM se establece que la investigación y aprovechamiento de los yacimientos de origen natural y demás recursos geológicos existentes en el territorio nacional, mar territorial y plataforma continental podrán ser asumidos directamente por la Administración. Esta previsión genérica contenida en el citado precepto se desarrolla en el Título II de la LM. Dicho título se divide, a su vez en dos Capítulos. El primero de ellos dedicado a la realización de estudios, recopilación de datos y protección del medio ambiente; y el Capítulo II dedicado a las zonas de reserva. La regulación principal se encuentra precisamente en este Capítulo II.

En concreto, en el artículo 7 de la LM se establece que el Estado podrá reservarse zonas de cualquier extensión en el territorio nacional, mar territorial y plataforma continental en las que el aprovechamiento de uno o varios yacimientos minerales y demás recursos geológicos pueda tener especial interés para el desarrollo económico y social o para la defensa nacional.

Estas zonas susceptibles de declararse de reserva pueden ser de diversos tipos: zonas especiales, provisionales y definitivas (artículo 8 de la LM). Son zonas de reserva especiales aquellas que son para uno o varios recursos determinados en todo el territorio nacional, mar territorial y plataforma continental; son provisionales, las que son para la exploración e investigación, en zonas o áreas definidas, de todos o alguno de sus recursos; y son definitivas aquellas que son para la explotación de los recursos evaluados en zonas o áreas concretas de una reserva provisional. No se podrá declarar definitiva una zona de reserva provisional o partes de ella sin haberse puesto de manifiesto la existencia de uno o varios recursos reservados y susceptibles de aprovechamiento racional, con arreglo a las previsiones contenidas en la Ley de Minas.

Las zonas de reserva tienen una duración determinada. Así, en la Ley de Minas se diferencia entre zonas de reserva especial y las zonas de reserva provisional o definitiva. Las zonas de reserva especial se declararán por un plazo máximo de cinco años, prorrogables únicamente por ley. En cambio, las zonas de reserva provisional o definitiva se establecerán por los plazos determinados reglamentariamente, los cuales no podrán ser superiores a los concedidos para permisos de exploración, permisos de investigación y concesiones de explotación, respectivamente.

La Administración podrá de oficio o a petición de cualquier persona natural o jurídica declarar una zona de reserva y la inscribirá en el Libro-Registro que a estos efectos se lleve, previa tramitación del oportuno expediente en la forma y plazos que señala el RGRM (artículos 9 de la LM y 11 del RGRM). Dicha declaración se realizará mediante Decreto.

En cualquier momento podrá levantarse total o parcialmente la reserva de zonas o modificarse sus condiciones por la autoridad que la haya establecido, previa la conformidad de los titulares de la adjudicación, si los hubiere. La disposición correspondiente se publicará en el Boletín Oficial del Estado, siendo esta publicación el punto de partida para el cómputo de plazos, y en el Boletín Oficial de la provincia o provincias afectadas.

La declaración como zona reservada y su inscripción el Libro-Registro tendrá diversos efectos. Así, la declaración dará lugar a la cancelación de las solicitudes que para el recurso o recursos reservados hubieran sido presentadas a partir de la inscripción de la propuesta. Además, la inscripción de la declaración conllevará la adquisición del derecho de prioridad sobre los terrenos francos que la propuesta comprenda, siempre que el expediente de declaración dé lugar a la declaración de zona reservada. No obstante, la reserva de zonas a favor del Estado no limitará los derechos adquiridos, previamente a la inscripción de las propuestas de aquélla, por los solicitantes o titulares de permisos de exploración, permisos de investigación o concesiones directas o derivadas de explotación de recursos de la Sección C), y de autorizaciones de aprovechamiento de recursos de las Secciones A) y B), sin perjuicio de lo previsto en la Ley de Minas; afección que puede, en cambio, producirse en el caso de recursos de la Sección D)[5].

---

[5] En concreto, en el artículo 2 de la Ley 54/1980, de modificación de la Ley de Minas, se dice que la declaración de zona de reserva para uno o varios recursos de la sección D)

En las zonas reservadas podrán solicitarse permisos de exploración, permisos de investigación, concesiones directas de explotación y autorizaciones de aprovechamiento de recursos distintos de los que motivaron la reserva. Estos permisos, concesiones y autorizaciones podrán otorgarse, en su caso, con las condiciones especiales necesarias para que sus trabajos no afecten ni perturben la investigación y explotación de los recursos reservados. Quedarán libres de estas condiciones cuando sea levantada la reserva de la zona y, tratándose de permisos y concesiones, sus titulares adquirirán el derecho a la investigación, a la explotación y al aprovechamiento de los recursos que fueron objeto de la reserva[6].

Finalmente, es preciso señalar que en las zonas reservadas podrán desarrollarse, en función del grado de conocimiento que sobre las mismas se tenga, operaciones de exploración, de investigación y de explotación. Por lo que respecta a la exploración, en la LM se dice que se realizará directamente por la Administración o a través de sus organismos públicos o mediante contrato con empresas nacionales o privadas. En cuanto a las labores de investigación, en la citada Ley se establece que, cuando el conocimiento de la zona permita o haga aconsejable efectuarlas, se realizarán directamente por la Administración o a través de sus organismos pú-

---

afectará a los recursos sobre los que verse aquélla, aunque se encuentren situados dentro de los perímetros correspondientes a solicitudes o títulos existentes de permisos de exploración, permisos de investigación y concesiones de explotación, siempre que se produzca alguna de las circunstancias siguientes: que el objeto de dichas solicitudes o títulos no sea precisamente el recurso objeto de la reserva; que los trabajos de exploración, investigación o explotación no se encaminen a la búsqueda o aprovechamiento de recursos de la sección D); y que, aun en el caso de que las solicitudes, títulos o trabajos versen sobre recursos de la sección D), las actividades no se estén llevando a cabo de una manera efectiva, entendiéndose por tal que los trabajos no sean adecuados en medios técnicos, económicos y sociales a la importancia de los recursos del área y a su aprovechamiento racional. Una vez declarada la zona de reserva para uno o varios recursos de la sección D) por el Ministerio de Industria y Energía se confeccionará, en plazo no superior a seis meses, una relación de las solicitudes o títulos comprendidos en dicha zona que no resulten afectados por la reserva, por no concurrir en los mismos ninguna de las circunstancias relacionadas anteriormente.

6   Por lo que respecta a la Sección D), en el artículo 5 de la Ley 54/1980, de 5 de noviembre, se establece que en zonas de reserva a favor del Estado para recursos de la Sección D) podrán solicitarse permisos de exploración, permisos de investigación y concesiones directas de explotación para recursos de esta misma Sección distintos de los que motivaron la reserva o para recursos de la Sección C). Las superficies comprendidas dentro del perímetro de una zona de reserva a favor del Estado, propuesta o declarada, o de perímetros correspondientes a permisos de explotación, permisos de investigación o concesiones de explotación solicitados u otorgados para recursos de la Sección C) serán consideradas francas para los recursos de la Sección C).

blicos, mediante concurso público entre empresas españolas y extranjeras o por consorcio entre la Administración y las entidades antes citadas. En cualquiera de las modalidades indicadas se concederá, simultáneamente a la investigación, el derecho de explotación de los recursos reservados. Y, con respecto a la fase de explotación, la Administración, además de las minas que explota actualmente, podrá acordar la explotación directa de los yacimientos, minerales y demás recursos geológicos que descubra como resultado de sus investigaciones en zonas reservadas. Cuando la Administración decida no asumir la explotación de recursos cuya investigación se haya realizado directamente por la Administración, y acuerde cederla, la adjudicación se resolverá por concurso público entre empresas españolas y extranjeras[7].

IV. EL APROVECHAMIENTO DEL DOMINIO MINERO POR TERCEROS. LOS APROVECHAMIENTOS DE LA SECCIÓN A)

Según se ha indicado en un apartado anterior, los yacimientos minerales y demás recursos geológicos se clasifican en Secciones en el artículo 3 de la LM; y entre ellas se encuentra la denominada Sección A). Dentro de la misma se incluyen los de escaso valor económico y comercialización geográficamente restringida, así como aquellos cuyo aprovechamiento único sea el de obtener fragmentos de tamaño y forma apropiados para su utilización directa en obras de infraestructura, construcción y otros usos que no exigen más operaciones que las de arranque, quebrantado y calibrado. El aprovechamiento de estos recursos se encuentra regulado en el Título III de la LM.

La regulación contenida en los artículos 16 y ss. de la LM parte de un presupuesto: dada la escasa relevancia de estos recursos, el propietario de los terrenos donde se encuentren tiene un derecho otorgado por la propia Ley de Minas para su explotación en los términos previstos en la citada Ley. Derecho que puede corresponder a un particular, si se está en presencia de propiedad privada, o a una Administración, si se está en presencia de una propiedad pública.

La atribución de este derecho de aprovechamiento al propietario del terreno aparece expresamente recogida en el artículo 16 de la LM. En di-

---

7   Con respecto a los recursos de la Sección D), existen especialidades en los artículos 3 y ss. de la Ley 54/1980, de 5 de noviembre.

cho precepto se dice que el aprovechamiento de recursos de la Sección A),
cuando se encuentren en terrenos de propiedad privada, corresponderá
al dueño de los mismos, salvo las excepciones previstas en la propia Ley y
que posteriormente se comentarán. De la misma forma en los apartados
segundo y tercero del citado artículo se dice que cuando los recursos se
hallen en terrenos patrimoniales del Estado, provincia o Municipio podrán sus titulares aprovecharlos directamente o ceder a otros sus derechos;
y cuando se encuentren en terrenos de dominio y uso público, serán de
aprovechamiento común.

El derecho de explotación regulado por la Ley de Minas está sometido
al cumplimiento de las condiciones previstas en la propia Ley y el RGRM.
En este sentido, en el artículo 17 de la LM se dice que para ejercitar el
derecho al aprovechamiento de estos recursos tendrá que obtenerse, previamente a la iniciación de los trabajos, la oportuna autorización, una vez
cumplidos los requisitos reglamentarios. A esos efectos, la Administración
deberá primero identificar el terreno, comprobar su titularidad y clasificar
el recurso mineral existente y, posteriormente, otorgar la autorización de
explotación, imponiendo, si proceden, las condiciones oportunas en orden a la protección del medio ambiente. Para que puedan otorgarse estas
autorizaciones por las Entidades locales será preciso que se aprueben las
correspondientes ordenanzas, en la que se contengan las correspondientes
condiciones técnicas aprobadas por la Administración (artículo 17.3 de la
LM)

En el caso de que no se haya obtenido la necesaria autorización, la autoridad competente ordenará la inmediata paralización de los trabajos, con
independencia de las sanciones que procedan. Dicha paralización se mantendrá en tanto no haya sido legalizada la situación.

Si se solicitara autorización para recursos de la Sección A) dentro del
perímetro de un permiso de investigación o de una concesión para explotar recursos de la Sección C) o de una autorización para el aprovechamiento de recursos de la Sección B), deberá declararse antes de resolver
la petición la compatibilidad de los trabajos respectivos, con audiencia de
las partes interesadas. Si se declararan compatibles, se podrá autorizar dicho aprovechamiento. En cambio, si se declaran incompatibles, deberán
determinarse los que son de mayor interés o utilidad pública, que serán los
que prevalezcan. De prevalecer el aprovechamiento de los recursos de la
Sección A), será sin perjuicio de los derechos del titular del permiso, concesión o autorización de aprovechamiento sobre el resto de la superficie
y, en todo caso, con la indemnización que hubiere lugar, cuya cuantía se
fijará de acuerdo con la legislación de expropiación forzosa y el RGRM.

La autorización que se otorgue podrá ser transmitida, arrendada y gravada en todo o en parte, por cualquier medio admitido en Derecho en los términos establecidos en los artículos 94 y ss. de la LM. Para ello deberá solicitarse la oportuna aprobación a la Administración, acompañando el proyecto de contrato a celebrar o el título de transmisión correspondiente y los documentos acreditativos de que el adquirente reúne las condiciones legales mencionadas. Comprobada la personalidad suficiente del cesionario, el organismo otorgante concederá, en su caso, la autorización, considerándole como titular legal a todos los efectos, una vez que se presente el documento público o privado correspondiente y se acredite el pago del impuesto procedente.

Obtenida la autorización, su titular deberá comenzar los trabajos dentro del plazo de seis meses a contar de la notificación de su otorgamiento. Para su realización se ajustará al programa inicial que presente. Además, anualmente, deberá presentarse un plan de labores ante el órgano que concedió la autorización. La falta de presentación de dicho plan será sancionada con multa, pudiendo acordarse, en caso de reincidencia sin causa justificada, la caducidad de la autorización por el organismo que la haya concedido. Cualquier paralización de la actividad o modificación del programa inicial se comunicará en los casos reglamentariamente previstos al organismo que la concedió.

Por otra parte, la autorización de explotación de los recursos de esta Sección A) otorgada puede extinguirse por concurrir alguna de las causas de caducidad previstas en los artículos 83 y 87 de la LM. Estas causas son las siguientes: renuncia voluntaria del titular aceptada por la Administración; falta de pago de los impuestos mineros que lleve aparejada la caducidad, según las disposiciones que los regulen y en la forma que las mismas establezcan; no comenzar los trabajos dentro del plazo de seis meses a contar de la fecha de su otorgamiento o antes de finalizar las prórrogas que se hayan concedido para ello, o en el plazo de un año, si se trata de residuos mineros; mantener paralizados los trabajos más de seis meses sin autorización de la Administración; agotamiento del recurso; por los supuestos previstos en los artículos de esta Ley que lleven aparejada la caducidad o por el incumplimiento de las condiciones impuestas en la autorización o en los planes de labores anuales cuya inobservancia estuviese expresamente sancionada con la caducidad; y por motivo de grave o reiterada infracción de las condiciones contenidas en el título de otorgamiento de la autorización o de normas de observancia obligatoria, en perjuicio del orden público o del interés nacional.

Por último, debe señalarse que la regla general de atribución del derecho a la explotación al propietario de los terrenos admite excepciones, que están previstas en la propia Ley de Minas. Así, en el artículo 20 de la LM se dice que cuando lo justifiquen superiores necesidades de interés nacional expresamente declaradas por el Gobierno, el Estado podrá, con independencia de las facultades concedidas a la Administración por la Ley de Expropiación Forzosa, aprovechar por sí mismo recursos de la Sección A) o ceder su aprovechamiento por cualquiera de las modalidades que se prevé n en el artículo 11 de la LM y que se comentaron al exponer las reservas demaniales.

La efectividad de la excepción comentada exige que se cumplan las condiciones contempladas en el artículo 20 de la LM. Es decir, es necesario que el aprovechamiento no se haya iniciado o esté paralizado sin autorización, que la explotación sea insuficiente o inadecuada a las posibilidades potenciales que el recurso ofrezca, o que se hubieran cometido infracciones reiteradas a las normas generales o a las que se hayan dictadas en la autorización en orden a la seguridad laboral o a la protección del medio ambiente; o que, elaborado el programa de explotación por la Administración e invitado con las garantías jurídicas suficientes el propietario del terreno, el poseedor legal del mismo o el titular de la explotación, si lo hubiere, a realizarlo por sí o por tercera persona, haya manifestado su renuncia a este derecho o deje de ejercitarlo en el plazo que se le señale.

En el caso de que el Estado lleve a cabo directamente la explotación de estos recursos o la ceda a terceros, las condiciones de la misma deberán ser, como mínimo, las fijadas en el programa de explotación al que se ha aludido anteriormente. Los propietarios o poseedores de los terrenos en los que se encuentre el recurso tendrán derecho a percibir la correspondiente indemnización por la ocupación de la superficie necesaria para la ubicación de los trabajos de explotación y por los daños y perjuicios que se les causen. La ocupación de los terrenos y la fijación de indemnizaciones se regularán por la Ley de Exportación Forzosa de 1954 y Reglamento de desarrollo de 1957 y el RGRM de 1978. No obstante, dentro de esa compensación no se incluirá el valor de los recursos que se extraigan o exploten, a no ser que los yacimientos estuvieran en aprovechamiento, en cuyo caso sólo serán indemnizables los daños y perjuicios que se irroguen al titular anterior, teniendo en cuenta las condiciones en que viniese realizando el aprovechamiento.

V. EL APROVECHAMIENTO DEL DOMINIO MINERO POR TERCEROS. LOS APROVECHAMIENTOS DE LA SECCIÓN B)

Dentro de las diversas Secciones en las que se clasifican los yacimientos minerales y demás recursos geológicos, se incluyen los de la Sección B) en el artículo 3 de la LM. En ella se comprende las aguas minerales, las termales, las estructuras subterráneas y los yacimientos formados como consecuencia de operaciones reguladas por esta ley.

El aprovechamiento de estos recursos se encuentra regulado en el Título IV de la LM. Dada la singularidad de cada uno de ellos, dentro de este Título IV se dedica una Sección específica a las aguas minerales y termales (artículos 24 y ss.), otra a los yacimientos de origen no natural (artículos 31 y ss.) y una última a las estructuras subterráneas (artículos 34 y 35). La regulación de cada una de ellas se examinará a continuación en epígrafes independientes.

Antes de exponer la regulación de cada uno de estos recursos es preciso indicar que para hacer efectivo el aprovechamiento de los mismos es necesaria una autorización administrativa. Dicha autorización puede solicitarse dentro del perímetro de una autorización de explotación de recursos de la Sección A) o de aprovechamiento de la Sección B) que sean de distinta naturaleza, o de un permiso de investigación o una concesión de explotación de recursos de la Sección C), según el artículo 36 de la LM. En estos casos, antes de concederse la autorización, la Administración deberá declarar la compatibilidad o incompatibilidad de los trabajos respectivos, oyendo a las partes interesadas.

Si los trabajos se declararan incompatibles, deberán determinarse por la Administración los que sean de mayor interés o utilidad pública, que serán los que prevalezcan. De prevalecer el aprovechamiento de los recursos de la Sección B), será sin perjuicio de los derechos del titular de la autorización, permiso o concesión sobre el resto de la superficie del perímetro no declarado incompatible y, en todo caso, con las indemnizaciones a que hubiere lugar.

Por otra parte, la autorización que se otorgue para aprovechar los recursos de la Sección B) podrá caducar en los supuestos previstos en los artículos 83 y 87 de la LM. Es decir, pueden caducar por renuncia voluntaria del titular aceptada por la Administración; falta de pago de los impuestos mineros que lleve aparejada la caducidad, según las disposiciones que los regulen y en la forma que las mismas establezcan; no comenzar los trabajos dentro del plazo de seis meses a contar de la fecha de su otorgamiento o antes de finalizar las prórrogas que se hayan concedido para ello, o en el plazo de un año, si se trata de residuos mineros; mantener paralizados los trabajos más de seis meses sin autorización de la Administración; agotamiento del recurso; por los supuestos previstos en los artículos de esta Ley que lleven aparejada la caducidad o por el incumplimiento de las condiciones impuestas en la autorización o en los planes de labores anuales cuya inobservancia estuviese expresamente sancionada con la caducidad; y por motivo de grave o reiterada infracción de las condiciones contenidas en el título de otorgamiento de la autorización o de normas de observancia obligatoria, en perjuicio del orden público o del interés nacional.

Finalmente, esa autorización podrá ser transmitida, arrendada y gravada en todo o en parte, por cualquier medio admitido en Derecho en las condiciones previstas en los artículos 94 y ss. de la LM. Para ello deberá solicitarse la oportuna aprobación a la Administración, acompañando el proyecto de contrato a celebrar o el título de transmisión correspondiente y los documentos acreditativos de que el adquirente reúne las condiciones legales mencionadas. Comprobada la personalidad suficiente del cesionario, el organismo otorgante concederá, en su caso, la autorización, considerándole como titular legal a todos los efectos, una vez que se presente el documento público o privado correspondiente y se acredite el pago del impuesto procedente.

1. *El aprovechamiento de aguas minerales y termales*

En el artículo 23 de la LM se establece que las aguas minerales se clasifican en aguas minero-medicinales y aguas minero-industriales[8]. Las primeras son las alumbradas natural o artificialmente que se declaren de utilidad pública por sus características y cualidades; y las segundas las que permitan el aprovechamiento racional de las sustancias que contengan[9].

El aprovechamiento de las aguas minerales requiere previamente que dichas aguas hayan sido declaradas minerales y clasificadas de acuerdo con

---

[8]   En relación con la propiedad de las aguas deben tenerse en cuenta las precisiones realizadas en otro capítulo de esta obra sobre la calificación de las aguas como dominio público desde la Ley de Aguas de 1985 y la existencia de aguas de propiedad privada después de la misma.

[9]   Es preciso señalar que en los artículos 23 y 30 de la LM se establece que las aguas termales, que son aquellas cuya temperatura de surgencia sea superior en cuatro grados centígrados a la medida anual del lugar donde alumbren, si destinan a usos terapéuticos o industriales, se consideraran como aguas minerales a los efectos de la aplicación de los artículos 24 y ss. de la LM; normas que se comentarán en este apartado.

los criterios que se acaban de exponer. Dicha resolución administrativa, dictada a instancia de cualquier persona o de oficio, será notificada a los interesados y publicada en los Boletines oficiales correspondientes.

Al igual que sucede con los recursos de la Sección A), en el artículo 25 de la LM se otorgan unos derechos preferentes de explotación de dichas aguas. Así, en dicho precepto se establece que el derecho preferente al aprovechamiento de los manantiales o alumbramientos que se encuentren en terrenos de dominio público corresponderá a la persona que hubiere instado el expediente para obtener la declaración de la condición mineral de las aguas. De forma similar el derecho preferente al aprovechamiento de las aguas minerales corresponderá a quien fuere propietario de las mismas en el momento de la declaración de su condición mineral, quien podrá ejercitarlo directamente en la forma y condiciones que se determinan en la LM o cederlo a terceras personas. Derecho preferente que prescribe al año de haberse efectuado la notificación de la resolución administrativa de calificación de las aguas como minerales y clasificadas, sin haberlo ejercitado.

Para ejercitar los derechos de preferencia descritos deberá solicitarse la oportuna autorización a la Administración, presentando a tal efecto el proyecto general de aprovechamiento, el presupuesto de las inversiones a realizar y el estudio económico de su financiación con las garantías que se ofrezcan sobre su viabilidad, la designación o justificación del perímetro de protección que se considere necesario, indicando el destino que se dará a las agua, y los restantes documentos que señala el RGRM. Una vez cumplimentados los diversos trámites previstos en la LM, dicha solicitud de aprovechamiento será autorizada, en su caso, aceptando o rectificando el perímetro propuesto, y ordenando, si procede, la modificación del proyecto presentado.

Transcurrido el plazo de un año sin que se hubiese ejercitado el derecho preferente de aprovechamiento citado, o denegada la solicitud previo el oportuno expediente, la persona o entidad que hubiere incoado la declaración de las aguas como mineral gozará de un plazo de seis meses para solicitar a su favor la autorización de aprovechamiento. Finalizado este último plazo sin que se presente solicitud, o si ésta se hubiese denegado, la Administración podrá sacar a concurso público el aprovechamiento en la forma que establece el artículo 53 de la LM, que será de aplicación con las adaptaciones necesarias para ajustarlo a las características de esta clase de expedientes. Se procederá de igual forma en todos los casos en que caduque una autorización de aprovechamiento de aguas minerales. En el caso de aguas demaniales, el aprovechamiento se otorgará mediante concesión administrativa.

También será necesaria la previa autorización administrativa para la modificación o ampliación del aprovechamiento. Las modificaciones en las instalaciones inicialmente aprobadas y cualquier paralización que se produzca, deberá comunicarse a la Administración para la resolución que proceda.

La autorización o concesión de aprovechamiento de aguas minerales otorga a su titular el derecho exclusivo de utilizarlas y el de impedir que se realicen en el perímetro de protección que le hubiere sido fijado trabajos o actividades que puedan perjudicar el normal aprovechamiento de las mismas. La realización de cualquier clase de trabajos subterráneos dentro del perímetro citado deberá contar previamente con autorización administrativa, sin perjuicio de las demás exigibles en cada caso; y si estos trabajos afectaran al titular de la autorización o concesión, quienes los realicen estarán obligados a indemnizar a aquél. Asimismo, el titular de la autorización o concesión estará obligado a las indemnizaciones que correspondan cuando las condiciones de las mismas afecten a derechos de terceros no previstos en la Ley de Minas; en caso de no avenencia, podrá solicitar el titular la aplicación de la Ley de Expropiación Forzosa por causa de utilidad pública.

2. *El aprovechamiento de los yacimientos de origen no natural*

Los yacimientos de origen no natural se comprenden en la Sección B), según lo previsto en los artículos 3 y 23 de la LM. Dichos yacimientos se definen en este último artículo como aquellas acumulaciones constituidas por residuos de actividades reguladas por esta Ley que resulten útiles para el aprovechamiento de alguno o algunos de sus componentes.

El aprovechamiento de esta clase de yacimientos se encuentra regulado en los artículos 31 y ss. de la LM. En dichos preceptos se parte de la existencia de unos derechos preferentes de aprovechamiento. Derechos que caducarán a los seis meses de la comunicación a sus titulares por la Administración de la presentación de una solicitud de aprovechamiento por un tercero.

En concreto, la Ley de Minas otorga la prioridad en el aprovechamiento de los residuos obtenidos en operaciones de investigación, explotación o beneficio al titular de los derechos mineros en los que se hayan producido aquéllos. En cambio, si estos yacimientos estuvieran situados en terrenos que fueron ocupados por derechos mineros caducados, la prioridad corresponde al propietario o poseedor legal de los terrenos. Para su aprovechamiento en este segundo caso, deberá obtenerse la autorización administrativa correspondiente.

Al margen de estas previsiones sobre derechos de preferencia, en la Ley de Minas se establece que cualquier persona natural o jurídica que reúna las condiciones previstas en la misma puede solicitar la autorización para aprovechar estos yacimientos. Con este fin, con la solicitud de autorización deberá presentarse el proyecto de instalación, un estudio económico en el que se establezca el plan de inversiones a realizar y las mejoras sociales que se prevean y los restantes documentos previstos en el RGRM.

La Administración, previa comprobación sobre el terreno y transcurrido que sea el período de información pública, podrá otorgar o denegar la autorización, imponiendo en el primero de los casos las condiciones necesarias para el aprovechamiento racional de los residuos y, en especial, las medidas adecuadas en orden a la protección del medio ambiente. Una vez autorizado, los trabajos de aprovechamiento de residuos deberán comenzar en el plazo de un año desde la notificación del otorgamiento y no podrán paralizarse sin previa autorización, pudiendo acordarse la caducidad en caso de reincidencia en el incumplimiento de las obligaciones contraídas.

3. La utilización de estructuras subterráneas

Las estructuras subterráneas se comprenden en la Sección B), según lo previsto en los artículos 3 y 23 de la LM. Dichas estructuras se definen en este último artículo como todo depósito geológico, natural o artificialmente producido como consecuencia de actividades reguladas por la Ley de Minas, cuyas características permitan retener naturalmente y en profundidad cualquier producto o residuo que en él se vierta o inyecte. Asimismo, en el artículo 6 de la Ley 54/1980, de 5 de noviembre, se establece que también se considerarán estructuras subterráneas las artificialmente creadas que resulten aptas para almacenar productos minerales o energéticos o acumular energía bajo cualquier forma.

Estas estructuras son susceptibles de utilización de acuerdo con lo previsto en los artículos 34 y 35 de la LM. No obstante, se podrán declarar no utilizables determinadas estructuras por razones de interés público.

La utilización de estas estructuras requiere la obtención de la correspondiente autorización administrativa, que podrá ser pedida por cualquier persona natural o jurídica que cumpla las condiciones previstas en la Ley de Minas. En la solicitud que se presente se aportará un proyecto que justifique la conveniencia de dicha utilización, la designación del perímetro de protección que se considere necesario y los documentos que señale el RGRM.

Si la Administración estimara insuficientemente conocida la estructura, podrá autorizar al peticionario para que realice los trabajos o labores necesarias para el reconocimiento de la misma dentro de un plazo no superior a dos años y con arreglo a un proyecto que ella misma aceptará o, en otro caso, hará que se modifique. Terminado el reconocimiento previo o expirado el plazo concedido, el peticionario deberá presentar en los seis meses siguientes el proyecto de utilización de la estructura.

Realizados los trámites señalados, la Administración comprobará la conveniencia de la utilización solicitada y solicitará los informes que exige la Ley de Minas. Finalmente, autorizará, en su caso, la utilización por un plazo inicial adecuado al proyecto y a la estructura y prorrogable por uno o más períodos hasta un máximo de noventa años. Además, podrá imponer las condiciones que estime oportunas dentro de una racional utilización y exigir al peticionario la constitución de una fianza en la forma y plazo fijado en el RGRM.

La autorización otorgada para aprovechar una o varias estructuras geológicas confiere a su titular el derecho a impedir que se realice en el perímetro de protección que haya sido fijado cualquier clase de trabajos o actividades que puedan perjudicar el normal aprovechamiento de las mismas, siendo de aplicación lo dispuesto en el artículo 28 de la LM en cuanto a la realización de trabajos subterráneos o a modificación o ampliación del sistema de aprovechamiento de las instalaciones inicialmente aprobadas. Es igualmente de aplicación lo que prescribe el artículo 29 de la LM, sobre indemnizaciones por lesión a derechos de terceros y, en caso de no avenencia con los afectados podrá solicitar la aplicación de la Ley de Expropiación Forzosa por causa de utilidad pública.

Por último, debe señalarse que la estructura se considerará recurso extinguido, quedando sin efecto la autorización de su aprovechamiento, al agotarse la capacidad de almacenamiento, si se usa para residuos, o por variar las condiciones que la definen como tal estructura subterránea.

VI. EL APROVECHAMIENTO DEL DOMINIO MINERO POR TERCEROS. LOS APROVECHAMIENTOS DE LAS SECCIONES C) y D)

Hasta la aprobación de la Ley 54/1980, de 5 de noviembre, las Secciones C) y D) estaban unificadas y en ella se incluían cuantos yacimientos minerales y recursos geológicos no estuvieran incluidos en las Secciones A) y

B) y fueran objeto de aprovechamiento conforme a la Ley de Minas. La Ley 54/1980, sin embargo, ha creado la Sección D), en la que se han incluido los carbones, los minerales radioactivos, los recursos geotérmicos, las rocas bituminosas y cualesquiera yacimientos minerales o recursos geológicos de interés energético que el Gobierno acuerde incluir en esta Sección previo el cumplimiento de los trámites previstos en dicha Ley[10].

Aunque la Ley 54/1980 ha creado la Sección D), se rigen por normas similares ambas Secciones, salvo determinadas especialidades contenidas en la citada Ley para la nueva la Sección. En concreto, en el artículo 1.3 de la Ley 54/1980 se dice que los preceptos de la Ley de Minas, de la Ley de Fomento de la Minería y sus respectivas disposiciones reglamentarias complementarias que hagan referencia a la Sección C) se entenderán igualmente aplicables a la Sección D), sin perjuicio de las salvedades que para ésta se establezcan en la presente Ley. De ahí que se estudien conjuntamente las dos Secciones y se haga también referencia a las especialidades de la Sección D).

El aprovechamiento de los recursos de estas Secciones requiere previamente que sean determinados los terrenos en los que se van a hacer efectivos los mismos. Determinación que se realiza mediante la utilización de los conceptos de cuadrícula minera y terrenos francos y registrables. A estas nociones se aludirá a continuación en un epígrafe específico.

Una vez concretado el terreno, la persona que persiga aprovechar el recurso puede solicitar un permiso de exploración con el objeto de estudiar y reconocer zonas determinadas. De acuerdo con los datos obtenidos en los trabajos realizados, posteriormente podrá solicitar un permiso de investigación. Este último permiso persigue realizar los estudios y trabajos encaminados a poner de manifiesto y definir uno o varios recursos y a que, una vez definidos, se le otorgue la concesión de explotación de los mismos. Por último, teniendo en cuenta las actuaciones efectuadas con anterioridad, se podrá solicitar la concesión de explotación del recurso. Para explotar un recurso no es preciso que previamente se haya obtenido el permiso de exploración y de investigación. Es posible que se adjudique directamente, si se cumplen las condiciones previstas en la Ley de Minas. A continuación,

---

[10] Además, en el artículo 1.2 de la Ley 54/1980, de 5 de noviembre, se establece que cuando lo exijan las necesidades de la economía o de la defensa nacional, el Gobierno, a propuesta del Ministro de Industria y Energía, previo informe del de Defensa, en el segundo caso, podrá incluir en la Sección D), mediante Decreto del Consejo de Ministros, otros yacimientos minerales y recursos geológicos.

se examinarán en epígrafes independientes los permisos de exploración e investigación y la concesión de explotación.

Los permisos y concesiones de los recursos de estas dos Secciones que se otorguen deben ser compatibles con otros otorgados de las mismas Secciones o de las Secciones A) y B). A estos efectos en el artículo 55 de la LM se establece que en las solicitudes de permisos investigación en terrenos afectados por alguna autorización de explotación de recursos de las Secciones A) o B) se determinará si son compatibles o no los trabajos respectivos y, en el segundo caso, cuáles son los de mayor interés o utilidad pública; si prevalecen las explotaciones referidas, no se concederá la facultad de ocupación de los terrenos comprendidos dentro de su perímetro para efectuar trabajos correspondientes a permisos de investigación. Esa misma declaración de compatibilidad se exige en los casos de solicitudes de permisos o concesiones para cualquier recurso de la Sección D) que afecten a otros derechos mineros existentes dentro del mismo perímetro (artículo 8 de la Ley 54/1980, de 5 de noviembre). En todo caso, para una misma superficie podrán otorgarse diferentes permisos o concesiones, cuando se trate de distintos recursos de la Sección D). Por último, es necesario indicar que en el artículo 74 de la LM se hace referencia a la relación de las concesiones de explotación con las aguas susceptibles de aprovechamiento minero.

1. *Determinación de los recursos susceptibles de aprovechamiento: la cuadrícula minera y los terrenos francos y registrables*

El aprovechamiento de los recursos objeto de comentario requiere que previamente sean determinados los terrenos en los que se van a realizar. En este sentido, en el artículo 76 de la LM se establece que los permisos de exploración o investigación y las concesiones de explotación se otorgarán sobre una extensión determinada y concreta, medida en cuadrículas mineras agrupadas sin solución de continuidad. Además, en el artículo 37 de la LM se exige que para el otorgamiento de los permisos de investigación y de las concesiones directas de explotación de recursos será preciso que los terrenos sobre los que recaiga reúnan las condiciones de francos y registrables. En consecuencia, son elementos imprescindibles para concretar el recurso del cual se solicita el aprovechamiento los conceptos de cuadrícula minera y los de terrenos francos y registrables. Conceptos que se regulan en los artículos 37 y ss. y 75 y ss. de la LM.

La definición de lo que se entiende por cuadrícula minera se contiene en el artículo 75 de la LM. En dicho precepto se dice que, a efectos de esta Ley, se denominará cuadrícula minera al volumen de profundidad indefinida cuya base superficial quede comprendida entre dos paralelos y dos meridianos, cuya separación sea de veinte segundos sexagesimales, que deberán coincidir con grados y minutos enteros y, en su caso, con un número de segundo que necesariamente habrá de ser veinte o cuarenta. La cuadrícula minera así definida será indivisible, con excepción de los casos de demasía a que se refiere la Disposición transitoria séptima de la LM[11] y de las superficies que, no completando una cuadrícula, se extiendan desde uno de sus lados, por prolongación de meridianos o paralelos, hasta líneas limítrofes del territorio nacional y de las aguas territoriales.

Esa cuadrícula minera se tomará como medida en las solicitudes para el aprovechamiento de los recursos. Así, en el artículo 76 de la LM se dice que los permisos de exploración o investigación y las concesiones de explotación se otorgarán sobre una extensión determinada y concreta, medida en cuadrículas mineras agrupadas sin solución de continuidad, de forma que las que tengan un punto común queden unidas en toda la longitud de uno, al menos, de sus lados[12]. Y a los efectos de su determinación sobre el terreno, las señales que tengan que colocarse tendrán la consideración de geográficas, se declararán de utilidad pública y serán aplicables las normas para su mantenimiento y acceso a las mismas previstas en el RGRM.

Por otra parte, la extensión mínima de un permiso de exploración será de 300 cuadrículas, sin que pueda exceder de 3000, con una tolerancia en

---

[11]   En dicha Disposición transitoria séptima de la LM se dice que todas las cuadrículas mineras que comprendan terrenos incluidos dentro del perímetro de demarcación de permisos de investigación o concesiones de explotación otorgados con arreglo a las legislaciones anteriores, se considerarán como no registrables, y los espacios francos que comprendan serán otorgados, como demasías, a los titulares de las concesiones de explotación cuyos terrenos estén situados total o parcialmente dentro de las cuadrículas contiguas, pudiéndose atribuir todo el terreno franco a uno solo de los concesionarios o dividirlo entre dos o más, según la conveniencia técnica de la explotación y las ventajas sociales y económicas que los concesionarios ofrezcan.

[12]   Además, en el artículo 76 de la LM se dice que los perímetros de los permisos de investigación y concesiones de explotación deberán solicitarse y definirse por medio de coordenadas geográficas, tomándose como punto de partida la intersección del meridiano con el paralelo que corresponda a uno cualquiera de sus vértices del perímetro, de tal modo que la superficie quede constituida por una o varias cuadrículas mineras. A partir de la promulgación de la Ley 54/1980 las referencias a longitudes establecidas vendrán referidas al meridiano de Greenwich; se adoptará la proyección Universal Transversa Mercator (UTM) y la distribución de husos y zonas internacionales; y como elipsoide de referencia se utilizará el internacional de Hayford (Madrid, mil novecientos veinticuatro), datum europeo (Postdam, mil novecientos cincuenta) y meridiano de Greenwich como origen de las longitudes.

más o menos de 10 por 100, y deberá quedar designada y definida por dos meridianos y dos paralelos expresados en grados y minutos sexagesimales, que constituyan un cuadrilátero de superficie comprendida entre los límites fijados y del cual se tomará como punto de partida cualquiera de las cuatro intersecciones. En cambio, la extensión mínima de un permiso de investigación y de una concesión de explotación será de una cuadrícula minera, sin que el permiso pueda exceder de 300 cuadrículas ni la concesión de 100. Y a los efectos de su determinación sobre el terreno, las señales que tengan que colocarse tendrán la consideración de geográficas, se declararán de utilidad pública y serán aplicables las normas para su mantenimiento y acceso a las mismas previstas en el RGRM.

La extensión mínima que requiere el otorgamiento de un permiso o una concesión determina la posibilidad de renuncia parcial. En este sentido, en el artículo 79 de la LM se establece que los peticionarios o titulares de permisos y concesiones podrán renunciar en cualquier momento a la totalidad o parte de las cuadrículas solicitadas u otorgadas siempre que, si la renuncia es parcial, se conserve el mínimo de cuadrículas exigibles.

Determinadas las cuadrículas de conformidad con las normas indicadas, los terrenos donde se pretende realizar la exploración, investigación o explotación pueden ser francos y registrables. Dicha calificación resulta relevante en la medida en que la explotación solo puede realizarse en aquellos que reúnan tales condiciones, como se indicará posteriormente. De ahí la importancia del alcance de ambos conceptos.

En concreto, en el artículo 38 de la LM se define lo que se entiende por terreno franco como aquel que no estuviera comprendido dentro del perímetro de una zona de reserva del Estado, propuesta o declarada para toda clase de recursos de la Sección C) y D), o de los perímetros solicitados o ya otorgados de un permiso de exploración, un permiso de investigación o una concesión de explotación. Tratándose de zonas de reserva del Estado para uno o varios recursos determinados, el terreno comprendido en ellas se considerará franco para recursos distintos a los reservados.

Por otra parte, en el artículo 39 de la LM se establece que se considerará que un terreno es registrable si, además de ser franco, tiene la extensión mínima exigible. Extensión mínima que debe relacionarse con el número de cuadrículas mínimas y máximas que deben tener. En todo caso, el levantamiento de la reserva o la caducidad del permiso de exploración, del permiso de investigación o de la concesión de explotación no otorgarán al terreno el carácter de registrable hasta que tenga lugar el concurso a que se refiere el artículo 53 de la LM y que se comentará en un epígrafe posterior. Sin perjuicio de todo lo anterior, el Gobierno podrá declarar no registrables zonas determinadas por razones de interés público, previo cumplimiento de los trámites previstos en Ley de Minas.

Teniendo en cuenta estas dos nociones de terrenos francos y registrables, en el artículo 37 de la LM se establece que los permisos de exploración de recursos de la sección C) serán otorgados sin excluir de su perímetro los terrenos que no fueran francos y registrables en el momento de presentarse la solicitud, pero su titular no podrá realizar exploraciones en ellos sin la previa autorización de los titulares o adjudicatarios de los permisos, concesiones o reservas de que dichos terrenos formen parte. En cambio, para el otorgamiento de los permisos de investigación y de las concesiones directas de explotación de recursos de dicha sección, será preciso que los terrenos sobre los que recaiga reúnan las condiciones de francos y registrables. Regulación que es preciso entender aplicable a la Sección D), según lo previsto en la Ley 54/1980.

2. *Los permisos de exploración de los recursos mineros*

Con el fin de efectuar estudios y reconocimientos en zonas determinadas, se podrán solicitar permisos de exploración de recursos mineros. A estos efectos la Administración podrá otorgar permisos de exploración sobre un perímetro comprendido entre 300 y 3000 cuadrículas mineras (artículo 76.3 de la LM). Dichos permisos permitirán aplicar técnicas de cualquier tipo que no alteren sustancialmente la configuración del terreno y con las limitaciones que establezca el RGRM.

Los permisos de exploración se concederán, sin perjuicio de los derechos adquiridos por otros solicitantes anteriores, por un plazo de un año, prorrogable como máximo por otro en los casos y condiciones previstos en el RGRM; y conferirán a sus titulares el derecho a efectuar los estudios y reconocimientos en zonas determinadas en las condiciones previstas en la Ley de Minas, y la prioridad en la petición de permisos de investigación o concesiones directas de explotación sobre el terreno que, incluido en su perímetro, fuera franco y registrable en el momento de presentarse la solicitud de exploración.

El permiso de exploración solicitado será otorgado por la Administración si, por las características de los estudios y reconocimientos proyectados, lo considera necesario o conveniente, fijando, en su caso, las condiciones que se estimen procedentes. A estos efectos, la prioridad para la tramitación de los permisos de exploración se determinará por el orden de presentación de las solicitudes. Si se denegase el permiso, el peticionario mantendrá durante un plazo de treinta días, contados desde el siguiente al de la notificación, la prioridad sobre los terrenos que, comprendidos en su solicitud, eran francos y registrables en el momento de presentarla. Durante dicho plazo podrá consolidar su derecho mediante las oportunas solicitudes de permisos de investigación y, en su caso, de concesiones directas de explotación.

Los titulares de permisos podrán contratar la realización por terceras personas de todos o parte de los trabajos de exploración, dando cuenta previamente a la Administración y acompañando copia del convenio establecido; la Administración dará su conformidad u opondrá sus reparos al mismo.

Los permisos concedidos por la Administración caducarán si concurre alguna de las causas previstas en los artículos 84 y 87 de la LM. Es decir, por renuncia voluntaria del titular aceptada por la Administración; falta de pago de los impuestos mineros que lleve aparejada la caducidad, según las disposiciones que los regulen y en la forma que las mismas establezcan; por no iniciarse los trabajos o no efectuarse los estudios, explotaciones o reconocimientos en los plazos, formas e intensidad acordados; por expirar los plazos por los que fueron otorgados o, en su caso, la prórroga concedida, sin perjuicio de la tramitación de las solicitudes de permisos de investigación o concesiones directas de explotación a las que hubieran podido dar lugar; por los supuestos previstos en los artículos de esta Ley que lleven aparejada la caducidad; por el incumplimiento de las condiciones impuestas en la autorización o en los planes de labores anuales cuya inobservancia estuviese expresamente sancionada con la caducidad; o por motivo de grave o reiterada infracción de las condiciones contenidas en el título de otorgamiento del permiso o de normas de observancia obligatoria, en perjuicio del orden público o del interés nacional.

Asimismo, los permisos de exploración podrán ser transmitidos, en todo o en parte, por cualquier medio admitido en derecho a personas que reúnan las condiciones establecidas en la Ley de Minas. Si la cesión no afectase a la totalidad del permiso, se procederá a la demarcación de los diferentes perímetros, dividiéndose el permiso en dos o más, siempre que cada uno de ellos conserve los mínimos exigidos. Para hacer uso de este derecho, deberá solicitarse autorización de la autoridad administrativa que hubiere otorgado el permiso, a la que se acompañará el proyecto de contrato a celebrar o el título de transmisión correspondiente, y los documentos acreditativos de que el adquirente reúne las condiciones legales antes mencionadas. En el caso de que la transmisión fuera mortis causa será preceptiva la notificación a la Administración en el plazo de un año desde el fallecimiento del causante a los efectos de obtener la autorización indicada. En ambos supuestos la eficacia administrativa de la transmisión se supeditará al otorgamiento de la autorización correspondiente, dejando a salvo los derechos y obligaciones de carácter civil.

3. *Los permisos de investigación de los recursos mineros*

El permiso de investigación tiene por objeto conceder a su titular el derecho a realizar, dentro del perímetro demarcado y durante un plazo determinado, los estudios y trabajos encaminados a poner de manifiesto y definir uno o varios recursos de las Secciones C) y D) y a que, una vez definidos, se le otorgue la concesión de explotación de los mismos. Dicho permiso para realizar trabajos de investigación puede ser solicitado por aquellas personas que reúnan las condiciones previstas en la Ley de Minas.

Es preciso advertir que el otorgamiento del permiso de investigación puede haber sido precedido por la concesión de un permiso de exploración. En este caso el titular del permiso de exploración tiene prioridad en la petición del permiso de investigación sobre el terreno que, incluido en su perímetro, fuera franco y registrable en el momento de presentarse la solicitud de exploración. Este derecho de prioridad deberá ser ejercitado en el plazo determinado en el RGRM, que no podrá ser inferior a un mes después de la expiración del permiso originario.

Los permisos de investigación se concederán por el plazo que se solicite, que no podrá ser superior a tres años. Dicho plazo podrá ser prorrogado por tres años y, excepcionalmente, para sucesivos períodos. A estos efectos se tendrá en cuenta la solvencia técnica y económica que acredite el titular peticionario, la amplitud y características de los trabajos programados, el contexto geográfico, geológico y metalogenético del terreno solicitado, así como los trabajos desarrollados, las inversiones realizadas, los resultados obtenidos y las garantías que siga ofreciendo el titular peticionario.

Los permisos de investigación sobre terrenos registrables se solicitarán a la Administración, presentando el correspondiente proyecto de investigación. Dicho proyecto comprenderá el programa de trabajo, el presupuesto de las inversiones a realizar, el estudio económico de su financiación, con las garantías que se ofrezcan sobre su viabilidad, y los restantes documentos previstos en el RGRM. Dicha solicitud se someterá a la tramitación prevista en los artículos 51 y 52 de la LM.

La Administración, previo examen de la documentación presentada y comprobación de que se cumplen las condiciones generales establecidas en la Ley de Minas, podrá aceptar íntegramente el proyecto o disponer que se modifique, total o parcialmente, si estima insuficiente o inadecuada la investigación programada a las inversiones y medios científicos y técnicos previstos. De no aceptar el interesado las modificaciones impuestas, se cancelará el expediente, pudiendo recurrirse en vía administrativa de acuerdo con lo establecido en la Ley de Minas.

Por otra parte, si la Administración considera que no es racionalmente viable el programa de financiación ofrecido por el solicitante del permiso, exigirá una fianza del 10 por 100 de la inversión prevista para el primer año, que será reintegrada al peticionario una vez que acredite haber invertido en la investigación la diferencia entre la fianza exigida y la inversión programada para dicho primer año de trabajo. En el caso de que el peticionario no preste la fianza en la forma y plazo fijada en el RGRM, se cancelará el expediente.

Cuando un expediente fuere cancelado por cualquiera de las causas antes mencionadas y el terreno solicitado estuviera comprendido, en todo o en parte, dentro de una zona de reserva a favor del Estado para todos los recursos o para los figurados en la petición denegada, la parte común de terreno quedará integrada en la zona de reserva, sin perjuicio de las peticiones anteriores a ésta, en cuyo caso se procederá a su tramitación preferente. Y si el expediente hubiera sido cancelado por no aceptar las condiciones impuestas, la Administración requerirá a los peticionarios posteriores el cumplimiento como mínimo de las mismas condiciones cuyo incumplimiento dio lugar a la cancelación del expediente; podrá, no obstante, modificarlas cuando la extensión del terreno objeto de una nueva petición sea distinta de la contenida en el expediente cancelado.

Al peticionario de una solicitud denegada por alguna de las causas antes indicadas se le concederá audiencia de oficio en cualquier expediente posterior en que se pretenda el total o parte del terreno de aquélla. Este derecho prescribirá al año de haberse notificado el acuerdo de cancelación, sin perjuicio de que el peticionario del expediente cancelado pueda pedir vista de todo expediente posterior, en el momento procesal oportuno, después de efectuada la publicación.

Por último, debe indicarse que en los casos en que se haya producido un levantamiento de la reserva o la caducidad del permiso de exploración, del permiso de investigación o de la concesión de explotación, los terrenos afectados no adquirirán automáticamente la condición de registrables y, por tanto, susceptibles de ser objeto de un permiso de investigación hasta que tenga lugar un concurso. Dicho concurso está regulado en los artículos 53 de la LM y 72 y 73 del RGRM. En dichos preceptos se establece que entre las ofertas recibidas se elegirá la que ofrezca las mejores condiciones científicas y técnicas y las mayores ventajas económicas y sociales. En ningún caso podrá declarase desierto el concurso si se hubiera presentado alguna oferta conforme a las normas establecidas en la convocatoria. Si el concurso quedase desierto, la Administración declarará el terreno franco y registrable, haciéndolo constar así en el acto de celebración de aquél, y lo publicará en los boletines oficiales correspondientes, con la indicación de que podrá ser solicitado.

Los permisos de investigación concedidos podrán ser transmitidos, en todo o en parte, por cualquier medio admitido en derecho a personas que reúnan las condiciones establecidas en la Ley de Minas. Para ello deberá solicitarse la correspondiente autorización, quedando supeditada la eficacia administrativa de la transmisión a su obtención, sin perjuicio de los derechos y obligaciones de carácter civil. Si la cesión no afectase a la totalidad del permiso, se procederá a la demarcación de los diferentes perímetros, dividiéndose el permiso en dos o más, siempre que cada uno de ellos conserve los mínimos exigidos.

La solicitud de autorización para la transmisión deberá presentarse a la autoridad administrativa que hubiere otorgado el permiso, a la que se acompañará el proyecto de contrato a celebrar o el título de transmisión correspondiente, y los documentos acreditativos de que el adquirente reúne las condiciones legales y los informes y estudios requeridos a los solicitantes de esta clase de permisos que se han comentado anteriormente. En el caso de que la transmisión fuera mortis causa será preceptiva la notificación a la Administración en el plazo de un año desde el fallecimiento del causante a los efectos de obtener la autorización indicada.

La Administración, según proceda, otorgará la autorización de la transmisión una vez comprobada la personalidad legal suficiente del adquirente y su solvencia técnica y económica y la viabilidad del programa de financiación, inscribiendo el cambio de dominio cuando se presente formalizada la correspondiente escritura pública y se acredite el pago del impuesto procedente; de no considerarse suficiente la solvencia económica del cesionario o racionalmente viable el proyecto de financiación ofrecido podrá exigírsele fianza.

Una vez concedido el permiso de investigación, su titular deberá comenzar los trabajos dentro del plazo de seis meses a contar de la fecha en que esté en condiciones de ocupar los terrenos necesarios para su ejecución, y estará obligado a mantenerlos en actividad con la intensidad programada en los proyectos o planes de labores anuales. A estos efectos, dentro del plazo de cuatro meses contados desde la misma fecha deberá presentar a la Administración el plan de labores a ejecutar en el primer año. Y, posteriormente, y con carácter anual tendrá que presentar un plan de labores. La falta de presentación de este último plan será sancionada con multa, pudiendo acordarse, en caso de reincidencia sin causa justificada, la caducidad del permiso por el organismo que lo hubiere otorgado. Tanto el plan inicial como los siguientes se considerarán aprobados si la Administración no impone modificaciones a los mismos en el plazo de dos meses.

Los titulares de permisos podrán contratar la realización por terceras personas de todos o parte de los trabajos de investigación, dando cuenta previamente a la Administración y acompañando copia del convenio establecido. La Administración dará su conformidad u opondrá sus reparos al mismo.

La realización de los trabajos de investigación puede requerir la ocupación de bienes de propiedad de terceras personas. Si el titular de un permiso de investigación no llegase a un acuerdo con los propietarios, titulares de otros derechos u ocupantes de los terrenos que sean necesarios para el desarrollo de los trabajos o para el acceso a ellos, tendrá la obligación de iniciar el oportuno expediente de ocupación temporal dentro del plazo de dos meses, a contar de la fecha en que le fuese notificado el otorgamiento del permiso de investigación. La ocupación de los bienes y derechos se podrá producir para realizar las labores que se precisen para el mejor conocimiento de los posibles recursos, pero no podrá disponer de éstos para fines distintos a los de la investigación, salvo autorización expresa de la Administración.

Finalmente, hay que señalar que el contenido del permiso de investigación puede ser modificado a instancia de la propia Administración cuando concurran razones de interés nacional. En este sentido, en el artículo 58 de la LM se establece que la Administración puede, por razones de interés nacional, invitar al titular de un permiso de investigación a que amplíe sus trabajos para localizar recursos distintos de los que esté investigando, siempre que sea presumible la existencia de aquéllos. Caso de no realizar el titular del permiso tales investigaciones, se podrá declarar zona de reserva para el recurso o recursos de que se trate. Con este fin se aplicará lo previsto en los artículos 20 y 21 de la LM para la explotación de los recursos de la Sección A) por la Administración o a las personas a las que cediera su aprovechamiento, y que se expuso en un epígrafe anterior, añadiéndose a la referencia que en ellos se hace al propietario o poseedor legal de los terrenos la del titular del permiso.

Asimismo, el permiso de investigación puede caducar cuando concurra una de las causas previstas en los artículos 85 y 87 de la LM. En particular, se declararán caducados los permisos por renuncia voluntaria del titular aceptada por la Administración; falta de pago de los impuestos mineros que lleve aparejada la caducidad, según las disposiciones que los regulen y en la forma que las mismas establezcan; por los supuestos previstos en los artículos de la Ley de Minas que lleven aparejada la caducidad o por el incumplimiento de las condiciones impuestas en la autorización o en los planes de labores anuales cuya inobservancia estuviese expresamente sancionada con la caducidad; y por motivo de grave o reiterada infracción de las condiciones contenidas en el título de otorgamiento del permiso o de normas de observancia obligatoria, en perjuicio del orden público o del interés nacional. Además, también se declararán caducados los permisos por expirar los plazos por los que fueron otorgados o, en su caso, las prórrogas concedidas, a no ser que dentro de dichos plazos se haya solicitado la concesión de explotación derivada, en cuyo supuesto quedará automáticamente prorrogado el permiso hasta la resolución del expediente de concesión; por no haberse puesto de manifiesto al término de la vigencia del permiso un recurso de las Secciones objeto de comentario susceptible de aprovechamiento racional; por no iniciarse o no realizarse los trabajos en los plazos, forma e intensidad acordados; y cuando, habiéndose paralizado los trabajos sin la autorización previa de la Administración, no se reanudasen dentro del plazo de seis meses a contar del oportuno requerimiento, requerimiento previo que será innecesario en los casos de reincidencia en la paralización no autorizada de los trabajos.

4. *La explotación de los recursos mineros. La concesión de explotación*

El derecho al aprovechamiento de los recursos de las Secciones C) y D) los otorgará el Estado por medio de una concesión de explotación en la forma, requisitos y condiciones que se establecen en la Ley de Minas. A estos efectos, debe tenerse en cuenta que la concesión se otorgará siempre para una extensión determinada y concreta, medida en cuadrículas mineras completas. Esto supone que los terrenos sobre los que recae son francos y registrables y tienen una extensión mínima de una cuadrícula minera y máxima de cien cuadrículas.

Para que pueda otorgarse una concesión de explotación será necesario que se haya puesto de manifiesto uno o varios recursos susceptibles de aprovechamiento racional. Puesta de manifiesto que ha podido ser consecuencia de un permiso de investigación otorgado anteriormente. En este sentido, en el artículo 67 de la LM se dice que tan pronto como la investigación demuestre de modo suficiente la existencia de un recurso o recursos, y dentro siempre del plazo de vigencia del permiso de investigación, su titular podrá solicitar la concesión de explotación sobre la totalidad o parte del terreno comprendido en el perímetro de investigación.

No obstante, en algunas ocasiones esa investigación puede ser innecesaria y puede solicitarse directamente la concesión de explotación. Así, en el artículo 63 de la LM se dice que podrá solicitarse directamente la concesión de explotación sin necesidad de obtener previamente un permiso de investigación, en los casos siguientes: cuando esté de manifiesto un recurso de las Secciones C) y D), de tal forma que se considere suficientemente conocido y se estime viable su aprovechamiento racional; y cuando sobre recursos suficientemente reconocidos en derechos mineros caducados, existan datos y pruebas que permitan definir su explotación como consecuencia de mejoras tecnológicas o de nuevas perspectivas de mercado.

La concesión de explotación se otorgará por un período de treinta años, prorrogables por plazos iguales hasta un máximo de noventa años, sin perjuicio de la concurrencia de alguna de las causas de caducidad que posteriormente se comentarán. Para la obtención de cada prórroga deberá demostrarse en el expediente administrativo correspondiente la continuidad del recurso o el descubrimiento de uno nuevo y la adecuación de las técnicas de aprovechamiento al progreso tecnológico.

Los derechos que otorga una concesión de explotación de recursos podrán ser transmitidos, arrendados y gravados, en todo o en parte, por cualquiera de los medios admitidos en Derecho a favor de las personas que reúnan las condiciones establecidas en la Ley de Minas, con sujeción al procedimiento para la transmisión de permisos de investigación y exploración que se expuso en apartados anteriores. Asimismo, podrán también ser transmitidos, con autorización previa de la Administración, los presuntos derechos de una solicitud en trámite de concesión derivada de explotación. Sin embargo, el concesionario no podrá arrendar ni ceder a título oneroso o lucrativo el aprovechamiento de determinados niveles de explotación o de uno o varios recursos de la Sección C) mientras conserve o se reserve el derecho sobre otros niveles o recursos, salvo que así lo autorice la Administración. En el caso de que se trate de transmisiones "mortis causa", será preceptiva la notificación a la Administración en el plazo de un año desde el fallecimiento del causante, a los efectos de obtener la autorización a la que antes se ha hecho mención.

Las autorizaciones para la transmisión a las que se acaba de hacer referencia tendrán únicamente efectos administrativos, dejando a salvo los derechos y obligaciones de carácter civil. No obstante, se hará constar en los contratos o en los títulos de transmisión correspondientes que el adquirente, arrendatario o el que de cualquier forma adquiera un derecho minero, se somete a las condiciones establecidas en el otorgamiento, permiso o concesión de que se trate y, en todo caso, a las disposiciones de la Ley de Minas y su reglamento de desarrollo, y que se compromete asimismo al desarrollo de los planes de labores ya aprobados y a todas las obligaciones que correspondieran al titular del derecho minero. Si la transmisión hubiera sido formalizada antes de solicitarse la preceptiva autorización, su eficacia administrativa quedará supeditada al otorgamiento de dicha autorización.

Durante el plazo de duración de la concesión su titular tendrá el derecho al aprovechamiento de todos los recursos de las Secciones comentadas que se encuentren dentro del perímetro de la misma, excepto los que previamente se hubiera reservado el Estado. En el caso de que su titular descubriera recursos de presumible interés distintos de los que motivaron el otorgamiento, dará cuenta inmediata a la Administración y podrá iniciar su aprovechamiento o renunciar expresamente al mismo. En este último caso, la Administración podrá reservarse su explotación.

La Ley de Minas regula separadamente el procedimiento de otorgamiento de las concesiones de explotación derivadas de permisos de investigación y de las concesiones directas de explotación. De ahí que primero se exponga la concesión de las explotaciones vinculadas al permiso de investigación y posteriormente las concesiones directas.

Por lo que respecta a las concesiones de explotación derivadas de permisos de investigación, resultan de aplicación las previsiones contenidas en los artículos 67 y ss. de la LM. Dicha regulación parte del derecho prioritario del titular del permiso de investigación para solicitar la concesión de explotación. Esta petición podrá presentarse tan pronto como la investigación demuestre de modo suficiente la existencia de un recurso o recursos y dentro siempre del plazo de vigencia del permiso de investigación y podrá referirse a la totalidad o parte del terreno comprendido en el perímetro de investigación.

La concesión de explotación se solicitará a la Administración. A tal efecto presentará los documentos contemplados en el RGRM y, en particular, el proyecto de aprovechamiento del recurso o recursos de que se trate, proyecto que comprenderá el programa de trabajos, el presupuesto de las inversiones a realizar y el estudio económico de su financiación, con las ga-

rantías que se ofrezcan sobre su viabilidad. Si la documentación presentada reuniera los requisitos reglamentarios y el proyecto se estimara adecuado al aprovechamiento racional del recurso definido por la investigación
realizada, la Administración comprobará sobre el terreno la existencia del
mismo y el área solicitada dentro de la totalidad o parte de la del permiso
original, procediendo, en su caso, a la demarcación correspondiente.

Una vez realizadas las operaciones indicadas, la Administración otorgará o denegará la concesión de explotación, pudiendo imponer las condiciones especiales que considere convenientes y, entre ellas, las adecuadas a
la protección del medio ambiente. Resolución administrativa que pondrá
fin a la vía administrativa y que será notificada a los interesados. En caso de
que se denegara la concesión porque la investigación no hubiera puesto
de manifiesto la existencia de recursos, podrá continuarse ésta hasta agotar
los plazos del permiso correspondiente. De forma similar, si la Administración considerara que el recurso descubierto no justificaba la concesión
total del terreno, tendrá facultad para otorgar la concesión sobre una superficie menor que la solicitada, respetando siempre el mínimo exigible,
y se podrá continuar respecto a la superficie restante con la investigación
hasta agotar los plazos del permiso otorgado.

Al margen de esta primera forma de obtener las concesiones, en los
artículos 63 y ss. de la LM se prevé el otorgamiento directo de las mismas,
si bien en dichos preceptos no se contiene una regulación detallada del
procedimiento. Así, en el artículo 64 se establece que las solicitudes de concesiones directas de explotación se tramitarán en la misma forma que las
de los permisos de investigación, sin perjuicio de las particularidades que
correspondan a esta clase de solicitudes y que se contienen en los citados
preceptos. Tramitación de los permisos de investigación que se expuso en
un epígrafe anterior.

Entre esas especialidades aludidas por los artículos indicados cabe mencionar los documentos que debe presentar el peticionario en su solicitud y
ciertos trámites administrativos. De esta forma, en la solicitud deberá presentarse un proyecto de aprovechamiento del recurso en cuestión y un
informe técnico que justifique la procedencia de la solicitud como concesión directa. Solicitud que dará lugar a la tramitación del correspondiente
procedimiento, que será sometido a información pública. En el caso de
que no se hubiera formulado oposición o hubiera sido desestimada, la Administración otorgará o denegará la concesión, pudiendo imponer las condiciones especiales que considere convenientes y, entre ellas, las adecuadas
a la protección del medio ambiente.

También pueden mencionarse dentro de esas particularidades la determinación de los efectos de la resolución denegatoria o modificativa de la petición. Así, si se denegara la concesión, por considerarse insuficientemente demostrada la existencia del recurso o recursos en cuestión, el peticionario tendrá un plazo de sesenta días para solicitar un permiso de investigación sobre el terreno y para los recursos objeto de solicitud. O desde el punto de las modificaciones que pueden introducirse en las peticiones formuladas, la Administración podrá otorgar la concesión de explotación sobre una superficie menor que la solicitada, respetando siempre el mínimo exigible, si considera que el recurso objeto de la petición no justifica la concesión sobre la totalidad del terreno, sin perjuicio de que para el resto de la superficie el solicitante pueda promover la tramitación de un expediente de permiso de investigación en el plazo señalado en el caso anterior.

Expuestos los procedimientos de otorgamiento de las concesiones de explotación directas y las derivadas de un permiso de investigación, a continuación en la Ley de Minas se regula conjuntamente para los dos supuestos mencionados las condiciones para la explotación de los recursos mineros (artículos 70 y ss. y 66 de la LM). Dicha regulación parte de la necesidad de realizar los trabajos propios de la explotación sujetándose a los requerimientos previstos en la LM.

Así, el titular de una concesión de explotación comenzará los trabajos de aprovechamiento dentro del plazo de un año a contar de la fecha en que se le haya otorgado dicha concesión, debiendo presentar ante la Administración, en el plazo de seis meses desde la misma fecha, el plan de las labores e instalaciones a realizar en el primer año y, posteriormente, con carácter anual un plan de labores. La Administración aprobará u ordenará modificar el plan presentado, considerándose éste aprobado si en el plazo de tres meses no se imponen modificaciones. En todo caso, la falta de presentación de dicho plan será sancionada con multa, pudiendo, en caso de reincidencia sin causa justificada, acordarse por la Administración la caducidad de la concesión.

Los trabajos deberán realizarse con sujeción a los proyectos y planes de labores aprobados, no pudiendo demorarse su iniciación ni paralizarse aquéllos sin previa autorización de la Administración. Cuando la Administración autorice la suspensión temporal de los trabajos, se mantendrán los de conservación, vigilancia, ventilación y desagüe, si hubiere lugar a ello.

Cuando una persona natural o jurídica sea titular de varias concesiones de explotación para un mismo recurso, situadas, en el caso de recursos minerales, en una misma zona metalogenética, no estará obligada a la explotación simultánea de todas ellas, siempre que obtenga de la Administración la correspondiente autorización para concentrar los trabajos en una o varias de las concesiones. Tendrá justificarse, en todo caso, que el grado de importancia de las explotaciones está en relación con los recursos contenidos en las concesiones de que aquélla sea titular, y la repercusión social y económica del aprovechamiento en la vida del país.

Los titulares de concesiones de explotación notificarán a la Administración cualquier captación de aguas que realicen como consecuencia del desarrollo de sus trabajos, pudiendo utilizar con fines mineros las aguas subterráneas que alumbren, salvo que por pertenecer a la Sección B) sean consideradas por la Administración como de mejor utilidad para otros fines. Además, podrán utilizar para otros usos las aguas sobrantes, ponerlas a disposición de la Administración o verterlas a los cauces públicos, previas las autorizaciones que procedan, con atención especial a la protección del medio ambiente[13].

Por otra parte, debe señalarse que por causas de interés nacional, la Administración podrá obligar a los concesionarios a ampliar sus investigaciones o a realizar el aprovechamiento en la forma y medida que considere convenientes a dicho interés, pudiendo imponer incluso que el tratamiento y beneficio metalúrgico y mineralúrgico de los recursos minerales se realice en España, siguiendo a tal efecto las directrices de los planes nacionales de investigación minera y de revalorización de la minería. Con este fin, la Administración facilitará oportunamente, en su caso, los medios necesarios en la forma prevista reglamentariamente. La no aceptación o el incumplimiento por los concesionarios de los acuerdos de la Administración será motivo de caducidad de las concesiones respectivas, y dará lugar, en su caso, a la expropiación de las instalaciones existentes.

Finalmente, es preciso indicar que las concesiones de explotación pueden ser declaradas caducadas por las causas previstas en los artículos 86 y 87 de la LM. Entre ellas se mencionan las siguientes: renuncia voluntaria del titular aceptada por la Administración; falta de pago de los impuestos mineros que lleve aparejada la caducidad, según las disposiciones que los

---

[13]   En el artículo 74.3 de la LM se establece que cuando se hubieren cortado aguas que alimenten manantiales, alumbramientos o aprovechamientos preexistentes de cualquier naturaleza, debidamente legalizados, o se perjudicaran los acuíferos, los titulares de la concesión estarán obligados a reponer en cantidad y calidad las aguas afectadas y, en todo caso, a abonar las correspondientes indemnizaciones por los daños y perjuicios causados, con independencia de la responsabilidad penal en que hubiera podido incurrir.

regulen y en la forma que las mismas establezcan; por agotamiento del recurso; por los supuestos previstos en los artículos de esta Ley que lleven aparejada la caducidad o por el incumplimiento de las condiciones impuestas en la autorización o en los planes de labores anuales cuya inobservancia estuviese expresamente sancionada con la caducidad; y por motivo de grave o reiterada infracción de las condiciones contenidas en el título de otorgamiento de la concesión o de normas de observancia obligatoria, en perjuicio del orden público o del interés nacional. Además, específicamente procede la declaración de caducidad por expirar los plazos por los que fueron otorgados o, en su caso, las prórrogas concedidas; por incumplimiento grave o, en su caso, reiterado de las obligaciones impuestas; y cuando, habiéndose paralizado los trabajos sin autorización previa de la Administración no se reanuden dentro del plazo de seis meses a contar del oportuno requerimiento, requerimiento que no será necesario en los casos de reincidencia en la paralización no autorizada de los trabajos.

VII. NORMAS COMUNES APLICABLES A LA EXPLOTACIÓN DE LOS RECURSOS DE LAS DIVERSAS SECCIONES. EL EJERCICIO DE LA POTESTAD EXPROPIATORIA

Para poder aprovechar los diversos recursos mineros puede ser necesario adquirir u ocupar temporalmente la propiedad particular. En el caso de que el titular de ese derecho minero no llegue a un acuerdo con el dueño de la finca afectada se procederá a expropiar los bienes y derechos precisos. La Ley de Minas no regula sistemáticamente el instituto expropiatorio, sino que contiene unas reglas especiales referidas a los recursos de las diversas Secciones en el Título X, artículos 102 y ss. En consecuencia, en lo no previsto en la Ley de Minas y Reglamento de desarrollo será de aplicación la Ley de Expropiación Forzosa de 1954 y Reglamento de Expropiación Forzosa de 1957.

Por lo que respecta al aprovechamiento de recursos de la sección A), en el artículo 102 de la LM se prevé que quienes realicen el mismo puedan acogerse a los beneficios de la Ley de Expropiación Forzosa de 1954 para la ocupación de los terrenos necesarios para el emplazamiento de las labores, instalaciones y servicios correspondientes, previa la oportuna de utilidad pública, que señalará la forma de ocupación.

En cuanto al aprovechamiento de recursos de la sección B), los titulares de autorizaciones tendrán derecho a la ocupación temporal o expropiación forzosa de los terrenos necesarios para la ubicación de los trabajos, instalaciones y servicios. A estos efectos, el otorgamiento de una autorización de aprovechamiento llevará implícita la declaración de utilidad pública, así como su inclusión en el supuesto del apartado 2 artículo 108 de la Ley de Expropiación, precepto dedicado a las ocupaciones temporales. El titular de la autorización o concesión indemnizará, si procede, a los propietarios o usuarios de los terrenos que comprendan los perímetros de protección[14].

Finalmente, por lo respecta a los recursos de la sección C), se diferencia en función de si estamos en presencia de permisos de investigación y exploración o concesiones de explotación.

El titular de un permiso de exploración o el adjudicatario de la fase exploratoria en una zona de reserva provisional tendrá derecho a la ocupación temporal de los terrenos registrables que sean necesarios para poder realizar las operaciones previstas en la Ley de Minas. El otorgamiento del permiso llevará implícito el derecho a que se refiera el apartado 1 artículo 108 de la Ley de Expropiación.

Por otra parte, el titular de un permiso de investigación y el adjudicatario de una zona de reserva provisional tendrán derecho a la ocupación temporal de los terrenos necesarios para la realización de los trabajos y servicios correspondientes. El otorgamiento de dicho permiso y el establecimiento de la zona señalada llevarán implícita la declaración de utilidad pública de ambas figuras, a efectos de su inclusión en los apartados 1 y 2 del artículo 108 de la Ley de Expropiación. De la misma forma, la aprobación del proyecto y de los planes inicial y anuales a que se refieren los artículos 47 y 48 de la LM, llevará implícita la declaración de la necesidad de ocupación de los terrenos, si se cumplen las condiciones establecidas en el artículo 17.2 de la Ley de Expropiación, referidas a la determinación del objeto expropiado.

Prorrogada la vigencia de un permiso de investigación o de una zona de reserva provisional, quedará automáticamente prorrogado el derecho a la ocupación temporal de los terrenos necesarios para los trabajos y servicios,

---

[14]   Por otra parte, en el artículo 106 de la LM se establece que en el caso de que el titular de una autorización o concesión de aprovechamiento de aguas minerales fuese distinto del propietario de las mismas cuando éstas tenían la consideración de aguas sustantivas o comunes, será también objeto de indemnización el valor de las aguas comunes que dicho propietario viniese utilizando, a no ser que el titular de la autorización las sustituya por un caudal equivalente.

sin perjuicio de la nueva indemnización que pudiera corresponder con motivo de la mayor duración de la ocupación.

Por último, el titular legal de una concesión de explotación, así como el adjudicatario de una zona de reserva definitiva, tendrá derecho a la expropiación forzosa u ocupación temporal de los terrenos que sean necesarios para el emplazamiento de los trabajos, instalaciones y servicios. A estos efectos, el otorgamiento de una concesión de explotación y la declaración de una zona de reserva definitiva llevarán implícita la declaración de utilidad pública, así como la inclusión de las mismas en el supuesto del artículo 108.2 de la LEF. Además, la aprobación del proyecto y de los planes inicial y anual a que se refieren los artículos 68 y 70 de la LM llevará implícita la declaración de la necesidad de ocupación de los terrenos, si se cumplen las condiciones establecidas en el artículo 17.2 de la LEF referidas a la determinación del objeto expropiado.

Cuando el titular legal tenga necesidad de incoar el expediente de expropiación u ocupación temporal, el plazo de un año fijado para iniciar los trabajos se prorrogará, en su caso, hasta dos meses después de la fecha de ocupación de los terrenos, siempre que los expedientes de expropiación u ocupación temporal hubiesen sido iniciados dentro del plazo de seis meses a partir de la notificación del otorgamiento de la concesión.

VIII. EL FOMENTO DE LA ACTIVIDAD MINERA Y LA PROTECCIÓN DEL MEDIO AMBIENTE

En la Ley de Minas se contienen ciertas previsiones que persiguen el fomento de la actividad minera y la protección del medio ambiente. Dichas previsiones han sido complementadas por normas posteriores que han regulado tanto el fomento de la minería como los aspectos medioambientales.

Por lo que respecta a la actividad de fomento de la minería, en los artículos 108 y ss. de la LM se regulan los cotos mineros. En concreto, en el artículo 108 se dice que con el fin de conseguir un mejor aprovechamiento de los recursos, el Estado fomentará la constitución de cotos mineros, entendiéndose por tales la agrupación de intereses de titulares de derechos de explotación en diversas zonas de un mismo yacimiento o de varios de éstos, situados de forma tal que permitan la utilización conjunta de todos o parte de los servicios necesarios para su aprovechamiento; la Administración concederá a estos cotos, entre otros estímulos, los beneficios fiscales previstos o que se prevean en las disposiciones pertinentes[15].

La constitución de un coto puede ser solicitada por los titulares de derechos mineros interesados en su formación de acuerdo con lo establecido en la LM. Pero también la Administración puede obligar a la formación de cotos a los titulares legales del aprovechamiento de los recursos que hayan sido declarados de interés nacional, o cuando la falta de unidad de sistema en aprovechamientos colindantes o próximos de distintos titulares pueda afectar a la seguridad de los trabajos, integridad de la superficie, continuidad del recurso o protección del medio ambiente o cuando resulte así un aprovechamiento más favorable de los recursos.

Las disposiciones de fomento de la minería contenidos en la LM han sido complementadas con las previstas en la Ley 6/1977, de 4 de enero, de Fomento de la Minería. Dicha Ley tiene por objeto promover y desarrollar, dentro y fuera del territorio nacional, la exploración, investigación, explotación y beneficios mineros, con el fin de procurar el abastecimiento de materias primas minerales a la industria española. A estos efectos, se entenderá por materias primas minerales los productos minerales, cualquiera que sea su grado de elaboración, incluidos los metales, hasta tanto no sufran su primera transformación en España. Dicha Ley es aplicable a las actividades de exploración e investigación mineras, aprovechamiento de yacimientos de origen natural o artificial y otros recursos geológicos y el tratamiento, beneficio o primera transformación de materias primas minerales, quedando excluidas las actividades consistentes en la mera prestación de servicios para la realización o desarrollo de las mismas[16].

Con el fin de aplicar las previsiones de la Ley de Fomento de la Minería en la misma se contempla la elaboración de un Plan nacional de abastecimiento de materias primas minerales, en el que se determina el ámbito de aplicación, las directrices de actuación, las inversiones necesarias y las ac-

---

[15]   Estos cotos podrán formarse para servicios mancomunados de desagüe, ventilación y transporte y para la utilización conjunta de los establecimientos de beneficio regulados en el artículo 112 de la LM. También podrán formarse cotos mineros de explotación más ventajosa, agregando, segregando y aun desmembrando autorizaciones y concesiones si fuera necesario, con el fin de constituir una entidad de explotación que permita obtener un mejor rendimiento de los aprovechamientos, simplificar o reducir las instalaciones o facilitar la salida de los productos.
[16]   No obstante, en el artículo 2 de la Ley de Fomento de la Minería se excluyen de su ámbito de aplicación las aguas, salvo las minerales y termales a que hace referencia la Ley de Minas, y la exploración y explotación de hidrocarburos líquidos y gaseosos, que seguirán regulándose por las disposiciones que les sean de aplicación.

tuaciones que corresponden a cada Administración. La calificación como materias primas minerales contenida en el Plan mencionado conllevará su declaración de interés nacional y la confección de un programa sectorial en el que se fijen los objetivos mínimos de abastecimientos interior y exterior que se pretenden asegurar.

Teniendo en cuenta las previsiones y consecuencias del Plan, en la Ley de Fomento se contienen medidas diversas sobre comercialización y abastecimiento de las materias primas minerales. Medidas referidas tanto a actuaciones en el territorio nacional como en el exterior; y que pueden llegar a la calificación de determinadas materias primas minerales, excluidos los metales, como de interés estratégico por necesidades de la economía o de la defensa nacional; en el caso de que esta declaración se produzca, podrá acordarse la regulación y control de los precios de las mismas, fijando los que habrán de observarse en las operaciones comerciales que se realicen sobre ellas. Además de estas medidas, en la Ley de Fomento se contiene el régimen financiero y tributario de estas actividades, contemplándose determinadas créditos y subvenciones, beneficios fiscales o la regulación del canon de superficie para los recursos de la Sección C).

Por último, y por lo que respecta a las medidas de protección medioambientales, en la Ley de Minas se contienen algunas reglas. Así, en el artículo 5.3 de la LM se establece que la Administración realizará los estudios oportunos para fijar las condiciones de protección del ambiente, que serán imperativas en el aprovechamiento de los recursos objeto de la LM. Dicha regulación en la actualidad es necesario complementarla con lo previsto en el Real Decreto Legislativo 1/2008, de 11 de enero, por el que se aprueba el Texto refundido de la Ley de evaluación del impacto ambiental.

BIBLIOGRAFÍA

I. DE ARCENEGUI, *Derecho minero*, Madrid, 2002.

J. BARCELONA LLOP, *La utilización del dominio público por la Administración: Las reservas dominiales*, Pamplona, 1996.

L. C. FERNÁNDEZ ESPINAR, *Derecho de minas en España (1852-1996)*, Granada, 1997.

A. GUAITA, *Derecho administrativo: aguas, montes, minas*, Madrid, 1986.

E. MOREU CARBONELL, *Minas. Régimen jurídico de las actividades extractivas*, Valencia, 2001.

T. QUINTANA LÓPEZ, *La repercusión de las actividades mineras en el medio ambiente*, Madrid, 1987.

J. L. VILLAR EZCURRA, *Régimen jurídico de las aguas minero-medicinales*, Madrid, 1980.

Capítulo XVIII
Régimen jurídico del petróleo y de los hidrocarburos

Rafael Caballero Sánchez
Profesor Titular de Derecho Administrativo
Universidad Complutense de Madrid

SUMARIO: I. INTRODUCCIÓN. II. LOS HIDROCARBUROS COMO RECURSO ENER-GÉTICO. 1. Los hidrocarburos en general. 2. Los subsectores del petróleo, sus derivados y el gas natural. 3. La situación española de dependencia energética. 4. El mercado mundial del petróleo. III. LA EVOLUCIÓN JURÍDICA DEL SECTOR DE LOS HIDRO-CARBUROS: DEL MONOPOLIO AL MERCADO. 1. Origen y primeros pasos del sector en régimen de monopolio. 2. El Estado descentralizado nacido de la Constitución española y el reparto de competencias en materia de energía. 3. La integración europea y el decidido impulso de liberalización económica. 4. La regulación vigente: los nuevos mercados en competencia. IV. LOS HIDROCARBUROS COMO BIEN PÚBLICO: SU DEMANIALIDAD. V. LA PROTECCIÓN DEL MEDIO AMBIENTE EN LA EXPLOTACIÓN DE LOS HIDROCARBUROS. VI. LAS INFRAESTRUCTURAS E INSTALACIONES ENER-GÉTICAS COMO PROPIEDADES DE INTERÉS GENERAL. 1. Tipos de instalaciones. 2. Régimen especial de las infraestructuras en red. VII. EL RÉGIMEN JURÍDICO DEL CI-CLO DE EXPLOTACIÓN DE LOS HIDROCARBUROS. 1. Localización y extracción de hidrocarburos. A) Investigación y exploración. B) Explotación de yacimientos. C) El aprovisionamiento exterior de hidrocarburos. 2. Refino del petróleo y distribución de sus derivados. A) Actividad de refino de petróleo crudo. B) Almacenamiento y reservas de seguridad y estratégicas. C) Transporte y acceso de terceros a la red. D) Distribución y comercialización de carburantes y GLP. 3. El mercado del gas natural. A) Extracción, licuefacción y regasificación del gas natural. B) Transporte, almacenamiento y distribu-ción por canalización. C) La comercialización de gas natural.

I. INTRODUCCIÓN

La corteza de la tierra es una fuente abudantísima de recursos natura-les y geológicos que el hombre ha aprendido progresivamente a explotar en variedad e intensidad, alcanzando cada vez capas más profundas del planeta. El Derecho minero, de gran tradición histórica, nace para regu-lar las cuestiones de propiedad y el régimen de explotación —a las que se añaden hoy los aspectos ambientales— de esas riquezas naturales. Dentro del subsuelo cabe encontrar múltiples rocas, estructuras y recursos geo-lógicos formados por sustancias inorgánicas, algunos de los cuales son elevados a la categoría de minerales (carbón, hierro, grafito, etc.) por el rendimiento que su explotación permite. En este sentido, BARRANCO VELA indica que los minerales vienen a ser *rocas con valor económico* y que las minas siempre se han definido según parámetros puramente económicos[1].

Sin duda, entre los recursos del subsuelo destacan de modo especial los empleados como fuentes primarias para la producción de energía. Un papel preeminente correspondió al carbón, que fue la base de la primera revolución industrial, pero en la segunda mitad del XIX se inicia la explotación industrial del petróleo, que ha cambiado por completo el panorama de las fuentes de energía, que hoy lidera como principal recurso a la espera de que seamos capaces de encontrar alternativas abundantes y económicamente eficientes. Por tanto, el régimen de los hidrocarburos nace como una parcela de la legislación minera, ocupada en la ordenación de los recursos geológicos en general, que ha cobrado una importancia creciente por su valor energético en una sociedad *energívora*. Es innegable que las necesidades energéticas del mundo desarrollado son ingentes, crecen progresivamente y están hoy vinculadas al petróleo, hasta el punto de que la perspectiva del agotamiento de éste obliga a racionalizar estos procesos y a buscar nuevas fuentes de provisión.

Sin embargo, el sector de los hidrocarburos, referido básicamente a *minerales líquidos y gaseosos* de gran potencialidad energética y estratégica[2], no mereció hasta la segunda mitad del siglo XX una especificación normativa respecto al tronco general de la legislación minera, centrada en los minerales sólidos[3]. De hecho, su ordenación ha sido semejante a ésta en cuanto

---

[1]   Rafael BARRANCO VELA, "El demanio minero", en *Los bienes públicos (régimen jurídico)*, Dir. por Miguel Sánchez Morón, Tecnos, Madrid, 1997, p. 168. Sobre el concepto de "roca" y su distinción con los "minerales" en cuanto a su régimen jurídico es de interés el estudio de Rafael ENTRENA CUESTA, "Naturaleza y régimen jurídico de las rocas", en *RAP* n° 30 (1959), pp. 37 y ss., y sobre el régimen minero en general puede consultarse el Capítulo precedente del Prof. Eloy COLOM PIAZUELO, con la bibliografía allí citada.

[2]   La categorización de los hidrocarburos como minerales básicamente líquidos o gaseosos se recoge con claridad en el art. 1 del Decreto de 12 de junio de 1959 por el que se aprobó el Reglamento de la Ley sobre el régimen jurídico de la investigación y explotación de los hidrocarburos, promulgada el año anterior. Según ese precepto, "a los efectos de la Ley y del presente Reglamento, se entenderá por hidrocarburos líquidos o gaseosos toda concentración o mezcla natural de hidrocarburos en tales estados físicos, incluso substancias de cualquier otra naturaleza que con ellas se encuentren en combinación, suspensión o mezcla. Los yacimientos de hidrocarburos sólidos naturales, tales como rocas asfálticas, ceras naturales y pizarras bituminosas, continuarán rigiéndose por los preceptos de la vigente Ley de Minas y su Reglamento, o por las que la modifiquen o sustituyan".

[3]   La Ley de Minas de 19 de julio de 1944, que declaraba en su art. 1° que la propiedad de estos bienes corresponde a la Nación, era de aplicación general a todo tipo de

a sus principios hasta la aparición relativamente reciente de mercados en competencia.

Desde las primeras prospecciones petrolíferas que se conocen los recursos energéticos del subsuelo se han entendido como de titularidad pública, acudiéndose a la técnica demanial para legitimar la intervención del poder público en estos sectores mediante un control directo[4]. De manera que la trascendencia de su demanialidad, más que en el hecho en sí de su declaración como bienes públicos, está en asegurar ese control de los procesos de exploración y explotación, que resulta vital y estratégico para todo el sistema económico. Por ello, la materia de los hidrocarburos se encuentra a caballo entre la categoría formal del Derecho de los bienes públicos — perspectiva que en este trabajo debe acentuarse— y el sector material del Derecho de la energía.

II. LOS HIDROCARBUROS COMO RECURSO ENERGÉTICO

Para la adecuada comprensión del sector de los hidrocarburos que aquí se acomete, parece oportuno enriquecer o conjugar la exposición de su régimen jurídico con algunas aportaciones de las ciencias naturales sobre la realidad geológico-química que entrañan estos recursos y con la ilustración del importante sector económico e industrial al que da lugar esta fuente primaria de energía.

---

yacimientos. La especificación normativa de los hidrocarburos arranca de la Ley sobre el régimen jurídico de la investigación y explotación de los hidrocarburos de 26 de diciembre de 1958, que califica también este tipo específico de yacimientos como "patrimonio inalienable e imprescriptible de la Nación, de acuerdo con las normas tradicionales del Derecho minero español". En consecuencia, la nueva ley sobre régimen minero (Ley 22/1973, de 21 de julio, de minas), vino a establecer en su art. 1.2 que quedaban fuera de su ámbito de aplicación los hidrocarburos líquidos y gaseosos, que se regirían por su normativa específica. Al poco tiempo se renovó también la legislación de hidrocarburos mediante la Ley 21/1974, de 27 de junio, de investigación y explotación de hidrocarburos, que ha estado vigente hasta 1998. De esta forma, los hidrocarburos vendrían a ser una sección autónoma, con regulación propia, al margen de las otras secciones de minerales (cuatro desde 1980) que contempla la vigente Ley de Minas.

[4]   Como *patrimonio inalienable e imprescriptible de la Nación* calificaba a los yacimientos tanto el art. 1 de la Ley de 26 de diciembre de 1958, de régimen jurídico de la investigación y explotación de hidrocarburos, como el art. 1.2 de la Ley 21/1974, de 27 de junio, que la sustituyó y estuvo vigente hasta 1998.

1. Los hidrocarburos en general

Los hidrocarburos son compuestos químicos que resultan de la combinación de hidrógeno y carbono. Estos dos elementos —que son la base de toda la materia viva u orgánica— son susceptibles de asociarse en la naturaleza de muy diversas formas, dando lugar a compuestos como el metano, etano, propano, butano, pentano..., según el número de átomos de carbono de su composición química[5]. La combustión de los hidrocarburos tiene un alto valor energético como carburante, aparte de que estos compuestos constituyen la materia prima básica de muchos productos elaborados por la industria petroquímica (lubricantes, plásticos, fertilizantes, disolventes, medicinas...), por lo que su trascendencia económica es decisiva en la sociedad actual, absolutamente dependiente de la explotación de estos recursos.

La naturaleza ofrece hidrocarburos a partir de la descomposición de la materia orgánica, los cuales se almacenan en rocas sedimentarias de la corteza terrestre, tanto en estado sólido (caso del carbón) o semisólido (caso de los asfaltos), como líquido (caso del petróleo) y gaseoso (caso del gas natural). A efectos de explotación, podemos deslindar tres grandes subsectores: el petrolero, el de sus productos energéticos derivados, y el del gas natural[6]. Cada uno de ellos da lugar a segmentos diferentes de mercado con una regulación específica.

---

[5] El prefijo del nombre del compuesto indica la longitud de la cadena principal de carbonos. Por otro lado, según la estructura de los enlaces entre esos átomos de carbono, los hidrocarburos se dividen en alifáticos y aromáticos, según que tengan forma lineal o de anillos de benceno. Dentro de los primeros están los *alcanos* o hidrocarburos saturados, que presentan enlaces sencillos, los *alquenos*, cuyos enlaces son dobles, y los *alquinos*, cuyos enlaces son triples. Esta composición determinará el sufijo o terminación del nombre del producto químico en ano, -eno, o -ino (butano, benceno, propino). Los segundos (los terminados en -eno) suelen utilizarse como materia prima en la industria química y de plásticos. Por último, la cadena principal de carbonos puede tener bifurcaciones o cadenas laterales, que también se identifican mediante prefijos que designan el número de carbonos que tienen (metil, etil, propil).

[6] Con grandes perspectivas de crecimiento para estos años, tal como indicaba ya el *Informe Marco sobre la demanda de energía eléctrica y gas natural, y su cobertura*, aprobado por la CNE en 2001. El gas natural se caracteriza por su continuado y fuerte crecimiento en el sistema español, a pesar de su reciente incorporación debida a problemas de aprovisionamiento. Por eso se explica que su porcentaje en el balance energético nacional sea aún sensiblemente inferior al de otros países de la UE.

2. Los subsectores del petróleo, sus derivados y el gas natural

El petróleo. El petróleo es una mezcla natural de hidrocarburos junto con otros elementos tales como el nitrógeno, el oxígeno y el azufre, que se forma tras una lenta sedimentación en ciertos estratos impermeables, tanto del subsuelo continental como del marítimo[7]. Su origen parece que se encuentra en prolongados procesos de descomposición anaeróbica de organismos de origen vegetal y animal, sometidos a altas presiones y temperaturas. Cuando se acumula en cantidad suficiente se forma un yacimiento, en el que suele confluir junto con gases y agua.

Aunque el petróleo se conoce desde hace mucho tiempo, como atestiguan documentos árabes y hebreos —su nombre viene del latín *petro-óleum*, o aceite de piedra o mineral, debido a su composición oleaginosa—, su explotación industrial sólo se inicia en la segunda mitad del XIX. En menos de un siglo se convertirían, gracias a su utilización para producir carburantes para motores de explosión (y en detrimento del carbón, que había protagonizado la primera revolución industrial), en la principal fuente energética del planeta, de la que se extraen múltiples productos terminados, semiterminados e intermedios, mediante su transformación.

Parece que las exploraciones petroleras se inician en Pennsylvania en 1859 por Edwin Drake, mediante perforaciones muy superficiales, ya que los primeros yacimientos se detectaban a partir de filtraciones superficiales de petróleo[8]. En la actualidad, una vez agotadas las bolsas más accesibles de la corteza terrestre, es preciso realizar estudios geológicos minuciosos y perforaciones cada vez más profundas, que han permitido *multiplicar* las reservas de un recurso que en los años 70 se creyó próximo a su agotamiento. Parece que las reservas actuales permiten asegurar al menos unos cuarenta años más de abastecimiento.

---

[7]   El petróleo es un compuesto químico de carbono (entre el 76 y el 86%) e hidrógeno (entre el 10 y el 14%), fundamentalmente. Se clasifica según su densidad en extrapesado, pesado, mediano, ligero y superligero, según los llamados grados API (fijados por el *American Petroleum Institute*).

[8]   Ese primer pozo de petróleo, construido a partir de la técnica de extracción de agua salada del subsuelo, supone de manera inequívoca según TORTELLA (*Del monopolio al libre mercado: la historia de la industria petrolera española*, LID Editorial Empresarial, Madrid, 2003, p. 21) la fecha de inicio de la moderna industria petrolera. Pronto nacerían los primeros magnates del petróleo, como el célebre Rockefeller, que se convirtió a finales del XIX en unos de los hombres más ricos del planeta a través de la *Standard Oil Company, trust* que controlaba el 90% de la producción de petróleo refinado en EEUU y que luego ha derivado en la compañía *Exxon*, entre otras (pp. 23-24).

Las transacciones comerciales con petróleo tienen como medida estándar el barril Brent (que es una mezcla de crudos del Mar del Norte), generalmente con entrega en un mes de plazo[9].

Los productos derivados del petróleo. El petróleo no presenta siempre la misma composición ni textura y suele tener diluidos gases en su interior, por lo
que necesariamente tiene que ser refinado para su consumo energético o
industrial. Por eso una vez extraído el aceite crudo se conduce a las plantas
de refino para su transformación mediante complejos procedimientos[10].

En una primera fase, se procede a la destilación del crudo, sometiéndo-
le en una torre a altas temperaturas, lo cual permite separar los productos
según sean ligeros, pesados o residuos, que salen a diferentes niveles. Fruto
de esta operación se aíslan en primer lugar los gases asociados al petróleo
por ser ligeros y volátiles, como el butano y el propano, que son envasados
a presión en estado total o parcialmente líquido, almacenándose por segu-

---

[9]   El barril Brent sirve para medir tanto el crudo como los productos derivados del petróleo, y equivale a 42 galones USA ó 159 litros. Esta unidad es la que se toma como
referencia en el mercado europeo (Londres). En EEUU, primer importador mundial,
el valor de referencia es el barril Texas (*West Texas Intermediate*). Finalmente, también
está la cesta de la OPEP, que fija el precio del barril de petróleo obteniendo una media
del precio de siete tipos distintos de crudo.
   Además, en los últimos años el petróleo se ha convertido en una *commodity* más (como son también los megavatios de electricidad), sobre la cual es posible construir un
mercado financiero. Así nació en 1980 el Mercado Internacional del Petróleo (IPE o
International Petroleum Exchange), con sede en Londres, que desde 1988 organiza un
mercado de futuros sobre el petróleo *Brent*. Esta bolsa de futuros y opciones ha pasado
a denominarse en 2005 ICE *Futures* (*Intercontinental Exchanges*) y en ella cotiza, aparte
del crudo, el gas natural, la electricidad y las emisiones de CO_2.

[10] Según explica la Asociación Española de Operadores de Productos Petrolíferos (www.
aop.es), de donde se ha obtenido parte de esta información, el refino es el conjunto
de procesos industriales de transformación del petróleo crudo, que consisten primero
en la destilación o fraccionamiento del petróleo crudo; segundo, en procesos físicos y
químicos de conversión para incrementar el rendimiento de un crudo en determinados productos; y tercero, en el refino propiamente dicho u obtención de productos
terminados para su comercialización. A este fin, se siguen diferentes procedimientos
como el craqueo (*cracking*) o rompimiento de moléculas grandes de hidrocarburos,
que proporciona productos más ligeros y volátiles, el reformado, la isomerización, la
alquilación, la desulfuración, la reducción de la viscosidad, la coquización o los hi-
drotratamientos. Sobre estos procesos puede consultarse el libro de Jean-Pierre WAU-
QUIER, *El refino de petróleo: petróleo crudo, productos petrolíferos, esquemas de fabricación*, versión española coordinada por Ramón Serrano Ortiz, editado por el Instituto Superior
de la Energía y la editorial Díaz de Santos, Madrid, 2004, o el trabajo de M. A. RAMOS
CARPIO, *Refino de petróleo, gas natural y petroquímica*, editado por la Fundación Fomento
Innovación Industrial, Madrid, 1997.

ridad a temperaturas superiores a los límites de ebullición, y dando lugar a los llamados gases licuados del petróleo (GLP). En un segundo nivel se separan las naftas (etileno, propileno y otros productos), que son usadas como materia prima de la industria petroquímica, y los distintos carburantes, como las gasolinas, el queroseno y el gasoil. Finalmente, quedan en el nivel inferior los productos más pesados o de mayor masa molecular, como el fuelóleo y los residuos, que permitirán la elaboración posterior de ceras, parafinas, betunes y asfaltos. Entre otros elementos, en ese proceso se liberan el azufre, el nitrógeno y algunos metales.

Una vez obtenidos todos esos productos brutos por fraccionamiento del crudo, es preciso mejorar su calidad. Se trata de la fase de conversión, que ya es singular para cada producto y que tiene lugar por medio de distintos procedimientos, como el craqueo o ruptura molecular y el reformado o catalización.

Por último, se acomete la fase de tratamiento para obtener los productos finales preparados para la comercialización. En ella se suelen combinar los productos mediante operaciones como la alquilación, que reduce los derivados del plomo, o la isomerización, para mejorar su octanaje. Así, los carburantes son enriquecidos con numerosos aditivos, que son sustancias químicas para mejorar su calidad (mediante antioxidantes, inhibidores de espuma y oxigenantes o aumentadores del octanaje, que es la resistencia de una gasolina a su compresión en un cilindro de motor).

El gas natural. El gas natural es un hidrocarburo gaseoso asociado normalmente a las reservas de petróleo, formado por metano en un 80% (que es un gas muy inflamable, de tipo incoloro, inodoro e insípido), mezclado con otros compuestos (como etano, propano y butano) y agentes contaminantes (como el anhídrido carbónico, el ácido sulfhídrico o el nitrógeno). Su calificación como *natural* proviene de su extracción directa de los yacimientos en forma de gas[11], aunque luego debe ser tratado para su uso industrial, comercial o doméstico. En concreto, una vez obtenido el gas *amargo* de la corteza de la tierra es preciso proceder a la eliminación de sus compuestos ácidos, transformándole en gas *dulce.*

---

[11]   Los gases del petróleo pueden presentarse en los yacimientos como una capa libre, pero también mezclados o disueltos en él, en función de las condiciones de temperatura y presión.

El aprovechamiento de este recurso energético es bastante posterior en el tiempo al del petróleo[12], debido en gran parte a que su estado gaseoso complicaba los procesos de almacenamiento y transporte. Sin embargo, su utilización es más sencilla por requerir menos procesos de transformación que el petróleo. EEUU fue su primer gran valedor, en una carrera a la que luego se unió la antigua URSS, por medio de sus yacimientos en Rusia, Ucrania y Uzbekistán, así como otros grandes productores mundiales[13]. En la actualidad el gas natural supone la tercera fuente de energía primaria en el mundo (por detrás del petróleo y el carbón), con una cuota en torno al 20% del consumo energético total, y con tendencia a crecer, aunque parece que sin superar de momento al carbón (salvo en energía final consumida)[14].

---

[12] La primera planta de regasificación para la distribución de gas natural en la península ibérica se abrió en Barcelona en 1969. En Madrid hay que esperar hasta 1987 para la llegada del gas natural en condiciones de explotación energética doméstica.

[13] Como es el caso de Noruega, Canadá o Indonesia. Según la web de *Enagas* la gran mayoría de las reservas mundiales, con datos de 2008, se encuentran en Oriente Medio (39,9%), principalmente en Irán, Turkmenistán y Qatar, y Europa Oriental (31,8%), principalmente en Rusia. En Europa Occidental hay algunos países como Noruega y Reino Unido, que disfrutan de reservas, situadas en sus aguas jurisdiccionales en el Mar del Norte (yacimientos de Ekofisk y Frigg), así como en Holanda (campos de Groningen), Francia (Lacq), Alemania (entre los ríos Ems y Wesser) e Italia (en el valle del Po y en el Mar Adriático). Pero todas ellas sólo alcanzan el 2,9% de las reservas mundiales. En España apenas hay tres bolsas de reservas en explotación (las de Marismas y Palancares, en el valle del Guadalquivir, y la del Poseidón, en el golfo de Cádiz), que son prácticamente insignificantes en la cobertura del aprovisionamiento nacional, que viene casi en exclusiva del exterior. Otros yacimientos agotados, como los de Serrablo (Huesca) y Gaviota (Vizcaya), se utilizan como almacenamientos subterráneos. [Fuente: *Enagás*, página web corporativa].

[14] Según un informe de BP, la distribución del consumo de energía primaria en el mundo en 2000 fue de un 34,6% de petróleo, un 21,6% de carbón, un 21,4% de gas natural, un 11,3% de biomasa tradicional, un 6,6% de energía nuclear, un 2,3% de energía hidroeléctrica y un 2,1% de nuevas energías renovables.
En España ese porcentaje ha pasado del 2% a principios de los ochenta, al 12,5% del consumo energético de 2000, y al 23% en 2010. Según el Informe Anual de ese año de *Sedigás* (Asociación Española del Gas, que es la patronal de las compañías españolas de gas canalizado, creada en 1970), el consumo de energía primaria en España, incluyendo todas las renovables e incluso la energía no comercializada (como la biomasa consumida en los hogares), tenía la siguiente distribución: petróleo (47,4%), gas natural (23,6%), nuclear (11,7%), renovables (11,4%), carbón (6,4%). Un año después, en el Informe *La energía en España 2011*, del Ministerio de Industria, Energía y Turismo, p. 38, se indica que el peso del gas natural en el consumo total de energía fue del 22,3%, lo que supuso un descenso del 7,2% respecto de 2010: la reducción del consumo en las centrales de ciclo combinado es patente.

La gran proyección de este sector obedece al descubrimiento de grandes reservas mundiales, antes poco valoradas, unido a que produce menores emisiones contaminantes y al desarrollo de tecnologías para su aprovechamiento como fuente de energía directa e indirecta. El consumo de gas natural se está multiplicando, primero por las grandes inversiones que se están realizando para hacer llegar las infraestructuras de distribución a nuevos puntos de consumo doméstico e industrial. Por otro lado, a comienzos del milenio se descubrió el gran potencial del gas como fuente de producción de electricidad por medio de turbinas de ciclo combinado, que actúan de manera consecutiva[15]. Mediante la combinación de una turbina de gas con una segunda de vapor se aprovecha el calor residual del gas quemado en la primera (ciclo de Brayton) para obtener un doble rendimiento energético (ciclo de Rankine). Su rendimiento energético es por tanto muy superior al de una central térmica convencional. De ahí que casi todos los proyectos en marcha de construcción de nuevos parques de generación eléctrica en los últimos años apostasen por esta tecnología[16].

Sin embargo, el entusiasmo inicial por los ciclos combinados ha dejado paso a un periodo de desengaño y decepción. Junto a los obstáculos admi-

---

[15]   Se les conoce como CCGT, o *Combined-Cycled Gas Turbine*. Aunque se llegó a calcular que en el año 2020 la mitad de la energía eléctrica se produciría a partir de gas natural en los últimos años está cayendo de manera neta en España la utilización de gas para producir energía eléctrica. Según datos de REE la demanda de electricidad en España cubierta por las centrales de ciclo combinado creció desde el 3% en 2002 hasta el 34% en 2008, para ir luego cayendo al 31% en 2009, al 25% en 2010, y al 20% en 2011. Según informa la web del Banco Mundial, el volumen de kWh producidos a partir de gas natural ha pasado de 120.798.000.000 en 2008, a 107.746.000.000 en 2009, a 96.618.000.000 en 2010, y a 84.516.000.000 en 2011.

[16]   La primera central de ciclo combinado en España fue la de San Roque en Cádiz, que entró en funcionamiento en 2002. La situación de saturación por entonces de nuestro parque de generación eléctrica, fruto del ciclo de expansión económica que atravesábamos desde finales de los 90, llevó a plantear por entonces numerosos proyectos con esa tecnología. Según el *Informe Marco sobre la demanda de energía eléctrica y gas natural, y su cobertura*, 2001, de la CNE, y del *Informe de seguimiento de las infraestructuras referidas en el Informe Marco*, aprobado el 19 de mayo de 2003, casi todas las nuevas centrales entonces promovidas por Endesa, Unión Fenosa, Iberdrola, Gas Natural y Repsol eran de ciclo combinado. Así, según datos del entonces Ministerio de Industria, Turismo y Comercio, a 31 de diciembre de 2008 había en España 54 grupos de ciclo combinado en operación, con una potencia instalada de 23.665 MW. Un año más tarde se alcanzaron los 63 ciclos en funcionamiento (con una potencia instalada de 25.824 MW), y en 2010 estaba prevista la apertura de 6 más. El problema es que se trata de un parque de generación infrautilizado, por el papel creciente de las renovables, por la caída de la demanda eléctrica, y por el precio de la materia prima que utilizan, planteándose en la actualidad la hibernación de varios de esos grupos de ciclo combinado.

nistrativos de tramitación de estos grandes proyectos, han surgido algunas sombras debido a que los costes reales de explotación están siendo mayores que los previstos, tanto porque la eficiencia energética está resultando inferior a la esperada, como por la volatilidad del precio del gas natural como materia prima, referenciado al del petróleo y con tendencia claramente alcista. De manera que en los últimos años ha descendido el consumo de gas natural por la caída de funcionamiento de las centrales de ciclo combinado y se plantea apostar por otras tecnologías de generación eléctrica.

En cualquier caso, la apuesta por el gas como medio de producción de electricidad está conduciendo a la convergencia de los sectores eléctrico y gasista, que se han convertido en mercados de liberalización paralela, que resultan complementarios para los tradicionales agentes de ambos sectores, antes separados, interesados ahora en convertirse en proveedores globales de energía a sus clientes[17].

3. La situación española de dependencia energética

España, al igual que Europa occidental, es una zona pobre en hidrocarburos, con unos yacimientos de petróleo[18] y de gas[19] casi testimoniales.

---

[17] Buena expresión de ello es la fusión por absorción entre Gas Natural y Unión Fenosa, producida en 2009, que ha dado lugar al grupo Gas Natural Fenosa.

[18] Los escasos yacimientos petrolíferos españoles se sitúan en plataformas marítimas alrededor de la península (Montanazo-Lubina, Boquerón, Casablanca y Rodaballo), salvo el de Ayoluengo de la Lora (Burgos). Según el Boletín Estadístico de Hidrocarburos de la corporación CORES de abril de 2013 (nº 185) la producción total en el año móvil (de mayo de 2012 a abril de 2013) fue de 236.000 toneladas, lo cual supone que nuestro autoabastecimiento fue del 0,41% en ese periodo.
En la actualidad Repsol está promoviendo prospecciones petrolíferas en Canarias (a 60 km de las islas de Fuerteventura y Lanzarote, y a 3.000 metros de profundidad), cuya explotación podría multiplicar la producción petrolera actual en nuestro país hasta cubrir un 10% de nuestras necesidades (las estimaciones de producción son de 100.000 barriles diarios). El proyecto, en el que participan también Woodside Energy Iberia y la alemana RWE, no está exento de polémicas políticas y medioambientales. Ya en 2001 el Gobierno otorgó el permiso de investigación (Real Decreto 1462/2001), que fue recurrido y paralizado por el Tribunal Supremo por falta de garantías medioambientales. De nuevo en 2012 se ha vuelto a conceder (Real Decreto 547/2012) y a recurrir por el Gobierno canario, sin que el Supremo haya concedido medidas cautelares.

[19] El yacimiento de gas natural más importante en España es el de Poseidón, que se explota desde 1997. También hay otras pequeñas explotaciones en el valle del Guadalquivir, que entraron en producción en 1990. Todos ellos se encuentran en Andalucía. Según el Boletín Estadístico de Hidrocarburos de la corporación CORES de abril de

Esta circunstancia, unida al hecho peninsular y a la escasez de conexiones internacionales, han contribuido a configurar nuestro país como una *isla energética*, cuya dependencia exterior en hidrocarburos es completa. La situación resulta preocupante porque la energía es un activo estratégico fundamental para el desarrollo económico e industrial. De hecho, su nivel de consumo se suele tomar como índice fiable de desarrollo de un país o región, a pesar de la necesidad que se está imponiendo de apostar por el desarrollo sostenible y el consumo responsable de energía en el mundo desarrollado.

Ante estas limitaciones, el aprovisionamiento español de energía procede casi exclusivamente del exterior y se realiza por vía marítima. El crudo llega a España por medio de grandes buques petroleros[20], que lo entregan en los puertos próximos a alguna de las nueve plantas de refino repartidas por la península[21]. Desde allí se inyectarán los carburantes y combustibles obtenidos en la red mayorista de oleoductos, perteneciente en exclusiva a CLH (Compañía Logística de Hidrocarburos), para su transporte al por mayor, que se completará con la distribución mediante camiones cisterna hasta los puntos de comercialización y consumo. Igualmente, la práctica totalidad del gas natural que se consume en España procede de la importación, que llega a la península bien por gasoducto (existe una conexión pirenaica y otra con Argelia, a través de Marruecos), bien por barcos metaneros, que lo transportan en estado líquido (GNL)[22].

2013 (n° 185) la producción total en el año móvil (de mayo de 2012 a abril de 2013) alcanzó los 730 GWh, que suponen un grado de autoabastecimiento del 0,21%.

[20] El transporte marítimo es el más idóneo para las transacciones de petróleo por su flexibilidad y las grandes dimensiones de los buques (hasta 250.000 toneladas de peso muerto), que le convierten en un medio económico.
El aprovisionamiento exterior español de crudo es bastante diversificado, según el Boletín Estadístico de Hidrocarburos de la corporación CORES de abril de 2013 (n° 185). Sólo cuatro países tienen una cuota de suministro superior al 10% de todas nuestras importaciones, y ninguno de ellos supera el 15%: México (14,9%), Rusia (14,7%), Arabia Saudí (13,6%) y Nigeria (12,9%). A partir de ahí contamos con otros suministradores pertenecientes a la OPEP (de la que proviene el 55% del crudo que importamos), como Libia (7,6%), Irak (6,9%) o Venezuela (4,6%), o ajenos a ella, como algunos países europeos (2,5% del total) o Colombia (4,1%). Las importaciones españolas totalizan unos 60 millones de toneladas de crudo al año.

[21] Las refinerías emplazadas en España pertenecen a Repsol (Somorrostro en Vizcaya, Escombreras en Cartagena, La Coruña, Puertollano y Tarragona), Cepsa (San Roque en Cádiz, La Rábida en Huelva y Santa Cruz de Tenerife) y BP (Castellón).

[22] España es, junto con Japón y Corea del Sur, de los principales importadores mundiales de gas natural licuado (GNL). Nuestras importaciones anuales de gas natural están en torno a los 380.000 GWh. En términos absolutos nuestra principal fuente

4. El mercado mundial del petróleo

La dependencia mundial del petróleo constituye una amenaza cierta para el equilibrio global por su carácter de bien estratégico y limitado (aunque con fecha de caducidad, la cual es desconocida con precisión)[23], cuyas reservas están concentradas geográficamente en ciertas áreas que además no coinciden con las de mayor consumo[24]. De hecho, el petróleo protagonizó la crisis energética mundial de los 70 (agudizada en 1973 por el conflicto árabe-israelí y en 1979 por la revolución iraní), que hizo tambalear occidente, ante la expectativa de un agotamiento próximo de las reservas y de una elevación alarmante de precios.

Esta situación de incertidumbre se prolongará mientras no se desarrollen fuentes alternativas de energías limpias y abundantes, aunque también se aprecia el fenómeno contrario: hasta que no haya verdadera esca-

---

de aprovisionamiento de gas natural es Argelia, de donde llega el 45,7% de nuestras importaciones. La mayoría nos es suministrado a través de dos grandes gasoductos que cruzan el Mediterráneo (34,9%), pero también mediante buques metaneros que transportan GNL (10,8%). Otros suministradores importantes son Nigeria (14,9%), Qatar (10,5%), Noruega (10,4%, que nos llega a través de nuestro gasoducto pirenaico con Francia), Trinidad y Tobago (7,3%) y Perú (5,9%). *Fuente:* Boletín Estadístico de Hidrocarburos de la corporación CORES de abril de 2013 (n° 185).

23   Realmente no se conoce con precisión ni el volumen de las reservas mundiales de petróleo (se habla de un billón de barriles, de los que casi el 80% está en manos de la OPEP, siendo la producción diaria de casi 75 millones de barriles) y de gas ni el alcance de su consumo (al menos parecen asegurado el aprovisionamiento hasta mediados del siglo XXI). Según la AOP los medios actuales sólo permiten recuperar la tercera parte de los recursos descubiertos de crudo y unas dos terceras partes de las reservas de gas, permaneciendo el resto en el subsuelo, por lo que es posible que en los próximos años sigan *aumentando* las reservas por la mejora de las técnicas de extracción, como lo han hecho en los dos últimos decenios.

Lo preocupante de la actual coyuntura, en la que se produce mucho petróleo y se vende a precios altos, es que está mermando la llamada capacidad ociosa o excedentaria de producción (la de la OPEP, que llegó a ser de 11 y 12 millones de barriles diarios, es ahora de apenas uno), que es un factor clave para la estabilidad de este mercado. Además, desde hace un par de años la producción mundial de crudo es superior al volumen de las nuevas reservas mundiales descubiertas.

24   Dos tercios de las reservas mundiales se sitúan en la Federación Rusa y los países del Golfo Pérsico. En cambio, llama poderosamente la atención el hecho de que los treinta países más desarrollados del mundo y por tanto los principales consumidores, que están integrados en la OCDE, sólo reúnen el 7,8% del total mundial.

Se calcula que en el mundo existen unas 1.800 cuencas sedimentarias, de las cuales ya están exploradas unas 1.600, sin que parezca probable que en los próximos años se vayan a abrir nuevas zonas de explotación. Su profundidad normalmente oscila entre los 900 y los 5.000 metros, aunque puede llegar a alcanzar los 8.000.

sez definitiva de recursos o al menos precios desorbitados e inasumibles no se tomará en serio la necesidad de superar nuestra dependencia del petróleo[25]. De todos modos, mientras tanto, los países productores tratan de coordinar sus políticas de producción para evitar fluctuaciones bruscas de precios en beneficio propio y de la estabilidad del sistema, y a tal fin se constituyó la OPEP hace más de medio siglo. Esta organización intergubernamental fue creada en 1960 como reacción al control del mercado internacional de crudo por un puñado de multinacionales occidentales. En la actualidad está integrada por once países en vías de desarrollo cuya principal fuente de ingresos es el petróleo[26], los cuales controlan el 78% de las reservas mundiales probadas (aunque sólo producen el 40% del petróleo mundial)[27].

El oligopolio organizado de la oferta y el hecho de que su centro de gravedad se sitúe en Oriente Medio, donde reina una inestabilidad política grande merced a los sucesivos conflictos bélicos y a la creciente crisis en las relaciones entre el mundo árabe y el mundo occidental, permiten atisbar un futuro complicado[28]. De hecho, la carrera alcista del precio del barril

---

[25] En la actualidad, las energías renovables no representan más que el 4% de la producción nacional (si bien el objetivo marcado por la UE para el año 2010 es el de alcanzar el 12%) y tienen el inconveniente de no ser acumulables y tener un alto coste de producción, por lo que sus posibilidades de ser alternativa al petróleo son realmente escasas a corto plazo. Aunque desde el punto de vista tecnológico falta aún un largo trecho, parece que las futuras fuentes de energía se desarrollarán a partir del hidrógeno y del aprovechamiento de los procesos de fusión/fisión nuclear.

[26] Los cinco países fundadores de la Organización de Países Exportadores de Petróleo (OPEC en inglés, como *Organization of the Petroleum Exporting Countries*) fueron Irán, Irak, Kuwait, Arabia Saudí y Venezuela, reunidos en Bagdad en septiembre de 1960. A ellos se unieron posteriormente Qatar (1961), Indonesia y Libia (1962), Emiratos Árabes Unidos (1967), Argelia (1969) y Nigeria (1971). Además, también Ecuador y Gabón llegaron a estar integrados en la organización durante casi veinte años.

[27] Fuera de ellos se encuentran otros países ricos en petróleo, como son principalmente Rusia (séptimo productor mundial con un 4,6% de las reservas), EEUU (2,9%), México (2,6%) y China (2,3%). Por otro lado, el mayor ritmo de producción de los países no integrados en la OPEP determinará el agotamiento anticipado de sus reservas, redundando en un reforzamiento del monopolio de aquél.

[28] No es posible extenderse aquí, pero cabe remitir la cuestión a algunos análisis de interés, como son los trabajos de Oystein NORENG, *El poder del petróleo: la política y el mercado del crudo*, El Ateneo, Buenos Aires, 2003; Eduardo GIORDANO, *Las guerras del petróleo: geopolítica, economía y conflicto*, Icaria, Barcelona, 2002; John MITCHELL, Kaji MORITA, Norman SELLEY y Jonathan STERN, *The new economy of oil: impacts on business, geopolitics and society*, Royal Institut of International Affairs, Earthscan, Londres, 2001; Balbino URIBE RAYA, *El mercado mundial de crudo petrolífero*, Universidad de Granada, Granada, 1997; Antoine AYOUB, *Le pétrole: économie et politique*, Economica, París, 1996;

en los últimos años no parece reversible[29]. El propio FMI vaticina que la tendencia no es coyuntural y que el precio del petróleo —y de la energía en general— va a tender a crecer todavía más en el futuro próximo. Al menos estas condiciones servirán de estímulo para la inversión en fuentes de energía renovables y no contaminantes.

III. LA EVOLUCIÓN JURÍDICA DEL SECTOR DE LOS HIDROCARBUROS: DEL MONOPOLIO AL MERCADO

El sector de los hidrocarburos se ha desarrollado en nuestro país en régimen de monopolio desde su nacimiento hasta fechas bastante recientes. De esta forma, tanto las actividades de exploración, investigación y extracción, pasando por las de refino y tratamiento, como las de transporte y comercialización de productos energéticos han sido controladas por el Estado durante la mayor parte del siglo pasado. Desde entonces su evolu-

---

María Paz CABELLO RODRÍGUEZ, *La crisis del petróleo*, Historia 16, Madrid, 1995; Daniel YERGUIN, *La historia del petróleo*, Plaza y Janés/ Cambio 16, Barcelona, 1992; Roberto BERMEJO, *Un futuro sin petróleo: colapsos y transformaciones socioeconómicas*, Los Libros de la Catarata, Madrid, 2008; Jesús GIL FUENSANTA, Alejandro LORCA y Ariel José JAMES, *Tribus, armas y petróleo: la transición hacia el invierno árabe*, Algón Editores, Granada, 2011; Paul ROBERTS, *El fin del petróleo*, Público, Madrid, 2010, entre otros.

[29] Tras los precios especialmente bajos de los años 1998-1999 (entre 12 y 17 dólares), el petróleo ha ido pulverizando desde 2004 sus máximos históricos, rompiendo por ejemplo la barrera de los 80 dólares en septiembre de 2007, hasta alcanzar casi la cifra récord de 100 dólares el barril en noviembre de 2007 (téngase en cuenta que hace no mucho, en octubre de 2004 ya fue noticia que el precio del barril Brent alcanzara los 52 dólares). Y lo sorprendente es que esta escalada no ha generado crisis ni fracturas como la de los años 70: el mercado ha aguantado esa marcada orientación alcista, sin perjuicio de sus indudables efectos sobre la inflación y sobre el crecimiento económico mundial (especialmente en sectores como el transporte, la industria pesada, las empresas químicas, buena parte del sector eléctrico...). Efectos que en Europa han sido un tanto mitigados por la paralela apreciación del euro respecto del dólar, aunque las cotizaciones se han acercado últimamente. Las causas de este proceso hay que buscarlas en la incertidumbre geopolítica (guerra de Irak e inestabilidad en Oriente medio), en el fuerte crecimiento de la demanda (por el desarrollo experimentado por los nuevos gigantes asiáticos como son China e India), y en la falta de crecimiento de la capacidad refinera norteamericana. Con todo, no parece que estos factores justifiquen unos incrementos de precio tan acusados, por lo que hay que hacer alusión también a factores especulativos.
Desde luego, parece claro que estamos asistiendo a un cambio estructural definido por *el fin del petróleo barato* (cuando la horquilla de precios idóneos marcada por la propia OPEP se situaba entre los 22 y los 28 dólares el barril).

ción viene marcada por un progresivo proceso de liberalización de algunas de esas parcelas, con el objeto de facilitar la participación de la iniciativa privada y la formación de verdaderos mercados en competencia, que hoy se sigue intensificando mediante nuevas medidas regulatorias. Sin embargo, una vez superados los condicionamientos legales, la dinamización de los nuevos mercados se encuentra seriamente lastrada por la existencia de redes de capacidad limitada para el transporte y distribución de productos y por una estructura empresarial fuertemente oligopolizada, en manos de los antiguos monopolistas nacionales y de las grandes empresas multinacionales, que son los actores que poseen una envergadura suficiente como para competir en este teórico mercado.

Para exponer estos rasgos conviene aludir a cuatro etapas fundamentales de evolución[30].

1. Origen y primeros pasos del sector en régimen de monopolio

El Monopolio de Petróleos nace en España durante la dictadura de Primo de Rivera en virtud del Real Decreto-ley núm. 1142, de 28 de julio de 1927, a propuesta del Ministro de Hacienda, D. José Calvo Sotelo, con una finalidad fiscal evidente, como medio para procurar al Estado una fuente regular de ingresos[31]. Hasta entonces, la actividad petrolera, casi

---

[30] Sobre todo este proceso puede consultarse la excelente crónica de Gabriel TORTELLA CASARES, Alfonso BALLESTERO, y José Luis DÍAZ FERNÁNDEZ, *Del monopolio al libre mercado...*, *cit.* Los autores dividen la evolución en tres periodos (1900-1947; 1947-1981; 1981-2001).

[31] Expresamente lo declara la propia Exposición de Motivos del Decreto-ley ("a dar este paso le mueven —al Gobierno— consideraciones de índole fiscal, ciertamente, pero también, y quizá en mayor grado, estímulos de orden económico y social", por lo que se crea un Monopolio "por el Estado y para el Estado, esto es, para el Fisco y para el Consumo"), que recuerda que en el año anterior (1926) la importación de petróleo y derivados proporcionó al Erario público 35 millones de pesetas en concepto de derechos de aduana (posteriormente la Ley de 1947 reconocerá que el monopolio había producido ingresos cuantiosos para el Tesoro; y es que en 19 años de vida el monopolio supuso un ingreso de 7.300 millones de pesetas). Además, el Gobierno de Primo de Rivera se muestra preocupado por el monopolio *de facto* de capital extranjero (la *Standard Oil Company* y la *Royal Dutch Shell*, principalmente) que controla el sector, *cosechando pingües beneficios*. En 1958 la nueva Ley reguladora de la explotación de hidrocarburos establecerá una participación del Estado en los beneficios de esa actividad de nada menos que el 50%, *como compendio de toda imposición tributaria directa*, exigiendo además la dotación previa de un anticipo con cargo a la producción bruta, que no será reintegrable en caso de pérdidas finales.

inexistente en los primeros años del siglo XX, era desempeñada por un oligopolio de compañías privadas de capital foráneo. El célebre Decreto-ley dispuso, por un lado, la nacionalización integral del sector en todas sus fases y en relación con todos los bienes y derechos afectados, pertenecientes por tanto al patrimonio del Estado[32]. Por otro lado, estableció que el nuevo monopolio (de ámbito peninsular y balear, excluyendo, por tanto, Canarias y nuestros territorios africanos) sería administrado por una Compañía Arrendataria del Monopolio, seleccionada mediante concurso público y sujeta a una multiforme intervención pública, especialmente a través de una Delegación del Gobierno presente en la compañía y del Ministerio de Hacienda. Para optar al contrato de arrendamiento se exigía a los candidatos la condición de sociedad anónima española en el capital y en la gestión, así como la adjudicación al Estado de una participación al menos de un 30% de las acciones. A los pocos meses se adjudicó la explotación del monopolio a CAMPSA, o Compañía Arrendataria del Monopolio de Petróleos, Sociedad Anónima, que ha disfrutado de esa condición hasta 1992. Mediante Real Decreto núm. 113, de 10 de enero de 1928, se aprobó el contrato celebrado entre el Estado y esa empresa.

El contrato de arrendamiento —que estaba sometido a libre rescisión por el Gobierno—, fue por veinte años, tras los cuales se decidió sustituir esa figura contractual por un régimen de concesión legal a la que pasó a ser Compañía Administradora del Monopolio, mediante la Ley de 17 de julio de 1947, de reorganización del Monopolio de Petróleos, que reforzó aún más la intervención estatal[33]. El Monopolio de Petróleos se concebía como un organismo desconcentrado del Estado, dependiente del Ministerio de Hacienda, cuyo patrimonio abarcaba todos los terrenos, fábricas,

---

[32] Operaciones semejantes se dieron en otros países como México, cuya Constitución de Querétaro de 1917 dispuso la nacionalización de los hidrocarburos (art. 27), provocando cierto conflicto internacional por la disputa sobre derechos adquiridos, tal como ha explicado Jesús MILLARUELO, "Las nacionalizaciones y el Derecho internacional", en *RAP* n° 3 (1950), p. 227.

[33] En el Preámbulo de la ley franquista, tras alabar el acierto de la nacionalización del sector, se aprecia que "la evolución del concepto de la soberanía estatal y las enseñanzas de una larga experiencia aconsejan ciertas variaciones fundamentales en orden al procedimiento de concesión y a las condiciones de administración del servicio. Por ello se prescinde del primitivo arrendamiento paccionado para sustituirlo por un régimen estatal de desconcentración de servicios, en forma preestablecida por imperio exclusivo de la Ley, en uso de las facultades soberanas del Estado". Como consecuencia del cambio se ofrece a los accionistas de CAMPSA la opción de reintegro de sus participaciones, que revertirían al Estado, medida que apenas tuvo acogida.

buques, factorías, yacimientos, refinerías, instalaciones industriales y maquinaria fija necesarios para este servicio, que sería administrado por la CAMPSA por tiempo indefinido[34]. En ese momento ya había nacido el Instituto Nacional de Industria (INI), emblema de la política económica autárquica de la España de ese periodo y del nuevo Estado-empresario, que sería el instrumento a través del cual el Ministerio de Industria rivalizaría con el de Hacienda por el control del sector petrolero español. Así, la Ley de Minas de 1944 vino a encomendar al INI las tareas de prospección e investigación de minerales en las áreas reservadas al Estado (que eran todas las que no estaban cubiertas por permisos o concesiones preexistentes), incluyendo los hidrocarburos.

Los años cincuenta y sesenta dieron lugar a una cierta apertura del sistema para atraer a este sector económico —especialmente a la actividad de refino— al capital extranjero, mediante un sistema de concesiones. Ese cambio se expresa en la Ley de 26 de diciembre de 1958, de régimen jurídico de la investigación y explotación de hidrocarburos[35], por la que definitivamente los recursos líquidos y gaseosos del subsuelo cobran autonomía normativa propia, ya que la Ley de Minas se declara supletoria en esta materia[36]. Desde entonces el Monopolio de Petróleos concentró su intervención en la distribución y venta de carburantes. De esa época es también la decisión del Ministerio de Hacienda de crear una sociedad especializada en el envasado, distribución y suministro de gases licuados del petróleo —de creciente importancia y que ya estaban incluidos de modo genérico dentro del Monopolio de Petróleos—, denominada Butano SA, que pres-

---

Esta norma fue modificada en su art. 2 por el Decreto-ley de 5 de abril de 1957, de aclaración del precepto, sin especial trascendencia. Por su parte, el Reglamento de ejecución de la Ley fue aprobado por Decreto de 20 de mayo de 1949.

[34] Arts. 1, 4 y 7 del Decreto de 20 de mayo de 1949, por el que se aprueba el Reglamento de ejecución de la Ley de 1947.

[35] En su Preámbulo, el legislador confiesa las dificultades que el aislamiento genera en este tipo de industrias, por lo que "se admite la aportación de capitales extranjeros sin limitación alguna, con el fin de asegurar la importación de equipos y elementos especiales y de aprovechar la experiencia y organización técnicas de entidades solventes dedicadas a esta clase de trabajos". La apertura queda vedada a Gobiernos o Estados extranjeros y a sus empresas dependientes.

[36] La Ley vino precedida de un Decreto de 1952 por el que se declararon de interés nacional las investigaciones de hidrocarburos líquidos, atribuyendo al INI la competencia de investigar los yacimientos y explotarlos. A su vez, la Ley tiene continuidad en la Ley 21/1974, de 27 de junio, de investigación y explotación de hidrocarburos, que la sustituyó y que seguía el mismo esquema regulatorio.

tará en exclusiva este servicio público[37]. En cuanto al subsector del gas natural todavía habrá que esperar bastante para su despegue comercial.

2. El Estado descentralizado nacido de la Constitución española y el reparto de competencias en materia de energía

a. Tras la reinstauración democrática nuestra Constitución económica reconocerá el derecho a la propiedad privada (art. 33) y la libertad de empresa en el marco de la economía de mercado (art. 38), de manera que el desarrollo de las actividades económicas en general se debe desarrollar en un entorno de competencia, pronto potenciado por el Derecho comunitario europeo. Este postulado tiene el contrapeso de la función social de la propiedad (art. 33.2) y de la subordinación global de toda la riqueza del país, especialmente de sus recursos naturales, al interés general (art. 128.1). Además, de modo más específico, a la vez que se reconoce la iniciativa pública en la actividad económica, se prevé la posibilidad de establecer una reserva legal formal al sector público de "recursos o servicios esenciales", incluso en régimen de monopolio (art. 128.2), aunque aún no se ha empleado de modo efectivo semejante cláusula[38].

Por otro lado, la Carta Magna es original por constitucionalizar en el art. 132 la categoría del dominio público, cuya extensión concreta queda relegada al legislador ordinario, si bien se establece al menos un núcleo necesario de bienes pertenecientes al demanio natural marítimo-terrestre que quedan en todo caso bajo la competencia del Estado[39].

---

[37] Orden de 11 de junio de 1957, por la que se autoriza la constitución de una sociedad para la distribución y venta de gas butano en el territorio nacional. Mediante otra Orden de 5 de diciembre de 1964 se ampliará este monopolio al gas propano y a otros gases licuables de origen petrolífero. Finalmente, otra Orden de 28 de septiembre de 1984 autorizará a Butano SA para organizar la distribución y venta de los gases licuados del petróleo como carburantes de automoción, que habían quedado excluidos de la última disposición.

[38] Con esta cobertura constitucional podría defenderse la posible vuelta al monopolio del sector petrolero, si se estimase su oportunidad desde una perspectiva político-económica. En la actualidad está claro que las doctrinas neoliberales y el Derecho de la Unión Europea imponen sus coordenadas de libre competencia y circulación de mercancías, que han llevado a los Estados miembros a abrir las actividades petroleras y energéticas a la iniciativa privada y a despojarse de buena parte de su sector público empresarial.

[39] En esa enumeración no se incluyen específicamente los recursos minerales y energéticos del subsuelo, salvo en relación con la zona económica exclusiva y la plataforma

Pero la principal novedad arrojada por la Constitución es la introducción de un nivel intermedio de Administración territorial entre el Estado y las entidades locales, constituido por las Comunidades Autónomas, que han supuesto un factor clave de descentralización política y administrativa. Esta novedad arrastra un complejo modelo de división funcional de competencias públicas, que exige un examen detallado.

En materia de hidrocarburos, es preciso partir del reconocimiento de la competencia exclusiva del Estado sobre las bases del régimen minero y energético (art. 149.1.25ª) y sobre las bases y coordinación de la planificación general de la actividad económica (art. 149.1.13ª), que son los títulos competenciales principales sobre las que se apoya la vigente Ley del Sector de los Hidrocarburos[40]. También retiene el Estado la competencia sobre la legislación básica sobre concesiones administrativas (art. 149.1.18ª), que son imprescindibles para las actividades extractivas o de explotación de hidrocarburos en nuestro territorio. A partir de esas bases, que deben garantizar el adecuado suministro de carburantes y combustibles petrolíferos en todo el territorio español, las Comunidades Autónomas podrán legislar y desarrollar su normativa específica, así como ejecutar la normativa estatal y la propia, cuando asuman expresamente esas competencias.

El alcance concreto de las bases estatales exige una cuidadosa interpretación que no ahogue las facultades de desarrollo autonómicas, si bien en ocasiones aquéllas pueden incluso abarcar aspectos ejecutivos cuando re-

---

continental, cuyos recursos naturales —extraídos mediante plataformas *off-shore*— sí se declaran integrados en el demanio estatal.

[40]   La STC 197/1996, de 28 de noviembre, tras reconocer la concurrencia de una pluralidad de títulos competenciales con proyección en el subsector del petróleo (como los de seguridad, recursos estratégicos, defensa, comercio interior —aplicado por la STC 223/2000, de 21 de septiembre, en relación con la autorización de operadores y empresas— y exterior, industria, defensa del consumidor, medio ambiente y ordenación del territorio), insiste en la necesidad de "determinar siempre la categoría genérica, de entre las referidas en la Constitución y los Estatutos, a la que primordialmente se reconducen las competencias controvertidas". Y estas categorías serían las de régimen energético, cuyas bases se reservan al Estado (art. 149.1.25ª CE), y las de planificación económica, dentro de la cual se incluyen las normas con las directrices y criterios globales de ordenación de sectores económicos concretos e incluso algunas medidas singulares necesarias, también de competencia estatal (art. 149.1.13ª CE), sin que pueda decirse que son criterios equivalentes o intercambiables, ni que el primero desplace al segundo con carácter general por referirse a un sector concreto. Además, la competencia de planificación económica no se agota en las bases, sino que incluye también la coordinación en esa materia, lo que "presupone lógicamente la existencia de competencias autonómicas, aún de mera ejecución, que deberán ser respetadas".

sulten indispensables para preservar lo básico o garantizar la consecución de fines inherentes a lo básico. Es el caso de la creación de un Registro único de ámbito estatal para inscribir a los operadores de un sector (siempre que ese instrumento no comporte la acaparación por el Estado de las competencias de autorización de esos operadores que corresponda ejercer a las Administraciones autonómicas)[41], o de la constitución de una entidad o corporación pública de reservas estratégicas (CORES) para asegurar el régimen de existencias mínimas, con facultades de control, inspección y sanción de los distribuidores al por mayor de productos petrolíferos (STC 197/1996, de 28 de noviembre)[42]. Ahora bien, lo que sería inconstitucional según la doctrina del TC sería la pretensión del Estado de atribuir carácter básico tanto a disposiciones reglamentarias como a simples medidas y actuaciones ejecutivas cuando sean genéricas o inconcretas[43].

---

[41] En esos casos, el Registro estatal debe aceptar de modo vinculante las propuestas de inscripción y cancelación que efectúen las CCAA con competencias ejecutivas en la materia. Así lo defienden las SSTC 197/1996, de 28 de noviembre, y 223/2000, de 21 de septiembre. En esta última el TC mantiene que, con independencia de que el Registro sea único, la competencia para autorizar operadores al por mayor de GLP corresponde al Estado ya que la emisión de ese permiso exigirá comprobar la existencia de almacenamientos suficientes en todo el territorio nacional, al contrario de lo que ocurre con los suministradores de GLP a los consumidores finales, cuya actividad e instalaciones se circunscriben a un ámbito geográfico determinado.

[42] En esta sentencia el TC ha insistido en que la competencia del Estado para establecer las bases de un sector no comprende en principio la facultad de establecer medidas o actuaciones ejecutivas para exigir su cumplimiento, salvo que sean indispensables o un complemento necesario para asegurar esas bases. Así, si bien la regulación, ya sea por ley o por reglamento, del régimen de distancias mínimas entre estaciones de servicio pertenece a las bases del régimen energético que corresponde fijar al Estado (aunque este límite se ha suprimido desde 1995 en aras de una mayor competencia), la actividad de comprobación de esos límites constituye un evidente ejercicio de una función ejecutiva asumible estatutariamente por las Comunidades Autónomas. También sería una invasión competencial que la normativa estatal condicione el otorgamiento de autorizaciones de estaciones de servicio por parte de las Administraciones autonómicas a la previa obtención de una certificación de distancias por parte de un Registro estatal, aunque sería legítimo que la propia normativa autonómica exija ese certificado y es plenamente constitucional la creación de ese Registro central de información para tener constancia del cumplimiento del régimen de las distancias mínimas, pero sin intermediar por ello en el ejercicio de esa competencia ejecutiva autonómica.

[43] Nuevamente en la STC 197/1996, de 28 de noviembre, el Tribunal anula la pretensión del legislador estatal en la Ley de ordenación del sector de 1992 de atribuirse genéricamente "el otorgamiento de las autorizaciones administrativas que no sean competencia de las CCAA según sus Estatutos" y de otorgar carácter básico a esa disposición, ya que sólo el concreto contenido material de esa actuación permitirá dilucidar ese efecto. También *colisiona frontalmente con el orden competencial* fijado en la Constitución

En el específico ámbito ejecutivo de la emisión de autorizaciones de actividades (de exploración, de investigación y de explotación de hidrocarburos, y de distribución y comercialización de los productos derivados), será decisiva para determinar la Administración competente para autorizarlas la incidencia o repercusión de las mismas en el sistema general de suministro[44]. De todas formas, aun en el caso de que esos efectos tengan un alcance territorial superior al de la Comunidad Autónoma, el Estado no tendrá por qué asumir una competencia ejecutiva cuando ésta sea susceptible de fraccionamiento o pueda ejercerse mediante mecanismos de cooperación y coordinación[45].

Respecto de la autorización de infraestructuras al servicio del transporte y distribución de hidrocarburos, las Comunidades Autónomas sólo serán competentes cuando éstas ni atraviesen más de un territorio autonómico, ni su funcionamiento repercuta en el abastecimiento general. Esa doble condición espacio-funcional —común con otras infraestructuras radiales de transporte— sobre la extensión del trazado físico y el alcance del aprovechamiento de una instalación es sin duda un factor de arrastre de competencias hacia la Administración estatal. Primero, porque la dimensión extracomunitaria de cualquiera de esas condiciones jugará a favor del Estado. Y segundo, porque la organización en red de buena parte de las infraestructuras de transporte y distribución otorga al sector una configuración como sistema de vasos comunicantes y determina la formación de un mercado unitario, en el que las decisiones empresariales y administra-

---

que dicha Ley atribuyera carácter básico a sus Reglamentos de desarrollo en general e incluso pendientes de dictar (lo cual no significa negar que puedan tener ese carácter, que se deberá desprender del examen individualizado de sus concretas previsiones). De otra forma, se obstaculizarían indebidamente las facultades autonómicas de desarrollo legislativo, pues pasarían a tener un mero carácter residual.

[44] Por ejemplo, la autorización de operadores de carburantes y combustibles al por mayor, al entrañar importantes consecuencias para la economía nacional e incluso incidir en el sistema de importación de productos y en el sistema de reservas de seguridad, posee carácter básico y corresponde al Estado según la STC 197/1996, de 28 de noviembre. Sin embargo, esas circunstancias no concurren en el ámbito de los distribuidores al por menor, que deberán ser autorizados por las Administraciones autonómicas con competencia en la materia.

[45] Así lo afirma la STC 223/2000, de 21 de septiembre, siguiendo la doctrina de fallos anteriores (SSTC 329/1993, de 10 de diciembre, 243/1994, de 21 de julio, y 175/1999, de 30 de septiembre). El Estado sólo deberá asumir esas competencias ejecutivas sobre actuaciones que producen efectos fuera del territorio de una Comunidad Autónoma cuando se requiera un grado de homogeneidad en su ejercicio que sólo pueda garantizar un solo titular o sea necesario recurrir a un ente con capacidad de integrar intereses contrapuestos de varias Administraciones autonómicas.

tivas tendrán fácilmente repercusión global o al menos no será difícil que supere los límites de la Comunidad Autónoma[46]. Con todo, el TC ha insistido en que debe fijarse con precisión el alcance territorial directo del funcionamiento de las instalaciones para diferenciar cuándo la competencia autorizatoria es estatal y cuándo autonómica[47].

Por último, en el campo de la regulación, vigilancia y control de los nuevos mercados energéticos, es de apreciar cierta centralización en el Estado de algunas competencias administrativas en la materia, que viene ejerciendo mediante una entidad pública de ámbito estatal (la Comisión Nacional de la Energía y, a partir de 2013, de la Comisión Nacional de los Mercados y la Competencia), que es única para todo el territorio y monopoliza esas funciones, en detrimento de posibles facultades ejecutivas que puedan corresponder a las Comunidades Autónomas[48]. Aunque los subsectores ener-

---

[46]   En este sentido, la STC 24/1985, de 21 de febrero, reconoce que la elaboración de productos petrolíferos en una refinería, aunque esté localizada en un emplazamiento concreto, "está proyectada y regulada como una unidad, en relación con un mercado único, cuyas características y exigencias han determinado la fijación de la proporción de lo que de ella ha de destinarse al mercado nacional y a la exportación, así como la localización de los incrementos previstos de la capacidad de refino por empresas o zonas geográficas y otros factores". De ahí que ni siquiera el cambio de la capacidad de refino total de una instalación ni de su estructura entre productos ligeros, medios o pesados, sea una decisión intrascendente para el conjunto del sector, por lo que puede catalogarse como perteneciente a las bases del régimen energético. En efecto, "en algunas materias ciertas decisiones y actuaciones de tipo aparentemente coyuntural, que tienen como objeto la regulación inmediata de situaciones concretas, pueden tener sin duda un carácter básico por la interdependencia de éstas en todo el territorio nacional".

[47]   Así, la competencia para declarar de utilidad pública una ampliación de una red de oleoductos que interconectaba cinco refinerías y puertos con las zonas de mayor consumo, pertenecientes a la compañía CAMPSA y situada toda ella en Cataluña, fue declarada de la Generalitat por la STC 108/1996, de 13 de junio. Para el Tribunal esa instalación, al menos primariamente, es de aprovechamiento intracomunitario, como revela el dato de que el oleoducto sea de un único sentido y sólo disponga de una estación de cabecera, no estando en principio prevista la instalación de otra estación de bombeo en Barcelona, que posibilitaría el trasiego de productos petrolíferos desde Cataluña hacia la red general, a través de Aragón.

[48]   Como ya he tenido ocasión de exponer en mi monografía, *Infraestructuras en red y liberalización de servicios públicos*, INAP, Madrid, 2003, pp. 94 y ss., la creación de una agencia estatal que concentra todas las facultades reguladoras y arbitrales del sector supone la absorción de algunas competencias que debieran ser ejercidas por las Comunidades Autónomas y permite al Estado ejercer un control sobre ciertas decisiones autonómicas de regulación económica (téngase en cuenta que las decisiones de la CNE eran recurribles en alzada ante el Ministerio de Industria). Así, por ejemplo, conforme a los arts. 15.3 y 16.3 y 4 del Reglamento de la CNE, aprobado por Real Decreto 1339/1999,

géticos suelen tener dimensión nacional, e incluso peninsular y europea, nada impediría la creación de organismos reguladores de nivel autonómico, al estilo de cómo ha ocurrido en materia de defensa de la competencia a raíz de la STC 208/1999, de 11 de noviembre[49].

b. De la primera etapa democrática interesa destacar la creación del Instituto Nacional de Hidrocarburos (INH) en 1981, precisamente bajo la presidencia de otro Calvo-Sotelo, con el objetivo de aglutinar todas las participaciones públicas en el sector petrolero, hasta entonces dispersas en una serie de empresas públicas no integradas entre sí y dependientes tanto de la cartera de Hacienda como de la de Industria (Petroliber, Hispanoil, Campsa, Enpetrol, Eniepsa, Enagás y Butano)[50]. Su creación como rama desgajada del INI que cobra autonomía revela la importancia que este sector energético había cobrado como consecuencia de la crisis de la década precedente. El INH nace como una entidad de derecho público del art.

---

de 31 de julio, corresponde a esta entidad resolver los conflictos de acceso de terceros a las redes de transporte y distribución de energía (oleoductos y gasoductos), aunque se trate de instalaciones de competencia de una Comunidad Autónoma. En ese caso sólo se exige que la CNE solicite informe preceptivo y previo a la Administración autonómica, y le comunique posteriormente su resolución final.

Respecto a la nueva Comisión Nacional de los Mercados y la Competencia, el art. 36 de la Ley 3/2013, de 4 de junio, por la que se crea esta entidad, dispone que las decisiones de sus órganos superiores (Presidente y Consejo, tanto del pleno como de las salas) agotan la vía administrativa. En cambio, las decisiones de sus órganos inferiores, como son las Direcciones sectoriales, son susceptibles de recurso administrativo. También las resoluciones en materia sancionadora agotan la vía administrativa y son recurribles directamente en vía contenciosa (art. 29.4).

[49]   De momento las Comunidades Autónomas se han limitado a crear algunas entidades instrumentales para el desarrollo de sus políticas de eficiencia y ahorro energético y de fomento de las energías renovables, pero sin llegar a dotar a estos entes de competencias reguladoras del mercado. Puede ponerse el ejemplo de la Ley 9/1982, de 24 de noviembre (Ente Vasco de la Energía), la Ley 7/1996, de 3 de diciembre (Ente Regional de la Energía de Castilla y León), la Ley 7/1999, de 15 de abril (Agencia de Gestión de la Energía de Castilla-La Mancha), la Ley 8/2001, de 26 de noviembre (Agencia Valenciana de la Energía), la Ley 9/1991, de 3 de mayo (Instituto Catalán de la Energía), o la Ley 4/2003, de 23 de septiembre (Agencia Andaluza de la Energía). Cabe citar también el Instituto Energético de Galicia, la Agencia Regional de Gestión de Energía de la Región de Murcia o la Agencia Extremeña de la Energía. Salvo en el caso castellano-manchego, todos estos entes suelen tener personalidad jurídico-pública, aunque se sujeten en su actuación al Derecho privado.

[50]   Se trata de la Ley 45/1981, de 28 de diciembre, de creación de esta entidad. La Ley mantuvo el monopolio de las actividades de importación, distribución y venta de productos petrolíferos, que siguió también administrado por la Compañía Arrendataria del Monopolio, en la que perduraba la figura del Delegado del Gobierno en la sociedad.

6.1.b) de la Ley General Presupuestaria entonces vigente y reguladora de la tipología de entidades públicas instrumentales, adscrita al Ministerio de Industria y Energía y sometida al Derecho privado en su actividad externa. Salvo la red de distribución, todas las propiedades y derechos del Estado afectos al Monopolio de Petróleos quedaron adscritos directamente al INH.

Pocos años después, en 1986, el INH creó la empresa Repsol, de la que era accionista único, para proceder después escalonadamente a su privatización (OPVs sucesivas entre 1989 y 1997). Este es el origen del principal actor del mercado petrolero español, que en los últimos años ha iniciado una fuerte expansión internacional (opera ya en 25 países), especialmente tras la absorción en 1999 a la argentina YPF con ocasión de su privatización. Sin embargo, en abril de 2012 el Gobierno argentino ha decidido expropiar el 51% de las acciones de la compañía, expulsando así a Repsol de su accionariado, pasando a negociar con la americana Chevron su entrada en el sector para la explotación del yacimiento de Vaca Muerta.

3. La integración europea y el decidido impulso de liberalización económica

a. El sector de los hidrocarburos fue uno de los más afectados por el ingreso de España en la entonces Comunidad Económica Europea, exigiendo incluso la adopción de medidas legislativas previas de adaptación[51]. Las libertades comunitarias consagradas por los Tratados fundacionales han transformado paulatina pero completamente el régimen de importación, distribución y venta de estos productos, mediante la prohibición de mantener monopolios comerciales y la consiguiente introducción de la competencia en el sector[52]. Concretamente, el art. 48 del Tratado de Adhesión de

---

[51] Es el caso de la Ley 41/1984, de 1 de diciembre, de importación de productos objeto del monopolio de petróleos, de la Ley 45/1984, de 17 de diciembre, de reordenación del sector petrolero, y del Real Decreto-ley 5/1985, de 12 de diciembre, de adaptación del monopolio de petróleos. La primera abrió la importación de productos petrolíferos a terceros; la segunda facultó al Gobierno para transferir a CAMPSA la totalidad de los bienes y derechos afectados al monopolio de petróleos de los que era titular el Estado (valorados en unos 100.000 millones de pesetas), al tiempo que autorizó al INH para ceder participaciones de aquella empresa a las compañías de refino de petróleo; el tercero, anterior a la efectividad de nuestro ingreso en la Europa comunitaria, supuso la liberalización de la distribución y venta, al por mayor y al por menor, de ciertos productos petrolíferos, especialmente los importados de la Comunidad Económica Europea.

[52] Véase en este sentido Javier SALAS HERNÁNDEZ, voz "Hidrocarburos", en *Enciclopedia Jurídica Básica*, Civitas, Madrid, Tomo II, pp. 3311-3312. Sobre el proceso de desmontaje en nuestro país del monopolio de petróleos deben consultarse los trabajos

España a las Comunidades Europeas de 12 de junio de 1985 dio un plazo de cinco años al Reino de España para adecuar los monopolios nacionales de carácter comercial a la normativa comunitaria, y estableció en su Anexo V un calendario progresivo de supresión de derechos exclusivos de importación de productos petrolíferos.

Al expirar ese periodo de adaptación se procedió al desmontaje final del monopolio legal mediante la Ley 15/1992, de 5 de junio, de medidas urgentes para la progresiva adaptación del sector petrolero al marco comunitario, y la Ley 34/1992, de 22 de diciembre, de reordenación del sector petrolero, sobre todo en lo referido a la comercialización de carburantes y combustibles. De esta forma se cerraba la amplia etapa del monopolio público iniciado 65 años antes, y las actividades relacionadas con los productos petrolíferos (salvo su búsqueda y explotación en España) pasaban a ser declaradas *actividades de interés económico general.*

Una consecuencia directa de este paso fue la desaparición de la CAMPSA, después de haber absorbido todos los activos estatales del viejo Monopolio de Petróleos. Sus equipamientos e instalaciones de transporte y almacenamiento dieron lugar a la nueva Compañía Logística de Hidrocarburos (CLH), descomponiéndose el resto de los activos de la sociedad entre sus accionistas refineros, que pasaron a tener medios y habilitación legal para la comercialización de sus productos[53]. CLH heredó así la red logística española de productos petrolíferos, pero ya como entidad privada y sin reserva legal de actividades a su favor, convirtiéndose en una empresa mayorista de transporte de carburantes por medio de sus oleoductos, sus almacenamientos, sus camiones cisternas y sus gabarras o barcazas. Pasos liberalizadores posteriores han supuesto la reordenación del capital de la compañía para evitar su completo control corporativo o incluso por parte de algún operador concreto[54], y la apertura del uso de esas instalaciones

---

coetáneos de José Antonio GARCÍA DE COCA, *Sector petrolero español. Análisis jurídico de la* despublicatio *de un servicio público,* Tecnos, Madrid, 1996, de José Manuel SALA ARQUER, *La liberalización del monopolio de petróleo en España,* Marcial Pons, UAM, 1995, y de Germán VALENCIA MARTÍN, "La supresión del monopolio y el nuevo régimen jurídico del sector petrolero", en *RAP,* nº 138 (1995), pp. 283 y ss.

[53]   Esta operación está bien descrita por Ángel Manuel ALMENDROS MANZANO, "La escisión de CAMPSA: el penúltimo paso antes del fin del monopolio de petróleos", en *RAP* nº 129 (1992), pp. 349 y ss.

[54]   Legalmente (art. 1.1 del Real Decreto-ley 6/2000, de 23 de junio) se han introducido ciertas limitaciones accionariales, que prohíben que los operadores petrolíferos con actividad de refino en España puedan copar más del 45% de su capital, sin superar ninguno individualmente el 25%.

a las empresas del sector de la distribución en condiciones reguladas para incentivar la competencia.

b. Pero el proyecto de la Unión Europea es todavía más ambicioso como para detenerse en el mero levantamiento de los monopolios nacionales de mercado. El proceso de integración europea apunta hoy hacia la creación de verdaderos mercados de dimensión continental, que favorecerán el desarrollo económico general y armónico, y permitirán, en el ámbito energético, un abastecimiento más estable y eficiente[55].

Esta aspiración se antoja aún lejana en el tiempo, pues topa con serias dificultades político-normativas y físicas. Las primeras, derivadas de la disparidad de las regulaciones nacionales y especialmente del distinto y deficiente grado de liberalización o levantamiento del sistema tradicional de reserva estatal de actividades y de suministro en régimen de servicio público, están tratando de armonizarse mediante Directivas cada vez más ambiciosas que imponen ritmos generales de reforma[56]. Las segundas de-

---

[55]   Como paso intermedio en ese camino puede señalarse la creación del nuevo Merca-
       do Ibérico de la Electricidad (MIBEL), mediante la unificación de toda la península
       como un único mercado de generación y abastecimiento eléctricos. De esta forma,
       las cinco grandes eléctricas españolas (Endesa, Iberdrola, Unión Fenosa, Hidrocan-
       tábrico y Viesgo), junto a Gas Natural (que se ha fusionado por absorción con Unión
       Fenosa), pasan a competir con el ex monopolista portugués (EDP) en un terreno am-
       pliado. La entrada en funcionamiento del sistema se ha retrasado por cuestiones polí-
       ticas, regulatorias, dado que el sistema portugués no está suficientemente liberalizado
       como para fundirse con el español, y técnicas, puesto que aún es deficiente nuestra
       capacidad de interconexión con Portugal como para hacer que el mercado sea fluido.
       De hecho, el Convenio internacional relativo a la constitución de un mercado ibérico
       de la energía eléctrica entre el Reino de España y la República Portuguesa, hecho en
       Santiago de Compostela el 1 de octubre de 2004, que preveía la necesaria unificación
       de organismos reguladores del sector, no se ha ejecutado hasta julio de 2011. Para
       la organización y seguimiento del MIBEL se ha creado un Operador del Mercado
       Ibérico (OMI) que es una entidad con dos sociedades matrices, que se corresponden
       con los operadores del mercado español (OMEL) y el portugués. Para su buen fun-
       cionamiento, estas sociedades tienen participaciones cruzadas del 10%, y a su vez cada
       una participa al 50% en las nuevas dos sociedades gestoras del mercado: el OMI Polo
       Portugués (OMIP), que organiza el mercado a plazo de electricidad, y el OMI Polo
       Español (OMIE), que organiza el mercado *spot* o al contado de electricidad.

[56]   Deben destacarse en este sentido la Directiva 98/30/CE, del Parlamento y del Con-
       sejo, de 22 de junio de 1998, sobre normas comunes para el mercado interior del gas
       natural y la Directiva 90/377/CEE, del Consejo, de 29 de junio, relativa a un proce-
       dimiento comunitario que garantice la transparencia de los precios aplicables a los
       consumidores industriales finales de gas y de electricidad. La primera de ellas fue
       derogada por la Directiva 2003/55/CE, del Parlamento y del Consejo, de 26 de ju-
       nio de 2003, que establece nuevas normas comunes para el Mercado Interior del Gas

rivan de la falta de infraestructuras de alta capacidad de interconexión, que conviertan los actuales sistemas nacionales en vasos comunicantes, como presupuesto esencial para la formación de un mercado europeo de la energía, cuyas transacciones no estén condicionadas por limitaciones de conducción. Al menos, la voluntad de la Unión Europea es la de apoyar la formación de grandes redes transeuropeas de transporte, energía y telecomunicaciones, que faciliten el flujo de la competencia en algunos segmentos[57]. Ese apoyo se traduce en importantes partidas de los fondos

---

Natural, la cual ha sido objeto de transposición al ordenamiento español mediante la Ley 12/2007, de 2 de julio, de modificación de la LSH. A su vez, esta Directiva ha sido reemplazada por la Directiva 2009/73/CE, del Parlamento Europeo y del Consejo, de 13 de julio de 2009, sobre normas comunes para el mercado interior del gas natural, cuyo plazo de transposición expiró el 1 de marzo de 2011. Mediante el Real Decreto-Ley 13/2012, de 30 de marzo, se transpusieron en España las directivas en materia de mercados interiores de electricidad y gas y en materia de comunicaciones electrónicas, además de adoptar medidas para la corrección de las desviaciones por desajustes entre los costes e ingresos de los sectores eléctrico y gasista. En efecto, las tres Directivas mencionadas fueron acompañadas de otras respectivas para el sector de la electricidad, y constituyen de momento los tres paquetes legislativos de la UE en materia de liberalización de los mercados energéticos (1996-98; 2003; y 2009).

[57]   En el ámbito del gas natural se han dado pasos importantes mediante la Directiva 91/296/CEE, del Consejo, de 31 de mayo, relativa al tránsito de gas natural a través de las grandes redes (DOCE, L, de 12 de junio de 1991), cuya lista de entidades afectadas fue actualizada por las Directivas 94/49/CE, de la Comisión, de 11 de noviembre de 1994, y 95/49/CE, de la Comisión, de 26 de septiembre de 1995. Estas Directivas quedaron derogadas en 2003 por la Directiva 2003/55/CE, del Parlamento y del Consejo, de 26 de junio de 2003, relativa al mercado interior del gas natural. Posteriormente, se dictó el Reglamento (CE) 1775/2005, de 28 de septiembre, del Parlamento y del Consejo, sobre las condiciones de acceso a las redes de transporte de gas natural, que ha sido derogado y sustituido por el vigente Reglamento (CE) 715/2009, de 13 de julio de 2009, por el que se regula la Red Europea de Gestores de Redes de Transporte de Gas, que elaborará códigos de red que faciliten el tránsito del gas natural por los gasoductos europeos.
En este ámbito se ha potenciado la formación de reguladores a nivel de la UE. Mediante la Decisión 95/539/CE —modificada por la Decisión 98/285/CE, de 23 de abril de 1998—, se constituyó un *Comité de expertos en materia de tránsito de gas natural a través de las grandes redes*, de manera paralela, al Comité de expertos para el tránsito de electricidad a través de las grandes redes creado unos años antes por la Decisión 92/167/CEE. Debido a la íntima correlación de estos dos sectores en 2003 la Comisión refundió esos comités mediante la Decisión 2003/796/CE, de 11 de noviembre de 2003, por la que se estableció el *Grupo de organismos reguladores europeos de la electricidad y el gas*, como grupo consultivo independiente, en el que la Comisión europea tenía representación estable. Finalmente, a través del Reglamento (CE) 713/2009, del Parlamento Europeo y del Consejo, de 13 de julio de 2009, se creó una Agencia de Cooperación de los Reguladores de la Energía (ACER), con sede en Eslovenia, que permite facilitar la consulta, coordinación y cooperación entre los organismos reguladores de los Estados

comunitarios para la construcción y mejora de infraestructuras en tramos reconocidos como estratégicos[58].

4. La regulación vigente: los nuevos mercados en competencia

El cambio de Gobierno surgido de las urnas en 1996 determinó el inicio de una nueva etapa de liberalización de mercados, privatización de empresas públicas y desregulación de actividades, que ha repercutido notablemente en el ámbito de la energía y de los hidrocarburos[59]. Fruto de esa

---

miembros y entre estos organismos y la Comisión europea, no ya en materia de gestión de las grandes redes, sino en general sobre la creación del mercado interior del gas natural y de la electricidad. En consecuencia, mediante la Decisión 2011/280/UE, de 16 de mayo, se derogó la Decisión 2003/796/CE y el Grupo creado por ella.

[58] La regulación al respecto vino establecida por el Reglamento (CE) 2236/95, del Consejo, de 18 de septiembre de 1995, por el que se determinan las normas generales para la concesión de ayudas financieras comunitarias en el ámbito de las redes transeuropeas (DOCE, L, de 23 de septiembre de 1995), que fue objeto de diversas modificaciones sucesivas (Reglamentos CE nº 1655/1999, 788/2004, 807/2004 y 1159/2005). Mediante esas ayudas la UE aporta hasta un 30% del coste de los proyectos, que deben ser completados en su mayor parte con financiación de los Estado miembros, aunque también cabe contar con el apoyo de los Fondos Estructurales, de ayudas del Banco Europeo de Inversiones o con contribuciones procedentes del sector privado.
Para el desarrollo de esas infraestructuras energéticas se dictó la Decisión 1254/96/CE, del Parlamento Europeo y del Consejo, de 5 de junio, por la que se estableció un conjunto de orientaciones sobre las redes transeuropeas en el sector de la energía (DOCE, L, de 29 de junio de 1996). Esta Decisión contenía una lista indicativa de proyectos de interés común para la Unión Europea. La lista fue actualizada y ampliada mediante la Decisión 1047/97/CE (DOCE, L, de 11 de junio de 1997) y mediante la Decisión 1741/99/CE, del Parlamento Europeo y del Consejo, de 29 de julio de 1999 (DOCE, L, de 6 de agosto de 1999). Además, se aprobó la Decisión 96/391/CE, del Consejo, de 28 de marzo de 1996, por la que se determinaron un conjunto de acciones para establecer un contexto más favorable para el desarrollo de las redes transeuropeas en el sector de la energía (DOCE, L, de 29 de junio de 1996). Todas estas Decisiones adoptadas en 1996 fueron reemplazadas por la Decisión 1364/2006/CE, del Parlamento europeo y del Consejo, de 6 de septiembre, por la que se establecieron orientaciones sobre las redes transeuropeas en el sector de la energía (DOCE, L, de 22 de septiembre de 2006). Finalmente, se ha aprobado el Reglamento (UE) 347/2013, de 17 de abril, del Parlamento europeo y del Consejo, relativo a las orientaciones sobre las infraestructuras energéticas transeuropeas, que deroga a su vez la Decisión 1364/2006/CE. Este Reglamento identifica los corredores y áreas prioritarias en materia de infraestructura energética en Europa, y regula el régimen de los proyectos de interés común, que son aquellos que desarrollan esos corredores y áreas prioritarias.

[59] Para una exposición detallada de este periodo pueden consultarse los trabajos monográficos elaborados por la Fundación de Estudios de Regulación: Nicolás HERNÁNDEZ CASTILLA y Lucía LÓPEZ DE CASTRO, *Privatizaciones, liberalización y bienestar*,

acción de gobierno es la vigente ley de cabecera del sector: la Ley 34/1998, de 7 de octubre, del sector de Hidrocarburos (LSH), publicada en el BOE de 8 de octubre de 1998[60], que ha sido objeto de sucesivas reformas y actualizaciones.

Análisis preliminar de los sectores de energía y telecomunicaciones, Comares, Granada, 1999, y los libros colectivos dirigidos por Gaspar ARIÑO ORTIZ, *Liberalizaciones 2000*, Comares, Granada, 2000, y *Privatizaciones y liberalizaciones en España: balance y resultados*, Comares, Granada, 2004, que es el más completo, y en el que se dedica un Tomo I a los aspectos jurídicos del proceso privatizador, así como al sector de las telecomunicaciones, y un Tomo II al sector energético (gas, electricidad, petróleo). Además, existe un volumen separado en el que los autores ofrecen los resúmenes de sus trabajos.

[60]   Como no podía ser menos en el actual estado de vorágine normativa, la ley ha sido objeto en estos años de diversas modificaciones de distinto calado. Quizás las más importantes son las que se han producido en los años 2000 (Real Decreto-ley 6/2000, de 23 de junio, de liberalización del sector), 2007 (Ley 12/2007, de 2 de julio, para la transposición de la Directiva 2003/55/CE) y 2012 (Real Decreto-ley 13/2012, de 30 de marzo, para la transposición de la Directiva 2009/73/CE). Pero la ley ha sido asaeteada por toda una serie de leyes-medida, como son las leyes de acompañamiento presupuestario, hasta que desaparecieron, así como por los ya acostumbrados Decretos-ley de reforma económica de los que vienen abusando nuestros gobiernos. Entre los primeros están la Ley 50/1998, de 30 de diciembre, en relación con los Presupuestos Generales del Estado para 1999 (art. 108), la Ley 55/1999, de 29 de diciembre (art. 71), la Ley 24/2001, de 27 de diciembre (arts. 19 y 76), la Ley 53/2002, de 30 de diciembre, para los Presupuestos Generales de 2003 (art. 93), y la Ley 62/2003, de 30 de diciembre, respecto a los Presupuestos para 2004. Entre los segundos se cuentan el Real Decreto-ley 6/1999, de 16 de abril, de medidas urgentes de liberalización e incremento de la competencia, el Real Decreto-ley 6/2000, de 23 de junio, de medidas urgentes de intensificación de la competencia en mercados de bienes y servicios, ya mencionado; el Real Decreto-ley 10/2000, de 6 de octubre, de medidas urgentes de apoyo a la agricultura, la pesca y el transporte; el Real Decreto-ley 5/2005, de 11 de marzo, de reformas urgentes para el impulso a la productividad y para la mejora de la contratación pública; el Real Decreto-ley 4/2006, de 24 de febrero, por el que se modifican las funciones de la Comisión Nacional de Energía; el Real Decreto-ley 7/2006, de 23 de junio, por el que se adoptan medidas urgentes en el sector energético; el Real Decreto-ley 1/2009, de 23 de febrero, de medidas urgentes en materia de telecomunicaciones; el Real Decreto-ley 6/2009, de 30 de abril, por el que se adoptan determinadas medidas en el sector energético y se aprueba el bono social; el Real Decreto-ley 13/2012, de 30 de marzo, por el que se transponen directivas en materia de mercados interiores de electricidad y gas y en materia de comunicaciones electrónicas, y por el que se adoptan medidas para la corrección de las desviaciones por desajustes entre los costes e ingresos de los sectores eléctrico y gasista, ya mencionado antes; el Real Decreto-ley 4/2013, de 22 de marzo, de medidas de apoyo al emprendedor y de estímulo del crecimiento y de la creación de empleo. Finalmente, no faltan algunas modificaciones introducidas por leyes ordinarias de distinto ámbito, como la Ley 13/2003, de 23 de mayo, reguladora del contrato de concesión de obras públicas; la Ley 24/2005, de 18 de noviembre, de reformas para el impulso a la productividad; la Ley 25/2009, de 22

De modo semejante a otras leyes sectoriales de este periodo sobre electricidad, servicios postales o telecomunicaciones, la LSH se inscribe en una línea de marcada retirada del poder público como prestador o agente directo de provisión de bienes y servicios al mercado. Estas actividades, tradicionalmente reservadas como servicios públicos, deben ser hoy protagonizadas por la iniciativa privada en régimen de concurrencia, que se entiende mejor capacitada para ofrecer a la sociedad medios de transporte, suministro de energía y servicios de comunicación en las mejores condiciones tecnológicas, de precio y de eficiencia. El nuevo sistema está presidido por el principio de libertad de entrada y de inversión en sectores y actividades estratégicas de interés general.

Se ha conformado así un nuevo Estado regulador o garantizador, como variante del Estado del bienestar que hemos conocido en el último medio siglo[61]. En este nuevo entorno de libertad de empresa y de mercado, al menos teórico, en el que la Administración ya no es la dispensadora de productos y servicios energéticos, ni directos ni indirectos, sino que garantiza su provisión[62], la intervención de los poderes públicos deberá discurrir de modo principal por nuevos cauces de corte regulador, que marquen las condiciones técnico-jurídicas de desenvolvimiento de estas actividades económicas y corrijan las desviaciones y prácticas restrictivas de la competencia. Más en concreto, esas medidas regulatorias deberán garantizar, por

---

de diciembre, de modificación de diversas leyes para su adaptación a la Ley sobre el libre acceso a las actividades de servicios y su ejercicio; la Ley 2/2011, de 4 de marzo, de Economía Sostenible; la Ley 12/2011, de 27 de mayo, sobre responsabilidad civil por daños nucleares o producidos por materiales radiactivos; y la Ley 3/2013, de 4 de junio, de creación de la Comisión Nacional de los Mercados y la Competencia.

[61] Como explica la Exposición de Motivos de la Ley, ésta "pretende conseguir una regulación más abierta, en la que los poderes públicos salvaguarden los intereses generales a través de la propia normativa, limitando su intervención directa en los mercados cuando existan situaciones de emergencia". En concreto, "la supresión de la reserva a favor del Estado (de la exploración, investigación y explotación de hidrocarburos) responde a la necesidad de configurar tal Estado como regulador y no como ejecutor de una determinadas políticas industriales".

[62] A pesar del protagonismo del libre mercado, el art. 49 LSH garantiza que todos los consumidores tienen derecho al suministro de productos derivados del petróleo en todo el territorio nacional, mientras que el art. 57 hace lo propio respecto de los gases combustibles por canalización. De todas formas, el art. 49.2 (art. 101.2 respecto del gas natural) habilita al Gobierno para adoptar, en situaciones de escasez, medidas ejecutivas extraordinarias (desde limitaciones a la circulación o a la velocidad máxima de vehículos, buques y aeronaves, hasta la intervención de los precios de venta). Por su parte, el art. 88 LSH regula los términos en los que podrá suspenderse el suministro de gases combustibles.

un lado, el suministro universal de bienes y servicios a niveles razonables de calidad y precio, estableciendo si es preciso obligaciones concretas a los operadores de cada sector, y por otro, el respeto a la libre formación de los mercados, persiguiendo las prácticas anticompetitivas y los abusos de posición dominante, como son las que disfrutan de partida los ex-monopolistas de estas actividades al inicio de liberalización (como es el caso de los grupos Repsol y Gas Natural en el ámbito de los hidrocarburos). Naturalmente, esa potestad normativa y reguladora general del mercado viene asegurada por los tradicionales poderes de inspección y sanción, así como por otras técnicas de intervención, como la planificación pública económica y de desarrollo de grandes infraestructuras, el control de la seguridad de las instalaciones, sujetas a autorización y revisión, o la obligación de mantenimiento en el sistema de unas existencias mínimas y estratégicas de productos.

En consecuencia, aunque la primera parte del ciclo de los hidrocarburos (investigación, exploración y explotación), al tener conexión directa con un bien público como son los yacimientos, está sujeta a control administrativo —aunque ya sin reserva de explotación a favor del Estado—, el resto de actividades (desde la importación e intercambio comunitario, hasta la comercialización final de derivados del producto y de gas natural) están presididas por el reconocimiento de la libre iniciativa empresarial (art. 2.2) y son consideradas como *actividades de interés económico general*[63],

---

[63] Para superar las limitaciones conceptuales que arrastra la noción de servicio público y para explicar el papel que corresponde al poder público y a la iniciativa privada en nuestra sociedad, se adoptó en la Europa comunitaria la noción de *actividad o servicio de interés general*. Con ella se alude a sectores cualificados o esenciales, que a diferencia de otros comunes tienen una relevancia especial para el funcionamiento de la sociedad moderna, y cuya provisión a favor de la colectividad se compromete a garantizar el poder público en condiciones de universalidad, seguridad, continuidad y calidad, imponiendo las correspondientes obligaciones de servicio público, de manera determinados servicios y niveles de prestación se convierten en conquistas consolidadas propias del Estado social o del bienestar en el que vivimos, pero sin necesidad de asumir de modo directo o indirecto su gestión.
El término de servicios de interés general, en su vertiente económica, apareció en los artículos 16 y 86.2 del Tratado de la Comunidad Europea (hoy artículos 14 y 106.2 del Tratado de Funcionamiento de la Unión Europea, el primero de los cuales habilita al Consejo y al Parlamento para dictar Reglamentos con arreglo al procedimiento legislativo ordinario sobre los principios y condiciones económicas y financieras para su prestación) y se mencionaba hasta cuatro veces en el proyecto de Constitución europea, que reconocía un derecho fundamental de los ciudadanos a acceder a esos servicios. Aparte de diversas declaraciones de las instituciones comunitarias, cabe consultar el *Libro Verde sobre los Servicios de Interés General en Europa* (COM (2003) 270 final, de 21 de

tal como apuntó ya la Ley 34/1992, de 22 de diciembre, de ordenación del sector petrolero. Este cambio ha sido especialmente acusado en el segmento del gas natural, donde se ha levantado el régimen de servicio público que estableció la Ley 10/1987, de 15 de mayo, de disposiciones básicas para un desarrollo coordinado de actuaciones en materia de combustibles gaseosos[64], y se aspira a liberalizar total o parcialmente los precios de las transacciones mercantiles[65].

Como estos nuevos mercados están necesariamente intermediados por una red de oleoductos, almacenamientos y gasoductos de gestión unitaria, el funcionamiento del nuevo régimen requiere la aplicación de dos técnicas fundamentales: la separación de actividades y la garantía de acceso a las redes estratégicas. En efecto, por un lado, la ley obliga a los propietarios de las infraestructuras a dar servicio a los operadores que lo soliciten en condiciones objetivas y no discriminatorias en función de su capacidad, y por otro, la ley prohíbe que las empresas puedan prestar a la vez actividades de red (transporte o distribución) y actividades de producción o comercialización (que son previas o posteriores al paso por la red), para evitar que el control de las infraestructuras se haga al dictado de algún operador en un mercado de origen o final. De esta manera, se especifican los distintos tipos de sujetos que actúan en el sistema: transportistas, distribuidores, comercializadores y consumidores, aparte de los sujetos que generan o aportan energía al sistema y de las entidades públicas reguladoras.

---

mayo), publicado por la Comisión Europea, y seguido un año más tarde por un nuevo *Libro blanco*, publicado mediante Comunicación de la Comisión al Parlamento europeo, al Consejo, al Comité Económico y Social Europeo y al Comité de las Regiones el 12 de mayo de 2004 (COM (2004) 374 final). Según el Libro Verde, los cuales se clasifican en económicos y no económicos, aunque es indudable que el documento se centra en los primeros, que además divide según se presten o no en red. Más recientemente, el Tratado de Lisboa ha incorporado a los tratados constitutivos un Protocolo sobre los servicios de interés general, que tiene igual valor jurídico que aquéllos y que realiza precisiones sobre la protección de los servicios de interés económico general a nivel europeo. Precisamente la aprobación de este Tratado ha supuesto la entrada en vigor de la Carta de Derechos Fundamentales de la Unión Europea, cuyo art. 36 regula el acceso a dichos servicios: "La Unión reconoce y respeta el acceso a los servicios de interés económico general, tal como disponen las legislaciones y prácticas nacionales, de conformidad con el Tratado constitutivo de la Comunidad Europea, con el fin de promover la cohesión social y territorial de la Unión".

[64]   En su Preámbulo se afirma que "el conjunto de las actividades reguladas en esta Ley no requieren de la presencia y responsabilidad del Estado para su desarrollo". De esta forma, la DD Única LSH viene a excluir del art. 86.3 LBRL la referencia al suministro de gas como servicio público local, reservado a favor de estas Corporaciones.

[65]   "Especialmente las referidas al gas natural cuando haya señales suficientes en el mercado que lo hagan posible", sostiene la Exposición de Motivos. Luego, en concreto, el art. 97 LSH añade que "cuando la situación del mercado lo haga recomendable, el Gobierno podrá acordar la liberalización, total o parcial, de las tarifas, peajes y cánones".

Al servicio de este nuevo modelo de intervención pública la LSH creó la Comisión Nacional de la Energía como entidad reguladora independiente de los mercados energéticos, aunque no del poder público, pues está adscrita al Ministerio de Industria, Comercio y Turismo[66]. La Comisión ha estado regida por un Consejo de Administración y dentro de ella se constituyó específicamente un Consejo Consultivo de Hidrocarburos (con un número máximo de 37 miembros) con funciones de asesoramiento e informe de las actuaciones de la propia CNE, que contaba a su vez con una Comisión Permanente más operativa. Recientemente se ha producido un cambio importante que ha supuesto la reordenación de los organismos reguladores de la competencia en general y de los mercados regulados en particular. Mediante la Ley 3/2013, de 4 de junio, se ha creado la nueva Comisión Nacional de los Mercados y la Competencia, que absorbe a las anteriores Comisión Nacional de la Competencia, Comisión Nacional de Energía, Comisión del Mercado de las Telecomunicaciones, Comisión Nacional del Sector Postal, Comité de Regulación Ferroviaria, Comisión Nacional del Juego, Comisión de Regulación Económica Aeroportuaria y Consejo Estatal de Medios Audiovisuales, que quedan extinguidos. El nuevo macroorganismo está regido por un Presidente y un Consejo, que consta de pleno y de comisiones, y cuenta con cuatro direcciones de inspección para llevar los asuntos de competencia en general, de telecomunicaciones y sector audiovisual, de energía, y de transportes y sector postal. Además, la ley citada crea un nuevo Consejo Consultivo de Energía, como órgano de estudio, deliberación y propuesta en materia de política energética y mi-

---

[66] Esta entidad nació como *Comisión Nacional del Sistema Eléctrico* en la Ley de ordenación del sistema eléctrico nacional, de 30 de diciembre de 1994, que fue sustituida poco después por la Ley 54/1997, de 27 de noviembre, del sector eléctrico, actualmente vigente. Posteriormente, la DA 11ª de la Ley 34/1998, de 7 de octubre, del sector de Hidrocarburos, procedió a su refundación como *Comisión Nacional de la Energía* al asumir competencias tanto sobre el mercado eléctrico como sobre los mercados de hidrocarburos líquidos y gaseosos, por su evidente interconexión. Junto a esa extensa DA 11ª y la DA 12ª, relativa a su financiación, este organismo público se regula por el Real Decreto 1339/1999, de 31 de julio, por el que se aprueba el Reglamento de la CNE, modificado por el Real Decreto 3487/2000, de 29 de diciembre, que a su vez prevé la aprobación de un reglamento interno de funcionamiento.

En cuanto a su dependencia funcional, la CNE ha peregrinado desde el Ministerio de Industria y Energía, hacia el Ministerio de Economía cuando se suprimió aquél, para volver después de nuevo Ministerio de Industria. La reciente creación en 2013 de la Comisión Nacional de los Mercados y la Competencia ha supuesto la readscripción del organismo al Ministerio de Economía y Competitividad, sin perjuicio de que se mantenga la relación funcional con el hoy Ministerio de Industria, Energía y Turismo para el ejercicio de las funciones relacionadas con los sectores energéticos.

nas, presidido por el Secretario de Estado de Energía, o persona en quien delegue. Éste órgano de participación y consulta sustituye al hasta ahora Consejo Consultivo de Hidrocarburos de la CNE.

Además, desde la aprobación de la Ley del 98 se han ido sucediendo —aparte del propio desarrollo reglamentario de la misma— una serie de medidas y reformas gubernamentales de corte regulador, adoptados tanto por Decreto-ley como mediante leyes de acompañamiento presupuestario, para estimular la competencia en los diversos segmentos del abastecimiento energético (por ejemplo, una moratoria de crecimiento de la red de estaciones de servicio de Repsol y Cepsa, por ser las mayoritarias del sector, o la habilitación para distribuir carburantes en grandes establecimientos comerciales y combustibles envasados en las estaciones de servicio). En este sentido deben destacarse el Real Decreto-ley 6/1999, de 16 de abril, de medidas urgentes de liberalización e incremento de la competencia[67], el Real Decreto-ley 15/1999, de 1 de octubre, por el que se aprueban medidas de liberalización, reforma estructural e incremento de la competencia en el sector de hidrocarburos[68], y el Real Decreto-ley 6/2000, de 23 de junio, de medidas urgentes de intensificación de la competencia en mercados de bienes y servicios[69], de especial trascendencia, entre otras, recogidas en una nota a pie de página anterior.

Si hacemos un escueto balance de este periodo proceso de liberalización que hemos vivido, hay que concluir que los resultados han sido bastante discretos. El mercado está ahora controlado, en un marco formal de libertad comercial, por un puñado de grandes empresas, que bien son herederas del monopolio público tradicional o bien proceden de grandes multinacionales, y que se caracterizan por una fuerte integración vertical o presencia en las distintas fases del mercado y por la creciente diversifica-

---

[67]   Este Decreto-ley, que también afecta al sector eléctrico, adelanta el calendario de elegibilidad de los consumidores de gas natural y acorta el plazo por el que las concesiones de distribución (transformadas por la LSH en autorizaciones) dan derechos de suministro exclusivo.

[68]   Este Decreto-ley ha sido desarrollado en su art. 7 (Carteles informativos en las carreteras sobre las distancias a las siguientes estaciones de servicio y sus precios) por el Real Decreto 248/2001, de 9 de marzo.

[69]   Este Decreto-ley modifica una veintena de preceptos de la LSH, y ha supuesto una notable alteración del sector. Entre otras medidas, acelera el calendario de elegibilidad, obliga a asignar un 25% del gas procedente del entonces único gasoducto con Argelia a los nuevos comercializadores de gas, erige a Enagás en el gestor técnico del sistema gasista, y anuncia una rebaja de tarifas y peajes. Posteriormente, mediante la Orden de 29 de junio de 2001, se aplicó el reparto del gas procedente del contrato de Argelia.

ción de su oferta energética, debido a la marcada interrelación de los subsectores de los carburantes, del gas natural y de la electricidad. Y aunque en líneas generales ha mejorado el servicio y se ha ampliado la oferta (hay muchos más puntos de venta de gasolinas y de bombonas de butano), los precios han sido casi siempre alcistas y sin apenas variaciones entre compañías a causa de la concurrencia.

IV. LOS HIDROCARBUROS COMO BIEN PÚBLICO: SU DEMANIALIDAD

Desde el punto de vista del régimen de los bienes públicos, es preciso distinguir entre el recurso natural de los hidrocarburos (régimen de los yacimientos) y las infraestructuras e instalaciones necesarias para su tratamiento y distribución entre los consumidores. El primero tiene una naturaleza demanial inequívoca, hasta que no sea objeto de apropiación singular por el concesionario o adjudicatario de un derecho exclusivo de explotación[70]. Las segundas han sido tradicionalmente bienes afectados a la prestación de un servicio público desarrollado en régimen de monopolio. En cambio, a raíz de la liberalización del sector petrolero estas instalaciones han pasado a tener la condición de bienes pertenecientes a los operadores privados del sector, aunque sometidos a un importante régimen de intervención regulatoria pública. Se trata de bienes instrumentales para el ejercicio de una actividad de interés económico general, que son tan imprescindibles como el propio recurso natural de los hidrocarburos, que de nada serviría si no pudiese tratarse en una planta de refino o de licuefacción, almacenarse en una reserva, y transportarse hasta el punto donde se necesita consumir. Estas instalaciones merecen la atención de un epígrafe específico.

---

[70] Cabe consultar en este sentido el clásico trabajo de Rafael ENTRENA CUESTA, "El dominio público de los hidrocarburos", en *RAP* nº 29 (1959), pp. 329 y ss., cuyo cuerpo se dedica a la naturaleza jurídica de estos yacimientos, de conformidad con la entonces vigente Ley de hidrocarburos de 1958. A partir de su proclamación legal como patrimonio inalienable e imprescriptible de la Nación, el autor comprueba que los hidrocarburos reúnen los cuatro elementos característicos del dominio público, definidos años antes por BALLBÉ PRUNES: el objetivo (son bienes inmuebles, según asegura el autor en la p. 334 y 335, sobre los que puede recaer la calificación demanial), el subjetivo (atribución a un ente público de su titularidad), el teleológico (afectación a una utilidad pública) y el normativo (sometimiento a un régimen jurídico especial).

Respecto de los hidrocarburos en estado natural, y haciendo uso de la remisión constitucional a la ley contenida en el art. 132.2 CE para concretar la identificación de los bienes demaniales del Estado, el art. 2.1 LSH declara que son bienes de dominio público estatal "los yacimientos de hidrocarburos y almacenamientos subterráneos existentes en el territorio del Estado y en el subsuelo del mar territorial y de los fondos marinos que estén bajo soberanía del Reino de España conforme a la legislación vigente y a los convenios y tratados internacionales de los que sea parte"[71]. Por tanto, y a pesar de lo discutido del concepto, se puede sostener que los hidrocarburos forman parte del demanio natural. Aunque sin duda es la ley la que establece su afectación, pudiéndose haber optado por algún otro sistema de atribución dominical, ésta hace su proclamación aprovechando la existencia de una categoría de bienes que ofrece la naturaleza[72].

El alcance de la declaración —en la que ahora quedan expresamente incluidos los yacimientos agotados del subsuelo que se utilicen como instalaciones naturales de almacenamiento dentro de la categoría demanial—, no presenta especiales dificultades, aparte de que la escasez de este tipo de recursos en nuestro territorio relativiza la trascendencia de su nacionalización. Sin embargo, desde el punto de vista del Derecho de los bienes públicos no deja de ser sorprendente que el carácter demanial de los hidrocarburos concluya con la adjudicación de la concesión demanial, en virtud de la cual su titular se apropia de los recursos de un yacimiento que extrae a la superficie por medios artificiales para su comercialización en el mercado, dominado por otra parte por los productos petrolíferos procedentes del extranjero. Lo mismo ocurre en la legislación minera respecto de los minerales sólidos, donde además se desprecian las extracciones esporádicas

---

[71] Fue la Ley 21/1974, de 27 de junio, de investigación y explotación de hidrocarburos, la que dio el paso de incluir expresamente los yacimientos del subsuelo del mar territorial y de los fondos marinos dentro del *dominio inalienable e imprescriptible de la Nación*, ya que no fueron mencionados por el Decreto-ley de 1927 ni por la Ley de 1958. De hecho, los pocos yacimientos de hidrocarburos que se explotan en España se extraen de plataformas *off-shore*. Por su parte, la referencia expresa a los almacenamientos subterráneos es novedad de la vigente Ley de 1998.

[72] Así los califica Rafael ENTRENA CUESTA, "El dominio público de los hidrocarburos", *cit.*, p. 336, que en nota a pie de página aclara que "el dominio público está integrado por los bienes que, naturalmente, tienen una determinada estructura y composición, pero de aquí no debe desprenderse que existe una serie de bienes demaniales por naturaleza según se ha mantenido en algún momento histórico". Y en este sentido cita el autor a HAURIOU, que combatió la antigua doctrina sobre cierta *predestinación* natural de algunos bienes a caer dentro del dominio público por no ser susceptibles de propiedad privada, así como a GARCÍA DE ENTERRÍA y a ÁLVAREZ GENDÍN.

y de poca importancia, pese a la declaración universal de los yacimientos y recursos geológicos como de dominio público[73].

En definitiva, si la finalidad del demanio es la de garantizar el disfrute colectivo de unos bienes naturales o artificiales (desde un río a una carretera), ya sea directamente en virtud de su uso público o indirectamente a través de la prestación de un servicio público (como en el caso de una vía de ferrocarril), el sentido de la calificación demanial de los hidrocarburos naturales, al igual que los yacimientos minerales en general, no está en el recurso en sí, es decir, en la garantía de su vinculación directa a un uso o servicio público, sino en la posibilidad de controlar y ordenar las actividades del sector extractivo. Nos encontramos más que con un título de atribución de dominio, con un título de intervención pública que permite a la Administración controlar los procesos de exploración, investigación y extracción de estos recursos naturales, y obtener en su caso ciertos ingresos fiscales[74].

Esa *publicatio* de los yacimientos de hidrocarburos tenía como efecto inmediato la prohibición de la libre explotación de los mismos, que quedaba reservada al Estado hasta que la inicie por sí mismo o se otorgue su concesión[75]. Se entiende que sólo de esta manera será posible ordenar estos procesos de explotación industrial y asegurar la garantía final de abastecimiento de combustibles y carburantes a los consumidores. Por tanto, la clave del carácter demanial de los hidrocarburos está, al igual que en el

---

[73]   En efecto, aunque el art. 2.1 de la Ley 22/1973, de 21 de julio, de minas, incluye como demaniales a todos los recursos mineros naturales existentes en el territorio nacional, el mar territorial y la plataforma continental, el propio art. 3.2 excluye de la aplicación de la ley "la extracción ocasional y de escasa importancia de recursos minerales, cualquiera que sea su clasificación, siempre que se lleve a cabo por el propietario de un terreno para su uso exclusivo y no exija la aplicación de técnica minera alguna".

[74]   Sobre el dominio público como técnica jurídica que da soporte a una serie de competencias de la Administración titular sobre esos bienes, frente a la concepción dominical tradicional, puede consultarse el trabajo de Julio V. GONZÁLEZ GARCÍA, *La titularidad de los bienes del dominio público*, Marcial Pons, Madrid, 1998.

[75]   En la actualidad incluso se ha establecido la supresión de esa tradicional reserva a favor del Estado por parte de la LSH. Como explica la exposición de motivos de la ley, esa supresión "responde a la necesidad de configurar tal Estado como regulador y no como ejecutor de unas determinadas actividades industriales". En consecuencia, los posibles recursos de hidrocarburos se deben adjudicar de manera necesaria mediante una concesión de explotación, normalmente precedida de un permiso de exploración. De todos modos, sobre la figura de la reserva cabe mencionar el clásico análisis de Manuel BALLBÉ PRUNES, "Las reservas dominiales (principios)", en *RAP* nº 4 (1951), pp. 75 y ss., y el trabajo más reciente de Javier BARCELONA LLOP, *La utilización del dominio público por la Administración: las reservas dominiales*, Pamplona, 1996.

caso de otros recursos públicos naturales de aprovechamiento consuntivo, en su valor estratégico para el sector energético, que lleva al poder público a intervenir y ordenar el proceso de su aprovechamiento, el cual queda mejor garantizado si se establece una reserva pública sobre las aguas territoriales, los hidrocarburos naturales o los minerales radiactivos, para luego adjudicar su explotación concreta y sustancial por medio de una concesión administrativa a quien reúne las mejores condiciones para su explotación.

Por esta razón, se entiende que el Código Civil, a la hora de definir en el art. 339 los títulos jurídicos aptos para incluir un determinado bien o categoría de bienes en el dominio público estatal, se refiera a su afectación al uso público, al servicio público, y "al fomento de la riqueza nacional", como ocurre con "las minas, mientras que no se otorgue su concesión"[76]. Se trata de un título genérico e impreciso[77], que luego no ha sido recogido

---

[76]   Para la concepción liberal del siglo XIX la concesión administrativa determinaría el fin de la demanialidad del recurso por haberse alcanzado el fin perseguido de fomento de la riqueza nacional, comportando la adquisición de la propiedad de la mina por su titular. Este sistema fue corregido por la legislación posterior, que concibe la concesión como un derecho temporal de explotación (acabándose con la perpetuidad de las concesiones), que permite la apropiación de los minerales separados del yacimiento, pero nunca la propiedad misma de la mina explotada. Sobre el régimen de atribución de la propiedad minera y sus distintos sistemas (*fundiario* o de pertenencia al dueño de la superficie, *regaliano* o de atribución al Rey o al Estado, *industrial* o de ocupación, a favor de quien prueba su existencia y la registra), puede consultarse la exposición de Ramón PARADA VÁZQUEZ, *Derecho Administrativo*, vol. III (Bienes públicos y Derecho urbanístico), 9ª edición, Madrid, 2002, pp. 248 a 259, y, sobre todo, el trabajo de José Luis VILLAR PALASÍ, "La naturaleza y regulación de la concesión minera", en *RAP* nº 1 (1950), pp. 79 y ss., en el que explica los cuatro sistemas de ordenación del régimen minero (fundiario o de accesión, regalista o feudal, demanial o del *Berghoheit*, e industrial o de la *Bergfreiheit*, también llamado liberal o de la ocupación). De manera más simplificada Alejandro VERGARA BLANCO ha analizado en "El problema de la naturaleza jurídica de la riqueza natural", *RAP* nº 173 (2007), pp. 447 y ss., y desde la perspectiva chilena los dos sistemas básicos de dominio minero: el de regalía, que atribuye al Estado ese dominio de los yacimientos en general, bien como mero dominio eminente asociado al concepto de soberanía, bien como titularidad patrimonial plena (tesis difícil de defender en la teoría y en la práctica, según el autor), y que proviene de la época medieval, y el de libertad minera, en el que no hay esa apropiación por parte del poder público, si bien la explotación se somete a un régimen de autorización administrativa prácticamente reglada.

[77]   En opinión de Alfredo GALLEGO ANABITARTE, "El Derecho de aguas en la historia y ante el Derecho comparado", en *El Derecho de aguas en España*, en colaboración con Menéndez Rexach y Díaz Lema, Madrid, 1986, la recepción de este título en el Código Civil condujo a la hipertrofia del dominio público, y se justifica en la demanialización de las minas y de los edificios públicos, producida unos años antes en virtud del Decreto-ley de 29 de diciembre de 1868 y de la Ley general de obras públicas de 13 de

por la legislación especial sobre bienes públicos, pero que se entendió entonces necesario para justificar la pertenencia al demanio de esta serie de recursos minerales consumibles[78].

La declaración por la ley de los minerales del subsuelo —y de los hidrocarburos en especial— como bienes públicos, cuando se desconoce tanto su existencia real como su ubicación concreta, no deja de llamar la atención. En su trasfondo podría subyacer como justificación la concepción absoluta del derecho de propiedad, de tradición romana, que llegó hasta el Código Civil español (tal como se constata en el art. 348, claramente inspirado a su vez en el art. 544 del *Code* napoleónico de 1804), y que hoy está claramente superada por el reconocimiento de la función social de la propiedad como elemento inherente del contenido normal del derecho dominical[79]. En lo que se refiere a la propiedad inmobiliaria en particular,

---

abril de 1877, respectivamente. Ni los yacimientos minerales ni las dependencias ministeriales podían pretenderse que estuviesen ligadas a un uso público ni a un servicio público formal. Se quiebra así la tradición decimonónica que concebía las minas como pertenencias patrimoniales del Estado: el Real Decreto de 1825 las calificaba como bienes de la Corona y la Ley de 1849 como bienes del Estado. Para el autor citado (p. 345), sin embargo, "las minas, en España, ni eran ni son de dominio público o del patrimonio del Estado, sino que es un bien reservado al Estado con una prohibición de explotación a los particulares, salvo concesión".

[78]   Rafael ENTRENA CUESTA, "El dominio público de los hidrocarburos", *cit.*, pp. 337-338, critica también que el fomento de la riqueza nacional sea uno de los títulos de afectación del dominio público. Si acaso, en su opinión, los hidrocarburos estarían afectados al uso público "pensando en el fomento de la riqueza nacional. El uso público no es fin en sí mismo, sino medio para el estímulo de la riqueza del país. El Estado abre al público el dominio de los hidrocarburos para que a través de esta apertura efectúen los particulares una utilización privativa", como ocurre con otros bienes demaniales, como son las aguas.

[79]   Tal como viene afirmando la jurisprudencia constitucional (SSTC 37/1987, de 26 de marzo, FJ 2; 170/1989, de 19 de octubre, FJ 8.b; 89/1994, de 17 de marzo, FJ 4; ATC 134/1995, de 9 de mayo; 204/2004, de 18 de noviembre, FJ 5, entre otras), el derecho a la propiedad privada que reconoce y protege la Constitución en su art. 33 es, por un lado, "un haz de facultades individuales sobre las cosas, pero también y al mismo tiempo, como un conjunto de derechos y obligaciones establecidos, de acuerdo con las leyes, en atención a valores o intereses de la comunidad, es decir, a la finalidad o utilidad social que cada categoría de bienes objeto de dominio está llamada a cumplir". Por tanto, la función social de este derecho comporta una serie de deberes, restricciones o cargas que no están sujetas a indemnización o compensación económica al titular puesto que forman parte del contenido normal del dominio y no suponer una limitación o recorte externo que haya que reparar.
Es más, en el ámbito de la propiedad urbanística el giro en el planteamiento conceptual es copernicano. Hasta el punto de que las Leyes del suelo, desde la de 1956 hasta la vigente de 2008 (Real Decreto Legislativo 2/2008, de 20 de junio, por el que

el art. 350 de nuestro Código señala que "el propietario de un terreno es dueño de su superficie *y de lo que está debajo de ella*, y puede hacer en él las obras plantaciones y excavaciones que le convengan". Tal proclamación, proyectada sin límites (*usque ad inferis*, como decía la doctrina clásica), obliga a exceptuar expresamente los bienes que se quieren reservar para su explotación por el Estado, como es el caso de los yacimientos. De hecho, el propio art. 350 concluye aludiendo a que el derecho de propiedad fundiario queda sujeto "a lo dispuesto en las leyes sobre minas y aguas y en los Reglamentos de policía".

Sin embargo, hoy parece lógico entender que el carácter ignoto de los yacimientos de hidrocarburos apoya la idea de que su proclamación demanial no puede ser más que un título público de intervención que justifique y dé soporte a las facultades que ejerce el Estado en la ordenación del aprovechamiento de estos recursos estratégicos. Esa intervención tuvo además desde el principio —y sigue teniendo hoy— una finalidad fiscal evidente, pero en la actualidad tiene también una inequívoca dimensión medioambiental. Tradicionalmente, minería y medio ambiente han vivido en conflicto, ya que tanto las actividades extractivas de hidrocarburos como las posteriores de refino y tratamiento suponen una importante agresión a la naturaleza, razón por la cual la creciente preocupación por la preservación del entorno que ha experimentado nuestra sociedad y su ordenamiento han llevado a convertir el dominio público en un verdadero instrumento de protección del medio ambiente[80]. El ejercicio de las potestades administrativas de ordenación del aprovechamiento de los recursos del subsuelo permite la valoración por el poder público de la incidencia medioambiental de estas actividades que alteran, entre otras cosas, el suelo y la atmósfe-

---

se aprueba el texto refundido de la ley de suelo, art. 13.1), afirman que el derecho dominical sobre un terreno no comporta más facultades que las del uso natural del mismo (uso agrícola, ganadero, forestal, cinegético...). Todo el valor urbanístico de los terrenos sería una concesión añadida, proveniente de los planes e instrumentos de ordenación aprobados por la Administración pública, que además se condiciona al cumplimiento efectivo y en plazo de una serie de cargas y deberes urbanísticos.

[80] Sobre el dominio público como título de intervención sobre los recursos naturales puede consultarse el trabajo de Mercé DARNACULLETA I GARDELLA, *Recursos naturales y dominio público: el nuevo régimen del demanio natural*, Cedecs, Barcelona, 2000. Para la autora, "el dominio público se presenta en la actualidad como una institución perfectamente adecuada a la protección de los recursos naturales" (p. 233), si bien es verdad que el medio ambiente es de por sí un título constitucional e idóneo de intervención, por lo que inevitablemente desplaza a la técnica demanial cuando se trata de proteger los llamados bienes del dominio público natural.

ra, que no pueden degradarse sin límite en aras del desarrollo económico. A esta cuestión vale la pena dedicar un epígrafe específico.

Por último, una vez expuesta la naturaleza demanial de los hidrocarburos, debe hacerse una sucinta referencia a su utilización. Dado que la finalidad de los bienes de dominio público es procurar algún tipo de utilidad pública a la sociedad, esos bienes son objeto de uso o aprovechamiento. La doctrina clásica francesa e italiana distingue, por un lado, entre el uso normal y anormal del dominio público, en función de que su utilización sea conforme o no a su naturaleza, y por otro, entre usos comunes (generales y especiales) o privativos, según que el aprovechamiento del bien por un usuario sea compatible o no con el de otras personas. Sobre estas bases, parece que los yacimientos de hidrocarburos son objeto de un uso normal y, tal como destaca ENTRENA CUESTA, cabría apreciar una primera fase de aprovechamiento común especial (la investigación o búsqueda de yacimientos), que se sujeta en consecuencia a un régimen de autorización administrativa, y una segunda fase de aprovechamiento privativo (explotación una vez hallados), que por tanto se somete a un régimen de concesión demanial[81].

V. LA PROTECCIÓN DEL MEDIO AMBIENTE EN LA EXPLOTACIÓN DE LOS HIDROCARBUROS

La explotación de los hidrocarburos tiene una importante dimensión medioambiental, que estaba poco presente en las leyes históricas en la materia y que ha aflorado de manera significativa en la vigente LSH de 1998, incluso para la fase de planificación en el uso de estos recursos[82]. La necesaria protección del medio ambiente debe estar presente en todo el ciclo de los hidrocarburos y se despliega en cuatro apartados fundamentales: la incidencia de la acción humana sobre la corteza de la tierra para iden-

---

[81]   Rafael ENTRENA CUESTA, "El dominio público de los hidrocarburos", *cit.*, pp. 340-341. El autor añade que también cabe la posibilidad de un uso directo por la Administración mediante una reserva de explotación, pero esta opción ha sido eliminada de la vigente LSH. En todo caso, la Administración podrá convocar un concurso público para promover la investigación y exploración en un determinado área.

[82]   Aunque la LSH no concreta niveles de protección ambiental concretos, en la regulación que hace de las autorizaciones administrativas se recoge de manera reiterada la referencia al necesario cumplimiento de las condiciones de protección del medio ambiente. Muestra de ello son, en el mercado de productos derivados del petróleo, los arts. 37.1 *in fine*, 39.2.b), o 40.2.b), entre otros.

tificar y extraer estos recursos mediante instalaciones adecuadas (a); los procesos de transformación y conversión de las materias primas extraídas en productos energéticos, que suponen la liberación de productos tóxicos y contaminantes (b); el transporte al por mayor de estos productos, que en el ámbito marítimo ha producido tantos desastres en el ecosistema (c); y, finalmente, el alto valor contaminante que tiene la combustión de los hidrocarburos transformados en carburantes, que liberan a la atmósfera dióxido de carbono, óxido de nitrógeno y otros gases contaminantes, y que son empleados en todo tipo de actividades industriales, de transporte y de uso doméstico (d).

a. La búsqueda de hidrocarburos y sobre todo su explotación una vez identificados los yacimientos de petróleo y gas constituyen actividades necesariamente invasivas del entorno natural, por más que su incidencia se produzca por debajo de la superficie terrestre. El alto valor de estas bolsas de sedimentación conducen a la realización de prospecciones cada vez a mayor profundidad, empleando técnicas cada vez más agresivas, como el *fracking* o fracturación hidráulica, cuyas repercusiones ambientales no son hoy bien conocidas del todo y han provocado resistencias políticas y sociales importantes[83].

Por ese motivo, las instalaciones necesarias para la explotación de yacimientos petrolíferos (al igual que las instalaciones de refino, que suponen una industria importante en España, así como las de almacenamiento y

---

[83] La técnica del *fracking* se ha desarrollado en el último decenio para permitir la extracción de gas natural (y en menor medida petróleo), e incluso potenciar la de yacimientos en explotación. Consiste en inyectar a presión agua con arena y algunos productos químicos, que producen fisuras en el sustrato rocoso que envuelve las bolsas de hidrocarburos, facilitando su expulsión y rentabilizando al máximo los pozos de extracción. Aparte del alto consumo de agua que requiere y de los vertidos de aguas residuales que produce, algunos estudios han puesto de relieve su potencial contaminante para los acuíferos subterráneos del entorno, donde se identifican altas concentraciones de metano. El otorgamiento de permisos de investigación y explotación con el empleo de esta técnica ha levantado resistencias importantes, y en algunos casos se ha optado por la prohibición de su uso. Es el caso de la Ley 7/2013, de 21 de junio, por la que se regula la prohibición en el territorio de la Comunidad Autónoma de La Rioja de la técnica de la fractura hidráulica como técnica de investigación y extracción de gas no convencional. En el Preámbulo de la ley se citan como justificación de la medida dos informes oficiales sobre los riesgos que puede generar la utilización de esta técnica: el informe de 2011 del Parlamento europeo "Repercusiones de la extracción de gas y petróleo de esquisto en el medio ambiente y la salud humana", y el informe de 2012 de la Dirección General de Medio Ambiente de la Comisión Europea "Contribución a la identificación de posibles riesgos ambientales y para la salud humana derivados de las operaciones de extracción de hidrocarburos mediante fractura hidráulica en Europa".

distribución de hidrocarburos), están sujetas a controles ambientales, que se verifican a través de la autorización sustantiva de las instalaciones, de la denominada autorización ambiental integrada y de la evaluación de impacto ambiental, cuando es necesaria.

En efecto, la legislación administrativa sectorial (como la Ley del sector eléctrico o la Ley del sector de los hidrocarburos) suele establecer que determinado tipo de instalaciones estén sujetas a autorizaciones sustantivas o materiales específicas. Esta autorización corresponde al Estado o a la Comunidad Autónoma en función del interés y del ámbito territorial del proyecto. El ordenamiento parte del principio de libertad de establecimiento de las actividades industriales, pero elementales razones técnicas y de seguridad imponen la necesidad de controlar las instalaciones concretas. En el sector petrolero debe atenderse al Título II de la LSH (especialmente a los arts. 24 y ss.), así como a las especificaciones técnicas y de seguridad establecidas en el Real Decreto 2085/1994, de 20 de octubre, por el que se aprueba el Reglamento de instalaciones petrolíferas y las Instrucciones Técnicas Complementarias de refinerías y parques de almacenamiento de líquidos petrolíferos[84].

Pero además estas grandes instalaciones suelen estar además sujetas a otras autorizaciones (art. 6 LSH) y especialmente a controles ambientales específicos, entre los cuales debe destacarse la evaluación ambiental preventiva, imprescindible para conseguir un desarrollo económico y social sostenible, bien mediante *declaración de impacto ambiental*, para los proyectos de mayor envergadura, bien mediante *calificación ambiental*, más simplificada, para actuaciones de menor dimensión contaminante[85].

---

[84]   Este Reglamento se aplica a las instalaciones de refino (con sus plantas petroquímicas integradas), las de almacenamiento de productos petrolíferos y de carburantes para todo tipo de usos (industrial, agrícola, ganadero, doméstico, de servicios) y las de distribución al por menor de carburantes y combustibles líquidos. Fue modificado por el Real Decreto 1562/1998, de 17 de julio, por el que se incorporó la Instrucción Técnica Complementaria MI-IP02 para Parques de almacenamiento de líquidos petrolíferos, por el Real Decreto 1523/1999, de 1 de octubre, para adaptar su contenido a la LSH de 1998, y de manera más reciente se ha desarrollado mediante Instrucciones Técnicas Complementarias para instaladores y reparadores de productos petrolíferos líquidos por medio del Real Decreto 365/2005, de 8 de abril.
        La puesta en servicio de las instalaciones se sujeta a su vez a una autorización autonómica, y deberá cumplir con los reglamentos de seguridad industrial previstos en el art. 11 de la Ley 21/1992, de 16 de julio, de industria, para las "instalaciones industriales de alto riesgo potencial, contaminantes o nocivas para las personas, flora, fauna, bienes y medio ambiente".

[85]   De hecho, cada vez es más importante adelantar ese análisis para que sea más eficaz. Por ello se ha establecido la *evaluación de planes y proyectos* de las Administraciones

La *Declaración de impacto ambiental* es una técnica de control preventivo de las repercusiones ambientales (sobre el ser humano, fauna, flora, suelo, aire, agua, clima, paisaje, e incluso bienes del patrimonio cultural) de una obra, instalación o actividad, ya sea pública o privada, mediante un estudio técnico específico que condiciona la autorización formal de aquéllas. Está regulada en el ámbito estatal por el Real Decreto Legislativo 1/2008, de 11 de enero, por el que se aprueba el texto refundido de la Ley de evaluación ambiental de proyectos, que deroga a su vez el viejo decreto legislativo de 1986[86]. Los supuestos sometidos a esa evaluación son tasados, y se encuen-

---

públicas y de los regulados por normas positivas. En efecto, la *Evaluación de efectos ambientales de Planes y Proyectos* o también *evaluación ambiental estratégica* ha sido impulsada desde Bruselas a través de una Directiva comunitaria de 2001 (Directiva 2001/42/CE, del Parlamento y del Consejo, de 27 de junio de 2001, relativa a la evaluación de los efectos de determinados planes y programas en el medio ambiente (DOCE, L, n° 197, de 21 de julio de 2001). Se trata de adelantar la evaluación ambiental no ya a la realización de un proyecto, sino a la fase de programación estratégica previa, es decir a los documentos directivos y de planificación elaborados por las Administraciones públicas, cada vez más frecuentes, que establezcan el marco para la autorización de instalaciones futuras sujetas a su vez a evaluación de impacto. Es el caso de un plan energético nacional, un plan de ordenación del territorio, un plan de ordenación de recursos turísticos, un plan director de infraestructuras o un plan urbanístico. La Directiva fue transpuesta mediante la Ley 9/2006, de 28 de abril, cuyo ámbito de aplicación son los planes y programas con efectos significativos sobre el medio ambiente (entendiendo por tales los que enmarquen proyectos que hayan de ser sometidos a su vez a evaluación de impacto ambiental), siempre que sean elaborados o aprobados por una Administración pública, estén previstos en una norma legal o reglamentaria, o sean aprobados por el Gobierno del Estado o los Gobiernos autonómicos. La ley exige la elaboración de un *Informe de sostenibilidad ambiental*, donde el promotor del proyecto identifica, describe y evalúa los posibles efectos ambientales significativos del mismo, junto con las posibles alternativas razonables, incluyendo la de no realización del proyecto. El informe se seguirá de una fase de consultas, incluso transfronterizas, tras las cuales se elaborará de manera preceptiva por el promotor una *Memoria ambiental*, que valorará los anteriores trámites y su integración en el plan o programa.

Se adelanta así a la fase de planeamiento el estudio de la incidencia ambiental de las obras humanas, que llegados a la fase de proyecto de la instalación concreta es más difícil de corregir y reorientar. Se integran así los aspectos ambientales con la planificación y programación pública sectorial (energía, turismo, suelo...), ya desde la fase de borrador y de consultas.

[86]   El texto refundido apenas ha cumplido su función normativa unificadora durante dos años, pues ha sido objeto de modificación mediante la Ley 6/2010, de 24 de marzo, que introduce bastante ajustes, así como por la Ley 40/2010, de 29 de diciembre, de almacenamiento geológico de dióxido de carbono, que modifica sus anexos. Por otro lado, téngase en cuenta que a efectos competenciales, la STC 13/1998, de 22 de enero, ha indicado que la evaluación de impacto ambiental corresponde a la Administración que tenga la competencia sustantiva para realizar o aprobar un proyecto.

tran diferenciados en dos grupos de proyectos (recogidos en sendos Anexos de la norma), según que la obligatoriedad de la evaluación sea absoluta o deba ser declarada caso por caso por el órgano ambiental competente en cada caso, mediante resolución motivada y pública, y ajustada a los criterios recogidos en el Anexo 3. En relación con los hidrocarburos, debe destacarse el sometimiento obligatorio a evaluación de las explotaciones de extracción de petróleo y gas natural con fines comerciales[87]; las refinerías de petróleo bruto[88]; las centrales térmicas y de combustión de al menos 300 MW de potencia[89]; los gaseoductos y oleoductos de cierta extensión[90]; y las instalaciones de almacenamiento de productos petrolíferos y petroquímicos de cierta dimensión[91]. En cambio, se analizará caso por caso la necesidad de evaluación respecto de las perforaciones petrolíferas profundas[92]; las instalaciones industriales de extracción de petróleo y gas natural[93]; las instalaciones industriales de transporte de gas de longitud superior a tres km[94]; los oleoductos y gaseoductos menores[95]; los almacenamientos de gas sobre el terreno y subterráneos[96]; y el resto de almacenamientos de productos petroquímicos[97].

Los proyectos que se deban someter a evaluación deberán ir acompañados de un estudio de impacto ambiental, cuyo contenido se concreta en

---

[87] Siempre que la cantidad extraída sea superior a 500 Tn por día en el caso del petróleo y de 500.000 m^3 por día en el caso del gas, por concesión (Anexo I, Grupo 2, Industria extractiva, apartado d).

[88] Con exclusión de las empresas que produzcan únicamente lubricantes a partir de petróleo bruto, así como las instalaciones de gasificación y de licuefacción de, al menos, 500 Tn de carbón de esquistos bituminosos, o de pizarra bituminosa, al día (Anexo I, Grupo 3, Industria energética, apartado a).

[89] Anexo I, Grupo 3, apartado b.

[90] Es decir, tuberías para el transporte de gas y petróleo con un diámetro de más de 800 mm y una longitud superior a 40 km (Anexo I, Grupo 3, apartado f), que se reducen a 10 en el caso de zonas ambientalmente sensibles (Anexo I, Grupo 9, Otros proyectos, apartado b.7).

[91] A partir de 100.000 Tn de capacidad para almacenamientos petrolíferos (Anexo I, Grupo 3, apartado h) y de 200.000 Tn en el caso de productos petroquímicos (Anexo I, Grupo 5, Industria petroquímica, apartado c).

[92] Anexo II, Grupo 3, Industria extractiva, apartado a.4.

[93] Anexo II, Grupo 3, Industria extractiva, apartado b.

[94] Anexo II, Grupo 4, Industria energética, apartado a.

[95] De longitud superior a 10 km (Anexo II, Grupo 4, Industria energética, apartado d).

[96] Almacenamientos sobre el terreno en tanques con capacidad superior a 200 Tn por unidad (Anexo II, Grupo 4, Industria energética, apartado e) y almacenamientos subterráneos con capacidad superior a 100 m^3 (Anexo II, Grupo 4, Industria energética, apartado f).

[97] Anexo II, Grupo 6, Industria química, petroquímica, textil y papelera, apartado c.

el art. 7 del texto refundido. El procedimiento de evaluación comprende un trámite de información pública sobre el estudio de impacto ambiental, que abre el procedimiento de autorización a todas las personas o entidades interesadas en las consecuencias ambientales del proyecto, y a la consulta de las Administraciones públicas afectadas (e incluso a otros Estados, en el caso de posibles efectos transfronterizos). Es decir, en el estudio ambiental debe producirse un efecto de concentración en la participación de todos los interesados de cualquier naturaleza en las cuestiones ambientales. La Declaración de Impacto Ambiental se emitirá finalmente por el órgano ambiental dentro del procedimiento general de autorización de un proyecto, y con carácter previo a su finalización. Contendrá las condiciones a establecer para la protección del medio ambiente y los recursos naturales por el proyecto, y debe hacerse público (y que en el ámbito del Estado aparecerá publicado en el BOE). Constituye infracción muy grave iniciar la ejecución de unas obras sin someterse antes a la debida evaluación, e infracción grave el no ajustarse a las condiciones ambientales y a las medidas correctoras y protectoras estipuladas en la Declaración, lo cual podrá conducir a la suspensión de las obras.

La evaluación de impacto debe circunscribirse a los aspectos ambientales del emplazamiento del proyecto, sin que pueda incluir determinaciones para las que no tiene competencia el órgano evaluador ambiental. En cambio, esos condicionamientos, lógicamente, no podrán imponerse al órgano decisor final sobre la autorización de las instalaciones, que ha de tener en cuenta otros aspectos distintos de los ambientales, sobre todo cuando pertenezca a otra Administración. En el caso de "discrepancias entre el órgano sustantivo y el órgano ambiental sobre la conveniencia a efectos ambientales de ejecutar un proyecto o sobre el contenido del condicionado de la declaración de impacto ambiental dando lugar a un acto administrativo complejo" la decisión final será adoptada bien por el Consejo de Ministros, bien por el Consejo de Gobierno de la Comunidad Autónoma (art. 13 del texto refundido).

Junto a las autorizaciones sustantivas y la evaluación de impacto, la legislación especial ha ido recogiendo con frecuencia la necesidad de contar con permisos especiales para determinadas actividades contaminantes. Es el caso de la autorización de vertidos, tanto a aguas continentales como al mar, especialmente en el caso de sustancias peligrosas[98], o las existentes en

---

98   Para los vertidos en aguas interiores, eran de aplicación los arts. 100 y ss. del Real Decreto Legislativo 1/2001, de 20 de julio, por el que se aprueba el texto refundido de la

relación con la contaminación atmosférica[99] y la acústica[100], las de producción y gestión de residuos, incluyendo la de incineración[101]. Para facilitar su tramitación para la aprobación de proyectos industriales, que normalmente requieren varias de estas autorizaciones, que son competencia de Administraciones distintas, se ha diseñado la denominada *autorización ambiental integrada*, que se regula por la Ley 16/2002, de 1 de junio, de prevención y control integrados de la contaminación para actividades industriales[102]. De esta forma se unifican esos controles ambientales de instalaciones industriales, mediante una autorización autonómica unitaria, de carácter temporal (se concede por un plazo máximo de ocho años) y renovable, en cuya tramitación intervendrán las distintas Administraciones implicadas. El ámbito de aplicación de la ley es la construcción, montaje, explotación o traslado de las instalaciones industriales, públicas o privadas, concretadas en el Anejo 1 de la norma, entre las cuales hay unas cuantas relacionadas

---

Ley de Aguas. Respecto a los vertidos al mar eran de aplicación los arts. 56 y ss. de la Ley 22/1988, de 22 de julio, de Costas; desarrollados por el Real Decreto 258/1989, de 10 de marzo, por el que se establece la normativa general sobre vertidos de sustancias peligrosas desde tierra al mar. Sin embargo, la Ley 16/2002, de 1 de julio, de prevención y control integrados de la contaminación, pasó a dar un tratamiento integrado de estos aspectos ambientales, que pasaron a regirse por esa disposición. Concretamente, esta ley derogó todas las prescripciones de la Ley de Aguas sobre autorizaciones de vertidos a las aguas continentales de cuencas intracomunitarias y de la Ley de Costas relativas a la solicitud, concesión, revisión y cumplimiento de las autorizaciones de vertidos al dominio público marítimo-terrestre desde tierra al mar.

[99] En esta materia era de aplicación la Ley 38/1972, de 22 de diciembre, de protección del ambiente atmosférico, y el Real Decreto 1088/1992, de 11 de septiembre, sobre instalaciones de incineración de residuos municipales, modificado por Real Decreto 1217/1997, de 18 de julio. Al igual que en el caso anterior la Ley 16/2002, de 1 de julio, de prevención y control integrados de la contaminación, derogó lo relativo a la solicitud, concesión, revisión y cumplimiento de las autorizaciones e informes vinculantes en esta materia, que pasaron a regirse por esa disposición.

[100] Respecto a la contaminación acústica es de aplicación la Ley 37/2003, de 17 de noviembre, del ruido, que traspuso la Directiva sobre ruido ambiental de 2002, y cuyo art. 18 trata de la intervención administrativa en la materia.

[101] De manera semejante a los casos anteriores, la solicitud, concesión, revisión y cumplimiento de las autorizaciones de producción y gestión de residuos previstas en la Ley 10/1998, de 21 de abril, de residuos, se rigen hoy por la Ley 16/2002, de 1 de julio, de prevención y control integrados de la contaminación.

[102] Esta ley tiene su origen en la Directiva IPPC (*Integrated Pollution Prevention and Control*) o Directiva 96/61/CE, del Consejo, de 24 de septiembre de 1996, relativa a la prevención y control integrados de la contaminación, cuya falta de transposición en plazo provocó la condena de España ante el TJCE. Ha sido objeto de distintas modificaciones puntuales. Mediante el Real Decreto 509/2007, de 20 de abril, se aprobó su Reglamento de desarrollo y ejecución.

con el manejo de hidrocarburos: instalaciones de combustión de potencia térmica superior a 50 MW, refinerías de petróleo y gas, e instalaciones químicas para la fabricación de distintos compuestos de hidrocarburos y de productos químicos inorgánicos.

La autorización ambiental integrada que se dicte fijará los valores límite de emisión de las instalaciones, de acuerdo con el listado de las principales sustancias contaminantes recogidas en el Anejo 3, que proporcionen una adecuada protección de la atmósfera, el agua y el suelo afectados por la industria[103].

b. El proceso de tratamiento del petróleo y su refino para obtener sus múltiples derivados es una importante fuente de contaminación. En este apartado son de destacar, junto al régimen de autorización de instalaciones, referido en el punto anterior, las normas medioambientales sobre productos petrolíferos, de contenido altamente técnico, en las que se prescriben las características, composición autorizada y propiedades de los mismos para que no se superen unos límites de contaminación. PINO MIKLAVEC distingue dentro de ellas entre especificaciones técnicas, normas técnicas y reglamentos técnicos[104]. Las *especificaciones técnicas* regulan las características de los productos (nivel de calidad, usos específicos, seguridad, método de ensayo y de control), tanto en su elaboración como en su comercialización (envasado, marcado, etiquetado), plasmadas en un documento público y obligatorio o privado y voluntario. Por su parte, las *normas técnicas*

---

[103]   Según el art. 21.2 de la ley, esta autorización debe resolverse en un plazo de nueve meses (siendo el silencio negativo en caso de no resolución en plazo), y siempre será anterior a la autorización sustantiva de la instalación (art. 11.2). Su emisión comporta, entre otros, un trámite de información pública (art. 16) y otro de informe urbanístico (art. 15), amén de otros informes, como el del Ayuntamiento y el del organismo de cuenca afectados (arts. 18 y 19). Esta autorización es independiente de la evaluación de impacto ambiental (que a su vez ha de obtenerse previamente, cuando es necesaria, tal como prevé el art. 27), de las autorizaciones o concesiones para la ocupación del dominio público y, naturalmente, de la licencia urbanística. En relación con la licencia de actividades clasificadas, que es de carácter municipal, la autorización ambiental integrada "sustituirá a los medios de intervención administrativa en la actividad de los ciudadanos que puedan establecer las Administraciones competentes para el ejercicio de actividades molestas, insalubres, nocivas y peligrosas", siendo vinculante para la Administración local cuando deniegue una actividad o imponga determinadas condiciones (art. 28).

[104]   Noemí PINO MIKLAVEC, *La perspectiva ambiental en la regulación de los productos petrolíferos*, Monografía asociada a la Revista Aranzadi de Derecho Ambiental, n° 10, Thomson-Aranzadi, 2006, pp. 75 y ss. A partir de la clasificación general de las normas ambientales en normas de calidad ambiental, normas de procesos y normas de productos, la autora desarrolla estas últimas en relación con los productos petrolíferos.

son estándares establecidos por organismos de normalización industrial (normas UNE, ISO, etc.) en materia de calidad y seguridad, nacidos por su aplicación repetitiva o continuada, cuyo cumplimiento en principio es voluntario desde el punto de vista jurídico, a menos que sean acogidos reglamentariamente en normas administrativas. Finalmente, los poderes públicos competentes dictan los denominados *reglamentos técnicos* cuando consideran necesario establecer especificaciones técnicas o requisitos para la fabricación, importación, comercialización, utilización, reciclado y eliminación de un determinado producto. Esta regulación puede hacerse bien directamente por la norma administrativa o bien por remisión a las especificaciones y normas técnicas, e incluso mediante la invocación a los conceptos jurídicos indeterminados del estado de la técnica y de los conocimientos o de las mejores técnicas disponibles.

En el ámbito de los productos petrolíferos la autora citada realiza un amplio recorrido de la normativa comunitaria y del Derecho español. La primera, comprendida principalmente en Directivas, tuvo por objeto, en una primera fase, fijar los límites de emisión de determinadas sustancias contaminantes, como el azufre o el plomo[105], para abordar en una segunda fase la ordenación más integral de los niveles de calidad de los distintos productos y carburantes, así como la búsqueda de combustibles alternativos[106]. En el ámbito español la preocupación por los efectos contaminantes

---

[105] Son de destacar, en este sentido, la Directiva 75/716/CEE, de 24 de noviembre de 1975, relativa a niveles de azufre en combustibles líquidos, así como la Directiva 78/611/CEE, de 29 de junio de 1978, relativa al contenido de plomo de la gasolina. La primera fue sustituida luego por la Directiva 93/12/CEE, de 23 de marzo de 1993, y la segunda por la Directiva 85/210/CEE, de 20 de marzo de 1985, por la que se inicia el proceso de eliminación de este componente en la gasolina, que a su vez modificada en 1987 y derogada por la Directiva 98/70/CE, del Parlamento europeo y del Consejo, de 13 de octubre de 1998.

[106] En relación con las gasolinas y los gasóleos de automoción debe citarse la Directiva 98/70/CE, de 13 de octubre de 1998, relativa a la calidad de la gasolina y el gasóleo, modificada más tarde por la Directiva 2003/17/CE, de 3 de marzo de 2003, en las que se impone un calendario de adaptación de las legislaciones de los Estados miembros, y por la Directiva 2009/30/CE, de 23 de abril de 2009. En cuanto a fuelóleos, gasóleos y combustibles diesel se aprobó la Directiva 99/32/CE, de 26 de abril de 1999, centrada especialmente en las emisiones de azufre, y cuyo ámbito de aplicación se amplió al uso de combustibles para transporte marítimo mediante la Directiva 2005/33/CE, de 6 de julio de 2005 (mediante el Real Decreto 1027/2006, de 15 de septiembre, se traspuso esta última Directiva al ordenamiento español). Por su parte, la Directiva 2003/30/CE, de 8 de mayo de 2003, se ocupó del fomento de los biocarburantes y otros combustibles renovables para el transporte, estableciendo el objetivo de alcanzar una cuota de comercialización de estos productos sobre el total de las gasolinas y gasóleos para el

de los carburantes parte de un reglamento de 1975, parcialmente vigente y centrado en los límites máximos de azufre, y se ha desarrollado a partir de mediados de los 80 al ritmo exigido por la transposición de las Directivas comunitarias en la materia. En la actualidad hay que estar especialmente a lo dispuesto en el Real Decreto 61/2006, de 31 de enero, sobre especificaciones técnicas de calidad de las gasolinas, gasóleos, fuelóleos, gases licuados del petróleo, se regula el uso de determinados biocarburantes y el contenido de azufre de los combustibles para uso marítimo, que reemplaza al anterior Real Decreto 1700/2003, de 15 de diciembre, por el que se derogó y unificó la dispersa normativa hasta entonces existente en la materia. El vigente real decreto, modificado en 2010, encomienda a las Comunidades Autónomas la realización de un muestreo de control de las especificaciones técnicas de las gasolinas, gasóleos, fuelóleos que se comercializan, del que deberán informar anualmente al Ministerio de Industria.

c. El carácter líquido de los principales hidrocarburos y la necesidad de su transporte a gran escala comporta serios riesgos en la actividad de transporte, especialmente por vía marítima, sucediéndose de manera periódica importantes crisis medioambientales por el hundimiento de barcos petroleros que vierten inevitablemente su gravosa carga al mar, con nefastas consecuencias para el entorno marino y las costas más próximas.

Las costas de nuestro país han padecido varias catástrofes en los últimos decenios por su proximidad a importantes rutas marítimas (naufragio del *Casón* en 1987, varamiento del buque griego *Mar Egeo* en 1992, naufra-

---

transporte del 2% para el 31 de diciembre de 2005, y del 5,75% para el 31 de diciembre de 2010 (cuota esta última que la DA 16ª LSH ha elevado al 5,83%, sin perjuicio de la atribución al Gobierno de la capacidad de modificar ese objetivo, tal como ha realizado mediante el Real Decreto 459/2011, de 1 de abril, luego corregido a la baja para 2013 por el art. 41 del Real Decreto-ley 4/2013, de 22 de febrero). Esta norma ha sido derogada y sustituida por la Directiva 2009/28/CE, del Parlamento europeo y del Consejo, de 23 de abril, relativa al fomento del uso de la energía procedente de fuentes renovables. Los artículos 17 y ss. de la Directiva regulan el uso de biocarburantes y biolíquidos (combustibles producidos a partir de la biomasa destinados a usos energéticos distintos del transporte, incluyendo la electricidad y la producción de calor y frío), ya que éstos computan en el objetivo global de la UE para 2020 de que el 10% del consumo final de energía en el transporte provenga de fuentes renovables (art. 3.4). En España se dictó el Real Decreto 1088/2010, de 3 de septiembre, de modificación del Real Decreto 61/2006, de 31 de enero, así como el Real Decreto 1597/2011, de 4 de noviembre, por el que se regulan los criterios de sostenibilidad de los biocarburantes y biolíquidos, el Sistema Nacional de Verificación de la Sostenibilidad y el doble valor de algunos biocarburantes a efectos de su cómputo, por los que se traspone la Directiva 2009/28/CE.

gio del *Prestige* en 2002) que, junto con medidas urgentes paliativas de las graves consecuencias ambientales y económicas[107], condujeron también a prohibir la entrada en puertos españoles de buques de casco único que transporten fuel pesado, alquitrán, betún asfáltico o petróleo crudo pesado[108]. En cuanto al régimen sancionador general por contaminación del medio marino, debe estarse a lo previsto por el Título IV del Real Decreto Legislativo 2/2011, de 5 de septiembre, por el que se aprueba el texto refundido de la Ley de puertos del Estado y de la marina mercante, donde se regula además la Sociedad de Salvamento y Seguridad Marítima, que es una entidad pública empresarial dependiente del Ministerio de Fomento con competencias en materia de lucha contra la contaminación (arts. 267 y ss.)[109].

---

[107]　El caso del *Mar Egeo* dio lugar a una batería de Decretos-ley (2/1993, de 15 de enero; 3/1994, de 25 de marzo; 6/2002, de 4 de octubre), al igual que lo hizo el caso del *Prestige* (7/2002, de 22 de noviembre, que contiene medidas económicas, laborales y de Seguridad Social, fiscales, de apoyo a la producción pesquera, etc.; 8/2002, de 13 de diciembre, que extiende esas ayudas a las Comunidades asturiana, cántabra y vasca; y 4/2003, de 20 de junio y 4/2004, de 2 de julio, sobre medidas y compensaciones económicas).

A este respecto se puede consultar el libro colectivo *Las lecciones jurídicas del caso Prestige. Prevención, gestión y sanción frente a la contaminación marina por hidrocarburos*, dirigido por J. Álvarez Rubio, Aranzadi, Pamplona, 2011. Con una perspectiva más general se puede citar también la monografía de L. LUCAS RODRÍGUEZ, *La prevención de la contaminación por la explotación de hidrocarburos en el mar*, Tirant lo Blanch, Valencia, 2008.

[108]　Real Decreto-ley 9/2002, de 13 de diciembre, por el que se adoptan medidas para buques-tanque que transporten mercancías peligrosas o contaminantes, que habilita para imponer cuantiosas sanciones económicas a los responsables, y que adelantó la entrada en vigor de la medida prevista por el Reglamento (CE) 417/2002, del Parlamento europeo y del Consejo, de 18 de febrero de 2002, más laxo en el plazo para hacer exigible en los buques petroleros el doble casco o diseño equivalente. De hecho, desastres como el del *Prestige* o el *Erika* han conducido a la sustitución del citado Reglamento por el Reglamento (UE) 530/2012, del Parlamento europeo y del Consejo, de 13 de junio de 2012.

[109]　El Real Decreto Legislativo refunde fundamentalmente la Ley 27/1992, de 24 de noviembre, de puertos del Estado y de la marina mercante, y la Ley 48/2003, de 26 de noviembre, de régimen económico y de prestación de servicios en los puertos de interés general. La primera de ellas sustituyó a su vez el régimen sancionador vigente hasta entonces en la Ley 21/1977, de 1 de abril (que quedó vigente en lo que se refería a aeronaves). El texto vigente resulta de aplicación a la contaminación del medio marino desde buques, plataformas fijas e instalaciones situadas en zonas de soberanía o jurisdicción española (art. 307.4), y dedica específicamente un precepto (art. 304) al modo de proceder en caso de hundimiento de un buque o de peligro de ello. En cuanto al medio ambiente y la seguridad en los puertos (art. 62 y ss.), se prohíbe todo tipo de vertidos o emisiones contaminantes, sólidas, líquidas o gaseosas, en el dominio público portuario, se exige contar medios de prevención y con un plan de contingencias

Este problema tiene una clara dimensión internacional, que llevó a la
constitución en el marco de las Naciones Unidas de la Organización Marítima Internacional en 1948, a la que se asignó entre sus objetivos la prevención y contención de la contaminación del mar ocasionada por los buques[110]. Esta organización, con sede en Londres, cuenta con un Comité de
Protección del Medio Marino, y ha promovido la adopción de numerosos
convenios internacionales en la materia, enfocados en buena parte al deslinde de las responsabilidades civiles derivadas de posibles accidentes[111].

---

por contaminación accidental a las instalaciones relacionadas con los hidrocarburos
(refinerías, factorías y almacenamientos de productos petroquímicos, proveedores de
combustibles a buques, entre otros), y se obliga a cada Autoridad Portuaria a aprobar
un plan de emergencia interior. Mediante Orden de 23 de febrero de 2001 se aprobó
en España el Plan Nacional de Contingencias por contaminación marina accidental.

[110]   En lo que aquí concierne es de destacar el *Manual sobre la contaminación ocasionada por
hidrocarburos*, elaborado por el OMI, que consta de hasta partes, de las cuales las tres
primeras se centran en la contaminación química. La Parte IV, *Manual on oil pollution*,
fue publicada en Londres en 1991.

[111]   Cabe destacar en primer lugar el Convenio internacional para prevenir la contaminación de las aguas del mar por hidrocarburos adoptado en 1954 y modificado en 1962,
que cuenta con todo un Anexo I dedicado a las Reglas para prevenir la contaminación por estos compuestos. Pocos años después se aprobó en Bruselas el Convenio
internacional sobre responsabilidad civil nacida de daños causados por la contaminación de las aguas del mar por hidrocarburos de 1969, ratificado por España en 1975
y renovado en 1992 mediante un Protocolo adoptado en Londres, centrado en el
transporte marítimo internacional de hidrocarburos a granel. Mediante el Real Decreto 1892/2004, de 10 de septiembre, se actualizaron las normas para su ejecución,
pendientes desde 1992. Más reciente es el Convenio internacional sobre responsabilidad civil nacida de daños debidos a contaminación por los hidrocarburos para combustible de los buques, hecho en Londres en 2001 y ratificado por España en 2003. A
través del Real Decreto 1795/2008, de 3 de noviembre, se dictan normas internas en
España para la cobertura de esa responsabilidad, que obliga a los propietarios de los
buques a suscribir un seguro o garantía financiera, sin el cual los Estados no deben
conceder permiso a los buques de su bandera para navegar, ni deben permitir entrar o
salir buques de sus puertos. Esta norma también modifica el régimen de garantía establecido en el real decreto de 2004, que es muy similar. Por otro lado está el Convenio
internacional de 1971 de constitución de un Fondo Internacional de Indemnización
de Daños causados por la Contaminación de Hidrocarburos (también refrendado por
España en 1982), y que sirvió, por ejemplo, para atender algunas de las responsabilidades derivadas del vertido de petróleo en las costas gallegas por el buque Mar Egeo
en 1992. También cabe mencionar el Convenio internacional sobre responsabilidad e
indemnización de daños en relación con el transporte marítimo de sustancias nocivas
y potencialmente peligrosas de 1996. Finalmente, y con carácter más general, existe
un Convenio internacional sobre cooperación, preparación y lucha contra la contaminación por hidrocarburos de 1990, conocido como OPRC 90, que fue ratificado por
España tres años más tarde. Uno de los aspectos regulados por él son las medidas de

d. Sin duda, el aspecto más relacionado con la contaminación es el consumo final de hidrocarburos como fuente de energía[112]. A pesar de la seguridad científica de que el petróleo es un recurso limitado que terminará agotándose, lo cierto es que la civilización actual está construida y es enteramente dependiente del mismo, y lo va a seguir siendo durante la mayor parte del siglo XXI a pesar de su alto coste contaminante. Con el agravante ya aludido de que España y Europa en general tienen una posición de completa dependencia respecto del aprovisionamiento exterior (del orden del 50% en el año 2000, y con una perspectiva de incremento hasta el 70%, de mantenerse las condiciones actuales, para el decenio 2020-2030).

---

prevención en puertos e instalaciones marítimas de manipulación de hidrocarburos, desarrollado en el derecho interno por el Real Decreto 253/2004, de 13 de febrero, sobre medidas de prevención y lucha contra la contaminación en las operaciones de carga, descarga y manipulación de hidrocarburos en el ámbito marítimo y portuario. El Real Decreto 1695/2012, de 21 de diciembre, por el que se aprueba el Sistema Nacional de Respuesta ante la contaminación marina, deroga con matices esta disposición.

En cuanto a la construcción de buques, debe tenerse en cuenta el Convenio internacional para la seguridad de la vida humana en el mar, hecho en Londres en 1974 y ratificado por España en 1978. En el marco de este convenio (Capítulo VII) se aprobó un Código internacional para la construcción y el equipo de buques que transporten gases licuados a granel (conocido como Código CIG), que ha sido objeto de periódicas enmiendas. Mediante el Real Decreto 1737/2010, de 23 de diciembre, se aprueba el Reglamento por el que se regulan las inspecciones de buques extranjeros en puertos españoles.

[112] Cabe encontrar un análisis monográfico del régimen jurídico aplicable a los productos petrolíferos desde el punto de vista de sus efectos contaminantes en el trabajo de Noemí PINO MIKLAVEC, *La perspectiva ambiental...*, *cit.*, donde se destacan (pp. 56-57) la industria y el transporte rodado (junto al consumo doméstico para calefacción y otros usos) como los principales focos de contaminación por productos petrolíferos. Esa contaminación proviene tanto de la combustión o consumo de los mismos, como de su evaporación (producida en las zonas de almacenamiento y en las operaciones de carga o repostaje), y es más acusada en los motores de gasolina (p. 59). De especial interés es la descripción de las sustancias contaminantes que se emiten con la combustión de productos petrolíferos y de sus efectos sobre la salud humana y sobre el medio natural (pp. 60 y ss.): óxidos de azufre, responsables de la llamada lluvia ácida, óxidos de carbono (bien monóxido, bien dióxido), originados por la utilización de combustibles fósiles y que potencian el efecto invernadero natural del planeta, óxidos de nitrógeno, origen del denominado *smog*, los hidrocarburos, que en su combustión producen compuestos orgánicos volátiles, el material particulado o "dispersiones de sustancias sólidas y líquidas en el aire que se diferencian por su tamaño y origen", e incluso metales pesados, como el plomo, que es tóxico y bioacumulable, aunque ya ha sido eliminado como componente de las gasolinas de efecto antidetonante y se ha dejado de comercializar desde 2001, de conformidad con lo dispuesto por el Real Decreto 785/2001, de 6 de julio.

Las circunstancias ambientales y, sobre todo, la situación de escasez, deben conducir a una política energética que evite a medio y largo plazo el colapso del sistema, incidiendo tanto sobre la oferta como sobre la demanda energética.

La corrección de la oferta pasa por el fomento de fuentes de energía alternativas, como es el caso de las renovables, y por la reducción de los efectos contaminantes de los propios combustibles, que pueden obtenerse a partir de otros recursos orgánicos. Las energías renovables son una apuesta decidida en una Europa carente de recursos fósiles propios, con el objetivo de que cubriesen el 12,5% de la energía primaria consumida en 2010 y el 20% en 2020[113]. En España se ha consolidado la energía eólica, siendo uno de los mayores productores mundiales[114], y se ha querido desarrollar la solar, de acuerdo con el Plan de Energías Renovables para el periodo 2005-2010 aprobado por el Gobierno, y renovado por un nuevo PER para el periodo 2011-2020 por acuerdo del Consejo de Ministros de 11 de noviembre de 2011. De todos modos, sigue estando en cuestión la eficiencia de estas modalidades, al no ser fuentes estables (el viento o el sol no son constantes ni predecibles), ni ser capaces por el momento de generar energía a precios competitivos. Además, la crisis económica desatada desde 2008 ha determinado un proceso de revisión del régimen de ayudas diseñado para el apoyo de estas fuentes alternativas, que ha ensombrecido el panorama prometedor que tenían las inversiones privadas en este sector[115]. La otra lí-

---

[113] *Europa 2020* marca la estrategia de la UE para la década que estamos atravesando, con ambiciosos objetivos a alcanzar en empleo, innovación, educación, inclusión social y energía. En este último ámbito la estrategia se concreta en el esquema 20-20-20, es decir: se quiere alcanzar una reducción de las emisiones de gases de efecto invernadero del 20% respecto a los niveles de 1990 (e incluso del 30% si se llegasen a dar condiciones favorables); se quiere alcanzar una cuota del 20% de energías renovables (que deberá ser de al menos un 10% en el consumo de energía en el sector del transporte); y se quiere incrementar en un 20% la eficiencia energética. Los números y objetivos son tan claros y expresivos como inocuos si no van seguidos de verdaderas políticas realistas y decididas. En estos momentos sólo Alemania parece que podría alcanzar la cuota apetecida de energía renovable.

[114] Nos referimos a la eólica terrestre, ya que la eólica marina está por desarrollar en España, donde tiene un importante potencial tanto en la costa Mediterránea como en la Atlántica. En Europa existen parques eólicos marinos sobre todo en el Mar del Norte, y en menor medida en el Mar Báltico y en la costa Atlántica, que suponen un 10% del total de la energía eólica en nuestro continente.

[115] Así se ha hecho mediante el Real Decreto-ley 1/2012, de 27 de enero, por el que se procede a la suspensión de los procedimientos de preasignación de retribución y a la suspensión de los incentivos económicos para nuevas instalaciones de producción de energía eléctrica a partir de cogeneración, fuentes de energía renovables y residuos,

nea de actuación está siendo la obtención de biocarburantes (básicamente bioetanol y biodiésel)[116], que reducen el grado de contaminación al proceder de plantaciones agrícolas (que durante su vida útil consumen CO_2) y generar menores emisiones en su combustión, normalmente mezclados con los carburantes convencionales. Con todo, ya se han planteado algunas dificultades en el desarrollo de estos productos, por el efecto de elevación de precios que están arrastrando en otros productos básicos para la alimentación humana como son los cereales, así como por la dificultad para su transporte al por mayor a través de oleoductos, realizándose su traslado por medio de vehículos contaminantes.

La corrección de la demanda pasa por la adopción de medidas de eficiencia energética, que según todos los estudios al uso en el marco de la Unión Europea pueden suponer un importantísimo ahorro en el consumo de energía, tanto mediante la aplicación de medidas tecnológicas como mediante la formación y concienciación de la población y las empresas en el consumo responsable.

Sin duda, uno de los aspectos más relevantes en este terreno ha sido el forjado de una conciencia global sobre los efectos de la acción humana en el ecosistema del planeta[117]. A partir de la *Cumbre de la Tierra* celebrada en

---

　　　que afecta principalmente al Real Decreto 661/2007, de 25 de mayo, sobre producción de energía eléctrica en régimen especial, y que está recurrido ante el Tribunal Constitucional por la Junta de Extremadura.

[116]　La DA 16ª LSH identifica cuatro tipos de biocarburantes, que pueden consumirse directamente o mezclados con otros carburantes: el bioetanol, el biometanol, el biodiésel y los aceites vegetales, a los que se podrán añadir otros que se identifiquen. Tal como explica el art. 8 del Real Decreto 61/2006, de 31 de enero, el bioetanol es alcohol etílico de origen agrícola o vegetal, que se mezcla con la gasolina, de igual modo que el biometanol es alcohol metílico. Ambos pueden consumirse como tales o previa transformación química. Por su parte, el biodiésel son ésteres metílicos de los ácidos grasos, que tienen un origen vegetal o animal, y que se mezclan con el gasóleo de automoción. Respecto a los objetivos marcados por el gobierno en cuanto a la cuota de de estos biocarburantes en el consumo español de combustibles, tras la reforma de la DA 16ª LSH en 2007, la cuestión ha quedado deslegalizada, y debe estarse a lo dispuesto en el Real Decreto 459/2011, de 1 de abril, por el que se fijan los objetivos obligatorios de biocarburantes para los años 2011, 2012 y 2013. Como ya se ha indicado más arriba, los objetivos para 2013 (6,5% de cuota en biocarburantes, 7% de cuota en biocarburantes en diesel, y 4,1% de cuota en biocarburantes en gasolinas) han sido retocados el art. 41 del Real Decreto-ley 4/2013, de 22 de febrero, de medidas de apoyo al emprendedor (a 4,1%, 4,1% y 3,9%, respectivamente).

[117]　Buena plasmación de ello es la formación del célebre Grupo Intergubernamental de Expertos sobre el Cambio Climático, cuyo cuarto informe fue presentado en 2007. Sus conclusiones vienen a avalar que la mayor parte del calentamiento de la tierra en

Río de Janeiro en 1992 y auspiciada por las Naciones Unidas se impone el objetivo de la búsqueda del desarrollo sostenible como único camino para hacer viable el progreso de la humanidad a largo plazo y se alcanza al menos un Convenio-Marco sobre el cambio climático. Esa preocupación se plasma en el propósito de contener al menos las emisiones antropogénicas de CO_2 a la atmósfera, tomando como referencia los niveles de 1990, mediante el célebre Protocolo de Kyoto de 1997[118]. Allí se diseña un sistema de aplicación de cuotas de contaminación que, con todas sus limitaciones (como la no ratificación del acuerdo por EEUU, aunque algunos de sus Estados, como California, hayan adoptado medidas de reducción de emisiones, y la no aplicación a los nuevos gigantes mundiales del consumo, como India y China, para no frenar su desarrollo), ha entrado en vigor en una primera fase entre 2008 y 2012, tras estar en pruebas desde 2005[119]. Tras la valoración de este periodo y la fijación de la *Hoja de ruta de Bali*, se ha fijado un segundo periodo de vigencia del Protocolo entre 2013 y 2020, aunque se percibe un apoyo internacional menos decidido para alcanzar las metas propuestas.

Las obligaciones contraídas por la Unión Europea en Kyoto (reducción de emisiones en un 8%[120]) han conducido a la creación de un mercado

---

los últimos decenios proviene de la acumulación de gases de efecto invernadero en la atmósfera, y que ha sido la acción humana la que los ha provocado. El quinto informe de valoración se espera para octubre de 2014, y será presentado en Dinamarca, tras elaborar las conclusiones de los tres grandes grupos de trabajo.

[118] El objetivo concreto era la reducción global de las emisiones para 2012 en un 5% respecto a los niveles de emisión de 1990. No es el único instrumento obligatorio adoptado en el ámbito internacional, aunque sí el más conocido. Con carácter anterior cabe destacar también el Protocolo de Oslo de 1994 sobre emisiones de azufre, en relación con el Convenio de Ginebra de 1979, sobre contaminación transfronteriza a larga distancia. Sin fuerza vinculante cabe mencionar como antecedente la Declaración de principios sobre la lucha contra la contaminación del aire adoptada por el Consejo de Europa mediante la Resolución 648 de 1968.

[119] El Protocolo de Kyoto de 11 de diciembre de 1997 fue firmado por cuarenta países más la Comunidad Económica Europea, a los que se asignan objetivos de reducción de emisiones contaminantes, respetando un margen de crecimiento a los países que están en transición hacia una economía desarrollada. En 2009 ya lo habían ratificado 187 Estados. Los gases contaminantes (dióxido de carbono, metano, óxido nitroso, hidrofluorcarbonos, perfluorcarbonos y hexafluoruros de azufre), recogidos en el Anexo A del Protocolo, son medidos en unidades de dióxido de carbono equivalentes.

[120] Mediante la Decisión 2006/944/CE, de la Comisión, de 14 de diciembre de 2006, modificada por la Decisión 2010/778/UE de 15 de diciembre, la UE ha fijado los niveles de emisión asignados a la Comunidad y a cada uno de sus Estados miembros con arreglo al Protocolo de Kyoto.

de cuotas de emisión a nivel europeo[121], que trata de conjugar las obligaciones estatales de sujeción a un límite de emisiones contaminantes con el recurso a mecanismos de mercado para su distribución entre los actores sociales, en vez de acudir a otros instrumentos clásicos del derecho medioambiental como son los de carácter tributario[122]. De esta forma, los excesos de contaminación atmosférica sólo son consentidos a condición de que haya contrapartes que no agoten sus cuotas de contaminación y las vendan a quienes sí los sobrepasen. Este mercado europeo (*EU Emissions Trading System*, EU ETS) es el más consolidado del mundo y opera a partir

---

[121]   Tras la ratificación del Protocolo por la Decisión 2002/358/CE, del Consejo, de 25 de abril de 2002, la UE ha aprobado la Directiva 2003/87/CE, del Parlamento y del Consejo, de 13 de octubre de 2003, por la que se establece un régimen para el comercio de derechos de emisión de gases de efecto invernadero, que ha sido modificada por otras posteriores (2004/101/CE, de 27 de octubre de 2004; 2008/101/CE, de 19 de noviembre de 2008; y 2009/29/CE, de 23 de abril). El sistema se puso en marcha el 1 de enero de 2005 por un periodo inicial de tres años (previo a la entrada en vigor del Protocolo), en el que los Estados miembros se comprometieron a asignar de forma gratuita el 95% de los derechos de emisión (medidos en unidades de toneladas de dióxido de carbono equivalente) mediante los denominados Planes Nacionales de Asignación. Su funcionamiento ha sido deficiente, al desplomarse de manera abrupta el precio inicial, fijado en 20 euros por tonelada de emisión (tras un crecimiento espurio al comienzo de la cotización hasta los 30 euros) situándose por debajo de los 5 e incluso de los 3 euros por tonelada por no resultar atractivo para los inversores. La crisis económica, que ha retraído la actividad industrial, y los excesos en la concesión de derechos iniciales de emisión, han conducido a un superávit de cuotas de emisión en el mercado.
Mediante el Reglamento (UE) 1031/2010, de la Comisión, de 12 de noviembre de 2010, modificado ya varias veces, se regula el calendario y la forma de gestión de la subasta de derechos de emisión que no se han asignado de manera gratuita, pudiendo los Estados miembros optar por una plataforma común (en principio asignada de manera transitoria a la entidad alemana EEX, *European Energy Exchange*) o por plataformas nacionales de subasta (como es el caso de *ICE Futures* para Reino Unido).
Junto a las fuentes mencionadas hay otros instrumentos de interés. Desde el Libro Verde de la Comisión sobre comercio de los derechos de emisión de gases de efecto invernadero en la UE (Documento COM (2000), 87 final), hasta la Decisión 280/2004/CE, del Parlamento y del Consejo, de 11 de febrero de 2004, por la que se crea un mecanismo de seguimiento de las emisiones de gases de efecto invernadero, pasando por el Informe de la Comisión al Parlamento europeo y al Consejo, sobre los progresos realizados en la consecución de los objetivos de Kyoto, de 7 de octubre de 2011.

[122]   Noemí PINO MIKLAVEC, *La perspectiva ambiental...*, *cit.*, pp. 209 y ss., dedica el quinto capítulo de su monografía al régimen fiscal de los productos petrolíferos, en el cual se ha introducido la perspectiva ambiental como justificante de la imposición a la que se les sujeta a través del impuesto especial sobre hidrocarburos y del impuesto sobre ventas minoristas de determinados hidrocarburos.

de los Planes Nacionales de Asignación de derechos de emisión que aprueban los Estados miembros.

Lo importante es destacar que el sector de los productos petrolíferos, en sus distintas aplicaciones como fuente de energía (especialmente en el transporte y en la industria) es la principal causa de emisión de gases de efecto invernadero, por lo que constituye el eje en el que se juegan el cumplimiento de los objetivos de Kyoto y el principal objeto de ajustes por parte de los Estados a la hora de repartir el peso de los derechos a contaminar, que son susceptibles de transacción comercial[123].

---

[123] En España el mercado de "derechos a contaminar" fue puesto en marcha por la Ley 1/2005, de 9 de marzo, por la que se regula el régimen del comercio de derechos de emisión de gases de efecto invernadero, modificada por la Ley 13/2010, de 5 de julio. Mediante el Real Decreto 1264/2005, de 21 de octubre, se regula la organización y el funcionamiento del Registro nacional de derechos de emisión, que es un registro administrativo, adscrito a la Oficina Española del Cambio Climático dependiente del Ministerio de Medio Ambiente, y gestionado por la entidad Iberclear, que es una sociedad anónima participada, entre otras, por la Bolsa de Valores y por el Banco de España, cuyo objeto es dar publicidad a las operaciones realizadas en este mercado. Mediante los Reales Decretos 1866/2004, de 6 de septiembre, y 1370/2006, de 24 de noviembre, se aprueban el primer y el segundo Plan Nacional de Asignación para los periodos 2005-2007, 2008-2012, respectivamente, que han sufrido varias modificaciones. Para el periodo 2013-2020 debe tenerse en cuenta el Real Decreto 1722/2012, de 28 de diciembre. El marco normativo se completa con el sistema de seguimiento y verificación de los niveles de gases de efecto invernadero, regulado en sus bases por el Real Decreto 1315/2005, de 4 de noviembre, y el Real Decreto 101/2011, de 28 de enero, y con el desarrollo del régimen de participación en los denominados mecanismos de flexibilidad del Protocolo de Kyoto (Comercio Internacional de Emisiones, Mecanismo de Desarrollo Limpio y Mecanismo de Aplicación Conjunta) por parte del Real Decreto 1031/2007, de 20 de julio.

De acuerdo con el compromiso general de la UE con Kyoto, a España se le reconoce un margen de incremento de emisiones de un 15% respecto a los niveles de 1990, el cual fue superado antes de entrar en vigor el propio Protocolo. De hecho, nuestro país es de los Estados que más ha aumentado sus emisiones desde 1990 (detrás de Portugal e Irlanda en Europa) y se ha alejado de los objetivos marcados en Kyoto, y que a la vez más ha aumentado su nivel de desarrollo humano, de acuerdo con el seguimiento realizado por la ONU a través del Programa para el Desarrollo (PNUD), que nos sitúa en 2007 en el puesto 13 del ranking mundial. Para un análisis general de todo el sistema de Kyoto puede consultarse el libro colectivo dirigido por Iñigo SANZ RUBIALES, *El mercado de derechos a contaminar. Régimen jurídico-público del mercado comunitario de derechos de emisión en España*, Lex Nova, Valladolid, 2007, así como el dirigido por Antonio RE-MIRO BROTONS, *El cambio climático en el derecho internacional y comunitario*, Fundación BBVA, Bilbao, 2009.

VI. LAS INFRAESTRUCTURAS E INSTALACIONES ENERGÉTICAS COMO PROPIEDADES DE INTERÉS GENERAL

1. *Tipos de instalaciones*

Todo el ciclo de los hidrocarburos está intermediado por las necesarias instalaciones que hacen posible su detección, extracción, tratamiento, almacenamiento, transporte y distribución para su consumo. Se trata de fases encadenadas que, sobre todo en su segunda parte, tienen una configuración de red en la medida en que muchas de esas instalaciones están enlazadas entre sí por canalizaciones de diverso tipo. Semejante configuración hace que el sistema de aprovisionamiento de los productos que circulan por la red se convierta en un monopolio natural que justifica la intervención pública[124].

Puede establecerse una primera distinción entre instalaciones fijas de carácter industrial e instalaciones de transporte y distribución. Las primeras tienen gran diversidad, en función del recurso o producto al que se refieran (refinerías de productos petrolíferos y plantas de gasificación del gas natural) y de la fase en la que nos encontremos. Por regla general son hoy bienes de propiedad de las compañías que operan en el sector y están sometidos a una serie de controles de actividad, medioambientales y urbanísticos, ejercidos mediante autorizaciones y licencias administrativas, tal como se ha expuesto en el epígrafe anterior. En el caso de las instalaciones de explotación, se trata de bienes afectados a una concesión de dominio público.

Por su parte, el transporte de productos se produce en varios niveles, el de la importación a España y el del transporte y distribución interior. En ambos casos, existe la modalidad de la conducción canalizada (gasoductos y oleoductos) o la realizada por otros medios de transporte (buques y gabarras, camiones cisterna). Además, interesa destacar que las canalizaciones se organizan en redes primarias y secundarias, según que sean mayoristas

---

[124] Desde la creación del Monopolio de Petróleos en 1927 estas infraestructuras han sido de titularidad estatal y administradas por la compañía arrendataria, hasta que en 1984 la Ley de reordenación del sector petrolero autorizó al Gobierno para su transmisión dominical a la CAMPSA, con vistas al desmontaje de este monopolio comercial. El siguiente paso en la liberalización de estas infraestructuras fue la segregación en 1992 de la CAMPSA logística —que pasó a convertirse en la actual CLH, conservando las instalaciones y medios de transporte y almacenamiento— y de la CAMPSA distribución, que quedó repartida entre las compañías presentes en su accionariado.

o de alta capacidad para el transporte, o minoristas o de distribución hasta los puntos de consumo[125].

En cuanto a la competencia para la autorización sustantiva de las instalaciones e infraestructuras, tanto industriales (de refino o de gasificación)[126], como de transporte y distribución (oleoductos y gasoductos), habrá que estar por su atribución al Estado, como se explicó más arriba, cuando cumplan tanto el requisito geográfico de que unan o atraviesen el territorio más de una Comunidad Autónoma, como el funcional de que su incidencia operativa rebase el mercado energético autonómico. Precisamente uno de los aspectos en los que se manifiesta la liberalización del sector de los hidrocarburos por la ley de 1998 ha sido la sustitución de las tradicionales autorizaciones de actividad por simples autorizaciones de las instalaciones para desarrollar esa actividad, que son necesarias por el tipo de productos que se utilizan en esos procesos[127].

2. Régimen especial de las infraestructuras en red

Las instalaciones industriales de tratamiento y transformación de productos necesitan complementarse con una red básica de transporte de petróleo (oleoductos) y de gas natural (gasoductos), cada vez más extendida, cuyo control determina el acceso al correspondiente mercado energético y que confieren al sector el perfil de monopolio natural. Precisamente, las

---

[125]   Esta distinción es especialmente importante en el caso de las canalizaciones de gas natural, puesto que está definida en la propia LSH (arts. 59.3 y 4, 66.1 y 73.1) en función de la presión a la que se conduce y determina el ejercicio de las actividades separadas de transporte y de distribución. Pero también en el caso de los oleoductos pueden distinguirse unas instalaciones de transporte primario (que comunican las refinerías o puntos portuarios de recepción exterior y los centros de almacenamiento de productos petrolíferos) e instalaciones de transporte secundario (que unen esos centros de almacenamiento y los puntos de venta o distribución).

[126]   Parece que en este terreno el régimen energético debe prevalecer, por ser un título más específico, respecto a la competencia sobre industria. Así lo entendió la STC 24/1985, de 21 de febrero, respecto de la autorización de instalaciones de refino petrolero (se trataba de aprobar la modificación de un proyecto de Petronor de una unidad de *craking* catalítico fluido y de una unidad de *visbreaking*), a pesar de su indudable carácter industrial.

[127]   Así lo destaca la Exposición de Motivos de la LSH, que señala como excepción la autorización de actividad para operadores al por mayor de hidrocarburos líquidos, en cuanto son responsables de que se respeten las existencias mínimas de seguridad del sistema de aprovisionamiento, a la que habría que añadir, al menos, la de los comercializadores de gas natural (art. 80).

infraestructuras en red sobre las que se construye la actividad de transporte y distribución de hidrocarburos han sido un factor decisivo en la configuración monopólica de este sector. Sólo el Estado disponía de una envergadura suficiente como para acometer tales inversiones, que luego eran administradas por CAMPSA para prestar el servicio y garantizar el abastecimiento de energía en todo el territorio nacional. Posteriormente, con la apertura del sistema en los años 50 al capital privado fueron los concesionarios quienes invertían en instalaciones para desarrollar su actividad, con sujeción a cláusulas de reversión final (o de desmantelamiento, si el Estado lo consideraba oportuno). En todo caso, se mantuvo entonces el régimen de monopolio en el segmento del transporte y distribución de productos.

En la última etapa, la liberalización o apertura de los mercados de comercialización de hidrocarburos ha topado con el obstáculo del *cuello de botella* que generaban unas infraestructuras unitarias de paso obligado y control en mano única para acceder a los consumidores finales y directos.

Ante este reto, la solución que se ha adoptado ha sido curiosamente la de privatizar esas infraestructuras mediante la adjudicación o licitación del accionariado de las empresas públicas titulares de las mismas, de manera que el monopolio público en realidad se ha transformado en privado (al menos de partida). Esa medida se ha tenido que acompañar de toda una nueva regulación de la propiedad de esas redes, por la que se pretende garantizar su apertura efectiva al uso de las compañías interesadas en participar en esos mercados finales, así como la provisión de una serie de obligaciones de servicio público y de servicio universal a favor de los consumidores.

Como he expuesto en otro sitio[128], el régimen en principio de derecho privado al que se somete la propiedad de las redes y la construcción o ampliación de nuevos tramos, trata de compensarse mediante tres tipos de medidas reguladoras para evitar que sus titulares puedan ahorcar la formación de un verdadero mercado:

a. *Medidas limitadoras de las facultades de uso y explotación*, que parten del presupuesto de la separación entre titularidad y utilización de las redes, de manera que, a pesar de que la primera sea formalmente privada, su uso debe estar disponible hasta el límite de su capacidad para los operadores del sector y al servicio de los potenciales destinatarios del abastecimiento. En general, las infraestructuras estratégicas (gasoductos y oleoductos) se

---

[128]　Rafael CABALLERO SÁNCHEZ, *Infraestructuras en red...*, *cit.*, pp. 256 y ss.

encuentran en una situación de sometimiento a la potestad regulatoria del poder público competente, que pretende convertir a sus titulares en administradores neutrales de esos pasillos de tránsito de productos de terceros operadores[129].

Más en particular, el uso de estas instalaciones está gravado por los denominados ATR o *acceso de terceros a la red*, que consisten en el reconocimiento legal de unos derechos de acceso e interconexión a favor de los operadores del sector. Este derecho está contemplado en la LSH por el art. 41 (respecto a las instalaciones fijas de almacenamiento y transporte de productos petrolíferos), el art. 60.3 (como regla básica de funcionamiento del sistema gasista), el art. 61.2 (respecto a las instalaciones de regasificación, almacenamiento, transporte y distribución de gas natural, como derecho de los sujetos autorizados para adquirir gas natural), el art. 68.c) (respecto a los titulares de instalaciones de regasificación, almacenamiento, transporte y distribución de gas natural, como obligación de facilitar su uso), el art. 70 (en cuanto a las condiciones de acceso a esas instalaciones), el art. 71 (respecto a un régimen especial de exención de cumplir con la obligación de dar acceso a terceros a las instalaciones), el art. 74.1.e) (respecto a las instalaciones de distribución de gas natural, como obligación de facilitar su uso por sus titulares), el art. 76 (que desarrolla los términos de la anterior obligación), y el art. 81.1.c) (respecto a los comercializadores de gas natural, como derecho de acceso).

El acceso sólo puede ser denegado por condiciones objetivas, como la falta de capacidad disponible, la existencia de pagos pendientes por servicios anteriores o la falta de reciprocidad en este régimen en el país de origen de la empresa que solicita el acceso (art. 41.3 y 4, respecto a instalaciones de productos petrolíferos y arts. 70.4 y 5 y 76.2, respecto a instalaciones gasistas). Junto a estas límites generales que permiten denegar el acceso a la red, el Real Decreto-ley 13/2012, de 30 de marzo, ha introducido en el art. 70.6, desarrollado por el art. 71 LSH, un caso excepcional de exención de la obligación de dar acceso, aplicable a nuevas instalaciones o a refor-

---

[129] La regulación permite, en beneficio del mercado y la libre competencia, intervenir en el marco económico de desenvolvimiento de esta actividad. Así se hizo, por ejemplo, cuando se impuso la obligación de compartir el suministro de gas natural procedente de Argelia a través del gasoducto de El Magreb, que entonces era único y tenía como único usuario al monopolista del mercado español. Esta previsión fue introducida como DT 16ª LSH mediante el Real Decreto-ley 6/2000, de 23 de junio, de medidas urgentes de intensificación de la competencia, y fue ejecutada mediante la Orden de 29 de junio de 2001, sobre aplicación del gas procedente del contrato de Argelia, que monopolizaba Gas Natural.

mas sustanciales de instalaciones que supongan aumento significativo de capacidad o desarrollo de nuevas fuentes de suministro de gas, las cuales quedarán sustraídas del régimen retributivo general de las instalaciones gasistas. Se trata de no frustrar el interés por invertir en nuevas instalaciones ante la perspectiva de tener que abrirlas a terceros competidores, siempre con sujeción a una autorización previa, objetiva y justificada del Ministerio de Industria, previo informe de la Comisión Nacional de los Mercados y la Competencia, que a su vez será notificada a la Comisión Europea, que tendrá capacidad de revocarla o adaptarla, si lo entiende necesario.

En el otro extremo de la red están los consumidores, a favor de los cuales también se regulan una serie de derechos en relación con las redes, especialmente las de distribución, que son las que llegan hasta los puntos finales de consumo. En primer lugar, se reconoce el derecho de acometida a la red, que pesa sobre los distribuidores de gas natural [art. 74.1.j) LSH]. Ese enganche se sujeta a un precio fijado administrativamente por las CCAA en función del caudal máximo que se solicite y de la ubicación del suministro (art. 91.2 LSH). Específicamente, se garantiza a los llamados consumidores directos en mercado, que son aquellos que ejercen su derecho a no ser suministrados por un comercializador, el acceso a las redes de distribución (art. 76.1 y 3 LSH) y de transporte (art. 70.1 y 2 LSH). En segundo lugar, se establece la obligación de los denominados suministradores de último recurso de atender las solicitudes de suministro de gas natural de los consumidores que cumplan con los oportunos requisitos (art. 82 LSH: en la actualidad esta categoría comprende a todos los consumidores domésticos)[130]. Por su parte, el resto de comercializadores ordinarios tienen el derecho de vender gas natural a los consumidores y a otros comercializadores [art. 81.1.c) LSH], para lo cual tendrán la obligación de adquirir el gas necesario y de suscribir los contratos de acceso oportunos [art. 81.2.d) LSH] y en general de garantizar la seguridad del suministro [art. 81.2.h) LSH]. En caso de incumplir estas obligaciones los clientes del comercializador serán traspasados a un suministrador de último recurso por decisión motivada del Ministerio de Industria. Finalmente, se establece la obligación de los distribuidores de extender o ampliar sus redes para abastecer nuevas bolsas de demanda dentro de la zona en que estén autorizados y de facilitar las conexiones [art. 74.1.d) LSH]. Tal obligación de servicio público será concretada por la Administración autonómica com-

---

[130]   En la actualidad tienen la condición de suministradores o comercializadores de último recurso en España las compañías Endesa, Gas Natural, Hidrocantábrico-Naturgas y EON.

petente, que deberá designar una compañía de distribución cuando haya varias autorizadas en una misma zona y ninguna quiera acometer la ampliación.

b. Por otro lado, los operadores de hidrocarburos disfrutan de una serie de *prerrogativas de implantación y extensión de sus instalaciones*. El carácter de actividades de interés general con que se califican los sectores de abastecimiento de energía conducen al legislador a facilitar la construcción de estas arterias estratégicas mediante una serie de privilegios que gravan a los propietarios de los terrenos que es necesario surcar, ya sean de titularidad pública o privada. Por tanto, a pesar del nuevo entorno de liberalización y mercado, se mantienen esas prerrogativas que caracterizaban anteriormente a las obras e instalaciones afectadas a un servicio público[131]. En concreto, los operadores de red tienen derecho a obtener autorizaciones de ocupación de terrenos públicos, pueden ser beneficiarios de la expropiación forzosa, y pueden solicitar la imposición de servidumbres forzosas de paso y acceso sobre propiedades privadas (arts. 102 a 107 LSH).

Para empezar, conforme al art. 102 LSH[132], los operadores de hidrocarburos que sean titulares de concesiones, permisos o autorizaciones podrán ocupar terrenos demaniales, patrimoniales o zonas de servidumbre pública, previa autorización de la Administración titular de los mismos. En el caso de los oleoductos y gaseoductos, las canalizaciones irán normalmente enterradas en el suelo.

En segundo lugar y a efectos de la expropiación, el art. 103.1 LSH declara de utilidad pública el conjunto de instalaciones necesarias en las distintas fases del ciclo de aprovechamiento de los hidrocarburos: desde la investigación y explotación, pasando por el refino, hasta el almacenamiento, transporte y distribución, por medios fijos, de hidrocarburos líquidos y de gases combustibles. Con cobertura en esta declaración, permitida por el art. 10 LEF, cada operador deberá solicitar de modo individualizado ante

---

[131] Ya desde el célebre Real Decreto-ley de 1927, por el que se constituyó el Monopolio de Petróleos, se estableció "el principio de expropiación forzosa al utillaje de depósito, manipulación y distribución de petróleos que existe en España", como medio de acción indispensable para implantar tal monopolio. Esta prerrogativa ha ido pasando a la normativa posterior, como demuestran el art. 2 de la Ley de 26 de diciembre de 1958, de régimen jurídico de la investigación y explotación de hidrocarburos, el art. 3 de la Ley 21/1974, de 27 de junio, de investigación y explotación de hidrocarburos, o el art. 5 de la Ley 34/1992, de 22 de diciembre, de ordenación del sector petrolero.

[132] Sin duda por error este precepto no ha quedado incluido como debiera en el Título V de la LSH, sino al final del Capítulo VIII del Título IV, relativo a la garantía de suministro de gas natural. El Título V debería comenzar en el art. 102.

el Estado o la Comunidad Autónoma competente la declaración de utilidad pública para sus instalaciones singulares, mediante un procedimiento que deberá incluir un trámite de información pública[133]. Esta declaración lleva implícita la necesidad de la ocupación (puesto que ya han quedado identificados de manera detallada los bienes a expropiar) y la aplicación del procedimiento expropiatorio de urgencia, que en principio debería ser decidido por el Gobierno de la Nación o el Consejo de Gobierno autonómico (art. 105 LSH).

Por último, los arts. 103.2 y 107 LSH reconocen a las vías de acceso y líneas de conducción y distribución de hidrocarburos el beneficio de las servidumbres forzosas y autorizaciones de paso necesarias respecto de propiedades privadas[134], incluyendo en su caso el derecho de ocupación del subsuelo y la ocupación temporal del terreno para atender a la vigilancia, conservación y reparación de esas instalaciones. Además, el hecho de que finalmente se construya una conducción determina algunas limitaciones sobre el titular del predio sirviente que han sido objeto de desarrollo reglamentario[135].

c. *Medidas de control de las sociedades titulares de infraestructuras esenciales.* El sistema se completa con una serie de límites específicos sobre el control de las sociedades privadas que ejercen actividades reguladas y gestionan el núcleo mismo del monopolio natural del sector: las instalaciones de transporte. Toda la competencia y el régimen de liberalización que se quiere

---

[133] El régimen detallado de ese procedimiento respecto de instalaciones de gas natural se encuentra regulado en los arts. 92 y ss. del Real Decreto 1434/2002, de 27 de diciembre, por el que se regulan las actividades de transporte, distribución, comercialización, suministro y procedimientos de autorización de instalaciones de gas natural.

[134] Se trata de servidumbres legales que se regularán por los arts. 542 y ss. del CCv. Quedarán extinguidas por la causas allí previstas, así como por la retirada de la instalación, por la pérdida de la necesaria autorización y por la falta injustificada de uso durante nueve años (art. 107 del Real Decreto 1434/2002, de 27 de diciembre).

[135] Según el art. 69.4 del Real Decreto 1434/2002, de 27 de diciembre, las construcciones y obras que se realicen en la zona de servidumbre de las instalaciones gasistas de transporte (zona que no está específicamente prevista como tal en la LSH) requieren un permiso especial. También queda limitada la plantación de árboles y prohibida la construcción de edificios o instalaciones industriales en las zanjas de las canalizaciones de gas y en la franja de seguridad que se determine (art. 112.3).
De cualquier forma, la voluntad del legislador es que las redes de energía perjudiquen lo mínimo posible a los terrenos privados que hayan de atravesar. Por ello, se establecen algunos mecanismos como la posibilidad de solicitar el cambio de trazado de las canalizaciones (art. 105) o la expropiación del terreno cuya explotación se haya vuelto antieconómica a causa de la servidumbre de paso (art. 104).

establecer en estos sectores en red pasa necesariamente por garantizar que las conducciones estén al servicio del sistema y sean accesibles para todos los operadores del mercado. De manera que las medidas anteriores de acceso de terceros a la red se rematan con una regulación especial para CLH y Enagás (paralela a la que rige para REE y el OMEL en el sector eléctrico), que son las empresas titulares de las redes mayoristas de oleoductos y gasoductos del país, respectivamente.

Para empezar, la LSH previó que estas compañías no pudiesen competir en el segmento de las actividades libres (producción y comercialización de productos energéticos) para no tener la tentación de aprovechar su posición de dominio de las actividades reguladas intermedias. Pero pronto se vio la necesidad de reforzar ese régimen de neutralidad comercial mediante la imposición de limitaciones accionariales estrictas de las compañías estratégicas titulares de infraestructuras esenciales, que impidiesen tanto el control corporativo de esas empresas por el oligopolio de los operadores del mercado final, como por uno sólo de ellos.

En el caso de Enagás, que ostenta la doble condición de propietario de la red de transporte y de gestor del sistema gasista, fue primero el art. 10 del Real Decreto-ley 6/2000, de 23 de junio, de medidas urgentes de intensificación de la competencia en mercados de bienes y servicios, quien añadió una DA 20ª a la LSH para obligar a abrir el accionariado de la compañía a terceros inversores hasta un 65%[136]. Ese límite fue aumentado por la Ley de acompañamiento a los presupuestos de 2004 hasta prohibirse que ningún accionista de la compañía ostente una cuota superior al 5% del accionariado, bajo pena de perder los derechos de voto que le correspondan más allá de esa participación máxima[137]. En 2007, al trasponer el segundo paquete legislativo de Directivas de la energía, se impusieron a Enagás unos condicionantes accionariales semejantes a los de su equivalente en el sector eléctrico (REE), es decir: un límite individual de participación en el capital social de un 5%, que sólo podrá ser ejercido en cuanto a derechos políticos en un 3%, y que en el caso de los accionistas que sean sujetos

---

[136] Hasta ese momento Enagás pertenecía íntegramente a Gas Natural (Grupo dominado a su vez por La Caixa y Repsol). Esta desinversión obligada del 65% de la compañía fue ralentizada por las fuertes discrepancias en la valoración de la empresa transportista de gas, sobre todo por parte de las grandes eléctricas nacionales, interesadas en principio en entrar en la operación para tener presencia en el mercado del gas. De esta forma entraron en el accionariado de Enagás varias compañías como BP, Cajastur o Bancaja (con un 5% cada una), Atalaya (3%) y la Caja de Ahorros del Mediterráneo (2%), repartiéndose en bolsa nada menos que el 40% del capital.

[137] Art. 92.3 de la Ley 62/2003, de 30 de diciembre.

del sector gasista se reduce al 1% de los derechos políticos; y un límite conjunto a la suma de participaciones de los sujetos del sector gasista, que no podrán superar el umbral del 40% de la compañía[138]. En la actualidad se mantienen esos límites accionariales, que han pasado a figurar en la DA 31ª LSH, con una novedad: la sociedad Enagás SA (a la que son de aplicación esos umbrales de participación máxima en su capital social) ha pasado a ser la matriz de dos sociedades filiales dedicadas al ejercicio de las funciones de gestor técnico del sistema y de transportista de gas natural[139]. En la actualidad casi todo el capital de la compañía es capital flotante[140].

En el caso de CLH fue igualmente el art. 1.1 del Real Decreto-ley 6/2000, de 23 de junio, el que estableció (esta vez directamente, sin modificación de la LSH) un límite máximo de participación por accionista del 25% del capital social, al que se añade un techo máximo del 45% para la suma de participaciones de los operadores con actividad de refino en España[141].

En definitiva, se ha formado así una nueva categoría de entidades, que podemos calificar como *sociedades reguladas de infraestructuras estratégicas*, que tienen naturaleza privada, pero que al ejercer funciones realmente públicas (puesto que la responsabilidad del funcionamiento de los sistemas de abastecimiento energético es pública y la concreta gestión de las redes neurálgicas debe responder a criterios de interés general), quedan sometidas a un régimen especial de regulación que asegura su neutralidad operativa.

Desde mi punto de vista, esta solución no era la única posible y ni siquiera la más acertada para favorecer la creación de los nuevos mercados energéticos en competencia. Mucho más sencillo habría sido mantener

---

[138] Art. único, apartado 49, de la Ley 12/2007, de 2 de julio.

[139] Disposición final sexta, apartados 1 y 3, de la Ley 12/2011, de 27 de mayo.

[140] Según la página web oficial de la compañía (julio de 2013) sólo hay tres accionistas institucionales, que son la entidad pública empresarial SEPI, la petrolera Omán Oil y la financiera Kutxa Bank, con participaciones de un 5% del accionariado cada una. El 85% restante se reparte en bolsa (*free float*).

[141] El reajuste de participaciones ha obligado principalmente a Repsol, que era el socio mayoritario, a una fuerte desinversión (aunque también ha afectado a Cepsa y BP). El reparto accionarial de CLH en la actualidad según la web de la compañía (julio de 2013), se reparte entre Cepsa (14,15%) como principal accionista; un grupo de accionistas con paquetes accionariales del 10% (Repsol, Omán Oil, AMP Capital Investors y Marthilor); y un grupo de empresas con paquetes del 5% (BP, bcIMC CLH, NCG, Deustsche Bank, Her Majesty The Queen in Right of Alberta, Public Sector Pension Investment Board, Stichting Pensioenfonds Zorg en Welzjin, Global Salamina y Kutxa Bank). Se percibe así la salida de socios del sector, sustituidos por entidades financieras.

las infraestructuras esenciales en mano pública, sin despatrimonializar al Estado de estas herramientas básicas para el funcionamiento del sistema, que podría gestionar con perfecta neutralidad y eficiencia por medio de una sociedad pública o de una entidad pública empresarial, precisamente en beneficio del mercado. Y desde luego, lo que no parece tener justificación alguna es que las sociedades titulares de las infraestructuras en red, que fueron públicas y hoy han sido privatizadas, hayan sido después enriquecidas con la cláusula de anulación de la reversión de sus instalaciones al Estado (DA 6ª LSH) al transformarse sus concesiones de suministro de gases combustibles por canalización en autorizaciones.

VII. EL RÉGIMEN JURÍDICO DEL CICLO DE EXPLOTACIÓN DE LOS HIDROCARBUROS

Todo el ciclo de los hidrocarburos, desde su búsqueda hasta su comercialización una vez transformados, viene hoy regulado por la Ley del Sector de los Hidrocarburos, que recoge una regulación global e integrada del sector, presidida por la concurrencia y apertura de actividades a la libre iniciativa privada. Desde la anterior Ley de Hidrocarburos de 1974 hasta la actual de 1998 (modificada de manera importante en 2007 y 2012, sobre todo en relación con el sector gasista) se aprecia una notable evolución, marcada por la limitación de la intervención directa de los poderes públicos[142].

La primera fase de ese ciclo consiste en la aportación de hidrocarburos al sistema, principalmente mediante el aprovisionamiento exterior, y en muy pequeña proporción por la explotación autóctona, que sin embargo es la que regula en detalle la ley de cabecera del sector, por pertenecer los yacimientos y almacenamientos subterráneos al dominio público. A partir de la extracción de recursos, que son objeto de apropiación por el concesionario, o de su importación a España procedentes del extranjero, se abren primero las de transformación de esos hidrocarburos, almacenamiento, transporte y distribución, que dan lugar ulteriormente a la comercialización al por mayor o al por menor de los productos energéticos en los múltiples focos de consumo existentes. Todas estas actividades están tradicionalmente integradas en sentido vertical, de manera que son las grandes compañías petroleras las protagonistas de los distintos segmentos de esta industria.

---

[142]   Véanse las referencias de la Nota 60 de este Capítulo.

Sector específico es el del gas natural, por ser un producto que se extrae de los yacimientos de modo independiente y se somete a procesos peculiares de transformación, pero también por la importancia económica y estratégica que ha alcanzado en los últimos años. Es en estos últimos y nuevos mercados gasistas donde se han concentrado las medidas liberalizadoras de precios y controles administrativos, que se asientan sobre dos principios fundamentales. El primero es el de separación de actividades (art. 63 y DT 7ª LSH), que es una técnica implantada también en el sector eléctrico y en otras actividades de red liberalizadas, de manera que se impide que una misma empresa esté presente en los segmentos con conexión directa a una red o monopolio natural (transporte, distribución y almacenamiento estratégico) y en los segmentos de participación libre (producción u obtención de energía y comercialización o venta de la misma). Las sucesivas Directivas sobre el mercado interior del gas natural, y las consiguientes reformas legislativas internas para su transposición, han profundizado precisamente en las obligaciones de separación jurídica y funcional por parte de los operadores del mercado liberalizado. El segundo es el reconocimiento a los operadores de un derecho de acceso a las instalaciones esenciales de terceros para hacer posible la competencia en un sector donde la red de transporte, almacenamiento y distribución constituye un ejemplo claro de monopolio natural (arts. 41, 61.2, 70, 71 y 76 LSH, principalmente).

1. *Localización y extracción de hidrocarburos*

Las primeras fases del ciclo de los hidrocarburos (exploración, investigación y explotación) no difieren mucho de las de los minerales en general, especialmente de las sustancias energéticas como el carbón, incluidas en la Sección D) de la Ley 22/1973, de 21 de julio, de Minas. En este apartado la intervención del poder público sigue siendo determinante, a raíz de la naturaleza demanial de los yacimientos, ejerciendo en consecuencia un control estricto de quiénes pueden beneficiarse de las autorizaciones, permisos y concesiones para buscar yacimientos y almacenamientos y para aprovecharlos. Esos títulos administrativos pueden ser obtenidos por personas jurídicas públicas o privadas, individuales o en grupo —en cuyo caso deben designar un operador o representante único ante la Administración, sin perjuicio de la responsabilidad solidaria de todos sus componentes—, que acrediten capacidad técnica y financiera suficiente. En todo caso, estos sujetos deberán tener forma jurídica mercantil e incluir dentro de su objeto social la realización de estas actividades de localización y extracción de hidrocarburos (art. 8 LSH). La competencia para otorgar las concesiones de explotación queda reservada al Estado, pero las autorizaciones y permisos podrán ser otorgadas por las Comunidades Autónomas cuando esas actividades no tengan incidencia fuera de su territorio.

A) Investigación y exploración

La península ibérica apenas ofrece opciones de explotación rentable de hidrocarburos[143]. De cualquier modo, toda indagación técnica para la búsqueda de posibles yacimientos que no sea estrictamente superficial queda sometida a la vieja técnica de la autorización, que tiene dos modalidades en función de su intensidad. Por un lado, las *autorizaciones de exploración* permiten realizar búsquedas mediante perforaciones no profundas en áreas libres o francas (no sujetas a permisos de investigación ni concesiones de explotación en vigor), pero sin garantía de exclusividad, por lo que son compatibles con otras exploraciones de terceros en la zona. Por otro lado, los *permisos de investigación[144] contienen un derecho exclusivo de búsqueda en un área por un tiempo determinado según el programa de labores y el plan de inversiones que se apruebe, siendo compatibles con concesiones de hidrocarburos ya existentes en la zona y con autorizaciones y concesiones de explotación de otro tipo de yacimientos mineros (art. 23 LSH). Según el art. 15 LSH la zona de reserva tendrá una extensión entre 10.000 y 100.000 hectáreas con carácter general, delimitándose según coordenadas geográficas (se permitirán desviaciones de hasta el 4% en la investigación), devengándose un canon de superficie por hectárea y año en los términos que concreta la DA 1ª LSH. El plazo de investigación será de seis años, ampliables a nueve, en cuyo caso se reducirá el área a la mitad. Durante ese periodo, el permiso es transmisible a terceros previo control administrativo, garantiza la obtención de otras autorizaciones para la construcción y utilización de instalaciones vinculadas a la exploración y da derecho a ganar en las condiciones que impone la ley las concesiones de explotación de los recursos encontrados[145]. Autorizaciones y permisos serán conce-*

---

[143]   Respecto a los recursos existentes en nuestro subsuelo el art. 12 LSH prevé que el Ministerio de Industria lleve un Archivo Técnico de Hidrocarburos, que se nutrirá de la información que los titulares de autorizaciones de exploración, permisos de investigación y concesiones de explotación le deben remitir, que será tratada de manera confidencial durante la duración de las autorizaciones, permisos y concesiones.

[144]   Según Ramón PARADA, *Derecho administrativo, cit.*, p. 271, esta técnica fue introducida en el Derecho moderno por el art. 22 de la Ley de minas napoleónica, de 21 de abril de 1810, con la finalidad principal de permitir vencer los obstáculos que los propietarios de los terrenos puedan oponer a los trabajos de investigación.

[145]   Las exploraciones suelen seguir métodos geológicos de estudio de la superficie (análisis de muestras del terreno y de sus estratos para encontrar rocas y cuencas de posible

didos por la Administración estatal o autonómica en función del ámbito territorial para el que se soliciten.

Debido a la reserva de potenciales derechos de explotación que suponen estos permisos de investigación, el legislador comunitario ha querido introducir cierto régimen de concurrencia para su obtención. De manera que los permisos se adjudicarán en un procedimiento competitivo, activado bien directamente a iniciativa del Estado o de una Comunidad Autónoma para un área libre de concesiones actuales o en tramitación (art. 20 LSH), bien indirectamente con ocasión de las solicitudes de permisos que presenten los interesados (arts. 16 y ss. LSH). En este segundo caso, las solicitudes, previa superación de un trámite de admisión del cumplimiento de requisitos legales, técnicos y económicos, será objeto de publicación con sus condiciones mediante anuncio en diario oficial, abriéndose un plazo de dos meses para formular tanto objeciones a su aprobación como ofertas alternativas en competencia, que se resolverán en un posterior procedimiento de adjudicación[146]. Junto a la cuantía de las inversiones programadas y los plazos de ejecución de los mismos, la ley permite ahora valorar en el concurso las primas sobre el canon de superficie que puedan ofrecer los candidatos. Finalmente, una vez otorgado el permiso, el titular se compromete a seguir el programa de trabajo y de inversiones previsto, presentando anualmente un plan de labores realizadas.

Fracking nota 135 xxx

B) Explotación de yacimientos

Quienes en ejercicio de un permiso de investigación descubran un yacimiento rentable de hidrocarburos o un almacenamiento subterráneo tienen derecho a su explotación comercial y a la venta de los productos obtenidos, así como a realizar las actividades instrumentales necesarias para el transporte, almacenamiento y manipulación industrial complementaria de esos productos[147]. Este derecho les será otorgado mediante concesión

---

sedimentación, antes de practicar un primer pozo de exploración) o métodos geofísicos (análisis directo del subsuelo mediante gravímetros, magnetómetros y sismógrafos para determinar la composición de las rocas subterráneas).

[146] Así lo exige la Directiva 94/22/CE, del Parlamento europeo y del Consejo, de 30 de mayo, sobre las condiciones para la concesión y el ejercicio de las autorizaciones de prospección, exploración y producción de hidrocarburos, especialmente en el art. 3.

[147] Repsol es prácticamente la única compañía que explota yacimientos en España (Cepsa nunca lo ha hecho, y la presencia de *Petroleum Oil & Gas España* o de la alemana RWE

demanial por real decreto del Gobierno, siempre que lo soliciten durante la vigencia de aquél y aporten la documentación y garantías que exige el art. 25 LSH[148]. Como ya se ha indicado, para ser titular o cotitular, tanto de un permiso de investigación como de una concesión de explotación, es preciso contar con la forma jurídica de sociedad mercantil y tener como objeto social la realización de ese tipo de actividades (art. 8.2 LSH)[149]. Como la concesión es un derecho real de aprovechamiento exclusivo, serán nulas las que se superpongan total o parcialmente a otra ya otorgada y en vigor (art. 33.2 LSH), es inscribible en el Registro de la Propiedad y es susceptible de tráfico jurídico mediante su transmisión, hipoteca o embargo. Su duración máxima, tanto para yacimientos como para almacenamientos

---

es casi testimonial), ejerciendo derechos mineros sobre 28 bloques de exploración y producción de petróleo y gas en todo el mundo. En la página web de la compañía (julio de 2013) se hace referencia a su Plan Estratégico 2012-2016, que comprende 10 proyectos clave en Bolivia, España, Estados Unidos, Rusia, Brasil (ya en explotación) y en Venezuela, Perú y Argelia (todavía por comenzar). En el caso de España se trata del yacimiento de Lubina-Montanazo, a 45 km de las costas de Tarragona, que desde su descubrimiento en 2009 se une a los pozos de la compañía en Casablanca (plataforma también situada en esa zona), Boquerón, Rodaballo y Chipirón.

[148] A diferencia de lo previsto para los permisos de investigación, el procedimiento de adjudicación de concesiones no se abre a la pública concurrencia de ofertas, sino que se reserva a quien ha investigado y descubierto un yacimiento. La tramitación exige un informe preceptivo y no vinculante de la Comunidad Autónoma afectada (sí lo será respecto de las concesiones de almacenamientos subterráneos no estratégicos o básicos de gas natural). En caso de no resolverse y notificarse la solicitud en plazo (la versión vigente de la LSH ha dejado de establecer un plazo máximo de tres meses) por causa imputable al Ministerio de Industria, ésta deberá entenderse desestimada por suponer lo contrario la adquisición de facultades sobre el dominio público (art. 43.2 LRJAP). Sin embargo, el art. 25.4 LSH dispone que si se retrasa la resolución del expediente de concesión el efecto será el de entenderse al menos prorrogado el permiso de investigación, en caso de que su vigencia hubiese expirado.
En cambio, si el expediente se paraliza por causa imputable al interesado, el procedimiento caducará tras el preaviso administrativo y el transcurso de otros tres meses de estancamiento, con pérdida de la garantía depositada (art. 35.1 LSH, en relación con el art. 92 LRJAP). De todos modos, da la impresión de que en este punto (art. 35.2 relativo a "la paralización del expediente o suspensión de trabajos" no imputables al titular del permiso o de la concesión) la LSH mezcla y confunde dos figuras distintas: la caducidad de los procedimientos para otorgar concesiones de explotación (modalidad de caducidad-perención) con la caducidad de la concesión en sí, una vez otorgada, por falta de explotación efectiva (modalidad de caducidad-sanción).

[149] A su vez, para iniciar las tareas de exploración, investigación, explotación o almacenamiento se requiere la previa constitución de un seguro de responsabilidad civil por los daños que puedan producirse a terceros (art. 9.4 LSH). Respecto a las concesiones de explotación el real decreto de adjudicación determinará el seguro de responsabilidad civil a suscribir por el titular (art. 25.2).

subterráneos de hidrocarburos[150] será de 30 años, prorrogables por dos periodos sucesivos de 10 años[151], durante los cuales deberá presentar un plan anual de labores. Tras esos plazos o en caso de extinción anticipada por otras causas (incumplimiento de condiciones por el titular, renuncia voluntaria o disolución de la empresa), la concesión con sus instalaciones revierten al Estado, que devolverá al interesado la garantía prestada, y que podrá volver a adjudicar la concesión[152]. En función de las circunstancias también podrá el Ministerio exigir al titular saliente el desmantelamiento de las instalaciones.

Los hidrocarburos que se extraigan del yacimiento serán de propiedad del concesionario[153], que podrá venderlos libremente a los sujetos autori-

---

[150] Los almacenamientos subterráneos suelen ser en realidad yacimientos agotados, que se destinan a ese uso, y que han sido objeto de regulación por primera vez en la LSH, tal como destaca su Exposición de Motivos. Es el caso en España de los dos grandes almacenamientos existentes de gas natural, situados en Serrablo (Huesca) y Gaviota (Vizcaya), con una capacidad aproximada de unos 1.000 y 2.500 metros cúbicos, respectivamente. Precisamente, la DA 4ª de la Ley 12/2007, de 2 de julio, de modificación de la LSH, viene a incluir estas cavidades dentro de la red básica del sistema gasista, y abrió un plazo de tres meses para que los titulares de las concesiones actuales Gaviota I y Gaviota II, formalmente otorgadas en 1983 como yacimientos de hidrocarburos, optasen por solicitar la extinción de la concesión (de la cual serán compensados) o por transformarla en concesión de almacenamiento subterráneo, por treinta años, según la nueva figura regulada en el art. 24 *bis* LSH. Los titulares de estos yacimientos (Repsol y Murphy Spain Oil Company) se inclinaron por la segunda opción, adjudicándoseles la nueva concesión mediante el Real Decreto 1804/2007, de 28 de diciembre. Por su parte, la concesión de explotación de hidrocarburos Serrablo se declara directamente extinguida, y las autorizaciones de almacenamiento subterráneo de los yacimientos de gas denominados Jaca, Aurín y Suprajaca se transforman también directamente en concesiones de almacenamiento subterráneo del art. 24 *bis* LSH. Estas concesiones de almacenamiento son compatibles con actividades de investigación y de extracción de hidrocarburos.

[151] Las prórrogas deben solicitarse ante el Ministerio de Industria y se concederán siempre que el concesionario haya cumplido sus compromisos y mantenga su actividad según el plan de explotación aprobado (art. 28 LSH).

En el ámbito de la legislación minera el límite de las concesiones también es de 30 años, pero caben prórrogas por otro tanto a solicitud del interesado hasta alcanzar el límite de los 90 años (art. 62.1 de la Ley 22/1973, de 21 de julio, de Minas).

[152] En ese caso, el art. 34.3 LSH reconoce al titular cesante un derecho de tanteo para su adjudicación, siempre que su título concesional se hubiese extinguido por cumplimiento del plazo, y no por otras causas. Lo que ya no es posible desde 1998 es que el Estado asuma directamente la explotación de la reserva, debido al nuevo talante regulador y no ejecutor de actividades industriales que le corresponde.

[153] Los pozos petrolíferos suelen extraer el crudo por medio de un sistema de tubos acoplados que terminan en una broca de diamantes o cuchillas, apuntalándose las perfo-

zados para su adquisición y tratamiento (art. 24.3 LSH), de modo semejante a como ocurre con el titular de una mina (art. 62.2 Ley 22/1973, de 21 de julio, de Minas). En la práctica, Repsol, que monopoliza en España casi todos los yacimientos existentes, destina esos productos a sus refinerías, para comercializar posteriormente los derivados que obtiene.

C) El aprovisionamiento exterior de hidrocarburos

Casi el 100% del petróleo consumido en España proviene del exterior (en Europa occidental esa ratio está en el 97%) por medio de grandes petroleros[154]. Las importaciones, que están diversificadas, suelen ser de petróleo crudo, dado que nuestro país cuenta con una importante industria de refino. Estas operaciones de comercio exterior son libres y pueden realizarse sin más limitaciones que las que derivan de la normativa comunitaria y fiscal aplicable (art. 37.2 LSH)[155].

2. Refino del petróleo y distribución de sus derivados

Una vez obtenida la materia prima (crudo o gas) por las empresas petrolíferas, se inicia una nueva fase del ciclo de los hidrocarburos, presidida por tres coordenadas fundamentales. En primer lugar, el principio de libertad de empresa y de precios acogido por los arts. 37, 38 y 43.2 LSH. Al no estar ya calificadas esas tareas de transformación y transporte como

---

raciones mediante *camisas* o paredes de acero. Una vez se alcanza la bolsa de reserva, el petróleo sube por su propia presión a la superficie, pero a partir de cierto punto es preciso bombearlo o bien inyectar agua o vapor en la reserva mediante un pozo paralelo. A partir del 50% de explotación del yacimiento, éste suele dejar de ser rentable. Por su parte, las extracciones desde plataformas marinas se perfeccionan mediante la circulación constante de lodo a través del tubo de perforación y un sistema de toberas en la broca [Fuente AOP].

[154] Sobre la procedencia de nuestras importaciones, véase la Nota de este Capítulo.

[155] Ténganse en cuenta las previsiones contempladas en los Tratados fundacionales sobre el mercado interior (art. 14 TCE, hoy art. 26 TFUE), la libre circulación de mercancías dentro de la UE (arts. 23 y ss. TCE, hoy arts. 28 y 29 TFUE) y la libre competencia (arts. 81 y ss. TCE, hoy arts. 101 y ss. TFUE). Además, en materia fiscal son de interés las Directivas consecutivas 92/81/CEE y 92/82/CEE, del Consejo, de 19 de octubre, relativas a la armonización de las estructuras del impuesto especial sobre los hidrocarburos y a la aproximación de los tipos de ese mismo impuesto especial respectivamente. Estas Directivas fueron derogadas con efectos de 31 de diciembre de 2003 por la Directiva 2003/96/CE, del Consejo, de 27 de octubre de 2003, por la que se reestructura el régimen comunitario de imposición de los productos energéticos y de la electricidad.

servicios públicos ni quedar reservadas al Estado no es preciso obtener una concesión para ejercerlas. Esta libertad queda limitada únicamente por la necesidad de obtener una autorización administrativa reglada para la apertura y cierre de instalaciones, y en su caso de registrarse, como ocurre con las instalaciones de distribución al por menor de carburantes (art. 44 LSH), con los operadores al por mayor de GLP y con los comercializadores al por menor de GLP a granel (art. 48 LSH). En segundo lugar, el derecho de acceso de los operadores a las instalaciones estratégicas, que son las de almacenamiento y transporte, como requisito imprescindible para que haya concurrencia en un sector intermediado en buena medida por grandes redes de conducción (art. 41 LSH). Y finalmente, la garantía y seguridad del suministro a los consumidores en todo el territorio nacional (arts. 49 a 53 LSH), que es al fin y al cabo el objetivo de todo el sistema y que justifica en situaciones de escasez la adopción de medidas de intervención sobre el consumo por parte del Gobierno.

A) Actividad de refino de petróleo crudo

El petróleo crudo o sin fraccionar no es apto para ningún consumo, por lo cual se refina en grandes plantas industriales, que suelen situarse cerca de las zonas de extracción o de los puertos de desembarque. En España Repsol[156] y Cepsa[157] controlan por completo el esencial sector del refino, aunque también hay presencia de otras empresas petroleras como BP[158].

---

[156] Repsol controla a su vez el 86% de Petróleos del Norte —el 14% restante es de la caja de Bilbao Vizcaya o BBK—, que posee en Vizcaya la mayor refinería española. *Petronor* es una compañía nacida en 1968 para refinar y comercializar productos petrolíferos y sus derivados. Esta compañía es titular de cinco refinerías en España, situadas en Somorrostro (Vizcaya), Escombreras (Cartagena), La Coruña, Puertollano y Tarragona.

[157] Cepsa nació en 1929 como Compañía Española de Petróleos SA, de capital privado, abriendo como primer proyecto una refinería en Tenerife, a la que se añadirían en 1969 una segunda en Gibraltar y en 1991 una tercera en La Rábida (Huelva). La empresa tiene también una importante presencia en la industria petroquímica y en los últimos años se ha asociado con la francesa Elf Aquitaine y ha adquirido Ertoil.

[158] BP es una importante multinacional de origen angloamericano, creada a principios del siglo XX, y cuya configuración proviene de la integración de cuatro compañías (British Petroleum, Amoco, Arco y Castrol), a las que se debe añadir la absorción de la alemana Veba. Cuenta, en todo el mundo, con casi 30.000 estaciones de servicio, 24 refinerías y 38 plantas petroquímicas. En España ha entrado con fuerza en muchos segmentos energéticos con idea de competir en los nuevos mercados (refino de petróleo, distribución y comercialización de carburantes, suministro de gas propano y de gas natural). Es titular de una refinería en Castellón.

Esta actividad es libre, pero está sometida a autorización reglada para la apertura o cierre de instalaciones (art. 39 LSH)[159].

Los productos derivados del petróleo tienen varios destinos a partir de las refinerías. Algunos se conducen por pequeños oleoductos u otros medios de transporte a industrias petroquímicas, que suelen estar próximas a esas plantas. Otros productos, como el butano, quedan envasados y listos para ser distribuidos directamente. Finalmente, los productos a granel se llevan a centros de almacenamiento contiguos o se transportan desde los cargaderos de la refinería hacia las redes de distribución por oleoducto, camiones cisterna, vagones cisterna o barcazas.

B) Almacenamiento y reservas de seguridad y estratégicas

A diferencia de otras energías como la electricidad, el petróleo y sus derivados pueden acumularse en depósitos a la espera de ser consumidos. Ese almacenamiento es esencial en las distintas fases del ciclo de los hidrocarburos para poder asegurar el suministro estable de materia prima a las refinerías, y de carburantes a los centros de distribución y a los consumidores finales[160].

---

[159]   El Reglamento de instalaciones petrolíferas, aprobado por Real Decreto 2085/1994, de 20 de octubre, contiene una detallada Instrucción Técnica Complementaria sobre refinerías (que recibe el código MI-IP 01) con las prescripciones de seguridad a las que deben ajustarse los proyectos, materiales, construcción y explotación de las refinerías de petróleo crudo, sus plantas de tratamiento de sus productos y residuos y sus parques de almacenamiento, tanto subterráneos como de superficie, de crudo, de productos intermedios y de productos refinados. Las áreas interiores y exteriores de instalaciones en que se descomponen las refinerías se clasifican según su extensión y grado de peligrosidad para explotar, y deben contar con ciertos mecanismos de alivio de presión, de evacuación de fluidos, de antorchas para la quema de gases, etc., y respetar ciertas distancias de separación marcadas por la Instrucción. En todo caso, cada refinería contará con un manual general de seguridad, que describirá el comportamiento que se debe guardar dentro del recinto y que será distribuido entre todos los trabajadores (y entregado en forma de resumen a los visitantes), sin perjuicio de las normas particulares que se puedan dictar para una operación o trabajo concreto, complementado con un manual de operación para cada unidad de producción o instalación auxiliar. Todo ello será objeto de inspecciones periódicas por parte de la Comunidad Autónoma en cuyo territorio esté emplazada la refinería.

[160]   Respecto a las condiciones técnicas de seguridad de los parques de almacenamiento de líquidos petrolíferos destinados a la distribución a granel, debe tenerse en cuenta la Instrucción Técnica Complementaria (código MI-IP 02), contenida en el Real Decreto 2085/1994, de 20 de octubre, por el que se aprueba el Reglamento de instalaciones petrolíferas, que fue modificado por el Real Decreto 1562/1998, de 17 de julio. Este

Tal es la dependencia del sistema actual de vida respecto del petróleo que, a pesar de la plena liberalización del sector, los Estados no renuncian a adoptar medidas de intervención para establecer un régimen de reservas mínimas, que garanticen en caso de crisis un margen de tiempo que no suponga la paralización inmediata de la sociedad[161]. A tal fin, el art. 50 LSH establece hoy la obligación de que todo distribuidor (tanto al por mayor de productos petrolíferos como al por menor de carburantes, cuando no adquieran los mismos a los operadores regulados en la LSH) mantenga unas *existencias mínimas de seguridad*, a concretar por el Gobierno, que según la ley no podrán superar los 120 días de sus ventas anuales. En el caso de los gases licuados del petróleo, la obligación alcanza a los operadores al por mayor y a los comercializadores y consumidores que no adquieran el producto a operadores autorizados, y tiene un límite legal de 30 días. Finalmente, en el sector del gas natural la fijación del volumen de existencias de seguridad de los comercializadores y los consumidores directos en mercado queda directamente remitida al Gobierno, habiendo desaparecido el límite legal de treinta y cinco días, vigente hasta 2007 (art. 98 LSH)[162].

---

tipo de instalaciones comprenden estaciones de bombeo, cargaderos (de camiones, vagones, buques y barcazas), centrales de vapor de agua, subestaciones eléctricas y centros de transformación, depósitos y tanques de almacenamiento (de superficie y subterráneos), zonas de almacenamiento y separadores de aguas hidrocarburadas, que se clasifican en función de su peligrosidad. Los recintos deberán contar con un sistema especial de protección contra incendios y de alarma. Al igual que las refinerías, los parques de almacenamiento deberán contar con un manual general de seguridad y con un manual de operación para las distintas acciones posibles (puesta en funcionamiento, marcha normal, paradas, emergencias, inspecciones y mantenimiento).

[161] En España ya el Real Decreto-ley de 1927 estableció en su art. 9 la obligación de la Compañía Arrendataria del Monopolio de constituir *stocks* de petróleo suficientes para abastecer el suministro del país durante cuatro meses. Con la construcción de distintas refinerías en España, esta obligación quedó repartida entre la CAMPSA (dos meses de consumo nacional) y esas empresas de refino (un mes de consumo nacional de petróleo crudo y otro mes de consumo de productos intermedios o acabados), según establecieron los Decretos 1824/1967, de 13 de julio, y 2915/1970, de 22 de agosto. De ahí se pasó a una regulación más detallada de las reservas obligatorias de gasolinas, querosenos, gasoil y fueloil por parte del Decreto 3691/1972, de 23 de diciembre, que fue derogado por la Ley 34/1992, de 22 de diciembre.

[162] Con ese límite legal, la concreción de la cantidad, forma y localización geográfica de las reservas corresponde al Gobierno estatal. Además, las existencias mínimas de seguridad deben garantizarse en cada tipo de producto: gasolinas, destilados medios como el queroseno y el gasóleo, y los fuelóleos, y de ellas una tercera parte se consideran existencias estratégicas y corresponden a la corporación pública CORES. En este sentido, las SSTC 197/1996, de 28 de noviembre, y 223/2000, de 21 de septiembre, han declarado que ese régimen de existencias mínimas tiene carácter básico, encuen-

En la actualidad, el volumen concreto de reservas viene establecido por el Real Decreto 1716/2004, de 23 de julio, en la versión recibida por el Real Decreto 1766/2007, de 28 de diciembre, y consiste en 92 días de ventas o consumos de productos petrolíferos, 20 días de ventas o consumos de gases licuados del petróleo, y 20 días de ventas o consumos de gas natural. Los sujetos obligados a mantener estas existencias mínimas podrán constituir reservas en otros Estados de la UE, y viceversa, en las condiciones que establezca el Ministerio de Industria.

Esta obligación individual de los operadores de garantizar una reserva de existencias se combina con la obligación de cada Estado miembro de la UE de contar con reservas de emergencia de petróleo[163]. Según el art. 3 de la Directiva 2009/119/CE, de 14 de septiembre, esa reserva deberá ser equivalente a la mayor de estas dos cantidades: 90 días de importaciones diarias medias o 61 días de consumo interno diario medio, según el método de cálculo que proporciona la propia Directiva. Esas reservas deben estar en principio dentro del territorio nacional, aunque cabe la celebración de convenios con otros Estados miembros para compartir reservas y compensar déficits y superávits[164].

El sistema de garantía de suministro se refuerza en España mediante la creación de una entidad pública estatal que, además de fiscalizar el efectivo cumplimiento de esa obligación por los operadores (mediante sistemas de información, y sus potestades de inspección y de incoación de expedientes sancionadores), gestiona ella misma unas *existencias estratégicas* (de las que no puede disponer sin la previa autorización del Ministerio de Industria, del que depende), de las que quedan excluidos los GLP. En la actualidad la Corporación de Reservas Estratégicas de Productos Petrolíferos

---

tra cobertura en el art. 149.1.13ª CE, y está reservado al Estado, al menos en cuanto al control de los operadores o distribuidores al por mayor de estos productos y a las autorizaciones para reducir su nivel obligatorio en algún caso concreto.

[163] La Directiva 68/414/CEE, del Consejo de las Comunidades Europeas, de 20 de diciembre de 1968, por la que se obliga a los Estados miembros de la CEE a mantener un nivel mínimo de reservas de productos petrolíferos, es de las primeras normas de Derecho comunitario en esta materia. Ha sido derogada por la Directiva 2006/67/CE, del Consejo, de 24 de julio de 2006, por la que se obliga a los Estados miembros a mantener un nivel mínimo de reservas de petróleo crudo y/o productos petrolíferos, a su vez sustituida por la Directiva 2009/119/CE, de 14 de septiembre, con efectos de 31 de diciembre de 2012.

[164] Cabe citar en este sentido el Acuerdo entre el Reino de España e Irlanda sobre el mantenimiento recíproco de reservas de emergencia de petróleo crudo y productos petrolíferos, hecho en Madrid el 12 de diciembre de 2012 (BOE de 12 de febrero de 2013).

(CORES)[165] está regulada en el art. 52 LSH, como entidad con personalidad jurídico-pública sometida en su actuación al Derecho privado para la contratación y adquisición de petróleo crudo y de productos petrolíferos. CORES se financia con cargo a las aportaciones que están obligados a hacer todos los sujetos que tienen obligación de mantener unas existencias de seguridad por cada unidad vendida o consumida de productos, los cuales a su vez estarán representados en los órganos de administración de la entidad.

C) Transporte y acceso de terceros a la red

Los oleoductos son una red de transmisión (tuberías o conductos e instalaciones complementarias, como válvulas y estaciones de bombeo), normalmente subterránea, que permite conducir a distancia productos petrolíferos en estado líquido, tanto en bruto como una vez refinados. En total, la red española de oleoductos tiene más de 4.000 km de longitud, y surca la península desde Huelva y Cádiz hasta Tarragona, Barcelona y Gerona, junto con una ramificación que parte de Zaragoza, y se prolonga por un lado hacia Navarra y el País Vasco, y por otro hacia Burgos, León y Salamanca[166]. Todas esas instalaciones pertenecen en su integridad a la compañía CLH, y cumplen además una función como espacio de almacenamiento[167]. De todas formas, en teoría estas actividades de transporte y almacenamiento de productos derivados del petróleo son libres y no sometidas a monopolio (de hecho, el transporte se puede realizar por carretera o por vía marítima o fluvial, aunque sea más costoso). Por este motivo, han ido apareciendo

---

[165]   Esta corporación fue prevista por el art. 12 de la Ley de ordenación del sector petrolero de 1992, y quedó efectivamente constituida poco después mediante el Real Decreto 2111/1994, de 28 de octubre, por el que se regula la obligación de existencias mínimas de seguridad de productos petrolíferos y se constituye la Corporación de Reservas Estratégicas de Productos Petrolíferos. Esa disposición ha sido derogada y sustituida por el Real Decreto 1716/2004, de 23 de julio, que regula también la diversificación de abastecimiento de gas natural, a su vez modificado por el Real Decreto 1766/2007, de 28 de diciembre.

[166]   También existen tramos de oleoductos autónomos o no conectados con los anteriores en el Levante español (Castellón-Valencia y Cartagena-Alicante), en Galicia (Vigo-A Coruña) y en la isla de Mallorca.

[167]   Las instalaciones de CLH se completan con 38 almacenamientos (casi todos ellos conectados a la red de oleoductos y con una capacidad total de unos 7,8 millones de metros cúbicos), 28 instalaciones para suministro en los distintos aeropuertos españoles (desde 1997 se constituye CLH Aviación SA, con el objeto de segregar este sector de actividades) y dos buques-tanque. *Fuente*: página web corporativa de CLH.

nuevos operadores logísticos independientes que compiten con CLH, aunque todavía con una cuota de mercado poco determinante.

De todas formas, para favorecer el necesario pluralismo del mercado, el art. 41 LSH garantiza el acceso de terceros a las instalaciones de transporte y almacenamiento en condiciones técnicas y económicas no discriminatorias, transparentes y objetivas, de acuerdo con un procedimiento negociado[168]. A estos efectos, son terceros principalmente los operadores al por mayor o titulares de refinerías, como Repsol y Cepsa, así como empresas de comercialización de carburantes, pero también de algunos consumidores a partir de un umbral marcado reglamentariamente. De esta forma, el uso de la red sólo podrá ser negado cuando no haya capacidad efectiva disponible, cuando haya pagos pendientes por servicios anteriores, o cuando no haya un régimen recíproco de acceso en el país de origen de la empresa solicitante. Los contratos de acceso contarán con publicidad a través de la CNE (englobada hoy en la Comisión Nacional de Mercados y de Competencia), que debe recibir información de los titulares de instalaciones de almacenamiento y transporte sobre los acuerdos suscritos y sus precios, y que conocerá de los conflictos que puedan surgir en la negociación de esos contratos.

D) Distribución y comercialización de carburantes y GLP

a. Tras la actividad de transporte al por mayor de carburantes, es necesaria su distribución al por menor para el suministro de instalaciones fijas, vehículos, aeronaves y embarcaciones, haciendo llegar los productos combustibles hasta las instalaciones fijas aptas para su comercialización a esos consumidores finales. La distribución es una actividad libre, aunque requiere que las instalaciones para llevarla a cabo estén autorizadas por razones de orden y de seguridad y que el distribuidor exija que las instalaciones receptoras cumplan los requisitos técnicos que se establezcan (art. 43.2 y 3 LSH). Mediante el Real Decreto 1905/1995, de 24 de noviembre, se aprobó el Reglamento para la distribución al por menor de carburantes y combustibles petrolíferos en instalaciones de venta al público, por el que se desarrollan esas condiciones que deben reunir las estaciones de servicio y las unidades de suministro.

---

[168]   Los precios de este servicio, en principio son libres, aunque han de publicarse. Por otro lado, el Gobierno puede establecer los peajes de acceso en el caso de los territorios insulares, de los territorios sin alternativa de transporte o almacenamiento, y de las zonas con escasez de instalaciones de almacenamiento (art. 41.1 LSH).

En este escalón resulta fundamental la formación de un verdadero mercado en competencia para que los distribuidores disputen en precios (la calidad del producto está estandarizada) por ganar a los consumidores. Para ello un primer paso ha sido facilitar la libertad de establecimiento y apertura de nuevos puntos de distribución. Esto se aprecia muy bien en el desmontaje de una técnica tradicional de intervención en este terreno (empleada también en el sector farmacéutico) como era la de establecer un régimen de distancias mínimas entre instalaciones de venta al público y distribución al por menor de carburantes[169]. Nuestra incorporación a la CEE comportó que la Comisión europea exigiese a España la supresión de este sistema, a lo cual se accedió de manera progresiva. Primero, mediante el Real Decreto-ley 4/1988, de 24 de junio, se redujeron a la mitad las distancias de separación que marcaba el Reglamento de 1970, abriendo este sector a la competencia. De esta manera, junto a la red concesional del monopolio de petróleos fue posible la implantación de una nueva red paralela de estaciones de servicio por parte de compañías procedentes también de otros Estados miembros. De nuevo esas distancias fueron reducidas por la Ley 15/1992, de 5 de junio, de medidas urgentes para la progresiva adaptación del sector petrolero al marco comunitario, que incluso autorizó al Gobierno tanto para futuras reducciones como para la supresión de este condicionante. En uso de esta habilitación se dispuso pocos años después por el Real Decreto 155/1995, de 3 de febrero, la eliminación de todo límite de distancias para favorecer la máxima concurrencia en el sector de la distribución de carburantes.

Este tipo de medidas han permitido sin duda el crecimiento de la red de gasolineras y la multiplicación de los puntos de servicio[170], pero en cambio

---

[169] Así lo disponía el Reglamento para el suministro y venta de carburantes y combustibles, aprobado por Orden de 30 de julio de 1958, y sustituido por otro aprobado por Orden de 5 de marzo de 1970.

[170] En efecto, como consecuencia de estas medidas España es el país de la UE que más ha aumentado su red de estaciones de servicio en los últimos veinte años, seguida a bastante distancia de Portugal, remediando así la fuerte carencia que padecíamos. En 1990 países como Holanda o Bélgica disponían de unas mil gasolineras más que España, a pesar de la diferencia de tamaño, población y red de carreteras. En este último periodo casi todos los Estados miembros han reducido el número de puntos de venta (en el caso de Holanda casi a la mitad). De todas formas, aún estamos lejos de las 23.000 estaciones de Italia o las 15.000 de Alemania o Francia, aunque son países con mayor superficie que España.
En 2009 el número de puntos de venta se situaba en más de 8.600, de los cuales el 62% estaban en manos de las tres principales compañías Repsol, Cepsa y BP, que coinciden con las compañías con actividad refinera en España. Otro 18% pertenecía a un grupo

no se han apreciado mejoras en la formación de un mercado competitivo entre operadores, a las que la liberalización de este sector debiera haber conducido. En la práctica no se aprecian oscilaciones relevantes de precios entre las compañías, fuera de los beneficios asociados a la fidelización de clientes y de los descuentos especiales que ofrecen los puntos de repostaje en las grandes superficies. En efecto, tal como he estudiado en otro lugar al cual me remito en este punto[171], es un dato objetivo que la competencia no funciona de manera efectiva en este sector. Lo sorprendente es que las autoridades de la competencia son conscientes de este problema, al que dedican cada vez un seguimiento más directo, y lo tienen bien diagnosticado, sin que el regulador haya atendido hasta ahora las propuestas de mejora que viene proponiendo la CNC.

b. Un mercado distinto es el de los gases licuados del petróleo (básicamente butano y propano), que son fracciones de hidrocarburos ligeros obtenidos del petróleo crudo y del gas natural (art. 44 *bis* LSH), que cuentan a su vez con varias modalidades de distribución y venta. Los GLP pueden ser distribuidos a granel o envasados. En el primer caso, si estos gases manufacturados o sintéticos se suministran de modo directo por canalización (para usos comerciales e industriales, normalmente), se les aplica el régimen de distribución del gas natural. En otro caso, la distribución a granel será al por mayor, y tendrá por destino a los distribuidores al por menor. Finalmente, es posible la distribución de GLP envasados, como ocurre con la célebre bombona de butano, que hoy puede adquirirse al distribuidor, pero que también es libremente comercializable por cualquier persona física o jurídica (art. 47.1 LSH), como llevan tiempo haciendo las estaciones de servicio y las grandes superficies.

La LSH exige comunicación administrativa previa al Ministerio de Industria (que a su vez informará a la Comisión Nacional de los Mercados y la Competencia y a CORES) a las sociedades mercantiles que desarrollen las actividades de operador al por mayor de GLP, salvo en lo relativo a envases de menos de 8 litros (art. 45.2 y 5), y de comercializador al por menor de

---

de operadores petrolíferos (Galp, Disa, Meroil, Saras, Esergui, Chevron-Texaco, Q8, Tamoil, Petromiralles y Dyneff). Por su parte, las gasolineras *blancas* (las operadas por empresarios independientes bajo una marca propia y que no están sujetas a acuerdos de suministro en exclusiva con algún operador principal) representaban el 16,3% de la cuota de mercado. El resto final correspondía a los puntos de venta en grandes superficies.

[171] Rafael CABALLERO SÁNCHEZ, "Técnicas de regulación en el sector del petróleo y de sus productos derivados", en *Las técnicas de regulación de la competencia: una visión horizontal de los sectores regulados*, Dir. por Juan A. Santamaría Pastor, Iustel, Madrid, 2011.

GLP a granel, salvo para el suministro a vehículos desde instalaciones fijas (art. 46.2 y 4). Además, se sujetan a autorización las propias instalaciones de almacenamiento de GLP a granel y las canalizaciones para el suministro a los consumidores (art. 46. *bis*. 1), quedando eximidas las instalaciones de interés militar para la defensa nacional, las instalaciones de autoconsumo y las de abastecimiento de un mismo bloque de viviendas.

3. El mercado del gas natural

El gas natural es un compuesto de hidrocarburos que, a pesar de que suele compartir los yacimientos de petróleo, es objeto de extracción y tratamiento independiente, dando lugar a procesos, mercados y usos distintos. Aunque desde el siglo XIX se han empleado los gases combustibles para la iluminación pública y para usos domésticos, obtenidos a partir de la destilación del carbón, el aprovechamiento directo del gas de las reservas naturales por parte de la industria ha sido mucho más tardío en desarrollarse que el del petróleo por las dificultades que presentaba su transporte y almacenamiento (de hecho, por eso hasta hace unas décadas el gas se quemaba a la salida de los pozos, como si fuese un residuo más)[172]. Pero una vez superados esos obstáculos, el gas natural resulta ser un combustible de gran eficiencia y menor contaminación (además de servir como materia prima para la fabricación de amoníaco y metanol para hacer plásticos).

La Ley 10/1987, de 15 de junio, de disposiciones básicas para un desarrollo coordinado de actuaciones en materia de combustibles gaseosos —aprobada cuando ya pertenecíamos a las Comunidades Europeas—, estableció un régimen de servicio público reservado y planificación estatal obligatoria[173]. Sin embargo, la LSH derogó en 1998 esa ley e incorporó un ambicioso Título IV que ha revolucionado el régimen jurídico de este sector, a pesar de estar organizado sobre una estructura de red pertene-

---

[172] Estados Unidos fue el pionero en la producción y consumo de gas natural a partir de los años 20. En Europa, donde además escasea este recurso, hay que esperar a la segunda mitad del siglo XX para que se acuda a esta fuente de energía.

[173] En consecuencia, el art. 2 de la Ley declaró sujetas a concesión administrativa el ejercicio de las actividades de producción, conducción o transporte y distribución, incluyendo la regasificación y licuefacción de gas natural, la fabricación de gases manufacturados y el almacenamiento de estos productos. Sobre el régimen de este sector en este periodo puede consultarse la monografía de Iñigo DEL GUAYO CASTIELLA, *El servicio público del gas*, Marcial Pons, Madrid, 1992. Con posterioridad este autor ha publicado un estudio actualizado y minucioso, con el título de *Tratado de Derecho del gas natural*, Marcial Pons, Madrid, 2010.

ciente a un único operador. De manera que hoy el suministro de gas por canalización es un sector de interés económico general y las actividades de fabricación, regasificación, almacenamiento, transporte, distribución y comercialización son libres y están abiertas a la iniciativa privada[174].

Esa orientación liberalizadora se ha potenciado, por un lado, mediante la Ley 12/2007, de 2 de julio, de modificación de la LSH, por la que se viene a incorporar al ordenamiento español la Directiva 2003/55/CE, de 26 de junio, monográfica sobre el mercado interior del gas natural. Y por otro, mediante el Real Decreto-ley 13/2012, de 30 de marzo, por el que se trasponen, entre otras, la Directiva 2009/73/CE, de 13 de julio. Aunque parte de las previsiones de estas Directivas pertenecientes al segundo y tercer paquetes legislativos sobre la energía, ya estaban acogidas por la legislación española, se adoptaron algunas medidas importantes de garantía de la separación jurídica y funcional entre las actividades de red y las actividades previas y posteriores a la red. Para la Unión Europea la gestión independiente de la red de gasoductos y de las instalaciones esenciales resulta la clave de funcionamiento de un verdadero mercado de gas natural.

En consonancia con estas exigencias europeas, el art. 63 LSH exige que las sociedades mercantiles que desarrollen actividades reguladas (regasificación, almacenamiento básico, transporte y distribución de gas natural) deberán tener ese objeto social exclusivo, sin que puedan ni realizar actividades libres (producción o comercialización de gas natural), ni tener participaciones en compañías que las ejerzan, sometiéndose a autorización administrativa previa sus operaciones de adquisición de acciones de otras sociedades.

Esa separación resulta especialmente delicada respecto de la denominada red troncal, que es la parte de la red de gasoductos de transporte primario de gas natural a alta presión que son esenciales para el funcionamiento del sistema y la seguridad del suministro, y que no son utilizados fundamentalmente para el suministro local [art. 59.2.a) LSH]. Los titulares de estas instalaciones deberán gestionar esas redes a través de sociedades ajenas a los operadores del sector según unas reglas muy estrictas de

---

[174] El sector del gas tiene sin duda un presente y un futuro prometedores, tal como se ha expuesto al comienzo de este trabajo en los apartados sobre *Los subsectores del petróleo, sus derivados y el gas natural* y *La situación española de dependencia energética*, representando casi una cuarta parte del consumo mundial de energía primaria. Pero su crecimiento está estrictamente condicionado, además de por el precio del producto, que está referenciado al del petróleo y se ha encarecido en los últimos años, por las infraestructuras de transporte y de distribución que lo canalizan.

incompatibilidad en cuanto al control de la empresa y de sus órganos de gobierno y administración (art. 63.3 LSH), y en caso de que la empresa esté integradas en un grupo empresarial que sí tengan intereses en producción o comercialización (lo cual se permite sólo para situaciones producidas con anterioridad al 3 de septiembre de 2009), deberán ceder su operación a un llamado gestor de red independiente, en las condiciones del art. 63. *Quáter* LSH.

En cuanto a las actividades incompatibles, cuando no afectan a las instalaciones de la red troncal de gas natural, se admiten con ciertas condiciones algunas excepciones a esa separación jurídica respecto de sociedades pertenecientes a un mismo grupo empresarial especializadas en cada una de las actividades que componen el proceso de abastecimiento de gas natural. En esos casos se asegura la competencia mediante la introducción de una serie de garantías funcionales de separación de intereses. Esas medidas se despliegan en tres direcciones; por un lado, el legislador entra en la regulación del estatus de las personas responsables de la gestión de sociedades reguladas; por otro, se disciplina el régimen de control de las sociedades de actividades reguladas por parte del grupo empresarial al que pertenecen; finalmente, se habilitan unas medidas de garantía del cumplimiento de las anteriores. Respecto del personal responsable de las sociedades reguladas, se les prohíbe participar en las estructuras organizativas del grupo empresarial que sean responsables de la gestión cotidiana de actividades de producción o de comercialización, que son las actividades libres del ciclo de explotación gasista, se impone la obligación de garantizar su independencia en el ejercicio de sus intereses profesionales, incluyendo lo relativo a su régimen de retribuciones y de cese, y se prohíbe que compartan información comercialmente sensible con otras empresas del grupo. En cuanto a las sociedades u operadores regulados en sí, se respetan lógicamente los derechos de supervisión económica y de gestión por parte del grupo empresarial al que pertenecen, estableciendo por ejemplo, planes financieros anuales o límites de endeudamiento. Sin embargo, se debe respetar a la vez su capacidad de decisión real e independiente en lo que se refiere a los activos necesarios para desarrollar sus actividades, rechazándose la posibilidad de dictar instrucciones sobre su gestión cotidiana y la ordenación de sus infraestructuras. Finalmente, para asegurar que se respetan esas condiciones en las relaciones entre el grupo empresarial energético y las sociedades del grupo que desempeñan actividades reguladas, se establecen dos garantías, como son la formulación de un código ético de conducta y la presentación de un informe anual al Ministerio de Industria y a la CNE (hoy Comisión Nacional de los Mercados y la Competencia) que se refiera a todos esos puntos mencionados. La acreditación del cumplimiento de todos estos requisitos de separación de actividades por parte de quienes gestionan la red de transporte de gas natural debe ser comprobada mediante la emisión de una certificación específica, otorgada por la Comisión Nacional de los Mercados y la Competencia, previa comunicación a la Comisión Europea (art. 63.*bis* LSH).

El tiempo dirá si estas novedosas medidas de gobierno corporativo son efectivas para evitar de forma real el juego de intereses cruzados dentro de los grupos empresariales integrados verticalmente en el negocio del gas y favorecer así la competencia efectiva[175].

Desde el punto de vista empresarial, el gas natural fue rápidamente colonizado en nuestro país por las sociedades Catalana de Gas y Gas Madrid, compañías tradicionales y hegemónicas, reorientadas hacia esta nueva fuente energética. Su posición dominante se convirtió en monopólica en 1991 con la fusión por absorción de la segunda por la primera, que dio lugar al Grupo Gas Natural[176], y supuso la integración de todo el segmento

---

[175]   En realidad, todas estas medidas son remedios para evitar la imposición drástica de la verdadera condición que garantizaría desde el punto de vista lógico la competencia en las industrias de red: la separación real de los agentes intervinientes en las fases de negocio vinculadas al uso de la red y las infraestructuras estratégicas (actividades reguladas) y en las fases asociadas a las actividades libres de producción y venta de energía. Sólo una separación jurídica y de propiedad completas garantizarían la separación real de intereses. Y en este sentido se está pronunciando desde el año 2007 la Comisión Europea en relación con los mercados energéticos. El problema está en que esa apuesta trae consigo la obligación de fragmentar los grandes grupos empresariales consolidados e integrados verticalmente, es contraria a la natural tendencia de esos grupos a crecer dentro de cada sector, y choca con la inconfesada preocupación de los Gobiernos nacionales por contar con gigantes empresariales que dominen su mercado interior y se expandan en el exterior.

[176]   Gas Natural es una empresa participada mayoritariamente por el Grupo Repsol (30%), como socio industrial, y por La Caixa (35%), como socio financiero. El resto de las acciones se reparten en la bolsa española, destacando el 3,9% de participaciones de la argelina Sonatrach. Desde 1997 inició un proceso de expansión en Latinoamérica, por el que adquirió diversas distribuidoras de gas en Brasil, Colombia, México y Argentina. En la actualidad está presente en 25 países y se acerca a los 20 millones de clientes en todo el mundo. Además su política es la diversificar el negocio, por lo que se ha introducido en el sector eléctrico, tanto en el ámbito de la producción (poniendo en marcha varias centrales de generación de ciclo combinado) como en el de la comercialización, con lo que se ha convertido en la tercera empresa eléctrica española. Sobre todo tras absorber el 95% del capital de Unión Fenosa a raíz de una OPV en 2009, pasando a formar el grupo Gas Natural Fenosa. [Información tomada de la web institucional de la compañía en julio de 2013].

de la distribución de este producto[177]. En la actualidad Gas Natural, a pesar de las múltiples medidas liberalizadoras adoptadas y de que al menos las grandes eléctricas han comenzado a rivalizar en este nuevo mercado, ostenta de hecho el control del sector gasista en España[178].

A) Extracción, licuefacción y regasificación del gas natural

En España no hay prácticamente reservas de gas (su explotación no cubre ni el 1% del consumo nacional), por lo que este recurso proviene casi íntegramente de la importación[179], bien a través de gasoductos internacionales, bien por medio de grandes buques metaneros.

En el primer caso contamos con dos grandes vías de entrada por el sur y una por el norte de la península. Los dos gasoductos del sur suministran gas desde Argelia, bien por el gasoducto que une El Magreb (Argelia) con la península (Zahara de los Atunes, Cádiz), a través de Marruecos, con una

---

[177] Sobre este proceso puede consultarse el trabajo de Jesús GONZÁLEZ SALINAS, "Infraestructuras del gas", *XI Congreso Ítalo-Español de Profesores de Derecho Administrativo. Barcelona-Girona, 26, 27 y 28 de septiembre de 1996 (Construcción y gestión de grandes infraestructuras públicas)*, Cedecs, Barcelona, 1998.

[178] Según el *Informe de supervisión del mercado minorista de gas natural en España. Año 2011*, de la CNE, el 96% de las ventas de gas se realizan a precio libre, y sólo un 4% se hace en régimen de tarifa de último recurso (si bien estos datos son muy distintos en términos de número de clientes, pues un 35% se sujetan a tarifa de último recurso y un 65% al precio libre). En cuanto a las cuotas del mercado, Gas Natural Fenosa representa el 37% de las ventas (desde 2001, en que superó el 80% del total, ha perdido anualmente cuota en el mercado minorista, estabilizándose desde 2009 en ese entorno del 37%). Por detrás le siguen Endesa (14,7% en 2011), Unión Fenosa Gas Comercializadora (13,3%), cuya cuota habría que sumarla al primer grupo, Iberdrola (9%), EDP-Naturgas (6,9%), Cepsa (6,4%) y un conjunto de operadores secundarios que suman un 12,7% del mercado nacional.

[179] Las reservas mundiales de gas natural (se calculan 145 billones de metros cúbicos estándar) se concentran, en más de un 70%, entre oriente medio (especialmente en Irán) y los países de la extinta Unión Soviética (especialmente en Rusia). El resto se reparte más o menos homogéneamente por continentes (Asia-Pacífico un 7%, África un 7%, América del Norte un 6%, Sudamérica un 4% y Europa un 4%) [Fuente: *Innergy*]. Por su parte, la página web de Enagás proporciona información más actualizada, no sólo de las reservas mundiales probadas (que garantizan el aprovisionamiento a los niveles de consumo actual durante 65 años), sino también del reparto de la producción y del consumo.
Tal como se informó en la Nota 22 de este Capítulo, España tiene como principal suministrador de gas natural a Argelia, de donde proviene el 45% de nuestras importaciones (35% por gasoducto y 10% por transporte marítimo en números redondos). El siguiente proveedor es Nigeria, con casi un 15% de cuota.

longitud de unos 1.400 km[180], bien por el nuevo gasoducto inaugurado por Medgas en 2011 entre Beni Saf (Argelia) con Almería, a través de 210 km de conductos[181]. También recibimos suministro a través del Pirineo, por medio del gasoducto que une la localidad francesa de Lacq con Calahorra, abierto en 1993, y que nos permite contratar el aprovisionamiento con Noruega.

En el segundo caso, el gas natural es objeto de *endulzamiento* (eliminación de compuestos ácidos, como el azufre y el CO_2) y luego de licuefacción en plantas emplazadas junto a los puertos próximos a los yacimientos donde se extrae el recurso. De esta forma se multiplica la capacidad de transporte[182], procediéndose después en los puertos de destino, ya en territorio español (Huelva, Cartagena, Sagunto, Barcelona, Bilbao y A Coruña)[183], a la regasificación del gas natural licuado (GNL)[184] para su posterior inyección en las redes de transporte y distribución.

En cualquier caso, el art. 61.4 LSH prohíbe —en clara referencia a Gas Natural— que ningún grupo empresarial pueda aportar al sistema más del

---

[180]   Hasta el año 2000 este conducto estaba monopolizado por los contratos de suministro cerrados entre Enagás y la argelina Sonatrach. Sin embargo, el art. 15 del célebre Decreto-ley 6/2000, de 23 de junio, obligó a Enagás, por un lado, a dedicar el 75% del aprovisionamiento que llega por ese gasoducto a atender la demanda de los distribuidores de gas natural, para que éstos a su vez cubran el suministro de consumidores a tarifa, y por otro, a repartir el 25% restante de su aprovisionamiento a comercializadores, que lo utilizan para actuar en el mercado libre, facilitando así la competencia. Los beneficiarios del concurso que se celebró a ese efecto fueron las eléctricas Endesa, Iberdrola, Unión Fenosa e Hidrocantábrico y las petroleras BP y Shell, con distintos porcentajes.

[181]   El consorcio Medgas, formado por la argelina Sonatrach (43%) y las españolas Cepsa (42%) y Gas Natural Fenosa (15%), fue constituido en 2001 y ha liderado este proyecto considerado "Proyecto de interés común" por la UE, lo que ha permitido contar con ayudas financieras para su ejecución.

[182]   La licuefacción supone el enfriamiento del gas a -161° C a presión atmosférica y permite reducir su volumen hasta seiscientas veces.

[183]   La regulación de este transporte marítimo de hidrocarburos se encuentra contenida en el Real Decreto Legislativo 2/2011, de 5 de septiembre, por el que se aprueba el texto refundido de la Ley de puertos del Estado y de la marina mercante (especialmente en el Título III), al que se remite la propia DA 7ª LSH.

[184]   Las plantas de regasificación se encuentran lógicamente en los puertos principales de llegada del GNL (Barcelona, Sagunto, Cartagena y Huelva) en el Mediterráneo, y en menor medida y capacidad, en el Cantábrico. En la actualidad están en construcción tres plantas más en Asturias, Tenerife y Gran Canaria. El principal titular de estas instalaciones es Enagás, que es propietario de las plantas de Barcelona, Cartagena y Huelva, de la nueva construida en Asturias (Gijón), y del 40% de la planta de la bahía de Vizcaya.

70% del consumo nacional, descontados los autoconsumos. La modificación de ese porcentaje queda además deslegalizado para que pueda ser alterado por el Gobierno en función de la evolución del mercado. Por otro lado, el art. 99 LSH establece una obligación de diversificación del abastecimiento nacional, de manera que los comercializadores —que son quienes adquieren gas para su venta a consumidores finales— y si se considera necesario los consumidores directos en mercado[185], no podrán concentrar más del 60% de sus adquisiciones conjuntas en un único país. Igualmente, la revisión de ese umbral queda deslegalizado en manos del Ministerio de Industria[186].

B) Transporte, almacenamiento y distribución por canalización

La red de gasoductos es más tupida que la de oleoductos, que sólo tiene carácter mayorista, pero aún incompleta pues apenas supera los 70.000 km de longitud (unos 10.000 km de red de transporte y unos 60.000 km de red de distribución) y, a pesar de su fuerte expansión en el último decenio, no alcanza a todos los puntos posibles de consumo. En cualquier caso, responde claramente al concepto de monopolio natural por su carácter unitario y estratégico[187]. Según el art. 59 LSH y en función de la presión a que se conduce el gas, debe distinguirse entre la red básica de transporte de gas natural, las redes de transporte secundario y las redes de distribución (a las que hay que sumar los almacenamientos no básicos y las instalaciones com-

---

[185] Junto a los consumidores finales, la LSH identifica a los consumidores directos en mercado, que son aquellos que acceden directamente a las instalaciones de terceros (art. 58.e), tanto de transporte (art. 70.1 y 2) como de distribución de gas natural (art. 76.1 y 3), que deben darse de alta como tales ante el Ministerio de Industria (art. 61.3 y 83).

[186] De hecho, el art. 3 del Real Decreto 1716/2004, de 23 de julio, por el que se regula la obligación de mantenimiento de existencias mínimas de seguridad, la diversificación de abastecimiento de gas natural y la corporación de reservas estratégicas de productos petrolíferos, reduce ese umbral de aprovisionamiento por un mismo país al 50%, y establece la obligación de que, en caso de superarse ese límite, los comercializadores y consumidores directos en mercado con cuota superior al 7% del total en el año anterior procedan al reajuste de sus carteras.

[187] Como la propia LSH confiesa en su Exposición de Motivos, en una referencia conjunta para el sistema eléctrico y el de gas natural, en ambos casos se "requieren conexiones físicas entre productores y consumidores. Al no tener sentido económico la duplicidad de estas interconexiones, el propietario de la red se configura como un monopolista del suministro". La CNE ha reconocido en su *Informe Marco sobre la demanda de energía eléctrica y gas natural, y su cobertura*, 2001, que la red de transporte de gas constituye un monopolio natural.

plementarias para completar el sistema gasista)[188]. Todas esas instalaciones están sujetas a autorización administrativa (art. 67, para las redes básica y de transporte, y art. 73, para las redes de distribución) y están sujetas a la planificación obligatoria que el Gobierno presentará al Congreso, previa participación de las Comunidades Autónomas (art. 4 LSH, que excluye de este régimen a las redes de distribución, cuya planificación es indicativa).

El titular de casi toda la red de transporte (que es la que no abastece directamente a los consumidores finales, a excepción de los consumidores directos en mercado) y de las instalaciones de almacenamiento existentes[189] es Enagás, que nació como empresa pública a principios de los setenta, fue adquirida íntegramente por el grupo Gas Natural entre 1994 y 1998, y en la actualidad ostenta el carácter de entidad privada[190]. Su posición estratégica ha hecho que la LSH (DA 31ª) le haya convertido en gestor técnico del sistema gasista (al igual que REE lo es respecto del sistema eléctrico), para lo cual ha tenido que crear una filial específica denominada Enagás GTS SAU, segregada de otra filial dedicada en exclusiva a la actividad de transporte, y de otras filiales de la compañía dedicadas a otras actividades. Por tanto, la compañía se hace responsable de garantizar la continuidad y

---

[188]   La red básica se compone de los gasoductos con presión máxima de diseño de 60 bares o más, junto con las plantas de regasificación, los almacenamientos estratégicos, las conexiones entre ellos y las conexiones internacionales. Dentro de ella se distingue entre la red troncal y la red de influencia local, según el carácter esencial o no de esas instalaciones para la seguridad y funcionamiento del sistema. Las redes de transporte secundario tienen una presión máxima de diseño entre 16 y 60 bares, y comprenden las estaciones de compresión y de regulación y medida, y otros elementos auxiliares. Finalmente, las redes de distribución tienen una presión inferior a 16 bares y son las que llegan hasta los consumidores finales o directos. Hoy por hoy sólo están extendidas en las grandes ciudades españolas.

[189]   Enagás tiene la propiedad de los dos grandes almacenamientos subterráneos de gas, situados en Serrablo (Huesca) y Gaviota (Vizcaya), a los que se va a unir otro en Yela (Guadalajara), así como de la red de transporte de gas natural a alta presión que llega a todas las CCAA, junto con sus instalaciones de apoyo. También le pertenecen algunas de las conexiones internacionales de nuestra red gasista a través del Estrecho de Gibraltar y de los Pirineos.

[190]   Enagás se creó en 1972 como Empresa Nacional de Gas mediante un Decreto del Consejo de Ministros, y estuvo integrada en el Instituto Nacional de Hidrocarburos desde 1981, hasta que fue absorbida por Gas Natural (un 91% en 1994 y el 9% restante en 1998). A raíz de la liberalización del sector la compañía comenzó a cotizar en bolsa y el Grupo gasista se desprendió de un 60% del capital en 2002. El proceso de desinversiones ha continuado al ritmo de nuevas exigencias legales y en la actualidad ha liquidado del todo su participación en la compañía, coincidiendo con su absorción de Unión Fenosa.

seguridad del suministro de gas y la coordinación de los agentes en el uso de las redes, conforme a las normas técnicas que se aprueben[191].

En consecuencia —de manera análoga a lo que ocurre con REE en el sector de la electricidad y con CLH en el sector de carburantes—, esta compañía puede ser calificada como *sociedad de infraestructuras estratégicas,* es decir, de entidad privada que en atención a las funciones de interés general que desarrolla para la apertura de un sector en red a la competencia, es sometida a una regulación especial por el legislador[192]. En relación con Enagás los condicionantes específicos de su actividad han sido reforzados por la Ley 12/2007, de 2 de julio, de modificación de la LSH, y por la Ley 12/2011, de 27 de mayo. Así, en cuanto a la composición de su capital social, se prevé en la mencionada DA 31ª LSH (anterior DA 20ª) que ninguno de sus accionistas pueda superar el 5% de participación social, ni ejercer más de un 3% de los derechos de voto correspondientes a esa participación (que en el caso de accionistas que sean operadores del sector se reduce a sólo un 1%). Además, el conjunto de los operadores del sector gasista no podrá sumar, contando participaciones directas e indirectas de acuerdo con los criterios establecidos por la Ley del mercado de valores, más del 40% del accionariado. Finalmente, se ha reforzado la neutralidad de esta entidad al establecer la separación jurídica, y no sólo contable y funcional entre las actividades que desarrolla como gestor técnico del sistema, por un lado, y como transportista de gas natural, por otro. Así, como se apuntado antes, para ejercer cada una de ellas se han erigido en 2012 dos filiales específicas, cuyo capital pertenece íntegramente a la matriz Enagás SA y del que no podrá desprenderse. El director ejecutivo de la filial dedicada a la gestión técnica del sistema es nombrado por el consejo de administración de Enagás, pero con el visto bueno del Ministerio de Industria.

El escalón de la distribución de gas natural en España está formado por un conglomerado de empresas articuladas en torno a cuatro grandes grupos empresariales[193]. El principal de ellos es el grupo Gas Natural, que

---

[191]   Esta medida se adoptó por el Real Decreto-ley 6/2000, de 23 de junio, de medidas urgentes de intensificación de la competencia en mercados de bienes y servicios, que reformó en este sentido el art. 64 LSH, y que ha sido parcialmente modificado después en 2007 y en 2012.

[192]   A ese régimen especial y novedoso de este tipo de empresas he dedicado el trabajo "Las sociedades reguladas de infraestructuras estratégicas. El nacimiento de un modelo de compañía regulada al servicio del mercado", en *RAP* nº 181 (2010), pp. 135 y ss.

[193]   Según el *Informe de supervisión del mercado minorista de gas natural en España. Año 2011* de la CNE, p. 77, publicado el 12 de julio de 2012, esos cuatro grupos son Gas Natural Fenosa, con un 69% de red de distribución, EDP-Naturgas, con un 14%, Madrileña Red

a través de su filial SDG (Sociedad Distribuidora de Gas) cuenta con participaciones en ocho distribuidoras regionales. Aunque los gasoductos de distribución de estas compañías están gravados por la obligación de dar acceso a los comercializadores y consumidores que lo soliciten, siendo actividades diferentes, la práctica demuestra que en casi todas las provincias la comercializadora líder del mercado por número de clientes pertenece al mismo grupo empresarial que la compañía de distribución[194]. Hasta el año 2007 todo distribuidor podía contratar el suministro de gas natural a tarifa con quien lo solicitase dentro de su ámbito geográfico de autorización, pero a partir de la entrada en vigor de la Ley 12/2007, de 2 de julio, el suministro queda reservado a los comercializadores. De manera que el negocio de los distribuidores se circunscribe a la gestión de la red, es decir, a la implantación y explotación de sus infraestructuras como canales de uso necesario para terceros. En esa actividad, y dado que la distribución sigue considerándose un monopolio natural en el que no tiene sentido la duplicación de instalaciones, la ley regula tanto la obligación de ampliación de la red y de sus conexiones dentro del ámbito geográfico de autorización, cuando sea necesaria, como la selección por la Administración del distribuidor encargado de hacerlo cuando sean varios los que quieran construir la instalación para atender un nuevo foco de demanda, en cuyo caso se reconoce un derecho preferente a favor de la empresa distribuidora de cada zona [arts. 73.7 y 74.1.d) LSH]. Esas instalaciones estarán conectadas, por una parte y en las condiciones técnicas que se establezcan, a la red de transporte (o incluso a otras redes de distribución), y por otra a los consumidores.

C) La comercialización de gas natural

Los cambios regulatorios producidos en este sector se plasman de una manera especial en la figura de los comercializadores, inexistente hasta

---

de Gas-Morgan Stanley, con un 11%, surgida a raíz de las obligaciones de desinversión de Gas Natural Fenosa en la Comunidad de Madrid, y finalmente Endesa-Goldman Sachs, con un 6%.

[194] *Informe de supervisión del mercado minorista de gas natural en España. Año 2011* de la CNE, p. 77 y 78. O lo que es lo mismo: "Los grupos empresariales integrados verticalmente en las actividades de distribución y comercialización de gas mantienen una cuota de mercado significativamente más elevada en aquellas Comunidades Autónomas en las que son titulares de las redes de distribución de gas". Sólo Iberdrola, Galp y EON tienen cartera de comercialización de gas natural en España (700.000, 300.000 y 30.000 clientes, respectivamente) sin apenas contar con redes de distribución propias.

1998, y clave para la liberalización. Se trata de sociedades mercantiles que, previa autorización de carácter reglado y sin disponer de red propia, realizan operaciones de suministro, por medio de las redes de transporte y distribución existentes, a cambio de un peaje o canon por el uso de la infraestructura. Son intermediarios del sistema, que por un lado compran gas y por otro lo venden a consumidores finales o a otros comercializadores, sin necesidad de producirlo, ni de tener instalaciones propias.

A tal efecto, los arts. 60.3 y 61.2 LSH (desarrollados por los arts. 70, 71 y 76), amén de otras menciones puntuales, reconocen a los sujetos autorizados para adquirir gas natural (comercializadores y consumidores directos en mercado) el derecho de acceso a las instalaciones de regasificación, almacenamiento, transporte y distribución a cambio de un peaje fijado por la Administración, que debe permitir la recuperación de las inversiones y una rentabilidad razonable del negocio de la distribución. Respecto al procedimiento para la celebración de estos contratos, debe estarse a los arts. 5 y ss. del Real Decreto 949/2001, de 3 de agosto, por el que se regula el acceso de terceros a las instalaciones gasistas y se establece un sistema económico integrado del sector del gas natural, modificado en varias ocasiones, que se antoja demasiado prolijo y lento para las necesidades dinámicas del mercado gasista (se prevé una fase de solicitud y otra de contrato, con un plazo máximo de veinticuatro días hábiles para cada una de ellas). Probablemente este Reglamento sea objeto de reforma o incluso de sustitución tras la modificación de la LSH en 2007.

Una novedad importante derivada de la Directiva 2003/55/CE, de 26 de junio, es la unificación de los dos segmentos del mercado gasista hasta entonces permitidos: uno regulado y otro libre. A partir de esta disposición, incorporada al Derecho español por la Ley 12/2007, de 2 de julio, desaparece el mercado regulado y el sistema de tarifas, de manera que sólo los comercializadores suministran gas natural en el sistema. Únicamente se reserva la llamada *tarifa de último recurso* (art. 93 LSH), consistente en un precio máximo de suministro marcado por el Gobierno para todo el territorio español, a la que pueden acogerse determinados consumidores, sobre todo domésticos, pero también algunas pequeñas industrias, sin acudir al mercado libre, en función de la presión y volumen de su suministro[195].

---

[195]   Desde enero de 2008, con la entrada en vigor de la Ley 12/2007, de 2 de julio, queda suprimido el sistema tarifario hasta ahora existente en el sector del gas natural (de modo paralelo al sector eléctrico). Por su parte, el reducto de la denominada *tarifa de último recurso* es objeto de una limitación progresiva para obligar a los consumidores a participar en el mercado libre. Esa tarifa sólo será aplicable a consumidores conec-

De esta manera se elimina la competencia que hasta ahora existía entre distribuidores (integrados básicamente en el grupo Gas Natural) y comercializadores por suministrar este recurso energético a los usuarios finales.

Una de las claves de este tipo de mercados es la posibilidad real de cambio de suministrador para que la competencia sea efectiva. A tal efecto, la LSH, en su versión de 2007, introduce la figura de la Oficina de Cambios de Suministrador, que tiene naturaleza de sociedad mercantil privada y ciertas garantías en cuanto que su accionariado está fraccionado y dividido entre operadores gasistas y eléctricos[196]. Esta entidad supervisa este tipo de operaciones, pudiendo llegar en determinados casos a gestionar de manera directa los cambios de compañía.

NOTA BIBLIOGRÁFICA

A. Régimen de la energía en general

AAVV, *Primeras Jornadas de Energía y Derecho*, 2 Tomos, Ente Vasco de la Energía, Bilbao, 1988.
AAVV, "El Derecho de la energía en España", en *Documentación Administrativa*, nº 256 (2000), número monográfico.
AAVV, *Derecho de la energía: dictámenes de la Abogacía del Estado en el Ministerio de Industria*, Thomson Civitas, Navarra, 2008.
AAVV, *Cuestiones actuales del Derecho de la energía: regulación, competencia y control judicial*, Comisión Nacional de la Energía, Iustel, Madrid, 2010.

---

tados a gasoductos de presión igual o menor a 4 bares, y si bien inicialmente puede solicitarse con independencia del consumo, el legislador (DT 5ª) ha previsto una evolución descendente para que a partir de julio de 2008 sólo sea aplicable a consumos anuales inferiores a 3 GWh, a partir de julio de 2009 para consumos inferiores a 2 GWh, y a partir de julio de 2010 sólo para consumos anuales por debajo de 1 GWh. El Real Decreto 1068/2007, de 27 de julio, reguló la puesta en marcha del suministro de último recurso del gas natural, pero fue anulado por STS de 21 de abril de 2009 a instancias de Gas Natural, por falta de los preceptivos informes de la CNE y del Consejo de Estado. Ha sido sustituido por el Real Decreto 104/2010, de 5 de febrero.
Mediante la DA 2ª del Real Decreto-ley 6/2009, de 30 de abril, por el que se adoptan determinadas medidas en el sector energético y se aprueba el bono social, se designaron comercializadores de último recurso de gas natural a las compañías Endesa, Gas Natural, Iberdrola, Naturgas y Unión Fenosa.

[196]   Según el art. 83 *bis* LSH el capital de la compañía está abierto hasta el 30% para los distribuidores (15% para los de energía eléctrica y 15% para los de gas natural), y hasta un 70% para los comercializadores (que también se reparte por mitad para cada uno de esos sectores energéticos), sin que ningún grupo de sociedades pueda superar el 20% de participación. Sobre la base resultante del reparto de cuotas se establecerá la financiación de la Oficina de Cambios de Suministrador. Mediante el Real Decreto 1011/2009, de 19 de junio, se desarrolla la composición y funciones de esta entidad.

AAVV, *La construcción del mercado europeo de la* energía, Gonzalo Maestro Buelga, Miguel Ángel García Herrera, y Eduardo Virgala Foruria (edits.), Comares, Granada, 2011.

AAVV, *Energía y sostenibilidad*, Prensa Científica, Barcelona, 2012.

AAVV, La energía en España: análisis y proyecciones, Foro de la Sociedad Civil, Madrid, 2012.

AAVV, *Energía y tributación ambiental*, coord. por Eloy Álvarez Pelegry y Macarena Larrea Basterra, Marcial Pons, Madrid, 2013.

ARIÑO ORTIZ, Gaspar (dir.), *Privatizaciones y liberalizaciones en España: balance y resultados (1996-2003)*, Tomo 2, La liberalización de la Energía (gas, electricidad, petróleo), Granada, Comares, 2004.

AYRAL, Michel, *Droit communautaire de l'Energie*, Joly Editions (Dossier Joly), París, 1997.

CAMERON, Peter Duncanson, *Competition in energy markets: Law and regulation in the European Union*, Oxford University Press, 2002.

CNE, *Información básica de los sectores de la energía: 2010*, Madrid, 2011.

COMISIÓN EUROPEA, *Libro Verde - Hacia una estrategia europea de seguridad del abastecimiento energético*, COM (2000) 769, de 29 de noviembre de 2000.

GARCÍA ALONSO, José María, e IRANZO MARTÍN, Juan E., *La energía en la economía mundial y en España*, 2ª ed., Editorial AC, Madrid, 1989.

GARCÍA ALONSO, José María, e IRANZO MARTÍN, Juan E., "Sector energético: hacia una nueva ordenación", en *España, Economía. Ante el siglo XXI*, García Delgado, José Luis (dir.), Espasa, Madrid, 1999, pp. 129 y ss.

IRANZO MARTÍN, Juan, y otros, "El sector energético", en *Estructura económica de España. Sectores y desequilibrios básicos*, Ed. AC, Madrid, 1997, pp. 43 y ss.

JIMÉNEZ, Juan Carlos, "Sector energético", en *Lecciones de economía española*, García Delgado, José Luis (dir.), 4ª ed., Civitas, Madrid, 2000, pp. 235 y ss.

MARÍN QUEMADA, José María, "Política de energía", en *Política económica de España*, coord. por Luis Gámir, 7ª ed., Alianza, Madrid, 2000, pp. 461 y ss.

MARTÍN MATEO, Ramón, *Nuevo Derecho energético*, Instituto de Estudios de la Administración Local, Madrid, 1982.

MARTÍN MATEO, R. y LLAMAZARES GÓMEZ, O., "Nuevo derecho energético", *RDU*, nº 84 (1983).

NAVARRO RODRÍGUEZ, Pilar, *La Comisión Nacional de la Energía: naturaleza, funciones y régimen jurídico*, Marcial Pons, Madrid, 2008.

PARENTE, Alessio, *Principios de Derecho europeo de la energía*, Thomson Reuters, Navarra, 2010.

SALAS HERNÁNDEZ, Javier, "Energía", en *Derecho Administrativo Económico* (dir. por S. Martín Retortillo, vol. II, La Ley, Madrid, 1991.

SÁNCHEZ RON, José Manuel, *Energía: una historia del progreso y desarrollo de la humanidad*, Lunwerg, Barcelona, 2012.

SCHOLZ, Rupert, y LANGER, Stefan, *Europäischer Binnenmarkt und Energiepolitik*, Duncker & Humblot, Berlín, 1992.

SUDRIÀ I TRIAI, Carles, "El sector energético: condicionamientos y posibilidades", en *España, Economía*, García Delgado, José Luis (dir.), Espasa Calpe, Madrid, 1993, pp. 267 y ss.

TAMAMES, Ramón, y RUEDA, Antonio, "El sector energía", en *Estructura económica de España*, Ed. Alianza, 24ª ed., Madrid, 2000, pp. 293 y ss.

VILAIN, Michel, *La politique de l'energie en France. De la Seconde Guerre Mondiale a l'horizon 1985*, Ed. Cujas, 1969.

B. Régimen del sector petrolero

AAVV, *Upstream oil and gas agreements (with precedents)*, Edited by Martin R. David, Sweet and Maxwell, Londres, 1996.

AAVV, *El petróleo y el gas en la geoestrategia mundial*, Enrique Palazuelos Manso (dir.), Akal, Madrid, 2008.

ALMENDROS MANZANO, Ángel Manuel, "La escisión de CAMPSA: el penúltimo paso antes del fin del monopolio de petróleos", en *RAP* nº 129 (1992), pp. 349 y ss.

ARCENEGUI FERNÁNDEZ, Isidro de, "Régimen especial de los hidrocarburos", en *REDA* nº 8 (1976), pp. 95 y ss.

ARCENEGUI FERNÁNDEZ, Isidro de, *El demanio minero. Régimen jurídico-administrativo de las minas, los hidrocarburos y los minerales radioactivos*, Civitas, Madrid, 1979.

BAUQUIS, Pierre-René, *Petróleo y gas natural: entender el futuro*, Hirlé, Estrasburgo, 2007.

CALONGE VELÁZQUEZ, Antonio, y GARCÍA DE COCA, José Antonio, "Nulidad de pleno derecho y derogación de las normas: reciente doctrina del Tribunal Supremo sobre el artículo 120 de la LPA (Comentario a la doctrina jurisprudencial recaída a raíz de la declaración de nulidad del Reglamento de 1980 para el suministro y venta de carburantes y combustibles líquidos objeto del Monopolio de Petróleos)", en *REDA* nº 73 (1992), pp. 89 y ss.

CONTIN, Ignacio, y HUERTA, Emilio, "Infraestructuras de red en la industria petrolera española", en *Ekonomiaz*, nº 46 (2001), pp. 76 y ss.

ENTRENA CUESTA, Rafael, "El dominio público de los hidrocarburos", en *RAP* nº 29 (1959), pp. 329 y ss.

ESTRADA, Ángel, y HERNÁNDEZ DE COS, Pablo, *El precio del petróleo y su efecto sobre el producto potencial*, Banco de España, Madrid, 2009.

GARCÍA DE COCA, José Antonio, *Sector petrolero español. Análisis jurídico de la* despublicatio *de un servicio público*, Tecnos, Madrid, 1996.

GARCÍA DE COCA, José Antonio, "La nueva ordenación del mercado de productos derivados del petróleo", en *Documentación Administrativa*, nº 256 (2000), pp. 145 y ss.

ILARDI, Saverio, *Trattato di diritto degli idrocarburi*, vol. 1 (Diritto minerario degli idrocarburi: disciplina giuridica dell»indagine preliminare, della ricerca e della coltivazione dei giacimenti), Giuffrè, Milán, 1964.

JIMÉNEZ JENIO, Jorge, *El ABC del petróleo y gas*, Fundación Jubileo, La Paz, 2009.

LUCAS RODRÍGUEZ, L., *La prevención de la contaminación por la explotación de hidrocarburos en el mar*, Tirant lo Blanch, Valencia, 2008.

MUÑOZ MACHADO, Santiago, "Sobre el alcance del monopolio de petróleos", en *REDA* nº 24 (1980), pp. 154 y ss.

ORRIOLS SALLES, María Angels, "Una corporación de derecho público *sui generis*. La Corporación de Reservas Estratégicas de Productos Petrolíferos", en *El Derecho Administrativo en el Umbral del siglo XXI, Homenaje al Profesor Doctor Don Ramón Martín Mateo*, Tomo I, Tirant lo Blanch, Valencia, 2000.

PARRA IGLESIAS, Enrique, *Petróleo y gas natural: industria, mercados y precios*, Akal, Madrid, 2003.

PINO MIKLAVEC, Noemí, *La perspectiva ambiental en la regulación de los productos petrolíferos*, Monografía asociada a la Revista Aranzadi de Derecho Ambiental, nº 10, Thomson-Aranzadi, 2006.

QUINTO, Javier de, y DEL LLEDÓ MARÍN, María, *Aspectos económicos y logísticos relativos a los hidrocarburos del mar Caspio*, Faculty of Political Science, Departament of International Studies, Universidad Complutense, Madrid, 1999.

RAMBAUD PÉREZ, Fernando, y SOLER Y JOSÉ, Rafael (dirs.), *Curso de exploración y explotación de hidrocarburos*, Fundación Universidad-Empresa, Madrid, 1981.

RAMOS CARPIO, M. A., *Refino de petróleo, gas natural y petroquímica*, editado por la Fundación Fomento Innovación Industrial, Madrid, 1997.

ROBERTS, Paul, *El fin del petróleo*, Público, Barcelona, 2010.

RUESGA BENITO, Santos, y CAMPOS PALACÍN, Pablo, *El futuro del Monopolio de Petróleos en España y su compañía arrendataria (CAMPSA)*, Ed. Gráficas Espejo, Madrid, 1982.

SALA ARQUER, José Manuel, *La liberalización del monopolio de petróleos en España*, coed. de Marcial Pons y la Universidad Autónoma de Madrid, 1995.

TORDESILLAS, Ángel, *El Derecho minero y las inversiones extranjeras: minas, canteras, hidrocarburos*, Montecorvo, Madrid, 1964.

TORTELLA CASARES, Gabriel, BALLESTERO, Alfonso, y DÍAZ FERNÁNDEZ, José Luis, *Del monopolio al libre mercado: la historia de la industria petrolera española*, LID Editorial Empresarial, Madrid, 2003.

VALENCIA MARTÍN, Germán, "La supresión del monopolio y el nuevo régimen jurídico del sector petrolero", en *RAP*, n° 138 (1995), pp. 283 y ss.

WAUQUIER, Jean-Pierre, *El refino de petróleo: petróleo crudo, productos petrolíferos, esquemas de fabricación*, versión española coordinada por Ramón Serrano Ortiz, Instituto Superior de la Energía, Madrid, 2004.

C. Régimen del sector gasista

AAVV, *El petróleo y el gas en la geoestrategia mundial*, Enrique Palazuelos Manso (dir.), Akal, Madrid, 2008.

ARIÑO ORTIZ, Gaspar, y DEL GUAYO CASTIELLA, Iñigo, "La nueva regulación de las instalaciones en la Ley de Hidrocarburos y en la Directiva Europea del Gas", en *REDETI*, n° 3 (1998).

ARIÑO ORTIZ, Gaspar, y DEL GUAYO CASTIELLA, Iñigo, "La regulación de las actividades gasistas", en *Documentación Administrativa*, n° 256 (2000), pp. 95 y ss.

ARROYO HUGUET, Mercedes, *La industria del gas en Barcelona (1841-1933). Innovación tecnológica, territorio urbano y conflicto de intereses*, Ed. Serbal, Barcelona, 1996.

ATIENZA SERNA, Luis, y DE QUINTO ROMERO, Javier, *Regulación y competencia en el sector del gas natural en España: balance y propuestas de reforma*, Fundación Alternativas, Madrid, 2004.

BAUQUIS, Pierre-René, *Petróleo y gas natural: entender el futuro*, Hirlé, Estrasburgo, 2007.

COLOM PIAZUELO, E., "Las expropiaciones forzosas motivadas por el establecimiento de instalaciones de gas", *RAP*, n° 142 (1997), pp. 481 y ss.

COLOMBO, Luigi, *La nazionalizzazione dell»industria eléttrica e del gas in Gran Bretagna e in Francia*, Giuffrè, Milán, 1962.

COMISIÓN NACIONAL DE LA ENERGÍA, *Informe Marco sobre la demanda de energía eléctrica y gas natural, y su cobertura*, 2004, Madrid, 2005.

COMISIÓN NACIONAL DE LA ENERGÍA, *Informe de seguimiento de las infraestructuras referidas en el Informe Marco sobre la demanda de energía eléctrica y gas natural, y su cobertura: año 2002*, aprobado el 19 de mayo de 2003.

ESTELLA DE NORIEGA, Antonio, "La ejecución en España de la Directiva 98/30, relativa a la liberalización del sector del gas natural", en *RAP* n° 157 (2002), pp. 393 y ss.

FERNÁNDEZ GARCÍA, J. J., *Definición de servicio público: su aplicación al suministro de gas*, Aranzadi, Pamplona, 1984.

FERNÁNDEZ RODRÍGUEZ, Tomás-Ramón, "Evolución y problemas actuales del servicio público del gas", en *Tratado de Derecho Municipal*, dir. por Santiago Muñoz Machado, vol. I, 1ª Ed., Madrid, Civitas, 1988.

FERNÁNDEZ TORRES, Manuel, "El servicio público del gas", en *RAP* nº 86 (1978), pp. 53 y ss.

GALLEGO ANABITARTE, Alfredo, "El sector del gas en la Ley de Hidrocarburos de 1998. Algunas notas (Libertad de empresa y responsabilidad del Estado. Autorizaciones. Periodo transitorio y fase final. Dificultades de la actividad comercializadora)", en *REDETI*, nº 8 (2000), pp. 11 y ss.

GALLEGO ANABITARTE, Alfredo, y RODRÍGUEZ DE SANTIAGO, José María, "La nueva regulación del mercado del gas natural", en *RAP*, nº 148 (1999), pp. 41 y ss.

GARCÍA DE ENTERRÍA, Eduardo, "El servicio público del gas", en *Problemas actuales de régimen local*, Instituto García Oviedo, 2ª ed., Sevilla, 1986.

GONZÁLEZ SALINAS, Jesús, "Naturaleza jurídica y posición del consumidor en el contrato de suministro de gas", *La protección jurídica del ciudadano (Procedimiento administrativo y garantía jurisdiccional)*, Estudios en homenaje al Profesor Jesús González Pérez, Vol. III, Civitas, Madrid, 1993, pp. 1857 y ss.

GONZÁLEZ SALINAS, Jesús, "Aproximación a las nuevas regulaciones del sector del gas", en *Estudios de Derecho Público Económico. Libro homenaje al Prof. Dr. D. Sebastián Martín Retortillo*, coord. por Luis Cosculluela Montaner, Civitas, 2002, pp. 585 y ss.

GONZÁLEZ SALINAS, Jesús, "Infraestructuras del gas", en *XI Congreso Ítalo-Español de Profesores de Derecho Administrativo. Barcelona-Girona, 26, 27 y 28 de septiembre de 1996 (Construcción y gestión de grandes infraestructuras públicas)*, Cedecs, Barcelona, 1998.

GOSSET, Jacques, *Distributeurs et usagers du Gaz et de l»Electricité. Étude de jurisprudence*, Ed. Les Presses Modernes, París, 1935.

GUAYO CASTIELLA, Iñigo del, *El servicio público del gas. Producción, transporte y suministro*, Marcial Pons, Madrid, 1992.

GUAYO CASTIELLA, Iñigo del, "Libre competencia y distribución de gases combustibles por canalización", en *Revista de Derecho de la Competencia y la Distribución*, nº 4 (2008), pp. 15 y ss.

GUAYO CASTIELLA, Iñigo del, *Tratado de Derecho del gas natural*, Marcial Pons, Madrid, 2010.

GUAYO CASTIELLA, I. del, PIELOW, C. y ZIMMERMANN, N., "Precisiones en torno a las Directivas de Electricidad y Gas", en *Noticias/CEE*, nº 105 (1993).

MINISTERIO DE ECONOMÍA, *Planificación de los sectores de electricidad y gas. Desarrollo de las redes de transporte 2002-2011*, aprobado el 13 de septiembre de 2002.

MORENO GIL, O. "La institución de la expropiación forzosa en la Ley del Gas 10/1987, de 15 de mayo", en *Hom. Garrido Falla*, UCM, Madrid, 1992.

PARRA IGLESIAS, Enrique, *Petróleo y gas natural: industria, mercados y precios*, Akal, Madrid, 2003.

QUINTO ROMERO, Javier, *En busca de un mercado competitivo de gas natural en España*, coed. de la Fundación de Estudios de Regulación y Comares, Granada, 2001.

SALAS HERNÁNDEZ, Javier "Régimen jurídico de las concesiones del servicio de suministro de gas por canalización", en *REDA* nº 65 (1990), pp. 17 y ss.

SÁNCHEZ GUTIÉRREZ, M Matilde, *La regulación del sector del gas natural*, Tiran lo Blanch, Valencia, 2006.

SAKMAR, Susan L., *Energy for the 21st Century. Opportunities and challenges for Liquified Natural Gas (LNG)*, Edward Elgar Publishing, 2013.

VICENT CERNUDA, J. M., "Notas sobre la previsión urbanística de los proyectos de gasificación", en *Primeras Jornadas Energía y Derecho*, Tomo II, Bilbao, publicadas por el Ente Vasco de la Energía, 1988.

Capítulo XIX
Dominio público viario

Eva Desdentado Daroca
Profesora Titular de Derecho administrativo
Universidad de Alcalá de Henares

I. CONCEPTO DE DOMINIO PÚBLICO VIARIO Y DELIMITACIÓN DEL OBJETO DE ESTE TEMA

El dominio público viario es un concepto general que engloba aquellos bienes de titularidad pública afectados al uso público, que son medio para el tránsito terrestre de personas, vehículos o animales y, que, por tanto, están destinados a enlazar o comunicar diferentes lugares.

Se trata, pues, de un conjunto de infraestructuras cuya importancia social y económica es manifiesta, pues son el soporte imprescindible para la
circulación de bienes y personas, para la prestación del servicio público
de transporte, para el acceso del hombre al medio natural y al disfrute del
entorno, e, incluso, para la realización de actividades de ocio o deportivas
(senderismo, cabalgada...), a lo que se suma también, en algunos casos, el
desempeño de una importante función ecológica.

Por estas razones, las vías de comunicación gozan, en nuestro ordenamiento jurídico, del régimen especial de tutela y protección que confiere
el dominio público, lo que, por otra parte, es una constante histórica que
se remonta al Derecho Romano[1], que ya consideraba las vías y caminos
públicos bienes excluidos del comercio e insusceptibles de apropiación
privada.

Ahora bien, más allá de estas características comunes, el dominio público viario comprende bienes sumamente heterogéneos: las carreteras, que
son vías proyectadas y construidas fundamentalmente para la circulación
de vehículos automóviles; las vías urbanas, que son vías de titularidad municipal que están afectadas al tránsito peatonal y al tráfico automovilístico e
integradas en el perímetro urbano; los caminos, que sirven a la circulación
de personas y animales y, más excepcionalmente, de vehículos; y las vías
pecuarias que son las rutas o itinerarios por donde discurre o ha venido
discurriendo el tránsito ganadero, pero que, en la actualidad, cumplen
una importante función ecológica y también pueden utilizarse para actividades deportivas o de ocio.

Cada uno de estos tipos de bienes tiene unas características y un régimen jurídico propios, por lo que se hace necesario su examen por separado.

En este capítulo se analizarán las carreteras, los caminos y las vías urbanas. Se excluyen las vías pecuarias, que tienen un tratamiento específico
en el tema 11.

---

[1]   Sobre la evolución histórica de este tipo de demanio, vid. P. García Ortega, *Historia del
     Derecho. Caminos, carreteras*, MOPU, Madrid, 1982.

II. LAS CARRETERAS

1. El régimen de distribución de competencias en materia de carreteras

A) La distribución de competencias entre Estado y Comunidades Autónomas

La distribución competencial entre Estado y Comunidades Autónomas en materia de carreteras ha sido una cuestión controvertida[2]. El artículo 148.1.5ª CE establece que las Comunidades Autónomas pueden asumir competencias sobre "las carreteras cuyo itinerario se desarrolle íntegramente en el territorio de la Comunidad Autónoma", pero el artículo 149.1 no incluye ningún título competencial a favor del Estado que se refiera expresamente a las carreteras.

Las Comunidades Autónomas asumieron en sus respectivos Estatutos competencias en materia de carreteras en el marco del art. 148.1.5ª, y el Estado inició el correspondiente proceso de traspasos. En los Reales Decretos de transferencia, el Estado asignó a las Comunidades Autónomas las carreteras que no se consideraban de interés general y que, por tanto, no formaban parte de la Red Estatal de Carreteras.

Posteriormente, el Estado aprobó la Ley 25/1988, de 29 de julio, de Carreteras, en la que se califican como estatales aquellas que están "integradas en un itinerario de interés general o cuya función en el sistema de transporte afecte a más de una Comunidad Autónoma".

El Estado adujo en apoyo de los criterios utilizados en el proceso de traspasos y en la Ley de Carreteras diversos preceptos constitucionales: el 131.1 (planificación de la actividad económica en aras del equilibrio interterritorial), el 149.1.13 (bases y coordinación de la planificación general de la actividad económica) y, singularmente, el 149.1.21 (transportes terrestres y régimen general de comunicaciones) y el 149.1.24 (obras públicas de interés general o cuya realización afecte a más de una Comunidad Autónoma).

---

[2]   Sobre la distribución de competencias Estado-Comunidades Autónomas en materia de carreteras, vid., también, T. CANO CAMPOS, "Las competencias del Estado en materia de carreteras (A propósito de la STC 65/1998, de 18 de marzo, sobre la Ley 25/1988, de 29 de julio", *Reportorio Aranzadi del Tribunal Constitucional,* 1998, vol. IV, pp. 251-292; M. BELADÍEZ ROJO, "Régimen general (grandes infraestructuras. Competencia sobre carreteras)", en El Estado de las Autonomías. Los sectores productivos y la organización territorial del Estado, vol. IV, *Centro de Estudios Ramón Areces,* Madrid, 1997, p. 3396.

La cobertura constitucional de la existencia de una Red de carreteras estatales delimitada sobre el criterio del interés general fue cuestionada, sin embargo, por la Generalidad de Cataluña que recurrió, en este punto, la Ley de Carreteras ante el Tribunal Constitucional.

El recurso se resolvió en la sentencia 65/1988, de 18 de marzo, en la que el Tribunal se pronuncia sobre los títulos competenciales que ostenta el Estado en materia de carreteras y que legitiman la subsistencia de una Red Estatal.

La Generalidad había argumentado que el artículo 149.1.24 no permite la creación de una Red Estatal en la que se integren carreteras cuyo itinerario discurra totalmente por el territorio autonómico. Según su interpretación, el artículo 149.1.24 se referiría a la carretera exclusivamente como obra o construcción y las competencias estatales sobre las carreteras se reducirían, por tanto, a ese aspecto. Una vez construida la obra de interés público, ésta se convertiría en una infraestructura que sólo podría integrarse en la Red de Carreteras del Estado, de acuerdo con el criterio de territorialidad, esto es, cuando su itinerario discurriera por varias Comunidades Autónomas, pero, en ningún caso, cuando su trayecto tuviera su origen y su final en el territorio de una única Comunidad.

El Tribunal Constitucional considera, sin embargo, que "la Constitución no impone una interpretación que relegue el título relativo a las obras públicas a su mera construcción o financiación, y que no permita comprender todos los aspectos a los que se extiende la regulación contenida en la Ley 25/1988, esto es, la planificación, proyección, construcción, conservación, financiación, uso y explotación". Es más, como señala el Tribunal Constitucional, las carreteras son una de las modalidades de obras públicas más características y, tradicionalmente, la legislación española específica ha abordado su regulación desde esa perspectiva global.

Hay que entender, por tanto, que el artículo 149.1.24 incluye un título competencial en materia de carreteras a favor del Estado cuando se trata de "obras públicas de interés general o cuya realización afecte a más de una Comunidad Autónoma".

La distribución de competencias en materia de carreteras no aparece, en consecuencia, exclusivamente presidida por el criterio territorial, sino que éste se conjuga con el criterio del interés, que confiere a todo el sistema una singular flexibilidad.

La concreción del concepto de interés general corresponde al Estado, a través de la correspondiente legislación, aunque esa determinación deberá ser acorde con el bloque de constitucionalidad. A esos efectos, el Tribunal

Constitucional afirma que el contenido del art. 148.1.5ª puede erigirse en pauta interpretativa del artículo 149.1.24ª. En consecuencia, puesto que el artículo permite a las Comunidades Autónomas asumir (y éstas así lo han hecho) competencias exclusivas sobre las carreteras "cuyo itinerario se desarrolle íntegramente en el territorio de la Comunidad Autónoma", estas carreteras no podrán, como regla general, ser declaradas de "interés general" a efectos de su inclusión en la Red de Carreteras del Estado. Ahora bien, no cabe descartar que, excepcionalmente, existan carreteras de itinerario íntegramente autonómico que puedan obtener esa calificación, ya que el criterio del "interés general" al que remite el 149.1.24ª es de distinta naturaleza al puramente territorial que consagra el 148.1.5 CE.

Por otro lado, el Tribunal Constitucional también ha destacado que "la simple circunstancia de que el itinerario de una carretera atraviese más de una Comunidad Autónoma no determina por sí sola la incorporación de la misma a la Red de Carreteras del Estado".

Estas son, efectivamente, las líneas que presiden la actual distribución competencial entre Estado y Comunidades Autónomas[3], por lo que existen carreteras cuyo itinerario se encuentra íntegramente en el territorio de una Comunidad Autónoma y que, sin embargo, por su funcionalidad, están integradas en la Red de Carreteras del Estado. Y, al contrario, las Comunidades Autónomas han asumido la titularidad de tramos de carreteras cuyo trayecto completo supera el término autonómico, pero que el Estado no ha calificado de interés general. Se supera, así, el criterio rígido de la integridad del itinerario, aceptándose la competencia exclusiva de las Comunidades Autónomas sobre carreteras que pasan o discurren por su

---

[3] Todas las Comunidades Autónomas han asumido competencias sobre carreteras que discurren íntegramente en el territorio de la Comunidad, en el marco del art. 148.1.5ª, y también competencias en materia de obras públicas que no sean de interés general y que no afecten a otras Comunidades Autónomas. Vid. arts. 140.5 y 148.1 del Estatuto de Cataluña; 9.1.38ª y 39ª y 4) del Estatuto de Extremadura; 70.15 y 71.3 del Estatuto de Baleares; 26.1.5) y 6) del Estatuto de Madrid; 70.7ª y 8ª del Estatuto de Castilla y León; 71.11ª y 13ª del Estatuto de Aragón; 31.1.3ª y 4ª del Estatuto de Castilla-La Mancha; 30.17 y 18 del Estatuto de Canarias; 49.13ª y 14ª del Estatuto de Valencia; 8.14 y 15 del Estatuto de La Rioja; 10.Uno.3 y 4 de la Región de Murcia; 56.7 y 64.1.1ª del Estatuto de Andalucía; 10.Uno.4 y 5 del Estatuto de Asturias; 24.5 y 6 del Estatuto de Cantabria; 27.7 y 8 del Estatuto de Galicia. Ceuta y Melilla han asumido a través de sus respectivos Estatutos competencias en materia de carreteras y caminos y en relación con las obras públicas de interés para la ciudad, debiendo recordarse que carecen de competencias legislativas. País Vasco y Navarra tienen un régimen peculiar que se analiza más adelante en el texto.

territorio, a excepción de las que se incluyen en la Red de Carreteras del Estado por razones de interés general.

Una situación distinta existe, no obstante, en Navarra y el País Vasco. En estos territorios, la actualización de los derechos históricos que reconoce nuestro texto constitucional ha determinado que no existan carreteras estatales. Así, el artículo 10 del Estatuto de Autonomía del País Vasco dispone en su apartado 34 que "en materia de carreteras y caminos, además de las competencias contenidas en el apartado 5, número 1, del artículo 148 de la Constitución, las Diputaciones Forales de los Territorios Históricos conservarán íntegramente el régimen jurídico y competencias que ostentan o que, en su caso, hayan de recobrar a tenor del artículo 3 de este Estatuto" y, consiguientemente, el Estado, a través del RD 2768/1980, realizó el traspaso de todas las carreteras que transcurren por el territorio del País Vasco.

En el caso de Navarra, hay que tener en cuenta que la LORAFNA dispone (art. 49.1) que en materia de carreteras esta Comunidad Autónoma conservará íntegramente las facultades y competencias que actualmente ostenta, y como eran todas las posibles, no ha sido necesario siquiera un Decreto de traspasos[4].

Por último, hay que señalar que, como ha recordado el Tribunal Constitucional en sus sentencias 65/1988 y 132/1998, el Estado ostenta algunos títulos competenciales que pueden incidir en la materia de carreteras. Así, con carácter general, la competencia para el establecimiento de las "bases y coordinación de la planificación general de la actividad económica" y, más específicamente, la competencia sobre el "régimen general de comunicaciones" y sobre "tráfico y circulación de vehículos a motor".

El título sobre el régimen general de comunicaciones habilita al Estado para dictar normas generales para todo el territorio nacional sobre los conceptos y contenidos fundamentales del sistema viario, tales como, la definición de carretera y sus distintas modalidades, la noción de camino de servicios, áreas de servicio o elementos funcionales de las carreteras. Estos aspectos esenciales del sistema viario serán, por tanto, homogéneos en todo el territorio nacional y se aplicarán a todas las carreteras con independencia de su titularidad. Y lo mismo ocurrirá con las normas técnicas que dicte el Estado en virtud de su competencia en materia de tráfico y circulación de vehículos a motor.

---

[4]   Sobre la distribución competencial en País Vasco y Navarra, vid., más extensamente T. Cano Campos, *op. cit.*, pp. 17 a 22.

B) La competencias locales

La vigente normativa estatal de carreteras no se refiere a las carreteras locales. Hay que estar, por tanto, a lo que dispongan al respecto las correspondientes legislaciones autonómicas sobre carreteras.

El análisis de estas normas pone de manifiesto que la regulación de las carreteras locales y el reconocimiento de competencias a favor de las entidades municipales y supramunicipales es heterogéneo.

En la mayor parte de las leyes autonómicas de carreteras se reconoce, junto a la titularidad autonómica, la titularidad de determinadas carreteras a favor de las diputaciones provinciales, de los municipios, e incluso, en ocasiones, de otras entidades locales como las comarcas. En estas normas suelen reconocerse, además, importantes competencias a favor de las entidades locales[5].

---

[5] Así, en la Ley de Carreteras de Aragón se admite (art. 2) que las carreteras pueden ser titularidad de la Comunidad Autónoma, de las diputaciones provinciales, de las comarcas y de los municipios. Las carreteras de titularidad de las diputaciones configuran las redes provinciales, las de titularidad de los municipios integran las redes municipales [art. 7.B) y C)]. La Ley de Carreteras de Cantabria considera carreteras municipales la red de carreteras de los Ayuntamientos y Juntas Vecinales, las carreteras construidas por los Ayuntamientos y Juntas Vecinales en el ámbito de sus competencias y las carreteras que se transfieran a los Ayuntamientos. Todas ellas constituyen la Red Municipal de Carreteras de cada Municipio y el órgano encargado de su planificación, proyección, construcción, conservación y explotación es el Ayuntamiento (art. 2.3). La Ley de Carreteras de Galicia admite la existencia de carreteras de titularidad de los entes locales [arts. 2.a) y 9)]. La Ley de Carreteras de Canarias dispone que la titularidad de las carreteras puede corresponder a la Comunidad Autónoma, a los Cabildos Insulares o a los Ayuntamientos (art. 2) y el titular es el competente y responsable de las mismas a todos los efectos (planificación, proyecto, construcción, conservación, explotación, uso...). De acuerdo con la Ley de Carreteras de Valencia, la Red Local Comunitaria, que está compuesta por las carreteras que no están destinadas a unir entre sí los núcleos básicos del sistema de asentamiento, conectar con la Red de Carreteras del Estado o proporcionar acceso a las grandes infraestructuras del sistema de transportes, puede corresponder tanto a la Generalidad como a las entidades locales (art. 9 en relación con el art. 4). En este caso, ejercerán las competencias de proyección, construcción, gestión, explotación, conservación y señalización, así como el desempeño de las funciones de disciplina viaria (art. 12). Además, desarrollarán las funciones que se les encomiende en relación con la red de titularidad autonómica. La Ley 8/2006, de 13 de noviembre, de Carreteras de Asturias, establece en su artículo 5.2.c) que se clasificarán como locales las carreteras que no tengan la categoría de regionales o comarcales, distinguiéndose entre carreteras locales de primer orden y de segundo orden, en función de sus características físicas y del ámbito de servicio que presten, sea municipal o supramunicipal respectivamente. Los Ayuntamientos pueden elaborar planes de carreteras, tal y como dispone el art. 10.2, y también son competencias

En algunas Comunidades Autónomas, la ley de carreteras remite la determinación de la titularidad de las mismas a un instrumento posterior, que es el Catálogo de la Red de Carreteras. Este es el caso de Extremadura, de cuya legislación se deduce, no obstante, la existencia de carreteras de titularidad local y el reconocimiento de potestades de planificación y proyección a todas las Administraciones titulares. Y también la ley Navarra

---

municipales la construcción, conservación y mantenimiento de las condiciones de uso, así como el ejercicio de las funciones de policía y vigilancia de sus zonas de protección (arts. 17 y 23). La Ley de Carreteras de La Rioja atribuye la titularidad de todas las carreteras objeto de la ley a la Comunidad Autónoma de la Rioja, lo que engloba tanto la Red Regional Básica, como la Comarcal y la Local (art. 4). Ello, no obstante, se prevé que el Consejo de Gobierno de La Rioja, promoverá e impulsará la transferencia a los Ayuntamientos de la titularidad de aquellas carreteras autonómicas que atiendan a una demanda esencialmente rural, dando servicios a medios agrícolas o forestales. Y, siguiendo la misma lógica, promoverá, también la incorporación a la red de carreteras de aquellas vías rurales o municipales que formen parte de itinerarios de interés general, de acuerdo con lo que establezcan los planes regionales de carreteras, y, en general, todas aquellas transferencias de titularidad que mejoren la funcionalidad y explotación de la red viaria objeto de esta Ley (DA 2ª). La Ley de Carreteras de Castilla y León establece que la titularidad de las carreteras corresponde a la Comunidad Autónoma, a las Diputaciones, a los Ayuntamientos y a las demás entidades locales (art. 2) y reconoce facultades de planificación a las diputaciones provinciales y los Ayuntamientos. A estos efectos, se promoverá e impulsará la transferencia a las Diputaciones Provinciales y Ayuntamientos de la titularidad de aquellas carreteras de la red regional que tengan una función o atiendan una demanda esencialmente local (DA 1ª), mientras que se procurará la integración en la Red de la Junta de las vías provinciales o municipales que formen parte de los itinerarios de interés regional. De la Ley de Carreteras y Caminos de Castilla-La Mancha se deduce que pueden existir carreteras de titularidad de las entidades locales en función de lo que disponga el Catálogo de la Red de Carreteras y se reconoce potestad de planificación a las Diputaciones Provinciales y de programación, proyección y gestión a todas las Administraciones titulares (arts. 5, 9, 10, 15 y 20). En las Islas Baleares, la Ley de Carreteras atribuye la titularidad de la red primaria a la Comunidad Autónoma, la red secundaria los Consejos Insulares y las redes locales y rurales a los Ayuntamientos (art. 5) y reconoce potestad de planificación a los Ayuntamientos. La posterior Ley 16/2001, de 14 de diciembre, atribuye a los Consejos Insulares la titularidad de las carreteras que hasta ahora correspondían a la Administración autonómica correspondiéndole todas las competencias respecto a las mismas (planificación, proyección, ejecución, gestión, inspección, sanción...), con la excepción de las potestades generales que se reserva el Gobierno y la Administración autonómica en el art. 3 (representación de las Islas Baleares, potestad reglamentaria y de coordinación...). En Andalucía, la Ley de Carreteras atribuye a las Diputaciones provinciales la titularidad de la red comarcal y local y reconoce a las mismas potestad de planificación, proyección, construcción, financiación, conservación, seguridad vial, explotación, uso y defensa (arts. 5 y 6).

contempla el Catálogo como instrumento para identificar e inventariar las carreteras (art. 4).

Otras legislaciones autonómicas no reconocen expresamente a las entidades locales la titularidad sobre carreteras (Cataluña, Madrid, Murcia). En Cataluña, la Comunidad Autónoma asume, de acuerdo con la DT 1ª de la Ley de Carreteras, la titularidad de las redes de carreteras de las diputaciones de Barcelona, Gerona, Lérida y Tarragona. No obstante, se prevé la posibilidad de delegar a los consejos comarcales la gestión de aquellas carreteras de la red local que sean vías de interconexión de núcleos del mismo término municipal o que cumplan una función de servicio dentro de una comarca.

2. *Normativa vigente sobre carreteras*

Las carreteras estatales se rigen por la Ley 25/1988, de 28 de julio, de Carreteras (en adelante LCa) y por su reglamento de desarrollo, aprobado por Real Decreto 1812/1994, de 2 de septiembre (en adelante RCa). No obstante, las autopistas en régimen de concesión, construidas por particulares a los que en contraprestación corresponde la explotación y el cobro de peaje por la utilización de la vía, tienen una regulación específica en la Ley 8/1972, de 10 de mayo, de construcción, conservación y explotación de autopistas en régimen de concesión.

Las carreteras autonómicas y locales se rigen por las respectivas legislaciones de las Comunidades Autónomas. En la actualidad: Ley 8/2001, de 12 de julio, de carreteras de Andalucía; Ley Foral 5/2007, de 28 de marzo, de carreteras de Navarra; Ley 3/1991, de 7 de marzo, de carreteras de Madrid; Ley 8/1998, de 17 de diciembre, de carreteras de Aragón; Ley 2/1990, de 16 de marzo, de carreteras de Castilla y León; Ley 9/1990, de 28 de diciembre, de carreteras y caminos de Castilla-La Mancha; Ley 5/1990, de 24 de mayo, de carreteras de Islas Baleares; Texto Refundido de la Ley de carreteras de Cataluña, aprobado por Decreto Legislativo 2/2009, de 25 de agosto; Ley 8/2013, de 28 de junio, de carreteras de Galicia; Ley 2/2008, de 21 de abril, de carreteras de Murcia; Ley 2/1991, de 7 de marzo, de carreteras de La Rioja; Ley 6/1991, de 27 de marzo, de carreteras de Valencia; Ley 9/1991, de carreteras de Canarias; Ley 8/2006, de 13 de noviembre, de carreteras de Asturias; Ley 7/1995, de 27 de abril, de carreteras y caminos de Extremadura. En el País Vasco, las carreteras se rigen por Normas Forales de los Territorios Históricos de Álava, Guipúzcoa y Vizcaya.

3. Concepto y clases de carreteras

A) Concepto de carretera y dominio público viario vinculado a la misma

Se consideran carreteras, de acuerdo con el art. 2.1 de la LCa, "las vías de dominio público y uso público proyectadas y construidas fundamentalmente para la circulación de vehículos automóviles". El concepto incluye, por tanto, las carreteras convencionales y, también, las autopistas, autovías y vías rápidas.

Quedan excluidas del concepto de carretera otro tipo de vías. Así, el artículo 3.1 de la Ley 25/1988 dispone que no tendrán la consideración de carreteras los caminos de servicio, "entendiendo por tales los construidos como elementos auxiliares o complementarios de las actividades específicas de sus titulares", ni tampoco los caminos construidos por las personas privadas con finalidad análoga a los caminos de servicio. No obstante, se prevé la posibilidad de que, por razones de interés público, estos caminos se abran al uso público, en cuyo caso se observarán las normas de utilización y seguridad propias de las carreteras.

Tampoco quedan, lógicamente, comprendidos en el concepto de carretera las vías urbanas, los caminos (urbanos y rurales), las vías pecuarias o las pistas forestales.

Y, por último, no son carreteras, pero sí forman parte del dominio público viario que se rige por la legislación de carreteras:

1) Los terrenos ocupados por los soportes de las estructuras que pueda haber en las carreteras (puentes, túneles...).

2) Los elementos funcionales de las carreteras, es decir, las zonas afectadas permanentemente a la conservación de las carreteras o a la explotación del servicio público viario (art. 55 RCa). Por ejemplo, áreas destinadas al descanso, estacionamiento, auxilio y atención médica de urgencia, pesaje y parada de autobuses y otros fines auxiliares o complementarios. Son también elementos funcionales, los centros operativos para la conservación y explotación de la carretera, las áreas de servicio y las vías de servicio. Las áreas de servicio son las zonas colindantes con las carreteras que están diseñadas expresamente para albergar instalaciones y servicios destinados a la cobertura de las necesidades de la circulación y a facilitar la seguridad y la comodidad de los usuarios de la carretera (art. 2.8 LCa). Pueden incluir estaciones de suministro de carburantes, hoteles, restaurantes, talleres de reparación y otros servicios análogos. Las vías de servicio, por su parte, son los caminos habitualmente paralelos a una carretera respecto

de la que tienen carácter secundario y con la que están conectados en algunos puntos, con la finalidad de dar acceso a las propiedades colindantes.

3) una franja de terreno aledaño a la carretera por cada uno de sus laterales de ocho metros de anchura en autopistas, autovías y vías rápidas y de tres metros en el resto de las carreteras (art. 21.1 LCa), siempre que se haya procedido, lógicamente, a su expropiación. La franja de terreno se mide en horizontal y perpendicularmente al eje de la carretera y, por regla general, desde la arista exterior de la explanación (art. 21.1). La arista exterior de la explanación es la intersección del talud del desmonte, terraplén o, en su caso, de los muros de sostenimiento colindantes con el terreno natural. No obstante, cuando existen puentes, viaductos, túneles u otras obras y estructuras similares se puede fijar como arista exterior de la explanación la línea de proyección ortogonal del borde de las obras del terreno ocupado (art. 21.1). En los túneles, la zona de dominio público puede, además, extenderse a la superficie de los terrenos necesarios para asegurar la conservación y mantenimiento de la obra (art. 74.2 RCa).

La regulación autonómica del concepto de carretera y del dominio viario vinculado a la misma es muy similar a la de la legislación estatal, aunque, en ocasiones, se incluyen algunas matizaciones o unas distancias diferentes para la configuración de los terrenos de dominio público adyacente a la carretera[6].

B) Tipología de las carreteras

a) *Por sus características funcionales*

En función de sus características, la Ley 25/1988 distingue entre autopistas, autovías, vías rápidas y carreteras convencionales.

Las autopistas son las carreteras que están especialmente proyectadas, construidas y señalizadas como tales para la exclusiva circulación de automóviles y que se caracterizan por la ausencia de acceso a las mismas de las propiedades colindantes, por la inexistencia de cruces o pasos a nivel, y por

---

[6]   Vid. arts. 2, 3 y 37 ley gallega; arts. 1, 8, 25 ley canaria; arts. 1 y 32 ley valenciana; arts. 1 y 17 ley de La Rioja; arts. 1 y 23 ley 7/1995; arts. 2, 8 y 34 ley navarra; arts. 3 y 30 ley murciana; arts. 2 y 37 ley catalana; arts. 1 y 2 ley de Islas Baleares; arts. 1 y 23 ley de Castilla-La Mancha; arts. 1, 5 y 16 ley de Castilla y León; arts. 3, 6 y 39 ley aragonesa; arts. 2, 8, 10, 11, 12 y 13 ley andaluza; arts. 3 y 30 ley madrileña; art. 1 y 18 ley cántabra.

constar de varias calzadas para cada sentido de la circulación, separadas entre sí, salvo en puntos singulares y con carácter temporal, por una franja de terreno no destinada a la circulación o, en casos excepcionales, por otros medios (art. 2.3 LCa).

Las autovías no reúnen todas las características de una autopista, pero disponen de calzadas separadas para cada sentido de la circulación y limitación de accesos a las propiedades colindantes (art. 2.4 LCa).

Las vías rápidas, por su parte, tienen una sola calzada con limitación total de accesos a las propiedades colindantes (art. 2.5 LCa).

Tanto las autovías como las vías rápidas carecen de pasos y cruces al mismo nivel con otras sendas, vías, líneas de ferrocarril o tranvía o con servidumbres de paso (art. 6 RCa).

Las carreteras convencionales son una categoría residual, que engloba a todas las demás vías proyectadas y construidas fundamentalmente para la circulación de automóviles, esto es, a las que no cuentan con las características propias de las autopistas, autovías o vías rápidas (art. 2.7 LCa).

La legislación autonómica recoge, también, esta clasificación, a la que sólo la Ley de Carreteras de Galicia añade el tipo de los corredores, que define como carreteras con limitación de accesos desde las propiedades contiguas, constituidas por una sola calzada, y que son proyectadas con previsión de su futuro desdoblamiento.

b) Por su titularidad

Si atendemos a la titularidad, las carreteras pueden clasificarse en estatales, autonómicas y locales.

Las carreteras estatales son, de acuerdo con el art. 4 de la Ley 25/1988, las que están integradas en un itinerario de interés general o cuya función en el sistema de transporte afecta a más de una Comunidad Autónoma.

A estos efectos, se consideran itinerarios de interés general: a) los que forman parte de los principales itinerarios de tráfico internacional, incluidos en los correspondientes convenios, b) los que acceden a un puerto o aeropuerto de interés general, c) los que sirven para acceder a los principales pasos fronterizos y d) los que enlazan las Comunidades Autónomas, conectando los principales núcleos de población del territorio estatal, de manera que forman una red continua que soporta regularmente un tráfico de largo recorrido.

Las carreteras que reúnen estas características integran la Red de Carreteras del Estado, un inventario que se recoge como anexo a la Ley de Carreteras, pero cuya regulación está deslegalizada, pudiendo abordarse su modificación por Real Decreto.

A la relación de carreteras de la Red estatal se irán añadiendo aquellas que construya nuevas el Estado siempre que o estén integradas en un itinerario de interés general o tengan una función en el sistema de transporte que afecte a más de una Comunidad Autónoma.

Las restantes carreteras pueden ser de titularidad autonómica o local, dependiendo, como ya hemos visto, de lo que disponga al efecto, en cada caso, la legislación autonómica.

La titularidad de las carreteras puede, no obstante, ser objeto de modificación. Para las carreteras estatales, el art. 12 del RCa dispone que el cambio de titularidad de una carretera entre la Administración General del Estado y otras Administración no puede afectar a los itinerarios de interés general. Con esta salvedad, la alteración de la titularidad se acordará entre las Administraciones afectadas, previa la incoación y tramitación del correspondiente expediente por la Dirección General de Carreteras. Instruido el expediente con el acuerdo de las Administraciones interesadas, el Gobierno aprobará la modificación de la Red Estatal de Carreteras mediante Real Decreto. El cambio de titularidad se formaliza a través de un acta de entrega suscrita por las Administraciones interesadas, en las que se definirán con precisión los límites del tramo afectado y bienes anejos. Ello determinará, también, la correspondiente modificación de la Red de Carreteras autonómicas, como señala expresamente alguna legislación[7].

La legislación estatal regula expresamente un supuesto de modificación de la titularidad: en aquellos casos en que las carreteras estatales o tramos de las mismas adquieran la condición de vías urbanas se entregarán al correspondiente Ayuntamiento. A estos efectos, se entenderá que una vía adquiere la condición de urbana cuando el tráfico sea mayoritariamente urbano y exista alternativa viaria que mantenga la continuidad de la Red de Carreteras del Estado, proporcionando un mejor nivel de servicio. El expediente se promoverá a instancia del Ayuntamiento o del Ministerio de Fomento y será resuelto por el Consejo de Ministros. Si existe acuerdo entre el órgano cedente y el cesionario, la decisión podrá adoptarla el titular del Ministerio de Fomento (art. 40 LCa).

---

[7]   Así, por ejemplo, el art. 3 de la ley cántabra.

Algunas leyes autonómicas de carreteras también regulan los cambios de titularidad previendo tanto que una carretera estatal pase a ser de titularidad autonómica, como que una carretera autonómica se entregue a los Ayuntamientos. El cambio de titularidad en este último caso puede producirse por la adquisición de la vía del carácter de urbana (al igual que en la legislación estatal) o bien porque exista acuerdo al respecto entre el órgano cedente y el cesionario.

4. La creación de las carreteras: planificación, proyección, financiación y construcción

A) Planificación, estudios y proyectos

La creación de las carreteras es fruto de una decisión formalizada que se plasma en diferentes documentos (planes, programas, proyectos) y que se traduce en la construcción de una obra pública que, por estar afectada a un uso público, se integra en el demanio.

La construcción de carreteras va precedida, pues, de una amplia labor de planificación, programación y proyección que persigue, fundamentalmente, un adecuado análisis de todos los aspectos relevantes de la obra pública para elegir aquellas opciones más adecuadas para los intereses generales. Los cauces de tramitación de los instrumentos de planeamiento y proyección permiten además la participación de la opinión pública y la defensa de los intereses de otras autoridades administrativas afectadas.

La Ley 25/1988 prevé la existencia de un Plan y de unos Programas de carreteras estatales (art. 5).

El Plan de Carreteras del Estado es un instrumento técnico y jurídico de la política sectorial de carreteras y debe contener las previsiones y objetivos a cumplir, así como las prioridades en relación con carreteras estatales y sus elementos funcionales. Se aprueba por el Gobierno y es presupuesto necesario para la construcción de carreteras, pues la ejecución de actuaciones o de obras no previstas en el Plan tiene un carácter extraordinario para casos de reconocida urgencia o excepcional interés público debidamente fundados (art. 14 RCa).

El contenido del Plan es fundamentalmente de previsión de los objetivos del Gobierno en relación con la red de carreteras en un determinado periodo de tiempo y también de análisis de la red, clasificación de sus tramos conforme a la tipología establecida y determinación de los medios económicos, financieros y organizativos necesarios para la consecución de sus determinaciones. No obstante, su carácter normativo y su eficacia jurídica se deduce sin dificultades de la legislación, pues el art. 15 del RCa establece que el Plan tiene carácter vinculante para los particulares, que quedan obligados al cumplimiento de sus disposiciones, y el art. 23.4 de la LCa dispone que la Administración puede denegar autorizaciones que sean contrarias a las previsiones de los planes para un futuro no superior a diez años.

Los programas de carreteras desarrollan parcialmente el contenido del Plan de Carreteras, pues contienen las previsiones, objetivos y prioridades para determinados tramos de carreteras y sus elementos funcionales. Se aprueban por el Gobierno y tienen también carácter normativo y vinculante para los particulares (art. 15 RCa).

La ley hace especial hincapié en la necesidad de coordinación de los planes de carreteras del Estado con los planes autonómicos o locales, con la finalidad de que se garantice la unidad del sistema de comunicaciones y se armonicen los intereses públicos afectados (art. 5 LCa). E igualmente importante es, como se verá, la coordinación con la planificación urbanística.

El instrumento que establece la configuración más adecuada de la obra pública y que la prevé con el detalle suficiente para proceder a su ejecución es el proyecto de construcción, cuya elaboración va precedida de diferentes estudios relacionados en el art. 7 de la LCa: estudios de planeamiento, estudio previo, estudio informativo y anteproyecto[8].

Los estudios y proyectos deben someterse por el Ministerio de Fomento a informe de otros departamentos ministeriales a cuyas actividades afecten y si se trata de carreteras o variantes no incluidas en el planeamiento urbanístico, los estudios informativos deberán remitirse a las Comunidades Autónomas y a las Corporaciones locales para que manifiesten su confor-

---

[8]   Los estudios de planeamiento consisten en la definición de un esquema vial en un determinado año horizonte, así como de sus características y dimensiones recomendables, necesidades de suelo y otras limitaciones a la vista del planeamiento territorial y del transporte [art. 7.1.a)]; el estudio previo consiste en la recopilación y análisis de los datos necesarios para definir en líneas generales las diferentes soluciones de un determinado problema, valorando todos sus efectos [art. 7.1.b)]; el estudio informativo consiste en la definición, en líneas generales, del trazado de la carretera, a efectos de que pueda servir de base al expediente de información pública que se incoe en su caso [art. 7.1.c)]; y el anteproyecto es el estudio a escala adecuada y consiguiente evaluación de las mejores soluciones al problema planteado, de forma que pueda concretarse la solución óptima [art. 7.1.d)].

midad o disconformidad. En la instrucción del expediente, salvo en los supuestos relacionados en el art. 34 del RCa, tendrá lugar, también, un trámite de información pública. Los proyectos de autopistas y autovías que supongan un nuevo trazado, así como los de nuevas carreteras deben incluir la correspondiente evaluación de impacto ambiental, conforme a lo dispuesto en la legislación específica (art. 9 LCa)[9].

La finalidad de estos estudios, trámites e informes es la compilación de todos los datos relevantes, la determinación y análisis de las diferentes alternativas posibles, y la evaluación de las mismas desde diferentes perspectivas, técnicas, económicas y medioambientales. En definitiva, se trata de estudios de preparación para el desarrollo del proyecto de construcción más idóneo para la satisfacción de los intereses públicos.

Así el proyecto de construcción desarrolla la opción elegida definiendo su trazado y estableciendo, entre otros aspectos, los elementos funcionales, obras singulares, estética, señalización y balizamiento, ordenación de accesos o reordenación de los existentes. El proyecto de construcción incluye, además, un proyecto de trazado que contiene los aspectos geométricos de la construcción y la definición concreta de los bienes y derechos afectados.

Por ello, como establece el art. 8.1 de la LCa, la aprobación de los proyectos de carreteras implica la declaración de utilidad pública y la necesidad de urgente ocupación de los bienes y adquisición de los derechos correspondientes, a los fines de expropiación, de ocupación temporal o de imposición o modificación de servidumbres. La declaración de utilidad pública y la necesidad de urgente ocupación alcanza también a los bienes y derechos comprendidos en el replanteo del proyecto y en las modificaciones de obras que puedan aprobarse con posterioridad. En consecuencia, las modificaciones de las carreteras también deben incluir la definición del trazado de las mismas y la determinación de los terrenos, construcciones u otros bienes o derechos que se estime preciso ocupar o adquirir para la construcción, defensa o servicio de aquéllas y para la seguridad de la circulación.

---

[9]   De acuerdo con el Anexo I del RD legislativo 1302/1986, de Evaluación de Impacto Ambiental, es necesario el sometimiento a este procedimiento cuando se trate de: a) la construcción de autopistas y autovías, vías rápidas y carreteras convencionales de nuevo trazado, b) actuaciones que modifiquen el trazado de autopistas, autovías, vías rápidas y carreteras convencionales preexistentes en una longitud continuada de más de 10 kilómetros, c) ampliaciones de carreteras convencionales que impliquen su transformación en autopista, autovía o carretera de doble calzada en una longitud continuada de más de 10 kilómetros.

También en la legislación autonómica se prevé la planificación, programación y proyección como los instrumentos básicos para la posterior construcción de carreteras tanto autonómicas como locales. Su regulación es, por lo general, muy similar a la de la legislación estatal. Cabe destacar, no obstante, que, en algunas normas, los planes de carreteras se configuran como planes sectoriales de ordenación del territorio (así en Madrid, Baleares, Cataluña y Andalucía).

B) La construcción y financiación de las carreteras

Las carreteras, en cuanto obras públicas, pueden construirse por la propia Administración (gestión directa de la construcción) o pueden encargarse a un tercero, es decir, a un contratista (gestión indirecta). En cualquiera de los dos supuestos, el problema central de la construcción de las carreteras es su elevado coste[10] y las dificultades para movilizar recursos para su financiación. A estos problemas se ha tratado de dar respuesta mediante la introducción de nuevas modalidades de gestión tanto directa como indirecta.

Otros problemas de la construcción se refieren a la coordinación con el planeamiento urbanístico y al régimen de licencias.

---

[10]   Es preciso tener presente que, de acuerdo con el art. 4.1 de la Ley Orgánica 2/2012, de 27 de abril, de Estabilidad Presupuestaria y Sostenibilidad Financiera, las actuaciones de las Administraciones Públicas y, en general, del sector público, están sujetas al principio de sostenibilidad financiera, entendiéndose por esta "la capacidad para financiar compromisos de gasto presentes y futuros dentro de los límites de déficit y deuda pública" (art. 4.2). De ahí, que el art. 7.3 de esta Ley disponga que los contratos y convenios de colaboración que afecten a los gastos e ingresos públicos presentes o futuros, "deberán valorar sus repercusiones y efectos y supeditarse de forma estricta al cumplimiento de las exigencias de los principios de estabilidad presupuestaria y sostenibilidad financiera". Por su parte, el art. 317.6 TRLCSP dispone que la celebración de contratos de colaboración público-privada y de contratos de concesión de obra pública del sector público estatal, cuyo valor estimado sea igual o superior a doce millones de euros, requiere informe preceptivo y vinculante del Ministerio de Economía y Hacienda que se pronuncie sobre las repercusiones presupuestarias y compromisos financieros que conlleva, así como su incidencia en el cumplimiento del objetivo de estabilidad presupuestaria. El informe es, en todo caso, necesario cuando, con independencia de la cuantía del contrato, en su financiación se prevea cualquier forma de ayuda o aportación estatal, o el otorgamiento de préstamos o anticipos.

a) La gestión de la construcción de las carreteras y su financiación

1) La gestión directa de la construcción de las carreteras y su financiación

La ejecución directa de obras puede llevarse a cabo por los propios servicios de la Administración a través de su personal o con la colaboración de empresarios particulares[11], de acuerdo con lo que establece el art. 24 del Texto Refundido de la Ley de Contratos del Sector Público, aprobado por Real Decreto Legislativo 3/2011, de 14 de noviembre (en adelante, TRLCSP).

Pero, además, puede acudirse a la modalidad de gestión directa introducida por la Ley de Presupuestos Generales del Estado de 1997 (Ley 13/1996). Esta forma de gestión directa consiste en la constitución por el Gobierno de sociedades estatales a las que se encarga la construcción y/o explotación de carreteras estatales (art. 158). Las relaciones con estas sociedades se rigen por un convenio que determina el régimen de construcción, las potestades de la Administración estatal para la dirección, inspección, control y recepción de las obras y las formas de financiación. Los contratos de estas sociedades estatales con terceros para la construcción de las carreteras estatales serán obviamente contratos privados y, aunque les sea parcialmente de aplicación la LCSP[12], resulta llamativa la huida de la

---

[11]   Se trata de un contrato de colaboración, pero no de un contrato de obra, ya que la ejecución de la obra corresponde a la Administración.

[12]   Estas sociedades tienen el carácter de poder adjudicador, de acuerdo con el artículo 3.3.b) de la TRLCSP que dispone que son poder adjudicador todos los entes, organismos o entidades con personalidad jurídica propia creados específicamente para satisfacer necesidades de interés general que no tengan carácter industrial o mercantil, siempre que uno o varios sujetos que deban considerarse poder adjudicador de acuerdo con los criterios de este apartado 3 financien mayoritariamente su actividad, controlen su gestión, o nombren a más de la mitad de los miembros de su órgano de administración, dirección o vigilancia. Por otra parte, el artículo 14 de la TRLCSP establece que están sujetos a regulación armonizada los contratos de obra y los contratos de concesión de obras públicas cuyo valor estimado sea igual o superior a 5.000.000 euros. Cuando la obra se divida en lotes y el valor acumulado de los mismos igual o supere esta cantidad se aplicarán las normas de regulación armonizada a la adjudicación de cada lote. No obstante, los órganos de contratación podrán exceptuar de estas normas a los lotes cuyo valor estimado sea inferior a un millón de euros, siempre que el importe acumulado de los lotes exceptuados no sobrepase el 20% del valor acumulado de la totalidad de los mismos. Pues bien, los contratos de obra para la construcción de carreteras sujetos a regulación armonizada se rigen por el artículo 190 TRLCSP que los somete al régimen de preparación y adjudicación de los contratos públicos con

legislación administrativa de contratos en uno de sus supuestos más característicos (el contrato de obra pública). La ley 13/1996 abre también la vía al establecimiento de convenios similares con otras empresas públicas para la construcción y/o explotación de carreteras, cuyos contratos con terceros seguirán el mismo régimen.

La financiación de la obra pública en los supuestos de gestión directa procede principalmente de los Presupuestos Generales del Estado, aunque también pueden aportar recursos otras Administraciones Públicas, tanto de organismos nacionales como internacionales, y, excepcionalmente, los particulares (art. 13 LCa)[13]. Los recursos procedentes de los fondos estructurales de la Unión Europea han tenido una indudable importancia en la construcción de infraestructuras en las últimas décadas.

La ley 25/1988 contempla también la posibilidad de imponer contribuciones especiales cuando de la construcción de carreteras, accesos y vías de servicio se derivan beneficios singulares para determinadas personas físicas o jurídicas (art. 14 LCa). A estos efectos, se considera beneficio el incremento del valor en el mercado de fincas o terrenos.

Los sujetos pasivos de estas contribuciones especiales son todos los que se beneficien de modo directo de la construcción de la infraestructura y, singularmente, los titulares de las fincas y establecimientos colindantes, así como los de las urbanizaciones cuya comunicación resulte mejorada. La base imponible se determina mediante la aplicación de un porcentaje sobre el coste total de las obras, que varía dependiendo de si se trata de una carretera (25%), una vía de servicio (50%) o un acceso de uso particular para urbanizaciones, fincas o establecimientos (90%).

---

algunas adaptaciones. Si se trata de contratos no sujetos a regulación armonizada, la adjudicación está sometida, en todo caso, a los principios de publicidad, concurrencia, transparencia, confidencialidad, igualdad y no discriminación, y a esos efectos los órganos competentes de las entidades deberán aprobar unas instrucciones en las que se regularán los procedimientos de contratación de forma que dichos principios queden garantizados (art. 191).

[13] Las Administraciones y particulares interesados en la construcción o mejora de carreteras estatales pueden firmar con la Administración del Estado los correspondientes convenios de colaboración (arts. 44, 45 y 46 RCa). Las Administraciones Públicas pueden comprometerse a realizar aportaciones dinerarias o de terrenos, a asumir la instalación de elementos complementarios a sus expensas o por sus propios medios, a asumir total o parcialmente la conservación y mantenimiento de la carretera o elementos complementarios o a la redacción de estudios, anteproyectos y proyectos. Los particulares pueden realizar aportaciones dinerarias o cesiones gratuitas de terrenos.

Por otro lado, la posibilidad de crear sociedades estatales para la gestión directa de la construcción de carreteras busca, sin duda, una mayor flexibilidad en la obtención de recursos para la financiación de la obra pública. Las sociedades estatales tienen capacidad de endeudamiento y pueden recibir aportaciones de otros sujetos públicos o privados. Además, lo lógico es entender que las sociedades tienen que rentabilizar la infraestructura, acudiendo a los mecanismos de gestión empresarial que sean pertinentes y, entre ellos, singularmente el cobro de cánones o peajes por la utilización de la misma[14]. A pesar de ello, las aportaciones presupuestarias siguen teniendo un papel importante para reducir, amortiguar o incluso eliminar las tarifas. La ley introduce la peculiaridad de que la Administración puede adquirir compromisos plurianuales sin las limitaciones recogidas en la Ley General Presupuestaria[15]. La admisión de estos compromisos plurianuales de gasto público permitiría, además, según algunos autores, la aplicación de "peajes sombra", es decir, de aportaciones económicas periódicas cuyo importe se hace depender de la utilización de la infraestructura por los ciudadanos[16].

2) La gestión indirecta de las carreteras y su financiación

La realización de la obra puede, también, encargarse a un tercero mediante la celebración del correspondiente contrato administrativo. La legislación contempla varios tipos de contratos.

---

[14] F. J. JIMÉNEZ DE CISNEROS CID, "Hacia un nuevo concepto de infraestructura pública/obra pública desligado del dominio público y del servicio público", en G. Ariño Ortiz (Dir.), *Privatización y liberalización de servicios*, UAM-BOE, Madrid, 1999, p. 197.

[15] Se trataba de buscar una fórmula de financiación que permitiera un endeudamiento ajeno al cómputo de déficit. Pero, a partir de la entrada en vigor de la nueva regulación del SEC 95, se dispuso que computara como déficit de las Administraciones Públicas los déficits de este tipo de sociedades. Y, precisamente, la experiencia pone de manifiesto el altísimo endeudamiento en que incurren, siendo el caso de MINTRA paradigmático. Vid. Mª J. BOBES SÁNCHEZ, *La teoría del dominio público y el Derecho de carreteras*, Iustel, Madrid, 2007, p. 451; J. V. GONZÁLEZ GARCÍA, *Financiación de infraestructuras públicas y estabilidad presupuestaria*, Tirant lo Blanch, Valencia, 2007 y J. V. González García, *Sociedades estatales de obras públicas*, Tirant lo Blanch, Valencia, 2008.

[16] R. IZQUIERDO, *Gestión y financiación de las infraestructuras del transporte terrestre*, AEC, Madrid, 1997; J. M. Vasallo, *La participación privada en la gestión y financiación de la conservación de carreteras*, Ministerio de Fomento, Madrid, 2001, p. 83. Sobre la financiación privada de las infraestructuras públicas, vid., también, F. AZOFRA VEGAS, "La financiación privada de infraestructuras públicas", *REDA*, n. 96, 1997, pp. 543 y ss.; AAVV, *Las nuevas fórmulas de financiación de infraestructuras públicas, LI Semana de Estudios de Derecho Financiero*, Instituto de Estudios Fiscales, Madrid, 2008.

En primer lugar, cabe acudir a la celebración de un contrato administrativo de obra clásico que, como es sabido, se caracteriza por el sistema de "precios unitarios" o abonos a cuenta.

La legislación contempla, también, la modalidad de contrato de obra con abono total de precio (conocido como "modelo alemán"), en el que el precio del contrato se satisface por la Administración mediante un único abono efectuado en el momento de terminación de la obra (art. 127 TRLCSP). De esta forma, el contratista corre con la financiación inicial de la obra, adelantando las cantidades necesarias hasta que se produce la recepción de la obra ya terminada, y la Administración no tiene que certificar la existencia de crédito, siendo suficiente el compromiso del mismo en ejercicios futuros.

Por otro lado, también es posible la construcción de las carreteras en régimen de concesión, de acuerdo con el art. 7 y el Capítulo II del Título II del Libro IV de la TRLCSP. En este sistema, la Administración Pública otorga la construcción y explotación a un concesionario que, a cambio, dispone del derecho a percibir una retribución. Esta retribución puede consistir en el derecho a los rendimientos que se obtengan de la explotación de la infraestructura (cobro de un precio que abona el particular (sistema de peaje) o la Administración por la utilización de la obra) o de la zona comercial. Pero, puede también, consistir en una retribución mixta compuesta por el derecho a la explotación más un precio o cualquier otra modalidad análoga.

La financiación corresponde, pues, total o parcialmente al concesionario. Este debe contar con los recursos propios y los ajenos que pueda movilizar y, en su caso, con los recursos públicos que aporte la Administración (aportaciones dinerarias o no dinerarias, subvenciones, préstamos reintegrables con o sin interés o préstamos participativos). La ayuda de la Administración en la construcción de la infraestructura puede también consistir, tal y como dispone el art. 240 TRLCSP, en la ejecución por su cuenta de parte de la obra, lo que exige que la misma presente características propias que permitan su tratamiento diferenciado.

La financiación primordialmente privada y la retribución mediante el cobro de peaje son viables únicamente en tramos de gran rentabilidad económica, con independencia de que quizás no sean tampoco siempre deseables desde la perspectiva de los intereses públicos. En los restantes casos, deberá acudirse a las fórmulas mixtas. Entonces, la aportación de fondos públicos se puede hacer depender, como se contempla expresamente en alguna legislación autonómica[17], del número de usuarios de la infraestructura (sistema de "peaje en sombra") o de la rentabilidad social que ha generado la misma, de tal forma que el riesgo de la construcción recaiga, principalmente, sobre el concesionario.

La Ley 13/2003 introdujo la modalidad del contrato de obra pública con concesión de dominio público que tenía por objeto la construcción de obras públicas que, por su naturaleza y sus características, no fuesen susceptibles de explotación económica, consistiendo la retribución en una concesión de dominio público en la zona de servicios o en el área de influencia en que se integrara la obra. Se preveía, así, una forma adicional de financiación de la construcción que evitaba que la Administración tuviera que movilizar recursos económicos para hacer frente a pagos dinerarios. Sin embargo, esta modalidad singular del contrato de obra pública no se recoge en la actual legislación de contratación del sector público.

Como puede observarse, la evolución legislativa persigue el incremento de la participación privada en la financiación de la construcción de las carreteras, evitando, en la medida de lo posible, que los costes deban afrontarse por la vía exclusiva o principal de los Presupuestos Generales del Estado. En ocasiones se persigue también adelantar la realización de infraestructuras para las que no se dispone de suficientes recursos económicos. Es el caso del contrato de obra con abono total de precio. Una figura controvertida, pues, en Alemania, se ha llegado a la conclusión de que el encarecimiento del proyecto que se produce por esta vía no compensa la contrapartida de la mayor rapidez en la realización del mismo. Es más, se trata de una fórmula que no descarga el presupuesto, sino que aplaza y encarece su carga desplazándolo a gobiernos futuros[18].

Esta evolución se encuentra en la misma línea de tendencia que se aprecia en los restantes países de nuestro entorno. De hecho, la creciente colaboración de los particulares en la construcción, explotación y financiación de las infraestructuras ha permitido hacer referencia a una "nueva era de la gestión privada de las infraestructuras de carreteras en el mundo"[19]. Paradigmático de esta nueva era es, también, el contrato de colaboración entre el sector público y el sector privado regulado en el art.

---

[17]   Ley 4/1997, de Construcción y Explotación de Infraestructuras de Murcia (art. 10).
[18]   Vid. Mª J. BOBES SÁNCHEZ, *op. cit.*, p. 438.
[19]   Vid. AAVV, *La nueva era de la gestión privada de las infraestructuras de carreteras en el mundo. XIII Semana de la Carretera. IV Encuentro Nacional de la Carretera*, Madrid, octubre 2000; S. GONZÁLEZ-VARAS IBÁÑEZ, "Privatización de las infraestructuras", *Derecho Privado y Constitución*, n. 15, 2001, p. 218.

11 TRLCSP que permite que el sector público (Administración o entidad pública empresarial) encargue a una entidad de derecho privado, por un periodo determinado, la realización de una actuación global e integrada que, además, de la financiación de inversiones inmateriales, de obras o de suministros necesarios para el cumplimiento de determinados objetivos de servicio público o relacionados con actuaciones de interés general, puede comprender la construcción de obras, así como su mantenimiento, actualización o renovación, su explotación o su gestión". Este contrato que sólo puede celebrarse cuando se haya puesto de manifiesto que otras fórmulas alternativas de contratación no permiten la satisfacción de las finalidades públicas (art. 11.2 y 134 TRLCSP) presenta ventajas financieras, aunque también puede tener efectos perjudiciales para el interés público que no conviene obviar[20].

b) *Coordinación con el planeamiento urbanístico y régimen de licencias*

Cuando las carreteras o variantes que se pretende construir no están previstas en el planeamiento urbanístico vigente de los núcleos de población afectados, el Ministerio de Fomento debe remitir un estudio informativo correspondiente a las Comunidades Autónomas y Corporaciones Locales afectadas para que en el plazo de un mes examinen si el trazado propuesto es el más adecuado para el interés general y para los intereses de las localidades, provincias y Comunidades Autónomas. En caso de disconformidad, el expediente tiene que ser elevado al Consejo de Ministros, que decidirá si procede ejecutar el proyecto. En caso afirmativo, se ordenará la modificación o revisión del planeamiento urbanístico, que debe acomodarse a las determinaciones del proyecto en el plazo de un año desde su aprobación (art. 10.1 LCa).

Si no existiera planeamiento aprobado, la aprobación definitiva de los estudios informativos obligará a la inclusión de la nueva carretera o variante en los instrumentos de planeamiento que se elaboren con posterioridad (art. 10.3 LCa).

Además, acordada la redacción, revisión o modificación del planeamiento que afecte a carreteras estatales, el órgano competente para la

---

[20]   Vid. J. V. GONZÁLEZ GARCÍA, "Construcción de infraestructuras públicas y privatización. Notas sobre el contrato de colaboración público-privada", en *Las nuevas fórmulas...*, *cit..*, pp. 72 y ss. Y más extensamente, J. V. GONZÁLEZ GARCÍA, *Colaboración público-privada e infraestructuras de transporte*, Marcial Pons, Madrid, 2010.

aprobación inicial debe enviar con anterioridad el contenido del proyecto al Ministerio de Fomento, para que en el plazo de un mes emita informe vinculante, con las sugerencias que considere pertinentes (art. 10.2 LCa).

La Ley 25/1998 dispone, por otro lado, que las obras de construcción o reparación de carreteras estatales no están sometidas, por constituir obras de interés general, a licencias o actos de control preventivo municipal (art. 12 LCa).

5. El régimen de protección de las carreteras

A) La protección de la titularidad y posesión pública de las carreteras y del dominio viario vinculado a las mismas

Las carreteras, sus elementos funcionales y las franjas de terreno aledaño a las mismas se encuentran protegidas por las características inherentes a todo dominio público de inalienabilidad, imprescriptibilidad e inembargabilidad.

Además, la Administración dispone de las potestades generales de protección de la titularidad y posesión pública del demanio: inventariado, catalogación, investigación, deslinde, reintegro posesorio y desahucio administrativo.

El Ministerio de Fomento lleva un inventario de las carreteras estatales que, de acuerdo con lo dispuesto en la DA 1ª de la LCa, debe mantener actualizado incluyendo la correspondiente información sobre las características, situación, exigencias técnicas, estado, viabilidad y nivel de utilización de las mismas.

También la legislación autonómica suele hacer referencia a los inventarios y alguna normativa regula expresamente los Catálogos de Carreteras, que se configuran como los instrumentos en los que se relacionan y ordenan las carreteras, clasificándolas, especificando su titularidad y recogiendo todos los elementos necesarios para su identificación[21]. La ley andaluza dispone, además, que la adquisición y pérdida de la condición de carretera depende de su inclusión o exclusión del Catálogo de Carreteras de Anda-

---

[21]   Art. 5 de la ley cántabra; art. 26 de la ley madrileña; art. 17 de la ley andaluza; art. 5 ley de Castilla-La Mancha; art. 7 de la ley catalana; art. 5 de la ley extremeña; art. 6 de la ley valenciana.

lucía, con lo que la inscripción en el mismo tiene, en este caso, un carácter constitutivo (art. 19).

B) El régimen jurídico de la explotación de las carreteras: conservación, mantenimiento, defensa y actuaciones para asegurar el mejor uso

La explotación de las carreteras comprende las operaciones de conservación y mantenimiento, las actuaciones encaminadas a la defensa de la vía y a su mejor uso, incluyendo las relativas a la señalización, ordenación de accesos y uso de zonas de dominio público, de servidumbre y de afección (art. 15 LCa).

Las operaciones de conservación y mantenimiento incluyen, pues, todas las actividades necesarias para preservar el patrimonio viario en el mejor estado posible. Las actuaciones de defensa de la carretera comprenden todas las imprescindibles para evitar actividades que perjudiquen a la carretera, a su función o a la de sus zonas de influencia. Y las actuaciones encaminadas al mejor uso son las destinadas a facilitar su utilización en las mejores condiciones posibles de seguridad, fluidez y comodidad.

Una de las dificultades principales de la explotación radica, al igual que en el caso de la construcción, en los costes que implica y, por tanto, en su financiación. Un problema singularmente importante en nuestro país si tenemos en cuenta que, como han señalado diversos estudios, las necesidades de conservación de las redes de carreteras están aumentando significativamente debido, por un lado, al elevado número de carreteras construidas en las últimas décadas, y, por otro lado, a la insuficiencia de las inversiones destinadas a la conservación en años anteriores[22]. La situación avoca, por tanto, a la búsqueda de fórmulas adecuadas para lograr una eficaz gestión y financiación de la conservación vial.

De acuerdo con la Ley 25/1988, por regla general, la Administración del Estado explotará directamente las carreteras de su titularidad y la utilización de las mismas será de carácter gratuito (art. 16.1). No obstante, con carácter excepcional, puede preverse el pago de un peaje, cuya tarifa será aprobada por el Gobierno (art. 16.1).

La gestión directa puede canalizarse, de acuerdo con el art. 158 de la Ley 13/96, a través de la creación de sociedades estatales que tengan por

---

[22] Vid., sobre este punto, J. M. VASALLO, *op. cit.*, *cit.*, p. 36 y la documentación y bibliografía allí citadas.

objeto la explotación de carreteras (exclusivamente o, además, de su construcción) o bien mediante la celebración de convenios con otras empresas
públicas para dicha finalidad. El régimen jurídico de esta forma de gestión
directa es el mismo que ya se analizó en el epígrafe sobre gestión directa
de la construcción y, como ya vimos, persigue una mayor flexibilidad en la
financiación.

La gestión puede llevarse a cabo, también, de forma indirecta (art. 16.2),
una posibilidad que ha ido cobrando mayor relevancia ante las dificultades
que plantea la financiación de los costes de las tareas de explotación.

La Ley 25/1988 dispone que las carreteras pueden ser explotadas por
cualquiera de los sistemas de gestión indirecta de los servicios públicos que
establece la legislación de contratos, es decir, mediante concesión, gestión
interesada, concierto o sociedad de economía mixta.

En este marco se han celebrado los conocidos como contratos de conservación integral, cuyo objeto principal es el mantenimiento de las infraestructuras, y de los cuales suelen distinguirse dos modalidades: los contratos de conservación integral de primera generación y los de segunda
generación. En los de primera generación se solía especificar una serie
de operaciones a realizar con una cierta periodicidad. En los de segunda
generación, el abono depende del nivel de calidad alcanzado en la prestación del servicio, lo que se evalúa a partir de determinados estándares de
conservación[23].

Pero existen, también, otras posibilidades recientemente introducidas
en nuestra legislación.

Por un lado, la Ley 55/1999, de Acompañamiento de los Presupuestos
Generales del Estado para el año 2000, ha introducido el contrato de servicio de gestión de autovías (art. 60), que responde, principalmente, a la
necesidad de hacer frente a las deficiencias de conservación que presentan
las primeras autovías (construidas mediante la duplicación de calzadas de
carreteras ya existentes) frente a las autopistas de peaje o las autovías construidas con posterioridad[24].

Se trata de una modalidad específica del contrato de servicios, mediante
el cual la Administración adjudica al contratista la ejecución del conjunto
de actuaciones necesarias para mantener dichas infraestructuras en condiciones de óptima vialidad. Más concretamente, el contratista se obliga a

---

[23]   J. M. VASALLO, *op. cit.*, pp. 77 a 81.
[24]   J. M. VASALLO, *op. cit.*, p. 83.

realizar las actividades necesarias: 1) para la conservación de la infraestructura, 2) para la adecuación, reforma y modernización inicial de la infraestructura de manera que se asegure una correcta prestación del servicio y 3) las actuaciones de reposición y gran reparación que sean exigibles respecto a los elementos de la infraestructura cuya vida útil sea inferior al plazo del contrato.

Para la realización de estas actividades, el contratista deberá redactar los proyectos que sean necesarios, satisfacer las indemnizaciones procedentes por las expropiaciones y ocupaciones temporales necesarias para la ejecución de proyectos, el restablecimiento a su costa de las servidumbres existentes y la ejecución de las obras para desviar el tráfico cuando sea pertinente. La forma de determinación y abono del precio se fijará en los correspondientes pliegos de cláusulas administrativas particulares.

Finalmente, hay que tener en cuenta que el mantenimiento y la explotación pueden, de acuerdo con el art. 11 TRLCSP, canalizarse también a través de los contratos de colaboración público-privada.

En definitiva, lo que se persigue es incrementar la eficiencia, confiando en que las empresas privadas tenderán a la búsqueda de los modos más adecuados, desde la perspectiva coste-beneficios, para la consecución de los objetivos del contrato.

Por lo que respecta a las autopistas de peaje, la Ley 8/1972, incluye, desde su modificación por la Ley 55/1999, las concesiones de conservación y explotación de autopistas ya construidas, admitiendo que podrán otorgarse de manera anticipada a la finalización del plazo concesional de las autopistas cuya construcción, conservación y explotación han sido objeto de concesión previa. La regulación de estas concesiones se remite a lo previsto para el contrato de concesión de obra pública en el TRLCSP.

Existen, además, otras fórmulas novedosas de financiación en alguna legislación autonómica.

Especial interés tiene el Fondo Andaluz de Carreteras que se dota fundamentalmente de los ingresos procedentes de la explotación del dominio público viario de titularidad de la Comunidad Autónoma y del patrimonio que se le adscriba, así como de los derechos de aprovechamiento urbanístico que corresponda a los terrenos de la red viaria adscritos a la Administración titular de la misma. Los recursos del Fondo se destinan a la financiación de las obras de mejora y de conservación de carreteras (art. 43 Ley 8/2001). Las diputaciones provinciales andaluzas pueden, por su parte, crear fondos similares.

Una regulación semejante existe, también, en Murcia, concretamente en los artículos 10 y 13 de la Ley 4/1997, sobre Construcción y Explotación de Infraestructuras.

Por otro lado, la ley madrileña (art. 24.3 Ley 3/1991) y la ley cántabra (art. 15 Ley 4/1996) afectan a la financiación de las tareas de mantenimiento y conservación del dominio viario las tasas que se obtengan por la utilización especial del mismo, es decir, por los usos que implican singularidad o especial intensidad o capacidad de deterioro de los elementos del dominio viario. La ley de Madrid dispone, además, que los importes de las sanciones e indemnizaciones obtenidas por las infracciones por los y daños y perjuicios causados en carreteras y sus elementos funcionales se afectarán a la conservación de las carreteras e infraestructuras viarias, mediante la generación de créditos, por idéntica cuantía, en las aplicaciones presupuestarias destinados al efecto (art. 25.3).

Finalmente, hay que señalar que las áreas de servicio se pueden explotar por cualquiera de los sistemas de gestión de servicios públicos previstos en la legislación de contratos. Respecto a las carreteras estatales, el RCa prevé que el Ministerio de Fomento podrá acordar la gestión directa de un área de servicio o varias agrupadas cuando ello se estime pertinente para los intereses generales, por lo que parece que, a diferencia de lo que ocurre con las carreteras, las áreas de servicio se gestionarán, por regla general, de forma indirecta (art. 61). En todo caso, las concesiones pueden tener por objeto, la construcción y explotación o solamente la explotación, tanto de todas las instalaciones y servicios comprendidos en el área de servicio como de alguno o algunos de ellos (art. 62). La LCa dispone que el canon anual que pague el concesionario se destinará a la financiación de los programas de creación y mantenimiento de áreas de servicio y de descanso en las carreteras estatales (art. 19.4).

C) La protección del destino de las carreteras

a) Las zonas de influencia de las carreteras: zona de dominio público adyacente y limitaciones de las propiedades colindantes. El problema de los enclaves privados y de la indemnizabilidad de las restricciones sobre las propiedades privadas

1) Las zonas de dominio público y de protección de las carreteras

La legislación de carreteras utiliza el sistema clásico de protección del dominio público consistente en la previsión de sucesivas franjas de terreno paralelas a la carretera en las que los usos y actividades están limitadas y requieren la previa obtención de autorización administrativa.

La ley estatal delimita una zona de dominio público, una zona de servidumbre y una zona de afección, a las que se suma el trazado de una línea límite de edificación.

La configuración de la zona de dominio público ya se ha analizado en el epígrafe 3.1, pero conviene ahora recordar que, por lo general, comprende una franja de terreno aledaño a la carretera por cada uno de sus laterales de ocho metros de anchura en autopistas, autovías y vías rápidas y de tres metros en el resto de las carreteras, que se miden desde la arista exterior de la explanación.

La zona de servidumbre consiste en dos franjas de terreno a ambos lados de las mismas, delimitadas interiormente por la zona de dominio público adyacente y exteriormente por dos líneas paralelas a las aristas exteriores de la explanación a una distancia de 25 metros en autopistas, autovías y vías rápidas, y de ocho metros en el resto de las carreteras, medidas desde las citadas aristas (art. 22.1 LCa).

La zona de afección comprende dos franjas de terreno a ambos lados de la carretera delimitada interiormente por la zona de servidumbre y exteriormente por dos líneas paralelas a las aristas exteriores de la explanación a una distancia de 100 metros en autopistas, autovías y vías rápidas, y de 50 metros en el resto de las carreteras, medidas desde las aristas.

A ambos lados de las carreteras se establece también una línea límite de edificación que se sitúa a 50 metros en autopistas, autovías y vías rápidas y a 25 metros en el resto de las carreteras computadas desde la arista exterior de la calzada más próxima[25]. Se considera arista exterior de la calzada el borde exterior de la parte de la carretera destinada a la circulación de vehículos en general (art. 25.1 LCa).

El Ministerio puede fijar una línea límite de edificación inferior por razones geográficas o socioeconómicas que afecten a comarcas bien delimitadas (art. 25.3 LCa). También puede establecer una distancia inferior para las carreteras estatales que discurran total o parcialmente por zonas urbanas, siempre que lo permita el planeamiento urbanístico (art. 25.2).

---

[25] El cómputo desde la arista exterior de la calzada y no desde la arista exterior de la explanación es lógico, pues, de lo contrario, quedaría fuera de la línea límite de edificación el terreno comprendido entre la calzada y la arista exterior de la explanación, es decir, el terreno más próximo a la carretera. C. MARTÍNEZ CARRASCO PIGNATELLI, *Carreteras. Su régimen jurídico*, Montecorvo, Madrid, 1990.

Pese a ello, la ley establece que cuando se trate de variantes o carreteras de circunvalación construidas con la finalidad de eliminar las travesías de las poblaciones, la línea límite de edificación se situará a 100 metros.

Puede ocurrir que diferentes zonas de protección se superpongan debido a los sistemas empleados para su medición. A este problema se enfrentan los arts. 73.4 y el art. 86 del RCa. El art. 73.4 prevé que "donde las zonas de dominio público, servidumbre y afección se superpongan, en función de que su medición se realice desde la carretera principal o desde los ramales de enlaces y vías de giro de intersecciones, prevalecerá, en todo caso, la configuración de la zona de dominio público sobre la de servidumbre, y la de ésta sobre la de afección". Por otro lado, donde, por ser muy grande la proyección horizontal del talud de las explanaciones, la línea límite de edificación quede dentro de las zonas de dominio público o de servidumbre, el art. 86 establece que esta línea se hará coincidir con el borde exterior de la zona de servidumbre. Y cuando las líneas límite de edificación se superpongan en función de que su medición se realice desde la carretera principal o desde los ramales de enlaces y vías de giro de intersecciones, prevalecerá, en todo caso, la más alejada de la carretera, cualquiera que sea la carretera o elemento determinante.

La legislación autonómica contempla también la previsión de una zona de influencia de las carreteras como sistema de protección de las carreteras, aunque las denominaciones y distancias de las franjas de terreno varían en cada Comunidad Autónoma[26].

La protección de las carreteras se logra mediante la limitación de usos y actividades en estas zonas, de tal forma que se garantice la seguridad vial y la eficaz realización de las tareas de explotación y conservación.

---

[26] Vid. art. 17 ley cántabra; arts. 29-40 ley madrileña; arts. 12 y 53-57 ley andaluza; arts. 38 a 45 ley aragonesa; arts. 16-20 ley de Castilla y León; arts. 23-27 ley de Castilla-La Mancha; arts. 28-34 ley de Islas Baleares; arts. 36-38 ley catalana; arts. 39-41 ley gallega; art. 29-31 ley murciana; arts. 33 y ss. ley navarra; arts. 22-28 ley extremeña; arts. 16-22 ley de La Rioja; arts. 24, 27 y ss.; ley asturiana; arts. 31-35 ley valenciana; arts. 24-34 ley canaria. La ley aragonesa reconoce a las diputaciones provinciales potestad para fijar la línea límite de edificación en los terrenos de su titularidad. La ley asturiana prevé la posibilidad de declarar determinadas carreteras de protección especial, en cuyo caso no se puede edificar en los márgenes antes de la línea de edificación, ni siquiera en los tramos urbanos y no se permiten accesos de ningún tipo (art. 16). Algunas legislaciones configuran las autorizaciones en la zona de influencia o en la zona de dominio público como licencias a precario (ley catalana, ley gallega).

En la zona de dominio público no se permiten obras o instalaciones que puedan afectar a la seguridad de la circulación vial, perjudiquen la estructura de la carretera y sus elementos funcionales, o impidan su adecuada explotación (art. 76.2 RCa). Sólo pueden realizarse obras o instalaciones cuando sea necesario para la prestación de un servicio público de interés general y previa obtención de la correspondiente autorización administrativa (art. 21.3 LCa). Así se admiten obras relacionadas con los accesos a estaciones de servicio y, también, la utilización del subsuelo para la implantación o construcción de infraestructuras imprescindibles (p.ej. telecomunicaciones), aunque las obras e instalaciones deberán situarse fuera de la explanación de la carretera, salvo que se trate de cruces, túneles, puentes y viaductos (art. 76.4 y 5 RCa).

En la zona de servidumbre sólo pueden autorizarse obras y usos compatibles con la seguridad vial (art. 22 LCa). Los propietarios de los terrenos y los titulares de derechos reales sobre los mismos sólo podrán utilizarlos de forma compatible con las ocupaciones y usos que realice la Administración y con la funcionalidad de la servidumbre constituida para garantizar el funcionamiento y explotación de la carretera (art. 80 RCa). Por ello, pueden llevar a cabo, sin autorización, cultivos, pero no obras, instalaciones o plantaciones que impidan la efectividad de la servidumbre o inciden en la seguridad vial. La Administración puede, además, utilizar o autorizar a terceros para la utilización de la zona de servidumbre cuando sea necesario por razones de interés general o cuando lo requiera el mejor servicio de la carretera. En ese caso, se indemnizarán la ocupación del terreno y los daños y perjuicios que se deriven de su utilización (art. 22.3 y 4 LCa). El Reglamento de Carreteras excluye el derecho a indemnización por las limitaciones en los usos y obras derivados de la protección de la carretera (arts. 80 y 81).

En la zona de afección se requiere autorización para llevar a cabo cualquier tipo de obras o instalaciones fijas o provisionales, para cambiar el uso o destino o para plantar o talar árboles (art. 23.2 LCa). Las construcciones e instalaciones existentes pueden repararse y mejorarse previa autorización administrativa, sin que pueda aumentarse el volumen, y sin que el incremento de valor pueda ser tenido en cuenta a efectos expropiatorios (art. 23.3 LCa).

Por último, dentro de la línea límite de edificación queda prohibida cualquier obra de construcción, reconstrucción o ampliación, a excepción de las que resulten imprescindibles para la conservación y mantenimiento de las construcciones existentes (art. 25.1 LCa)[27]. Se pueden autorizar instalaciones fácilmente desmontables y cerramientos diáfanos entre el borde exterior de la zona de servidumbre y la línea límite de edificación, siempre que no se alteren las condiciones de visibilidad y seguridad de la circulación vial. Por el contrario, en esa zona no pueden ejecutarse obras que supongan una edificación por debajo del nivel del terreno, ni realizar instalaciones aéreas o subterráneas que constituyan parte integrante de industrias o establecimientos, salvo tengan un carácter provisional o fácilmente desmontable. Los depósitos subterráneos, surtidores de aprovisionamiento y marquesinas de las estaciones de servicio deben quedar situados más allá de la línea límite de edificación. El Reglamento de Carreteras excluye el derecho a indemnización por estas limitaciones.

Las autorizaciones necesarias para la realización de obras, instalaciones o actividades se rigen por la legislación de carreteras y en el ámbito estatal se conceden siguiendo el procedimiento previsto a esos efectos en los arts. 92 y ss. del RCa, salvo que se trate de tramos urbanos.

La configuración de una zona de dominio público adyacente y de una zona de influencia que impone importantes restricciones a los propietarios de los terrenos plantea algunos problemas importantes. En primer lugar, el de si pueden existir enclaves de propiedad privada en la zona de dominio público y en qué situación quedan esos terrenos. Y, en segundo lugar, el de la indemnizabilidad de las restricciones en el contenido del derecho de propiedad privada.

2) ¿Enclaves privados en la zona de dominio público?

De la legislación estatal se deduce que no pueden existir en las carreteras de nueva construcción enclaves de propiedad privada en la zona de dominio público. Todos los terrenos que queden comprendidos dentro de la franja legalmente configurada como de dominio público deben pasar a

---

[27] La ley estatal prevé también que en la zona de servidumbre y en la comprendida hasta la línea límite de edificación, la Administración puede proceder a la expropiación de los bienes existentes, entendiéndose implícita la declaración de utilidad pública, siempre que hubiera un proyecto aprobado de trazado o de construcción para la reparación, ampliación o conservación de la carretera que la hiciera indispensable o conveniente (art. 26 LCa).

titularidad estatal. La expropiación no es una facultad discrecional de la Administración sino una medida que le viene impuesta por la legislación[28].

Tan sólo está prevista la subsistencia de enclaves privados en las carreteras estatales ya existentes a la entrada en vigor de la ley, como consecuencia de la ampliación de la zona de dominio público que opera la nueva ley. Para estos casos, la disposición transitoria primera prevé que la delimitación legal de la zona de dominio público se considere como una declaración de utilidad pública a efectos expropiatorios, lo que deberá posteriormente completarse con la apreciación de la necesidad concreta de los terrenos por la Dirección General de Carreteras. Mientras no se proceda a la expropiación, los terrenos de propiedad particular sólo podrán destinarse a cultivos, plantaciones o jardines que no impidan la visibilidad a los usuarios que circulen por aquéllas. Cabe entender, por tanto, que esta es una solución provisional para una situación transitoria que debe finalmente resolverse mediante la correspondiente expropiación.

La misma solución se encuentra en alguna legislación autonómica como la ley catalana. Sin embargo, la situación es distinta en otras Comunidad Autónomas como Cantabria, La Rioja y Asturias. En efecto, en Cantabria, la controvertida subsistencia de enclaves privados no es una situación transitoria y limitada a las carreteras existentes con anterioridad a la ley, sino una situación que puede seguir produciéndose en el futuro, pues "la definición de zona de dominio público no implica la declaración de bienes de dominio público de los terrenos y otros bienes comprendidos en la misma... debiendo declararse la necesidad de ocupación en cada caso concreto en aquellos supuestos en que se justifique esta necesidad". Los terrenos, enclavados en el dominio público, que no hayan sido expropiados o cedidos podrán destinarse a cultivos o jardines que no impidan o dificulten la visibilidad a los vehículos o afecten negativamente a la seguridad vial. En la misma línea, aunque todavía con mayor claridad, se encuentra

---

[28] Así se deduce del art. 75 RCa, que aclara que "los proyectos de construcción o trazado de nuevas carreteras, variantes, duplicaciones de calzada, acondicionamiento, restablecimiento de las condiciones de la vías y ordenación de accesos habrán de comprender la expropiación de los terrenos a integrar en la zona de dominio público, incluyendo en su caso los destinados a áreas de servicio y otros elementos funcionales de la carretera" (ap. 1). No obstante, con carácter excepcional, "en los casos de viaductos y puentes, la expropiación y, en consecuencia, la configuración de la zona de dominio público, podrá limitarse a los terrenos ocupados por los cimientos de los soportes de las estructuras y una franja de un metros, como mínimo, a su alrededor. El resto de los terrenos afectados quedará sujeto a la imposición de las servidumbres de paso necesarias para garantizar el adecuado funcionamiento y explotación de la carretera" (ap. 2).

la legislación de La Rioja y Asturias que prevén expresamente que la zona de dominio público puede ser de propiedad privada, con las mismas consecuencias que en la legislación cántabra.

3) Sobre la indemnizabilidad de las restricciones impuestas en las propiedades aledañas

Como se ha visto, la delimitación de unas zonas de protección del dominio público de carreteras impone importantes limitaciones y restricciones en las propiedades aledañas surgiendo el problema del carácter de estas restricciones y de su indemnizabilidad. La cuestión fundamental es si estamos ante simples delimitaciones del contenido del derecho de propiedad no indemnizables o ante auténticas limitaciones o privaciones parciales de ese contenido normal del derecho de propiedad, que tendrían un carácter indemnizable.

La legislación de carreteras se decanta por la primera interpretación, es decir, por el carácter delimitador del contenido del derecho de propiedad y, consiguientemente, por su no indemnizabilidad. La ley 25/1988 no se pronuncia expresamente sobre la cuestión, pero sólo prevé la indemnización por los daños que generen las ocupaciones de terrenos en la zona de servidumbre (art. 22.4) y el RCa consagra claramente la no indemnizabilidad de las restricciones (arts. 80 y 87).

Esta misma previsión suele encontrarse en la legislación autonómica, que en algún caso precisa que "las limitaciones de usos y actividades impuestas por esta Ley a los propietarios o titulares de derechos sobre los inmuebles configuran el contenido ordinario del derecho de propiedad y no darán lugar a indemnización" (ley de Castilla y León).

Esta concepción no puede compartirse[29]. Las legislaciones de carreteras reducen el contenido normal del derecho de propiedad de los colindantes, situándolos en una posición muy distinta a la que tienen los restantes propietarios del suelo conforme a la legislación urbanística e incidiendo

---

[29]   Y de hecho no la comparten la mayoría de los autores. Vid., sobre este punto, A. DAG-NINO GUERRA, "Propiedad privada y dominio público en materia viaria", *RAP*, n. 171, 1996, pp. 81 y ss.; J. PEMÁN GAVÍN, "Sobre la regulación de las carreteras en el Derecho español: una visión de conjunto", *RAP*, n. 129, 1992, p. 144; A. L. FERNÁNDEZ MAGDALENA, "Tratamiento jurídico de las restricciones en la zona de influencia de las carreteras", *AA*, n. 13, 1997, pp. 229 y ss.; J. L. GONZÁLEZ-BERENGUER URRUTIA, *Urbanismo sectorial*, Ed. Montecorvo, Madrid, 1999, pp. 86 y ss.; y, del mismo autor, "Urbanismo y carreteras. Breve sistematización", *RDU*, n. 131, 1993, pp. 20-22.

en el contenido del derecho de propiedad que les corresponde conforme a la planificación del suelo. Ese cercenamiento de las facultades que integran el derecho de propiedad tiene que ser necesariamente compensado para ser conforme al art. 33 de la CE y no incurrir en una confiscación contraria a Derecho.

La vía normal para ello es el propio sistema de distribución de cargas y beneficios del Derecho Urbanístico. En efecto, la calificación del suelo prevista en los planes urbanísticos debe adecuarse a las exigencias de protección de las carreteras y de funcionalidad de sus zonas aledañas, pero las cargas y restricciones que ello impone sobre los terrenos no pueden recaer, exclusivamente y sin compensación, en los titulares de los mismos. Las desigualdades que genera la ordenación urbanística deben compensarse, como es sabido, a través de los sistemas de justa distribución de cargas y beneficios previstos en nuestro ordenamiento y cuando ello no sea posible por la vía indemnizatoria.

Esta es, por otra parte, la solución que acoge la Ley 8/1972, de Autopistas de Peaje[30]. De acuerdo con esta norma, no es indemnizable la simple afección de terrenos a la zona de servidumbre, pero reconoce a los propietarios un derecho a compensación por los volúmenes edificatorios que le correspondieran y que no hubieran podido materializar en otros terrenos (art. 20.4). La ley se refiere al volumen edificatorio que reconocía, como contenido normal del derecho de propiedad, la Ley del Suelo de 1956, pero, la misma regla es perfectamente aplicable a la situación actual, aunque refiriéndola al volumen edificatorio que corresponda al propietario de acuerdo con la vigente legislación urbanística y la correspondiente planificación.

La compensación de los propietarios de terrenos en la zona de influencia clasificados como urbano o urbanizable programado se debe llevar, por tanto, a cabo mediante los sistema de distribución de cargas y beneficios, y cuando ello no sea posible mediante la vía indemnizatoria.

Así lo ha reconocido el Tribunal Supremo en sus importantes sentencias de 7 de abril de 2001 (Ar. 5757) y 13 de febrero de 2003 (Ar. 2091). En efecto, en la sentencia de 7 de abril, el Tribunal afirma, en relación con la situación de un particular propietario de un suelo urbano afectado por las limitaciones derivadas del art. 25 de la Ley de Carreteras de 1988, que estas limitaciones "han supuesto la efectiva privación del derecho a edificar en

---

[30]   Vid. R. GÓMEZ-FERRER MORANT, "En torno a la Ley de Autopistas de Peaje", *RAP*, n. 68, 1972, pp. 344 y ss.

un suelo urbano calificado como residencial de baja intensidad, de modo que la aprobación y ejecución del proyecto implica la privación de un derecho patrimonializado y, como tal, debe ser indemnizado o compensado mediante el pago del justo precio, por lo que su titular habrá de ser incluido en la relación de propietarios afectados por la ejecución del proyecto de construcción de la carretera". El Tribunal rechaza que se trate de un supuesto de responsabilidad patrimonial de la Administración y califica las limitaciones de auténtica privación de un derecho a edificar sobre suelo urbano derivado del proyecto de ejecución de carretera. Por ello, si bien el propietario está jurídicamente obligado a soportar la privación, "procede abonarle la correspondiente indemnización, como establecen concordadamente los artículos 33.3 de la Constitución, 349 del Código Civil, 1 y 24 y ss. de la Ley de Expropiación Forzosa, "ya que el instituto expropiatorio comprende cualquier forma de privación singular de la propiedad privada o de derechos o intereses patrimoniales legítimos, y entre éstos debe considerarse la privación del "ius aedificandi" reconocido en el planeamiento urbanístico al propietario del suelo, como en este caso sucede al impedirse que en un suelo urbano colindante con la carretera se edifique con arreglo al aprovechamiento permitido..., por lo que no se está ante un supuesto de posible responsabilidad patrimonial de la Administración que ejecuta la carretera sino ante la privación que dicha ejecución comporta de un concreto aprovechamiento urbanístico, que debe ser compensado mediante el pago del correspondiente justiprecio". Ello, lógicamente, salvo que la edificabilidad se hubiera podido concentrar en otra zona de la misma parcela, circunstancia que no concurría en el caso analizado.

Si los terrenos afectados están clasificados como no urbanizables no existe, como es sabido, un sistema de distribución de cargas y beneficios, pero la legislación urbanística prevé la indemnizabilidad de las limitaciones o vinculaciones singulares (p. ej. las que genera el suelo no urbanizable especialmente protegido) que cercenan el contenido normal del derecho de propiedad del suelo no urbanizable (cualquier utilización rústica del terreno) y ello parece plenamente aplicable a los propietarios de terrenos afectados por las restricciones que impone la legislación de carreteras.

b) *La prohibición de publicidad*

La legislación estatal de carreteras prohíbe, en aras de la seguridad vial y de la protección del paisaje, la publicidad visible desde la zona de dominio público de la carretera, salvo que se trate de tramos urbanos (art. 24.1 LCa). Esta prohibición no confiere, en ningún caso, derecho a indemnización.

La prohibición afecta a todos los elementos de la instalación publicitaria, es decir, no sólo a la fijación de carteles, sino también de soportes o cualquier otro tipo de manifestación de la actividad publicitaria (art. 88 RCa).

No obstante, no se consideran publicidad los carteles informativos autorizados por el Ministerio de Fomento (art. 24.2 LCa). Y tienen la condición de carteles informativos (arts. 89-91 RCa): a) las señales de servicio, b) los carteles que indiquen lugares de interés cultural, turístico, poblaciones, urbanizaciones y centros importantes de atracción con acceso directo e inmediato desde la carretera, c) los que se refieran a actividades y obras que afecten a la carretera, d) los carteles relativos a carburantes disponibles, marca y precios en la estación de servicio más próxima, e) rótulos de establecimientos mercantiles o industriales siempre que estén situados sobre los inmuebles en que aquellos tengan su sede o en su inmediata proximidad y sin que puedan incluir comunicación adicional que promueva la contratación de bienes o servicios y f) excepcionalmente, los avisos de carácter eventual relativos a pruebas deportivas o acontecimientos similares, reglamentariamente autorizados y que se desarrollen en la propia carretera.

También ha introducido algunas matizaciones interesantes a la prohibición de publicidad, la STS de 30 de diciembre de 1997 (Ar. 9700), que resuelve el famoso caso del "Toro Osborne". El Consejo de Ministros había sancionado a la entidad Osborne y Cía, S.A. al pago de una multa por tener instalado un cartel publicitario en forma de toro a una distancia de 365 metros, visible desde la zona de dominio público, en la autopista del Cantábrico. El cartel consistía en la silueta negra del Toro, de la que se habían eliminado leyendas o menciones al brandy Osborne. La Sala considera que la prohibición de publicidad no es aplicable al toro, porque éste en cuanto simple estructura sin mención de la marca ha dejado de ser para los ciudadanos un elemento de publicidad para integrarse en el paisaje español como un elemento de indudable interés artístico, paisajístico y cultural. Así lo evidencian las diferentes normas e iniciativas públicas y privadas para su consideración como bien de interés artístico y cultural con un régimen de protección especial. Por ello, la permanencia de las estructuras con el toro Osborne no resulta contraria a la teleología de la norma de carreteras, esto es, a la finalidad de preservar el paisaje, sin que se ponga en riesgo la seguridad vial. A la Sala no se le escapa que pudiera entrar dentro de concepto de publicidad encubierta o subliminal, pero entiende que entre los diferentes intereses en juego debe prevalecer la necesidad de conservar un bien de interés artístico y cultural.

En cualquier caso, el establecimiento de carteles informativos requiere previa autorización de la Dirección General de Carreteras. La normativa estatal (art. 89.4 RCa) configura esta autorización como un título habilitante en precario que puede revocarse sin derecho a indemnización, previa audiencia del interesado, en caso de mala conservación, cese de la actividad objeto de la información, por razones de seguridad de la circulación o por perjudicar el servicio que presta la carretera[31].

La legislación autonómica sigue, normalmente, a la regulación estatal en este punto[32]. Sólo las legislaciones madrileña y extremeña se separan de la legislación estatal al prohibir la colocación de carteles y elementos publicitarios a menos de 100 del borde exterior de la plataforma (arts. 34 y 28, respectivamente), eliminando, por tanto, el criterio de la visibilidad desde la zona de dominio público, lo que, generalmente, resultará menos restrictivo que lo dispuesto en la legislación estatal[33].

c) La ordenación y limitación de accesos

Los accesos son los elementos de conexión de la carretera con las vías de servicio de la misma o con otras vías no estatales, así como los de entrada y salida directa de vehículos a núcleos urbanos e industriales, y a fincas y predios colindantes.

---

[31] Las afirmaciones legislativas del carácter precario de las licencias y la vinculación a las mismas de la inexistencia de un derecho a indemnización en caso de revocación, deben tomarse, no obstante, con las debidas cautelas, pues el carácter precario de la licencia no siempre elimina el derecho a indemnización por los daños derivados del funcionamiento normal o anormal de los servicios públicos consagrado en nuestra Constitución y desarrollado en los arts. 139 y ss. LRJPAC. Vid., en este sentido, E. DESDENTADO DAROCA, *El precario administrativo. Un estudio de las licencias, autorizaciones y concesiones en precario*, Aranzadi, Madrid, 1999.

[32] Art. 58 ley andaluza; art. 19 ley de Castilla y León; art. 24 ley de Castilla-La Mancha; art. 36 ley de Baleares; art. 20 ley de La Rioja; art. 36 ley valenciana; art. 34 ley gallega. La Ley canaria prohíbe más genéricamente la ubicación, fuera de los tramos urbanos, de cualquier publicidad dirigida al usuario de la carretera (art. 31). La ley catalana, en su artículo 42, mantiene el criterio de la visibilidad desde la zona de dominio público, pero añade que, en cualquier caso, está prohibida la publicidad en una franja de 100 metros medida desde la arista exterior de la calzada.

[33] La separación de la legislación estatal en este punto es más que discutible si tenemos en cuenta que los preceptos que establecen las limitaciones a las propiedades colindantes de las carreteras se apoyan en la competencia exclusiva del Estado para determinar las condiciones básicas del ejercicio del derecho de propiedad (art. 149.1.1 CE) y que, por tanto, no son mero derecho supletorio, sino derecho directamente aplicable.

Por su finalidad, los accesos inciden claramente en la explotación de la carretera y en la seguridad vial. De ahí, que su adecuada ordenación sea un aspecto clave para asegurar la funcionalidad de las carreteras. A estos efectos, la legislación confiere a las Administraciones titulares de las carreteras importantes potestades de limitación y reordenación de los accesos, y, en algunos casos, prohíbe totalmente el acceso directo a las carreteras.

La ley 25/1988, dispone que el Ministerio de Fomento "puede limitar los accesos a las carreteras estatales y establecer con carácter obligatorio los lugares en los que tales accesos pueden construirse" (28.1) y que, además, "queda facultado para reordenar los accesos existentes con objeto de mejorar la explotación de la carretera y la seguridad vial, pudiendo expropiar para ello los terrenos necesarios" (28.2).

El ejercicio de esta potestad de reordenación de los accesos entra frecuentemente en colisión con los intereses de los particulares que se han venido beneficiando de una determinada ubicación del acceso, lo que explica la elevada litigiosidad que existe en este campo. En ese conflicto de intereses, los intereses públicos prevalecen, en todo caso, sobre los privados[34], pero el ejercicio de la potestad de reordenación no puede ser arbitrario[35] y debe estar debidamente justificado sobre la base de las necesidades de una mejor explotación o de una mayor seguridad vial. De lo contrario, los tribunales pueden y deben anular la reordenación e incluso declarar el derecho a que se mantengan las condiciones del anterior acceso[36].

La reordenación de accesos debe, por otra parte, estudiarse y preverse siempre que haya un proyecto de duplicación de calzada, acondicionamiento del trazado o ensanche de la plataforma de una carretera estatal existente (art. 102.7 RCa).

Cuando los accesos no previstos se soliciten por los propietarios o usufructuarios de una propiedad colindante, o por otros directamente interesados, el Ministerio de Fomento podrá convenir con éstos la aportación económica procedente en cada caso siempre que el acceso sea de interés público o exista imposibilidad de otro tipo de acceso (art. 28.3).

---

[34] En este sentido, vid. SSTS (3) 21 septiembre de 2001 (Ar. 6076), 15 de marzo de 2002 (Ar. 2618).

[35] Vid. SSTS (3) de 8 de julio de 1983 (Ar. 3281) y 18 de abril de 2000 (Ar. 3862).

[36] En este sentido, la STS (3) 30 de octubre de 2002 (Ar. 9654) confirma la sentencia del TSJ de Cataluña que consideró que la reordenación no había redundado en una mejora de la seguridad vial y que, por tanto, la Administración debía ejecutar los accesos en las condiciones en que se encontraban con anterioridad.

Las propiedades colindantes no tendrán acceso directo a las nuevas carreteras, a las variantes de población y de trazado, ni a los nuevos tramos de calzada de interés general del Estado, salvo que sean calzadas de servicio (art. 28.4).

Una regulación muy similar de las potestades de limitación y ordenación de accesos se contiene en la legislación autonómica[37]. Cuando se trate de carreteras de titularidad municipal, la potestad de limitación y reordenación de acceso corresponde a los respectivos Ayuntamientos, dentro del marco establecido por la legislación autonómica y de acuerdo con la normativa urbanística vigente (así lo prevé expresamente la ley cántabra). No obstante, en alguna legislación autonómica se prevé que cuando la autorización de accesos corresponda a las diputaciones provinciales es necesario recabar informe vinculante de la Consejería competente en materia de carreteras con la finalidad de asegurar el cumplimiento de la normativa e instrucciones técnicas en materia de accesos, así como la conformidad a las determinaciones de la planificación viaria (art. 57.3 ley andaluza).

D) La protección de la legalidad viaria y la potestad sancionadora

a) Protección de la legalidad viaria

La Administración dispone de potestades para hacer frente a construcciones y usos o actividades que vulneren la legalidad viaria. Así, la Administración procederá a la paralización de las obras y a la suspensión de los usos que no se realicen con la pertinente autorización o que no se ajusten a las condiciones establecidas en las autorizaciones. Transcurrido cierto plazo, deberá acordarse la instrucción de los oportunos expedientes para la legalidad de las obras o para la autorización de los usos, o bien, cuando ello no sea posible, la demolición de las obras o la prohibición definitiva de los usos no autorizados o contrarios al condicionado del título habilitante. El incumplimiento dentro de plazo determinará, si es preciso, la ejecución forzosa de la resolución, en sustitución del interesado y a su costa[38].

---

[37] Vid. art. 21 ley cántabra; art. 36 ley madrileña; art. 57 ley andaluza; art. 49 ley aragonesa; art. 22 ley de Castilla y León; arts. 28 a 29 ley de Castilla-La Mancha; art. 55 ley de Islas Baleares; art. 45 ley catalana; art. 36 ley murciana; art. 31 ley navarra; art. 24 ley de La Rioja; art. 38 ley valenciana; art. 36 ley canaria; art. 52 ley gallega.

[38] Vid. arts. 27 LCa y 97 a 99 RCa. Las mismas potestades corresponden a la Administración autonómica y la Administración local respecto a las carreteras autonómicas y municipales. Y así suelen recogerlo las legislaciones autonómicas de carreteras (arts. 27 ley cántabra, arts. 67-69 ley andaluza; arts. 50-51 ley aragonesa; art. 21 ley de Castilla

Por otro lado, el RCa también prevé que cuando una construcción se encuentre próxima a una carretera estatal y pudiera ocasionar daños a ésta o ser motivo de peligro para la circulación, el servicio correspondiente de la Dirección General de Carreteras lo pondrá en conocimiento de la Corporación local a los efectos de la declaración de ruina y subsiguiente demolición. En caso de urgencia y peligro inminentes, se dará traslado de tal circunstancia al Delegado o Subdelegado del Gobierno para que se adopten las medidas precisas (art. 100).

Si se tratara de obras contrarias a la legalidad viaria pero amparadas en una licencia otorgada por la Administración, será necesario destruir el título jurídico en que se amparan acudiendo al procedimiento de revisión de oficio de los actos administrativos o al proceso de lesividad, de acuerdo con la LRJPAC y dependiendo de si se trata de acto nulos de pleno derecho o de actos anulables[39]. Si se anula la licencia, la Administración podrá, entonces, acordar la demolición de las obras y adoptar las demás medidas que procedan. No obstante, la anulación de la licencia podrá determinar la responsabilidad patrimonial de la Administración, de acuerdo con los arts. 139 y ss. de la LRJPAC. En este caso, hay que entender, como se hace en el ámbito urbanístico, que si hubiere concurrido dolo o culpa grave del perjudicado no se reconocerá derecho a indemnización.

La ley catalana contempla, también, la suspensión de los efectos de autorizaciones y licencias que constituyen una infracción viaria de carácter notorio y grave y su posterior impugnación en vía contencioso-administrativa. En efecto, de acuerdo con el art. 53, el órgano que la ha otorgado debe acordar la suspensión de sus efectos y la paralización inmediata de las obras iniciadas y proceder, en el plazo de tres días, a trasladar el acuerdo a la Sala de Contencioso-Administrativa competente para que se pronuncie sobre la conformidad o no a Derecho de la licencia. Si la sentencia anula la licencia, procederá la incoación del correspondiente procedimiento sancionador así como decretar la demolición de lo indebidamente construido o la reconstrucción de lo indebidamente demolido.

---

y León; art. 40 ley de Castilla-La Mancha; arts. 54-59 ley catalana; art. 43-45 ley de Murcia; art. 59 de la ley navarra; arts. 49 y 50 ley extremeña; art. 23 ley de La Rioja; art. 59 ley asturiana; art. 44 ley valenciana; art. 35 ley canaria; art. 55 ley gallega.

[39] La ley catalana califica de nulas de pleno derecho todas las licencias o autorizaciones que se otorguen contraviniendo la normativa contenida en la ley (art. 54). En el mismo sentido, la ley valenciana (art. 49).

b) El régimen de infracciones y sanciones

La eficacia de la legalidad viaria se respalda, también, tanto en la legislación estatal como en la legislación autonómica, mediante la previsión de un elenco de infracciones administrativas a las que se anudan las correspondientes sanciones y medidas accesorias, con independencia del ejercicio de las restantes potestades de protección de la legalidad (suspensión, demolición).

1) Clases y tipos de infracciones

La Ley 25/1988 y la legislación autonómica contemplan como infracciones las construcciones, actuaciones o usos no autorizados, la destrucción, deterioro o alteración de la carretera o de sus elementos funcionales, el vertido de materiales u objetos a la carretera o al dominio público adyacente, la colocación de carteles informativos sin autorización, el establecimiento de publicidad visible desde cualquier punto de la zona de dominio público de la carretera y el incumplimiento por los concesionarios y titulares de estaciones de servicio de la obligación de instalación, conservación, mantenimiento o actuaciones de carteles informativos en áreas de servicio[40]. Algunas legislaciones incluyen también como infracciones, la circulación con vehículos especiales no autorizada (ley andaluza) y la afección al tráfico mediante la emisión peligrosa de partículas, humos, gases, ruidos o actividades similares, así como la invasión de la calzada por animales incontrolados o el derribo de muros, edificaciones o construcciones en estado de ruina (ley de Islas Baleares)

Las infracciones se clasifican en leves, graves y muy graves, lo que depende lógicamente de la entidad o importancia de las mismas, pero también, en gran medida del lugar (carretera, dominio público adyacente o propiedades colindantes) en el que se realiza la actividad ilegal, del carácter legalizable o ilegalizable de la construcción o actividad, de si suponen o no un riesgo para la seguridad de la circulación rodada o peatonal, o de otras circunstancias como la reincidencia.

---

[40] Vid. art. 31 LCa; art. 28 ley cántabra; art. 45 ley madrileña; art. 71 ley andaluza; art. 59 ley aragonesa; art. 23 ley de Castilla y León; art. 33 ley de Castilla-La Mancha; art. 40 ley de Baleares; arts. 56 y ss.; ley catalana; art. 72 ley navarra; arts. 43 a 45 ley extremeña; art. 27 ley de La Rioja; art. 41 ley valenciana; art. 39 ley canaria; arts. 60 y ss. 43 ley gallega; art. 46 ley murciana.

2) Personas responsables

De acuerdo con el art. 111 RCa se consideran responsables (siempre que hayan obra de forma dolosa o culposa, claro está), al promotor de la actividad infractora, al empresario o persona que la ejecuta y al director técnico de la misma. En el caso de incumplimiento del condicionado de una concesión o autorización administrativa, el responsable es el titular de misma. Y en los supuestos de colocación de carteles informativos o de publicidad, responde el titular del cartel informativo o instalación publicitaria, el anunciante y, subsidiariamente, el propietario del terreno.

Las mismas previsiones se encuentran en la legislación autonómica, aunque alguna amplía la condición de responsable. Así la ley madrileña incluye también como responsables, en el caso de infracciones derivadas del otorgamiento de autorizaciones contrarias a la legalidad y cuyo ejercicio ocasione daños graves al dominio público viario o a terceros, a los funcionarios o empleados de la Administración Pública que hubieren informado favorablemente su otorgamiento y a las autoridades y miembros de los órganos colegiados que las hubieren otorgado [art. 45.5.c)]. La ley andaluza señala, por su parte, que cuando se trate de infracciones derivadas de la circulación, el responsable será el conductor y, subsidiariamente, el propietario del vehículo. Por su parte, la ley catalana considera promotor tanto al propietario del suelo sobre o bajo el que se comete la infracción, como al agente, el gestor o el impulsor de la actividad. Además, la ley catalana extiende la responsabilidad de las personas jurídicas subsidiariamente a las personas físicas que integren sus órganos rectores o de dirección, salvo que hayan disentido de los acuerdos adoptados.

Cuando haya más de un sujeto responsable por la infracción, responderán de forma solidaria de la infracción y de la sanción que se imponga.

3) Prescripción de las infracciones

La prescripción de las infracciones previstas en la legislación estatal tiene lugar a los cuatro años para las graves y muy graves y al año para las leves (art. 35 LCa). Para las infracciones contempladas en la legislación autonómica habrá que estar a los plazos que en ella se prevean y que, en algunos casos, difieren de los recogidos en la legislación estatal. No obstante, interesa destacar que la ley de Islas Baleares califica de imprescriptibles las infracciones cometidas contra el dominio público.

El "dies a quo" para el cómputo del plazo de prescripción es, por regla general, la fecha en que la infracción se hubiere cometido. Ahora bien, de acuerdo con la doctrina jurisprudencial, cuando se trata de infracciones permanente o continuadas, el cómputo no comienza hasta que tiene lugar el último acto de consumación de la infracción o hasta que finaliza la actividad. Una doctrina que se recoge expresamente en alguna legislación autonómica (art. 48 ley madrileña, art. 57 ley catalana, art. 77 ley navarra). Además, la ley andaluza y la navarra incluyen un criterio que puede ser muy conveniente en algunos supuestos: cuando el hecho constitutivo de la infracción no pueda conocerse por falta de signos externos, el cómputo se iniciará cuando estos se manifiesten (art. 77.2 y 25 respectivamente).

4) Tipos de sanciones y régimen de prescripción. La obligación de reposición y reparación

La sanción principal es la multa que se fija estableciendo unas cuantías dentro de las que la Administración establecerá la más adecuada atendiendo a las circunstancias concurrentes (daños y perjuicios producidos, riesgo creado, intencionalidad del causante, reincidencia). Además, si la infracción consiste en el establecimiento ilegal de carteles publicitarios, el art. 112.3 del RCa, dispone que se atenderá a la proporción entre la máxima dimensión de la instalación publicitaria y su distancia a la arista de exterior de la calzada.

Junto a la sanción pecuniaria, alguna legislación autonómica prevé otras sanciones o medidas accesorias. Así, la ley madrileña establece que, en las infracciones por escombros o residuos sólidos, además de las sanciones de multas, se podrá retirar o no renovar al transportista la autorización o título administrativo que le faculta para ejercer la actividad de transporte (art. 49.2).

La imposición de sanción es, en todo caso, independiente de la obligación de reposición al estado anterior[41] y de indemnización de los daños y perjuicios ocasionados. Así se prevé en el art. 34 LCa y arts. 112 y 115 del RCa, y también en la legislación autonómica. Para la exigencia de estas obligaciones, la Administración cuenta con la correspondiente potestad de autotutela, tal y como recuerda el art. 34.2 LCa.

La legislación estatal de carreteras no contiene unos plazos de prescripción para las sanciones, por lo que resultan de aplicación los previstos en

---

[41] Si la reparación es urgente, se lleva a cabo de forma inmediata por la Administración, aunque a cargo del causante.

la LRJPAC. Respecto a las sanciones reguladas en la legislación autónoma, habrá a estar a lo que se establezca en la misma.

5) La introducción de la acción pública en algunas legislaciones autonómicas

Algunas legislaciones autonómicas de carreteras (no así en la estatal) reconocen acción pública para exigir el cumplimiento de la legalidad en los supuestos de comisión de infracciones previstas en las mismas. Tal es caso de las leyes valenciana (art. 50), navarra (art. 84) y de Castilla-La Mancha (art. 38.3). Este reconocimiento de acción pública implica que el denunciante, sin necesidad de aducir un derecho subjetivo o un interés legítimo, puede recurrir la decisión de no iniciar el procedimiento sancionador, tiene el derecho de participar en el procedimiento sancionador e incluso legitimación para impugnar la resolución final del procedimiento sancionador. De esta forma, se abre una vía relevante para el control del ejercicio de la potestad sancionadora de la Administración en materia de carreteras, pudiéndose hacer frente tanto a una aplicación incorrecta de la legalidad viaria como a una inactividad sancionadora. Y, sin duda, la acción pública es un instrumento que puede reforzar una adecuada protección del dominio público viario y una medida que, por tanto, desde esta perspectiva, puede valorarse positivamente. Sin embargo, desde la perspectiva de la distribución competencial, la legitimidad de la introducción en la legislación autonómica de la acción pública en materia de carreteras plantea serias dudas, pues se trata de una regulación de orden procesal cuya regulación parece corresponder únicamente al Estado *ex* art. 149.1.6 CE, pues la competencia exclusiva del Estado en materia de legislación procesal sólo encuentra excepción en "las necesarias especialidades del derecho sustantivo de las Comunidades Autónomas". Las competencias que pueden asumir las Comunidades Autónomas no alcanza a introducir en su ordenamiento "normas procesales por el mero hecho de haber promulgado regulaciones de derecho sustantivo en ejercicio de sus competencias" (STC 47/2004, de 25 de marzo). El Tribunal Constitucional ha afirmado que la expresión "necesarias especialidades" sólo permite introducir "aquellas innovaciones procesales que inevitablemente se deduzcan, desde la perspectiva de la defensa judicial, de las reclamaciones jurídicas sustantivas configuradas por la norma autonómica en virtud de las particularidades del Derecho creado por la propia Comunidad Autónoma, o, dicho en otros términos, las singularidades procesales que se permiten a las Comunidades Autónomas han de limitarse a aquéllas que, por la conexión con las particularidades del Derecho sustantivo autonómico, vengan requeridas por éstas" (SSTC 47/2004, de 25 de marzo; 135/2006, de 27 de abril). Sin embargo, en el caso que nos ocupa lo que se establece es una innovación procesal de ca- rácter general en relación con la interposición de recursos cuyo objeto es exigir el cumplimiento de la norma autonómica en materia de carreteras, sin que su regulación sustantiva presente una particularidad que exija o justifique la especialidad procesal. Lo que se pretende es incrementar el nivel de protección del dominio público viario mediante la previsión de un instrumento procesal no contemplado por la legislación estatal (acción pública en materia de carreteras), sin que pueda encontrar amparo en competencia autonómica alguna.

6. La utilización de las carreteras y del dominio público viario vinculado a ellas

Las carreteras son, como se ha visto, vías pensadas y construidas funda- mentalmente para la circulación de vehículos automóviles, por lo que el uso más frecuente de las mismas es, lógicamente, el realizado por los ciuda- danos para trasladarse de un lado a otro utilizando como medio vehículos de motor. Ahora bien, la legislación también contempla la utilización de las carreteras por peatones y por animales.

Se trata, por lo general, de un uso común, que se rige por los principios de igualdad y gratuidad. No obstante, como hemos visto, en ocasiones, puede exigirse el pago de un peaje (art. 16 LCa). En ese caso, en el ámbito estatal se exime del pago a los vehículos de las Fuerzas Armadas, los de los Cuerpos y Fuerzas de Seguridad, los de las Autoridades Judiciales, las ambulancias, los de los servicios contra incendios y los de la propia explo- tación, en el cumplimiento de sus respectivas funciones específicas (art. 16.3 LCa).

La utilización de las carreteras por medio de vehículos de motor debe, en todo caso, sujetarse a las prescripciones de la legislación de carreteras, de la Ley sobre tráfico y circulación de vehículos a motor y seguridad vial, y de las disposiciones que dicten las autoridades administrativas en ejercicio de las potestades que esta normativa les confiere.

La circulación con vehículos deberá llevarse a cabo con las preceptivas autorizaciones administrativas que sirven para garantizar la aptitud de los conductores, y los vehículos han de respetar los límites de carga y de emisión de ruidos, gases y humos[42].

Por las autopistas y autovías no se puede circular con vehículos de tracción animal, bicicletas, ciclomotores y vehículos para personas de movilidad reducida. Los conductores de bicicletas pueden utilizar los arcenes de las autovías, salvo que por razones de seguridad vial, se prohíba mediante la señalización correspondiente[43]. Las cosechadoras y vehículos especiales análogos que circulen a velocidades inferiores a 60 kilómetros/hora se trasladarán por las autopistas en plataformas móviles o sobre cualquier otro vehículo de motor que se desplace de forma independiente a una velocidad no inferior a la indicada[44].

Además, en el ámbito estatal, la legislación de carreteras confiere al Ministerio de Fomento diversas potestades de restricción o limitación de la circulación. Así, de acuerdo con el art. 29 LCa, cuando las condiciones, situaciones, exigencias técnicas o seguridad vial así lo requieran, puede imponer limitaciones temporales o permanentes a la circulación en ciertos tramos o partes de las carreteras. Y también puede, conforme al art. 107.4 y 5 RCa, reservar al uso exclusivo de vehículos automóviles determinados itinerarios o tramos de autovía y vías rápidas, con el fin de facilitar la comodidad y seguridad de la circulación y garantizar la adecuada prestación del servicio público encomendado. Esa limitación debe publicarse en el Boletín de las provincias afectadas.

Las legislaciones autonómicas suelen conferir potestades similares a los órganos competentes respecto a las carreteras que regulan.

Por lo que se refiere a la utilización de las carreteras por los peatones, éstos pueden transitar por ellas, salvo que se trate de autopistas, utilizando la zona peatonal o, si ésta no existe o no es practicable, el arcén o la calzada. Fuera de los núcleos de población, la circulación se hará por regla general por la izquierda[45].

La utilización por animales de autopistas y autovías está prohibida. En las demás carreteras, sólo se permitirá el tránsito de animales de tiro, carga o silla, cabezas de ganado aisladas, en manada o rebaño, cuando no exista itinerario practicable por vía pecuaria y siempre que vayan custodiados por

---

[42] Arts. 59 y 10 del RD legislativo 339/1990, de 2 de marzo, que aprueba el Texto Articulado de la Ley sobre Tráfico, Circulación de Vehículos de Motor y Seguridad Vial.

[43] Art. 18 RD legislativo 339/1990.

[44] Art. 107.2 RCa.

[45] Art. 49 RD legislativo 339/1990.

alguna persona. El tránsito deberá realizarse por la vía que tenga menor intensidad de circulación de vehículos y de acuerdo con lo que se establezca reglamentariamente[46].

Las carreteras también son susceptibles de un uso especial, que se caracteriza por su peculiaridad, por la intensidad del uso o por la capacidad de deterioro de los elementos de dominio viario. Este tipo de usos, como por ejemplo, transportes especiales o pruebas deportivas, están sujetos a la obtención previa de la correspondiente autorización administrativa. El solicitante debe presentar un estudio detallado en el que justifique que el uso especial de la carretera no producirá daños a ésta, que la seguridad de la circulación queda garantizada y que se tomarán las medidas necesarias para reducir la afección al resto de los usuarios de las carreteras. La obtención de la autorización implica la obligación de pagar una tasa o canon[47].

En la zona de dominio público adyacente a la carretera sólo pueden realizarse obras e instalaciones, previa autorización, y cuando la prestación de un servicio público de interés general así lo exija (art. 21.3 LCa y 76 RCa) y siempre que no afecte a la seguridad vial, perjudique la estructura de la carretera y sus elementos funcionales o impida su adecuada explotación. Sí se permitirán, como es lógico, las obras relacionadas con los accesos a una estación de servicio debidamente autorizada (art. 76.3 RCa).

En la zona de dominio público adyacente cabe también la autorización de usos del subsuelo de la zona de dominio público para la implantación o construcción de infraestructuras imprescindibles para la prestación de servicios públicos de interés general, como es el caso de las líneas de conducción de energía eléctrica. En este último supuesto, la Administración suele incluir una cláusula de precario que excluye el derecho a indemnización por su modificación, suspensión o extinción. Sin embargo, el Tribunal Supremo ha afirmado en diversas sentencias[48], que "ha de reputarse ilegal una cláusula tan absoluta... en que se exonere a la Administración de cualquier tipo de indemnización como consecuencia de la futura modificación, suspensión o extinción de la autorización o concesión por razones de interés general, haciendo abstracción de las circunstancias que concurren y de cuál es su causa". Y considera que "ello tiene aún mayor importancia en supuestos como el actual, en que el uso anormal del dominio público se

---

[46] Art. 50 RD legislativo 339/1990.
[47] Así lo dispone para las carreteras estatales el art. 108 RCa. Las legislaciones autonómicas suelen incluir una regulación muy similar.
[48] Vid., entre otras, SSTS (3), de 13 de marzo de 2001 (Ar. 1980) y 12 de julio de 2001 (Ar. 5028).

ha otorgado para la prestación de un servicio de interés general, como es el eléctrico, y que en aras del mismo se han realizado una serie de inversiones que pueden verse frustradas, o al menos agravadas, como consecuencia de la suspensión, modificación o extinción".

Ciertamente puede ocurrir que el cambio o revocación no provoque daños y perjuicios indemnizables, pero pueden darse otros supuestos en los que sí surja un derecho indemnización. En tales casos, la existencia de una cláusula que "a priori" excluye todo derecho del particular "contraría los principios de responsabilidad por daños que presiden nuestro ordenamiento jurídico". Por ello, puede incluirse el carácter precario de la autorización interpretando que ello supone que la Administración puede, en cualquier, momento modificar, suspender o extinguir la autorización por razones de interés general, pero lo que no puede figurar en la cláusula precarial es una exclusión general del derecho a indemnización[49].

Por último, en las áreas de servicio, la explotación (y, en su caso, también la construcción) de instalaciones y servicios serán objeto de la correspondiente concesión administrativa. No obstante, las instalaciones y servicios destinados a aseos y aparcamientos así como las zonas destinadas al descanso y las áreas infantiles serán, de acuerdo con el art. 65 RCa, de utilización libre y gratuita para los ciudadanos.

7. *El régimen singular de los tramos urbanos y redes arteriales de las carreteras*

La legislación de carreteras establece un régimen jurídico diferenciado para los tramos urbanos de las carreteras y las redes arteriales, es decir, para aquellos elementos que conectan la carretera y las vías urbanas de las poblaciones. En la legislación estatal esa regulación especial se encuentra en los artículos 36 a 41 LCa y 121 a 129 RCa.

Los tramos urbanos de las carreteras son las zonas de las mismas que discurren por suelo calificado como urbano en el planeamiento urbanístico (art. 37 LCa). Las travesías son un tipo de tramo urbano que se caracteriza por la existencia de edificaciones consolidadas al menos en las dos terceras partes de su longitud y un entramado de calles al menos en uno de los márgenes.

---

[49]   Sobre las cláusulas de precario en autorizaciones y concesiones demaniales, vid. E. DESDENTADO DAROCA, *op. cit.*

Las redes arteriales de una población o grupo de poblaciones son el conjunto de tramos de carretera actuales o futuros que establecen de forma integrada la continuidad y conexión de los distintos itinerarios de interés general del Estado, o presten el debido acceso a los núcleos de población afectados (art. 37 LCa). Se trata de lo que comúnmente conocemos como circunvalaciones, variantes o rondas[50].

La conservación y explotación de los tramos urbanos de las carreteras estatales corresponde a la Administración del Estado (art. 40 LCa), aunque ello no excluye que puedan celebrarse convenios con las Administraciones locales para lograr una mayor eficiencia en esas tareas.

La utilización de las carreteras en sus tramos urbanos y en las travesías se ajustará a la legislación de carreteras, al Código de la Circulación y también a las ordenanzas locales de tráfico (art. 41 LCa).

Las autorizaciones para obras o actividades, que no se realicen por el Ministerio de Fomento[51], en la zona de dominio público de los tramos urbanos corresponden a los Ayuntamientos, pero previo informe vinculante de la Administración estatal, que versará sobre aspectos relativos a la legislación de carreteras (art. 39.1 LCa). En las zonas de servidumbre y afección, las autorizaciones corresponden, sin más, a los Ayuntamientos siempre que exista aprobado el correspondiente plan urbanístico. Cuando no sea así, el Ayuntamiento es competente para otorgar la autorización, pero previo informe del Departamento ministerial.

En las travesías, las autorizaciones y licencias sobre los terrenos y edificaciones colindantes o situadas en las zonas de servidumbre o afección corresponden a los Ayuntamientos (art. 39 LCa). Cuando se trate de actuaciones en la explanación o las aceras, que forman parte del dominio público que no tiene la condición de colindante (art. 125.4 RCa), parece que lo más razonable es aplicar el art. 39.1 LCa y entender que la competencia

---

[50]   Sobre las redes arteriales, vid. C. MARTÍNEZ-CARRASCO PIGNATELLI, *Redes arteriales. Travesías, tramos urbanos y circunvalaciones*, Ed. Montecorvo, Madrid, 1993.

[51]   Como señala GONZÁLEZ RÍOS, pese a que del art. 39.1 se deduce, con toda claridad, que cuando el Ministerio de Fomento realice una actuación en la zona de dominio público de un tramo urbano no es precisa la licencia municipal, la jurisprudencia viene sosteniendo la obligatoriedad de este título habilitante cuando se trata de travesías. Así, entre otras, STS de 28 de septiembre de 1990 (Ar. 7297). Vid. I. GONZÁLEZ RÍOS, *El sistema urbano*, Ed. Comares, Granada, 2002, pp. 321 y ss.

para la autorización corresponde al Ayuntamiento, pero previo informe vinculante de la Administración del Estado[52].

Las actuaciones en las redes arteriales se realizarán previo acuerdo entre las distintas Administraciones Públicas interesadas y de forma coordinada con el planeamiento urbanístico. A falta de acuerdo, la decisión corresponde al Consejo de Ministros (art. 38 LCa).

La legislación autonómica incluye, en su mayor parte, una regulación muy similar a la estatal, aunque se aprecian algunas diferencias en el concepto de travesía, que en unas ocasiones es más estricto que en la legislación estatal (p.ej. legislación canaria) y en otras más amplio (p.ej. legislación de Islas Baleares). También existen ciertas peculiaridades en el régimen de las autorizaciones[53].

III. LOS CAMINOS PÚBLICOS

1. El concepto de camino público

El concepto de camino público hace referencia, en la actualidad, a una modalidad de vía de comunicación de dominio público y uso público de carácter residual tanto respecto a las carreteras[54] como a las vías pecuarias y vías urbanas.

A diferencia de las carreteras, los caminos son vías públicas que no han sido construidas ni proyectadas fundamentalmente para la circulación de vehículos automóviles. Son vías que sirven a la circulación de personas y animales, y que, en ocasiones, son también aptas para vehículos de motor[55].

Esta definición se encuentra en alguna legislación autonómica. Así, la ley de carreteras de Castilla-La Mancha dispone, en su artículo 13, que se

---

[52]   Esta interpretación se ha mantenido en la STS 28 de enero de 1999 (Ar. 360) y es la solución que se encuentra también más frecuentemente reflejada en la legislación autonómica. A favor de esta interpretación, vid. I. GONZÁLEZ RÍOS, *op. cit.*, pp. 336 y ss.

[53]   Vid., al respecto, I. GONZÁLEZ RÍOS, *op. cit.*, pp. 308 y ss.

[54]   Vid. J. PEMÁN GAVÍN, VOZ "Camino", *Enciclopedia Jurídica Básica*, vol. I, Civitas, Madrid, 1995, pp. 889-891.

[55]   Como señala la STS (3) de 19 de octubre de 1995 (Ar. 7763), la nota distintiva del camino frente a la carretera radica en que aunque por el mismo puedan circular vehículos automóviles no reúne el requisito de haber sido expresamente proyectado y construido para la circulación de vehículos automóviles.

consideran caminos las vías de dominio y uso público destinadas al servicio de explotaciones o instalaciones y no destinadas fundamentalmente al tráfico general de vehículos automóviles. Y, en la misma línea, se encuentra la legislación de Extremadura. En efecto, en la ley de carreteras extremeña se consideran caminos las vías de dominio y uso público destinados al servicio de explotaciones o instalaciones y no destinadas fundamentalmente al tráfico general de vehículos automóviles. Y, de forma más específica, la ley extremeña 12/2001, de 15 de noviembre, de Caminos Públicos califica de caminos "las vías de comunicación terrestre de dominio y uso público, destinadas básicamente al servicio de explotaciones e instalaciones agrarias y que, por no reunir las características técnicas y requisitos para el tráfico general de vehículos automóviles, no pueden clasificarse como carreteras".

Más difícil resulta la diferenciación de los simples caminos respecto de las vías pecuarias[56], pero una vez más la clave se encuentra en la finalidad principal que cumple o ha venido cumpliendo la vía. Las vías pecuarias se caracterizan por ser o haber sido las rutas o itinerarios por donde discurre o ha venido discurriendo el tránsito ganadero, aunque, en la actualidad, cumplen también una importante función ecológica y pueden ser el soporte de actividades deportivas o de ocio. Los caminos son vías por las que pueden circular también los animales, pero no han sido las rutas utilizadas habitual e históricamente para realizar de forma reiterada ese tránsito.

Finalmente, los caminos deben distinguirse de las vías urbanas. Estas son vías asfaltadas de titularidad municipal que están afectadas al tránsito peatonal y al tráfico automovilístico e integradas en el perímetro urbano de las poblaciones. Los caminos, por el contrario, conectan el núcleo urbano de las poblaciones con su entorno circundante y se asientan sobre suelo que no tiene la calificación de urbano.

Por ello, los caminos públicos pueden definirse como las vías de dominio público y uso público enclavadas normalmente en suelo no urbanizable o urbanizable[57], que sirven al tránsito de animales y de personas a pie, bicicleta o por cualquier otro medio de desplazamiento, incluido, en ocasiones, el vehículo de motor, pero que no han sido construidas ni

---

[56]   Vid. J. F. ALENZA GARCÍA, *Vías pecuarias*, Civitas, Madrid, 2001, pp. 303-306.

[57]   En efecto, la ubicación de los caminos en suelo urbanizable o no urbanizable es lo más habitual. No obstante, como señala González Ríos, en el ámbito urbano pueden existir también senderos o caminos que no reúnen las características típicas de las vías urbanas, ya que se utilizan únicamente para el paso peatonal y pueden no estar siquiera pavimentados. I. GONZÁLEZ RÍOS, *op. cit.*, pp. 208-209.

proyectadas fundamentalmente para la circulación de este último tipo de vehículos[58].

Más allá de estas notas comunes, los caminos pueden tener un carácter muy heterogéneo: caminos rurales o agrarios, senderos, caminos y pistas forestales. Y sus características también son muy distintas, pues puede tratarse de vías de tierra destinadas exclusivamente al paso de viandantes y en los que no cabe el uso de vehículos de motor (senderos), de vías para el tránsito de animales y personas y por las que pueden circular vehículos especiales, e, incluso de caminos asfaltados que soportan habitualmente el tránsito de vehículos automóviles pero que no forman parte de la red de carreteras locales.

Un concepto diferente es el de camino de servicio que aparece en la legislación de carreteras. Como ya hemos visto, el camino de servicio es una vía, de titularidad pública o privada, construida como elemento auxiliar o complementario de las actividades específicas de sus titulares y que, por tanto, está destinado exclusivamente al uso de éstos y no a un uso público. No obstante, cabe recordar que la legislación de carreteras prevé la posibilidad de abrir estos caminos de servicio al uso público, en cuyo caso, les es de aplicación la legislación de carreteras.

Por último, hay que advertir que se ha adoptado un concepto estricto de camino público que hace referencia exclusivamente a los caminos de dominio público destinados al uso público. Además de éstos, existen obviamente otros caminos de titularidad pública y también caminos de titularidad privada. En efecto, pueden existir caminos de titularidad de las Administraciones Públicas integrantes del Patrimonio Nacional o con la condición de bienes patrimoniales o incluso con la condición de demaniales por estar afectos a un servicio público (es el caso de los caminos de servicio). Por otro lado, hay también caminos de titularidad privada, algunos de los cuales pueden estar abiertos al uso público como consecuencia de la constitución de una servidumbre de paso[59].

---

[58]   Una definición similar, pero más amplia, en J. PONCE SOLÉ, *Régimen jurídico de los caminos y derecho de acceso al medio natural*, Marcial Pons, Madrid, 2003, p. 34.

[59]   Un caso curioso y que pone de manifiesto que, en ocasiones, la naturaleza del camino puede ser especialmente compleja es el resuelto por la STS (3) 13 de septiembre de 2000 (Ar. 8428). En este caso el Ayuntamiento había autorizado a un particular a construir un camino que ocupaba parcialmente otro de titularidad municipal que se amplió y mejoró por el recurrente. La licencia se concedió a condición de que se permitiera el uso público del camino. El particular puso posteriormente una cancela y frente al orden de apertura del Ayuntamiento adujo la titularidad privada del camino.

2. Distribución competencial, régimen jurídico y titularidad de los caminos

A) Distribución competencial

Los artículos 148 y 149 de la CE no hacen referencia expresa a los caminos, pero, como ha señalado Beladíez, hay que entender que cuando en estos preceptos se mencionan las carreteras no se está utilizando el término en el sentido técnico estricto que se ha analizado en los epígrafes anteriores, sino en un sentido amplio que comprende todas las vías públicas, con excepción de las vías pecuarias que están contempladas expresamente en el art. 149.1.23 CE. La distribución competencial en materia de caminos sería, por tanto, la misma que ya se ha analizado respecto a las carreteras y, por ello, la mayoría de los Estatutos de Autonomía recogen como competencia autonómica "las carreteras y los caminos cuyo itinerario discurra íntegramente en la Comunidad"[60]. Ahora bien, incluso en Galicia, cuyo Estatuto de Autonomía no menciona expresamente los caminos, debe considerarse asumida esta materia debido al concepto amplio de carretera que se maneja en la distribución competencial[61].

También tienen competencias en materia de caminos, las entidades municipales, tal y como se deduce de los arts. 25.2.d) LBRL, 3.1 RBEL, 74.1 TRRL y 79 LBRL y de algunas legislaciones autonómicas que recogen expresamente la titularidad y competencias de los Ayuntamientos sobre los caminos. En ocasiones, la legislación de carreteras y caminos asigna la titularidad de algunas vías o redes de caminos rurales a entidades supramunicipales o comarcales que serán, entonces, las que ejerciten la mayor parte de las competencias. En todo caso, hay que tener presente que las diputaciones provinciales pueden siempre cooperar con los municipios para el establecimiento y mantenimiento de caminos municipales, en los términos del art. 36 LBRL.

B) Régimen jurídico de los caminos

El legislador estatal no ha abordado regulación alguna de los caminos en la Ley 25/1988 y la regulación autonómica de los mismos es muy escasa.

El Tribunal Supremo confirma la legalidad de la orden argumentando que el camino ocupaba parcialmente otro de dominio público y que, además, el particular había aceptado el condicionado de la licencia.

[60]   M. BELADÍEZ ROJO, *op. cit.*, p. 3397.
[61]   Así lo entiende también BELADÍEZ, *op. cit.*, p. 3397.

En casi todas las Comunidades Autónomas, incluso aunque el título de la ley haga referencia a las carreteras y los caminos, la regulación de estos últimos se reduce a su definición y tipología, con la finalidad de diferenciarlos de las carreteras en un sentido estricto y, por tanto, de excluir a los mismos de la aplicación de la ley. Existen, no obstante, algunas excepciones.

Por un lado, Extremadura cuenta con una ley específica para la regulación de los caminos públicos, que es la ley 12/2001, de 15 de noviembre. Se trata de una norma que aborda todos los aspectos relevantes de los caminos: planificación, conservación, régimen de financiación, ejecución de obras, régimen de uso y defensa, aprovechamiento de la zona de dominio público y régimen de infracciones y sanciones.

Navarra contiene una regulación muy somera de los caminos en el artículo 112 de la Ley 35/2002, de 20 de diciembre, de Ordenación del Territorio y Urbanismo, en el que se configura una zona de servidumbre como instrumento de protección.

En algunas Comunidades Autónomas se han dictado normas singulares para caminos de especial relevancia. Es el caso de la ley gallega 3/1996, de 10 de mayo, de protección del Camino de Santiago, al que califica de bien de interés cultural[62], y también el de la ley balear 13/2000, de 21 de diciembre, reguladora del Camí de Cavalls de Menorca.

En otras Comunidades Autónomas, la regulación de los caminos se ha abordado desde una perspectiva medioambiental que persigue normalmente la protección frente al deterioro que genera en este tipo de vías la creciente circulación de vehículos a motor.

Con esa finalidad, la ley catalana 9/1995, de 27 de julio, de acceso motorizado al medio natural y su reglamento de desarrollo, aprobado por Decreto 166/1998, de 8 de julio, prevén prohibiciones y limitaciones a este tipo de utilización de los caminos, regulan las condiciones generales de circulación, un régimen de autorizaciones para las competiciones deportivas y un elenco de infracciones y sanciones.

En una línea similar se encuentran, con mayor o menor alcance, otras normas autonómicas: el Decreto de La Rioja 114/2003, de 30 de octubre, de desarrollo de la Ley 2/1995, de 10 febrero, de Protección y desarrollo del patrimonio forestal; el Decreto de Castilla-La Mancha 63/2006, de 29 de febrero, que regula el uso recreativo, la acampada y la circulación de

---

[62] Este camino ha sido declarado conjunto histórico-artístico, por lo que le es de aplicación la Ley de Patrimonio Histórico Español de 1985.

vehículos a motor en el medio natural; el Decreto valenciano 183/1994, de 1 de septiembre, sobre circulación de vehículos por terrenos forestales; el Decreto 4/1995, de 12 de enero, que regula la circulación y práctica de deportes con vehículos a motor, en los montes y vías pecuarias de la Comunidad Autónoma de Castilla y León; el Decreto aragonés 96/1990, de 26 de junio, por el que se regula la circulación y práctica de deportes con vehículos a motor en los montes bajo gestión directa de la Comunidad Autónoma; el Decreto madrileño 110/1988, de 27 de octubre, por el que se regula la circulación y práctica de deportes con vehículos a motor en los montes a cargo de la Comunidad Autónoma; y el Decreto 36/1994, de 14 de febrero, por el que se regulan las actividades organizadas motorizadas y la circulación libre de vehículos de motor en suelo no urbanizable en Navarra.

Por otro lado, algunas legislaciones autonómicas sobre carreteras disponen su aplicación a determinado tipo de caminos o cuando concurren determinadas circunstancias. Así, la legislación valenciana establece que cuando se trate de caminos públicos aptos para el tránsito rodado que no forman parte ni de la red básica ni de la red local de carreteras de la Comunidad, les será de aplicación la ley de carreteras, sin perjuicio de que la gestión, conservación, explotación y señalización corresponda a los titulares de los caminos.

En una línea parecida, aunque más restrictiva, la ley asturiana, tras definir los caminos rurales, como las vías de comunicación que de modo prioritario cubren las necesidades de tráfico generado en las áreas rurales dando servicio a núcleos de población o a predios agrícolas o forestales, establece que cuando reúnan las mismas características, funcionalidad y condiciones técnicas que las carreteras serán incluidos en la Red de Carreteras y se sujetarán a la legislación de carreteras. Los restantes caminos rurales deberán cederse a los concejos, pero mientras esa cesión no se produzca se someten al régimen de limitaciones establecido para las carreteras locales.

Finalmente, la ley andaluza prevé que si la Consejería competente en materia de carreteras considera necesaria, por razones especiales, la protección de determinados caminos agrícolas o forestales, dicte las disposiciones necesarias para la aplicación a los mismos de las normas sobre uso y defensa de las carreteras. En dichas disposiciones, que habrán de elaborarse previa información pública y audiencia del titular de la vía, se hará constar el tramo concreto afectado, sus límites, las causas de aplicación del nuevo régimen y su duración.

El vacío normativo que existe, en numerosos aspectos, en la regulación autonómica, puede tratar de paliarse por los Ayuntamientos respecto a los caminos de su titularidad mediante el ejercicio de sus potestades de ordenanza y de planeamiento[63].

C) Titularidad de los caminos

Dada su naturaleza y funcionalidad, los caminos son, por lo general y tal y como se deduce de los artículos 74.1 TRRL y 79 LBRL, bienes de titularidad municipal. No obstante, existen algunas excepciones.

Así, la Ley 13/2000, de 21 de diciembre, reguladora del Camí de Cavalls de Menorca atribuye la titularidad de este singular vial al Consejo Insular de Menorca. Por su parte, la ley extremeña 12/2001, de Caminos Públicos distingue una red primaria y una red secundaria de caminos rurales. La primera, compuesta por aquellos caminos que constituyen el único acceso entre localidades o de una localidad a la red de carreteras, se asigna a las Diputaciones provinciales. La segunda, integrada por el resto de caminos a excepción de los incluidos en la red de pistas forestales, es de titularidad de los Ayuntamientos (art. 4).

Además, hay que tener en cuenta que si se trata de caminos o pistas forestales, la titularidad será estatal, autonómica o local dependiendo de la Administración que sea titular del monte.

La planificación, construcción, modificación, conservación, explotación y defensa corresponderá, por tanto, en cada caso, a la Administración que sea titular del camino, que se ajustará para ello a la normativa correspondiente. En primer lugar, a la legislación sectorial o específica, concretamente a la de caminos, pero también, si procede a la legislación sobre montes o sobre espacios naturales protegidos o a la planificación elaborada en ese ámbito[64]. En segundo lugar, para el caso de que no exista

---

[63] En este sentido, vid. J. A. LÓPEZ PELLICER, "Vías públicas, usos y actividades de transporte, con referencia al ámbito local", en A. BALLESTEROS FERNÁNDEZ y F. CASTRO ABELLA (coord..), *Derecho Local Especial*, tomo I, El Consultor de los Ayuntamientos y de los Juzgados, Madrid, 1997; E. CORRAL GARCÍA, "Los caminos rurales", *El Consultor*, n. 5, 1994, pp. 613 y ss.

[64] En esta línea, la ley catalana 9/1995, de 27 de julio, sobre acceso motorizado al medio natural, dispone en su artículo 6, que "en los espacios naturales declarados de protección especial de acuerdo con la Ley 12/1985, únicamente se autoriza la circulación de vehículos motorizados por las pistas forestales y caminos rurales delimitados a este efecto en los planes o programas de gestión correspondientes".

legislación específica o ésta presente lagunas, deberá acudirse a la normativa sobre bienes públicos[65].

3. *Régimen de afectación y desafectación*

La afectación de los caminos puede producirse de forma expresa, esto
es, mediante una decisión administrativa formalizada y "ad hoc", y también de forma implícita mediante la aprobación de planes de ordenación
urbana o de proyectos de construcción de los mismos. Cabe plantearse si
es igualmente posible la afectación presunta, esto es, por el destino de un
terreno durante un prologado período de tiempo al uso público, concretamente al tránsito de los ciudadanos.

Si el uso público recae sobre un terreno o camino patrimonial de la Administración, la conversión del mismo en camino público al cabo de veinticinco años de utilización pública, notoria y continuada por los ciudadanos
no plantea problema alguno (art. 8.4 RBEL).

Si el tránsito de los ciudadanos recae sobre un terreno de propiedad
particular, nos encontramos ante una afectación producida como consecuencia de la usucapión de un bien privado habiendo consistido la utilización en un uso público. La prescripción adquisitiva tendría lugar al
cabo de treinta años (puesto que no concurre justo título) de posesión
en concepto de dueño, es decir con la convicción de que el terreno es de
titularidad pública (por la existencia de actuaciones de la Administración
que así lo indican) y con el carácter de pública, pacífica e ininterrumpida
(arts. 1941 y 1959 CC)[66].

Ahora bien, como ha señalado Ponce Solé, si el comportamiento posesorio indica la convicción de la ciudadanía de que el terreno es privado
pero con la existencia de un derecho de paso a favor de la colectividad, la
usucapión de un derecho real de paso sobre finca ajena sólo se produce si
el uso público tiene un carácter inmemorial[67], salvo que resulten de apli-

---

[65] Ley 33/2003, de 3 de noviembre, del Patrimonio de las Administraciones Públicas;
legislación autonómica sobre patrimonio; legislación estatal de régimen local y, en
particular, legislación sobre bienes de las entidades locales (RD 1372/1986), así como
la legislación autonómica sobre régimen local.

[66] Sobre este punto, vid., más extensamente, J. PONCE SOLÉ, *op. cit.*, pp. 124-126.

[67] La STS (3) 7 de julio de 1999 (Ar. 5925) confirma la potestad del Ayuntamiento para
recuperar un camino de uso inmemorial y para, en consecuencia, ordenar la retirada
de una puerta de cierre.

cación derechos forales que admiten la prescripción adquisitiva respecto a servidumbres discontinuas (Aragón, Galicia)[68].

La desafectación puede ser, en principio, también expresa (mediante decisión formal), implícita (como consecuencia de planes urbanos o proyectos), o presunta ("a sensu contrario" de la afectación presunta, por el transcurso de veinticinco años sin que se haya producido el uso público al que estaba destinado el bien).

La desafectación expresa e implícita no plantean problemas. Más controvertida ha sido la figura de la desafectación presunta, entre otras razones, porque abre la vía a la prescripción adquisitiva de caminos por los particulares por el simple transcurso del tiempo.

La admisibilidad de la desafectación presunta en nuestro ordenamiento dista de ser una cuestión clara. La legislación anterior no regulaba expresamente esta forma de desafectación que sí estaba anteriormente prevista en el Reglamento de Bienes de 1955, pero parte de la doctrina científica consideraba que su existencia se deducía "a sensu contrario" de la propia previsión de la afectación presunta (Santamaría Pastor) o de los "facta concludentia" (Martín Rebollo[69]). Por el contrario, otros autores entendían que ante la ausencia de previsión expresa en la regulación, no cabía en nuestro ordenamiento jurídico esta forma de desafectación (Sánchez Morón[70], Parada[71], Ponce Solé[72]). La nueva Ley de Patrimonio de las Administraciones Públicas tampoco ha regulado la desafectación presunta y, además, parece concebir la desafectación como una decisión formal y expresa[73].

Por su parte, la ley extremeña sobre caminos públicos excluye expresamente la desafectación presunta, al disponer en su artículo 10 que los caminos sólo quedarán desafectados mediante resolución expresa de la

---

[68] J. PONCE SOLÉ, *op. cit.*, pp. 126-129.

[69] L. MARTÍN REBOLLO, "Régimen jurídico de los caminos" en J. C. Cassagne (Dir.), *Libro homenaje al profesor Marienhoff, Derecho Administrativo*, Abeledo-Perrot, 1998.

[70] M. SÁNCHEZ MORÓN, *Los bienes públicos (régimen jurídico)*, Tecnos, Madrid, 1997, p. 44.

[71] R. PARADA, *Derecho Administrativo. III. Bienes públicos. Derecho Urbanístico*, Marcial Pons, Madrid, 2002, p. 69.

[72] J. PONCE SOLÉ, *op. cit.*, p. 226.

[73] Vid., en este sentido, M. FRANCH I SAGUER, "Afectación y desafectación de los bienes y derechos públicos" en C. Chinchilla Marín (coord.), *Comentarios a la Ley 33/2003, del Patrimonio de las Administraciones Públicas*, Thomson-Civitas, Madrid, 2004, pp. 405-406.

administración titular y que no producirán la desafectación el uso o las utilizaciones privadas, por prolongadas que hayan sido en el tiempo.

4. Régimen de utilización de los caminos

Por regla general, los caminos son bienes de dominio público susceptibles de un uso común general, lo que implica que todos los ciudadanos tienen derecho a transitar por los mismos en condiciones de igualdad y gratuidad. Ahora bien, las Administraciones titulares pueden dictar normas de ordenación y regulación del uso de sus caminos y establecer las limitaciones que consideren adecuadas en orden a una correcta conservación y protección. Ello implica que pueden existir prohibiciones o limitaciones respecto a la utilización de los caminos para determinadas actividades o para transitar con determinado tipo de vehículos[74]. Ahora bien, esas limitaciones o prohibiciones deben estar debidamente justificadas en virtud de las necesidades de protección de determinados bienes jurídicos (flora, fauna, derecho al disfrute del medio ambiente, etc.). Lo que no cabe es la utilización de esta potestad de prohibición o limitación para obviar el cumplimiento de obligaciones legales de reparación y mantenimiento de los caminos, como ocurrió en el caso resuelto por la STSJ de la Comunidad Valenciana, de 16 de febrero de 2001 (Ar. 1551)[75].

Las limitaciones y prohibiciones pueden establecerse, también, en la propia legislación autonómica de caminos. Tomemos a modo de ejemplo, la regulación de Extremadura, Cataluña y Baleares. Pues bien, la ley extremeña prohíbe que las redes de conducción de agua, saneamiento, gas, teléfono, electricidad y otras instalaciones o servicios discurran bajo las superficies de los caminos o se anclen a sus estructuras salvo en supuestos de excepcional dificultad de paso o cruce imprescindible y cuando existan circunstancias que no hagan posible otra solución alternativa (art. 31). La ley catalana de regulación del acceso motorizado al medio natural limita

---

[74]   Así lo prevé expresamente la ley extremeña de caminos públicos (arts. 26, 27 y 28).

[75]   En el caso que resuelve la sentencia, el Ayuntamiento de Montesa había decretado "sine die" la prohibición de tránsito de vehículos por un camino rural debido a los riesgos de desprendimiento de tierras. Un propietario de una finca agrícola que había solicitado reiteradamente al Ayuntamiento que procediera a la reparación del camino sin ningún éxito impugnó la prohibición municipal. El Tribunal estimó parcialmente considerando contraria a Derecho la inactividad municipal y declarando la obligación del Ayuntamiento de ejecutar las obras de conservación y reparación del camino a fin de posibilitar un adecuado tránsito de vehículos por el mismo.

la circulación con vehículos de motor en caminos incluidos en planes de espacios de interés natural no declarados de protección especial y en los terrenos forestales a las pistas y caminos forestales que estén pavimentados o que sean de anchura igual o superior a cuatro metros (art. 6). En una línea similar, el Decreto navarro prohíbe la circulación de vehículos motorizados por caminos rurales de anchura inferior a dos metros, por cortafuegos o por vías de saca de madera. Por su parte, en Baleares, la ley balear reguladora del Camí de Cavalls prohíbe la circulación por el mismo con cualquier tipo de vehículos motorizados, salvo en supuestos de interés público.

Los usos que, por sus características entrañen un uso especial o privativo del camino o de la zona de dominio público hacen necesaria la previa obtención de autorización o concesión administrativa[76]. Tal es el caso de las competiciones deportivas, de las instalaciones o redes subterráneas de conducción de gas, electricidad o servicios análogos.

5. Régimen de protección y defensa de los caminos

Los caminos, en cuanto bienes públicos, gozan de las notas protectoras de la inalienabilidad, imprescriptibilidad e inembargabilidad.

En la legislación extremeña de caminos públicos se opta por un sistema de ordenación y protección similar al de las carreteras, que se apoya en la planificación viaria[77] y en la posibilidad de establecer una zona de protección de dos metros a cada lado del camino. Este último mecanismo de protección se contempla, también, en la Ley 35/2002, de Ordenación del Territorio y Urbanismo de Navarra, en cuyo artículo 112.2 se establece que en los caminos públicos e itinerarios de interés, como las vías pecuarias o el Camino de Santiago, que no tengan una servidumbre delimitada en su normativa específica, se considerará zona de servidumbre una franja de tres metros medidos a cada lado desde el borde exterior del camino. En esa zona, las actividades no constructivas que impliquen movimientos de tierra

---

[76] Art. 29 ley extremeña de caminos públicos.

[77] La planificación viaria debe incluir una relación de nuevos caminos o tramos, pero, también, un programa de mejoras y mantenimiento de los existentes, precisando las inversiones que son necesarias, las financiaciones previstas, y un calendario de actuaciones. La legislación extremeña prevé el cobro de contribuciones especiales para financiar los planes viarios, que gravarán a aquellas personas físicas o jurídicas que de una forma directa se beneficien por las actuaciones realizadas y, especialmente, a los titulares de las fincas, establecimientos colindantes y urbanizaciones cuya comunicación quede mejorada.

requieren autorización y las actividades constructivas están prohibidas, salvo que se trate de infraestructuras debidamente autorizadas.

Además, las Administraciones titulares cuentan con las potestades generales de protección y defensa del dominio público, es decir, con las potestades de inventario, investigación, catalogación, deslinde, recuperación posesoria y desahucio administrativo.

Especial interés presenta el ejercicio de la potestad de recuperación posesoria de los caminos, debido a las dificultades que entraña y a la litigiosidad a la que ha dado lugar. El problema principal suele plantearse en torno a la prueba de la posesión pública del camino. Esa prueba resulta más fácil en los casos en que existe una inscripción en el catastro o en un inventario de bienes, pues aunque, en ninguno de los dos casos la inclusión tiene un carácter constitutivo, sí que supone un importante principio de prueba. También es un instrumento útil la inscripción en el registro de la propiedad, pues, como es sabido, esta inscripción tiene la virtualidad de proporcionar una presunción de posesión, conforme a los artículos 35 y 38 de la Ley Hipotecaria. Se trata, no obstante, de una presunción "iuris tantum", que puede destruirse por prueba en contrario.

En cualquier caso, como ha señalado la jurisprudencia[78], el hecho de que el camino no figure en los planos, libros o inventarios municipales o el que no haya sido objeto de inscripciones registrales no impide considerar que la posesión del mismo sea pública, pues el uso por los ciudadanos puede constatarse mediante cualquier medio probatorio, incluidas la prueba pericial y la testifical[79]. Así, en la STS (3) 6 de marzo de 1998 (Ar. 2739) se hace hincapié en que lo que se enjuicia no es la propiedad sino la posesión y que, frente a las alegaciones del particular respecto a las inscripciones catastrales y registrales, los testimonios de los vecinos y la existencia de un dictamen que indicaba que el sendero que destina al uso público, llevan a concluir que la posesión la ostenta la Administración y que ésta, en consecuencia, puede ejercitar el "interdictum propium". Por su parte, la STS (3) de 25 de marzo de 1998 (Ar. 2782) considera conforme a Derecho la recuperación posesoria de un camino respecto al que las declaraciones de los testigos valoradas conforme a las reglas de la sana crítica permite entender que ha estado destinado al uso público durante largo tiempo.

Sin embargo, lo cierto es que en algunas sentencias se observa, como ha señalado Ponce Solé, una clara reticencia a afirmar el uso público sobre

---

[78]   SSTS (3) 28 de enero de 1998 (Ar. 839).
[79]   J. A. LÓPEZ PELLICER, *op. cit.*, p. 547.

la base exclusiva de los testimonios de los vecinos cuando no existe además algún tipo de prueba documental [SSTS de 22 de noviembre de 1985 (Ar. 478/96), 22 de febrero de 1991 (Ar. 1532) y 20 de julio de 1992 (Ar. 6513)][80].

Finalmente, la protección de los caminos se respalda mediante un régimen de infracciones y sanciones. Este régimen está previsto en la legislación específica de caminos públicos, allí donde la hay (caso de Extremadura), en la legislación sobre acceso motorizado al medio natural en las Comunidades que tienen este tipo de regulación (Navarra, Cataluña, Castilla-La Mancha, Madrid, Castilla-León, Valencia, Aragón), en la legislación sobre determinados caminos (Camí de Cavalls, Santiago de Compostela), y, también, en la legislación de carreteras aplicable a los caminos y en la legislación sectorial con incidencia en los mismos, como la legislación de espacios naturales protegidos, montes y urbanismo. Además, hay que tener en cuenta que, con la debida cobertura en norma con rango de ley, las entidades locales titulares de caminos también pueden, a través de Ordenanzas, especificar para los mismos un régimen adecuado de infracciones y sanciones.

IV. LAS VÍAS URBANAS

1. *Concepto y características de las vías urbanas*

Las vías urbanas son vías asfaltadas de titularidad municipal que están afectadas al tránsito peatonal y al tráfico automovilístico e integradas en el perímetro urbano de las poblaciones delimitado por los instrumentos de ordenación urbanística. Su función es, por tanto, facilitar la circulación o comunicación dentro del núcleo de población.

No debe, sin embargo, identificarse vía urbana por vía que discurre por el entramado urbano, pues, como ya hemos tenido ocasión de ver, existen tramos urbanos de vías que, por sus características, son auténticas carreteras. La diferencia radica, pues, en la finalidad para la que han sido construidas y, por tanto, en la función que cumplen.

Las carreteras están afectadas primordialmente al tráfico automovilístico interurbano y sus características responden a esta finalidad. Las vías urbanas, sin embargo, aunque sirvan también para la circulación de vehículos de motor se destinan igualmente a la circulación peatonal y a dar ser-

---

[80] J. PONCE SOLÉ, *op. cit.*, p. 179.

vicio a las fincas y edificaciones colindantes (acceso, servicios urbanos)[81], siendo su objetivo la comunicación y conexión de diferentes puntos de la misma ciudad o población.

Las vías urbanas se encuentran, pues, en suelo clasificado o delimitado como urbano en los correspondientes instrumentos urbanísticos (planes generales, normas subsidiarias o proyectos de delimitación del suelo urbano), es decir, en suelo que o bien goza de determinados servicios que implican una urbanización mínima o bien están consolidados por la edificación.

2. Régimen de competencias sobre vías urbanas

Las vías urbanas son vías de titularidad municipal y, en consecuencia, la mayor parte de las competencias sobre las mismas corresponden al municipio. En efecto, son los Ayuntamientos los que toman las decisiones relativas a la creación, anchura y trazado mediante su previsión y ordenación urbanística a través de los correspondientes planes. Y es también a los Ayuntamientos a los que compete la pavimentación de las vías urbanas y los que deben realizar las tareas de mantenimiento y conservación que sean precisas (art. 25.2 LBRL y legislación autonómica). Pero, además, corresponde a los municipios la ordenación del tráfico de personas y vehículos en las vías urbanas[82] y, en general, el régimen de utilización de los bienes que integran el dominio viario local (usos especiales, usos privativos)[83].

3. Régimen jurídico de la creación y extinción de las vías urbanas

A) La creación de las vías urbanas

Las vías urbanas surgen, normalmente, como consecuencia de la planificación urbana y su ejecución.

---

[81]   Vid. J. A. LÓPEZ PELLICER, *op. cit.*, *cit.*, p. 544; I. GONZÁLEZ RÍOS, *op. cit.*, p. 34.
[82]   Como señala González Ríos, ello incluye la prohibición de paso de vehículos por ciertas calles, la ordenación de la circulación en el casco urbano, la prohibición y autorización de estacionamientos, la competencia para sancionar por infracciones en las vías urbanas, y la competencia para declarar una calle o plaza pública de uso peatonal. I. GONZÁLEZ RÍOS, *op. cit.*, pp. 49 y 50.
[83]   Así lo dispone el artículo 7 de la Ley sobre Tráfico, Circulación de Vehículos de Motor y Seguridad Vial de 1990. En efecto, de acuerdo con este precepto, corresponde a los municipios la ordenación y control del tráfico en las vías urbanas de su titularidad y la regulación mediante ordenanza municipal de los usos de estas vías.

En efecto, la creación de una vía urbana requiere, en primer lugar, su previsión en el correspondiente instrumento de planeamiento urbanístico (plan general, norma subsidiaria o figura autonómica análoga), lo que implica la afectación de determinados terrenos a la función de viario del núcleo de población. El plan ordenará y delimitará la vía pública, principalmente mediante la fijación de las correspondientes alineaciones que las separan de los espacios contiguos destinados a la edificación o construcción.

Esos terrenos que el plan destina a zona viaria se urbanizan, esto es, se transforman efectivamente en vías urbanas, mediante la ejecución del planeamiento. La ejecución será sistemática o asistemática, en función de si es o no posible delimitar unidades de ejecución.

En el caso más común de las ejecuciones sistemáticas pueden utilizarse los sistemas de compensación, cooperación, expropiación o ejecución forzosa (una suerte de sistema de compensación corregida). En el sistema de expropiación forzosa, la Administración adquiere la titularidad de los terrenos y los urbaniza, con lo que los terrenos destinados a viales se convierten así en dominio público municipal. En los sistemas de compensación (que es el más frecuente) y cooperación, la propiedad de los terrenos, como es sabido, no pasa a titularidad pública, pues no media expropiación alguna, por lo que, la cesión de los terrenos destinados a viales (cesión obligatoria "ex lege" para los propietarios de suelo urbano no consolidado y suelo urbanizable) se produce con la aprobación del proyecto de compensación o de reparcelación, aunque obviamente la recepción de las obras no tiene lugar hasta que termina la urbanización (asfaltado de calzadas, pavimentación de aceras, etc.).

Si se trata de ejecuciones asistemáticas (lo que suele ocurrir en suelo urbano consolidado), habrá que estar a las legislaciones autonómicas, pero lo habitual es acudir al régimen de las transferencias de aprovechamiento urbanístico (TAU), al instituto de la expropiación o a la ocupación directa.

Otra forma posible de creación de una vía urbana, que ciertamente no será la más frecuente, pero que no cabe descartar, es la afectación presunta, en cuyo caso, como sabemos pueden darse dos situaciones distintas. Si la zona que se viene utilizando para las finalidades propias de una vía urbana es un terreno que tiene el carácter de bien patrimonial de la Administración, éste se habrá convertido en bien demanial y, por tanto, en vía urbana propiamente dicha, al cabo de veinticinco años de utilización pública, notoria y continuada por los ciudadanos (art. 8.4 RBEL). Si los terrenos son de propiedad privada, hay que acudir a la institución civil de la usucapión, siendo aquí plenamente aplicable lo que dijimos respecto a los caminos. Si la utilización se ha hecho en concepto de dueño, es decir, con la convicción de que el terreno es de titularidad pública la prescripción adquisitiva opera transcurridos treinta años de posesión pública, pacífica e ininterrumpida. Si la utilización se ha hecho con la convicción de que el terreno es de propiedad privada pero existiendo un derecho de paso o servidumbre a favor de los ciudadanos, la prescripción sólo opera cuando la posesión tiene un carácter inmemorial.

También puede surgir una vía urbana como consecuencia de la conversión de vías que inicialmente tenían otro carácter. Así, en la Ley 25/1988 se contempla la posibilidad de entregar a los municipios determinados tramos de carreteras estatales, cuando éstos adquieren el carácter de vía urbana. Y ello se produce, según el Reglamento de Carreteras, cuando el tráfico sea mayoritariamente urbano y cuando exista alternativa viaria que mantenga la continuidad de la Red de Carreteras del Estado, proporcionando un mejor nivel de servicio.

En la legislación autonómica también suele contemplarse la posibilidad de que tramos urbanos de carreteras de titularidad autonómica se conviertan en vías urbanas cuando soportan un tráfico primordialmente urbano y exista un itinerario alternativo.

B) La extinción de las vías urbanas

La extinción de las vías urbanas se produce como consecuencia de su desafectación y transformación material. En efecto, de igual forma que la creación de la vía urbana exige su previsión en el correspondiente instrumento de planeamiento urbanístico y la ejecución del mismo, la extinción de la vía urbana requiere que en el plan urbanístico los terrenos se destinen a otra finalidad y que, posteriormente, esa nueva ordenación de la ciudad se ejecute transformándose la realidad anteriormente existente.

También puede ocurrir que la vía urbana sufra una mutación demanial que implique su extinción, por ejemplo, por su conversión en una carretera.

Más discutible es la posibilidad de una desafectación presunta y la consiguiente conversión en bien patrimonial o incluso en bien privado (tras usucapión), por las razones que ya expusimos en relación con los caminos. Nuestro ordenamiento parece apuntar a la inviabilidad de la desafectación presunta.

4. Régimen de protección

Las vías urbanas de titularidad municipal, en cuanto bienes destinados a un uso público, son obviamente bienes de dominio público que gozan del especial régimen de protección que corresponde al demanio. Son, por tanto, bienes inalienables, imprescriptibles e inembargables y la Administración municipal tiene a su disposición las potestades típicas de protección de la titularidad, la posesión y el destino de los bienes demaniales.

5. Régimen de utilización

Las vías urbanas son susceptibles de un uso común general que consiste en el derecho de tránsito y circulación a pie o mediante vehículo con o sin motor (bicicletas, motocicletas, automóviles...) respetando eso sí la normativa municipal. Además los ciudadanos también tienen derecho a efectuar detenciones o paradas con vehículos de motor en zona no prohibida siempre que no se perturbe de forma grave la circulación y que se cumpla con lo dispuesto en las ordenanzas locales correspondientes (art. 38.2, 3 y 4 RD legislativo 339/1990).

Cabe igualmente un uso especial del dominio viario, como es el caso del disfrute de un derecho de vado y la ocupación de aceras o plazas con instalaciones desmontables de carácter temporal (colocación de sillas en el exterior de bares y restaurantes, la venta ambulante o los mercadillos). Para estos casos será precisa la correspondiente autorización demanial, que suele llevar aparejado el pago de un canon.

El derecho de vado es uno de los tipos de uso especial de las vías urbanas que ha dado lugar a mayor litigiosidad. La jurisprudencia suele afirmar la inexistencia de un derecho subjetivo a la obtención de la licencia y el carácter discrecional y precario de la misma (SSTS de 29 de noviembre de 2000, Ar. 10355). Ahora bien, el Tribunal Supremo también ha señalado que el carácter precario de la licencia de vado no excluye el derecho a indemnización[84], de acuerdo con el art. 16.3 RSCL, cuando la revocación se

---

[84] En realidad, la cuestión central no es tanto el carácter precario del título, cuya virtualidad, en definitiva, no es otra que poder proceder a la extinción del uso por razones de interés público sin que sea preciso ejercitar la potestad de rescate, sino el juego de la institución de la responsabilidad patrimonial y la existencia de daños y perjuicios indemnizables según nuestro ordenamiento jurídico. Vid., T. R. FERNÁNDEZ RODRÍGUEZ, "La situación de los colindantes con las vías públicas", RAP, n. 69, 1972; E. DESDENTADO DAROCA, El precario administrativo, *op. cit.*

produzca por un cambio en la apreciación de los intereses públicos. En ese sentido, se pronuncian, por ejemplo, las SSTS (3) de 26 de noviembre de 1997 (Ar. 8554)[85], de 7 de junio de 1999 (Ar. 4264) y de 13 de diciembre de 1999 (Ar. 9540). En esta última, la revocación de la licencia generada por la peatonalización de la vía determinó el cierre de la cochera del particular, al que el Tribunal reconoce derecho a indemnización[86].

Finalmente, también es posible un uso privativo, caracterizado por una ocupación prolongada en el tiempo o mediante instalaciones no desmontables del suelo o del subsuelo (es, normalmente, el caso de los quioscos o de los tendidos de líneas telefónicas). En estos supuestos, el particular deberá obtener la correspondiente concesión administrativa de carácter discrecional[87] y pagar el canon que proceda.

BIBLIOGRAFÍA

AAVV, *Las nuevas fórmulas de financiación de infraestructuras públicas. LI Semana de Estudios de Derecho Financiero, Instituto de Estudios Fiscales,* Madrid, 2008.

F. AZOFRA VEGAS, "La financiación privada de infraestructuras públicas", *REDA*, n. 96, 1997.

Mª J. BOBES SÁNCHEZ, *La teoría del dominio público y el Derecho de carreteras,* Iustel, Madrid, 2007.

M. BELADÍEZ ROJO, "Régimen general (grandes infraestructuras. Competencia sobre carreteras)", en *El Estado de las Autonomías. Los sectores productivos y la organización territorial del Estado,* vol. IV, Centro de Estudios Ramón Areces, Madrid, 1997.

T. CANO CAMPOS, "Las competencias del Estado en materia de carreteras (A propósito de la STC 65/1998, de 18 de marzo, sobre la Ley 25/1988, de 29 de julio)", *Repertorio Aranzadi del Tribunal Constitucional,* 1998, vol. IV.

E. CORRAL GARCÍA, "Los caminos rurales", *El Consultor,* n. 5, 1994.

A. DAGNINO GUERRA, "Propiedad privada y dominio público en materia viaria", *RAP,* n. 171, 1996.

P. ESCRIBANO COLLADO, *Las vías urbanas. Concepto y régimen jurídico,* Montecorvo, Madrid, 1973.

A. L. FERNÁNDEZ MAGDALENA, "Tratamiento jurídico de las restricciones en la zona de influencia de las carreteras", *AA,* n. 13, 1997.

---

[85] En esta sentencia se afirma que la revocación de licencia para uso de vado por nuevos criterios de apreciación debe realizarse a través de un procedimiento en el que se abra el correspondiente trámite de audiencia y con el correspondiente reconocimiento de derecho a indemnización.

[86] La STS (3) de 25 de mayo de 1998 (Ar. 4260) deniega el derecho a indemnización a otro particular en condiciones muy similares (imposibilidad de acceso a cochera por peatonalización de calle) porque no resultó probado, en el proceso, que tuviera una licencia para uso especial y, por tanto, no puede considerarse que se le privara de un derecho de uso formalmente reconocido.

[87] STS (3) de 1 de julio de 1999 (Ar. 5745).

T. R. FERNÁNDEZ RODRÍGUEZ, "La situación de los colindantes de las vías públicas", *RAP*, n. 69, 1972.

P. GARCÍA ORTEGA, *Historia del Derecho. Caminos, carreteras*, INAP, Madrid, 1982.

R. GÓMEZ-FERRER MORANT, "En torno a la Ley de Autopistas de Peaje", *RAP*, n. 68, 1972.

J. L. GONZÁLEZ-BERENGUER URRUTIA, "Urbanismo y carreteras. Breve sistematización", *RDU*, n. 131, 1993.

– *Urbanismo sectorial*, Ed. Montecorvo, Madrid, 1999.

J. V. GONZÁLEZ GARCÍA, *Financiación de infraestructuras públicas y estabilidad presupuestaria*, Tirant lo Blanch, Valencia, 2007.

– *Sociedades estatales de obras públicas*, Tirant lo Blanch, Valencia, 2008.

– "Construcción de infraestructuras públicas y privatización. Nota sobre el contrato de colaboración público-privada", en AAVV, *Las nuevas fórmulas de financiación de infraestructuras públicas. LI Semana de Estudios de Derecho Financiero, Instituto de Estudios Fiscales*, Madrid, 2008.

– *Colaboración público-privada e infraestructura de transporte*, Marcial Pons, Madrid, 2010.

I. GONZÁLEZ RÍOS, *El sistema viario urbano*, Comares, Granada, 2002.

S. GONZÁLEZ-VARAS IBÁÑEZ, "Privatización de las infraestructuras", *Derecho Privado y Constitución*, n. 15, 2001.

R. IZQUIERDO, *Gestión y financiación de las infraestructuras del transporte terrestre*, AEC, Madrid, 1997.

F. J. JIMÉNEZ DE CISNEROS CID, "Hacia un nuevo concepto de infraestructura pública/ obra pública desligado del dominio público y del servicio público", en G. ARIÑO ORTIZ (dir.), *Privatización y liberalización de servicios*, UAM-BOE, Madrid, 1999.

J. A. LÓPEZ PELLICER, "Vías públicas, usos y actividades de transporte, con referencia al ámbito local" en A. BALLESTEROS FERNÁNDEZ y F. CASTRO ABELLA (coord.*), Derecho Local Especial, I*, El Consultor de los Ayuntamientos y los Juzgados, Madrid, 1997.

L. MARTÍN REBOLLO, "Régimen jurídico de los caminos" en J. C. CASSAGNE (dir.), *Libro homenaje al Profesor Marienhoff. Derecho Administrativo*, Abeledo-Perrot, 1998.

L. MARTÍN-RETORTILLO, "Recuperación municipal de caminos. La imprescriptibilidad: ¿mito o realidad? Deslinde y recuperación posesoria. Las nuevas desamortizaciones", *RAP*, n. 61, 1970.

C. MARTÍNEZ-CARRASCO PIGNATELLI, *Carreteras. Su régimen jurídico*, Montecorvo, Madrid, 1990.

– Redes arteriales. Travesías, tramos urbanos y circunvalaciones, *Montecorvo, Madrid, 1991*.

– "Competencias locales viarias. Especial referencia a las competencias locales en Cataluña", *Autonomies*, n. 21, 1996.

J. I. MORILLO-VELARDE PÉREZ, "La Ley 8/2001, de 12 de julio, de Carreteras de Andalucía: servicio público viario y dominio público viario", *Revista Andaluza de Administración Pública*, n. 43, 2001.

J. PEMÁN GAVÍN, "Sobre la regulación de las carreteras en el Derecho español: una visión de conjunto", *RAP*, n. 129.

– Voz "Camino", *Enciclopedia Jurídica Básica*, vol. I, Civitas, Madrid, 1995.

J. PONCE SOLÉ, *Régimen jurídico de los caminos y derecho de acceso al medio natural*, Marcial Pons, Madrid, 2003.

J. M. VASALLO, *La participación privada en la gestión y financiación de la conservación de carreteras*, Ministerio de Fomento, Madrid, 2001.

Capítulo XX

Las infraestructuras ferroviarias en la normativa del sector ferroviario: algunos apuntes de su ordenación jurídica a la luz de las tendencias liberalizadoras[*]

MARÍA JESÚS MONTORO CHINER
Catedrática de Derecho administrativo
Universidad de Barcelona
BELÉN NOGUERA DE LA MUELA
Profesora Titular de Derecho administrativo
Universidad de Barcelona

SUMARIO: I. PLANTEAMIENTO: CUESTIONES GENERALES SOBRE LA LEY DEL SECTOR FERROVIARIO Y NORMATIVA DE DESARROLLO. 1. Introducción. 2. Especial referencia a la técnica legislativa. 3. Apuntes acerca de las cuestiones de competencia. II. ANTECEDENTES HISTÓRICOS DE LA LEGISLACIÓN FERROVIARIA EN ESPAÑA: DE LAS PRIMERAS NORMAS A LA LEY DE ORDENACIÓN DE LOS TRANSPORTES TERRESTRES DE 30 DE JULIO DE 1987. III. LA LEY DEL SECTOR FERROVIARIO Y LAS POLÍTICAS EUROPEAS: LIBERALIZACIÓN E INTEROPERABILIDAD. IV. LA FINANCIACIÓN DE LA CONSTRUCCIÓN DE LOS FERROCARRILES: VICARIA DE SU GESTIÓN. V. RÉGIMEN JURÍDICO DE LAS INFRAESTRUCTURAS FERROVIARIAS. VI. POLICÍA DE FERROCARRILES. 1. Marco introductorio. A) Zona de dominio público (artículos 13, 15 y 18 LSF; 25,28 RSF). B) Zona de protección (artículos 14, 15, 17 y 18 LSF) (arts. 26,27,28, 29, 30 RSF). C) Límite de edificación (artículo 16 LSF) (art. 34 RSF). VII. LAS CONSECUENCIAS ORGANIZATIVAS DE LA SEPARACIÓN DE LAS ACTIVIDADES DE ADMINISTRACIÓN DE LA INFRAESTRUCTURA Y DE EXPLOTACIÓN DE LOS SERVICIOS DE TRANSPORTE QUE IMPONEN LAS DIRECTIVAS COMUNITARIAS DE LIBERALIZACIÓN DEL SECTOR FERROVIARIO: ADIF, RENFE-OPERADORA Y EL COMITÉ DE REGULACIÓN FERROVIARIA. VIII. EL ACCESO A LA RED FERROVIARIA. 1. Consideraciones generales. 2. La declaración sobre la red. 3. La adjudicación de capacidad. IX. INTRODUCCIÓN DE LA VARIABLE AMBIENTAL EN LA PLANIFICACIÓN DE INFRAESTRUCTURAS FERROVIARIAS. X. INCIDENCIA DE LA INFRAESTRUCTURA FERROVIARIA SOBRE EL PLANEAMIENTO URBANÍSTICO. EL CONTROL MUNICIPAL.

---

[*] Parte de este trabajo fue publicado bajo el título "Infraestructuras ferroviarias en la Ley 39/2003, del Sector Ferroviario" en la obra colectiva "Derecho de los bienes públicos" (Dir. J. V. GONZÁLEZ GARCÍA), Edit. Tirant lo Blanch, 2005. Y, en la segunda edición de la obra en el año 2009, bajo el título "Las infraestructuras ferroviarias en la nueva normativa del sector ferroviario: algunos apuntes de su ordenación jurídica".

I. PLANTEAMIENTO: CUESTIONES GENERALES SOBRE LA LEY DEL SECTOR FERROVIARIO Y NORMATIVA DE DESARROLLO

1. Introducción

Con la aprobación de la Ley 39/2003, de 17 de noviembre, del Sector Ferroviario (en adelante LSF) y su desarrollo reglamentario en virtud del Real Decreto 2387/2004, de 30 de diciembre, amén de otras recientes disposiciones[1] se ha implantado un nuevo modelo de regulación del sistema ferroviario, bajo la influencia de la normativa europea existente sobre esta materia, que se ha diseñado en torno a dos ideas centrales: de una parte, la apertura progresiva del mercado a una pluralidad de operadores, y de otra, la separación de las actividades de administración de infraestructuras y las funciones relativas a la explotación de servicios de transporte por ferrocarril.

Sobre estos nuevos ejes, la Ley del Sector Ferroviario de 2003 reordena por completo el sector ferroviario, pero referido a la Red Ferroviaria de Interés General, de manera que las redes autonómicas quedan entregadas a las Comunidades Autónomas, algunas de las cuales cuentan ya con una regulación propia del transporte ferroviario y de sus infraestructuras, en términos muy similares a los recogidos en la LSF, como es el caso de Cataluña donde se ha promulgado la Ley 4/2006, de 31 de marzo; Andalucía, que cuenta con la Ley 9/2006, de 26 de diciembre, de Servicios Ferroviarios de Andalucía; la Comunidad Valenciana, con la Ley 4/1986, de 10 de noviembre, de Creación de la entidad "Ferrocarrils de la Generalitat Valenciana"; y País Vasco, con la Ley 6/2004, de 11 de mayo, de Red Ferroviaria Vasca-Euskal Trenbide Sarea.

La Ley 39/2003 ha sido modificada en diversas ocasiones. Así, la Ley 2/2011, de 4 de marzo, y el Real Decreto-Ley 22/2012, de 20 de julio. El citado Real Decreto-Ley 22/2012 introducía medidas en materia de infraestructuras y servicios ferroviarios, estableciendo la reestructuración de

---

[1]   A saber, diversas Órdenes Ministeriales: Orden FOM/897/2005, de 7 de abril relativa a la declaración sobre la red y al procedimiento de adjudicación de capacidad de infraestructura ferroviaria; Orden FOM/898/2005 de 8 de abril por la que se fijan las cuantías de los cánones ferroviarios establecidos en los arts. 74 y 75 de la LSF, y Orden FOM/233/2006, de 31 de enero por la que se regulan las condiciones para la homologación del material rodante ferroviario y de los centros de mantenimiento y por la que se fijan las cuantías de la tasa por certificación de dicho material; el Real Decreto-Ley 22/2012, de 20 de julio; el Real Decreto-Ley 4/2013, de 20 de febrero, de Medidas de apoyo emprendedor y de estímulo al crecimiento y de la creación de empleo.

la entidad pública empresarial RENFE Operadora en cuatro sociedades mercantiles. El Real Decreto Ley 4/2013, de 20 de febrero, de Medidas de apoyo al emprendedor y de estímulo al crecimiento y de la creación de empleo, en sus artículos 34, 35, 36, 37 y 38 incluye medidas en el sector ferroviario que afectan, fundamentalmente, al intento de racionalización del sector para lograr la máxima eficiencia en la gestión de los servicios e impulsar el proceso de liberalización iniciado, próximo a ser culminado. Y a las normas citadas, le han seguido otras, a saber: Ley 3/2013, de 4 de junio, de creación de la Comisión Nacional de los Mercados y la Competencia; Ley 11/2013, de 26 de julio, de medidas de apoyo al emprendedor y de estímulo del crecimiento y de la creación del empleo; el Real Decreto-Ley 11/2013, de 2 de agosto para la protección de los trabajadores a tiempo parcial y otras medidas urgentes en el orden económico y social; Real Decreto-Ley 15/2013, de 13 de diciembre sobre reestructuración de la entidad pública empresarial ADIF y otras medidas urgentes en el orden económico; Real Decreto-Ley 1/2014, de 24 de enero, de reforma en materia de infraestructuras y transporte, y otras medidas económicas; y la Ley 1/2014, de 28 de febrero, para la protección de los trabajadores a tiempo parcial y otras medidas urgentes.

Así, la Ley del Sector Ferroviario y sus normas de desarrollo incorporan todo el paquete de Directivas desarrollado por la Unión Europea a saber: la Directiva 91/440/CEE del Consejo, de 29 de julio de 1991, sobre el desarrollo de los ferrocarriles comunitarios, modificada por la 2001/12/CE del Parlamento Europeo y del Consejo, de 26 de febrero de 2001; la 95/18/CE del Consejo, de 19 de julio de 1995, sobre concesión de licencias a las empresas ferroviarias; la 2001/13/CE, del Parlamento Europeo y del Consejo, de 26 de febrero de 2001 que modificó la anterior y generalizó los principios de concesión de licencias a todas las empresas activas en el sector para garantizarles un trato justo, transparente y no discriminatorio; la Directiva 2001/14/C del Parlamento Europeo y del Consejo, de 26 de febrero de 2001, relativa a la adjudicación de capacidad de infraestructura ferroviaria, aplicación de cánones por su utilización y certificación de seguridad; y finalmente, la Directiva 2001/16/CE, sobre interoperabilidad del sistema ferroviario transeuropeo convencional.

No obstante, la nueva regulación en materia ferroviaria mantiene las normas generales sobre transporte terrestre contenidas en la Ley 16/1987, de 30 de julio, de Ordenación de los Transportes Terrestres (en adelante LOTT), ya que sólo deroga expresamente la Sección 2ª del Capítulo II, así como los Capítulos III. IV y V del Título VI de aquélla.

En líneas generales, podemos destacar que las principales novedades que se recogen en esta nueva Ley reguladora del ferrocarril son la separación entre infraestructuras ferroviarias y prestación del servicio de transporte; el concepto de "infraestructuras ferroviarias" y, ligado a ellas la configuración de la Red Ferroviaria de Interés General, que únicamente agrupa elementos de carácter físico y no prestacionales; lo referente a la ordenación y planificación de las infraestructuras ferroviarias; la administración de las infraestructuras del ferrocarril como un servicio de interés general y esencial para la Comunidad; el transporte ferroviario que deja de ser un servicio público de titularidad de la Administración y pasa a convertirse también en un servicio de interés general y esencial que se prestará en régimen de libre competencia; y cómo no, la regulación de los servicios adicionales complementarios y auxiliares.

Por tanto, a la vista de esta amplitud de temas, resulta imposible abordarlos en su globalidad, de ahí que en estas páginas y teniendo presente las últimas novedades en materia de ferrocarriles que completan el marco jurídico regulador del nuevo sector ferroviario, centremos nuestra atención en: un breve repaso histórico del sistema ferroviario hasta llegar a la vigente Ley del Sector Ferroviario de 2003; análisis de este texto legal en su conexión con las políticas europeas; la problemática de la financiación de la construcción de las infraestructuras ferroviarias; el régimen jurídico de las mismas; la policía de ferrocarriles con el consabido grupo de "limitaciones a la propiedad" estatuido por la Ley del Sector Ferroviario; la nueva organización administrativa del actual modelo ferroviario; el acceso a la red ferroviaria y finalmente, la variable ambiental en la planificación de las infraestructuras ferroviarias, así como la incidencia de tal planificación sobre el planeamiento urbanístico, que de algún modo puede ofrecer una visión global de toda está rica temática.

No obstante, con carácter previo, nos parece de interés hacer una serie de precisiones sobre técnica legislativa, así como un breve apunte sobre la cuestión competencial que la Ley del Sector Ferroviario plantea.

2. *Especial referencia a la técnica legislativa*

La Ley del Sector Ferroviario ha sido fruto de una tramitación compleja. Desde que el 23 de diciembre del año 2002 tuviera entrada en el Consejo Económico y Social el anteproyecto de Ley del Sector Ferroviario, y este órgano emitiera su dictamen el 29 de enero de 2003, hasta el comienzo de su tramitación parlamentaria, el 21 de marzo del mismo año, se ha visto acompañada hasta de propuestas de veto, como por ejemplo, la presentada en el Senado el 15 de septiembre de 2003 suscrita por diversos grupos parlamentarios y senadores a título individual. Las consecuencias se han visto a lo largo de la tramitación de la Ley y del número de enmiendas que, en algunos casos, superaba las trescientas (ver Boletín Oficial de las Cortes Generales, Senado, n° 136, de 15 de septiembre de 2003).

Las reservas que se formulaban al proyecto de Ley se fundaban, por una parte, en la importante modificación organizativa que había de sufrir la entidad RENFE, al igual que la entidad Gestor de Infraestructuras Ferroviarias, y el aseguramiento de los derechos laborales del personal adscrito a ambas.

También, de lado de las Comunidades autónomas, gran parte de las reservas se dirigían a los títulos competenciales esgrimidos por el Estado para asumir la modificación legislativa que se proponía. En particular, la concurrencia de dos criterios delimitadores de competencias, el territorial y el del interés general (artículo 149.1.21 y 24 de la Constitución).

La dificultad de la tramitación de la norma residía, también, en la marcada influencia de las Directivas comunitarias, tal como se relacionan en su Exposición de motivos, que obligaban a la separación entre la administración de la infraestructura ferroviaria y la explotación de los servicios de transporte.

Otra de las dificultades que influyó en la técnica legislativa, no excesivamente esmerada de la Ley del Sector Ferroviario, fue la tramitación paralela, en el Congreso de los Diputados y en el Senado, de otras normas que incidían gravemente sobre sectores de dominio público, o incluso que regulaban el régimen sustantivo de éste; tan solo por poner un ejemplo: con veinte días de diferencia se publicaron en el Boletín Oficial del Estado la Ley del Patrimonio de las Administraciones públicas, la Ley del Sector Ferroviario, y la Ley de Régimen económico y de prestación de servicios de los puertos de interés general; sin contar con que algunos meses antes se acababa de promulgar la Ley 13/2003, reguladora del Contrato de concesión de obras públicas.

La celeridad con que se efectuó la tramitación de la norma, especialmente en el Senado, ha dado lugar a efectos negativos en la redacción de la misma, de los que se puede citar, a título de ejemplo, el artículo 24.2 (titulado patrimonio del Administrador de Infraestructuras Ferroviarias). En este precepto, y en una materia tan relevante como las facultades de administración, defensa, policía, investigación, deslinde y recuperación de los bienes de dominio público de titularidad del Administrador de Infraestructuras, se efectúa una remisión directa a la Ley de Patrimonio del

Estado, aprobada por Decreto 1022/1964, de 15 de abril. Hay que hacer notar que la Ley del Sector Ferroviario lleva el número 39/2003, y se publica en el Boletín Oficial del Estado de 18 de noviembre; justamente, el 4 de noviembre de 2003 se había publicado la Ley 33/2003, del Patrimonio de las Administraciones públicas, a la que claramente la Ley del Sector Ferroviario debiera de haber hecho referencia. En el supuesto de que la Ley del Sector Ferroviario hubiera querido dar un tratamiento especial a las facultades sobre el dominio público de esta entidad (lo que carecería de sentido pues hasta la Ley del Sector ferroviario aquélla no existía) hubiera debido hacerse, en todo caso, en una disposición transitoria.

Desde el punto de vista de la técnica normativa, el manejo de dos normas relativas a la misma materia, como son la Ley 16/1987 de Ordenación de los Transportes Terrestres, que es sólo parcialmente derogada, juntamente con la Ley del Sector Ferroviario, no resulta una operación práctica; sin embargo, no se lee en la Ley del Sector Ferroviario el propósito de que pueda efectuarse un texto refundido que permita un manejo más correcto de ambos textos.

Tampoco resulta justificada la inclusión en el capítulo quinto de la Ley la creación de la Administración de Infraestructuras Ferroviarias, incluyendo toda su regulación material, pero regulando lo relativo a la creación de la entidad pública empresarial RENFE, operadora en la disposición adicional tercera. Puesto que ambas sucedían a otros entes públicos, RENFE (en sentido histórico) y el Gestor de infraestructuras ferroviarias, podía haberse efectuado la regulación material de ambos organismos en capítulos del cuerpo de la norma, reservando para las disposiciones adicionales y transitorias la manera de asumir progresivamente sus funciones.

En fin, tampoco aparenta ser lo más adecuado a la "buena legislación" la modificación del sector ferroviario y las nuevas medidas adoptadas en el sector, contenidas en el Real Decreto-ley 4/2013, de Medidas de apoyo al emprendedor y de estímulo del crecimiento y de la creación de empleo; la técnica de introducir preceptos que de contenido y objeto múltiple, dificulta el manejo de los textos. Sin embargo, ese es un vicio del que adolece la actual legislación de emergencia, adoptada entre los años 2011, 2012 y 2013, cuyo análisis excedería del ámbito de este trabajo.

3. *Apuntes acerca de las cuestiones de competencia*

Por circunstancias de todos conocidas a las que no es menester aludir en este trabajo, posiblemente, antes de la entrada en vigor de la Ley 39/2003 se ha procedido a una prórroga de su *vacatio legis*, que hubiera finalizado el 19 de mayo de 2004. Las fricciones que rodearon la tramitación del texto y, en especial, los recursos interpuestos por varias Comunidades Autónomas (Aragón, Asturias, Castilla-La Mancha y Cataluña) podrían aconsejar tal decisión. En todo caso, vale la pena señalar que algunos de los preceptos de la norma podrían contravenir el orden constitucional. Sin efectuar un análisis profundo de la cuestión, ya que no es motivo directo de nuestro estudio, vamos tan sólo a realizar algunas referencias a los preceptos o regulaciones que parecen rebasar el ámbito de competencias y títulos que aplica el Estado para justificar la norma.

En primer lugar, es difícil sostener un concepto como el de Red nacional integrada, si éste se considera como conjunto camino-vehículo en unidad de explotación. De la misma manera que es difícil mantener el monopolio de los servicios que podría seguir ejerciendo RENFE a través de la misma. La competencia estatal sólo puede extenderse a los itinerarios de interés general o que afecten a más de una Comunidad Autónoma; éstos serían los únicos susceptibles de ser integrados en la referida red. En el artículo 4 de la Ley del Sector Ferroviario se efectúa, sin embargo, el diseño de un "sistema común de transporte ferroviario" y de una red ferroviaria de interés general que arrastraría la competencia exclusiva estatal. Ello se realiza en contra de la Sentencia del Tribunal Constitucional 118/1996 que declaraba la posibilidad del Estado para configurar un sistema común de transporte, siendo éste el resultado de la interconexión de redes gestionadas por Administraciones autonómicas y estatales. En resumen, el artículo 4 no establece una diferencia entre los supuestos en que las líneas pueden incluirse en la red ferroviaria de interés general: no se distingue si son supracomunitarias o intracomunitarias. Por otra parte, el criterio de interés general no tiene suficiente apoyo constitucional en el sector ferroviario.

En otro plano, en el capítulo dedicado a las empresas ferroviarias, y en lo tocante a las licencias para la prestación del servicio de transporte ferroviario, entendemos que la competencia estatal debería limitarse al establecimiento de las condiciones básicas y uniformes, pero no entrar en todos aquellos actos de gestión o ejecución como son la conservación de la eficacia de la licencia, la suspensión, o su revocación. En todo caso, al Estado le corresponde el título para las licencias que hacen referencia a trayectos de red de interés general cuyo origen o su final sobrepase el territorio de una Comunidad Autónoma. Y además le corresponde dictar la normativa aplicable a los requisitos para la obtención de licencia, la capacidad financiera de los solicitantes por su competencia profesional y su responsabilidad. Los actos de ejecución referidos exclusivamente al Ministerio de Fomento en torno a todo el ámbito de las licencias son incompatibles con los Estatutos de Autonomía, en concreto con el Estatuto de Cataluña, artículos 140 y 169, 1.2 y 3 y, tampoco el artículo 149.1.13 de la Constitución les presta suficiente cobertura. La competencia estatal en materia ferroviaria pivota sobre la base de dos títulos competenciales: el artículo 149.1.21 y el artículo 149.1.24 de la Constitución. El criterio de la territorialidad se complementa con el criterio del interés general; este último introduce una mayor racionalidad en el reparto de competencias. A la vez permite una distribución que puede reconocer la competencia exclusiva de las Comunidades Autónomas sobre las redes ferroviarias que discurran íntegramente por el territorio autonómico. Todo ello parece incompatible con la expresión de la Disposición adicional novena que relaciona las líneas que forman parte de la red ferroviaria de interés general incluyendo en ella todas las infraestructuras ferroviarias que a la fecha de entrada en vigor de la norma hubieran estado administradas por RENFE, cuya administración hubiera sido encomendada al Gestor de Infraestructuras Ferroviarias.

La Sentencia 245/2012, de 18 de diciembre, del Tribunal Constitucional, ha sido sensible a las reservas que se manifestaban en el párrafo anterior. En efecto, el Pleno del Tribunal Constitucional declara la inconstitucionalidad y nulidad de la Disposición adicional novena, apartado 1, de la Ley 39/2003. Razona el Tribunal Constitucional sobre la base de que el criterio territorial ha de ser complementado y modulado por el del interés general. Las normas legales cuestionadas en el recurso por las Comunidades Autónomas han de ser sometidas a un doble canon, el de territorialidad y el del interés general. Parte el razonamiento de que es viable configurar una red que garantice un sistema común de transporte ferroviario en todo el territorio del Estado, en especial, en aquellas infraestructuras vinculadas a los itinerarios de tráfico internacional. El legislador estatal puede configurar "el garantizar un sistema común de transporte ferroviario en el territorio del Estado", como una finalidad en la regulación de la materia de los ferrocarriles; pero ello no puede significar que el Estado ostente las competencias para establecer, instaurar o mantener dicho sistema común por sí solo, atrayendo hacia su competencia —como se preveía en la Disposición adicional novena— el conjunto de las infraestructuras ferroviarias que resulten esenciales para garantizar un sistema común de transporte ferroviario en todo el territorio del Estado, o cuya administración conjunta resulte necesaria para el correcto funcionamiento de tal sistema común de transporte (FJ X).

II. ANTECEDENTES HISTÓRICOS DE LA LEGISLACIÓN FERROVIARIA EN ESPAÑA: DE LAS PRIMERAS NORMAS A LA LEY DE ORDENACIÓN DE LOS TRANSPORTES TERRESTRES DE 30 DE JULIO DE 1987

Uno de los grandes adelantos tecnológicos del siglo XIX ha sido el ferrocarril, y junto a la revolución económica que ha supuesto este nuevo medio de transporte, cabe destacar también como ha influido en el ámbito jurídico en general y muy especialmente en el Derecho administrativo, cuyo perfilamiento, consolidación, implantación y evolución nació al par que los ferrocarriles, de manera que las técnicas de la concesión, obra pública y servicio público se establecieron por y para el ferrocarril.

Desde la aparición de este medio de transporte, ha sido una constante el interés del Estado en intervenir normativamente. Así, y muy someramente, las primeras normas que se refieren al fenómeno ferroviario fueron la Real Orden de 31 de diciembre de 1844, y la Real Orden de 16 de marzo de 1847. La primera de ellas estableció las reglas para "el examen de admisión de las propuestas que quisieran hacerse al Gobierno sobre establecimiento de ferrocarriles" y, asimismo, reguló los requisitos generales para la concesión de líneas a construir y explotar mediante la aprobación de un pliego de condiciones generales y un modelo de tarifa. Sobre esta base, la segunda, la Real Orden de 1847, adjudica la concesión de la línea Barcelona a Mataró, acogiéndose a las ventajas de la declaración de obra de utilidad pública a los efectos previstos en la vieja Ley de Expropiación Forzosa de 1836.

Estas normas reglamentarias atribuyeron ya al Estado, la titularidad de los ferrocarriles, pero la necesidad de una Ley General Ferroviaria se dejaba sentir, y ésta fue finalmente aprobada y sancionada el 3 de junio de 1855. Con ella se otorgó al Estado un mayor intervencionismo en la construcción y explotación de los ferrocarriles, así como en las ayudas a aportar a las empresas concesionarias. En definitiva, reavivó la fe de los inversores y las construcciones ferroviarias crecieron muy considerablemente.

Salvo el período revolucionario decimonónico en el que el Decreto de 14 de noviembre de 1868 abandona el monopolio del Estado en cuanto a las obras públicas, y por tanto, también las ferroviarias; la Ley General de Ferrocarriles de 23 de noviembre de 1877 reestableció el modelo previsto en la Ley de 1855, trazándose en líneas generales el siguiente esquema:

1. Ferrocarriles, obras de infraestructuras y de posterior explotación eran de *titularidad pública*.

2. Los ferrocarriles se podían someter a *régimen concesional* mediante Ley. El otorgamiento de las concesiones ferroviarias era por un plazo máximo de noventa y nueve años.

3. El otorgamiento de la condición de *"dominio público"* a la infraestructura ferroviaria ("todas las líneas de ferrocarril destinadas al servicio general"). En línea con ello, tanto la infraestructura como el material móvil gozó de un específico régimen de protección, consagrándose incluso (Ley de Enjuiciamiento Civil de 1881) la regla de la inembargabilidad de los bienes ferroviarios que ha sido siempre consustancial con el régimen jurídico ferroviario.

A este período le siguió una etapa deficitaria y de declive del sistema ferroviario, en la que no se consiguió estimular las inversiones, y los problemas económicos de las concesiones eran cada vez más crecientes. Esta situación condujo a una nueva reforma legislativa que se plasmó en el Estatuto Ferroviario de 1924, donde se recogía un nuevo régimen ferroviario cuya nota característica era la intensa intervención estatal en los ferrocarriles, que se tradujo en la aportación de importantes auxilios públicos a las empresas ferroviarias; y en la creación de la "Caja Ferroviaria del Estado".

La etapa de la nacionalización de las redes ferroviarias se precipitó con la guerra civil española, y tal como ha señalado BERMEJO VERA, la Ley de 8 de mayo de 1939 supuso una nacionalización "de facto", antecedente natural de la adoptada a través de la conocida Ley de Bases de Ordenación Ferroviaria, de 24 de enero de 1941. Ésta llevó a cabo la nacionalización de la explotación de la práctica totalidad de los ferrocarriles de vía ancha que se integraron en la Red Nacional de los Ferrocarriles Españoles (RENFE), y con ella se creó RENFE, a la que se confió la red ferroviaria rescatada de la iniciativa privada y la red que era ya propiedad del Estado. En ese momento, y a la vista del diseño que se otorga a esa "entidad de Derecho público sometida al Derecho privado" se inauguró el modelo de disociación entre forma pública de la entidad organizativa y régimen jurídico privado al que se acogió la gestión y explotación que desarrolló RENFE en relación con los servicios o actividades que monopolizaba.

Las organizaciones sucesivas de RENFE (básicamente las de los Decretos-Leyes de 19 de julio de 1962 y 23 de julio de 1964, por el que se aprobó su Estatuto) no alteraron este modelo, incrementando los propósitos de privatización de la gestión del ferrocarril sin perder todos los elementos estructurales de naturaleza pública.

Tras la crisis del sistema franquista, con la promulgación de la Constitución española de 1978 se produjo un profundo cambio en todos los sectores, y concretamente la distribución de competencias en materias de transporte terrestre viene recogida en el artículo 149.1.21 que asigna al Estado la competencia exclusiva sobre "ferrocarriles y transportes terrestres que transcurran por el territorio de más de una Comunidad autónoma...", asignando a las Comunidades autónomas en el artículo 148.1.5ª "los ferrocarriles y carreteras cuyo itinerario se desarrolle íntegramente en el territorio de la Comunidad autónoma y, en los mismos términos, el transporte desarrollado por estos medios".

Efectivamente tal como ha puesto de relieve la doctrina (T. DE LA QUADRA SALCEDO, J. L. BERMEJO VERA, F. LÓPEZ MENUDO, J. GARCÍA PÉREZ), el ferrocarril no ha sido una materia objeto de polémica a la hora de proceder a la asignación estatutaria de competencias ni tampoco con motivo de la transferencia de servicios, si bien también es cierto que la delimitación constitucional realizada es de lo más desafortunada (artículos 149.1.21, 148.1.5 CE) y hasta el momento ha dado lugar a la (STC 118/1996, de 26 de junio, donde el Tribunal Constitucional, declara inaplicables a los transportes ferroviarios intraautonómicos determinados preceptos de la Ley de Ordenación de los Transportes Terrestres de 30 de julio de 1987 —en adelante LOTT— referidos a la Red Nacional Integrada y a RENFE) y la STC 245/2012, de 18 de noviembre, antes referenciada, que declara inconstitucional la Disposición adicional novena.1 de la LSF.

Asimismo, con carácter previo, nos resta referirnos, aunque sea de forma breve a la LOTT de 1987, que aunque se ha visto parcialmente derogada por la LSF de 2003 concretamente en la Sección 2ª del capítulo II y los capítulos III, IV y V del Título VI, amén de otras disposiciones (artículo 74 de la Ley 42/1994, de 30 de diciembre; artículos 160 y 161 de la Ley 13/1996, de 30 de diciembre, y artículo 104 de la Ley 66/1997, de 30 de diciembre, todas ellas de medidas fiscales, administrativas y del orden social), ha sido hasta fecha bien reciente la Ley más importante reguladora del sector de los ferrocarriles.

La LOTT de 1987, desarrollada por el Real Decreto 1211/1990, de 28 de septiembre, por el que se aprueba su Reglamento, ha venido a dar respuesta a la necesidad sentida por los distintos sectores implicados: Administración, transportistas y usuarios de la carretera y el ferrocarril, de sustituir la obsoleta normativa básica hasta entonces vigente (Ley de transporte por carretera de 1947 y Ley ferroviaria de 1877), que no respondía a las exigencias de orden técnico, económico, sociológico y político.

En este sentido, la LOTT ha realizado una ordenación global del transporte terrestre estableciendo normas de general aplicación en los Títulos preliminar y primero, regulando posteriormente en títulos independientes los distintos modos de transporte, siendo el Título VI el dedicado a "transporte ferroviario", y dentro de él, el capítulo V, a RENFE, la cual pasaba a denominarse con la LSF de 2003 "Administrador de Infraestructuras Ferroviarias" e integrará también al actual "Gestor de Infraestructuras Ferroviarias" (GIF) (hoy en día ADIF), naciendo además, una nueva entidad pública empresarial denominada "RENFE-operadora" que se ha reestructurado en cuatro sociedades mercantiles que asumirán las distintas funciones que tiene encomendadas, entre ellas el transporte de viajeros y mercancías por así preverlo el Real Decreto-Ley 22/2012, de 20 de julio por el que se adoptan medidas en materia de infraestructuras y servicios ferroviarios. A todos ellos dedicamos especial atención al abordar la actual organización del sistema ferroviario, al cual nos remitimos.

En suma, la LOTT ha contribuido a flexibilizar el sistema de ordenación del transporte, ha potenciado a las empresas que intervienen en este sector, haciendo desaparecer el derecho de tanteo ferroviario, primando la competencia intermodal basada en la libertad de elección del usuario y en la igualdad entre todos los modos de transporte.

Esa era la escena anterior a la Ley del Sector Ferroviario de 2003, que reordenaba el sector ferroviario estatal y sentó las bases para la progresiva entrada de nuevos operadores en este mercado. A ella y a toda una seria de normas reglamentarias que resultan imprescindibles para asegurar su aplicación ordenada, nos referiremos en las páginas que siguen.

Estando este artículo en fase de corrección de pruebas de imprenta, hemos tenido conocimiento de la existencia de un Anteproyecto de Ley de Ordenación del sector ferroviario, fechada en abril de 2014. La norma en proyecto tiene por objeto la regulación de las infraestructuras ferroviarias y de la prestación de servicios de transporte ferroviario y otros complementarios y auxiliares; así como la seguridad en la circulación sobre la red ferroviaria de interés general y lo referente a la investigación de los accidentes e incidentes ferroviarios producidos en el conjunto de la misma. Al Anteproyecto de ley, que contiene más de un centenar de preceptos además de la parte final, dedica su Capítulo III (arts. 12 a 18) a las limitaciones a la propiedad, zonas de dominio público de protección y límite de edificación, entre otros aspectos. Como se puede comprobar, el interés por la gestión de la red, re´gimen económico aplicable, autorizaciones, régimen de seguridad, en suma, lo que constituye "política europea común de transporte ferroviario" en cuanto a gestión e intermodalidad de servicios, son las finalidades a las que el Anteproyecto de Ley dedica su atención.

III. LA LEY DEL SECTOR FERROVIARIO Y LAS POLÍTICAS EUROPEAS: LIBERALIZACIÓN E INTEROPERABILIDAD

Las políticas europeas han originado cambios y avances en los sectores a que afectan, y han producido mutaciones en instituciones del Derecho administrativo. El sector del ferrocarril resulta paradigmático a estos efectos. Pues puede resultar un giro histórico que en tan sólo diez años, desde la apertura al mercado de la competencia, se haya pasado del servicio público más controlado a un mercado del ferrocarril en competencia libre y, estemos dirigiéndonos hacia un mercado de competencia regulada. En ese marco se inserta la Ley 39/2003 del Sector Ferroviario.

Las instituciones europeas han tratado de crear un sistema de transporte europeo basado en el mercado de transporte sobre la base del desarrollo de las infraestructuras europeas, la coordinación intermodal, la movilidad sostenible y la seguridad de las prestaciones. Bajo una reorientación del antiguo concepto del servicio público, se ha intentado introducir la competencia en el mercado del transporte, procurando derivar el transporte por carretera hacia el transporte ferroviario tanto de pasajeros como, especialmente, de mercancías. Para ello, la Comisión impuso unas políticas de transporte otorgando prioridad hacia el transporte ferroviario y el transporte portuario. Es de sobra sabido que el primer Libro Blanco de la Comisión sobre el desarrollo común de la política de transporte publicado en diciembre de 1992, señalaba en su Exposición de motivos que la puesta en marcha del Tratado de la Unión Europea acordado en Maastricht había de dar un nuevo impulso a la política común de transporte. El Tratado de la Unión disponía que la política común de transportes había de consistir en acciones estructurales de dimensión europea marcando un giro en la evolución de la política común de los transportes que quedaba enmarcada en otra política más completa destinada a asegurar el buen funcionamiento de los sistemas de transportes de la Comunidad y a responder de los déficits históricos de la política de transportes, centrándose en la libre prestación de servicios y eliminando los obstáculos artificiales reglamentarios.

El diseño de la política común de transportes no iba a resultar fácil, especialmente si se tenían en cuenta los antecedentes históricos de los sucesivos intentos de su introducción. Expresado someramente, partiendo del Tratado de Roma de 1957 donde se hablaba ya de la instauración de una política común de transportes, resultan hitos históricos los siguientes: en primer lugar, la decisión de la Corte de Justicia de 22 de mayo de 1985 que condenaba al Consejo a establecer la apertura del transporte internacional de mercancías y de personas a todas las empresas de la Comunidad, sin que pudieran ser objeto de discriminación por razón de su nacionalidad o del lugar de establecimiento del transportista; en segundo lugar, el Acta Única Europea de 1986 que transformó no sólo el sentido del mercado común respecto a los transportes, sino que venía a sustituir la regla de la unanimidad por la de la mayoría cualificada en la toma de decisiones; en tercer lugar, el Libro Blanco sobre el desarrollo futuro de la política común de transportes que publicó la Comisión en diciembre de 1992, que definía las acciones sobre esta materia para la finalización del mercado interior, la promoción de la intermodalidad, el desarrollo de la red transeuropea, la protección del medio ambiente y el reforzamiento de la seguridad y la armonización social; en cuarto lugar, el Tratado de Maastricht firmado en 1992, que dotaba a la Unión Europea de los medios para una auténtica política común sobre transportes, siendo su Título XII, posteriormente renumerado en el Título XV desde el Tratado de Ámsterdam, el que llevaba por rótulo "Las redes transeuropeas", y, en especial, sus artículos 154 y 158; por último, los artículos 70 a 80 del Tratado de Ámsterdam en los que se estimulaba a las Instituciones a implantar una política común de transporte mediante la adopción de normas comunes aplicables a transportes internacionales, al establecimiento de las condiciones con arreglo a las cuales los transportistas no residentes podrían prestar servicios de transportes en otros Estados miembros, y las medidas que permitiesen mejorar la seguridad de los transportes.

En ese contexto histórico se insertan las disposiciones sobre políticas de liberalización a las que la Ley 39/2003 del Sector Ferroviario se refiere constantemente en su Exposición de motivos. Podrían también añadirse otras. Así, el Reglamento 3572/1990 y la Directiva 96/26 que armonizan las disposiciones de acceso a la profesión; (el Reglamento 4058/89/CEE había liberalizado los precios de los transportes de mercancías haciéndose ya efectivo desde enero de 1990). El Reglamento 881/92/CEE que reemplaza el antiguo sistema basado en las autorizaciones bilaterales y las cuotas. Y, a continuación, la Directiva 91/440/CEE que se fundamentaba en los siguientes principios: independencia de gestión de las empresas ferroviarias para alcanzar el equilibrio financiero; separación de la actividad de transporte y de la gestión de las infraestructuras, financiada a través de un canal de explotación; saneamiento financiero; acceso a las infraestructuras ferroviarias en beneficio de los reagrupamientos internacionales de empresas y de compañías explotadoras. En fin, al objeto de cumplimentar y revitalizar el sector ferroviario europeo se aprobaron las siguientes directivas: Directiva 2001/12/CE del Parlamento Europeo y del Consejo, que modificaba la Directiva 91/440/CEE sobre el desarrollo de los ferrocarriles comunitarios; Directiva 2001/13/CE del Parlamento Europeo y del Consejo, por la que se modificaba la Directiva 95/18/CEE del Consejo sobre concesión de licencias a las empresas ferroviarias; Directiva 2001/14/CE, del Parlamento Europeo y del Consejo, relativa a la adaptación de la capacidad de infraestructura ferroviaria, aplicación de cánones para su utilización y certificación de seguridad; Directiva 2001/16/CE del Parlamento Europeo y del Consejo, relativa a la interoperabilidad del sistema ferroviario transeuropeo convencional, que fija las condiciones a cumplir para lograr en el territorio comunitario la interoperabilidad del sistema ferroviario transeuropeo convencional.

Hasta aquí las referencias a normas europeas ya existentes. Pero en el año 2003, es decir durante la tramitación de la Ley 39/2003, del Sector Ferroviario han tenido lugar numerosas propuestas, denominadas "segundo paquete ferroviario", a las que conviene referirse, pues constituyen un marco distinto de revitalización del sector ferroviario en el intento continuado de realización del mercado interior de tal sector. Así pues, es necesario referirse a la posición común nº 53/2003 del Consejo, aprobada en sesión de 26 de junio de 2003, con vistas a la adopción de la Directiva 2004/51/CE, de 29 de abril del Parlamento Europeo y del Consejo por la que se modificó la Directiva 91/440/CEE sobre el desarrollo de los ferrocarriles comunitarios.

En la Exposición de motivos del Consejo, que será aplicable a todas las posiciones comunes relativas a las tres futuras Directivas y Reglamento que formarán parte del llamado segundo paquete ferroviario, se refleja que han sido tenidos en cuenta los dictámenes del Parlamento Europeo, en primera lectura, de 14 de enero de 2003, del Comité Económico y Social Europeo, de 14 de marzo de 2003, y del Comité de las Regiones, de 19 de marzo de 2002.

El objetivo general de las propuestas legislativas constituido por la revitalización del sector ferroviario en la Unión Europea se dirige tanto a los proveedores de servicios como a los fabricantes. A través de la abolición de los casi monopolios pueden lograrse ahorros por economías de escala y un mejor desarrollo de la industria ferroviaria de talla mundial en la Unión Europea. Las medidas propuestas potencian o intentan potenciar la competitividad de este modo de transporte respecto de otros. Así pues, el segundo paquete ferroviario tiene por objeto lograr los progresos necesarios en los ámbitos de la interoperabilidad, la seguridad y el acceso al mercado para el transporte de mercancías.

Debido a que las diversas propuestas legislativas están interrelacionadas, la Comisión decidió presentarlas como un solo "paquete". El Consejo ha respetado la idea de "paquete" y llegado a un único acuerdo general sobre él, incluso sobre las cuatro propuestas legislativas sujetas al procedimiento de codecisión. (Conviene aclarar que el llamado segundo paquete ferroviario sobre el que adoptó el Consejo su posición común incluye la seguridad, la interoperabilidad, la creación de la Agencia Ferroviaria Europea, y el desarrollo de los ferrocarriles comunitarios).

La Directiva 2004/49/CE, del Parlamento Europeo y del Consejo sobre la seguridad de los ferrocarriles comunitarios, modifica la Directiva 95/18/CE del Parlamento Europeo y del Consejo sobre concesión de licencias a las empresas ferroviarias, y también modifica la Directiva 2001/14/CE del Parlamento Europeo y del Consejo, relativa a la adjudicación de la capacidad de infraestructura ferroviaria, aplicación de cánones por su utilización y certificación de la seguridad. La seguridad aparece como el objetivo común en el sistema ferroviario, ya que nada debería ir en detrimento de los elevados niveles de seguridad existentes en el sistema. Para ello, se trata de incorporar cambios de naturaleza técnica, entre ellos los relativos a las funciones de la autoridad responsable de la seguridad. No otra cosa había efectuado ya la Directiva 2004/49/CE sobre seguridad y certificaciones del sistema.

La Directiva del Parlamento Europeo y del Consejo 2004/50/CE, de 29 de abril de 2004, modificó la Directiva 96/48/CE del Consejo relativa a la interoperabilidad del sistema ferroviario transeuropeo de alta velocidad, y la Directiva 2001/16/CE del Parlamento Europeo y del Consejo relativa a la interoperabilidad del sistema ferroviario transeuropeo convencional.

El Reglamento del Parlamento Europeo y del Consejo 881/2004/CE, de 29 de abril de 2004, instituye la Agencia Ferroviaria Europea que puede constituir una aportación muy útil al procedimiento legislativo y otros aspectos relativos a la revitalización de los ferrocarriles europeos.

La Directiva 2004/51/CE del 29 de abril del Parlamento Europeo y del Consejo por la que se modifica la Directiva 91/440/ CE sobre el desarrollo de los ferrocarriles comunitarios en cuanto al calendario de acceso al mercado, ha establecido que, a más tardar a 1 de enero de 2006 se concederá a las empresas ferroviarias, en condiciones equitativas, acceso a toda la red ferroviaria para llevar a cabo servicios internacionales de transportes de mercancías; y a más tardar, a 1 de enero de 2008, se concederá a las empresas ferroviarias, en condiciones equitativas, acceso a la infraestructura de todos los Estados miembros para llevar a cabo todo tipo de servicios de transporte de mercancías por ferrocarril.

La Directiva 2008/57/CE sobre interoperabilidad, completa el sistema ferroviario y su regulación a nivel europeo, de conformidad de la competencia compartida sobre redes transeuropeas que, según el artículo 4.1.h) ha venido a ser regulada por el Tratado de Funcionamiento de la Unión Europea.

A. La legislación europea citada habría de producir sus efectos en el ferrocarril, tendentes a su liberalización, siempre y cuando pudieran romperse las barreras tradicionales de naturaleza nacional en las que hasta ahora se habían basado las reglas de cada uno de los Estados. Estas llamadas barreras naturales constituían las diferencias en el ensanchamiento de las vías férreas en Europa, a pesar de que éste no era el único obstáculo existente. Como se ha señalado, la electrificación de las redes se ha traducido en la coexistencia de cinco sistemas eléctricos diferentes. España y Portugal, Finlandia e Irlanda no comparten la norma común respecto al ancho de vía. Los sistemas informáticos ferroviarios nacionales no estaban interconectados. Y, como quiera que el sistema de alta velocidad en el sistema ferroviario europeo ha roto los moldes, la Directiva relativa a la interoperabilidad del sistema ferroviario convencional se ha inspirado directamente en el de alta velocidad.

Todo lo anterior explica que la vocación de la Ley, así como los ejes de su reforma, se dirijan, primero, a la separación de las actividades de administración de la infraestructura y de explotación de los servicios y, segundo, a la progresiva apertura del transporte ferroviario a la competencia, sabiendo que la consecución de estos objetivos requiere la profunda modificación de las estructuras y funciones de los actuales agentes del sector ferroviario, así como la creación de otros nuevos que velen por la debida aplicación de la nueva normativa.

B. Respecto de los actores que habían de poner en marcha el ambicioso proyecto explicitado hay que hacer notar que las Directivas europeas hasta ahora señaladas venían marcadas por una cierta falta de sensibilidad respecto a las entidades o instancias comunitarias que habrían de llevarlas a cabo, ya que solamente contemplaban como actores a los Estados miembros, olvidando, por ejemplo, que más de la mitad de ellos poseen una estructura políticamente descentralizada (Reino Unido, Portugal, España, Bélgica, Finlandia, Alemania, Austria e Italia, y todo ello, tan sólo por el momento). Por lo tanto, era necesario plantearse cómo en las políticas transeuropeas de transporte han de encajarse las situaciones políticas propias de los Estados, y de aquellos otros llamados "fragmentos de Estado" según G. JELLINEK, que asumen responsabilidades políticas en la Unión respecto de sus Estados miembros y, en particular, respecto del mercado interior, la política regional, la cohesión económica y social, la política agrícola común, la de medio ambiente, la sociedad de la información, investigación tecnología, educación, medios de comunicación y cultura.

C. Respecto de la libertad de competencia también sería necesario anotar que el Tribunal Constitucional en la Sentencia recaída contra el recurso interpuesto a la Ley 16/1989 de Defensa de la Competencia (Sentencia 208/1999), se expresó reconociendo la competencia sobre la materia a las Comunidades autónomas; razón por la cual el Estado aprobó la Ley 1/2002, de coordinación de competencia del Estado y las Comunidades Autónomas, en materia de Defensa de la Competencia. La Sentencia había admitido la distinción en el sentido de que la legislación sobre la materia, de carácter sustantivo y procedimental se reduce en el ámbito de la competencia exclusiva estatal a la creación del Derecho sustantivo material, haciendo uso de las normas procedimentales, también estatales; sin embargo, correspondía a las Comunidades Autónomas que tenían atribuida la competencia en materia de comercio interior todo el amplio campo de la ejecución. Así, habrán de ser tenidas aquéllas en cuenta en todo lo que se refiera a la planificación de las infraestructuras, y a la planificación transfronteriza, aunque solamente sea para contrarrestar intereses muy localizados territorialmente, ya que, como se sabe, la infraestructura transeuropea tiende a alejarse del suelo.

D. Desde el punto de vista de la viabilidad económica potencial de los proyectos, según señalaba el Tratado de la Unión Europea, los proyectos han de tener viabilidad económica potencial para poder ser competitivos. Así lo decía el antiguo artículo 129. Ello viene a significar que las empresas no actúen en posiciones dominantes, o valiéndose de prácticas colusorias; pero, por otra parte, que los poderes públicos programen también las inversiones de acuerdo con criterios homogéneos. De esa forma, las infraestructuras no tenían por qué contradecir la libertad de competencia. Y, a la vez, ello resulta compatible con el establecimiento de obligaciones de servicio público cuando se trate de interés general, del medio ambiente, de la seguridad de las personas y de la seguridad de las prestaciones. Como se ha escrito en tantas ocasiones, la regulación de la competencia se basa en la actualidad en la separación de aquellas actividades que puedan llegar a ser competitivas, de aquellas otras que no lo serán nunca; lo que equivale a decir separar la infraestructura de los servicios que puedan prestarse a través de las redes. Si bien no cabe olvidar que la red y la infraestructura se necesitan mutuamente ya que aquélla es el factor que unifica el sector concreto, en este caso, transportes, empresas e infraestructuras, etc. Se trata, pues, de trazar el transporte ferroviario con líneas de tratamiento de mercado para que las empresas ferroviarias puedan ser administradas con las reglas que se aplican a cualquier sociedad mercantil; pasando todo lo referente a la infraestructura a ser contemplado como una cuestión de financiación de la misma, de planificación y de apertura a los distintos operadores.

E. Cualquier forma de introducción de la competencia puede ser contraria a la planificación; como señala DE LA CUÉTARA MARTÍNEZ, la planificación excesiva se opone a la introducción de las reglas del mercado y, aunque planificar es también atribuir recursos, esto es una tarea que realiza con eficiencia el mercado. Por tanto, allí donde actúe la competencia y una gran dinámica innovadora, habría de retirarse la planificación. Por esa razón, la doctrina ha reclamado que los planes directores de infraestructuras sean tratados de forma metódica, no oportunista, mediante un planteamiento de conjunto y un proceso de toma de decisiones que esté por encima de intereses muy localizados territorialmente. La infraestructura ha dejado de ser algo más que la ordenación del territorio y, en especial, en materia de transportes, la infraestructura ferroviaria se entiende como aquella que, alejada del suelo, que sólo constituye su soporte físico natural, es construida para dar soporte a los servicios que sobre ella han de prestarse.

F. La permanente idea del servicio de interés general y la utilidad pública de la infraestructura se encontraban ya en el artículo 160 de la Ley 13/1996, de 30 de diciembre, de medidas fiscales, administrativas y del orden social, expresamente derogada por la disposición derogatoria única de la Ley del Sector Ferroviario, en cuanto creaba la entidad Gestor de Infraestructuras Ferroviarias. Finalidad de aquélla era gestionar la red ferroviaria física y, como señalaba el propio precepto, aunque el gestor de infraestructuras atienda la señalización, las vías y se responsabilice de cuanto sea necesario para que los convoyes circulen, esa red física resulta inerte sin los servicios de transporte que otros definen y comercializan, es decir, sin los trayectos, horarios, vagones, etc. que conforman la red de comunicaciones ferroviarias. Todo lleva a pensar que la planificación de las infraestructuras no puede desentenderse de su gestión; gestión que se mide naturalmente por la necesidad de su utilización, y por el interés de los usuarios en sentido estricto, y de las empresas de poder utilizarlos a pleno rendimiento. De esa forma, en la planificación de la infraestructura reside no sólo su continuidad sino también su disponibilidad, a la vez que su carácter indicativo en muchas ocasiones. En las infraestructuras de ferrocarriles el mantenimiento de su rentabilidad dependerá del grado de interoperabilidad de las redes y de la integración de todos los sistemas de un conjunto. Así lo ha reconocido la Sentencia 245/2012, del Tribunal Constitucional, recalcando el criterio del interés general.

Las infraestructuras en red, como advierte DE LA CUÉTARA, no pueden ser vistas simplemente como obras públicas, ni soportan el régimen jurídico del dominio público, sino que están dominadas tan sólo parcialmente por la idea del servicio público y reguladas prácticamente a nivel europeo intentando hacerse paso a través del Derecho a la competencia, basándose funcionalmente a través de la distribución de los derechos de interconexión y acceso.

G. La variable ambiental de las infraestructuras ferroviarias. Si bien está defendiéndose que la planificación de las infraestructuras va más allá del urbanismo y de la ordenación del territorio, no puede defenderse que la planificación de las infraestructuras sea ajena al medio ambiente, a las cuestiones ambientales y a la salud humana. El Derecho europeo y el derecho interno establecen unas marcadas orientaciones ambientales en las modalidades de transporte, en el sentido de que por razones del medio ambiente pueden impulsarse redes de transporte por ferrocarril, a la vez también que, razones ambientales, pueden ser título legítimo para imponer restricciones a las mismas en algunos casos. Piénsese que tan sólo razones ambientales son las que están obligando a derivar el transporte de mercancías por carretera hacia el ferrocarril a los efectos de evitar no sólo la contaminación por emisiones, sino también la contaminación sonora.

H. El Tribunal de Justicia de la Unión Europea se ha mostrado sensible con la necesidad de la liberalización del transporte, su interoperabilidad, y sus formas de gestión. Buena muestra son, entre otras, la Sentencia de 28 de febrero de 2013 (Asunto C-556/10), en la que hace hincapié en que la legislación europea se ha propuesto respetar y garantizar la facultad discrecional de los Estados miembros y de las empresas interesadas para adoptar diferentes tipos de modelos de organización, pero, a la vez, también pretendía asegurar un acceso equitativo y no discriminatorio a las infraestructuras; para ello, los Estados miembros han de adoptar las medidas necesarias para garantizar que las funciones de explotación de servicios y de administración de las infraestructuras estén distribuidas y orgánicamente diferenciadas. Muestra de ello han sido las sucesivas modificaciones del administrador de las infraestructuras ferroviarias y de la prestación de los servicios de transporte de ferrocarril por sociedades mercantiles estatales diferenciadas.

IV. LA FINANCIACIÓN DE LA CONSTRUCCIÓN DE LOS FERROCARRILES: VICARIA DE SU GESTIÓN

La introducción de la competencia en el sector del ferrocarril obliga a efectuar puntualizaciones sobre la teoría del dominio público.

Como está ocurriendo en muchos sectores, la gestión de la infraestructura es más trascendente que su construcción; por lo tanto su financiación está mediatizada por el sistema posterior de explotación. A los efectos de entrar en el mercado de la competencia no resulta importante si la financiación de la infraestructura, que ha sido pública, puede ser privada; pero los servicios que se presten podrán ser públicos o podrán ser privados, y esas prestaciones darán lugar a servicios distintos. Por esa razón, la infraestructura material se compadece difícilmente con el concepto de dominio público, puesto que la idea de afectación propia del mismo da lugar a una forma de propiedad poco compatible con la idea de la permanencia y de la finalidad del servicio, ya que lo necesario es la vinculación del mismo. Por razones de seguridad jurídica, el bien soporte físico de la infraestructura ha de estar sometido a una estabilidad, pero incluso su gestión ha de tener un cierto carácter empresarial, en el sentido de señalar claramente cuáles son los bienes esenciales necesarios para su subsistencia y cuáles son aquellos otros que por su carácter comercial o mercantil, o incluso negocial, pueden colaborar a las contraprestaciones de financiación del servicio, o servir como ayudas de los Estados a la infraestructura, siempre que esta utilización quede abierta a todos los usuarios potenciales sin discriminación; por supuesto, este tipo de inversión no tiene por qué venir a distorsionar la libertad de competencia.

Sin embargo, para abrir a la competencia el sector del ferrocarril existen dificultades tanto económicas como técnicas y jurídicas. Puesto que las redes comunitarias eran monopolísticas, existe la dificultad de adecuar tales monopolios a unos sistemas de prestación de servicios intermodales.

Hasta la ruptura del concepto de servicio público, ahora denominado obligaciones de servicio público, ha resultado trascendente. Los retos con que se encuentra el legislador para el sector de los ferrocarriles son los siguientes.

Cualquier política de acceso del ferrocarril al mercado y a la libre competencia pasa por la eliminación de los monopolios, por la introducción del capital privado, tanto en la creación de infraestructuras como en su explotación, por la eliminación de las subvenciones o de cualquier otro sistema de tarifas que no cubran los costes, así como por la apertura del acceso al mercado de todos los explotadores.

La búsqueda del sector privado, en especial de la financiación privada, pasa porque los Estados miembros acudan al mercado de capitales, separen la construcción de la explotación a nivel de cualquier técnica, como la concesional, y la encarguen a los operadores, mediante cualquier forma de las existentes en el sector privado, incluso la denominada encomienda de gestión.

Cuestión distinta es cómo se armoniza el servicio público con las técnicas de financiación privada, y todo ello en conjunto, con las subvenciones públicas que pueden ser tolerables desde el Derecho comunitario. El Tratado, en su antiguo artículo 154 (ahora artículo 170 del Tratado de Funcionamiento de la Unión Europea), exigía unas reglas muy concretas para la contratación y para las inversiones públicas, como forma de garantizar la libertad de acceso.

Las Instituciones europeas han estado remisas en la búsqueda de soluciones comunitarias para las redes de transporte ya que sólo les ha preocupado en el sentido en que les preocupaban las políticas ambientales. La propia Comisión ha sido compelida por el Grupo de alto nivel sobre las asociaciones público-privadas para la financiación de proyectos de redes transeuropeas de transporte, en el sentido de que es necesario eliminar la inseguridad jurídica que todavía permanece respecto a las inversiones privadas en la financiación pública para el acceso a las infraestructuras.

Las Directivas sobre los derechos de acceso, adjudicación de capacidad de infraestructura, tarifación y sistema de cánones, 12 y 14 de 2001, fueron la respuesta. Las Directivas exigen que las empresas tengan un estatuto independiente, patrimonio, presupuestos y contabilidad separada. El administrador será responsable de la gestión, de la administración y del control interno. Pero el poder público se reserva el control de la seguridad de utilización de las infraestructuras y las medidas para el desarrollo de las mismas.

La separación entre gestión de infraestructuras, explotación de los servicios, clasificaciones y separación contable, discriminación de los servicios de transporte de viajeros y mercancías, y creación del organismo regulador de la competencia son cuestiones que afectan a los poderes públicos. En el fondo, resulta obligada para las empresas realizar balances de pérdidas y ganancias.

A. Las ayudas estatales a la financiación pública de infraestructuras pueden ser legítimas en tanto en cuanto sean compatibles con los artículos 101 a 107, incluido el artículo 93, del TFUE.

El régimen instituido en estos artículos permite las ayudas que suponen un reequilibrio en los proyectos importantes y compatibles con el interés público y el desarrollo de determinadas actividades y regiones, así como las ayudas de ordenación del transporte. A criterio de la Comisión, son incompatibles con el mercado común, las ayudas en la medida que afecten a los intercambios comerciales entre Estados, y las ayudas otorgadas por los Estados miembros o mediante fondos estatales bajo cualquier forma que falseen o amenacen falsear la competencia favoreciendo a determinadas empresas o producciones. De la jurisprudencia del Tribunal de Justicia ha de entenderse que la característica fundamental del término empresa es la de desarrollar una actividad económica; así, los usuarios de las infraestructuras de transporte responden plenamente a la definición de empresa entendida como la entidad que opera en el mercado competitivo. El administrador de infraestructuras de transporte público o privado que no sea una Administración pública responderá siempre a tal definición.

La ayuda a la inversión, suministrada a determinado administrador de infraestructura, debería calificarse como compatible con el Tratado en la medida en que sea necesaria para poder admitir la realización del proyecto de la actividad correspondiente y siempre que no distorsione la competencia de forma contraria al interés común. Ahora bien, cuanto más se liberaliza un sector, menos necesaria será la ayuda del Estado a las empresas para la ordenación del transporte; por tanto, las ayudas del Estado para el desarrollo de una empresa no se ven afectadas por el artículo 93, sino por la letra c) del apartado 3 del artículo 107 del TFUE, que dispone que la Comisión podrá autorizar las ayudas concedidas con objeto de facilitar el desarrollo de determinadas actividades o de determinadas regiones económicas, siempre que no alteren las condiciones de los intercambios en forma contraria al interés común. En resumen, si un Estado proyectase la infraestructura junto con un privado, puede considerarse acorde con el Derecho comunitario cuando exista una licitación pública entre competidores, de forma que la ayuda llegue a ser la misma, al estilo del Reglamento 2236/1995 del Consejo, para ayudas comunitarias financieras en el marco de las redes transeuropeas.

Otra cosa es la rectificación que se ha efectuado a través del Tribunal de Justicia respecto de la decisión de la Comisión de 1996, sobre los servicios de interés general en Europa; puesto que aquellos se habían convertido en derechos sociales que permiten el acceso de los ciudadanos a los servicios universales de interés general, se permiten determinadas compensaciones como contrapartida de obligaciones de servicio público, limitándose la compensación al coste (STJCE de 24 de julio de 2003).

El Reglamento 1370/2007, CE, establece los criterios en materia de adjudicación de contratos de servicio público de transporte de viajeros por ferrocarril, carreteras y de vías navegables, es sabido que apuesta por la llamada competencia regulada o competencia controlada, camino intermedio entre el mercado cerrado y la desregulación absoluta, para permitir los objetivos del servicio público. El Reglamento, que modificó el existente 1191/1969, y que fue propuesto por el Parlamento Europeo y por el Consejo el 21 de febrero de 2002 se basa en los siguientes criterios. En primer lugar, en el fomento de la utilización de formas de transporte sostenibles, reconociendo que muchos servicios de transporte socialmente necesarios se encuentran actualmente ante la imposibilidad de operar con arreglo a unos criterios comerciales. Para ello, se introducen criterios y mecanismos de forma que los Estados miembros puedan tener la posibilidad de intervenir, con el fin de garantizar la prestación de los servicios, a través de la conclusión de contratos de servicio público con los operadores y establecer los mecanismos para conseguir la garantía de prestación de los servicios públicos de transporte de viajeros a través de la concesión de derechos exclusivos y compensaciones financieras a los operadores, y la fijación de normas generales para el reordenamiento de los transportes públicos aplicables, también, a todos los operadores. De esa manera, se retoca la opinión de la Comisión que sabe que las autoridades de los Estados miembros prestan servicios de transporte público de viajeros de diferentes formas, bien de forma directa, bien de forma indirecta, mediante empresas bajo su control o bien encomendando su prestación a terceros, públicos o privados. Lo importante, más que la forma de prestar el servicio, es que las autoridades garanticen que sus actos se ajusten a las normas y principios del Tratado encaminados a asegurar la igualdad de trato y la competencia leal entre empresas.

El citado Reglamento 1370/2007, CE, se encuentra en fase de modificación en el año 2013, a propuesta de la Comisión, a punto ya de culminarse la total liberalización del transporte por ferrocarril.

También se introduce el criterio de que las exigencias de protección medioambiental han de ser integradas en la aplicación del Reglamento para garantizar que, al evaluar la adecuación de las redes de servicios públicos de transporte de viajeros, se tengan en cuenta los factores ambientales, incluidos la utilización racional de la energía y las normas y reglas locales nacionales e internacionales. Especialmente las relativas a la contaminación atmosférica, al ruido, y a los gases de efecto invernadero.

Así pues, como alternativa a la liberalización, las autoridades competentes han de aplicar una llamada competencia controlada para los servicios de interés económico general que puede consistir en la existencia de competencia para la concesión de derechos exclusivos, o en la asignación de tareas específicas a operadores de titularidad pública, o en un contexto en el que otros operadores puedan también prestar sus servicios pero en la que todos están obligados por unos requisitos de calidad de integración. Conviene advertir que, en los términos de la propuesta de Reglamento, contrato de servicio público es todo acuerdo jurídicamente vinculante entre una autoridad competente y un operador para el cumplimiento de obligaciones de servicio público. Obligación de servicio público es el requisito fijado por una autoridad competente con el fin de garantizar unos servicios públicos de viajeros adecuados. Todo ello, sin olvidar que el concepto de concesión de servicio público en relación con el transporte público de viajeros es el siguiente: una concesión es otorgar a un operador el derecho a explotar un servicio particular que va asociado a un riesgo económico.

Este es el contexto en el que se encontraba la Ley 39/2003, del Sector Ferroviario, que, según su disposición derogatoria, procede a derogar de la Ley 16/1987, de Ordenación de los transportes terrestres, la sección segunda del capítulo II, y los capítulos III, IV, y V del Título VI; el artículo 74 de la Ley 42/1994 30 de diciembre, de Medidas fiscales, administrativas y de orden social; y los artículos 160 y 161 de la Ley 13/1996, de 30 de diciembre, de Medidas fiscales administrativas y del orden social, además del artículo 104 de la Ley 66/1997, de 30 de diciembre, de Medidas fiscales, administrativas y del orden social. Contrariamente, la Ley 39/2003 no incluyó referencias a la Ley 13/2003, reguladora del contrato de concesión de obras públicas, que introdujo su regulación en el entonces vigente Texto Refundido de la Ley de Contratos de las Administraciones Públicas de 2000, hoy derogado por la Disposición final 32 de la Ley 2/2011, de 4 de marzo, de Economía Sostenible, rigiendo el Texto Refundido de la Ley de Contratos del Sector Público, aprobado por Real Decreto Legislativo 3/2011, de 14 de noviembre. De esa forma se crea la incertidumbre acerca de su aplicación, en especial, en aquellos aspectos del dominio público que la Ley 13/2003 trata con menor rigidez (zonas complementarias de explotación comercial) y que pueden ser útiles cara a la financiación privada de infraestructuras ferroviarias.

V. RÉGIMEN JURÍDICO DE LAS INFRAESTRUCTURAS FERROVIARIAS

Antes de referirnos en toda su extensión al enunciado de este epígrafe, debemos tener presente que el análisis de esta cuestión deberá hoy hacerse, obviamente, en clave europea, lo cual nos obligará a determinar el concepto de "infraestructura ferroviaria", así como a establecer también cuál es el régimen jurídico de los bienes que integran aquélla.

En el supuesto de los ferrocarriles, el carácter de dominio público se predica de los bienes inmediatamente afectos al funcionamiento de dicho servicio público (cuyo fundamento legal lo constituía el artículo 7 de la Ley General de Ferrocarriles de 1877) sin distinguir entre la gestión directa o la concesión para su explotación, ya que en ambos supuestos, el dominio público de las líneas es indiscutible.

Esta distinción entre el dominio y el servicio (la afectación a este último justifica la naturaleza pública de aquél) sirve, como afirma GARRIDO FALLA para desechar la idea de que estamos ante bienes afectos al uso de todos.

Ciertamente, ha existido una innata predisposición en calificar como demaniales las infraestructuras ferroviarias (vías férreas, andenes, etc.), aunque fuese por asimilación con las carreteras en tanto que soportes de transportes. Si bien la cuestión no ha sido pacífica y desde luego, la legislación poco nos ha ayudado a clarificar el tema, que desde el siglo pasado hasta fechas recientes resulta un tanto confusa.

Podemos recordar como la centenaria Ley General de Ferrocarriles de 1877 (vigente hasta que se promulgó la LOTT de 1987) calificaba a éstos como bienes de dominio público, aunque también era posible la propiedad privada de los terrenos y de las vías por los propios concesionarios; no empleándose por tanto, aquella calificación con el rigor exigible hoy. Circunstancia que no varió con ocasión de la Ley de Bases de Ordenación Ferroviaria de 1941, que no determinó la naturaleza jurídica de un hipotético demanio ferroviario. Los ferrocarriles pasaron a la esfera pública, pero su naturaleza como bienes demaniales o patrimoniales permaneció durante decenios sin clarificar, de manera que ante tal imposibilidad había que, tal como indicó BERMEJO VERA, poner el énfasis en las peculiaridades del patrimonio ferroviario como conjunto más o menos amplio y variado de bienes muebles e inmuebles adscrito a un servicio público y sometido a un régimen jurídico especial y específico para su utilización y protección.

Esta situación jurídica finalizó con la reforma del transporte terrestre llevada a cabo a partir de 1987, con la aprobación de la LOTT y las correspondientes normas reglamentarias de desarrollo.

Así, la LOTT en su artículo 184, despejó definitivamente la posición jurídica concreta de RENFE respecto al conjunto de bienes adscritos al servicio, y dispuso: "se incorporarán al patrimonio de RENFE todos los bienes muebles e inmuebles adscritos a las líneas ferroviarias de titularidad estatal que la misma haya de explotar, excepto los terrenos de dominio público por los que discurra la línea a otros bienes inmuebles que resulten permanentemente necesarios para la prestación del servicio y respecto de los cuales se realice expresamente su afectación demanial, que seguirán perteneciendo al Estado, si bien su utilización y administración corresponderá a RENFE".

Como es sabido, el precepto indicado *supra* está en la actualidad derogado así como también los arts. 30 a 37 del Estatuto de RENFE, integrado hoy en ADIF (Real Decreto 2395/2004, de 30 de diciembre, por el que se aprueba el Estatuto de la entidad pública empresarial ADIF) (Disposición Derogatoria Única LSF), de manera que para saber qué bienes forman parte de esa categoría de bienes de dominio público hemos de acudir al art. 24.3 LSF, donde se indica que: "son bienes de dominio público todas las líneas, los terrenos por ellas ocupados y las instalaciones que se realicen íntegramente en la zona de dominio público", expresándose en iguales términos el art. 3.5 del Reglamento del Sector Ferroviario."

Por tanto, son demaniales según el mencionado precepto de la Ley del Sector Ferroviario:

a) Las líneas ferroviarias

b) Los terrenos por los que se discurren dichas líneas, y de acuerdo con el art. 25 del Reglamento de desarrollo de la LSF, de 2004, también una franja de terreno de ocho metros a cada lado de la plataforma.

En los casos de puentes, viaductos, estructuras u obras similares, se podrán fijar como aristas exteriores de la explanación con líneas de proyección vertical del borde de las obras sobre el terreno, siendo, en todo caso, de dominio público el terreno comprendido entre las referidas líneas (art. 25.1. párrafo 3 RSF)

En los túneles, la determinación de la zona de dominio público se extenderá a la superficie de los terrenos sobre ellos necesarios para asegurar la conservación y el mantenimiento de la obra, de acuerdo con las características geotécnicas del terreno, su altura sobre aquellos y la disposición de sus elementos, tomando en cuenta circunstancias tales como su ventilación y sus accesos (art. 25.1 párrafo 4RSF).

c) Las instalaciones que se realicen íntegramente en la zona de dominio público.

A todo ello, hay que añadir de una parte, lo preceptuado por el art. 7.2 del Estatuto de ADIF cuando dispone que "en la zona de protección hasta la línea límite de edificación, el ADIF podrá solicitar al Ministerio de Fomento la expropiación de bienes que pasarán a terne la consideración de dominio público (...)", y de otra, son también de dominio público los bienes que resulten necesarios para la prestación de los servicios de interés general de acuerdo con el art. 31 Estatuto de ADIF a *sensu* contrario.

En definitiva, tres criterios heterogéneos pero vinculados a la misma finalidad, sirven para calificar determinados bienes del Estado como demaniales por su afectación al servicio ferroviario.

Llegados a este punto, en la actualidad, con el texto de la LSF y del Reglamento de desarrollo y a la vista de la normativa comunitaria, debemos referirnos al concepto "infraestructura ferroviaria".

La LSF de 2003 define en su artículo 3 el término "Infraestructura ferroviaria", que introdujo el artículo 4.2 del Estatuto del ente Gestor de Infraestructura Ferroviaria (GIF), tomándolo básicamente de la definición dada por el Reglamento (CEE) nº 2598/70 de la Comisión de 18 de diciembre de 1970, de forma que "a los efectos de esta Ley, se entenderá por infraestructura ferroviaria la totalidad de los elementos que formen parte de las vías principales y de las de servicio y los ramales de desviación para particulares, con excepción de las vías situadas dentro de los talleres de reparación de material rodante y de los depósitos o garajes de máquinas de tracción. Entre dichos elementos se encuentran los terrenos, las estaciones, las terminales de carga, las obras civiles, los pasos a nivel, las instalaciones vinculadas a la seguridad, a las telecomunicaciones, a la electrificación, a la señalización de las líneas, al alumbrado y a la transformación y el transporte de la energía eléctrica, sus edificios anexos y cualesquiera otros que reglamentariamente se determinen" (asimismo art. 3 Reglamento del Sector Ferroviario de 2004).

Si bien advertimos como el Reglamento comunitario citado es algo más detallado al establecer que la infraestructura ferroviaria se compone de los elementos siguientes, siempre que formen parte de las vías principales y de las vías de servicio, con excepción de las que están situadas en el interior de los talleres de reparación del material o de los depósitos o garajes de máquinas de tracción, así como de los ramales de desviación para los particulares:

"– Terrenos;
– Obras de explotación y plataformas de la vía, especialmente terraplenes, trincheras, drenajes, reservas, alcantarillas de albañilería, acueductos muros de revestimiento, plantaciones de protección de taludes, etc.; andenes de viajeros y de mercancías; paseos y viales; muros de cierre, setos y vallas; bandas protectoras contra el fuego; dispositivos para el calentamiento de los aparatos de vía; paranieves;
– Obras civiles, puentes, tajeas y otros pasos superiores, túneles, trincheras cubiertas y demás pasos inferiores, muros de sostenimiento y obras de protección contra las avalanchas, desprendimientos, etc.
– Pasos a nivel, incluyendo las instalaciones destinadas a garantizar la seguridad de la circulación por carretera;
– Superestructuras, especialmente: carriles, carriles con garganta y contrarraíles; traviesas y longrinas, material diverso de sujeción, balasto, incluyendo la gravilla y la arena; aparatos de vía; placas giratorias y carros transbordadores (con excepción de los exclusivamente reservados a las máquinas de tracción);
– Calzadas de los patios de viajeros y mercancías, comprendidos los accesos por carretera;
– Instalaciones de seguridad, de señalización y de telecomunicación de la vía, de estación y de estación de maniobras, incluidas las instalaciones de producción, de transformación y distribución de corriente eléctrica para el servicio de la señalización y las telecomunicaciones; edificios asignados a dichas instalaciones; frenos de vía;
– Instalaciones de alumbrado destinadas a asegurar la circulación de los vehículos y la seguridad de dicha circulación;
– Instalaciones de transformación y conducción de corriente eléctrica para la tracción de los trenes: estaciones, líneas de suministro entre las estaciones y tomas de contacto, catenarias y soportes; tercer carril y soportes;
– Edificios destinados al servicio de las infraestructuras, incluida la parte alícuota relativa a las instalaciones de percepción de los gastos de transporte".

A la vista de esta enumeración, ya sea la del artículo 3 LSF o la del Reglamento comunitario, es indistinto, se advierte que no estamos frente a un concepto reconducible a una categoría jurídica, sino que más bien nos hallamos ante una relación de bienes que han de hacer posible el tráfico ferroviario, y que son bienes inmuebles. Así, se pone de manifiesto la distinción entre administrador de infraestructuras y empresa ferroviaria, en definitiva, el acotamiento de las infraestructuras ante el nuevo escenario europeo.

Dicho esto, del conjunto de bienes que integran las infraestructuras ferroviarias, la actual LSF sólo declara expresamente como bienes de dominio público "todas las líneas, los terrenos por ellas ocupados y las instalaciones que se realicen íntegramente en la zona de dominio público", según prescribe el artículo 24.3 LSF.

Finalmente, quisiéramos traer aquí a colación cómo la entidad ADIF será titular de todos los bienes de dominio público o patrimoniales que en la fecha de entrada en vigor de la LSF (mayo de 2004), tenga adscritos o pertenezcan al GIF (Disposición adicional segunda LSF); ahora bien, cabe destacar que en el Estatuto del GIF no se llevaba a cabo ninguna calificación de los bienes que integran las infraestructuras ferroviarias, únicamente en el artículo 160 de la Ley 13/1996, de 30 de diciembre, se establecía que "recibiría en adscripción cuantos bienes de dominio público sean necesarios para el cumplimiento de sus fines" (apartado tres, artículo 160), adscribiéndose también a su patrimonio, obras públicas y demás bienes que integran la infraestructura ferroviaria [artículo 160, apartado 4, letra f)].

En definitiva, pese a que el dominio público se ha utilizado con toda normalidad para calificar a las infraestructuras, advertimos como hoy el régimen jurídico tradicional del dominio público resulta difícilmente compatible con las necesidades de regulación de las infraestructuras. Así, la prohibición de comerciabilidad y la indisponibilidad de los bienes demaniales resultan inaplicables a las actuales infraestructuras, que deben ser susceptibles de gravamen, de actos de disposición, por consiguiente, difícilmente le puede ser aplicable la tradicional "protección" del dominio público. Dicho sea sólo de paso, el Texto Refundido de la Ley de Contratos del Sector Público de 2011, suaviza el sistema petrificado del dominio público, permitiendo, por ejemplo, zonas complementarias de explotación comercial (establecimientos de hostelería, estaciones de servicio, zonas de ocio, estacionamientos, locales comerciales) incluidas en la obra pública que servirán de retribución al concesionario, que las explotará conjuntamente con aquélla, directamente o a través de terceros, en los términos establecidos en el pliego de la concesión (art. 248).

Por contra, sí opera la denominada "protección indirecta" de, en este caso, las infraestructuras ferroviarias, mediante el establecimiento de una serie de limitaciones impuestas a los terrenos inmediatos al ferrocarril, y que a continuación vamos a ver.

VI. POLICÍA DE FERROCARRILES

1. Marco introductorio

El régimen de policía de ferrocarriles venía recogido con anterioridad a la LOTT, en la Ley General de Ferrocarriles de 23 de noviembre de 1877, que aquélla vino a derogar habida cuenta el carácter obsoleto de la misma a la vista de los profundos cambios sufridos en la realidad ferroviaria.

La regulación de la policía de ferrocarriles contenida en la LOTT, concretamente en su capítulo IV del Título VI, y desarrollada por el Título VIII del Reglamento de desarrollo de la LOTT (ROTT de 1990), tenía por objeto lograr una eficaz prestación del servicio ferroviario y una protección adecuada del interés público.

Así, bajo la rúbrica "Limitaciones generales" disponía que eran aplicables a los ferrocarriles las normas y disposiciones relativas al uso y defensa de las carreteras contenidas en la Ley 25/1988 —referencia que hoy no se recoge en la Ley de Sector Ferroviario— y que tuviesen por objeto:

a) La conservación de la vía, sus elementos, obras de fábrica e instalaciones de cualquier clase necesarias para la explotación.

b) Las limitaciones impuestas en relación con los terrenos inmediatos al ferrocarril, según sean zonas de dominio público, servidumbre o afectación, comenzándose a contar la correspondiente distancia, a partir de los carriles exteriores de la vía.

c) Las prohibiciones que tiendan a evitar toda clase de daño o deterioro de las vías o riesgo o peligro para las personas.

d) Las prohibiciones necesarias para no interrumpir el libre tránsito.

Por tanto, en lo no previsto en la LOTT y en las disposiciones reglamentarias sobre policía ferroviaria, era de aplicación la Ley de Carreteras de 1988. No obstante, la LOTT disponía que "cuando la especificidad del transporte ferroviario así lo haga necesario, podrán establecerse reglamentariamente las modificaciones o adiciones que resulten precisas al referido régimen de carreteras, con el fin de adaptarlo a la especial naturaleza o a las diferentes necesidades del transporte ferroviario" (art. 168.2 ROTT).

De ahí que, en cumplimiento de ello, el Reglamento de la LOTT efectuase un amplio desarrollo de la política relativa a la policía de ferrocarriles que, por lo que se refiere a las limitaciones impuestas a los terrenos inmediatos al ferrocarril se tradujo en el establecimiento de las siguientes zonas: "zona de dominio público", "zona de servidumbre" y "zona de afección", que vendrían respectivamente a equivaler a las actuales "zona de dominio público", "zona de protección", y "límite de edificación" de la actual Ley del Sector Ferroviario y su Reglamento de desarrollo de 2004, y cuyo régimen legal vamos a ver seguidamente.

2. Contenido de las "Limitaciones a la propiedad" establecidas por la Ley del Sector Ferroviario de 2003 y Reglamento de desarrollo de 2004. Condicionantes de la clasificación y calificación urbanística

La LSF recurre, igual que la Ley de Carreteras de 1988, al sistema tradicional de establecer sucesivas franjas de terreno paralelas al trazado de las líneas ferroviarias en las que los usos del suelo y demás actividades se someten a autorización administrativa.

Asimismo, hay que tener presente que la profundidad de todas estas bandas se mide desde la "arista exterior de la explanación", la cual es la intersección del talud del desmonte, del terraplén o en su caso, de los muros de sostenimiento colindante con el terreno natural (al respecto ver el dibujo que se adjunta al final del trabajo), y, concretamente "en las líneas ferroviarias que formen parte de la Red Ferroviaria de Interés General", y sólo en éstas se establecen las denominadas "zona de dominio público", "zona de protección" y "límite de edificación" (artículos 13, 14 y 16 LSF, respectivamente; arts. 25, 26 y 34 RSF).

Estableciéndose también, expresa previsión sobre la necesaria coordinación entre los órganos de la Administración del Estado con competencias en relación con las zonas de dominio público, de protección y límite de edificación y otros órganos de la misma Administración u otras Administraciones con competencias en relación con terrenos que merezcan una especial salvaguarda (artículo 12, párrafo 2º LSF).

Pero veamos cuál es el contenido de las limitaciones impuestas por la actual Ley del Sector Ferroviario y el Reglamento de desarrollo de 2004, que en caso de laguna legal o reglamentaria en materia de policía de ferrocarriles continua previendo la aplicación subsidiaria de las disposiciones reguladoras de las carreteras (Disposición Adicional Segunda RSF). Recordando que se configura un régimen que se superpone al urbanístico, y que tiene una determinada categorización desde este último punto de vista, a la que también nos referiremos.

A) Zona de dominio público (artículos 13, 15 y 18 LSF; 25,28 RSF)

Esta zona abarca los terrenos ocupados por las líneas ferroviarias que formen parte de la Red Ferroviaria de Interés General, así como una franja de terreno de 8 metros de anchura a cada lado de la plataforma, medida en horizontal y perpendicularmente al eje de la misma, desde la arista exterior de la explanación (ver dibujo adjunto al final del trabajo). En todo caso se entiende por explanación, la superficie de terreno en la que se ha modificado la topografía natural del suelo y sobre la que se encuentra la línea férrea, se disponen sus elementos funcionales y se ubican sus instalaciones, siendo la arista exterior de ésta la intersección del talud del desmonte, del terraplén, o en su caso, de los muros de sostenimiento colindantes con el terreno natural (art. 25.1 párrafo 2 RSF).

En relación con esta zona de dominio público ferroviario, cabe decir que, tratándose de un bien demanial, los terrenos ocupados por ella deben calificarse como sistema general ferroviario o equivalente [arts. 71 y 10.1 LSF, en relación con los arts. 12.1.b) del TRLS de 1976 y 25.b) del Reglamento estatal de planeamiento de 1978] y, de otra, que a pesar de la compatibilidad que tienen los sistemas generales con cualquier régimen clasificatorio, como regla general, éstos están clasificados como suelo no urbanizable o rural o, al menos, tener una clasificación y calificación urbanística que "no impidan o perturben el ejercicio de las competencias atribuidas al administrador de infraestructuras ferroviarias" (art. 7.1 LSF).

Cuando se trate de túneles, la determinación de la zona de dominio público se extenderá a la superficie de los terrenos necesarios para asegurar la conservación y el mantenimiento de la obra, de acuerdo con las características geotécnicas del terreno, su altura sobre aquellos y la disposición de sus elemento, tomando en cuenta circunstancias tales como su ventilación y sus accesos (artículo 13.4 LSF).

En el caso de puentes, viaductos, estructuras u obras similares, la LSF dice que se podrán fijar como aristas exteriores de la explanación, las líneas de proyección vertical del borde de las obras sobre el terreno, siendo, en todo caso, de dominio público el terreno comprendido entre las referidas líneas.

Asimismo, el art. 25.1 párrafo 5 RSF añade que "siempre que se asegure la conservación y mantenimiento de la obra, el planeamiento urbanístico podrá diferenciar la calificación urbanística del suelo y el subsuelo, otorgando, en su caso, a los terrenos que se encuentren en la superficie calificaciones que los hagan susceptibles de aprovechamiento urbanístico". Lo cual va a suponer posibilidades clasificatorias distintas de las de suelo no urbanizable o rústico.

En suma, la determinación de esta zona de dominio público por la LSF ha venido a reproducir lo que indicaba ya la LOTT.

Asimismo, cabe destacar que de acuerdo con el artículo 15.5 LSF vía Reglamento (Art. 27), podrá reducirse la distancia de 8 metros que se prevé para esta zona de dominio público, en función de las características técnicas de la línea ferroviaria de que se trate y de las características del suelo por el que discurra la línea. Así, será de cinco metros, en el segmento de suelo clasificado como urbano consolidado por el correspondiente planeamiento urbanístico, reducción que el Ministerio de Fomento podrá acordar siempre que se acredite la necesidad de la misma, y no se ocasione perjuicio a la regularidad, conservación y el libre tránsito del ferrocarril sin que, en ningún caso, la correspondiente a la zona de dominio público, pueda ser inferior a dos metros.

En cuanto a los *usos permitidos* en esa zona de dominio público, hay que tener en cuenta que para cualquier tipo de obras o instalaciones fijas o provisionales, para cambiar el destino de las mismas o el tipo de actividad que se puede realizar en ellas, y para plantar o talar árboles, se requerirá la previa autorización del administrador de infraestructuras. Autorización que se entiende puede concurrir con cualquier otra derivada del ejercicio de competencias de otras Administraciones (artículo 15.1 LSF). Previsión la aquí recogida que se aplica también para la zona de protección (art. 28.1 RSF).

En cualquier caso, la autorización para realizar obras o actividades en las zonas de dominio público y protección podrá recoger las medidas de protección que considere pertinentes en cada caso (...) (art. 30.1 RSF), pero en particular se observarán una serie de normas, que recoge el art. 30.2 RSF:

> *a) Plantaciones de arbolado. Queda prohibida la plantación de arbolado en zona de dominio público, si bien podrá autorizarse en la zona de protección siempre que no perjudique la visibilidad de la línea férrea y de sus elementos funcionales, ni origine inseguridad vial en los pasos a nivel. El administrador de infraestructuras ferroviarias podrá ordenar su tala, no obstante, si, por razón de su crecimiento o por otras causas, el arbolado llegase a determinar una pérdida de visibilidad de la línea ferroviaria o afectase a la seguridad vial en pasos a nivel.*
>
> *b) Talas de arbolado. Las talas de arbolado se autorizarán, exclusivamente, en la zona de protección y se denegarán sólo cuando la tala pueda perjudicar la infraestructura ferroviaria por variar el curso de las aguas, por producir inestabilidad de taludes o por otras causas que lo justifiquen.*
>
> *c) Tendidos aéreos. No se autorizará el establecimiento de nuevas líneas eléctricas de alta tensión dentro de la superficie afectada por la línea límite de edificación. Las líneas eléctricas de baja tensión, las telefónicas y las telegráficas podrán autorizarse en la zona de protección siempre que la distancia del poste a la arista de pie de terraplén o de desmonte no sea inferior a vez y media su altura. Esta distancia mínima se aplicará también a los postes de los cruces a distinto nivel con líneas eléctricas. En el caso de cruces a distinto nivel con líneas eléctricas, el gálibo fijado será suficiente para garantizar, entre la línea ferroviaria, electrificada o no, y la línea eléctrica con las que se cruce, el cumplimiento de las condiciones establecidas en la reglamentación de líneas eléctricas de alta y baja tensión. Las torres precisas para la prestación de*

servicios de telecomunicaciones por las empresas habilitadas para ello, podrán ser instaladas, previa autorización del administrador de infraestructuras ferroviarias, dentro de la zona de dominio público y de protección siempre que la distancia mínima entre la base de la infraestructura y la arista exterior de la plataforma sea superior a una vez y media la altura de aquellas.

d) Conducciones subterráneas. Queda prohibida su construcción en la zona de dominio público salvo que, excepcionalmente y de forma justificada, no existiendo otra solución técnica factible, se autoricen para la prestación de un servicio de interés general, como la travesía de poblaciones. Asimismo, cuando no exista alternativa de trazado, se podrán autorizar en la zona de protección, las conducciones subterráneas correspondientes a la prestación de servicios públicos de interés general y las vinculadas a éstos, situándolas, en todo caso, lo más lejos posible de la línea ferroviaria.

e) Obras subterráneas. Dentro de la zona de protección, no se autorizarán las obras que puedan perjudicar el ulterior aprovechamiento de la misma para los fines a que está destinada.

f) Cruces subterráneos. Las obras correspondientes se ejecutarán de forma que produzcan las menores perturbaciones posibles a la circulación, dejarán la explanada y la vía en sus condiciones anteriores, y tendrán la debida resistencia, fijándose, por el administrador de infraestructuras ferroviarias, la cota mínima de resguardo entre la clave del paso subterráneo y la rasante de la plataforma ferroviaria. Salvo justificación suficiente, no se autorizarán cruces a cielo abierto en la Red Ferroviaria de Interés General, debiéndose efectuar el cruce mediante mina, túnel o perforación mecánica subterránea. También se podrán utilizar para el cruce las obras de paso o desagüe de las líneas ferroviarias, siempre que se asegure el adecuado mantenimiento de sus condiciones funcionales y estructurales.

g) Cerramientos. En el área delimitada por la zona de dominio público y la línea límite de edificación sólo se podrán autorizar cerramientos totalmente diáfanos sobre piquetes sin cimiento de fábrica. Los demás tipos de cerramientos sólo se autorizarán exteriormente a la línea límite de edificación. La reconstrucción de cerramientos existentes se hará con arreglo a las condiciones que se impondrían si fueran de nueva construcción, salvo las operaciones de mera reparación y conservación. Cuando resulte necesario el retranqueo de cerramientos por exigencias derivadas de la construcción de nuevas vías u otros motivos de interés público, se podrán reponer en las mismas condiciones existentes antes de la formulación del proyecto de obra, en cuanto a su estructura y distancia a la arista exterior de la explanación, garantizándose, en todo caso, que el cerramiento se sitúa fuera de la zona de dominio público y que no resultan mermadas las condiciones de visibilidad y seguridad de la circulación ferroviaria.

h) Urbanizaciones y equipamientos públicos, como hospitales, centros deportivos docentes y culturales, colindantes con la infraestructura ferroviaria. Además de cumplir las condiciones que, en cada caso, sean exigibles según las características de la instalación, las edificaciones deberán quedar siempre en la zona de protección sin invadir la línea límite de edificación. Dentro de la superficie afectada por dicha línea no se autorizarán más obras que las necesarias para la ejecución de viales, aparcamientos, isletas o zonas ajardinadas.

i) Instalaciones industriales, agrícolas y ganaderas. Además de las condiciones que, en cada caso, sean exigibles según las características de la explotación, se impondrán condiciones específicas para evitar las molestias o peligros que la instalación, o las materias de ella derivadas, puedan producir a la circulación, así como para evitar perjuicios al entorno medioambiental de la infraestructura ferroviaria. Si los su-

puestos previstos en los dos apartados precedentes dan lugar a tráfico por carretera, será obligatoria la construcción de un cruce a distinto nivel y, en su caso, la supresión del paso a nivel preexistente, cuando el acceso a aquellos conlleve la necesidad de cruzar la vía férrea. El coste de su construcción y, en su caso, supresión será de cuenta del promotor de las mismas. Para la construcción de un cruce a distinto nivel o para la supresión de uno preexistente, la entidad promotora presentará un proyecto específico con los accesos a la infraestructura ferroviaria, incluidos los aspectos de parcelación, red viaria y servicios urbanos que incidan sobre la zona de protección de la infraestructura ferroviaria.

j) Movimientos de tierras y explanaciones. Se podrán autorizar en la zona de protección, siempre que no sean perjudiciales para la infraestructura ferroviaria o su explotación.

k) Muros de sostenimiento de desmontes y terraplenes. Su construcción podrá ser autorizada dentro del tercio de la zona de protección más próximo a la zona de dominio público y también, con carácter excepcional, en la zona de dominio público siempre que quede suficientemente garantizado que la misma no es susceptible de ocasionar perjuicios a la infraestructura ferroviaria. En estos casos, se deberá presentar al administrador de infraestructuras ferroviarias, junto con la solicitud, un proyecto en el que se estudien las consecuencias de su construcción en relación con la explanación, la evacuación de aguas pluviales y su influencia en la seguridad de la circulación.

l) Pasos elevados. Los estribos de la estructura no podrán ocupar la zona de dominio público, salvo expresa autorización del administrador de infraestructuras ferroviarias. En líneas ferroviarias con vías separadas se podrán ubicar pilares entre ambas, siempre que la anchura de ésta sea suficiente para que no representen un peligro para la circulación, dotándolas, en su caso, de un dispositivo de contención de vehículos. El gálibo sobre la calzada, tanto durante la ejecución de la obra como después de ella, será fijado por el administrador de infraestructuras ferroviarias. Las características de la estructura deberán tener en cuenta la posibilidad de ampliación o variación de la línea ferroviaria en los próximos veinte años.

m) Pasos subterráneos. La cota mínima de resguardo entre la parte superior de la obra de paso y la rasante de la plataforma de la línea ferroviaria será fijada por el administrador de infraestructuras ferroviarias.

Las características de la estructura deberán tener en cuenta la posibilidad de ampliación o variación de la línea ferroviaria en los próximos veinte años.

n) Vertederos. No se autorizarán en ningún caso.

En todo caso, cualesquiera obras que se lleven a cabo en la zona de dominio público y también en la de protección, y que tengan por objeto salvaguardar paisajes o construcciones o limitar el ruido que provoca el tránsito por las líneas ferroviarias, serán costeadas por los promotores de las mismas (artículo 15.1, párrafo 2º LSF) (art. 28.2 RSF).

Ahora bien, no obstante lo dicho, y en este caso, **sólo para la zona de dominio público**, únicamente podrán realizarse obras o instalaciones en la zona de dominio público, previa autorización del Administrador de Infraestructuras Ferroviarias, cuando sean necesarias para la prestación del servicio ferroviario o bien cuando la prestación de un servicio de interés general así lo requiera. Excepcionalmente y por causas debidamente justificadas, podrá autorizarse el cruce de la zona de dominio público, tanto aéreo como subterráneo, por obras e instalaciones de interés privado (art. 25.2 RSF).

Finalmente, en las construcciones e instalaciones ya existentes podrán realizarse, exclusivamente, obras de reparación y mejora, siempre que no supongan aumento de volumen de la construcción y sin que el incremento de valor que aquéllas comporten puedan ser tenidas en cuenta a efectos expropiatorios. En todo caso, tales obras requerirán la previa autorización del Administrador de Infraestructuras Ferroviarias, sin perjuicio de los demás permisos o autorizaciones que pudieran resultar necesarios en función de la normativa aplicable.

B) Zona de protección (artículos 14, 15, 17 y 18 LSF) (arts. 26,27,28, 29, 30 RSF)

La zona de protección de la infraestructura ferroviaria, a diferencia de la anterior, pertenece al dominio privado y consiste en una franja de terreno a cada lado de la misma, delimitada interiormente por la zona de dominio público, a la que acabamos de hacer referencia, y exteriormente, por dos líneas paralelas situadas a 70 metros de las aristas exteriores de la explanación (al respecto ver dibujo al final del trabajo), según el artículo 14 LSF. Esta distancia se reducirá a 8 metros en el suelo clasificado como urbano consolidado por el correspondiente planeamiento urbanístico (artículo 15.6 LSF). Asimismo, reglamentariamente, esa distancia de 70 metros podrá variarse disminuyendo, en función de las características técnicas de la línea ferroviaria de que se trate, y de las características del suelo por el que discurra dicha línea (artículo 15.5 LSF).

En cuanto a los *usos permitidos* en la zona de protección, nos remitimos a lo indicado ya para la zona de dominio público donde expresamente ya señalamos lo que le era aplicable también a la zona de protección, pero además, hay que añadir que podrán realizarse en ese espacio "cultivos agrícolas, sin necesidad de autorización previa, siempre que se garantice la correcta evacuación de las aguas de riego y no se causase perjuicios a la explanación, quedando prohibida la quema de rastrojos" (artículo 15.3 LSF) (art. 26.3 RSF).

De otra parte, no podrán realizarse en la zona de protección obras, ni se permitirán más usos que aquellos que sean compatibles con la seguridad del tráfico ferroviario previa autorización, en cualquier caso, del administrador de infraestructuras ferroviarias. Éste podrá utilizar o autorizar la utilización de la zona de protección por razones de interés general o cuando lo requiera el mejor servicio de la línea ferroviaria y en particular podrá hacerlo para encauzar y canaliza aguas que ocupen o invadan la línea férrea; depositar temporalmente objetos o materiales apartándolos de la vía; almacenar temporalmente maquinaria, herramientas...; integrar, en zonas urbanas, el ferrocarril mediante obras de urbanización derivadas del desarrollo del planeamiento urbanístico, etc. (art. 26.2 RSF).

En cuanto en las construcciones e instalaciones ya existentes podrán exclusivamente realizarse obras de reparación y mejora, siempre que no impliquen aumento de volumen y sin que el incremento de valor que aquéllas comporten pueda ser tenido en cuenta a efectos expropiatorios, asemejándose a los supuestos de fuera de ordenación urbanística. En todo caso, tales obras requerirán autorización del administrador de infraestructuras ferroviarias que podrá establecer las condiciones en las que deban ser realizadas, sin perjuicio de los demás permisos o autorizaciones que puedan ser necesarios en función de la normativa aplicable, entre los que se encuentran las urbanísticas.

Serán indemnizables la ocupación de la zona de protección y los daños y perjuicios que se causen por su utilización, con arreglo a lo establecido en la Ley de 16 de diciembre de 1954, de Expropiación Forzosa, pero no cabe la indemnización por el simple establecimiento legal de esta servidumbre.

La denegación de la autorización deberá fundarse en las previsiones de los planes o proyectos de ampliación o variación de la línea ferroviaria en los diez años posteriores al acuerdo, tal como dispone el art. 15.2 in fine LSF.

En la zona de protección y hasta la línea límite de edificación, el Administrador de Infraestructuras Ferroviarias podrá solicitar al Ministerio de Fomento la expropiación de bienes que pasarán a tener la consideración de dominio público, entendiéndose implícita la declaración de utilidad pública y la necesidad de su ocupación, siempre que se justifique su interés para la idónea prestación de los servicios ferroviarios y para la seguridad de la circulación (art. 26.4 RSF).

Finalmente, y tanto para obras y actividades ilegales en zona de dominio público como en zona de protección, se prevé en el artículo 18 LSF y art. 3 RSF que:

> "1. Los Delegados de Gobierno, a instancia del Ministerio de Fomento o del administrador de infraestructuras ferroviarias, dispondrán la paralización de las obras o instalaciones y la suspensión de usos prohibidos, no autorizados o que no se ajusten

a las condiciones establecidas en las autorizaciones. Asimismo, se podrá proceder al precinto de las obras o instalaciones afectadas.

2. El Delegado del Gobierno interesará del Ministerio de Fomento o del administrador de infraestructuras ferroviarias, que proceda a efectuar la adecuada comprobación de las obras paralizadas y los usos suspendidos, debiendo adoptar, en el plazo de dos meses desde que se produzca la instancia y previa audiencia de quienes puedan resultar directamente afectados, una de las resoluciones siguientes:

a) La demolición de las obras o instalaciones y la prohibición definitiva de los usos prohibidos, no autorizados o que no se ajusten a las autorizaciones otorgadas.

b) La iniciación del oportuno expediente para la eventual regularización de las obras o instalaciones o autorización de los usos permitidos.

3. La adopción de los oportunos acuerdos se hará sin perjuicio de las sanciones y de las responsabilidades de todo orden que resulten procedentes".

C) Límite de edificación (artículo 16 LSF) (art. 34 RSF)

La línea límite de edificación, tal como dispone el art. 16.1 LSF y el art. 34.1 RSF, se establece a ambos lados de las líneas ferroviarias que formen parte de la Red Ferroviaria de Interés General, desde la cual hasta la línea ferroviaria queda prohibida cualquier tipo de obra de edificación, reconstrucción o de ampliación, a excepción de las que resulten imprescindibles para la conservación y mantenimiento de las que existieran a la entrada en vigor de la LSF. Igualmente, queda prohibido el establecimiento de nuevas líneas eléctricas de alta tensión dentro de la superficie afectada por la línea límite de edificación, sin perjuicio de la posible existencia de cruces a distinto nivel con líneas eléctricas en las condiciones establecidas en el art. 30.2. c) RSF.

Esta línea límite de edificación se sitúa a 50 metros de la arista exterior más próxima de la plataforma, medidos horizontalmente a partir de la mencionada arista (artículo 16.2, párrafo 1º LSF). Y al igual que la zona de protección pertenece al dominio privado.

A tal efecto, se considera arista exterior de la plataforma el borde exterior de la estructura construida sobre la explanación que sustenta la vía y los elementos destinados al funcionamiento de los trenes; y línea de edificación aquella que delimita la superficie ocupada por la edificación en su proyección vertical. En túneles y líneas férreas o cubiertas por losas no será de aplicación las líneas límite de edificación.

También, en función de las características de las líneas como la velocidad y la tipología o el tipo de suelo podrá, el Ministerio de Fomento determinar una distancia inferior a los 50 metros señalados *supra* (artículo 16.2, párrafo 2º LSF) (art. 34.2 RSF).

De la misma manera, el Ministerio de Fomento, previo informe de las Comunidades Autónomas y Entidades Locales afectadas, podrá, por razones geográficas o socioeconómicas, fijar una línea límite de edificación diferente a la establecida con carácter general, aplicable a determinadas líneas ferroviarias que formen parte de la Red Ferroviaria de Interés General, en zonas o áreas delimitadas. Este precepto resulta claro que se refiere a una posible ampliación, que no reducción del referido límite de edificación, que ya se prevé en el apartado segundo de ese precepto, el 16. Y, además, estimamos que su dicción literal podría afectar a las competencias de las Comunidades autónomas y de las Entidades locales en materia de ordenación del territorio y urbanismo, habida cuenta que únicamente vagas "razones geográficas o socioeconómicas" podrían justificar la decisión de ampliación, y de ahí, que se les dé el plazo de 1 mes para que informen sobre si la determinación propuesta es la más adecuada (art. 35.2 RSF).

Con carácter general, en las líneas ferroviarias que formen parte de la Red Ferroviaria de Interés General que discurran por zonas urbanas y siempre que lo permita el planeamiento urbanístico correspondiente, la línea límite de edificación se situará a 20 m de la arista exterior más próxima de la plataforma. No obstante lo señalado, el Ministerio de Fomento previa solicitud del interesado y tramitación del correspondiente expediente administrativo y siempre que ello redunde en una mejora de la ordenación urbanística y no cause perjuicio de la seguridad, regularidad, conservación y libre tránsito del ferrocarril podrá establecer la línea límite de edificación a una distancia inferior a 20m.

Por último, en cuanto a las obras e instalaciones permitidas en la línea límite de edificación, se podrán realizar, previa autorización de ADIF, obras de conservación y mantenimiento de las edificaciones existentes previa autorización de ADIF. Transcurridos tres meses desde la solicitud sin que éste se haya pronunciado, se entenderá su conformidad con la obra, si ésta no implica cambio del uso o destino de las edificaciones preexistentes.

Asimismo, el art. 36.2 del RSF dispone que ADIF podrá autorizar dentro de la superficie afectada por la línea límite de edificación "la colocación de instalaciones provisionales fácilmente desmontables y la ejecución de viales, aparcamientos en superficie, isletas o zonas ajardinadas anexas a edificaciones, así como equipamientos públicos que se autoricen en la zona de protección sin invadir la línea límite de edificación.

VII. LAS CONSECUENCIAS ORGANIZATIVAS DE LA SEPARACIÓN DE LAS ACTIVIDADES DE ADMINISTRACIÓN DE LA INFRAESTRUCTURA Y DE EXPLOTACIÓN DE LOS SERVICIOS DE TRANSPORTE QUE IMPONEN LAS DIRECTIVAS COMUNITARIAS DE LIBERALIZACIÓN DEL SECTOR FERROVIARIO: ADIF, RENFE-OPERADORA Y EL COMITÉ DE REGULACIÓN FERROVIARIA

La Ley 39/2003, del Sector Ferroviario ha previsto en su Disposición adicional primera que la entidad pública empresarial, hasta ahora llamada Red Nacional de los Ferrocarriles Españoles (RENFE), pase a denominarse Administrador de Infraestructuras Ferroviarias y asuma las funciones asignadas al administrador de infraestructuras ferroviarias, según la Ley establece. La consecuencia inmediata es la extinción de la entidad pública empresarial Gestor de Infraestructuras Ferroviarias (GIF), originándose la sucesión en todos los derechos y obligaciones en favor de la entidad "Administrador de Infraestructuras Ferroviarias" (en adelante ADIF). La referida entidad estará adscrita al Ministerio de Fomento, goza de personalidad jurídica propia y diferente de la del Estado, plena capacidad de obrar y patrimonio propio, regulándose por lo establecido en la Ley del Sector Ferroviario, y la Ley 6/1997 de Organización y funcionamiento de la Administración General del Estado y por sus Estatutos aprobados por el RD 2395/2004, de 30 de diciembre de 2004.

Con independencia de la sucesión de empresas que se opera y de la integración en la entidad pública empresarial "Administrador de Infraestructuras Ferroviarias" del personal, con distintas opciones de integración, la nueva entidad adquiere la titularidad de todos los bienes de dominio público o patrimoniales que la entidad gestora de infraestructuras ferroviarias tuviere adscrito hasta la fecha de la entrada en vigor de los Estatutos reguladores. La entidad pública empresarial Administrador de Infraestructuras Ferroviarias tiene la misión de construir las infraestructuras ferroviarias con cargo a sus propios recursos, con cargo a recursos ajenos conforme corresponda a los textos de los convenios que se suscriban y según determine el Ministerio de Fomento. Administrará también las infraestructuras de su titularidad y aquellas otras cuya administración se le encomiende, también mediante el oportuno convenio. Como se comprueba, lo anterior es la consecuencia obligada de la separación de las actividades de administración de la infraestructura y las de explotación de los servicios, que establece la Ley del Sector Ferroviario.

La entidad pública empresarial "Administrador de Infraestructuras Ferroviarias" puede configurarse como un organismo público de los previstos en el artículo 43.1,b) de la Ley de Organización y funcionamiento de la Administración General del Estado. Le será de aplicación en cuanto ejerza potestades administrativas y en lo relativo a la formación de la voluntad de sus órganos, la Ley 30/1992, de Régimen jurídico de las administraciones públicas y del procedimiento administrativo común. Ha de actuar con autonomía de gestión, en garantía del interés público, seguridad de los usuarios y eficacia global del sistema ferroviario. Las infraestructuras ferroviarias y estaciones que constituyen la red de titularidad del Estado cuya Administración ADIF tiene encomendada, pasan a ser de titularidad de la citada entidad pública empresarial, ADIF, a partir de la entrada en vigor del Real Decreto-Ley 4/2013. Los cambios en la titularidad de los bienes a los que afecta se efectuarán por el valor que se deduzca del sistema de información contable y de los registros del Ministerio de Fomento. Por tanto, la titularidad de los bienes que correspondían a la red ferroviaria del Estado corresponde, en la actualidad, a la entidad pública empresarial Administración de Infraestructuras Ferroviarias (ADIF). En conclusión, se extingue la entidad pública empresarial Ferrocarriles Españoles de Vía Estrecha (FEVE). Está prevista la aprobación de un Catálogo de líneas y tramos de la red ferroviaria de interés general, a la que se refiere la Disposición adicional novena de la Ley 39/2003 que, en la actualidad, se describe en un Anexo al Real Decreto-Ley 4/2013.

El Real Decreto-Ley 15/2013, de 13 de diciembre, sobre reestructuración de la entidad pública empresarial "Administrador de Infraestructuras Ferroviarias" (ADIF) y otras medidas urgentes en el orden económico tiene consecuencias visiblemente importantes en la estructura de ADIF. En efecto, se produce la segregación de la rama de actividades de construcción y administración de infraestructuras de alta velocidad: ADIF-Alta Velocidad. La medida se justifica en la necesidad de agilizar el proceso de liberalización del sector ferroviario. Las infraestructuras ferroviarias y estaciones que constituían la red de titularidad del Estado, pasan a ser titularidad de ADIF a partir de la entrada en vigor del Real Decreto-Ley 4/2013, como ya se ha dicho. La transmisión de la titularidad de las infraestructuras citadas tiene la consideración de una transferencia a título gratuito de bienes afectos a la realización de la actividad de Administrador de Infraestructuras Ferroviarias; en el Real Decreto-Ley 15/2013, se insiste en que la valoración de los bienes afectos y su registro se efectuará conforme a lo dispuesto en el artículo 34 del Real Decreto-Ley 4/2013 y, por tanto, según el sistema de información contable del Ministerio de Fomento.

El "Administrador de Infraestructuras Ferroviarias" tiene competencia para la aprobación de los proyectos básicos y de construcción de las infraestructuras ferroviarias que formen parte de la red ferroviaria de interés general y de otras infraestructuras ferroviarias con recursos del Estado o de terceros; la administración de las infraestructuras ferroviarias de su titularidad y el control de la inspección de la infraestructura que administra; elaborar y publicar la declaración sobre la red y adjudicar la capacidad de infraestructura a las empresas ferroviarias que se solicitaren; ha de otorgar los certificados de seguridad y fijar las tarifas por la prestación de servicios adicionales complementarios y auxiliares; ha de cobrar los cánones por utilización de las infraestructuras ferroviarias, las tarifas por la prestación de los servicios adicionales complementarios y auxiliares, así como la gestión liquidación y recaudación de las tasas.

En los términos previstos en la Disposición adicional tercera de la Ley del Sector Ferroviario, RENFE-operadora se constituye como entidad pública empresarial. Desde la entrada en vigor de la Ley, RENFE-operadora tiene adjudicada toda la capacidad de infraestructura necesaria para la prestación de los servicios de transporte ferroviario de mercancías que estuviere prestando hasta el momento en que se apruebe la declaración sobre la red y pueda solicitar la capacidad necesaria para la prestación de sus servicios. Respecto del transporte ferroviario de viajeros, RENFE-operadora tendrá derecho a explotar los servicios de transporte de viajeros que se presten en el momento de la entrada en vigor de la Ley sobre la red ferroviaria de interés general en la forma que se establecía en la Ley 16/1987 de Ordenación de los transportes terrestres y de su normativa de desarrollo. Una vez que se imponga al régimen de apertura del mercado de transporte de ferroviario de viajeros, RENFE operadora conservará el derecho a explotar la capacidad de red que entonces se utilice efectivamente y podrá solicitar que se le asigne otra capacidad de red con arreglo a la Ley del Sector Ferroviario.

La entidad pública empresarial RENFE-operadora es un organismo público de los previstos en el artículo 43.1.b) de la Ley 6/1997 de Organización y funcionamiento de la Administración general del Estado. Actúa con autonomía de gestión y su objeto es la prestación de los servicios ferroviarios tanto de viajeros como de mercancías, que incluye el mantenimiento del material rodante y de otros servicios vinculados al transporte ferroviario. La entidad pública empresarial citada, ha de regirse por el Derecho privado; sin embargo serán de aplicación, igualmente, en cuanto al ejercicio de las potestades administrativas que le sean atribuidas y en la formación de la voluntad de sus órganos, lo dispuesto en la Ley 30/1992, de Régimen jurídico de las administraciones públicas y del Procedimiento Administrativo Común; en lo que le sea de aplicación la Ley de Organización y funcionamiento de la Administración general del Estado; y en todo caso, lo previsto en la Ley del Sector Ferroviario y en el RD 2396/2004, de 30 de diciembre por el que se aprueban sus Estatutos. En cuanto al régimen de contratación de adquisición y enajenación de la entidad pública empresarial RENFE-operadora se acomodará a las normas del Derecho privado, sin perjuicio de lo establecido por la Ley 31/2007, sobre procedimientos de contratación de los sectores de la agua, la energía, los transportes y los servicios postales, que incorpora al ordenamiento jurídico español las Directivas 17/2004 y 18/2004/CE y 92/13/CE. Todo ello, en los términos del contenido de la Sentencia del Tribunal de Justicia de las Comunidades europeas de 15 de mayo de 2003 y 16 de octubre del mismo año.

Las funciones de la entidad pública empresarial RENFE-operadora consisten en la prestación de servicios de transporte ferroviario de viajeros y mercancías, así como el mantenimiento del material rodante; la prestación de otros servicios de transporte que resulten complementarios del sector ferroviario; y la prestación de servicios y que resulten vinculados al transporte ferroviario u otros que le sean encomendados por la legislación vigente. Para el cumplimiento de sus funciones podrá realizar toda clase de actos de administración, o de disposición, previstos en la legislación civil y mercantil.

Según el Real Decreto-Ley 22/2012, por el que se adoptan medidas en materia de infraestructuras y servicios ferroviarios, las sociedades mercantiles estatales previstas en su artículo 1.1, apartados a) y b), prestan sin solución de continuidad, todos los servicios de transporte de viajeros y mercancías por ferrocarril que correspondía explotar a RENFE-operadora, desde la fecha de su efectiva constitución. Para ello, sucederán en la capacidad de infraestructura necesaria para la realización de los servicios que estuviere prestando en dicho momento la entidad pública empresarial. Las sociedades deben obtener directamente del Administrador de Infraestructuras Ferroviarias la capacidad de infraestructura necesaria para la realización de los servicios que deseen prestar de conformidad con lo previsto en la Orden FOM/897/2005, relativa a la declaración de la red. Las sociedades mercantiles referidas cuentan con la licencia de empresa ferroviaria prevista en el artículo 44 de la Ley 39/2003 LSF, y con el certificado de seguridad a que se refiere el artículo 16 del Reglamento sobre seguridad en la circulación de la red ferroviaria de interés general. Todo ello, en los términos del Real Decreto-Ley 4/2013, cuyo título IV regula las nuevas medidas en el sector ferroviario.

Unas líneas sobre el Comité de Regulación Ferroviaria. Como es sabido, durante la presidencia irlandesa continuaron los trabajos para adoptar el segundo paquete ferroviario presentado por la Comisión Europea a principios de 2002, cuyo objetivo era establecer un espacio ferroviario europeo integrado que incremente el transporte de mercancías por ferrocarril.

Las medidas propuestas en el segundo paquete ferroviario para conseguir la liberalización son de doble naturaleza: completar la liberalización de la totalidad de la red comunitaria de transporte ferroviario de mercancías el 1 de enero de 2006; mejorar la seguridad ferroviaria mediante la creación en cada Estado miembro de una autoridad responsable de la seguridad ferroviaria y el establecimiento de indicadores comunes de seguridad mediante la creación de la Agencia Ferroviaria Europea para la seguridad. Y, en relación con los trenes de alta velocidad el incremento de la interoperabilidad y la adhesión de la Unión Europea a la Organización para los transportes internacionales ferroviarios en orden a defender la posición europea en este organismo. Ya se sabe que los servicios de la Comisión Europea están trabajando en la elaboración del tercer paquete ferroviario que incluye la liberalización del transporte de pasajeros.

El Comité de regulación ferroviaria tendrá por objeto garantizar la pluralidad en las ofertas de prestación, la igualdad entre empresas públicas y privadas en las condiciones de acceso y velar por los cánones. Además habrá de ejercer la función de resolución de conflictos que pueden plantearse ante el Administrador de Infraestructuras Ferroviarias y las empresas ferroviarias, en relación con los certificados de seguridad y los procedimientos de adjudicación, según se establece, con más detalle, en el art. 147 del Reglamento de desarrollo de la Ley 39/2003.

VIII. EL ACCESO A LA RED FERROVIARIA

1. Consideraciones generales

Tal como se desprende del considerando 40 de la Directiva 2001/14/CE del Parlamento Europeo y del Consejo, relativa a la adjudicación de capacidad de infraestructura ferroviaria, la gestión de la red ferroviaria se ha considerado un monopolio natural, de manera que en el ordenamiento español ello se ha traducido en garantizar el carácter público del monopolista de la red a través de ADIF, que queda, por otra parte, excluido radicalmente de la prestación de servicios de transporte ferroviario (art. 21.2 LSF).

Así, la normativa ferroviaria española siguiendo los dictados de las directivas comunitarias, ha optado por el modelo de desintegración vertical del sector ferroviario. De una parte, el gestor de la red es una entidad en monopolio (ADIF); y de otra, en la prestación de servicios de transporte ferroviario sí se dé la competencia, debiendo las empresas ferroviarias contratar con ADIF la utilización de la red.(Nos referimos al marco legal de la gestión anterior al Real Decreto-Ley 22/2012, ya mencionado).

En línea con ello, uno de los fines de la LSF es facilitar el acceso a las infraestructuras ferroviarias a todos aquellos candidatos interesados en la explotación de un servicio ferroviario, de ahí las previsiones contenidas en los arts. 29.2, 33.1 y 33,2 y 35.3 LSF que, siendo insuficientes, han sido objeto de desarrollo por la Orden FOM/897/2005, de 7 de abril, relativa a la declaración sobre la red y al procedimiento de adjudicación de capacidad de infraestructura ferroviaria de competencia estatal, que entró en vigor al día siguiente de su publicación, 9 de abril de 2005, por tanto el 10 de abril. Normativa la indicada, que se completa también con lo previsto en los arts. 46 a 48 del Reglamento, resultando obligado referirnos a todas ellas para abordar las técnicas básicas de administración de la red, esto es: la declaración de la red y la adjudicación de capacidad.

Vamos por tanto a referirnos a la regulación del contenido y a la publicación de la declaración sobre la red, así como al procedimiento de adjudicación de capacidad de infraestructura ferroviaria de competencia estatal, por tanto limitado al acceso a la Red Ferroviaria de Interés General (conformada por las infraestructuras gestionadas por ADIF, anteriormente por RENFE o por GIF); y por las infraestructuras ferroviarias de las Autoridades Portuarias en los Puertos de Interés General (Disposición Adicional Novena LSF) no estando incluidas las infraestructuras ferroviarias de ancho métrico administradas por FEVE, hoy ya desaparecida, sujetas a un régimen especial de acuerdo con la disposición transitoria quinta LSF).

En segundo lugar, el régimen de acceso a la red está condicionado por el uso que se pretende hacer de la misma, es decir del tipo de servicio de transporte ferroviario que se desea prestar, definiéndose en la disposición transitoria primera de la LSF el calendario para el acceso a la Red Ferroviaria de Interés General en función del tipo de servicio. Así:

1º La red está abierta para la prestación de servicios de transporte nacional de mercancías desde el momento de entrada en vigor de la LSF (esto es, a los seis meses desde su publicación y prorrogada por el Real Decreto-Ley 1/2004, de 7 de mayo, lo cual implicó la fecha de 31 de diciembre de 2004).

2° También desde el momento de entrada en vigor de la LSF la red se abrió para la prestación de servicios de transporte internacional de mercancías por la Red Transeuropea de Transporte Ferroviario de Mercancías, que comprende parte pero no toda la Red Ferroviaria de Interés General.

3° La LSF contemplaba que toda la Red Ferroviaria de Interés General habilitada para el transporte internacional de mercancías se abriría para la prestación de dicho servicios con anterioridad al 1 de enero de 2006.

4° La red no está abierta para la prestación de servicios de transporte de viajeros por entidades diferentes a RENFE-Operadora, que goza del derecho exclusivo para la prestación de este servicio hasta que la Unión Europea fije el calendario de liberalización de este segmento (Disposición transitoria tercera).

2. La declaración sobre la red

Partiendo de la indicación contenida en el considerando 5 de la Directiva 2001/14/CE "para garantizar la transparencia y el acceso no discriminatorio a la infraestructura ferroviaria de todas las empresas ferroviarias, toda la información necesaria para la utilización de los derechos de acceso se publicará en una declaración sobre la red", la Orden Ministerial 897/2005, de 7 de abril se refiere a ésta en sus arts. 2 a 5, desarrollando lo previsto en el art. 29 LSF.

Según dispone el art. 2 de la Orden Ministerial 897/2005, el **procedimiento** se inicia con la elaboración de un proyecto por parte del Administrador de Infraestructuras. Este proyecto ha de ser trasladado por ADIF a la Dirección General de Ferrocarriles a fin de que ésta realice las oportunas observaciones en el plazo de un mes.

Asimismo, ADIF comunicará a los candidatos habilitados y a las Administraciones Públicas con atribuciones, entre las que se encuentra el Comité de Regulación Ferroviaria, la existencia del referido proyecto, para que en el plazo de 15 días realicen alegaciones. La primera declaración tan sólo fue comunicada a un candidato, RENFE-operadora, puesto que no había otras empresas habilitadas.

Transcurridos tales plazos, y realizadas las alegaciones al efecto, el Consejo de Administración del ADIF aprobará la declaración sobre la red (artículo 2.2 Orden FOM/897/2006 y artículo 16.1.1) del Estatuto del ADIF). La resolución de aprobación de la declaración sobre la red será comunicada por una parte a la Secretaria General de Infraestructuras a fin de que éste la publique en el BOE y por otra parte a los candidatos inscritos en el Registro Especial Ferroviario.

La publicación en el BOE debe realizarse como mínimo diez meses antes de la fecha de entrada en vigor del horario de servicio (art. 5 Orden 897/2005). La Directiva 2001/14/CE, por su parte, exige un plazo de cuatro meses antes de que finalice el plazo de presentación de solicitudes de capacidad.

La Directiva establece que la declaración sobre la red se actualizará y modificará según proceda. El artículo 5 de la Orden FOM/897/2005 regula la modificación de la declaración, que queda sujeta a las mismas obligaciones en materia de publicación que la declaración original. La primera declaración sobre la red establece que deberá ser revisada al menos una vez al año.

Por lo que se refiere al **contenido de la declaración sobre la red,** el art. 4 de la Orden 897/2005, disponía cual debe ser. En este sentido, indica que se compondrá de los siguientes capítulos:

1) Un primer capítulo, de información general, que contendrá:
a) Estructura del documento de la declaración sobre la red.
b) Introducción en la que se expondrán, de forma concisa, las funciones del Administrador de Infraestructuras Ferroviarias respecto de la adjudicación de capacidad.
c) Objetivo de la declaración sobre la red y su ámbito de aplicación.
d) Determinación del marco jurídico aplicable.
e) Previsión del carácter vinculante de la declaración sobre la red en cuanto a los derechos y obligaciones que de ella se deriven tanto para los candidatos como para el administrador de la infraestructura.
f) Período de vigencia de la declaración sobre la red.
g) Condiciones de publicación y de distribución del documento de la declaración sobre la red.
h) Indicación de la forma a través de la cual los candidatos pueden dirigirse al Administrador de Infraestructuras Ferroviarias para solicitar información complementaria sobre el contenido y alcance de la declaración.
i) Definición de los términos específicos propios del sector ferroviario utilizados.
2) Un segundo capítulo, relativo a las condiciones generales de acceso a la Red Ferroviaria de Interés General, incluidas las condiciones de seguridad que deben regir el tráfico ferroviario sobre ésta.
3) Un tercer capítulo en el que se expondrá la naturaleza de la infraestructura puesta a disposición de los candidatos, la descripción de la red, las características técnicas de la misma y cualquier restricción de su uso, incluidas las necesidades previsibles de capacidad para su mantenimiento. Asimismo, se expresará, en su caso, la especialización de una infraestructura ferroviaria concreta para la prestación de determinados tipos de servicios. Este capítulo deberá contener, al menos, la siguiente información:

a) Identificación geográfica de la red y la de las líneas, incluyendo estaciones, terminales, cambiadores de ancho y demás elementos funcionales. Indicación, por tramos significativos, de los perfiles, los gálibos, los anchos de vía, la carga por eje, los gradientes, las velocidades admisibles, las longitudes máximas de tren permitidas, la energía disponible y demás características significativas de la red.

b) Régimen de circulación, detallándose, en función del tipo de línea, los sistemas de señalización, de alimentación eléctrica, de comunicación y de seguridad.

c) Capacidad de infraestructura estimada por tramo de red.

d) Ocupación actual de las infraestructuras y el nivel de congestión de las mismas.

4) Un cuarto capítulo dedicado a los criterios y la forma con arreglo a los cuales se adjudicará la capacidad de infraestructura. En particular, se expresará:

a) El procedimiento con arreglo al cual los candidatos pueden solicitar capacidad al Administrador de Infraestructuras Ferroviarias.

Sin perjuicio del procedimiento establecido, se reconocerá la validez del registro oficial del Administrador de Infraestructuras Ferroviarias como medio de presentación de cualesquiera solicitudes de capacidad o alegaciones que al correspondiente procedimiento de adjudicación los candidatos estimen pertinente realizar.

b) Los requisitos que, sin perjuicio de lo que establezca el Reglamento del Sector Ferroviario, aprobado por el Real Decreto 2387/2004, de 30 de diciembre, les sean impuestos a los candidatos de acuerdo con el artículo 32 de la Ley 39/2003, de 17 de noviembre, del Sector Ferroviario.

c) Los plazos que deben cumplirse en la tramitación del procedimiento de adjudicación de capacidad.

d) Los criterios y el procedimiento para la elaboración del proyecto de horario de servicio y para la coordinación entre los candidatos y el Administrador de Infraestructuras Ferroviarias.

e) El procedimiento de reajuste y reasignación de la capacidad ya adjudicada, con arreglo a lo establecido en el artículo 6.5.

f) Los criterios que regirán el proceso de adjudicación de capacidad y los de coordinación entre solicitudes, así como, los utilizados en caso de que se produzca la declaración de la infraestructura ferroviaria como congestionada.

g) Las restricciones de uso de las infraestructuras ferroviarias y, en particular, la reserva de capacidad para la realización de las actividades de mantenimiento programado, de reposición o de ampliación de la red.

h) Las medidas que, conforme al plan de contingencias previsto en el artículo 34 de la Ley del Sector Ferroviario, adoptará el Administrador de Infraestructuras Ferroviarias para el tratamiento de las perturbaciones de tráfico ferroviario y para hacer posible el cumplimiento de las obligaciones de colaboración que se imponga, al efecto, a las empresas ferroviarias.

i) Los mecanismos de actualización de la declaración sobre la red a través de los cuales se comuniquen a los interesados las modificaciones sufridas en el contenido de la misma.

5) Un quinto capítulo describirá los servicios adicionales, complementarios y auxiliares que ofrezca a las empresas ferroviarias el Administrador de Infraestructuras Ferroviarias o terceros debidamente habilitados por él.

6) Un sexto capítulo determinará las pautas de aplicación del régimen económico y tributario previsto en la Ley del Sector Ferroviario, que incluirán:

a) Información sobre los cánones y demás tasas exigibles con arreglo a la citada Ley.

b) Las tarifas aplicables por la prestación de los servicios adicionales, auxiliares y complementarios por el Administrador de Infraestructuras Ferroviarias.

Sobre el contenido, señalar que contra la declaración sobre red que adopte ADIF, los interesados podrán formular reclamaciones ante el Comité de Regulación Ferroviaria, cuyas resoluciones son vinculantes para ADIF y gozan de eficacia ejecutiva.

La resolución FOM se ha actualizado por resolución de 3 de abril de 2013, dando cumplimiento, como es obvio, entre otros, a la formalización de los derechos de acceso.

3. *La adjudicación de capacidad*

Esta, consiste en la asignación del derecho a hacer, uso de las infraestructuras ferroviarias necesarias para la prestación del servicio de transporte ferroviario.

A) El procedimiento se inicia con la presentación de las solicitudes por parte de los candidatos (art. 9 OM FOM/897/2005) a ADIF, al objeto de que les asigne la adjudicación de capacidad de infraestructura ferroviaria para la prestación de servicios de transporte ferroviario. A este respecto, el plazo para la presentación de las solicitudes se inicia al día siguiente de la publicación de la declaración sobre la red que define la capacidad disponible. Asimismo, el plazo de presentación de las solicitudes vence seis meses antes de que entre en vigor el horario de servicio para los transportes nacionales y ocho meses antes de esa fecha para los transportes internacionales. Se reducen significativamente los plazos previsto en el Anexo III de la Directiva 2001/14/CE.

El horario de servicio es definido en la Directiva como "los datos que definen todos los movimientos planificados de trenes y material rodante que tendrán lugar en una determinada infraestructura en el período en que dicho horario está vigente" [(art. 2.m)]. En principio el horario de servicio se fijará una vez al año y entrará en vigor a las doce de la noche del segundo sábado de diciembre [art. 7.2.a) Orden FOM/897/2005], aunque la declaración sobre la rede del ADIF contempla el año natural.

Respecto al contenido de la solicitud de la capacidad de infraestructura, hay que estar a lo dispuesto en el art. 10 OM FOM/897/2005 que señala:

"Artículo 10. Solicitud de capacidad de infraestructura.
2. La solicitud de capacidad deberá ir acompañada, en todo caso, de los siguientes datos y documentos:

a) La identificación del candidato y de la persona que lo represente, adjuntando su domicilio a efectos de notificaciones así como una declaración de los datos de inscripción del candidato en el Registro Especial Ferroviario.

La representación se acreditará por cualquier medio admitido en Derecho que deje constancia fidedigna de ella, o mediante declaración en comparecencia ante el personal habilitado del Administrador de Infraestructuras Ferroviarias.

b) Cuando se trate de empresas ferroviarias y se solicite capacidad por el procedimiento previsto en el artículo 7.1, una copia compulsada del correspondiente certificado de seguridad del que sea titular o, en su caso, el documento que recoja el compromiso de aportar copia compulsada del correspondiente certificado de seguridad que obtenga, que deberá ser presentado, de conformidad con lo previsto en el artículo 105.1 del Reglamento del Sector Ferroviario, con carácter previo a la aprobación del horario de servicio a que se refiere el artículo 7.2.d).

Cuando se solicite capacidad por el procedimiento previsto en el artículo 7.3, la empresa ferroviaria deberá presentar copia compulsada del correspondiente certificado de seguridad del que sea titular.

c) La determinación concreta de la capacidad de infraestructura que se solicite. Una vez cumplidos los plazos para la presentación de solicitudes de adjudicación de capacidad, ADIF elaborará un proyecto de horario de servicio y lo comunicará a los solicitantes, como mínimo, tres meses antes de la entrada en vigor de dicho horario. Los solicitantes de capacidad dispondrán de quince días naturales, a contar desde la comunicación del proyecto de horario de servicio, para que presenten las alegaciones oportunas. Plazo el aquí señalado, que contraviene lo dispuesto en la Directiva 2001/14/CE (art. 20.3) al exigir ésta un plazo de al menos un mes para hacer las alegaciones a la programación".

Una vez cumplidos los plazos para la presentación de solicitudes de adjudicación de capacidad, ADIF elaborará un proyecto de horario de servicio y lo comunicará a los solicitantes, como mínimo, tres meses antes de la entrada en vigor de dicho horario. Los solicitantes de capacidad dispondrán de quince días mostrados, a contar desde la comunicación del proyecto de horario de servicio, para que presenten las alegaciones oportunas. Plazo el aquí señalado, que contraria lo dispuesto en la Directiva 2001/14/CE (art. 20.3) al exigir ésta un plazo de al menos un mes para hacer las alegaciones a la programación

Sí existieran solicitudes incompatibles entre sí; ADIF, una vez aplicados los criterios de adjudicación previsto en el art. 11 OM FOM/897/2005[2], re-

---

[2]   Artículo 11. Criterios de adjudicación.
El Administrador de Infraestructuras Ferroviarias adjudicará la capacidad de infraestructura solicitada de la siguiente forma:
a) Si hubiere capacidad disponible para todos los candidatos, se les adjudicará.
b) Si existiera coincidencia de solicitudes para una misma franja horaria o la red hubiere sido declarada como congestionada, se tomarán en cuenta para su asignación, por orden descendente de prioridad, las siguientes prioridades de adjudicación:

currirá a su coordinación para intentar, en lo posible, satisfacerlas. Asimismo, ADIF podrá proponer a los candidatos adjudicaciones de capacidad de infraestructuras que difieran de lo solicitado, a lo cual deberán responder en el plazo de 10 días hábiles desde que se les notifique.

En todo caso, ADIF adoptará la resolución de adjudicación definitiva de la capacidad dos meses antes de la entrada en vigor del horario de servicio [art. 7.2.f) OM FOM/897/2005], comunicándolo a todos los candidatos que hubieran presentado la solicitud.

De otra parte, la capacidad que no haya sido adjudicada en el procedimiento habitual podrá ser puesta a disposición de los candidatos por parte de ADIF un mes antes de la entrada en vigor del horario de servicio.

Frente a la resolución de adjudicación de capacidad por ADIF, los candidatos podrán interponer las correspondientes reclamaciones ante el Comité de Regulación Ferroviaria. Procedimiento de resolución de conflictos que nuestra normativa no contempla en consonancia con las exigencias del art. 21.6 de la Directiva 2001/14/CE, donde la rapidez en la resolución de diferencias entre el candidato y en nuestro caso, ADIF, se recoge con toda rotundidad.

B) En cuanto a los **criterios de adjudicación y la congestión**

Si hubiese capacidad disponible para todos los candidatos se les adjudicará. Estando ADIF obligada a adjudicar la capacidad disponible si los candidatos cumplen todos los requisitos.

En el caso de que existiera coincidencia de solicitudes para una misma franja horaria o la red hubiera sido declarada congestionada, habrá que es-

---

1. Las que, en su caso, establezca el Ministerio de Fomento para los distintos tipos de servicios dentro de cada línea, tomando en especial consideración los servicios de transporte de mercancías.
2. La existencia de infraestructuras especializadas y la posibilidad de atender dichas solicitudes en dichas infraestructuras.
3. Los servicios declarados de interés público.
4. La asignación y utilización efectiva por el solicitante, en anteriores horarios de servicio, de las franjas horarias cuya adjudicación se solicita.
5. Los servicios internacionales.
6. La eventual existencia de acuerdos marco que prevean la adjudicación de esa solicitud de capacidad.
7. La solicitud, por un candidato, de una misma franja horaria durante varios días de la semana o en sucesivas semanas del periodo horario.
8. La eficiencia del sistema.

tar para su asignación por orden descendente de prioridad, a las siguientes prioridades de adjudicación:

> "1. Las que, en su caso, establezca el Ministerio de Fomento para los distintos tipos de servicios dentro de cada línea, tomando en especial consideración los servicios de transporte de mercancías.
> 2. La existencia de infraestructuras especializadas y la posibilidad de atender dichas solicitudes en dichas infraestructuras.
> 3. Los servicios declarados de interés público.
> 4. La asignación y utilización efectiva por el solicitante, en anteriores horarios de servicio, de las franjas horarias cuya adjudicación se solicita.
> 5. Los servicios internacionales.
> 6. La eventual existencia de acuerdos marco que prevean la adjudicación de esa solicitud de capacidad.
> 7. La solicitud, por un candidato, de una misma franja horaria durante varios días de la semana o en sucesivas semanas del periodo horario.
> 8. La eficiencia del sistema".

En cuanto al tratamiento de la congestión la OM FOM/897/2005 dispone que la consecuencia de la declaración de una infraestructura como congestionada es obligación que se impone a ADIF de realizar el denominado análisis de capacidad (art. 18 OM FOM/897/2005, que transpone el art. 25 de la Directiva). ADIF debe realizar el análisis de capacidad en el plazo de seis meses y remitirlo al Ministerio de Fomento

Este análisis tiene por objeto, por una parte, determinar las limitaciones existentes en las infraestructuras. Se impone la realización de un análisis exhaustivo de la infraestructura y de los usos que se pretenden dar a la misma, a fin de identificar la oferta y la demanda existente en relación con la misma.

Por otra parte, el análisis tiene como objeto determinar las medidas que pueden ser adoptadas a corto y medio plazo para mitigar los efectos negativos de la congestión: a) utilización de infraestructuras alternativas; b) modificación de los horarios; c) cambios en el personal; d) cambios en la velocidad; e) cambios en el régimen de explotación; y f) obras de mejora con estimación de su coste.

En segundo lugar, en el plazo de seis meses tras la realización del análisis de capacidad, el ADIF tiene la obligación de realizar el denominado plan de aumento de la capacidad (art. 10 Orden FOM/897/2005, en transposición del art. 26 de la Directiva).

ADIF debe consultar con los candidatos afectados en la elaboración del plan y comunicarlo al Ministerio de Fomento una vez finalizado.

En el plan se recogerá: a) las causas de la congestión; b) la evolución previsible del tráfico; c) las limitaciones que condicionen el desarrollo de la infraestructura; d) el análisis de rentabilidad económico-financiera de las medidas planteadas; y e) las medidas adoptadas y el calendario para su ejecución.

Respecto a los **derechos de uso,** serán asignados por ADIF a los candidatos por el tiempo de vigencia del horario de servicio, es decir, un año natural.

En el uso de la capacidad otorgada se deberán respectar todas las obligaciones definidas en la legislación vigente, colaborando con ADIF, en especial cuando se den perturbaciones del tráfico (art. 34 LSF).

Asimismo se prohíbe todo negocio jurídico sobre la capacidad de infraestructura adjudicada, en especial la cesión de la misma a otras empresas. El incumplimiento de ello, implicará la revocación de la licencia (art. 35 LSF).

Finalmente, indicar que, además del procedimiento anual de adjudicación, se contempla en la legislación la posibilidad de que los candidatos concluyan con ADIF acuerdos marco relativos al uso de capacidad con vigencias superiores a una anualidad, pudiendo tener una vigencia de cinco años o incluso más en casos excepcionales (art. 13 Orden FOM/897/2005).

El acuerdo marco tiene como objeto establecer las características de la capacidad de infraestructura que necesitan los candidato, aunque sin llegar a especificar franjas horarios, cosa que corresponde a la adjudicación anual según el procedimiento general. Más allá, podrán establecer pautas de colaboración.

Los acuerdos han de ser previamente aprobados por el Comité de Regulación Ferroviaria, lo que garantiza que estos acuerdos respetan el principio de no discriminación.

Obviamente, todo ello ha de entenderse en los términos de la actualización de la declaración sobre la red desde abril de 2013, del Real Decreto-Ley 4/2013, y el Real Decreto-ley 15/2013 de 13 de diciembre.

IX. INTRODUCCIÓN DE LA VARIABLE AMBIENTAL EN LA PLANIFICACIÓN DE INFRAESTRUCTURAS FERROVIARIAS

La necesaria conexión entre la planificación de las infraestructuras ferroviarias y el medio ambiente se determina en la nueva legislación, al modo en que se efectuaba ya en la legislación de carreteras, a través del estudio informativo, que constituye el análisis y la definición, así como la selección de la alternativa más recomendable de entre todas las propuestas en la planificación que se proyecta. El estudio informativo permite incluir el estudio de impacto ambiental de todas las opciones planteadas y se le denomina documento básico a efectos de la correspondiente evaluación de impacto ambiental prevista en el ordenamiento jurídico. Por esa razón, el estudio informativo ha de integrarse en el procedimiento que se lleve a cabo al amparo del Real decreto legislativo 132/1986, de Evaluación de impacto ambiental, y sus sucesivas modificaciones. En particular, merece especial atención la Disposición adicional cuarta de la Ley anteriormente citada, añadida a través del artículo 127 de la Ley 62/2003, de Medidas fiscales, administrativas y del orden social, en cuanto se refiere a la llamada evaluación ambiental de los planes y proyectos previstos en el artículo 6 del Real decreto 1997/1995, por el que se establecen medidas para contribuir a garantizar la Biodiversidad mediante la conservación de los hábitats naturales y de la fauna y flora silvestres. Esta regulación aclara, de una vez por todas, en qué consiste el denominado análisis de repercusiones ambientales a que se refería el artículo 6.4 de la Directiva Hábitat. Como es sabido, todas estas prescripciones son de naturaleza básica respecto del desarrollo autonómico.

Debe reconocerse, que la legislación más reciente estaba ya poniendo cuidado en la introducción de las variables ambientales de las grandes infraestructuras. Sin ir más lejos, la Disposición adicional cuarta de la Ley 13/2003, reguladora del contrato de concesión de obras públicas, advertía ya que las obras públicas que se construyan mediante contrato de concesión se someterán al procedimiento de evaluación de impacto ambiental en los casos establecidos de la legislación ambiental. Por ello, no es de extrañar que el artículo 5 de la Ley del Sector Ferroviario efectúe referencias al estudio de impacto ambiental, dentro del estudio informativo, a la información pública de aquél, y su necesaria remisión al Ministerio de Medio Ambiente a los efectos previstos en la legislación ambiental, entiéndase, para la consecuente declaración de impacto ambiental. Es evidente que el procedimiento de impacto ambiental se realizará de acuerdo con su legislación propia y se culmina mediante el acto formal de aprobación del estudio informativo que determina la inclusión de las líneas o tramos en la red correspondiente. Ha de tenerse en cuenta, además, que los condicionamientos ambientales que se impongan en la correspondiente declaración de impacto pueden determinar las separaciones, y las barreras contra la contaminación acústica, etc.; circunstancias todas ellas que han de insertarse en los instrumentos de ordenación urbanística ya que aquélla ha de atender a la variable ambiental del conjunto. Especialmente relevantes serán también los condicionamientos que se impongan en relación con las zonas situadas en la delimitación de los planes de ordenación de los recursos naturales ya que aquellos constituyen un límite para otros instrumentos de ordenación territorial o física.

En general, puede admitirse que la introducción de la variable ambiental contemplada por el artículo 5 de la Ley del Sector Ferroviario cumple con las expectativas de la Directiva 2001/42/CE, del Parlamento Europeo y del Consejo, de 27 de junio de 2001, relativa a la evaluación de los efectos determinados planes y programas en el medio ambiente. En principio, puede entenderse que la regulación que se acaba de analizar equivale al procedimiento que los Estados pueden regular para la coordinación de sus normas con las normas comunitarias a los efectos de evitar la duplicación de evaluaciones (artículo 11 de la Directiva citada), entre otras cosas, porque contiene el informe medioambiental que puede coincidir con el informe de los estudios informativos, las consultas del propio estudio informativo, y el sometimiento a información pública que durante la tramitación se exige. Aunque tras la Ley 21/2013 de 9 de diciembre, de evaluación ambiental, haya de estarse en lo por ella dispuesto, la Ley del Sector Ferroviario no se aparta de lo esencial por aquélla regulado.

Por último, el artículo 73 de la norma, titulado "Principios generales" de la aplicación del canon por utilización de las infraestructuras ferroviarias incluye la toma en consideración de los costes ambientales en el cálculo y fijación del canon de infraestructuras por su utilización.

X. INCIDENCIA DE LA INFRAESTRUCTURA FERROVIARIA SOBRE EL PLANEAMIENTO URBANÍSTICO. EL CONTROL MUNICIPAL

La Ley del Sector Ferroviario se comporta a este nivel en perfecta consonancia con la Ley 13/2003, reguladora del contrato de concesión de obras públicas, hoy derogada sólo en parte, y recogida en el TR 3/2011 de Contratos del sector público. Comparando la Disposición adicional segunda de la norma citada con los artículos 7 y, especialmente 10, de la Ley del Sector Ferroviario, se observa una práctica coincidencia que, en principio, resulta positiva, salvo que la Ley del Sector Ferroviario no incluye lo relativo a la colaboración y coordinación entre Administraciones públicas que, sin embargo, la Disposición adicional segunda de la Ley 13/2003, regulaba ampliamente. Lo mismo sucede con la Disposición adicional tercera de la Ley 13/2003; puede señalarse que ambas constituían los antecedentes normativos más próximos de lo que luego va a pasar a regularse en la Ley del Sector Ferroviario respecto de la interconexión entre planeamiento urbanístico, infraestructura ferroviaria y control municipal de las obras.

La regulación que la Ley del Sector Ferroviario establece en este ámbito se manifiesta en consonancia con lo hasta ahora establecido por la jurisprudencia constitucional, en especial, en la Sentencia 149/1998, y más detalladamente, en la 40/1998. Aunque ya es historia del Derecho, hay que reconocer que los intentos de coordinación de las distintas actuaciones sectoriales sobre el planeamiento urbanístico habían arrojado resultados distintos en el plano de la norma y nunca produjeron resultados satisfactorios hasta época reciente. Como es sabido, la Ley de Costas, la Ley de Ordenación de los transportes terrestres, e incluso la Ley de Carreteras establecían distintas previsiones. Fue, en realidad, la legislación de Puertos del Estado, Ley 27/1992, modificada por la Ley 48/2003, la que por primera vez estableció la fijación de las denominadas zonas de servicio y su consideración urbanística, y estableció, también, que los planes generales y demás instrumentos de ordenación urbanística habían de calificar los terrenos que se ocuparan por las infraestructuras portuarias como sistema general o equivalente. También, a otro nivel, el artículo 166 de la Ley 13/1996, de Presupuestos generales, desarrollada por el Real decreto 2591/1998, de Ordenación de los aeropuertos de interés general, regulaba la situación de manera análoga. Las sentencias del Tribunal Constitucional citadas permitían articular el planeamiento sectorial con el planeamiento urbanístico sobre la base de su calificación como sistemas generales, y el desarrollo correspondiente urbanístico a través de un plan especial, reservas de espacios, y calificaciones como zonas de servicio. En ambas Sentencias se recogía la doctrina aplicable al ejercicio de una pluralidad de competencias dotadas de una clara dimensión espacial en tanto que se proyectan de forma inmediata sobre el mismo espacio físico y que, en consecuencia, su ejercicio incide en la ordenación del territorio con la ineludible consecuencia de que las decisiones de la Administración estatal con incidencia territorial comprometían la estrategia territorial de las Comunidades Autónomas y éstas la de los Municipios.

Resultaba pues, necesario, que la Ley del Sector Ferroviario coordinarse la colaboración entre las infraestructuras ferroviarias de interés general, las competencias autonómicas en materia de urbanismo y el control municipal de las obras efectuadas en un término municipal. Resultaba, también, necesario, dar una nueva lectura normativa al control preventivo municipal al que se refería el artículo 84.1.b) de la Ley 7/1985, Reguladora de las Bases de régimen local y, aunque el legislador del sector ferroviario no lo aclara, al contenido del artículo 58.2 de la misma norma en la modificación operada por la Ley 11/1999, que exigía que fueran tenidos en cuenta los entes locales en todas las operaciones de dominio público que fueran realizadas dentro de su término municipal.

La solución que la Ley del Sector Ferroviario ofrece a los problemas apuntados se contiene, en lo esencial, en los artículos 5, 3, 7, 8, 9 y 10. De una interpretación de todos ellos viene a deducirse la obligación de que los planes generales y demás instrumentos de ordenación urbanística califiquen los terrenos que se ocupen por las infraestructuras ferroviarias que formen parte de la red ferroviaria de interés general como sistema general ferroviario o equivalente. Además, que califiquen aquellos otros terrenos destinados a zonas de servicio ferroviario, también como sistema general ferroviario o equivalente. En todo caso, los planes generales y demás instrumentos no podrán incluir determinaciones que impidan o perturben el ejercicio de las competencias atribuidas al Administrador de Infraestructuras Ferroviarias.

De manera inversa, en los casos en que se produzca una redacción, revisión o modificación de un instrumento de planeamiento urbanístico que afecte a líneas ferroviarias o a tramos de las mismas, o a otros elementos de infraestructuras o las zonas de servicio, el órgano urbanístico correspondiente para acordar su aprobación inicial ha de enviar el contenido del proyecto al Ministerio con competencia en materia de ferrocarriles para que emita el llamado informe vinculante de compatibilidad.

Los sistemas generales ferroviarios han de establecerse en unos proyectos de delimitación y utilización de espacios ferroviarios que han de desarrollarse a través de los correspondientes Planes especiales de ordenación de la zona de servicio ferroviario (la similitud con la legislación portuaria es notoria) la formulación del proyecto del Plan especial corresponde a la entidad Administrador de Infraestructuras Ferroviarias, pero ha de ser aprobado por la autoridad urbanística competente según la legislación en cada caso.

En otro orden de cosas, las obras de construcción, reparación o conservación de líneas ferroviarias, de tramos de las mismas o de otros elementos de la infraestructura, incluidos pasos a nivel, han de ser, previamente a su aprobación, comunicadas a la Administración urbanística competente, a efectos de que compruebe su adecuación al correspondiente estudio informativo y emita informe, que ha de entenderse favorable transcurrido un mes desde la presentación de la documentación sin que se hubieran remitido. Dichas obras no están sometidas al control preventivo municipal al que hace referencia el artículo 84.1.b) de la Ley Reguladora de las Bases de Régimen Local. Tampoco precisarán autorizaciones, permisos o licencias administrativas de primera instalación, funcionamiento o apertura, las actividades vinculadas directamente al tráfico ferroviario que realice la entidad Administradora de las Infraestructuras Ferroviarias.

De la misma manera, las obras que se lleven a cabo en la zona de servicio ferroviario deberán adaptarse al Plan especial de ordenación de ésta o al instrumento equivalente. Para constatar este requisito se ha de solicitar el informe de la Administración urbanística competente que se entenderá favorable transcurrido un mes, también desde la presentación de la correspondiente documentación, sin que se hubiere remitido. En el supuesto (nuevamente la similitud con la legislación de aeropuertos) de que no se hubieran aprobado los planes especiales de ordenación de la zona de servicio ferroviario o instrumento equivalente, las obras que realice el Administrador de Infraestructuras Ferroviarias en la zona de servicio han de ser compatibles con los proyectos de delimitación y utilización de espacios ferroviarios.

En ningún caso, los órganos urbanísticos podrán suspender la ejecución de las obras que se realicen por el Administrador de Infraestructuras Ferroviarias cuando éstas se lleven a cabo en cumplimiento de los planes y de los proyectos de obras aprobados, se entiende legítimamente, por los órganos correspondientes.

Las autorizaciones y, en su caso, las concesiones otorgadas a particulares para la realización de obras o actividades de la zona de servicio, no eximen a sus titulares de obtener los permisos, licencias y demás autorizaciones que, en cada caso, sean exigidas por otras disposiciones legales. Todo ello, en el bien entendido de que dentro de la zona de servicio ferroviario pueden realizarse actividades de carácter industrial, comercial y de servicios cuya localización esté justificada por su relación con aquellas de conformidad con lo que haya determinado el proyecto de delimitación y utilización de espacios ferroviarios y el planeamiento urbanístico correspondiente.

Todo lo anterior está en consonancia con las previsiones de la Ley 8/2007, de 28 de mayo, del Suelo, citable por el TR 2/2008; aunque el carácter y la naturaleza básica de la citada Ley se limite a las advertencias correspondientes sobre garantías de sostenibilidad y en conjunción con el territorio.

BIBLIOGRAFÍA

AAVV, El Derecho de los transportes terrestres. Dir. J. L. BERMEJO, Cedecs, Barcelona, 1999.

AAVV, Bienes públicos (régimen jurídico), Dir. M. SÁNCHEZ MORÓN, Tecnos, Madrid, 1997; AAVV, Infraestructuras ferroviarias del tercer milenio (MONTORO CHINER, M. J. coordinadora). Cedecs, Barcelona, 1998.

AAVV, Estudio sobre la ordenación del sector ferroviario en la Unión Europea (El marco comunitario y los casos alemán, francés, británico y español) Dir. L. PAREJO ALFONSO, Instituto Pascual Madoz con la colab. Fundación de Ferrocarriles Españoles, 2004.

AAVV, El régimen jurídico del sector ferroviario. Comentario a la Ley 39/2003, de 17 de noviembre del Sector Ferroviario, Dir. J. GUILLEN CARAMES, Thomson-Aranzadi, Cizur Menor, 2007.

AAVV, El futuro del transporte por ferrocarriles en España: régimen jurídico. Dir. J. L. PIÑAR MAÑAS, Fundación de los Ferrocarriles Españoles, Madrid, 1997.

BERMEJO VERA, J. Régimen jurídico del ferrocarril en España (1844-1974). Estudio específico de RENFE. Madrid, 1975; IDEM, *Empresas ferroviarias y Agentes prestadores del transporte,* en Infraestructuras ferroviarias del tercer milenio (MONTORO CHINER, M. J. coordinadora). Cedecs, Barcelona, 1999, pp. 263-298.

CARBONELL PORRAS, E. *La entidad pública empresarial "Administrador de infraestructuras ferroviarias"* (ADIF), en El Régimen Jurídico del Sector Ferroviario. Comentarios a la Ley 39/2003, de 17 de noviembre, del Sector Ferroviario, Edit. Thomson-Aranzadi, Cizur Menor, 2007.

DE LA CUÉTARA, J. M. Sobre las infraestructuras en red, REDETI, 1998.

ENTRENA CUESTA, R. *Dictamen sobre la servidumbre de recalada en el Aeropuerto de Gando,* Revista del Foro canario, 1961.

ESCARTÍN ESCUDÉ, V. M. Urbanismo y sector ferroviario, REDA nº 156, 2012.

FERNÁNDEZ ACEVEDO, R. "Ferrocarriles, urbanismo y medio ambiente" en Bienes públicos, urbanismo y medio ambiente (Coord. F. LÓPEZ RAMÓN, y V. ESCARTÍN ESCUDÉ), Marcial Pons, 2013.

FERNÁNDEZ RODRÍGUEZ, T. R. *Las obras públicas.* RAP nº 100-102, 1983.

– La situación de los colindantes con las vías públicas. RAP nº 69,1972

FONT LLOVET, T. *La ordenación constitucional del dominio público* en Estudios sobre la Constitución Española. Homenaje al Profesor GARCÍA DE ENTERRÍA, J. IV, Civitas, Madrid, 1991.

GARCÍA DE ENTERRÍA, E. *El servicio público de los transportes urbanos.* RAP nº 10, 1953. *Sobre la imprescriptibilidad del dominio público,* RAP nº 13, 1954.

GARCÍA PÉREZ, J. Régimen jurídico del transporte por ferrocarril. Marcial Pons, Madrid, 1996.

GARRIDO FALLA, F. Tratado de Derecho Administrativo II, Tecnos, Madrid, 2001.

GONZÁLEZ GARCÍA, J. La titularidad de los bienes de dominio público. Marcial Pons, Madrid, 1998.

GONZÁLEZ SANFIEL, A. Un nuevo régimen jurídico para las infraestructuras de dominio público. Montecorvo, Madrid, 2000.

LÓPEZ RAMÓN, F. *Consideraciones jurídicas sobre la función de las Comunidades autónomas en la ordenación ferroviaria,* RAP nº 139, 1996.

MAGDALENA, J. A. Ferrocarril y competencias de las Comunidades autónomas. Cálamo, Barcelona, 2003.

MARTÍN-RETORTILLO, L. *Transportes* en Derecho Administrativo económico II. Dir. S. MARTÍN-RETORTILLO, La Ley, Madrid, 1991.

MENÉNDEZ SEBASTIÁN, E. Mª *Limitaciones a la propiedad,* en El régimen jurídico del sector ferroviario. Comentarios a la Ley 39/2003, de 17 de noviembre, del Sector Ferroviario, Edit. Thomson-Aranzadi, Cizur Menor, 2007.

MONTERO PASCUAL, J. J., *Acceso a la red ferroviaria en El régimen jurídico del Sector Ferroviario.* Comentario a la Ley 39/2003, de 17 de noviembre del Sector Ferroviario. Dir. J. GUILLÉN CARAMES, Thomson-Aranzadi, Cizur Menor, 2007.

MONTORO CHINER, M. J. *Proyección ambiental de las infraestructuras ferroviarias.* Infraestructuras ferroviarias del tercer milenio. (MONTORO CHINER, M. J. coordinadora). Cedecs, Barcelona, 1999. *Objetivos, naturaleza y límites de la declaración de impacto ambiental de las infraestructuras públicas,* REDA nº 110, 2001.

MORILLO-VELARDE PÉREZ, J. I. *El estatuto jurídico de los bienes. Las transformaciones del derecho público de bienes: del dominio público a las cosas públicas.* Infraestructuras ferroviarias de tercer milenio (MONTORO CHINER, M. J. coordinadora). Cedecs, Barcelona, 1999.

NOGUERA DE LA MUELA, B. *El subsuelo. Tramos urbanos y estaciones.* Infraestructuras ferroviarias del tercer milenio. (MONTORO CHINER, M. J. coordinadora). Cedecs, Barcelona, 1999.

OLMEDO GAYA, A. El nuevo sistema ferroviario y su ordenación jurídica. Aranzadi, Elcano, Navarra, 2000.

PAREJO ALFONSO, L. Dominio público: un ensayo de reconstrucción de su teoría general, RAP nº 100-102, 1983.

TRAYTER JIMÉNEZ, J. M. Proyecto de infraestructura ferroviaria y planeamiento urbanístico (a propósito de la línea de alta velocidad Madrid-Zaragoza-Barcelona-frontera francesa), en Infraestructuras ferroviarias del tercer milenio (MONTORO CHINER, M. J. coordinadora). Cedecs. Barcelona, 1999.

ZONAS DE LIMITACIÓN AL USO DE LOS TERRENOS COLINDANTES CON EL FERROCARRIL

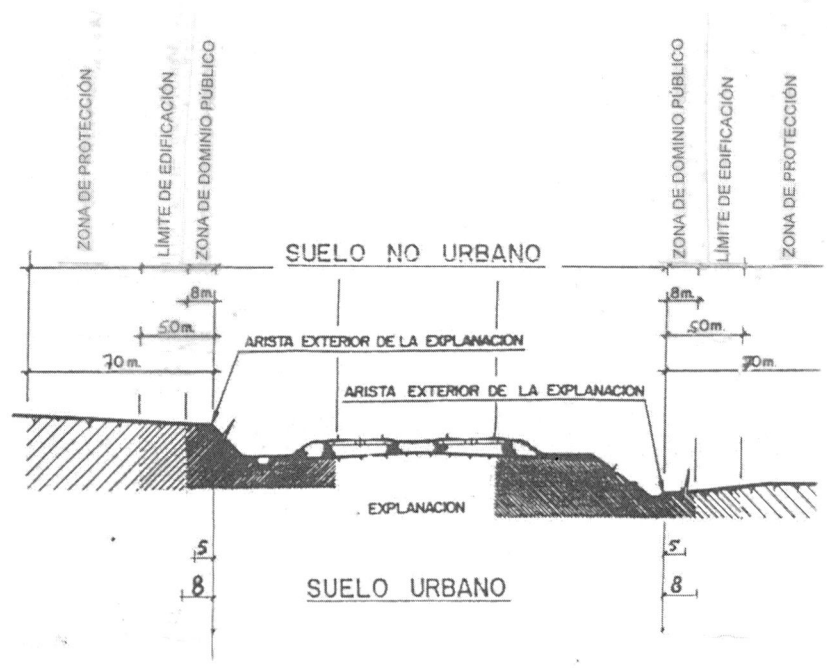

Capítulo XXI

Aspectos básicos de la ordenación de las obras hidráulicas

Julio V. González García
Catedrático de Derecho administrativo
Universidad Complutense de Madrid

I. PLANTEAMIENTO GENERAL. CONCEPTO Y MODALIDADES DE OBRA HIDRÁULICA

1. Concepto de obra hidráulica

Dentro de los elementos en los que la Ley de aguas tiene una pretensión de complitud en relación con las obras hidráulicas, aparece precisamente la determinación de qué instalaciones tienen esta naturaleza. El art. 122 intenta ser, en este sentido, agotador de las situaciones en las que nos encontramos ante ellas: "a los efectos de esta Ley, se entiende por obra hidráulica la construcción de bienes que tengan naturaleza inmueble destinada a la captación, extracción, desalación, almacenamiento, regulación, conducción, control y aprovechamiento de las aguas, así como el saneamiento, depuración, tratamiento y reutilización de las aprovechadas y las que tengan como objeto la recarga artificial de acuíferos, la actuación sobre cauces, corrección del régimen de corrientes y la protección frente avenidas, tales como presas, embalses, canales de acequias, azudes, conducciones, y depósitos de abastecimiento a poblaciones, instalaciones de desalación, captación y bombeo, alcantarillado, colectores de aguas pluviales y residuales, instalaciones de saneamiento, depuración y tratamiento, estaciones de aforo, piezómetros, redes de control de calidad, diques y obras de encauzamiento y defensa contra avenidas, así como aquellas actuaciones necesarias para la protección del dominio público hidráulico". Pretensión de complitud sobre el que conviene recordar que, siempre, "al cabo del tiempo, todos los listados legales, por muy amplios que sean, aunque parezca mentira, resultan siempre insuficientes. De ahí a conveniencia de haber introducido la vieja fórmula del «tales como» que recoge ya el CC y que vendría a ofrecer una mayor y más permanente flexibilidad y permitiría además incluir en su caso aquellas que, aún no recogidas en la enumeración, pudieran ser de «naturaleza o de características análogas o semejantes»"[1].

Parece claro que el legislador ha pretendido configurar un concepto omnicomprensivo de las obras hidráulicos, a pesar de la deficiencia técnica expresada. Precisamente por ello, hay que intentar abstraer de esta prolija relación de infraestructuras un concepto que sirva para delimitar aquellas instalaciones que puedan tener la consideración de obra hidráulica con independencia de que aparezca o no en la relación. Obviamente no puede girar sobre la utilización del agua pero sí se puede estructurar sobre aquellas instalaciones que sirvan para la protección, control y aprovechamientos de los recursos hidráulicos, conceptos que están recogidos, con mejor sentido, en el art. 123.2 cuando se hace referencia a las obras hidráulicas de titularidad públicas. Relación con dichos aspectos de los recursos hidráulicos que se recalca cuando se prohíbe en el art. 123 que se inicie la construcción de una obra hidráulica que comporte nuevos usos del agua si no se ha obtenido con carácter previo el título habilitante correspondiente.

---

[1]   MARTÍN-RETORTILLO, S., *Las obras hidráulicas en la ley de aguas*, Ed. Civitas, Madrid (2000), pp. 97-98.

Obviamente, como resulta de lo que se acaba de indicar y sobre todo, a la vista de la relación que recoge el art. 122, se trata de bienes de naturaleza inmueble.

Este concepto de obra hidráulica ha de ser dividido en tres modalidades, que marcan sustanciales diferencias en su régimen jurídico: obras hidráulicas públicas y privadas y, dentro de las primeras las que son de interés general y la que no lo son. Veamos las características definidoras de los tres grupos.

2. Obra hidráulica de titularidad pública. Consideraciones sobre su carácter demanial

La Ley de aguas determina de forma clara cuándo nos encontramos ante obras hidráulicas que son de titularidad pública, de acuerdo con lo que señala el art. 123.2: "son obras hidráulicas públicas las destinadas a garantizar la protección, control y aprovechamiento de las aguas continentales y del dominio público hidráulico y que sean competencia de la Administración General del Estado, de las Confederaciones Hidrográficas, de las Comunidades Autónomas y de las Entidades locales".

Por tanto, nos encontramos ante una obra de titularidad pública cuando el destino del bien está referido a una competencia de titularidad pública de un ente público que ha de cumplir una serie de finalidades contempladas de forma amplia en la norma. Por tanto, desde esta perspectiva, la gestión de la obra hidráulica dependerá de la Administración Pública que tenga asumida la competencia material. Esta cuestión de la distribución de competencias en relación con las obras hidráulicas se ha analizará en el epígrafe siguiente. Ahora me quiero referir al carácter demanial de las obras hidráulicas.

En principio, como ocurre con casi todas las obras públicas, las obras hidráulicas tienen carácter de bienes del dominio público. Es una consecuencia necesaria de la conexión entre la ley de obras públicas y el Código civil, de que el propio art. 339 otorgue expresamente carácter demanial a algunos de las obras hidráulicas. El punto de partida parece claro, aunque nada hubiera obstado para que el legislador hubiera concretado algo más el carácter de estos bienes.

Las dificultades aparecen cuando se recurren a los nuevos procedimientos para construcción de infraestructuras en los que hay dificultades para que el bien pueda formar parte del dominio público. En efecto, cuando se recurre a determinados procedimientos de construcción de infraestructuras de carácter netamente privado —aunque sea un ente público el que lo ejecuta— el bien podrá tener la consideración de bien público, aunque de naturaleza patrimonial. Pensemos en algunas manifestaciones del contrato de colaboración público-privada, como el arrendamiento operativo, suscritos por sociedades públicas —como ha hecho alguna Comunidad autónoma—, en las que se otorga un derecho de superficie para que la propiedad del bien —que no del suelo— sea del particular, que a su vez lo arrendará a la sociedad pública. Esto no es un esquema de laboratorio sino que por el contrario se ha aplicado en la práctica para la construcción de determinadas obras públicas, como bien se explica en el capítulo correspondiente, y extrapolable a las obras hidráulicas.

La realidad, en definitiva, ha ido mostrando que, más allá de las rigideces del dominio público se han configurado mecanismos alternativos, de naturaleza privatizadora, que parten de los resquicios que proporciona el ordenamiento jurídico y que van a adquirir carta de naturaleza con la Ley de Contratos del Sector Público y con ella el contrato de colaboración público-privada. Si, como se ha señalado en Italia, con ello lo que se hace es introducir el caballo de Troya de la atipicidad contractual en la ciudadela de la actividad contractual de los entes públicos[2], en materia de régimen de los bienes públicos también contribuye a que haya cada vez más infraestructuras que no tengan carácter demanial, precisamente porque son bienes que no son de titularidad pública, por más que la figura del titular de los bienes del dominio público me siga pareciendo un mito. Es una realidad con la que hemos de convivir, al menos mientras sigan existiendo las razones que llevan a esta utilización de mecanismos alternativos de construcción de infraestructuras.

De igual manera, hay que plantearse si las obras hidráulicas concedidas —que están recogidas en los arts. 133 y ss. de la Ley de Aguas— son o no de titularidad de la Administración concedente o si, por el contrario, son del concesionario. Duda que se ve acrecentada si tenemos en cuenta que el art. 97.2 de la ley de Patrimonio de las Administraciones Públicas dispone que la concesión "otorga a su titular, durante el plazo de validez de la concesión y dentro de los límites establecidos en la presente sección de esta Ley, los derechos y obligaciones del propietario". Este precepto, que ha sido calificado con acierto, por JIMÉNEZ-BLANCO como "eviden-

---

[2] DIPACE, R., *Il Partenariato…, op. cit.*, p. 105.

te exceso semántico"[3], en la medida ya que, no sólo es que es menor que una propiedad. Es que es distinto. Por eso, el autor de la LCAP ha querido reformular el punto de equilibrio de las prestaciones, dando al acreedor hipotecario, en caso de que la obligación garantizada no se viera satisfecha, unas situaciones subjetivas activas de los que carece en el caso de hipoteca ordinaria"[4].

3. Obras hidráulicas de interés general

Dentro de las obras públicas de titularidad pública el conjunto más relevante —por la importancia cualitativa que tienen— es el referido a las obras públicas de interés general, que están recogidas en el art. 46 TRLA. Calificación que sirve, además, como criterio para la asunción de competencias por parte de la Administración General del Estado. Obviamente, esta calificación como de interés general ha de venir como consecuencia de reunir una serie de requisitos que han de ser recogidos en el informe que se ha de emitir a tal fin, de acuerdo con lo dispuesto en el art. 46.5 TRLA y el art. 131. No obstante, en ocasiones, como ocurrió con la promulgación de la Ley 10/2001, de 5 de julio, del Plan Hidrológico Nacional, "el legislador ha hecho caso omiso" de dichas prescripciones de la norma ya que se realizó "sin la previa redacción del correspondiente proyecto y sin estudio económico financiero alguno"[5]

El art. 46 de la Ley de aguas señala tres formas de calificar una obra como de interés general. Por un lado, este precepto se encarga de configurar las afectas a determinadas finalidades públicas como de interés general: i) Las obras que sean necesarias para la regulación y conducción del recurso hídrico, al objeto de garantizar la disponibilidad y aprovechamiento del agua en toda la cuenca; ii) Las obras necesarias para el control, defensa y protección del dominio público hidráulico, sin perjuicio de las competencias de las Comunidades Autónomas, especialmente las que tengan por objeto hacer frente a fenómenos catastróficos como las inundaciones, sequías y otras situaciones excepcionales, así como la prevención de avenidas vin-

---

[3] JIMÉNEZ-BLANCO CARRILLO DE ALBORNOZ, A., *Negocios jurídicos sobre la concesión*, dentro de la obra colectiva dirigida por CHINCHILLA MARÍN, C., Comentarios a la Ley 33/2003, de patrimonio de las Administraciones públicas, Ed. Civitas, Madrid (2004), p. 478.

[4] JIMÉNEZ-BLANCO CARRILLO DE ALBORNOZ, A., *Negocios jurídicos...*, *op. cit.*, p. 483.

[5] EZQUERRA HUERVA, A.; *El régimen jurídico...*, *op. cit.*, p. 415.

culadas a obras de regulación que afecten al aprovechamiento, protección e integridad de los bienes del dominio público hidráulico; iii) Las obras de corrección hidrológico-forestal cuyo ámbito territorial afecte a más de una Comunidad Autónoma y iv) Las obras de abastecimiento, potabilización y desalación cuya realización afecte a más de una Comunidad Autónoma.

En segundo lugar, establece una reserva de ley para la configuración de ciertas actuaciones como de interés general. En su ejercicio, si conviene recordar que además de los supuestos de las denominadas leyes de acompañamiento, existen supuestos especiales en los que se ha recurrido a la utilización del Real Decreto-Ley, básicamente cuando afectaba a situaciones especiales como pueden ser las sequías o las inundaciones. Y, en ocasiones, hay otras disposiciones que son específicas para determinan ciertas obras como de interés general, como las recogidas en la Ley 22/1997, de 8 de julio.

La referida reserva de ley que está eximida en determinados supuestos, que constituyen el tercer procedimiento, para los cuales resulta suficiente que se apruebe un Real Decreto, que son los siguientes: i) Las obras hidráulicas contempladas en el apartado 1 en las que no concurran las circunstancias en él previstas, a solicitud de la Comunidad Autónoma en cuyo territorio se ubiquen, cuando por sus dimensiones o coste económico tengan una relación estratégica en la gestión integral de la cuenca hidrográfica; ii) Las obras necesarias para la ejecución de planes nacionales, distintos de los hidrológicos, pero que guarden relación con ellos, siempre que el mismo plan atribuya la responsabilidad de las obras a la Administración General del Estado, a solicitud de la Comunidad Autónoma en cuyo territorio se ubique.

II. OBRA HIDRÁULICA Y PLANIFICACIÓN HIDROLÓGICA

Uno de los aspectos que deberían resultar más importantes de la ejecución de obras públicas es su vinculación con instrumentos de planificación para insertar cada actuación en un marco razonable de desarrollo. Los aspectos generales están contemplados en otro capítulo de esta obra y a allí me remito. Las peculiaridades que presentan las obras hidráulicas en esta materia derivan del papel especial que tienen los planes de cuencas, los cuales diferencian en función de la naturaleza de las actuaciones que se quieran desarrollar. Al mismo tiempo, estos planes sirven como programadores de la actuación administrativa en esta materia.

La propia Ley de aguas, en su art. 42 —precepto dedicado al contenido obligatorio de los planes hidrológicos de cuenca— obliga a que determinadas obras hidráulicas formen parte del contenido del PHC: son las denominadas infraestructuras básicas requeridas por el plan, a fin de conseguir los objetivos propuestos. Son infraestructuras básicas, de acuerdo con lo dispuesto en el art. 85.1 RAPA "las obras y actuaciones que, influyendo significativamente en el ámbito hidráulico que se insertan, forman parte integrante de los sistemas de explotación[6] que hacen posible la oferta de recursos prevista por el Plan para los diferentes horizontes temporales". Con ello, tal como señala Ezquerra, se puede concluir que "se identifican básicamente con las obras de regulación que presenten una incidencia sensible sobre la oferta de agua en el sistema de explotación correspondiente"[7].

A este contenido específico, han de añadirse todos aquellos que se refieren a actuaciones en relación con los recursos hidráulicos que han de ejecutarse y que, de acuerdo con la definición de obra pública que se vio al comienzo de estas páginas tienen también la naturaleza de obra hidráulica. Sirvan de ejemplo, en este sentido, lo recogido referente a los criterios sobre estudios, actuaciones y obras para prevenir y evitar los daños debidos a inundaciones, avenidas y otros fenómenos hidráulicos. En este sentido, siempre que estén recogidas en el plan hidrológico de cuenca, no resulta necesario que tengan naturaleza de infraestructuras básicas para que se puedan ejecutar.

Cumple una función similar el Plan Hidrológico Nacional en relación con otras obras hidráulicas. En efecto, de acuerdo con lo dispuesto en el art. 45.1. c. LA, han de figurar en el Plan Hidrológico Nacional aquellas obras hidráulicas que sirvan para la transferencia de recursos hídricos entre ámbitos territoriales de Planes Hidrológicos de Cuenca diferentes, lo cual posiblemente sea el contenido que más claramente suponga la ejecución de obras hidráulicas. No obstante, de los restantes tres contenido del art. 45.1 TRLA se deduce claramente la necesidad de que ciertas obras hidráulicas figuren dentro del Plan Hidrológico Nacional: i) Las medidas necesarias para la coordinación de los diferentes planes hidrológicos de

---

[6]   Recordemos, en este sentido, que el sistema de explotación "está constituido por elementos naturales, obras e instalaciones de infraestructura hidráulica, normas de utilización del agua derivadas de las características de las demandas y reglas de explotación que, aprovechando los recursos hidráulicos naturales, permiten establecer los suministros de agua que configuran la oferta de recursos disponibles del sistema de explotación".

[7]   EZQUERRA HUERVA, A., *El régimen jurídico de las obras hidráulicas*, p. 365.

cuenca; ii) La solución para las posibles alternativas que aquéllos ofrezcan
y iii) Las modificaciones que se prevean en la planificación del uso del
recurso y que afecten a aprovechamientos existentes para abastecimiento
de poblaciones o regadíos. Posiblemente la característica que resulta más
relevante de todo ello es la necesidad de que ciertas obras hidráulicas se
construyan con el respaldo de las Cortes Generales, dado que esta norma
ha de aprobarse mediante Ley.

Que las obras hidráulicas se incluyan en los planes hidrológicos tiene
una notable importancia en cuanto a las condiciones de ejecución de las
mismas. De entrada, estas obras se han de entender consideradas como de
utilidad pública a los efectos de expropiación forzosa. En segundo lugar,
del art. 128 TRLA se ha de deducir la vinculación de los planes de ordenación territorial a los planes. Este carácter subordinado de los planes resulta
absoluto en lo que afecta a las obras de interés general, como se deduce
con carácter general. El art. 43 TRLA contiene una regla que permite afirmar con carácter general la vinculación de los planes, consistente en que
todo el terreno previsto para actuaciones y obras habrá de ser "respetado
en los diferentes instrumentos de ordenación urbanística del territorio",

III. ORDENACIÓN MEDIO AMBIENTAL Y URBANÍSTICA DE LAS OBRAS HIDRÁULICAS

1. El régimen urbanístico de las obras hidráulicas

Uno de los elementos centrales para el análisis del régimen de las obras
hidráulicas es cómo se les aplican las reglas del Derecho urbanístico, para
el cual hay que diferenciar entre las obras hidráulicas de naturaleza privada y de naturaleza pública. Dentro de estas últimas, la solución del legislador ha sido, asimismo, la de la diversificación de soluciones, como se
deriva de la respuesta del propio art. 127.1 TRLA, en el sentido de limitar
la aplicabilidad de los instrumentos de control urbanístico a determinadas
obras hidráulicas.

Las obras hidráulicas de titularidad privada están sometidas a control
previo por parte de las autoridades urbanísticas, a través de la correspondiente licencia de obras. En cuanto acto de edificación y uso del suelo, la
totalidad de las disposiciones urbanísticas de las Comunidades autónomas
—en la medida en que se trata de una materia de titularidad autonómica—
han sujetado la ejecución de este tipo de infraestructuras a la licencia de
obras.

En efecto, de acuerdo con lo previsto en dicho precepto, aquellas obras hidráulicas que sean de interés general y las "actuaciones hidráulicas de ámbito supramunicipal, incluidas en la planificación hidrológica y que no agoten su funcionalidad en el término municipal en donde se ubiquen, no estarán sujetas a licencia ni a cualquier acto de control preventivo municipal". Se trata de una solución que, por otra parte, resulta coincidente con otros sectores de las obras públicas en los cuales también está parcialmente exonerada la Administración de la petición de licencia de obras.

Este hecho provocará que, siempre que se haya cumplido los trámites procedimentales de informe previo del Ayuntamiento, aprobación del correspondiente proyecto técnico y que las obras se ajusten al mismo y se hayan comunicado a la Corporación Local, no se podrán suspender las obras por orden municipal. De hecho, la prevalencia de la declaración de una obra de interés general sobre el planeamiento municipal está perfectamente declarado en la norma, en la medida en que cuando el Ministerio de Medio Ambiente comunique a los Ayuntamientos la aprobación de estos proyectos, se habrá de iniciar un procedimiento de modificación del plan de urbanismo "para adaptarlo a la implantación de las nuevas infraestructuras o instalaciones" (art. 127.3 TRLA).

A estos supuestos de carácter general, habría que añadir todos aquellos en los que las Administraciones públicas ejecutan obras de urgencia o en las cuales existan otros intereses públicos de especial relevancia, de los previstos en el art. 244 TRLS.

2. *Régimen medioambiental de las obras hidráulicas: entre las evaluaciones de impacto ambiental y la evaluación de efectos ambientales*

Dentro del régimen de construcción de obras hidráulicas uno de los aspectos centrales es el sometimiento a instrumentos de evaluación ambiental, lo que deriva del gran impacto que pueden tener estas infraestructuras en los parajes en los que se ubican[8]. En la normativa se contienen varios instrumentos, como son la evaluación de impacto ambiental y la evaluación de efectos ambientales, regulada en la Ley de aguas.

El sometimiento a la evaluación de impacto ambiental es la consecuencia tanto de la normativa estatal, como de la que han ido aprobando las

---

[8]   Una visión general del impacto ambiental de las grandes infraestructuras hidráulicas se puede ver en UTRERA CARO, S. F., *La incidencia ambiental de las obras hidráulicas. Régimen jurídico*, Dykinson, Madrid (2002).

Comunidades autónomas, en la doble perspectiva de normativa general de este tipo de instrumentos, tras la sanción positiva que tuvo este procedimiento en la STC 90/2000, de 30 de marzo como de normativa específica en la que se han previsto su exigibilidad.

Como es conocido, el Real Decreto Legislativo 1/2008, de 11 de enero, por el que se aprueba el texto refundido de la Ley de Evaluación de Impacto Ambiental de proyectos contiene un listado de todas las instalaciones que han de ser objeto de evaluación, entre las que se encuentran las obras hidráulicas; tanto en el grupo de aquellas que son objeto de evaluación imperativa como de las que ha de ser tomada una decisión caso por caso[9], en función de una decisión motivada y pública de la autoridad ambiental, para lo cual se configuran una serie de presupuestos en el Anexo III, que son los que fijan la conveniencia o no de proceder a la EIA[10]. Por otra parte, la propia legislación de aguas, dispone que "sin perjuicio de los supuestos en que resulte obligatorio, conforme a lo previsto en la normativa vigente, en los casos en que el Organismo de cuenca presuma la existencia

---

[9]   Dentro de los proyectos de ingeniería hidráulica y de gestión del agua se encuentran los siguientes:
      a. Presas y otras instalaciones destinadas a retener el agua o almacenarla permanentemente cuando el volumen nuevo o adicional de agua almacenada sea superior a 10.000.000 de metros cúbicos.
      b. Proyectos para la extracción de aguas subterráneas ola recarga artificial de acuíferos, si el volumen anual de agua extraída o aportada es igual o superior a 10.000.000 de metros cúbicos.
      c. Proyectos para el trasvase de recursos hídricos entre cuencas fluviales, excluidos los trasvases de agua potable por tubería, en cualquiera de los siguientes casos:
      Que el trasvase tenga por objeto evitarla posible escasez de agua y el volumen de agua trasvasada sea superior a 100.000.000 de metros cúbicos al año.
      Que el flujo medio plurianual de la cuenca de la extracción supere los 2.000.000.000 de metros cúbicos al año y el volumen de agua trasvasada supere el 5% de dicho flujo.
      En todos los demás casos, cuando alguna de las obras que constituye el trasvase figure entre las comprendidas en este anexo I.
      d. Plantas de tratamiento de aguas residuales cuya capacidad sea superior a 150.000 habitantes-equivalentes.
      e. Perforaciones profundas para el abastecimiento de agua cuando el volumen de agua extraída sea superior a 10.000.000 de metros cúbicos.
[10] Concretamente, los criterios que se han de analizar son: i) El tamaño del proyecto; ii) la acumulación con otros proyectos; iii) La utilización de recursos naturales; iv) La generación de residuos; v) Contaminación y otros inconvenientes y vi) El riesgo de accidentes, considerando en particular las sustancias y las tecnologías utilizadas. A partir de ahí, habrán de analizarse las consecuencias derivadas de su ubicación, teniendo en cuenta su sensibilidad, su capacidad de regeneración y la capacidad de carga ambiental que tenga el terreno y las características del proyecto.

de un riesgo grave para el medio ambiente, someterá igualmente a la consideración del órgano ambiental competente la conveniencia de iniciar el procedimiento de evaluación de impacto ambiental" (art. 98).

Uno de los aspectos que ha resultado más problemáticos de su aplicación ha consistido precisamente en la fraccionabilidad de las construcciones, en la medida que la construcción de una obra hidráulica no es suficiente infraestructura para que las aguas lleguen a los usuarios de las mismas. La ruptura de la unidad de la actuación podría suponer, de acuerdo con lo que se acaba de indicar, que no hubieran de ser objeto de EIA. Para solucionar el problema, se modificó la normativa de tal manera que "el fraccionamiento de proyectos de igual naturaleza y realizados en el mismo espacio físico no impedirá la aplicación de los umbrales establecidos en este anexo, a cuyos efectos se acumularán las magnitudes o dimensiones de cada uno de los proyectos considerados".

Como ha señalado EZQUERRA, "el número o las modalidades de obras hidráulicas que deben ser sometidas a evaluación de impacto ambiental es más bien escaso"[11]. La ley de aguas, en su art. 98, contiene un instrumento de control que puede paliar estas carencias, que consiste en lo que se puede definir como evaluación de efectos ambientales, en virtud del cual "la tramitación de concesiones y autorizaciones que afecten al dominio público hidráulico que pudieran implicar riesgos para el medio ambiente, será preceptiva la presentación de un informe sobre los posibles efectos nocivos para el medio, del que se dará traslado al órgano ambiental competente para que se pronuncie sobre las medidas correctoras que, a su juicio, deban introducirse como consecuencia del informe presentado". Como se puede observar, se modifica por completo el tipo de regulación, sustituyéndose el sistema de lista cerrada —con los problemas que se advirtieron con anterioridad— por un criterio abierto que afecta al impacto ecológico, lo que permite una mejor ponderación del impacto ambiental, teniendo siempre presente el principio constitucional de protección del medio ambiente como criterio ante aquellas situaciones dudosas. Es un procedimiento, no obstante, que plantea el problema de que el órgano encargado del otorgamiento de las concesiones es el mismo que el que ha de emitir el referido informe, lo que puede resultar pernicioso si tenemos en cuenta que "por lo común, la Administración competente son los Orga-

---

[11] EZQUERRA HUERVA, A., *Las obras hidráulicas...*, *op. cit.*, p. 481.

nismos de cuenca, los cuales tienen una tradicional y arraigada orientación hacia la explotación de los recursos"[12]

El ámbito en el que se ha de emitir este informe de efectos ambientales está desarrollado en el RDPH que contiene tres supuestos en los que ha e efectuarse: por un lado, siguiendo el contenido del art. 97 TRLA, aunque siendo excesivamente restrictivo lo que casa mal con el principio general de protección del medio ambiente, "las concesiones o autorizaciones administrativas, en relación con obras o actividades en el dominio público hidráulico, que, a juicio del Organismo de cuenca, se consideren susceptibles de contaminar o degradar el medio ambiente, causando efectos sensibles en el mismo" (art. 237.1 RDPH). En segundo lugar, "Los programas, planes, anteproyectos y proyectos de obras o acciones a realizar por la propia Administración", en la línea de lo previsto en la Ley 9/2006, de 28 de abril, sobre evaluación de determinados planes y programas en el medio ambiente, y, en tercer lugar, como señala también el art. 239 RDPH será preceptivo en relación con "todas las obras de regulación".

Con este informe sobre evaluación de efectos ambientales identificarán, preverán y valorarán las consecuencias o efectos que las obras o actividades que el peticionario pretenda realizar puedan causar a la salubridad y al bienestar humanos y al medio ambiente, e incluirán las cuatro fases siguientes: i) Descripción y establecimiento de las relaciones causa-efecto; ii) Predicción y cálculo en su caso de los efectos y cuantificación de sus indicadores; iii) Interpretación de los efectos y iv) Previsiones a medio y largo plazo y medidas preventivas de efectos indeseables.

IV. FORMAS DE EJECUCIÓN DE LAS OBRAS HIDRÁULICAS

El estudio de las obras hidráulicas exige necesariamente el análisis de los mecanismos para su ejecución. No obstante, de ellos sólo me voy a referir a los que están contemplados como propios en la legislación de aguas, que son la concesión de obras hidráulicas y el mecanismo que más se está utilizando en los últimos tiempos, el de las sociedades estatales de obras hidráulicas, al que se dedica el epígrafe siguiente.

---

[12]   EZQUERRA HUERVA, A., *Las obras hidráulicas...*, *op. cit.*, p. 484.

1. Concesión de obras hidráulicas

El modelo concesional, que es analizado en otro capítulo de esta obra colectiva es perfectamente aplicable a la ejecución de las obras hidráulicas. En efecto, más allá de los problemas que hubo en su momento, y de los que la doctrina ha dado buena cuenta, la concesión de obras hidráulicas carece de diferencias esenciales con otras modalidades de concesión administrativa.

En este sentido, las diferencias estriban en el plazo, sobre las cuales el art. 244.3 de la Ley de Contratos del Sector Público remite al art. 134.1. a) del TRLA, que lo fija del siguiente modo: "el plazo de la concesión para la construcción y explotación o solamente la explotación de las obras hidráulicas será el previsto en cada pliego de cláusulas administrativas particulares para lo que se tendrá en cuenta la naturaleza de las obras y la inversión a realizar, sin que pueda exceder en ningún caso de 75 años".

En cuanto al procedimiento de adjudicación de estos contratos, en el pliego se pueden incorporar dos previsiones complementarias de las recogidas en la legislación general, concretamente, la obligación al licitador seleccionado de incorporar a la sociedad o entidad que al efecto se constituya las comunidades de usuarios del agua relacionadas con la obra objeto de la concesión y la determinación de los mecanismos adecuados para la recuperación de las aportaciones que, en su caso, haya realizado.

V. EN PARTICULAR EL RÉGIMEN DE LAS SOCIEDADES ESTATALES DE CONSTRUCCIÓN DE OBRAS HIDRÁULICAS

1. Planteamiento

El interrogante que tienen planteado los entes públicos para la compatibilización del proceso de construcción de infraestructuras con las estrecheces presupuestarias —reales y legales— se ha solucionado por parte de los entes públicos a través de un proceso de privatización de los procedimientos de creación y explotación de infraestructuras públicas. Se trata de una solución que, obviamente, convive con los mecanismos tradicionales de ejecución de las obras públicas. En general, podemos hablar de que el proceso de privatización se ha manifestado básicamente en diversos ámbitos. Por un lado, aquellos supuestos de privatización que se ha efectuado para dar mayor participación a los particulares y aquél otro que ha supuesto una privatización del régimen jurídico. E incluso, hay un último cambio, especialmente perceptible en nuestro país, que es el del modelo retributivo, que está yendo, por impulso comunitario, en una dirección de recuperación de costes por parte de los usuarios.

La última vertiente de la privatización es la que afecta a la utilización del derecho privado, que es lo que realmente se ve afectado por la constitución de sociedades mercantiles. El proceso, sin embargo, resulta paradójico. Paradójico porque por un lado se pretende alcanzar la flexibilidad del ordenamiento jurídico privado —básicamente para aumentar la competitividad de la administración respectiva— pero, por otro lado, nunca puede ser total y el régimen que ha de aplicar es, como mucho mixto, en la medida en que la actividad que van a desempeñar es materialmente administrativa ha de publificar aspectos de su régimen jurídico, como ha ocurrido, muy gráficamente, en relación con el sometimiento a la normativa de contratación pública. Nos encontramos, de este modo, en un conflicto general entre lo público y lo privado.

Posiblemente el ejemplo que mejor sintetiza todo lo anterior es el de las sociedades estatales de obras públicas[13], dentro de las cuales se encuentran las sociedades que construyen obras hidráulicas, cuya importancia en la construcción de las obras hidráulicas es de tal magnitud que, como ha señalado EMBID, la ejecución de las obras a través de las formas tradicionales, y por consiguiente, el régimen general tributario puede pasar a resultar meramente residual[14] Como se recordará, en el art. 158 de la Ley 13/1996, de 30 de diciembre, de medidas fiscales, administrativas y de orden social se constituyó un procedimiento novedoso para la construcción de infraestructuras públicas. En dicho precepto se habilitó al Gobierno para la constitución de una o más sociedades para la gestión y explotación de carreteras y de obras hidráulicas. Dos años después, se amplió el modelo para la ejecución de obras e infraestructuras de modernización y consolidación de regadíos. Y en el año 2004 se amplió el objeto social de la sociedad de carreteras para la ejecución de infraestructuras ferroviarias.

---

[13]   Sobre la problemática general de las sociedades estatales, al que remito en el desarrollo de las cuestiones que aquí se enuncian, véase mi estudio *Sociedades estatales de obras públicas,* Tirant lo Blanch (2008).

[14]   EMBID IRUJO, A., "Las Sociedades estatales para la construcción, explotación, adquisición y... de obras hidráulicas. Nuevas reflexiones"; dentro de la obra colectiva coordinada por COSCULLUELA MONTANER, L., *Estudios de Derecho público económico. Libro Homenaje al Prof. Dr. D. Sebastián Martín-Retortillo.* Coedición de ENDESA, Ibercaja y la Editorial Civitas, Madrid (2003), p. 303.

Con este modelo se constituye un modo diferente de construcción y explotación de obras públicas: el conocido como modelo español de provisión de infraestructuras que se instituye a través de una figura especial, la sociedad estatal, a la que se encomienda, en las condiciones que veremos con posterioridad, la gestión del proceso. Se trata del mecanismo a través del cual se pretende conseguir básicamente tres cosas: aumentar la eficacia de la administración en esta materia, resultar más eficiente y mejorar el efecto de la construcción de infraestructuras sobre la estabilidad presupuestaria. Tales son los motivos que aparecen, por ejemplo, en el Acuerdo del Consejo de Ministros por el que se autoriza la creación de la Sociedad Estatal de Infraestructuras de los Transportes Terrestres. En él se señala expresamente lo siguiente: "La consecución del objetivo de proporcionar una red de infraestructuras debe procurarse teniendo presente, en especial, el principio de eficacia en la actuación de la Administración y de las entidades dependientes de la misma. Existen antecedentes de gestores públicos de infraestructuras que han aplicado métodos de gestión eficientes en un contexto público. La agilidad de que se ha caracterizado el funcionamiento de estos gestores públicos ha contribuido a la eficacia en el cumplimiento de los objetivos de plazo, precio y calidad en las obras ejecutadas. Con este fin, junto con el de optimizar los limitados recursos presupuestarios disponibles para la construcción y explotación de infraestructuras en el transporte y construir así a la consecución del objetivo de estabilidad presupuestaria se crea la sociedad mercantil estatal "Sociedad de Infraestructuras de Transporte Terrestre".

Estas connotaciones generales de las sociedades estatales de obras públicas enmarcan el presente estudio de su régimen jurídico. Régimen jurídico que, como ha señalado la doctrina, es absolutamente insuficiente ya que nos encontramos ante figuras mixtas entre sociedades mercantiles y entidades que desarrollan políticas públicas, para las cuales, posiblemente, el régimen más adecuado sería el administrativo. No obstante, a la larga, como veremos en las páginas de este estudio, se limitan a realizar funciones que no implican el ejercicio de potestades administrativas.

En todo caso, este régimen parte de lo dispuesto en la DA 12ª de la Ley de Organización y Funcionamiento de la Administración General del Estado, cuyo apartado primero marca perfectamente lo que se acaba de señalar de dualidad de regímenes jurídicos:

> Las sociedades mercantiles estatales se regirán íntegramente, cualquiera que sea su forma jurídica, por el ordenamiento jurídico privado, salvo en las materias en que les sean de aplicación la normativa presupuestaria, contable, patrimonial, de control

financiero y contratación. En ningún caso podrán disponer de facultades que impliquen el ejercicio de autoridad pública.

Este régimen ha de ser complementado con lo que dispone el párrafo segundo en lo referente a las sociedades mercantiles de capital de la Administración General del Estado, para las cuales el marco general de ordenación está compuesto por:

> Las sociedades mercantiles estatales, con forma de sociedad anónima, cuyo capital sea en su totalidad de titularidad, directa o indirecta, de la Administración General del Estado o de sus Organismos públicos, se regirán por el título VII de la Ley del Patrimonio de las Administraciones Públicas y por el ordenamiento jurídico privado, salvo en las materias en que les sean de aplicación la normativa presupuestaria, contable, de control financiero y de contratación.

Estas son las cuestiones que se van a plantear en las páginas que siguen y sobre las cuales se van a proporcionar las líneas básicas. A las cuatro que enuncia el apartado segundo de la DA 12ª —presupuesto, contabilidad, control financiero y contratación— hay que añadir dos aspectos complementarios: cuál es el régimen de creación de estas entidades, que tienen peculiaridades añadidas a las de la Ley de patrimonio precisamente como consecuencia de las funciones que tienen encomendadas y, en segundo lugar, cómo se manifiestan las relaciones de tutela que tiene la Administración matriz sobre la entidad dependiente. Obviamente, se trata de un régimen jurídico en el cual ha de estar siempre presente las leyes en las que se confiere la autorización para su constitución, ya que allí se contienen elementos centrales de su régimen jurídico que las separa de las restantes sociedades estatales.

2. *Panorámica general de estas sociedades*

Este modelo peculiar de construcción de infraestructuras nació en el año 1996, concretamente a través del art. 158 de la Ley 13/1996, de 30 de diciembre, de medidas fiscales, administrativas y de orden social, que autorizó a la constitución de las sociedades estatales para la realización de las obras hidráulicas y que hoy se encuentran recogidos en el art. 132 del Texto Refundido de la Ley de Aguas. Utilizando esta autorización el Consejo de Ministros autorizó y se crearon con posterioridad, a partir de diciembre de 1997, a las siguientes sociedades estatales de obras hidráulicas, que están, en la actualidad, adscritas al Ministerio de Medio Ambiente:

a) Aguas de la Cuenca del Ebro, S.A.

b) Aguas de la Cuenca del Guadalquivir, S.A.

c) Aguas de la Cuenca del Norte, S.A.

d) Aguas de la Cuenca del Segura, S.A.

e) Aguas de la Cuenca del Sur, S.A.

f) Aguas de la Cuenca del Tajo, S.A.

g) Aguas de las Cuencas Mediterráneas, S.A[15].

h) Aguas del Duero, S.A.

i) Aguas del Júcar, S.A.

j) Canal de Navarra, S.A[16].

k) Depuradora del Baix Llobregat, S.A[17].

l) Sociedad "Canal de Segarra-Garrigues, S.A."

Dos años después, en el año 1998 se autorizó, a través del art. 99 de la Ley 50/1998, de 30 de diciembre, de medidas fiscales, administrativas y del orden social, a la creación de sociedades estatales para la ejecución de obras e infraestructuras de modernización y consolidación de regadíos, las cuales forman parte, como se ha visto al comienzo de este capítulo, de las obras hidráulicas. Su objeto social está constituido por: i) La financiación, en concurrencia con la iniciativa privada, de las obras de modernización y consolidación de los regadíos que se contemplen en el ámbito del Plan Nacional de Regadíos, ii) La promoción, contratación y explotación de dichas obras; iii) La coordinación de las actividades relacionadas con las referidas obras y iv) el asesoramiento a los usuarios en materia de planificación y or-

---

[15] Esta sociedad con anterioridad era la Sociedad Estatal de Infraestructuras del Trasvase, S.A., cuyo objeto social era la construcción y explotación de las obras hidráulicas del trasvase del Ebro, previstas en la Ley 10/2001, de 5 de julio, del Plan Hidrológico Nacional. Su objeto actualmente es tiene por objeto la contratación, construcción, adquisición y explotación en su caso, de toda clase de obras hidráulicas y, en especial, de aquellas obras de interés general que, en cumplimiento de lo dispuesto en la Ley 11/2005 de 22 de junio, de modificación de la Ley 10/2001, del Plan Hidrológico nacional se realicen en sustitución de las previstas en su día para las transferencias de recursos hídricos autorizadas por el artículo 13 de la Ley 10/2001, así como la gestión de los contratos para estudios, proyectos, construcción, adquisición o explotación de dichas obras y el ejercicio de las actividades preparatorias, complementarias o derivadas de las anteriores.

[16] Sociedad participada en un 89,45% por el Estado y el 10,55% restante por el Gobierno de Navarra.

[17] Sociedad participada en un 85% por el Estado y el 15% restante por la Generalidad de Cataluña.

denación de regadíos. En noviembre de 1999 se autorizó por el Consejo de Ministros la constitución de las siguientes cuatro sociedades, que están adscritas en la actualidad al Ministerio de Agricultura, Pesca y Alimentación:

a) Sociedad Estatal de Infraestructuras Agrarias del Norte

b) Sociedad Estatal de Infraestructuras Agrarias del Nordeste

c) Sociedad Estatal de Infraestructuras Agrarias de la Meseta Sur

d) Sociedad Estatal de Infraestructuras Agrarias del Sur y del Este

En cuanto a la gestión patrimonial de todo este grupo de sociedades estatales de obras, está encomendada a la Dirección General de Patrimonio del Estado, de acuerdo con lo previsto en el art. 21 del RD 1552/2004, de 25 de junio, por el que se desarrolla la estructura orgánica del Ministerio de Economía y Hacienda, que encomienda a dicho órgano "la gestión, tramitación e informe sobre los asuntos relacionados con las acciones y participaciones representativas del capital del Estado en empresas mercantiles y la actividad comercial e industrial del sector público".

3. Régimen de constitución de estas sociedades. En especial la función de la ley en el acto de creación y el contenido de la autorización del Consejo de Ministros

Uno de los aspectos que han quedado señalado es el que, pese a constituir una sociedad mercantil, no es constituye un modelo que responda al prototipo característico societario, precisamente por el hecho de que tiene un objeto social vinculado al ejercicio de funciones administrativas, como es la realización de obras públicas. Este dato motiva que el régimen general de creación de las sociedades por parte de las Administraciones públicas disponga de algunas peculiaridades, que las separa de la simplicidad que presenta la constitución de las sociedades mercantiles convencionales, incluso las que son de capital enteramente público. En el desarrollo del régimen de las sociedades instrumentales, por tanto, el siguiente paso está constituido por la determinación de cuál es el proceso de constitución de la sociedad y lo que se pueden denominar los elementos generales de su régimen jurídico, en el que hemos de armonizar Derecho público, por un lado, y Derecho mercantil por el otro.

El proceso de creación de las sociedades instrumentales públicas para la construcción y explotación de obras públicas se va a materializar a lo largo de un procedimiento en el que se pueden deslindar dos fases: una primera, que tiene naturaleza jurídico pública compuesta, a su vez por dos actuaciones: una de carácter legislativo en el que se va a producir la configuración del tipo de entidad, y que va a permitir delimitar las fases siguientes del proceso y, en particular, concretar el tipo de actividad que se va a desarrollar y los elementos básicos de la misma y una segunda, la autorización concreta de la constitución de la sociedad —que, para la mayor parte de las sociedades, recaerán en la competencia del Consejo de Ministros—, para, en aplicación de la habilitación legal, constituir la sociedad y someterse a un régimen societario concreto.

Una vez concluida la parte del procedimiento sometida a las normas jurídico-administrativas, se pasará a la siguiente fase, que tiene un marcado carácter jurídico-privado y que, por ello, el carácter público del creador no va a aportar elementos suficientes para la diferenciación de otros actos similares de creación de otras sociedades mercantiles y que están explicados en el capítulo referente al patrimonio público empresarial. En todo caso, es la parte del proceso en el cual se va a proceder a la constitución propiamente dicha de la entidad. A partir de este momento, se entrará en una cuestión distinta, que será la de determinar, una vez creada, qué tipo de vínculo tiene con la administración matriz en cuanto a las actividades de construcción de infraestructuras cómo se determinan y abonan y qué potestades retiene el ente creador de la sociedad.

Precisamente por lo anterior, la ley juega un papel relevante. El régimen de creación de órganos y estructuras dentro de las Administraciones Públicas responde a una reserva de ley relativa, recogida en el art. 103.2 de la Constitución que, como es conocido, dispone que "los órganos de la Administración del Estado son creados, regidos y coordinados *de acuerdo con la ley*" —las cursivas son mías—. En el planteamiento del precepto constitucional late un doble objetivo: por un lado, exigir el cumplimiento de una serie de exigencias legales —que se produzca una definición por parte del poder legislativo—, que son las que planifican los modelos de organización de las Administraciones públicas para su servicio al interés general y, por el otro, que, en ese marco legal sea la propia Administración pública la que se vaya configurando en función de las necesidades que han ido surgiendo, en aplicación de los parámetros que ha determinado previamente el legislador. Papel del legislador que, como se puede observar, resulta indiscutible en el proceso de creación de sociedades y para cualesquiera otras formas de personificación a las que recurran las Administraciones públicas teniendo en cuenta el contenido del referido art. 103.2 CE. Obviamente, aquí el legislador tiene una serie de límites, de tal manera que derivan del resto de la configuración constitucional de las Administraciones públicas.

Por ello, para que se puedan disponer de estas competencias, para que se pueda alterar el régimen de ejecución de la obra, es para lo que se exige la habilitación al Consejo de Ministros en una ley para la creación de una sociedad de estas características. Tanto es así que, como señaló MALARET, "no es una mera licencia sino una exigencia de nuestro ordenamiento"[18]. Obviamente, hacer esto sin someterse al filtro inicial del parlamento supondría una alteración del régimen de los contratos y en particular, renunciar a las facultades administrativas que están recogidas en la Ley de contratos, precisamente por ser una sociedad sometida al ordenamiento privado y porque van a ejercitar la mayor parte de las competencias públicas en relación con la contratación —aunque sea con el auxilio de la Administración matriz—, lo cual es, como veremos con posterioridad, una exigencia para que se pueda desconsolidar el resultado de explotación de las cuentas del Estado. Esto es lo que justifica que haya que establecerse un régimen específico para el ejercicio de estas potestades, tal como prevé el art. 158.2 Ley 16/1996, cuando dispone que uno de los contenidos obligatorios del convenio entre la Administración pública de la que depende y la sociedad instrumental consiste precisamente en la determinación de "las potestades que tiene la Administración General del Estado en relación con la dirección, inspección, control y recepción de las obras, cuya titularidad corresponderá en todo caso a la misma".

La constitución de las sociedades mercantiles, una vez habilitado el Gobierno para su creación, pasan por un doble proceso, uno de naturaleza jurídico pública y otro privada, como por otra parte resulta lógico teniendo en cuenta que el creador de la sociedad es una Administración pública que tiene que cumplir con los requisitos de formación de la voluntad para que la entidad esté adecuadamente creada. Es una garantía para el interés general y, sirve, además, como un mecanismo de control de la actividad administrativa. Esa dualidad de fases pasan por un lado, porque será preciso la autorización para la constitución de la sociedad, que tendrá que otorgarla el responsable del organismo creador, el cual será, en condiciones normales, el Consejo de Ministros. En segundo lugar, en la medida en que el proceso será para la constitución de una sociedad mercantil, habrá que insertar el acto autorizatorio dentro del procedimiento correspondiente a la entidad del tipo de que se trate y cumplir, en consecuencia, con los requisitos generales que configura la Ley de Sociedades Anónimas y, por extensión, la Ley de Sociedades de Responsabilidad Limitada ya que nos

---

[18]   MALARET GARCÍA, E. *Las sociedades para la construcción...*, *op. cit.*, p. 115.

encontramos en la mayor parte de los supuestos ante una sociedad uniper-sonal[19].

Tomando como punto de partida la función que cumple para el desa-rrollo de las actividades societarias, el acuerdo de autorización de la cons-titución de la sociedad estatal tendrá un contenido que se puede articu-lar sobre los siguientes puntos: i) Determinación de su objeto social en desarrollo de la habilitación que ha recogido la ley; ii) Concreción de la posibilidad o no de que la sociedad instrumental participe en otras enti-dades; iii) Adaptación y desarrollo de las cláusulas legales que determinan el régimen de transmisibilidad de las acciones, ya sea dejando libertad de venta, ya sea limitando a determinados compradores ya sea prohibiéndolo por completo; iv) Se habrá de proceder a la concreción de las bases del régimen económico financiero de la sociedad; v) El ámbito territorial en el que va a desplegar su actividad, ya sea la totalidad o parte del territorio nacional y que no forma parte de la autonomía societaria[20]. Este punto es uno en los que la habilitación legal es menos precisa y, en consecuencia, cabe la máxima discrecionalidad por parte del Consejo de Ministros, en el marco de su potestad de organización. Sirva como ejemplo de la gran flexibilidad que existe en este sentido, la distribución de funciones entre las cuatro sociedades estatales de infraestructuras agrarias; vi) Un aspecto esencial para el desarrollo de las actividades societarias, cual es el de atri-buir la tutela de las sociedades al Ministerio correspondiente que resulte más vinculado con la actividad de la sociedad, de acuerdo con el art. 166.2 LPAP y vii) El plazo para el que se constituye la sociedad, lo cual ha de ser conectado con la auditoria de las condiciones para su creación, en la me-dida en que este mecanismo de control indirecto determinará si debería tener una vida limitada —limitada a una necesidad específica— o, por el contrario, extenderse indefinidamente en el tiempo.

A ello se añade, en el supuesto particular previsto en el art. 62.1 f) LO-FAGE —creación de sociedades por organismos públicos— la justificación de que la creación de una sociedad mercantil resulte "imprescindible para

---

[19] Una visión del proceso de constitución de sociedades mercantiles públicas desde la óptica del Derecho mercantil y analizando las especialidades de dicho procedimiento se puede ver en GARCÍA RUIZ, E., *La nueva sociedad anónima pública*, Marcial Pons Ediciones Jurídicas, Madrid (2006), pp. 115 y ss.

[20] MALARET recuerda que en el caso de ACESA, la determinación del ámbito territorial se hizo por dos vías indirectas, no satisfactorias: la denominación de la sociedad y el acto de nombramiento del Presidente del Consejo de Administración, que recayó en el Presidente de la Confederación Hidrográfica. MALARET GARCÍA, E., "Las socieda-des para...", *op. cit.*, pp. 119-120.

la consecución de los fines asignados", lo que implica una determinación de las razones por las que no es adecuado su creación a través de un órgano administrativo.

Una de las cuestiones que más llama la atención de la evolución de las sociedades instrumentales de obras públicas es el aumento de su objeto social, que ha pasado de estar limitado a la realización de las obras a intervenir desde la fase inicial de proyección de la obra hasta la última de participar en la explotación de la misma[21]. Este cambio, como tendremos ocasión de analizar, es una consecuencia de cuál es la utilidad pretendida por las Administraciones públicas en el momento de la creación, que ha pasado de ser un mero objetivo de eludir los trámites de la legislación de contratos de las administraciones públicas para pasar a ser la desconsolidación en las cuentas públicas del coste construcción de las infraestructuras[22]. Esto hace que haya que adaptar su objeto social y su régimen de funcionamiento a las exigencias de Eurostat, en aplicación de los requisitos del SEC 95, lo que le obliga a la consideración de ser una sociedad orientada al mercado, tal como veremos en el capítulo siguiente. Pero, claro está, esta necesidad se ha de manifestar en el objeto social, que permita el desarrollo de actividades en la forma adecuada para la consecución del objetivo.

---

[21]   Por ejemplo, en relación con las sociedades de aguas, de acuerdo con lo indicado por EMBID, el objeto de estas sociedades es el siguiente: 1º La contratación, construcción y explotación, en su caso, de toda clase de obras hidráulicas y el ejercicio complementario de cualesquiera actividades que deban considerarse partes o elementos del ciclo hídrico y estén relacionadas con aquéllas; 2º La gestión de obras y recursos hídricos, incluida la medioambiental en acuíferos, lagunas, embalses, ríos y tramos de ríos, así como el ejercicio de aquellas actividades preparatorias, complementarias o derivadas de las anteriores y 3º La promoción de las mencionadas obras hidráulicas mediante la participación en el capital de sociedades o la financiación a través de préstamos cuando se constituyan con algunos de los fines señalados en los apartados anteriores". EMBID IRUJO, A., "Las Sociedades estatales para la construcción, explotación, adquisición y... de obras hidráulicas. Nuevas reflexiones"; dentro de la obra colectiva coordinada por COSCULLUELA MONTANER, L., *Estudios de Derecho público económico. Libro Homenaje al Prof. Dr. D. Sebastián Martín-Retortillo*. Coedición de ENDESA, Ibercaja y la Editorial Civitas, Madrid (2003), p. 204.

[22]   De hecho, en el acuerdo de autorización de la creación de la sociedad estatal de infraestructura de los transportes terrestres se hace referencia a que la creación se justifica, para "optimizar los limitados recursos presupuestarios disponibles para construcción y explotación de infraestructuras del transporte y contribuir así a la consecución del objetivo de estabilidad presupuestaria".

4. Las relaciones con entre la Administración matriz y la sociedad instrumental

La relación entre la Administración creadora de la sociedad estatal de obras públicas y ésta constituye uno de los elementos centrales —posiblemente el más relevante— para conocer cómo se desarrolla la construcción de infraestructuras, dado que, como se ha visto, por el mero hecho de su constitución carece todo tipo de posibilidad de encargarse de la construcción de la obra. Hace falta, en consecuencia un elemento complementario, que diseñe el modo en que se va a proceder, en el que contemplen los elementos de su funcionamiento, lo cual servirá además, como elemento habilitante para la financiación de la obra pública y su intervención. Es la consecuencia de que nos encontremos ante una persona jurídica diferente, en donde hay que estructurar un marco de relación.

Precisamente por ello, porque la situación es extraña para la construcción de infraestructuras, resulta preciso que los elementos centrales de la actividad de la sociedad instrumental estén contemplados en un convenio que establezca este marco general de relación. Como se puede apreciar tras la lectura del precepto anterior, dos son los ámbitos básicos que tienen que recoger los convenios de gestión directa de infraestructuras: por un lado, el relativo a realización de las obras y, por el otro, el de financiación del proceso de construcción de las infraestructuras que deberán incluir las múltiples fórmulas que estarán a disposición de la sociedad estatal. Se trata, en definitiva, de aquellos elementos en los que puede existir cesión por parte de la Administración a una persona dependiente de ella. En la aplicación del precepto se puede afirmar, después de haber examinado la ejecución del precepto a través de los convenios firmados entre la Administración General del Estado —a través de los Ministerios de Medio Ambiente y Agricultura, Pesca y Alimentación— con distintas sociedades de obras públicas, que la situación es bastante peculiar, en la medida en que a pesar de que se produce formalmente la gestión de la ejecución de la obra en las sociedades instrumentales, al mismo tiempo los órganos competentes de los Ministerios respectivos retienen las funciones básicas sobre las misma. Casi se podría afirmar que, en cuanto a la ejecución de los proyectos de infraestructuras, la situación es similar a la que se produciría si fueran esos órganos los que fueran realmente los competentes y no hubiera una persona jurídica interpuesta.

Por tanto, sí se puede concluir en este momento que la autonomía de la que dispone la sociedad instrumental es, como no puede ser de otro modo, limitada y por tanto los efectos de la encomienda de gestión de la infraestructura también lo son, como se manifiesta en todas las fases del proceso constructivo, empezando por el propio de determinación del objeto. Evidentemente este régimen de autonomía limitada plantea el aspecto positivo de que con ello —y a salvo de lo que ocurra con los restantes elementos— se actúa de conformidad con la jurisprudencia del TJCE sobre prestaciones *in house*.

En cuanto a la naturaleza de la encomienda, creo que es la fórmula que mejor se adapta a la realidad que se ha descrito con anterioridad es la del mandato. Recordemos que, de acuerdo con lo dispuesto el art. 1709 Cc por el mandato "se obliga una persona a prestar algún servicio o hacer alguna cosa, por cuenta o encargo de otra"; que es exactamente lo que ocurre en estas relaciones entre Administración matriz y sociedad instrumental. Una obligación de hacer que en nuestro caso está constituida por la administración del proceso de construcción de la infraestructura —ya que la ejecución material de los trabajos se efectuará por parte de un contratista elegido con arreglo a las prescripciones de la Ley de Contratos de las Administraciones Públicas—. La obra, además, se efectúa en las condiciones de todo tipo que quiere el mandante; el cual retiene, además, no sólo las potestades que obligatoriamente ha de ostentar por tratarse de una Administración pública sino aquellas otras que considera necesarias para una correcta satisfacción de los intereses generales. Y no puede obviarse el hecho, además, de que los bienes construidos no se integran en el patrimonio de la sociedad sino que pasan a formar parte del de la Administración que ha mandado los trabajos; que por otra parte es la que abona el mismo a través de las transferencias de fondos a la sociedad.

5. *Régimen de la contratación de estas sociedades*

La actividad encomendada a las sociedades instrumentales puede concluir con la apertura de un procedimiento para la contratación de la obra, salvo, claro es que lo ejecute ella directamente; algo absolutamente inusual, dado que constituyen sociedades de gestión de obras, más que de realización de las mismas. De hecho, lo usual es que la primera opción sea la preferida, en la medida en que este tipo de entidades carece de capacidad suficiente para su ejecución directa. La cuestión que corresponde analizar en este momento es la relativa al régimen al que se han de someter estos procedimientos.

La verdad es que en este momento, la cuestión del tipo de régimen al que se han de someter los procedimientos de adjudicación de los contratos de estas sociedades de obras ha dejado de tener gran interés desde un punto de vista teórico, teniendo en cuenta los grandes avances que se han producido en aplicación del Derecho comunitario, que ha de resultar uniforme en todo el espacio comunitario y que permita desarrollar los principios de transparencia y de igualdad de trato. Cómo se desarrolle la práctica administrativa es una cuestión diferente teniendo en cuenta el número de sociedades de esta naturaleza que se han creado en los últimos años, aunque también hay que reconocer que desde el momento en que la huida de los mecanismos públicos de contratación ha dejado de ser el gran interés para la constitución de estas figuras —para ser sustituido por la no consolidación para eludir las estrecheces de la estabilidad presupuestaria—, ha habido mayor disciplina por parte de los entes públicos.

En efecto, la jurisprudencia del Tribunal de Justicia dictada en aplicación de la directiva ha efectuado una interpretación amplia, funcional, de los tres criterios que configura las directivas para decidir que nos encontramos ante un poder adjudicador: i) su creación está justificada por la consecución de necesidades de interés general que no tengan carácter industrial o mercantil; ii) que tenga personalidad jurídica propia y iii) que se trate de una entidad financiada mayoritariamente por el Estado u otros entes públicos territoriales y que su gestión esté sometida a control por parte de estos últimos o que los miembros de sus órganos de dirección estén nombrados por los entes públicos territoriales. Jurisprudencia que ha permitido declarar algo que parece razonable, esto es, que el criterio de someterse al ordenamiento jurídico privado no constituye ningún elemento que permita eludir la aplicación del Derecho comunitario de la contratación si se cumplen los elementos restantes que contempla la directiva.

No obstante, conviene recordar un aspecto que afecta a la futura Ley de Contratos del Sector Público, cuyo proyecto de ley se está tramitando en este momento en el Congreso de los Diputados. La separación que efectúa entre contratos sometidos a regulación armonizada y no armonizada —partiendo de los umbrales comunitarios en los contratos— y el grado de aplicabilidad de la futura Ley a las sociedades estatales repercutirá en el sometimiento a la regulación armonizada. En efecto, para las sociedades estatales sólo habrá que someter el régimen más estricto de la ley a los contratos armonizados, que para el supuesto del contrato de obras —que es el más importante de los que suscriben estas sociedades— están sujetos a regulación armonizada aquéllos cuyo valor estimado sea igual o superior a 5.278.000 euros. Téngase en cuenta que con este importe, desde un punto de vista práctico el efecto que tiene sobre la contratación de las sociedades de construcción de obras hidráulicas es importante ya que, por coger algunas de ellas, AQUAVIR —Sociedad Estatal Aguas de la Cuenca del Guadalquivir S.A.—, de los 18 contratos de obra cuyos procedimientos de adjudicación están en septiembre de 2006 abiertos sólo 2 estarían sujetos a ordenación armonizada, quedando los restantes fuera de este tipo de regulación; ACESA —Sociedad Estatal de Aguas de la Cuenca del Ebro, S.A.—, tiene en la misma fecha 4 procedimientos en fase de licitación de los cuales el 50% estarían sujetos a regulación armonizada y la otra mitad no y ACSEGURA —Sociedad Estatal de Aguas de la Cuenca del Segura, S.A.—, tiene 10 procedimientos de contratación abiertos, de los cuales el 60% están sujetos a regulación armonizada y el otro 40% no.

6. *Aspectos de los presupuestos de las sociedades estatales de obras*

La financiación, por tanto, ha de venir básicamente a través de aportaciones públicas o de contraprestaciones como consecuencia de actividades para otras entidades, públicas o privadas, algo para lo que están autorizadas en su acto de creación tal como hemos visto. La financiación pública vendrá dada por los fondos comunitarios a los que tengan acceso, así como a las propias aportaciones que realicen las entidades de las que dependan, que se acostumbran a materializar mediante incorporaciones al capital de la sociedad instrumental, aunque no es el único procedimiento. Y obviamente, a través del recurso al endeudamiento a través de los mecanismos que reconoce con carácter general el ordenamiento jurídico, que en los últimos años ha permitido la diversificación de las fuentes de endeudamiento.

La financiación como consecuencia de actividades para terceros provoca que la mayor parte de los costes de construcción se determinen de forma convencional por obra —sean los terceros otras entidades públicas, sean futuros usuarios de la infraestructura— en lugar de aplicando los mecanismos que están recogidos de forma imperativa en el ordenamiento jurídico, como ha ocurrido con la legislación de aguas; lo cual supone una vuelta al régimen que estaba establecido en la Ley de Obras Hidráulicas de 1911. En todo caso, más allá de que se pueda criticar, con total razón, que con carácter general el porcentaje de las obras sufragado por los particulares deba ser del 50%, supone un mecanismo para lograr que estas sociedades estatales adquieran una consideración de ser de mercado, algo necesario en el contexto jurídico actual.

Uno de los elementos básicos para examinar el régimen de funcionamiento de las sociedades estatales de obras públicas está constituido por su vertiente financiera, que está estructurada sobre su presupuesto de explotación y el presupuesto de capital. Estas entidades han de aprobar ambos tipos de presupuesto, "que detallará los recursos y dotaciones anuales correspondientes", tal como dispone el art. 64.1 LGP. Habida cuenta de su carácter estimativo, sobre lo que me extenderé en el epígrafe siguiente, la importancia fundamental deriva de que es lo que ha de orientar la actuación de la referida sociedad instrumental, tal como dispone el art. 67.1 LGP: "las sociedades mercantiles estatales, y las entidades públicas empresariales dirigirán su funcionamiento a la consecución de los objetivos emanados de los planteamientos reflejados en sus presupuestos de explotación".

El presupuesto de explotación y el de capital disponen de un contenido similar. De acuerdo con lo dispuesto en el art. 64.2 LGP, "estarán constituidos por una previsión de la cuenta de resultados y del cuadro de financiación del correspondiente ejercicio. Como anexo a dichos presupuestos se acompañará una previsión del balance de la entidad", así como la documentación complementaria que decida el Ministerio de Economía y Hacienda. Las sociedades de ejecución de políticas públicas deberán remitir junto con el presupuesto una descripción de las que se vayan a realizar en el ejercicio, con expresión de los objetivos que se pretenden conseguir. Asimismo, deberán remitir un anexo de sus proyectos de inversión regionalizados por provincias, con indicación de si constituye una inversión nueva o si su origen se encuentra en ejercicios presupuestarios anteriores.

La financiación pública para sufragar las actuaciones que se van a realizar van a venir dadas por cuatro tipos de partidas: subvenciones de explotación, subvenciones de capital, aportaciones de capital y patrimoniales y préstamos. De ellas, las más relevantes son la primera y la tercera, siendo prácticamente irrelevante la última sobre el total de lo aportado por la Administración General del Estado. En las sociedades estatales de obras públicas, las partidas más importantes para la financiación por parte de la Administración General del Estado son las aportaciones de capital.

Cuando se analizan las relaciones entre el presupuesto anual de la Administración matriz y el presupuesto anual de las sociedades instrumentales hemos de partir de dos realidades: por un lado, el presupuesto de esta última ha de integrarse en el presupuesto de aquélla y, por el otro, se trata de una integración que se produce entre dos tipos de presupuestos diferentes —como corresponde a entidades de tipo distinto—, lo que va a motivar alguna distorsión en cuanto al régimen de integración e, incluso, al de aprobación de los presupuestos de las sociedades instrumentales.

La integración entre ambos presupuestos se produce mediante la incorporación del presupuesto de la sociedad en los Presupuestos Generales del Estado, tal como dispone el art. 33.1.b. LGP, que obliga a la incorporación, en la medida en que forma parte de su contenido, de: "los presupuestos de operaciones corrientes y los de operaciones de capital y financieras de las entidades del sector público empresarial y del sector público fundacional". Se trata de un planteamiento que resulta a todas luces lógico teniendo en cuenta cuál es la relación que existe entre la Administración matriz y la sociedad instrumental y que esta forme parte del sector público, tal y como dispone el art. 2.c) de la misma Ley General Presupuestaria, y que por tanto, los resultados de la sociedad se han de proyectar, de alguna forma —que se verá con posterioridad—, sobre la Administración de la que dependen.

7. Financiación de las sociedades estatales

La ejecución de las obras, el desarrollo de los programas de actuación plurianual y la ejecución del presupuesto de explotación y de capital deriva de que exista financiación suficiente para afrontar los proyectos de la sociedad. Estos fondos podrán provenir de diversas fuentes, como son los fondos propios —que en un altísimo porcentaje constituyen transferencias efectuadas por parte de la Administración matriz—, las transferencias en diverso tipo de la Administración matriz, las transferencias de fondos de la Unión Europea o acudiendo a los mercados financieros a través de la concertación de las correspondientes operaciones de capital.

En principio, estos mecanismos de financiación son la consecuencia de la propia configuración de la sociedad, que tienen limitado. Es cierto que la evolución que han tenido en los últimos años ha supuesto una ampliación del marco de actividad, con el correspondiente aumento de las formas de ingreso y, paralelamente, de los riesgos que tiene asumidos la entidad instrumental. En todo caso, aún hoy, por la propia naturaleza de las actividades en el que opera, la sociedad tiene una capacidad de ingresos que puede ser limitada —más allá de los que pueda percibir por realizar trabajos para terceros o, en su caso, de ciertos pagos que realicen los usuarios del servicio, ya sea directamente ya sea por la propia Administración en su nombre— y que, en todo caso, depende de la decisión de la Administración matriz en relación con las infraestructuras construidas en su nombre por lo que necesitará recurrir a formas de financiación indirecta de fondos públicos y, al mismo tiempo, de formas de financiación ajena; las cuales suelen estar vinculadas ya que operan en momentos temporales diferentes.

Las modalidades de financiación presupuestaria que se pueden aplicar a la sociedad instrumental entrarían dentro de aquellas que se consideran financiación indirecta, en la medida en que pese a tener la naturaleza de ser presupuestaria no es aplicada directamente por la Administración matriz sino a través de la sociedad instrumenta. Dentro de estos mecanismos tres son las formas que puede utilizar la Administración para afrontar los pagos: transferencias de capital —que se computan como gasto público en el momento en que se genera el compromiso de abono—, aportaciones al capital de la sociedad mercantil —de acuerdo con lo que vimos en el capítulo segundo cuando abordamos los problemas generales de este tipo de entidades— y, en tercer lugar, a través de créditos participativos. También nos podríamos encontrar con supuestos de financiación diferida en aquellos casos en los cuales haya pagos que realice la Administración matriz en concepto por peajes en la sombra —pagos en función del uso de la infraestructura— o pagos por disponibilidad —pagos por tener a disposición de la Administración la infraestructura con un determinado nivel de calidad de la misma— y pagos por servicios de gestión de infraestructuras —los cuales se aplicarán para mejora de las ya construidas mediante su reforma o adición de servicios complementarios—. En todo caso, como se verá en el capítulo siguiente, si se quiere desconsolidar el coste de la infraestructura en la Administración matriz, nos encontraremos con restricciones tanto de la partida presupuestaria de la que provienen las transferencias —ya que no pueden afectar a las necesidades de financiación de las Administraciones públicas— como de la cuantía, ya que tienen que tener un comportamiento de mercado, en las condiciones que marcó Eurostat y que veremos más adelante.

En todo caso, esta financiación pública, ya sea indirecta ya diferida, vendrá dada por las propias transferencias de fondos públicos a través de los mecanismos de la Ley General Presupuestaria y que son la contraprestación por el cumplimiento de los compromisos adquiridos con la Administración de la que dependen a través de los correspondientes convenios, de acuerdo con lo que hemos señalado en el capítulo anterior. Dentro de ellos ocupa un papel relevante el aporte pecuniario al capital de las sociedades públicas, que como se verá en el capítulo siguiente carece de efectos sobre el déficit público, en la medida en que, bajo ciertas condiciones, no afecta a las necesidades de financiación de las administraciones públicas, lo que está provocando continuas ampliaciones de capital para sufragar el coste de las infraestructuras, como muestran prácticamente todos los convenios de gestión de infraestructuras y, muy especialmente "Convenio de Gestión Directa de gestión y/o explotación de obras hidráulicas de la Cuenca del Júcar", firmado en octubre de 2006 entre el Ministerio de Medio Ambiente y la Sociedad Estatal de Aguas del Júcar.

8. Financiación no derivada de la Administración matriz, sino en colaboración con usuarios y otras Administraciones públicas. El caso particular de las sociedades de aguas

Más allá de los mecanismos de los que proceda el dinero, que está estructurado en el Convenio, el problema fundamental que se plantea es "la desaparición para las actuaciones que realizan del régimen tributario de financiación de las obras hidráulicas hoy regulado en el art. 114 del Texto Refundido de la Ley de Aguas (con su referencia al canon de regulación y a las tarifas de utilización del agua). La desaparición forzosa de este régimen tributario es algo más que anecdótica y tiene un profundo significado si se tiene en cuenta que el gran peso inversor en este ámbito en el futuro parece que, inequívocamente va a recaer sobre estas Sociedades, lo que lo que podría convertir al régimen jurídico-tributario regulado en la Ley de Aguas, en una suerte de presencia testimonial o, en todo caso, solamente aplicable a las obras anteriores a la aparición y actividad de las sociedades estatales".

El problema, sin embargo, no se limita a la mera determinación de las cuantías sino a cómo procede la recuperación de los costes de la construcción por parte de las sociedades estatales, ya que, en condiciones normales, éstas asumen parte del mismo, de acuerdo con lo que se verá con posterioridad. Se trata, todo ello, de cuestiones que están incluidas, algo que por otra parte resulta lógico, en el Convenio de Gestión Directa que hay suscrito entre la Administración matriz y la sociedad instrumental.

En cuanto al régimen económico financiero de las obras realizadas por las sociedades estatales de obras públicas con los usuarios, existe la posibilidad de que la sociedad pueda realizar en todo o en parte la ejecución y/o explotación de obras hidráulicas mediante el establecimiento de tarifas por convenio con los usuarios de las mismas. El régimen se aparta del régimen general de la financiación de las obras que está contemplado en el art. 114 de la ley de aguas, de tal manera que se configura de forma paccionada un régimen que tendrá que adecuarse a estas dos reglas: i) Hasta un 50% del importe de la inversión se financiará con cargo a los fondos propios de la sociedad de aguas. ii) El resto, mediante el establecimiento de tarifas con cargo de los usuarios de las mismas y/o mediante la venta de productos o servicios resultantes de la explotación de la obra". Se trata de cantidades que, aunque se denominen en los convenios como tarifas tienen la naturaleza de precios privados.

El recurso a las sociedades estatales de obras públicas puede tener consecuencias sobre el régimen financiero que se va a aplicar a la construcción de las que son sufragadas por los usuarias. Como se ha indicado con anterioridad, en materia de aguas, por ejemplo, nos encontramos con que sociedad estatal y usuarios del agua comparten la realización de las obras, de tal manera que aquélla abona un porcentaje fijo del 50% del coste de construcción. La parte restante será abonada por el particular, todo ello como consecuencia de un convenio firmado entre ambos. A partir de aquí surgen dos cuestiones: cómo se armoniza con el principio de recuperación de costes que recogen las directivas comunitarias y qué efecto real tiene sobre el régimen impuesto en la ley.

El principio de recuperación de costes, que tiene un marcado carácter conmutativo ha sido recogido en la normativa comunitaria, concretamente de forma expresa en la Directiva 2000/60/CE del Parlamento Europeo y del Consejo, de 23 de octubre de 2000, por la que se establece un marco comunitario de actuación en el ámbito de la política de aguas y ha sido recogido en el art. 111 de la Ley de Aguas. Está articulado sobre dos puntos centrales: a) por un lado, el principio del coste, que impone que cada usuario deba compensar el coste que su utilización provoca; b) el principio de la utilidad, que lleva a exigir a todos los que se benefician de la implantación de una obra o servicio público a contribuir a su financiación en la medida de tal beneficio o ventaja; lo cual, lleva a diferenciar entre usuarios y beneficiarios de la obra hidráulica, dado que son situaciones parecidas pero no similares. El problema que aparece inmediatamente es cómo se armoniza un régimen convencional que supone una pago por parte de la administración de la mitad de la obra, tal como hemos visto con anterioridad en relación con las obras hidráulicas, con el referido principio de recuperación de costes.

Es cierto que éste último principio no tiene carácter absoluto —la propia directiva señala que es un principio que las autoridades nacionales "tendrán en cuenta"—, y en la propia directiva se articulan mecanismos que suponen su atemperación por existir otros factores jurídicamente relevantes, tales como los "efectos sociales, medioambientales y económicos de la recuperación y las condiciones geográficas y climáticas de la región o regiones afectadas" (art. 9). Esto nos conduce a un problema de motivación de la exención, tal como señala el art. 42.1 f) TRLA. El problema, por un lado, consiste en que las sociedades estatales están aplicando la regla del 50% de forma automática en todos los convenios que firman con usuarios del agua, algo que ciertamente no parece que encaje con la mecánica del sistema. De este modo, como se ha indicado, no "se advierten razones jurídicas que animan a esa generalización homogénea de la subvención pública en toda circunstancia (con independencia de tipos de obras, situación geográfica, capacidad de los usuarios o condiciones específicas del territorio), lo que, inevitablemente, planteará en el futuro problemas de compatibilidad con el principio de recuperación de costes que contiene la Directiva marco comunitaria".

9. *Estabilidad presupuestaria y sociedades estatales de obras públicas*

La aplicación del principio de estabilidad presupuestaria constituye, en mi opinión, la causa más determinante en la actualidad para que las Administraciones públicas recurran a entidades instrumentales, y dentro de ellas a sociedades mercantiles para la planificación, ejecución y explotación de obras públicas. La impronta del principio de estabilidad presupuestaria no va a afectar únicamente a la utilización de estas entidades sino que, sobre todo, en aras de lograr la desconsolidación contable, están constituidas tienen un ámbito de aplicación y configuran sus operaciones de construcción de infraestructuras de forma está directamente relacionada con las decisiones que ha ido dictando Eurostat, la oficina estadística de la Unión Europea, en aplicación tanto del Pacto de Estabilidad y Crecimiento como de los Reglamentos comunitarios que disciplinan el sistema de cuentas europeo, el coloquialmente conocido como SEC 95. Esto es, afecta tanto al modelo utilizado como al modo en que se configuran los contratos para el cumplimiento de su objeto social.

Las entidades instrumentales dependientes de una Administración públicas están integradas, en principio, en el sector de las administraciones públicas, de acuerdo con la división de partida que efectúa Eurostat. Es una idea bastante clara, que parece razonable si lo que se pretende es que el centro de imputación del déficit o superávit esté allá donde se genera, sin importar la forma jurídica utilizada. Según Eurostat, nos encontraríamos ante una unidad institucional cuando se trata de "unidades que gozan de autonomía de decisión y disponen de un conjunto completo de cuentas. Los productores que no son unidades institucionales habrán de clasificarse en el sector institucional a que pertenece la unidad que los controla. Por consiguiente, los productores públicos no reconocidos como entidades dotadas de personalidad jurídica deberán incluirse en el sector de administraciones públicas, salvo si se consideran cuasi sociedades (esto es, entidades de mercado que disponen de un conjunto completo de cuentas y cuyo comportamiento económico y financiero es similar al de las sociedades". Que nos podamos encontrar ante una figura que responda a los parámetros de las unidades institucionales, aunque sea encuadrable en las Administraciones públicas, es lo que permitiría la desconsolidación, lo que se ha utilizado en todos los supuestos de las sociedades estatales de obras públicas.

No obstante, para poderse desconsolidar en las cuentas de una Administración pública no resulta suficiente que nos encontremos ante una unidad institucional, sino que ésta ha de estar orientada al mercado. Para llegar a esta conclusión hemos de jugar con dos tipos de variables que van a operar sucesivamente. El primero está constituido por la relevancia que tienen las ventas de la unidad con respecto a sus costes de producción, como mecanismo para comprobar si la financiación es presupuestaria o si por el contrario está actuando como un operador económico más en el mercado. Desde este punto de vista, lo que está exigiendo Eurostat es que el 50% de sus ventas sirvan para hacer frente al menos al 50% de los costes de producción, entendido en un sentido específico tanto las primeras como las segundas y con independencia de que sea un único adquirente o más de uno, siempre que las ventas sean reales y en condiciones económicas de mercado Este dato es el que nos va a obligar a comprobar a qué hacen referencia los conceptos de ventas y de costes de producción y cómo han de computar dichas operaciones.

Al mismo tiempo que se configura el concepto de unidad institucional, es preciso arbitrar un procedimiento que sirva para determinar si se ha producido la transferencia de riesgos de la operación fuera de la Administración. Una determinación genérica de los riesgos inherentes al contrato resulta ciertamente complicada. Por ello, en aras de facilitar la comprobación de la realidad económica del contrato, por parte de Eurostat se han dividido éstos en riesgos de construcción, riesgos de disponibilidad o, alternativamente, los denominados riesgos de demanda. No obstante, esta división juega como un elemento para el análisis ya que el principio básico del que se parte en Eurostat es que para que un riesgo esté asumido por parte de una unidad institucional de mercado y por tanto la operación no se consolide en las cuentas de una Administración pública la mayoría de los riesgos de construcción y de disponibilidad o de demanda han de recaer en el sujeto particular.

10. Instrumentos de control y dirección por parte de la Administración matriz: la tutela de la Administración matriz

La configuración de una sociedad instrumental tiene como uno de sus elementos más relevantes de su régimen, tal como se ha señalado en algunos pasajes de este estudio, la determinación de un "Ministerio de tutela".

Es un elemento del acto de autorización de la constitución de la sociedad, que está recogido en el art. 176.1 LPAP: "al autorizar la constitución de una sociedad de las previstas en el artículo 166.2 de esta Ley, el Consejo de Ministros podrá atribuir a un ministerio, cuyas competencias guarden una relación específica con el objeto social de la sociedad, la tutela funcional de la misma".

El punto más destacado para la gestión diaria de la sociedad y, sobre todo, para el cumplimiento de los objetivos de interés general que motivaron la creación de la misma es la concreción de los poderes de dirección que asume el Ministerio de tutela sobre el funcionamiento societario. Se trata desde luego, de un apartado en el cual las relaciones que se planteen en un plano metalegal son tan importantes como las que recoge de forma expresa y exteriorizada en la legislación. Y, desde luego, la presencia de altos cargos de los Ministerios de tutela en la dirección de todas las sociedades estatales de obras públicas acaba eliminando mucho dramatismo a las limitaciones que tienen los Ministerios para actuar en el actuar societario, ya que la duplicidad de funciones que cumplen permite que la correa de trasmisión de las inquietudes ministeriales resulta mucho más fluida que si esto no ocurriera. Lo que ocurre es que, al mismo tiempo, pone en duda la propia existencia autónoma de la sociedad estatal y que realmente nos encontremos ante la consideración de una unidad institucional, tal como ha sido definida por Eurostat, de acuerdo con lo que se ha visto en el capítulo anterior.

El tercer componente de la potestad de tutela es el de la responsabilidad de la Administración matriz, a través del ministerio que la ejerza, de dar cuenta de lo actuado por la sociedad estatal de obras públicas. Aunque se trate de una sociedad sometida al Derecho privado no podemos olvidar su componente público que exige que responda de su actuación ante el Parlamento dando cuenta de su gestión. Esta labor de exteriorización de la actividad de la sociedad instrumental la ha de hacer el Ministerio de tutela, tal como dispone el art. 177.1 LPAP: el Ministerio de tutela "será el responsable de dar cuenta a las Cortes Generales de sus actuaciones", en el sentido de que el control político del funcionamiento de la misma, a través de los diversos mecanismos que están recogidos en los Reglamentos parlamentarios, será efectuado por el titular del Ministerio que ejercita la tutela.

11. Control económico financiero

En la regulación contenida en el Título VI de la ley General Presupuestaria se recogen tres modalidades de actividad de la IGAE: función interventora, control financiero permanente y auditoría pública. El primero es que se efectúa con carácter previo a la realización del gasto sobre los actos que pueden suponer pagos con fondos públicos "con el fin de asegurar que su gestión se ajuste a las disposiciones aplicables en cada caso", tal como dispone el art. 148 LGP. El segundo, el control financiero permanente es aquél que "tendrá por objeto la verificación de una forma continua realizada a través de la correspondiente intervención delegada, de la situación y el funcionamiento de las entidades del sector público estatal en el aspecto económico-financiero, para comprobar el cumplimiento de la normativa y directrices que les rigen y, en general, que su gestión se ajusta a los principios de buena gestión financiera y en particular al cumplimiento del objetivo de estabilidad presupuestaria y de equilibrio financiero" (art. 157). Son dos instrumentos fundamentales para determinar que se ha producido de forma adecuada el gasto público. Sin embargo, no son aplicables a las sociedades mercantiles, a las cuales se va a aplicar sólo la tercera de ellas, que es la auditoría pública, que tiene sus carencias.

En efecto, conviene recordar dos factores importante a la hora de valorar la importancia real que tienen las auditorías: en primer lugar, constituye un examen a posteriori de la ejecución de los programas que haya puesto en marcha la sociedad estatal, nunca constituye una evaluación de los mismos que pudiera servir para cambiar los objetivos que pretenda conseguir. De hecho, en este punto está una de sus debilidades, que constituye siempre un análisis a posteriori de cómo se ha ejecutado el programa. En segundo lugar, como complemento de las carencias del sistema de auditorías en la sociedades estatales, conviene recordar que la realización de las auditorías anuales no es obligatoria para todas ellas sino que se efectuará sólo en el supuestos de que la sociedad respectiva esté incluida en el Plan Nacional de Auditoría que recoge el art. 165 LGP.

O para ser más exactos, en esta materia conviene hablar de las auditorías, en plural, son los únicos instrumentos de este tipo de control, ya que el art. 164.1 LGP recoge tres modalidades de auditoría que pueden servir para efectuar el control de las sociedades —auditoría de regularidad contable, auditoria de cumplimiento y auditoría operativa—; las cuales se pueden combinar. Resumiendo la funcionalidad de las tres básicas se puede indicar que la *auditoría de regularidad contable*, consistente en la revisión y verificación de la información y documentación contable con el objeto de comprobar su adecuación a la normativa contable y en su caso presupuestaria que le sea de aplicación. Por su parte, la *auditoría de cumplimiento,* cuyo objeto consiste en la verificación de que los actos, operaciones y procedimientos de gestión económico-financiera se han desarrollado de conformidad con las normas que les son de aplicación. En último lugar, la *auditoría operativa*, que constituye el examen sistemático y objetivo de las operaciones y procedimientos de una organización, programa, actividad o función pública, con el objeto de proporcionar una valoración independiente de su racionalidad económico-financiera y su adecuación a los principios de la buena gestión.

De los tres procedimientos, la más útil es la auditoría operativa. Constituye una medida que ha de ser encuadrada dentro de las iniciativas que comprenden el denominado *New Public Management*, que pretenden la mejora en el funcionamiento de las Administraciones públicas introduciendo, de forma adaptada, modos y formas de la empresa privada en los entes públicos. En este supuesto, se encuadraría dentro de las medidas que permitirían un mejor conocimiento de los entes públicos para eliminar las disfunciones de todo tipo en su modo de actuar a fin de que se pudiera conseguir unos resultados mejores en su servicio a los intereses generales.

Se puede, a su vez, diversificar, en tres modalidades: i) *Auditoría de programas presupuestarios*, consistente en el análisis de la adecuación de los objetivos y de los sistemas de seguimiento y autoevaluación desarrollados por los órganos gestores, la verificación de la fiabilidad de los balances de resultados e informes de gestión, así como la evaluación del resultado obtenido, las alternativas consideradas y los efectos producidos con relación a los recursos empleados en la gestión de los programas y planes de actuación presupuestarios. ii) *Auditoría de sistemas y procedimientos*, consistente en el estudio exhaustivo de un procedimiento administrativo de gestión financiera con la finalidad de detectar sus posibles deficiencias o, en su caso, su obsolescencia y proponer las medidas correctoras pertinentes o la sustitución del procedimiento de acuerdo con los principios generales de buena gestión. En este sentido, la auditoria operativo tiene un triple ámbito de cuestiones que se analizan durante su ejecución: a) Si el procedimiento administrativo utilizado en la realidad por el órgano gestor en el desarrollo de sus competencias para conseguir la finalidad perseguida. b) Las causas de la ineficiencia, si las hubiere, y si éstas son debidas a los procedimientos utilizados o a una deficiente organización de los recursos disponibles. c) Si el órgano gestor está actuando de acuerdo con las normas, principios y directrices vigentes y en particular con los principios generales de la buena gestión financiera; iii) *Auditoría de economía, eficacia y eficiencia*, consistente en la valoración independiente y objetiva del nivel de eficacia, eficiencia y economía alcanzado en la utilización de los recursos públicos. Teóricamente, este tipo de auditoría permitirá obtener un análisis de si se ha cumplido con los objetivos de los programas de actuación previstos —control de eficacia—; en un segundo nivel, si el coste de los servicios ha sido adecuado teniendo en cuenta los resultados obtenidos —control de eficiencia— y en un tercer lugar, conectado con el anterior, si la adquisición de los activos ha resultado adecuada para la consecución de los objetivos —control de economía—.

12. El control por parte del Tribunal de Cuentas

Teniendo en cuenta los objetivos de control de legalidad y de gestión económico-financiera que ha de fiscalizar, se distinguen internamente por el propio Tribunal de Cuentas diversos ámbitos de fiscalización que pueden coincidir con el ámbito de las auditorías que se han examinado en el apartado anterior: fiscalización de cumplimiento —que supone la adecuación de las actividades sociales a la norma de creación—, fiscalización financiera —que supone la comprobación de la adecuación de los estados contables a los principios y criterios que le sean aplicables—, fiscalización de los sistemas y procedimientos —que permite la verificación de la existencia y funcionamiento de los controles internos que deba tener la sociedad— y, por último, fiscalización operativa, que verifica total o parcialmente la actividad económico-financiera de la entidad fiscalizada y, en particular, si su funcionamiento se adecúa a los principios de economía, eficiencia y eficacia, a los que habría que añadir la calidad, tal como se recoge en la actualidad en el art. 6.1 de la Ley General de Estabilidad Presupuestaria. En definitiva, de lo que se trata de es comprobar si se han cumplido con los principios de eficiencia y economía, que actúan como "elementos de racionalidad del gasto público", tal como dispone el art. 31.2 CE.

Estos son los aspectos generales de la contabilidad de las sociedades instrumentales: sometimiento a los principios de contabilidad empresarial y fiscalización, en las condiciones antedichas, por el Tribunal de Cuentas, que necesariamente ha de estar adaptada a las peculiaridades que tiene el modo en que se realiza la contabilidad, ajena a los procedimientos de las entidades públicas, lo cual plantea evidentemente problemas cuando nos encontramos ante sociedades estatales absolutamente administrativizadas. Si por algunos autores se ha defendido que para las empresas públicas el régimen de fiscalización debe ser distinto al de las Administraciones públicas, en supuestos como el de las sociedades estatales de obras públicas, la realidad debe ser justo la contraria, el de una identidad absoluta en la medida en que su objeto y su finalidad nada se diferencia del de la Administración matriz.

Tanto es así que se, tal como ha señalado el propio Tribunal de Cuentas, los principios que se van a aplicar van a presentar diferencias sustanciales. Así, nos encontramos con que el principio de prudencia —que obliga, en el ámbito público, a que se contabilicen los riesgos en el momento en que se tiene conocimiento de ellos— no se aplica en el ámbito privado, en donde sólo se contabilizan en el momento de su materialización. En una línea similar, el principio de devengo obligará a que las transacciones se contabilicen no en el momento de su materialización sino en el que se han dictado los actos administrativos de reconocimiento de derechos, los cuales se dictarán, a su vez, en el momento, en que sean exigibles. El principio de importancia relativa, por su parte, sólo se aplica en el ámbito de la contabilidad pública en los supuestos en los que se ha incumplido una obligación legal. De igual manera, el principio de correlación de ingresos y gastos ha de ser aplicado de forma relativa en la contabilidad privada.

13. Régimen de las obras construidas por las sociedades estatales

A) Naturaleza y titularidad de las obras

El hecho de que la Administración General del Estado no sea el que efectúe las obras y que no sea el que efectúe materialmente el pago de las mismas al constructor hace que resulte pertinente conocer quién va a ser el titular de las mismas. Es una cuestión que cobra un sentido especial, además, por el hecho, de que se, además, prevé la participación en su financiación de otros sujetos públicos y privados, cuya contribución podría estimarse como contraprestación a la adquisición de derechos sobre tales bienes.

El problema encuentra una solución directa en la propia Ley de aguas y, asimismo, en los propios convenios de gestión directa de las obras; en el sentido ambos de afirmar la titularidad estatal de las obras ejecutadas por la sociedad en virtud de las encomiendas que ha efectuado el Estado. En dicha disposición se señala que el convenio es el que determina "las potestades que tiene la Administración General del Estado en relación con la dirección, inspección, control y recepción de las obras, cuya titularidad corresponderá en todo caso a la misma".

Es una solución que resulta lógica si tenemos en cuenta que las obras que ha encomendado el Estado son obras públicas de interés general incluidas como tales en el anexo del Plan Hidrológico Nacional, o, en su caso, en los Planes Hidrológicos de Cuenca, de acuerdo con los principios que se han visto en las páginas precedentes. Como señala acertadamente

MALARET, "el alcance de la "concepción" de la obra hace referencia a la vertiente técnica de la misma no a la decisión en sí de ejecutar o no una determinada obra que evidentemente es una decisión que corresponde única y exclusivamente adoptar a la Administración pública, no a un ente de la Administración pública"[23].

Se trata, en consecuencia, de obras hidráulicas de interés general que son competencia de la Administración General del Estado. Se trata de un principio que se establece sin excepción alguna, siendo referible en consecuencia tanto a las obras hidráulicas de las cuencas intercomunitarias como a las de las intracomunitarias, si bien la Ley de Aguas permite a las Comunidades Autónomas gestionar su construcción y explotación en los términos convenidos mediante las fórmulas de colaboración entre distintas Administraciones públicas, entre las que expresamente se menciona la encomienda de gestión que en ningún caso supone cesión de titularidad alguna. Se trata de un principio que se mantiene con independencia de quién sea el que efectúe materialmente la gestión de las obras hidráulicas.

B) Régimen de realización de las obras

Conviene que nos detengamos un instante en el proceso de ejecución material de las obras, partiendo de la práctica de las sociedades estatales que está reflejada en los convenios de gestión directa. El punto del que hemos de partir es que la atribución de esta atribución a la sociedad no supone, en modo alguno, que la Administración matriz se desentienda del proceso de ejecución de la infraestructura. Antes al contrario, se observa una considerable implicación por parte de la Administración matriz. Así, en el procedimiento de adjudicación de los contratos de obras públicas —con arreglo al régimen que se verá más adelante—, hay facultades que asume la Administración matriz, que puede cumplir un papel de asesoramiento de la sociedad mercantil, en una situación que resulta paradójica ya que la entidad matriz acaba actuando como *instrumento* de la sociedad estatal de obras. Aunque básicamente la valoración de las ofertas es realizada por los técnicos de la sociedad instrumental, ésta podrá solicitar informes para la mejor valoración de las mismas a técnicos que haya designado la Administración matriz.

Así, en las diversas fases del proceso de construcción de la obra, entendido en sentido amplio, hay muchos aspectos en los que nos encontramos

---

[23]   MALARET GARCÍA, E. "Las sociedades para la construcción de...", *op. cit.*, p. 122.

con la responsabilidad de la Administración matriz y una mera ejecución de la obra en función de los parámetros y actuaciones configuradoras de los contratos que ha determinado la Administración y no la sociedad instrumental. De entrada, de los convenios suscritos, se desprende que es son los Ministerios los encargados de la redacción y aprobación de los proyectos y sus modificados —que con posterioridad se "pondrán a disposición" de la sociedad—, lo que incluye la realización de la evaluación del impacto ambiental de la infraestructura aunque la redacción material de los mismos en las sociedades de aguas, la tiene encomendada la propia sociedad.

Durante el proceso de ejecución de la infraestructura, se retiene como actividad de los Ministerios implicados la realización de la inspección y control de las actuaciones durante su construcción y ejecución. Este dato se complementa con el hecho de que es el Ministerio el que procede a la constatación de que las actuaciones se han realizado de acuerdo con el proyecto aprobado.

Nótese cómo incluso desde un punto de vista formal, los pagos de las obras, que sí son materialmente realizados por las sociedades instrumentales, se han de formalizar a través de las normas de procedimiento que tiene aprobados los órganos directivos de los Ministerios correspondientes para procesos similares, con lo que de igual modo a los otros aspectos en este apartado la relevancia ministerial es absoluta. Lo cual concluye con la recepción de las obras que efectúa asimismo el Ministerio implicado en las obras.

Por último, queda señalar que uno de los elementos más importantes para la ejecución material de la obra es el de la expropiación de los bienes y derechos sobre los que se va a instalar. Aquí conviene también recalcar la sociedad ni expropia —lo que resulta lógico teniendo en cuenta su naturaleza privada— ni tiene la condición de beneficiario de la expropiación allá donde haya que efectuarla —dado que la obra va a ser para la Administración de la que depende— y, en consecuencia ella será la que tenga esa condición. Pese a ello, el pago de los gastos de expropiación es considerado como uno más de los que hay que afrontar en la ejecución de la obra y, por ello, es la sociedad la que ha de abonarlos a los particulares afectados.

Esta obligación para las sociedades estatales de que abonen el coste de adquisición de los terrenos en los que se va a realizar la infraestructura es algo que, por otra parte, resulta lógico si tenemos en cuenta que la última modificación incorporada al régimen de las sociedades estatales de aguas, añadido por Ley 11/2005, de 22 de junio, por la que se modifica la Ley 10/2001, de 5 de julio, del Plan Hidrológico Nacional, ha reconocido la condición de beneficiarios de la expropiación que haya que efectuarse: "Las sociedades estatales a que se refiere este artículo tendrán la condición de beneficiarias por causa de utilidad pública en los procedimientos de expropiación forzosa que se desarrollen con ocasión de la construcción, adquisición o explotación de las obras públicas hidráulicas que lleven a cabo en el marco del convenio a que se refiere el apartado 2", esto es, aquellos que se suscriban con la Administración matriz.

C) Pago del precio y financiación

El aspecto relativo a la titularidad de las obras conduce a otro elemento necesario para el análisis: *la determinación del sujeto que realiza el pago de la obra*. Esta cuestión tiene una indudable trascendencia a efectos contables pues permite conocer el porcentaje de la obra que tiene que ser amortizado.

En el Convenio de Gestión Directa, al tratar de las obras realizadas con el concurso de otras instituciones públicas, se indica que tales obras se pueden ejecutar con tres tipos de aportaciones (entes públicos, fondos comunitarios, sociedad estatal). Ello parece dar a entender que los pagos que se realizan a este fin provienen tanto de los citados entes públicos como de la sociedad. Sin embargo, este entendimiento no resulta conforme con la titularidad estatal de las obras y con la encomienda de gestión que el Estado ha realizado a favor de la sociedad para la realización de este tipo de obras. En efecto, estas dos circunstancias implican que deba ser la sociedad quien se encargue de gestionar la construcción y explotación de las obras proyectadas, una de cuyas funciones es la de buscar los fondos necesarios para su ejecución. Asimismo, es la encargada de pagar al contratista. Por lo tanto, es la sociedad la que abona el precio de la obra y ello con independencia del origen de los fondos necesarios para su realización que pueden ser propios, ajenos, subvenciones o aportaciones de terceros. En este sentido debe pues interpretarse el Convenio. Son las sociedades estatales. quien abona el precio total de la obra, y así debe aparecer en su contabilidad, debiendo amortizar pues el total importe de la misma.

Llegados a este punto debemos hacer una aclaración en relación con las aportaciones provenientes de fondos europeos. Así, estas aportaciones pueden calificarse sin esfuerzo como subvenciones, es decir, como donaciones modales condicionadas a la consecución de un fin. Pues bien, entendemos que, materializada la subvención, debe considerarse que los fondos correspondientes entran a formar parte de su activo y que, en consecuencia, las aportaciones europeas deben ser consideradas como aportaciones de la sociedad.

Una última consideración debe hacerse en relación las *fuentes de financiación* a las que pueden acudir las sociedades estatales para pagar, como decimos, la totalidad del precio de la obra.

Pues bien, de la redacción de los Convenio no admite dudas sobre este punto. En ellos se admite la posibilidad de que, tanto en obras a realizar con usuarios como con instituciones públicas, la sociedad las financie acudiendo a los mercados financieros, a través de la concertación de las correspondientes operaciones de captación de recursos ajenos, o utilizando sus recursos propios. El margen concedido a la sociedad a este respecto es pues amplio, lo que resulta coherente con el criterio de optimización de la gestión que conlleva la fórmula privada elegida para gestionar la construcción y explotación de obras hidráulicas.

D) Cuestiones relativas a las tarifas y a la recuperación de los costes de ejecución de las infraestructuras

Uno de los problemas centrales que se plantean con la ejecución de las obras públicas por parte de las sociedades estatales son los relativos a las tarifas que permiten la recuperación de los costes de ejecución de las infraestructuras. Se trata de una cuestión de gran importancia, en la medida en que, con ella se está alterando el régimen económico general de las obras hidráulicas, tanto que al lado del régimen económico-financiero general, hay una parte de las obras que se ejecutarán por las sociedades estatales teniendo en cuenta un régimen financiero pactado con otros sujetos públicos o privados, lo que ha llevado a EMBID a señalar que en el futuro el régimen general tributario puede pasar a resultar meramente residual[24]. Y es que, como ha señalado el mismo autor, "no hay ni podría haber, por tanto, aplicación del régimen económico-financiero de la ley de aguas sino un puro régimen de relación jurídico privado que parte de

---

[24]   EMBID IRUJO, A., "Las Sociedades estatales para la construcción, explotación, adquisición y... de obras hidráulicas. Nuevas reflexiones"; dentro de la obra colectiva coordinada por COSCULLUELA MONTANER, L., *Estudios de Derecho público económico. Libro Homenaje al Prof. Dr. D. Sebastián Martín-Retortillo*. Coedición de ENDESA, Ibercaja y la Editorial Civitas, Madrid (2003), p. 303.

la asunción con cargo a las sociedades estatales de un 50% del coste de las infraestructuras"[25].

Para plantear adecuadamente el régimen, se han de partir de las premisas siguientes. La interpretación del Convenio y de su Adicional debemos realizarla sobre la base de las premisas anteriores, es decir: i) las sociedades estatales constituyen formas de personificación de las Administraciones públicas sometidas a contabilidad privada y precisamente por ello resulta imprescindible la completa amortización contable de los inmuebles que construya; ii) las obras realizadas son de titularidad estatal; y iii) las aportaciones para la realización de las obras proceden íntegramente de las sociedades estatales, con independencia de cuál sea el origen de los fondos, los cuales pueden provenir de fondos propios de la sociedad, de de fondos ajenos, de subvenciones o de anticipos de otras personas o entidades interesadas.

Partiendo de las actuaciones de las sociedades estatales de obras hidráulicas, nos encontramos ante dos tipos de obras que realizan estas entidades, y este diverso origen es el que delimita el alcance de la amortización de las obras por la sociedad, límites en todo caso derivados de su naturaleza, distinguiéndose dos tipos de obras a los efectos de su financiación: i) aquéllas a construir y/o explotar mediante contraprestación a convenir con los usuarios de las mismas y/o mediante la venta del producto o servicio resultante de la explotación de la obra; y ii) aquéllas a construir con el concurso de otras instituciones públicas.

Por lo que se refiere a las *obras realizadas con usuarios*, en los convenios se especifica que sociedad pueda realizar en todo o en parte la ejecución y/o explotación de obras hidráulicas mediante el establecimiento de tarifas por convenio con los usuarios de las mismas. Todo lo cual, tiene un esquema financiero peculiar, que está configurado en los siguientes términos:

a) Hasta un 50% del importe de la inversión se financiará con cargo a los fondos propios la sociedad estatal.

b) El resto, mediante el establecimiento de tarifas con cargo de los usuarios de las mismas y/o mediante la venta de productos o servicios resultantes de la explotación de la obra.

Si interpretamos esta cláusula nos encontraríamos con que en los casos de la realización de obras con usuarios de las mismas sólo recuperará vía ta-

---

[25]   EMBID IRUJO, A., "Evolución del Derecho y de la política del agua en España", en la *Revista de Administración Pública,* n° 158, p. 88.

rifa a abonar por dichos usuarios la cantidad previamente determinada. Se trata, como ha señalado EMBID, de cantidades que, aunque se denominen en los convenios como tarifas "tienen la naturaleza de precios privados"[26].

En cambio, no podrá la sociedad recuperar de esta forma la cantidad que haya aportado con sus fondos propios (hasta un 50%), ya que en los convenios se excluye totalmente. Para estos casos en principio debería ser el Estado una vez pagadas las tarifas por los usuarios de las obras, quien decidirá, como accionista único de la sociedad, si abonar a la sociedad la parte no amortizada (ya sea mediante una cantidad fija o periódica) o dejar que la sociedad asuma el importe de esta inversión con cargo a sus fondos propios. Aunque sea una solución que resulte paradójica

Esta interpretación de la cláusula tercera del Convenio viene ratificada por lo dispuesto en el Adicional al mismo cuando se refiere a concretas obras a realizar con la participación de los que serán los usuarios de las mismas. En todas estas obras se recoge una redacción idéntica al tratar de la financiación y que coincide con el marco establecido en el Convenio para estas obras, permitiendo de esta forma a la sociedad financiar hasta el 50% y recuperar la parte restante con las tarifas a abonar por los usuarios.

Por el contrario, el esquema financiero previsto en la cláusula quinta para la realización de *obras con el concurso de otras instituciones públicas* parece en principio responder a otra voluntad.

Así, se prevé que estas obras se realicen con tres tipos aportaciones (conjunta o aisladamente): i) de instituciones públicas; ii) de fondos comunitarios; y iii) de la propia sociedad (hasta un máximo del 50%). Y precisamente al tratar de las aportaciones realizadas por las sociedades estatales, se contiene en los convenios de gestión directa una cláusula en los siguientes términos: "la recuperación financiera de lo efectivamente aportado por la Sociedad Estatal, se realizará de conformidad con lo dispuesto en los apartados 3 y 4 de la cláusula cuarta del presente convenio". Se trata de dos remisiones complejas, pero si efectuamos una interpretación integrada de ambos resulta que las sociedades tienen dos opciones a su disposición: i) recuperar la totalidad de lo aportado mediante el abono de tarifas, en este caso, de lo adelantado a las instituciones públicas con las que convenga; o ii) dejar una parte sin recuperar por esta vía. En este caso, será el Estado quien decidirá finalmente si la sociedad se hace cargo de esta cantidad con sus fondos propios o si le abona la parte no amortizada. Aunque pudiera

---

[26]   EMBID IRUJO, A., "Evolución..." *op. cit.* p. 88.

parecer lo contrario, teniendo en cuenta el principio contable de amortización de la totalidad de lo aportado, parece admisible al contar con la voluntad afirmativa en este sentido del accionista único de la sociedad que es el Estado, voluntad manifestada en el Convenio de Gestión Directa firmado con la sociedad.

E) En particular, la aplicación del principio de recuperación de costes a las sociedades estatales

En relación con los aspectos financieros de la ejecución de las obras hidráulicas, queda el apartado, importante, de la aplicabilidad del principio de recuperación de costes. Como es conocido, el principio de recuperación de costes, que tiene un marcado carácter conmutativo ha sido recogido en la normativa comunitaria[27], concretamente de forma expresa en la Directiva 2000/60/CE del Parlamento Europeo y del Consejo, de 23 de octubre de 2000, por la que se establece un marco comunitario de actuación en el ámbito de la política de aguas[28] y ha sido recogido en el art. 111 de la Ley de Aguas. Está articulado sobre dos puntos centrales: a) por un lado, el principio del coste, que impone que cada usuario deba compensar el coste que su utilización provoca; b) el principio de la utilidad, que lleva a exigir a todos los que se benefician de la implantación de una obra o servicio público a contribuir a su financiación en la medida de tal beneficio o ventaja; lo cual, como ha señalado RUIZ OJEDA, lleva a diferenciar entre usuarios y beneficiarios de la obra hidráulica, dado que son situaciones

---

[27] Sobre el principio de recuperación de costes en el marco de las obras hidráulicas, véase BLANQUER CRIADO, D. V., *La iniciativa privada y el ciclo integral del agua*, Tirant lo Blanch, Valencia (2005), pp. 351 y ss., y ORÓN MORATAL, G.; "Sobre la financiación de infraestructuras hidráulicas y el principio de recuperación de costes", en la *Revista Valenciana de Economía y Hacienda*, n° 3 (2001), pp. 11 y ss.

[28] De igual modo, conviene recordar que la política de tarificación se está planteando asimismo en el marco de la política de transportes, partiendo de lo señalado en el Libro Blanco sobre la política europea del transporte de cara al 2010. El planteamiento de la Comisión se puede plasmar perfectamente en este pasaje de la propuesta de Directa del Parlamento europeo y del Consejo para la modificación de la Directiva 1999/62/CE: "No es tanto el nivel de tarificación del transporte, sino más bien la estructura de los gravámenes y la manera en que se imponen y reparten entre los usuarios lo que debería evolucionar sin aumentar la carga global de las tasas e impuestos que gravan el sector de la carretera, los gravámenes por el uso de la infraestructura ofrecen la posibilidad de una mayor diferenciación en función del tipo de vehículo, del momento y del lugar y por tanto permiten calibrar mejor los costes según cada situación".

parecidas pero no similares[29]. El problema que aparece inmediatamente es cómo se armoniza un régimen convencional que supone una pago por parte de la administración de la mitad de la obra, tal como hemos visto con anterioridad en relación con las obras hidráulicas, con el referido principio de recuperación de costes.

Es cierto que éste último principio no tiene carácter absoluto —la propia directiva señala que es un principio que las autoridades nacionales "tendrán en cuenta"—, y en la propia directiva se articulan mecanismos que suponen su atemperación por existir otros factores jurídicamente relevantes, tales como los "efectos sociales, medioambientales y económicos de la recuperación y las condiciones geográficas y climáticas de la región o regiones afectadas" (art. 9). Esto nos conduce a un problema de motivación de la exención, tal como señala el art. 42.1 f) TRLA. El problema, por un lado, consiste en que las sociedades estatales están aplicando la regla del 50% de forma automática en todos los convenios que firman con usuarios del agua, algo que ciertamente no parece que encaje con la mecánica del sistema. O, como señala EMBID, no "se advierten razones jurídicas que animan a esa generalización homogénea de la subvención pública en toda circunstancia (con independencia de tipos de obras, situación geográfica, capacidad de los usuarios o condiciones específicas del territorio), lo que, inevitablemente, planteará en el futuro problemas de compatibilidad con el principio de recuperación de costes que contiene la Directiva marco comunitaria"[30].

---

[29] RUIZ OJEDA, A., "Las exacciones para la financiación de las obras hidráulicas: canon de regulación y tarifa de utilización", en la *Revista de Administración Pública*, n° 159 (2002), p. 375.
[30] EMBID IRUJO, A., "Sociedades estatales...", *op. cit.*, pp. 303-304.

Capítulo XXII
El dominio público portuario*

MARÍA ZAMBONINO PULITO
Catedrática de Derecho Administrativo
Universidad de Cádiz

SUMARIO: I. INTRODUCCIÓN. II. LA DISTRIBUCIÓN DE COMPETENCIAS EN MA-TERIA DE PUERTOS. 1. El marco constitucional y estatutario. A) Alcance de la competencia. B) Competencias del Estado: los puertos de interés general. C) Las competencias autonómicas en materia de puertos. 2. La concreción del reparto competencial en la LPEMM. A) Concepto de puerto marítimo y de instalación marítima. B) Clasificación de los puertos marítimos. a) Puertos comerciales y puertos no comerciales. b) Puertos de interés general. III. LA TITULARIDAD DEL DOMINIO PÚBLICO PORTUARIO. 1. Sistematización de las distintas titularidades que pueden darse en relación al demanio portuario. 2. La titularidad del dominio público marítimo-terrestre. 3. La organización administrativa para la gestión del dominio público portuario. Especial consideración de la participación de las Comunidades Autónomas en la gestión de los puertos de competencia estatal. IV. DELIMITACIÓN DEL DEMANIO PORTUARIO: LA ZONA DE SERVICIO. V. LA UTILIZACIÓN DEL DOMINIO PÚBLICO PORTUARIO ESTATAL. 1. Principios de gestión: el nuevo modelo liberalizador en la gestión del dominio público portuario. 2. Títulos habilitantes. A) Utilización del dominio público portuario por la Administración pública. B) La autorización de ocupación del dominio público portuario. C) Las concesiones demaniales. D) El contrato de concesión de obras públicas portuarias. III. LA GESTIÓN DEL DOMINIO PÚBLICO PORTUARIO AUTONÓMICO. 1. El modelo de gestión. 2. Régimen de usos del demanio portuario autonómico. 3. Especial referencia a los usos residenciales.

I. INTRODUCCIÓN

La exposición del régimen del dominio público portuario parte, necesariamente, de la consideración de la distinta tipología de instalaciones marítimo-portuarias existentes. Ello porque la propia Constitución arranca también de la diversidad material para distribuir las competencias entre Estado y Comunidades Autónomas en materia de puertos. La consecuencia es que los distintos tipos de puertos encuentran su régimen regulado, unas veces, en la legislación estatal, otras, en la legislación autonómica.

---

*   Este trabajo se ha elaborado en el marco del Proyecto de excelencia de la Junta de Andalucía "Ordenación y gestión integradas del litoral de Andalucía" (SEJ 4770).

Pero a pesar de esta variedad de regímenes jurídicos, puede avanzarse una primera idea: los puertos son bienes de dominio público; en unos casos de titularidad estatal, en otros, autonómica. La determinación de cuáles son las Administraciones titulares del demanio portuario derivado de la distribución constitucional y estatutaria de competencias será la primera cuestión que haya de abordarse en estas páginas, en las que habrá de matizarse la anterior aseveración, pues para el ordenamiento jurídico no todas las instalaciones marítimo-portuaria son *puerto*. Mas tampoco estas excepciones anunciadas van a conllevar que nos apartemos del régimen de los bienes públicos, puesto que tanto estas instalaciones que no reúnen los requisitos que exige el ordenamiento jurídico para que merezcan la calificación legal de puertos como los puertos *stricto sensu* se asientan, necesariamente, en el dominio público marítimo-terrestre, lo cual supone que les sea de aplicación el régimen de protección de este.

Desde la perspectiva de los puertos propiamente dichos, esta calificación como dominio público marítimo-terrestre del espacio en el que se ubican, va a determinar también el régimen de protección del dominio público portuario con consecuencias singulares en el ámbito de los puertos de titularidad de las Comunidades Autónomas, en los que entiendo, como tendré ocasión de exponer, que sobre un mismo objeto físico —o parte del mismo— existen dos objetos jurídicos distintos: el dominio público portuario, de titularidad autonómica, y el dominio público marítimo-terrestre, de titularidad estatal.

Antes de adentrarnos en el examen de cada una de las cuestiones anunciadas interesa dejar sentado el cuerpo normativo que habrá de utilizarse a lo largo de estas páginas y que, desde la perspectiva estatal, viene configurado por el Real Decreto Legislativo 2/2011, de 5 de septiembre, por el que se aprueba el Texto Refundido de la Ley de Puertos del Estado y de la Marina Mercante (en adelante TRLPEMM), disposición que refundió, y derogó, tras su modificación por la Ley 33/2010, de 5 de agosto y de acuerdo con el mandato contenido en esta, las Leyes 27/1992, de 24 de noviembre, de Puertos del Estado y de la Marina Mercante (en adelante LPEMM) 48/2003, de 26 de noviembre, de régimen económico y de prestación de servicios de los puertos de interés general (en adelante LREP) [1].

---

[1]   La LPEMM fue objeto, a su vez, de una modificación anterior, mediante la Ley 62/1997, de 26 de diciembre. El TRLPEMM vino así a dar respuesta a una necesidad comúnmente sentida en el sector, como era la de ofrecer un único cuerpo normativo en la materia, que había de buscarse hasta el momento de aprobación del TRLPEMM, en *un conjunto normativo que, por estar formado, en acumulación, por normas de época, pers-*

En el ejercicio de sus competencias estatutariamente asumidas, algunas Comunidades Autónomas costeras han dictado su propia legislación de puertos, Ley 3/1996, de 16 de mayo, de Puertos de Murcia (en adelante LP Murcia); Ley 5/1998, de 17 de abril, de Puertos de Cataluña (en adelante LP Cataluña); Ley 14/2003, de 8 de abril, de Puertos de Canarias (en adelante LP Canarias); Ley 5/2004, de 16 noviembre, de Puertos de Cantabria (en adelante LP Cantabria); Ley 10/2005, de 21 de junio, de Puertos de las Islas Baleares (en adelante LP Baleares); Ley 21/2007, de 18 de diciembre, de Régimen Jurídico y Económico de los Puertos de Andalucía (en adelante LP Andalucía)[2]. En el resto Comunidades autónomas, la legislación es fragmentaria, y de carácter reglamentario[3].

II. LA DISTRIBUCIÓN DE COMPETENCIAS EN MATERIA DE PUERTOS

La correcta exposición del régimen de distribución competencial operada en nuestro ordenamiento requiere descender más allá del plano constitucional o estatutario, y en concreto al TRLPEMM, dado que nuestro Texto Fundamental, en el reparto de competencias que en los arts. 148 y 149 se realiza en materia de puertos, se han empleado una serie de conceptos cuya concreción ha tenido lugar a través de la referida norma legal.

---

pectiva y alcance diversos, carece de la trabazón, coherencia y consistencia internas deseables (Exposición de Motivos TRLPÈMM).

[2] La Ley 21/2007 derogó a la única norma con rango legal específicamente dictada por una Comunidad Autónoma para regular los puertos deportivos, la Ley 8/1988, de 2 de noviembre, de Puertos Deportivos de Andalucía, siguiéndose pues, en esta Comunidad Autónoma, la pauta generalmente adoptada por las Comunidades Autónomas costeras de dictar leyes con pretensión de regular genéricamente el régimen de los puertos de su competencia.

[3] En estos casos, habrá de acudirse a la legislación supletoria estatal. En este sentido, la Disposición final tercera LP Canarias, a cuyo tenor, *supletoriamente, en lo relativo a la materia de puertos, será de aplicación lo establecido en la legislación estatal vigente.* En la misma línea, arts. 4.1 Art. Ley 5/1994, de 29 de noviembre, de creación del ente público Puertos de Galicia: 5.4 Decreto 227/1995, de 20 julio, por el que se aprueba el reglamento para el desarrollo y ejecución de la Ley 5/1994, de 29 de noviembre, de creación del ente público Puertos de Galicia. Para los puertos deportivos, habrá de estarse al todavía parcialmente en vigor Real Decreto 2486/1980, de 26 de septiembre, por el que se aprueba el Reglamento de Puertos Deportivos (en adelante RPD). En los restantes aspectos, habrá de estarse al TRLPEMM, pensado, sin embargo, para una realidad muy distinta a la representada por los puertos de competencia autonómica.

1. El marco constitucional y estatutario

El esquema competencial introducido por los artículos 148 y 149 CE con respecto a los puertos es el siguiente: a) el artículo 149.1.20ª, atribuye al Estado la competencia exclusiva sobre los puertos de interés general; b) los puertos de refugio, los deportivos, y en general los que no desarrollen actividades comerciales, podrán ser asumidos como competencia propia de las Comunidades Autónomas en sus Estatutos según el art. 148.1.6ª.

A) Alcance de la competencia

En este reparto competencial, como en general, en todo el que se lleva a cabo en los arts. 148 y 149 CE, el carácter con el que los citados preceptos atribuyen las distintas competencias va a ser un factor determinante en orden a delimitar el alcance de tal atribución. En este sentido, el art. 149.1 establece de forma expresa que las competencias que al Estado corresponden tendrán el carácter de "exclusivas", mientras que a las competencias enumeradas en el art. 148.1, al menos *a priori*, no se les otorga calificación alguna. A pesar de la equivocidad del término, puede afirmarse, tras un estudio de la doctrina así como de la jurisprudencia constitucional recaída al respecto, que en materia de puertos la competencia se encuentra partida por razón del tipo de puertos, pero en lo que afecta a cada parte de esa materia, y teniendo en cuenta lo dispuesto en la CE, el Estado o la Comunidad Autónoma, ostentan competencias exclusivas, en el sentido de monopolizar las funciones que en relación a esa parte de la materia pudieran corresponderle. Cada una de las entidades implicadas —Estado o Comunidades Autónomas—, ostenta pues, tanto las competencias legislativas y de ejecución, en relación a la materia que le corresponde[4]. Esto es, por una parte, al Estado corresponden los poderes legislativos y ejecutivos en cuanto a los puertos de interés general[5]. Por otro lado, a la Comunidad

---

[4]   A esta conclusión llego, tras un estudio pormenorizado de la doctrina y la jurisprudencia constitucional —v.gr., SSTC 16 noviembre 1981, 28 de enero y 8 febrero 1982— habidas en torno a esta cuestión, en el trabajo, Puertos y costas: régimen de los puertos deportivos, Tirant lo Blanch, Valencia, 1997, pp. 43 a 47, por lo que a su contenido en este punto me remito (vid., doctrina allí citada).

[5]   Se ha mantenido que, en efecto, la materia de puertos es una de las pocas materias en las que el Estado ostenta una competencia exclusiva tanto para legislar como para prestar y gestionar los servicios administrativos pertinentes (LEGUINA VILLA, J., Escritos sobre autonomías territoriales, Tecnos, Madrid, 1984, p. 64). Esto es lo que efectivamente se desprende de la Constitución y de la mayoría de los Estatutos. Sin em-

Autónoma, si así se ha asumido en los Estatutos, le corresponderán las facultades legislativas y de ejecución en relación con los puertos de refugio, deportivos, y en general los que no desarrollen actividades comerciales[6].

B) Competencias del Estado: los puertos de interés general

El criterio que se configura como delimitador de las competencias en materia de puertos es el del interés general, criterio que no se define directamente en la Constitución, sino en un momento posterior[7]. Corresponde al Estado la función de delimitar el concepto de interés general[8], pues, en definitiva, de lo que se trata es de concretar qué puertos son de competencia estatal. Mas en este punto, se hace necesario distinguir entre dos operaciones distintas que han de llevarse a cabo para concretar el concepto de interés general.

Por una parte, habrán de fijarse los criterios generales que determinen las calificaciones de los puertos como de interés general, criterios para cuyo establecimiento será necesaria una norma con rango de ley, de forma que se garantice la generalidad en todo el territorio nacional[9]. En un mo-

---

bargo, lo anterior merece alguna consideración, pues como veremos, en los Estatutos de las Comunidades Autónomas del País Vasco, Cataluña y Andalucía, se asumen competencias de ejecución de la legislación del Estado en materia de puertos de interés general.

[6] El problema será definir estos tipos de puertos, problema que se intensifica porque en la práctica a menudo se encuentran interpoladas, en una misma instalación portuaria, las funciones comerciales, de refugio, deportivas, etc. La situación real de muchas zonas portuarias es la de instalaciones que, con distintos destinos, coexisten en el mismo espacio, constituyendo realidades económicas y sociales difícilmente separables. En este sentido, la STS 11 noviembre 1987 al referirse a los puertos consideraba la zona portuaria, como "un todo unitario configurado como una unidad heterogénea en sus diferentes facetas, pero homogénea en su fin, o para el cumplimiento de la finalidad a que está destinada esa parte de la costa..." Esta situación es a la que se tiende en la actualidad, y se refleja en la legislación en la materia. La razón, simple: economizar un bien escaso y valioso, cual es el litoral.

[7] Sobre el sentido del interés como criterio de distribución de competencias puede verse la doctrina y jurisprudencia citadas en ZAMBONINO PULITO, M., Puertos y Costas, *op. cit.*, pp. 47 ss.

[8] En virtud del "atributo de la soberanía que de forma indivisible le está atribuida (arts. 1 y 2 de la Constitución)", en palabras de ESCRIBANO COLLADO, P., "Las competencias de las Comunidades Autónomas en materia de puertos", RAP, 100-102, Vol. III (1983), p. 2326.

[9] "Lo que pertenece al interés de cada instancia de poder es una decisión del legislador que la adopta creando títulos competenciales" (STC 16 noviembre 1981).

mento posterior habrán de realizarse las concretas calificaciones que determinen específicamente qué puertos son de interés general al amparo de los anteriores criterios. Estas calificaciones no requieren, sin embargo, rango de ley formal[10], tal y como se ha mantenido por las SSTC 68/1984 (referente a aeropuertos), 7/1985 y 12/1985, que rechazan la doctrina de la incompetencia por insuficiencia de rango. En la primera de ellas además se afirma que es éste el momento, —y no aquel en el que se fijan los criterios para esta calificación— en el que se realiza el efectivo reparto de competencias, puesto que al calificar un determinado aeropuerto como de interés general se están distribuyendo competencias, aún siendo una norma inferior a la ley.

Esta afirmación, no obstante, no es del todo pacífica. Cierto sector doctrinal ha puesto de relieve la inseguridad jurídica e indeterminación que puede suponer el dejar en manos de la Administración la concreción última del interés general[11], por lo que de trascendencia tiene en orden a la determinación de las competencias autonómicas. En mi opinión, estas críticas pueden salvarse, porque, como consideró la STC 68/1984, de 11 de junio, la determinación del interés general no es un proceso ni ilimitado ni absolutamente discrecional[12]. Entre estos límites ocupa un lugar preeminente la propia Constitución (art. 148.1.6ª); en segundo término, el poder declarativo del Estado debe atenerse a los criterios generales que definen el interés general, y respecto de los cuales se ha mantenido la tesis

---

[10] En esta línea, MUÑOZ MACHADO niega la necesidad de una ley formal para las distintas calificaciones, en relación a las cuales considera suficiente su adecuación a la legalidad vigente, si bien mantiene la necesidad de ley formal para la determinación de los criterios generales (Derecho Público de las Comunidades Autónomas, I, Civitas, Madrid, 1982, p. 541). En idéntico sentido CARCELLER FERNÁNDEZ, A., "Legislación de puertos. Interés actual de este ordenamiento", RAP, núms. 100-102, Vol. III (1983), p. 2291 a 2314, y CRUZ VILLALÓN, P., "La Jurisprudencia del Tribunal Constitucional sobre autonomías territoriales", en Estudios sobre la Constitución Española. Homenaje al Profesor Eduardo García de Enterría, Vol. IV, Civitas, Madrid, 1991 (V tomos) p. 335.

[11] BERMEJO VERA, J., "El `interés general' como parámetro de la Jurisprudencia Constitucional", RVAP núm. 10 (1984), pp. 121 y 132. Para este autor, la "solución" competencial de los apartados 20 y 24, del art. 149.1 CE, respecto de los puertos y aeropuertos, y obras públicas, está posiblemente influenciada muy negativamente por la terminología y calificación de las leyes anteriores a la constitución de 1978.

[12] "...pues no cabe desconocer que la facultad atribuida por la Constitución al Estado para definir el interés general, concepto abierto e indeterminado llamado a ser aplicado a las respectivas materias, puede ser controlada, frente a posibles abusos y a posteriori por este Tribunal".

de la reserva de ley formal[13]. En tercer lugar, la función de definir el interés general está limitada negativamente por el propio art. 148.1.6ª CE, de manera que el Estado, en materia de puertos deportivos, de refugio, y, en general, no comerciales, no ostenta competencia alguna[14], por lo que no puede acudir al criterio del interés general para asumir sobre este tipo de puertos competencias en tanto permanezca su calificación como tales[15].

Esta doctrina ha sido confirmada por la trascendental, a los efectos de este trabajo, STC 40/1998, de 19 de febrero, que resolvería los recursos de inconstitucionalidad interpuestos contra la LPEMM. Para el Tribunal Constitucional, el legislador estatal debe proceder a una interpretación de los límites y alcance de su propia competencia, de manera que, para regular el ejercicio de las competencias en materia de puertos, *el Estado pueda legítimamente partir de unas nociones o determinaciones previas, sin que este tipo de definiciones suponga, por sí solo y sin otra circunstancia, vulneración alguna de competencias de las Comunidades Autónomas.* Y es el legislador estatal *por la lógica de las cosas* a quien corresponde, según la STC 40/1998, determinar qué puertos son de titularidad estatal y cuáles no, siempre que la concreción no resulte artificial o conlleve efectos *no queridos por el Constituyente*[16]. Como tendremos ocasión de señalar, se da pleno respaldo al mecanismo de definición del interés general a través de la doble operación de fijación de criterios generales y posteriores calificaciones que determinen qué puertos son de interés general.

---

[13] En este sentido, la STC 16 noviembre 1981, considera que el ámbito del interés general viene ya definido en la ley y no se ha de interpretar caso por caso ya que entonces tendría lugar una reducción del ámbito concreto de interés de la Comunidad Autónoma, siendo entonces una determinación del juez y no del legislador.

[14] ESCRIBANO COLLADO, P., "Comentario al art. 13.11 del Estatuto de Andalucía", en Comentarios al Estatuto de la Comunidad Autónoma de Andalucía, dirigidos por MUÑOZ MACHADO, S., IEAL, Madrid, 1987, pp. 168 ss.

[15] Cfr., ESCRIBANO COLLADO, P., "Las competencias...", *op. cit.*, p. 2320.

[16] "Del conjunto de normas del bloque de la constitucionalidad aplicables en materia de puertos puede extraerse, sin forzar los conceptos empleados en las mismas y dentro siempre de los límites constitucionales, más de una interpretación, y a este Tribunal no le corresponde señalar en abstracto cuál de entre las constitucionalmente posibles resulta la más oportuna, adecuada o conveniente (STC 227/1988, fundamento jurídico 13°). Esta labor es propia del legislador, correspondiendo, eso sí, a este Tribunal garantizar que dichas definiciones no impliquen en la práctica una alteración del sistema de distribución de competencias, ya sea porque resulten completamente artificiales, no respetando la imagen que de los distintos conceptos existe en la conciencia social, ya sea porque a tales conceptos se anuden consecuencias no queridas por el constituyente".

C) Las competencias autonómicas en materia de puertos

La asunción de competencias llevada a cabo por los distintos Estatutos en materia de puertos ha sido diversa, intensificándose en los diversos procesos de reformas estatutarias que se han producido en los últimos años. En este sentido, en todos los Estatutos de las Comunidades Autónomas costeras se asume la competencia exclusiva en relación a los puertos relacionados en el art. 148.1.6 CE y a los que no sean de interés general del Estado[17], delimitándose, en detalle, el alcance de esta competencia en el art. 140.1 EA Cataluña[18].

En las últimas reformas estatutarias, se han asumido competencias relativas a determinados aspectos relacionados con los puertos de interés general: competencias de ejecución o gestión de los puertos de interés general cuando el Estado no se reserve su gestión directa[19]; participación en la gestión de los mismos, de acuerdo con la legislación del Estado[20]; emisión de un informe previo sobre la calificación de un puerto como de interés general[21]; participación en la planificación y la programación de puertos

---

[17]   Arts. 27.1 EA Galicia; 10.5 EA Murcia; 30.22 EA Canarias; 10.9 EA Asturias; 24.8 EA Cantabria; 49.1.15 EA Valencia; 140.1 EA Cataluña; 30.5 EA Baleares; 64.1.5 EA Andalucía.

[18]   1. Corresponde a la Generalitat la competencia exclusiva sobre puertos, aeropuertos, helipuertos y demás infraestructuras de transporte en el territorio de Cataluña que no tengan la calificación legal de interés general. Esta competencia incluye en todo caso:
    a. El régimen jurídico, la planificación y la gestión de todos los puertos y aeropuertos, instalaciones portuarias y aeroportuarias, instalaciones marítimas menores, estaciones terminales de carga en recintos portuarios y aeroportuarios y demás infraestructuras de transporte.
    b. La gestión del dominio público necesario para prestar el servicio, especialmente el otorgamiento de autorizaciones y concesiones dentro de los recintos portuarios o aeroportuarios.
    c. El régimen económico de los servicios portuarios y aeroportuarios, especialmente las potestades tarifaria y tributaria y la percepción y la recaudación de todo tipo de tributos y gravámenes relacionados con la utilización de la infraestructura y del servicio que presta.
    d. La delimitación de la zona de servicios de los puertos o los aeropuertos, y la determinación de los usos, equipamientos y actividades complementarias dentro del recinto del puerto o aeropuerto o de otras infraestructuras de transporte, respetando las facultades del titular del dominio público.

[19]   Art. 33.13 EA Canarias; 12.12 EA Asturias; 51.2 EA Valencia; 64.2 EA Andalucía; 32.1.5 EA Baleares.

[20]   Arts. 140.3 EA Cataluña; 64.5 EA Andalucía y 32.1.15 EA Baleares.

[21]   Arts. 140.3 EA Cataluña y 64.5 EA Andalucía.

de interés general en los términos que determine la normativa estatal[22]. Por lo demás, y en relación a los puertos pesqueros, en los Estatutos gallego y andaluz se asumen competencias de desarrollo legislativo y ejecución[23].

2. La concreción del reparto competencial en el TRLPEMM

Como se ha puesto de manifiesto, la definición del ámbito competencial estatal conllevará la determinación del alcance de la competencia autonómica en materia de puertos y, por ende, la delimitación de las Administraciones titulares del demanio portuario[24]. En este sentido, el art. 1 TRLPEMM señala que su objeto es determinar y clasificar los puertos e instalaciones marítimas que sean competencia de la Administración del Estado y, en consecuencia, se acomete una completa clasificación de las instalaciones portuarias: el Capítulo II del Título Preliminar del TRLPEMM consta de cuatro artículos (arts. 2 a 5) que definen las distintas categorías de puertos existentes[25].

A) Concepto de puerto marítimo y de instalación marítima

En tal empeño, el artículo 2 TRLPEMM define lo que debe entenderse por puerto marítimo: *conjunto de espacios terrestres, aguas marítimas, e insta-*

---

[22]   Arts. 140.4 EA Cataluña y 64.6 EA Andalucía.
[23]   Arts. 28.6 EA Galicia y 48.4 EA Andalucía.
[24]   Ahora bien, estas consecuencias, inevitables, no suponen, a juicio del Tribunal Constitucional, lesión competencial alguna, *en tanto el art. 2.1 LPMM empieza advirtiendo que la definición de puerto que en tal precepto se contiene se da "a los efectos de esta Ley", es decir, de esta Ley de Puertos del Estado y de la Marina Mercante, por lo que es claro que dicha definición sólo pretende aplicarse a los puertos de titularidad estatal; no es posible, en consecuencia, deducir de dicha definición lesión competencial alguna. A la misma conclusión debe llegarse en relación con las condiciones físicas y de organización que enumera el apartado 2 de este mismo artículo, toda vez que, como se acaba de señalar, se trata de especificar las condiciones que deben reunir los puertos marítimos que acaban de definirse "a los efectos de esta Ley". Por tanto, en cuanto precepto aplicable exclusivamente a los puertos de titularidad estatal (art. 1 LPMM), la definición de puerto "marítimo" del art. 2 LPMM no vulnera el orden de distribución territorial de competencias* (STC 40/1998, de 10 de febrero).
[25]   Como en la propia Exposición de Motivos puede verse, este esfuerzo sistematizador se justifica en la trascendencia que a nivel competencial, y por lo que a nuestro trabajo interesa, desde la perspectiva de la titularidad demanial, tiene una ajustada definición de las instalaciones portuarias en aras de la clarificación del régimen jurídico de protección del demanio portuario. Para la STC 40/1998, esta labor de definición no es sólo posible y constitucionalmente irreprochable, sino que además es necesaria a efectos de la determinación de la titularidad, estatal o autonómica, de los puertos.

laciones que, situado en la ribera del mar o de las rías, reúna condiciones físicas, naturales o artificiales, y de organización que permitan la realización de operaciones de tráfico portuario, y sea autorizado para el desarrollo de estas actividades por la Administración competente[26].

Se trata, como puede observarse, de una exigente relación de requisitos que debe reunir una instalación para poder ser calificada legalmente como puerto[27]. La falta de las condiciones físicas y de organización que acabamos de señalar hará que la instalación no sea considerada puerto marítimo. En este punto, el art. 4 la LPEMM introducía la categoría de *instalación marítima*, definiéndolas como *los embarcaderos marítimos, las instalaciones de varada y de reparación naval, y otras obras o instalaciones similares que ocupando espacios de dominio público marítimo-terrestre no incluidos en las zonas de servicio de los puertos se destinen al transbordo de mercancías, pasajeros o pesca, siempre que no cumplan con los requisitos establecidos en los artículos anteriores para ser considerados como puertos marítimos y que en la fecha de entrada en vigor de esta Ley no sean de competencia de las Comunidades Autónomas,* remitiendo su régimen

---

[26] Art. 2.1 TRLPEMM. A estos efectos, el apartado 3 del artículo 2 define el tráfico portuario como las operaciones de entrada, salida, atraque, desatraque, estancia y reparación de buques en puerto y las de transferencia entre éstos y tierra y otros medios de transporte, de mercancías de cualquier tipo, de pesca, de avituallamientos y de pasajeros o tripulantes, así como el almacenamiento temporal de dichas mercancías en el espacio portuario. Por lo que hace a las condiciones físicas y de organización, se detallan en el número 2 del mismo art. 2: a) superficie de agua, de extensión no inferior a media hectárea, con condiciones de abrigo y de profundidad adecuadas, naturales u obtenidas artificialmente, para el tipo de buques que hayan de utilizar el puerto y para las operaciones de tráfico marítimo que se pretendan realizar en él; b) zonas de fondeo, muelles o instalaciones de atraque que permitan la aproximación y amarre de los buques para realizar sus operaciones o permanecer fondeados, amarrados o atracados, en condiciones de seguridad adecuadas; c) espacios para el depósito y almacenamiento de mercancías o enseres; d) infraestructuras terrestres y accesos, adecuados a su tráfico, que aseguren su enlace con las principales redes de transporte; e) medios y organización que permitan efectuar las operaciones de tráfico portuario en condiciones adecuadas de eficacia, rapidez, economía y seguridad. De los puertos marítimos van a formar parte, según el artículo 2.6, las **instalaciones portuarias**, que se definen como las obras civiles de infraestructura y las de edificación o superestructura, así como las instalaciones mecánicas y redes técnicas de servicio, construidas o ubicadas en el ámbito territorial de un puerto y destinadas a realizar o facilitar el tráfico portuario.

[27] El concepto de puerto que introdujera la LPEMM es notablemente más reducido que el que se establecía en la legislación precedente que los definía como los parajes más o menos abrigados de la costa en los cuales exista de una manera permanente y en debida forma tráfico marítimo (art. 13 LP 1928).

al de utilización del dominio público marítimo-terrestre establecido en la normativa de costas.

Este precepto, sin embargo, sería declarado inconstitucional por la STC 40/1998, al entender el Tribunal que el art. 4 realizaba una definición enormemente amplia del concepto de instalación marítima y que tenía como consecuencia que *determinadas instalaciones que podrían ser consideradas como puertos no comerciales y, en cuanto tales y en virtud del art. 148.1.6ª CE, de la competencia de las Comunidades Autónomas, pasan a ser gestionados por la Administración del Estado. Buena prueba de cuanto acabamos de afirmar lo constituye el dato, antes reseñado, de que el legislador ha considerado que no son instalaciones marítimas aquellas que, aun reuniendo las características señaladas en el art. 4 LPMM, sean de competencia de las Comunidades Autónomas en el momento de la entrada en vigor de la Ley. Si, como expresamente se reconoce, este tipo de instalaciones son de "competencia" autonómica ello sólo puede encontrar justificación en la circunstancia de tratarse de verdaderos puertos que no desarrollan actividades comerciales...*[28].

De todo ello puede afirmarse que el régimen de las instalaciones que, situadas en la ribera del mar o de las rías, desarrollen algún tipo de actividad análoga a las que se suelen dar en los puertos —pequeños embarcaderos, pantalanes, varaderos, etc.— y que no lleguen a reunir las características exigidas para ser calificadas como puertos estatales, podrán ser puertos de competencia autonómica. En el caso de que tampoco llegaran a reunir las condiciones exigidas por la legislación autonómica para ser calificados como puertos, se trataría de meras utilizaciones del dominio público marítimo-terrestre, cuyo régimen debe buscarse en la normativa de costas. Se trata, en este último caso, de las denominadas instalaciones menores, a las que haré referencia con posterioridad[29].

---

[28]   La STC 40/1998 considerará, finalmente, que tal definición *altera el concepto que, sobre determinadas instituciones, existe en la conciencia social, pues no cabe duda de que las actividades a que se refiere el art. 4 LPMM —transbordo de mercancías, pasajeros o pesca— son típicas actividades portuarias.*

[29]   En este sentido, la STC 40/1998: *Esta declaración, como es evidente, en nada afecta a la competencia del Estado sobre las "instalaciones marítimas menores" a que se refiere el art. 110, b), in fine, de la Ley de Costas, así como a la posibilidad de controlar, mediante la adscripción de espacios de dominio público marítimo-terrestre prevista en el art. 49.1 de esa misma Ley y en el art. 16 LPMM, que lo que por las Comunidades Autónomas se denomina puerto reúne las características propias de éstos y no se trata de simples instalaciones marítimas menores de competencia estatal. Por otro lado, en caso de conflicto, siempre se podrá acudir a la vía jurisdiccional correspondiente.*

B) Clasificación de los puertos marítimos

a) Puertos comerciales y puertos no comerciales

Los puertos marítimos son clasificados en el TRLPEMM en base a dos criterios (art. 2.4 y 5): según la actividad en ellos realizada, pueden ser comerciales o no comerciales, y según la relevancia de su función en el conjunto del sistema portuario español los puertos marítimos serán de interés general o no.

Los **puertos comerciales** se definen en el art. 3.1 TRLPEMM como aquellos que reúnan condiciones técnicas, de seguridad y de control administrativo para que en ellos se realicen actividades comerciales portuarias. En esta definición resulta pues de especial trascendencia lo que debe entenderse por actividades comerciales portuarias, considerándose, a los efectos de la Ley, las siguientes: a) las operaciones de estiba, desestiba, carga, descarga, transbordo y almacenamiento de mercancías de cualquier tipo, en volumen o forma de presentación que justifiquen la utilización de medios mecánicos o instalaciones especializadas; b) el tráfico de pasajeros, siempre que no sea local o de ría, el avituallamiento y reparación de buques[30]. No son actividades comerciales, sin embargo, a) las operaciones de descarga y manipulación de la pesca fresca excluidas del ámbito del servicio público de estiba y desestiba; b) el atraque, fondeo, estancia, avituallamiento, reparación y mantenimiento de buques pesqueros, deportivos y militares[31]; c) las operaciones de carga y descarga que se efectúen manualmente, por no estar justificada económicamente la utilización de medios mecánicos; d) la utilización de instalaciones y las operaciones y servicios necesarios para el desarrollo de las actividades señaladas en este apartado[32].

De lo anterior cabe afirmar que los puertos marítimos en los que se desarrollen operaciones comerciales son puertos de competencia del Estado o de las Comunidades Autónomas, en este último caso, siempre que no sean calificados como de interés general[33].

---

[30] Art. 3.1 y 2 TRLPEMM.
[31] Nótese la exclusión de los puertos pesqueros de la categoría de puertos comerciales.
[32] Art. 3.3 TRLPEMM.
[33] Tal entendimiento ha sido también confirmado por la STC 40/1998, de 19 de febrero, para la cual *la mera clasificación de los puertos en comerciales y no comerciales no implica invasión competencial alguna ni tiene por qué suponer, como sostiene el recurrente, la extensión a los puertos autonómicos de la definición y los requisitos de los puertos marítimos contenidos en los apartados 1 y 2 del art. 2 de la Ley; más bien, esta clasificación, interpretada de acuerdo con el art. 148.1.6ª CE, y con arreglo a lo que se dirá más adelante, debe entenderse dirigida a delimitar*

El art. 3.4 TRLPEMM, define el núcleo característico de puertos de titularidad de las Comunidades Autónomas —pesqueros, de refugio y deportivos—, determinando que no son puertos comerciales los siguientes:

- Los puertos pesqueros, que son los destinados exclusiva o fundamentalmente a la descarga de pesca fresca desde los buques utilizados para su captura, o a servir de base de dichos buques proporcionándoles algunos o todos los servicios necesarios de atraque, fondeo, estancia, avituallamiento, reparación y mantenimiento.

- Los destinados a proporcionar abrigo suficiente a las embarcaciones en caso de temporal, siempre que no se realicen en él operaciones comerciales portuarias o éstas tengan carácter esporádico y escasa importancia.

- Los destinados para ser utilizados exclusiva o principalmente por embarcaciones deportivas o de recreo.

- Aquellos en los que se establezca una combinación de los usos a que se refieren los apartados anteriores.

¿*Quid* de aquellos puertos en los que se desarrollen paralelamente alguno de los tipos anteriores de actividades? La regla que, en este sentido, establece el art. 3.6 TRLPEMM, es que, en los puertos estatales, habrán de considerarse integrados los espacios y dársenas pesqueras, así como los espacios destinados a usos náutico-deportivos y que se sitúen dentro de la zona de servicio. Ahora bien, este principio general de unidad de gestión se relativiza seguidamente, mediante la posibilidad, introducida en el segundo párrafo del art. 3.6 TRLPEMM de que los espacios pesqueros y náutico-deportivos sean segregados de la zona de servicio de los puertos, posibilidad que, no obstante, se somete a una serie de límites y requisitos impuestos por la necesidad de garantizar el buen funcionamiento de los servicios portuarios[34].

---

la competencia del Estado, en la medida en que de ella pueden quedar fuera los puertos no comerciales. Las segregaciones fueron una novedad introducida por la disposición adicional decimoséptima de la Ley 62/1997.

[34] Existencia de infraestructuras portuarias independientes; espacios terrestres y marítimos diferenciados; que no se divida o interrumpa la zona de servicio del puerto afectando a la explotación de éste; que no existan usos alternativos previstos en la Delimitación de los Espacios y Usos Portuarios para dichas zonas; que se acredite que la segregación o pueda ocasionar interferencia alguna en la gestión de los puertos de interés general y se garantice la reversión si se modifican las causas y circunstancias que den lugar a la segregación. Además de estos requisitos sustantivos, el art. 3.6 TRL-PEMM sujeta la segregación a determinados límites formales: aprobación por el Go-

En principio, el Tribunal Constitucional, no considera inconstitucional la consagración del principio de unidad de gestión, pues en la Constitución *no se atribuye competencia sobre determinadas zonas de los puertos, ni sobre determinado tipo de actividades portuarias, sino sobre el puerto como tal, en sí mismo considerado.* Sin embargo, avanza un poco más, determinando que los argumentos de los recursos de inconstitucionalidad *sólo podrían compartirse si se llegara a la conclusión de que los espacios destinados a barcos pesqueros y deportivos son realidades físicas diferentes del puerto* para finalizar determinando la necesidad de interpretar el precepto en un determinado sentido, pues de otro modo sí se produciría una invasión competencial. Por las consecuencias que tal declaración comporta, me permito reproducirla textualmente:

> Llegados a este extremo, es preciso hacerse eco de uno de los argumentos empleados por el Consejo Ejecutivo de la Generalidad que, si bien no desvirtúa cuanto acabamos de exponer, sí obliga a introducir algunas matizaciones. Se afirma que la conexión del art. 3.6 LPMM con el siguiente art. 15.1 produce como consecuencia el que las zonas dedicadas a actividades pesqueras y náutico-deportivas ubicadas en los puertos de titularidad estatal, con la extensión que el Estado decida, quedan excluidas de la competencia de las Comunidades Autónomas. El citado art. 15.1 LPMM atribuye a la Administración estatal la competencia para delimitar la zona de servicio de sus puertos, zona que incluirá "las superficies de tierra y de agua necesarias para la ejecución de sus actividades, las destinadas a tareas complementarias de aquéllas y los espacios de reserva que garanticen la posibilidad de desarrollo de la actividad portuaria" y, por lo que se refiere a la superficie de agua, ésta se subdividirá en dos zonas: "Zona I, o interior de las aguas portuarias, que abarcará los espacios incluidos dentro de los diques de abrigo y las zonas necesarias para las maniobras de atraque y de reviro, donde no existan éstos", y "Zona II, o exterior de las aguas portuarias, que abarcará las zonas de entrada, maniobra y posible fondeo, subsidiarias del puerto correspondiente y sujetas a control tarifario de la Autoridad Portuaria" (art. 15.7 LPMM). Si efectivamente se entendiera que todas las instalaciones abarcadas por las aguas integrantes de la zona de servicio del puerto pertenecen al puerto estatal, se podría llegar a la conclusión absurda, especialmente en los puertos ubicados en rías o bahías, de que verdaderos puertos de competencia autonómica pasarían a ser de titularidad estatal por la simple extensión de la mencionada Zona II o de los espacios de reserva.
>
> Este problema queda, no obstante, resuelto si se tiene en cuenta que tanto las dársenas pesqueras como las zonas destinadas a fines náutico-deportivos a las que se refiere el art. 3.6 de la Ley no pueden ser otras que las incluidas en el recinto portuario en sentido estricto, es decir, en el espacio de tierra que delimita lo que la Ley denomina como Zona I. Ello es coherente no sólo con la noción de puerto sino también con la propia concepción de la Zona II como zona que incluye sólo la superficie de agua, sin afectar, por tanto, a los posibles puertos —o instalaciones— de titularidad autonómica bañados por esas aguas, que en modo alguno pueden considerarse

---

bierno mediante Real Decreto e informe favorable del Organismo Público Puertos del Estado. Acordada la segregación, deberá modificarse la zona de servicio del puerto.

incluidos bajo la gestión de la Administración estatal por el hecho de que hasta los mismos pueda alcanzar la hipotética Zona II de un puerto de su competencia. Por otra parte, es también claro que el Estado no puede ampliar de forma artificial la zona de servicio del puerto con intención de incluir en la misma puertos pesqueros o deportivos que, de otra forma, serían de titularidad autonómica; de hacerlo así siempre cabrá el correspondiente recurso jurisdiccional.

Esta tesis será la que se mantenga también en las SSTC 193/1998, de 1 de octubre y 226/1998, de 26 de noviembre, que resolverían, respectivamente, el recurso planteado contra la Ley 8/1988, de 2 de noviembre, de Puertos Deportivos de Andalucía —que declaraba la titularidad autonómica en relación a las zonas deportivas ubicadas en un puerto de interés general— y contra el otorgamiento de una concesión al Ayuntamiento de Gelves en relación a una zona deportiva dentro del puerto de interés general de Sevilla.

Finalmente, el último inciso del primer párrafo del art. 3.6 TRLPEMM, dispone que, con carácter potestativo, se podrán incluir, en los puertos comerciales dependientes de la Administración del Estado, y siempre que no se perjudique globalmente el desarrollo de las operaciones de tráfico portuario, espacios destinados a usos complementarios de la actividad esencial, a usos vinculados a la interacción puerto-ciudad, así como, igualmente, a otros usos comerciales no estrictamente portuarios.

b) *Puertos de interés general*

Por la relevancia de su función en el conjunto del sistema portuario español los puertos marítimos se clasifican en puertos de interés general y puertos que no son de interés general. El TRLPEMM establece los criterios generales que conforman el concepto de puerto de interés general en el art. 4 TRLPEMM, ajustándose así el legislador a la doctrina más atrás expuesta relativa al proceso de determinación del interés general[35].

El precepto citado dispone en este sentido que para que un puerto marítimo sea considerado como de interés general, habrá de serle de aplicación alguna de las siguientes circunstancias: que se efectúen en ellos actividades comerciales marítimas internacionales; que su zona de influencia comercial afecte de forma relevante a más de una Comunidad Autónoma; que sirvan a industrias o establecimientos de importancia estratégica para la economía nacional; que el volumen anual y las características de sus acti-

---

[35] Y que se confirma con la STC 40/1998, de 19 de febrero.

vidades comerciales marítimas alcancen niveles suficientemente relevantes *o respondan a necesidades esenciales de la actividad económica general del Estado*; que por sus especiales condiciones técnicas o geográficas constituyan elementos esenciales para la seguridad del tráfico marítimo, especialmente en territorios insulares. Nótese que para que un puerto merezca la calificación de interés general no es requisito necesario la concurrencia de todas y cada una de las circunstancias que se acaban de relacionar puesto que, como se ha señalado, según el art. 4 TRLPEMM, será suficiente para ello que al puerto en cuestión le sea aplicable *alguna de las siguientes circunstancias*[36].

Pero como afirmé con anterioridad, establecidos los criterios generales que definan el interés general, una segunda operación ha de ser realizada: la calificación concreta de los puertos de interés general. En este sentido, y a pesar de que el TRLPEMM adjunta un anexo en el que se procede a la calificación de los puertos de interés general, se ha incorporado a sus preceptos la doctrina expuesta en la STC 64/1984 en torno a la suficiencia de rango reglamentario para llevar a cabo esta segunda operación de concreción, puesto que en el propio art. 4, en su apartado 2, remite al reglamento los posteriores cambios de clasificación. El ámbito del reglamento se limita, no obstante, a una alteración de las circunstancias relacionadas en el art. 4.1[37].

Los cambios de clasificación pueden tener lugar, lógicamente, en un doble sentido: un puerto puede ganar, o perder, la condición de interés general, según cuál sea la circunstancia que se produzca. Esta afirmación tan obvia fue una novedad introducida en nuestro ordenamiento por la LPEMM. Actualmente se regula en el art. 4.3 TRLPEMM, al determinar que *la pérdida de la condición de interés general comportará el cambio de su titularidad a favor de la Comunidad Autónoma en cuyo territorio se ubique, siempre que ésta haya asumido las competencias necesarias para ostentar dicha titularidad*[38].

---

[36]   Es de señalar, en otro orden de ideas, que no coincide la noción de puerto comercial con la de puerto de interés general, por cuanto pueden existir puertos comerciales en los que no se de ninguna de las circunstancias señaladas.

[37]   Los cambios de clasificación han de llevarse a cabo con arreglo al siguiente procedimiento: propuesta del Ministerio de Fomento; audiencia de la Comunidad Autónoma respectiva, y, en su caso de las Comunidades Autónomas afectadas de forma relevante por la zona de influencia comercial del puerto; audiencia de los Ayuntamientos en los que se sitúe la zona de servicios del puerto; aprobación, mediante Real Decreto, por el Consejo de Ministros.

[38]   Los Decretos que regulaban los traspasos de servicios en materia de puertos, establecían los requisitos para los cambios de clasificación de puertos que no fueran de interés general, pero nunca del supuesto inverso. Tampoco el Anteproyecto de la LPEMM

III. LA TITULARIDAD DEL DOMINIO PÚBLICO PORTUARIO

1. *Sistematización de las distintas titularidades que pueden darse en relación al demanio portuario*

Los puertos se califican por la normativa que los regula como bienes de dominio público, correspondiendo su titularidad, en función del tipo de puerto de que se trate, al Estado o a las Comunidades Autónomas[39]. Expuesta la distribución competencial de la diversa tipología de instalaciones portuarias, parece conveniente una breve sistematización de las distintas posibilidades de titularidades que pueden darse en relación al dominio público portuario[40]. El esquema quedaría como sigue:

a) Los puertos de interés general son de titularidad de la Administración del Estado.

b) Los puertos comerciales de interés general son de titularidad de la Administración del Estado.

c) Los puertos comerciales que no sean de interés general pueden ser de titularidad de las Comunidades Autónomas. Esta posibilidad se da, sin embargo, exclusivamente en el caso de Cataluña, País Vasco, Galicia, Andalucía y Valencia.

d) Los puertos no comerciales que no sean de interés general (puertos deportivos, de refugio y pesqueros) son de titularidad de las Comunidades Autónomas.

---

lo incluía. Es, en el Proyecto LPEMM cuando se añade un tercer apartado al art. 5 LPEMM, en los mismos términos que actualmente se expresan en el apartado 3 del art. 4 TRLPEMM, transcrito en texto.

[39] Para los puertos estatales, *vid.*, arts. 4.11 LC y 64 TRLPEMM. En el ámbito autonómico, véanse, art. 10 de la Ley 5/1998, de 17 de abril, de Puertos de Cataluña; art. 5.2 de la Ley 14/2003, de 8 de abril, de Puertos de Canarias; Ley 5/1994, de 29 noviembre Creación del ente público "Puertos de Galicia"; y en general, toda la normativa autonómica parte de tal consideración. Para los puertos deportivos, expresamente, art. 3 LPDA, calificó como dominio público de titularidad autonómica a los puertos deportivos, zonas portuarias de uso náutico-deportivo y las instalaciones ligeras náutico-deportivas. La referencia a las instalaciones ligeras náutico-deportivas que realizaba el último precepto citado de la derogada Ley andaluza, fue declarada inconstitucional por la STC 193/1998, de 1 de octubre, como consecuencia de la doctrina anteriormente expuesta en base a la cual, estas instalaciones, al no ser puerto, deben ser calificadas como dominio público marítimo-terrestre y su titularidad atribuida al Estado.

[40] Sobre la titularidad del dominio público me remito, *in totum*, al trabajo de GONZÁLEZ GARCÍA, J. U., *La titularidad de los bienes del dominio público*, Marcial Pons, 1998.

En este esquema debe dejarse sentado que, de existir zonas e instalaciones, dentro de un puerto de una categoría determinada, con un uso distinto al principal, la titularidad de estas instalaciones corresponderá a la Administración titular del puerto siempre que se hallen en espacios bañados por aguas de la Zona I o interior mientras que si se encuentran en espacios bañados por aguas de la Zona II la titularidad podrá corresponder a la Administración que ostente la competencia material en relación al tipo de instalación con uso distinto al principal del puerto. Lo habitual es que estos supuestos se den en puertos de interés general que cuenten con instalaciones náutico-deportivas o pesqueras. Ahora bien, como el propio TC ha mantenido (SSTC 40/1998, 193/1998), la asunción efectiva de la competencia por parte de la Comunidad Autónoma requiere de un acto formal mediante el que se reclame la titularidad de la zona destinada a un uso de su competencia, por lo que cabe plantearse la posibilidad de que, ante la falta de reclamación de la Comunidad Autónoma, estas zonas de uso diverso situadas en Zona II sigan gestionándose por la Autoridad Portuaria correspondiente.

Finalmente, debe señalarse que las denominadas instalaciones menores o instalaciones que, situadas en la ribera del mar o de las rías, desarrollen algún tipo de actividad análoga a las que se suelen dar en los puertos —pequeños embarcaderos, pantalanes, varaderos, etc.— y que no lleguen a reunir las características exigidas para ser calificadas como puertos, estatales o autonómicos, son, en todo caso, de titularidad estatal, por constituir meras utilizaciones del dominio público marítimo-terrestre.

Esta distribución de titularidades, compleja pero definitivamente aclarada por la doctrina constitucional expuesta en páginas anteriores, debe ser complementada con la referencia a dos cuestiones de necesaria exposición puesto que, aún integrándose en el dominio público autonómico los puertos de competencia de las Comunidades Autónomas no dejan de ubicarse en el dominio público marítimo-terrestre de titularidad estatal. Los puertos de interés general, por otra parte, siendo bienes de dominio público estatal, son gestionados, *de facto*, por las Comunidades Autónomas. A continuación pasaremos a tratar cada una de estas cuestiones.

2. La titularidad del dominio público marítimo-terrestre

El espacio físico en el que se ubican los puertos marítimos es calificado, por la propia Constitución (art. 132) como dominio público de titularidad estatal. Tal calificación no comporta especiales problemas en el caso de los puertos estatales, pues según se ha afirmado con anterioridad, el art. 4 LC los considera como parte del dominio público marítimo-terrestre remitiendo su régimen a su legislación específica.

Más compleja es la cuestión en relación a los puertos de titularidad autonómica respecto a los que se ha mantenido una confusión, a mi modo de ver definitivamente resuelta, en torno a la titularidad de los espacios que conforman el puerto. Y es que al coincidir sobre un mismo espacio físico el demanio marítimo-terrestre y el puerto deportivo —al menos una parte del mismo—, el problema que surge es el de determinar si existe sobre dicho espacio una titularidad distinta a la demanial del Estado, es decir, una titularidad autonómica sobre el demanio portuario —distinta a la de los terrenos sobre los que éste se asienta—, o por el contrario, hay una única Administración titular, la del Estado, sobre un único bien. La cuestión se suscita porque el art. 132 CE no excluye la posibilidad de titularidades demaniales por parte de otras entidades públicas territoriales, y en este sentido el puerto deportivo puede ser un bien de dominio público de titularidad autonómica. Es éste precisamente uno de los problemas que en el recurso de inconstitucionalidad interpuesto contra la LPDA se plantearon: la titularidad del puerto.

La solución, a mi entender, debe abordarse desde la perspectiva de que el puerto no es lo mismo que el demanio marítimo-terrestre que ocupa, son objetos jurídicos distintos, pudiéndose distinguir entre el soporte físico —dominio público de titularidad estatal— y el bien afecto a la prestación de servicios portuarios —puerto de titularidad de la Comunidad Autónoma—[41].

---

[41] En contra de la postura aquí mantenida, la STSJ del País Vasco 17 mayo 1991, en la que se establece que el dominio público estatal y el autonómico no pueden recaer sobre un mismo objeto real, prevaleciendo el dominio público estatal. Sin embargo no se trata del mismo objeto real. Habrían de tenerse en cuenta, además de las tesis que consideran que el dominio público no es una forma de propiedad, la tendencia doctrinal a aceptar la "espiritualización" de la cosa. En este sentido DÍEZ-PICAZO, L. M. ("Breves reflexiones sobre el demanio: *los irua in re aliena*", *REDA* núm. 35, 1982, p. 655): "Nuestro ordenamiento no excluye que derechos patrimoniales distintos de la propiedad puedan tener naturaleza demanial. Ello está especialmente claro en el caso de los *iura in re aliena* (sobre todo sobre bienes inmuebles)". La postura aquí mantenida, por lo demás, no choca con lo establecido en la LC puesto que entre los bienes que en el art. 4 de la LC se incluyen como dominio público artificial no se encuentran los puertos deportivos, y como se ha expuesto, según el Tribunal Constitucional, la titularidad estatal corresponde a los bienes de dominio público natural, pudiendo corresponder a las Comunidades Autónomas la de los bienes de dominio público artificial.

En este sentido, ya la STC 149/1991, de 4 de julio, que resolviera los recursos de inconstitucionalidad planteados contra la LC, reconocería la titularidad de la Comunidad Autónoma sobre obras e instalaciones, y sobre la franja dominio público marítimo-terrestre, la del Estado: *De ahí se sigue que las obras e instalaciones del puerto son creadas y gestionadas por la Comunidad Autónoma, que ostenta sobre ellas una titularidad plena, o diferida a la reversión tras la extinción de la concesión que pudiera existir sobre la obra o instalación. Ahora bien, la indudable titularidad autonómica de las obras e instalaciones portuarias no conlleva la plena titularidad demanial de aquella franja de terreno que es de titularidad estatal, por mandato expreso de la Constitución...* Esta tesis ha sido confirmada por el Tribunal Constitucional en la Sentencia que resolviera el recurso de inconstitucionalidad planteado contra la Ley 8/1998, de 2 noviembre, de Puertos Deportivos de la Comunidad Autónoma de Andalucía, STC 193/1998, de 1 de octubre. Al ponerse en duda expresamente en el recurso planteado por el Gobierno de la Nación la posibilidad de que el dominio público portuario pudiera ser de titularidad autonómica, la confirmará, aunque sin entrar en el detalle que se ha empleado aquí[42].

Teniendo en cuenta la concepción del dominio público como título de intervención que comporta un haz de potestades ejercitables por la Administración titular, y no como propiedad, la superposición sobre un mismo espacio físico de dos titularidades demaniales no comportaría más problemas que los de coordinación interadministrativa de funciones y potestades. Ello es viable puesto que el dominio público lo que comporta no es la propiedad del bien, sino un conjunto de potestades sobre el mismo que deberán ejercitarse para la protección del respectivo dominio. En este sentido podrán intervenir tanto el Estado como la Comunidad Autónoma en aras de dicha protección, y sólo en virtud de ella.

---

[42]   *Por tanto, en los puertos deportivos, de competencia autonómica, resulta compatible la permanencia en el demanio estatal de la franja de terrenos que aquéllos ocupan con la titularidad de la Comunidad Autónoma de las obras e instalaciones portuarias. Esta ha sido precisamente la interpretación que la representación del Parlamento de Andalucía ha dado al precepto, interpretación que responde con naturalidad al tenor literal del mismo en cuanto se refiere a los puertos deportivos de competencia autonómica. Por fin, respecto de las "zonas portuarias náutico-deportivas", interpretada su definición en el modo fijado ya en el fundamento jurídico 4º, tanto si se encuentran en puertos autonómicos como si se encuentran en puertos de interés general, en los supuestos en que con arreglo a dicho fundamento jurídico resulte legítimo, debemos predicar idéntica compatibilidad con la conclusión de que el art. 3, párrafo primero LPDA, una vez suprimida, por consecuencia, la referencia a las "instalaciones ligeras náutico-deportivas" no vulnera el orden constitucional de competencias* (STC 1993/1998).

En cuanto titular del dominio público marítimo-terrestre necesario para la construcción del puerto deportivo, el Estado dispone de un importante título de intervención que se articula mediante una técnica concreta: la adscripción, o puesta a disposición por parte del Estado, del dominio público marítimo-terrestre necesario para que las Comunidades Autónomas ejerciten sus competencias en materia de puertos y que se articula mediante la emisión de un informe favorable a la ocupación que se inserta dentro del procedimiento de aprobación del proyecto de construcción, ampliación o modificación de los puertos de competencia autonómica[43]. Así se pone de manifiesto en el art. 64.3 TRLPEMM, regulándose la adscripción en los arts. 49 y 50 LC, 103 a 107 RC y 5 TRLPEMM[44].

La adscripción es un acto administrativo mediante el cual, la Administración del Estado cede el mero ejercicio de ciertas potestades demaniales, las de uso y aprovechamiento, a otra entidad territorial, la Administración autonómica, que se subroga en dicho ejercicio, manteniendo la primera la titularidad de las mismas. La aprobación del proyecto por la Comunidad Autónoma conlleva la adscripción del dominio público marítimo-terrestre necesario, exteriorizándose la adscripción bajo la forma de un informe vinculante. En estos supuestos, la aprobación del proyecto es un acto administrativo de carácter complejo, integrado por dos voluntades, la Estatal y la autonómica. El dominio público marítimo-terrestre adscrito, en los supuestos en los que no sea utilizado para el cumplimiento de los fines a los que se adscribió o sea necesario para la actividad económica o el interés general, revertirá a la Administración del Estado[45].

---

[43] Del análisis de esta técnica nos hemos ocupado en el siguiente trabajo: ZAMBONINO PULITO, M., "La adscripción del dominio público marítimo-terrestre a las Comunidades Autónomas", *Revista de Estudios de la Administración Local y Autonómica*, núms. 271/272, 1996, pp. 609 ss.

[44] Algunos aspectos del régimen de la adscripción han sido objeto de modificación por la reciente Ley 2/2013, de 29 de mayo, de protección y uso sostenible del litoral y de modificación de la Ley 22/1988, de 28 de julio, de Costas (en adelante LPUSL). A ellos haremos puntualmente referencia a lo largo del trabajo y en la medida que vayan abordándose las cuestiones afectadas por estos cambios.

[45] En el primero de los supuestos, al ser los fines para los que se adscriben de competencia autonómica, el Tribunal Constitucional ha considerado que no es suficiente con la audiencia a la Comunidad Autónoma, con lo que el art. 107 RC fue modificado, estableciéndose un informe preceptivo, y en caso de disconformidad, la apertura de un período de consultas. En los demás supuestos, la reversión requiere comunicación a la Comunidad Autónoma de las razones que la justifiquen para que ésta formule las alegaciones pertinentes en el plazo de un mes.

El título de intervención que comporta la titularidad del dominio público marítimo-terrestre necesario para construir, ampliar o modificar un puerto de titularidad autonómica va a modular el régimen de estos y, desde esta perspectiva, existen determinaciones de la legislación de costas de necesaria observancia en el régimen de los puertos autonómicos. Son de destacar, en este sentido, el límite de los plazos concesionales o la exigencia del canon demanial a favor del Estado en los supuestos de puertos de nueva creación[46].

3. La organización administrativa para la gestión del dominio público portuario. Especial consideración de la participación de las Comunidades Autónomas en la gestión de los puertos de competencia estatal

Para finalizar con el esbozo del complejo entramado de titularidades demaniales que se dan en los puertos debe hacerse una breve referencia a la organización diseñada para ejercitar aquellas competencias y las potestades derivadas de la atribución de la titularidad. Debe llamarse la atención desde estas primeras líneas, que, en la gestión de los puertos de competencia exclusiva estatal, van a participar de una manera determinante, las Comunidades Autónomas. La organización de las Autoridades Portuarias ha sido una de las cuestiones que más giros ha dado en la reciente legislación

---

[46]   El plazo máximo de las concesiones que otorgue la Comunidad Autónoma sobre el dominio público adscrito se encuentra limitado. En su redacción original, el art. 49 LC establecía un plazo máximo de treinta años, el mismo que el que se fijaba para las concesiones en el dominio público marítimo-terrestre, en general. El apartado dieciséis del art. 1 LPUSL ha modificado el régimen de los plazos concesionales, remitiéndose a la legislación estatal de puertos en lo que hace a las concesiones otorgadas sobre dominio público marítimo-terrestre adscrito —separándose así del régimen general, en cuya virtud las concesiones para el aprovechamiento del dominio público marítimo-terrestre podrán tener un plazo máximo de 75 años, que variará en función de los usos de acuerdo con lo que se determine reglamentariamente—. En caso de adscripción, pues, debe estarse a los plazos establecidos en el TRLPEMM, en cuya virtud, para las concesiones demaniales que conlleven únicamente la explotación del puerto, el plazo máximo será de treinta y cinco años (art. 82 TRLPEMM) y para aquellas otras que comprendan la construcción y explotación, el plazo máximo será el que se establece para el contrato de concesión de obras públicas portuarias, fijado en cuarenta años (art. 101 TRLPEMM). En relación al canon, la adscripción no devenga canon de ocupación de dicho dominio en favor del Estado, aunque sí la concesión autonómica (independientemente del que pudiera devengarse en favor de ésta), ahora bien, sólo en relación a los puertos de nueva creación, lo que va a suponer, en definitiva un favorecimiento de la utilización de puertos existentes frente a las nuevas construcciones.

de puertos. La LPEMM partía, en su redacción original, del protagonismo en sus órganos de gestión de los representantes de la Administración del Estado, en cuanto titular del puerto. Sin embargo, la reforma que introdujo la Ley 62/1997, tuvo como consecuencia una mayor presencia de los representantes de las Comunidades Autónomas, que podía incluso ser mayoritaria[47]. Actualmente, la presencia autonómica en los órganos de gestión de los puertos de interés general se ha reducido, como consecuencia de la modificación introducida por la Ley 33/2010, de 5 de agosto, y que se recoge en el vigente TRLPEMM en los términos que posteriormente se expondrán.

Partiendo, por su mayor simplicidad, de la organización autonómica, esta se estructura en base tanto fórmulas organizativas centralizadas como descentralizadas. En el primer grupo, en el que se encuadrarían aquellas Comunidades Autónomas que gestionan los puertos de su competencia a través de su organización preexistente, sin crear entidades *ad hoc* se encuentran las Comunidades Autónomas del País Vasco, Murcia y Cantabria[48]

Pero la mayor parte de las Comunidades Autónomas, en los últimos años han optado por la creación de entidades instrumentales a las que se encomienda el ejercicio de las funciones que en materia de puertos corresponde a la Administración autonómica, adoptando todas estas entidades la forma de entes de Derecho público que sujetan su actividad al Derecho privado. Sería precursora en este sentido la Comunidad Autónoma catalana, que mediante la Ley 4/1982, de 5 de abril, crearía la Comisión de Puertos de Cataluña —esta entidad fue sustituida por Puertos de Cataluña, creado en 1998—. A ella siguieron la Empresa Pública de Puertos de Andalucía, creada mediante Ley 3/1991 del Presupuesto para 1992, constituida por Decreto 126/1992, de 14 de julio[49] y reemplazada en la actualidad por la

---

[47]   Esta manera de proceder la analizamos con detenimiento en el trabajo "¿Hacia nuevas formas de descentralización territorial? Entes instrumentales gobernados por las Comunidades Autónomas para gestionar puertos de interés general.", en el volumen colectivo SOSA WAGNER (Coord.), *El Derecho Administrativo en el umbral del siglo XXI*, Tirant lo Blanch, Valencia, 2000, pp. 489 a 525.

[48]   Cantabria contaba con una entidad instrumental, la entidad pública empresarial Puertos de Cantabria, prevista en el art. 24 LP Cantabria 2004, y que ha sido suprimida por la Ley 10/2012, de 26 de diciembre, de Medidas Fiscales y Administrativas de Cantabria, asumiéndose sus funciones por la Consejería competente en materia de puertos.

[49]   El Estatuto de la Empresa Pública de Puertos de Andalucía fue aprobado por el Decreto 235/2001, de 16 de octubre, que supuso la derogación de los aprobados por el Decreto 126/1992. La composición y carácter del Consejo de Administración de tal

Agencia Pública de Puertos de Andalucía[50]; el ente Puertos de Galicia fue creado por Ley 5/1994, de 29 de noviembre; Entidad de Infraestructuras de la Generalitat, regulada en el art. 72 de la Ley 16/2003, de 17 de diciembre, de Medidas Fiscales, de Gestión Administrativa y Financiera, y de Organización de la Generalitat Valenciana, y que sustituiría a la anterior Gerencia de Puertos[51]; la entidad Puertos Canarios, creada por el art. 21 LP Canarias 2003; el Ente público Puertos de les Illes Balears, creado por el art. 21 LP Baleares 2005.

La organización de los puertos estatales se basa también en la última de las opciones expuestas: se trata de una estructura que se descentraliza mediante la creación de entidades de Derecho público sujetas al Derecho privado, las Autoridades Portuarias, cuya gestión es coordinada y controlada por otra entidad instrumental, El Organismo Público Puertos del Estado[52], que se definen como organismos públicos de los previstos en la letra g) del apartado 1 del artículo 2 de la Ley General Presupuestaria, con personalidad jurídica y patrimonio propios, así como plena capacidad de obrar; dependen del Ministerio de Fomento, a través de Puertos del Estado; y se rigen por su legislación específica, por las disposiciones de la Ley General Presupuestaria que les sean de aplicación y, supletoriamente, por la Ley 6/1997, de 14 de abril, de Organización y Funcionamiento de la Administración General del Estado. y ajustan sus actividades al ordenamiento jurídico privado, incluso en las adquisiciones patrimoniales y contratación, salvo en el ejercicio de las funciones de poder público que el ordenamiento le atribuya. Desarrollan, por otra parte, sus funciones en régimen de autonomía funcional y de gestión[53].

Empresa Pública, fue sido objeto de modificación por los Decretos 193/2003, de 1 de julio y 459/2004, de 20 julio.

[50]   Disposición adicional primera LP Andalucía 2007.

[51]   La Gerencia de Puertos de la Generalidad Valenciana se crearía como ente de Derecho público que sujetaba su actividad al Derecho Administrativo, siendo el único caso de organismo autónomo que se ha creado en este ámbito.

[52]   El Organismo público Puertos del Estado constituye una entidad de las previstas en el art. 2.1.g) de la Ley 47/2003, de 26 de noviembre, General Presupuestaria, adscrito al Ministerio de Fomento, que se regirá por su legislación específica, por las disposiciones de la Ley General Presupuestaria que le sean de aplicación y, supletoriamente, por la Ley 6/1997, de 14 de abril, de Organización y Funcionamiento de la Administración General del Estado (art. 16.1 TRLPEMM).

[53]   Art. 24 TRLPEMM. En la contratación, las Autoridades Portuarias habrán de someterse, en todo caso, a los principios de publicidad, concurrencia, salvaguarda del interés del organismo y homogeneización del sistema de contratación en el sector público, así como, conservando su plena autonomía de gestión, a lo establecido en el TRLCSP y en

Como ya se ha adelantado, en la gestión de los puertos de interés general participan las Comunidades Autónomas mediante el nombramiento de representantes en sus órganos de gobierno y de gestión. En este sentido, los órganos que integran las Autoridades Portuarias son de tres tipos: de gobierno (Consejo de Administración y Presidente), de gestión (Director técnico) y de asistencia (Consejo de Navegación y Puerto). El Presidente es nombrado y separado por la Comunidad Autónoma[54]. El Consejo de Administración, por su parte y de acuerdo con lo establecido en el art. 29 TRLPEMM, se integra por los siguientes miembros: el Presidente de la entidad, que lo es del Consejo, el Capitán Marítimo, que es miembro nato, y un número de vocales comprendido entre 10 y 13, excepto para las Islas Canarias y las Baleares, en cuyo caso podrá llegar a 16 vocales, a establecer por las Comunidades Autónomas o por las Ciudades Autónomas de Ceuta y Melilla. Los vocales son designados por las Comunidades Autónomas, a propuesta de las Administraciones públicas y entidades a las que representan, y en función de los siguientes criterios de representación: a) la Administración General del Estado estará representada, además de por el Capitán Marítimo, por tres de estos Vocales, de los cuales uno será un Abogado del Estado y otro del Organismo Público Puertos del Estado; b) la Comunidad Autónoma estará representada, además de por el Presidente, por cuatro vocales; c) en el caso de las Islas Canarias cada Cabildo tendrá un representante y en el de las Islas Baleares cada Consell tendrá un representante; d) los municipios en cuyo término está localizada la zona de servicio del puerto tendrán una representación del 33 por ciento del resto de los miembros del Consejo[55]; e) el 66 por ciento del resto de los miembros del Consejo serán designados en representación de las Cámaras de Comercio,

---

la Ley 31/2007, de 30 octubre, sobre procedimientos de contratación en los sectores del agua, la energía, los transportes y los servicios postales, cuando celebren contratos comprendidos en sus respectivos ámbitos. En cuanto al régimen patrimonial, se rigen por su legislación específica y, en lo no previsto en ella, por la legislación de patrimonio de las Administraciones públicas. Por su parte, los actos dictados por las Autoridades Portuarias en el ejercicio de sus funciones públicas y, en concreto, en relación con la gestión y utilización del dominio público, la exacción y recaudación de tasas y la imposición de sanciones, agotan la vía administrativa, excepto en materia tributaria, donde serán recurribles en vía económico-administrativa.

[54] Art. 31 TRLPEMM.
[55] Cuando sean varios los municipios afectados, la representación corresponde en primer lugar a aquél o aquellos que den nombre al puerto o a los puertos administrados por la Autoridad Portuaria, y posteriormente a los demás en proporción a la superficie del término municipal afectada por la zona de servicio.

Industria y Navegación, organizaciones empresariales y sindicales y secto-res económicos relevantes en el ámbito portuario.

Como puede apreciarse, estamos ante un supuesto de un órgano en el que la representación de la Administración del Estado y de las Comunida-des Autónomas es prácticamente paritaria, dándose así un giro, mediante la reforma que llevó a cabo la Ley 33/2010, al protagonismo que desde 1997 habían tenido las Comunidades Autónomas en los Consejos de Ad-ministración[56]. El cambio, en la nueva organización que introdujera la Ley 33/2010 y que se recoge en el TRLPEMM, viene constituido por la mayor presencia de los municipios (con anterioridad a la reforma contaban con un 14% sobre el total del número de vocales) y de las entidades represen-tativas de sectores económicos y sindicales (que con la regulación anterior tenían garantizada una representación del 24% del total de los miembros del Consejo de Administración).

IV. DELIMITACIÓN DEL DEMANIO PORTUARIO: LA ZONA DE SERVICIO

Los puertos están integrados por una serie de terrenos, obras, instala-ciones y espacios de agua que se destinan a las finalidades características de aquellos. La afectación de los concretos bienes que integran el demanio portuario tiene lugar a través de la delimitación de la zona de servicio por-tuario, que sería el conjunto de espacios, terrestres y de agua, que integran el puerto.

En este punto, el sentido de la afectación, tradicionalmente dirigida a destinar un bien a una finalidad pública —uso, servicio público o fomento de la riqueza nacional— que determinaba su inclusión en el dominio pú-

---

[56] Sobre esta cuestión, ya dábamos cumplida cuenta en las anteriores ediciones de es-te trabajo, en las que cuestionábamos la regulación anterior, pues permitía que, con cierta facilidad, la Comunidad Autónoma contara con la mayoría de miembros del Consejo de Administración, de modo que quedaba prácticamente asegurado el go-bierno autonómico del ente, ya que los acuerdos del órgano —que concernían a las funciones más relevantes del ente—, se adoptaban por mayoría de los presentes, y únicamente en supuestos tasados se exigía la mayoría absoluta (nombramiento del Director, aprobación de proyectos de presupuestos de explotación y capital y del pro-grama de actuación plurianual, según establecía el art. 40 LPEMM). Nos parecía clara, pues, la contradicción de esta regulación con la competencia exclusiva que al Estado corresponde en virtud de los dispuesto en el art. 149.1.20ª CE.

blico[57], ha sido objeto de un cambio cualitativo en las sucesivas reformas de la legislación de puertos, en especial, en la que tuvo lugar a través de la LREP, que pondría el acento en la última de las líneas indicadas, vinculando el demanio portuario a la rentabilidad y eficiencia y fomentando el incremento de la iniciativa privada[58]. En esta misma línea, el art. 66 TRLPEMM dispone que la gestión del dominio público portuario estatal debe estar orientada, garantizando el interés general, a promover e incrementar la participación de la iniciativa privada en la financiación, construcción y explotación de las instalaciones portuarias y en la prestación de servicios, a través del otorgamiento de las correspondientes autorizaciones y concesiones, tanto demaniales como de obra pública y que en todo caso, se realizará con criterios de rentabilidad y eficiencia.

En lo que hace a la legislación estatal, el art. 67 TRLPEMM determina la pertenencia al dominio público portuario estatal de los siguientes bienes: *a) Los terrenos, obras e instalaciones portuarias fijas de titularidad estatal afectados al servicio de los puertos; b) Los terrenos e instalaciones fijas que las Autoridades Portuarias adquieran mediante expropiación, así como los que adquieran por compraventa o por cualquier otro título cuando sean debidamente afectados por el Ministro de Fomento; c) Las obras que el Estado o las Autoridades Portuarias realicen sobre dicho dominio; d) Las obras construidas por los titulares de una concesión de dominio público portuario, cuando reviertan a la Autoridad Portuaria; e) Los terrenos, obras e instalaciones fijas de ayudas a la navegación marítima, que se afecten a Puertos del Estado y a las Autoridades Portuarias para esta finalidad; f) Los espacios de agua incluidos en la zona de servicio de los puertos.*

A estos efectos, la zona de servicio, según lo preceptuado por el art. 69 TRLPEMM, incluye *los espacios de tierra y de agua necesarios para el desarrollo de*

---

[57] MORILLO-VELARDE PÉREZ, J. I., *Dominio público*, Trivium, 1992, p. 106, señala como fines de la afectación el uso público, el servicio público, u otros fines constitucionalmente legítimos vinculados a la satisfacción de las necesidades colectivas primarias, según la STC 227/1988, lo que implica una apertura de la potestad demanializadora: existen, "sintéticamente estos tres tipos de finalidades: a) Disciplinar el uso común de determinados bienes, garantizándolo frente a posibles usurpaciones; b) Fortalecer la posición de la Administración respecto de determinados bienes: es el caso de los bienes de servicio público: y c) Crear un título de intervención administrativa eficaz sobre el tráfico, en lo más amplio de su acepción, de algunos bienes, de forma que quede asegurado el control de la Administración sobre los mismos".

[58] *Para ello, esta ley subraya los factores o criterios de rentabilidad y eficiencia en la explotación del dominio público portuario y apuesta decididamente por la promoción e incremento de la participación de la iniciativa privada en la financiación, construcción y explotación de las instalaciones portuarias y en la prestación de los servicios portuarios a través del otorgamiento de los correspondientes títulos habilitantes* (Exposición de Motivos LREP).

los usos portuarios, los espacios de reserva que garanticen la posibilidad de desarrollo de la actividad portuaria y aquellos que puedan destinarse a la interacción puerto-ciudad[59]. El concepto de zona de servicio se construye, pues, en base al de uso portuario, que comprende, de acuerdo con lo establecido en el art. 72 TRLPEMM, los siguientes tipos de usos: a) Usos comerciales, entre los que figuran los relacionados con el intercambio entre modos de transporte, los relativos al desarrollo de servicios portuarios y otras actividades portuarias comerciales; b) Usos pesqueros; c) Usos náutico-deportivos; d) Usos complementarios o auxiliares de los anteriores, incluidos los relativos a actividades logísticas y de almacenaje y los que correspondan a empresas industriales o comerciales cuya localización en el puerto esté justificada por su relación con el tráfico portuario, por el volumen de los tráficos marítimos que generan o por los servicios que prestan a los usuarios del puerto[60].

La delimitación de la zona de servicio corresponde a la Administración del Estado, y en concreto, al Ministerio de Fomento a través de la denominada "Delimitación de los Espacios y Usos Portuarios", instrumento que, en virtud de la modificación operada por la Ley 33/2010, sustituiría al previsto con anterioridad por la LPEMM, el plan de utilización de los espacios portuarios. A tales efectos, la Autoridad Portuaria es la competente para elaborar el expediente de propuesta de Delimitación de los Espacios y Usos Portuarios, en la que debe incluirse, de acuerdo con lo establecido en el art. 69 TRLPEMM, la definición exterior e interior del dominio público portuario, los usos previstos para cada una de las diferentes áreas en las que se divida la zona de servicio del puerto y la justificación de la necesidad o conveniencia de los mismos, según criterios transparentes, objetivos, no discriminatorios y de fomento de la competencia en la prestación de

---

[59]   Se trata de los usos mencionados en el art. 72.1 TRLPEMM, cuyo régimen se determina en este último precepto, tales como equipamientos culturales, recreativos, certámenes feriales, exposiciones y otras actividades comerciales no estrictamente portuarias.

[60]   Por lo que hace al espacio de agua incluido en la zona de servicio, el art. 69.2 TRLPEMM determina que *comprenderá las áreas de agua y dársenas donde se realicen las operaciones portuarias de carga, descarga y trasbordo de mercancías y pesca, de embarque y desembarque de pasajeros, donde se presten los servicios técnico-náuticos y donde tenga lugar la construcción, reparación y desguace de buques a flote, así como las áreas de atraque, reviro y maniobra de los buques y embarcaciones, los canales de acceso y navegación y las zonas de espera y de fondeo, incluyendo los márgenes necesarios para la seguridad marítima y para la protección ante acciones terroristas y antisociales. También comprenderá los espacios de reserva necesarios para la ampliación del puerto. El espacio de agua se subdividirá en dos zonas:*
    a) Zona I, o interior de las aguas portuarias, que abarcará los espacios de agua abrigados ya sea de forma natural o por el efecto de diques de abrigo.
    b) Zona II, o exterior de las aguas portuarias, que comprenderá el resto de las aguas.

servicios[61]. Una vez elaborado el expediente de propuesta de Delimitación de los Espacios y Usos Portuarios por la Autoridad Portuaria, se sustancia un procedimiento administrativo complejo, en el que se da participación a las Administraciones con competencias en materia de costas, de pesca en aguas interiores, de ordenación del sector pesquero y deportes, así como en aquellos otros ámbitos sectoriales sobre los que pueda incidir la Delimitación de los Espacios y Usos Portuarios[62].

Como se ha señalado, la competencia para la aprobación de la Delimitación de los Espacios y Usos Portuarios corresponde al Ministerio de Fomento. En este punto, conviene tomar en consideración el pronunciamiento que al respecto realizaría el Tribunal Constitucional al cuestionarse la constitucionalidad de la definición de una zona de servicio con la amplitud con la que lo hacía la LPEMM —extensión que, a estos efectos, reproduce el TRLPEMM—, dado que, en opinión de las Comunidades Autónomas recurrentes, al corresponder a la Administración del Estado tal delimitación, vulneraba las competencias autonómicas en materia de ordenación del territorio y urbanismo. La STC 140/1998, en síntesis, consideraría, por una parte, que la existencia de actividades que no sean estrictamente portuarias no impide el ejercicio de las competencias autonómicas en la zona de servicio[63] y, por otra, que la extensión de la zona de reserva debe limitarse

---

[61] Deben incluirse, asimismo, los espacios necesarios para que los órganos de las Administraciones públicas puedan ejercer competencias de vigilancia, seguridad pública, inspección, control de entradas y salidas de personas y mercancías del territorio nacional, identificación y otras que, por su relación directa con la actividad portuaria, deban desarrollarse necesariamente en el puerto.

[62] Art. 69.4 TRLPEMM:

[63] *Igualmente debe rechazarse la pretendida inconstitucionalidad de la inclusión en la zona de servicio portuario de espacios de reserva para el futuro crecimiento del puerto. Como hemos señalado en la STC 149/1991, "la reserva de una zona del dominio público con la consiguiente afectación secundaria para el cumplimiento de fines de competencia estatal, que sustrae de manera total o parcial los terrenos afectados al uso común general... es instrumental respecto de la competencia sustantiva ejercitada y, en consecuencia, resulta de plena aplicación la jurisprudencia de las SSTC 77/1984 y 56/1986" [fundamento jurídico 4°, D), b)]. En el presente caso, la competencia exclusiva del Estado sobre un determinado puerto justifica la adscripción al mismo de aquellos espacios que, previsiblemente, serán necesarios para garantizar en el futuro el correcto desenvolvimiento de la actividad portuaria; con esta regulación, el ejercicio de la competencia estatal se mantiene dentro de sus límites propios —pues la medida adoptada se justifica plenamente desde la perspectiva de la competencia sobre puertos, que abarca tanto la realidad física como la actividad portuaria— y no puede afirmarse que la misma se utilice para proceder, bajo su cobertura, a la ordenación del territorio en el que la competencia ha de ejercerse.*

a lo estrictamente necesario[64]. Esta doctrina debe considerarse extensible a la regulación introducida el TRLPEMM, especialmente por la posibilidad de incluir en la zona de servicio espacios destinados a usos no portuarios, que de esta manera debe entenderse limitada en el sentido indicado en la STC y que se acaba de señalar.

En el ámbito autonómico, pueden encontrarse definiciones diversas de la zona de servicio portuaria[65], variando la amplitud de los usos, portuarios o no, y la extensión que pueda tener dicha zona. De este modo, en algunos supuestos, se define la zona de servicio como el espacio destinado a la prestación de las actividades típicamente portuarias, de los servicios portuarios[66]; en otros casos, la zona de servicio comprende espacios destinados a actividades complementarias a las portuarias[67] y espacios de reserva[68], previéndose también su destino a usos no portuarios[69]. Por lo que hace a la delimitación de la zona de servicio, con carácter general se prevé que tenga lugar a través de una norma de carácter reglamentario —en algún caso denominada Plan de delimitación de la zona de servicio— que, aprobada por el órgano competente, viene llamada a definir los espacios, usos y actividades del puerto, en cuyo procedimiento de aprobación generalmente

---

[64]   *Ahora bien, mientras que la reserva de superficies de agua no afecta a la competencia de ordenación del territorio —pues "es obvio que la competencia autonómica sobre ordenación del territorio no se extiende al mar" [STC 149/1991, fundamento jurídico 7º, A), b)]— no puede negarse que, como hemos señalado en anteriores ocasiones, la reserva de terrenos sí afecta directamente a la planificación territorial (y en este caso, más específicamente, a la competencia de ordenación del litoral) y, por ello, debe limitarse a lo estrictamente necesario, siendo preciso dilucidar en su momento si una determinada reserva menoscaba o no competencias autonómicas (STC 227/1988, fundamento jurídico 20). Por otra parte, este condicionamiento de una competencia autonómica hace especialmente necesario el respeto del deber constitucional de lealtad que debe presidir la actuación del Estado y de las Comunidades Autónomas, así como la búsqueda de soluciones cooperativas, pero, a priori, no puede afirmarse que la simple previsión de que en la zona de servicio portuario se incluyan espacios de reserva suponga un ilegítimo menoscabo de las competencias autonómicas.*

[65]   Aunque no la define, se parte del concepto de zona de servicio, aludiéndose a ella en el art. 2.3 de la Ley 5/1994, de 29 noviembre Creación del ente público "Puertos de Galicia".

[66]   Decreto 61/1994, de 13 de mayo, por el que se aprueba el Plan director de los puertos deportivos e instalaciones náuticas de la Comunidad Autónoma valenciana; art. 2.3 Ley 3/1996, de 16 mayo, de Puertos de Murcia.

[67]   Art. 27 Ley 5/1998, de 17 de abril, de Puertos de Cataluña. La ley catalana, en el art. 94 define también los elementos que constituyen la zona de servicio en el supuesto peculiar de las marinas.

[68]   Arts. 6 LP Cantabria, 6 LP Canarias y 6 LP Baleares.

[69]   Art. 28 Ley 5/1998, de 17 de abril, de Puertos de Cataluña.

intervendrán los órganos de las Administraciones competentes en materias relacionadas[70].

V. LA UTILIZACIÓN DEL DOMINIO PÚBLICO PORTUARIO ESTATAL

1. *Principios de gestión: el nuevo modelo liberalizador en la gestión del dominio público portuario*

El Título IV de la LREP, dedicado al dominio público portuario estatal, supuso la práctica derogación del Título II de la LPEMM, introduciendo un modelo en el que el acento se ponía en el destino o afectación del demanio portuario al servicio de la rentabilidad y la eficiencia del puerto. Esta misma filosofía se asume por la Ley 33/2010 y se recoge en el TRLPEMM. Exponente de ello es el tenor del art. 66 TRLPEMM, en cuya virtud, *La gestión de las infraestructuras y del dominio público portuario se realizará con criterios de rentabilidad y eficiencia*[71]. Será también una novedad introducida por la LREP, la primacía de la consideración de los puertos como obra e infraestructura pública[72] y que se reconoce sin temores al establecer la obligación de los titulares de autorizaciones y concesiones a comprometerse al desarrollo de una actividad mínima o tráfico mínimo que garantice una explotación razonable del dominio público[73].

---

[70]   *V.gr.*, pesca, medio ambiente, ordenación del territorio y urbanismo. *Vid.*, en este sentido art. 29 LP Cataluña, 6 LP Cantabria; 6.2 LP Canarias; 6 LP Baleares. El art. 9 LP Andalucía 2007, por su parte, distingue las situaciones de gestión directa e indirecta. En el primer caso, la ordenación funcional del puerto se delimita a través del Plan de Usos de los Espacios Portuarios, entre cuyos contenidos, habrá de incluirse la asignación de usos para los diferentes espacios incluidos en la zona de servicio, mientras que la ordenación funcional de los puertos en régimen de gestión indirecta forma parte del título concesional tomando como base el anteproyecto y el proyecto de obra pública aprobados.

[71]   Los términos son exactos a los que se contenían en el art. 92.3 LREP.

[72]   Como la propia Exposición de Motivos LREP indicaba, e*n los puertos se trata de transformar las pertenencias del dominio público litoral a fin de convertirlas en soportes e infraestructuras que garanticen el tráfico marítimo en condiciones de seguridad y eficiencia —lo que, a veces, es difícil de compatibilizar con el mantenimiento inalterado del medio natural—. Por ello, la consideración de los puertos e instalaciones portuarias de titularidad estatal como verdaderas obras o infraestructuras públicas ha de incidir sobre el régimen jurídico de utilización y sobre su forma de ocupación y explotación.*

[73]   Art. 73.5 TRLPEMM.

En este contexto, las Autoridades Portuarias pasan a configurarse como auténticos entes reguladores que, en la gestión del dominio público portuario, *asumen funciones de provisión y gestión de espacios e infraestructuras portuarias básicas* y se convierten en promotoras de la actividad económica y la iniciativa privada, dada la nueva orientación de la gestión del dominio público portuario estatal *a promover e incrementar la participación de la iniciativa privada en la financiación, construcción y explotación de las instalaciones portuarias y en la prestación de servicios*[74]. Ello en un claro propósito, como abiertamente indicaba la Exposición de Motivos LREP, de favorecer el aumento de la iniciativa privada[75].

Esta clara asunción de los principios liberalizadores en el régimen de utilización del demanio portuario[76], en la que la Administración —las Autoridades Portuarias, en el supuesto que nos ocupa—, pasan de ser prestadoras a meras controladoras[77], se sujeta, no obstante a un límite, en mi

---

[74]   Art. 66 TRLPEMM.

[75]   *Finalmente, el nuevo papel asignado a las Autoridades Portuarias como entes reguladores supondrá en la práctica una tendencia hacia la disminución de la financiación pública en inversiones portuarias, y un marcado protagonismo de la iniciativa privada en la ejecución de obras portuarias.*

[76]   El tema ha sido objeto de intenso debate doctrinal. Pueden verse, en este sentido, los trabajos de ARIÑO ORTIZ, G., DE LA CUÉTARA, J. M., MARTÍNEZ LÓPEZ-MUÑIZ, J. L., *El nuevo servicio público*, Marcial Pons, Madrid, 1997; ARIÑO ORTIZ, G., *Economía y Estado. Crisis y reforma del Sector público*, Marcial Pons, Madrid, 1995; DE LA CUÉTARA, J. M., *Servicio público y telecomunicaciones. La "regulación de servicio público" como nuevo paradigma para la prestación de servicios económicos*, "PERE. Papeles de trabajo", 3, 1995, UAM, Madrid; DE LA QUADRA SALCEDO, t., *Liberalización de las telecomunicaciones, servicio público y Constitución económica europea*, Centro de Estudios Constitucionales, Madrid, 1995; GARRIDO FALLA, F., El concepto de servicio público en Derecho español, *RAP* núm. 135, 1994, pp. 8 ss.; LAGUNA DE PAZ, J. C., "Liberalización y neorregulación de las telecomunicaciones en el Derecho comunitario", *REDA* núm. 99, 1995, pp. 491 ss.; LAVILLA RUBIRA, J. J., "La telefonía móvil y la ruptura del monopolio del servicio telefónico básico", *REDA* núm. 92 (1996), pp. 593 ss.; MALARET I GARCÍA, E., "Servicios públicos, funciones públicas, garantías de los derechos de los ciudadanos: perennidad de las necesidades, transformación de un contexto", *RAP* núm. 145, 1998, pp. 49 ss.; MARTÍN-RETORTILLO-BAQUER, S., "Reflexiones sobre las privatizaciones", *RAP* núm. 144, 1997, pp. 7 ss.; MUÑOZ MACHADO, S., *La formación y la crisis de los servicios sanitarios públicos*, Alianza Editorial, Madrid, 1995 y *Servicio público y mercado* (I. Los fundamentos, II Las telecomunicaciones, III. La televisión, IV. El sistema eléctrico), Civitas, Madrid, 1998.

[77]   En este estado de cosas, la cláusula del Estado social pasa en el presente por un cambio sustancial en los métodos que para su cumplimiento se utilizan, de modo que por los últimos acontecimientos normativos, parece haberse admitido ya esa incapacidad del Estado para asumir la titularidad de los servicios públicos de necesaria satisfacción. Se pasa así a poner el énfasis en el entendimiento de la cláusula del Estado social como

opinión, fundamental, y que debe presidir en cualquier caso el modelo de gestión, y es la garantía del interés general, como el propio art. 66.1 TRL-PEMM reconoce, siquiera sea de pasada[78]. Es en el interés general en el que han de buscarse los límites a una privatización que a mi modo de ver debe estar al concepto de servicio público que entiendo acompaña al sentido que la conciencia social da a los que se prestan en los puertos. No es este el momento de entrar en el concepto de servicio público, abandonado, por lo demás en la legislación de puertos desde 1992 al calificarlos la LPEMM como *servicios portuarios* y sujetarlos al Derecho privado[79]. Sí conviene dejar sentado, no obstante, que el interés general inherente a muchas de las actividades que se desarrollan en los puertos, hace imprescindible su asunción, siquiera sea subsidiariamente, por las Autoridades Portuarias[80]. El principio de subsidiariedad, como veremos, es también asumido en el

---

título habilitante de intervención en sentido estricto, de forma que la Administración pública pasa de su condición de prestadora a controladora, y cobra protagonismo el principio de subsidiariedad y la consiguiente intervención de la iniciativa privada. Puede verse al respecto ARIÑO ORTIZ, G. *Estado y Economía.* Madrid, 1993, pp. 359 y ss.

[78] Reza el primer apartado del art. 66.1 TRLPEMM: *La gestión del dominio público portuario estatal estará orientada, garantizando el interés general, a promover e incrementar la participación de la iniciativa privada en la financiación, construcción y explotación de las instalaciones portuarias y en la prestación de servicios, a través del otorgamiento de las correspondientes autorizaciones y concesiones, tanto demaniales como de obra pública, de acuerdo con lo previsto en esta ley.*

[79] Desde el punto de vista de la distinción tradicional entre los distintos tipos de actividad administrativa, se trata pues de poner el énfasis en la denominada actividad de limitación o intervención y de reducir a lo imprescindible la prestacional. Es justamente éste el sentido de la propuesta de DE LA CUÉTARA MARTÍNEZ, J. M., "Perspectivas de los servicios públicos españoles para la década de los noventa", en la obra colectiva *El nuevo servicio público,* p. 81, para quien "debemos ir a unos servicios públicos reducidos en número y extensión". O dicho en otros términos, se trata de reducir los servicios públicos al mínimo posible y aumentar los denominados servicios públicos impropios, y en definitiva, los ámbitos liberalizados en los que juegue el principio de libre competencia, haciendo a esta compatible con las denominadas "obligaciones o carga de servicio público" a través de las cuales se aseguran la garantía, calidad, precio asequible y continuidad de la prestación, en lo que parece ser el *núcleo irreductible* del servicio público.

[80] En este nuevo marco, lo imprescindible, el mínimo posible, en definitiva el ámbito del servicio público en sentido estricto, puede ser aquel en el que la iniciativa privada no cubra las necesidades públicas —caso de los derechos sociales—, cumpliéndose así igualmente los postulados del Estado social. *Vid.,* PAREJO ALFONSO. A., *Estado Social y Administración pública. Los postulados constitucionales de la reforma administrativa,* Civitas, Madrid, 19983, p. 94. Más recientemente MALARET I GARCÍA, E., "Servicios públicos, funciones públicas, garantías de los derechos de los ciudadanos: perennidad de las necesidades, transformación de un contexto", *RAP* núm. 145, 1998, pp. 49 ss.

nuevo modelo que introduce la LREP y se acoge en el TRLPEMM. Y en cualquier caso, la atribución de funciones de control de la actividad privada supondrá la atribución de intensas potestades a la Administración portuaria dirigidas a garantizar que el interés general queda plenamente satisfecho, de modo que se constituye en la otra cara de la moneda que aumenta las técnicas de intervención y garantizan el núcleo de lo público[81].

El régimen de utilización del dominio público estatal, configurado por el TRLPEMM, el Reglamento de Explotación y Policía y en las correspondientes Ordenanzas Portuarias y supletoriamente por la legislación de costas[82], parte de la delimitación de los usos permitidos y de los usos prohibidos en el mismo. A estos efectos, el art. 72 TRLPEMM establece el régimen de prohibiciones de usos en el dominio público portuario que, en la línea ya emprendida por la propia LPEMM, se acompaña de una serie de excepciones que se ampliarían a partir de la LREP.

En este sentido, únicamente se permite llevar a cabo *las actividades, instalaciones y construcciones acordes con los usos portuarios y de señalización marítima*, considerándose, como ya se ha apuntado, usos portuarios los comerciales, pesqueros, náutico-deportivos y los complementarios y auxiliares a los anteriores[83]. Pero los usos portuarios, tales como equipamientos culturales, recreativos, certámenes feriales, exposiciones y otras actividades comerciales no portuarias, como también se señaló, tendrán cabida, aunque en los terrenos que no constituyan dominio público natural y que hayan quedado en desuso o perdido su funcionalidad técnica, condicionándose tal posibilidad a que no se perjudique la actividad principal del puerto[84].

---

[81]   Como afirma VILLAR PALASÍ, J. L., en el Prólogo a la obra colectiva *El nuevo servicio público*, *cit.*, "las desregulaciones y las privatizaciones, espontáneas en un comienzo y obligadas más tarde por mor de la Unión Europea, han ido cercenado monopolios de servicio, sin privar una ápice de las normas de control a los Estados".

[82]   Art. 73.1 TRLPEMM.

[83]   La regla general no se excepciona para las Administraciones públicas, pues de acuerdo con lo dispuesto en el segundo apartado del art. 72 TRLPEMM, *la ocupación de espacios de dominio público portuario destinados a usos portuarios por los órganos o entidades de cualquier Administración pública, para el cumplimiento de los fines de su competencia, sólo podrá autorizarse para usos o actividades que, por su relación directa con la actividad portuaria, deban desarrollarse necesariamente dentro de los mismos.*

[84]   *En aquellos terrenos que no reúnan las características naturales de bienes de dominio público marítimo-terrestre definidos en el artículo 3 de la Ley 22/1988, de 28 de julio, de Costas, y que, por causa de la evolución de las necesidades operativas de los tráficos portuarios hayan quedado en desuso o hayan perdido su funcionalidad o idoneidad técnica para la actividad portuaria, podrán admitirse en el dominio público portuario espacios destinados a usos vinculados a la interacción puerto-ciudad, tales como equipamientos culturales, recreativos, certámenes feriales,*

Por lo que hace a las prohibiciones, el tercer apartado del art. 72 TRL-PEMM, siguiendo el régimen de prohibiciones establecido en la LC, incluye entre las mismas *aquellas ocupaciones y utilizaciones del dominio público portuario que se destinen a edificaciones para residencia o habitación, al tendido aéreo de líneas eléctricas de alta tensión y a la publicidad comercial a través de carteles o vallas, medios acústicos o audiovisuales situados en el exterior de las edificaciones*[85].

Estas prohibiciones, sin embargo, pueden ser excepcionadas dentro de los límites establecidos por el apartado cuarto del art. 72 TRLPEMM. De este modo, y siguiendo la línea iniciada por la reforma de la LPEMM llevada a cabo por la Ley 62/1997, las instalaciones hoteleras pueden autorizarse por el Consejo de Ministros, previo informe de Puertos del Estado, por razones de interés general debidamente acreditadas y siempre que se ubiquen en espacios del dominio público portuario destinados y a usos vinculados a la interacción puerto-ciudad, debiendo tales usos hoteleros acomodarse al plan especial de ordenación de la zona de servicio del puerto o instrumento equivalente. En todo caso, estas instalaciones no pueden ubicarse en los primeros 20 metros medidos tierra adentro a partir del límite interior de la ribera del mar o del cantil del muelle[86].

---

exposiciones y otras actividades comerciales no estrictamente portuarias, siempre que no se perjudique el desarrollo futuro del puerto y las operaciones de tráfico portuario y se ajusten a lo establecido en el planeamiento urbanístico. Las Autoridades Portuarias no podrán participar directa o indirectamente en la promoción, explotación o gestión de las instalaciones y actividades que se desarrollen en estos espacios, salvo las relativas a equipamientos culturales y exposiciones en el caso de que sean promovidas por alguna administración pública. Especial tratamiento reciben los usos en espacios afectos a la señalización marítima en la regulación introducida en su momento por la LREP y que se acoge en el TRLPEMM en el art. 72.1, al disponer que al objeto de preservar el patrimonio arquitectónico que constituyen los faros, permite la autorización de usos y actividades distintos de los de señalización marítima, siempre que los mismos no condicionen o limiten la prestación del servicio que en cada momento sea el apropiado, teniendo en cuenta las necesidades del tráfico y de la tecnología, sin que en ningún caso sean indemnizables las modificaciones que se impongan por dicho motivo. Esta prohibición, no obstante, puede levantarse por el Ministro de Fomento, previo informe de Puertos del Estado, si las instalaciones de señalización marítima se ubican fuera de la zona de 100 metros medidos desde el límite interior de la ribera del mar, o de 20 metros, si los terrenos tienen la clasificación de suelo urbano.

[85] A estos efectos, no se considera publicidad los carteles informativos y rótulos indicadores de los propios establecimientos o empresas titulares de una autorización o concesión administrativa.

[86] Por su parte, el tendido aéreo de líneas eléctricas de alta tensión puede ser autorizado por el Ministro de Fomento cuando se aprecien circunstancias excepcionales y de utilidad pública y la publicidad para actividades deportivas, sociales y culturales que ocasionalmente se desarrollen en el dominio público portuario puede ser autorizada

Desde la perspectiva de la distinción tradicional de los distintos tipos de uso de que es susceptible el dominio público, el uso común general viene modulado por las especiales características del bien que nos ocupa puesto que las operaciones que constituyen la actividad propia de los puertos, de gran complejidad y relevancia, resultan a menudo incompatibles con el uso común general. Serán las Ordenanzas Portuarias las que vengan llamadas a determinar las zonas abiertas al uso general y, en su caso, gratuito[87]. Por lo que hace al uso común especial y al uso privativo, vienen sujetos a la obtención del correspondiente título habilitante en los términos que se exponen a continuación.

2. Títulos habilitantes

Los usos de que sea susceptible el demanio portuario y que presenten circunstancias de exclusividad, intensidad, peligrosidad o rentabilidad, están sujetos a la obtención del correspondiente título habilitante —autorización o concesión—.

El régimen de autorizaciones y concesiones, regulado en el Capítulo III del Título V del Libro I del TRLPEMM, es un régimen detallado y que profundiza sobre unos pilares ya sentados en la LPEMM, en relación a los que se introdujeron en las sucesivas reformas modificaciones puntuales. Expondremos a continuación las grandes líneas del régimen diseñado para cada uno de los títulos habilitantes de la utilización del demanio portuario. Antes, no obstante, conviene hacer referencia a un supuesto de autorización especial, cuyo régimen se separa del general, previsto para el caso de que el dominio público portuario se pretenda utilizar por una Administración pública.

---

por la Autoridad Portuaria. Especial consideración merece el tratamiento que el art. 72.1 TRPEMM da ha dado a los usos hoteleros que puedan desarrollarse en espacios de dominio público destinados a la señalización marítima —y cuya introducción en la legislación de puertos también se debe a la reforma operada por la LREP—, que pueden ser autorizados excepcionalmente, por razones de interés general debidamente acreditadas y previo informe de Puertos del Estado y de la Administración competente en materia de costas, por el Consejo de Ministros, siempre que pudieran favorecer el desarrollo de actividades culturales, o similares, de interés social; que se encuentren situados en la zona de 100 metros medidos desde el límite interior de la ribera del mar o de 20 metros si los suelos tienen la clasificación de suelo urbano; y que no se realicen nuevas edificaciones y no se condicione o limite la prestación del servicio.

[87]   Art. 73.1 TRLPEMM.

A) Utilización del dominio público portuario por la Administración pública

En el caso de que el demanio portuario requiera ser utilizado por las Administraciones públicas, el artículo 73.3 ha previsto una autorización que conlleva un procedimiento de otorgamiento ágil y que se separa del general que será examinado sucintamente con posterioridad. En mi opinión, aún con algún interrogante y pudiendo haber sido utilizada otra técnica como la adscripción a la que hacía referencia más atrás que ofrece múltiples resortes en este sentido[88], se trata de una medida positiva que permite una agilización en el procedimiento de puesta a disposición del demanio portuario necesario para que otros órganos administrativos, entidades o Administraciones públicas ejerciten sus competencias.

La posibilidad está prevista para la utilización del dominio público portuario tanto por órganos o entidades vinculadas a la Administración del Estado como por las Administraciones autonómica y local o entidades vinculadas a las mismas. En el primer caso no está sujeta a ningún requisito adicional. En el segundo, sin embargo, la previsión se supedita a que exista un tratamiento similar en la legislación autonómica que permita la utilización de bienes demaniales autonómicos, en otro caso el propio precepto prevé que se deberá solicitar *el otorgamiento de la correspondiente concesión o autorización, de acuerdo con lo establecido en esta ley*.

No queda claro, sin embargo, si el *principio de reciprocidad* es exigible exclusivamente para la utilización del dominio público portuario por las Comunidades Autónomas o por el contrario también se constituye en requisito para la utilización por las entidades locales. A favor de la primera posibilidad, la propia redacción del precepto que sujeta la posibilidad de utilización de este tipo de autorización *respecto de aquellas Comunidades Autónomas que prevean en su legislación un régimen similar de utilización de bienes demaniales de su titularidad por la Administración General del Estado o sus organismos públicos para su dedicación a un uso o servicio de su competencia*. Sin em-

---

[88] Ya he puesto de manifiesto en otro lugar ("La adscripción del dominio público marítimo-terrestre a las Comunidades Autónomas", *Revista de Estudios de la Administración Local y Autonómica*, núms. 271/272, 1996, pp. 609 a 637) cómo la adscripción ha sido infrautilizada por el legislador, pues tanto la LPEMM como la LC la limitaron a los supuestos de puesta a disposición del dominio público marítimo-terrestre o portuario para el ejercicio de competencias en materia de vías de transporte y puertos por parte de las Comunidades Autónomas. Se trata de una técnica bien diseñada cuyo objeto podría haberse extendido a otras materias y haber sido pensada para ser utilizada también en el ámbito de la Administración local.

bargo, si partimos de que tal exigencia no es aplicable al supuesto de que la utilización del dominio público portuario se requiera por las entidades locales, no existe justificación para establecer un marco mayor de exigencias a las Comunidades Autónomas que a las entidades locales.

Por lo demás, y como requisitos materiales, tan sólo se exige la compatibilidad del uso pretendido con la normal explotación del puerto, sin que, por otra parte se sujete a plazo alguno, pues la utilización se autorizará *durante el tiempo que sea preciso.* Por lo que hace a las formalidades previstas, se habrá de suscribir un convenio en el que se establecerán las condiciones de la misma, incluyendo las tasas que, en su caso, procedan y los costes que debe asumir la Autoridad Portuaria. Sólo en caso de que la Autoridad Portuaria considere incompatible la solicitud con la normal utilización del puerto resolverá el Ministro de Fomento, previo informe de Puertos del Estado y atendiendo al interés general.

B) La autorización de ocupación del dominio público portuario

La autorización, como título habilitante de utilización del dominio público portuario, tiene por objeto la ocupación del dominio público portuario con bienes muebles o instalaciones desmontables o sin ellos, por plazo no superior a tres años[89].

Son notas de la autorización recogidas en el art. 75 TRLPEMM su carácter prorrogable[90], su otorgamiento a título de precario; su intransmisibilidad *inter vivos* y la imposibilidad de ceder su uso a terceros, prohibición que únicamente se excepciona en los casos de que la ocupación del dominio público constituya soporte de una autorización de vertidos de tierra al mar. Por lo que hace al procedimiento de otorgamiento, cuya competencia corresponde a la Autoridad Portuaria, me remito, por razones de extensión, a lo preceptuado en los arts. 76 ss. TRLPEMM.

En cuanto al régimen de extinción de las autorizaciones, ha de estarse a lo que se expondrá en sede de concesiones, pues es común al de éstas.

---

[89]   Art. 74 TRLPEMM. En este artículo se hace referencia también a otro tipo de autorizaciones, las de utilización de instalaciones portuarias fijas por los buques, el pasaje y las mercancías, que se rigen por el Reglamento de Explotación y Policía y las correspondientes Ordenanzas Portuarias.

[90]   Siempre que el plazo por el que inicialmente se otorgara la autorización no agotara el máximo de tres años, *ex* art. 75.1 TRLPEMM.

C) Las concesiones demaniales

El **objeto** de las concesiones es la ocupación del dominio público portuario con obras o instalaciones no desmontables o usos por plazo superior a tres años. El objeto de la concesión, en el marco de los principios que la ley incorpora, conllevará el desarrollo de una actividad o la prestación de servicios en el puerto, de ahí la previsión de que en el título concesional se hayan de incluir no sólo las condiciones relativas a la ocupación demanial, sino además las relativas a aquella actividad o servicio[91].

Nótese que la diferencia, pues, con la autorización es el carácter desmontable o no de la obra o instalación a que da soporte uno u otro título y, en cualquier caso, que la utilización se solicite por plazo menor o mayor a tres años. Se produce así una quiebra de la tradicional distinción entre autorizaciones y concesiones como títulos habilitantes, respectivamente, del uso común especial y del uso privativo que no es, por otra parte una novedad en nuestro ordenamiento. Los límites entre una y otra técnica, como ha puesto de manifiesto la doctrina[92], se desdibujan, y principalmente por lo que respecta a la autorización, a la que se considera con cierto componente discrecional, con los efectos de otorgar un verdadero derecho subjetivo[93], o incluso con carácter irrevocable[94]. Es ésta cierta tendencia que puede fácilmente observarse en nuestro ordenamiento, siendo exponentes de ello, precisamente la legislación de costas y la de puertos)[95]. Pero

---

[91] Art. 86.4 TRLPEMM. Las condiciones de otorgamiento, por su parte, se establecen en el art. 87 TRLPEMM.

[92] Per alia, VILLAR PALASÍ, J. L., VILLAR PALASÍ, J. L., voz, "Concesiones Administrativas", *Nueva Enciclopedia jurídica Seix*, Barcelona, 1952, pp. 691 ss., pp. 691 ss.; MARTÍN MATEO, R., Derecho público de la Economía. CEURA, Madrid, 1985, p. 54.

[93] Como pone de manifiesto LÓPEZ MENUDO, F., "Autorización", Enciclopedia Jurídica Básica, Tomo I, Civitas, p. 710 ss., las hay que tienen carácter meramente declarativo, pero también otras tienen carácter constitutivo.

[94] STS 26 febrero 1990. Incluso en alguna ocasión los mismos supuestos han sido considerados por el Tribunal Supremo objeto de autorización en unos casos, y objeto de concesión en otros: en 1979, dos Sentencias del Tribunal Supremo, también del mismo mes, consideran que es necesario distinto título para los mismos usos: la STS 2 marzo 1979 consideró que un servicio privado de interés público necesitaba de autorización para su ejercicio, mientras que la STS 29 marzo 1979 estimó como título habilitante para tal servicio la concesión.

[95] *Vid.*, arts. 51 y 64 LC. Critica esta consideración de un título cuasi-concesional pero con la nota de precariedad de las autorizaciones de vertidos previstas en la legislación de costas BETANCOURT, A., "Los problemas de calificación jurídica de la autorización de vertido regulada en la Ley de Costas. Esbozo para la reconstrucción dogmática de la institución del demanio natural como técnica de protección ambiental", *RDU*

la confusión es posible también en sentido inverso, esto es, que se llame concesión a lo que es una mera autorización, con la consecuencia de que pueda denegarse, dado el carácter discrecional de las concesiones, el ejercicio de un derecho preexistente, aun cumpliéndose las condiciones que el ordenamiento jurídico prevé. Habrá de estarse a la auténtica naturaleza del título habilitante, pues en el supuesto de una autorización de carácter constitutivo, su régimen debiera seguir los principios que presiden la institución concesional[96]. El régimen de la revocación de autorizaciones o concesiones previsto en el art. 97 TRLPEMM, refleja todo lo que se ha apuntado[97].

Una de las más relevantes modificaciones introducidas por la LREP fue es la ampliación del **plazo concesional**, limitado por la LPEMM a treinta años y que se ampliaría a treinta y cinco, manteniéndose este límite en el art. 82 TRLPEMM[98]. La justificación de la modificación señalada, se en-

---

núm. 158 (1997), pp. 129 ss. Por su parte, GARCÍA PÉREZ, M., *La utilización del dominio público marítimo-terrestre. Estudio especial de la concesión demanial.* Marcial Pons, 1995, pp. 139 ss., denomina a este tipo de autorizaciones, entre las que se encuentran las de vertido, concesiones menores o autorizaciones para usos privativos del dominio público. Incluso se ha apuntado una posible vulneración del art. 33 CE, en cuanto que revocación sin indemnización de un derecho, lo que obligaría a entenderlo como inconstitucional (BOQUERA OLIVER, J. M., "La edificación en los puertos", *REDA* núm. 80, 1993, p. 619).

[96] En este sentido la STS 4 diciembre 1978, que consideró la facultad de la Administración de variar o exigir una autorización complementaria de vertidos, si los vertidos directos o indirectos realizados con posterioridad al otorgamiento de la primera autorización alterasen las aguas del mar, debiendo seguirse, en todo caso, el oportuno procedimiento. Por su parte, MARTÍN MATEO, R., "Jurisprudencia ambiental del Tribunal Supremo español desde el cambio político", *RAP* núm. 108 (1985), p. 196, considera justificada también las variaciones por nuevos progresos de los conocimientos científico-técnicos o acuerdos internacionales suscritos.

[97] 1. *Las autorizaciones podrán ser revocadas unilateralmente, en cualquier momento y sin derecho a indemnización, cuando resulten incompatibles con obras o planes que, aprobados con posterioridad, entorpezcan la explotación portuaria o impidan la utilización del espacio portuario para actividades de mayor interés portuario.*
Corresponderá a la Autoridad Portuaria apreciar las circunstancias anteriores mediante resolución motivada, previa audiencia del titular de la autorización.
2. *Las concesiones pueden ser revocadas por la Autoridad Portuaria, sin derecho a indemnización, cuando se hayan alterado los supuestos determinantes de su otorgamiento que impliquen la imposibilidad material o jurídica de la continuación en el disfrute de la concesión y, en casos de fuerza mayor, cuando, en ambos supuestos, no sea posible la revisión del título de otorgamiento.*

[98] La determinación del concreto plazo concesional es una potestad discrecional que, no obstante, se sujeta a una serie de criterios: a) Vinculación del objeto de la concesión a la actividad portuaria; b) Disponibilidad de espacio de dominio público portuario; c) Volumen de inversión, y estudio económico financiero; d) Plazo de ejecución de las

cuentra, nuevamente, en el estímulo de la iniciativa privada que encontraría así mayores facilidades para afrontar y amortizar grandes inversiones[99]. Como complemento de lo anterior, deben señalarse las mayores posibilidades para las prórrogas concesionales que se establecen en el art. 82.2 TRLPEMM, fruto también de la evolución de la legislación reguladora de los puertos de interés general en los últimos años.

Por lo que hace al **procedimiento de otorgamiento**, regulado en los arts. 83 ss. TRLPEM, su iniciación puede tener lugar a solicitud del interesado, incluyendo en este caso un trámite de competencia de proyectos, o por concurso convocado al efecto por la Autoridad Portuaria. La Ley 33/2010, incorporó, como novedad, la fórmula del otorgamiento directo de concesiones demaniales a un solicitante, que actualmente se regula en el art. 83 TRLPEMM.

No obstante, de acuerdo con lo establecido en el art. 86.1 TRLPEMM, existen una serie de supuestos en los que el concurso debe ser obligatoriamente convocado: a) concesiones para la prestación de servicios portuarios abiertos al uso general; b) concesiones para terminales de pasajeros o de manipulación y transporte de mercancías dedicadas a usos particulares, cuando haya varias solicitudes de interés portuario o cuando en el trámite de competencia de proyectos a que se refiere el artículo anterior se presenten varios proyectos alternativos de igual o similar interés portuario; c) concesiones de dársenas e instalaciones náutico-deportivas, construidas o no por particulares, salvo cuando el solicitante sea un club náutico u otro deportivo sin fines lucrativos, siempre que las condiciones de la concesión establezcan como máximo un límite del 20 por ciento para el número de atraques destinados a embarcaciones con eslora superior a 12 m; d) concesiones de lonjas pesqueras, construidas o no por particulares.

---

obras contenidas en el proyecto; e) Adecuación a la planificación y gestión portuarias; f) Incremento de actividad que genere en el puerto; g) Vida útil de la inversión a realizar por el concesionario (art. 82.1 TRLPEMM).

[99] Así se justificaría en la Exposición de Motivos de la LREP: *a diferencia de la vigente Ley de Puertos y de la legislación de costas, el plazo máximo de vigencia de las concesiones se amplía hasta 35 años. Esta ampliación del plazo trata de dar cobertura e incentivar que la iniciativa privada pueda afrontar inversiones significativas en grandes obras de infraestructura portuarias, como diques, accesibilidad marítima, muelles o rellenos de grandes superficies, que con la Ley de Puertos de 1992 nunca se han acometido en los puertos españoles, por ser el plazo de 30 años insuficiente para permitir la amortización de la inversión que exigen estas obras.*

Por su parte, el art. 83 TRLPEMM condiciona el otorgamiento directo, de concesiones demaniales a que sean compatibles con los objetivos de la Autoridad Portuaria y lo limita a los siguientes supuestos:

a) Cuando el solicitante sea otra Administración pública o, en general, cualquier persona jurídica de derecho público o privado perteneciente al sector público, y para el cumplimiento de sus propias competencias o funciones, siempre que las mismas no se realicen o no puedan realizarse en régimen de concurrencia con la iniciativa privada. En estos casos, no obstante, el otorgamiento directo no puede acordarse si el objeto concesional está relacionado con la prestación de servicios portuarios, salvo que se den los casos de ausencia o insuficiencia de iniciativa privada previstos en esta ley[100].

b) Cuando fuera declarado desierto el concurso convocado para el otorgamiento de una concesión, o éste hubiera resultado fallido como consecuencia del incumplimiento de las obligaciones previas a la formalización del otorgamiento por parte del adjudicatario, siempre que no hubiera transcurrido más de un año desde la fecha de su celebración, el objeto concesional sea el mismo y las condiciones de otorgamiento no sean inferiores a las anunciadas para el concurso o de aquéllas en que se hubiese producido la adjudicación[101].

c) Cuando la superficie a ocupar por la concesión sea inferior a 2.500 metros cuadrados o para instalaciones lineales, tales como tuberías de abastecimiento, saneamiento, emisarios submarinos, líneas telefónicas o eléctricas, conducciones de gas, entre otras, que sean de uso público o aprovechamiento general.

Las condiciones concesionales, por otra parte, son susceptibles de **modificación**. Las modificaciones pueden producirse a instancia del concesionario, distinguiéndose los supuestos en los que la modificación es sustancial, en cuyo caso el procedimiento es el mismo que el de otorgamiento,

---

[100] El precepto aclara que a estos efectos, se entiende por persona jurídica de derecho privado perteneciente al sector público a la sociedad mercantil en cuyo capital sea mayoritaria la participación directa o indirecta de una o varias Administraciones Públicas o personas jurídicas de derecho público.

[101] El precepto añade que, en el caso de que el concurso resultara fallido, cuando haya habido más de un licitador en el concurso que cumpla las condiciones de otorgamiento, la concesión se otorgará a la oferta que resulte más favorable de entre las restantes, de acuerdo con lo dispuesto en el Pliego de Bases del concurso, y, en el supuesto de que el concurso hubiera sido declarado desierto, prohíbe el otorgamiento de la concesión en condiciones más favorables de las previstas en el Pliego de Bases del concurso.

de aquellas que no lo son, que requieren únicamente informe previo del Director de la Autoridad Portuaria, que será elevado por el Presidente al Consejo de Administración para la resolución que proceda[102]. La revisión por la Autoridad Portuaria de las cláusulas concesionales, por su parte se regula como supuesto de modificación y tiene lugar en los supuestos previstos en el art. 89.1 TRLPEMM[103]:

> *a) Cuando se hayan alterado los supuestos determinantes de su otorgamiento, de tal forma que las circunstancias objetivas que sirvieron de base para el otorgamiento de la concesión hayan variado de modo que no sea posible alcanzar sustancialmente la finalidad de la concesión.*
>
> *b) En caso de fuerza mayor.*
>
> *c) Cuando lo exija su adecuación a la Delimitación de los Espacios y Usos Portuarios o al plan especial de ordenación de las zonas de servicio de los puertos gestionados por una Autoridad Portuaria.*
>
> *d) Cuando lo exija su adecuación a las obras o a la ordenación de terminales previstas en los Planes Directores de los puertos gestionados por una Autoridad Portuaria.*
>
> *e) Cuando lo exijan razones de interés general vinculadas a la seguridad, a la protección contra actos antisociales y terroristas o a la protección del medio ambiente.*

---

[102] Tienen el carácter de modificaciones sustanciales, de acuerdo con lo establecido en el art. 88.2 TRLPEMM, las siguientes: a) la modificación del objeto de la concesión; b) la ampliación de la superficie de la concesión en más de un 10 por ciento de la fijada en el acta de reconocimiento —a estos efectos, únicamente es admisible la ampliación de la superficie con bienes de dominio público colindantes a los concedidos—; c) la ampliación del volumen o superficie construida e inicialmente autorizada en más de un 10 por ciento; d) la ampliación del plazo de la concesión, en los supuestos establecidos en las letras b) y c) del artículo 82.2 TRLPEMM; e) la modificación de la ubicación de la concesión.

[103] La revisión origina el derecho a indemnización en los tres últimos supuestos, debiendo realizarse el cálculo de la aquella conforme a lo dispuesto en el art. 99.6, descontando los beneficios futuros, estimados de forma motivada, de la concesión durante el período restante de vigencia de la concesión revisada, y en caso de que la revisión suponga una modificación de la ubicación de la concesión, deberán abonarse, además, los gastos que origine el traslado. El pago del valor de la indemnización y de los gastos del traslado puede realizarse en dinero, mediante el otorgamiento de otra concesión o con la modificación de las condiciones de la concesión revisada. En el supuesto de que la Autoridad Portuaria y el titular de la concesión no lleguen a un acuerdo sobre la cuantía de la indemnización, determinada de acuerdo con los criterios anteriores, en su caso sobre los gastos imputables al traslado, sobre la forma de pago o sobre las condiciones de la concesión revisada, la Autoridad Portuaria puede iniciar el proceso de rescate de la concesión de acuerdo con lo previsto en el artículo 99. Cuando la revisión de la concesión determine reducción de la superficie otorgada, se tramita como un rescate parcial de la concesión. Asimismo, cuando la revisión de la concesión determine que la continuidad de la explotación de la misma resulte antieconómica, el titular puede solicitar el rescate total de la concesión.

Por lo que hace a las notas que caracterizan a las concesiones del dominio público portuario, debe señalarse que se trata de títulos **divisibles, susceptibles de unificación y transmisibles**. La divisibilidad de las concesiones queda condicionada a que las obras o instalaciones puedan ser explotadas independientemente, que el destinatario de las nuevas concesiones sea el titular de la concesión original y que el objeto de contencioso-administrativa una de las concesiones resultantes esté incluido en el objeto de la concesión primitiva. El plazo, por otra parte, de cada una de las concesiones que resulten no puede ser superior al que reste a la concesión primitiva[104]. La unificación, por su parte, es una de las novedades que incorporaría la Ley 33/2010 y que se acogen en el art. 90 TRLPEMM, que admite la unificación de dos o más concesiones de un mismo titular a petición de éste, previa autorización de la Autoridad Portuaria, siempre que las concesiones sean contiguas o estén unidas por una instalación común y que formen una unidad de explotación, entendiéndose que se da cuando las concesiones desarrollen una misma actividad y dispongan de elementos comunes necesarios para su correcta explotación o cuando, desarrollando la misma actividad, la explotación conjunta de las concesiones suponga una mejora respecto a la explotación independiente de cada una de ellas[105]. La transmisión de la concesión es posible por actos *mortis causa* o *inter vivos*, recayendo en el primer caso, sobre los causahabientes la carga de manifestar expresamente tal voluntad en el plazo de un año, transcurrido el cual se entenderán que renuncian a la concesión. En el supuesto de transmisión *inter vivos* es necesaria la autorización de la Autoridad Portuaria y el cumplimiento de una serie de condiciones[106]. Finalmente, se sujeta también a

---

[104] *Vid.* art. 90 TRLPEMM.

[105] El art. 90.4 TRLPEMM determina que el plazo que reste de la concesión unificada no puede ser superior a la resultante de la media aritmética de los plazos pendientes de cada una de las concesiones ponderada, a juicio de la Autoridad Portuaria, por superficie o por volumen de inversión pendiente de amortización con la actualización correspondiente.

[106] a) Que el concesionario se encuentre al corriente en el cumplimiento de todas las obligaciones derivadas de la concesión.
b) Que el nuevo titular reúna los requisitos exigidos para el ejercicio de la actividad o prestación del servicio objeto de la concesión.
c) Que, desde su fecha de otorgamiento, haya transcurrido, al menos, un plazo de dos años. Excepcionalmente, la Autoridad Portuaria podrá autorizar su transmisión antes de que transcurra dicho plazo, siempre que se hayan ejecutado al menos un 50 por ciento de las obras que, en su caso, hayan sido aprobadas.
d) Que no se originen situaciones de dominio del mercado susceptibles de afectar a la libre competencia dentro del puerto, en la prestación de los servicios portuarios

autorización de la Autoridad Portuaria la constitución de hipotecas y otros derechos de garantía sobre las concesiones.

Autorizaciones y concesiones tiene un régimen común de **extinción** que se produce por las causas establecidas en el art. 96 TRLPEMM, que se mantiene en términos muy similares a los establecidos en la legislación de costas: a) vencimiento del plazo de otorgamiento; b) revisión de oficio; c) renuncia del titular, que sólo podrá ser aceptada por la Autoridad Portuaria cuando no cause perjuicio a ésta o a terceros; d) mutuo acuerdo; e) disolución o extinción de la sociedad, salvo en los supuestos de fusión o escisión; f) revocación; g) caducidad[107]; h) rescate, cuando se trate de

---

básicos o en las actividades y servicios comerciales directamente relacionados con la actividad portuaria.

Se han contemplado también, en el art. 92 TRLPEMM, los supuestos de enajenación de las acciones, participaciones o cuotas de una sociedad, comunidad de bienes u otros entes sin personalidad jurídica que tengan como actividad principal la explotación de la concesión, que se condicionan, también a la preceptiva autorización de la Autoridad Portuaria siempre que pueda suponer que el adquirente obtenga una posición que le permita influir de manera efectiva en la gestión o control de dicha sociedad o comunidad.

[107] Las causas de caducidad por incumplimiento se enumeran en el art. 123.1 LREPSPIG:

a) No iniciación, paralización o no terminación de las obras por causas no justificadas, durante el plazo que se fije en las condiciones del título.

b) Impago de una liquidación por cualquiera de las tasas giradas por la Autoridad Portuaria durante un plazo de seis meses, en el caso de las autorizaciones, y de 12 meses en el caso de las concesiones.

Para iniciar el expediente de caducidad será suficiente que no se haya efectuado el ingreso en período voluntario. Una vez iniciado, se podrá acordar su archivo si antes de dictar resolución se produce el abono de lo adeudado, en el procedimiento de apremio, y se constituye la garantía que al respecto fije la Autoridad Portuaria.

c) Falta de actividad o de prestación del servicio, durante un período de seis meses, en el caso de autorizaciones, y de 12 meses en el caso de las concesiones, a no ser que, a juicio de la Autoridad Portuaria, obedezca a causa justificada.

d) Ocupación del dominio público no otorgado.

e) Incremento de la superficie, volumen o altura de las instalaciones en más del 10 por ciento sobre el proyecto autorizado.

f) Desarrollo de actividades que no figuren en el objeto del título.

g) Cesión a un tercero del uso total o parcial, sin autorización de la Autoridad Portuaria.

h) Transferencia del título de otorgamiento, sin autorización de la Autoridad Portuaria.

i) Constitución de hipotecas y otros derechos de garantía, sin autorización de la Autoridad Portuaria.

j) No reposición o complemento de las garantías definitiva o de explotación, previo requerimiento de la Autoridad Portuaria.

concesiones[108]; i) extinción de la autorización o de la licencia de la que el título demanial sea soporte.

D) El contrato de concesión de obras públicas portuarias

La LREP introdujo un nuevo título habilitante para la utilización del demanio portuario cuando dicha utilización comporte la construcción y explotación o solamente la explotación, siempre que se encuentren abiertas al uso público o aprovechamiento general, de un nuevo puerto o una parte nueva de un puerto que sean susceptibles de explotación totalmente independiente o de infraestructuras portuarias de defensa, de abrigo, de accesos marítimos, de muelles y otras obras de atraque[109]. Actualmente, el régimen de esta modalidad concesional se regula en el art. 101 TRLPEMM, en el que se perfilan las particularidades propias de este contrato típico en el ámbito portuario. Como legislación supletoria, habrá de estarse a la legislación de contratos del sector público.

Informa el régimen del contrato el principio de riesgo y ventura, de modo que la concesión y explotación de la obra portuaria objeto del contrato se efectúa a riesgo y ventura del mismo[110].

---

k) Incumplimiento de otras condiciones cuya inobservancia esté expresamente prevista como causa de caducidad en el título de otorgamiento.

[108] El rescate se regula en detalle en el art. 99 TRLPEMM, justificándose por razones de interés general vinculadas a la seguridad, a la protección contra actos antisociales o a la protección del medio ambiente, así como para la ejecución de obras, para la ordenación de terminales o para la prestación de servicios portuarios y siempre que, para realizar aquéllas o prestar éstos, fuera preciso disponer de los bienes otorgados en concesión o utilizar o demoler las obras autorizadas. En estos supuestos se faculta a la Autoridad Portuaria para proceder a rescatar la concesión previa indemnización del titular. Cabe también el rescate cuando no sea posible alcanzar un acuerdo con el concesionario en un procedimiento de revisión de concesiones. El precepto, por lo demás, regula el procedimiento y el régimen de valoración del rescate.

[109] Esta regulación traía causa en la introducción, por la Ley 13/2003, de 23 de mayo, del contrato de concesión de obras públicas en el Título V del entonces vigente Real Decreto Legislativo 2/2000, de 16 de junio, por el que se aprueba el texto refundido de la Ley de Contratos de las Administraciones Públicas, posteriormente reemplazado por la Ley 30/2007, de 30 de octubre, de Contratos del Sector Público, que a su vez ha sido sustituida por el Real Decreto Legislativo 3/2011, de 14 de noviembre, por el que se aprueba el Texto Refundido de la Ley de Contratos del Sector Público.

[110] Que, de este modo, asume los riesgos económicos derivados de su ejecución y explotación en los términos y con el alcance previstos en la legislación general reguladora del contrato de concesión de obras públicas.

Se especifican, como derechos del concesionario, el derecho a la explotación, debiendo entenderse por esta la puesta a disposición de la obra pública portuaria a favor de los prestadores de servicios o de los usuarios de aquélla para su ocupación, utilización o aprovechamiento, a cambio de la correspondiente retribución económica y el derecho a percibir dicha retribución, que consistirá en la explotación de la totalidad o de parte de la obra, al que puede acompañarse el derecho de percibir un precio o el otorgamiento de una concesión demanial, o en cualquier otra modalidad de financiación de las obras reguladas en la legislación general reguladora del contrato de concesión de obras públicas.

Por lo que hace a los efectos del contrato, su adjudicación habilita para la ocupación del dominio público portuario necesario, siendo de aplicación los principios de utilización de dicho demanio establecidos en el TRLPEMM expuestos más atrás. Sin embargo dicha adjudicación no habilita al contratista para prestar servicios portuarios básicos sobre la obra que constituye su objeto, que requieren, en todo caso, la correspondiente licencia de acuerdo con lo establecido en el Capítulo III del Título V del Libro primero TRLPEMM.

El plazo de la concesión se fijará en el pliego de cláusulas administrativas particulares, y no podrá exceder de cuarenta años. Los plazos fijados en los Pliegos de Condiciones pueden ser prorrogados de forma expresa hasta el límite señalado, y reducidos de acuerdo con lo previsto en la legislación general reguladora del contrato de concesión de obras públicas. También pueden ser prorrogados más allá del límite establecido, en los términos y por las causas previstas en la legislación general reguladora del contrato de concesión de obras públicas. En estos casos debe emitir informe vinculante Puertos del Estado.

VI. LA GESTIÓN DEL DOMINIO PÚBLICO PORTUARIO AUTONÓMICO

La gestión del dominio público de los puertos autonómicos viene modulada por dos circunstancias que singularizan su régimen. De un lado, determina dicho régimen la naturaleza demanial del bien que sirve de soporte a los servicios portuarios. De otro, la necesaria ubicación de los puertos de titularidad autonómica en el dominio público marítimo-terrestre, de titularidad estatal, va a implicar que hayan de tomarse en consideración las limitaciones que, en relación a este último, se imponen en la gestión de dichos puertos.

1. El modelo de gestión

Los diferentes modelos de gestión previstos en la normativa autonómica arranca de la distinción entre gestión directa e indirecta. Una primera fórmula sería la gestión, por la propia Administración —estatal o autonómica— del puerto. A su vez esta fórmula reviste dos modalidades: gestión centralizada, en base a la cual la Administración titular gestiona el servicio a través de su organización preexistente, no creando entidades *ad hoc* y gestión descentralizada, en cuya virtud se crean entidades a los que se encomienda el ejercicio de las funciones que en materia de puertos tiene encomendada la Administración. Las distintas opciones adoptadas por la legislación autonómica fueron expuestas más atrás. Puede observarse como en determinadas Comunidades Autónomas se ha optado claramente por un modelo privatizador, dado que la gestión directa se lleva a cabo con sujeción al Derecho privado[111].

La posibilidad de que los particulares u otras Administraciones distintas a la titular de la instalación la gestione ha sido una constante en la normativa reguladora de los puertos autonómicos, que incluso tradicionalmente la ha fomentado en especial en los puertos deportivos[112]. La relación entre Administración y gestor se inicia a partir de un título contractual, que según se sujete el régimen de los servicios al Derecho público o al Derecho privado, será un contrato de gestión administrativo típico o un contrato privado, respectivamente[113].

---

[111] Avanzando un paso más, el Decreto vasco 105/2000, de 6 junio Autoriza a la Administración para la creación y adquisición de participaciones de "Euskadiko Kirol Portua, SA", una sociedad pública, con forma de sociedad anónima, cuyo único socio en el momento de la constitución será la Administración de la Comunidad del País Vasco, y cuyo objeto es la planificación, promoción, desarrollo y explotación de puertos deportivos y sus áreas e instalaciones conexas, por sí, en calidad de concesionario o mediante la cesión de los que correspondan a terceras personas, tanto jurídicas como privadas.

[112] En esta línea el beneficio que comportaba la transmisión de la propiedad, siempre que se cumplieran los requisitos legalmente exigibles, de los terrenos ganados al mar; se preveían también en este sentido beneficios fiscales. En la actualidad, sin embargo, no puede concluirse de la lectura de la normativa aplicable una apuesta por este tipo de gestión, aunque tampoco creo que necesariamente se tenga que concluir que se perjudique —a salvo, claro está, de la reducción del plazo concesional—. Me refiero en concreto a las urbanizaciones que tradicionalmente han acompañado a los puertos deportivos, y que suponían el auténtico incentivo para el promotor. Creo, como podremos ver con posterioridad, que esta posibilidad sigue existiendo aunque con condicionantes sustantivos derivados de la especial protección que merece la costa.

[113] La naturaleza del contrato administrativo sería la de un contrato de concesión de obras públicas, de acuerdo con la legislación básica de contratos de las Administracio-

Sin embargo debe tenerse presente que, al margen de la habilitación para la gestión de las actividades que este título comporta, la gestión del puerto va a suponer también la gestión de unos espacios. Estos espacios son de diversa naturaleza. De un lado, todo el espacio portuario, la zona de servicio, es dominio público portuario autonómico: partiendo del entendimiento de su afectación al servicio público, que trae causa en la regulación tradicional de estas instalaciones[114], los puertos deportivos han sido declarados bienes de dominio público autonómico en la diversa legislación recaída al efecto. De otro, parte de ese dominio público autonómico, a su vez, va a solaparse con el dominio público marítimo-terrestre estatal; parte así la legislación autonómica de puertos, en esta línea, de la compatibilidad de la titularidad autonómica del puerto con la titularidad estatal del dominio público marítimo-terrestre[115].

---

nes públicas que, en sus últimas reformas, obliga a caracterizar a las concesiones de puertos deportivos como concesiones de obra pública, cuando lo que se pretenda sea construir y explotar, o únicamente explotar, un puerto. Por otra parte, en aquellos supuestos en los que se encomienda por la Administración a un tercero es simplemente la construcción del puerto, el título jurídico de cobertura sería el contrato de obras. En este sentido, art. 35.1 LP Andalucía 2007, precepto que se determina la aplicación de una u otra modalidad de contrato público en función del objeto de la concesión Las únicas dos leyes autonómicas que expresamente califican a las de puertos deportivos como concesiones de obra pública son las leyes cántabra y balear, aunque de la lectura de las leyes canarias y catalana, puede deducirse que de tal naturaleza se parte también. Esta es, también, como se ha expuesto, la línea que expresamente se sigue en la legislación estatal de puertos, aplicable, como ya es sabido, a las que hemos denominado zonas deportivas.

[114] El art. 12.1 RPD establecía su carácter de servicio público: *Todos los puertos y zonas deportivas construidas, tanto por el Estado como en virtud de concesiones otorgadas con arreglo a la Ley, serán instalaciones de servicio público, regulados por los Reglamentos de Explotación y Tarifas que se determinen, que en ningún caso contemplarán usos exclusivos de amarre, y sí derechos de uso preferente. El pago de la tarifa de atraque permitirá únicamente un uso preferente del mismo, pudiendo autorizarse amarras de tránsito en los períodos en que aquél no se utilizare, en la forma que se determine en el correspondiente Reglamento de Explotación y Tarifas.*

[115] En las leyes cántabra y balear, se expresa claramente esta distinción entre bienes demaniales. El art. 5 LP Cantabria ("Pertenencias portuarias"), establece lo siguiente:
1. Las aguas marítimas e interiores, y los terrenos de dominio público marítimo-terrestre ocupados por el puerto tienen la consideración de bienes adscritos a la Comunidad Autónoma de Cantabria.
2. La adscripción de dichos terrenos y espacios de agua necesarios para la realización de las actividades portuarias se realizará por la Administración del Estado de conformidad con su legislación, y permitirá a la Comunidad Autónoma el otorgamiento de los títulos habilitantes y la autorización de las obras.
3. Asimismo, podrán formar parte del dominio público portuario de titularidad autonómica los terrenos e instalaciones que la Consejería competente en materia de

En caso de gestión indirecta, se ponen a disposición de particular, por tanto, esos espacios que participan de una doble naturaleza. El dominio público portuario, se pone a disposición mediante la correspondiente concesión —la normativa unifica el procedimiento, imponiendo que en el mismo expediente se tramite la concesión y el contrato, en su caso, o previendo una concesión que a su vez comporta la cesión de las facultades demaniales y la habilitación para la explotación de las actividades y servicios—. El dominio público marítimo-terrestre, de titularidad estatal, se pone a disposición mediante la adscripción, mecanismo regulado en la legislación de costas que se formaliza mediante un informe que emite la Administración estatal al hilo de la tramitación del procedimiento de aprobación del proyecto y al que ya se ha hecho referencia. El carácter de-

---

puertos afecte al uso o servicio portuario, según el procedimiento previsto en la legislación de patrimonio de la Comunidad Autónoma. En estos casos, la desafectación, que se realizará por Orden de dicha Consejería, implicará la conversión de los bienes e instalaciones desafectados en bienes patrimoniales y su integración al Patrimonio de la Comunidad Autónoma.

Por su parte, el art. 5 LP Baleares, señala lo siguiente: Integran el dominio público portuario de titularidad de la comunidad autónoma las superficies de tierra, las obras y las instalaciones que la consejería competente afecte a usos o servicios portuarios, así como las obras e instalaciones realizadas sobre el dominio público marítimo-terrestre adscrito para finalidades portuarias.

El reconocimiento de la doble titularidad demanial existente en los puertos deportivos puede deducirse, también, de la redacción del art. 70 LP Cataluña:

1. Son bienes de dominio público portuario de la Generalidad los afectos al servicio portuario de competencia de la Generalidad.

2. Pertenecen al dominio público portuario de la Generalidad:

a. Los terrenos, las obras y las instalaciones fijas afectas a los puertos traspasados a la Generalidad de acuerdo con el Real Decreto 2876/1980, de 12 de diciembre.

b. Los terrenos, las obras y las instalaciones adscritas o que en el futuro se adscriban a la Generalidad para usos portuarios.

3. Puertos de la Generalidad gestiona el dominio público portuario adscrito a la Generalidad de conformidad con lo que establece el artículo 7.

Más confusa, sin embargo, es la redacción del art. 3 LP Murcia, de cuya lectura podría entenderse que todo el puerto es un bien de dominio público marítimo-terrestre (lectura que, a mi entender, debe ser no obstante interpretada de acuerdo con la tesis, constitucional, de la compatibilidad de titularidades demaniales sobre el mismo espacio físico): *Las aguas marítimas y los terrenos ocupados por los puertos, zonas portuarias de uso náutico-deportivo y las instalaciones náutico-deportivas de la Región de Murcia constituyen bienes de dominio público marítimo-terrestre, adscritos a la Comunidad Autónoma de la Región de Murcia.*

La LP Andalucía 2007, en fin, determina la integración en el dominio público portuario de *los bienes de dominio público marítimo terrestre adscritos por la Administración del Estado, sin perjuicio de la titularidad dominical del mismo* (art. 15.3).

manial del puerto comporta que toda la zona de servicio sea de titularidad de la Administración, en este caso autonómica, y que por tanto no sea susceptible de detentaciones privadas. En este punto se hace imprescindible aclarar que la instalación, aún gestionada por particulares, es de titularidad autonómica, y por tanto el particular detenta, únicamente la posesión por un plazo determinado. Ello por ese doble carácter demanial del puerto.

Los elementos portuarios se ponen a su vez a disposición de terceros, a las que temporalmente se cede el uso y disfrute. El régimen de estas cesiones depende del tipo de gestión que se utilice para la explotación del puerto. Siendo la gestión directa, el régimen es de Derecho público, habilitándose el amarre a través de una autorización administrativa. En otro caso, el amarre se cede mediante un contrato privado[116]. En caso de gestión indirecta, las relaciones entre las partes se rigen por el derecho privado, aunque tienen un marcado carácter reglamentario porque, además de sujetarse a las estipulaciones contractuales, habrán de observarse las cláusulas concesionales, el reglamento del puerto, el reglamento general de la Administración titular en relación al servicio y policía del puerto, si existe, y la normativa de puertos[117].

---

[116] Por su parte, la Resolución de 11 de julio de 1997, de la Consejería de Fomento, por la que se aprueban normas para la asignación de amarres en los puertos cuya gestión corresponde al Principado de Asturias, normas establece los requisitos, el procedimiento y las obligaciones derivadas de la primera asignación de amarres deportivos, introduciendo un procedimiento en concurrencia, en un intento por objetivizar el proceso de la primera asignación, bajo los principios de publicidad y concurrencia, al tiempo que se permite conocer las pautas a seguir en la adjudicación de las plazas existentes. También conviene citar el Decreto 61/2001, de 20 de abril, sobre procedimiento y régimen de autorizaciones temporales para las embarcaciones de recreo no profesionales en las instalaciones portuarias gestionadas directamente por la Administración de la Comunidad, que tiene por objeto regular el control de las autorizaciones y el uso de los puestos de amarre en las instalaciones portuarias autonómicas gestionadas directamente por la Administración de les Illes Balears, así como establecer unas normas para su autorización. Según el Preámbulo, se trata de autorizar la ocupación de los puestos de amarre vacantes disponibles preferentemente a quien resida habitualmente en la isla donde se ubique la instalación portuaria solicitada, lo contrario significaría la autorización a un usuario potencial con pocas posibilidades de hacer efectiva la misma y, por lo tanto, una ineficiente utilización del dominio público portuario.

[117] En este sentido, arts. 60.1 LP Cataluña 1998, 41.4, segundo párrafo LP Cantabria 2004 y 39 LP Andalucía 2007. La LP Cataluña hace en este sentido una distinción interesante en la medida en que remite al Derecho privado las relaciones derivadas de la cesión de elementos portuarios no reservados al uso público tarifado, de lo que cabe deducir que en este caso es el Derecho público el aplicable (art. 60.1). En la normativa autonómica se establecen derechos de uso preferente (art. 60 LP Cataluña), aunque

2. Régimen de usos del demanio portuario autonómico

Los puertos, de manera destacada los deportivos, están llamados hoy a cumplir con otro papel, y considerarse como parte integrante de la ciudad, del municipio, incorporándose al mismo como elementos dinamizadores de la vida local, que pueden considerarse desde una triple perspectiva: como zona de expansión —uso público, actividades culturales y recreativas del municipio— como zona de desarrollo comercial y como zona de desarrollo turístico, cuestión que va ligada a las posibilidades de urbanizaciones en los puertos deportivos[118].

Consciente la escasa normativa autonómica de la importancia de garantizar el acceso libre y gratuito a los puertos lo prevé, no obstante limitarlo, lógicamente a la garantía del servicio portuario en la medida en que la permite siempre y cuando no obstaculice la actividad principal del puerto, lo que supone en términos generales una prohibición de acceso a los muelles y zonas de operaciones[119].

Con las lógicas limitaciones que imponga la adecuada y correcta explotación del puerto, la legislación autonómica permite, con carácter general los usos de recreativos, de ocio, deportivos, culturales, comerciales[120], siguiendo también la pauta introducida por nuestra tradicional legislación

---

no en todos los casos, como el catalán se complete dicha previsión con otra paralela que reserve un porcentaje para los transeúntes.

[118] No debe olvidarse, desde otra óptica relacionada directamente con la problemática expuesta anteriormente en torno a la garantía del servicio, que en la práctica, toda esta actividad complementaria contribuye directamente a la rentabilidad del puerto.

[119] *Vid.*, art. 28.2 LP Cataluña 1998. El art. 17 LP Andalucía 2007 determina que los puertos destinados a usos náuticos deportivos son de acceso libre, *sin más limitaciones que las requeridas por razón de seguridad o explotación*. En contra, el Decreto 236/1986, de 21 de octubre, por el que se aprueba el Reglamento de Actividades Portuarias del País Vasco, en el que se limita el acceso a las zonas portuarias a las personas y vehículos que intervengan en las operaciones que se desarrollan en las mismas. Sobre lo cuestionable de esta limitación genérica en unos espacios que son, al cabo, domino público marítimo-terrestre, *vid.* ZAMBONINO PULITO, M., *Puertos y costas: régimen de los puertos deportivos*, Tirant lo Blanch, Valencia, 1997, pp. 192 y 193.

[120] Arts. 6.4 LP Murcia 1996; 30 LP Cataluña 1998; 6.5 LP Canarias 2003; 52 LP Baleares 2005, 16.2 LP Andalucía 2007. Las tres últimas leyes citadas vinculan esta posibilidad a su carácter complementario a la actividad principal y al favorecimiento del equilibrio económico y social del puerto. Por otra parte, y sin profundizar en esta cuestión por lógicas razones de extensión, interesa señalar que estas actividades se encontrarían sujetas a licencia municipal previa, encontrándose únicamente exentas las obras o instalaciones propiamente portuarias, de acuerdo con la doctrina mantenida en la STC 40/1998, doctrina que, por otra parte, queda reflejada en el art. 30 LP Cataluña 1998.

en materia de puertos deportivos y continuada en la vigente legislación estatal de puertos, avalada por una constante jurisprudencia[121].

En todo caso, las posibilidades de implantación de actividades complementarias vienen delimitadas, en la parte de dominio público marítimo-terrestre que ocupa el puerto, por el marco que en este punto supone el régimen general de utilización establecido en la legislación de costas. Hasta el momento, por la aplicación de dicho régimen, se podrían implantar los usos que esta legislación permite, debiéndose observar, en todo caso, el régimen de prohibiciones que asimismo establece. Como novedad, la LPUSL introduce una serie de limitaciones específicas para los puertos autonómicos al incluir determinaciones relativas a los usos complementarios en sede de adscripciones. En concreto, se añade un nuevo apartado cuarto al art. 49 LC, en el que se determinan los usos permitidos y prohibidos en el dominio público marítimo-terrestre adscrito. El art. 49.4 LC dispone lo siguiente:

> En la zona de servicio portuaria de los bienes de dominio público marítimo-terrestre adscritos, que no reúnan las características del artículo 3, además de los usos necesarios para el desarrollo de la actividad portuaria, se podrán permitir usos comerciales y de restauración, siempre que no se perjudique el dominio público marítimo-terrestre, ni la actividad portuaria y se ajusten a lo establecido en el planeamiento urbanístico. En todo caso, se prohíben las edificaciones destinadas a residencia o habitación.
>
> Reglamentariamente se fijarán los criterios de asignación de superficie máxima para los usos previstos en el párrafo anterior, teniendo en cuenta el número de amarres del puerto y los demás requisitos necesarios para no perjudicar el dominio público marítimo-terrestre, ni la actividad portuaria.

Centrándonos en estos momentos en los usos permitidos y dejando para un momento posterior el análisis de los usos residenciales, el art. 49.4 LC menciona los usos que sean necesarios para el desarrollo de la actividad portuaria, los usos comerciales y los de restauración. Con respecto a los pri-

---

[121] El art. 6 RPD, derogado por el RC, exigía, en los puertos de base, la existencia de edificios de servicios con establecimientos comerciales, oficinas bancarias si fueran solicitadas por entidades bancarias. Por su parte, la legislación estatal de puertos, como ya se expuso, permite que se incluyan en los puertos comerciales dependientes de la Administración del Estado, siempre que no se perjudique globalmente el desarrollo de las operaciones de tráfico portuario, espacios destinados a usos complementarios de la actividad esencial, a usos vinculados a la interacción puerto-ciudad, así como a otros usos comerciales no estrictamente portuarios (art. 3.6 TRLPEMM). Pueden verse a este respecto y a título de ejemplo, las SSTS 24 febrero 1962, 9 abril 1966, 15 junio 1990 y la STSJ Andalucía 15 mayo 1991.

meros, debe pensarse en todas aquellas actividades dirigidas a prestar servicios portuarios a las embarcaciones, tales como la puesta a disposición de las aguas, dársenas y canales de acceso; el atraque, el amarre, el fondeo; la puesta disposición de las vías de circulación y aparcamientos; el suministro de agua, de hielo, de energía eléctrica o de productos similares; la reparación y conservación de embarcaciones, etc.[122]. La expresa mención, por su parte, a usos comerciales y de restauración resulta un tanto imprecisa, pues en los puertos autonómicos los usos complementarios no se ciñen a los mencionados, sino que por el contrario, y con una visión más amplia desde un punto de vista social, también se admiten por la legislación autonómica usos recreativos, de ocio, deportivos y culturales, como ya se ha expuesto, siempre que, respetando lo establecido en el art. 32 LC, no pueda tener otra ubicación. Tales usos se prevén, en la LPUSL, sujetos a condiciones, pues se supeditan a que no se perjudique el dominio público marítimo-terrestre, ni la actividad portuaria y se ajusten a lo establecido en el planeamiento urbanístico. No parece que haya excesivos problemas en admitir el acierto del primer y tercero de los requisitos mencionados. Más dudosa es la referencia a la actividad portuaria, pues la imposición de este límite es más bien una cuestión que corresponde a la Comunidad Autónoma, en la medida que se trata de velar por los intereses puramente portuarios[123].

Finalmente, el art. 49.4 LC, en su segundo párrafo, remite al reglamento la fijación de los criterios de asignación de superficie máxima para los usos previstos, debiendo tomarse en consideración, a estos efectos, el número de amarres del puerto y los demás requisitos necesarios para no perjudicar

---

[122]   En este sentido, pueden verse las definiciones que al efecto se realizan, en relación a los servicios que han de prestarse en los puertos, en los arts. 88 LP Cataluña; 38 LP Canarias; 25 LP Cantabria; 37 LP Baleares y, en especial, para los puertos deportivos en el art. 49 LP Baleares.

[123]   Más acertada parece la regulación del art. 248 TRLCSP, que se refiere a las actividades complementarias, comerciales o industriales, citando a modo de enunciativo, los establecimientos de hostelería, las estaciones de servicio, las zonas de ocio, los estacionamientos, los locales comerciales y otros susceptibles de explotación, como posible objeto del contrato de concesión de obras públicas. El precepto ofrece límites del alcance de tal posibilidad, al determinar, por una parte, que dichas actividades han de ser necesarias o convenientes por la utilidad que prestan a los usuarios de las obras y ser susceptibles de un aprovechamiento económico diferenciado, sujetándola al principio de unidad de gestión, de modo que las zonas o espacios han de ser explotados conjuntamente con la obra por el concesionario directamente o a través de terceros en los términos establecidos en el oportuno pliego de la concesión. Finalmente, el precepto citado establece la necesidad de que la implantación de estas actividades tenga lugar de conformidad con los pliegos y, en su caso, con lo que determine el planeamiento urbanístico o la legislación que resulte de aplicación.

el dominio público marítimo-terrestre, ni la actividad portuaria. Esta previsión, de desafortunada redacción, plantea algunos problemas. En primer término, parece que lo que el reglamento debe fijar son los criterios de asignación de superficie máxima para los usos previstos, y que la toma en consideración de criterios como el número de amarres, y los requisitos necesarios para no perjudicar el dominio público marítimo-terrestre ni la actividad portuaria será una valoración que haya de hacerse, no en el reglamento, sino en el acto de aplicación del mismo mediante el que se autoricen los usos de acuerdo con los criterios reglamentariamente fijados. Esta función corresponderá a la Comunidad Autónoma respectiva, que deberá observar aquellos criterios para realizar la asignación concreta, velando, en efecto porque no perjudiquen el dominio público marítimo-terrestre ni la actividad portuaria. Ahora bien, no parece que a este último límite hubiera de referirse el legislador estatal que, si bien está legitimado para imponer la limitación relativa a la protección del dominio público marítimo-terrestre, no es el competente para introducir referencias en relación al eventual perjuicio a la actividad portuaria, por ser esta una tarea que, en virtud de sus competencias, corresponde a las Comunidades Autónomas.

Debe señalarse, por lo demás, que estas determinaciones afectan, estrictamente, a la zona del puerto que ocupe dominio público marítimo-terrestre. En el resto del espacio portuario, habrá de distinguirse si se trata de zona sujeta a servidumbre de protección o no, puesto que en el primer caso habrán de observarse las restricciones de uso al efecto impuestas por la LC, en especial, las prohibiciones establecidas en el art. 25 LC.

3. Especial referencia a los usos residenciales

Permitidos por el derogado art. 6 RPD, los usos residenciales se encuentran sin embargo limitados por la legislación de costas y la propia normativa urbanística, aunque no están absolutamente excluidos. La legislación de costas, como medida para la garantía de la integridad del dominio público marítimo-terrestre, incorpora determinadas limitaciones en cuanto a los usos residenciales en los puertos autonómicos. En este punto, debe distinguirse entre los distintos espacios que van a constituir la zona de servicio de un puerto.

En la parte del puerto que ocupe dominio público marítimo-terrestre, ya sea zona marítimo-terrestre, de acuerdo con la definición incorporada en el art. 3 LC, ya se trate de otros elementos del dominio público marítimo-terrestre relacionados en el art. 4 LC, los usos residenciales están prohibidos, de acuerdo con lo establecido en el nuevo apartado 4 que la LPUSL ha incorporado al art. 49 LC, anteriormente transcrito, y que prohíbe de manera expresa, y en todo caso, las edificaciones destinadas a residencia o habitación. Una prohibición, a mi modo de ver, innecesaria, pues por la aplicación del régimen general, aplicable también en caso de adscripciones (art. 61.2 RC), este tipo de uso queda prohibido, no sólo en el dominio público marítimo-terrestre, sino también en la zona de servidumbre de protección, respecto a la que únicamente se establecen especialidades en torno a las marinas en la disposición adicional décima LC, incorporada por la LPUSL, y que determina la inaplicación de las limitaciones propias de la servidumbre de protección a los terrenos colindantes a los que fueran inundados por la construcción de los canales. La LC de 1988 finalizó con una tradición de nuestra legislación tradicional de puertos, que para los deportivos, partía no sólo del principio de permisión del uso residencial, sino del de exigencia de existencia de unidades de habitación[124].

Aplicando el régimen general de utilización del dominio público marítimo-terrestre y de las limitaciones en los terrenos colindantes, estos usos se encuentran, si no absolutamente prohibidos, sí claramente limitados y ello en función del espacio del puerto en el que pretendan ubicarse. Así, en el espacio de dominio público marítimo-terrestre que ocupen los puertos construidos tras la entrada en vigor de la LC, sea zona marítimo-terrestre u otros bienes demanializados ex art. 4 LC —v.gr., terrenos ganados al mar[125]—, se encuentran prohibidos los usos residenciales, pro-

---

[124]   El art. 6 RPD, derogado por el RC, exigía, en los puertos de base, la existencia unidades de habitación para uso de las tripulaciones en número no inferior al 5% del número de atraques.

[125]   Los terrenos ganados al mar como consecuencia directa o indirecta de obras se incluyen en el dominio público marítimo-terrestre por el art. 4.2 LC. Pero debe tenerse presente que, de conformidad con la legislación tradicional de puertos, podía ganarse la propiedad de los mismos, circunstancia que ha sido respetada por la disposición transitoria segunda, 2, LC, en cuya virtud se mantienen en su situación jurídica — siempre y cuando se ganaran al mar con título administrativo suficiente—, siendo, por tanto, de propiedad privada. En este caso, pues, son posibles las edificaciones residenciales en terrenos ganados al mar, por no formar parte del dominio público marítimo-terrestre. Sin embargo ha de distinguirse a su vez, dentro del espacio ganado al mar, entre sus playas y su zona marítimo-terrestre, que seguirán siendo de dominio público por expresa determinación de la disposición transitoria segunda, 2, LC, y el resto de dicho espacio, efectivamente de propiedad privada. La titularidad dominical de los terrenos ganados al mar, sin embargo, tampoco debe considerarse con carácter absoluto, pues está sometida a las limitaciones impuestas por la legislación de costas. En este sentido, la STS 17 enero 2002, declaró la improcedencia de indemnizar a los propietarios por las limitaciones que la legislación entonces vigente imponía en dichos terrenos. Sobre el régimen de los terrenos ganados al mar, vid., LEGUINA VILLA, J., y

hibición que se extiende a la zona de servidumbre de protección[126]. En esta parte del puerto, esto es, en la zona de servicio portuaria que ocupe dominio público marítimo-terrestre o se incluya en la zona de servidumbre de protección, los usos residenciales, en principio, están prohibidos. En el resto del puerto, por tanto, dichos usos residenciales son susceptibles de darse siempre y cuando se adecuen a la legislación y al planeamiento urbanístico[127]. En consonancia con lo anterior, la legislación autonómica ha previsto expresamente los usos residenciales. En particular, la ley canaria, en sentido muy similar al que se acaba de exponer[128].

DESDENTADO DAROCA, E., "El régimen jurídico de los terrenos ganados al mar y la preservación del demanio costero", en *RAP* núm. 167 (2005), pp. 7 a 45.

[126] *Vid.*, arts. 32.2 y 25.1 LC. Aunque cabe la excepción, cuando la edificación se pretenda levantar en la zona de servidumbre de protección, por acuerdo del Consejo de Ministros cuando sean de excepcional importancia y que, por razones económicas justificadas, sea conveniente su ubicación en el litoral, siempre que se localicen en zonas de servidumbre correspondientes a tramos de costa que no constituyan playa, ni zonas húmedas u otros ámbitos de especial protección.

[127] Ahora bien, en los primeros 500 metros colindantes con la ribera del mar, como mínimo, que conforman la zona de influencia, la LC ha establecido también ciertas limitaciones en cuanto a las construcciones, como son su necesaria adaptación a la legislación urbanística, debiéndose, en todo momento, evitar la formación de pantallas arquitectónicas o acumulación de volúmenes, sin que, a estos efectos, la densidad de edificación pueda ser superior a la media del suelo urbanizable. Cuestión distinta y merecedora de un especial tratamiento sería la relativa a la titularidad de esas edificaciones que no puede ser privada si se encuentran en la zona de servicio y por ende en el dominio público portuario, que entiendo debe resolverse en este punto conforme a fórmulas jurídicas que garanticen el uso pero que no transmitan la titularidad.

[128] El art. 6.5 LP Canarias 2003, efectivamente, permite los usos alojativos turísticos ubicados fuera de la zona de dominio público marítimo-terrestre de titularidad estatal y de la zona de servidumbre de protección, aunque los dota de un carácter excepcional. El art. 30 LP Cataluña 1998, tras permitir las ocupaciones y utilizaciones que se destinen a residencia o habitación, remite a la legislación estatal aplicable en lo que se refiere a los términos concretos de tal previsión. El art. 16.3 LP Andalucía 2007, admite los usos hoteleros con carácter excepcional, sujetándolos a autorización del Consejo de Gobierno, siempre que no se emplacen en los primeros 20 metros medidos a partir del límite interior de la ribera del mar o del cantil del muelle. Por otra parte, la exclusión de las prohibiciones establecidas por la LC que hace el art. 30.6 LP Cataluña 1998 en relación al dominio público portuario, ha de ser interpretada en el sentido de que no afectan a aquella parte del dominio público portuario que forme parte del dominio público marítimo-terrestre. Por lo demás, han de tenerse presente las prohibiciones que se incluyen en el art. 53 LP Baleares 2005 (tendido aéreo de líneas eléctricas y telefónicas y vertidos contaminantes y aquéllos que no sean autorizados), así como la expresa permisión de la publicidad en los casos que se concretan, para el dominio público portuario, en los arts. 6.5 LP Murcia 1996 y 52 LP Baleares 2005.

ABREVIATURAS UTILIZADAS

LC:	Ley 22/1988, de 28 de julio, de Costas.
LP Andalucía:	Ley 21/2007, de 18 de diciembre, de Régimen Jurídico y Económico de los Puertos de Andalucía.
LP Baleares:	Ley 10/2005, de 21 de junio, de Puertos de las Islas Baleares
LP Canarias:	Ley 14/2003, de 8 de abril, de Puertos de Canarias.
LP Cantabria:	Ley 5/2004, de 16 noviembre, de Puertos de Cantabria.
LP Cataluña:	Ley 5/1998, de 17 de abril, de Puertos de Cataluña.
LP Murcia:	Ley 3/1996, de 16 de mayo, de Puertos de Murcia.
LPD:	Ley 55/1969, de 26 de abril, de Puertos Deportivos.
LPEEM:	Ley 27/1992, de 24 de noviembre, de Puertos del Estado y de la Marina Mercante.
LPUSL:	Ley 2/2013, de 29 de mayo, de protección y uso sostenible del litoral y de modificación de la Ley 22/1988, de 28 de julio, de Costas
LREP:	Ley 48/2003, de 26 de noviembre, de régimen económico y de prestación de servicios de los puertos de interés general.
RC:	Reglamento General para el desarrollo y la ejecución de la Ley 22/1988, de 28 de julio, de Costas, aprobado por Real Decreto 147/1989, de 1 de diciembre.
RPD:	Real Decreto 2486/1980, de 26 de septiembre, por el que se aprueba el Reglamento de Puertos Deportivos
TRLCSP:	Real Decreto Legislativo 3/2011, de 14 de noviembre, por el que se aprueba el texto refundido de la Ley de Contratos del Sector Público.
TRLPEMM:	Real Decreto Legislativo 2/2011, de 5 de septiembre, por el que se aprueba el Texto Refundido de la Ley de Puertos del Estado y de la Marina Mercante.

Capítulo XXIII
Patrimonio cultural

Javier Barcelona Llop
Profesor Titular de Derecho Administrativo
Universidad de Cantabria

SUMARIO: I. ENCUADRE CONSTITUCIONAL. II. LEGISLACIÓN. III. DISTRIBUCIÓN DE COMPETENCIAS. IV. BIENES QUE FORMAN PARTE DEL PATRIMONIO CULTURAL. V. DISPOSICIONES COMUNES. VI. BIENES INMUEBLES. 1. Los bienes inmuebles según la legislación de patrimonio cultural. 2. Inmuebles declarados de interés cultural. VII. BIENES MUEBLES. 1. Cuestiones generales. 2. Transmisión y cesión de los bienes muebles eclesiásticos. 3. Tráfico internacional de los bienes culturales muebles. VIII. PATRIMONIOS ESPECIALES. 1. Patrimonio arqueológico terrestre y sumergido. 2. patrimonio etnográfico. referencia al patrimonio inmaterial. 3. Patrimonio documental y bibliográfico. 4. Patrimonio industrial

I. ENCUADRE CONSTITUCIONAL

Conforme a un criterio ampliamente difundido doctrinal, jurisprudencial y legislativamente, la titularidad pública es, entre nosotros, el denominador común de todos los bienes que para el Derecho merecen el apelativo de públicos; la fisonomía jurídica de los mismos puede ser distinta y de hecho lo es, pero las diferencias no debilitan la fuerza de ese elemento común, que los aglutina a todos y les opone en bloque a los bienes de propiedad privada. Pero aun contando con ello, no cabe desconocer que existen bienes privados cuya dimensión colectiva es particularmente acusada y que por tal razón reciben un tratamiento jurídico hasta cierto punto próximo al de los públicos en sentido subjetivo; no pertenecen a esta categoría pues son de propiedad particular, pero cumplen funciones públicas que marcan decididamente la orientación de su régimen jurídico y explican éste en términos institucionales.

El presente capítulo versa sobre bienes de titularidad pública pero también sobre bienes de propiedad privada, pues de unos y otros está compuesto el llamado patrimonio cultural[1]. Todos cumplen, sin embargo,

---

[1] Aunque nuestro léxico jurídico ha utilizado tradicionalmente la expresión *patrimonio histórico-artístico*, la misma hoy está en decadencia. Dejando al margen las inclinaciones

idéntica función pública, motivo por el cual los segundos están sometidos a un régimen jurídico previsto y organizado para satisfacer el destino público al que se deben. Naturalmente, no es posible olvidar que es imprescindible reconocer al dueño de los bienes culturales de propiedad privada determinados poderes de uso y disposición, pues no en vano le pertenecen y tiene sobre ellos un derecho reconocido a escala constitucional, pero es su *condición objetiva de culturales* la que determina el tratamiento que les dispensa la legislación.

Tal situación no es producto de la especulación doctrinal o de la inventiva de un legislador más o menos inspirado, sino que trae causa directa en la voluntad constitucional. Siguiendo la traza marcada por el artículo 45 de la Constitución de la II República[2], el 46 de la de 1978 sanciona que el elemento subjetivo es indiferente a los efectos de la actuación pública en materia de patrimonio cultural. Establece lo siguiente:

> "Los poderes públicos garantizarán la conservación y promoverán el enriquecimiento del patrimonio histórico, cultural y artístico de los pueblos de España y de los bienes que lo integran, *cualquiera que sea su régimen jurídico y su titularidad*. La Ley penal sancionará los atentados contra este patrimonio".

---

de los autores, notemos que las leyes se dicen bien de patrimonio histórico, bien de patrimonio cultural, bien, aunque más raramente, de patrimonio histórico y cultural. El artículo 46 de la Constitución se hace eco incluso de la variedad de denominaciones posibles y habla del patrimonio histórico, cultural y artístico. Aquí se opta por la expresión patrimonio cultural, que tiene algunas ventajas: indica que el valor *histórico* no es el único que determina la pertenencia de un bien a esta peculiar masa patrimonial y hurta la referencia al adjetivo *artístico*, de muy difícil concreción jurídica en la medida en que remite a un juicio estético sobre el que pueden existir tantas opiniones como personas. No obstante, se trata de una cuestión hasta cierto punto menor en el presente contexto: los trazos esenciales del régimen jurídico de los bienes culturales son siempre los mismos, llámenles como les llamen los autores, las leyes y los tribunales.

2 Merece la pena que recordemos el tenor literal del artículo 45 de la Constitución de 1931, que fue la cobertura de, entre otras normas, la importante Ley de 13 de mayo de 1933, sobre Defensa, Conservación y Acrecentamiento del Patrimonio Histórico Artístico, vigente hasta la actual Ley de 25 de junio de 1985. Decía así: "[t]oda la riqueza artística e histórica del país, sea quien fuere su dueño, constituye tesoro cultural de la Nación y estará bajo la salvaguardia del Estado, que podrá prohibir su exportación y enajenación y decretar las expropiaciones legales que estimare oportunas para su defensa. El Estado organizará un registro de la riqueza artística e histórica, asegurará su celosa custodia y atenderá a su perfecta conservación". El párrafo segundo de la norma emplazaba al Estado a proteger también (sic) "los lugares notables por su belleza natural o por su reconocido valor histórico o artístico".

Es evidente que el precepto hace abstracción de la titularidad y régimen jurídico de los bienes a que se refiere, que lo decisivo es que formen parte del patrimonio histórico, cultural y artístico de los pueblos de España, motivo por el cual están concernidos por las medidas que adopten los poderes públicos. Obviamente, ello reclama la necesidad de concretar objetivamente las razones por las que un bien determinado puede formar parte de dicho patrimonio pero, supuesto el establecimiento de las mismas y su correcta aplicación, el artículo 46 de la Constitución es suficiente para ilustrar que la disciplina jurídica de los bienes culturales no está condicionada más de lo estrictamente indispensable por el elemento subjetivo y que todos ellos obedecen a un régimen legal común, con independencia de que sea necesario respetar el contenido esencial del derecho de propiedad privada respecto de los que son de tal categoría.

Aclarado que el artículo 46 de la Constitución asume que hay bienes culturales públicos y privados, aludamos someramente a dos cuestiones relacionadas cada una de ellas con unos y otros.

Los bienes públicos que forman parte del patrimonio cultural, ¿son demaniales o patrimoniales? El legislador ha despejado las dudas a propósito de los bienes arqueológicos descubiertos con posterioridad a la entrada en vigor de la 16/1985, de 25 de junio, del Patrimonio Histórico Español (en adelante, LPHE), que son de dominio público (artículo 44.1); pero, ¿y los demás bienes públicos integrantes del patrimonio cultural? El artículo 27 de la Ley 7/1990, de 3 de julio, del Patrimonio Cultural Vasco, dice que los calificados (figura asimilable a los declarados de interés cultural conforme a la LPHE y otras leyes) "cuyos propietarios sean la Comunidad Autónoma, los territorios históricos o los municipios, quedarán automáticamente protegidos bajo el régimen del dominio público siendo, en consecuencia, sea cual fuere su destino o afectación, imprescriptibles e inalienables, quedando sujetos al uso y aprovechamiento propio de los bienes demaniales", pero, salvo error u omisión por mi parte, ninguna otra Ley contiene una declaración semejante. Por lo tanto, hay que aplicar el criterio general: serán demaniales si están afectados al uso o al servicio público y patrimoniales en otro caso. Sin necesidad de descender a detalles y matices, parece que la demanialidad es predicable de los bienes culturales públicos afectados a la prestación de los servicios públicos culturales (museos, archivos y bibliotecas públicas, etc.), de los que ornamentan permanentemente las dependencias oficiales, de los que sirven de soporte físico a las mismas (edificios) y de todos aquellos de titularidad pública cuya función esencial es la difusión cultural (murallas, castros, castillos, etc.). Los demás serán patrimoniales, aunque debemos tener en cuenta que la STC 166/1998, de

15 de julio, se refiere a ellos para afirmar que quedan al margen de la embargabilidad de los bienes patrimoniales que la propia Sentencia facilita, por lo que, en principio, no estarían sometidos al régimen común de los bienes públicos no demaniales.

A propósito de los bienes de titularidad privada, y ésta es la segunda cuestión a plantear en este momento, cabe recordar que se han ensayado diversas explicaciones teóricas del peculiar tratamiento legal que reciben. Entre ellas sobresale la de GIANNINI, que ha tenido mucho eco en la doctrina e influido incluso en los autores de la LPHE; conforme a ella, la titularidad sobre la cosa queda relegada a un segundo plano en beneficio de su valor cultural que se configura como un interés público y objetivo tutelado por los poderes públicos[3]. Es indiscutible que la teoría de GIANNINI menoscaba el dato subjetivo y alzaprima que los bienes culturales cumplen por definición un destino público que es el que prepondera, pero es una teoría y, como tal, una interpretación de la realidad. En nuestro caso, la realidad normativa es tan contundente que, a efectos prácticos, relega a un segundo plano la necesidad de impetrar explicaciones dogmáticas. El jurista español que afronta un problema determinado no precisa echar mano de la tesis de GIANNINI pues los artículos 33.2 (función social de la propiedad) y 46 de la Constitución le suministran armas suficientes para sostener que los bienes privados que poseen un valor cultural son de interés público y que por ello su régimen jurídico es, en lo esencial, de derecho público, siquiera sea ineludible armonizar los elementos públicos con los privados pues, al fin y a la postre, hablamos de bienes de propiedad particular. En cierto modo, cabría decir que la tesis del maestro italiano ha sido asumida por nuestro texto constitucional y que éste ofrece por sí mismo argumentos bastantes para apuntalar el régimen jurídico de la propiedad cultural privada.

II. LEGISLACIÓN

La legislación del Estado reguladora del patrimonio cultural está compuesta por la LPHE, parcialmente desarrollada por el Real Decreto

---

[3]   A la tesis de GIANNINI se refieren con frecuencia nuestros autores, que la exponen con más o menos detalle; en la actualidad, su consulta en nuestro idioma ya es posible (véase la referencia en la Bibliografía). En cuanto a su influjo en la LPHE, cfr. lo que dijo el Ministro de Cultura de la época en la defensa del Proyecto de Ley en el Congreso de los Diputados (DSCD n° 123, 17 de mayo de 1984, 5628-5629).

111/1986, de 10 de enero, modificado en varias ocasiones (en adelante RD 111/1986), y por otros textos de alcance menor a los efectos del presente trabajo, excepción hecha de la Ley que incorpora al ordenamiento español la Directiva sobre restitución de bienes culturales, a la que más adelante se hará alguna alusión. Aunque la normativa estatal sobre nuestra materia no es escasa, hemos de ser conscientes de que el protagonismo corresponde a la aprobada por las comunidades autónomas, todas las cuales se han dotado de una ley propia de patrimonio cultural, amén de haber aprobado muchas de ellas leyes sectoriales sobre museos, archivos, patrimonio documental, etc., así como numerosas normas reglamentarias de las que el mero intento de adquirir noticia requiere un esfuerzo extraordinario[4].

Como la presente ocasión no es la más adecuada para emitir juicio alguno acerca de la frondosidad de la normativa autonómica en materia de patrimonio cultural, conformémonos con aceptar resignadamente el fenómeno. En tales condiciones, lo único que puede hacer el jurista es preguntarse por si entre tanto Derecho es posible encontrar un hilo conductor que permita localizar las claves esenciales de la regulación de los bienes culturales, los elementos que forman su estructura y cuya identificación haga posible reconducir la proliferación legislativa a categorías y sistema. La tarea sería relativamente sencilla si pudiéramos afirmar que la Ley del Estado forma un marco de referencia intocable, pero no es así. En realidad, la posición que ocupa la LPHE en el sistema de fuentes constituye un misterio jurídico, lo mismo que sucede con la Ley estatal de Protección

---

[4]   Prescindiendo de las leyes especiales sobre museos, bibliotecas, archivos, etc., y además de la Ley del País Vasco citada en el texto algo más atrás, las autonómicas dictadas hasta la fecha son las siguientes (no se indican las modificaciones): Ley 4/1990, de 30 de mayo, del Patrimonio Histórico de Castilla-La Mancha; Ley 9/1993, de 30 de septiembre, del Patrimonio Cultural Catalán; Ley 8/1995, de 30 de octubre, del Patrimonio Cultural de Galicia; Ley 4/1998, de 11 de junio, del Patrimonio Cultural Valenciano; Ley 10/1998, de 9 de julio, de Patrimonio Histórico de la Comunidad de Madrid; Ley 11/1998, de 13 de octubre, del Patrimonio Cultural de Cantabria; Ley 12/1998, de 21 de diciembre, del Patrimonio Histórico de las Islas Baleares; Ley 3/1999, de 10 de marzo, del Patrimonio Cultural Aragonés; Ley 4/1999, de 15 de marzo, del Patrimonio Histórico de Canarias; Ley 2/1999, de 29 de marzo, del Patrimonio Histórico y Cultural de Extremadura; Ley 1/2001, de 6 de marzo, del Patrimonio Cultural del Principado de Asturias; Ley 12/2002, de 11 de junio, de Patrimonio Cultural de Castilla y León; Ley 7/2004, de 18 de octubre, de Patrimonio Cultural, Histórico y Artístico de La Rioja; Ley Foral 14/2005, de 22 de noviembre, de Patrimonio Cultural de Navarra; Ley 4/2007, de 16 de marzo, de Patrimonio Cultural de la Comunidad Autónoma de la Región de Murcia; Ley 14/2007, de 26 de noviembre, de Patrimonio Histórico de Andalucía. Llegado el caso, se citarán por el nombre de la Comunidad Autónoma respectiva (Ley de Aragón, por ejemplo).

Civil, aprobada unos pocos meses antes que aquella. Cuando hablo de *posición* quiero referirme al grado de vinculación que sus preceptos tienen sobre las leyes autonómicas. No es, desde luego, una ley básica, y, aunque casi nadie discute que el Estado dispone de títulos competenciales que habilitan su existencia, el problema es el de su eficacia material: ¿obliga a los legisladores autonómicos y, en caso afirmativo, en relación con qué?, ¿o está llamada a ser ese derecho supletorio que el Estado no puede producir con el carácter de tal pero que los aplicadores jurídicos pueden encontrar y utilizar?

Es evidente que las preguntas planteadas tienen que ver con el tema de las competencias, al que en breve haremos alguna referencia. Ahora indiquemos que si el Tribunal Constitucional ha afirmado que "la integración de la materia relativa al patrimonio histórico-artístico en la más amplia que se refiere a la cultura permite hallar fundamento a la potestad del Estado para legislar en aquella" (Sentencia 17/1991, de 31 de enero, FJ 3), no ha clarificado por completo qué aspectos del régimen jurídico del patrimonio cultural caen bajo la órbita de las competencias legislativas del Estado. La Sentencia mencionada habla de los *tratamientos generales* "y entre ellos, específicamente, aquellos principios institucionales que reclaman una definición unitaria", así como de la regulación de la defensa del patrimonio cultural contra la exportación y la expoliación (artículo 129.1.28 CE), pero muy poco más. Bien se comprende que resulta decisivo determinar cuáles pueden ser dichos *tratamientos generales*, pero ésta es una tarea que hasta la fecha no ha completado el Tribunal Constitucional, puesto que no ha tenido ocasión de pronunciarse sobre el ajuste constitucional de ninguna ley autonómica de patrimonio cultural y porque la Sentencia 17/1991, condicionada como es lógico por el sentido de los recursos, no podía dar respuesta cumplida a todas las dudas existentes al respecto.

En definitiva, carecemos de elementos que nos permitan identificar con seguridad los elementos del régimen jurídico del patrimonio cultural que deben ser establecidos por el Estado y que las comunidades autónomas no pueden modificar sustancialmente en el ejercicio de sus competencias legislativas. Ello supone que no sabemos a ciencia cierta qué aspectos de la regulación sustantiva de la LPHE están fuera del alcance de las leyes autonómicas ni, en consecuencia, si éstas han incurrido o no en excesos legislativos cuando se han apartado de lo dispuesto en la ley estatal; sabemos, sí, que el Tribunal Constitucional ha reconocido la competencia legislativa del Estado en relación con determinados extremos del régimen jurídico del patrimonio cultural, pero la incertidumbre se cierne sobre una parte nada desdeñable de la LPHE.

Con todo, es posible afirmar que, con carácter general, la LPHE es el verdadero esqueleto del moderno Derecho de los bienes culturales en España, podamos o no ubicarla con comodidad en el sistema de fuentes. Las leyes autonómicas determinan a su manera el objeto de la realidad a la que pretenden aplicarse, amplían el campo de acción de los poderes públicos, prestan atención a particularismos y endemismos, colman algunas lagunas de la estatal, detallan previsiones de ésta (a veces hasta el nivel propio de los reglamentos administrativos), crean nuevas categorías de protección, se apartan incluso de algunas decisiones de la norma del Estado... Su alcance no es nada desdeñable, por tanto; sin embargo, todas beben con más o menos avidez de las ubres de la LPHE, respecto de la que ninguna ha creado un sistema completo y ajeno a ella. Por eso, la espesura normativa que ha crecido en torno al patrimonio cultural no debe hacer perder de vista que la gran mayoría de las decisiones estructurales proceden de la LPHE, con independencia de que luego hayan sido complementadas y desarrolladas por los parlamentos autonómicos y de que éstos, en el legítimo ejercicio de su función legislativa, hayan incorporado otras regulaciones nuevas de aplicación limitada al territorio en el que tienen validez sus productos normativos.

Esa preeminencia material (ya que no formal) de las decisiones fundamentales de la LPHE es de obligado recordatorio aquí dado que las características de la obra a la que pertenece este capítulo hacen inviable la pretensión de dar cuenta de las particularidades y precisiones que introducen las leyes de las comunidades autónomas, mientras que sugieren que nos centremos en el marco trazado por la Ley estatal. Seamos conscientes, sí, de que hay muchas normas autonómicas (también de que *más* Derecho no quiere decir *mejor* Derecho), pero conformémonos con estar al tanto del entramado primordial del ordenamiento de los bienes culturales; de todas formas, se harán las debidas alusiones a las regulaciones autonómicas en la medida en que su entidad justifique la mención.

Además de la normativa interna es preciso tener en cuenta la comunitaria y la internacional. De la primera, la regulación atinente a la exportación de bienes culturales y a la restitución de los que hayan salido de forma ilegal del territorio de un Estado miembro, cuya importancia aconseja una referencia ulterior y singularizada. En cuanto a las normas internacionales, la relación siguiente, que se hace a título meramente informativo, es reveladora del grado de preocupación que la materia suscita en instancias muy cualificadas:

- Convenio de la UNESCO para la Protección de los Bienes Culturales en caso de conflicto armado, firmado en La Haya el 14 de mayo de

1954 y ratificado por España en 1960 (BOE de 24 de noviembre). A este Convenio acompaña un Protocolo de su misma fecha, que España ratifica en 1992 (BOE de 25 de julio); el 26 de marzo de 1999 se aprueba un segundo Protocolo que España ratifica en 2001 (BOE de 30 de marzo de 2004).

– Convenio Europeo para la Protección del Patrimonio Arqueológico, hecho en Londres el 6 de mayo de 1969 y ratificado por España en 1975 (BOE de 5 de julio). Este Convenio ha sido revisado de forma importante por la Convención para la Protección del Patrimonio Arqueológico de Europa, hecha en La Valeta (Malta) el 16 de enero de 1992; el nuevo texto ha sido ratificado por España en 2011 (BOE de 20 de julio).

– Convención de la UNESCO sobre las medidas que deben adoptarse para prohibir e impedir la importación, la exportación y la transferencia de propiedad ilícitas de bienes culturales, hecha en París el 17 de noviembre de 1970, ratificada por España en 1986 (BOE de 5 de febrero).

– Convención la UNESCO sobre la protección del Patrimonio Mundial, Cultural y Natural, hecha en París el 27 de noviembre de 1972, aceptada por España en 1982 (BOE de 1 de julio).

– Convenio para la salvaguardia del Patrimonio Arquitectónico de Europa, hecho en Granada el 3 de octubre de 1985, ratificado por España en 1989 (BOE de 30 de junio).

– Convenio de UNIDROIT sobre bienes culturales robados o exportados ilegalmente, hecho en Roma el 24 de junio de 1995, que España ratifica en 2002 (BOE de 16 de octubre).

– Convención de la UNESCO sobre la protección del Patrimonio Cultural Subacuático, hecha en París el 2 de noviembre de 2001, ratificada por España en junio de 2005 (BOE de 5 de marzo de 2009).

– Convención de la UNESCO para la salvaguardia del Patrimonio Cultural Inmaterial, hecha en París el 17 de octubre de 2003, ratificada por España en 2006 (BOE de 5 de febrero de 2007).

– Convención de la UNESCO sobre la protección y la promoción de la diversidad de las expresiones culturales, hecha en París el 20 de octubre de 2005, ratificada por España en 2006 (BOE de 12 de febrero de 2007).

– Convención marco del Consejo de Europa sobre el valor del Patrimonio Cultural para la sociedad, hecha en Faro el 27 de octubre de 2005, ni firmada ni ratificada por España.

A los textos reseñados acompaña un número nada desdeñable de recomendaciones, resoluciones y declaraciones que forman parte del llamado *soft law* internacional, por lo que carecen de fuerza obligatoria; sin embargo, su capacidad de influencia puede ser elevada tanto sobre las decisiones de los Estados como sobre el propio ordenamiento internacional. No es necesaria la cita ahora de ninguna de ellas, siquiera alguna pueda ser tomada ocasionalmente en consideración más adelante.

Por lo demás, estas páginas se centran en el régimen sustantivo de los bienes que forman parte del patrimonio cultural, conforme a la legislación administrativa del ramo. Se indica con esto que hay cuestiones importantes que quedan en la cuneta salvo menciones accidentales: la disciplina de los archivos, bibliotecas y museos, las sedicentes medidas de fomento (exenciones y bonificaciones fiscales, etc.) y el régimen sancionador, así como lo referente a la tutela penal de los bienes culturales. La exclusión se justifica en la conveniencia de no sobrecargar un capítulo que incurre ya en cierta demasía; la tijera corta por la línea que separa lo auténticamente imprescindible de lo que, en una obra como ésta, no tiene tal carácter.

III. DISTRIBUCIÓN DE COMPETENCIAS

Conforme a los apartados 15 y 16 del artículo 148.1 de la Constitución, las comunidades autónomas pueden asumir competencias en materia de museos, bibliotecas y patrimonio monumental de su interés; por otro lado, el artículo 149.1.28 reserva al Estado la competencia exclusiva en materia de "defensa del patrimonio cultural, artístico y monumental español contra la exportación y la expoliación; museos, bibliotecas y archivos de titularidad estatal, sin perjuicio de su gestión por parte de las comunidades autónomas". Además, el artículo 149.2, de interpretación particularmente difícil, dice que sin perjuicio de las competencias autonómicas, "el Estado considerará el servicio de la cultura como deber y atribución esencial y facilitará la comunicación cultural entre las comunidades autónomas, de acuerdo con ellas".

Una de las pretensiones de la LPHE fue organizar el entramado competencial en materia de patrimonio cultural, contando con que todas las comunidades autónomas habían asumido competencias sobre ella en sus

Estatutos, competencias que se decían bien exclusivas, bien referidas al patrimonio cultural de *interés* de la comunidad autónoma respectiva. En síntesis, la Ley partía inicialmente de que el Estado estaba habilitado para proteger los bienes culturales frente a la exportación y la expoliación, para todo lo relacionado con su difusión e intercambio internacionales y con su recuperación en caso de exportaciones ilegales, para la declaración de bienes de interés cultural y para la confección del Inventario General de bienes muebles. Sin embargo, el esquema salió un tanto maltrecho del enjuiciamiento que de la Ley hizo la STC 17/1991, de 31 de enero, dictada a raíz de los diversos recursos de inconstitucionalidad promovidos contra ella. Los argumentos más destacados de la Sentencia son los siguientes:

a) Sin perjuicio de la competencia concurrente del Estado y de las comunidades autónomas en materia de cultura, el primero la tiene "en
   el área de preservación del patrimonio cultural común, pero también en aquello que precise de tratamientos generales o que haga
   menester de esa acción pública cuando los fines culturales no pudieran lograrse desde otras instancias". Ahí se incluyen los "principios
   institucionales que reclaman una definición unitaria, puesto que se
   trata del Patrimonio Histórico Español", la regulación de "aquellas
   materias que no hayan sido estatutariamente asumidas" y las facultades que derivan del artículo 149.1.28 de la Constitución, que "comporta la necesidad de regular el ámbito concreto de esa actividad
   de protección [se refiere el Tribunal Constitucional a la defensa del
   patrimonio cultural contra la exportación y la expoliación] y, en relación con la misma, aquellos aspectos que le sirven de presupuesto
   necesario".

b) A partir de lo dicho, el Tribunal Constitucional reputa que las funciones ejecutivas en la materia corresponden normalmente a las comunidades autónomas, con las siguientes excepciones: las relativas
   a la defensa del patrimonio cultural contra la exportación y la expoliación; las que el Tribunal Constitucional considera íntimamente
   vinculadas con las mismas[5] y la declaración como bienes de interés
   cultural de los adscritos a la prestación de servicios públicos gestio-

---

[5]   Como la elaboración de catálogos, registros o censos que pueden ser "el elemento
      formal imprescindible para ejercer exclusivamente las competencias en la defensa
      del Patrimonio Histórico Español constitucionalmente asignadas al Estado", el some-
      timiento a la autorización de la Administración del Estado de todo desplazamiento o
      remoción de los inmuebles declarados de interés cultural, el sometimiento a licencia
      estatal, con la exacción de la tasa correspondiente, de la exportación de bienes cul-

nados por la Administración del Estado o que formen parte del Patrimonio Nacional [cfr. el artículo 6, b) LPHE]. Y ello con el matiz de que ciertas atribuciones ejecutivas puedan ser ejercidas tanto por las comunidades autónomas como por el Estado; así, las relacionadas con la difusión internacional del patrimonio cultural siempre que no se comprometa la soberanía nacional ni se generen responsabilidades del Estado frente a terceros, la confección de registros, catálogos o inventarios, la declaración de los documentos constitutivos del patrimonio documental que no tengan cien años de antigüedad, o el ejercicio de los derechos de adquisición preferente[6].

Es inequívoco que la Sentencia considera que las funciones ejecutivas ordinarias en materia de patrimonio cultural corresponden a las comunidades autónomas. El Estado puede, sí, disponer los tratamientos generales, defender los bienes culturales frente a la expoliación y a la exportación, declarar algunos de interés cultural y adoptar medidas que redunden en facilitar la comunicación cultural entre las comunidades autónomas de acuerdo con el artículo 149.2 de la Constitución, pero el grueso de las competencias de ejecución pertenece al dominio autonómico. Comenzando por la declaración de bien de interés cultural, que es la medida más determinante y sustanciosa que puede adoptarse, que será normalmente acordada por las autoridades autonómicas salvo que recaiga sobre bienes adscritos a la prestación de servicios públicos gestionados por la Administración del Estado o del Patrimonio Nacional. Aunque no cabe pasar por alto que la Ley estatal declara que ciertos bienes son de interés cultural[7], es

---

turales muebles, o la declaración de interés cultural de los muebles importados legalmente prevista en el artículo 32.3 LPHE.

[6]   En relación con el Inventario general de bienes muebles, al que acceden aquellos que tengan singular relevancia pero que no han sido declarados de interés cultural, la Sentencia reconoce la competencia del Estado pero, a la vez, la de las comunidades autónomas para crear instrumentos propios. El Real Decreto 64/1994, por el que se modifica el 111/1986 para adaptarlo a la STC 17/1991, aplica al caso el mismo criterio que ésta ha utilizado a propósito de la declaración de bienes de interés cultural. Esto es, que el Estado es competente para incluir en el Inventario los bienes adscritos a servicios públicos gestionados por la Administración General del Estado o que formen parte del Patrimonio Nacional, correspondiendo a las comunidades autónomas la competencia en los demás casos (artículo 29).

[7]   Así, el artículo 40.2 declara bienes de interés cultural las cuevas, abrigos y lugares que contengan manifestaciones de arte rupestre. Añádase que la Disposición Adicional Segunda considera de interés cultural otros bienes concernidos por otras normas anteriores a la LPHE: castillos, escudos, emblemas, cruces de término, hórreos y cabazos antiguos.

difícil negar que la aplicación del dispositivo legal correrá por lo común a cargo de las comunidades autónomas[8].

La Sentencia 17/1991 razona a propósito de tres Comunidades que accedieron a la autonomía política a través del cauce que les permitía asumir competencias en el marco del artículo 149 de la Constitución. Pero no tuvo en cuenta que sus respectivos estatutos habían afrontado esta competencia de forma distinta. Si el del País Vasco y el de Cataluña hablaban de competencias autonómicas exclusivas sin perjuicio de las que correspondan al Estado en virtud del artículo 149.1.28, el de Galicia limitó las de la Comunidad Autónoma al patrimonio cultural *de interés* de la misma. El Tribunal Constitucional no tuvo en cuenta este destacable matiz, pues no es igual que un estatuto hable de patrimonio cultural *tout court* a que hable de patrimonio cultural *de interés de la comunidad autónoma respectiva*. Ahí hay una diferencia de la que alguna conclusión podía extraerse en orden a la determinación de las competencias autonómicas. El Tribunal Constitucional no se detuvo en el distingo, pero no ha sido el único que lo ha pasado por alto. En efecto, antes y después de la Sentencia 17/1991, los decretos de traspasos han interpretado que allí donde los estatutos dicen patrimonio cultural, *histórico, artístico o monumental de interés de la comunidad autónoma* de que se trate están diciendo en realidad bienes culturales *que se encuentran en el territorio de esa comunidad autónoma*, lo que ha comportado que, con carácter general, las competencias de todas las comunidades autónomas en materia de patrimonio cultural se extiendan sobre los bienes culturales geográficamente ubicados en sus ámbitos territoriales cuando parece evidente que entre el *patrimonio cultural de interés autonómico* y el *patrimonio cultural situado en algún punto del territorio de una comunidad autónoma* no existe coincidencia inapelable o necesaria[9]. Ya mucho más tarde, el propio

---

[8]   Al elenco de los órganos ordinariamente competentes para la ejecución de la legislación de patrimonio cultural (los autonómicos, como se ha dicho) hay que añadir otros entes públicos cuyas facultades en la materia provienen, mediata o inmediatamente, de lo dispuesto en los propios Estatutos de Autonomía: los Territorios Históricos vascos, los Consejos Insulares baleares y las Ciudades Autónomas de Ceuta y Melilla.

[9]   Dicho sea incidentalmente, no faltan previsiones tendentes a lograr el *retorno* de los bienes culturales al territorio autonómico. Valga como muestra el artículo 22.2 del Estatuto de Aragón: "los poderes públicos aragoneses desarrollarán las actuaciones necesarias para hacer realidad el regreso a Aragón de todos los bienes integrantes de su patrimonio cultural, histórico y artístico que se encuentren fuera de su territorio"; ello se traduce en que, al hilo de la proclamación de la competencia exclusiva de la Comunidad Autónoma en materia de patrimonio cultural, se especifique que en ella se incluyen "en especial las políticas necesarias encaminadas a recuperar el patrimonio aragonés que se encuentre ubicado fuera del territorio de Aragón" (artículo 71, 45ª).

Tribunal Constitucional ha puesto de relieve los fuertes vínculos trabados entre las competencias de las comunidades autónomas y la circunstancia de estar los bienes culturales ubicados en su territorio, confirmando abiertamente el planteamiento expuesto[10].

Es a la vista de todo ello que se entiende mejor la situación normativa actual. Se ha difundido la idea de que las competencias de las comunidades autónomas no se circunscriben a los bienes culturales de su interés sino que se extienden a todos los que están dentro de los confines de su territorio, excepción hecha de los que gestiona el Estado; y a ella ha acompañado la especie de que las competencias autonómicas sobre los bienes de *su interés* son también legislativas y sin cortapisa constitucional visible. Ello explica la proliferación de leyes autonómicas sobre esta materia que incorporan soluciones propias a determinados problemas y acerca de cuya necesidad sería interesante que se hubiera abierto en su momento un debate jurídico-constitucional, ya difícilmente practicable. Las reformas estatutarias plasmadas entre la primavera del año 2006 y la primavera del año 2007 no modifican un ápice el esquema sustancial diseñado previamente a ellas, independientemente de que en ocasiones los enunciados competenciales sean más extensos que antes.

Para terminar este apartado, digamos algo sobre las competencias municipales. El artículo 25.2, e) de la Ley 7/1985, de 2 de abril, reguladora de las Bases del Régimen Local, anterior en unos pocos meses a la LPHE, dispone que el municipio ejercerá en todo caso competencias, en los términos de la legislación del Estado y de las comunidades autónomas, en materia de patrimonio histórico-artístico. Esa remisión a la legislación estatal y autonómica, coherente con el diseño institucional de las competencias municipales, obliga a buscar en aquellas la extensión y profundidad de las

---

[10] Véase el Fundamento Jurídico 8 de la STC 6/2012, de 18 de enero, por la que se resuelve el conflicto de competencias planteado por la Generalitat de Cataluña frente a la pretensión del Gobierno de Aragón de ejercer el derecho de retracto sobre unos bienes procedentes del Monasterio de Sigena (Huesca) pero adquiridos en 1983 y 1993 por el Gobierno catalán a la Orden de San Juan de Jerusalén que los había depositado en diversas instituciones museísticas de Cataluña dado el deterioro del Monasterio. La Magistrada Elisa Pérez Vera formula un voto particular (al que se adhiere el Magistrado Ramón Rodríguez Arribas) en el que se afirma que la Sentencia aplica sin matices el criterio de la territorialidad, idea que, aun quizá menos explícitamente expresada, late igualmente en el voto particular formulado por el Magistrado Francisco J. Hernando Santiago (al que se adhiere el Magistrado Francisco Pérez de los Cobos Orihuel).

atribuciones de los municipios, pero no puede ocultar que, por decisión de la Ley de Bases del Régimen Local, algunas tienen que existir.

La LPHE afronta el mandato de la Ley de Bases consagrando un principio general y estableciendo diversas previsiones concretas. El primero aparece en el artículo 7, que dice lo siguiente:

> "Los Ayuntamientos cooperarán con los Organismos competentes para la ejecución de esta Ley en la conservación y custodia del Patrimonio Histórico Español comprendido en su término municipal, adoptando las medidas oportunas para evitar su deterioro, pérdida o destrucción. Notificarán a la Administración competente cualquier amenaza, daño o perturbación de su función social que tales bienes sufran, así como las dificultades y necesidades que tengan para el cuidado de estos bienes. Ejercerán asimismo las demás funciones que tengan expresamente atribuidas en virtud de esta Ley".

Es claro el criterio legal, del que se infiere que entre los órganos competentes para la ejecución de la Ley no se encuentran los ayuntamientos puesto que no pueden cooperar consigo mismos[11]. En líneas generales, las leyes de las comunidades autónomas siguen la pauta marcada por la del Estado y concentran el grueso de las funciones ejecutivas en otras instituciones, siquiera en ocasiones atribuyan a los ayuntamientos facultades para adoptar medidas cautelares en caso de urgencia con la finalidad de salvaguardar los bienes del patrimonio cultural autonómico o les emplacen a proteger, defender, realzar y dar a conocer el valor cultural de los bienes culturales que radiquen en su término municipal.

En cuanto a las previsiones concretas, están relacionadas con el urbanismo. Como veremos, a las facultades municipales en materia urbanística se añaden con frecuencia las de la Administración competente en materia de patrimonio cultural, a veces incluso condicionando el válido ejercicio de las primeras. Pero no cabe duda de que, pese a todo, las atribuciones municipales más destacadas en el sector están relacionadas con la dimensión urbanística de los inmuebles que forman parte del patrimonio cultural, a la que los municipios ni son ni pueden ser ajenos. Merece la pena indicar que la STS de 27 de abril de 2004 (RJ 5438) afirma expresamente que el valor

---

[11]   La STC 17/1991 dice que el artículo 7 LPHE "no es sino una manifestación y aplicación concreta de lo que con carácter general se dispone en el artículo 46 de la Constitución, al encomendar a todas las Administraciones Públicas la conservación y enriquecimiento del Patrimonio Histórico, Cultural y Artístico de los pueblos de España", y reconoce que el precepto se limita a recordar el deber constitucional de cooperación de los Ayuntamientos "con quien ejerza las funciones de defensa, protección, conservación y custodia" de los bienes culturales (FJ 9°).

cultural acreditado de los bienes constituye un límite a la discrecionalidad característica de la potestad municipal de planeamiento urbanístico, en cuyo ejercicio hay que tener en cuenta la conservación de aquellos; ello implica que se trata de un elemento de legalidad susceptible de control jurisdiccional pleno, como dicha Sentencia acredita cumplidamente.

IV. BIENES QUE FORMAN PARTE DEL PATRIMONIO CULTURAL

La primera pregunta que debe responder el ordenamiento regulador del patrimonio cultural es la de a qué bienes se aplica. Pregunta que, a su vez, tiene dos vertientes: a) ¿qué valores deben incorporar los bienes que forman parte del patrimonio cultural?; b) ¿es necesario que recaiga una declaración expresa para considerar que, jurídicamente, un bien determinado forma parte del patrimonio cultural? Veámoslas por separado.

A) En relación con el primer interrogante (¿qué valores deben incorporar los bienes que forman parte del patrimonio cultural?), las leyes se pronuncian con bastante amplitud. Así, para el artículo 1.2 LPHE "integran el Patrimonio Histórico Español los inmuebles y objetos muebles de interés artístico, histórico, paleontológico, arqueológico, etnográfico, científico o técnico. También forman parte del mismo el patrimonio documental y bibliográfico, los yacimientos y zonas arqueológicas, así como los sitios naturales, jardines y parques que tengan valor artístico, histórico o antropológico". De forma parecida se expresan los preceptos concordantes de las leyes de las comunidades autónomas, siquiera en algún caso sea patente la voluntad de agotar cualesquiera posibilidades, por lo que la descripción normativa del patrimonio cultural resulta bastante más prolija que la de la Ley estatal[12]. De todas formas, y tomada en su conjunto, la LPHE encierra posibilidades aplicativas en absoluto inferiores a las que parecen querer

---

[12]   Por ejemplo, artículo 2.1 de la Ley de La Rioja, conforme al que el patrimonio cultural, histórico y artístico de la Comunidad Autónoma "está constituido por todos los bienes muebles e inmuebles, relacionados con la historia y la cultura de la Comunidad Autónoma, que presenten un interés o valor histórico, artístico, arqueológico, paleontológico, antropológico, etnográfico, arquitectónico, urbanístico, natural, científico, técnico, industrial, documental, bibliográfico o audiovisual de naturaleza cultural. También forman parte del mismo los bienes inmateriales relativos a actividades, creaciones, conocimientos y prácticas tradicionales, manifestaciones folklóricas, conmemoraciones populares, toponimia tradicional de términos rústicos y urbanos y las peculiaridades lingüísticas del castellano hablado en esta Comunidad Autónoma".

facilitar las leyes autonómicas que emplean fórmulas más minuciosas, de cuya utilidad real puede en el fondo dudarse.

Del criterio vigente destaca en particular que bascula exclusivamente sobre los valores culturales de que los bienes son portadores. Hasta la LPHE era preciso, para afirmar la pertenencia de un bien al patrimonio histórico-artístico nacional, que tuviera un interés determinado y fuera de una antigüedad no menor a un siglo, aunque el segundo requisito podía exceptuarse si el valor artístico o histórico del bien era indiscutible. Hoy, el factor cronológico se tiene en cuenta a propósito de los documentos cuyo origen no es propiamente público (apartados 4 y 5 del artículo 49 LPHE), a los efectos del régimen legal de la exportación de bienes culturales (artículo 5.2 LPHE) y para determinar el ámbito de aplicación de la normativa comunitaria sobre restitución de bienes culturales exportados ilegalmente, pero carece de valor definitorio general. La postergación del elemento cronológico es un acierto, pues el valor cultural no depende de la antigüedad sino, justa y exclusivamente, del factor cultural. Que muchos bienes culturales sean antiguos no debe inducir a creer que sólo los bienes antiguos pueden ser culturales.

Tema distinto, que aquí sólo puede quedar enunciado, es el de la pertinencia de incluir en el patrimonio cultural bienes que carecen de valor cultural en sentido antropológico de la palabra; es decir, de bienes que no guardan conexión con el ser humano ni con su obra. Es el caso, por ejemplo, de la Ley de Aragón, cuyo artículo 65.1 habla de un patrimonio paleontológico formado por bienes "previos en el tiempo a la historia del hombre y de sus orígenes". No es en absoluto rechazable, sino todo lo contrario, que los restos fósiles integren el patrimonio cultural en tanto en cuanto suministren información sobre los hábitos y modos de vida de nuestros ancestros, pero cabe cuestionar el acierto de las leyes de patrimonio cultural que extienden sus tentáculos hasta bienes completamente desligados de la concepción antropológica de la cultura. Desde luego, las actividades paleontológicas (prospecciones, sondeos, excavaciones) deben ser reguladas de forma idéntica o similar a como lo son las arqueológicas y los yacimientos paleontológicos de relieve merecen protección jurídica, pero la integración de los restos paleontológicos en el patrimonio cultural de la forma en que lo hace la Ley aragonesa suscita más de un reparo. Como lo hace también la inclusión en este patrimonio de bienes con valor *única y exclusivamente natural o ambiental* (paisajes, etc.), tutelados ya por una normativa específica bastante acabada y completa a la que habría que dejar todo el protagonismo.

B) La otra cuestión enunciada (¿es necesario que recaiga una declaración expresa para considerar que, jurídicamente hablando, un bien determinado forma parte del patrimonio cultural?) es más peliaguda. Para afrontarla, conviene partir de un dato elemental: el derecho del patrimonio cultural es protector, pero también interventor y condicionante, su aplicación implica que los bienes quedan sometidos a un régimen jurídico que, en caso de ser privados, difiere mucho del común o general. Aunque sólo sea por tal motivo, no es ocioso que esté determinado con exactitud cuáles quedan sujetos a él.

En la doctrina se sostiene que el concepto de bien integrante del patrimonio cultural tiene un componente formal y que es necesaria una declaración expresa que así lo califique, que puede ser legal o administrativa[13]. Este criterio es el más razonable, pero no pocas leyes postulan que, además de los bienes formalmente calificados, todos los que porten ciertos valores forman parte asimismo del patrimonio cultural. Ello amenaza convertir a éste en un magma impreciso e indeterminado en la medida en que si no hay constancia formal de que tales valores concurren, no hay tampoco constancia formal de la composición del patrimonio cultural. La LPHE va en esa línea, pues al decir que los *bienes más relevantes* del Patrimonio Histórico Español deben ser inventariados o declarados de interés cultural (artículo 1.3), admite que otros forman parte del mismo. En la legislación autonómica el criterio aparece igualmente (por ejemplo, artículo 18 de la Ley de Cataluña, artículo 33 de la Ley de Cantabria), e incluso participa de él el Tribunal Constitucional cuya Sentencia 181/1998, de 17 de septiembre, dice que si la LPHE otorga una especial protección a los bienes inventariados o declarados de interés cultural, ello no significa que otros "queden extramuros del concepto de Patrimonio Histórico Español".

---

[13] Aunque lo normal es que las declaraciones sean administrativas, existe la declaración *ex lege*. Así, son bienes de interés cultural por ministerio de la Ley las cuevas, lugares y abrigos que contengan manifestaciones de arte rupestre (artículo 40.2 LPHE). La Disposición Adicional Primera LPHE reconvierte a las categorías que regula los bienes calificados con anterioridad a ella; la Disposición Adicional Segunda incluye en la de bienes de interés cultural todos los castillos de España, los escudos, emblemas, piedras heráldicas, rollos de justicia, cruces de término y demás piezas y monumentos de análoga índole de interés histórico-artístico y los hórreos o cabazos antiguos existentes en Asturias y Galicia; mientras que la Disposición Adicional Tercera se ocupa de la calificación de determinados documentos cuya relevancia cultural había sido ya acreditada. Aunque todas las normas citadas expresan la voluntad legal de calificar determinados bienes, en realidad sólo el artículo 40.2 incorpora novedades de bulto pues las demás se apoyan en precedentes decisiones reglamentarias o singulares que habían afirmado la pertenencia de los bienes de referencia al patrimonio cultural español.

De los datos jurídicos disponibles, el menos influyente a los efectos de una argumentación de carácter general es el de la citada Sentencia constitucional, pues no sería prudente sacar de contexto la expresión entrecomillada, por cierto que sea que la contiene[14]. Por contra, los pronunciamientos legislativos son más importantes. A la vista de ellos, es razonable preguntarse por cuáles pueden ser los bienes no calificados a los que se aplica la legislación de patrimonio cultural; ¿cómo saber cuáles son si no media una declaración previa que constate formalmente el valor cultural que encierran? ¿A qué bienes no declarados o inventariados alcanzan los deberes legales de mantenimiento, conservación y custodia previstos en el artículo 36.1 LPHE?, ¿sobre qué bienes inmuebles no declarados de interés cultural pesa la posibilidad de ordenar la suspensión de las obras de demolición total o parcial o de cambio de uso contemplada en el artículo 25 LPHE?, ¿o la prohibición de derribo y la suspensión de obras e intervenciones a que se refiere el artículo 37.2?

Este es un problema serio pues es fuente de inseguridad. Puede que, en la práctica, las leyes se apliquen únicamente a los bienes previamente calificados, aunque sólo sea porque las Administraciones públicas no suelen andar muy sobradas de medios personales, financieros y técnicos para asumir el formidable reto que les lanzan las leyes de patrimonio cultural, por lo que es quizá inevitable que concentren sus esfuerzos en lo que, con toda seguridad, debe ser atendido. Pero el riesgo de que esa práctica quiebre es perfectamente posible con las leyes en la mano, hipótesis en la que hay que pensar con anticipación si se cree que el Derecho está para evitar problemas y no sólo para resolverlos; la existencia de dicho riesgo y su eventual materialización implican un juicio negativo acerca de las normas que desligan la pertenencia de los bienes al patrimonio cultural de una declaración formal previa adoptada, en caso de proceder de la Administración (lo que

---

[14] La 181/1998 es una Sentencia de amparo que razona sobre la interpretación jurisprudencial del elemento normativo del tipo por el que se castigaba con pena de prisión menor a quienes causaran determinados daños al Patrimonio Histórico Nacional (artículo 558.5 CP de 1973). Dicha interpretación no exigía la previa calificación de los bienes para entender que estaban protegidos por ese precepto, extremo que al Tribunal Constitucional no le merece reproche desde el punto de vista del principio de legalidad penal habida cuenta de cómo define la LPHE su ámbito de aplicación. Pero eso sólo quiere decir que la interpretación que el Tribunal Supremo venía haciendo del·mencionado elemento normativo del tipo es razonable en términos constitucionales, no que sea la única posible ni la mejor desde el punto de vista de la determinación precisa de los bienes que integran el patrimonio cultural.

será lo normal y más deseable), tras un procedimiento en el que todos los interesados hayan tenido ocasión de hacerse oír.

V. DISPOSICIONES COMUNES

Aunque las leyes distinguen entre muebles e inmuebles al trazar el régimen jurídico de los bienes que integran el patrimonio cultural, arbitran una serie de disposiciones indistintamente aplicables a todos ellos. Componen una suerte de *régimen común del patrimonio cultural*, cuyos elementos más destacados se exponen acto seguido al hilo del esquema de la LPHE, que en términos sustanciales observan las leyes autonómicas.

i) Destaca, en primer lugar, la preocupación por la defensa de los bienes culturales contra la expoliación, entendida ésta "como toda acción u omisión que ponga en peligro de pérdida o destrucción todos o alguno de los valores que integran el Patrimonio Histórico Español o perturbe el cumplimiento de su función social" (artículo 4 LPHE). El concepto legal de expoliación es más amplio que el gramatical y ha sido avalado por el Tribunal Constitucional[15]; la subsunción en él de una conducta determinada permite a la Administración competente adoptar las medidas necesarias para combatirla. El artículo 4 LPHE dispone que en los casos de expoliación "la Administración del Estado, con independencia de las competencias que correspondan a las Comunidades Autónomas, en cualquier momento, podrá interesar del Departamento competente del Consejo de Gobierno de la Comunidad Autónoma correspondiente la adopción con urgencia

---

[15] Según el DRAE, expoliar significa "despojar con violencia o con iniquidad" (22ª ed., 2001). Es notorio que el artículo 4 LPHE va más lejos. La STC 17/1991 no acepta que el concepto de *expoliación* deba interpretarse forzosamente según su sentido gramatical y dice que la defensa contra la misma (artículo 149.1.28 de la Constitución) "ha de entenderse como definitoria de un plus de protección respecto de unos bienes dotados de características especiales. Por ello mismo abarca un conjunto de medidas de defensa que a más de referirse a su deterioro o destrucción tratan de extenderse a la privación arbitraria o irracional del cumplimiento normal de aquello que constituye el propio fin del bien según su naturaleza, en cuanto portador de valores de interés general necesitados, estos valores también, de ser preservados. Así pues, la Ley llama perturbación del cumplimiento de su función social a la privación del destino y utilidad general que es propio de cada uno de los bienes, aunque materialmente el bien mismo permanezca". Al Tribunal Constitucional no se le escapa que la adopción de concretas medidas de ejecución en virtud del artículo 4 LPHE puede infringir el orden constitucional de competencias, pero apostilla que, de darse, tal circunstancia sería imputable a una aplicación extensiva del precepto.

de medidas conducentes a evitar la expoliación. Si se desatendiere el requerimiento, la Administración del Estado dispondrá lo necesario para la recuperación y protección, tanto legal como técnica, del bien expoliado".

El protagonismo conferido a la Administración del Estado tiene un sólido fundamento constitucional pues, como se recordará, el artículo 149.1.28 atribuye al Estado la competencia exclusiva en materia de "defensa del patrimonio cultural contra la exportación y la expoliación". Ahora bien, debe tenerse presente que la STC 17/1991 señala que la legitimidad constitucional de las medidas estatales depende de que se haga una interpretación adecuada de lo que es *expoliación*, concepto que no admite interpretaciones extensivas y desconectadas del fin que cumplen los bienes culturales; y que, según la misma Sentencia, el artículo 4 LPHE "respeta la acción protectora de las comunidades autónomas, a las que en primer lugar estimula, para autorizar la actuación de la Administración del Estado sólo en defecto de la de aquellas". Dichos respeto y estímulo de la acción autonómica han quedado claramente consagrados en el desarrollo reglamentario del artículo 4 LPHE[16].

ii) Tanto los bienes muebles como los inmuebles pueden ser declarados de interés cultural, que es la categoría de protección más destacada, llámese de aquella forma o de otra por algunas leyes autonómicas que en el fondo dicen y piensan lo mismo que la estatal. La declaración es individualizada salvo en relación con los bienes muebles contenidos en un inmueble que haya sido objeto de declaración de interés cultural y ésta los reconozca como parte esencial de su historia (artículo 27 LPHE), y no puede recaer sobre obras de autores vivos, aunque caben excepciones a la regla si concurren determinadas circunstancias[17]. En todo caso, el criterio de fondo que debe inspirar la declaración administrativa es que los bienes merecen una protección singular y reforzada en razón de los valores que incorporan; protección que, nótese, se dispensa desde el momento mismo de la incoación del expediente pues ésta implica la aplicación cautelar del régimen tuitivo previsto para los bienes que han sido definitivamente

---

[16]   Véase el artículo 57 bis RD 111/1986, introducido por el Decreto 64/1994, de 21 de enero, que subordina la intervención ejecutiva de la Administración General del Estado a que la autonómica no haya adoptado las medidas de protección pertinentes y, a juicio del Ministerio de Cultura, adecuadas y suficientes.

[17]   Artículo 9.4 LPHE: autorización expresa de su propietario o adquisición del bien por la Administración; artículo 8.6 de la Ley de Galicia: informe favorable de tres instituciones consultivas reconocidas y autorización del propietario; artículo 9.4 de la Ley de Madrid: dictamen favorable del Consejo Regional de Patrimonio Histórico, etc.

declarados (artículo 11 LPHE). En la actualidad —no así en la legislación anterior a la LPHE— se contempla un plazo de veinte meses para resolver el expediente, determinando el transcurso del mismo la caducidad de aquel si se ha denunciado la mora y no recae resolución en los cuatro meses siguientes a dicha denuncia. La STS de 7 de marzo de 2007 (RJ 2591) aclara que, cumplidos tales requisitos, la caducidad de produce *ope legis* sin necesidad de que los particulares interesados la insten formalmente; por su parte, la STS de 14 de junio de 2004 (RJ 3839) puntualiza que los expedientes incoados antes de la entrada en vigor de la LPHE siguen el régimen jurídico establecido en la normativa vigente en el momento de la incoación, por lo que la mencionada previsión de caducidad no es aplicable si dicho momento es anterior a tal entrada en vigor.

Que tanto muebles como inmuebles puedan ser declarados bienes de interés cultural no oculta que las declaraciones recaen mayoritariamente sobre los de la segunda clase. Esto es lógico pues los bienes muebles cuentan con una categoría específica de protección: el Inventario al que acceden todos los relevantes que no hayan sido incluidos en la de interés cultural. Tal circunstancia, que otorga a los bienes muebles relevantes un grado de tutela jurídica bastante estimable, explica que las declaraciones de bien de interés cultural sean más numerosas a propósito de los inmuebles; al fin y al cabo, éstos no tienen otra categoría jurídica de protección bajo la que cobijarse, mientras que los muebles pueden ser de interés cultural o inventariados[18].

De todas formas, que tanto bienes muebles como inmuebles puedan ser declarados de interés cultural conduce a que se aplique a unos y otros una disposición importante y directamente relacionada con la difusión del patrimonio cultural, que es una de las vocaciones más poderosas de esta

---

[18] De todas formas, y por comparación a lo que podía apreciarse en ediciones anteriores de esta obra, se constata un incremento de los bienes muebles declarados de interés cultural, frente a una no demasiada significativa variación del número de los inmuebles. En 2007, los bienes muebles declarados de interés cultural eran 4.661 mientras que la cifra asciende en 2011 a 10.580; las diferencias se constatan igualmente a propósito de los expedientes incoados: de 570 a 1.554. Por lo que hace a los bienes inmuebles, las distancias son menores: 13.515 declarados en 2007 por 14.399 en 2011; en cuanto a los expedientes incoados, la línea es descendente, 2.083 en 2007 y 2010 en 2011. Cabe decir que se observa una cierta estabilización en lo que se refiere a la declaración de bienes inmuebles como de interés cultural mientras que a propósito de los bienes muebles sucede todo lo contrario. Véase al respecto el *Anuario de Estadísticas Culturales*, disponible en la página *web* del Ministerio de Educación, Cultura y Deporte.

masa patrimonial, pertenezcan los bienes a quienes pertenezcan[19]. Dice así el artículo 13.2 LPHE:

> "Los propietarios y, en su caso, los titulares de derechos reales sobre tales bienes, o quienes los posean por cualquier título, están obligados a permitir y facilitar su inspección por parte de los Organismos competentes, su estudio a los investigadores, previa solicitud razonada de éstos, y su visita pública, en las condiciones de gratuidad que se determinen reglamentariamente, al menos cuatro días al mes, en días y horas previamente señalados. El cumplimiento de esta última obligación podrá ser dispensado total o parcialmente cuando medie causa justificada. En el caso de bienes muebles se podrá igualmente acordar como obligación sustitutoria el depósito del bien en un lugar que reúna las adecuadas condiciones de seguridad y exhibición durante un período máximo de cinco meses cada dos años".

La Disposición Adicional Cuarta del Reglamento de desarrollo parcial de la LPHE establece, entre otras cosas, que la visita "comprenderá la contemplación de tales bienes, con exclusión, en el caso de inmuebles, de los lugares o dependencias de los mismos que no afecten a su condición de interés cultural" y que "se permitirá de acuerdo con un calendario y horario que deberá ser aprobado por el órgano competente para la protección del bien". Algunas leyes autonómicas introducen precisiones interesantes relacionadas con la necesidad de compatibilizar el acceso público con el derecho a la privacidad de los propietarios. Como dicho acceso no puede comprometer el derecho a la intimidad personal y familiar, la regulación del mismo debe ser especialmente cuidadosa. Es verdad que el artículo 8.1 de la Ley Orgánica 1/1982, de protección civil del derecho al honor, la intimidad y la propia imagen, dispone que no se reputan intromisiones ilegítimas aquellas en las que predomine un interés histórico, científico o cultural relevante, pero no lo es menos que la visita y contemplación pública de los bienes culturales privados encaja difícilmente en tan abstracta determinación legal y que al legislador corresponde buscar el punto de equilibrio entre los derechos e intereses en juego.

---

[19] El párrafo final de la Exposición de Motivos de la Ley estatal es revelador de la referida vocación: "como objetivo último, la Ley no busca sino el acceso a los bienes que constituyen nuestro Patrimonio Histórico. Todas las medidas de protección y fomento que la Ley establece, sólo cobran sentido si, al final, conducen a que un número cada vez mayor de ciudadanos pueda contemplar y disfrutar las obras que son herencia de la capacidad colectiva de un pueblo. Porque en un Estado democrático estos bienes deben estar adecuadamente puestos al servicio de la colectividad en el convencimiento de que con su disfrute se facilita el acceso a la cultura y que ésta, en definitiva, es camino seguro hacia la libertad de los pueblos".

iii) Declarados de interés cultural o no, inventariados o no, el deber de conservación, mantenimiento y custodia es el primero que incumbe a los propietarios o a los titulares de derechos reales o poseedores de los bienes culturales (artículo 36.1 LPHE), acarreando su incumplimiento consecuencias sancionatorias (artículo 76.1 LPHE). Que la Ley contemple las sanciones como reacción punitiva ante el incumplimiento de los deberes de conservación aunque el bien no haya sido calificado nos permite retomar un problema ya apuntado: ¿cómo saber, si la Administración no ha hecho manifestación alguna acerca del valor cultural de un bien, cuándo un propietario debe incrementar los deberes ordinarios de conservación?, ¿se puede sancionar a quién desconoce que su propiedad forma parte del patrimonio cultural porque la Administración no ha hecho ninguna manifestación al respecto? En otro orden de consideraciones, está por ver en qué medida y cómo tales previsiones se aplican a las Administraciones públicas que descuidan el estado de los bienes culturales que son de su titularidad.

Aunque el deber de conservación recae sobre los sujetos antedichos, el artículo 36.3 LPHE habilita a la Administración competente para la adopción de determinadas medidas en caso de incumplimiento: ejecución subsidiaria (previo requerimiento a los interesados), concesión de ayudas con carácter de anticipo reintegrable, ejecución directa de las obras necesarias cuando así lo requiera la más eficaz conservación de los bienes y, excepcionalmente, ordenar el depósito de los bienes muebles en un centro público en tanto no desaparezcan las causas que justificaron dicha necesidad. Son, como se observa, actuaciones posibles de muy diverso calado, sugiriendo el principio de proporcionalidad el empleo preferente de las menos gravosas siempre que, por supuesto, sean eficaces para la consecución del fin legalmente establecido.

iv) Está prevista la expropiación forzosa de los bienes declarados de interés cultural cuando su propietario incumpla las obligaciones de conservación, aquellos se encuentren en peligro de destrucción o deterioro o reciban un uso incompatible con sus valores (artículos 36.4 y 37.3 LPHE). La causa de expropiar se tipifica legalmente como de interés social, lo que en relación con los bienes privados remite a la idea de incumplimiento de la función social de la propiedad, que es uno de los motivos tradicionales por los que se pueden expropiar las pertenencias de los particulares (véanse los artículos 76 y ss. LEF, sobre expropiación de bienes de valor artístico, histórico o arqueológico). La duda que flota en el ambiente es si es posible la expropiación de bienes culturales públicos por las mismas razones (siempre, por supuesto, que no sean demaniales) y por quién.

v) La venta de los bienes privados de interés cultural o inventariados no está prohibida pero sí afectada por el potencial ejercicio del derecho de tanteo reconocido legalmente a la Administración. De ahí que la voluntad de enajenarlos deba serle notificada, obligación que alcanza a los subastadores y cuyo incumplimiento habilita a aquella para ejercer el derecho de retracto (artículo 38 LPHE)[20]. Algunas leyes autonómicas incrementan el ámbito objetivo del ejercicio de los derechos de adquisición preferente reconocidos a la Administración al extenderlo a las enajenaciones de bienes que se consideran culturales pero que no están calificados formalmente (artículos 22 de la Ley de Cataluña, 22.4 de la de Valencia, 25 de la de Extremadura...).

vi) Como colofón, recordemos lo dispuesto en el artículo 8 LPHE, que debe ser leído a la luz del criterio legal que rehúsa considerar que sólo los bienes calificados forman parte del patrimonio cultural:

> "1. Las personas que observen peligro de destrucción o deterioro en un bien integrante del Patrimonio Histórico Español deberán, en el menor tiempo posible, ponerlo en conocimiento de la Administración competente, quien comprobará el objeto de la denuncia y actuará con arreglo a lo que en esta Ley se dispone.
> 2. Será pública la acción para exigir ante los órganos administrativos y los Tribunales Contencioso-Administrativas el cumplimiento de lo previsto en esta Ley para la defensa de los bienes integrantes del Patrimonio Histórico Español".

Que el legislador se haya inclinado por introducir la acción pública en este ámbito es síntoma de la importancia que confiere a la protección del patrimonio cultural, cuya disciplina normativa se ubica así en el estante ocupado por las escasas leyes que excepcionan el requisito general del interés legítimo para recurrir.

VI. BIENES INMUEBLES

1. Los bienes inmuebles según la legislación de patrimonio cultural

El artículo 14.1 LPHE dice que, además de los enumerados en el artículo 334 del Código Civil, son bienes inmuebles "cuantos elementos puedan considerarse consustanciales con los edificios y formen parte de los mismos o de su exorno, o lo hayan formado, aunque en el caso de poder ser separa-

---

[20]   En esta materia rige ahora el silencio positivo como precisa el Anexo I del Real Decreto-Ley 8/2011, de 1 de julio.

dos constituyan un todo perfecto de fácil aplicación a otras construcciones o usos distintos del suyo original, cualquiera que sea la materia de que estén formados y aunque su separación no perjudique visiblemente el mérito histórico o artístico del inmueble al que están adheridos".

Tan evidente como que el artículo 14.1 LPHE amplía el concepto general de bien inmueble es que ello es a los únicos efectos de la aplicación de la legislación de patrimonio cultural; pero, ¿a qué bienes alcanza la operación?, ¿cuáles son inmuebles en razón de la legislación de patrimonio cultural que no lo son en razón del Código Civil? La respuesta parece que debe orientarse en el sentido siguiente. Demos por sentado, en primer lugar, que los edificios y construcciones de valor cultural son ya inmuebles por aplicación del artículo 334.1 del Código y que los inmuebles a que se refiere el artículo 334.5 son, llegado el caso, bienes muebles del Patrimonio Industrial o del Etnográfico por haber desaparecido el vínculo con la industria o explotación que se realizaba en el edificio o heredad; si lo anterior se acepta, el debate se cierne sobre el artículo 334.4 que considera inmuebles los objetos de uso u ornamentación "colocados en edificios o heredades por el dueño del inmueble en tal forma que revele el propósito de unirlos de un modo permanente al fundo".

Es de esa última norma civil que se aparta el artículo 14.1 LPHE, pues reputa inmuebles los elementos a que se refiere aunque sean fácilmente separables de los edificios sin menoscabo de éstos e incluso estén separados de ellos, siempre y cuando sean consustanciales con aquellos y formen (o hayan formado) parte de los mismos o de su exorno. Es decir, si para el Código Civil los objetos ornamentales son inmuebles en la medida en que su colocación en los edificios o heredades revela el propósito del dueño de unirlos de modo permanente al fundo, para la LPHE ni esa voluntad ni ese destino son decisivos, pues siguen siendo inmuebles aunque pierdan la relación con el bien principal[21].

---

[21]   La Sentencia de la Sala 1ª del Tribunal Supremo de 30 de marzo de 2003 (RJ 2431) considera que son muebles unos azulejos que adquiere el Estado para su traslado al Museo Ruiz de Luna, en Talavera de la Reina y que han sido separados de las paredes que recubrían sin deterioro de éstas. La única forma de entender que la Sentencia no contradice lo dispuesto en el artículo 14.1 LPHE es que el edificio de ubicación original de los azulejos carecía de mérito histórico o artístico.

2. Inmuebles declarados de interés cultural

Como se ha dicho, el núcleo duro de la legislación está compuesto por el régimen jurídico de los bienes calificados; en su seno, el de los inmuebles declarados de interés cultural ocupa un lugar principal por razones fáciles de comprender. Bienes inmuebles que, dice el artículo 14.2 LPHE, pueden ser declarados monumentos, jardines, conjuntos y sitios históricos y zonas arqueológicas[22]. A primera vista, la enumeración parece bastante completa, pero las leyes autonómicas permiten comprobar que no falta quien la considera insuficiente; así, figuras tales como zonas o lugares de interés etnográfico o etnológico, zonas paleontológicas, parques arqueológicos, vías históricas, lugares naturales y paisajes culturales se añaden al elenco estatal, modesto en términos numéricos pero a mi juicio más que suficiente.

En sus rasgos más destacados, el régimen jurídico de los inmuebles declarados de interés cultural es el siguiente.

i) Además de la aplicación cautelar del régimen de protección previsto para los que ya han sido calificados, la incoación del expediente de declaración de bien de interés cultural implica la suspensión de las licencias municipales de parcelación, edificación o demolición y de los efectos de las ya otorgadas, admitiéndose sólo obras inaplazables por razón de fuerza mayor, que deberán ser autorizadas por la Administración encargada de la ejecución de la legislación de patrimonio cultural[23]. Esta suspensión se prolonga hasta la decisión definitiva que declara el inmueble como bien de interés cultural o no. Si de la suspensión de las licencias ya otorgadas se siguen daños resarcibles, el deber indemnizatorio recaerá sobre la Administración que ha incoado el expediente.

ii) La declaración de bien de interés cultural supone que las Administraciones públicas competentes para la ejecución de la legislación de patrimo-

---

[22]   Según el *Anuario de Estadísticas Culturales 2012*, el 79,1% de los inmuebles de interés cultural inscritos son monumentos; la distancia que media entre dicho porcentaje y los inmediatamente siguientes es abismal: las zonas arqueológicas forman el 12,5% y los conjuntos históricos el 5,8%. Más lejos quedan los sitios históricos (2%) y los jardines históricos (0,5%). Únicamente las zonas arqueológicas han experimentado un incremento significativo, pues en 2007 apenas rebasaban el 6% y todavía en 2011 no alcanzaban el 7%.

[23]   Artículo 16.1 LPHE. El artículo 33 de la Ley de Valencia introduce un matiz flexibilizador pues habilita a la Comunidad Autónoma para autorizar las actividades inicialmente prohibidas (parcelaciones, urbanizaciones, demoliciones, construcciones, etc.) "cuando considere que manifiestamente no perjudican los valores del bien que motivaron el expediente". La misma idea en, por ejemplo, el artículo 13.5 de la Ley de La Rioja.

nio cultural tienen conferidas importantes facultades de intervención. Así, y sin salirnos del marco de la ley estatal, han de autorizar expresamente la realización de obras en los monumentos y jardines históricos, la colocación en ellos de cualquier clase de rótulo, señal o símbolo (artículo 19) y cualesquiera obras o remociones de terreno en sitios históricos y en zonas arqueológicas (artículo 22).

Estas autorizaciones culturales no eximen al interesado de obtener la preceptiva licencia municipal de acuerdo con lo previsto en la legislación urbanística, siendo digno de mención que el artículo 23.1 LPHE establezca que "[n]o podrán otorgarse licencias para la realización de obras que, conforme a lo previsto en la presente Ley, requieran cualquier autorización administrativa hasta que ésta haya sido concedida". En consonancia con ello, el apartado dos del precepto afirma la ilegalidad de las obras realizadas sin dicha autorización y dispone que "los Ayuntamientos o, en su caso, la Administración competente en materia de protección del Patrimonio Histórico Español, podrán ordenar su reconstrucción o demolición con cargo al responsable de la infracción". La solución es razonable siempre que se interprete que, sin perjuicio de las sanciones administrativas pertinentes, la reconstrucción o la demolición procederán sólo cuando la actividad nunca hubiera podido ser autorizada por la Administración cultural por motivos relacionados con la protección del patrimonio. Por lo demás, el responsable de la infracción puede no ser el dueño de la obra; muestra de ello es que el artículo 76.1, c) tipifica como infracción administrativa "[e]l otorgamiento de licencias para la realización de obras que no cumpla lo dispuesto en el artículo 23", conducta que sólo pueden ejecutar las entidades competentes para conceder aquellas.

La intervención de dos Administraciones públicas diferentes puede considerarse lógica en la medida en que cada una de ellas ejerce competencias distintas y analiza la adecuación de la obra a un sector del ordenamiento también distinto (las licencias municipales son de carácter urbanístico, mientras que las autorizaciones autonómicas velan por la indemnidad de los valores culturales del inmueble declarado de interés cultural). Ya que la pretensión de que sea una única administración la que resuelva no parece viable, cabe plantear no obstante que sería interesante que, con independencia de los entes públicos que deban pronunciarse, el interesado lo fuera en un procedimiento único[24].

---

[24] En esta línea, el artículo 41 de la Ley de Andalucía: "por Decreto del Consejo de Gobierno podrá establecerse un procedimiento único que, respetando las competen-

iii) Además de autorizaciones imprescindibles para la válida realización de ciertos comportamientos, la Ley prevé prohibiciones absolutas de hacer. Así, el artículo 19.3 LPHE impide "la colocación de publicidad comercial y de cualquier clase de cables, antenas y conducciones aparentes en los Jardines Históricos y en las fachadas y cubiertas de los Monumentos declarados de interés cultural"; lo mismo en el artículo 22.2 a propósito de las zonas arqueológicas. Ha de señalarse que si la prohibición repercute sobre elementos colocados antes de la declaración de bien de interés cultural, la Administración debe sufragar el coste de su retirada, como la jurisprudencia precisa a propósito del cableado (STS de 21 de octubre de 1999, RJ 7566, y las que cita en el mismo sentido).

El propio artículo 19.3 prohíbe toda construcción que altere el carácter de los jardines históricos y monumentos declarados de interés cultural o perturbe su contemplación. Se trata de una norma de aplicación directa cuya efectividad depende de que las construcciones provoquen dicha perturbación, cuestión de hecho sobre la que los tribunales pueden pronunciarse (por ejemplo, STS de 21 de noviembre de 2000, RJ 9864). Hasta cierto punto relacionada con la norma está la posible expropiación forzosa de las edificaciones que estorben la contemplación de los inmuebles declarados de interés cultural (artículo 37.3 LPHE, artículo 82 LEF).

iv) Mención aparte merecen las obras que sean ejecución de un plan especial de protección o de una figura asimilable prevista en la legislación urbanística. El artículo 20.1 LPHE que es obligatorio redactar un plan tal respecto del área afectada por la declaración de un conjunto histórico, sitio histórico o zona arqueológica como bienes de interés cultural y apostilla que tal obligación "no podrá excusarse en la preexistencia de otro planeamiento contradictorio con la protección, ni en la inexistencia previa de planeamiento general". Esta última precisión fue contradicha por el Texto Refundido de la Ley del Suelo de 1992, cuyo artículo 84 contempló la formulación de los planes especiales de ordenación y protección de los recintos y conjuntos arquitectónicos, históricos y artísticos *en desarrollo* de los planes generales o de las normas subsidiarias que hicieran sus veces. La anulación del precepto por la STC 61/1997 zanjó la cuestión, pero algunas leyes urbanísticas autonómicas han vuelto a configurar estos planes especiales como instrumentos de desarrollo del planeamiento general. En

---

cias de las diversas Administraciones intervinientes, permita la obtención de todas las autorizaciones y licencias que fueren necesarias para realizar obras, cambios de uso o modificaciones de cualquier tipo afectantes a inmuebles objeto de inscripción específica o a su entorno".

cuanto a las leyes reguladoras del patrimonio cultural, las hay que reiteran el criterio de la LPHE y las hay que guardan silencio, aunque no falta alguna, como la de Navarra, que exige que los planes especiales de protección se dicten en desarrollo de los generales municipales (artículo 37). Ello suscita un conflicto normativo cuya solución no podemos ensayar aquí.

Sin necesidad de detallar las determinaciones que deben contener los planes especiales de protección (vid. lo dispuesto en el artículo 20.2 LPHE), recordemos que en su elaboración comparece decisivamente la Administración de cultura, que debe emitir informe favorable (artículo 20.1 LPHE), y destaquemos que su existencia influye sobre el régimen de concesión de las licencias urbanísticas municipales. Si no ha sido aprobado definitivamente, su otorgamiento o la ejecución de las otorgadas antes de incoarse el expediente declarativo del conjunto histórico, sitio histórico o zona arqueológica "precisará resolución favorable de la Administración competente para la protección de los bienes afectados y, en todo caso, no se permitirán alineaciones nuevas, alteraciones de la edificabilidad, parcelaciones ni agregaciones" (artículo 20.3). Aprobado definitivamente el plan especial, las obras que lo desarrollen, afecten únicamente a inmuebles que no sean monumentos ni jardines históricos y no estén comprendidas en su entorno, se autorizarán directamente por los ayuntamientos, que ejercen así con plenitud sus competencias urbanísticas ordinarias siquiera hayan de participar a la Administración cultural de las decisiones que al respecto adopten (artículo 20.4 LPHE). Conforme a esta misma norma, la segunda ostenta el derecho de ordenar la reconstrucción o demolición de las obras ilegales ejecutadas al amparo de licencias contrarias al plan especial.

Entre los supuestos en que es obligatoria la redacción de un plan especial está, como se ha dicho, la declaración de un conjunto histórico. El artículo 21 LPHE hace algunas especificaciones acerca del mismo, ilustrando que entre los inmuebles de interés cultural los conjuntos históricos ocupan una posición muy destacada. Si así no fuera, no se entendería que hubiera un precepto especial con determinaciones sólo aplicables a esta clase de inmuebles culturales. Determinaciones, además, de alguna importancia. Así, nótese el alcance del artículo 21.3: "la conservación de los Conjuntos Históricos declarados Bienes de Interés Cultural comporta el mantenimiento de la estructura urbana y arquitectónica, así como de las características generales de su ambiente. Se considerarán excepcionales las sustituciones de inmuebles, aunque sean parciales, y sólo podrán realizarse en la medida en que contribuyan a la conservación general del carácter del conjunto. En todo caso, se mantendrán las alineaciones urbanas existentes". La norma vincula a los autores del planeamiento urbanístico, pero rige igualmente en ausencia de plan pues es una disposición legal de aplicación directa; en cambio, las otras determinaciones del artículo 21 (catalogación de los elementos unitarios que conforman el conjunto y admisión excepcional de las remodelaciones), presuponen que el instrumento de planeamiento ha sido aprobado.

v) ¿Qué sucede si, a pesar de la proclamación legal de los deberes de conservación un inmueble de interés cultural llega al estado de ruina?[25].

En el Derecho urbanístico, la consecuencia del estado ruinoso de los inmuebles es la demolición: acreditado el hecho de la ruina (pues ésta es justamente eso, una situación material que requiere no obstante una constatación formal que la declare), decaen los deberes de conservación y procede la demolición del inmueble, todo ello en virtud de los pertinentes acuerdos municipales. No obstante, cuando se trata de inmuebles del patrimonio cultural, las cosas se presentan de otro modo. De entrada, la intervención municipal no es suficiente pues es preciso el pronunciamiento de los órganos competentes para la ejecución de la legislación del ramo; en segundo lugar, y dada la especial naturaleza del bien afectado, la demolición no es la consecuencia insoslayable de la declaración de ruina. A ese esquema obedece el artículo 24 LPHE, que dispone lo siguiente:

a) Incoado expediente de ruina, la Administración competente en materia de patrimonio cultural está legitimada para intervenir en él en condición de interesada, "debiéndole ser notificada la apertura y resoluciones que en el mismo se adopten".

b) La demolición está prohibida sin la previa firmeza de la declaración municipal de ruina y la autorización expresa de la Administración competente en materia de patrimonio cultural, que no puede concederla sin informe favorable de, al menos, dos instituciones consultivas especializadas (academias, universidades, institutos de diversa denominación, Consejo Superior de Investigaciones Científicas, consejos autonómicos creados para asesorar a la Administración activa competente en materia de patrimonio cultural, museos, etc.). La jurisprudencia enseña que no es extraño que la demolición se acuerde ordenando la conservación de algunos elementos del inmueble, generalmente las fachadas; así, Sentencias del Tribunal Supremo de

---

[25] Recuérdese que el ya citado artículo 36 LPHE sanciona el deber de conservación de los bienes, muebles e inmuebles, que forman parte del patrimonio cultural. En relación con los inmuebles, se trata de una especificación del deber general de conservación tradicionalmente establecido en la legislación sobre el urbanismo; véase, así, el apartado primero del artículo 9.1 del Texto Refundido de la Ley del Suelo de 2008.

6 de junio de 1996 (RJ 4781), de 15 de diciembre de 1987 (RJ 9687), de 20 de julio de 1998 (RJ 6907), y de 19 de julio de 1999 (RJ 6315).

c) En caso de urgencia y peligro inminente, la autoridad local debe ordenar las medidas necesarias para evitar daños a las personas. Con todo, "las obras que por razón de fuerza mayor hubieran de realizarse no darán lugar a actos de demolición que no sean estrictamente necesarios para la conservación del inmueble" y deberán contar con la autorización de los órganos competentes para la ejecución de la legislación de patrimonio cultural; además, ha de preverse, en su caso, la reposición de los elementos retirados (véanse al respecto las Sentencias del Tribunal Supremo de 20 de noviembre de 1991, RJ 9154, y de 1 de marzo de 1999, RJ 2724).

Fácilmente se advierte que la legislación no es proclive a la demolición automática de los inmuebles de interés cultural que llegan al estado de ruina. No está excluida, pero desde luego no se la contempla como una consecuencia fatal e inherente al hecho ruinoso. Cuestión distinta es quién debe financiar las obras de reparación y consolidación de un inmueble de interés cultural que alcanza la situación de ruina. La jurisprudencia admite que el propietario tiene derecho a ayudas o subvenciones (STS de 24 de junio de 2002, RJ 7267) y el propio artículo 36.3 LPHE contempla la concesión de anticipos reintegrables con la finalidad de conseguir la conservación del bien; ello parece razonable pues al fin y al cabo se exige del propietario un deber que excede de los normales de conservación, por lo que de alguna manera la comunidad, beneficiaria última de la subsistencia de los inmuebles de interés cultural, debe involucrarse en su protección contribuyendo a la financiación de unas obras de reparación y consolidación que el dueño del inmueble no tendría que emprender de conformidad con lo dispuesto en la legislación urbanística. No obstante, cabe preguntarse por si los subsidios públicos son procedentes cuando la situación de ruina obedece única y exclusivamente a la desidia de los propietarios y al incumplimiento de los deberes legales de conservación que les atañen. En este sentido, algunas leyes autonómicas afirman que, en caso de declaración de ruina de los inmuebles de interés cultural, recae sobre los propietarios el deber de conservación cuando la situación sea consecuencia del previo incumplimiento del mismo o de la desobediencia a las órdenes de ejecución impartidas por la Administración[26].

---

[26] Véanse, entre otros y sin entrar en detalles, los artículos 35.4 de la Ley de Extremadura, 40.1 de la de Valencia, 58.4 de la de Canarias, 34.3 de la del Principado de Asturias,

vi) Concluyamos este rápido repaso al régimen de los inmuebles de interés cultural aludiendo a lo dispuesto en el apartado segundo del artículo 39 LPHE, conforme al que las actuaciones de conservación, consolidación y rehabilitación de los bienes inmuebles declarados de interés cultural "evitarán los intentos de reconstrucción, salvo cuando se utilicen partes originales de los mismos y pueda probarse su autenticidad. Si se añadiesen materiales o partes indispensables para su estabilidad o mantenimiento, las adiciones deberán ser reconocibles y evitar las confusiones miméticas". El precepto ha adquirido cierta notoriedad en el mundo jurídico a raíz de un caso concreto: el Proyecto de Restauración y Rehabilitación del Teatro Romano de Sagunto (declarado monumento nacional en 1896) sobre el que versa la STS de 16 de octubre de 2000 (RJ 7777), que confirma en casación la de la Sala de lo Contencioso-Administrativo del TSJ de Valencia de 30 de abril de 1993. Ambas anulan los actos administrativos que aprobaron el Proyecto citado y permitieron su ejecución por considerarlos contraventores del artículo 39.2 LPHE. Merece la pena transcribir ciertos párrafos de la Sentencia del Tribunal Supremo, cuya modélica claridad excusa de comentario adicional alguno.

> "Hemos de comenzar afirmando que el rechazo de la legalidad del proyecto no supone en modo alguno su desautorización desde el punto de vista estrictamente cultural, artístico o arquitectónico. Esta Sala no puede ni debe terciar en la polémica sobre sus valores estéticos ni sobre su importancia para la teoría de la restauración y para la puesta en valor de los monumentos (...)
> La polémica cultural a este respecto, que se ha mostrado a veces con tintes apasionados, es tan antigua, al menos, como la preocupación renacentista por las ruinas clásicas y en ella los juristas, como tales, nada tendrían que decir si no fuera porque el Legislador español se ha decidido en favor de una línea específica de protección, asumiendo unos criterios determinados en orden a la «reconstrucción» de los inmuebles de interés cultural y plasmando en una Ley su decisión (...)
> Cuando, por encima de estas corrientes doctrinales, el Legislador adopta en relación con el patrimonio histórico de su país una determinada opción política, traducida en la correspondiente norma, la interpretación de ese precepto legal, ya en términos y con métodos estrictamente jurídicos, se ha de convertir en el punto de referencia obligado para la Administración Pública y para el juicio que a los tribunales corresponde ejercer sobre la actuación de aquella".

Tras recordar que durante la tramitación parlamentaria de la LPHE fracasaron los intentos de modificar el tenor del actual artículo 39.2, sigue diciendo el Tribunal Supremo:

45.3 de la de La Rioja, 31.4 de la de Navarra.

"El designio mayoritario que trasluce el debate en el Parlamento se refleja, pues, en un precepto con rango de ley que, como acertadamente destaca la Sentencia de instancia y también se puso de manifiesto en el curso de aquel debate, impone, como principio, el de «evitar» los intentos de reconstrucción de los inmuebles históricos de interés cultural. La Ley de 1985 ha optado, pues, por permitir otras operaciones de conservación, consolidación o rehabilitación que no consistan en la «reconstrucción» de aquellos inmuebles cuando se encuentren, con palabras clásicas, «si un tiempo fuertes, ya desmoronados». En la hipótesis —de suyo excepcional— de que hubiera de procederse a su reconstrucción, ésta ha de llevarse a cabo utilizando precisamente partes originales de probada autenticidad. Todo otro intento de reconstrucción de este género de inmuebles resulta, pues, contrario al artículo 39.2 de la Ley y las propuestas de llevarlo a cabo requerirían una modificación legislativa (...)

Al poner en relación el precepto aplicable —interpretado en el sentido que se ha dejado expuesto— con el contenido del proyecto de rehabilitación del Teatro de Sagunto, la Sala sentenciadora no podía, a la vista de la realidad de los hechos que declaraba probados, sino anular las sino anular las resoluciones administrativas que habían aprobado la realización de aquel proyecto.

En efecto, de un lado, el análisis del expediente administrativo y, singularmente, del contenido mismo del proyecto, según las manifestaciones de sus propios autores y las opiniones de los técnicos de la Administración, revelaba que se iba a acometer en realidad una operación de «reconstrucción» del teatro, sin el uso de piezas originales de probada autenticidad; de otro lado, este hecho resultaba confirmado por el resultado de las pruebas de informe de la Real Academia de San Carlos y de reconocimiento judicial. A partir de estas premisas, la aplicación del artículo 39.2 de la Ley de Patrimonio Histórico determinaba la anulación de los actos administrativos que permitían la ejecución de una obra de semejantes características sobre el inmueble protegido (...).

La calificación jurídica de los hechos —esto es, del contenido del proyecto y de la realidad perceptible y percibida por aquella Sala en desarrollo de él— se corresponde, sin dificultades, con el concepto de reconstrucción monumental. El hecho de que esta reconstrucción —que afecta a partes esenciales del monumento, a sus estructuras constructivas— tenga como finalidad restituir la unidad de la forma arquitectónica del espacio teatral no puede ocultar la realidad «material, literal» —por decirlo en palabras de uno de los arquitectos autores del proyecto— de la intervención propuesta que, si es menor en la cávea, es radical en la escena, sobre cuyos restos actuales se levantaría nada menos que un completo, y en gran parte nuevo, edificio teatral.

Reconstrucción, pues, y reconstrucción sobre unos presupuestos metodológicos plenamente defendibles en el plano artístico o académico, pero enfrentados a un criterio normativo (el que se plasma en el artículo 39.2 de la Ley 6/1985) opuesto, que es el que debe vincular a la Administración Pública en el ejercicio de las funciones que el propio legislador le ha atribuido sobre los bienes inmuebles integrantes del Patrimonio Histórico Español".

Como se ha indicado, nada hay que añadir a esta prosa jurisdiccional tan transparente. Cabe, no obstante, un comentario tangencial. Es muy probable que tenga razón Santiago Muñoz Machado al acusar de rigidez al artículo 39.2 LPHE, cuya redacción, dice, debiera limitarse a establecer un

criterio general dejando a la Administración un amplio margen de apreciación para decidir sobre la medida de la intervención en cada monumento
en concreto. El precepto no permite opciones y es justamente por eso que
la STS de 16 de octubre de 2000 rechaza que en su aplicación la Administración disponga de discrecionalidad; pero el debate de fondo es si no sería
mejor que la Ley, en lugar de adscribirse a una concepción determinada
sobre lo que puede hacerse en los monumentos antiguos y lo que no, confi-
riera a las Administraciones públicas competentes un cierto ámbito de maniobra para decidir sobre el particular con el imprescindible asesoramiento de los expertos. En todo caso, no es un debate en el que puedan terciar
los tribunales de justicia sino únicamente el legislador. Al final, eso es en el
fondo lo que ha sucedido pues, como el propio Muñoz Machado da cuenta, la ejecución de la Sentencia firme del Tribunal Supremo que ordenó la
demolición de lo construido en el caso del Teatro romano de Sagunto ha
quedado frustrada dado que la legislación valenciana se había modificado
y permitía ya una obra como la inicialmente condenada a la piqueta, lo
que permitió que entrara en juego el artículo 105.2 LJCA (imposibilidad
legal de ejecutar una sentencia). Al margen de otras consideraciones que
podrían quizá hacerse acerca de este interesante asunto, quedémonos con
que acredita que en materia de patrimonio cultural el mando en plaza
lo tienen los legisladores autonómicos, puesto que el artículo 39.2 LPHE,
acertado o no, sigue diciendo lo mismo que decía al principio.

VII. BIENES MUEBLES

1. Cuestiones generales

Aunque los bienes muebles pueden ser declarados de interés cultural y
pertenecen a esta categoría los contenidos en un inmueble que haya sido
objeto de aquella declaración y ésta los reconozca como parte esencial de
su historia (artículo 27 LPHE), la Ley crea para ellos un sistema específico
de protección que resulta de su inclusión en el Inventario General previsto
en el artículo 26.1 LPHE; a él deben acceder "aquellos bienes muebles del
Patrimonio Histórico Español no declarados de interés cultural que tengan singular relevancia". Reglamentariamente se precisa que corresponde
al Estado la inclusión en el Inventario de los muebles adscritos a servicios
públicos gestionados por la Administración General del Estado o que formen parte del Patrimonio Nacional y a las comunidades autónomas en los
demás casos, pudiendo incoarse el expediente de oficio o a instancia de los
interesados (artículos 29 y 30 RD 111/1986).

Como bien se comprende, el acceso al Inventario de los bienes muebles en manos privadas depende de que la Administración tenga conocimiento de su existencia. Si lo tiene, no hay ningún problema digno de mención, disponiendo al efecto el artículo 26.2 LPHE que las Administraciones competentes podrán recabar de los titulares de derechos sobre los mismos su examen y las informaciones pertinentes para su inclusión, en su caso, en el Inventario. Tampoco hay problema alguno cuando los propietarios o titulares de derechos reales sobre los bienes muebles solicitan que se incoe el procedimiento para su inscripción en el Inventario (artículo 26.3). Pero es obvio que con ello no se cubren todas las posibilidades. Por tal motivo, la Ley arbitra varios mecanismos en la confianza de que servirán a la Administración para llegar al conocimiento necesario si carece de él.

En primer lugar, el previsto en el artículo 26.4, que dice lo siguiente

> "Los propietarios y poseedores de los bienes muebles que reúnan el valor y características que se señalen reglamentariamente, quedan obligados a comunicar a la Administración la existencia de estos objetos antes de proceder a su venta o transmisión a terceros. Igual obligación se establece para las personas o entidades que ejerzan habitualmente el comercio de bienes muebles integrantes del Patrimonio Histórico Español, que deberán, además, formalizar ante dicha Administración un libro de registro de las transmisiones que realicen sobre aquellos objetos".

Reglamentariamente ha quedado determinado el valor y características de que habla el precepto[27], siendo notorio que la virtualidad de la norma —cuya infracción constituye falta administrativa— está objetivamente circunscrita a los bienes que se pretendan enajenar o transmitir, por lo que no afecta a los que se tengan y el propietario quiera seguir teniendo. En relación con éstos, es importante lo establecido en la Disposición Transitoria Tercera LPHE, que incentiva la comunicación de la existencia de bienes muebles en manos privadas con la exención "de cualesquiera impuestos o gravámenes no satisfechos con anterioridad, así como de toda responsabilidad frente a la Hacienda Pública o los restantes órganos de la Administración por incumplimientos, sanciones, recargos o intereses de demora". Es asimismo determinante el régimen de exenciones y beneficios fiscales, cuya aplicación requiere generalmente que el bien haya sido calificado (en el caso de los muebles, declarado de interés cultural o inscrito en el Inventario) y, por lo tanto, conocida su existencia por la Administración.

Si el bien mueble se incluye en el Inventario y es de propiedad privada, queda sujeto a ciertas reglas: potencial inspección administrativa de su

---

[27]   Véase el artículo 26 del Real Decreto 111/1986.

conservación, obligación de los propietarios de permitir su estudio a los
investigadores y de prestarlos, con las debidas garantías, a exposiciones
temporales por períodos no superiores a un mes por año, comunicación
de los actos de transmisión a la Administración competente (artículo 26.6
LPHE). Parece lógico pensar que las mismas normas se aplicarán a los bienes muebles privados que, aisladamente, sean declarados de interés cultural. Por lo demás, a todos ellos, declarados o inventariados, se aplica lo
dispuesto en el artículo 38 LPHE: la intención de enajenarlos deberá ser
comunicada a la Administración con declaración del precio y condiciones
en que se prevea realizar la venta, disponiendo aquella del derecho de tanteo; si el propósito enajenador no se comunica, la Administración podrá
ejercer el derecho de retracto dentro del plazo de seis meses a partir de la
fecha en que tenga constancia fehaciente de la venta.

2. *Transmisión y cesión de los bienes muebles eclesiásticos*

Particular es el régimen previsto para la transmisión y cesión de los bienes culturales muebles que estén en posesión de instituciones eclesiásticas.
Señálese, para comenzar, que la LPHE se aplica con carácter general a los
bienes culturales eclesiásticos (muebles o no) y, más en particular, a los de
la Iglesia Católica, que es en la que se piensa fundamentalmente en España al hablar de los de aquella clase. Lógicamente, dicha aplicación debe
compaginarse en caso necesario con la afectación que los bienes puedan
tener al culto y a la liturgia[28], pero en la medida en que forman parte del
patrimonio cultural no hay razón alguna que abone su fuga de las reglas
generales, como admite implícitamente el Acuerdo suscrito el 3 de enero

---

[28] Cfr. la interesante STSJ de Castilla y León (Burgos) de 28 de enero de 2005 (JUR
2005/54532) relativa a las obras de remodelación del Presbiterio de la Capilla mayor
de la Catedral de Ávila. Dichas obras obedecían a la necesidad de acomodar el espacio
a la liturgia derivada del Concilio Vaticano II y su ejecución había de implicar el ocul-
tamiento a la vista de un conjunto de tumbas de interés histórico-artístico. Frente al
alegato del Obispado de Ávila relativo a la primacía del valor litúrgico o religioso sobre
cualquier otro, la Sala afirma que "si es preciso preservar el fin litúrgico de esta Capilla
mayor y adaptar toda esta Capilla a las exigencias del Concilio Vaticano II, entre las
que se encuentran la de la celebración de los actos litúrgicos de cara a los feligreses y
con la máxima participación de los mismos, situando el altar mayor de tal forma que
confluyan hacia él todas las miradas de forma lógica y directa, no es menos cierto que
se deben preservar los valores recogidos en la indicada Ley 16/1985, y no eliminar
todos estos valores por el hecho de tener que conservar el fin social de la liturgia". A
partir de tal premisa, la Sentencia señala que las obras pretendidas infringen lo dispuesto en la LPHE.

de 1979 entre el Estado español y la Santa Sede sobre enseñanza y asuntos culturales[29]. Las leyes autonómicas reparan en este punto y reclaman la colaboración de la Iglesia Católica con las Administraciones Públicas en la protección, conservación y difusión del patrimonio cultural que es de su titularidad, del que sistemática y literalmente dicen que constituye una parte muy importante del que regulan. Da una idea de las dimensiones objetivas del patrimonio cultural de la Iglesia Católica que en los debates parlamentarios de la LPHE se cifrara en torno al 80% del Histórico Español.

Dicho lo anterior, notemos que el artículo 28.1 LPHE dispone que los bienes muebles de interés cultural e inventariados que estén en posesión de instituciones eclesiásticas no podrán transmitirse por título oneroso o gratuito ni cederse a particulares ni a entidades mercantiles, y que sólo podrán ser enajenados o cedidos al Estado, a entidades de Derecho Público o a otras instituciones eclesiásticas. Dado que el propietario de un bien mueble cultural puede transmitirlo a cualquiera, sin perjuicio de los derechos de adquisición preferente de que dispone la Administración de conformidad con la Ley, ¿por qué el titular de los bienes muebles eclesiásticos no puede transmitirlos a quien tenga por conveniente, al margen de que la Administración pueda ejercer los derechos de adquisición preferente?

El debate parlamentario habido a propósito de la norma pone al descubierto su razón de ser. Suscitó interesantes discusiones, especialmente en el Congreso, esgrimiéndose en el curso de ellas el argumento siguiente: evitar la dispersión o menoscabo del patrimonio cultural en manos de la Iglesia. He ahí la *ratio* del artículo 28.1; la determinación taxativa de los sujetos a los que las instituciones eclesiásticas pueden transmitir o ceder bienes muebles culturales tiene como objeto cercenar el riesgo de un posible *descontrol* de los mismos, riesgo que parece darse por supuesto en caso de no establecerse la restricción. Desde el punto de vista constitucional la solución parece aceptable, pues no anula las facultades de disposición y puede considerarse ajustada a la importancia objetiva del patrimonio cultural eclesiástico, que precisamente por tenerla requiere un tratamiento distinto al perteneciente a otros sujetos. Ahora bien, la norma debería cir-

---

[29] Según el párrafo primero del artículo 15 del Acuerdo, "la Iglesia manifiesta su voluntad de continuar poniendo al servicio de la sociedad su patrimonio histórico, artístico y documental y concertará con el Estado las bases para hacer efectivos el interés común y la colaboración de ambas partes, con el fin de preservar, dar a conocer y catalogar este patrimonio cultural en posesión de la Iglesia, de facilitar su contemplación y estudio, de lograr su mejor conservación e impedir cualquier clase de pérdidas en el marco del artículo 46 de la Constitución".

cunscribirse a los bienes muebles de propiedad eclesiástica, pues no hay razón para extenderla a los de otros propietarios que, por las razones que sean, se encuentran en posesión de la Iglesia. Si tales sujetos pueden acreditar su titularidad dominical, ha de ser aplicable el régimen general de transmisión de los bienes muebles. Sin embargo, la viabilidad de esta interpretación tropieza con lo dispuesto en el artículo 28.1 LPHE, que no habla de los bienes muebles *de propiedad* de la Iglesia sino de los que *estén en posesión* de las instituciones eclesiásticas.

Las particularidades en orden a la transmisión o cesión del patrimonio mobiliario eclesiástico no acaban ahí. El artículo 28.1 se refiere a los bienes inventariados y declarados de interés cultural. La Disposición Transitoria Quinta, que se introdujo en el Senado, dice que en los diez años siguientes a la entrada en vigor de la LPHE lo dispuesto en dicho precepto "se entenderá referido a los bienes muebles del Patrimonio Histórico Español en posesión de las instituciones eclesiásticas". Esto es, se entenderá referido a todos los bienes en dicha posesión *estén calificados o no*, lo que de nuevo nos remite al problema general ya comentado relativo a los bienes que pueden considerarse integrantes del patrimonio cultural sin una previa calificación formal. ¿Cuál es la justificación de esta Disposición Transitoria Quinta? Es probable que haya que encontrarla en el convencimiento de la necesidad de identificar los bienes culturales eclesiásticos que deben ser calificados y en la conveniencia de limitar las enajenaciones y cesiones en tanto en cuanto la operación no se haya ultimado. Esto es, las limitaciones a la transmisión de los bienes muebles en posesión de las instituciones eclesiásticas se extienden a todos ellos, calificados o no, durante un plazo de tiempo (diez años) porque se confía en que a lo largo de él habrá podido completarse el trámite de la identificación de los que deben ser inventariados o calificados de interés cultural; con ello se pretende evitar la dispersión de los bienes eclesiásticos muebles más relevantes, por lo que el mecanismo pierde justificación una vez que la determinación de los mismos ha llegado a término. Sin embargo, las pesquisas y actuaciones tendentes a ello deben ser muy complejas y dificultosas, pues la Disposición Transitoria Primera de la Ley 42/1994, de 30 de diciembre, prorroga por diez años el plazo establecido en la Disposición Transitoria Quinta LPHE, y la Disposición Adicional Segunda de la Ley 4/2004, de 29 de diciembre, hace lo propio por un período de siete años. A punto de vencer el plazo, el Real-Decreto Ley 20/2011, de 30 de diciembre, lo prorroga un año más (Disposición Transitoria Octava).

Señálese, por último, que el artículo 28.1 LPHE no indica que se refiere sólo a los bienes muebles de la Iglesia Católica. Por cierto que sea que piensa en ellos de forma principal, nada evita que lo que dispone se extienda a los bienes muebles de otras confesiones, jurídicamente comprometidas ya en la protección y difusión de su patrimonio cultural conforme a lo establecido en los Acuerdos de cooperación que el Estado español ha suscrito con la Federación de Comunidades Israelitas y la Comisión Islámica de España[30].

3. *Tráfico internacional de los bienes culturales muebles*

Con apoyatura en la competencia del Estado en materia de defensa del patrimonio cultural contra la exportación (artículo 149.1.28 de la Constitución), el artículo 5 LPHE impone que los propietarios o poseedores de bienes del patrimonio cultural con más de cien años de antigüedad y en todo caso de muebles inventariados precisan para su exportación autorización administrativa expresa y previa[31]. El sustantivo *exportación* debe entenderse acompañado del adjetivo *definitiva*; esto es, la operación a la que el precepto se refiere es una enajenación. Tal es así que la declaración de valor del bien que ha de acompañar a toda solicitud de exportación es considerada oferta de venta irrevocable en favor de la Administración (artículo 33 LPHE). Si la Administración no autoriza la exportación puede aceptar la oferta y adquirir el bien, pero la no autorización de exportación no lleva aparejada esa aceptación, que debe ser expresa, por lo que el particular no ha de esperarla como si fuera la consecuencia mecánica de la negativa a permitir la salida definitiva del bien del territorio nacional (en general, sobre estas cuestiones, véanse las SSTS de 18 de febrero de 1998, RJ 1601, y de 6 de mayo de 2003, RJ 6770).

Añádase que, como regla, está prohibida la exportación definitiva de los bienes declarados de interés cultural y la de aquellos que se declaren

---

[30] Véase los artículos 13 de las Leyes 25 y 26/1992, de 10 de noviembre. Ambos preceptos dicen lo mismo, excepción hecha, obviamente, de la referencia subjetiva; valga como muestra el artículo 13.1 de la Ley 26/1992, conforme al cual "el Estado y la 'Comisión Islámica de España' colaborarán en la conservación y fomento del patrimonio histórico, artístico y cultural islámico en España, que continuará al servicio de la sociedad para su contemplación y estudio".

[31] Esto es, la autorización no sólo se exige a propósito de los bienes muebles inventariados, sino también respecto de los que no lo están pero sean de una cierta antigüedad. La STS de 30 de enero de 2004 (RJ 1043) da por supuesto que han de poseer un *interés* (en el caso, artístico, pues se trataba de cuadros), lo que parece sugerir que el dato de la antigüedad no es por sí mismo suficiente para aplicar el régimen de la autorización administrativa previa a la exportación de los muebles no inventariados.

expresamente inexportables como medida cautelar hasta la incoación del expediente para incluirlos en alguna de las categorías de protección; respecto de unos y otros sólo se admiten salidas temporales autorizadas por la Administración o, si son de titularidad estatal, permutas con otros Estados (artículos 5.3, 31 y 34 LPHE). El régimen legal de esta autorización de exportación temporal (artículo 31) excluye la posible adquisición de los bienes prevista en el artículo 33 a propósito de la no autorización de las exportaciones definitivas y al que nos hemos referido hace un momento. El Reglamento, no obstante, la contempla a propósito de las solicitudes de autorización de salida temporal con posibilidad de venta en el extranjero (artículo 50). Por lo demás, y en todo caso, la consecuencia jurídica de una exportación ilegal es taxativa: "pertenecen al Estado los bienes muebles integrantes del Patrimonio Histórico Español que sean exportados sin la autorización requerida por el artículo 5. Dichos muebles son inalienables e imprescriptibles" (artículo 29.1 LPHE), sin perjuicio de que si los titulares de los bienes acreditan que los perdieron o les fueron sustraídos puedan solicitar su cesión del Estado[32].

En cuanto a la importación de bienes muebles, baste con señalar que el artículo 32 dispone que, salvo que el propietario solicite otra cosa y la Administración considere que el bien enriquece el patrimonio cultural, los importados quedan excluidos durante diez años de la posibilidad de ser declarados de interés cultural, plazo a lo largo del cual se pueden exportar previa licencia administrativa reglada en la que rige el silencio positivo y sin que la Administración pueda ejercitar respecto de ellos derecho de adquisición preferente alguno[33]. Transcurridos los diez años, los bienes quedan sometidos al régimen general de la Ley aunque sus poseedores pueden solicitar que la situación transitoria se prorrogue; también pueden pedir, antes del plazo de diez años, que aquellos sean declarados de interés cultural.

Es evidente que a la Ley le preocupa más la exportación que la importación. Y es comprensible que así sea. La importación de bienes culturales puede implicar enriquecimiento del patrimonio cultural si, llegado el caso, los importados pasan a engrosarlo, aunque ciertamente no se vislumbra fácilmente en que se beneficia el patrimonio cultural de los pueblos de

---

[32] Artículo 29.3 LPHE, que obliga a dichos titulares, en caso de cesión, a abonar el importe de los gastos derivados de la recuperación del bien y, en su caso, el reembolso del precio que hubiera satisfecho el Estado al adquirente de buena fe. Véase una aplicación de la norma en la STS de 30 de octubre de 2006 (RJ 6674).

[33] El silencio positivo en esta materia está señalado como tal en el Anexo I del Real Decreto-Ley 8/2011, de 1 de julio.

España con la inclusión en el mismo de bienes procedentes de otras latitudes salvo que existan conexiones claras con la cultura de dichos pueblos; la exportación, en cambio, implica empobrecimiento (siempre que sea definitiva). Esa perspectiva, y el régimen legal que genera, no son de ahora pues, con independencia de cuál haya podido ser su eficacia, hace tiempo que las normas someten a riguroso control la salida del territorio nacional de los bienes culturales.

No es por casualidad que haya sido a propósito de la exportación de bienes culturales que los órganos comunitarios han adoptado ciertas medidas, cuyo alcance e importancia contrastan con el escaso peso específico que entre los cometidos de la Unión Europea tiene la protección del patrimonio cultural[34]. Durante mucho tiempo, la salida de los bienes culturales del territorio de los Estados miembros ha girado en torno a la previsión en el Derecho originario de prohibiciones o restricciones a la importación, exportación y tránsito justificadas por, entre otras, razones "protección del patrimonio artístico, histórico o arqueológico nacional" (actualmente, artículo 36 del Tratado de Funcionamiento), lo que ha permitido que, sin infracción de las normas europeas, en los Estados miembros hayan existido legislaciones más o menos restrictivas sobre exportación de bienes culturales, que eran aplicadas en los controles aduaneros.

Sin embargo, la supresión de las fronteras interiores ha traído consigo la de aquellos controles y abierto la posibilidad de incumplir sin dificultad las normas proteccionistas y prohibitivas de los Estados miembros. Ello ha provocado la necesidad de establecer algunos criterios jurídicos a nivel comunitario que permitan la restitución de lo ilegalmente exportado de un país miembro a otro. Además, como la desaparición de las fronteras interiores ha dejado intactas las exteriores de la Comunidad, se ha considerado conveniente una normativa común sobre prohibiciones o limitaciones de exportación de bienes culturales extramuros del territorio comunitario. No sin dificultades, se aprobaron la *Directiva 93/7/CEE, del Consejo, de 15 de marzo de 1993*, relativa a la restitución de bienes que hayan salido de

---

[34]   Aunque es cierto que el artículo 167 del Tratado de Funcionamiento de la Unión Europea contiene ciertas disposiciones relativas a la cultura, la protección del patrimonio cultural no figura entre los cometidos de la Unión Europea ni tiene reflejo en los textos del Derecho originario. Es por eso que ha podido decir la Sentencia del Tribunal de Justicia de 18 de diciembre de 1997 (*Annibaldi*, asunto C-309/96) que una Ley italiana que crea un parque natural y arqueológico con el fin de proteger y de revalorizar el medio ambiente y los bienes culturales del territorio al que afecta no tiene por finalidad aplicar una disposición del Derecho comunitario.

forma ilegal del territorio de un Estado miembro (DOCE de 27 de marzo de 1993), el *Reglamento CEE 3911/92, del Consejo, de 9 de diciembre*, relativo a la exportación de bienes culturales (DOCE de 31 de diciembre de 1992), y el *Reglamento CEE 752/93, de la Comisión, de 30 de marzo de 1993*, que complementa al anterior (DOCE de 31 de marzo de 1993). La primera norma sigue en vigor, aunque ha sido modificada en 1997 y 2001, mientras que los dos reglamentos han sido sustituidos por otros. Así, rigen ahora el *Reglamento (CE) n° 116/2009 del Consejo de 18 de diciembre de 2008*, relativo a la exportación de bienes culturales (DOUE de 10 de febrero de 2009) y su complementario *Reglamento de ejecución (UE) n° 1081/2012 de la Comisión de 9 de noviembre de 2012* (DOUE de 22 de noviembre de 2012). Son normas que tratan de conciliar intereses contrapuestos y forjar un equilibrio entre posturas estatales divergentes sobre el alcance que debe tener la restitución de los bienes culturales, motivo por el cual quizá haya que verlas como las únicas que, al menos por ahora, son viables.

La clave de la Directiva, incorporada al Derecho interno por la Ley 36/1994, de 23 de diciembre, modificada por la 18/1998, de 15 de junio, estriba en primer lugar en el concepto de *bien cultural* a los efectos de su regulación. Tal no es todo bien clasificado internamente como "patrimonio artístico, histórico o arqueológico nacional", sino aquél que, *además*, pertenece a una de las categorías que figuran en el Anexo de la norma europea o que, aun no perteneciendo a ellas, forme parte de colecciones públicas o de los inventarios de instituciones eclesiásticas.

Por lo que hace al concepto de salida ilegal del territorio de un Estado miembro, la Directiva adopta una fórmula sencilla: salida con infracción de las legislaciones nacionales protectoras del patrimonio cultural o del Reglamento 3911/92 (hoy, del 116/2009), no devolución cuando ha transcurrido el plazo de una expedición temporal realizada legalmente o cualquier infracción de las condiciones de la misma. Verificada la concurrencia de alguno de dichos supuestos, el Estado de origen está legitimado para interponer una acción de restitución ante los tribunales competentes del Estado miembro en el que se encuentre el bien. La restitución será ordenada por dichos tribunales si así procede, debiendo pagar el Estado requirente una indemnización al poseedor del bien siempre que el tribunal ordenante tenga el convencimiento de que ha actuado con la diligencia debida en el momento de la adquisición; el mismo Estado debe correr también con todos los gastos que origine el procedimiento. Respecto de la propiedad del bien restituido, la Directiva remite la cuestión a la legislación interna de los Estados miembros. En España, el artículo 29 LPHE es claro al respecto: los bienes pertenecen al Estado salvo que el anterior titular acredite la pérdida o sustracción previa del bien ilegalmente exportado, caso en el que "podrá solicitar su cesión del Estado, obligándose a abonar el importe de los gastos de su recuperación y, en su caso, el reembolso del precio que hubiere satisfecho el Estado al adquirente de buena fe".

El artículo 7 de la Directiva establece plazos de prescripción de la acción de restitución que varían en función de ciertas circunstancias, "excepto en los Estados miembros donde la acción sea imprescriptible", previsión que puede tener importancia respecto del patrimonio arqueológico español dado que está integrado por bienes de dominio público, legalmente imprescriptibles[35].

El Reglamento 116/2009 atiende a la exportación de bienes culturales fuera de las fronteras aduaneras de la Comunidad, que se estima debe estar sometida a mecanismos de control uniforme puesto que, en otro caso, los controles aduaneros deberían tener en cuenta legislaciones diferentes en función del Estado de origen del bien cuya exportación se pretende. La norma descansa sobre la obligación de presentar una autorización de exportación expedida por Estado miembro en el que el bien se encuentre legal y definitivamente. El Reglamento contiene un Anexo de bienes cuya exportación debe ser autorizada, que si no idéntico es similar al de la Directiva 93/7, y establece unas reglas especiales que merece la pena señalar.

i) la autorización puede no exigirse respecto de los bienes arqueológicos de más de 100 años de antigüedad procedentes de excavaciones y descubrimientos terrestres y subacuáticos y de emplazamientos arqueológicos, "cuando su interés arqueológico o científico sea limitado y no sean producto directo de excavaciones, hallazgos y yacimientos arqueológicos en los Estados miembros, y su presencia en el mercado no infrinja la normativa aplicable";

ii) la autorización podrá denegarse, a los efectos del Reglamento, cuando los bienes culturales estén amparados por una legislación protectora del patrimonio nacional de valor artístico, histórico o arqueológico en el respectivo Estado miembro;

---

[35] En los demás supuestos, los plazos de prescripción son los siguientes. Un año a partir de que el Estado requirente haya tenido noticia del lugar en que se encuentra el bien y de la identidad de su tenedor, 30 años desde que el bien salió ilegalmente del territorio del Estado requirente y 75 años en ciertos casos especiales (bienes de colecciones públicas inventariados en museos, archivos y fondos bibliotecarios, bienes eclesiásticos si la legislación nacional los somete a un régimen particular) o incluso más en el marco de acuerdos bilaterales entre Estados miembros.

iii) la exportación de bienes que no constituyan bienes culturales en virtud del Reglamento, está sometida a la legislación nacional del Estado exportador.

Fuera del ámbito de la Unión Europea, la materia está regulada por el Convenio de UNIDROIT sobre bienes culturales robados o exportados ilegalmente, hecho en roma el 24 de junio de 1995 y ratificado por España en 2002. Baste aquí con su mera cita.

VIII. PATRIMONIOS ESPECIALES

Junto al régimen general cuyas líneas principales han quedado expuestas, las leyes prevén reglas particulares para ciertas categorías más o menos homogéneas de bienes que, por sus especificidades intrínsecas, requieren un tratamiento jurídico singularizado o especial. En la Ley del Estado tales son el patrimonio arqueológico, el etnográfico y el documental y bibliográfico. Forman lo que no ella pero sí algunas autonómicas llaman *patrimonios especiales*; a los citados hay que añadir el denominado *patrimonio industrial*, de contornos un poco difusos pero cuya irrupción en el panorama normativo parece irse afianzando. Veamos sucintamente cuáles son los rasgos más sobresalientes del régimen jurídico de los mismos, en el bien entendido de que la regulación general es aplicable en defecto de normativa específica.

1. *Patrimonio arqueológico terrestre y sumergido*

Como ya nos consta, ni el artículo 46 de la Constitución ni la LPHE prejuzgan la propiedad o titularidad de los bienes culturales, que pueden ser públicos o privados. De este sencillo esquema, la Ley del Estado deja fuera a los bienes integrantes del patrimonio arqueológico. No sólo son públicos todos los descubiertos con posterioridad a su entrada en vigor, sino que, más precisamente, son de dominio público (artículo 44.1). Esta es una de las novedades más importantes de la norma, que las autonómicas respetan con escrúpulo con excepción de la del País Vasco que extiende el manto de la demanialidad a todos los bienes públicos culturalmente relevantes, arqueológicos o no (artículo 27).

La creación del dominio público arqueológico es un hito señero en la evolución de nuestra normativa de patrimonio cultural. Es cierto que antes de la LPHE existían bienes arqueológicos demaniales, pero tal condición dependía de factores concretos (por ejemplo, formar parte de la colección de un museo público) y no obedecía, como ahora, a una decisión legislativa de alcance general. Novedad tan importante sugiere ciertas consideraciones, que se exponen a continuación seguidas de algunas alusiones al régimen jurídico particular de este patrimonio.

A) ¿Qué bienes forman parte del dominio público arqueológico? Según el artículo 44.1 LPHE, "todos los objetos y restos materiales que posean los valores que son propios del Patrimonio Histórico Español y sean descubiertos como consecuencia de excavaciones, remociones de tierra u obras de cualquier índole o por azar". En apariencia, el precepto da a entender que el dominio público se predica de cualquier bien que posea los valores que menciona, a condición de que se den las condiciones previstas en orden a su descubrimiento. Sin embargo, no es así. El artículo el 44.1 forma parte del Título dedicado al patrimonio arqueológico, por lo que no es posible disociar la declaración de demanialidad de la determinación de los bienes que, según la Ley, integran dicho patrimonio. Determinación que hace el artículo 40, que se refiere a "los bienes muebles o inmuebles de carácter histórico susceptibles de ser estudiados con metodología arqueológica". En consecuencia, el dominio público se proclama con carácter general de todos los bienes que sean susceptibles de estudio con dicha metodología y sólo de ellos. Clarificar en qué consiste la metodología arqueológica no es tarea de la que los juristas deban ocuparse, que habrán de aceptar las conclusiones de los expertos en la materia.

Debe precisarse que la condición demanial no se predica sólo de los bienes y restos extraídos. La extracción puede ser fortuita (debida por ejemplo a la ejecución de obras públicas o privadas o a remociones naturales del terreno) o fruto de la práctica de intervenciones arqueológicas destructivas (excavaciones), pero para tener conocimiento de la existencia de restos arqueológicos no es necesario extraerlos. Hay actuaciones arqueológicas no destructivas (sondeos, prospecciones, fotografía aérea) que ocupan buena parte del trabajo de los arqueólogos, cuyo rango científico es el mismo que el de las excavaciones y que las modernas orientaciones en Arqueología alzapriman incluso sobre éstas; cuando a través de ellas se tiene constancia de que hay vestigios o restos susceptibles de estudio con metodología arqueológica, éstos pertenecen al dominio público por ministerio legal y con independencia de que luego sean extraídos o no.

La demanialización que hace la LPHE sólo afecta a los objetos localizados a partir de su entrada en vigor; los demás serán públicos o privados en función de lo que dispusieran las normas aplicables en el momento del hallazgo o de los avatares jurídicos que hayan vivido. Es decir, la declaración de demanialidad no tiene efectos retroactivos. Ahora bien, ¿puede alguien reclamar derechos de propiedad sobre restos u objetos hallados después del alumbramiento legal del dominio público arqueológico? Este es un tema importante, que merece una atención que aquí no se le puede dispensar. Como principio, cabe afirmar que si se prueba el derecho privado sobre los bienes descubiertos, la declaración de demanialidad no es operativa pues la propiedad no cede por las buenas ante el dominio público, salvo que se expropie. Existe una presunción legal de pertenencia de los bienes hallados al dominio público, pero se puede destruir. Cuestión diferente es que esa destrucción resulte sencilla.

B) La STC 149/1991, de 4 de julio, ha dicho que la facultad de declarar bienes de dominio público "no puede ser utilizada para situar fuera del comercio cualquier bien o género de bienes *si no es para servir de este modo a finalidades lícitas que no podrían ser atendidas eficazmente con otras medidas*". En consecuencia, las demanializaciones deben apoyarse en razones objetivas de cierto peso, en puntales materiales que soporten la decisión legal. Como no hay motivo alguno para excluir el caso que nos ocupa del criterio indicado, conviene preguntarse por las razones que justifican el alumbramiento del dominio público arqueológico, toda vez que el legislador ha guardado silencio sobre el particular: crea este conjunto demanial, pero oculta sus razones, que en vano se buscarán en los debates parlamentarios de la LPHE. Lo más probable es que haya pretendido aplicar a estos bienes un régimen jurídico de protección elevada, que en eso consiste el del dominio público al fin y al cabo. Si los bienes arqueológicos son demaniales, no sólo están fuera del comercio sino que la Administración dispone de facultades y prerrogativas de Derecho público útiles para garantizar esa situación y la indemnidad de los bienes. Dominio público, pues, como sinónimo de protección jurídica acusada, intensa, exorbitante.

Pero, ¿por qué el legislador ha considerado oportuno otorgar tal protección jurídica sólo a los bienes arqueológicos y no a todos los de carácter cultural? Porque el arqueológico es un patrimonio en extremo vulnerable[36]. Desde luego, cualquier bien cultural está expuesto a la expoliación, destrucción o deterioro, pero es relativamente sencillo apropiarse de unos

---

[36] La convicción al respecto está generalizada y de la misma participan importantes textos internacionales. Así, por ejemplo, la revisión de la Convención Europea para la Protección del Patrimonio Arqueológico de 1969, hecha en La Valeta en 1992, arranca justamente de que este conjunto patrimonial está gravemente amenazado por la degradación a causa de la multiplicación de grandes obras, los riesgos naturales, las excavaciones clandestinas, las realizadas sin finalidades científicas e incluso por una deficiente información al público.

vestigios arqueológicos que se encuentran por ahí o en lugares donde se llevan a cabo excavaciones, o enterrarlos como si no hubieran aparecido el curso de la obra que se está ejecutando. Hay expertos depredadores de bienes culturales que, de cuando en cuando, asombran por su audacia y habilidad, pero para dañar al patrimonio arqueológico, sea físicamente, sea ocultándolo, sea apropiándose de él, no hacen falta capacidades extraordinarias. Es por este motivo que el legislador ha querido protegerlo especialmente aplicándole el concepto y el régimen jurídico del dominio público. Deseo ciertamente benemérito, pero que puede no pasar de ahí si la Administración competente carece de los elementos personales y materiales necesarios para llevarlo a la práctica. Hay que ser consciente de que la creación del dominio público arqueológico compromete seriamente a los poderes públicos y les exige la adopción de medidas concretas que requieren medios muy nutridos. Es lícito preguntarse por si todas las comunidades autónomas disponen de ellos.

De todas formas, no todo debe hacerse recaer sobre las espaldas de las Administraciones públicas: dueños de obra, halladores casuales, aficionados al empleo de aparatos de detección[37], investigadores y estudiosos, marchantes[38], etc., tienen también que prestar su apoyo a la empresa que la

---

[37] Este es un tema cuyo interés jurídico está en relación inversamente proporcional a la posibilidad de tratarlo aquí con un mínimo detenimiento. Pocas de nuestras leyes se refieren a él, a pesar de que hace años que la Asamblea Parlamentaria del Consejo de Europa se ha pronunciado sobre el particular [Resolución 921 (1981), relativa a detectores de metales y arqueología, de 3 de julio de 1981]. Más tarde, en la revisión del Convenio Europeo para la Protección del Patrimonio Arqueológico (La Valeta, 1992), el Consejo de Europa ha instado a los Estados firmantes, artículo 3.3, a "someter a autorización específica, en los casos previstos en la legislación propia del Estado, el empleo de detectores de metales y de cualquier otro equipo o procedimiento de detección para la investigación arqueológica". Aunque el Consejo pone la pelota en el tejado de los ordenamientos nacionales, es claro que prefiere que la utilización de estos aparatos esté controlada. Entre las normas internas que aluden a la cuestión, véanse los artículos 78.2 de la Ley de Cantabria, 56 de la de Extremadura y 60.2 de la de La Rioja, los tres en el mismo sentido: el empleo de detectores de metales o aparatos de tecnología similar requiere autorización administrativa (bien *ad hoc*, bien la que permite la ejecución de intervenciones arqueológicas).

[38] Hay un *Código Internacional de Ética para marchantes de bienes culturales* aprobado por la UNESCO en su 30ª Conferencia General (1999), cuyo artículo 3 se refiere precisamente a los bienes arqueológicos: "el negociante que tenga motivos razonables para pensar que un objeto procede de excavaciones clandestinas o que ha sido adquirido de manera ilegal o deshonesta de un lugar de excavaciones autorizadas o de un monumento, se abstendrá de participar en cualquier nueva transacción referente a ese objeto, salvo acuerdo del país donde se encuentre el sitio o el monumento. El negociante que esté en posesión del objeto, cuando ese país intente conseguir su restitución en un plazo

LPHE ha puesto en marcha. Desde este punto de vista, la educación *en y para la cultura y el patrimonio cultural* puede contribuir a formar generaciones de ciudadanos conscientes de la dimensión social de estos bienes y de las responsabilidades que todos tenemos en relación con ellos.

C) ¿Quién es el titular de los bienes arqueológicos de dominio público? Sobre este punto, la LPHE guarda silencio, probablemente de forma consciente. Las leyes de las comunidades autónomas han resuelto la incógnita de la manera que cabía esperar: afirmando con más o menos solemnidad que el dominio público arqueológico es autonómico[39]. Esta solución suscita algún interrogante a propósito de bienes arqueológicos sumergidos en las aguas del mar territorial, ¿alcanza a ellos la titularidad autonómica? Con independencia de las indicaciones que posteriormente se harán acerca de la arqueología submarina, la respuesta a dicha pregunta depende que se considere o no que el mar territorial es también territorio de las comunidades autónomas pues, como se recordará, el patrimonio cultural autonómico se nutre de bienes ubicados físicamente en el territorio de la respectiva Comunidad Autónoma. Por ahora, los datos jurídicos sugieren que no, que el mar territorial no es territorio autonómico, siquiera la cuestión sea doctrinalmente discutida; en cualquier caso, el debate no interfiere sobre la competencia autonómica para autorizar las intervenciones arqueológicas submarinas en el mar territorial.

D) La función social del patrimonio arqueológico es clara: si una vez analizado y catalogado debe ser puesto al disfrute del público, antes sirve al incremento del conocimiento sobre las formas de vida y hábitos de nuestros antepasados, servicio que sólo cumple si es tratado y estudiado por expertos, que son quienes están en condiciones de *interrogar* a los restos y vestigios y extraer de ellos la información necesaria, actividad que conecta con el derecho a la investigación científica deducible del artículo 20.1, b) de la Constitución. Por tal motivo, las intervenciones arqueológicas (todas

---

razonable, tomará todas las medidas permitidas por la ley para colaborar en la restitución de ese objeto al país de origen".

[39]   Hay alguna excepción, derivada de la propia organización institucional de la Comunidad Autónoma concernida. La Ley de Baleares atribuye el dominio público arqueológico a los Cabildos Insulares. Desde el punto de vista subjetivo, la solución es singular, pero coherente con las importantes atribuciones que los Consejos tienen encomendadas en materia de patrimonio cultural. Distinto es el caso del artículo 51.4 de la Ley de Cataluña que, al prever que una Administración Pública distinta de la autonómica pueda abonar los derechos de carácter económico que corresponden al descubridor casual de restos arqueológicos, acepta que éstos ingresen en el dominio público de la pagadora, cuya identidad no prejuzga.

ellas, destructivas o no: excavaciones, prospecciones, etc.) están reservadas a quienes cuenten con la solvencia científica suficiente para asegurar que dicha finalidad se cumple. La función social del patrimonio arqueológico repudia que las actividades arqueológicas estén en manos de aficionados, cualquiera que sea su intención, o de personas no acreditadas científicamente. Por ello, el artículo 42 LPHE somete las intervenciones arqueológicas a un régimen de autorización expresa y previa cuyo otorgamiento presupone "que los trabajos estén planteados y desarrollados conforme a un programa detallado y coherente que contenga los requisitos concernientes a la conveniencia, profesionalidad e interés científico"; autorización que no agota su virtualidad jurídica permitiendo realizar la actividad, sino que sujeta al interesado a un control administrativo ulterior, ciertamente intenso. Las leyes autonómicas van en la misma línea, que es también la de los textos internacionales y la de numerosísimos ordenamientos de los cinco continentes.

Es verdad que la habilitación científica no excluye los comportamientos antisociales, pero el único modo de conjurar en la medida de lo posible el riesgo de producción de los mismos es controlando rigurosamente quién puede ejecutar válidamente las intervenciones arqueológicas. Intervenciones que, se insiste, no sólo consisten en excavaciones. La Arqueología no es un pasatiempo, sino una actividad genuinamente científica cuyo ejercicio debe estar sólo al alcance de personas cuya formación les permite situarse a la altura de tal circunstancia.

E) Como el descubrimiento de bienes arqueológicos puede ser fruto de la casualidad o del azar, la legislación contempla tal posibilidad (artículo 41.3 LPHE: concepto legal de *hallazgo casual*), con el importante añadido de excluir la aplicación de lo dispuesto en el artículo 351 del Código Civil (artículo 44.1). El artículo 351 del Código Civil atribuye la propiedad del tesoro oculto al dueño del terreno en que se hallare, confiere a quien lo ha descubierto la mitad de su valor si lo encuentra casualmente en propiedad ajena o del Estado (casos en los que la propiedad del tesoro corresponde al titular del predio) y admite que el Estado lo adquiera por su justo precio si fuera interesante para las ciencias o las artes cuando ha sido hallado en un terreno que no le pertenece. Como hoy los bienes arqueológicos son demaniales, es lógico que esa disposición civil no se aplique, pues tiene una base teórica completamente distinta a la de la legislación vigente[40].

---

[40]   Naturalmente, todo ello vale para los bienes para los bienes localizados merced a la ejecución de intervenciones arqueológicas, aunque en relación con éstos se excluye el

Sin embargo, la Ley reconoce al descubridor casual el derecho a percibir la mitad del valor del bien, fijado en tasación legal, si comunica el hallazgo a la Administración de forma inmediata; si no ha hallado el bien en finca propia, ha de compartir la cantidad a partes iguales con el propietario del lugar (artículo 44 LPHE)[41].

¿Qué razón de ser tiene este *premio*, que la Ley llama precisamente así? El hallazgo casual puede deberse a varias razones, pero están todas cortadas por el mismo patrón: la actividad que lo provoca no estaba preordenada a él; es fruto puro y simple del azar. Por eso es conveniente excluir del concepto jurídico de *hallazgos causales* los que tienen lugar en zonas en las que se sabe o sospecha que hay restos arqueológicos (aunque aún no hayan sido exhumados o localizados concretamente) y, con alta probabilidad, los que se deben al empleo de detectores de metales pues la utilización de tales artefactos expresa la voluntad de buscar y el subsiguiente deseo de encontrar (nadie camina por el monte con un detector de metales si no es con la esperanza de dar con algo). Pero, supuesto que el hallazgo es meramente fortuito, ¿por qué premiar a quien lo protagoniza? Seguramente se trata de una medida de fomento, de un incentivo para que el descubridor casual declare de inmediato que ha encontrado un bien arqueológico y no lo detente (porque sería eso, un detentador, un poseedor ilegal de un bien de dominio público). Pero este postulado, que cuenta con el apoyo de alguna decisión judicial (STS de 24 de julio de 2001, RJ 6928), no es aplicable al dueño del predio en el que un tercero encuentra el bien sin su participación. ¿Por qué tiene derecho a percibir la mitad de lo que corresponde al hallador casual? Que la Ley se lo reconozca es quizá consecuencia de que sigue pese a todo aferrada a la vieja idea de que de la circunstancia de estar el bien en un predio de propiedad privada deben seguirse beneficios para el propietario sólo porque lo es y aunque no haya hecho nada para contribuir al incremento del patrimonio

---

derecho a percibir el *premio* al que seguidamente se alude en el texto.

[41] A veces, las tasaciones administrativas generan litigios que deben resolver los tribunales de justicia. El caso más famoso, y espectacular, es el de la Dama de Baza, sobre el que se pronuncia la STS de 10 de febrero de 1987 (RJ 584). Es llamativo que, en ocasiones, los órganos de la jurisdicción contenciosa, que obviamente tienen muy en cuenta los informes periciales, fijen cantidades que sorprenden al profano por su precisión. Así, los mosaicos que sirven de pavimento a una villa romana del siglo IV se tasan en 6.940.250 pesetas (STS de 17 de enero de 1992, RJ 560) y los restos encontrados en dos cuevas en 1.013.705 y 130.000 pesetas (STSJ de Cantabria de 5 de octubre de 1999, RJ 3245).

arqueológico. Cabe pensar que, si es así, el criterio legal que se comenta debiera ser revisado[42].

F) Concluyamos este apartado con una alusión a la arqueología submarina[43], de la que se afirma hoy que necesita una ordenación jurídica que la aparte del principio de libertad de los mares y la sujete a reglas determinadas. Ello no debe causar extrañeza. Una vez que se generaliza la idea de que los bienes culturalmente relevantes deben estar al servicio de la cultura, de la colectividad titular del derecho a la misma y de que es necesario que expertos e investigadores cualificados extraigan de ellos la máxima información posible, no hay razón para que los bienes sumergidos queden al margen de estos planteamientos. Son bienes singulares porque están donde están; pero, desde el punto de vista de su función e interés culturales, nada les diferencia de los ubicados en tierra firme[44].

Algunos países se han dotado de un dispositivo legal en la materia, pero son muchos más los que no lo han hecho. Entre ellos España, cuya normativa sobre el particular no supera la dimensión de lo simbólico a pesar de que cuenta con más de 8.000 kilómetros de costa y es bien sabido que al menos en algunas zonas la existencia de restos sumergidos no admite dis-

---

[42] La STS de 28 de junio de 2004 (RJ 5217) deja claro que los dueños del terreno no tienen derecho *a premio* si el hallazgo es consecuencia de una intervención arqueológica y ello aun cuando no hubieran autorizado la ejecución de la misma en su propiedad, pues este extremo no repercute en el régimen de aquel. Ha de mencionarse que diversas leyes autonómicas señalan que debe recabarse el permiso del propietario de los terrenos, tarea que corresponde al responsable de la intervención. No obstante, la Administración dispone siempre de la posibilidad de acordar una ocupación temporal, aunque no está habilitada, dice la STS de 7 de febrero de 2005 (RJ 1755), para expropiar los terrenos pues el artículo 37.3 LPHE no enumera la ejecución de intervenciones arqueológicas entre las causas justificativas de la expropiación forzosa. El criterio de la Sentencia es muy discutible jurídicamente, siquiera no sea momento éste de detenernos sobre el particular.

[43] Los arqueólogos prefieren hablar de *arqueología subacuática*, concepto no circunscrito a la búsqueda y eventual extracción de vestigios submarinos. Pero son éstos los que presentan una problemática jurídica más jugosa, pues la búsqueda, extracción y estudio de los yacimientos y restos sitos bajo las aguas continentales obedece a las normas aplicables a los existentes en territorio emergido.

[44] En el foro internacional está aceptado que la arqueología submarina es una actividad que debe obedecer a finalidades científicas, de investigación y de protección, que sólo pueden realizarla personas debidamente cualificadas y que nada tiene que ver con la *búsqueda de tesoros* al servicio del lucro personal de quienes la protagonizan. Véase la importante *Carta Internacional para la protección y gestión del patrimonio cultural subacuático*, adoptada por el ICOMOS en su 11ª Asamblea General (Sofía, 5 a 9 de octubre de 1996).

cusiones. La LPHE establece que forman parte del patrimonio arqueológico los bienes susceptibles de ser estudiados con metodología arqueológica que se encuentren en el mar territorial o en la plataforma continental y se localizan referencias aisladas en algunas leyes autonómicas; pero nada más. Ello revela que a las intervenciones arqueológicas submarinas se aplican las normas generales y que el destino de los restos localizados es engrosar el dominio público arqueológico. Sin embargo, la perspectiva nacional es insuficiente desde el momento en que hablamos de actividades que se realizan en espacios marinos cuyo régimen jurídico viene establecido en normas de Derecho internacional. Es preciso, por lo tanto, volver la vista hacia ellas.

Durante bastante tiempo, las únicas referencias a la cuestión se han encontrado en la Convención de Naciones Unidas sobre el Derecho del Mar de 1982, que España ha ratificado en 1997. En síntesis, del texto se infiere que

a) los Estados ribereños disponen en el mar territorial de las mismas potestades de ordenación y control que en tierra emergida;

b) en las doce primeras millas náuticas de la plataforma continental, los Estados pueden presumir que la remoción de objetos de carácter arqueológico hecha allí sin su autorización constituye una infracción de sus normas aduaneras y fiscales[45];

c) más allá, campa el principio de libertad de las intervenciones submarinas y no hay disposiciones que habiliten poderes estatales de control[46].

---

[45] Artículo 303.2 de la Convención. El alcance real del precepto es discutido doctrinalmente, pero parece que puede sostenerse que habilita el control estatal sobre las *remociones* (no sobre otras intervenciones como, por ejemplo, las prospecciones). Igualmente, cabe afirmar que las autorizaciones de remoción son arqueológicas en sentido propio, lo que implica que están sometidas a los mismos requisitos que las demás autorizaciones arqueológicas en punto a conveniencia e interés científico, profesionalidad de los responsables, suficiencia de medios, etc.

[46] Existe, sí, un deber genérico de proteger el patrimonio arqueológico (artículo 303.1), pero no se plasma en regulaciones precisas. En relación con los objetos hallados en los fondos marinos y oceánicos fuera de la jurisdicción nacional (la llamada *Zona*), el artículo 149 dice que "serán conservados o se dispondrá de ellos en beneficio de toda la humanidad, teniendo particularmente en cuenta los derechos preferentes del Estado o país de origen, del Estado de origen cultural o del Estado de origen histórico o arqueológico", pero falta un dispositivo jurídico que traduzca tales principios en regulaciones concretas".

A decir verdad, la Convención de 1982 tiene un alcance regulador bastante limitado a nuestros efectos, lo que no es de extrañar pues sus preocupaciones fundamentales son otras (los recursos pesqueros y energéticos, fundamentalmente). Bien distinto es el caso de la Convención de la UNESCO sobre la Protección del Patrimonio Cultural Subacuático de 2 de noviembre de 2001, que ha entrado en vigor en 2009. Lógicamente, su eficacia jurídica está directamente relacionada con el número de Estados que la ratifiquen (41 en diciembre de 2012, entre ellos España) y, por qué no decirlo abiertamente, es francamente más interesante que lo hagan ciertos Estados (los Unidos de América del Norte, por ejemplo) que otros. Mientras las potencias que destacan en la *búsqueda de tesoros* no se adhieran al texto, su efectividad puede verse un tanto mermada. Sea como fuere, tracemos las líneas maestras de la Convención ya que es derecho vigente.

Su regulación es obviamente mucho más detallada que la de la Convención de 1982. Da el importante paso de prohibir expresamente la explotación comercial del patrimonio cultural subacuático[47], al que define del modo siguiente: "todos los rastros de existencia humana que tengan un carácter cultural, histórico o arqueológico, que hayan estado bajo el agua, parcial o totalmente, de forma periódica o continua, por lo menos durante 100 años"[48], y organiza un complejo sistema de colaboración entre los Estados en orden a la protección de aquel en el que adquiere gran protagonismo el llamado *Estado coordinador*. Éste es, valga la redundancia, quien coordina las actividades de los diferentes Estados interesados en la protección de los bienes sumergidos[49], autoriza las intervenciones y adopta

---

[47] Según el artículo 2.7, "[e]*l patrimonio cultural subacuático no será objeto de explotación comercial*". La segunda de las *Normas relativas a las actividades dirigidas al patrimonio cultural subacuático*, que figuran como Anexo a la Convención y son parte de la misma, dice que "[l] *a explotación comercial del patrimonio cultural subacuático que tenga por fin la realización de transacciones, la especulación o su dispersión irremediable es absolutamente incompatible con una protección y gestión correctas de ese patrimonio. El patrimonio cultural subacuático no deberá ser objeto de transacciones ni de operaciones de venta, compra o trueque como bien comercial*".

[48] El señalamiento de dicho plazo ha determinado que desde el 15 de abril de 2012 los restos del *Titanic* sean patrimonio cultural subacuático a los efectos de la Convención.

[49] Se piensa, obviamente, en bienes identificados, no en el patrimonio cultural submarino en abstracto. A los efectos de la determinación de cuáles son tales Estados, todos los que son parte de la Convención pueden declarar al Estado parte en cuya zona económica exclusiva o plataforma continental está situado el patrimonio sumergido su interés en ser consultados acerca de cómo asegurar su protección efectiva; tal declaración deberá fundarse en un vínculo verificable, en especial de índole cultural, histórica o arqueológica con el patrimonio de que se trate.

todas las medidas necesarias para garantizar la indemnidad de los vestigios. En principio, el Estado coordinador es el Estado parte en cuya zona económica exclusiva o plataforma continental se hallan situados aquellos, pero puede renunciar a serlo, caso en el que los demás Estados interesados designarán a otro. Y, lo que es más importante, actúa en nombre de los Estados parte en su conjunto y no en su interés propio, no pudiendo invocar su condición de coordinador *"para reivindicar derecho preferente o jurisdiccional alguno que no esté reconocido por el derecho internacional, incluida la Convención de las Naciones Unidas sobre el Derecho del Mar"* (artículo 10.6). En la *Zona*, el régimen es similar, con la salvedad de que el Estado coordinador actúa en beneficio de toda la humanidad y en nombre de los Estados parte, aunque con especial atención a los derechos preferentes de los Estados de origen cultural, histórico o arqueológico (artículo 10.6).

A ello debemos añadir que la Convención apuesta decididamente por las intervenciones no extractivas. Dice la primera de las normas relativas a las actividades dirigidas a la protección del patrimonio cultural subacuático:

> *"La conservación in situ será considerada la opción prioritaria para proteger el patrimonio cultural subacuático. En consecuencia, las actividades dirigidas al patrimonio cultural subacuático se autorizarán únicamente si se realizan de una manera compatible con su protección y, a reserva de esa condición, podrán autorizarse cuando constituyan una contribución significativa a la protección, el conocimiento o el realce de ese patrimonio".*

Y según la norma cuarta,

> *"Las actividades dirigidas al patrimonio cultural subacuático deberán servirse de técnicas y métodos de exploración no destructivos, que deberán preferirse a la recuperación de objetos. Si para llevar a cabo estudios científicos o proteger de modo definitivo el patrimonio cultural subacuático fuese necesario realizar operaciones de extracción o recuperación, las técnicas y los métodos empleados deberán ser lo menos dañinos posible y contribuir a la preservación de los vestigios".*

Conviene anotar que la orientación de la Convención de la UNESCO difiere de la de la legislación española. A mi juicio, ésta enfoca el tema del patrimonio submarino desde una perspectiva, la dominical, que no es la que se abre paso en el Derecho internacional, más preocupado por la conservación y preservación *in situ* de los restos que por otra cosa. Ello debiera quizá conducirnos a revisar la solemne afirmación del dominio público de los restos hallados en la plataforma continental o, por lo menos, a interpretarla en sentido funcional. Esto es, en cuanto sinónima de poderes de ordenación y protección en el marco de las normas internacionales con las que España se ha comprometido.

Por último, hagamos una referencia a un problema específico, que interesa particularmente a España.

De conformidad con una lectura combinada de los artículos 40.1 y 44.1 LPHE forman parte del dominio público arqueológico los bienes susceptibles de ser estudiados con metodología arqueológica que se encuentren en el mar territorial y en la plataforma continental. Sin embargo, es dudoso que determinados restos sumergidos queden cubiertos por lo dispuesto en tales preceptos. Se trata de las naves de Estado, esto es, de los buques de guerra y otros buques de Estado destinados a fines no comerciales, hundidos en las aguas jurisdiccionales españolas.

Conforme al Derecho Internacional, las naves de Estado gozan de inmunidad, tanto de jurisdicción como de ejecución. Así está previsto en el artículo 32 de la Convención de Naciones Unidas sobre el Derecho del Mar y en el artículo 16 la Convención de Naciones Unidas sobre las inmunidades jurisdiccionales de los Estados y sus bienes de 2004. A ello podemos añadir que el artículo 13 de la Convención de la UNESCO sobre la protección del Patrimonio Cultural Subacuático indica que los buques de guerra y los que no realicen actividades comerciales, siempre que no participen en actividades dirigidas al patrimonio cultural subacuático, no están obligados a comunicar los descubrimientos (casuales), sin perjuicio de que deban tratar de comportarse de manera compatible con la Convención. Pero, ¿también gozan de una cualificada protección jurídica los buques de Estado hundidos hace decenas o centenares de años? El régimen de las naves (y aeronaves) de Estado está organizado sobre la idea de soberanía; ¿puede extenderse ésta a los barcos que yacen en el lecho marino desde hace largo tiempo y son susceptibles de estudio con metodología arqueológica?; más precisamente, ¿puede el Estado del pabellón reclamar válidamente su propiedad sobre los buques hundidos tiempo ha en aguas jurisdiccionales de un tercer Estado aun cuando la legislación de éste afirme que los vestigios arqueológicos existentes en su mar territorial o incluso más allá pertenecen a su dominio público?

La Convención de la UNESCO sobre la protección del Patrimonio Cultural Subacuático, que en principio parece que podría clarificar el tema, no suministra indicaciones precisas. De ella deducimos únicamente que las naves de Estado pueden encajar en la definición de patrimonio cultural subacuático, antes evocada, y que ninguna de sus disposiciones podrá interpretarse "*en el sentido de modificar las normas de derecho internacional y la práctica de los Estados relativas a las inmunidades soberanas o cualesquiera de los derechos de un Estado respecto de sus buques y aeronaves de Estado*" (artículo 2.8).

¿Qué significa eso desde el punto de vista que nos interesa en este momento? En realidad, poco que pueda considerarse definitivo, pues salvo error u omisión no hay normas de Derecho internacional que afronten directamente la cuestión planteada. Con todo, la doctrina sostiene que cabe hablar de una cierta práctica internacional proclive a exigir que, para entender perdida la propiedad de los buques de Estado hundidos, el Estado del pabellón ha de haber realizado un acto expreso de abandono (salvo captura o rendición conforme a las leyes de la guerra naval); y lo que es más importante, debemos mencionar que, en un caso particularmente destacado, nuestro país se ha beneficiado del criterio de fondo que anima dicha práctica. Es verdad que la tesis del Reino de España contó con el importante apoyo de los Estados Unidos de América del Norte, en cuyas aguas habían sido localizados los restos de dos fragatas, *Juno* y *La Galga*, hundidas por naufragio en 1750 y 1802 cerca de la costa del actual Estado de Virginia; pero, con independencia de ello, que nuestro país haya defendido oficialmente su propiedad sobre dos buques de Estado hundidos en aguas jurisdiccionales extranjeras es un elemento que debe sopesarse antes de afirmar sin matices la pertenencia al patrimonio y dominio público arqueológicos de los pecios que descansan en nuestras aguas territoriales.

En el asunto, resuelto en el año 2000 (*U.S. 4th Circuit Court of Appeals, 21 de julio de 2000*), tuvo relevancia lo dispuesto en el Tratado de Amistad y Relaciones Generales entre EEUU y España de 1902, cuyo artículo X indicaba que "*en los casos de naufragio, averías en el mar o arribada forzosa, cada Parte deberá conceder a los buques de la otra, ya pertenezcan al Estado o a particulares, la misma asistencia y protección e iguales inmunidades que las concedidas a sus propios buques en casos análogos*". Puesto que la normativa estadounidense exigía un abandono expreso de los buques de Estado, el tribunal aplicó el mismo criterio las fragatas *La Galga* y *Juno* entendiendo que dicho acto explícito no se había producido. Poco después, una Declaración del Presidente William Clinton de 19 de enero de 2001 clarificó oficialmente la postura de Estados Unidos, de la que se había beneficiado España, afirmando que aquellos reconocen los derechos del país de pabellón sobre las naves de Estado hundidas salvo acto expreso de abandono conforme con el ordenamiento de aquel, derechos que no se extinguen por el trascurso del tiempo.

A la vista del episodio, y en ausencia de normas internacionales precisas, que nuestro país haya defendido oficialmente su propiedad sobre dos buques de Estado españoles hundidos en aguas jurisdiccionales extranjeras es un elemento de importancia que debe sopesarse bien antes de afirmar sin matices el dominio público (español) de los pecios hundidos en nuestras aguas. Sería difícilmente comprensible que el Reino de España defendiera una tesis a la hora de reclamar la propiedad de los buques de Estado hundidos en aguas extranjeras y la contraria a propósito de los hundidos en aguas bajo su jurisdicción o competencia, amparándose en el segundo caso en que la legislación nacional afirma el dominio público de los restos arqueológicos localizados en el mar territorial y en la plataforma continental. Por ello, la postura española en el caso de las fragatas *Juno* y *La Galga* debería marcar la pauta a seguir ante las reivindicaciones de propiedad provenientes de otros países respecto de buques de Estado localizados en los espacios marinos a los que se refiere el artículo 40.1 LPHE.

2. *patrimonio etnográfico. referencia al patrimonio inmaterial*

Los bienes de interés etnográfico forman parte del patrimonio cultural en razón de lo dispuesto en el artículo 1 LPHE (que cita el interés etnográfico como uno más de los que determinan la pertenencia de los bienes al Patrimonio Histórico Español) y son, según el artículo 46, "los muebles e inmuebles y los conocimientos y actividades que son o han sido expresión relevante de la cultura material del pueblo español en sus aspectos materiales, sociales o espirituales". Aunque esas normas, como les sucede a casi todas, tienen algunos precedentes más o menos claros, en su haber está la formalización solemne de una nueva categoría de bienes culturales a cuya disciplina la Ley estatal dedica el artículo 47, que no es necesario reproducir aquí. Baste con señalar que sus apartados 1 y 2 remiten el régimen jurídico de los bienes etnográficos muebles e inmuebles al común de unos y otros. El mismo criterio asumen las leyes de las comunidades autónomas que si, al igual que la del Estado, consideran que el valor etnográfico merece una referencia entre los diversos que justifican la pertenencia de un bien al patrimonio cultural, no extraen de ahí consecuencias significativas de régimen jurídico aplicables a los bienes muebles e inmuebles que lo poseen.

Pero, ¿qué sucede si, como no es infrecuente, son considerados de valor etnográfico hechos, actividades, costumbres o hábitos que no cristalizan en una *cosa* en el sentido jurídico de la palabra? Son bienes inmateriales cuya inclusión en el patrimonio cultural legalmente protegido propicia la LPHE al enumerar los elementos del patrimonio etnográfico (artículo 46) y disponer que "gozarán de protección administrativa aquellos conocimientos o actividades que procedan de modelos o técnicas tradicionales utilizados por una determinada comunidad" (artículo 47.3). Las leyes de las comunidades autónomas no se han quedado atrás[50].

Aunque es forzoso reconocer que la pretensión de proteger esta clase de bienes sobrepasa las fronteras nacionales[51], centrémonos en nuestro Derecho e indiquemos que si algunas leyes descienden al detalle de citar expresiones culturales que, inequívocamente, deben integrarse en el patrimonio cultural inmaterial (por ejemplo, artículo 73.2 de la Ley de Canarias), es más común el empleo de fórmulas genéricas[52] o la enumeración de categorías de hechos y actividades[53]. En el primer caso, es necesario

---

[50] Así, por ejemplo, el artículo 62.1 de la Ley de Castilla y León: forman parte del patrimonio etnológico de la Comunidad Autónoma "las actividades, conocimientos, prácticas, trabajos y manifestaciones culturales transmitidos oral o consuetudinariamente que sean expresiones simbólicas o significativas de costumbres tradicionales o formas de vida en las que se reconozca un colectivo, o que constituyan un elemento de vinculación o relación social originarios o tradicionalmente desarrollados en el territorio de la Comunidad de Castilla y León". O el artículo 98.6 de la Ley de Cantabria, que habla del *patrimonio etnográfico inmaterial o latente*, sin que se entienda bien por qué utiliza para calificar al sustantivo un adjetivo que, según los diccionarios al uso, significa "oculto o escondido".

[51] Con independencia de otras aportaciones de menor calado jurídico, la más acabada proviene de la UNESCO, a quien se debe la *Convención para la salvaguardia del patrimonio cultural Inmaterial*, hecha en París el 17 de octubre de 2003. Su artículo 2.1 entiende por tal patrimonio "los usos, representaciones, expresiones, conocimientos y técnicas —junto con los instrumentos, objetos, artefactos y espacios culturales que les son inherentes— que las comunidades, los grupos y en algunos casos los individuos reconozcan como parte integrante de su patrimonio cultural. Este patrimonio cultural inmaterial, que se transmite de generación en generación, es recreado constantemente por las comunidades y grupos en función de su entorno, su interacción con la naturaleza y su historia, infundiéndoles un sentimiento de identidad y continuidad y contribuyendo así a promover el respeto de la diversidad cultural y de la creatividad humana. A los efectos de la presente Convención, se tendrá en cuenta únicamente el patrimonio cultural inmaterial que sea compatible con los instrumentos internacionales de derechos humanos existentes y con los imperativos de respeto mutuo entre comunidades, grupos e individuos y de desarrollo sostenible". Este patrimonio se expresa, según el propio artículo 2, en tradiciones y expresiones orales (incluido el idioma), artes del espectáculo, usos sociales, rituales y actos festivos, conocimientos y usos relacionados con la naturaleza y el universo y técnicas artesanales tradicionales.

[52] Por ejemplo, artículo 61 de la Ley de Andalucía: actividades que constituyan formas relevantes de expresión de la cultura y modos de vida propios del pueblo andaluz; artículo 64 de la Ley de Galicia: actividades y conocimientos que constituyan formas relevantes o expresión de la cultura y modos de vida tradicionales y propios del pueblo gallego. Muy parecido es el artículo 72, c) de la Ley de Aragón.

[53] Por ejemplo, artículo 69 de la Ley de Asturias: conocimientos técnicos, prácticas profesionales y tradiciones ligadas a los oficios artesanales; juegos, deportes, música, fiestas y bailes tradicionales; refranes, relatos, canciones y poemas ligados a la transmisión oral.

concretar qué manifestaciones de la cultura popular están protegidas por el Derecho; en el segundo, hay que resolver si todo lo que entra de un modo u otro en las categorías que cita la ley está protegido por ella: ¿todos los bailes, canciones, juegos, tradiciones orales, costumbres y recetas culinarias forman parte del patrimonio inmaterial a efectos legales?

La cuestión es particularmente compleja y los juristas han de escuchar a los antropólogos y otros especialistas competentes; de todos modos, hay que tener presente que no todo bien cultural inmaterial tiene por qué recibir protección jurídica singular. Si queremos que la tutela legal sea eficaz, el patrimonio inmaterial debe ser, permítase la expresión, manejable. Son tantas y diversas las manifestaciones de la cultura popular que, por fuerza, se impone un criterio restrictivo. Cualquier expresión de la cultura popular merece respeto y reconocimiento social, pero un sistema jurídico de protección no puede aplicarse a una extensión interminable de manifestaciones incorpóreas del espíritu.

Supuesto que logra acotarse razonablemente el elenco de bienes inmateriales acreedores de tutela jurídica, ¿en qué se traduce ésta? La LPHE emplaza a la Administración para que adopte las medidas conducentes al estudio y documentación de los conocimientos y actividades que estén en previsible peligro de desaparecer (artículo 47.3). En relación con los demás, proclama enfáticamente que gozarán de protección administrativa, pero es difícil adivinar en qué se consiste pues calla al respecto. En la legislación autonómica el criterio mayoritario gira en torno al estudio, documentación, recopilación y salvaguarda en soportes materiales. Al hilo de esta cuestión, cabe indicar que algunos autores impugnan la inclusión de los bienes inmateriales en el patrimonio cultural legal, aduciendo que son refractarios a la aplicación de las técnicas de protección características de este sector del ordenamiento. Y, en efecto, es rigurosamente cierto que las medidas jurídicas al uso presuponen la corporeidad del objeto protegido (inventarios de bienes muebles, planes especiales, tanteos, retractos, beneficios fiscales, declaraciones de ser de interés cultural, autorizaciones de exportación, licencias de obras y suspensión de éstas, régimen de visitas, acciones de restitución...). Ahora bien, si se es consciente de que los bienes inmateriales admiten sólo medidas de protección adecuadas a su especial naturaleza, no deben oponerse reparos a su inclusión en el concepto legal

---

Artículo 98.6 de la Ley de Cantabria: "los conocimientos ligados con los tradicionales modos de vida de la región, así como las costumbres jurídicas, los rituales, las creencias, la música, las canciones, la literatura oral, los juegos y todas aquellas manifestaciones sujetas a los cánones de la cultura regional".

de patrimonio cultural. Hoy está asumido que las manifestaciones culturales dignas de tutela jurídica no son sólo las que en otro tiempo la han
recibido y deben seguir haciéndolo (conjuntos históricos, monumentos,
obras de arte, antigüedades, etc.), sino que el vector inmaterial, popular y
tradicional, de la cultura merece toda suerte de consideraciones. La clave
estriba en el diseño de las medidas jurídicas que traducen esa filosofía. Es
cierto que algunas normas autonómicas postulan que la declaración de interés cultural alcance a los bienes inmateriales[54], pero de ahí no se infiere
que los sometan al régimen propio de tal categoría. Tal opción normativa
debe criticarse porque traslada un concepto jurídico (bien de interés cultural) a un sector que no admite el régimen legal aparejado al mismo, pero
no cabe inferir de ella que los bienes inmateriales dichos de interés cultural sigan la disciplina de los materiales declarados como tales[55].

Y es que, en realidad, los bienes inmateriales no admiten intervenciones distintas a la investigación, estudio y documentación en soportes que
aseguren su transmisión a las generaciones futuras, y aun la documentación con muchas cautelas a propósito de las manifestaciones culturales vivas, pues deben seguir su evolución natural, generalmente modificadora
y enriquecedora. La acción administrativa en este sector debe procurar el
conocimiento y la difusión de la cultura popular y detenerse ahí. Cuestión
diferente es que los poderes públicos vean en ciertas manifestaciones de la
cultura popular un modo de potenciar el atractivo turístico de comarcas y
regiones, un señuelo más de los que se utilizan, con toda legitimidad, para
atraer a los visitantes. ¿Es rechazable que la oferta turística organizada de
un valle incluya la degustación de platos elaborados conforme a una receta
ancestral?, ¿o la representación pública de danzas y canciones autóctonas?
Evidentemente no. Pero la cuestión es si los habitantes del valle seguirían
guisando, bailando y cantando de igual modo aunque nadie les visitara. Si

---

54 Véanse, por ejemplo, los artículos 18.2 de la Ley de Canarias, 45 de la Ley de Valencia
    y 12.4 de la Ley de Aragón.
55 Es en este sentido ilustrativa la Ley de Extremadura, que se toma como simple botón
    de muestra. Su artículo 5 admite que los bienes intangibles sean declarados de interés
    cultural; su artículo 6 clasifica los bienes inclusos en tal categoría: los inmuebles en el
    apartado 1, los muebles en el apartado 2 y, en el apartado 3, "las artes y tradiciones po-
    pulares, los usos y costumbres de transmisión consuetudinaria en canciones, música,
    tradición oral, las peculiaridades lingüísticas y las manifestaciones de espontaneidad
    social extremeña". Éstos, dice el precepto, "podrán ser declarados y registrados con las
    nuevas técnicas audiovisuales, para que sean transmitidos en toda su pureza y riqueza
    visual y auditiva a generaciones futuras"; es notorio que el legislador autonómico apli-
    ca a los bienes inmateriales de interés cultural un régimen que no es el de los demás.

la respuesta es negativa, y aun con toda la consideración y estima que merecen tales iniciativas, no guardan relación con la cultura popular. Lo harán con el fomento y la promoción del turismo, pero no con el patrimonio cultural inmaterial, refractario por naturaleza a inmisiones externas que interfieran el vínculo que le ata sólo a la libérrima voluntad de sus productores. Bien está que los festejos populares sean un atractivo turístico, pero si sólo existen por y para la distracción de los forasteros, no son expresiones de la cultura popular sino de un negocio. La condición espiritual y definitivamente libre de esta variante de la cultura no es compatible con el artificio de representaciones aparentemente populares pero organizadas sólo para el recreo de los visitantes y con finalidades únicamente crematísticas.

3. *Patrimonio documental y bibliográfico*

El Título VII LPHE está dedicado al patrimonio documental y bibliográfico y a los archivos, bibliotecas y museos. Dado que, como se ha dicho al principio, la legislación especial relativa a los archivos, bibliotecas y museos queda al margen de la presente exposición, centrémonos en lo que permanece dentro de ella y comencemos por la identificación de los referidos *patrimonios especiales*.

Al documental pertenecen los documentos[56] que revistan determinadas características objetivas. El artículo distingue varios supuestos. En primer lugar, los documentos de cualquier época generados, conservados o reunidos por los gestores públicos en el amplio sentido que el apartado segundo del precepto expresa y a cuyos gestores o productores la Ley somete a obligaciones especiales, precisamente por tratarse de documentos que provienen de una fuente pública[57]; en segundo lugar, los de antigüedad superior a cuarenta años generados, conservados o reunidos por partidos,

---

[56] Por documento entiende el artículo 49.1 LPHE "toda expresión en lenguaje natural o convencional y cualquier otra expresión gráfica, sonora o en imagen, recogidas en cualquier tipo de soporte material, incluso los soportes informáticos. Se excluyen los ejemplares no originales de ediciones". Sin apartarse sustancialmente del concepto de documento de la Ley estatal, algunas autonómicas se refieren también a los archivos, fondos o colecciones documentales; estas nociones legales se refieren invariablemente a conjuntos de documentos, que pueden estar organizados (archivos, fondos) o no (colecciones).

[57] Artículos 54 y 55. En síntesis, obligan a sus custodios a, una vez que cesan en sus funciones, entregarlos a quienes les sustituyan o remitirlos al archivo que corresponda; exigen que la exclusión de los documentos públicos del patrimonio cultural sea autorizada expresamente; prohíben su destrucción "en tanto subsista su valor probatorio de

sindicatos, asociaciones y fundaciones; en tercer lugar, los de antigüedad superior a cien años generados, conservados o reunidos por cualesquiera otras entidades particulares o personas físicas; y, por último, aquellos otros que sin alcanzar la antigüedad indicada merezcan formar parte del patrimonio documental por decisión administrativa. La LPHE atribuye esta decisión a la Administración del Estado, pero la STC 17/1991 dice que puede ser adoptada por las comunidades autónomas en el ámbito de su competencia. Las leyes autonómicas no suelen configurar el patrimonio documental de forma distinta a como lo hace la LPHE pues, como regla, se han limitado a precisar o concretar su composición siguiendo las pautas marcadas por ella[58].

En cuanto a los bienes que integran el patrimonio bibliográfico, el artículo 50.1 LPHE dispone que forman parte de él "las bibliotecas y colecciones bibliográficas de titularidad pública y las obras literarias, históricas, científicas o artísticas de carácter unitario o seriado, de las que no conste la existencia de al menos tres ejemplares en las bibliotecas o servicios públicos". Hay presunción legal de que existe ese número de ejemplares de todas las obras editadas a partir de 1958, obras que, por lo tanto y salvo que la presunción se destruya, no componen el patrimonio cultural. La fecha, cuya inclusión en la Ley se debe a una enmienda presentada en el Senado, tiene que ver con la moderna regulación del Servicio de Depósito Legal hecha por el Decreto de 23 de diciembre de 1957 (hoy ya no vigente), que obligaba a la entrega de tres ejemplares, dos de los cuales debían ser remitidos a la Biblioteca Nacional[59].

Semánticamente, el adjetivo *bibliográfico* remite a los libros y sus ediciones; legalmente también. Pero la Ley extiende el régimen jurídico de los bienes bibliográficos a las expresiones materiales de creación que no han sido concebidas para aparecer en letra impresa. Dice el artículo 50.2

---

derechos y obligaciones de las personas o los entes públicos" y la somete a autorización administrativa en los demás casos.

[58]   Una excepción es el artículo 50.2 de la Ley del País Vasco, a cuyo tenor "todos los documentos, fondos de archivo y colecciones de documentos de cualquier titularidad con una antigüedad superior a 50 años se consideran históricos, y quedan como tales incorporados al Inventario del Patrimonio Documental Vasco". Vid. también el artículo 85 de la Ley de Asturias y el inmediatamente anterior, que confiere similar consideración a la de los bienes del patrimonio documental a "los documentos producidos en la región o relacionados con ella que se encuentren fuera de Asturias, incluyendo muy especialmente los producidos por las comunidades y emigrantes asturianos".

[59]   En relación con el depósito legal, véase la Disposición Adicional Primera de la Ley 10/2007, de junio, de la lectura, del libro y de las bibliotecas.

LPHE que "asimismo forman parte del Patrimonio Histórico Español y se les aplicará el régimen correspondiente al Patrimonio Bibliográfico los ejemplares producto de ediciones de películas cinematográficas, discos, fotografías, materiales audiovisuales y otros similares, cualquiera que sea su soporte material, de las que no consten al menos tres ejemplares en los servicios públicos, o uno en el caso de películas cinematográficas".

En la legislación autonómica, el patrimonio bibliográfico se acota en ocasiones de manera distinta. Así, por ejemplo, se prescinde de la existencia de un determinado número de ejemplares y se pone el acento en el valor cultural de las obras (Ley del País Vasco); se mantiene el criterio de la LPHE en orden a la no conservación en bibliotecas y servicios públicos de tres ejemplares (a veces sólo dos), y se indican, adicionalmente, otras obras que necesariamente forman parte de este patrimonio o pueden hacerlo virtud de resolución administrativa[60]. Se habla incluso de un *patrimonio informático* como una variante del bibliográfico, cuyo régimen de conservación, preservación y utilización se encomienda al reglamento (Ley de Valencia).

Sea como fuere, el régimen jurídico del patrimonio documental y bibliográfico es, en los aspectos fundamentales, el de los bienes culturales muebles, al que la remisión legal no es rara, sin perjuicio de la introducción de algunas normas específicas. Como son éstas las que interesan ahora, señalemos las siguientes con la cita añadida de algunas particularidades autonómicas.

a) Con independencia de que estén calificados o no, los bienes integrantes del patrimonio documental y del bibliográfico se incluyen, respectivamente, en un Censo y en un Catálogo que el artículo 51 LPHE dice que ha de confeccionar la Administración del Estado en colaboración con las demás competentes, pudiéndose recabar de los titulares de los bienes el examen de los mismos y la información ne-

---

[60] Hipótesis de la que es buena muestra la Ley de Asturias: publicaciones de más de cien años de antigüedad, manuscritos y documentos originales de obras de investigación o de creación producidas por autores ya fallecidos, fondos de bibliotecas públicas de más de treinta años de antigüedad, obras descatalogadas o que tengan alguna característica que las individualice, las publicaciones relacionadas con Asturias por su autor o temática de las que no conste la existencia de dos ejemplares en bibliotecas públicas de la región, los bienes bibliográficos integrados gubernativamente en el Patrimonio Bibliográfico de Asturias por tener un interés histórico que lo justifique. El criterio de los más de cien años de antigüedad es recogido expresamente por otras leyes.

cesaria. Algunas leyes autonómicas prevén listados similares, lo que deja en el aire el alcance exacto de los previstos en la Ley del Estado.

b) Conforme al artículo 53 LPHE, "los bienes integrantes del Patrimonio Documental y Bibliográfico que tengan singular relevancia serán incluidos en una sección especial del Inventario General de bienes muebles del Patrimonio Histórico Español". Según la Disposición Transitoria Tercera, ya mencionada, los propietarios y poseedores de los bienes a que se refiere el artículo 53 han podido comunicar a la Administración su existencia en el plazo de un año a partir de la entrada en vigor de la Ley, lo que lleva aparejadas las exenciones de cualesquiera impuestos o gravámenes no satisfechos y de toda responsabilidad por incumplimientos, sanciones, recargos o intereses de demora.

c) El artículo 53 admite que los bienes documentales y bibliográficos de singular relevancia sean declarados inventariados pero no de interés cultural. Algunas leyes autonómicas no rechazan empero esta segunda posibilidad, que contemplan expresamente (por ejemplo, las de Asturias, Cantabria, Valencia y Castilla y León).

d) Como todo poseedor de bienes culturales muebles, el de los integrantes del patrimonio documental y bibliográfico tiene la obligación de protegerlos, conservarlos, destinarlos a un uso que no impida su conservación y mantenerlos en lugares adecuados (artículo 52 LPHE). El incumplimiento de dicha obligación determina la adopción de alguna de las medidas previstas en el artículo 36.3, ya aludido; y, en último término, constituye causa de interés social para la expropiación forzosa de los bienes afectados.

e) El acceso a los recursos bibliográficos existentes bibliotecas públicas es evidentemente libre sin perjuicio de, como recuerda con buen sentido la Ley del País Vasco, las limitaciones circunstanciales para salvaguardar la seguridad de los fondos y el fin de la biblioteca[61]. En cambio, la consulta de los documentos generados por organismos públicos, personas jurídico-públicas y gestores de servicios públicos (artículo 49.2 LPHE) está sujeta a reglas especiales. En principio (artículo 57.1), la consulta es libre "a no ser que afecten a materias clasificadas de acuerdo con la Ley de Secretos Oficiales o no deban ser públicamente conocidos por disposición expresa de la Ley, o que la

---

[61]   Véase con carácter general el artículo 13 de la Ley 10/2007, de 22 de junio, de la lectura, del libro y de las bibliotecas.

difusión de su contenido pueda entrañar riesgos para la seguridad y la defensa del Estado o la averiguación de delitos". Son cautelas lógicas y razonables aunque no llegan al extremo de prohibir de antemano y con carácter general el acceso a dichos documentos; justifican simplemente que esté sometido a la obtención de una previa autorización administrativa. Hay asimismo una disposición especial aplicable a "los documentos que contengan datos personales de carácter policial, procesal, clínico o de cualquier otra índole que puedan afectar a la seguridad de las personas, a su honor, a la intimidad de su vida privada o familiar", que, dice el artículo 57.1, c) LPHE, "no podrán ser públicamente consultados sin que medie consentimiento expreso de los afectados o hasta que haya transcurrido un plazo de veinticinco años desde su muerte, si su fecha es conocida, o, en otro caso, de cincuenta años, a partir de la fecha de los documentos".

f) El acceso a los fondos documentales y bibliográficos de titularidad y posesión privada se plantea, como no puede ser menos, de otra manera. El artículo 52.3 impone que se permita el estudio por los investigadores, previa solicitud razonada de éstos, además del deber de "facilitar la inspección por parte de los organismos competentes para comprobar la situación o estado de los bienes". No está previsto ningún régimen de visita pública, como si lo está a propósito de los bienes muebles de interés cultural (artículo 13.2 LPHE) seguramente porque la Ley estatal, según se ha dicho, sólo admite que los que nos ocupan formen parte, en su caso, del Inventario General de Bienes Muebles. Dado que algunas leyes autonómicas prevén, como también se ha comentado, que los bienes documentales y bibliográficos sean declarados de interés cultural, cabe preguntarse por si en relación con los declarados como tales el acceso ha de permitirse también al público en general y no sólo a los investigadores.

Pero incluso a los investigadores puede vedárseles el acceso a estos bienes. El citado artículo 52.3 LPHE dispone que los particulares podrán excusar el cumplimiento de la obligación de permitir su estudio "en el caso de que suponga una intromisión en su derecho a la intimidad personal y familiar y a la propia imagen, en los términos que establece la legislación reguladora de esta materia". Salvo error u omisión, la normativa a la que se remite la Ley estatal está formada por la Ley Orgánica 1/1982, de 5 de mayo, de Protección Civil del Derecho al Honor, a la Intimidad Personal y Familiar y a la Propia Imagen, cuyo artículo 8.1 dice que "no se reputarán, con carácter general, intromisiones ilegítimas [en esos derechos protegidos] las actuaciones autorizadas o acordadas por la Autoridad competente de acuerdo con la Ley, *ni cuando predomine un interés histórico, científico o cultural relevante*". Pocas conclusiones seguras pueden extraerse de una regulación tan escueta. ¿Cómo se valora caso por caso que un interés histórico, científico o cultural relevante basta para excluir *a radice* la ilegitimidad de las intromisiones? ¿Puede un investigador exhibir sin más el artículo 8.1 de la Ley Orgánica 1/1982 para exigir la consulta de fondos documentales o bibliográficos privados en caso de renuencia de su propietario o poseedor? ¿Quién define que el interés a que dicho precepto se refiere es *relevante*? ¿Y qué sucede si el particular se opone a la consulta?

Tantas preguntas convierten en pieza clave el mecanismo previsto en el artículo 52.4 LPHE: "la obligación de permitir el estudio por los investigadores podrá ser sustituida por la Administración competente mediante el depósito temporal del bien en un Archivo, Biblioteca o Centro análogo de carácter público que reúna las condiciones adecuadas para la seguridad de los bienes y su investigación". Dicho de otro modo, consciente quizá de las dificultades prácticas que puede encontrar un investigador, la Ley trae en su auxilio a la Administración Pública, a la que habilita a adoptar las medidas necesarias para satisfacer el interés público latente o explícito en cualquier actividad investigadora.

4. *Patrimonio industrial*

Aunque la LPHE no dice nada expreso sobre el llamado *patrimonio industrial* (siquiera parece pensar indirectamente en él cuando, en el artículo 1, menciona el interés científico y el técnico) merece la pena cerrar este capítulo con una referencia al mismo. Por tal entiende el artículo 68 de la Ley de Asturias el conjunto de "bienes muebles e inmuebles que constituyen testimonios significativos de la evolución de las actividades técnicas y productivas con una finalidad de explotación industrial y de su influencia sobre el territorio y la sociedad asturiana. En especial, de las derivadas de la extracción y explotación de los recursos naturales, de la metalurgia y siderurgia, de la transformación de productos agrícolas, la producción de energía, el laboreo del tabaco, y la industria química, de armamento, naviera, conservera o de la construcción". Al margen de la enunciación de industrias y explotaciones que el precepto hace, lógicamente ligada a la pretérita realidad económica de Asturias, retengamos que alude a los "testimonios significativos de la evolución de las actividades técnicas y productivas con una finalidad de explotación industrial", pues de eso en efecto se trata cuando se habla del patrimonio industrial.

Otras leyes autonómicas se refieren igualmente al patrimonio industrial, siquiera sea con fórmulas diversas que no es caso de mencionar ahora. Lo decisivo es el régimen jurídico que se aplica a los bienes que lo forman. La extensión a los mismos del previsto para el patrimonio arqueológico puede ser válida si son susceptibles de estudio con metodología arqueológica; de hecho, existe la llamada *Arqueología industrial*, que aplica dicha metodología a bienes cuya fecha de fabricación puede ser relativamente reciente, pero que han quedado obsoletos y son vestigios del pasado industrial y tecnológico del ser humano (estaciones de ferrocarril, molinos, minas, canales, industrias de todo tipo, la maquinaria en ellas utilizada y los edificios que las albergaron, objetos manufacturados etc.). No aspira, por supuesto, a estudiar los bienes y objetos en sí mismos, sino en su condición de indicadores de modos de vida; son para ella elementos que ayudan a interpretar y conocer las formas de vida de las sociedades que los crearon y en las que funcionaron. Pero, ¿todos los bienes de interés industrial pueden ser estudiados conforme a esa metodología? Esta es una pregunta cuya respuesta está fuera del alcance del jurista y de la que deben dar cuenta los expertos en las disciplinas pertinentes. De igual modo, parece claro que la conservación de determinados componentes del patrimonio industrial (estaciones de ferrocarril, fábricas, explotaciones mineras, etc.) requiere decisiones públicas que exceden de las normalmente aplicables en ejecución de las leyes de patrimonio cultural para insertarse en la política urbanística y la de ordenación territorial.

Sea como fuere, está claro es que el patrimonio industrial tiene un hueco en la legislación reguladora de la materia estudiada. Hueco que no depende tanto de que las leyes se lo hagan de manera expresa como de la desconexión general entre bienes culturales y bienes de una determinada antigüedad, que beneficia a los relativamente recientes siempre y cuando incorporen los valores que las leyes seleccionan para afirmar la pertenencia de los bienes al patrimonio cultural. Que el régimen jurídico aplicable al industrial no esté muy perfilado todavía en absoluto significa que no sea importante; si acaso, tal circunstancia sugiere que es hacia él que los juristas deben volver los ojos.

NOTA BIBLIOGRÁFICA

Para la localización de las fuentes, es útil la recopilación preparada por L. A. ANGUITA VILLANUEVA: *Código del patrimonio cultural*, Thomson-Civitas, 2007, aunque lógicamente padece a causa de las novedades legislativas. Para el ámbito al que se refiere, el volumen dirigido por F. MORENO DE BARREDA: *El patrimonio cultural en el Consejo de Europa. Textos, conceptos y concordancias*, Madrid, Hispania Nostra-Boletín Oficial del Estado, 1999, también superado por la dinámica de la producción normativa. Los debates parlamentarios de la LPHE han sido editados por A. PÉREZ DE ARMIÑÁN Y DE LA SERNA: *Ley del Patrimonio Histórico Español. Trabajos parlamentarios*, Madrid, Cortes Generales, 1987. Quienes por gusto o necesidad quieran acercarse a la legislación anterior a la actual, manejarán con provecho el volumen *Patrimonio artístico, archivos y museos*, Madrid, Ministerio de Cultura, 1982 (3ª ed.).

La bibliografía en castellano sobre las cuestiones tratadas en el presente capítulo alcanza ya dimensiones muy considerables, pues es innegable que el régimen del patrimonio cultural interesa crecientemente a los juristas. Hasta tal punto es así que existe una publicación periódica monográficamente dedicada a estos temas; se trata de la Revista *Patrimonio Cultural y Derecho*, de cadencia anual. Todavía joven (el número 15 aparece en febrero de 2012), es de consulta imprescindible y su contenido pluridisciplinar. Contando con que es obligada la selección entre las numerosas obras que podrían citarse, con que en las que se citan se encuentran con frecuencia referencias a otras y con que, salvo excepciones, se incluyen sólo títulos que versan sobre el actual ordenamiento regulador de los bienes culturales, se ofrece la siguiente relación por si puede orientar a quien desee profundizar en la materia.

ABAD LICERAS, J. Mª: *La situación de ruina y demolición de inmuebles del patrimonio histórico*, Madrid, Montecorvo, 2000.

– *Administraciones locales y patrimonio histórico*, Madrid, Montecorvo, 2003.

ALEGRE ÁVILA, J. M.: "Los bienes históricos y el Tribunal Constitucional", *Revista Española de Derecho Constitucional* nº 32, 1991, 187 ss.

– *Evolución y régimen jurídico del patrimonio histórico*, Madrid, Ministerio de Cultura, 1994, dos volúmenes.

– "El patrimonio histórico español: régimen jurídico de la propiedad histórica", *Revista Galega de Administración Pública* nº 25, 2000, 179 ss.

– "El estatuto jurídico de la propiedad histórica", en S. DE DIOS, J. INFANTE, R. ROBLEDO y E. TORIJANO (coords.): *Historia de la propiedad. Patrimonio cultural*, Madrid, Colegio de Registradores de la Propiedad y Mercantiles de España, 2003, 441 ss.

– "La circulación de bienes etnográficos", *Patrimonio Cultural y Derecho* nº 11, 2007, 165 ss.

– "Observaciones para una revisión de la Ley del Patrimonio Histórico Español de 1985", *Patrimonio Cultural y Derecho* nº 13, 2009, 11 ss.

ALONSO IBÁÑEZ, Mª R.: *El patrimonio histórico. Destino público y valor cultural*, Madrid, Civitas-Universidad de Oviedo, 1992.

– *Los espacios culturales en la ordenación urbanística*, Madrid, Marcial Pons, 1994.

– "El patrimonio histórico industrial: instrumentos jurídicos de protección y revalorización", *Revista Andaluza de Administración Pública* nº 28, 1996, 61 ss.

– "Patrimonio industrial: Notas a su insatisfactoria protección jurídica", *Patrimonio cultural y Derecho* nº 3, 1999, 257 ss.

– *Los catálogos urbanísticos y otros catálogos protectores del patrimonio cultural inmueble*, Monografía de la Revista Urbanismo y Edificación, Thomson-Aranzadi, 2005.

ÁLVAREZ ÁLVAREZ, J. L.: *Estudios sobre el patrimonio histórico español y la Ley de 25 de junio de 1985*, Madrid, Civitas, 1989.

ÁLVAREZ GONZÁLEZ, E. M.: "Disfuncionalidades de la protección jurídica del patrimonio cultural subacuático en España. Especial referencia al caso *Odyssey*", *Revista de Administración Pública* nº 175, 2008, 323 ss.

– *La protección jurídica del patrimonio cultural subacuático en España*, Valencia, Tirant lo Blanch, 2012.

AZNAR GÓMEZ, M.: *La protección internacional del patrimonio cultural subacuático con especial referencia al caso de España*, Valencia, Tirant lo Blanch, 2004.

BARCELONA LLOP, J.: "El dominio público arqueológico", *Revista de Administración Pública* 151, 2000, 133 ss.

- "Aspectos del régimen jurídico de las autorizaciones arqueológicas", *Revista Aragonesa de Administración Pública* nº 21, 2002, 113 ss.

- "Notas sobre el régimen internacional de las intervenciones arqueológicas submarinas", *Patrimonio Cultural y Derecho* nº 6, 2002, 47 ss.

- "Reflexiones dispersas sobre el derecho de los bienes culturales", en S. DE DIOS, J. INFANTE, R. ROBLEDO y E. TORIJANO (coords.): *Historia de la propiedad. Patrimonio cultural*, Madrid, Colegio de Registradores de la Propiedad y Mercantiles de España, 2003, 565 ss.

- "La regulación de las autorizaciones en las intervenciones dirigidas al patrimonio cultural subacuático", *Patrimonio Cultural y Derecho* nº 10, 2006, 217 ss.

- "Régimen jurídico de la exportación de bienes culturales. Recuperación de los exportados ilegalmente", en J. V. GONZÁLEZ GARCÍA (dir.), E. LÓPEZ BARRERO (coord.): *Derecho de la regulación económica. Comercio exterior*, Madrid, Iustel, 2009, 751 ss.

- "Algunos aspectos del tratamiento jurídico general del Patrimonio Arqueológico en el ordenamiento español", *Anales de Arqueología Cordobesa* núms. 21-22, 2010-2011, 279 ss.

- "Consideraciones sobre el régimen jurídico del patrimonio arqueológico", en M. FERNANDO PABLO (dir.), Mª A. GONZÁLEZ BUSTOS y R. POLO MARTÍN (coords.): *Patrimonio cultural y nuevas tecnologías: entorno jurídico*, Salamanca, Ratio Legis, 2012, 265 ss.

BARRERO RODRÍGUEZ, C.: *La ordenación jurídica del patrimonio histórico*, Madrid, Civitas-Instituto García Oviedo, 1990.

- "La propiedad cultural en España", en J. BARNÉS (coord.): *Propiedad, expropiación y responsabilidad. La garantía indemnizatoria en el Derecho europeo y comparado*, Madrid, Tecnos-Junta de Andalucía, 1995, 351 ss.

- "Discrecionalidad administrativa y patrimonio histórico", en E. HINOJOSA y N. GONZÁLEZ-DELEITO (coords.): *Discrecionalidad administrativa y control judicial. I Jornadas de Estudio del Gabinete Jurídico de la Junta de Andalucía*, Madrid, Civitas-Junta de Andalucía, 1996, 281 ss.

- "Régimen jurídico de los bienes inmuebles de carácter cultural", en S. DE DIOS, J. INFANTE, R. ROBLEDO y E. TORIJANO (coords.): *Historia de la propiedad. Patrimonio cultural*, Madrid, Colegio de Registradores de la Propiedad y Mercantiles de España, 2003, 459 ss.

- *La ordenación urbanística de los conjuntos históricos*, Madrid, Iustel, 2006.

- "Las contradicciones entre la Ley estatal y las leyes autonómicas en materia de Patrimonio Histórico y Cultural: sus posibles soluciones en vía normativa", *Patrimonio Cultural y Derecho* nº 13, 2009, 35 ss.

BASSOLS COMA, M.: "El patrimonio histórico español: aspectos de su régimen jurídico", *Revista de Administración Pública* nº 114, 1987, 93 ss.

BELANDO GARÍN, B.: "El alcance de las competencias autonómicas sobre patrimonio arqueológico subacuático", *Revista de las Cortes Generales* nº 68, 2006, 151 ss.

BERMÚDEZ SÁNCHEZ, J.: *El derecho de propiedad: límites derivados de la protección arqueológica*, Madrid, Montecorvo, 2003.

- "Intervenciones arqueológicas en actuaciones urbanísticas: supuestos difíciles", *Revista de Derecho Urbanístico y Medio Ambiente* nº 247, 2009, pp. 67 ss.

– "Remodelaciones urbanas en conjuntos históricos y sus entornos", *Revista Andaluza de Administración Pública* n° 76, 2010, pp. 121 ss.

BUJOSA VADELL, L. M.: "La protección jurisdiccional del patrimonio cultural", en S. DE DIOS, J. INFANTE, R. ROBLEDO y E. TORIJANO (coords.): *Historia de la propiedad. Patrimonio cultural*, Madrid, Colegio de Registradores de la Propiedad y Mercantiles de España, 2003, 407 ss.

FERNÁNDEZ DE GATTA SÁNCHEZ, D.: "El régimen jurídico de protección del patrimonio histórico en las leyes de las comunidades autónomas", *Patrimonio Cultural y Derecho* n° 3, 1999, 33 ss.

– "Régimen jurídico de los bienes muebles históricos", en S. DE DIOS, J. INFANTE, R. ROBLEDO y E. TORIJANO (coords.): *Historia de la propiedad. Patrimonio cultural*, Madrid, Colegio de Registradores de la Propiedad y Mercantiles de España, 2003, 493 ss.

– "Régimen jurídico del Sistema Nacional de Archivos", en M. FERNANDO PABLO (dir.), Mª A. GONZÁLEZ BUSTOS y R. POLO MARTÍN (coords.): *Patrimonio cultural y nuevas tecnologías: entorno jurídico*, Salamanca, Ratio Legis, 2012, 95 ss.

FERNÁNDEZ LIESA, C. y PRIETO DE PEDRO, J. (dirs.), VACAS FERNÁNDEZ, F. y ZAPATERO MIGUEL, P. (coords.): *La protección jurídico internacional del Patrimonio Cultural*, Madrid, Colex, 2009.

FERNÁNDEZ RODRÍGUEZ, T. R.: "La ordenación urbanística de los conjuntos históricos: breve denuncia de los excesos al uso", en su libro *Estudios de Derecho Ambiental y Urbanístico*, Pamplona, Aranzadi, 2001, 241 ss.

GALLEGO ANABITARTE, A.: "Arqueología y Derecho. Hallazgos, jurisprudencia, legislación, carta arqueológica y planeamiento", *Revista de Derecho Urbanístico y Medio Ambiente* n° 200, 2003, 41 ss.

GARCÍA DE ENTERRÍA, E.: "Consideraciones sobre una nueva legislación del patrimonio artístico, histórico y cultural", *Revista Española de Derecho Administrativo* 39, 1983, 575 ss.

GARCÍA FERNÁNDEZ, J.: "La nueva legislación española sobre patrimonio arqueológico", *Revista de Derecho Público* n° 197, 1987, 365 ss.

– "Presupuestos jurídico-constitucionales de la legislación sobre patrimonio histórico", *Revista de Derecho Político* núms. 27-28, 1988, 181 ss.

– "El régimen jurídico de los archivos, bibliotecas y museos de titularidad estatal conforme a la Constitución española", *Patrimonio Cultural y Derecho* n° 3, 1999, 179 ss.

– *Estudios sobre el Derecho del patrimonio histórico*, Colegio de Registradores de la Propiedad y Mercantiles de España, 2008.

– "La reforma de la Ley del Patrimonio Histórico Español ante el décimo quinto aniversario de su aprobación", *Patrimonio Cultural y Derecho* n° 13, 2009, 19 ss.

GARCÍA GARCÍA, Mª J.: *La conservación de los inmuebles históricos a través de técnicas urbanísticas y rehabilitadoras*, Pamplona, Aranzadi, 2000.

GIANNINI, M. S.: "Los bienes culturales", *Patrimonio Cultural y Derecho* n° 9, 2005, 11 ss.

JUSTE, J.: "Protección internacional de los hallazgos marítimos de interés histórico y cultural", *Anuario de Derecho Marítimo* vol. XX, 2003, 63 ss.

LINDE PANIAGUA, E.: "Los museos, archivos y bibliotecas de titularidad estatal: cultura como derecho *versus* cultura como mito", *Patrimonio Cultural y Derecho* 2, 1998, 81 ss.

LÓPEZ BRAVO, C.: "Los bienes culturales en el Derecho estatal y autonómico de España", *Patrimonio Cultural y Derecho* n° 3, 1999, 11 ss.

LÓPEZ RAMÓN, F.: "Reflexiones sobre la indeterminación y amplitud del patrimonio cultural", *Revista Aragonesa de Administración Pública* n° 15, 1999, 193 ss.

MAGÁN PERALES, J. Mª: *La circulación ilícita de los bienes culturales*, Valladolid, Lex Nova, 2001.

- "El patrimonio arqueológico subacuático: situación legislativa española e internacional", *Patrimonio Cultural y Derecho* n° 6, 2002, 73 ss.

MARTÍN MATEO, R.: "La propiedad monumental", *Revista de Administración Pública* n° 49, 1972, 49 ss.

- "Bienes culturales y bienes ambientales", en el volumen, dirigido por C. AÑÓN FELIÚ y coordinado por J. REVUELTA BLANCO: *Cultura y Naturaleza. Textos Internacionales*, Torrelavega, Asociación Cultural Plaza Porticada-Gobierno de Cantabria, 2001, 20 ss.

MARTÍN REBOLLO, L.: *El comercio del arte y la Unión Europea*, Madrid, Civitas, 1994.

MARTÍN-RETORTILLO BAQUER, L.: "Los conceptos de consolidación, rehabilitación y restauración en la Ley del patrimonio histórico español", en *el Derecho Administrativo en el umbral del siglo XXI. Homenaje al Profesor Dr. D. Ramón Martín Mateo*, Valencia, Tirant lo Blanch, 2000, vol. III, 3177 ss.

- "Nuevas perspectivas en la conservación del patrimonio histórico: una recapitulación global", *Revista Aragonesa de Administración Pública* n° 19, 2001, 31 ss.

MOLINA JIMÉNEZ, A.: "La protección del patrimonio cultural en su dimensión ambiental", *Revista Andaluza de Administración Pública* n° 40, 2000, 327 ss.

MOREU BALLONGA, J. L.: "Hallazgos de interés histórico, artístico y/o arqueológico", *Revista de Administración Pública* n° 132, 1993, 171 ss.

"Patrimonios arqueológico y etnográfico en la legislación estatal", en S. DE DIOS, J. INFANTE, R. ROBLEDO y E. TORIJANO (coords.): *Historia de la propiedad. Patrimonio cultural*, Madrid, Colegio de Registradores de la Propiedad y Mercantiles de España, 2003, 319 ss.

MUÑOZ MACHADO. S.: *La resurrección de las ruinas*, Madrid, Iustel, 2010 (2ª ed. revisada y ampliada con un Epílogo).

PAREJO ALFONSO, L.: "Urbanismo y patrimonio histórico", *Patrimonio Cultural y Derecho* n° 2, 1995, 55 ss.

PAU PEDRÓN, A.: "La protección del patrimonio cultural", en S. DE DIOS, J. INFANTE, R. ROBLEDO y E. TORIJANO (coords.): *Historia de la propiedad. Patrimonio cultural*, Madrid, Colegio de Registradores de la Propiedad y Mercantiles de España, 2003, 549 ss.

- *Cuatro ensayos sobre el patrimonio cultural español*, Madrid, Colegio de Registradores de la Propiedad y Mercantiles de España, 2005.

PÉREZ DE ARMIÑÁN Y DE LA SERNA. A.: *Las competencias del Estado sobre el patrimonio histórico español en la Constitución de 1978*, Madrid, Civitas, 1997.

PÉREZ LUÑO, A. E.: "La tutela del patrimonio histórico-artístico en la Constitución: artículo 46", en su libro *Derechos humanos, Estado de Derecho y Constitución*, Madrid, Tecnos, 1999 (6ª ed.), 494 ss.

PÉREZ MORENO, A.: "El postulado constitucional de la promoción y conservación del patrimonio histórico artístico", en los *Estudios sobre la Constitución española. Homenaje al Profesor Eduardo García de Enterría*, Madrid, Civitas, 1991, tomo II, 1621 ss.

POLO MARTÍN, R.: "Derecho histórico y patrimonio cultural: Partidas, Nueva Recopilación y Código Civil", en M. FERNANDO PABLO (dir.), Mª A. GONZÁLEZ BUSTOS y R. POLO MARTÍN (coords.): *Patrimonio cultural y nuevas tecnologías: entorno jurídico*, Salamanca, Ratio Legis, 2012, 65 ss.

PRIETO DE PEDRO, J.: "Concepto y otros aspectos del patrimonio cultural en la Constitución", en *Estudios sobre la Constitución española. Homenaje al profesor Eduardo García de Enterría*, Madrid, Civitas, 1991, tomo II, 1551 ss.

ROCA ROCA, E.: *El patrimonio artístico y cultural*, Madrid, Instituto de Estudios de Administración Local, 1976.

RODRÍGUEZ-CAMPOS GONZÁLEZ, S.: "La defensa del patrimonio histórico desde la Administración turística del Estado", *Revista Española de Derecho Administrativo* n° 147, 2010, pp. 619 ss.

RODRÍGUEZ TEMIÑO, I.: "El uso de detectores de metales en la legislación cultural española", *Patrimonio Cultural y Derecho* n° 7, 2003, 233 ss.

– "Nota sobre la regulación de las actividades arqueológicas", *Patrimonio Cultural y Derecho* n° 13, 2009, 87 ss.

– "Teoría y práctica de los hallazgos arqueológicos", *Patrimonio Cultural y Derecho* n° 14, 2010, 171 ss.

RUIZ-RICO, G.: "La disciplina constitucional del patrimonio histórico en España", *Patrimonio Cultural y Derecho* n° 4, 2000, 29 ss.

SÁNCHEZ-MESA MARTÍNEZ, L. J.: *La restauración inmobiliaria en la regulación del patrimonio histórico*, Thomson-Aranzadi, 2004.

SERNA VALLEJO, M.: "El derecho histórico y loas diferentes patrimonios culturales", en M. FERNANDO PABLO (dir.), Mª A. GONZÁLEZ BUSTOS y R. POLO MARTÍN (coords.): *Patrimonio cultural y nuevas tecnologías: entorno jurídico*, Salamanca, Ratio Legis, 2012, 31 ss.

Capítulo XXIV

El dominio público inmaterial

CARMEN FERNÁNDEZ RODRÍGUEZ
Profesora Titular de Derecho Administrativo
Universidad Nacional de Educación a Distancia

SUMARIO: I. EL CONCEPTO DE DOMINIO PÚBLICO INMATERIAL Y SU EXTENSIÓN A DIVERSOS OBJETOS DE INTERVENCIÓN ADMINISTRATIVA. II. EL DOMINIO PÚBLICO INMATERIAL EN LA PROPIEDAD INDUSTRIAL. 1. Los intereses garantizados en la protección administrativa de la Propiedad Industrial. La naturaleza jurídica de esta intervención administrativa. 2. Teorías sobre la especialidad del dominio público inmaterial en materia de Propiedad Industrial. 3. La inmaterialidad del derecho de uso exclusivo como objeto de la patente o registro en Propiedad Industrial. 4. La adaptación del concepto de dominio público a los derechos de Propiedad Industrial. El dominio público inmaterial. III. PROPIEDAD INTELECTUAL Y DOMINIO PÚBLICO INMATE-RIAL. 1. Concepciones sobre la naturaleza de los derechos de Propiedad Intelectual. 2. La creación como objeto del dominio público inmaterial. II. LA EVOLUCIÓN DEL CONCEPTO DE DOMINIO PÚBLICO INMATERIAL HACIA INTERESES PÚBLICOS DE NATURALEZA INTANGIBLE: LA CALIDAD DE VIDA Y EL RECURSO PATRIMONIAL PAISAJÍSTICO.

I. EL CONCEPTO DE DOMINIO PÚBLICO INMATERIAL Y SU EXTENSIÓN A DIVERSOS OBJETOS DE INTERVENCIÓN ADMINISTRATIVA

Con la expresión de "propiedades especiales", tradicionalmente se ha hecho referencia desde el derecho privado a propiedades que recaen sobre bienes cuya naturaleza difiere de las clásicas propiedades sobre bienes materiales. Nos referimos a la propiedad industrial o **intelectual**. Es básicamente el carácter inmaterial del objeto de este tipo de propiedades lo que justificaría un régimen jurídico especial en la medida en que esa inmaterialidad permite un uso específico que justifica un régimen especial[1].

---

[1] Una aproximación a este concepto de dominio público inmaterial la realiza FERNÁNDEZ RODRÍGUEZ, C. "Aproximación al concepto de dominio público inmaterial en los derechos sobre invenciones y creaciones". Revista de Administración Pública, núm. 146, 1993, pp. 129 y ss. y en Propiedad Industrial, Propiedad Intelectual y Derecho Administrativo. Madrid, 1999.

Con el tiempo la inmaterialidad del objeto de dominio es característica común a otra serie de cuestiones tales como el espacio no terreno —espacio aéreo, espacio radioeléctrico—, el bienestar —ruidos y olores— que exige el dominio del aire o la cultura de ver el territorio —paisaje—. Es evidente que todo ello "pertenece" o corresponde proteger al menos **subsidiariamente** a la Administración que, en algunos casos, deberá ser su titular dominical y, en otros, por el simple hecho de que estemos ante algo inmaterial, que es de todos, pero a su vez, no es de nadie —*res nullius*— la Administración se limitará a intervenir para cumplir con sus deberes constitucionales de protección de las telecomunicaciones, del entorno o medio ambiente.

Existen características comunes a todos estos bienes y básicamente es su **no aprensibilidad**, su característica fundamental. Los intereses en virtud de los cuales la Administración interviene en mayor o menor medida como titular de diversas facultades dominicales —a veces, todas ellas—, son variados pero también tienen en común el hecho de que su protección es vital para cumplir intereses públicos fundamentales tales como los relativos a la cultura, la tecnología, la seguridad, la economía de un determinado sector, la naturaleza o la belleza.

Pero incluso respecto a aquellas clásicas propiedades especiales como son la propiedad industrial e intelectual en las que la Administración resulta ser, pasado el tiempo, titular dominical, el olvido por parte de la doctrina administrativista en el estudio de estos especiales objetos de propiedad, ha sido llamativo a pesar de que, desde sus orígenes, han venido siendo calificadas como propiedades mixtas en donde lo público y lo privado se conjugan en su misma naturaleza. Un concepto demasiado estrecho de propiedad vinculado a bienes de naturaleza exclusivamente material y de pleno dominio de tales objetos, ha impedido flexibilizar en muchas ocasiones la técnica jurídica del dominio público referido a los bienes inmateriales.

La confusión y las dudas relativas a la naturaleza de los bienes de dominio público y propiedades especiales es una constante en la doctrina que ha analizado la naturaleza y el contenido de estos derechos y por tratarse de una materia impregnada de aspectos públicos y privados se ha valorado doctrinalmente el fenómeno de forma muy dispar.

La escasa transparencia y adecuación de los términos utilizados en las distintas legislaciones es de otro lado, manifiesta, por lo que a las discusiones sobre la inmaterialidad del objeto del demanio en estos casos —respecto a los que las tendencias han apuntado a considerarlos o bien como propiedades especiales que es la tesis dominante, o bien, como bienes inmateriales distintos a los bienes corporales o como monopolios— hay que unir las tan debatidas opiniones sobre la propia naturaleza del dominio público desde que FERNÁNDEZ DE VELASCO importara a nuestro país la doctrina de HAURIOU[2]. **Y esto conviene hacerlo porque los supuestos que vamos a tratar aquí, por inmateriales, son objetos límite en los que su misma naturaleza no material no impide que estemos ante la misma categoría demanial.**

La mayoría de la doctrina califica al dominio público como una forma especial de propiedad en el sentido de propiedad pública o propiedad modulada, a pesar de que la asimilación al régimen de la propiedad es más clara respecto a los bienes patrimoniales o privados de la Administración que a los bienes de dominio público[3]. Esta modulación llega en las teorías más recientes a considerarlo como una institución consistente en un haz de potestades distintas a la propiedad, siendo varios los problemas y deficiencias observados por diferentes autores como BERMEJO VERA[4]; problemas que a su vez se ven todos ellos agudizados cuando estamos ante objetos inmateriales. La generalidad de la institución obliga por ello a un análisis en el que han de enumerarse los bienes de dominio público que se contienen en el artículo 339 del Código Civil que, por lo demás, es también una enumeración ejemplificativa o de *numerus apertus,* ya que se refiere únicamente a los bienes destinados al uso público, "como los cami-

---

[2]   Vid. FERNÁNDEZ DE VELASCO, R. "Naturaleza jurídica del dominio público según Hauriou. Aplicación de su doctrina a la legislación española". Revista de Derecho Privado, tomo VIII, 1921, pp. 230 y ss.

[3]   En este sentido la definición de RIVERO del dominio público como "el grado máximo de especialidad jurídica que adquiriría la propiedad administrativa para asegurar su continua y real utilización pública" sirve para los objetos inmateriales. Vid. RIVERO YSERN, E., El deslinde administrativo. Sevilla, 1967, p. 139. También PAREJO GAMIR y RODRÍGUEZ OLIVER. Lecciones de dominio público. Madrid, 1976, que tratan de justificar la especialidad de estas propiedades en el diferente significado que las cosas tienen para el Derecho Administrativo y Civil y GARRIDO FALLA, F. Tratado de Derecho Administrativo. Madrid, 1989, p. 391, también lo califica como una especial relación de propiedad. Sin embargo, frente a esta **consideración**, GARCÍA-TREVIJANO FOS, J. A. "Titularidad y afectación demanial en el ordenamiento **jurídico** español". Revista de Administración Pública. Núm. 29. 1959, p. 12, prefiere referirse al vocablo de "titularidad" que es más amplio y referible a toda clase de derechos, totales o restringidos, ya que sólo en un sentido un tanto ambiguo, según su opinión, se puede hablar de propiedad de créditos o de acciones procesales.

[4]   Vid. BERMEJO VERA, J. "El enjuiciamiento jurisdiccional de la Administración en relación con los bienes demaniales". Revista de Administración Pública, núm. 83, mayo-agosto, 1977, pp. 105 y ss.

nos, canales, **ríos**, torrentes, puertos y puentes construidos por el Estado, las riberas, playas, radas y otros análogos".

La falta de uniformidad del concepto de dominio público nos sitúa en consecuencia ante la necesidad de flexibilizarlo en relación con los bienes que sean su objeto, de igual modo que sucede en relación con el concepto de propiedad que exige una adaptación a las distintas situaciones y objetos jurídicos. En este sentido se ha pronunciado nuestro Tribunal Constitucional cuando ha señalado que "la progresiva incorporación de finalidades sociales relacionadas con el uso o aprovechamiento de los distintos tipos de bienes sobre los que el derecho de propiedad puede recaer ha producido una diversificación de la institución dominical en una pluralidad de figuras o situaciones jurídicas reguladas con un significado y alcance diverso, de ahí que se venga reconociendo, con general aceptación doctrinal y jurisprudencial, la flexibilidad o plasticidad del dominio que se manifiesta en la existencia de diferentes tipos de propiedades dotadas de estatutos jurídicos diversos, de acuerdo con la naturaleza de los bienes sobre los que cada derecho de propiedad recae"[5]. Esto tiene especial relevancia y reciprocidad en los propios límites de la propiedad privada que suponen un haz de facultades para la gestión del dominio público inmaterial.

Por ello, fracasada la perspectiva del dominio público como propiedad —*propietas*— sólo cabe pensar que se trata de un conjunto de potestades —*potestas*— aunque sobre este último concepto tampoco existe en la doctrina un criterio unívoco[6].

Pero el acierto de considerar al dominio público como un concepto no unívoco consistente en un conjunto de potestades variables según los casos, adquiere todo su sentido en relación con los derechos, por ejemplo, de propiedad industrial. Su inmaterialidad determina un régimen peculiar que reviste una de sus muchas dimensiones en la medida en que opera como título garantizador y regulador del uso común y público de la invención o del signo distintivo. El ente titular sólo consigue sus fines mediante la tutela del bien demanial que se convierte así en objeto directo de su actividad administrativa. Se trata por ello de un dominio público de protección frente a un dominio público de propiedad[7], caracterizado más por el poder que ejerce la Administración sobre tales bienes que por los

---

5   Sentencia del Tribunal Constitucional 227/1988, de 29 de noviembre.

6   Sobre esta doctrina construyen el concepto de dominio público PAREJO GAMIR Y RODRÍGUEZ OLIVER. Lecciones de dominio público. Madrid, 1976.

7   Vid. PROUDHON, M. *Traité du domaine publique ou de la distinction des biens considerés principalement par rapport au domain public.* Bruselas. T. I. 1833, p. 89.

beneficios económicos que para la comunidad generan estos bienes, sin perjuicio de que este último objetivo sea el que persigue el inventor con la patente. Son pues derechos de dominio público de uso común general destinados a un aprovechamiento o uso privativo temporal y normal mediante la técnica concesional.

El segundo problema que afecta en particular al concepto de demanio inmaterial en cuanto demanio de derechos, es la inconcreción de su contenido. Puesto que el concepto de dominio público se ha articulado en base al concepto de propiedad, aunque calificada ésta con ciertas especialidades, la inconcreción del derecho de propiedad es traspolable al concepto de dominio público, por lo que "no es extraña la inconcreción jurídica de la categoría demanial, si se tiene en cuenta que igual ocurre en el derecho que le sirve de modelo"[8].

La tercera deficiencia del concepto de demanio consiste en su provisionalidad, la cual viene dada por la indiscutible posibilidad de transformación que ofrece cualquier bien, sin excluir a los considerados como de dominio público —no sólo en un plano físico sino también intelectual—. Por otra parte dicha provisionalidad en el régimen jurídico deriva asimismo de la existencia del demanio por afectación, criterio necesario pero no suficiente para la calificación de un bien como demanial[9].

Hasta la entrada en vigor del Código Civil los conceptos que se manejaban de dominio público fueron básicamente tres. El dominio público se predicaba de aquellos bienes de uso común y público que por esta circunstancia se excluían de la apropiación particular ya que su uso correspondía

---

[8]   Vid. BERMEJO VERA, J., *op. cit.*, p. 107.

[9]   Así señala GARCÍA-TREVIJANO FOS, J. A., "Titularidad y afectación demanial en el ordenamiento jurídico español". Revista de Administración Pública, núm. 29, p. 19, que "la titularidad sin afectación nos conduce a la propiedad privada, pero la afectación sin titularidad responde a un aspecto parcial del problema, puesto que no puede aclarar una serie de preguntas de gran importancia en la materia, tales como el de la conservación del bien, el de la responsabilidad por daños ocasionados, bien directamente por el objeto demanial, o bien indirectamente a través de las funciones o servicios que sobre él se realicen, el de la percepción de las tasas de utilización, el de la percepción del valor venal en caso de desafectación y venta, el del ejercicio de la policía que puede disociarse según que se trate de la conservación o de la circulación sobre los bienes, **etc.**" En este sentido hay que negar que por el hecho de que un objeto sea *res nulllius* es imposible que sea demanial "por ser insusceptible de propiedad, ni pública, ni privada", ya que ello supondría afirmar que son bienes afectados sin titularidad dejando sin respuesta a esta multitud de problemas. En estos casos se hace más evidente la necesidad de no equiparar dominio público con el concepto tradicional de propiedad aunque se le califique de pública.

a todos pero su propiedad a nadie, eran las denominadas *res nullius*. Se trataba con esta declaración de garantizar ese uso generalizado. Ejemplo de este concepto lo tuvimos en la Ley de Aguas de 1866 que calificaba a las aguas corrientes como bienes de dominio público con el objeto de regular posteriormente la forma de aprovechamiento por los particulares, Estado o Entes públicos. En estos casos, a diferencia de lo que sucedía en el régimen de minas, la asignación de aprovechamientos no priorizaba al descubridor, inventor o creador, sino, en la medida en que se admitían aprovechamientos especiales, en cuanto usos privativos, se concedían según un orden determinado[10].

El dominio público en su acepción de técnica de reserva al Estado del control sobre determinados recursos, lo encontramos por primera vez en el Decreto-Ley de Minas de 1868[11]. La Ley General de Minas, aprobada por Decreto de Fernando VII, el 4 de julio de 1825, atribuía a la Nación la propiedad de las minas porque nadie en puridad podía ser el propietario ya que nadie tenía poderes legítimos suficientes para aprehenderlos. Se acogía aquí un concepto de dominio público cercano a su consideración como *res nullius* en la medida en que la declaración de titularidad a favor de la Nación se articulaba para garantizar en cierto modo el uso de todos sobre tales recursos. En el marco del Estado liberal, el Decreto-Ley de 29 de diciembre de 1868, sin embargo ya no se refería al título de propiedad del Estado sino al dominio público como forma de titularidad específica distinta de aquélla. En este contexto el dominio público se concibió como un título estatal previo a la propiedad de la mina que, en principio, tanto podía ser retenida por y para el Estado, como conferida a un particular mediante la oportuna concesión. Se aporta así desde la legislación minera una idea del dominio público plenamente desvinculada de la de uso públi-

---

[10]   Dicho orden era el siguiente 1.– Abastecimiento a poblaciones. 2 Abastecimiento de ferrocarriles. 3. Riegos. 4. Canales de navegación. 5. Molinos y otras fábricas, barcas de paso y puentes flotantes. 6. Estanques para viveros o criaderos de peces. Dentro de cada orden tenían preferencia las empresas de mayor importancia y utilidad y, en igualdad de condiciones, las que antes hubieran solicitado el uso. Sobre este particular. Vid. PARADA VÁZQUEZ, R. Derecho Administrativo. Bienes públicos. *op. cit.*, p. 110.

[11]   Vid. FERNÁNDEZ ESPINAR, L. C. Derecho de Minas en España. Granada, 1997 y MORILLO-VELARDE PÉREZ, J. I. Dominio Público. Madrid, 1992. pp. 57 y ss. Apunta el autor que el Estado no actuaba como propietario sino como poder ya que no era propietario sino titular de un poder regulador del surgimiento de esa propiedad, que no podía adquirirse originariamente de otra manera. Cuando el Estado otorgaba una concesión minera no transfería propiedad alguna sino que la constituía.

co ya que consistía en un título de intervención previo a la propiedad que operaba un control del Estado sobre determinados recursos.

Por último la caracterización del dominio público como garantía de servicio público se acogió en la Ley de Obras Públicas de 1877. La asimilación entre dominio público y servicio público se logró en esta Ley mediante el concepto de obra pública. El servicio público se identificaba con el servicio administrativo en la medida que implicaba atribución de competencias y, por tanto se diferenciaba del simple uso público, lo que caracterizaba al bien a tal fin asignado como de dominio público[12].

Más adelante el Código Civil calificará como propiedades especiales a las aguas, minas y propiedad intelectual y hasta la Constitución de 1978, en cuyo artículo 132 se recogen los aspectos globales de la institución, ningún texto normativo había antes abordado en nuestro ordenamiento la cuestión con carácter general.

Algunos autores[13], no obstante, las han analizado como propiedades especiales desde nuestras técnicas jurídicas, aunque advirtiendo contradictoriamente la existencia de una verdadera concesión administrativa. Esta doble configuración, de un lado, como propiedades especiales y, de otro, como concesiones administrativas, ya muestra de por sí el carácter complejo de estos dominios inmateriales en la medida en que la concesión administrativa en sí misma exige del elemento constitutivo que implica un dominio pleno en origen por parte del sujeto concedente cuyas facultades transmite al concesionario.

En definitiva la cuestión a tratar está en el hecho de que nunca hubo un sentido único del concepto de dominio público y aún menos si centramos su objeto en algo inmaterial. En qué consista pues la verdadera especialidad del dominio público inmaterial y si es lo mismo que la propiedad especial o que la propiedad incorporal[14], dependerá de la flexibilidad y utilidad que demos al término como técnica jurídica de protección de determinados bienes que son su objeto.

---

[12]   Este era el caso de los edificios públicos destinados a "servicios del Ministerio de Fomento".

[13]   Vid. RODRÍGUEZ ARIAS. "Naturaleza jurídica de los derechos intelectuales". Revista de Derecho Privado, 1949 y ROYO VILLANOVA, S. Elementos de Derecho Administrativo. Valladolid, 1958.

[14]   Vid. FERNÁNDEZ ACEVEDO, R. "La problemática cuestión de la rentabilidad en la explotación de los bienes y derechos patrimoniales. Su regulación jurídica en la Ley del Patrimonio de las Administraciones Públicas". Revista de Administración Pública, núm. 171, pp. 79 y ss.

El Código Civil califica, como he apuntado, de propiedades especiales a las aguas, los minerales y a la propiedad intelectual, si bien adjetiva como bienes de dominio público únicamente a las aguas y a los minerales y no así a la propiedad intelectual e industrial. De otro lado, es un hecho evidente que nuestras leyes sectoriales, dentro del más amplio concepto de la calidad de vida, vienen calificando como de dominio inmaterial a determinados ámbitos como puede ser el radioeléctrico[15]. Y asimismo, otros intereses públicos se protegen sobre bienes incorpóreos tal como sucede con el medio ambiente, el paisaje, el entorno —ruido, olores— o el dominio arqueológico[16] que se despliegan sobre ámbitos que objetivamente dan lugar a una protección sobre bienes de naturaleza inmaterial.

La doctrina se ha dividido al considerar este tipo de propiedades como verdaderamente demaniales en cuanto al régimen *strictu sensu* del dominio público, ya que no se dan en ellos todas las características propias de los bienes de dominio público material o corpóreo. Sin embargo es claro que si el legislador opta por referirse a estas propiedades u objetos como de dominio público es porque considera que, entre todas las posibles fórmulas de protección, el dominio público tiene las más enérgicas consecuencias. La opción legal, es una de las posibles, pero no es la única.

En cualquier caso, los derechos que las Administraciones despliegan sobre tales bienes tienen *a priori* la consideración de patrimoniales al es-

---

[15] Vid. FERNANDO PABLO, M. "Sobre el dominio público radioeléctrico: Espejismo y realidad". Revista de Administración Pública, núm. 143. 1997, pp. 107 y ss., hace un análisis de lo que, en realidad es objeto demanial. Para CHINCHILLA es la energía electromagnética; para ARIÑO, las ondas herzianas, con sus frecuencias y potencias —bienes muebles—. Pero también están los que rechazan la calificación demanial del espacio aéreo, señalando que tal entidad es objeto de múltiples usos, con distinto régimen, sin que las potestades públicas de intervención se expliquen con fundamento en la demanialidad —GONZÁLEZ NAVARRO— o bien negando la viabilidad a la expresión legal, entonces jurisprudencial, pues se trataría en todo caso de una *res communis* de uso reglamentado —GARCÍA DE ENTERRÍA—. En este sentido el autor concluye en relación con este dominio público inmaterial que es el radioeléctrico que "...la protección de la eficacia y contenido de tal título jurídico recae siempre sobre la Administración, no en cuanto "titular" de un bien, sino en cuanto "administrador" de una *res communis*. Un dominio público en el que las notas constitucionales del mismo (inembargabilidad, inalienabilidad, imprescriptibilidad) no tienen real aplicación, es sólo un *nomen iuris* falto de adecuación a su función institucional". Concluye el autor con las palabras de TRUCHET: "¿Por qué estar contra la demanialidad del espacio herziano? Esta no resulta ni escandalosa ni ridícula. Pero es una tesis arcaica, inútil, y poco compatible con el derecho del dominio público".

[16] Vid. BARCELONA LLOP, J. "El dominio público arqueológico". Revista de Administración Pública, núm. 151, 2000, pp. 133 y ss.

tar dicho patrimonio constituido por el conjunto de bienes y derechos, cualquiera que sea su naturaleza y el título de su adquisición o aquel en virtud del cual les hayan sido atribuidos —art. 3.1 Ley 33/2003, de 3 de noviembre—[17] y, en particular, así lo dispone calificándoles de "propiedad incorporal", el propio artículo 7.2 de la Ley 33/2003:

> "En todo caso, tendrán la consideración de patrimoniales de la Administración General del Estado y sus organismos públicos los derechos de arrendamiento, los valores y títulos representativos de acciones y participaciones en el capital de sociedades mercantiles o de obligaciones emitidas por éstas, así como contratos de futuros y opciones cuyo activo subyacente esté constituido por acciones o participaciones en entidades mercantiles, los derechos de propiedad incorporal, y los derechos de cualquier naturaleza que se deriven de la titularidad de los bienes y derechos patrimoniales".

Estaríamos pues, en la mayoría de los casos, según palabras de SANTA-MARÍA PASTOR[18], ante un patrimonio en parte de preservación y, de otro lado, de regulación. Se trata de un patrimonio de preservación en cuanto que, normalmente, se trata de bienes de alto valor colectivo, cuya ubicación en manos públicas se halla dirigida a mantener su integridad física y sus características intrínsecas, justamente por ser bienes insusceptibles de reposición o duplicación; es el caso de las costas, montes o vías urbanas. En este tipo de patrimonio el principio de inalienabilidad juega un papel central, no tanto como instrumento al servicio de su conservación, sino de aseguramiento del disfrute colectivo del mismo; disfrute que es necesario también organizar de modo que la esencia del bien no sufra menoscabo apreciable. El patrimonio de regulación comprende los bienes destinados primariamente a su uso por parte de los sujetos privados —o, eventualmente públicos—, uso que es necesario asimismo ordenar para asegurar un aprovechamiento eficiente y racional del mismo, pero que puede llegar a ser consuntivo: mar territorial, recursos mineros, hidrocarburos, espacio radioeléctrico, entre otros. Aquí el principio de inalienabilidad no opera respecto de la realidad física del bien, sino como mecanismo protector del título de intervención que la Administración debe ostentar para los indicados fines de ordenación.

En cualquier caso el concepto de dominio público inmaterial refiere la inmaterialidad al objeto sobre el que recae y éste puede tener una natu-

---

[17] BOE núm. 264, de 4 de noviembre.
[18] Vid. SANTAMARÍA PASTOR, J. A. "Objeto y ámbito. La tipología de los bienes públicos y el sistema de competencias". En Comentarios a la Ley 33/2003, del Patrimonio de las Administraciones Públicas. Madrid, 2004, p. 93.

raleza dispar que va desde la más absoluta inmaterialidad que protege las ideas, creaciones o cultura hasta una inmaterialidad relativa como sucede en el caso del espacio o dominio público radioeléctrico en el que, al menos, ese espacio y, a esos efectos, tiene una cierta materialidad. De ahí que, en los primeros supuestos se manifiesten más abstractas las potestades de intervención y la propia funcionalidad del concepto y régimen de dominio público, que en los segundos en los que, al menos es posible sujetar el elemento físico material al régimen de intervención administrativa.

Los ejemplos clásicos más estudiados por la doctrina civilista en cuanto a esa especialidad del dominio público inmaterial frente al material, son los de la propiedad industrial —patentes, invenciones, modelos de utilidad y signos distintivos— e intelectual —creaciones—. Los administrativistas, no obstante, hemos ido analizando bien a bien, con su especialidad de régimen demanial atendiendo a la idea principal del interés público cuyo deber de protección corresponde, en cada caso, a la Administración Pública: cultura, ciencia e investigación, entorno, ambiente, ruido, uso del espacio radioeléctrico o paisaje.

La descripción del concepto y de los elementos que constituyen ese dominio público inmaterial en los supuestos de la propiedad industrial e intelectual puede servir en todo caso de ejemplo o de guía para el análisis y la comprensión de cada uno de los bienes e intereses que constituyen el concepto de dominio público inmaterial, de ahí que se propongan como objeto de análisis[19].

II. EL DOMINIO PÚBLICO INMATERIAL EN LA PROPIEDAD INDUSTRIAL

1. Los intereses garantizados en la protección administrativa de la Propiedad Industrial. La naturaleza jurídica de esta intervención administrativa

La pluralidad de intereses a los que sirven los denominados derechos de Propiedad Industrial justifica la presencia de la Administración en unos derechos que tradicionalmente han sido considerados de forma exclusiva como privados de los individuos que ejercen la actividad inventiva. La ac-

---

[19]   Para toda esta materia, Vid. FERNÁNDEZ RODRÍGUEZ, C. Propiedad Industrial, Propiedad Intelectual y Derecho Administrativo. Madrid, 1999.

ción administrativa sobre la denominada Propiedad Industrial sin embargo, es un hecho que se va intensificando progresivamente atendiendo al mayor peso que los intereses públicos van teniendo en el binominio entre el fomento de la actividad inventiva y la correlativa protección administrativa que depara el registro a los titulares de derechos. Por ello, desde un punto de vista organizativo o institucional, la Administración Pública de la Propiedad Industrial se hace presente a través de una institución angular que en nuestro país recibe el nombre de Oficina Española de Patentes y Marcas y los procedimientos para la atribución de la explotación exclusiva de estos derechos son procedimientos calificados como administrativos.

El fomento a la investigación constituye pues el interés que justifica toda una acción administrativa que no opera exclusivamente con carácter formal o secundario en el proceso de reconocimiento de tales derechos a los particulares que logran la invención o la adopción de determinados signos distintivos, sino que, como vamos a ver, es el resultado de la naturaleza intrínsecamente administrativa de muchas de sus facetas. El Preámbulo de la Ley de Patentes de 20 de marzo de 1986 apunta a esta finalidad:

> "La Ley tiene en cuenta que una Ley española de Patentes, debe tender a promover el desarrollo tecnológico de nuestro país, partiendo de su situación industrial, por lo que se ha prestado una especial atención a la protección de los intereses nacionales, especialmente mediante un reforzamiento de las obligaciones de los titulares de patentes a fin de que la explotación de las patentes se produzca dentro del territorio nacional y tenga lugar, en consecuencia, una verdadera transferencia de tecnología, pero siempre respetando el Convenio de la Unión de París de 20 de mayo de 1883 texto revisado en Estocolmo el 14 de julio de 1967 y en vigor en España".

Existen diversas vías de fomento de la Propiedad Industrial[20]:

> – el fomento de la utilización de modelos de utilidad por las pequeñas y medianas empresas;
> – la ayuda a las empresas para que definan una estrategia en materia de Propiedad Industrial —e Intelectual—;
> – mayor asistencia para luchar contra las imitaciones y falsificaciones y el refuerzo de la enseñanza sobre la Propiedad Industrial —e Intelectual— en la formación de los futuros investigadores, ingenieros y gestores de empresas.
> A nivel comunitario e internacional se apuntan también diversas acciones tales como:
> – proseguir con la armonización de los sistemas de Propiedad Industrial e Intelectual, en particular en el ámbito de las ciencias biológicas, de la tecnología de las

---

[20]   Ya el Libro Verde de la Innovación adoptado por la Comisión europea el 20 de diciembre de 1995, apuntaba estos objetivos específicos.

aplicaciones informáticas, telecomunicaciones (sociedad de la información) y los modelos de utilidad;
– reforzar los instrumentos de lucha contra las imitaciones y, finalmente,
– promover los servicios de información sobre las patentes "como un método de alerta tecnológica, utilizando, particularmente, el sistema de información creado por la Oficina Europea de Patentes"[21].

En consecuencia el análisis de los títulos de atribución y reconocimiento de los derechos de Propiedad Industrial desde el Derecho Administrativo no sólo se hace preciso para la explicación íntegra de estos derechos, sino que resulta fundamental para la comprensión de su verdadera naturaleza y límites intrínsecos ya que constituye un dominio público de naturaleza inmaterial.

En estas dos últimas décadas las posibilidades de invención han alcanzado límites insospechados no superados hasta ahora. Los intentos de innovación alcanzan incluso a determinadas formas de vida que, aunque básicas, resultan imprescindibles para el avance médico y humano. Los límites sobre la patentabilidad de estas invenciones en cuanto que la concesión de una patente supondría en ciertas ocasiones el monopolio sobre determinadas secuencias genéticas humanas, obligan sin embargo a justificar la negativa de su otorgamiento exclusivamente a partir de criterios extrínsecos o ajenos a la Propiedad Industrial —tales como son los éticos o de orden público recogidos en las diversas legislaciones— con lo que con ello se debilitan otros argumentos más acordes a su naturaleza intrínseca que desde la perspectiva administrativa reforzarían la **justificación** de esas negativas a la patentabilidad[22].

Tradicionalmente la Propiedad Industrial ha sido considerada como una propiedad especial a la que la doctrina civilista ha otorgado muy diversas y variadas naturalezas. BAYLOS CORROZA[23] por ejemplo, ha conside-

---

[21]	**Vía** de acción número 8 del Libro Verde de la Innovación.
[22]	El artículo 5. 1 a) de la Ley de Patentes considera que no podrán ser objeto de patente "Las invenciones cuya publicación o explotación sea contraria al orden público o a las buenas costumbres". En el mismo sentido apunta el artículo 53. a) del Convenio sobre concesión de patentes europeas de 5 de octubre de 1973. La cuestión se viene planteando recientemente en relación con los últimos avances de la investigación genética. Vid. GÓMEZ SEGADE, J. A. "Patentes y Bioética en la encrucijada: del onco-ratón al genoma humano". Actas de Derecho Industrial. Tomo XIV. 1991-1992, pp. 835 y ss. En materia de patentes biotecnológicas asimismo, recientemente ha sido aprobada una Directiva comunitaria relativa a su protección **jurídica**.
[23]	Vid. BAYLOS CORROZA, H. Tratado de Derecho Industrial. Propiedad Industrial. Propiedad Intelectual. Derecho de la Competencia Económica. Disciplina de la Com-

rado que, aunque esta propiedad ha sido denominada especial por concurrir en ella aspectos administrativos y civiles, la intervención administrativa "no afecta de ningún modo a la naturaleza misma del derecho subjetivo que surge", ya que "lo único que confiere la Administración es una mera titularidad formal que puede ser impugnada ante los Tribunales por quienes acrediten que, a pesar de la concesión administrativa, esos requisitos materiales no se han cumplido".

Sin embargo para el Derecho Administrativo resulta imposible comprender la técnica jurídica de intervención administrativa que es la concesión administrativa si tal derecho previamente no pertenece al dominio público, pues, en definitiva, nada que no pertenezca a un sujeto —en este caso la Administración Pública— puede por él mismo ser "concedido" ya que la concesión en todo caso goza de naturaleza constitutiva.

En este sentido sólo la Administración puede otorgar protección exclusiva otorgando al sujeto que inventa o acuña un determinado signo distintivo, un derecho determinado porque, efectivamente, aunque puede afirmarse que la invención es obra —que no propiedad— del sujeto que inventa, es obvio que la protección que se otorga a esa invención mediante la concesión de ese nuevo derecho o facultad, es algo distinto de la invención misma, al implicar que exclusivamente el inventor tiene la facultad de explotar económicamente la invención frente al resto de los ciudadanos. Por tanto es preciso separar la invención o el signo distintivo —ambos constituyen Propiedad Industrial— de la protección administrativa que depara la concesión de la patente o el registro de signo distintivo.

El papel de la Administración Pública en la configuración de estas instituciones parece que no consiste pues, únicamente, en contra de lo apuntado por BAYLOS CORROZA[24], en una mera exigencia adicional para la efectividad y oponibilidad del derecho, cuya validez se vincula a que se cumplan en cada caso todas las condiciones de hecho constitutivas del supuesto legal. Por el contrario, la técnica administrativa de atribución de uso sobre la invención al inventor con exclusión de terceros caracteriza de forma particular a la naturaleza de los derechos de la Administración sobre las invenciones, así como la de los derechos que sobre las mismas se atri-

---

petencia desleal. Madrid, 1993, pp. 101 y 102.
[24] Vid. BAYLOS CORROZA, H., *op. cit.*, pp. 101 y 102. El estudio de este autor, por lo demás, constituye el análisis doctrinal más exhaustivo en esta materia, integrándolo en el Derecho de la competencia económica y disciplina de la competencia desleal.

buyen al particular inventor, delimitándolos en relación con las categorías clásicas que históricamente se vienen manejando.

La modulación de la intervención administrativa sobre las invenciones se ha de justificar en la naturaleza que se otorgue a la protección que merece. Si se considera que el derecho al uso exclusivo de la invención existe por el sólo hecho de la invención, la intervención de la Administración Pública sólo gozaría de un carácter declarativo o prestacional que otorgaría eficacia a algo que ya existía previamente y simplemente se reconocería a través de su actividad registral o inscripcional una protección distinta al derecho inicial[25]. Si, por el contrario se considerara que, para la existencia del derecho a esa protección, es precisa la intervención administrativa, dicha actividad resultaría constitutiva para el nacimiento del derecho del inventor porque éste, por su simple actividad inventiva, no gozaría de forma originaria de derecho o protección alguna[26].

La naturaleza híbrida de estas instituciones en cuanto reflejo de la acción administrativa sobre relaciones jurídico-privadas no se plantea en consecuencia en un plano temporal secundario, sino que, en cuanto a la protección se refiere, opera desde el **origen** de estos derechos[27]. Los conceptos de dominio público, de propiedad pública y privada, de reserva **demanial** y de concesión administrativa son imprescindibles para un adecuado entendimiento de la naturaleza y límites de la Propiedad Industrial porque su verdadera especialidad no está tanto en una posible doble naturaleza de los derechos —administrativa y privada— como en la inmaterialidad de

---

[25]   Esta era la filosofía expresa del antiguo Estatuto de la Propiedad Industrial en su artículo 1.

[26]   Esta parece ser la nueva técnica a la que apunta la Ley de Patentes y Ley de Marcas.

[27]   En este sentido resulta operativo distinguir las fases cronológicas por las que puede evolucionar la existencia y protección de una invención; fases que no coinciden en la perspectiva administrativa que aquí se adopta con las que apunta RODRÍGUEZ ARIAS. (Vid. RODRÍGUEZ ARIAS "Naturaleza jurídica de los derechos intelectuales". Revista de Derecho Privado, 1949, **pp.,** 747 y **ss.** y 830 y ss.) aunque sin ser contrarias u opuestas a ellas. Según el autor existen tres fases en la constitución de estos derechos que conviene diferenciar para situar en su justo término las concepciones sobre el valor y naturaleza de su protección: una primera que es el derecho de crear o inventar y el ejercicio de este derecho sobre el objeto creado o inventado; una segunda fase constituida por la relación inmediata con lo creado o inventado, bien porque se inscriba o por perturbación de la relación directa existente, haciendo actuar a la acción jurídica, reconociendo y restaurando el orden perturbado y, una tercera fase en la que la relación entre el creador o inventor y su obra o invento es ya perfecta, pues hay, de un lado, una idea —que le cualifica dentro de un grupo— y, de otro, hay un bien patrimonial que reporta el objeto que recibe la acción real.

su objeto y en las dificultades que esta inmaterialidad impone en la adaptación de los conceptos jurídicos que utilizamos sobre algo tan abstracto e inmaterial como es la invención y los derechos que como consecuencia de la intervención administrativa se constituyen a favor del inventor.

2. Teorías sobre la especialidad del dominio público inmaterial en materia de Propiedad Industrial

Las teorías que se han venido utilizando para calificar la especialidad del objeto de dominio en materia de Propiedad Industrial, sirven sin lugar a dudas para el resto de bienes inmateriales cuyo dominio pertenece a la Administración ya que, en mayor o menor medida, revisten sus mismas características.

La evidencia de la especialidad de estos derechos respecto al derecho de propiedad conduce a un sector de la doctrina a sostener que se trata de *propiedades sui generis o especiales*[28] que se diferencian claramente de la propiedad común sobre bienes materiales al representarse simbólicamente en determinados valores[29].

Sin duda estas últimas concepciones son las que mejor clarifican la naturaleza de estos derechos pero las críticas que pueden hacerse, tanto a esta última doctrina como a las que califican en general a estos derechos como propiedades, son de peso específico[30] ya que, de un lado, la propiedad supone una plenitud de disfrute que no se presenta en el caso de las invenciones. De otro, no puede hablarse de verdadero disfrute porque el derecho no recae sobre un objeto apropiable. Se trata más bien de una obtención de ganancias que exige una exteriorización y difusión de la invención o signo y que otorga al inventor un derecho de carácter no ya positivo, sino negativo y excluyente por efecto de una intervención administrativa de naturaleza constitutiva.

---

[28] Siguen esta concepción: ESTASEN; DALIMIER, R y GALLIE, L; ROTONDI; PAELLA Y FORGAS; DÍAZ VELASCO; JOSSERAND; MEDINA Y SOBRADO, entre otros.

[29] En nuestro ordenamiento no obstante la doctrina sostiene la especialidad de estas propiedades no tanto atendiendo a las notas que les caracterizan: su temporalidad, la intervención administrativa, etc., sino a su naturaleza híbrida en su perspectiva jurídica de integrar aspectos de Derecho Civil y de Derecho Administrativo.

[30] Y todas ellas, son asimismo predicables, de cada uno de los bienes que integran por su inmaterialidad el concepto de dominio público inmaterial.

En respuesta a las insuficiencias de la consideración de estos derechos como verdaderas propiedades, dentro de la concepción dualista, se sostiene también por otros autores, la denominada *teoría del derecho sobre bienes inmateriales*, considerando en términos generales que la propiedad es un concepto previsto para objetos materiales y que, por consiguiente, no sirve para calificar a los derechos de los inventores que son de naturaleza inmaterial[31]. En la misma línea apunta la teoría de los derechos intelectuales iniciada por PICARD que consideró que junto a la categoría de derechos reales y derechos personales, es preciso acoger la de los derechos intelectuales que tratan de otorgar protección jurídica a los productos de la inteligencia humana.

Dentro del segundo grupo en las concepciones dualistas se encuentran toda una serie de teorías que consideran a estos derechos como poderes jurídicos que no recaen sobre objeto con entidad alguna, limitándose únicamente a permitir el ejercicio de una actividad determinada con exclusión de terceros. No se trata por tanto de un señorío por cuanto lo único con entidad clara es que al sujeto que inventa se le ha de proteger ya que de lo contrario la explotación de su invención estaría permitida a la comunidad en general. A partir de esta consideración hay autores que los califican como *derechos a la no imitación*[32] o como *derechos de clientela*[33] e incluso, como *derechos de monopolio.*

La teoría del monopolio es dentro de estas últimas concepciones la que quizá ha tenido mayor repercusión en la aclaración de la naturaleza de estos derechos, si bien quizá con el defecto de la comprensión del fenómeno bajo parámetros excesivamente economicistas y escasamente jurídicos,

---

[31]   Fue KOHLER el primero en formular esta teoría en un trabajo publicado en 1875, titulado *Studie über die ideale Güter* (*cit.* por CIAMPI. *Diritto di autore. Diritto naturale. op. cit.*, p. 63). Siguen la misma: STOLFI, RUGGIERO, RAMELLA, PLANIOL, LUZZATTO, SORDELLI, DE GREGORIO, DI FRANCO, MESSINEO, ZAVALA, VALERI, entre otros.

[32]   Sigue esta concepción ROGUIN. Las reglas jurídicas. *op. cit.*, según el cual "los autores, artistas, industriales, comerciantes sin protección especial, quedan abandonados a los efectos del derecho común que autoriza la imitación". Precisamente la legislación especial pretende impedir la imitación como actividad que es en principio libre de forma previa.

[33]   Vid. ROUBIER. *Le Droit de la propriété industrielle.* París, 1952 que considera que la utilidad económica de estos derechos es la de la conquista de la clientela, ya sea por un bien inmaterial —invención—, ya sea con la ayuda de un bien inmaterial —marca, nombre, rótulo—. De otro lado, para esta concepción el contenido patrimonial de estos derechos no es otro que el de obtener beneficios en la concurrencia económica.

aunque esta crítica ha tratado de salvarse en algunas de sus versiones[34] como la de FRANCESCHELLI que consideraba que todas estas figuras son verdaderos monopolios legales, entendiendo como tales las situaciones en las que únicamente el monopolista puede vender, es decir, en las que se concentran en una mano todas las posibilidades de oferta de un bien individualizado, no en la especie, sino en el género al que pertenece. En este sentido tales monopolios se caracterizan porque su contenido patrimonial consiste en que proporcionan al titular una fuente de ganancia, mientras que su estructura esencial consiste en la exclusión que impide a todos el ejercicio de la industria y del comercio o una actividad determinada de carácter económico. Y, por último, su naturaleza es la de ser un derecho absoluto que crea la obligación general de abstención que se dirige *erga omnes*[35].

Cada una de estas teorías se aproxima de alguna manera, con mayor o menor acierto, a la naturaleza de la Propiedad Industrial en la que se integran muy diversos aspectos. Todas ellas aportan algún elemento novedoso en la aclaración de la naturaleza del objeto sobre el que recaen estos derechos, pero ciertamente adolecen en general de eludir el tratamiento de una realidad que es manifiesta en las previsiones legales relativas a la Propiedad Industrial, tanto en momentos pretéritos como presentes: la intervención de la Administración Pública en la constitución de estos derechos.

La actividad administrativa sobre la Propiedad Industrial se considera por estas teorías como un simple accidente que no aporta nada nuevo sobre los derechos de los inventores ya perfectos. Por ejemplo, BAYLOS CORROZA[36] —que como se ha apuntado es el autor que sintetiza con más acierto estas concepciones— tras el minucioso análisis que aporta de las distintas teorías sobre la naturaleza de estos derechos, toma posición en el sentido de reconocer "que sólo para gozar del derecho derivado de su creación intelectual es para lo que recibe el autor o el inventor ese *ius prohibendi* que, por tanto, no es otra cosa que el 'expediente jurídico' que hace posible el señorío sobre la obra a que se reduce esencialmente el derecho del

---

[34]   Vid. FRANCESCHELLI. *Trattato di Diritto Industriale*. Milán, 1959.

[35]   Esta concepción de fácil adaptación al dominio público radioeléctrico posteriormente es seguida por otros autores italianos, matizando el concepto de monopolio aplicable a estos derechos. Así CASANOVA. *(Le imprese commerciali*. Turín, 1955); LANDI, G. *(La concessione amministrativa con claosola di esclusiva*. Milán, 1941); GUGLIELMETTI *(Il marchio. Oggetto e contenuto*. Milán, 1955).

[36]   Vid. BAYLOS CORROZA, H. *op. cit.* p. 453.

creador". Pero nada señala en cuanto a cuál sea la naturaleza de eso que él denomina "expediente jurídico" ni el porqué de su existencia justificada en el deber de protección jurídico administrativa de la cultura, en un caso y de la ciencia e investigación, en otro.

Ese *ius prohibendi* que recibe el inventor como titular de la patente constituye el objeto de la técnica de intervención administrativa denominada concesión, por lo que la relevancia del análisis de esta especial actividad administrativa para la calificación de cuál sea la naturaleza de estos derechos, parece definitiva.

El punto de partida que resulta clave en la aproximación a la Propiedad Industrial desde el Derecho Administrativo consiste en la diferenciación entre el objeto de la Propiedad Industrial y el objeto de la concesión de la patente como instrumento administrativo en torno al cual se sustenta todo el sistema de Propiedad Industrial. Esta previa distinción nos acerca a su vez a la delimitación de lo que es el contenido y el objeto de estos derechos. La única forma de comprender la naturaleza del objeto de la Propiedad Industrial no puede ser ajena a la disciplina administrativa, pues una cosa es la invención que permanece en el ámbito privado del inventor y otra muy distinta es la invención a la que se refiere toda la legislación sobre Propiedad Industrial.

Se trata esta última de la invención patentada o concedida administrativamente que, precisamente, por el hecho de utilizar esta técnica —la concesión— y no otra modalidad de intervención administrativa —autorización, aprobación, admisión— difícilmente hace compatible la naturaleza de la Propiedad Industrial como propiedad privada con el instrumento constitutivo en que la concesión administrativa consiste ¿Qué concedería pues la concesión con carácter constitutivo —y no de mera eficacia— si la invención es auténtica propiedad? Sin duda el inventor es titular moral y usuario exclusivo de su invención mientras la mantiene en su esfera privada o secreta porque no habiendo trascendido a la comunidad el objeto de la invención, la misma no puede usarse por todos con carácter común y general, pero ello difícilmente le va a otorgar el beneficio que cualquier propiedad ha de suponer.

La paternidad o la facultad moral del inventor sobre la invención se ha considerado históricamente un valor autónomo que ha de ser respetado y garantizado por el ordenamiento a través del mecanismo de conceder al inventor ciertas prerrogativas que, en definitiva, tratan de incentivarle tras haber realizado un esfuerzo investigador, incluso cuando la invención se ha hecho pública, exista o no exista la protección jurídica que otorga la patente[37]. Pero cuando la invención se sitúa en la esfera privada del inventor, titularidad y uso confluyen en la exclusiva persona del inventor con carácter natural y automático y no por efecto de una Ley que así lo reconozca. Por contra, cuando la invención se hace pública sin ninguna protección ni intervención jurídico-administrativa, aunque se reconoce la titularidad o paternidad del inventor sobre la invención, el uso de la misma en base a ese interés público de fomento del progreso tecnológico industrial y en base a la propia inmaterialidad e inaprehensión de la invención, es de dominio público[38].

El paso de lo privado a lo público puede producirse con o sin la voluntad del inventor. La publicidad de la invención —no en el sentido de publicidad registral, sino de lo que es público en cuanto conocido por la comunidad— sin la voluntad del inventor trae como primera consecuencia la posibilidad de que la invención pueda ser usada, explotada e imitada por cualquiera, reduciendo o anulando en la mayoría de los casos el estímulo económico que supone una explotación exclusiva.

La explotación exclusiva es el interés patrimonial privado fundamental por el que el inventor va a tratar de proteger su invención de cualquier tercero que pretenda su uso o imitación. Quizá no sea éste el único interés del investigador porque, sin duda, los estímulos del investigador no son exclusivamente económicos, sino también de prestigio profesional y social. Pero lograda la invención[39], la rentabilidad se erige en motivación principal del inventor, de ahí que persiga su uso exclusivo porque sólo así la invención

---

[37] No es por ello artificioso distinguir —como en Propiedad Intelectual— entre los aspectos morales o de paternidad de estos derechos, de los patrimoniales o económicos. Los distintos intereses que en la regulación de la Propiedad Industrial pretenden ser amparados, generan ineludiblemente la división entre unos y otros. En la Propiedad Intelectual esto es claro porque la vertiente más personal de la creación se pone de manifiesto con mayor claridad que con respecto a la Propiedad Industrial en cuanto a las invenciones se refiere. La creación, frente a la invención, se asume como el resultado o la extensión de la propia personalidad. Sin embargo, dentro de la Propiedad Industrial, los aspectos morales y económicos resultan más equilibrados en la regulación de los signos distintivos —marcas, nombres comerciales y rótulos—.

[38] Vid. FERNANDO PABLO, M. M. "Sobre el dominio público radioeléctrico: espejismo y realidad". Revista de Administración Pública. Núm. 142. 1997, que considera de modo similar en el caso del espacio radioeléctrico que más bien existe una Administración o intervención de una *res communis*, acogiendo la crítica de la utilización en este caso de la institución demanial.

[39] La invención en el terreno de la Propiedad Industrial debe ser necesariamente una invención rentable económicamente porque de lo contrario, desaparece el interés privado fundamental de protección de la exclusividad de uso por parte del inventor.

le ofrece rentabilidad. Pero ¿por qué no tiene el titular de la invención su uso y explotación exclusiva desde el momento de la invención? ¿no es esto lo que sucede al propietario de cualquier objeto material?

Sin duda la inmaterialidad de las claves o pautas en que consiste cualquier **invención** impide una aprehensión exclusiva con carácter natural a diferencia de lo que sucede con cualquier bien material. Solamente el efecto de una Ley y de unas técnicas administrativas concretas pueden lograr que lo que no es de uso exclusivo se convierta en tal. Pero la demanialidad de estos derechos es una demanialidad natural por cuanto por imperio del derecho natural se trata de derechos comunes a todos, su inalienabilidad es absoluta, porque el orden de la naturaleza, que las ha repartido igualmente a todos, es inmutable[40], lo que no **impide** que por efecto de la Ley se atribuya mediante la técnica concesional, de forma temporal y excluyente, a un sujeto en particular[41]. No obstante si esto es así no es pura casualidad. La inmaterialidad de la invención es la cobertura, pero el ordenamiento podría haber creado la ficción y reconocer que ese derecho patrimonial exclusivo fuera de titularidad del inventor por el simple hecho de su invención como un derecho natural. El registro de tal derecho podría otorgar una simple eficacia a un derecho nacido con la invención misma aunque tuviera naturaleza temporal.

Sin embargo la solución de nuestro ordenamiento respecto a la Propiedad Industrial ha sido otra muy distinta. La privación del uso de la invención que con el sistema descrito anteriormente se haría al resto de la comunidad, supondría privarla del valor de progreso específico que representa toda invención en el ámbito industrial. De ahí que sea la Administración, en cuanto representa al interés público, la que otorga y constituye ese derecho de uso exclusivo sobre la invención al inventor, reservándose la potestad de proteger en todo momento ese interés con las técnicas que le ofrece su caracterización demanial. Esta caracterización por ello tiene especial relevancia antes de que se conceda a favor del inventor el derecho a usar de la invención de forma exclusiva[42].

---

[40] Vid. PROUDHON. *op. cit.*, p. 89.
[41] No obstante, como apunta BARCELONA LLOP, J. La utilización del dominio público por la Administración: Las Reservas Dominiales. Pamplona, 1996, p. 569, citando a LAVIALLE, la distinción entre dominio público natural y artificial tiene un valor escaso porque efectivamente, existen bienes que por naturaleza son demaniales pero su régimen jurídico nada tiene que ver con este carácter demanial natural de los bienes puesto que responde a una decisión del Legislador.
[42] Ya ROYO VILLANOVA, A. Elementos de Derecho Administrativo. Valladolid, 1946, p. 477, amparándose en el criterio acogido por SPENCER y AZCARATE, apunta que

Esa exclusividad de uso no es del inventor si la invención es pública sin la protección que constituye la patente, es decir, cuando aún no existe la protección propia de lo que denominamos Propiedad Industrial. Efectivamente el uso será secreto —que no exclusivo— si se mantiene la invención en una esfera privada pero no tanto porque éste sea un derecho específico del inventor sino por cuanto, como miembro de la comunidad que conoce la invención, puede usar de ella. No obstante ese uso no será normalmente rentable y, por tanto, no estaremos ante la invención industrial propiamente dicha[43].

La potestad de otorgar el uso exclusivo de la invención pertenece a la Administración en cuanto dominio administrativo del que se erige titular y por ello es preciso utilizar la técnica concesional para constituir en la persona del inventor el derecho a una explotación exclusiva y excluyente de la invención. La explotación exclusiva es un derecho subjetivo del inventor o del titular de la patente que nace como consecuencia de una concesión.

Por consiguiente es necesario partir de la neta separación entre los diversos elementos que constituyen los denominados derechos de Propiedad Industrial: los morales; los económicos; la titularidad originaria del inventor por el simple hecho de su invención —que es un simple derecho personal—; el uso privado del inventor mientras no trasciende la invención; el uso común general de la comunidad —*res communis*— y el uso exclusivo y excluyente del inventor titular de la patente.

---

la Propiedad Industrial "es una forma de la propiedad intelectual y en las mismas razones se apoya el Estado para reconocerla y limitarla por consideraciones de interés público. El carácter administrativo de esta propiedad resulta más claro, en cuanto su reconocimiento se hace por la Administración pública, por medio de una verdadera concesión (patente) en ciertas condiciones que limitan el derecho exclusivo del autor del invento a reproducir su obra, pues teniendo en cuenta su utilidad social y el interés del progreso científico en premiar el celo de los que lo favorecen, impidiendo al propio tiempo que estas puedan perjudicarle, se determina por el Estado: las cosas que pueden ser objeto de patente, el tiempo por el cual se disfruta ésta, la necesidad de obtener otra nueva para la perfección y modificación de inventos anteriores". Esta misma concepción es acogida posteriormente por otros autores hasta que se diluye y desaparece en los actuales manuales de Derecho Administrativo: Vid. CASTEJÓN PAZ, B. y RODRÍGUEZ ROMÁN, E. Derecho Administrativo y Ciencia de la Administración. Tomo II. Madrid, 1969.

[43] Cuestión distinta a ésta es la que justifica el régimen de las patentes secretas en las que el interés que se protege es el de la defensa nacional. En estos casos la explotación se somete además a la autorización del Ministerio de Defensa quien deberá aprobar las condiciones de dicho uso —artículos 119 y ss. de la Ley de Patentes—.

Es claro que el uso exclusivo que concede la patente no es propiedad porque la propiedad es un derecho real ilimitado que integra en su concepto un señorío pleno y el uso exclusivo no lo tiene el inventor *a priori* sino como consecuencia de una concesión administrativa que constituye a su favor el derecho. Sólo muy impropiamente podría calificarse a este derecho de propiedad teniendo en cuenta que de forma temporal —durante el tiempo de duración de la patente— el inventor —si es que él resulta ser el titular de la patente— reúne la titularidad del derecho moral originario propio del inventor y el uso exclusivo de la invención que le otorga la patente. Esta situación genera en la integración de ambas facultades, un **señorío** o titularidad más completo que sólo muy de lejos podría asimilarse a la propiedad, ya que ello supone omitir que dicho uso se le atribuye al inventor mediante el instrumento administrativo de la patente y que tal derecho es objeto durante su vigencia a favor de su titular de importantes intervenciones administrativas, intervenciones que cohonestan bastante mal con el señorío pleno que supone cualquier propiedad.

Podría haberse considerado, como antes se ha apuntado, que dicho uso exclusivo se obtuviera con el simple registro formal de la invención sin iniciarse procedimiento administrativo sustantivo alguno y sin que la Administración Pública por la vía concesional declarase una voluntad constitutiva de atribuirlo al solicitante. Sin embargo no ha sido así porque sin duda el entramado de intereses privados y públicos que juegan en la Propiedad Industrial exige de una intervención y presencia administrativa singular que define de modo claro la naturaleza de estos derechos.

Quizá por ello resulta más adecuado partir de las diversas facultades o potestades que integran a estos derechos reales, algunas de las cuales residen originariamente en la persona del inventor —las propias de la titularidad personal— y otras, por el contrario, residen en el dominio público —el uso y la explotación económica[44]—. En este sentido, teorías dualistas y monistas siguen una dialéctica coincidente que, en ocasiones, resulta irreconciliable más que por lo que constituye el objeto de las doctrinas aportadas, por referirse a visiones en todo caso parciales del contenido de estos derechos, desconociendo, como apunto, el factor fundamental de la intervención de la Administración, su naturaleza y efectos y, eludiendo al mismo tiempo una visión más completa del fenómeno investigador que

---

[44]　Mientras no se protege administrativamente la invención —cuando ésta se hace pública— el uso es de dominio público en el sentido de *res nullius* o derecho *nullius* porque todos pueden usarlo. De otro lado la potestad de otorgar el uso exclusivo es potestad de la Administración.

concluye en la invención. Parece claro por ello que debe reconocerse el carácter constitutivo de la intervención de la Administración Pública en el nacimiento del denominado derecho de Propiedad Industrial. La concesión que es la patente constituye a favor de su titular un derecho real administrativo y como sostuvo HAURIOU[45], los derechos reales que recaen sobre el dominio público tienen características especiales: la precariedad y la *innoposabilité*. Características comunes del régimen demanial.

El hecho de que la doctrina no haya partido en el análisis de la Propiedad Industrial, del reconocimiento de la naturaleza demanial de estos derechos, conduce a la imposibilidad de explicar en qué consiste esa especialidad. El objeto de la patente constituye un derecho real administrativo que es el que resulta ser objeto de concesión. Se trata de un derecho que recae y se extrae del dominio público y que puede oponerse contra terceros y contra la propia Administración en el supuesto de que lo revocara antes de terminar el plazo de su ejercicio. En este último supuesto, el derecho de Propiedad Industrial no desaparece sin más sino que la Administración Pública debe indemnizar al titular a través del expediente del justiprecio expropiatorio —artículo 73 de la Ley de Patentes—[46] dada su naturaleza económica.

3. La inmaterialidad del derecho de uso exclusivo como objeto de la patente o registro en Propiedad Industrial

En el proceso y con el resultado de la invención, el inventor da forma a leyes o estados ya presentes en la naturaleza de las cosas que aún no han sido traducidos a objetos útiles en el sentido, no tanto de su utilidad real, como del beneficio económico que generan. Pero también se trata de que al objeto de su patentabilidad o concesión administrativa la invención genere un beneficio social. Tradicionalmente los errores en el concepto y naturaleza de la Propiedad Industrial han residido en la calificación de estos derechos como de propiedad privada sometida a intervención administrativa. La inmaterialidad del objeto que se concede: un derecho, ha contribuido a

---

45   Vid. HAURIOU. *Précis de Droit Administratif.* 1933, pp. 795 y 862.
46   En Francia estas conclusiones han recibido un respaldo expreso en relación con el dominio público en general con la reforma de 25 de julio de 1994 y la decisión del Consejo Constitucional de 21 de julio de 1994. Vid. FATOME y TERNEYRE. *La loi du 25 juillet de 1994*, "AJDA", 1994; FRANCH Y SAGUER, M. *op. cit.*, pp. 419 y ss. y BARCELONA LLOP, J. "Novedades en el régimen jurídico del dominio público en Francia". Revista de Administración Pública. Núm. 137. 1995.

estas falsas conclusiones de forma definitiva. Considerar en estos casos que el particular —mediante la concesión de la patente o modelo de utilidad o registro de signo distintivo— recibe la propiedad de éstas o, sin más, que la tiene *ab initio* por el simple hecho de la invención, supone sin embargo ignorar que las características de esta protección distan en esencia de las formas de adquisición y contenido del concepto de propiedad.

Es claro que la invención en sí misma en cuanto objeto del Derecho de la Propiedad Industrial, es un objeto inmaterial con un valor económico evaluable que responde a la aplicación de una serie de técnicas que resultan útiles a la sociedad en cuanto implican un avance tecnológico o industrial. Cuando se habla de patente sin embargo, ésta no equivale a invención ya que la patente es la técnica administrativa consistente en la atribución de un derecho de uso con carácter exclusivo y excluyente de la utilidad económica de dicha invención[47]. Por tanto hay derechos que se ejercen sobre la invención que quedan fuera de la patente —los morales o de paternidad— y asimismo el contenido de la patente excede del de la invención en sí, por cuanto el hecho de la invención mismo no atribuye al inventor un uso económico exclusivo y excluyente de la invención. Mediante la patente se concede ese derecho del que el titular no es *a priori* el inventor ya que, entre otros aspectos, es imposible, dada la inmaterialidad de la invención.

En definitiva, la nota definitoria básica de la patente, o lo que es lo mismo, de la concesión administrativa del uso exclusivo y excluyente de la invención, es que opera o se articula sobre objetos inmateriales: tiene por objeto la atribución de un derecho: el de utilizar exclusiva y excluyentemente el beneficio económico de una invención y ésta a su vez es algo inmaterial. En este sentido la Propiedad Industrial a través de la patente o concesión administrativa difiere de otras concesiones demaniales caracterizadas por la materialidad del objeto sobre el que recaen. Es el caso de las aguas, de las minas, del Patrimonio histórico, de los montes, etc.[48].

El objeto de la patente es así exclusivamente un derecho de naturaleza económica como lo es el objeto de registro en materia de Propiedad Intelectual y aun en la Industrial para los signos distintivos. Por ello puede

---

[47]   La patente confiere a su titular el derecho a impedir a cualquier tercero que no cuente con su consentimiento toda una serie de actividades —artículos 50 y 52 de la Ley de Patentes—.

[48]   Quizá esta circunstancia justifica en parte el abandono que se ha producido del análisis de esta concesión demanial desde la **perspectiva** de su propia demanialidad bajo los parámetros del Derecho Administrativo.

distinguirse entre los aspectos morales y económicos de una invención co-mo de una creación en Propiedad Intelectual. Si bien esta diferenciación para las invenciones no se ha planteado por la doctrina, ni siquiera por el Legislador, quizá también por la menor importancia que se ha otorgado en la Propiedad Industrial a los aspectos y derechos morales derivados de la autoría de la invención ya que lo verdaderamente interesante —al mar-gen del prurito personal de haber inventado un determinado objeto— es el beneficio económico y social de la invención. Las invenciones que no resultan útiles en el plano industrial carecen de valor económico[49]. Cierta-mente pues, la finalidad última de la invención para el inventor está en el valor económico vinculado a la utilidad que para el público en general ésta supone. Sobre tales aspectos económicos se atribuye el derecho exclusivo y excluyente de explotación de la invención, siendo éste el único objeto de la patente.

La resolución en virtud de la cual se concede la patente constituye así una declaración de voluntad administrativa que se pronuncia sobre la transmisión que se hace al solicitante del uso económico de una idea o concepción industrial. Cuando la idea se saca del "plano ideal" y se tradu-ce al "plano real" y ésta tiene una aplicación industrial, tal invención va a tener un valor económico constatable. Al inventor se le reconoce el dere-cho preferente a convertirse en el titular del uso exclusivo de la invención mediante la obtención de la patente y sólo cuando tal derecho se inscribe, esta protección permite el uso de la palabra "registrado" que no podrá em-plearse sola cuando se refiera a otra clase de registros[50].

---

[49] Téngase en cuenta que según el artículo 54 de la Ley de Patentes, "el titular de una patente no tiene derecho a impedir que quienes de buena fe y con anterioridad a la fecha de prioridad de la patente hubiesen venido explotando en el país lo que resulte constituir el objeto de la misma, o hubiesen hecho preparativos serios y efectivos para explotar dicho objeto, prosigan o inicien su explotación en la misma forma en que la venían realizando hasta entonces o para la que habían hecho los preparativos y en la medida adecuada para atender a las necesidades razonables de su empresa". Del mis-mo modo, según el artículo 37.2, "La concesión se hará sin perjuicio de tercero y sin garantía del Estado en cuanto a la validez de la misma y a la utilidad del objeto sobre el que recae", si bien, se considera que "el derecho a la patente pertenece al inventor o a sus causahabientes..." —artículo 10 de la Ley de Patentes—.

[50] El registro es la técnica administrativa utilizada por la Administración en el desarrollo de su actividad de limitación. Este registro es lo que da uniformidad al área registral del Derecho Administrativo. A través del registro se despliega toda una intervención administrativa cuya naturaleza es diversa según el Registro en el que nos encontremos y los derechos sobre los que tal técnica se utilice. En la Oficina Española de Patentes y Marcas además de la función de registro existen otras diversas por lo que nos centra-mos en su labor de registración ya que es éste el enfoque de nuestro estudio.

Sin duda aquí —como asimismo puede advertirse en otros registros de naturaleza administrativa— la técnica registral constituye el mecanismo de intervención administrativa que resuelve el procedimiento de atribución del derecho y que en este caso, por la propia naturaleza de los derechos de Propiedad Industrial, se trata de la técnica que da forma a la concesión demanial que es la patente, certificado de modelo de utilidad o el registro de signos distintivos.

Pero para ser consecuente es preciso deducir que si algo se atribuye mediante la concesión administrativa que es la patente, es porque previamente el objeto de atribución pertenece a la esfera de la Administración en cuanto es de dominio público y esta categoría en Propiedad Industrial pasa o puede pasar, como se ha apuntado más arriba, por diversas etapas cronológicas. En un primer momento, tras la invención, la titularidad moral de la misma es del inventor y su uso, cuando la invención se ha hecho pública, es común y público ya que cuando se inventa, ello no implica que se tenga derecho exclusivo alguno al uso de la invención. Esto sólo sucede en un estado posterior, cuando se le "concede" mediante el título de la patente o el certificado del modelo de utilidad, la atribución de uso y explotación exclusiva con unas características y requisitos determinados. En consecuencia, esta atribución sólo puede hacerla la Administración Pública ya que tal derecho es de dominio público.

La Administración Pública, a través de su Oficina o Registro, no constituye pues con su intervención o actividad sobre la Propiedad Industrial, una titularidad dominical a favor del inventor. El inventor tampoco es propietario ni titular del derecho a explotar la invención con exclusividad y con carácter excluyente de los demás. El inventor únicamente es titular pleno del derecho moral sobre la invención y como tal, podrá usarla pero sin la exclusividad que le otorga la concesión. Conocida por todos la invención, cualquiera puede copiarla, usarla y explotarla si no media el título concesional.

Es la concesión demanial —o patente— del uso y explotación exclusiva de la invención de modo temporal, lo que constituye el núcleo de la Propiedad Industrial por abrir una nueva etapa en la que el inventor resulta protegido *erga omnes*. La titularidad originaria del derecho de uso pertenece sin embargo a la Administración Pública que representa los intereses públicos superiores de protección de la actividad inventiva o tecnológica de la comunidad. Se trata de una titularidad demanial de derechos subjetivos en cuya posterior atribución en exclusiva se otorga preferencia al inventor.

El género demanial, como se verá, es singularmente amplio. En Propiedad Industrial la demanialidad es la del derecho de uso del común y general de la comunidad como facultad que pertenece a la esfera de la Administración Pública. En este sentido resultan muy útiles los pensamientos de PROUDHON[51] al considerar que el dominio público comprende las cosas que "sin pertenecer *proriétariement* a nadie han sido consagradas civilmente al servicio de la sociedad". La idea de dominio público, señala el autor, se vincula al poder del hombre sobre las cosas —sería posible aplicarlo también a las pautas propias de la invención[52]—, ya que es el rey de la naturaleza y todos los otros seres están destinados a su uso, pero que no puede ejercer sobre todos en el mismo grado. Hay cosas que por su inmensidad no pueden encerrarse en los estrechos límites de su dominio —el aire, el mar— que son "cosas comunes al género humano" y no pertenecen a nadie. Otras pueden ser sometidas a la posesión privada del hombre; son objeto del "dominio de propiedad". "Existe, en fin, un tercer género de cosas que, en el estado de civilización en que nos encontramos, son puestas por la autoridad pública al margen de toda posesión privada" —los puertos, caminos, etc.—.

En definitiva, parece claro, como anticipó brillantemente el autor, que el dominio público "no es para nadie, ni siquiera para el Estado, un dominio de propiedad, puesto que no excluye a nadie". El verdadero poseedor de estas cosas —si es que son "cosas" como tal—, cabria matizar es la comunidad. El poder que ejerce sobre ellas el Estado es "en interés del público", es un poder posesorio de "protección" no de propiedad.

4. La adaptación del concepto de dominio público a los derechos de Propiedad Industrial. El dominio público inmaterial

Las premisas de PROUDHON son útiles para matizar el concepto de dominio público en materia de Propiedad Industrial atendiendo a un concepto de dominio público de protección como a él también se refiere en nuestra doctrina SANTAMARÍA PASTOR[53]. Este mismo concepto es asimismo útil para el resto de bienes inmateriales objeto de dominio por parte de las Administraciones Públicas, lógicamente con sus especialidades.

---

[51] Vid. PROUDHON, M. *Traité du domaine publique ou de la distinction des biens considerés principalement par rapport au domain public.* T. I. Bruselas, pp. 84 y ss.

[52] Lo expresado entre guiones en mío.

[53] Vid. SANTAMARÍA PASTOR, J. A. "Objeto y ámbito. La tipología de los bienes públicos...", *op. cit.*

En Propiedad Industrial, antes de la protección registral de la invención, las facultades de uso corresponden a todos ya que la invención se hace pública y la titularidad de ese uso es demanial en cuanto que trata de garantizarse que el mismo se generalice a cualquiera —*res communis*—. La Administración Pública asume la tutela y garantía de ese uso generalizado dada la esencialidad que para el progreso de la tecnología —como fin público a garantizar— tiene la protección de la invención[54]. La invención genera el nacimiento del derecho demanial de naturaleza económica consistente en el uso común de la misma, pero a su vez genera el derecho a obtener la atribución del uso exclusivo de la invención a su inventor. No obstante la titularidad "dominical" del derecho de uso permanece cuando se otorga al inventor, mediante concesión o patente, la exclusividad del uso. **Únicamente** el uso se desgaja de dicha titularidad cuando se otorga la patente como premio por haber desarrollado una determinada actividad inventiva. Esa exclusividad de uso, pasado el período de protección que otorga la patente, revierte al dominio público, volviendo a revestir las características iniciales de la demanialidad en cuanto garantía de un uso generalizado —*res communis*—[55].

En esta dimensión temporal y de juego de intereses públicos y privados, el análisis de los títulos de atribución de uso o explotación de las invenciones y creaciones reviste vital importancia, ya que si se adopta el criterio de considerar el dominio público como un haz de potestades variables[56], es preciso también analizar cuáles de ellas se atribuyen a los particulares mediante la patente y, por exclusión, cuáles de esas potestades permanecen en el dominio público teniendo en cuenta la constante tutela de la Administración Pública sobre los derechos que generan las invenciones y signos

---

[54] En Derecho francés esta esencialidad es básica para la consideración del objeto como de dominio público y aunque éste no es el criterio de nuestro ordenamiento, parece claro que la incorporación, tanto de la invención, como de la creación al uso generalizado contribuye de modo esencial al progreso de la tecnología y cultura.

[55] En el Derecho civil se parte del concepto de Derecho real pleno —propiedad— y limitado —uso— e incluso se utiliza la categoría que en Propiedad Industrial es más acorde, de *ius ad rem* o derecho personal en vía de constitución. Vid. DÍEZ-PICAZO y GULLÓN, A. Sistema de Derecho Civil. T. 3 Madrid, 1998. Sin embargo y, aunque la Propiedad Industrial no es calificada por nuestro Código Civil como propiedad especial, así es considerada **comúnmente** junto con la Propiedad Intelectual. Si bien, no se entra a valorar la posible demanialidad de alguna de las facultades que se articulan en torno a las invenciones y signos distintivos.

[56] Vid. GONZÁLEZ GARCÍA, J. V. La titularidad de los bienes de dominio público. Madrid, 1998.

distintivos en cuanto que los mismos son fundamentales para el logro de intereses públicos de especial relevancia.

En este sentido, aunque el derecho demanial es un derecho de uso, sin duda constituye también un poder administrativo. La idea fue apuntada con carácter general por VILLAR PALASÍ cuando se refirió al hecho de que "donde se habla de una propiedad particular sobre un bien de dominio público se está hablando de una concesión demanial o si se quiere... del dominio útil por oposición al dominio directo que se reservaba al concedente" "la ocupación privativa no puede tener otro sentido que el de un derecho administrativo superficiario, como derecho al vuelo y no al suelo", "la declaración de demanio natural supone la exclusión del tráfico civil y por consiguiente la imposibilidad de apropiaciones privativas civiles (enclaves de propiedad privada)"[57].

III. PROPIEDAD INTELECTUAL Y DOMINIO PÚBLICO INMATERIAL

1. *Concepciones sobre la naturaleza de los derechos de Propiedad Intelectual*

La Propiedad Intelectual introduce respecto a la Propiedad Industrial las mismas especialidades que otros bienes inmateriales introducen de hecho en el uso y disfrute de sus objetos. Como asimismo sucede en relación con los derechos que constituyen el objeto de la Propiedad Industrial, el concepto de Propiedad Intelectual nos lleva directamente a la problemática de saber cuál es la naturaleza jurídica de estos derechos con el objeto de poder conocer el carácter de las funciones desempeñadas por la institución registral que opera la actividad administrativa específica en relación con las creaciones.

La propia evolución legislativa en la materia intelectual, ocasionada en gran medida por el desarrollo de las tecnologías —que ya ha previsto sucesivas modificaciones en la línea de un mayor intervencionismo administrativo— incide si cabe más, en poner de manifiesto una mayor intensidad de uso de las potestades públicas en relación con el dominio público inte-

---

[57] Vid. VILLAR PALASÍ, J. L. Apuntes de Derecho Administrativo. Madrid, 1966-1967, pp. 18 y ss.

lectual y asimismo la dificultad de "poner puertas al campo" al ejercicio de derechos por la propia inmaterialidad de este tipo de bienes[58].

Las posiciones doctrinales en torno a la naturaleza de estos derechos suelen clasificarse —como sucede en Propiedad Industrial— en dos grupos. Por un lado se encuentran las teorías dualistas que consideran que los derechos que constituyen la Propiedad Intelectual son de doble naturaleza moral y patrimonial y, por otro, las teorías monistas que califican de artificiosa y sin sentido la distinción entre ambos aspectos —moral y patrimonial— de la Propiedad Intelectual[59].

> – La concepción patrimonialista es objeto de diversas teorías entre las que constituye piedra angular la que considera que estamos en presencia de *derechos de propiedad*, en cuanto que los mismos **reúnen** sus atributos esenciales[60]. Los partidarios de esta doctrina se dividen entre sí sobre la cuestión de si tal derecho debe ser temporal o perpetuo. Los que combaten la perpetuidad señalan que se trata de una propiedad *sui generis* que encuentra su justificación en el deseo de favorecer el progreso de la Cultura por lo que, además de considerar el genio del autor, deben tenerse en cuenta los numerosos factores que le son extraños. La perpetuidad no es una condición esencial de la propiedad y algunos consideran que la temporalidad responde al lento desarrollo de estos derechos como propiedad, ya que se encuentran en un estadio intermedio y oscilante entre ésta y el privilegio.

---

[58]　Vid. FERNÁNDEZ RODRÍGUEZ, C. "El interés público y privado en la protección de los derechos de propiedad intelectual (A propósito de las nuevas posibilidades de regulación de las descargas en red de obras creativas)". Revista de Administración Pública. Núm. 183. Madrid, septiembre/diciembre, 2010, pp. 335-358.

[59]　A su vez estas teorías acogen diversos matices. Entre las teorías dualistas se encuentran las que configuran el derecho como un señorío o dominio total (teoría de la propiedad, teoría del derecho sobre bienes inmateriales, teoría de los derechos intelectuales) y las que, de algún modo, limitan dicho señorío (teoría del derecho a la no imitación, teoría de los derechos de clientela, teoría del monopolio legal y teoría del derecho del trabajo), entre otras. Vid. BAYLOS CORROZA, H. *op. cit.* Tratado de Derecho Industrial, *op. cit.*, pp. 378 y ss., se refiere a todas ellas con ligeras modificaciones y adaptaciones en relación con lo que fue el objeto de su tesis doctoral dirigida por GARCÍA DE ENTERRÍA, E. y leída en la Universidad de Madrid el 3 de julio de 1969. Del mismo modo, RODRÍGUEZ ARIAS, "Naturaleza jurídica de los derechos intelectuales". Revista de Derecho Privado. 1949, pp. 747 y ss. y 830 y ss., se refiere a ellas.

[60]　Dentro de esta concepción se sitúan las teorías de BOISTEL, A. *Droit naturel.* París, 1870. pp. 188 y ss.; BARASSI, L. I *diritti reali.* Milano, 1934, pp. 191 y ss.; ull' obbietto del *diritto di privativa artistica e industriale".* Rev. Diritto Commerciale. T. II. 1912. pp. 925 y ss.; STOLFI. *Traité de la propriété litteraire et artistique.* 1919, pp. 312 y ss.; DE GREGORIO. *Il contratto di edizione.* 1913. pp. 68 y 69, *cits.* por RODRÍGUEZ ARIAS, L. "Naturaleza jurídica de los derechos intelectuales", Revista de Derecho Privado, 1949, pp. 747 y ss.

Dentro de esta concepción existen teorías más eclécticas que consideran que estos derechos constituyen una *"cuasi-propiedad"* como haz de derechos, de los cuales, unos se conexionan a lo que se ha dado en llamar derecho moral del autor y los otros a lo que se ha denominado su derecho pecuniario[61]. También se sitúan en esta concepción los que sostienen que se trata de un *derecho de servidumbre* o un *usufructo sui generis* en cuanto que, a pesar de ser temporal, puede transmitirse a los herederos por un cierto número de años[62].

Junto a la teoría de la propiedad y, sin ser totalmente distinta a ésta, aparece la ya referida concepción de los denominados *derechos sobre bienes inmateriales* que tiene por objeto llegar a una mayor precisión técnica a la hora de calificar la naturaleza jurídica de estos derechos y el mérito de haber puesto de relieve la diferencia entre la propiedad ordinaria sobre la cosa material y la propiedad intelectual que se sustenta en un objeto inmaterial[63]. Al lado de esta teoría se sitúa —dentro de la concepción patrimonialista— la del *monopolio de explotación* que considera que estos derechos suponen una defensa de imitación y, como tales, son derechos absolutos y de exclusión[64].

> – Entre las concepciones personalistas que destacan la voluntad de la persona del autor se encuentra la *teoría de la gestión de negocios* que considera en líneas generales, que en los derechos de autor existe un contrato de cambio por la prestación de un servicio del autor hacia la sociedad, de tal manera que existe un cuasi-contrato, ya que el que imprime fraudulentamente puede considerarse como un gestor de negocios, aunque no pase de ser una gestión indebida. Dentro de esta concepción se encuentra también *la teoría de la prestación de un servicio o contrato de cambio* que se traduce en la consideración de que "un libro es la prestación de un servicio hacia

---

[61]   Vid. BRUN. *Les droits d 'auteur sous les différents régimes matrimoniaux et la loi du 13 juillet 1907.* París, 1911. pp. 66 y ss. *cit.* por RODRÍGUEZ ARIAS, L. *op. cit.*

[62]   Sin embargo se oponen a esta última teoría los que consideran que suponer *a priori* que es propietaria de la obra intelectual la sociedad y el autor su usufructuario es un absurdo pues la sociedad sólo interviene pasivamente. Vid. GONZÁLEZ OLIVEROS. Los principios filosóficos de la propiedad intelectual. 1920, pp. 71 y 72.

[63]   Vid. KOHLER. *Die Idee des geistigen Eigentums.* 1894, pp. 141 y ss., pp. 156 y ss. *cit.* por RODRÍGUEZ ARIAS, L. *op. cit.* Señala el autor que "el derecho de autor no es un derecho de propiedad sino un derecho vecino, teniendo la misma base y no diferenciándose de ella más que porque él reposa sobre un bien inmaterial. Los dos derechos no son idénticos sino son hermanos. El fundamento y la esencia son **comunes y** la naturaleza diferente del objeto no puede producir una distinción en las relaciones entre el titular y el objeto, sino solamente en la técnica jurídica".

[64]   Sustentan esta teoría, entre otros, ROGUIN. *La science juridique pure. Lausanne,* 1923. pp. 135 y ss.; COLIN Y CAPITANT. Derecho civil, T. II, V. II. 1923; FERRARA. Trattato, 1921, pp. 368 y ss.

la sociedad" por lo que se invoca un contrato celebrado entre el autor y la sociedad, ofreciendo ésta su protección y aquél su obra en ciertas condiciones. El solo medio práctico de remunerar al autor es el de reconocer un derecho exclusivo que constituye un privilegio que es creado por Ley[65]. Por último, la teoría de la personalidad, subordinando el carácter patrimonial al elemento intelectual o moral, considera que el derecho de autor es un derecho de personalidad cuyo objeto está **constituid**o por una obra intelectual considerada como parte integrante de la esfera de la personalidad misma.

Frente a estas concepciones se sitúa la que considera que la clasificación romana que distingue entre derechos reales, derechos personales y derechos de obligaciones es incompleta pues es preciso añadir un cuarto término constituido por los derechos intelectuales. En este sentido se considera que estos derechos no son de naturaleza puramente personal, ni tampoco exclusivamente patrimonial, pues se trata de un señorío que tiene por objeto un bien intelectual y que, en razón a su doble naturaleza personal-patrimonial, abraza facultades de doble orden[66].

2. *La creación como objeto del dominio público inmaterial*

De todas estas concepciones puede extraerse la conclusión de que en definitiva cuando hablamos de derechos de Propiedad Intelectual estamos en presencia de una relación jurídica amplia que a partir de un derecho natural, producto de la libertad del hombre para crear, se desdobla en un complejo de derechos que integran la cualidad de autor.

En este sentido, es preciso distinguir el derecho del bien sobre el que recae y de la protección o garantía jurídica con la que cuenta. En palabras de RODRÍGUEZ ARIAS existen tres fases en la constitución del derecho: una primera que es el derecho de crear y el ejercicio de este derecho creando una obra; una segunda fase **constituida** por la relación inmediata con la obra, bien porque se inscriba o por perturbación de la relación directa existente, haciendo actuar a la acción jurídica, reconociendo y restaurando el orden perturbado y una tercera fase en la que la relación entre el

---

[65]   Son éstas las consideraciones de RENOUARD. *Traité de la propriété intelectuelle.* 1903, *cit.* como los anteriores, por RODRÍGUEZ ARIAS, L. "Naturaleza jurídica de los derechos intelectuales". *op. cit.*, pp. 747 y ss.

[66]   Esta concepción se debe al belga PICAR, E. *"Embruologie juridique". Journal de Droit International Privé.* 1883. pp. 656 y ss. y es seguida tanto en Alemania como en Francia, entre otros, por KOHLER y REGELSBERGER, SALEILLES y DARRAS, por WEIS, CAPITANT, GENY y RIGAUD.

autor y su obra es ya perfecta, pues hay, de un lado, una idea —que le cualifica dentro de un grupo— y de otro, hay un bien que reporta el objeto que recibe la acción.

La titularidad que corresponde al creador, algunos autores, la consideran una propiedad especial. Nuestro Código Civil regula entre las propiedades especiales, las aguas, los minerales y la Propiedad Intelectual. Pero en todo caso, la especialidad de la propiedad aplicada a los derechos intelectuales se traduce en un régimen que se caracteriza por una serie de notas que le separan del régimen común característico de las facultades que integran a este derecho real ilimitado que es la propiedad sobre bienes materiales[67]. En este sentido los derechos de explotación de la obra intelectual tienen en la Ley de Propiedad Intelectual un carácter temporal[68] ya que permanecen durante toda la vida del autor y sesenta años más después de su muerte o declaración de fallecimiento —art. 26 de la Ley—. La extinción de estos derechos determina su paso al dominio público y las obras de dominio público pueden ser utilizadas por cualquiera, siempre que se respete la autoría y la integridad de la obra — art. 41 de la Ley—[69].

---

[67]   Algunos autores consideran que el derecho de autor es un privilegio exclusivo de un ciudadano respecto de los demás de vender o comprar y, en este sentido admiten dos clases: l Esta concepción se debe al belga PICAR, E. *"Embruologie juridique"*. *Journal de Droit International Privé*. 1883. pp. 656 y ss. y es seguida tanto en Alemania como en Francia, entre otros, por KOHLER y REGELSBERGER, SALEILLES y DARRAS, por WEIS, CAPITANT, GENY y RIGAUD.
   Algún sector doctrinal considera que el derecho de autor es un privilegio exclusivo de un ciudadano respecto de los demás de vender o comprar y, en este sentido admiten dos os naturales (minas) y artificiales o legales (derechos intelectuales).

[68]   Asimismo la tendencia preponderante en los países de la Unión Europea es la fijación de un plazo de duración para la protección de estos derechos. En la República Federal Alemana, la Ley de 1985 lo fijó en setenta años tras la muerte del autor. En Francia, la Ley de 1985 mantiene la duración de cincuenta años tras la muerte del autor y de setenta años para las composiciones musicales con o sin letra. La Ley portuguesa, también de 1985, fijó el plazo de cincuenta años al igual que la Ley italiana de 1941.

[69]   Vid. *a sensu contrario* del artículo 116.2 de la Ley de Patentes, según el cual la caducidad de una patente incorpora "el objeto patentado" al dominio público desde el momento en que se produjeron los hechos u omisiones que dieron lugar a ella, salvo en la parte en que ese mismo objeto estuviere amparado por otra patente anterior y vigente. En la Ley de Propiedad Intelectual se produce el paso al dominio público sólo en relación con los derechos patrimoniales de explotación pues el derecho de autoría y de integridad de la obra permanecen en su titular. Esto es en realidad lo mismo que sucede respecto a las invenciones a pesar de que los términos del 116.2 de la Ley de Patentes no sean precisamente los más adecuados.

El carácter temporal de los derechos de explotación de las creaciones separa en todo caso el régimen de esta titularidad del general de la propiedad común y parece evidente que esta nota opera en íntima relación con el interés general que se persigue con esa temporalidad ya que, en última instancia cada creación es un eslabón del vasto acervo cultural que los poderes públicos tienen la obligación de promover y tutelar según el artículo 44 de nuestro texto constitucional. Ello sólo puede lograrse mediante un acotamiento temporal de los derechos patrimoniales privados del creador de la obra[70].

Desde la perspectiva económica se establece el principio de la gratuidad y de libertad para la utilización común de las obras en dominio público ya que sólo se recoge el límite del respeto a la autoría e integridad de las mismas[71]. No sería posible en consecuencia que a partir del paso de la obra al dominio público, la Administración registrara el uso privativo de la obra a favor del particular que de nuevo lo solicitara[72] ya que la finalidad pública

---

[70]   El Proyecto de Ley de Propiedad Intelectual de 30 de octubre de 1986 señalaba que se trataba de hallar un justo equilibrio entre los titulares de los derechos de Propiedad Intelectual y los intereses de la sociedad, entre cuyos deberes (los del Estado) se encuentra el de facilitar a sus miembros el acceso a la Cultura. Añadía que uno de los aspectos más importantes que se contienen en esta pugna de intereses entre autor y entorno social es el ingreso de las obras en el dominio público que supone "la extinción de los derechos de propiedad intelectual sobre las mismas. Se trata de una situación *sui generis* no extrapolable a ninguna forma de dominio público y que solamente se justifica como medio de facilitar a todos los ciudadanos los bienes de la cultura, ya que las obras del ingenio no pertenecen de modo ilimitado a sus autores, por ser consideradas siempre como patrimonio de la humanidad". En palabras de ASCARELLI. Teoría de la concurrencia y de los bienes inmateriales (trad. VERDERA Y SUAREZ-LLANOS). Barcelona, 1970, p. 278, "con la posibilidad de la general reproducción de una obra cultural, ésta adquiere la máxima potencialidad de su contribución al progreso cultural".

[71]   Esta misma línea se sigue en los países más próximos como Francia o Italia que admiten la perpetuidad de la paternidad de la obra y la integridad de la misma a diferencia de lo que sucede en la Ley alemana de 1965 en la cual los derechos morales y patrimoniales del autor se consideran un todo que se extingue concluido el período de protección. No obstante la protección contra los engaños en relación con la paternidad de la obra se opera en derecho alemán por la vía de la competencia desleal. Sobre este particular es interesante la aportación de PÉREZ DE CASTRO, N. Comentario al artículo 41 de la Ley de Propiedad Intelectual. Comentarios a la Ley de Propiedad Intelectual. Madrid, 1989, pp. 617 y ss.

[72]   El fundamento del establecimiento de un sistema de pago es el de considerar que si se recauda una cantidad de dinero por la explotación de la obra caída en dominio público ello puede servir para beneficiar a los autores vivos con lo que, por otra parte, se fomenta la creatividad. Este sistema se fija en la Ley Tipo de Túnez y en Francia existió algo similar antes de la Ley de 1957 pues se prolongaba la duración de la protección

que se persigue transcurrido el período correspondiente es precisamente la del acceso de todos los ciudadanos a la Cultura de la que forma parte esa creación. Lo que verdaderamente cae pues en el dominio público es el derecho a la explotación de la obra aunque el derecho moral de esta especial titularidad permanece en el autor. Este traspaso del derecho patrimonial de explotación al dominio público supone una indudable limitación especialmente impuesta al régimen normal y común de la propiedad.

El valor de este registro no es otro sino el de generar un presunción a favor del titular registrado al que no se somete al cumplimiento de requisitos diferentes al de la propia autoría de la obra. En definitiva es una técnica administrativa que incluso más que una autorización consiste en una simple aprobación con el objeto, como más adelante se analiza, de obtener una determinada eficacia para esa creación: la registral administrativa.

En todo caso para la valoración de los intereses que andan en juego, así como para calificar las diversas titularidades morales y patrimoniales que se escinden de un dominio pleno, es preciso analizar cómo se ha hecho respecto a invenciones y signos distintivos, cómo evoluciona la creación antes, durante y después de la intervención de la Administración Pública. Antes de la inscripción y, por obra de una concesión legal —que es fruto de una decisión de nuestro Legislador actual, ya que históricamente se adoptó la decisión contraria, pues la naturaleza inmaterial de las creaciones exige en todo caso de este artificio técnico— la creación pertenece en su doble faceta —moral y patrimonial— a su creador antes de su registro. Pero sin duda este dominio adolece desde el principio de tener una naturaleza artificial dada la propia inmaterialidad en la que se sustenta. Durante el registro el creador resulta protegido por la presunción y pasada la etapa de reconocimiento legal de los derechos de explotación en la persona del creador y sus causahabientes, tales derechos pasan al dominio público. Este paso del derecho patrimonial al demanio público es una expropiación legal de un derecho justificada en la utilidad social de las creaciones, constituyéndose ésta en la *causa expropiandi* que se articula mediante la temporalidad de la titularidad privada de los derechos patrimoniales.

La acepción de dominio público aquí es la misma que se ha considerado oportuna para la calificación de la titularidad de los derechos sobre Propiedad Industrial. Se trata de creaciones que pertenecen a toda la comunidad y a la vez no son de nadie en particular, sin perjuicio del respeto

---

de quince años que se instituyó en beneficio de la Caja Nacional de las Letras, actualmente, Centro Nacional de las Letras.

a la autoría de las mismas que tiene un alcance ilimitado en el tiempo, a diferencia de lo que sucede en las invenciones. De nuevo la inmaterialidad de la creación —sin perjuicio del objeto sobre el que ésta recaiga— condiciona un concepto de dominio público que, en todo caso, se trata de un dominio público de protección como sucede cuando la titularidad de derechos administrativos recae en objetos inmateriales sobre los que confluyen intereses públicos y privados.

IV. LA EVOLUCIÓN DEL CONCEPTO DE DOMINIO PÚBLICO INMATERIAL HACIA INTERESES PÚBLICOS DE NATURALEZA INTANGIBLE: LA CALIDAD DE VIDA Y EL RECURSO PATRIMONIAL PAISAJÍSTICO

Hay derechos, intereses y dominios, que, por su carácter inmaterial e intangible requieren de la articulación de potestades administrativas de un modo muy similar a como se articulan en las clásicas propiedades especiales (la belleza; la tranquilidad acústica o el buen olor, son claro ejemplo de ello), acudiendo a la figura del dominio público inmaterial. Así como se asume el concepto en relación con el espacio radioeléctrico[73] es preciso identificarlo en el espacio paisajístico. Sin perjuicio de que a estos intereses se superpongan propiedades típicas no especiales, de naturaleza material o típicas, es claro que cada vez, con mayor frecuencia, el ordenamiento jurídico se ve protegiendo intereses que se concretan en aspectos no aprehensibles y con ello se hace preciso ver qué características reviste el ejercicio de estas potestades y qué elementos comunes existen con las que se despliegan en relación con otros derechos también inmateriales como lo son los que se derivan de las propiedades especiales, industrial e intelectual.

Más allá del interés de la cultura, del medio ambiente e incluso de la propia historia, la garantía del bienestar y de la calidad de vida no afecta exclusivamente a lo material sino también a lo inmaterial, lo que requiere reconocer que sobre el dominio y el espacio público de alcance material se articulan otros derechos que asimismo son de naturaleza pública en cuan-

---

[73] Vid. FERNANDO PABLO, M. M. "Sobre el dominio público radioeléctrico: espejismo y realidad". Revista de Administración Pública. Núm. 142. 1997, *op. cit.*, que califica a este como *res communis*, acogiendo la crítica de la utilización en este caso de la institución demanial.

to de todos y de nadie en particular y que sobre ellos se articula todo un régimen jurídico que caracteriza la previa afirmación de un interés público.

Los valores que han conformado nuestra cultura han conducido a la cosificación de muchos elementos difícilmente cosificables. Entre ellos, el paisaje. Pero, como apunta MADERUELO, el paisaje no es una cosa, no es un objeto grande ni un conjunto de objetos configurados por la naturaleza o transformados por la acción humana. El paisaje tampoco es la naturaleza ni siquiera el medio físico que nos rodea o sobre el que nos situamos. Este complejo contenido del paisaje lleva a definirlo como "constructo, como elaboración mental que los hombres realizamos a través de los fenómenos de la cultura". "El paisaje, entendido como fenómeno cultural, es una convención que varía de una cultura a otra, esto nos obliga a hacer el esfuerzo de imaginar cómo es percibido el mundo en otras culturas, en otras épocas y en otros medios diferentes del nuestro"[74].

Por estos motivos pero, sobre todo, para concretar cuál es la base sobre la que ha de ejercerse esa protección jurídico-administrativa, es preciso no confundir el paisaje con el suelo, el conjunto o parte del territorio[75]. El paisaje, en ocasiones, prácticamente se mimetiza con el suelo cuando carece de valores añadidos intensos —aunque siempre existan en mayor o menor medida— cuando, en definitiva, carece de valores estéticos, culturales, históricos o medioambientales destacables. Sin embargo, en ningún momento, cabe la identificación, puesto que el paisaje no se define exclusivamente como una superficie de terreno sino que añade a él la percepción de una configuración específica. Haciendo un símil, al igual que es preciso distinguir el edificio como propiedad, del valor intelectual que incorpora el arquitecto en el diseño y configuración de su fachada, es preciso reconocer el valor del paisaje como tal, con independencia de la titularidad y características de los elementos que pueda incorporar o sobre los que éste se sitúe. Esto nos lleva inexorablemente a la consideración del paisaje como derecho de todos, respecto al que los poderes públicos

---

[74] Vid. MADERUELO, J. El paisaje. Génesis de un concepto. Madrid, 2005, p. 17.

[75] Resulta con carácter general de interés el último esfuerzo por definir las diferentes funciones del suelo en cuanto tal hecho en el Protocolo sobre la aplicación del *Convenio de los Alpes de 1991 en el ámbito de la protección de los suelos. Protocolo sobre la protección de los suelos* —DO L 337/29, de 22 de diciembre de 2005—, en cuyo artículo 1.2 se apuntan varios tipos de funciones del suelo: las naturales, las de archivo de la historia natural y cultural y las de salvaguarda. Pues bien, entre las primeras se apunta que el suelo es "elemento destacado de la naturaleza y de los paisajes".

han de desarrollar una actuación de control con el fin de garantizar la calidad de vida[76].

El paisaje como apuntó HUMBOLDT[77] difícilmente puede descomponerse en diversos elementos porque el gran carácter de un paisaje, y toda la escena imponente de la naturaleza depende de la simultaneidad de ideas y de sentimientos que agitan al observador. El mundo exterior físico, apunta este gran teórico del análisis estético, se refleja como en un espejo sobre el mundo interior moral, existiendo una correlación misteriosa entre lo sensible y lo sobrenatural.

Proteger el paisaje plantea las mismas dificultades que presenta proteger la cultura, haciendo efectivo el artículo 44 del texto constitucional, puesto que los poderes públicos han de garantizar el acceso a la misma. El paisaje y la forma de mirarlo y expresarlo es cultura, al margen de que además sea elemento integrante del medio ambiente, de los recursos naturales o de la calidad de vida a la que todos aspiramos. Y así como el instituto del dominio público inmaterial entra de lleno en la consideración de los derechos derivados de las propiedades especiales, industriales e intelectuales, el dominio público y las potestades que de él derivan se hace precisos para una verdadera garantía del paisaje.

Es evidente que, aunque la protección del paisaje va abriéndose paso, todavía se presenta en nuestro ordenamiento como un interés público de débil concreción como puede asimismo serlo la protección de intereses relacionados con otros valores que proporcionan sensaciones placenteras[78]. La intangibilidad de alguno de los valores que incorpora el paisaje lo convierten en un bien de difícil protección que se enfrenta a un complejo equilibrio de intereses, de los cuales, la mayoría son concretos; se articulan a corto plazo; son evaluables económicamente por su mayor tangibilidad, y, básicamente, son de naturaleza privada. La concreción, de otro lado, de estos otros valores tangibles en el derecho de propiedad —art. 33—; derecho a la libertad de empresa —art. 38 CE— o derecho a una vivienda

---

[76]   De hecho esta diferenciación ha llevado a algunas legislaciones como la brasileña a establecer el derecho de superficie como herramienta de protección del paisaje urbano.

[77]   Vid. HUMBOLDT, A. Cosmos. Ensayo de una descripción física del mundo. Trad. Castellano de GINER, B. y FUENTES, J. Madrid, 1874. y Cuadros de la Naturaleza. Trad. Por NÚÑEZ DE PRADO, J. Madrid, 1961.

[78]   Vid. BLANQUER CRIADO, D. Contaminación acústica y calidad de vida. Valencia, 2005, pp. 125 y ss., se refiere en relación con el ruido al derecho al silencio que es preciso ponderar con el derecho al ruido.

digna —art. 47—, debilita en muchas ocasiones, la ponderación a favor de la protección del bien jurídico paisaje.

La falta de un modelo económico y social a nivel local y a largo plazo, determina la articulación de actuaciones administrativas en muchos casos contrapuestas a este interés o bien patrimonial. En realidad la falta de consideración táctica del elemento "paisaje" es lo que determina que quede afectado irremediablemente. Una correcta protección del paisaje que equilibre los intereses en juego requiere partir del largo plazo y de la consideración de no hipotecar los recursos de las generaciones venideras; lo que ya de forma común denominamos "sostenibilidad". Esto requiere sin duda incorporar el interés público a la decisión o acción territorial que cada vez con mayor frecuencia se demanda por participación ciudadana directa. La sensibilidad paisajística, cuanto más intensa, más presión ejerce sobre cualquier acción —pública o privada— que lo transforme, de tal forma que la concreción legislativa de los intereses paisajísticos se convierte así en una realidad que opera adecuadamente cuando se trata de afectar al mismo. En esa concreción legislativa, además de delimitarse las remisiones y los conceptos jurídicos, se requiere integrar las técnicas que catalogan los paisajes, de tal modo, que no todos tienen por qué recibir una protección de la misma intensidad y por tanto, según los casos, caben diferentes niveles de afectación paisajística dentro de un modelo social y económico por el que previamente se haya optado.

Pero además, de todos es sabido que el paisaje no sólo necesita ser protegido de actuaciones públicas o de la ejecución de normativa sectorial concreta, sino también del desmedido derecho de creativos que en demasiadas ocasiones no encuentra límite en el ejercicio de su labor artística. Es el caso de arquitectos, ingenieros, escultores, decoradores de exteriores o paisajistas, cuyos proyectos deben ser enjuiciados a la luz de una legislación que incorpore mecanismos que permitan delimitar ese juicio estético colectivo o medio que viene a representar el límite del acto administrativo que le da cobertura mediante las licencias y/o proyectos de obra correspondientes y que, en definitiva, pone coto a esas actuaciones profesionales. Carece de sentido y desconoce esa mínima sensibilidad paisajística de las poblaciones, la absoluta libertad en la ubicación y la estética de edificios, jardines, mobiliario urbano o esculturas.

En el sector medioambientalista ya se ha afirmado que el medio ambiente y los bienes que lo constituyen —la flora, la fauna, el agua, el aire— son bienes de todos, pero, que por esta misma condición, no son de nadie, en particular porque son "*res nullius*", son bienes de dominio público. Pero además, en la medida en que se ha puesto de manifiesto que son susceptibles de agotarse, al estar en peligro su aprovechamiento colectivo y en condiciones de igualdad por parte de toda la población, estos bienes han alcanzado la cualidad de "*res nullius finita*"[79]. MARTÍN MATEO nos habla del "monopolio público de la tutela ambiental", remitiéndose a lo que los economistas denominan interiorización de externalidades, de lo que es una típica manifestación la contaminación de los sistemas naturales: agua, aire, suelo que trata de corregir el Derecho Ambiental, en la medida en que los empresarios que contaminan no incorporan en sus costes el importe de producir más barato contaminando[80].

Pues bien, asimismo a lo que sucede en relación con el bien ambiental, es claro que el paisaje, al margen de los valores que incorpore, tiene esta misma condición. Probablemente, las generaciones futuras no verán los paisajes como ahora podemos contemplarlos. En algunas ocasiones esto será lógico y sostenible, en otras, podría haberse evitado alterar su estado, garantizando que esas generaciones pudieran contemplar para su disfrute y calidad de vida, lo que nosotros podemos aún admirar. El paisaje es de todos pero no es de nadie en particular y en esta condición es asimismo "*res nullius finita*", bien que, en cuanto *res nullius,* es de dominio público y, por tanto, digno de protección jurídico-pública con todas las potestades que ello conlleva: inembargabilidad; imprescriptibilidad; inalienabilidad). La articulación de los derechos públicos y privados en relación a ese bien *nullius* dependerá de cada circunstancia. De manera que, en ocasiones el derecho a la contemplación del mismo será exclusivo del titular de un derecho de vistas, mientras que, en otros será de un uso común y público: vías públicas en el espacio urbano; campos abiertos, etc.

La Constitución Española, en su artículo 45 no se refiere al paisaje cuando proclama el derecho a disfrutar del medio ambiente. Sin embargo añade el deber de los poderes públicos de velar "por la utilización racional de todos los recursos naturales, con el fin de proteger y mejorar la calidad de la vida y defender y restaurar el medio ambiente, apoyándose en la indispensable solidaridad colectiva" —art. 45.2—. Diferencia pues los dos bienes jurídicos que son el medio ambiente y la calidad de vida y dentro de

---

[79]   . Vid. KNEESE, A. V.; SCHULTZE, C. L., *Polution Prices and Public Policy,* 1975, *cit.* por MARTÍN MATEO, R. "La revolución ambiental pendiente". Desarrollo sostenible y protección del medio ambiente. Madrid, 2002, pp. 58 y ss. En este mismo sentido, DE LA CUESTA AGUADO, P. M. "Determinación del contenido del bien jurídico medio ambiente". *Cit.* a PRATS CANUT. http://inicia.es/de/pazenred/ambiente4.htm.

[80]   Vid. MARTÍN MATEO, R. "La revolución ambiental pendiente". Desarrollo sostenible y protección del medio ambiente (Dir. PIÑAR MAÑAS, J. L.), pp. 49 y ss.

esta última es donde debemos sin duda ubicar al recurso paisaje, no sólo como recurso natural, sino también como recurso cultural, histórico y estético. Asimismo el texto constitucional alude a ello cuando se apunta que la regulación de la utilización del suelo se debe hacer de acuerdo con el interés general (art. 47) porque, obviamente el paisaje se refiere a todo el territorio y la ordenación del suelo tiene que justificarse en una ordenación objetiva, cuyos motivos deben expresarse, y no en la simple conveniencia, o aun en la simple imaginación más altruista[81].

A partir de las diferentes dimensiones del paisaje, nuestras leyes autonómicas de paisaje (catalana, valenciana y gallega) definen sus instrumentos y objetos de intervención, protección y gestión en un plano geográfico y valorativo, tal y como lo hace el mencionado reglamento valenciano: unidades de paisaje, recursos paisajísticos, visibilidad del paisaje, puntos de observación, valores paisajísticos y calidad paisajística. Todas ellas concretan ese interés general del paisaje en cuanto bien digno de protección, ya sea porque constituye parte del patrimonio natural, cultural, social o histórico, elemento fundamental de la calidad de vida que debe ser preservado, mejorado y gestionado (leyes valenciana y catalana); ya sea porque trascienda de dicho patrimonio, aunque se trate de un recurso patrimonial que participe de otros intereses generales (ley gallega).

Es así que en las leyes específicas se observan declaraciones que nos hablan de ese carácter demanial común del paisaje. La Ley valenciana 4/2004, de 30 de junio, reconoce que el paisaje constituye un patrimonio común de todos los ciudadanos y que es elemento fundamental para su calidad de vida que debe ser preservado, mejorado y gestionado y, para ello, se establecen medidas para el control de la repercusión que sobre el mismo pueda tener cualquier actividad con incidencia en el territorio, diseñando toda una serie de instrumentos para protegerlo, ordenarlo y permitiendo su recuperación con acciones concretas. El Reglamento de desarrollo de la Ley, aprobado por Decreto 120/2006, de 11 de agosto, concreta las políticas y acciones a seguir, señalando que:

> "Los poderes públicos implementarán las políticas de paisaje mediante acciones sobre éste ejerciendo sus competencias mediante los instrumentos regulados en el título III del presente reglamento..." (art. 6.1).

---

[81]   Vid. GARCÍA DE ENTERRÍA, E. "Una nota sobre el interés general como concepto jurídico indeterminado". REDA núm. 89; enero-marzo, 1996, pp. 71-72.

El legislador valenciano maneja un concepto material e inmaterial de calidad de vida, en cuanto se refiere al paisaje que afecta y es aplicable a la morfología urbana de los cascos históricos, del paisaje periférico, la calidad del ambiente, el conjunto del desarrollo de actividades diversas o la arquitectura de calidad. Todo ello y cada uno de estos elementos forman parte pues de el interés público por el logro de esa calidad de vida del ciudadano urbano.

La Ley catalana 8/2005, de 8 de junio, de protección, gestión y ordenación del paisaje, nos certifica ese interés general que, integrado también en la calidad de vida, habilita a los poderes públicos catalanes para intervenir sobre los paisajes y por ello señala que se trata de velar por la protección del paisaje, definiendo los instrumentos de los que el gobierno se dota para reconocer jurídicamente sus valores y para promover actuaciones para su conservación y mejora. Obviamente se parte del hecho de que Cataluña goza de una gran riqueza y diversidad de paisajes y esa riqueza paisajística constituye un patrimonio ambiental, cultural, social e histórico que influye en la calidad de vida de los ciudadanos y que constituye un recurso de desarrollo económico, en particular, para las actividades turísticas, pero también para las agrícolas, ganaderas y forestales. Y todo ello se aplica al conjunto del territorio de Cataluña: tanto a las áreas naturales, rurales, forestales, urbanas y periurbanas y a los paisajes singulares como a los paisajes cotidianos o degradados, ya sean de interior o del litoral.

Pero va a ser la Ley gallega 7/2008, de 7 de julio, la que concrete al paisaje como interés general, tanto en su Exposición de Motivos, como en su articulado. La primera señala la conciencia de la propia Comunidad Autónoma, en el sentido de prever:

> "...la importancia de nuestros paisajes y del deber que tenemos en preservarlos, porque se trata de un recurso patrimonial incuestionable que participa del interés general en los aspectos ecológicos, culturales, económicos y sociales. El paisaje proporciona el marco idóneo en su concepción holística para abordar la comprensión y el análisis del territorio, de las políticas de desarrollo sostenible necesarias para su puesta en valor y de los procesos ecológicos que en él tienen lugar. Porque el paisaje es un elemento fundamental de la calidad de vida de las personas y por ello también debe ser el fiel reflejo de un territorio y de un medio ambiente de calidad, de una sociedad moderna y consciente de la importancia de su patrimonio natural y cultural, de una sociedad en relación armónica con el medio donde primen el uso racional del territorio, el aprovechamiento sostenible de sus recursos, un desarrollo urbanístico respetuoso y el reconocimiento de las funciones principales que juegan los ecosistemas naturales...".

El artículo 1, de otro lado, confirma las declaraciones anteriores, calificando al paisaje en una dimensión global, como interés general para esta

Comunidad[82] y, de otro lado es de interés destacar que lo identifica como un interés distinto del ambiental, cultural, social o económico porque trasciende de todos y cada uno de ellos:

> "La presente ley tiene por objeto el reconocimiento jurídico, la protección, la gestión y la ordenación del paisaje de Galicia, a fin de preservar y ordenar todos los elementos que la configuran en el marco del desarrollo sostenible, entendiendo que el paisaje tiene una dimensión global de interés general para la comunidad gallega, por cuanto trasciende a los campos ambientales, culturales, sociales y económicos.
> A tal fin, la presente ley impulsa la plena integración del paisaje en todas las políticas sectoriales que incidan en el mismo".

Con ello, en realidad, el paisaje puede atravesar diversos títulos competenciales pero en todo caso los poderes públicos asumen respecto a él, en sentido estricto, el deber de proteger y mejorar sus valores en cuanto necesidad que podremos enmarcar en el concepto de la calidad de vida, utilizando las potestades propias del demanio público inmaterial.

Son características del deber a utilizar racionalmente el recurso paisaje como parte del derecho a la calidad de vida, las limitaciones que los poderes públicos pueden imponer a los propietarios del suelo por razón del mismo y que forman parte del contenido normal y limitaciones del derecho de propiedad, en cuanto su incidencia y limitación con un bien de dominio público[83]. La cuestión que realmente no es resuelta en algunos ordenamientos como el nuestro es justamente la inversa: si es posible que el derecho al paisaje trascienda por encima —y en esta medida limite— el derecho de propiedad del suelo, ya sea de titularidad pública o privada, de modo tal que, en ocasiones, el bien jurídico "paisaje" pueda recibir la protección que se merece, impidiendo o reduciendo la acción constructiva o infraestructural de los propietarios del suelo.

---

[82] Obviamente la calificación de interés general del paisaje por parte de la Comunidad Autónoma de Galicia presupone que la propia Comunidad es también depositaria del interés general al tener atribuidas competencias específicas en el marco de la cuales se identifica ese interés general, en concreto sobre el territorio, que es elemento esencial del paisaje. Así, el único instrumento jurídico que ofrece el Gobierno central es la adhesión a un Convenio en materia del paisaje que constituye el marco a partir del cual se desarrollan las diferentes leyes autonómicas. Vid. ALBERTI ROVIRA, E. "El interés general y las Comunidades Autónomas en la Constitución de 1978". Revista de Derecho Político. Núms. 18.19, 1983, p. 122.

[83] Vid. MARTÍNEZ NIETO, A. "La protección del paisaje en el Derecho Español". Actualidad Administrativa núm. 326-12 septiembre, 1993, p. 402.

El criterio ya se ha introducido a nivel europeo como parte de los Derechos Humanos en el ámbito del Consejo de Europa y así lo declara la Decisión de inadmisión *Haider c. Austria*, de 29 de enero de 2004, del Tribunal Europeo de Derechos Humanos de Estrasburgo, que concluye que el interés general a la utilización racional de los recursos territoriales —entre los que se incluye no alterar las características paisajísticas— constituye una limitación que justifica una injerencia en el derecho de propiedad. El propio Tribunal describe que hay valores que deben sopesarse con otros como el desarrollo económico que ofrece la industria del turismo, así como con derechos fundamentales como el derecho de propiedad.

BIBLIOGRAFÍA

ALBERTI ROVIRA, E. "El interés general y las Comunidades Autónomas en la Constitución de 1978". Revista de Derecho Político. Núms. 18.19, 1983.

BARCELONA LLOP, J. "El dominio público arqueológico". Revista de Administración Pública, núm. 151, 2000.
  – La utilización del dominio público por la Administración: Las Reservas Dominiales. Pamplona, 1996.
  – "Novedades en el régimen jurídico del dominio público en Francia". Revista de Administración Pública. Núm. 137. 1995.

BAYLOS CORROZA, H. Tratado de Derecho Industrial. Propiedad Industrial. Propiedad Intelectual. Derecho de la Competencia Económica. Disciplina de la Competencia desleal. Madrid, 1993.

BERMEJO VERA, J. "El enjuiciamiento jurisdiccional de la Administración en relación con los bienes demaniales". Revista de Administración Pública, núm. 83, mayo-agosto, 1977.

BLANQUER CRIADO, D. Contaminación acústica y calidad de vida. Valencia, 2005.

BOISTEL, A. *Droit naturel*. París, 1870, pp. 188 y ss.; BARASSI, L. I *diritti reali*. Milano, 1934.

BRUN. *Les droits d'auteur sous les différents régimes matrimoniaux et la loi du 13 juillet 1907*. París, 1911.

CARNELUTTI. "*Sull' obbietto del diritto di privativa artistica e industriale*". Rev. Diritto Commerciale. T. II. 1912

CASANOVA. *Le imprese commerciali*. Turín, 1955.

CASTEJÓN PAZ, B. y RODRÍGUEZ ROMÁN, E. Derecho Administrativo y Ciencia de la Administración. Tomo II. Madrid, 1969.

COLIN Y CAPITANT. Derecho civil, T. II, V. II. 1923.

DE GREGORIO. *Il contratto di edizione*. 1913.

DÍEZ-PICAZO y GULLÓN, A. Sistema de Derecho Civil. T. 3 Madrid, 1998.

FATOME y TERNEYRE. *La loi du 25 juillet de 1994*, "AJDA", 1994.

FERNÁNDEZ ACEVEDO, R. "La problemática cuestión de la rentabilidad en la explotación de los bienes y derechos patrimoniales. Su regulación jurídica en la Ley del Patrimonio de las Administraciones Públicas". Revista de Administración Pública, núm. 171.

FERNÁNDEZ ESPINAR, L. C. Derecho de Minas en España. Granada, 1997.

FERNÁNDEZ DE VELASCO, R. "Naturaleza jurídica del dominio público según Hauriou. Aplicación de su doctrina a la legislación española". Revista de Derecho Privado, tomo VIII, 1921.

FERNÁNDEZ RODRÍGUEZ, C. Propiedad Industrial, Propiedad Intelectual y Derecho Administrativo. Madrid, 1999.
– "Aproximación al concepto de dominio público inmaterial en los derechos sobre invenciones y creaciones". Revista de Administración Pública, núm. 146, 1993.
FERNANDO PABLO, M. "Sobre el dominio público radioeléctrico: Espejismo y realidad". Revista de Administración Pública, núm. 143. 1997.
FRANCESCHELLI. *Trattato di Diritto Industriale.* Milán, 1959.
GARCÍA DE ENTERRÍA, E. "Una nota sobre el interés general como concepto jurídico indeterminado". REDA núm. 89; enero-marzo, 1996.
GARCÍA-TREVIJANO FOS, J. A. "Titularidad y afectación demanial en el ordenamiento jurídico español". Revista de Administración Pública. Núm. 29. 1959
GARRIDO FALLA, F. Tratado de Derecho Administrativo. Madrid, 1989.
GÓMEZ SEGADE, J. A. "Patentes y Bioética en la encrucijada: del onco-ratón al genoma humano". Actas de Derecho Industrial. Tomo XIV. 1991-1992.
GONZÁLEZ GARCÍA, J. V. La titularidad de los bienes de dominio público. Madrid, 1998.
GONZÁLEZ OLIVEROS. Los principios filosóficos de la propiedad intelectual. 1920
GUGLIELMETTI *Il marchio. Oggetto e contenuto.* Milán, 1955.
HAURIOU. *Précis de Droit Administratif.* 1933.
KOHLER. *Die Idee des geistigen Eigentums.* 1894.
LANDI, G. *La concessione amministrativa con claosola di esclusiva.* Milán, 1941.
MADERUELO, J. El paisaje. Génesis de un concepto. Madrid, 2005.
MARTÍN MATEO, R. "La revolución ambiental pendiente". Desarrollo sostenible y protección del medio ambiente (Dir. PIÑAR MAÑAS, J. L). 2002.
MARTÍNEZ NIETO, A. "La protección del paisaje en el Derecho Español". Actualidad Administrativa. Núm. 326-12, septiembre, 1993.
MORILLO-VELARDE PÉREZ, J. I. Dominio Público. Madrid, 1992.
PAREJO GAMIR y RODRÍGUEZ OLIVER. Lecciones de dominio público. Madrid, 1976.
PARADA VÁZQUEZ, R. Derecho Administrativo. Bienes públicos. T. III. 2006.
PÉREZ DE CASTRO, N. Comentario al artículo 41 de la Ley de Propiedad Intelectual. Comentarios a la Ley de Propiedad Intelectual. Madrid, 1989.
PICAR, E. *"Embruologie juridique". Journal de Droit International Privé.* 1883.
PROUDHON, M. *Traité du domaine publique ou de la distinction des biens considerés principalement par rapport au domain public.* Bruselas. T. I. 1833.
RENOUARD. *Traité de la propriété intellectuelle.* 1903
RIVERO YSERN, E., El deslinde administrativo. Sevilla, 1967.
RODRÍGUEZ ARIAS. "Naturaleza jurídica de los derechos intelectuales". Revista de Derecho Privado, 1949.
ROGUIN. *La science juridique pure.* Lausanne, 1923.
ROUBIER. *Le Droit de la propriété industrielle.* París, 1952.
ROYO VILLANOVA, S. Elementos de Derecho Administrativo. Valladolid, 1958.
SANTAMARÍA PASTOR, J. A. "Objeto y ámbito. La tipología de los bienes públicos y el sistema de competencias". En Comentarios a la Ley 33/2003, del Patrimonio de las Administraciones Públicas. Madrid, 2004.
STOLFI. *Traité de la propriété litteraire et artistique.* 1919.
VERDERA Y SUÁREZ-LLANOS). Barcelona, 1970.
VILLAR PALASÍ, J. L. Apuntes de Derecho Administrativo. Madrid, 1966-1967.

Capítulo XXV
El patrimonio universitario

Mª Asunción Torres López
Profesora Titular de Universidad
Universidad de Granada

SUMARIO: I. INTRODUCCIÓN: NATURALEZA JURÍDICA Y AUTONOMÍA UNIVER-
SITARIA A LOS EFECTOS DE DISPONER DE UN PATRIMONIO PROPIO. II. LA AUTO-
NOMÍA ECONÓMICA Y FINANCIERA DE LAS UNIVERSIDADES. III. EL PATRIMONIO
UNIVERSITARIO: TITULARIDAD, ADMINISTRACIÓN Y DISPOSICIÓN DE LOS BIENES
DE LA UNIVERSIDAD. 1. Tipos de bienes que integran el Patrimonio de la Universidad.
2. Los Bienes del Patrimonio Histórico Español destinados al servicio universitario: el
Patrimonio cultural de la Universidad. 3. Los bienes de dominio público afectos al ser-
vicio universitario. 4. La gestión y administración de los bienes de la Universidad. IV.
BENEFICIOS FISCALES DE LAS UNIVERSIDADES PÚBLICAS.

I. INTRODUCCIÓN: NATURALEZA JURÍDICA Y AUTONOMÍA UNIVERSITARIA A LOS EFECTOS DE DISPONER DE UN PATRIMONIO PROPIO

En el organigrama del conjunto de las Administraciones Públicas, no
siempre ha habido acuerdo doctrinal en el encaje que merece la Universidad Pública. No es una Administración territorial, *númerus clausus* que
la excluyen automáticamente. Pero dentro del amplio concepto de Administración Instrumental, ¿Qué tipo de Administración es? ¿Se trata de un
Organismo Público? Y, dentro de este grupo reconocido por la LOFAGE en
su intento de sistematizar el conglomerado de Administraciones públicas
institucionales a las que se refería la LGP en su nada fácil de entender artículo 6, ¿es un Organismo Autónomo?[1] Si no es un Organismo Autónomo,

---

[1] Si bien, respecto de la Universidad Internacional Menéndez Pelayo, expresamente
mantiene la LOU de 2001 en su disposición adicional tercera, el carácter de Organismo Autónomo adscrito al Ministerio de Educación, Cultura y Deporte, con personalidad jurídica y patrimonio propios y plena capacidad para realizar todo género de
actos de gestión y disposición para el cumplimiento de sus fines. Se trata de un centro
universitario de alta cultura, investigación y especialización en el que convergen actividades de distintos grados y especialidades universitarias, cuya misión es la de difundir
la cultura y la ciencia, fomentar las relaciones de intercambio e información científica

excepción hecha de la Universidad Internacional Menéndez Pelayo, ¿es una Administración de las llamadas independientes, como la Comisión del Mercado de las Telecomunicaciones, o la Comisión Nacional del Mercado de Valores, o la Comisión Nacional de la Energía?

Sin entrar en el debate acerca de la naturaleza jurídica de la Universidad, nos basta con saber que se trata de una Administración Pública que gestiona un servicio público, en su sentido más amplio, el denominado servicio público de la educación superior o servicio público universitario, que por otra parte, habrá que definir tal concepto amplio, pues a efectos de lo que interesa en este trabajo, la gestión del patrimonio universitario, es importante saber qué se entiende por servicio público universitario a cuya consecución otras Administraciones Públicas de carácter territorial pueden adscribir bienes para el cumplimiento de sus funciones y por ello tienen la consideración de bienes de dominio público, y de este modo determinar cuál es el régimen jurídico de estos bienes, su titularidad, qué pasa cuando dejan de estar afectos al servicio público universitario, si se convierten o no en bienes patrimoniales, etc.

Respecto de su naturaleza jurídica, la vigente Ley de Universidades, Ley Orgánica 6/2001, de 21 de diciembre (LOU), se limita a decir que las Universidades públicas son instituciones creadas por[2]:

a) Ley de la Asamblea Legislativa de la Comunidad Autónoma en cuyo ámbito territorial hayan de establecerse.

O por:

b) Ley de las Cortes Generales, a propuesta del Gobierno, de acuerdo con el Consejo de Gobierno de la Comunidad Autónoma en cuyo ámbito territorial hayan de establecerse.

Sin embargo, no determina qué tipo de Institución pública es, es decir, cuál es la forma jurídica que adopta, que puede ser, por tanto, cualquiera

---

y cultural de interés internacional e interregional y el desarrollo de actividades de alta investigación y especialización. A tal fin, organizará y desarrollará, conforme a lo establecido en la LOU-2001, enseñanzas de tercer ciclo que acreditará con los correspondientes títulos oficiales de Doctor y otros títulos y diplomas de postgrado que la misma expida.

La Universidad Internacional Menéndez Pelayo se regirá por la normativa propia de los Organismos autónomos a que se refiere el artículo 43.1.a) de la Ley 6/1997, de 14 de abril, de Organización y Funcionamiento de la Administración General del Estado, por las disposiciones de esta Ley que le resulten aplicables y por el correspondiente Estatuto.

[2] Artículos 3 y 4 LOU.

de las admitidas en nuestro Derecho. Sí reconoce su personalidad jurídica y señala cuáles son las funciones que les corresponde ejercer, en todo caso, en régimen de autonomía y de coordinación entre todas ellas³. No existe, por tanto, ninguna referencia legal a la calificación jurídica de la Universidad, como tampoco existía en la anterior Ley de Reforma Universitaria, la Ley Orgánica 11/1983, de 25 de agosto (LRU). Si bien, esta calificación no resulta ajena a la jurisprudencia del TS que, a veces, ha calificado a las Universidades como organismos autónomos *strictu sensu⁴; y en otras ocasiones como organismos autónomos especiales, que ostentan características propias y específicas⁵. Por otra parte, esto ha dado lugar a posiciones doctrinales distintas en torno a este importante aspecto, que puede condicionar el régimen jurídico al que se someten en función de cuál sea la forma jurídica que adopten⁶. Y el propio Consejo de Estado, en ocasiones, ha señalado*

---

3   Artículos 1 y 2. Expresamente señala como funciones de las Universidades: a) La creación, desarrollo, transmisión y crítica de la ciencia, de la técnica y de la cultura. b) La preparación para el ejercicio de actividades profesionales que exijan la aplicación de conocimientos y métodos científicos y para la creación artística. c) La difusión, la valorización y la transferencia del conocimiento al servicio de la cultura, de la calidad de la vida, y del desarrollo económico. d) La difusión del conocimiento y la cultura a través de la extensión universitaria y la formación a lo largo de toda la vida. La propia autonomía universitaria comprende: a) La elaboración de sus Estatutos y, en el caso de las Universidades privadas, de sus propias normas de organización y funcionamiento, así como de las demás normas de régimen interno. b) La elección, designación y remoción de los correspondientes órganos de gobierno y representación. c) La creación de estructuras específicas que actúen como soporte de la investigación y de la docencia. d) La elaboración aprobación de planes de estudio e investigación y de enseñanzas específicas de formación a lo largo de toda la vida. e) La elección, formación y promoción del personal docente e investigador y de administración y servicios, así como la determinación de las condiciones en que han de desarrollar sus actividades. f) La admisión, régimen de permanencia y verificación de conocimientos de los estudiantes. g) La expedición de los títulos de carácter oficial y validez en todo el territorio nacional y de sus diplomas y títulos propios. h) La elaboración, aprobación y gestión de sus presupuestos y la administración de sus bienes. i) El establecimiento y modificación de sus relaciones de puestos de trabajo. j) El establecimiento de relaciones con otras entidades para la promoción y desarrollo de sus fines institucionales. k) Cualquier otra competencia necesaria para el adecuado cumplimiento de las funciones señaladas en el apartado 2 del artículo 1.

4   Así las SSTS de 20 de abril de 1982, RJ 1990; de 6 de octubre de 1983, RJ 5029; de 20 de enero de 1984, RJ 185; o la de 25 de abril de 1985, RJ 1955.

5   Así las SSTS 15 de febrero de 1982, RJ 507; o la de 10 de febrero de 1983, RJ 6022.

6   Respecto de las Universidades privadas, el artículo 1.2 de la LOU en su segundo párrafo indica que tendrán personalidad jurídica propia, y que adoptarán alguna de las formas admitidas en Derecho. Por otra parte, lo normal es que las leyes de creación de las distintas Universidades Públicas digan lo siguiente: "Se crea la Universidad de...", sin referencia alguna a la forma jurídica, tan sólo a las normas jurídicas a las que se somete y, por supuesto, a la autonomía en la gestión de las funciones que tiene atribuida.

que las Universidades constituyen entes administrativos autónomos, con autonomía directamente derivada del artículo 27.10 CE, no asimilables a los organismos autónomos, sin ofrecer una alternativa a su naturaleza jurídica[7].

Respecto del régimen jurídico al que se someten, indica la LOU que está constituido, además de por la propia LOU y por las normas que dicten el Estado y las Comunidades Autónomas, en el ejercicio de sus respectivas competencias, por la Ley de su creación y por sus Estatutos, que serán elaborados por aquéllas y, previo su control de legalidad, aprobados por el Consejo de Gobierno de la Comunidad Autónoma[8].

Antes de entrar en el objeto específico de este trabajo, cual es el régimen jurídico del patrimonio de las Universidades, queremos dejar clara la postura que mantenemos respecto de la naturaleza jurídica de las Universidades, y nos remitimos a estudios más específicos que han tratado esta cuestión[9]. Por nuestra parte, consideramos que las Universidades Públicas, con carácter general, forman parte de ese conjunto de Admin istraciones llamadas independientes y que por definición se rigen en primer lugar por su Ley de creación y por sus propios Estatutos. Con ciertos matices, las Universidades Públicas tienen la potestad de dotarse de unos Estatutos para la gestión de las funciones que tienen encomendadas y su propio funcionamiento. Los matices son los que determina la propia Ley de Universidades, marco común de aplicación a todas ellas, pero con el respeto al reconocimiento constitucional de la autonomía universitaria, que es el dato más propio y específico que, desde nuestro punto de vista, permite definir a la Universidad Pública como una Administración de las llamadas independientes y como no puede ser de otro modo, dado el interés público al que sirve y que debería ser ajeno a los condicionantes políticos de cada momento histórico. Autonomía universitaria entendida como derecho fundamental y no como mera garantía institucional.

---

[7]   Dictámenes 47.784/JC, 47.937 y 48.015/FF.
[8]   Artículo 6 LOU.
[9]   *Véase* EMBID IRUJO, A., *La enseñanza en España en el umbral del siglo XXI*, Capítulo III: "La autonomía universitaria y la autonomía de las Comunidades Autónomas", y Capítulo IV: "Las Universidades Privadas: régimen jurídico", Ed. Tecnos, 2000; del mismo autor, "Enseñanza Universitaria", en la base de datos IUSTEL, "Materiales para el conocimiento del Derecho", en la sección de Derecho Administrativo. SOSA WAGNER, F., *El mito de la autonomía universitaria*, Thomson-Civitas, Madrid, 2007; LÓPEZ JURADO ESCRIBANO, F. de B., *La autonomía de las universidades como derecho fundamental: la construcción del Tribunal Constitucional*, Civitas, Madrid, 1991; SOUVIRÓN MORENILLA, J. M., *La Universidad Española: claves de su definición y régimen jurídico institucional*, Universidad de Valladolid, Secretariado de Publicaciones, 1988.

Es precisamente el reconocimiento de la autonomía universitaria como derecho fundamental, más que como garantía institucional, lo que permite alejar a la Universidad de su consideración de Organismo Autónomo, anclado en los estrictos límites del Derecho Administrativo, y aproximarla más a la consideración de Administración independiente, con un régimen más flexible, que permite lograr con mayor eficacia el servicio de la educación superior que tiene encomendado.

Una breve consideración a este último aspecto: La Constitución Española reconoce la autonomía de las Universidades en su artículo 27.10, eso sí, en los términos que la Ley establezca. Con carácter general, la vigente Ley Orgánica 6/2001, de 21 de diciembre, de Universidades. Es importante también, toda la doctrina del TC sobre el concepto de autonomía universitaria, desde la STC 26/1987 de 27 de febrero, en la que realiza un completo estudio del concepto de autonomía universitaria al que considera como un derecho fundamental de configuración legal. En concreto, dice el TC que la autonomía es la dimensión institucional de la libertad académica que garantiza y completa su dimensión individual, constituida por la libertad de cátedra.

Desde esta Sentencia, el TC ha continuado diciendo que la autonomía universitaria encuentra su razón de ser en el respeto a la libertad académica (de enseñanza, estudio e investigación) frente a cualquier injerencia externa, a fin de garantizar, en su doble vertiente individual y colectiva, la libertad de ciencia[10]. Y ha declarado que forma parte del contenido esencial de esa autonomía no sólo la potestad de autonormación, que es la raíz semántica del concepto, sino también de autoorganización. Por ello cada Universidad puede y debe elaborar sus propios Estatutos y los planes de estudio e investigación, pues no en vano se trata de configurar la enseñanza sin intromisiones extrañas[11].

En cualquier caso, la Universidad está vinculada a una Administración territorial, el Estado o la Comunidad Autónoma que proceda, y su independencia se traduce en la autonomía reconocida para el ejercicio de las funciones que tiene atribuidas. Y una de las más características manifestaciones de esa autonomía es sin duda la de la independencia económica o autonomía económica y financiera[12].

---

[10] SSTC 106/1990 (RTC 1990, 106), 187/1991 (RTC 1991, 187) y 156/1994 (RTC 1994, 156).

[11] STC 179/1996 (RTC 1996, 179).

[12] La independencia es reconocida doctrinalmente a ciertos entes o Administraciones cuando la ley de creación del respectivo ente ha limitado las posibilidades del Go-

Antes de continuar, sólo queda decir que dicha autonomía e independencia que predicamos de las Universidades Públicas ha de enmarcarse en el contexto europeo teniendo en cuenta la implantación en Europa de un verdadero Espacio Europeo de Educación Superior. Siendo conscientes de que las diferencias entre los distintos sistemas europeos nos permite constatar que esta tarea es ardua, difícil, que se enfrenta no sólo a la rigidez de los sistemas jurídicos anclados en el tiempo, sino también a las profundas diferencias sociales y culturales de las sociedades europeas, a la propia concepción del valor del aprendizaje y de la formación en las Universidades, que entra en el debate actual del propio ser de la Universidad y del acceso a la misma, de la calidad de la enseñanza en las Universidades y, en definitiva, de los propios sistemas educativos.

II. LA AUTONOMÍA ECONÓMICA Y FINANCIERA DE LAS UNIVERSIDADES

"Las Universidades gozarán de autonomía económica y financiera en los términos establecidos en la LRU. A tal efecto deberán disponer de recursos suficientes para el desempeño de las funciones que se le hayan atribuido". Así lo reconocía la anterior Ley de Reforma Universitaria en su artículo 52.

Del mismo modo la vigente Ley de Universidades, la Ley Orgánica 6/2001, de 21 de diciembre, lo determina en su artículo 79, que tras la modificación introducida por la Ley Orgánica 4/2007, de 12 de abril, por la que se modifica la Ley Orgánica 6/2001, de 21 de diciembre, de Universidades, viene a decir que:

1. Las universidades públicas tendrán autonomía económica y financiera en los términos establecidos en la presente Ley. A tal efecto, se garantizará que las universidades dispongan de los recursos necesarios para un funcionamiento básico de calidad.

La Ley ya no se limita a decir que las Universidades deberán disponer de recursos suficientes para el desempeño de sus funciones; sino que introduce una obligación *ex lege* de garantizar que las Universidades dispongan de los recursos necesarios no ya para desempeñar sus funciones, sino para que

---

bierno de interferir el ejercicio por parte de estos entes de las funciones y poderes que le atribuye la ley mediante el establecimiento de cinco tipos de garantías: las de índole personal, las institucionales, las funcionales, las de organización interna y las económico-financieras; *véase* EMBID IRUJO, *op cit.*, Iustel.

su funcionamiento básico sea de calidad. No es suficiente con disponer de recursos para funcionar, sino que es necesario que esos recursos garanticen la calidad del servicio.

Y en el siguiente artículo 80 define cuál es el patrimonio de las Universidades.

Dice el artículo 80 LOU: *Patrimonio de la Universidad.*

1. Constituye el patrimonio de cada Universidad el conjunto de sus bienes, derechos y obligaciones. Los bienes afectos al cumplimiento de sus fines y los actos que para el desarrollo inmediato de tales fines realicen, así como sus rendimientos, disfrutarán de exención tributaria, siempre que los tributos y exenciones recaigan directamente sobre las Universidades en concepto legal de contribuyentes, a no ser que sea posible legalmente la traslación de la carga tributaria.

2. Las Universidades asumen la titularidad de los bienes de dominio público afectos al cumplimiento de sus funciones, así como los que, en el futuro, se destinen a estos mismos fines por el Estado o por las Comunidades Autónomas. Se exceptúan, en todo caso, los bienes que integren el Patrimonio Histórico Español. Cuando los bienes a que se refiere el primer inciso de este apartado dejen de ser necesarios para la prestación del servicio universitario, o se empleen en funciones distintas de las propias de la Universidad, la Administración de origen podrá reclamar su reversión, o bien, si ello no fuere posible, el reembolso de su valor al momento en que procedía la reversión.

   Las Administraciones Públicas podrán adscribir bienes de su titularidad a las Universidades públicas para su utilización en las funciones propias de las mismas.

3. La administración y disposición de los bienes de dominio público, así como de los patrimoniales se ajustará a las normas generales que rijan en esta materia. Sin perjuicio de la aplicación de lo dispuesto en la legislación sobre Patrimonio Histórico Español, los actos de disposición de los bienes inmuebles y de los muebles de extraordinario valor serán acordados por la Universidad, con la aprobación del Consejo Social, de conformidad con las normas que, a este respecto, determine la Comunidad Autónoma.

4. En cuanto a los beneficios fiscales de las Universidades públicas, se estará a lo dispuesto para las entidades sin finalidad lucrativa en la Ley 30/1994, de 24 de noviembre, de Fundaciones e Incentivos Fis-

cales a la Participación Privada en Actividades de Interés General. Las actividades de mecenazgo a favor de las Universidades públicas gozarán de los beneficios que establece la mencionada Ley[13].

5. Formarán parte del patrimonio de la Universidad los derechos de propiedad industrial y propiedad intelectual de los que ésta sea titular como consecuencia del desempeño por el personal de la Universidad de las funciones que les son propias. La administración y gestión de dichos bienes se ajustará a lo previsto a tal efecto en la Ley 14/2011, de 1 de junio, de la Ciencia, la Tecnología y la Innovación[14].

Este artículo 80 plantea las siguientes cuestiones:

1ª) Qué bienes constituyen el patrimonio de las Universidades.

De acuerdo con él, el patrimonio de cada Universidad está constituido por:

1. El conjunto de sus bienes, derechos y obligaciones.
2. Los bienes afectos al cumplimiento de sus fines, así como los que en el futuro se destinen a estos mismos fines por el Estado o las Comunidades Autónomas.

No se incluye en el patrimonio de las Universidades aquellos bienes que integran el patrimonio histórico español. Por lo que hemos de hacer una referencia a los bienes de este carácter y que están adscritos al servicio universitario.

2ª) A quién corresponde la titularidad de los bienes de dominio público afectos al cumplimiento de las funciones de la Universidad.

Respecto de los bienes de dominio público afectos al cumplimiento de las funciones de la Universidad, la Ley determina que su titularidad corresponde a las Universidades, así como los que, en el futuro, se destinen a estos mismos fines por el Estado o por las Comunidades Autónomas.

Puede apreciarse que este tema es complejo y en la práctica suscita ciertos interrogantes, esto es:

---

[13] Ley derogada en parte (el Título II y las disposiciones adicionales cuarta a séptima, novena a duodécima y decimoquinta y decimosexta) por la vigente *Ley 49/2002, de 23 de diciembre*, de régimen fiscal de las entidades sin fines lucrativos y de los incentivos fiscales al mecenazgo.

[14] Este apartado 5 ha sido añadido por la Disposición Final 3.7 de la Ley 14/2011, de 1 de junio, de la Ciencia, la Tecnología y la Innovación.

a) A qué funciones se refiere exactamente. Si se refiere a cualquier función que pueda integrarse en el denominado servicio universitario. Y en este sentido, qué forma parte del denominado servicio universitario.

b) Si tales bienes dejan de ser útiles al servicio universitario, y si la titularidad de los mismos corresponde a la Universidad, por qué se regula la reversión de los bienes. Y, por otra parte, cabría preguntarse si es prudente la ruptura del régimen jurídico general contemplado en la Ley de Patrimonio de las Administraciones Públicas, Ley 33/2003, de 3 de noviembre (LPAP), según el cual, la desafectación del bien convierte a éste en bien patrimonial de la misma Administración titular del bien.

Al respecto, la Ley contempla la posibilidad de que cuando los bienes de dominio público dejen de ser necesarios para la prestación del servicio universitario, o se empleen en funciones distintas de las propias de la Universidad, la Administración de origen podrá reclamar su reversión, o bien, si ello no fuere posible, el reembolso de su valor al momento en que procedía la reversión.

c) Cuál es el régimen jurídico de la administración y gestión de los bienes de dominio público.

La administración y disposición tanto de los bienes de dominio público como de los patrimoniales se ajustará a las normas generales que rijan en esta materia. Sin perjuicio de la aplicación de lo dispuesto en la legislación sobre Patrimonio Histórico Español, los actos de disposición de los bienes inmuebles y de los muebles de extraordinario valor serán acordados por la Universidad, con la aprobación del Consejo Social, de conformidad con las normas que, a este respecto, determine la Comunidad Autónoma.

3ª) Si gozan de algún beneficio fiscal.

Al igual que en la legislación anterior, los bienes afectos al cumplimiento de sus fines y los actos que para el desarrollo inmediato de tales fines realicen, así como sus rendimientos, disfrutarán de exención tributaria, siempre que los tributos y exenciones recaigan directamente sobre las Universidades en concepto legal de contribuyentes, a no ser que sea posible legalmente la traslación de la carga tributaria.

Por otra parte, en cuanto a los beneficios fiscales de las Universidades públicas, señala la LOU que se estará a lo dispuesto para las entidades sin finalidad lucrativa en la Ley 30/1994, de 24 de noviembre, de Fundaciones e Incentivos Fiscales a la Participación Privada en Actividades de Interés

General. Y dice que las actividades de mecenazgo en favor de las Universidades públicas gozarán de los beneficios que establece la mencionada Ley. Esta Ley ha sido derogada, en la parte correspondiente a las entidades sin fines lucrativos por la Ley 49/2002, de 23 de diciembre, de régimen fiscal de las entidades sin fines lucrativos y de los incentivos fiscales al mecenazgo[15]. Habrá que estar, pues, a lo dispuesto por esta normativa vigente en la actualidad.

Al margen de estas cuestiones, otras de importancia en cuanto a la gestión del patrimonio universitario se refieren a la determinación de los órganos que dentro de la Universidad tienen la competencia en esta materia; esto es, a qué órganos les corresponde acordar la desafectación de los bienes; la enajenación de los bienes patrimoniales; o a quién le corresponde la realización del inventario de los bienes y su mantenimiento actualizado.

Pasemos a analizar y dar respuesta a estos interrogantes.

III. EL PATRIMONIO UNIVERSITARIO: TITULARIDAD, ADMINISTRACIÓN Y DISPOSICIÓN DE LOS BIENES DE LA UNIVERSIDAD

Ya ha quedado expuesto en páginas anteriores que la Universidad es una Institución de Derecho Público creada por Ley, vinculada, pues, a una Administración territorial, sea el Estado o la Comunidad Autónoma, con personalidad jurídica propia y patrimonio propio, y con autonomía para el ejercicio de las funciones que tiene atribuidas. Una institución que puede adoptar cualquiera de las formas jurídicas admitidas en Derecho, pero que, en cualquier caso, forma parte del amplio grupo que integra el concepto de Administración Instrumental.

Para el cumplimiento de sus fines dispone de un patrimonio propio sobre el que ejerce, desde el punto de vista material, unas competencias básicas, tales como acordar y autorizar los actos de disposición, gestión y administración sobre los mismos, así como también, ejercer las competencias en relación con la optimización del uso de los edificios administrativos[16].

---

[15] La parte correspondiente a las fundaciones ha sido derogada por la Ley 50/2002.
[16] *Véase* SANTAMARÍA PASTOR, J. A., "Objeto y ámbito. La tipología de los bienes públicos y el sistema de competencias", en *Comentarios a la Ley 33/2003, del Patrimonio de las Administraciones Públicas*, ed. Thomson-Civitas, 2004, pp. 43 y ss.

1. Tipos de bienes que integran el Patrimonio de la Universidad

Conforme a lo dispuesto con carácter general en la LPAP, y en la LOU con carácter específico, los tipos de bienes que integran el patrimonio de las Administraciones Públicas se pueden clasificar en los siguientes:

a) Bienes pertenecientes al Patrimonio Histórico Español.

b) Bienes de dominio público.

c) Bienes patrimoniales.

2. Los Bienes del Patrimonio Histórico Español destinados al servicio universitario: el Patrimonio cultural de la Universidad

Sólo quisiera hacer un breve comentario respecto de este tipo de bienes, que legalmente quedan excluidos del patrimonio propio de las Universidades, aunque estén adscritos al servicio universitario, al cumplimiento de las funciones de la Universidad[17]. Es cierto que la situación patrimonial de la Universidad se ha visto reforzada desde la Ley de Reforma Universitaria y en la vigente LOU, lo que no quiere decir que todos los bienes afectos al cumplimiento de sus funciones hayan de ser de propiedad de la Universidad. Es el caso de los bienes del Estado que integren el patrimonio histórico-artístico nacional, sobre los que en todo caso tienen un derecho de uso[18].

Esto implica que la regulación de estos bienes es específica, aunque se encuentra diseminada en una pluralidad de normas:

1. La normativa universitaria. Ley Orgánica de Universidades y normativa autonómica, a efectos sobre todo de competencias sobre la gestión de los bienes.

---

[17]   Sobre este tema nos remitimos al trabajo realizado por COLOM PIAZUELO, E., sobre "El patrimonio histórico de las Universidades y sus diversas titularidades", publicado en *REDA*, N° 114 (2002), pp. 195-232. *Véase* también TARDÍO PATO, J. A., *El derecho de las Universidades públicas españolas*, t. II, PPU, Barcelona, 1994, pp. 673 y ss.

[18]   Aunque no entremos en un análisis conceptual, la referencia que el artículo hace al "Patrimonio Histórico-Artístico Nacional", puede plantear la cuestión de si la exclusión se refiere sólo a los bienes cuya inclusión dentro del Patrimonio Histórico haya sido declarada por el Estado, sin comprender los que han sido así declarados por las Comunidades Autónomas, o si, por el contrario, incluye también a éstos. El calificativo "nacional" ha de entenderse equivalente a "español", en el sentido de la Ley de Patrimonio Histórico de 1985, y STC 17/1991, de 31 de enero, de donde se deriva que la competencia general para la declaración de un bien como integrado dentro del patrimonio histórico corresponde a las Comunidades Autónomas, y no ya al Estado.

2. La normativa general sobre patrimonio. La Ley de Patrimonio de las Administraciones Públicas y normativa autonómica.

3. La normativa sobre patrimonio histórico, tanto estatal como autonómica. La Ley de Patrimonio Histórico Español 16/1985, de 25 de junio (LPHE) y la normativa autonómica sobre patrimonio histórico que corresponda en cada caso[19].

La razón de la exclusión de este tipo de bienes es la de evitar que los bienes inmuebles declarados de interés cultural conforme con la legislación vigente pasen a ser titularidad de la Universidad incluso en los casos en que aquéllos estaban siendo utilizados por las Universidades en el momento de la constitución de su Consejo Social o hayan sido cedidos a las mismas por el Estado o la Comunidad Autónoma con posterioridad a dicha constitución. Se trata de que los bienes pertenecientes al Estado o a la Comunidad Autónoma, integrados en el Patrimonio Histórico, continúen perteneciendo al Estado o a la Comunidad Autónoma por sus singulares características, con el fin de alcanzar una protección más eficaz por la Administración titular de la competencia.

De acuerdo con el artículo 1.2 de la LPHE, integran el patrimonio histórico español los inmuebles y objetos muebles de interés artístico, histórico, paleontológico, arqueológico, etnográfico, científico o técnico. También forman parte del mismo el patrimonio documental y bibliográfico, los yacimientos y zonas arqueológicas, así como los sitios naturales, jardines y parques, que tengan valor artístico, histórico o antropológico. Sobre este tipo de bienes que sean más relevantes pesa una primera obligación de ser inventariados o declarados de interés cultural. En este caso, los bienes así declarados gozan de una singular protección y tutela, estando obligados sus propietarios o poseedores a permitir y facilitar su inspección por parte de los organismos competentes, su estudio a los investigadores previa solicitud y la visita pública[20].

---

[19] *Véase* ALEGRE ÁVILA, J. M., *Evolución y régimen jurídico del patrimonio histórico*, Ministerio de Cultura, Madrid, 1994; BARRERO RODRÍGUEZ, C., *La ordenación jurídica del patrimonio histórico*, Civitas, Madrid, 1990; ALONSO IBÁÑEZ, M. R., *El patrimonio histórico. Destino público y valor cultural*, Civitas, Madrid, 1992.

[20] Artículo 13.2 LPHE. Su visita pública lo será en las condiciones de gratuidad que se determinen reglamentariamente, al menos cuatro días al mes, en días y horas previamente señalados. Si bien, el cumplimiento de esta última obligación podrá ser dispensado total o parcialmente por la Administración competente cuando medie causa justificada.

Y el artículo 36 LPHE, determina que estos bienes integrantes han de ser conservados, mantenidos y custodiados por sus propietarios o, en su caso, por los titulares de derechos reales o por los poseedores de tales bienes. Por lo tanto, corresponde a la Universidad tal función conforme a las exigencias normativas.

Además, la utilización de los bienes declarados de interés cultural, así como de los bienes muebles incluidos en el inventario general, quedará subordinada a que no se pongan en peligro los valores que aconsejan su conservación y cualquier cambio de uso debe ser autorizado por los organismos competentes[21].

En cuanto a los bienes que forman parte del patrimonio histórico y están adscritos o cedidos en uso a las Universidades, señalar que:

1.– En primer lugar, el artículo 80.2 LOU permite que tanto el Estado como la Comunidad Autónoma puedan adscribir a las Universidades bienes destinados al cumplimiento de sus funciones, bienes que sean de dominio público y que además pertenecen al Patrimonio Histórico nacional. En este caso sólo se cede el uso, pero nunca la Universidad va a asumir la titularidad de tales bienes por formar parte del patrimonio histórico nacional[22].

En estos casos, siempre ha de haber una relación entre la Administración cedente y la Universidad cesionaria, de modo que ciertas decisiones sobre los bienes, tales como la desafectación, no podrían adoptarse unilateralmente. Es necesario un acuerdo de voluntades entre ambas Administraciones.

2.– En segundo lugar, además de los bienes cedidos en uso, las Universidades pueden ser titulares de bienes que forman parte del patrimonio histórico y su origen puede ser variado, desde su adquisición gratuita por cesión de particulares o de las Administraciones hasta su adquisición onerosa a particulares u otros Entes públicos[23].

La LPHE contempla un conjunto de bienes muy variado. Por lo que la Universidad puede ser titular de este tipo de bienes. Así, a título de ejemplo, la Universidad puede ser titular de un patrimonio documental generado en su seno o adquirido por las formas citadas; un patrimonio además de gran

---

[21]　Artículo 36.2 LPHE.
[22]　*Véase* COLOM PIAZUELO, *op. cit.*, pp. 215 y ss., donde analiza en profundidad el mismo supuesto contemplado en el artículo 53.2 LORU y que ha sido sustituido por el artículo 80.2 de la vigente LOU.
[23]　*Véase* COLOM PIAZUELO, *op. cit.*, pp. 223 y ss.

importancia, teniendo en cuenta qué se entiende por éste en la LPHE, esto es, "los documentos de cualquier época generados, conservados o reunidos en el ejercicio de su función por cualquier organismo o entidad de carácter público, por las personas jurídicas en cuyo capital participe mayoritariamente el Estado u otras Entidades públicas y por las personas privadas, físicas o jurídicas, gestoras de servicios públicos en lo relacionado con la gestión de dichos servicios", también los documentos que tengan una antigüedad superior a los cuarenta años generados, conservados o reunidos en el ejercicio de sus actividades por las entidades y asociaciones de carácter político, sindical o religioso y por las entidades, fundaciones y asociaciones culturales y educativas de carácter privado; o bien, los documentos con una antigüedad superior a los cien años generados, conservados o reunidos por cualesquiera otras entidades particulares o personas físicas[24].

También puede ser titular de un patrimonio bibliográfico, cuya procedencia puede ser la misma que la del patrimonio documental. La LPHE dice que forman parte del patrimonio bibliográfico las bibliotecas y colecciones bibliográficas de titularidad pública y las obras literarias, históricas, científicas o artísticas de carácter unitario o seriado, en escritura manuscrita o impresa, de las que no conste la existencia de al menos tres ejemplares en las bibliotecas o servicios públicos. Se presumirá que existe este número de ejemplares en el caso de obras editadas a partir de 1958[25]. Y el artículo 59 LPHE define las bibliotecas como las instituciones culturales donde se conservan, reúnen, seleccionan, inventarían, catalogan, clasifican y difunden conjuntos o colecciones de libros, manuscritos y otros materiales bibliográficos o reproducidos por cualquier medio para su lectura en sala pública o mediante préstamo temporal, al servicio de la educación, la investigación, la cultura y la información. Si bien, en el caso de las bibliotecas universitarias existen ciertas peculiaridades, al ser servicios de apoyo a las funciones que éstas tienen asignadas.

Junto a este patrimonio documental y bibliográfico, las Universidades son titulares de otro tipo de bienes de trascendental valor cultural como pueden ser las obras de carácter escultórico, pictórico, o también el resto de las ramas que comprenden las artes plásticas (tapices, mobiliario y artes decorativas en general). Todos estos bienes integran el denominado "Patrimonio cultural universitario"[26].

---

[24]   Artículo 49.2 LPHE. En los siguientes apartados de este mismo artículo.
[25]   Artículo 50 LPHE.
[26]   *Véase* SÁNCHEZ MESA, L., "Universidad y patrimonio cultural: reflexiones en torno al papel de las Universidades en cuanto agentes colaboradores", *Revista de la Facultad de*

En cualquier caso, el régimen jurídico de estos bienes es especial, en la medida que se le aplica las medidas de protección establecidas en la LPHE. Entre otras, se debe facilitar la inspección por parte de los organismos competentes para comprobar su situación o estado, permitir el estudio de los investigadores, previa solicitud razonada. Las Universidades están, pues, obligadas a conservar este patrimonio, a protegerlo y destinarlo a un uso que no impida su conservación y mantenerlo en lugares adecuados.

La Universidad se convierte, pues, en un importante elemento de difusión, de conservación, de protección del denominado en su conjunto "patrimonio cultural", que integran los bienes del Patrimonio histórico nacional, al emprender una serie de acciones volcadas en el estudio, la investigación, catalogación e inventario. La normativa estatal sobre patrimonio histórico es parca en cuanto a la referencia al papel de las Universidades en relación con la gestión de este tipo de bienes; la normativa autonómica sobre patrimonio histórico introduce algo más[27]. Y la normativa específica de Universidades tan sólo hace referencia en el artículo 80.2 y 3, como hemos visto. Aunque los Estatutos propios de los que se dota cada Universidad suelen contemplar referencias expresas a la gestión de este tipo de bienes[28].

Derecho", Granada (2007). Advierte el autor que el concepto de "patrimonio cultural universitario" es un concepto, de complicada definición y de dudosa utilidad en la articulación de un régimen jurídico específico. Y destaca que la acción de las Universidades en pro de la conservación y difusión del Patrimonio cultural no queda limitada a este denominado "Patrimonio cultural universitario", sino que se proyecta también sobre el resto del Patrimonio cultural, perteneciente a otros sujetos públicos o privados y no ligado, por tanto, a las Universidades. Y ensalza el hecho de que las Universidades reúnen una serie de virtudes (tales como la presencia de unos Departamentos y de un personal altamente especializados, junto a la disponibilidad de los oportunos equipamientos y medios técnicos, que son factores que identifican en ella un elevado potencial investigador y una posición óptima para la transferencia del conocimiento), que le permiten adoptar un cierto protagonismo como propietaria o depositaria de bienes integrantes del Patrimonio cultural, y además, las erige en el epicentro de buena parte de las tareas orientadas a su estudio, conservación y difusión. Y precisamente en el marco de dichas facetas de la actividad universitaria, es donde cobrará forma la acción efectiva de estas instituciones en cuanto respecta a los bienes culturales ajenos a su patrimonio.

[27] *Véase* SÁNCHEZ MESA, L., *op. cit.* Analiza el régimen jurídico de la normativa estatal y de la normativa autonómica sobre patrimonio cultural y las referencias específicas a las Universidades como titulares o poseedoras de este tipo de bienes.

[28] Como ejemplo, en el caso de la Universidad de Granada, se establece en su artículo 3 f) que uno de los fines de la misma es "la promoción y conservación de su patrimonio histórico y de su entorno cultural, urbanístico y ambiental, como expresión de su vínculo con la sociedad". En concreto el artículo 212 señala que la actividad de catalo-

Si bien, la catalogación de ciertos bienes afectos al servicio universitario, es realizada por una Administración Pública distinta a la Administración que gestiona estos bienes, esto es, lo será la Comunidad Autónoma o el Estado, ambas son Administraciones ajenas al funcionamiento de la Universidad que gestiona y es poseedora de los bienes y ello provoca en ciertos casos problemas que influyen en la eficacia del funcionamiento del servicio universitario, lo que obliga a reconsiderar la necesaria coordinación que debe existir entre la Universidad y la Comunidad Autónoma o el Estado a la hora de elaborar los catálogos de este tipo de bienes y su declaración o no como bienes de interés cultural integrantes del Patrimonio Histórico nacional o autonómico.

3. Los bienes de dominio público afectos al servicio universitario

La primera pregunta a formular es si pueden ser las Universidades públicas titulares de bienes de dominio público, o dicho de otra manera, qué Administraciones Públicas pueden ser titulares de bienes de dominio público. Así como, si la desafectación de los bienes destinados al servicio público de la educación superior o servicio universitario, los convierte en bienes patrimoniales de los que siguen siendo titulares las Universidades. Previamente, interesa recordar la problemática clásica en torno a la titularidad de los bienes de dominio público, que, en todo caso, ha de ser una titularidad administrativa. Una problemática centrada sobre todo en si los Entes instrumentales podían o no ser titulares de bienes de dominio público[29]. Con anterioridad a la LRU de 1983, las Universidades se consideraban Organismos Autónomos de carácter administrativo, lo que implicaba que los bienes de dominio público afectos al cumplimiento de sus fines simplemente se adscribieran a la Universidad de conformidad con lo establecido en la Ley de Patrimonio del Estado; de modo que los bienes de dominio

---

gación e inventario de los bienes que constan en su patrimonio se extiende también a los bienes que, formando parte del Patrimonio Histórico Español, estén afectos al cumplimiento de las funciones de la Universidad de Granada, debiendo dejarse constancia en el inventario resultante de sus características esenciales, valor, fecha y forma de adquisición así como de su ubicación. Y se impone, en el artículo 213, a los órganos de la Universidad la obligación de "proteger y defender su patrimonio", en especial en lo referente al "sostenimiento, mejora y protección del patrimonio bibliográfico y documental, que constituye una de sus mayores riquezas". Y los artículos 196 y 197 se refieren a la Biblioteca y Archivo Universitario.

[29] *Véase* GONZÁLEZ GARCÍA, J., *La titularidad de los bienes de dominio público*, Marcial Pons, Madrid, 1998.

público en los que se prestaba el servicio público de la enseñanza universitaria tenían titularidad estatal y se encontraban adscritos a la Universidad correspondiente[30].

Pero al margen de esta problemática, la propia LOU reconoce que las Universidades pueden ser titulares de bienes de dominio público. En lo que respecta al tema de la titularidad de los bienes de dominio público utilizados por las Universidades, una de las innovaciones más importantes de la LRU de 1983 fue la atribución a las Universidades de la titularidad de los bienes de dominio público afectos al cumplimiento de sus fines, lo que significa que dichas Entidades, aunque no son Administraciones territoriales, pueden ser titulares de bienes de dominio público.

En este sentido, dejó claro el Tribunal Constitucional que la titularidad de los bienes demaniales por la Universidad se justifica en la prestación del servicio público universitario, en STC 106/1990, de 6 de junio, sobre la Ley de Organización Universitaria de Canarias, confirmada también en STC 47/2005, de 3 de marzo, referida a la creación de la Universidad de Elche.

Como hemos visto, el artículo 80.2 LOU reconoce que las Universidades asuman la titularidad de los bienes de dominio público afectos al cumplimiento de sus funciones, así como los que, en el futuro, se destinen a estos mismos fines por el Estado o por las Comunidades Autónomas. La única excepción es el caso de los bienes que integren el Patrimonio Histórico Español.

Si bien, se introduce una garantía con el fin de proteger los intereses estatales o autonómicos, y es que el propio artículo 80.2 establece que cuando los bienes a los que se refiere el primer inciso de este apartado, esto es,

---

[30]   Por lo general, la afectación al dominio público supone la declaración expresa del órgano correspondiente, por la cual se produce una variación en su situación jurídica, convirtiéndose en inalienables, inembargables e imprescriptibles mientras persista en el uso de servicio o dominio público al que han sido destinados. Una afectación que puede tener lugar de distintas maneras: bien por Orden ministerial expresa del Ministerio de Hacienda, respecto de los bienes patrimoniales del Estado; bien por su adquisición para un fin que dé lugar necesariamente a su afectación, bastando la autorización de la adquisición en la que se manifieste su destino; o bien por el uso para una finalidad de servicio o dominio público, sin que exista acto expreso de afectación. Y, como indica la Jurisprudencia, los cambios de adscripción de dichos bienes, no modifican su status jurídico, sino sólo su uso concreto dentro del demanio, por lo que no es necesario un acto de afectación posterior cuando los bienes se reciben por un Organismo Autónomo procedentes de otros Departamentos Ministeriales, ya que subsiste la afectación al dominio público que tenían en el Departamento de origen (STSJ Castilla y León de 28 de junio de 2005, núm. 1269/2005, Sala de lo C-A, FJ 12).

los bienes de dominio público afectos a las funciones de la Universidad, dejen de ser necesarios para la prestación del servicio universitario, o se empleen en funciones distintas de las propias de la Universidad, la Administración de origen podrá reclamar su reversión, o bien, si ello no fuere posible, el reembolso de su valor al momento en que procedía la reversión.

Por otra parte, y como supuesto distinto, en el segundo párrafo del artículo 80.2 se contempla la posibilidad de que las Administraciones públicas puedan adscribir bienes de su titularidad a las Universidades públicas para su utilización en las funciones propias de las mismas. Lo que implica que no tienen la obligación de ceder la titularidad sino el uso, y su régimen jurídico lo será el propio que regula el patrimonio de la Administración titular del bien.

De acuerdo con lo expuesto podemos afirmar que la titularidad de los bienes de dominio público estatales o autonómicos afectos a las funciones de la Universidad corresponde a la Universidad. Esta afirmación nos lleva a plantear una serie de cuestiones:

1) Primera cuestión: Los bienes afectos a las funciones de la Universidad han de ser bienes de dominio público estatal o autonómico. Y nos encontramos en un supuesto en el que una Administración pública, sea el Estado o la Comunidad Autónoma, destina un bien de su titularidad a un servicio público, el servicio universitario, que le corresponde cumplir a otra Entidad pública, en este caso, la Universidad. Cuál es entonces la naturaleza jurídica del bien, si es un bien de dominio público por adscripción; si puede ser un bien patrimonial afecto a los servicios prestados por otra Administración. O dicho de otro modo, ¿Cómo se adquiere la condición de bien de dominio público? ¿Se convierte un bien en bien de dominio público por adscripción al servicio público?

La interpretación más adecuada que cabe hacer para responder a esta cuestión es que el acto de adscripción que realice el Estado o la Comunidad Autónoma implica su afectación al dominio público; lo esencial es el destino del bien, el servicio público que se pretende atender, que no es otro que el servicio público universitario. En la práctica, quizá plantea mayor problema la cuestión de la desafectación del bien y la reversión del mismo a la Administración de la que procede, o su conversión en bien patrimonial de la Universidad.

Conforme a lo dispuesto en el artículo 80.2 LOU, si los bienes ya no son necesarios al servicio universitario o se emplean para fines distintos a los propios de la Universidad, la Administración de origen podrá reclamar su reversión, o bien, si ello no fuere posible, el reembolso de su valor al momento en que procedía la reversión. De modo que esta cesión de bienes que realiza el Estado o la Comunidad Autónoma tiene un carácter finalista, claramente estipulado en la norma.

Pueden plantearse los casos siguientes:

a) Que la Administración de origen no reclame el bien.

b) Que la Administración de origen lo reclame y la Universidad haya dispuesto del bien, una vez desafectado y calificado como bien patrimonial de la misma, por aplicación del régimen general y exista un tercero propietario protegido por la fe pública registral.

c) Que en el supuesto anterior, se reclame el reembolso de su valor al tiempo de la reversión y sea de imposible cumplimiento para la Universidad, si no es en detrimento del servicio público universitario.

2) Segunda cuestión: ¿A quién corresponde la desafectación del bien? ¿Quién desafecta los bienes de dominio público para convertirlos en bienes patrimoniales? Precisamente, la afectación, el destino, es lo que diferencia en el Derecho positivo los bienes de dominio público de los patrimoniales[31]. La afectación a un uso público o a un servicio público. Este último caso puede ser más confuso, en tanto en cuanto el propio concepto de servicio público está rodeado de polémica en la doctrina.

Además, debe tenerse en cuenta los Reales Decretos de traspaso de servicios y competencias del Estado a las Comunidades Autónomas en materia de Universidades, en virtud de los cuales los distintos Estatutos de Autonomía atribuían la plena competencia a la Comunidad Autónoma respectiva de regulación y administración de la enseñanza en toda su extensión, modalidades y especialidades en el ámbito de sus competencias y, respecto del tema de bienes, derechos y obligaciones que se traspasan, en todos los Reales Decretos se establece que "los bienes de titularidad estatal que se detallan en la relación adjunta, que actualmente están adscritos a la Universidad y afectos al cumplimiento de sus fines, se traspasan a la Comunidad Autónoma hasta tanto no se produzca la asunción de la titularidad de los mismos por parte de las Universidades"[32].

El apartado 3 del artículo 80 LOU, determina que la administración y disposición de los bienes de dominio público, así como de los patrimonia-

---

[31]   Artículo 5.1 LPAP.
[32]   *Véase* la ponencia presentada al "VII Seminario sobre Aspectos Jurídicos de la Gestión Universitaria", por Benilde Bintanel Gracia, Servicio de Publicaciones de la Universidad de Burgos, pp. 290 y ss.

les se ajustará a las normas generales que rijan en esta materia. Y los actos de disposición de los bienes inmuebles y de los muebles de extraordinario valor, sin perjuicio de la aplicación de lo dispuesto en la legislación sobre Patrimonio Histórico Español, serán acordados por la Universidad, con la aprobación del Consejo Social, de conformidad con las normas que, a este respecto, determine la Comunidad Autónoma.

Tras la LOU de 2001, aparecen las regulaciones autonómicas sobre el Sistema Universitario, así como las regulaciones de los Consejos Sociales, que introducen ciertas peculiaridades respecto de lo determinado en el artículo 80.3 LOU, como por ejemplo, en lo que nos ocupa, la de autorizar al Rector o Rectora de la Universidad, previa propuesta motivada de éste, para enajenar o disponer de los bienes patrimoniales de la institución, así como para desafectar los bienes de dominio público de la Universidad; o también, aprobar, previa autorización del Departamento competente en materia de Universidades, la desafectación de los bienes de dominio público[33]. O en el caso de la Universidad de Granada, los acuerdos relativos a la afectación y desafectación de bienes de dominio público y los actos de disposición de los bienes patrimoniales inmuebles y de los muebles que superen el valor que, en su caso, se determine por la Comunidad Autónoma de Andalucía o administración competente, corresponderán al Consejo de Gobierno, con la aprobación del Consejo Social; en otro caso, esto es, en lo que respecta al resto de los bienes patrimoniales, los actos de disposición corresponderán al Rector[34].

Parece que la desafectación de los bienes de dominio público afectos al servicio público universitario, corresponde, por lo general, a los órganos competentes de la propia Universidad, al Consejo de Gobierno, o bien al Rector o Rectora de la Universidad de que se trate, previa autorización o aprobación por el Consejo Social[35]. Es necesario, pues, un acto expreso de

---

[33]   *Ut supra*, pp. 294 y ss. En el primer caso, lo determina así el Reglamento de organización y funcionamiento del Consejo Social de la Universidad de Oviedo; en el segundo caso, el Reglamento interno de organización y funcionamiento del Consejo Social de la Universidad del País Vasco.

[34]   Artículo 219.2 de los Estatutos de la Universidad de Granada.

[35]   Con la legislación anterior a la Ley de Reforma Universitaria, se guardaba silencio en relación con el patrimonio universitario en este sentido; aspectos a los que alude DEL VALLE PASCUAL, J. M., en "El Patrimonio de las Universidades", en la Obra *El Régimen jurídico General del Patrimonio de las Administraciones Públicas*, El Consultor de los Ayuntamientos y Juzgados, Madrid, 2004, pp. 102 y ss. Ante el silencio legal, se adoptaban posturas que defendían la autonomía de la Universidad en el marco de la de su Comunidad Autónoma y que posteriormente se confirman en la Legislación, de

desafectación del bien de dominio público por el que se determine que tales bienes han dejado de ser útiles al cumplimiento del servicio público universitario.

3) Tercera cuestión: ¿Cuándo procede la reversión del bien?

Una vez desafectado el bien, la Administración de la que procede el bien, la Administración del Estado o la Administración de la Comunidad Autónoma, puede reclamar para sí el bien, de modo que el bien de dominio público y cuya titularidad corresponde a la Universidad, tras la desafectación llevada a cabo por el órgano competente dentro de la Universidad, puede revertir en otra Administración, sin llegar a convertirse en bien patrimonial de la Universidad.

Pero ¿qué requisitos son necesarios para que pueda tener lugar la reversión del bien?:

1.– En primer lugar, debe especificarse qué bienes pueden ser objeto de reversión.

Conforme a lo dispuesto en el precepto legal que analizamos, se trata de bienes de dominio público afectos al servicio público universitario y procedentes del Estado o de la Comunidad Autónoma. Conforme a la redacción del artículo, acotando el ámbito de aplicación de la reversión, y por exclusión, no serían objeto de reversión los bienes que pudieran proceder de otras Administraciones Públicas, o los bienes de dominio público que haya adquirido la Universidad en ejercicio de sus propias competencias[36]. Pero, además, se excluyen también los aportados por la Administración del Estado, respecto de los bienes afectados con posterioridad al proceso de transferencias o al de la propia creación, en el caso de Universidades creadas por Comunidades Autónomas.

El artículo 80.2 LOU (y anterior artículo 53.2 LRU), supone una auténtica atribución originaria y *ope legis* a favor de las Universidades de la propiedad de los bienes estatales de dominio público que estaban afectos a las funciones de cada una de ellas. De manera que la afección del bien estatal o autonómico de dominio público de que se trate al cumplimiento de las funciones de la Universidad es un requisito esencial para que la Universidad reclame la titularidad de dicho bien. Por lo que si la Universidad no puede

---

manera que "las competencias de desafectación de los bienes de dominio público y de disposición sobre los bienes patrimoniales han de quedar en manos de las Universidades, al margen de que originariamente los bienes afectos a la tarea educativa fueran de procedencia estatal, o incluso comunitaria" (p. 107).

[36] Por cualquiera de los modos de adquirir previstos en la LPAP, Artículo 15.

acreditar la afección de un determinado bien estatal o autonómico de dominio público al cumplimiento de sus funciones, dicho bien continuaría siendo propiedad del Estado o Comunidad Autónoma, pues la Universidad no podría acreditar el cumplimiento de uno de los requisitos establecidos legalmente para que opere la atribución de propiedad a su favor.

2.– Es necesario que haya una reclamación expresa por parte de la Administración de origen.

El principal problema es determinar cuál es esa Administración de origen. Teniendo en cuenta el traspaso de bienes del Estado a las Comunidades Autónomas a través del proceso de transferencias, ha aclarado el Tribunal Constitucional que lo que se lleva a cabo es una sucesión parcial y obligada en el ejercicio de funciones públicas, por lo que es la Comunidad Autónoma la competente para resolver sobre el destino de los bienes afectados a los servicios públicos cuya titularidad ostenta[37].

De modo que, la Administración de origen será siempre la Comunidad Autónoma, respecto a las Universidades transferidas, ya que se ha producido una sucesión de la competencia en materia universitaria que conlleva la sucesión en los derechos y facultades que el Estado pudiera tener respecto de los bienes que figuraban adscritos a las Universidades con anterioridad a la LRU. Y también será la Comunidad Autónoma la Administración de origen, cuando se trate de Universidades de nueva creación, ya que los bienes que se afecten al servicio público universitario en estos casos serán los que dispongan las leyes de creación o normas de los Gobiernos autonómicos de que se trate en cada caso, y con independencia del origen de los bienes, que podrá ser propio de la Comunidad Autónoma o puede tratarse de bienes transferidos[38].

De acuerdo con lo expuesto, ¿cuándo puede el Estado ejercer su derecho de reversión al que se refiere el artículo 80.2 LOU? Pues, tan sólo

---

[37]   Así lo ha declarado el Tribunal Constitucional, en STC 58/1982, de 27 de julio, o también STC 85/1984, de 26 de julio. No se trata por tanto de cesión de bienes propiamente dicha, pues las Comunidades Autónomas no son Entes preexistentes a los que el Estado ceda bienes propios, sino Entes de nueva creación que sólo alcanzan existencia real en la medida en que el Estado se reestructura sustrayendo a sus instituciones centrales parte de sus competencias para atribuirlas a estos Entes territoriales y les transfiere, con ellas, los medios personales y reales necesarios para ejercerlas.

[38]   *Véase* sobre este tema la ponencia presentada por JIMENO SANZ DE GALDEANO, L., sobre "Volver al origen (o el derecho de reversión en la Ley Orgánica de Universidades", en el *VII Seminario sobre aspectos jurídicos de la Gestión Universitaria, op. cit.*, pp. 307 y ss.

podrá ejercer este derecho respecto de los bienes de dominio público de las Universidades de su competencia.

3.– Es necesario que el bien de dominio público deje de estar afecto al servicio público universitario. Que haya un acto expreso de desafectación por el órgano competente dentro de la Universidad[39]. Que deje de ser útil al servicio público universitario. Claro está que la utilidad al servicio público universitario puede continuar cuando tras la desafectación del bien, se procede a la enajenación del mismo para con su valor contribuir a la continuidad del servicio público universitario, más que al lucro de la propia Universidad como Institución.

En cualquier caso, dice el artículo 80.2 que para que proceda el derecho de reversión los bienes de dominio público afectos por la Administración a la que está vinculada la Universidad, han de dejar de ser necesarios para la prestación del servicio universitario, o se empleen en funciones distintas de las propias de la Universidad. La dificultad aparece en la determinación exacta de en qué consiste el servicio universitario y qué funciones son distintas a las de la propia Universidad, en un ámbito en el que "muchas cosas pueden ser y no ser". Es decir, que un edificio se destine a laboratorio para el desarrollo de las funciones de investigación propias de la Facultad de Ciencias puede ser servicio universitario, y la enajenación parcial de ese edificio para que una empresa ajena a la Universidad desarrolle sus funciones de investigación con el fin de acoger las prácticas de los investigadores de la Facultad de Ciencias, no es servicio universitario, ¿o sí lo es? Se trata, pues, de determinar si entra dentro de las funciones de la Universidad la enajenación de un bien desafectado para procurar la consecución del servicio público universitario, o si prevalece el derecho de reversión de la Administración de origen sobre la parte de ese bien desafectado.

Lo cierto es, que la autonomía universitaria comprende toda una serie de funciones que tienden a la consecución del servicio universitario que se concreta en las tareas que le atribuye la LOU: creación, desarrollo, transmisión y crítica de la ciencia, de la técnica, de la cultura; preparación para el ejercicio de actividades profesionales que exijan la aplicación de conocimientos y métodos científicos y para la creación artística; difusión, la valorización y transferencia del conocimiento al servicio de la cultura, de la calidad de vida, y del desarrollo económico; difusión del conocimiento y la cultura a través de la extensión universitaria y la formación a lo largo

---

[39]   Por lo general la desafectación corresponde, como hemos visto, al Consejo Social.

de toda la vida[40]. La Universidad cada vez es más partícipe en proyectos y acciones que no pertenecen estrictamente al ámbito académico o científico, sino que se proyectan más allá, siendo indicativo de su calidad como Institución, el estudio y análisis o seguimiento de los egresados universitarios, lo que implica un acercamiento aún mayor entre la Universidad y la sociedad.

Ello implica que el concepto de servicio público universitario no sea un concepto estricto, sino verdaderamente amplio, que permita a la Universidad hacer uso de sus bienes de la mejor manera para contribuir al logro del servicio público de la educación superior. Puede afirmarse, pues, que no solo los bienes que están directamente afectados al servicio público de la educación superior son bienes de dominio público, sino también todos aquellos que sean necesarios para las numerosas funciones que asume la Universidad al servicio de la sociedad; bienes que igualmente están afectados y por tal razón forman parte del servicio público universitario.

De modo que, si se dan esos requisitos a los que alude el artículo 80.2 LOU, puede la Administración de origen reclamar la reversión, o bien, si ello no es posible, el reembolso de su valor. Los supuestos van a ser muy restrictivos, sobre todo si se tiene en cuenta que es frecuente el cambio de afectación y destino a otro fin público. Esto es, el supuesto genérico de la mutación demanial que consiste en el cambio de destino del bien de dominio público y que no conlleva necesariamente la desafectación, en tanto en cuanto se destine a otro fin público que se encuentre integrado en el servicio público universitario, aunque haya un cambio en la titularidad de los bienes[41]. Si no hay cambio de titularidad de los bienes, sino un cambio de uso, no puede hablarse de mutación demanial.

---

[40]   Funciones que legalmente corresponden a la Universidad y que permiten el desarrollo del servicio público universitario. Artículo 1.2 LOU.

[41]   En este sentido, la STC 106/1990, citada, referida a la Ley 5/1989 de Reorganización Universitaria de Canarias, afirma que "se produce... una mutación demanial por cambio de la competencia sobre la gestión de determinados centros que siguen integrados en el servicio público universitario, mutación que no puede estimarse lesiva de la autonomía universitaria en su manifestación económica y financiera, por cuanto que ésta no es ajena, ni independiente, de las competencias y servicios concretos encomendados a la Universidad, pues la titularidad de los bienes encuentra su justificación en la prestación misma del servicio público universitario (art. 1 LRU), de manera que reestructurándose la gestión de determinados centros y encomendándose la misma a una u otra Universidad, es evidente que los bienes afectados a cada centro en concreto deben ser adscritos a la titularidad demanial de la Universidad que asuma sobre ellos competencia". Y diferencia el supuesto de la supresión de centros que sí conlleva la

Otro de los supuestos que se pueden plantear es que el bien en cuestión, una vez desafectado pase a un tercero, quien será mantenido en su propiedad si reúne los requisitos para ser protegido por la fe pública registral, conforme al artículo 34 de la Ley Hipotecaria.

Es posible que, si el bien no se reclama por la Administración de origen, la propia Universidad inmatricule un inmueble mediante certificación administrativa que conlleva la inscripción registral. Si bien, conforme a lo dispuesto en los artículos 207 de la Ley Hipotecaria y 298 del Reglamento Hipotecario, las inmatriculaciones producidas como consecuencia de certificación administrativa no suponen una adquisición o reconocimiento de titularidad a favor del inmatriculante que le asemeje a un tercero hipotecario a los efectos del artículo 34 de la Ley Hipotecaria. Lo que significa que, a pesar de la inmatriculación del inmueble a su favor, ello no impide que un tercero contradiga la propiedad alegando un mejor derecho sobre el inmueble y reclamando la cancelación de la inscripción registral.

Se podría dar el supuesto de la doble inmatriculación, a favor del Estado y de la Universidad. Al respecto es criterio jurisprudencial que en los supuestos de doble inmatriculación, y a los efectos de determinar la titularidad del inmueble doblemente inscrito, procede atender en primer lugar a las normas del Derecho civil, y que sólo ante la imposibilidad de determinar la preferencia de titularidades con arreglo a dichas normas, ha de acudirse a los principios registrales que puedan servir para reforzar o completar las titularidades[42]. De manera que, las inmatriculaciones a favor del Estado y de la Universidad no son concluyentes a la hora de determinar la auténtica titularidad dominical sobre los inmuebles doblemente inscritos[43].

4. *La gestión y administración de los bienes de la Universidad*

El artículo 80.3 LOU determina que "*la administración y disposición de los bienes de dominio público, así como de los patrimoniales se ajustará a las normas generales que rijan en esta materia. Sin perjuicio de la aplicación de lo dispuesto en la legislación sobre Patrimonio Histórico Español, los actos de disposición de los*

---

desafectación de los bienes. Pero el mantenimiento de centros readscritos no produce la cesación del servicio público que vienen prestando (FJ 7).

[42] Así entre otras, SSTS de 25 de mayo (RJ 1995/4127); de 9 de diciembre de 1997 (RJ 1997/8731).

[43] Artículo 207 Ley Hipotecaria.

bienes inmuebles y de los muebles de extraordinario valor serán acordados por la Universidad, con la aprobación del Consejo Social, de conformidad con las normas que, a este respecto, determine la Comunidad Autónoma".

Ya hemos visto qué bienes son de dominio público. Con carácter general, estos bienes se caracterizan porque se encuentran afectos o destinados al servicio público de la educación superior, al servicio público universitario, entendido éste en sentido amplio. Y como bienes de dominio público, se encuentran protegidos por las notas de la inalienabilidad, imprescriptibilidad e inembargabilidad.

Junto a este tipo de bienes, la Universidad dispone de los denominados bienes patrimoniales o bienes privados. El criterio de delimitación de bienes patrimoniales-bienes de dominio público, se ha centrado tradicionalmente en cuatro puntos: el destino de los bienes; su régimen jurídico; el carácter financiero de los bienes patrimoniales[44]; y la diferencia de orden jurisdiccional para conocer las cuestiones litigiosas surgidas sobre los mismos[45].

La LPAP dispone en su artículo 7.1 que los bienes y derechos de dominio privado o patrimoniales son los que, "siendo de titularidad de las Administraciones Públicas, no tengan el carácter de demaniales". Y respecto de la gestión del régimen jurídico de estos bienes dice el apartado 3 del mismo artículo que "el régimen de adquisición, administración, defensa y enajenación de los bienes y derechos patrimoniales será el previsto en esta Ley y en las disposiciones que la desarrollen y la complementen. Supletoriamente, se aplicarán las normas del derecho administrativo, en todas las cuestiones relativas a la competencia para adoptar los correspondientes actos y al procedimiento que ha de seguirse para ello, y las normas del Derecho privado en lo que afecte a los restantes aspectos de su régimen jurídico".

¿A qué tipo de bienes nos estamos refiriendo? Por ejemplo, bienes inmuebles destinados a viviendas universitarias, de los que es propietaria la Universidad; los Colegios Mayores y las Residencias Universitarias, como

---

[44] Con carácter general, frente a los bienes de dominio público, donde prima su destino al uso o servicio público, los de naturaleza patrimonial pueden ser fuente de ingresos para la Administración Pública titular de los mismos. Aunque es cierto que, la mayoría de las leyes autonómicas permiten, con ciertas condiciones, las cesiones gratuitas de bienes patrimoniales.

[45] Si bien, en la actualidad, muchas cuestiones relativas a los bienes patrimoniales son competencia del orden Contencioso-Administrativo, y la decisión final sobre la propiedad del dominio público corresponde al orden jurisdiccional civil.

Centros universitarios integrados en la Universidad[46]; Y los campos de deportes o Estadios deportivos, piscinas, e instalaciones similares, ¿son bienes patrimoniales que deban gestionarse conforme a los principios de eficacia y economía, rentabilidad, publicidad, etc., o más bien, debe entenderse que son de carácter demanial ligados al fomento del deporte universitario, como parte del servicio público universitario?; los derechos incorporales; inmuebles cedidos en uso a Entidades instrumentales, tales como las fundaciones creadas entre Universidad y empresa, o, incluso la venta directa para el desempeño de sus funciones, a través del procedimiento adecuado para ello; etc.

Si bien es cierto que, aplicando a la Universidad la doctrina general del régimen jurídico de los bienes patrimoniales y teniendo en cuenta la evolución del mismo desde la STC 166/1998, de 15 de julio, que viene a distinguir una tercera categoría de bienes, junto a los demaniales y a los patrimoniales, que es la de los *bienes patrimoniales afectos a un uso o servicio público*, resulta que los bienes patrimoniales de la Universidad que se encuentren afectos a un uso o servicio público propio de la educación superior, gozan de la garantía de la inembargabilidad mientras cumplan esos fines.

IV. BENEFICIOS FISCALES DE LAS UNIVERSIDADES PÚBLICAS

El artículo 80.4 LOU se refiere a los beneficios fiscales al señalar que: *"En cuanto a los beneficios fiscales de las Universidades públicas, se estará a lo dispuesto para las entidades sin finalidad lucrativa en la Ley 30/1994, de 24 de noviembre, de Fundaciones e Incentivos Fiscales a la Participación Privada en Actividades de Interés General. Las actividades de mecenazgo en favor de las Universidades públicas gozarán de los beneficios que establece la mencionada Ley"*.

La vigente Ley 49/2002, de 23 de diciembre, de régimen fiscal de las entidades sin fines lucrativos y de los incentivos fiscales al mecenazgo, que deroga en parte la Ley 30/1994, regula en su Título III (artículos 16 y ss.) los incentivos fiscales al mecenazgo. Y a esta normativa específica se remite la LOU respecto de los beneficios fiscales de que gozarán las actividades de mecenazgo en favor de las Universidades.

En efecto, con carácter expreso el artículo 16, apartado c, de la Ley 49/2002 señala que los incentivos fiscales previstos en el Título III serán aplicables a los donativos, donaciones y aportaciones que, cumpliendo los

---

[46]   Disposición Adicional Quinta de la LOU.

requisitos establecidos en el mismo, se hagan en favor de las Universidades públicas y los Colegios Mayores adscritos a las mismas.

La Ley distingue dos tipos de actividades. En primer lugar se refiere al régimen fiscal de las donaciones y aportaciones; y, en segundo lugar, al régimen fiscal de otras formas de mecenazgo.

Muy brevemente expondremos cuál es el régimen fiscal que contempla la Ley referido, en todo caso, al supuesto concreto de nuestro estudio, esto es, cuando el beneficiario de dichas actividades es una Universidad pública.

a) Régimen fiscal de las donaciones y aportaciones a favor de las Universidades públicas.

Primera pregunta: ¿Qué tipo de donaciones o aportaciones da derecho a deducción?:

a. Donativos y donaciones dinerarios, de bienes o de derechos.

b. Cuotas de afiliación a asociaciones que no se correspondan con el derecho a percibir una prestación presente o futura.

c. La constitución de un derecho real de usufructo sobre bienes, derechos o valores, realizada sin contraprestación.

d. Donativos o donaciones de bienes que formen parte del Patrimonio Histórico Español, que estén inscritos en el Registro general de bienes de interés cultural o incluidos en el Inventario general a que se refiere la Ley 16/1985, de 25 de junio, del Patrimonio Histórico Español.

e. Donativos o donaciones de bienes culturales de calidad garantizada en favor de entidades que persigan entre sus fines la realización de actividades museísticas y el fomento y difusión del patrimonio histórico artístico.

Segunda pregunta: ¿A qué tipo de deducción se tiene derecho?:

a. Los contribuyentes del Impuesto sobre la Renta de las Personas Físicas tendrán derecho a deducir de la cuota íntegra el 25% de la base de la deducción determinada según lo dispuesto en el artículo 18[47]. Así también cuando se trate de contribuyen-

---

[47] El artículo 18 establece la base de las deducciones por donativos, donaciones y aportaciones del siguiente modo: "*1. La base de las deducciones por donativos, donaciones y aportaciones realizados en favor de las entidades a las que se refiere el artículo 16 será: a. En los donativos dinerarios, su importe.*

tes del Impuesto sobre la Renta de no residentes que operen en territorio español mediante establecimiento permanente. Cuando se trate de contribuyentes del Impuesto sobre la Renta de no residentes que operen en territorio español sin establecimiento permanente se podrá aplicar esta deducción en las declaraciones que por dicho impuesto presenten por hechos imponibles acaecidos en el plazo de un año desde la fecha del donativo, donación o aportación. Si bien, la base de esta deducción no podrá exceder del 10% de la base imponible del conjunto de las declaraciones presentadas en ese plazo.

b. Los sujetos pasivos del Impuesto sobre Sociedades tendrán derecho a deducir de la cuota íntegra, minorada en las deducciones y bonificaciones previstas en los capítulos II, III y IV del Título VI de la Ley 43/1995, de 27 de diciembre, del Impuesto sobre Sociedades, el 35% de la base de la deducción determinada según lo dispuesto en el artículo 18. Las cantidades correspondientes al período impositivo no deducidas podrán aplicarse en las liquidaciones de los períodos impositivos que concluyan en los 10 años inmediatos y sucesivos.

---

b. En los donativos o donaciones de bienes o derechos, el valor contable que tuviesen en el momento de la transmisión y, en su defecto, el valor determinado conforme a las normas del Impuesto sobre el Patrimonio.

c. En la constitución de un derecho real de usufructo sobre bienes inmuebles, el importe anual que resulte de aplicar, en cada uno de los períodos impositivos de duración del usufructo, el 2% al valor catastral, determinándose proporcionalmente al número de días que corresponda en cada período impositivo.

d. En la constitución de un derecho real de usufructo sobre valores, el importe anual de los dividendos o intereses percibidos por el usufructuario en cada uno de los períodos impositivos de duración del usufructo.

e. En la constitución de un derecho real de usufructo sobre otros bienes y derechos, el importe anual resultante de aplicar el interés legal del dinero de cada ejercicio al valor del usufructo determinado en el momento de su constitución conforme a las normas del Impuesto sobre Transmisiones Patrimoniales y Actos Jurídicos Documentados.

f. En los donativos o donaciones de obras de arte de calidad garantizada y de los bienes que formen parte del Patrimonio Histórico Español a que se refieren los párrafos d y e del apartado 1 del artículo 17 de esta Ley, la valoración efectuada por la Junta de Calificación, Valoración y Exportación. En el caso de los bienes culturales que no formen parte del Patrimonio Histórico Español, la Junta valorará, asimismo, la suficiencia de la calidad de la obra.

2. El valor determinado de acuerdo con lo dispuesto en el apartado anterior tendrá como límite máximo el valor normal en el mercado del bien o derecho transmitido en el momento de su transmisión".

Se establece un límite, pues la base de esta deducción no podrá exceder del 10% de la base imponible del período impositivo y las cantidades que excedan de este límite se podrán aplicar en los períodos impositivos que concluyan en los diez años inmediatos y sucesivos.

Tercera pregunta: ¿Pueden priorizarse las actividades de mecenazgo?

La Ley permite que la Ley de Presupuestos Generales del Estado, así como la entidad beneficiaria, en nuestro caso la Universidad pública, pueda establecer una relación de actividades prioritarias de mecenazgo en el ámbito de los fines de interés general que tiene atribuidos, en todo caso, relacionados con el servicio público universitario: educación, cultura, deporte. En relación con dichas actividades y entidades, la Ley de Presupuestos Generales del Estado podrá elevar en cinco puntos porcentuales, como máximo, los porcentajes y límites de las deducciones establecidas con carácter general.

Finalmente, una cuarta pregunta: ¿De qué modo se justifican los donativos, donaciones y aportaciones deducibles?:

Conforme a lo dispuesto en el artículo 24 de la Ley 49/2002, la efectividad de los donativos, donaciones y aportaciones deducibles se justificará mediante certificación expedida por la Universidad pública, con los requisitos que se establezcan reglamentariamente. Además, la Universidad debe remitir a la Administración tributaria, en la forma y en los plazos que se establezcan reglamentariamente, la información sobre las certificaciones expedidas. En cuanto al contenido de esta certificación, como mínimo ha de referirse a:

– El número de identificación fiscal y los datos de identificación personal del donante y de la entidad donataria.

– Mención expresa de que la entidad donataria se encuentra incluida en las reguladas en el artículo 16 de la Ley.

– Fecha e importe del donativo cuando éste sea dinerario.

– Documento público u otro documento auténtico que acredite la entrega del bien donado cuando no se trate de donativos en dinero.

– Destino que la entidad donataria dará al objeto donado en el cumplimiento de su finalidad específica.

– Mención expresa del carácter irrevocable de la donación, sin perjuicio de lo establecido en las normas imperativas civiles que regulan la revocación de donaciones.

b) Régimen fiscal de otras formas de mecenazgo.

Los artículos 25 y ss. de la Ley 49/2002, se refieren a otras formas de mecenazgo que no son donaciones o aportaciones, pero que comportan una misma finalidad aunque la forma que adopten sea distinta. En concreto se refieren a:

a. Los convenios de colaboración empresarial en actividades de interés general[48].

Este supuesto es uno de los que con mayor frecuencia podemos encontrarnos en la Universidades públicas, en su cada vez mayor intención de simbiosis entre la Universidad y la sociedad, entre la Universidad y la empresa, en un intento de acercamiento de la Universidad a la realidad a la que más tarde, los egresados desarrollarán y manifestarán sus conocimientos aprehendidos y aprendidos en la Universidad.

De acuerdo a la definición que establece la Ley aplicada a la Universidad, el convenio de colaboración empresarial en actividades de interés general es aquel por el cual la Universidad pública, a cambio de una ayuda económica para la realización de las actividades que efectúen en cumplimiento del objeto o finalidad específica de la misma, se comprometen por escrito a difundir, por cualquier medio, la participación del colaborador en dichas actividades. Se excluye del concepto de prestación de servicios, la difusión de la participación del colaborador en el marco de este tipo de convenios de colaboración, de modo que se excluye la aplicación de la legislación de contratos.

Así, las cantidades satisfechas o los gastos realizados tendrán la consideración de gastos deducibles.

b. Programas de apoyo a acontecimientos de excepcional interés público[49].

Son programas de apoyo a acontecimientos de excepcional interés público el conjunto de incentivos fiscales específicos aplica-

---

48 Artículos 25 y 26 de la Ley 49/2002.
49 Artículo 27 de la Ley 49/2002.

bles a las actuaciones que se realicen para asegurar el adecuado desarrollo de los acontecimientos que, en su caso, se determinen por Ley.

Por lo tanto, como primer requisito para poder aplicar este supuesto es que sea una Ley la que determine los acontecimientos de excepcional interés público. Ley estatal o Ley de la Comunidad Autónoma respectiva. En todo caso, esta Ley que apruebe cada uno de estos Programas ha de regular una serie de extremos referidos a:

– La duración del programa, que podrá ser de hasta tres años.

– La creación de un consorcio o la designación de un órgano administrativo que se encargue de la ejecución del programa y que certifique la adecuación de los gastos e inversiones realizadas a los objetivos y planes del mismo.

– En dicho consorcio u órgano estarán representadas, necesariamente, las Administraciones públicas interesadas en el acontecimiento y, en todo caso, el Ministerio de Hacienda.

– Para la emisión de la certificación será necesario el voto favorable de la representación del Ministerio de Hacienda.

– Las líneas básicas de las actuaciones que se vayan a organizar en apoyo del acontecimiento, sin perjuicio de su desarrollo posterior por el consorcio o por el órgano administrativo correspondiente en planes y programas de actividades específicas.

– Los beneficios fiscales aplicables a las actuaciones a que se refiere el párrafo anterior, dentro de los límites establecidos en el propio artículo 27.3.

Así por ejemplo, se establece que como máximo podrá deducirse de la cuota del impuesto en cuestión el 15% de los gastos e inversiones que, en cumplimiento de los planes y programas de actividades realicen en los siguientes conceptos: a) Adquisición de elementos del inmovilizado material nuevos, sin que, en ningún caso, se consideren como tales los terrenos; b) Rehabilitación de edificios y otras construcciones que contribuyan a realzar el espacio físico afectado, en su caso, por el respectivo programa; o c) Realización de gastos de propaganda y publicidad de proyección plurianual que sirvan directamente para la promoción del respectivo acontecimiento.

BIBLIOGRAFÍA

ALEGRE ÁVILA, J. M., *Evolución y régimen jurídico del patrimonio histórico*, Ministerio de Cultura, Madrid, 1994.

ALONSO IBÁÑEZ, M. R., *El patrimonio histórico. Destino público y valor cultural*, Civitas, Madrid, 1992.

BENILDE BINTANEL, G., ponencia presentada en el "VII Seminario sobre Aspectos Jurídicos de la Gestión Universitaria", Servicio de Publicaciones de la Universidad de Burgos.

COLOM PIAZUELO, E., sobre "El patrimonio histórico de las Universidades y sus diversas titularidades", publicado en *REDA*, N° 114 (2002).

DEL VALLE PASCUAL, J. M., en "El Patrimonio de las Universidades", en la Obra *El Régimen jurídico General del Patrimonio de las Administraciones Públicas*, El Consultor de los Ayuntamientos y Juzgados, Madrid, 2004.

GONZÁLEZ GARCÍA, J., *La titularidad de los bienes de dominio público*, Marcial Pons, Madrid, 1998.

EMBID IRUJO, A., *La enseñanza en España en el umbral del siglo XXI*, Capítulo III: "La autonomía universitaria y la autonomía de las Comunidades Autónomas", y Capítulo IV: "Las Universidades Privadas: régimen jurídico", Ed. Tecnos, 2000.

EMBID IRUJO, A., "Enseñanza Universitaria", en la base de datos IUSTEL, "Materiales para el conocimiento del Derecho", en la sección de Derecho Administrativo.

JIMENO SANZ DE GALDEANO, L., "Volver al origen (o el derecho de reversión en la Ley Orgánica de Universidades", ponencia presentada en el "VII Seminario sobre aspectos jurídicos de la Gestión Universitaria", *Servicio de Publicaciones de la Universidad de Burgos*.

LÓPEZ JURADO ESCRIBANO, F. de B., *La autonomía de las universidades como derecho fundamental: la construcción del Tribunal Constitucional*, Civitas, Madrid, 1991.

SÁNCHEZ MESA, L., "Universidad y patrimonio cultural: reflexiones en torno al papel de las Universidades en cuanto agentes colaboradores", *Revista de la Facultad de Derecho"*, Granada (2007).

SANTAMARÍA PASTOR, J. A., "Objeto y ámbito. La tipología de los bienes públicos y el sistema de competencias", en *Comentarios a la Ley 33/2003, del Patrimonio de las Administraciones Públicas*, ed. Thomson-Civitas, 2004.

SOSA WAGNER, F., *El mito de la autonomía universitaria*, Thomson-Civitas, Madrid, 2007.

SOUVIRÓN MORENILLA, J. M., *La Universidad Española: claves de su definición y régimen jurídico institucional*, Universidad de Valladolid, Secretariado de Publicaciones, 1988.

TARDÍO PATO, J. A., *El derecho de las Universidades públicas españolas*, t. II, PPU, Barcelona, 1994.

Capítulo XXVI
Patrimonio público empresarial

Julio V. González García
Profesor Titular de Derecho administrativo
Universidad Complutense de Madrid

I. CONSIDERACIONES GENERALES SOBRE LA REGULACIÓN DEL PATRIMONIO PÚBLICO EMPRESARIAL EN LA LEY 33/2003, DE PATRIMONIO DE LAS ADMINISTRACIONES PÚBLICAS

El Título VII de la ley 33/2003, de Patrimonio de las Administraciones
Públicas recoge la ordenación que se recoge en el derecho español del
patrimonio empresarial público. Regulación que posiblemente no haya
resultado la más idónea, tanto por la metodología empleada como por la
incomplitud —que la propia norma reconoce al remitir a una regulación
posterior algunos aspectos— y por resultar una disposición que básicamente se preocupa de ordenar procedimental y competencialmente en el mar-

co de la Administración General del Estado los negocios jurídicos sobre las acciones y activos.

Posiblemente la nota que más caracteriza a la regulación del patrimonio público empresarial que recoge el Título VII de la LPAP es su incompletitud. Sin duda es un aspecto que resulta imprescindible, en la medida en que algunos elementos necesariamente están en otros sectores del ordenamiento, básicamente el Derecho privado, tal y como reconoce el art. 167 LPAP. Esta aplicación del ordenamiento privado plantea, sin lugar a dudas, dificultades de adaptación, tal como se verá en las páginas que siguen. Pero hay aspectos que debieran estar recogidos en esta norma, como la ordenación de la Sociedad Estatal de Participaciones Industriales, a la propia DT 4ª de la LPAP da un plazo de un año para su regulación, largamente incumplido y sin que haya visos de regulación próxima.

Pero conviene también recordar que la regulación no sólo es de bienes sino de funcionamiento de entidades. En efecto, al lado de ciertos aspectos de carácter general que pasan tanto por elementos organizativos como de ordenación del patrimonio público empresarial, la ordenación de la LPAP proporciona el régimen de funcionamiento de las sociedades de capital enteramente público. Posiblemente no resulte el lugar más lógico desde un punto de vista metodológico pero, al menos, sirve para completar el régimen jurídico de unas entidades que habían quedado fuera de otras disposiciones, en especial de la ley de organización y Funcionamiento de la Administración General del Estado, que sólo les dedica la DA 12ª, a pesar de la vinculación que tienen para el cumplimiento de los fines de aquélla.

II. CONCEPTO DE PATRIMONIO PÚBLICO EMPRESARIAL

La concreción de los bienes que conforman el patrimonio público empresarial resulta definido en el art. 166.3 de la Ley 33/2003, de patrimonio de las Administraciones públicas de este modo: "formarán parte del patrimonio empresarial de la Administración General del Estado o de sus organismos públicos, las acciones, títulos, valores, obligaciones, obligaciones convertibles en acciones, derechos de suscripción preferente, contratos financieros de opción, contratos de permuta financiera, créditos participativos y otros susceptibles de ser negociados en mercados secundarios organizados que sean representativos de derechos para la Administración General del Estado o sus organismos públicos, aunque su emisor no esté incluido entre las personas jurídicas enunciadas en el apartado 1 del presente artículo". Con ello, se está estableciendo una vinculación directa entre los bienes y la finalidad que tienen para la Administración General del estado que no es otra que la condición de accionista o partícipe de una sociedad mercantil.

A ellos se añadirá, de acuerdo con lo dispuesto en el párrafo siguiente "los fondos propios, expresivos de la aportación de capital del Estado, de las entidades públicas empresariales, que se registrarán en la contabilidad patrimonial del Estado como el capital aportado para la constitución de estos organismos"; lo cual no deja de ser una incorrección de carácter técnico teniendo en cuenta que los fondos no son más que un apunte contable y que estos fondos se expresarán de acuerdo con algunos de los bienes recogidos en el apartado anterior. Lo cual se complementa con el hecho de que el dinero no forma parte del patrimonio de las administraciones públicas. Posiblemente por ello, se ha señalado que tiene una finalidad más estratégica que jurídica: "introduce un mecanismo que trata de obviar la dificultad jurídica que tiene exigir un dividendo a una entidad de base fundacional como es un ente público empresarial"[1]

Patrimonio empresarial que se encuentra determinado, de este modo, por la presencia de dos elementos: un dato subjetivo, que su titular sea la Administración General del Estado o sus organismos públicos y, en segundo lugar, que entre dentro de alguno de los bienes que están recogidos en los párrafos anteriores. La ley, sin embargo, emplea un planteamiento un tanto peculiar, en la medida en que determina a qué tipo de entidades se va a aplicar, las cuales constituyen el resultado organizativo de la tenencia de los bienes de este patrimonio empresarial. En mi opinión, sin embargo, ese ámbito de aplicación del título no se debe confundir con los bienes que componen el patrimonio público empresarial, ya que aquellas entidades son, en algunos casos, el resultado de disponer de esta modalidad de bienes.

Sí conviene avanzar un punto complementario, el relativo a la gestión de las sociedades mercantiles que nos va a permitir diferenciar entre dos grupos dentro del patrimonio empresarial en atención a las actividades que desempeñan uno y otro grupos. En efecto, en el marco de la Administración General del Estado hay un conjunto de 40 sociedades, cuya gestión se encomienda a la Dirección General del Patrimonio del Estado,

---

[1]   OLIVERA MASSÓ, P. "Patrimonio empresarial y organización de las participaciones societarias públicas: apuntes para una posible exégesis del Título VII de la Ley 33/2003, del Patrimonio de las Administraciones Públicas", en la *Revista de Administración Pública*, n° 171 (septiembre-diciembre 2006), p. 333.

que actúan como ejecutores de políticas públicas singulares, o como herramientas al servicio de las políticas de los Departamentos a los que estén funcionalmente adscritas. El caso más conocido es el de las sociedades estatales de obras públicas. A su lado, la Sociedad Estatal de Participaciones Industriales dirige un conjunto de 32 sociedades en las que o bien se van a realizar procesos de privatización —de hecho, como veremos luego, la SEPI es la que se ha encargado en buena medida de la privatización masiva de los años 1996-03— o bien que tienen que afrontar un proceso de saneamiento. En algunos pocos casos, realizan también ejecución de alguna política pública muy concreta. Y el panorama de las sociedades mercantiles públicas se complementa con las sociedades dependientes de los Organismos públicos que están adscritos a ciertos Ministerios, básicamente el Ministerio de Defensa.

III. ÁMBITO DE APLICACIÓN DEL TÍTULO VII DE LA LPAP

Los bienes que se acaban de reseñar son los que componen el patrimonio público empresarial. Son bienes que suponen la exteriorización de la condición de partícipe en algunas entidades por parte de la Administración General del Estado. Es a estas entidades a las que se destina la aplicación de la ley, en la medida en que son ellas las que tendrán que realizar operaciones de naturaleza patrimonial con los bienes que lo conforman.

El art. 166 configura un doble círculo de aplicación de los preceptos destinados a regular el patrimonio público empresarial que responde a los criterios del art. 3 de la Ley General Presupuestaria, que divide el sector público estatal en tres grupos: sector público administrativo, sector público empresarial y sector público fundacional. En este sentido, las entidades a las que se aplica la regulación del patrimonio público empresarial sería, obviamente, el sector público empresarial. De este modo, nos encontramos con que el apartado primero dispone que son de aplicación a ciertas entidades, concretamente las siguientes:

> a) "Las entidades públicas empresariales, a las que se refiere el capítulo III del título III de la Ley 6/1997, de 14 de abril, de Organización y Funcionamiento de la Administración General del Estado". Sin duda, resulta incomprensible que el régimen del patrimonio público empresarial se aplique a las EPES, en la medida en que por su consideración de organismos públicos sería todo el articulado de la ley el que le resulta de aplicación. De hecho, si tomamos el contenido de los arts. 2 y 9 LPAP nos encontraríamos con que forman parte del patrimonio del Estado.

b) "Las entidades de Derecho público vinculadas a la Administración General del Estado o a sus organismos públicos cuyos ingresos provengan, al menos en un 50%, de operaciones realizadas en el mercado".

c) "Las sociedades mercantiles estatales, entendiendo por tales aquéllas en las que la participación, directa o indirecta, en su capital social de las entidades que, conforme a lo dispuesto en el Real Decreto Legislativo 1091/1988, de 23 de septiembre, por el que se aprueba el texto refundido de la Ley General Presupuestaria, integran el sector público estatal, sea superior al 50%. Para la determinación de este porcentaje, se sumarán las participaciones correspondientes a las entidades integradas en el sector público estatal, en el caso de que en el capital social participen varias de ellas".

d) "Las sociedades mercantiles que, sin tener la naturaleza de sociedades mercantiles estatales, se encuentren en el supuesto previsto en el artículo 4 de la Ley 24/1988, de 28 de julio, del Mercado de Valores respecto de la Administración General del Estado o sus organismos públicos".

Hay, sin embargo, algunas entidades de las recogidas en el precepto anterior en las cuales la ley reconoce su insuficiencia para su ordenación global, que son las sociedades cuyo capital sea en su totalidad de titularidad de la Administración General del Estado o sus organismos públicos. Para ellas, el marco de ordenación será más complejo, en la medida en que habrá que componer un cuadro con las normas de la LPAP, el ordenamiento jurídico privado y aquellos aspectos del Derecho público que les resulten aplicables, concretamente aquella regulación "en que les sean de aplicación la normativa presupuestaria, contable, de control financiero y de contratación".

Pero no podemos olvidar un factor que ya se ha indicado con anterioridad: con la ordenación que se recoge en el Título VII de la LPAP no tenemos recogida la totalidad del régimen del patrimonio público empresarial, en la medida en que como el propio art. 167 se encarga de señalar, una parte importante deriva del ordenamiento jurídico privado.

IV. EN PARTICULAR, EL RÉGIMEN DE LAS SOCIEDADES MERCANTILES PÚBLICAS

1. *Cuestiones procedimentales*

El procedimiento para la constitución de una sociedad mercantil pública se compone de dos fases, una de naturaleza jurídico-pública, en donde se acredita la conveniencia de su creación[2], y otra de naturaleza jurídico-privada, en donde se remite a la normativa del tipo societario de que se trate.

El impulso para la creación de una sociedad mercantil deriva del Ministro de Economía y Hacienda, de acuerdo con lo previsto en el art. 171 LPAP, debiendo ser autorizado por el Consejo de Ministros, que también es el que ha de ha de dar su conformidad al objeto social. Conviene recordar que podría crearlas también un organismo autónomo habilitado expresamente para ello —art. 62.1 f LOFAGE—, en cuyo caso la competencia recae en el órgano determinado estatutariamente. Si es una sociedad la que crea una filial, de nuevo hemos de remitirnos a lo que disponga la norma de creación de la sociedad, tal como ha ocurrido, por ejemplo, en el caso de TRAGSA.

Una vez cumplidos con los trámites públicos, habría que continuar la tramitación siguiendo las exigencias de la normativa propia del tipo de sociedad de que se trate. Habría, en este sentido, que elevar a escritura pública el acuerdo de creación, escritura en la que asimismo se contendrá el régimen estatutario de la sociedad estatal[3], donde se contendrá la voluntad de constituir la sociedad, la del tipo societario correspondiente, las normas reglamentarias que determinarán la vida social, desde un punto de vista organizativo y obligacional. Es, desde este punto de vista, un acto posterior al acuerdo de autorización el cual se inserta en el proceso fundacional como una especialidad derivada de la personalidad jurídico pública de sus fundadores, en el que resulta exigible para contener la voluntad del órgano. En todo caso, al acto de autorización no se le puede proporcionar un papel similar al otorgamiento de la escritura, ya que este último cumple la función de "crear un soporte formal inicial que posibilite su calificación e inscripción a fin de otorgar la plena personalidad jurídica y anudarle los efectos propios de la eficacia registral"[4].

---

[2] Como señaló la STS 16.4.2001, "al margen del interés que puedan tener terceras personas, la decisión es autónoma, como lo es la que se toma por los particulares en la constitución de una sociedad civil o mercantil".

[3] Ello supone que habrá de incluir las referencias a la personalidad jurídica —denominación social, domicilio y nacionalidad— las menciones relativas al objeto y capital social, las referentes a las acciones, y aquellas dirigidas a los órganos, las cuentas anuales y la forma de disolución y liquidación de la sociedad.

[4] GARCÍA RUIZ, E., *La nueva sociedad anónima pública*, Marcial Pons, Madrid (2004), pp. 140-141.

Inscribir la sociedad mercantil pública en el Registro Mercantil es un elemento constitutivo de la sociedad anónima pública, de acuerdo con lo previsto en el art. 7 de la ley de Sociedades Anónimas[5]. Para la inscripción, la calificación afectará, tal como se contempla en el artículo 6 del Reglamento del Registro Mercantil, a "la legalidad de las formas extrínsecas de los documentos de toda clase en cuya virtud se solicita la inscripción, así como la capacidad y legitimación de los que los otorguen o suscriban y la validez de su contenido, por lo que resulta de ellos y de los asientos del Registro". Por aplicación del art. 99 del Reglamento Hipotecario, esto supone "la calificación registral de documentos administrativos se extenderá, en todo caso, a la competencia del órgano, a la congruencia de la resolución con la clase de expediente o procedimiento seguido, a las formalidades extrínsecas del documento presentado, a los trámites e incidencias esenciales del procedimiento, a la relación de éste con el titular registral y a los obstáculos que surjan del Registro".

2. *La formación del capital social de las sociedades mercantiles públicas*

Para que el proceso de constitución de la sociedad resulte completo es imprescindible que se efectúe una aportación que resulte suficiente teniendo en cuenta el tipo societario ante el que nos encontremos. Se ha de tratar de unos bienes susceptibles de valoración económica, sin que sea posible aportar ni trabajos ni servicios de los socios. Puede ser de naturaleza dineraria o no; lo que nos conduce directamente al régimen de aporte de bienes públicos al capital social.

La operación de aporte de bienes al capital de una sociedad mercantil tiene la naturaleza de enajenación, aunque sea una enajenación un tanto peculiar ya que el bien permanece en manos de la Administración, aunque sea a través de una entidad instrumental. De hecho, la regulación de la cesión de bienes que contienen los artículos 145 a 151 de la LPAP impide que se pueda ejercitar para entidades con ánimo de lucro como son las sociedades mercantiles, con independencia de quién sea el titular de las acciones. Esta naturaleza de operación de enajenación de bienes públicos es lo que hace que el grupo de bienes que se pueden aportar al capital social de una sociedad mercantil esté limitada a los bienes de naturaleza patrimonial,

---

[5] Sobre la problemática jurídico-mercantil de la inscripción en el Registro mercantil, remito a lo señalado por GARCÍA RUIZ, E., *la nueva sociedad anónima..., op. cit.,* pp. 155 y ss.

siendo, en consecuencia, imposible para los que son de dominio público. La irreversibilidad, en las condiciones que se verán con posterioridad, termina de completar el cuadro de razones que hacen inviable la utilización de bienes del dominio público[6].

En cuanto al procedimiento para el aporte de bienes a la sociedad mercantil, deberá contener los elementos propios de una operación de enajenación, esto es, básicamente la declaración de alienabilidad —por más que no aparezca de forma expresa en el texto de la LPAP—. Se acordará por la el Ministro de Economía y Hacienda, a propuesta de la Dirección General de Patrimonio del Estado, después de que se haya aprobado la tasación del bien o del derecho tal como lo recoge el art. 114 LPAP. No obstante, también se podría recurrir a una operación más compleja, como es la del aporte de bienes a la sociedad con la obligación ulterior de arrendamiento a la Administración matriz, lo que acostumbra a ocurrir en los supuestos en los que

En principio, las aportaciones económicas a las sociedades mercantiles no deberían plantear especiales problemas, en la medida en que suponen simplemente la transferencia de capital de la Administración a la sociedad.

No obstante, en ciertos supuestos especiales como los de las sociedades estatales de obras públicas, se ha afirmado que "la aportación en sí es realmente el encargo que el ente hace a la sociedad de ejecutar obras públicas o de gestionar bienes demaniales. Estaríamos en estos casos en supuestos de conflicto entre su admisibilidad legal y la posible nulidad de la sociedad por carecer de una real aportación material"[7]. Esta constatación deriva de que el activo más importante que tiene la sociedad pública está constituido por los créditos que se encuentran detrás de las encomiendas, que están comprometidas por la Administración. De hecho, en algún supuesto, como el de la SEITT lo que se ha producido realmente es una transferencia de crédito de las recogidas en el art. 52 LGP para que se puedan financiar las obras con cargo al capital social, que se iba generando a medida que se firmaban las correspondientes encomiendas de actividad.

---

[6]   Conviene recordar que, de acuerdo con lo señalado por García Ruiz, "en la práctica registral española se han venido inscribiendo sociedades anónimas con aportaciones de bienes demaniales por naturaleza, dado que en el orden estatal la escasa legislación sobre el tema ni lo contempla ni lo prohíbe"; lo cual no deja de resultar sorprendente. GARCÍA RUIZ, E., *La nueva sociedad anónima...*, *op. cit.*, p. 132.

[7]   GARCÍA RUIZ, E., *La nueva sociedad anónima...*, *op. cit.*, p. 131.

El último aspecto que conviene reseñar del aporte de bienes o dinero al capital social es el de su irreversibilidad. Constituye una característica necesaria de su régimen, en la medida en que si no fuera así sería fácil limitar la responsabilidad una vez constituida la sociedad mediante la recuperación de lo aportado. La única forma de hacer esta operación es la propia reducción del capital social, algo que, entre otros aspectos, está destinado a esta función, de acuerdo con lo que señala el art. 163 de la Ley de Sociedades Anónimas. Recogiendo esta regla general, en el art. 119 LPAP se recoge la reducción del capital social como la fórmula para la adquisición de bienes por parte de los socios que proceden de las aportaciones al capital las sociedades mercantiles mientras estas continúan desarrollando su actividad: "la Administración General del Estado y los organismos públicos vinculados o dependientes de ella podrán adquirir bienes y derechos por reducción de capital de sociedades o de fondos propios de organismos públicos, o por restitución de aportaciones a fundaciones".

3. *Organización de estas sociedades mercantiles*

El régimen de las sociedades mercantiles incluye algunas precisiones en cuanto a su organización, sobre todo en lo que respecta a los administradores de las mismas. La regla de la que hemos de partir es que, en aquellos casos, que son los mayoritarios, en los que nos encontremos ante una sociedad unipersonal, en virtud de la remisión que el art. 311 de la ley de Sociedades Anónimas hace al art. 127 de la Ley de Sociedades de Responsabilidad Limitada. En este sentido, dicho precepto dispone que "en la sociedad unipersonal de responsabilidad limitada el socio único ejercerá las competencias de la Junta General, en cuyo caso sus decisiones se consignarán en acta, bajo su firma o la de su representante, pudiendo ser ejecutadas y formalizadas por el propio socio o por los administradores de la sociedad". En este sentido, todas las funciones en relación con los órganos societarios que corresponden al socio único corresponderán al Ministerio de Hacienda, a través de la Dirección general de Patrimonio del Estado, salvo la de nombrar a los administradores, que corresponderá, de acuerdo con el art. 180.1 LPAP, al titular del Ministerio encargado de la tutela de la respectiva sociedad.

En relación con los requisitos para ser administradores de las sociedades, la legislación no impone ninguna restricción especial. No hay, en este sentido, ninguna limitación por el hecho de ser funcionario, más allá del régimen de incompatibilidades que veremos más adelante. En cuanto al número, el Ministro de tutela nombrará, de acuerdo con el art. 180.1 LPAP a un porcentaje determinado estatutariamente —suele ser la mitad— mientras que los restantes serán designados por el tenedor de las acciones, esto es, el Ministerio de hacienda a través de la Dirección general de patrimonio del Estado. El segundo aspecto que hay que traer a colación es el de la responsabilidad de los administradores en los supuestos de sociedades de capital enteramente público[8]. De acuerdo con lo previsto en el art. 179 LPAP "los administradores de las sociedades a las que se hayan impartido instrucciones en los términos previstos en el artículo anterior actuarán diligentemente para su ejecución, y quedarán exonerados de la responsabilidad prevista en el artículo 133 del Real Decreto Legislativo 1564/1989, de 22 de diciembre, por el que se aprueba el texto refundido de la Ley de Sociedades Anónimas si del cumplimiento de dichas instrucciones se derivaren consecuencias lesivas". Ciertamente, se trata de un régimen de responsabilidad totalmente distinto al que se prevé con carácter general[9] y que está limitado únicamente a aquellos supuestos en los que se deriven consecuencias lesivas como consecuencia de la aplicación de las instrucciones proporcionadas por el accionista. Con ello, se está excluyendo del precepto a la determinación de las líneas de actuación estratégica y de prioridades de actuación que recoge el art. 177.1 y se limita, únicamente, a las instrucciones concretas que contempla el art. 178.

Por último, en relación con los administradores, el régimen también tiene algunas especialidades que se podrían englobar dentro del régimen de incompatibilidades. Por un lado, no se ven afectados por la prohibición del art. 124.2 de la Ley de Sociedades Anónimas en virtud de la cual "tampoco podrán ser administradores los funcionarios al servicio de la Administración pública con funciones a su cargo que se relacionen con las actividades propias de las sociedades de que se trate, los jueces o magistrados y las demás personas afectadas por una incompatibilidad legal". Por tanto, no

---

[8]   Por tanto, a las pocas sociedades instrumentales que hay con capital de otra entidad, el régimen de responsabilidad no ofrece ninguna variación.

[9]   Recordemos que el art. 133 de la Ley de Sociedades Anónimas dispone, en sus dos primeros párrafos que "1. Los administradores responderán frente a la sociedad, frente a los accionistas y frente a los acreedores sociales del daño que causen por actos u omisiones contrarios a la ley o a los estatutos o por los realizados incumpliendo los deberes inherentes al desempeño del cargo.
2. El que actúe como administrador de hecho de la sociedad responderá personalmente frente a la sociedad, frente a los accionistas y frente a los acreedores del daño que cause por actos contrarios a la ley o a los estatutos o por los realizados incumpliendo los deberes que esta Ley impone a quienes formalmente ostenten con arreglo a ésta la condición de administrador.

hay restricción para que los funcionarios puedan ostentar la condición de administradores de la sociedad.

4. El patrimonio de la sociedad como patrimonio distinto del de la Administración matriz

Uno de los elementos más relevantes del régimen de toda sociedad mercantil es el de su patrimonio. Tiene, necesariamente, características especiales, en la medida en que se trata de una sociedad en mano pública, por lo que habrá que armonizar las reglas de derecho privado con las matizaciones que resulten imprescindibles teniendo en cuenta quién es el titular del capital social.

Este régimen especial está recogido en el art. 167.2 LPAP, en virtud del cual "las entidades a que se refieren los párrafos c y d del apartado 1 del artículo anterior ajustarán la gestión de su patrimonio al Derecho privado sin perjuicio de las disposiciones de esta ley que les resulten expresamente de aplicación".

El dato del que hay que partir es que el patrimonio de la sociedad es diferente del de la Administración matriz y, en consecuencia, la titularidad del mismo también es distinto. Se trata de un patrimonio propio que no se integra en el patrimonio de la entidad matriz, con independencia de que los títulos representativos de la sociedad sí lo están, como ya sabemos. Como propio de una empresa que es, resulta distinto del de los accionistas, de tal manera que es el patrimonio de la sociedad el que sirve para responder de las deudas y no el de los socios, aunque sean una persona jurídico-pública. Pero ello no quita para que exista una relación con la administración matriz, siquiera sea por el hecho de que las funciones que está desempeñando la sociedad debieran ser ejercitadas por aquélla y que el capital de la sociedad, en su integridad, forma parte del de la administración. De forma algo paradójica[10], esta es una cuestión sobre la que la reciente LPAP guarda absoluto silencio, que en una primera lectura puede querer significar que el patrimonio de la sociedad no es patrimonio de la Administración, algo a todas luces complicado de admitir si tenemos en cuenta que levantando el velo de la sociedad pública está claramente la administración matriz.

---

[10] La paradoja viene dada por que resulta llamativo que la LPAP haya regulado el régimen patrimonial de las sociedades mixtas público-privadas —sujeción al Derecho privado, salvo las normas de la LPAP que sean de aplicación— y, en cambio, las más intensamente públicas las haya dejado fuera de su ordenación.

Posiblemente, como señala SANTAMARÍA, el problema estribara en que el legislador haya efectuado una unificación automática de todos los bienes de las sociedades públicas como si todas fueran sociedades mercantiles; cuando claramente no es así[11]. Sí conviene resaltar que para ciertas sociedades, las que tienen encomendadas la realización de obras públicas, esta separación radical del patrimonio de la Administración matriz está justificado para cumplir con el principio de estabilidad presupuestaria, en la medida en que constituye uno de los requisitos que señala la Oficina Estadística de la Comisión Europea, Eurostat[12].

La asunción de la titularidad del patrimonio hace que sean los órganos societarios los que dispongan de capacidad para realizar toda clase de negocios jurídicos en relación con los mismos, teniendo presente la finalidad que motiva la creación de la misma y los principios de una buena gestión empresarial.

V. TAMBIÉN EN PARTICULAR, EL RÉGIMEN JURÍDICO APLICABLE A LAS SOCIEDADES ESTATALES

Para poder avanzar en el régimen de las sociedades mercantiles públicas de capital enteramente público hay que conocer el marco general de regulación, que está recogido en el art. 166, el cual es una norma de remisión: "Las sociedades mercantiles estatales, con forma de sociedad anónima, cuyo capital sea en su totalidad de titularidad, directa o indirecta, de la Administración General del Estado o de sus Organismos públicos, se regirán por el título VII de la Ley del Patrimonio de las Administraciones Públicas y por el ordenamiento jurídico privado, salvo en las materias en que les sean de aplicación la normativa presupuestaria, contable, de control financiero y de contratación". "Ahí es nada"[13], como han señalado enfáticamente SOSA

---

[11]   SANTAMARÍA PASTOR, J. A., "Objeto y ámbito. La tipología de los bienes públicos y el sistema de competencias"; en la obra colectiva dirigida por CHINCHILLA MARÍN, C., *Comentario a la ley 33/2003...*, *op. cit.*, p. 72.
[12]   Sobre esta cuestión, véase mi estudio *Financiación de infraestructuras públicas y estabilidad presupuestaria,* Tirant lo Blanch, Valencia (2007). De hecho, Eurostat ha señalado que uno de los criterios para que podamos hablar de unidades institucionales es el de la separación patrimonial: "ser titular de bienes o activos con facultad de disposición sobre ellos y puede, por lo tanto, intercambiar la propiedad de los bienes o activos mediante operaciones con otras unidades institucionales".
[13]   @@@@@@@@@@@@@@@@@@@@@@@@@@@@@@@

y FUERTES. Precepto que no hace sino abrir un conjunto bastante amplio de cuestiones[14].

1. *Aspectos presupuestarios de las sociedades estatales*

El presupuesto de las sociedades estatales difiere sustancialmente del presupuesto de la Administración matriz y está adaptado a su naturaleza societaria. Concretamente, disponen de dos tipos de presupuestos, el de explotación y el de capital, que habrá de ser aprobado anualmente y "que detallará los recursos y dotaciones anuales correspondientes", tal como dispone el art. 64.1 LGP.

Ambas modalidades presupuestarias de explotación y el de capital disponen de un contenido similar. De acuerdo con lo dispuesto en el art. 64.2 LGP, "estarán constituidos por una previsión de la cuenta de resultados y del cuadro de financiación del correspondiente ejercicio. Como anexo a dichos presupuestos se acompañará una previsión del balance de la entidad", así como la documentación complementaria que decida el Ministerio de Economía y Hacienda. Con este contenido se pretende proporcionar una imagen con cierta perspectiva del funcionamiento de estas sociedades, ya que se han de referir "además de al ejercicio relativo al proyecto de Presupuestos Generales del Estado, a la liquidación del último ejercicio cerrado y al avance de la liquidación del ejercicio corriente". Todo lo cual se ha de complementar, asimismo, con "una memoria explicativa de su contenido, de la ejecución del ejercicio anterior y de la previsión de la ejecución del ejercicio corriente" (art. 64.5 LGP). Con ello, tal como señala DEL GUAYO, lo que se pretende es disponer de una imagen de los tres elementos básicos de los estados financieros y que coinciden con la denominada gestión financiera: el balance o estructura financiera, la rentabilidad o cuenta de resultados y la liquidez, que también se suele denominar con la expresión anglosajona de *cash-flow*[15].

Estos presupuestos se han de integrar en los Presupuestos Generales del Estado, aunque es una integración un tanto forzada en la medida en que tienen una naturaleza diferente, tal como veremos con posterioridad. La

---

14   Un desarrollo de estas cuestiones se puede encontrar en mi estudio *Sociedades estatales de obras públicas*, Ed. Tirant lo Blanch, en prensa, del cual aquí sólo recogen los elementos esenciales.

15   DEL GUAYO CASTIELLA, I., *Sector público empresarial e instituciones paraconcursales*, Marcial Pons Ediciones Jurídicas (2004), p. 147.

obligatoriedad de esta integración está recogida en el art. 33.1.b. LGP, que obliga a la incorporación, en la medida en que forma parte de su contenido, de: *"los presupuestos de operaciones corrientes y los de operaciones de capital y financieras de las entidades del sector público empresarial y del sector público fundacional"*. La Ley General Presupuestaria obliga a que en el momento en que se produzca la integración de los presupuestos, se ha de incluir todos los documentos que componen el presupuesto de la sociedad instrumental, esto es, la *"previsión de la cuenta de resultados y del cuadro de financiación del correspondiente ejercicio. Como anexo a dichos presupuestos se acompañará una previsión del balance de la entidad, así como la documentación complementaria que determine el Ministerio de Hacienda"*.

No obstante, la integración no supone una equiparación de su régimen. En efecto, hay una diferencia sustancial entre el régimen del presupuesto de la Administración matriz y el de la sociedad mercantil, consistente en que mientras que el presupuesto público tiene naturaleza limitativa, el de las sociedades es simplemente estimativa, tal como se deduce el art. 64.2 LGP, que dispone que contendrá una *"previsión de cuenta de resultados"*. Esto motiva diferencias sustanciales en cuanto al tratamiento de las partidas, ya que no es obligatorio que se destinen a la finalidad específica autorizada en la Ley de Presupuestos Generales del Estado o por las modificaciones realizadas conforme a la LGP, que es lo que ocurre con los presupuestos de las entidades administrativas[16], tal como señala el art. 27.2 LGP.

Como se puede observar, este carácter diferente de los presupuestos ha de tener consecuencias importantes tanto en cuanto a la gestión como en cuanto al resultado presupuestario que ha de alcanzar la sociedad. Por un lado, en lo que afecta a la gestión, no están sometidos a las reglas administrativas de gestión presupuestarias, obligatorias para la Administración General del Estado y los demás organismos de Derecho público. Desde el segundo punto de vista, las cuentas de las sociedades instrumentales no han de cuadrar con lo presupuestado. Este carácter estimativo, por contraposición al carácter limitativo del presupuesto administrativo, es lo que impide, al mismo tiempo, su consolidación con los del Estado y de sus Organismos Autónomos para tener una visión conjunta de todos ellos. Como veremos con posterioridad, va a tener relevancia incluso para el control de gasto a posteriori, en la medida en que los informes de auditoría que

---

[16]   No obstante, esta ausencia de carácter limitativo tiene una excepción en relación con aquellas sociedades que reciben subvenciones desde los Presupuestos Generales del Estado, en la medida en que tiene carácter limitativo para los administradores sociales pero no así para la Administración General del Estado, la cual puede modificarlos.

encuentren un incumplimiento grave en las entidades con presupuesto estimativo no suponen que se emita un informe negativo, ya que se considera que no afecta a la imagen fiel de la situación de la empresa.

Los aspectos presupuestarios se complementan con el otro instrumento que han de aprobar las sociedades estatales, los programas de actuación plurianual.

2. La contabilidad de las sociedades

El régimen contable de las sociedades mercantiles públicas es el resultado de la integración entre la Ley General Presupuestaria y las normas contables del Derecho privado. El principio del que hemos de partir es el recogido en el art. 121 LGP, en virtud del cual dispone que "deberán aplicar los principios y normas de contabilidad recogidos en el Código de Comercio y el Plan General de Contabilidad de la empresa española, así como en sus adaptaciones y disposiciones que lo desarrollan, las entidades que integran el sector público empresarial".

Precisamente por ello, las sociedades instrumentales habrán de configurar las cuentas de conformidad con dichos principios, tal como dispone el art. 127 LGP: "las cuentas anuales de las entidades que deben aplicar los principios y normas de contabilidad recogidos en el Plan General de Contabilidad de la empresa española, así como en sus adaptaciones y disposiciones que lo desarrollan, serán las previstas en dicho plan" y deberán incluir la propuesta de distribución de resultados de la respectiva sociedad. Se incluye, en este sentido, una mención complementaria que han de incluirse con las cuentas generales, concretamente "un informe relativo al cumplimiento de las obligaciones de carácter económico-financiero que asumen dichas entidades como consecuencia de su pertenencia al sector público". Desde un punto de vista formal, habrán de ser aprobadas en el plazo de tres meses desde el momento de la finalización del ejercicio económico respectivo.

La formación de las cuentas nos conduce a la cuestión de su fiscalización por parte del Tribunal de Cuentas, que necesariamente ha de estar adaptada a las peculiaridades que tiene el modo en que se realiza la contabilidad, ajena a los procedimientos de las entidades públicas. No obstante, esto no supone que haya, anualmente, un examen de la totalidad de las partidas sino que la concreción de las actividades se efectúa tras la aprobación por el Pleno del Tribunal de Cuentas de su Programa Anual de

Fiscalización, según se establece en el art. 3 de la Ley de Funcionamiento del Tribunal de Cuentas.

De igual manera, conviene recordar que el modo en que se efectúa la contabilidad del sector privado difiere de la del sector público, lo que tiene especial importancia en los supuestos en los que nos encontramos ante sociedades estatales que se encargan de la ejecución de políticas públicas, como son las sociedades Los principios que rigen la contabilidad pública no son los mismos que los de la contabilidad privada. En efecto, se ha señalado que los entes públicos "presentan particularidades en su estructura organizativa y sistema de objetivos que aconsejan, en ocasiones, apartarse de esos principios de general aceptación y formular otros más acordes de acuerdo con su particular realidad"[17]. Tanto es así que se, tal como ha señalado el propio Tribunal de Cuentas, los principios que se van a aplicar van a presentar diferencias sustanciales. Así, nos encontramos con que el principio de prudencia —que obliga, en el ámbito público, a que se contabilicen los riesgos en el momento en que se tiene conocimiento de ellos— no se aplica en el ámbito privado, en donde sólo se contabilizan en el momento de su materialización. En una línea similar, el principio de devengo obligará a que las transacciones se contabilicen no en el momento de su materialización sino en el que se han dictado los actos administrativos de reconocimiento de derechos, los cuales se dictarán, a su vez, en el momento, en que sean exigibles. El principio de importancia relativa, por su parte, sólo se aplica en el ámbito de la contabilidad pública en los supuestos en los que se ha incumplido una obligación legal. De igual manera, el principio de correlación de ingresos y gastos ha de ser aplicado de forma relativa.

A ello ha de añadirse el dato, sobre todo para las sociedades que ejecutan políticas públicas, de que tres de los principios de la contabilidad pública no son de aplicación en la contabilidad empresarial: son los principios de entidad, imputación de la transacción y desafectación. Posiblemente, el que resulte más relevante en este momento es el de imputación, que es consecuencia directa de la diferencia que existe entre la naturaleza de los presupuestos públicos y privados. En efecto, el principio de imputación de la transacción tiene una notable importancia por su relación con los ingresos y los gastos. Supone que "ha de efectuarse a activos, pasivos, gasto o ingresos anuales o plurianuales de acuerdo con las reglas establecidas

---

[17]   REQUENA RODRÍGUEZ, J. M., "La contabilidad en el sector público español", en la *Revista Economistas*, n° 31, p. 11. Tomo la cita de BENITO LÓPEZ, B., *Manual...*, *op. cit.*, p. 143.

en el Plan de Contabilidad Pública. Los gastos e ingresos presupuestarios se imputarán de acuerdo con su naturaleza económica y, en el caso de los gastos, además, de acuerdo con la finalidad que con ellos se pretende conseguir. Los gastos e ingresos presupuestarios se clasificarán, en su caso, atendiendo al órgano encargado de su gestión Las obligaciones presupuestarias derivadas de adquisiciones, obras, servicios, prestaciones o gastos en general se imputarán al presupuesto del ejercicio en que éstos se realicen y con cargo a los respectivos créditos; los derechos se imputarán al presupuesto del ejercicio en que se reconozcan o liquiden"[18].

3. *Control económico-financiero y de eficacia de las sociedades estatales*

Las especialidades de la sociedades estatales tienen su siguiente punto en el control económico-financiero. No afecta, eso es claro, al elemento subjetivo, de quién es el que lo realiza, que sigue siendo la Intervención general de la Administración del Estado, tal como se recoge en el art. 140.2 de la Ley General Presupuestaria, cuando dispone que "la Intervención General de la Administración del Estado ejercerá en los términos previstos en esta Ley el control interno de la gestión económica y financiera del sector público estatal, con plena autonomía respecto de las autoridades y demás entidades cuya gestión controle". Lo relevante es cómo se efectúa el control, que es donde se producen las modificaciones más significativas.

En efecto, en la regulación contenida en el Título VI de la ley General Presupuestaria se recogen tres modalidades de actividad de la IGAE: función interventora, control financiero permanente y auditoría pública. Los dos elementos más estrictos para que se pueda producir el control del gasto son los primeros pero que, sin embargo, no son aplicables a las sociedades mercantiles, a las cuales se va a aplicar sólo la tercera de ellas, que es la auditoría pública. En abstracto, que una sociedad mercantil pública que se dedique a la producción de bienes y servicios en el mercado no se someta a dichas técnicas de control, dado que están configuradas para el control de los entes públicos. El problema que se plantea consiste en que, en relación con las sociedades que sirven para la ejecución de políticas públicas, son ellas las que realizan materialmente los gastos en lugar de la Administración y, sin embargo, el régimen sigue siendo el general de las sociedades mercantiles.

---

[18]   BENITO LÓPEZ, B., *Manual...*, *op. cit.*, p. 183.

La auditoría es, en consecuencia, el procedimiento de control de las sociedades mercantiles. Conviene recordar dos factores importante a la hora de valorar la importancia real que tienen las auditorías: en primer lugar, constituye un examen a posteriori de la ejecución de los programas que haya puesto en marcha la sociedad estatal, nunca constituye una evaluación de los mismos que pudiera servir para cambiar los objetivos que pretenda conseguir. De hecho, en este punto está una de sus debilidades, que constituye siempre un análisis a posteriori de cómo se ha ejecutado el programa. En segundo lugar, como complemento de las carencias del sistema de auditorías en la sociedades estatales, conviene recordar que la realización de las auditorías anuales no es obligatoria para todas ellas sino que se efectuará sólo en el supuestos de que la sociedad respectiva esté incluida en el Plan Nacional de Auditoría que recoge el art. 165 LGP.

La fórmula de la auditoria constituye el procedimiento para el control de las sociedades públicas, tal como lo recoge el art. 164.1 LGP recoge tres modalidades de auditoría que pueden servir para efectuar el control de las sociedades —auditoría de regularidad contable, auditoria de cumplimiento y auditoría operativa—; las cuales se pueden combinar, de acuerdo con lo que dispone el apartado siguiente. A ellos tres se añadirán otra serie de auditorías específicas[19] que, como ha señalado GUAYO[20], su recepción en la LGP supone la positivización de las prácticas administrativas previas. No obstante, de todas ellas tres modalidades más generales de auditoría son las siguientes:

1. La *auditoría de regularidad contable*, consistente en la revisión y verificación de la información y documentación contable con el objeto de comprobar su adecuación a la normativa contable y en su caso presupuestaria que le sea de aplicación.

2. La *auditoría de cumplimiento*, cuyo objeto consiste en la verificación de que los actos, operaciones y procedimientos de gestión económico-financiera se han desarrollado de conformidad con las normas que les son de aplicación.

---

[19]   Concretamente, se recogen las siguientes auditorías: Auditoría de contratos-programas y de seguimiento de planes de equilibrio financiero (art. 171), Auditoría de los Planes iniciales de actuación (art. 172) —a la que se hizo referencia en la exposición del proceso de constitución de la sociedad—. Además, se contemplan otros tipos de auditoría que no son de aplicación a los supuestos de las sociedades instrumentales.

[20]   GUAYO CASTIELLA, I. del; *Sector público empresarial e instituciones paraconcursales*, Marcial Pons Ediciones Jurídicas, Madrid (2004), p. 135.

3. La *auditoría operativa*, que es la más utilizada. Esta modalidad de auditoría operativa constituye una medida que ha de ser encuadrada dentro de las iniciativas que comprenden el denominado *New Public Management* que constituye el examen sistemático y objetivo de las operaciones y procedimientos de una organización, programa, actividad o función pública, con el objeto de proporcionar una valoración independiente de su racionalidad económico-financiera y su adecuación a los principios de la buena gestión, a fin de detectar sus posibles deficiencias y proponer las recomendaciones oportunas en orden a la corrección de aquéllas. Puede tener tres modalidades de ejecución, la auditoria de programas presupuestarios, de sistemas y procedimientos y de economía, eficacia y eficiencia. su funcionalidad es doble, en la medida en que permite una más adecuada rendición de cuentas de las actividades desarrolladas y del grado y modo de cumplimiento de las encomiendas —que recordemos que es uno de las funciones que tiene que acometer el Ministerio de tutela— y, en segundo lugar, tiene una función de permitir la adecuación de la estructura de la entidad y de su forma de actuar para mejorar la eficacia y la eficiencia de esta entidad.

4. Contratación de las sociedades mercantiles

De las especialidades que marca el art. 166.2 para las sociedades estatales, la última de ellas es la relativa a la contratación. El problema básicamente se configura en los casos en los que estas sociedades se estén dedicando a la ejecución de políticas públicas, esto es, actuando en lugar de la Administración, tal como ocurre con las sociedades estatales de obras públicas o en el caso de TRAGSA. En estos supuestos, la situación no puede ser equivalente a la de una empresa privada sino que ha de publificarse su régimen.

En efecto, en los casos en los que actúen como ejecutores de políticas públicas el régimen de la contratación no puede ser otro que el derivado de las directivas comunitarias. La jurisprudencia del Tribunal de Justicia de las Comunidades Europeas ha ido delimitando el concepto de poder adjudicador de tal manera que ha eliminado todos aquellos supuestos en los que la utilización de una figura instrumental por parte de las Administraciones públicas había posibilitado la no aplicación de las Directivas sobre contratación pública. De hecho, nuestro país ha sido condenado en repetidas ocasiones por el mismo Tribunal de Justicia como consecuencia de configurar sociedades con la finalidad de eludir dicha normativa pública, la Sociedad Estatal de Infraestructuras Penitenciarias, S.A., entre ellas, que mereció la sentencia de 16 de octubre de 2003, precisamente por incumplir el régimen comunitario de adjudicación de los contratos.

En efecto, la jurisprudencia del Tribunal de Justicia dictada en aplicación de la directiva ha efectuado una interpretación amplia, funcional, de los tres criterios que configura las directivas para decidir que nos encontramos ante un poder adjudicador: i) su creación está justificada por la consecución de necesidades de interés general que no tengan carácter industrial o mercantil; ii) que tenga personalidad jurídica propia y iii) que se trate de una entidad financiada mayoritariamente por el Estado u otros entes públicos territoriales y que su gestión esté sometida a control por parte de estos últimos o que los miembros de sus órganos de dirección estén nombrados por los entes públicos territoriales. Jurisprudencia que ha permitido declarar algo que parece razonable, esto es, que el criterio de someterse al ordenamiento jurídico privado no constituye ningún elemento que permita eludir la aplicación del Derecho comunitario de la contratación si se cumplen los elementos restantes que contempla la directiva.

Sí conviene destacar que en el momento en que entre en vigor la ley de Contratos del Sector Público, el marco de ordenación será dual, dependiendo de cuál sea la cuantía de los contratos que se suscriban. El segundo paso es que nos encontremos ante un contrato sujeto a regulación armonizada, dado que es el régimen al que están sujetos los contratos de aquéllos poderes adjudicadores que no tengan la condición de administraciones públicas, que es, como se ha visto con anterioridad, la situación de las sociedades estatales de obras públicas. Para ello nos encontramos ante dos parámetros, el objeto y la cuantía. En cuanto a lo primero, "son contratos sujetos a una regulación armonizada los contratos de colaboración entre el sector público y el sector privado, en todo caso, y los contratos de obras, los de concesión de obras públicas, los de suministro, y los de servicios comprendidos en las categorías 1 a 16 del Anexo II, cuyo valor estimado, calculado conforme a las reglas que se establecen en el artículo 76, sea igual o superior a las cuantías que se indican en los artículos siguientes, siempre que la entidad contratante tenga el carácter de poder adjudicador". Y, en el objeto central de la actividad contractual de las sociedades de obras públicas, el contrato de obra, están sujetos a regulación armonizada los contratos de obras y los contratos de concesión de obras públicas cuyo valor estimado sea igual o superior a 5.278.000 euros. En los supuestos de los contratos de suministros o de servicios, el umbral económico se ubica en la suma de 211.000 euros.

El régimen de los *contratos no armonizados* está previsto en el art. 175 LCSP, en virtud del cual, estos contratos están sometidos a unos principios que deberán ser desarrollados con posterioridad en unas normas que apruebe cada entidad. Así, de acuerdo con lo dispuesto en el apartado primero, "la adjudicación estará sometida, en todo caso, a los principios de publicidad, concurrencia, transparencia, confidencialidad, igualdad y no discriminación", esto es, un régimen parecido al de la actual DA 6ª de la Ley de Contratos de las Administraciones Públicas. Las normas especiales que deberán ser aprobadas por cada entidad, tal como prevé el apartado segundo del precepto, son "de obligado cumplimiento en el ámbito interno de las mismas, en las que se regulen los procedimientos de contratación de forma que quede garantizada la efectividad de los principios enunciados en la letra anterior y que el contrato es adjudicado a quien presente la oferta económicamente más ventajosa. Estas instrucciones deben ponerse a disposición de todos los interesados en participar en los procedimientos de adjudicación de contratos regulados por ellas, y publicarse en el perfil de contratante de la entidad".

5. Tutela ministerial

Una de las características centrales que tiene el régimen de las sociedades estatales es el de la existencia de un Ministerio de tutela, que está recogido en el art. 176.1 LPAP, que dispone que "al autorizar la constitución de una sociedad de las previstas en el artículo 166.2 de esta Ley, el Consejo de Ministros podrá atribuir a un ministerio, cuyas competencias guarden una relación específica con el objeto social de la sociedad, la tutela funcional de la misma", existiendo, además una cláusula de atribución supletoria, en virtud de la cual "en ausencia de esta atribución expresa corresponderá íntegramente al Ministerio de Hacienda el ejercicio de las facultades que esta ley otorga para la supervisión de la actividad de la sociedad". Se trata del mecanismo que se ha configurado para actuar de interrelación entre la Administración general del Estado y las sociedades, y que es esencial en el caso de las sociedades de ejecución de políticas públicas, en donde el papel vicario de las sociedades estatales es aún mayor.

Esta tutela ministerial sobre la sociedad estatal se va a desplegar en tres grandes ámbitos: por un lado, determina la composición de los órganos de dirección de la sociedad, en segundo lugar, dispone de un conjunto de facultades que se integrarían dentro de un concepto vago de poder de dirección de la empresa, lo que hay que entender siempre rodeado de ciertas salvedades; y, en tercer lugar, el poder de tutela es un mecanismo de exteriorización de la actividad de la sociedad.

El primer elemento en donde se exterioriza el papel del Ministerio de tutela es el del nombramiento de los órganos de dirección de la sociedad, lo cual constituye un factor determinante para garantizar una conexión buena entre los objetivos sociales y los de la Administración de los que depende. Obviamente, en los casos de las sociedades instrumentales se refuerza aún más, dado que se trata de una función esencial para realizar esas funciones administrativas, por lo que en muchas ocasiones recae en los propios titulares de órganos ministeriales[21]. Por ello, está expresamente contemplado el que "el ministro al que corresponda la tutela de la sociedad propondrá al Ministro de Hacienda o al organismo público representado en su Junta General, el nombramiento de un número de administradores que represente como máximo, dentro del número de consejeros que determinen los estatutos, la proporción que el Consejo de Ministros establezca cuando acuerde lo previsto en el artículo 169.d de esta Ley"[22].

El elemento más relevante es, sin embargo, el de la capacidad de dictar instrucciones a los órganos directivos de las sociedades, lo cual se ha de descomponer en el plano metalegal —caracterizado por la presencia en algunos supuestos de órganos directivos de los Ministerios en estas sociedades estatales— y la regulación legal de esta figura. Esta es una facultad que, sin embargo, para dotar de mayor autonomía a las sociedades —algo que resulta necesario en el supuesto de que se encarguen de la ejecución de políticas públicas para cumplir con las exigencias de la estabilidad presupuestaria—, el art. 178.1 establece un marco bastante restrictivo: "en casos excepcionales, debidamente justificados, el Ministro al que corresponda su tutela podrá dar instrucciones a las sociedades previstas en el artículo 166.2, para que realicen determinadas actividades, cuando resulte de interés público su ejecución".

---

[21]   Recordemos que, de acuerdo con lo previsto en el art. 180 LPAP, por el que se excluye la aplicación para las sociedades de capital enteramente público de la prohibición contenida en el art. 124 de la ley de Sociedades Anónimas, que con carácter general impide que ostenten la condición de administrador a "los funcionarios al servicio de la Administración pública con funciones a su cargo que se relacionen con las actividades propias de las sociedades de que se trate, los jueces o magistrados y las demás personas afectadas por una incompatibilidad legal".

[22]   De acuerdo con la información que proporciona GARCÍA RUIZ, el número no es excesivamente numeroso, sino que suele ser de unos quince. GARCÍA RUIZ, E., *La nueva sociedad anónima..., op. cit.,* p. 251.

Esta limitación a proporcionar instrucciones a las sociedades estatales alcanza si significado en la vida diaria, en aquellos actos de gestión empresarial que ha de realizar la sociedad. No obstante, no significa que pueda existir una ilustración sobre las líneas generales de actuación de la sociedad, en lo que se pueden denominar como líneas de carácter estratégico, lo que en buena medida supone concretar los objetivos que el ente público quiere conseguir mediante la creación de la sociedad estatal. Así lo reconoce el art. 177.2 cuando dispone que "el ministerio de tutela instruirá a la sociedad respecto a las líneas de actuación estratégica y establecerá las prioridades en la ejecución de las mismas, y propondrá su incorporación a los Presupuestos de Explotación y Capital y Programas de Actuación Plurianual, previa conformidad, en cuanto a sus aspectos financieros, de la Dirección General del Patrimonio del Estado, si se trata de sociedades cuyo capital corresponda íntegramente a la Administración General del Estado, o del organismo público que sea titular de su capital".

Íntimamente vinculado a esta potestad incluida dentro de la tutela se encuentra el control a posteriori, en el que también se manifiesta el poder de la Administración de la que depende. En efecto, el art. 177.1 establece que "el ministerio de tutela ejercerá el control funcional y de eficacia de las sociedades previstas en el artículo 166.2 de esta Ley". El resultado de ambos mecanismos de control de la vida societaria podrá determinar que se modifiquen procedimientos de actuación de la sociedad o que se establezcan nuevos protocolos que permitan acercar a los objetivos que se pretenden obtener mediante la constitución de la sociedad o en los programas de actuación que se hayan aprobado. A ello se añade, asimismo, el control general que se puede ejercer desde la Dirección general de Patrimonio del Estado, en virtud de la cual "la Dirección General del patrimonio del Estado, en el caso de las sociedades cuyo capital corresponda en su integridad a la Administración general del Estado o el organismo público titular de su capital, establecerán los sistemas de control que permitan la adecuada supervisión financiera de estas sociedades".

VI. EL TRÁFICO DE LAS PARTICIPACIONES PÚBLICAS

1. *Adquisición de participaciones públicas*

La adquisición de títulos representativos del capital puede ser el resultado de varios tipos de operaciones y en diversos momentos de la vida societaria. Así, es posible que se plantee en el momento de la fundación de la misma —cuyos aspectos se han examinado cuando se ha visto la creación de la sociedad—, cuando se produzca un aumento de capital —mediante la suscripción del mismo— o bien como consecuencia de un negocio traslativo después de la fundación o aumento del capital.

En cualquiera de las circunstancias, tal como dispone el art. 171.1 LPAP, "la adquisición por la Administración General del Estado de títulos representativos del capital de sociedades mercantiles, sea por suscripción o compra, así como de futuros u opciones, cuyo activo subyacente esté constituido por acciones, se acordará por el Ministro de Hacienda, previa autorización, en su caso, del Consejo de Ministros, en los supuestos que así lo establezca esta Ley u otras que resulten de aplicación, con informe previo de la Dirección General del Patrimonio del Estado". La formalización se realizará por la Dirección General de Patrimonio del Estado en nombre de la Administración General del Estado. La custodia de los títulos se producirá en el Ministerio de Economía y Hacienda. Teniendo en cuenta la función que cumple la adquisición de títulos representativos de capital, que se ha utilizado para la salvación de empresas en crisis, hubiera resultado necesaria una regulación más detallada.

Uno de los aspectos centrales de la adquisición de las acciones, sobre todo en garantía del interés general, es el procedimiento de determinación del valor de las acciones. Para cumplir lo más adecuadamente todas los intereses, el art. 171.3 introduce ciertas garantías en cuanto al procedimiento de determinación del precio de adquisición de las acciones. La regla que se recoge como primaria es que es el acuerdo el momento en el que se "determinará los procedimientos para fijar el importe de la misma según los métodos de valoración comúnmente aceptados". Regla que cede en un supuesto especial, en el que el precio está determinado a través de reglas propias, cual es el de la adquisición de títulos que coticen en algún mercado secundario organizado; en cuyo caso "el precio de adquisición será el correspondiente de mercado en el momento y fecha de la operación".

Estas reglas se complementan con la salvaguardia de que no se haya formado adecuadamente el precio de adquisición de las acciones: "No obstante, en el supuesto que los servicios técnicos designados por el Director General del Patrimonio del Estado o por el presidente o director del organismo público que efectúe la adquisición estimaran que el volumen de negociación habitual de los títulos no garantiza la adecuada formación de un precio de mercado podrán proponer, motivadamente, la adquisición y determinación del precio de los mismos por otro método legalmente admisible de adquisición o valoración". Por último, hay una última regla derivada de cuál sea la finalidad de la Administración de adquirir los títulos y que va a afectar, asimismo, a la naturaleza última de los bienes que se van a adquirir por parte de la Administración General del Estado: "Cuando la adquisición de títulos tenga por finalidad obtener la plena propiedad de inmuebles o de parte de los mismos por el Estado o sus organismos públicos la valoración de estas participaciones exigirá la realización de la tasación de los bienes inmuebles"

En cuanto a la gestión compete al Ministerio de Economía y Hacienda, que podrá proporcionar las instituciones que considere oportunas para el adecuado ejercicio de los derechos inherentes a la titularidad de las acciones.

2. Enajenación de las participaciones públicas

A) El proceso privatizador y la situación actual del patrimonio público empresarial

La década de los noventa del siglo pasado y el comienzo de éste no han sido buenos tiempos para el patrimonio público empresarial. Desde el año 1996, momento en el cual se articula de forma sistemática un proceso de privatización, hasta diciembre de 2006 el Estado se ha desprendido total o parcialmente de su participación en 59 empresas para lo cual se han materializado 70 operaciones de enajenación, ya que algunas de ellas se han realizado en varias fases. Una situación que, desde luego, ha modificado trascendentalmente el papel del Estado en las relaciones económicas[23].

Este proceso de privatización de participaciones públicas alcanzó su punto más álgido en los años 1997 y 1998, momento en el cual se produjo la enajenación mediante operaciones de venta pública de acciones las grandes empresas públicas —con altos niveles de beneficios—, tales como Telefónica, Endesa, Repsol, Tabacalera o Argentaria. Obviamente, tras la venta de las "joyas de la corona", el proceso de venta de las empresas públicas productoras de bienes y servicios se puede dar prácticamente por concluido, aunque se sigan produciendo algunas ventas, que son meramente testimoniales por comparación con lo ocurrido con hace dos legislaturas.

---

[23]   Resulta llamativo comparar la voluntad privatizadora de esta etapa de políticas neoliberales con el contenido de la Ley de Patrimonio del Estado de 1964, cuyo artículo 103 se podía considerar restrictivo de la pérdida de la mayoría en el capital, en la medida en que exigía la promulgación de Ley. Ley de Patrimonio de 1964 que parte de una filosofía diferente a normas no demasiado alejadas en el tiempo, como la Ley 194/1963, que aprueba el *I Plan de Desarrollo económico y social.*

Un dato lo ilustra perfectamente: desde el año 2001, cuando se produjo la venta de ENCE a través de este procedimiento no ha habido ninguna operación de enajenación a través de Oferta Pública de Ventas de Acciones —procedimiento usual en las que permiten la consecución de unas cantidades superiores de dinero— y los rendimientos económicos que se obtienen son mínimos[24].

Cierto es que con anterioridad a 1996 se produjeron algunas enajenaciones de participaciones públicas[25], aunque el proceso ni cuantitativa ni cualitativamente puede ser comparable. La gran desamortización que realizó el Gobierno del Partido Popular tiene su punto de partida en el Acuerdo del Consejo de Ministros de 28 de junio de 1996, por el que se establecen las bases del programa de modernización del sector público empresarial. Más eufemístico no se puede ser el título que se le dio al referido acuerdo. La privatización —dado que a ello se reconduce la modernización— se configura en dicho documento como un proceso complementario de la liberalización de la economía española, que iba a ir acompañado de procesos desreguladores, tal como se configura en dicho Acuerdo. De hecho, bien se puede decir que a través de este proceso lo que se consiguió fue la redefinición del papel del Estado en la economía, pasando de ser accionista a mero regulador. La ejecución del Acuerdo ha hecho desaparecer era el sector público empresarial, tal como era su objetivo, y si se analiza con cierta perspectiva el proceso, analizando la evolución empresarial y bursátil deben plantearse algunas dudas sobre el juicio final que merece su planteamiento, desarrollo y consecuencias. Y ello por no hablar del juicio totalmente negativo que merece si examinamos el resultado desde la perspectiva de la capacidad de intervención de las Administraciones públicas en las relaciones sociales y económicas, los modos de prestación de los servicios propios de las empresas o incluso por la propia existencia de un aparato industrial propio y el riesgo que pende sobre algunas de las empresas si entran en las redes de alguno de los fondos de inversión-riesgo, algo que no debería resultarnos extraño en el caso de que ocurra y, de hecho, en países de nuestro entorno ya se están adoptando medidas específicas.

---

[24]   Es muy ilustrativo comparar la participación pública en las empresas que cotizan en la Bolsa en 1992 —16.64%— y el periodo que comienza en 1998 hasta la actualidad, en el que oscila alrededor del 0.5%. Tomo los datos del CONSEJO CONSULTIVO DE PRIVATIZACIONES, *Informe sobre privatizaciones 2006*, p. 28.

[25]   Véase en esta línea, por ejemplo, la derogación, en noviembre de 1992, del artículo 4-2° de la *Ley de monopolio del tabaco* que establecía la obligatoriedad de la mayoría del Estado en el capital social de Tabacalera: "El Estado mantendrá siempre la titularidad de la mayoría del capital de Tabacalera".

En el Acuerdo del Consejo de Ministros de 1996 se determinó el esquema del proceso de privatización[26], que se desarrolló de acuerdo con un modelo que resultaba común a todas ellas. Los agentes gestores de la privatización —papel que básicamente adoptó la SEPI— se encargaban de la búsqueda y contratación de unos asesores, así como de la elaboración de una propuesta de privatización, para lo cual tener el asesoramiento del Consejo Consultivo de Privatizaciones[27] y cuya función es la de informar todas las propuestas de privatización y, en particular, comprobar que se adecúan a los principios que rigen las privatizaciones. Con este informe se remitía al Consejo de Ministros la propuesta de privatización, que era controlada ex post por parte de la Intervención General de la Administración del Estado y el Tribunal de Cuentas. Estas operaciones tenían como finalidad aparente la financiación de operaciones de inversión por parte del Estado ya que, tal como disponía el Acuerdo del Consejo de Ministros, los rendimientos no se podían destinar a gastos corrientes, aunque tal diferencia entre los gastos que se puedan afrontar tampoco acaba de ser

---

[26]   La STS de 14.10.1999 ha considerado, en este sentido, que la ausencia de una Ley que proporcione cobertura al proceso privatizador ha sido subsanado por el propio Acuerdo del Consejo de Ministros por el que se aprobaron las bases del programa de privatización. Concretamente, señaló lo siguiente: "La alegación podría tener, en este extremo, una cierta consistencia al destacar —y criticar— la ausencia de un marco legal, de carácter general, que, reflejando la voluntad de las Cámaras, regule de manera adecuada todo el proceso privatizador o, al menos, el relativo al sector de las telecomunicaciones. Ello no obstante, es cierto —como acertadamente señala la defensa de la SEPPa— que, disponiendo el Gobierno de una habilitación legal para proceder a la venta de sus participaciones accionariales en las diferentes empresas (cuestión sobre la que después hemos de volver), pudo legítimamente hacer uso de ella sin necesidad de someter a las Cortes una iniciativa legislativa para regular en su conjunto el fenómeno privatizador. La elección entre una u otra alternativa pertenece al ámbito de las facultades del Gobierno que, en defecto de previsión constitucional al respecto, no nos corresponde enjuiciar. Hay que añadir, además, que —según la propia exposición de motivos del Acuerdo impugnado recoge— el Consejo de Ministros había ya aprobado el 28 de junio de 1996 las Bases del Programa de Modernización del Sector Público Empresarial del Estado, acuerdo que si bien no dota de cobertura legal, por sí mismo, al ahora enjuiciado, sí podía llevarse a cabo mediante las facultades de enajenación de acciones que la Ley General Presupuestaria reconoce al Gobierno. La respuesta a este motivo de impugnación dependerá, pues, de la que demos a la alegación relativa a la vulneración del artículo 103 de la Ley del Patrimonio del Estado".

[27]   El Consejo Consultivo de Privatizaciones se creó precisamente con el Acuerdo de 1996 y ha tenido en el desarrollo de su actividad un papel activo, a través básicamente de las numerosas recomendaciones que ha dictado, en ámbitos como la ampliación de los plazos de presentación de ofertas, la ponderación de comisiones y honorarios en los baremos de los concursos o al papel que deben desempeñar los coordinadores globales de las operaciones.

determinante para la emisión de un juicio sobre las operaciones de privatización, ya que, como veremos inmediatamente los problemas que surgen
son de más calado.

Las operaciones de privatización se desarrollaron a través de procedimientos variados, en función de las condiciones de la empresa[28] —desde
sus vertientes de la estructura accionarial, de presencia en el mercado, situación patrimonial, dimensión, nivel tecnológico alcanzado...—. Esto es
lo que motiva que el procedimiento de enajenación no fuera único, ya que
en ocasiones se recurrió a la venta pactada, en otros casos al concurso, en
otros a la Oferta Pública de Venta. En definitiva, eran las condiciones de
la empresa las que determinaban el modo en el que se iba a proceder a la
enajenación.

Con estas bases y con arreglo a estos procedimientos se procedió al desmantelamiento del sector público industrial y, por ende, a reducir trans-
cendentalmente el papel del Estado en las relaciones económicas y sociales. De hecho, el instrumento básico del que se quiso dotar el Estado para
controlar las empresas enajenadas en los sectores estratégicos, básicamente
la conocida como *acción oro*[29], tuvo que ser anulada como consecuencia de

---

[28]   Recordemos que el propio Acuerdo del Consejo de Ministros las dividió en cuatro
grandes grupos en función de cómo se iba a desarrollar la privatización:
1. Grupo formado por las empresas **inmediatamente privatizables**, habida cuenta de su
elevada rentabilidad, cotizaban ya en Bolsa y de su alto atractivo para los potenciales
inversores. Eran las mejores empresas y fueron privatizadas mediante Ofertas Públicas
de Ventas en la primera legislatura del PP (1996/2000): *Telefónica, REPSOL, Gas natural, Enagas, Tabacalera, Argentaria* y *Endesa*.
2. Grupo de aquellas empresas **pendientes de reordenación sectorial**, pero de cuya
venta podrían obtenerse **ingresos importantes**. Entre ellas se encontraban *Retevisión* o
Red Eléctrica Española y la fórmula normal de enajenación fue el concurso.
3. Grupo configurado por las empresas que requerían **reestructuraciones o sanea-
mientos previos** a su venta. Era el caso de *Iberia, Casa, Indra, Inespal, Almagrera, Ence,
Grupo Auxini* y *Babcock & Wilcox*, entre otras. (Todas han sido vendidas a finales de la
legislatura pasada o al principio de la actual).
4. El cuarto grupo estaba formado por aquellas empresas en proceso de **reconversión**
integradas en la *Agencia Industrial del Estado*, que **no iban a poder ser privatizadas a lo
largo de la legislatura por motivos estratégicos o sociales**.
[29]   Como se recordará esta acción oro básicamente es una autorización administrativa para la realización de ciertas actividades que afectaban a la esencia de la empresas (que
operen en sectores fundamentales y en las que el Estado posea —o haya poseído— al
menos el 25% del capital social). Entre estos actos se encuentran disolución, escisión
o fusión de las sociedades, como el del cambio de objeto social (incluyendo la venta o
gravamen de activos necesarios para el cumplimiento de éste); así como las adquisiciones directas o indirectas de participaciones sociales que conlleven bien el control, por

la Sentencia del Tribunal de Justicia de las Comunidades Europeas de 13 de mayo de 2003, dado que el modo en que estaba configurada la medida atentaba contra la libre circulación de capitales, básicamente por su desproporción manifestada en que en unos casos no existían obligaciones de servicio público y en donde sí existían por su extensión.

En aquellos casos en los que existían obligaciones de servicio público[30], por su carácter desproporcionado, dado que *"la Administración dispone en la materia de una facultad discrecional especialmente amplia que menoscaba gravemente la libre circulación de capitales y que puede incluso reducirla a la nada. Por consiguiente, el régimen controvertido va más allá de lo necesario para alcanzar el objetivo invocado por el Gobierno español, es decir, la prevención de dificultades en el abastecimiento de productos petrolíferos y de electricidad, así como en la prestación de servicios de telecomunicaciones"*[31]. Esto es, no sólo se privatizó sino que

---

parte de una misma persona o entidad, de un porcentaje del capital social superior al 10% del total como su enajenación, o fusión). Cada una de las empresas privatizadas en las cuales se incluyó esta autorización administrativa previa tenía un régimen peculiar que se configuraba en un Real Decreto aprobado en Consejo de Ministros. Su origen se encuentra en las condiciones que se exigieron en el Reino Unido tras el proceso de privatización impulsado por Margaret Thatcher. Realmente, durante su vigencia antes de la anulación por el Tribunal de Justicia de las Comunidades Europeas no se utilizó en sentido estricto en ninguna ocasión, aunque la amenaza de utilización sí frustró la fusión de Telefónica con la compañía de telecomunicaciones holandesa KPM.

Previamente a la sentencia del Tribunal de Justicia de las Comunidades Europeas que se indica, pueden verse DE LA SERNA BILBAO, M. N. La privatización en España. Fundamentos constitucionales y comunitarios, Aranzadi (1995) y DA SILVA OCHOA, J. C., FERNÁNDEZ FARRERES, G., FERNÁNDEZ-FONTECHA TORRES, M., LAVILLA RUBIRA, J. J., y SALAZAR RODRÍGUEZ DE MENDAROZQUETA, F., *El control jurídico de las privatizaciones de empresas*, Ed. Civitas, Madrid (2003).

[30] Recordemos que los problemas que planteó la sentencia fueron básicamente dos: por un lado que no había componentes de servicio público en dos de las empresas privatizadas —Argentaria y Tabacalera— y en aquellos en los que sí existía había excesos que comprometían las libertades comunitarias.

[31] Más concretamente, la resolución señala que "el régimen establecido por el artículo 3, apartado 1, de la Ley 5/1995, en relación con los Reales Decretos relativos a las entidades afectadas del sector del petróleo, de las telecomunicaciones y de la electricidad, no satisface tales criterios. En efecto, sólo algunos de dichos Reales Decretos definen con exactitud "los activos o participaciones sociales necesarias para el cumplimiento del objeto social de la empresa y que a tal efecto se determinen", mencionados en el artículo 3, apartado 1, letra b), de la referida Ley. La disolución voluntaria, la escisión o la fusión de la entidad, así como la sustitución de su objeto social, contempladas en las letras a) y c) de tal apartado, no constituyen, a diferencia de las decisiones controvertidas en el asunto sobre el que recayó la sentencia Comisión/Bélgica, antes citada (apartado 50), decisiones de gestión específicas, sino decisiones fundamentales en

no se configuró un régimen jurídicamente adecuado de acuerdo con las exigencias comunitarias, problema en el que no incurrieron otros países, como Bélgica que incluyeron *acciones oro*, aunque configuradas de forma diferente y por ello recibieron el beneplácito del TJCE. El detrimento al interés general fue, por ello, doble.

Eliminado el débil control público sobre la empresa enajenada que se establecía mediante el ejercicio de la acción oro, el modo en que se hizo la privatización, manteniendo la estructura de las empresas ha permitido, además, la consolidación de grupos de poder en ámbitos que resultan estratégicos para la economía nacional ya sea por haber adquirido a posteriori un porcentaje significativo del capital social de las antiguas empresas públicas, ya sea por haber sido designados en su momento por el partido que impulsó el proceso de privatización. Circunstancias, en uno y otro caso, que no dejan de ser preocupantes para los intereses generales, lo cual se agrava en los casos en los que los procesos de adquisición del capital de las antiguas empresas públicas ha venido después de un proceso azaroso, en el que el destino de la misma podría haber recalado en empresas o fondos de inversión que no garantizan la estabilidad de la actividad empresarial o en donde los centros de decisión está fuera de territorio nacional, lo que constituye una manifestación de la deslocalización empresarial, tan común en estos tiempos de globalización económica.

Sí conviene tener presente que el desarrollo del proceso de privatización fue objeto de algunas controversias en los Tribunales en los cuales se marcaron los límites del control que podía ejercer el Consejo de Ministros sobre la labor de la SEPI, como agente de las privatizaciones, tal como se ha visto antes. Reconociendo el carácter de acto discrecional del Gobierno la autorización, se ha contemplado que no puede intervenir en todos los aspectos de la misma sino que ha de respetar un margen de actuación propio de la SEPI, tal como ha señalado la misma resolución: "en segundo lugar,

---

la vida de una empresa. Asimismo, la intervención de la autoridad administrativa no queda sujeta en el presente caso, a diferencia de la situación propia del asunto relativo al Reino de Bélgica, a ningún requisito que restrinja la facultad discrecional de dicha autoridad. El hecho de que sea factible interponer un recurso contra tales decisiones no puede modificar esta apreciación, en la medida en que ni la Ley ni los Reales Decretos de que se trata proporcionan al juez nacional criterios suficientemente precisos para permitirle controlar el ejercicio de la facultad discrecional de la autoridad administrativa.

§ 80 Dada la inexistencia de criterios objetivos y precisos en el régimen de que se trata, procede concluir que dicho régimen va más allá de lo necesario para alcanzar el objetivo invocado por el Gobierno español".

y en relación con estos aspectos, porque la propia autorización, como acto de control de la Sociedad estatal, no puede tener un alcance tan absoluto, que permita interferirse en la estrategia comercial de ésta" [STS 4.6.2001 (*Tol 35281*)].

De dicha resolución, cuya doctrina han mantenido otras ulteriores, se contiene la concreción de los tres ámbitos en los que se puede extender la labor de fiscalización que efectúa el Gobierno de la actuación de la SE-PI: "el cumplimiento de los objetivos generales que debe perseguir SEPI, que en lo que aquí interesa son: la obtención de mayor rentabilidad de las acciones y participaciones que se le adjudiquen, de acuerdo con las estrategias industriales de las sociedades participadas por la Sociedad estatal, y la fijación de criterios para una gestión de las acciones y participaciones que se le adjudiquen acorde con el interés público, en la medida en que esa gestión derive hacia una enajenación de las mismas. Junto a ello, hay que atribuir a la autorización la función de control de legalidad de aquellos aspectos de la operación que trascienden el interés meramente privado, para afectar al interés general. En este sentido, no puede ofrecer la menor duda que el cumplimiento de los requisitos de publicidad y concurrencia deben ser examinados por el órgano de supervisión, en cuanto redundan en un más acertado cumplimiento de los objetivos propuestos. También le cabe supervisar, al menos globalmente, si la adjudicación no es arbitraria ni irracional y si responde a los fines propios del sector industrial de que se trate". [STS 4.2.2003 (*Tol 253682*)][32]. Como se puede apreciar, lo que se hace es

---

[32] En este sentido, el control de la arbitrariedad se vincula a la finalidad del proceso de privatización que está en el Acuerdo del Consejo de Ministros. Como se señala en la STS 26.1.2004 (*Tol 341748*) y si responde a los fines propios del sector industrial de que se trate. Así hay que inducirlo del apartado 6º del Acuerdo del Consejo de Ministros de 28 de junio de 1996, por el que se establecen las bases del programa de modernización del sector público empresarial del Estado, que en lo que aquí interesa señala:
"1.– Bajo el impulso, dirección y control del Gobierno y de la Comisión Delegada del Gobierno para Asuntos Económicos, los agentes gestores del proceso de privatizaciones actuarán de acuerdo con los siguientes principios:
– Publicidad, transparencia y concurrencia.
– Eficiencia y economía.
– Separación de la propiedad y la gestión de las empresas.
– Corrección de los desequilibrios presupuestarios.
– Salvaguardia y defensa de los intereses económicos generales y de los intereses patrimoniales del Estado.
– Protección de los intereses de accionistas y terceros.
– Continuidad del proyecto empresarial de las empresas privatizadas.
– Aumento de la competencia.

arbitrar un mecanismo en el cual las líneas centrales de la decisión provienen de la SEPI, aunque con ciertos elementos que han de ser refrendados
por el Gobierno. Lo que no quita para que aspectos metalegales intervengan como mecanismos de control en las enajenaciones que efectúa la SEPI.

Conviene, por último recordar que se promulgó la Ley 13/2006, de 26
de mayo, por la que se deroga el régimen de enajenación de participaciones públicas en determinadas empresas establecido por la Ley 5/1995, de
23 de marzo, y sus disposiciones de desarrollo y ejecución. Se trata de una
norma dictada para dar ejecución al fallo de la Sentencia del Tribunal de
Justicia de las Comunidades Europeas de 13 de mayo de 2003 (asunto C-
463/00)[33], por la que se anuló el modo de ejercicio de la acción oro, tal
como se acaba de analizar.

B) El régimen de enajenación de la participación pública en empresas en la Ley de Patrimonio de las Administraciones Públicas

Una vez extinguido en la práctica el sector público empresarial, el art.
175 LPAP establece un régimen para la enajenación de la participación
pública en empresas, régimen que está marcado por conferir una gran
capacidad al Ministerio de Economía y Hacienda para determinar las bases
de cada uno de los procesos de venta, adaptándolo a las condiciones de la
empresa y a los fines que se pretenden conseguir.

El primer aspecto en el que se traslada esta discrecionalidad del Ministerio está en el mecanismo de enajenación de los títulos, en la medida en
que se podrá proceder a través de los mercados secundarios organizados
—recurriendo, o no, a las ofertas públicas de venta de acciones— o a través
de los diversos procedimientos de enajenación directa que recoge el orde-

---

   – Extensión de los mercados de capitales y ampliación de la base accionarial de las
empresas.
   – Sometimiento a control de todas las operaciones."
   Es a estos márgenes a los que debe circunscribirse el examen de la impugnación, rechazándose desde ahora todas aquellas cuestiones que excedan de los mismos, así como las relativas a aquellos hechos sobrevenidos al acto impugnado, que se invocan por
el recurrente —incumplimiento de obligaciones contractuales por parte de General
Dynamics— y que, como es obvio, no pudieron ser tenidos en cuenta en la toma de la
decisión.

[33]   Recordemos que esta Ley constituye el segundo intento de ejecución de la sentencia
del TJCE de 13 de mayo de 2003. El anterior se efectuó a través de la DA 25ª de la Ley,
x/2003, de 30 de diciembre de medidas administrativas y de orden social. En ella se
sustituía el régimen de la autorización administrativa por el de la mera comunicación.

namiento jurídico, entre los que se encuentran el concurso, la subasta, la adjudicación directa o la enajenación de los activos de la empresa. Operación en la que normalmente es la SEPI, como gestora de las participaciones empresariales de la mayor parte de las empresas en las que participa el Estado, el que suele materializarlas, de acuerdo con lo que dispone el art. 169.

La decisión de enajenar corresponde al Ministro de Economía y Hacienda, aunque existen determinados supuestos en los cuales hace falta la autorización del Consejo de Ministros, tal como determina el art. 169 LPAP por relación con el art. 174: la creación, transformación, fusión, escisión y extinción de sociedades mercantiles estatales, así como los actos y negocios que impliquen la pérdida o adquisición de esta condición por sociedades existentes. Esta decisión de autorizar la enajenación de participaciones públicas, tal como ha señalado la jurisprudencia del Tribunal Supremo de forma reiterada, constituye un acto que "tiene naturaleza discrecional y constituye un acto de política económica del Gobierno que se encuentra fuera del control judicial, salvo en sus aspectos reglados" [STS 4.6.2001 (*Tol 35281*)].

En el expediente de autorización deberá incluirse una memoria relativa a los efectos económicos previstos, Autorizar los actos de adquisición o enajenación de acciones que supongan la adquisición por una sociedad de las condiciones previstas en el artículo 166.2 de la LPAP y o la pérdida de las mismas; los actos de adquisición o enajenación de acciones de las sociedades a que se refiere el párrafo del artículo 166.1 de la LPAP y cuando impliquen la asunción de posiciones de control, tal y como quedan definidas en el citado artículo, o la pérdida de las mismas; los actos de adquisición por compra o enajenación de acciones por la Administración General del Estado o sus organismos públicos cuando el importe de la transacción supere los 10 millones de euros; las operaciones de adquisición o enajenación de acciones que conlleven operaciones de saneamiento con un coste estimado superior a 10 millones de euros.

En relación con la venta de los títulos de participación en sociedades no cotizadas o de aquellas cuyos títulos no tengan un volumen adecuado para garantizar una adecuada formación del precio, se producirá a través de concurso o subasta. No obstante, se prevé la posibilidad de adjudicación directa, por un precio que no puede ser inferior al de la valoración que efectúe la Dirección General del Patrimonio del Estado, en estos cuatro supuestos: i) existencia de limitaciones estatutarias a la libre transmisibilidad de las acciones, o existencia de derechos de adquisición preferente. De acuerdo con la normativa mercantil, estos elementos deben figurar en los estatutos sociales. Para el supuesto en el que se contengan derechos de adquisición preferente, tendrán que determinar la forma y plazo de ejercicio, la solución en caso de concurrencia y la forma de determinar el precio, tal como señala el art. 123.3 del Reglamento Mercantil. ii) Cuando el adquirente sea cualquier persona jurídica de derecho público o privado perteneciente al sector público. Aquí realmente no nos encontramos ante una enajenación, en el sentido de pérdida del patrimonio público, cuanto una reasignación de activos públicos iii) Cuando fuera declarada desierta una subasta o ésta resultase fallida como consecuencia del incumplimiento de sus obligaciones por parte del adjudicatario. En este caso la venta directa deberá efectuarse en el plazo de un año desde la celebración de la subasta, y sus condiciones no podrán diferir de las publicitadas para la subasta o de aquéllas en que se hubiese producido la adjudicación y iv) cuando la venta se realice a favor de la propia sociedad en los casos y con las condiciones y requisitos establecidos en los artículos 75 y ss. del Real Decreto Legislativo 1564/1989, de 22 de diciembre, por el que se aprueba el texto refundido de la Ley de Sociedades Anónimas —esto es, los supuestos de autocartera—, o cuando se realice a favor de otro u otros partícipes en la sociedad. En este último caso los títulos deberán ser ofrecidos a la sociedad que deberá distribuirlos entre los partícipes interesados en la adquisición, en la parte proporcional que les corresponda de acuerdo con su participación en el capital social.

En el supuesto de títulos o valores que coticen en mercados secundarios organizados, cuando el importe de los títulos que se pretende enajenar no puedan considerarse una auténtica inversión patrimonial ni represente una participación relevante en el capital de la sociedad anónima, la Dirección General del Patrimonio del Estado o el organismo público titular de los mismos podrá enajenarlos mediante encargo a un intermediario financiero legalmente autorizado. En este supuesto, las comisiones u honorarios de la operación se podrán deducir del resultado bruto de la misma, ingresándose en el Tesoro el rendimiento neto de la enajenación.

VII. REORGANIZACIÓN DE ACTIVOS EMPRESARIALES

La situación tradicional y que se ha visto con anterioridad de una pluralidad de centros de gestión de las participaciones empresariales de la Administración General del Estado ha dado lugar a la configuración de un régimen de reorganización de éstas, con la finalidad de ordenar sus centros de gestión, en principio buscando su unificación. En este sentido, durante

la legislatura anterior se dio un paso en esta dirección que con posterioridad asumió en su integridad la Ley de Patrimonio de las Administraciones
Públicas[34]. Cuestión distinta es si en la práctica se ha utilizado lo que en l
norma está desde el año 2001 y desde luego, la presencia de diversos centros de gestión, dentro del Ministerio de Economía y Hacienda y en otros
departamentos u organismos —básicamente dependientes del Ministerio
de Fomento— parece que no se ha materializado esa opción del legislador.

Se trata de una posibilidad que está reconocida en el art. 168, que dispone en su párrafo primero que: "el Consejo de Ministros, mediante acuerdo
adoptado a propuesta del Ministro de Hacienda, podrá acordar la incorporación de participaciones accionariales de titularidad de la Administración
General del Estado a entidades de derecho público vinculadas a la Administración General del Estado o a sociedades de las previstas en el artículo
166.2 de esta Ley cuya finalidad sea gestionar participaciones accionariales,
o de éstas a aquélla. Igualmente, el Consejo de Ministros podrá acordar, a
propuesta conjunta del Ministro de Hacienda y del Ministro del departamento al que estén adscritos o corresponda su tutela, la incorporación de
participaciones accionariales de titularidad de organismos públicos, entidades de derecho público o de sociedades de las previstas en el artículo
166.2 de esta Ley a la Administración General del Estado".

La operación de reordenación empresarial supone, de este modo, la
adquisición a título gratuito —esto es, sin ningún tipo de contraprestación,
que es lo que caracteriza a este tipo de operaciones— por parte de una entidad de la Administración General del Estado de la participación empresarial cuya gestión tenía encomendada otra entidad, incluso la propia Administración matriz o sus entidades públicas y las sociedades del art. 166.2

---

[34]   Recordemos que la reordenación de participaciones públicas apareció en la modificación de la Ley de Patrimonio de 1964 operada a través de la Ley 7/2001, ley de artículo
único por el que se incluye el entonces nuevo art. 104 bis. La exposición de motivos de
dicha norma es ilustrativa del problema que pretende solucionar: "esta norma pone de
manifiesto la necesidad de modificar la actual configuración estanca de ambos grupos,
en la medida en la que la misma no permite una natural reordenación que aconsejan
los criterios de homogeneidad en la composición y configuración de los grupos societarios y que es común en el mercado. La rigidez que representa la existencia de dos
grupos societarios compartimentados en el ámbito de un mismo Ministerio ocasiona
disfunciones en la medida en la que no es posible emplear en determinadas sociedades del Grupo Patrimonio la experiencia en procesos de reconversión y saneamiento
de que dispone la Sociedad Estatal de Participaciones Industriales, a la vez que tampoco se hace factible la utilización de la especializada dotación de medios humanos
y técnicos con que cuenta esa entidad pública para la implantación de criterios de
gestión empresarial en sociedades que producen bienes y servicios en el mercado".

LPAP. Tanto es así que no hay ni siquiera un cambio en la valoración de las acciones, que se anotan en la nueva entidad al valor que tenía con anterioridad, sin modificación, reduciéndose, al mismo tiempo en la entidad de la que proceden. Precisamente por ello, se ha afirmado que "el expediente del art. 168 no es otra cosa que un cambio de *competencias administrativas* en la gestión de sociedades públicas adaptado a la singularidad del título que justifica la intervención sobre las mismas, que es el título de accionista"[35].

La operación de reordenación de las participaciones públicas tiene cuatro consecuencias que recoge el propio artículo 168. Por un lado, de acuerdo con los principios de la normativa de OPAS, en segundo lugar, la inaplicación de los derechos de adquisición preferente, en tercer lugar, la reordenación no supone un cambio de las titularidades existentes y, en cuarto y último lugar, como consecuencia de que en el fondo no se modifica la titularidad sino sólo el centro de gestión, la subrogación en las relaciones jurídicas existentes, lo cual se refiere básicamente a "los contratos programa firmados entre el accionista público y una sociedad estatal, por la que esta última recibe aportaciones a cambio de la consecución de determinados objetivos de gestión o reestructuración"[36].

VIII. LA SOCIEDAD ESTATAL DE PARTICIPACIONES INDUSTRIALES

1. *Breve referencia histórica*

El análisis del patrimonio empresarial dependiente de la Administración General del Estado ha de concluir con un análisis de la entidad encargada de la gestión de la mayor parte de él, la Sociedad Estatal de Participaciones Industriales.

Con la SEPI se cierra, hasta ahora, un círculo de entidades que han encargado de la gestión del otrora rico patrimonio público empresarial. El punto de partida se ha de situar en el año 1941, cuando se crea el Instituto Nacional de Industria, entidad inspirada en el Istituto per la Ricostruzione Industriale que la Italia fascista creó en 1938. Constituía un modelo de concentración en la tenencia de las acciones pero de descentralización en la gestión empresarial, ya que ésta se encomendaba a cada una de las enti-

---

[35]   OLIVERA MASSÓ, P., "Patrimonio empresarial...", *op. cit..*, p. 336-337.
[36]   OLIVERA MASSÓ, P., "Patrimonio empresarial...", *op. cit..*, p. 339.

dades, que, no obstante, podían solicitar recursos al INI y, a lo largo de los años, mantuvo numerosas empresas defectuosas. En todo caso, la finalidad que motivó la creación del INI estriba en "propulsar y financiar, en servicio de la Nación, la creación y resurgimiento de nuestra industria", tal como aparece en la norma de creación, la Ley Fundacional del Instituto Nacional de Industria del 25 de septiembre de 1941.

Este esquema se mantuvo durante todo el franquismo, hasta que, en el año 1981, una parte del INI de las empresas se atribuyen a la gestión del recién creado INI el Instituto Nacional de Hidrocarburos, configurado por la Ley 45/1981, del 28 de diciembre. El INH se crea bajo la fórmula de entidad pública sujeta al derecho privado de acuerdo al Artículo 6.1 b de la Ley General Presupuestaria y cuya adscripción radicaba en el Ministerio de Industria y Energía. Su objetivo era controlar *"de acuerdo con las directrices del gobierno, las actividades empresariales del sector publico en el área de los hidrocarburos" (art. 2)*. El INH tuvo una vida bastante más corta que el INI, en la medida en que desaparece con él a través del Real Decreto-Ley 5/1995 de creación de determinadas entidades de derecho público. De estas dos entidades, INI e INH se crean otras dos la Sociedad Estatal de Participaciones Industriales y la Agencia Industrial del Estado, separadas en función de criterios diferentes, tal como veremos inmediatamente, aunque antes hay que recordar algunos datos en relación con el INI.

En todo caso, sí se puede ver la sombra de la privatización en algunas de las operaciones de reestructuración del sector público empresarial e incluso los cambios en la adscripción del holding que gestiona las empresas también refleja el cambio de tendencia. El Instituto Nacional de Industria, en este sentido estuvo siempre adscrito al Ministerio de Industria, mientras que desde hace años la SEPI ha estado adscrita al Ministerio de Economía.

En efecto, los años previos a su desaparición —marcados por una notable crisis económica— fueron tormentosos en el INI, partiendo del artículo 107 de la Ley 31/1991, de 30 de diciembre, de Presupuestos Generales del Estado, que va a suponer su división en dos grupos industriales. Dicho precepto habilita al INI a *"constituir una sociedad anónima a la que el Instituto aportara la totalidad de sus acciones o participaciones, en el capital de las compañías en las que participa, susceptibles de ser gestionadas con criterios empresariales homogéneos"*. En virtud de esta habilitación el 14 de julio de 1992, se constituyó TENEO, en donde se agruparon las empresas rentables, en potencia o en la práctica. De hecho, aquí se englobaron todas las empresas de los sectores económicos que a la larga han tenido un mayor potencial, tales como los sectores energéticos, de telecomunicaciones, electrónico o la industria espacial.

Como se ha señalado con anterioridad, es el año 1995 cuando el sector público empresarial va a sufrir su última gran renovación de estructuras de gestión. Definitivamente, el INI desaparece después de 54 años de vida y de él surgen dos nuevas instituciones, la Sociedad Estatal de Participaciones Industriales (SEPI), que incorpora a su estructura al Grupo TENEO[37], y la Agencia Industrial del Estado (AIE)[38]. Se trata de un proceso cuyo origen está en Real Decreto-Ley 5/1995, de 16 de junio, con dependencia del Ministerio de Industria y Energía, y cuya actividad estaba sometida al derecho privado. Un año después se crea también la Sociedad Estatal de Participaciones Patrimoniales (SEPPa) con el objetivo de actuar como agente gestor para los procesos de privatización industrial.

En este contexto, la SPI se configura como una entidad del sector público español que dependía en su origen del Ministerio de Industria y Energía y que tenía la tarea de administrar las empresas y sociedades públicas. Es una sociedad instrumental, con carácter de holding, que se va a encargar de la amortización de la deuda generada por el INI y, por otra parte, gestionará las participaciones públicas en el grupo Teneo y en Repsol.

Finalmente, en 1997 se suprime la Agencia Industrial del Estado. El Consejo de Ministros aprobó la absorción por parte de SEPI de las empresas de la AIE y de todos sus derechos y obligaciones, con lo que la Agencia Industrial del Estado quedaba suprimida.(Real Decreto Ley 15/1997). El 25 de mayo de 2001, el Consejo de Ministros acordó, por su parte, la integración de la Sociedad Estatal de Participaciones Patrimoniales en SEPI. De hecho, el peso de la SEPI en los últimos años ha estribado en ser el agente gestor de los procesos de privatización que se ha visto en las páginas precedentes.

A pesar de continuar su actividad, de acuerdo con lo que se verá con posterioridad, la situación actual de la SEPI no es tampoco la más clara posible, algo que concuerda con el limitado papel que tiene el sector industrial del Estado en la actualidad. No se ha avanzado en la redefinición de este papel y posiblemente aquí estribe el que no se haya cumplido con

---

[37]   En el grupo TENEO se agruparon 42 empresas estatales con posibilidad de competir libremente en el mercado y opciones de rentabilidad. En la idea que se ha señalado con anterioridad del influjo de la privatización en la reorganización empresarial, aquellas empresas que hipotéticamente pudieran ser enajenadas. Y ello a pesar de que la denominada privatización sistemática todavía no había comenzado.

[38]   En la AIE fueron agrupadas las participaciones en las entidades mercantiles sujetas a planes de reestructuración o reconversión, básicamente astilleros, defensa, siderurgia y minería.

lo dispuesto en la DT 4ª de la Ley 33/2003, en la que se preceptúa la necesidad de configurar un nuevo régimen legal para la SEPI. Concretamente, se dispone que *"en el plazo de un año desde la entrada en vigor de esta Ley, el Gobierno presentará a las Cortes Generales un proyecto de ley para la adaptación del régimen jurídico de la Sociedad Estatal de Participaciones Industriales a los conceptos y principios establecidos en esta Ley, sin perjuicio de sus especialidades, regulándose entre tanto dicha sociedad por sus actuales normas"*. No se ha dado, en la legislatura que se inició en 2004 ningún paso en esta dirección, ya que no puede tener esta consideración la promulgación de la Ley 20/2006, de 5 de junio, de modificación de la Ley 5/1996, de 10 de enero, de creación de determinadas entidades de derecho público: en la medida en que afecta básicamente a las subvenciones que puede recibir de los presupuestos generales del Estado y a la posibilidad de recibir la garantía del Estado a la deuda que suscriba. Se trata de dos aspectos de su régimen jurídico que han cambiado al no existir esta finalidad clara de privatización pero que, desde luego, no son constitutivos de un régimen adaptada a las nuevas circunstancias en las que el cumplimiento de las restantes finalidades que tiene asignadas serían básicas.

Precisamente por ello, hay que plantear su análisis partiendo de que la Sociedad Estatal de Participaciones Industriales tiene la consideración de Sociedad Estatal de las recogidas en el artículo 6.1.b del texto refundido de la Ley General Presupuestaria, aprobado por el Real Decreto Legislativo 1091/1988, de 23 de septiembre que se regirá, en todas sus actuaciones, por el ordenamiento jurídico privado, civil, mercantil y laboral que resulte de aplicación. Tal como señala el art. 12 de la Ley 5/96, "en materia de contratación, la Sociedad Estatal de Participaciones Industriales regirá su actividad contractual por el derecho privado, con sujeción a los principios de publicidad y concurrencia. Su marco básico de actuación Ley 5/1996, de 10 de enero, de Creación de determinadas Entidades de Derecho Público.

De acuerdo con el Real Decreto 1552/2004, de 25 de junio el control de la actividad de la sociedad al Ministerio de Economía y Hacienda, al que está adscrito, siguiendo la línea marcada en la legislatura anterior. No depende de la Dirección General del Patrimonio del Estado, donde se encuentran otras participaciones empresariales públicas —por ejemplo, tan significativas como las sociedades de obras públicas o Paradores de Turismo—, sino directamente del propio Ministro.

2. Organización y aspectos básicos de régimen jurídico

En cuanto a la estructura de la SEPI, los órganos de dirección de la misma serán el Presidente y el Consejo de Administración. Asimismo, existe un tercer órgano, que es el Consejo Directivo.

De acuerdo con el art. 1.5 del Real Decreto 1552/2004, de 25 junio, por el que se desarrolla la estructura básica del Ministerio de Economía y Hacienda, "el Presidente de la Sociedad será nombrado por el Gobierno, mediante Real Decreto, a propuesta del Ministro de Economía y Hacienda". Pueden existir hasta dos vicepresidentes —existiendo uno sólo en la actualidad—, que deberán ser miembros del Consejo de Administración. El Consejo de Administración estará formado por el Presidente de la Sociedad Estatal y un máximo de 15 Consejeros nombrados por el Ministro de Economía y Hacienda.

Teniendo en cuenta su naturaleza de sociedad, la SEPI se regirá, en todas sus actuaciones, por el ordenamiento jurídico privado, civil, mercantil y laboral que resulte de aplicación, sin perjuicio de las materias en las que le sea aplicable el texto refundido de la Ley General Presupuestaria. Dispone un patrimonio propio distinto al del Estado, constituido por el conjunto de bienes, derechos, obligaciones y las participaciones accionariales de las que sea titular.

En cuanto a sus recursos, estarán integrados por a) Los bienes y valores que constituyan su patrimonio y los productos y rentas del mismo. b) Los ingresos generados por el ejercicio de sus actividades. c) Los procedentes de los créditos, préstamos y demás operaciones financieras que pueda concertar. d) Las aportaciones efectuadas con cargo a los Presupuestos Generales del Estado. e) Cualquier otro que le sea atribuido o que adquiera en el ejercicio legítimo de su actividad.

En cuanto al régimen jurídico de la SEPI hay dos elementos que han sido modificados hace poco tiempo y que requieren ser reseñados. Por un lado, el relativo a la capacidad de recibir aportaciones con cargo a los presupuestos generales del Estado. En virtud del nuevo art. 12.4, "*La Sociedad Estatal de Participaciones Industriales y las sociedades participadas mayoritariamente, directa o indirectamente, por ésta podrán percibir transferencias, subvenciones, avales, subrogaciones de deuda, ampliaciones de capital y cualquier otro tipo de aportaciones equivalentes con cargo a los Presupuestos Generales del Estado, de las Comunidades Autónomas o de las Corporaciones Locales*".

El segundo aspecto afecta a la garantía de la deuda que contraiga la SEPI, que se refuerza. En este sentido, se dispone que "*las deudas que SEPI contraiga en la captación de fondos en los mercados nacionales o extranjeros, mediante la emisión y colocación de valores de renta fija, podrán gozar frente a terceros de la garantía del Estado. Esta garantía se prestará en los mismos términos que para las obligaciones de la Hacienda Pública y hasta el importe máximo que, al respecto, establezca la Ley de Presupuestos Generales del Estado para cada ejercicio".* De igual modo, en esta línea de reforzar el endeudamiento se prevé la posibilidad de emitir acciones rescatables, de tal manera acudiendo al mercado inversos puedan financiar su actividad empresarial. Es una figura que estaba configurada hasta ahora sólo para las sociedades cotizadas.

Por último, en cuanto al presupuesto, tal como corresponde al sector público empresarial, elaborará un presupuesto de explotación que detallará los recursos y dotaciones anuales. Tendrán un presupuesto de capital, con las mismas peculiaridades. Ambos presupuestos tendrán carácter estimativos

3. *Actividad de la SEPI*

La existencia de la SEPI en la actualidad está marcada por la consecución de unos objetivos que están determinados en el art. 10.2 de su Ley de creación y que, desde luego, tienen mucho que ver con el contexto político y económico en el que se promulgó. De acuerdo con dicho precepto, corresponden a la Sociedad Estatal de Participaciones Industriales los siguientes objetivos generales bajo la dependencia y supervisión del Ministerio de Industria y Energía: i) La obtención de mayor rentabilidad de las acciones y participaciones que se le adjudiquen, de acuerdo con las estrategias industriales de las sociedades participadas por la Sociedad Estatal. ii) La fijación de criterios para una gestión de las acciones y participaciones que se le adjudiquen acorde con el interés público. iii) La gestión y amortización de la deuda generada por el Instituto Nacional de Industria. Y, en último lugar, la ejecución en el ámbito de las empresas de que sea titular, de las directrices del Gobierno en materia de modernización y reestructuración industrial, los regímenes especiales y derogaciones parciales de las normas comunitarias sobre competencia, de acuerdo con lo previsto en el Tratado de la Unión Europea.

Para la consecución de estos objetivos, se determinan que las funciones que ha de cumplir la SEPI son las siguientes: i) Impulsar y coordinar las actividades de las sociedades de las que sea titular; ii) Fijar la estrategia y supervisar la planificación de las sociedades que controle en los términos establecidos en la legislación mercantil aplicable y en aquellas en cuyo capital participe mayoritariamente de manera directa o indirecta, así como llevar a cabo el seguimiento de su ejecución, velando por el cumplimiento de los objetivos que respectivamente tengan señalados. La gestión ordinaria de las sociedades participadas corresponderá a sus propios órganos de administración y serán controladas de conformidad con lo establecido por el texto refundido de la Ley General Presupuestaria y demás disposiciones o mecanismos de control aplicables; iii) La tenencia, administración, adquisición y enajenación de sus acciones y participaciones sociales; iv) La realización de todo tipo de operaciones financieras pasivas, cualquiera que sea la forma en que se instrumente, incluso la emisión de obligaciones convertibles o no, bonos, pagarés y otros títulos análogos, así como otros instrumentos de gestión de tesorería y deuda. Igualmente podrá garantizar operaciones concertadas por empresas participadas directa o indirectamente. Todo ello sin perjuicio de la obtención de las autorizaciones administrativas que, en su caso, fueren necesarias; v) La realización respecto de las sociedades participadas, directa o indirectamente, de todo tipo de operaciones financieras activas y pasivas; vi) Las demás funciones que, a partir de la entrada en vigor de esta Ley, le atribuya el Gobierno en materia de modernización del sector público empresarial del Estado.

Estos objetivos generales y finalidades concretas se pueden estructurar del siguiente modo:

A) La SEPI en el proceso de privatizaciones

La SEPI, durante estos años, concretamente desde la llegada del Partido Popular al poder en 1996 ha desarrollado una intensa política de privatizaciones; sobre todo desde la adopción del Acuerdo del Consejo de Ministros, de 28 de junio de 1996, por el que se establecen las *Bases del Programa de Modernización del Sector público empresarial del Estado* (conocido como *Programa de privatizaciones*)*; acuerdo que exterioriza como ningún otro el distinto papel que se le quiso proporcionar al Estado en la economía y que, en consonancia con las políticas económicas neoliberales que se estaban practicando suponía la práctica desaparición de la actividad industrial pública.

Se trata de una política de privatizaciones que tenía, indudablemente una función recaudatoria, en la medida en que sirvió como instrumento para alcanzar los requisitos de la unión económica y monetaria pero que, al mismo tiempo, ha sido un objetivo en sí mismo. Objetivo que pretendía la garantía del interés general una vez enajenados con la denominada acción oro, que fue anulada por el Tribunal de Justicia de las Comunidades Europeas.

B) Saneamiento de empresas deficitarias

La SEPI ha desarrollado durante los últimos quince años una política de saneamiento de las empresas que se encontraban bajo su manto. Política que se ha efectuado por un lado a través de la amortización de la deuda, en segundo término mediante la externalización de los compromisos laborales provenientes de los planes de reconversión aplicados en las empresas del Grupo. Estos compromisos afectaban a planes de jubilación, jubilaciones anticipadas y otras prestaciones sociales complementarias de las empresas.

El tercer pilar sobre el que se ha vertebrado la política de saneamiento ha sido la reconversión industrial, que ha consistido en regeneración del tejido industrial del país a través, por un lado, de la promoción de proyectos que ocupen el lugar de las actividades que se encuentran en crisis, y, sobre todo, mediante medidas de carácter restrictivo y de ajuste que permitan limitar las pérdidas. En general, el abanico de medidas adoptadas para la reconversión son unas de carácter retributivo de los trabajadores, —contención salarial—; reducción de los gastos operativos, limitación de las inversiones de crecimiento, enajenación de algunas empresas o de bienes que no hayan sido suficientemente utilizados, el reforzamiento financiero de las empresas mediante aportaciones de capital y, finalmente, las medidas de saneamiento contable.

C) Consolidación empresarial

Privatización y saneamiento empresarial han ido acompañadas de la política de consolidación económica de las empresas, como mecanismo para la mejora de su competitividad, a través de la mejora de la calidad, los costes y las relaciones con los potenciales usuarios.

Esta política de consolidación empresarial se ha efectuado mediante la utilización de nuevas tecnologías, la internacionalización de las actividades, la mejora de la seguridad, el desarrollo de actividades formativas y de investigación y un factor muy relevante en la actualidad, como es el respeto al medio ambiente.

Entre las medidas adoptadas se deben destacar la el Plan Director de Iberia, que incluyó su saneamiento económico previo a la privatización de la sociedad, o el Plan de Construcciones Aeronáuticas Sociedad Anónima, que ha permitido afianzar su situación en el marco del consorcio europeo aerospacial EADS. Posiblemente el punto que resulte más llamativo es la asunción de compromisos de inversión y de saneamiento económico de las empresas privatizadas.

Evidentemente, la política de consolidación afecta también a las empresas participadas, realizando actividades de aval de sus operaciones. Así por ejemplo, en la ley de presupuestos generales del estado para 2006, se autoriza a la "Sociedad Estatal de Participaciones Industriales a prestar avales en el ejercicio del año 2006, en relación con las operaciones de crédito que concierten y con las obligaciones derivadas de concursos de adjudicación en que participen durante el citado ejercicio las sociedades mercantiles en cuyo capital participe directa o indirectamente, hasta un límite máximo de 1.210 millones de euros". Se trata de una regulación condicionada con la política restrictiva marcada por la Unión Europea en esta materia y que, asimismo, no está exenta de control interno, ya que incluso el Gobierno ha de informar a las Cortes Generales sobre la evolución de los avales otorgados.

D) Política de reindustralización

El apartado que debiera cumplir un papel primordial en el funcionamiento de la SEPI es el de la reindustrialización, sobre todo teniendo en cuenta las carencias industriales de nuestro país. Pese a que no ha constituido un núcleo central de actividad, sí conviene recordar que ha constituido una sociedad filial, SEPIDES, cuya función es atraer inversiones y garantizar el empleo en las zonas en las que resulta más necesario.

Dentro de la política de reindustrialización, conviene destacar la actividad que ha desarrollado en relación con los parques científicos, empresariales y tecnológicos; lo que ha llevado en ocasiones a tener que efectuar una actividad previa importante tanto en relación con los terrenos —básicamente mediante su saneamiento ya que en dicho suelo antes se encontraban actividades contaminantes— y de provisión de infraestructuras, como un elemento básico en el contexto de la competencia entre Administraciones públicas para atraer las inversiones.

4. Control de la Sociedad Estatal de Participaciones Industriales

uno de los elementos más importantes del régimen jurídico de la SEPI está constituido por los instrumentos de control que disponen los poderes públicos sobre su control,

El control parte, de entrada, del ejercicio por parte del Ministerio de Economía y Hacienda de las funciones de tutela sobre la SEPI, las cuales tendrán todos los elementos que son comunes a ellas y que se analizan en la voz correspondiente de este Diccionario. No obstante, conviene recordar que hay ciertos actos de la SEPI que precisan de la autorización del Consejo de Ministros, concretamente: i) La adquisición o venta de acciones o participaciones de que sea titular en el capital social de las empresas participadas, cuando la operación exceda de 1.000.000.000 de pesetas; ii) La adquisición o enajenación de acciones, derechos de suscripción preferente u otros valores que incorporen un derecho de participación en el capital de sociedades cuyas acciones se negocien en Bolsa de Valores cuando, tratándose de sociedades no participadas previamente, la Sociedad Estatal y sus entidades participadas adquieran, dentro de los doce meses siguientes a la primera compra, participaciones representativas de más de un 10% del capital de la compañía; iii) Los actos de adquisición y pérdida de la participación mayoritaria de la Sociedad Estatal en las sociedades participadas directa o indirectamente por ésta.

El alcance de esta autorización gubernamental está delimitado por la Sentencia del Tribunal Supremo de 4 de febrero de 2003, reafirmada por la de 26 de enero de 2004, que señala lo siguiente sobre la naturaleza y el alcance de la acción del Consejo de Ministros: *"el alcance de esta revisión vendrá limitado desde una doble perspectiva. En primer término, porque la autorización tiene naturaleza discrecional y constituye un acto de política económica del Gobierno que se encuentra fuera del control judicial, salvo en sus aspectos reglados. En segundo lugar, y en relación con estos aspectos, porque la propia autorización, como acto de control de la Sociedad estatal, no puede tener un alcance tan absoluto, que permita interferirse en la estrategia comercial de ésta.*

Cuál sea el alcance del control que el Gobierno ejercita a través de la autorización parece inferirse del artículo 10 de la Ley 5/1996, que somete a la supervisión de uno de sus miembros, el Ministro de Industria y Energía, el cumplimiento de los objetivos generales que debe perseguir SEPI, que en lo que aquí interesa son: la obtención de mayor rentabilidad de las acciones y participaciones que se le adjudiquen, de acuerdo con las estrategias industriales de las sociedades participadas por la Sociedad Estatal; la fijación de criterios para una gestión de las acciones y participaciones que se le adjudiquen acorde con el interés público; y la ejecución en el ámbito de las empresas de que sea titular, de las directrices del Gobierno en materia de modernización y reestructuración industrial, los regímenes especiales y derogaciones parciales de las normas comunitarias sobre competencia, de acuerdo con lo previsto en el Tratado de la Unión Europea.

Junto a ello, hay que atribuir a la autorización la función de control de legalidad de aquellos aspectos de la operación que trascienden el interés meramente privado, para afectar al interés general. En este sentido, no puede ofrecer la menor duda que el cumplimiento de los requisitos de publicidad y concurrencia deben ser examinados por el órgano de supervisión, en cuanto redundan en un más acertado cumplimiento de los objetivos propuestos.

También le cabe supervisar, al menos globalmente, si la adjudicación no es arbitraria ni irracional y si responde a los fines propios del sector industrial de que se trate. Así hay que inducirlo del apartado 6º del Acuerdo del Consejo de Ministros de 28 de junio de 1996, por el que se establecen las bases del programa de modernización del sector público empresarial del Estado".

El segundo mecanismo de control es de naturaleza parlamentaria, el cual se articula de dos modos: por un lado en un deber de comparecencia y de proporcionar información que tiene el presidente de la SEPI y de las sociedades; el cual se desarrollará ante las "Comisiones del Congreso y del Senado correspondientes cuando sean requeridos para ello". En segundo lugar, hay un deber de "remitir a las Cortes Generales la misma información y en los mismos plazos que la que las sociedades que cotizan en Bolsa están obligadas a presentar ante la Comisión Nacional del Mercado de Valores". Conviene señalar, asimismo, que ciertas operaciones han de ser comunicadas al Parlamento, concretamente, los actos que impliquen adquisición o venta por parte de la Sociedad Estatal de Participaciones Industriales de un 10% o más del capital de una empresa, de los que deberán tener conocimiento las Comisiones correspondientes del Congreso de los Diputados y Senado

El tercer mecanismo de control es el denominado control contable y financiero. Obviamente, la SEPI deberá adaptar su la contabilidad y el control financiero a los que resulten establecidos con carácter general para las entidades de naturaleza similar. En este sentido, mientras la Sociedad Estatal de Participaciones Industriales tenga la obligación de elaborar información contable consolidada de acuerdo con las normas que regulan la elaboración de la Cuenta General del Estado, formulará sus cuentas anuales consolidadas en todo caso con arreglo a los criterios establecidos en dichas normas, sin que le sea de aplicación la obligación de consolidar prevista en el artículo 42 del Código de Comercio. En todo caso, le resulta de aplicación el Plan General de Contabilidad.

E) Grupo SEPI

Por último conviene recordar que la SEPI agrupa tras de sí un conjunto amplio de sociedades, algunas plenamente operativas, otras que están en un proceso de reconversión industrial y unas pocas que están en proceso de liquidación ordenada. Es una realidad cuyo marco inicial fue la Ley 7/2001, de 14 de mayo, por el que se introducía un nuevo art. 104 bis en la derogada ley del Patrimonio del Estado de 1964, y en cuya virtud *"el Consejo de Ministros, mediante Acuerdo adoptado a propuesta del Ministro de Hacienda, podrá acordar la incorporación de participaciones accionariales de titularidad de la Administración General del Estado a la Sociedad Estatal de Participaciones Industriales, o de ésta a aquélla. Igualmente se podrá acordar, a propuesta conjunta del Ministro de Hacienda y del Ministro del Departamento al que estén adscritos los respectivos organismos públicos o entidades de derecho público, la incorporación de participaciones accionariales de titularidad de dichos organismos o entidades a la Sociedad Estatal de Participaciones Industriales o a la Administración General del Estado. En el caso de sociedades mercantiles constituidas a partir de la transformación de un organismo público o entidad de derecho público con posterioridad al 1 de enero del año 2001, la propuesta al Consejo de Ministros será efectuada, en todo caso, por el Ministro de Hacienda y el Ministro al que hubiera estado adscrito el organismo o entidad transformado"*. Hoy hay una disposición similar, que no igual, en el art. 168 de la LPAP, analizado en otra voz del presente diccionario.

Tomando como punto de referencia la participación que tiene en su capital social, es posible diferenciar en cuatro grandes grupos en función de la participación que tenga en su capital social:

Por un lado, el de aquellas sociedades sobre las cuales la SEPI es propietaria del 100% de las acciones, que a fecha de agosto de 2006 es de trece sociedades: Agencia EFE, Babcock Wilcox Española, Clínica Castelló, COFIVACASA, EMGRISA, ENSA, Grupo INFOINVEST, HUNOSA, INIEXPORT, IZAR, Minas de Almadén y Arrayanes, S.A., PRESUR y SEPIDES.

En segundo lugar, nos encontramos con ocho sociedades sobre las cuales tiene una participación mayoritaria: ALICESA, CETARSA, EUNSA, Hipódromo de la Zarzuela, INISAS, MERCASA, SAECA, TRAGSA —la cual es, a su vez, un grupo de empresas—.

En tercer lugar, la SEPI dispone de participaciones minoritarias en otras empresas: Así, dispone como consecuencia de compromisos derivados del proceso de privatización el 5.5% de CASA, una participación del 20% en red Eléctrica, que nunca podrá ser menor del 10%, dado que así lo prevé la DT 9ª de Ley del Sector Eléctrico y dispone, asimismo del 5.28% de Iberia y el 2.95 de ENDESA. Por otra parte, es propietaria de un porcentaje de

acciones de empresas no cotizadas en Bolsa, concretamente ARESBANK
(7,4%), HISPASAT (8,2%), EXPANSIÓN EXTERIOR (11,9%), EUROFO-
RUM ESCORIAL (0,23%) y ENRESA (20% SEPI y 80% CIEMAT).

Y, por último, de acuerdo con lo previsto en el art. 60 de la Ley 14/2000,
de medidas fiscales, administrativas y del orden social, tiene adscrito el Ente Público Radio Televisión Española, del que dependen, entre otras las
sociedades TVE y RNE. Aquí el mandato que tiene la SEPI es de orden económico financiero, no pudiendo interferir en el contenido de su actividad
principal. En el momento en que se apruebe y entre en vigor lo que actualmente es el Ley X/2006 de la Radio y Televisión de titularidad estatal, las
funciones de la SEPI se producirán en el proceso de liquidación del Ente
Público Radio Televisión Española, que será sustituido por la Corporación
de Radio y Televisión de España, S.A. En este marco liquidatorio "se constituirá un Consejo de Liquidación del Ente, integrado por cinco miembros
que serán nombrados y cesados por la Sociedad Estatal de Participaciones
Industriales, que asumirá la gestión, dirección y representación del Ente
público en liquidación. Asimismo este Consejo procederá a la disolución y
liquidación mercantil de las sociedades TVE, S.A. y RNE, S.A., designando
un liquidador para cada una de ellas".

Capítulo XXVII
Bienes públicos y telecomunicaciones

Matilde Carlón Ruiz
Profesora Titular de Derecho Administrativo
Universidad Complutense de Madrid

SUMARIO: I. INTRODUCCIÓN. II. EL DOMINIO PÚBLICO RADIOELÉCTRICO. 1. Sentido y alcance de la demanialización del espectro radioeléctrico. 2. Administración y control del dominio público radioeléctrico. A) Planificación. B) La gestión del dominio público radioeléctrico: atribución de títulos habilitantes para su utilización. a) Utilización del dominio público radioeléctrico por las Administraciones Públicas: reservas y "afectaciones" demaniales. b) Utilización del dominio público radioeléctrico por particulares. 3. Técnicas de protección del dominio público radioeléctrico y frente al dominio público radioeléctrico. A) Técnicas de protección **del** demanio radioeléctrico: la novedad de la protección **activa**. B) Técnicas de protección frente a las emisiones radioeléctricas y sus —hipotéticos— efectos perjudiciales. III. RÉGIMEN JURÍDICO-PÚBLICO DE LOS RECURSOS DE NUMERACIÓN Y DE LOS NOMBRES DE DOMINIO. 1. Concepto y naturaleza. 2. La administración de los recursos de numeración —números, direcciones y nombres de dominio—. A) Planificación. B) Gestión y control. a) Gestión y control de los recursos de numeración: las competencias del Ministerio en los procedimientos de Atribución, Adjudicación y, en especial, Asignación. La portabilidad de los números. b) Gestión y control de los nombres de dominio bajo el código de país correspondiente a España ".es". IV. EL DESPLIEGUE FÍSICO DE LAS REDES DE TELECOMUNICACIONES: LOS DERECHOS A OCUPAR EL DOMINIO PÚBLICO. 1. Introducción. 2. El reconocimiento del derecho de ocupación del dominio público como un derecho condicionado en su ejercicio. 3. La planificación territorial y urbanística como marco para el ejercicio del derecho a ocupar el dominio público: la ampliación del alcance del informe ministerial en el seno de la LGTel14. 4. La habilitación concreta para la ocupación del dominio público: la autorización como título. 5. Ubicación compartida y uso compartido de la propiedad pública: el reforzamiento del papel del Ministerio por el legislador de 2014 y la extensión de las competencias de la CNMC para resolver los posibles conflictos.

I. INTRODUCCIÓN

Las telecomunicaciones consisten, pura y simplemente, en la transmisión de información a distancia a través de medios técnicos[1], de modo que

---

[1] En los términos literales de la definición recogida en el punto 39 del Anexo II de la Ley 9/2014, de 9 de mayo, General de Telecomunicaciones (LGTel03), las "telecomunicaciones" son "toda transmisión, emisión o recepción de signos, señales, escritos,

se trata de actividades prestacionales cuyo objetivo es poner en comunicación dos o más sujetos. Siendo esto así, sea cual sea la concreta tecnología empleada para lograr este objetivo, lo determinante es que se trata de actividades en red.

Con estos solos datos podemos deducir que la prestación de servicios de telecomunicaciones requiere de la utilización de determinados recursos. Algunos son comunes a todas las actividades en red, ya que se refieren a los terrenos de titularidad pública o privada que deben, necesariamente, ser ocupados para el despliegue físico de las redes de telecomunicaciones, como lo serían para las redes eléctricas o gasísticas, o para construir las propias carreteras o redes ferroviarias. De forma añadida, las actividades de telecomunicaciones exigen la utilización de recursos específicos: los recursos alfa-numéricos que permitan identificar a los distintos usuarios y a los distintos operadores y sus redes, sea cual sea la tecnología empleada, y, de forma muy peculiar para el caso concreto de una concreta tecnología —las radiocomunicaciones—, el llamado espectro radioeléctrico, el puro éter por el que se transmiten las ondas radioeléctricas.

Nos encontramos así con tres ámbitos en los que adquiere pleno sentido plantearse la relación entre telecomunicaciones y bienes públicos que da título a nuestras reflexiones, siempre y cuando partamos de un concepto amplio de "bienes públicos". Y ello porque, si bien los espacios físicos no privados sobre los que se despliegan las redes de telecomunicaciones se identifican propiamente bajo la categoría del dominio público, particularmente en zonas urbanas o adyacentes a otras infraestructuras en red, el caso de los dos recursos específicos de las telecomunicaciones —el espectro radioeléctrico y los recursos alfanuméricos— ha planteado más dificultades para su caracterización como bienes públicos dentro de la dogmática más clásica al respecto, lo que no ha impedido que su carácter de "recursos escasos" —utilizando la terminología economicista incorporada a la normativa comunitaria en la materia— haya quedado reflejado —como veremos— en su consideración como bienes demaniales, los primeros, o quasi-demaniales, los segundos.

---

imágenes, sonidos o informaciones de cualquier naturaleza por hilo, radioelectricidad, medios ópticos u otros sistemas electromagnéticos". Esta definición procede, en último término, del Convenio Internacional de Telecomunicaciones, de 6 de noviembre de 1982, hecho en Nairobi. Sobre esta definición, su sentido y alcance, vid. nuestras reflexiones en CARLÓN RUIZ, M., *Régimen jurídico de las telecomunicaciones. Una perspectiva convergente en el Estado de las autonomías*, La Ley, Madrid, 2000, pp. 7-11.

Este último dato —el del carácter escaso de estos recursos— deviene crucial en el contexto de la vigente regulación del sector, que —como es bien sabido— experimentó en el período de cambio de siglo un intenso proceso liberalizador auspiciado por las instancias comunitarias[2], que han sido sensibles a la necesidad de administrar estos recursos reconociendo su condición de elemento clave para el desarrollo en competencia de estas actividades. Efectivamente, este proceso liberalizador, lejos de reducir la importancia de la regulación de estos bienes públicos, ha acentuado el carácter sensible y estratégico de estas cuestiones: el aumento del número de operadores intensifica los criterios de escasez y obliga a establecer criterios para su reparto en condiciones que no perjudiquen la libre competencia, sobre la base de los principios de objetividad, transparencia y no discriminación.

Punto de llegada de este proceso liberalizador fue la recientemente derogada Ley 32/2003, de 3 de noviembre, General de Telecomunicaciones (LGTel03), cuyo artículo 2 declaraba —en los mismos términos que el art. 2.1 de la vigente Ley 9/2014, de 9 de mayo, General de Telecomunicaciones (LGTel14)— que las telecomunicaciones son servicios de interés general que se prestan en régimen de libre competencia. Sobre la base de este principio clave —que ya había consagrado la precedente, la Ley 11/1998, de 24 de abril, del mismo nombre (LGTel98)—, uno de los objetivos declarados de la Ley es hacer posible el uso eficaz de los recursos limitados de telecomunicaciones, como la numeración y el espectro radioeléctrico, así como la adecuada protección de este último y el acceso a los derechos de ocupación de la propiedad pública. Así lo dispone el apartado g) del art. 3 de la LGTel14, como antes lo hacía el apartado e) del art. 3 de la LGTel03, en la redacción dada por el Real Decreto-Ley 13/2012, de 30 de marzo, por el que se traspusieron al ordenamiento español, entre otras, las Directivas 2009/136/CE y 2009/140/CE[3], adelantando en el seno de la LGTel03 va-

---

[2]   Sobre este proceso de liberalización, entre la extensa bibliografía, vid. LAGUNA DE PAZ, J. C., *Liberalización y neorregulación de las telecomunicaciones en el Derecho comunitario*, en REDA, n° 88, 1995; MUÑOZ MACHADO, S., *Servicio público y mercado*, Civitas, Madrid, 1997, T. II. *Las telecomunicaciones*; FERNANDO PABLO, M. M., *Derecho general de las telecomunicaciones*, Colex, Madrid, 1998, y nuestras propias reflexiones en CARLÓN RUIZ, M., *Régimen jurídico de las telecomunicaciones, ob. cit.*

[3]   Se trata del Real Decreto-ley 13/2012, de 30 de marzo, por el que se transponen directivas en materia de mercados interiores de electricidad y gas y en materia de comunicaciones electrónicas, y por el que se adoptan medidas para la corrección de las desviaciones por desajustes entre los costes e ingresos de los sectores eléctrico y gasista. Las Directivas relativas a las comunicaciones electrónicas que el Decreto-ley, en efecto,

rias novedades de relativo interés en la práctica totalidad de las cuestiones objeto de este estudio.

Veamos en qué términos se plantea el legislador alcanzar, una vez introducidas las novedades impuestas por el nuevo marco regulador europeo en materia de comunicaciones electrónicas, los objetivos señalados en relación con los tres recursos mencionados —espectro radioeléctrico, numeración y ocupación del dominio público territorial—. Y ello en el bien entendido de que, sólo al final de la vigencia de la derogada LGTel03 fue finalmente completado —por vía reglamentaria— el régimen de estos recursos en un proceso que se demoró, en algunos casos, varios años, manteniéndose transitoriamente en vigor algunas de las normas de desarrollo de la Ley anterior. Situación de transitoriedad cuyo impacto hay que relativizar dado que la LGTel03 no introdujo cambios radicales en la regulación de estos recursos respecto de su inmediato antecedente, pero que ha sido reeditada una vez aprobada la LGTel14, en los términos de su Disposición transitoria primera, en tanto en cuanto no se opongan a la nueva Ley hasta que se apruebe su normativa de desarrollo.

II. EL DOMINIO PÚBLICO RADIOELÉCTRICO

1. Sentido y alcance de la demanialización del espectro radioeléctrico

Si las telecomunicaciones consisten *genéricamente* en la transmisión de información a distancia a través de diversos medios técnicos, una de sus *especies* particulares son las llamadas "radiocomunicaciones". Estas "radiocomunicaciones" se caracterizan, de hecho, por el concreto medio utilizado para la

---

transpone, son, de una parte, la Directiva 2009/136/CE, del Parlamento Europeo y del Consejo, de 25 de noviembre de 2009 (Derechos de los Ciudadanos), por la que se modifican la Directiva 2002/22/CE, relativa al servicio universal y los derechos de los usuarios en relación con las redes y los servicios de comunicaciones electrónicas; la Directiva 2002/58/CE, relativa al tratamiento de los datos personales y a la protección de la intimidad en el sector de las comunicaciones electrónicas y el Reglamento (CE) n° 2006/2004 sobre la cooperación en materia de protección de los consumidores y, de otra, la Directiva 2009/140/CE, del Parlamento Europeo y del Consejo, de 25 de noviembre de 2009 (Mejor Regulación), por la que se modifican la Directiva 2002/21/CE, relativa a un marco regulador común de las redes y los servicios de comunicaciones electrónicas; la Directiva 2002/19/CE, de 7 de marzo de 2002, del Parlamento Europeo y del Consejo, relativa al acceso a las redes de comunicaciones electrónicas y recursos asociados, y a su interconexión; y la Directiva 2002/20/CE, relativa a la autorización de redes y servicios de comunicaciones electrónicas.

transmisión de información, que no es otro que las ondas radioeléctricas[4], es decir, las ondas electromagnéticas propagadas por el espacio sin guía artificial. Se trata, en definitiva, de las telecomunicaciones sin hilos, inalámbricas, que utilizan el espacio para la transmisión de la información.

Efectivamente, el espacio es hábil para la transmisión de información si se utiliza como vehículo de las ondas electromagnéticas ajustadas a determinadas *frecuencias* y con ciertas *potencias*. De este modo, desde la perspectiva de las telecomunicaciones, el elemento físico relevante como soporte de la transmisión de información se refiere, más que a ese espacio en sí mismo considerado —el puro aire—, a una utilidad concreta de ese espacio físico intangible que, de hecho, es compatible con otras utilidades como pueda ser la navegación aérea. Es más, desde el punto de vista jurídico, no todo este espacio físico es relevante a los efectos de su utilidad para la transmisión de información, sino sólo el que queda acotado en las frecuencias inferiores a los 3000 Ghz: lo que el legislador identifica estrictamente como "espectro radioeléctrico"[5].

Tal y como se puede deducir fácilmente de lo anterior, la utilidad de este espacio para las telecomunicaciones sólo es posible en la medida en que se ajuste claramente la distribución de frecuencias y potencias para los distintos servicios que lo utilicen como soporte, sean servicios interpersonales, es decir, servicios que pongan en comunicación dos sujetos —desde los de radioaficionado a los de telefonía móvil, pasando por los de garantía de la seguridad aérea o marítima— o de difusión —pensemos en la radio o la televisión difundidas por ondas—, y ello sin perjuicio de su utilización para determinadas necesidades de Estado, particularmente para la defensa. Surge así la necesidad de ordenación de esta utilidad para hacer compatibles las distintas aplicaciones legítimas que ella permite, en evitación de

---

[4]   Así se definen, de hecho, hoy por hoy, en el apartado 29 del Anexo II a la LGTel14.

[5]   En los términos de lo dispuesto en el apartado 16 del Anexo II de la LGTel 14, el "espectro radioeléctrico" se define como "las ondas electromagnéticas, cuya frecuencia se fija convencionalmente por debajo de 3000 GHz, que se propagan por el espacio sin guía artifical".
En este punto la LGTel14 ha introducido una novedad relativa, puesto que el apartado 12 del Anexo II de la LGTel03 acotaba el espectro a las ondas de frecuencias comprendidas entre 9 KHz y los 3000 GHz. En todo caso, la vigente definición integra dentro del concepto de "espectro" el concepto de "ondas radioeléctricas u ondas hertzianas" según quedó definido en la Orden ITC/4096/2006, de 28 de diciembre, por la que se aprueba el Reglamento de uso del dominio público radioeléctrico de la banda ciudadana CB-27, al que posteriormente haremos referencia en el texto.

las interferencias perjudiciales, que suponen su negación[6], y asumiendo su carácter escaso y, consecuentemente, la imprescindible priorización de sus aplicaciones según su mayor o menor grado de utilidad pública.

Es precisamente este elemento de la escasez de este recurso imprescindible para el desarrollo de determinadas actividades de telecomunicaciones el que ha justificado —aun de forma implícita— su no poco polémica demanialización. Demanialización que, si bien fue asumida sin aparentes dificultades por el Tribunal Constitucional en su sentencia 12/1982, sólo encontró reflejo expreso en una norma con rango de Ley —como exige el artículo 132 de la Constitución— cuando el legislador aprobó la primera Ley que pretendió ofrecer una regulación general de las telecomunicaciones: la Ley 31/1987, de 18 de diciembre, de Ordenación de las Telecomunicaciones (LOT). En línea de continuidad, pasando por las sucesivas leyes ordenadoras del sector, la vigente LGTel14 afirma en términos taxativos en su artículo 60.1 que "el espectro radioeléctrico es un bien de dominio público, cuya titularidad y administración corresponden al Estado"[7].

No son pocos los que han criticado la calificación de un bien intangible, como el puro espacio en cuanto que es susceptible de ser utilizado para la transmisión de información, como dominio público[8]. Es fácil adivinar que

---

[6]   En los términos literales del Anexo II, de la LGTel14, en su apartado 20, será calificable como "interferencia perjudicial", "toda interferencia que suponga un riesgo para el funcionamiento de un servicio de radionavegación o de otros servicios de seguridad o que degrade u obstruya gravemente o interrumpa de forma repetida un servicio de radiocomunicación que funcione de conformidad con la reglamentación internacional, comunitaria o nacional aplicable". Esta redacción es idéntica a la que introdujo en la LGTel 03 el Decreto-ley 13/2012, si bien la novedad frente a la original de 2003 se limita a la adición del adjetivo "internacional" en relación con la reglamentación cuya inobservancia determine el carácter perjudicial de la interferencia.

[7]   Los términos del vigente artículo 60 LGTel14 difieren de los de su antecedente inmediato, el art. 43.1 LGTel03, por cuanto en este último aparecía referencia expresa a la gestión, planificación y control como atribuciones al Estado, si bien el apartado 4 del mismo artículo desglosa las actuaciones integradas en la "administración" con referencia a la planificación, la gestión, el control y, de forma diferenciada, la aplicación del régimen sancionador. En todo caso, los términos del propio art. 43 LGTel03 son más concluyentes que los de su antecedente inmediato, el artículo 61 LGTel98, conforme al cual "la gestión del dominio público radioeléctrico y las facultades para su administración y control corresponden al Estado". Obsérvese que en la redacción vigente —introducida ya en 2003— se formula de forma expresa la demanialización del espectro y se declara la titularidad estatal sobre el mismo.

[8]   La polémica sobre la atribución de carácter demanial al espectro radioeléctrico se planteó desde un primer momento fuera y dentro de nuestro país. Una descripción de esta polémica doctrinal —aún sobre la confusión entre lo que sea espacio aéreo

en esta polémica doctrinal subyace la bien conocida discusión sobre la naturaleza jurídica del género "dominio público", como titularidad en sentido propio o como mero título de intervención pública para la ordenación de su uso y la garantía de su protección. La concepción clásica del dominio público como titularidad pública no parece, en absoluto, aplicable para configurar jurídicamente, no ya un bien tan intangible como el espacio físico por el que discurren las ondas radioeléctricas, sino las propias ondas que constituyen el espectro radioeléctrico y que son una particular utilidad de aquél. Las dificultades para predicar del espacio por el que discurren las ondas su carácter apropiable y, por ende, susceptible de titularidad, se multiplican cuando se repara en que el objeto de la demanialidad no es este espacio, sino una de sus posibles utilidades. Y es que, en el caso del espectro radioeléctrico, la utilidad pública pasa de ser elemento justificante de la demanialización del bien por el expediente de la afectación a constituirse en el propio objeto demanializado. Precisamente por ello, parece difícil predicar de esta utilidad objeto de la demanialización las tres reglas de oro del dominio público —inalienabilidad, inembargabilidad e imprescriptibilidad—, concebidas sobre una base estrictamente patrimonialista[9].

---

dedicado a la navegación aérea y espacio radioeléctrico—, en QUADRA-SALCEDO Y FERNÁNDEZ DEL CASTILLO, T. de la, *El servicio público de la televisión*, IEA, 1976, pp. 148-153, quien llega a la conclusión de que no cabe hablar de éste como dominio público del Estado. En sentido contrario, se inclina por afirmar el carácter demanial del espacio radioeléctrico, CHINCHILLA MARÍN, C., *La radiotelevisión como servicio público esencial*, Tecnos, Madrid, 1985, pp. 118-143. GARCÍA DE ENTERRÍA, E., *La ejecución autonómica de la legislación del Estado*, en *Estudios sobre autonomías territoriales*, Madrid, 1985, p. 232, en nota, por su parte, entiende que se trata de una *res communis omnium*, "de un bien afecto a todos y necesitado de una regulación pública para hacer compatible ese uso común de modo que unos no excluyan a otros". Estudiando las distintas posturas al respecto desde una perspectiva comparada y en la evolución del Derecho nacional —incluidas las declaraciones del Tribunal Constitucional a este respecto en las SSTC 12/1982, de 31 de marzo; 74/1982, de 7 de diciembre, y 79/1982, de 20 de diciembre—, vid. FERNANDO PABLO, M. M., *Sobre el dominio público radioeléctrico: espejismo y realidad*, en RAP, n° 143, 1997, pp. 111-147, y, posteriormente, en GARCÍA DE ENTERRÍA, E. y QUADRA-SALCEDO, T. de la (Dirs.), *Comentarios a la Ley General de Telecomunicaciones*, Civitas, Madrid, 1999, pp. 533-540, quien critica la demanalización legal, tanto por su propia indefinición como porque, en su opinión, en relación con el espacio radioeléctrico se produce, en realidad, la reserva de un recurso en el marco del artículo 128 sin que la misma comporte la demanialización del bien en sí mismo. Vid. también MARTÍNEZ GARCÍA, C., *La intervención administrativa en las telecomunicaciones*, Publicaciones de la Universidad Pontificia de Comillas, Madrid, 2002, pp. 237-249.

[9]   Y ello a pesar de que algunos autores han defendido el carácter de bien mueble de las frecuencias radioeléctricas, en tanto que "energía electromagnética". Así, por ejem-

En estos términos sólo parece posible aceptar el carácter demanial del espectro radioeléctrico si se entiende que la demanialidad se refiere a un título legitimante de la intervención pública en la ordenación de los usos de un determinado bien y en la consiguiente garantía de su protección. Y ello asumiendo que, en este caso, de lo que se trata es de compatibilizar las distintas aplicaciones —públicas y privadas— de una concreta utilidad pública de un bien —el aire por el que se propagan— cuya naturaleza jurídica no es imprescindible discutir, para reconocer su carácter *extra commercium* y establecer un régimen de utilización y protección de esta utilidad pública mediante el control y eliminación de interferencias, a través de una correcta planificación y sucesiva asignación y control de la utilización de las concretas frecuencias asignadas.

En sintonía con lo anterior, más allá de discusiones doctrinales, no parece posible negar el interés público en garantizar la optimización de esta utilidad a los efectos de la prestación de servicios de telecomunicaciones. De ahí que debamos asumir la calificación del espectro radioeléctrico como dominio público como un expediente útil para garantizar su integridad, identificada con la compatibilización de sus distintas aplicaciones sin que se produzcan interferencias perjudiciales entre sí. A este fin se dirige todo el régimen para su administración y protección que se perfila en el Título V de la LGTel14, presidido de forma expresa por el principio de uso eficaz y eficiente (art. 60.3.a), en conexión con el apartado 2, segundo párrafo del mismo artículo), y que se puede desglosar en las fases de Planificación, Atribución de títulos habilitantes para su utilización y Control de interferencias[10].

A estas tres fases nos referiremos en detalle a continuación no sin antes hacer una advertencia capital. Es preciso poner de manifiesto desde ahora que el Estado es, en principio, el único competente en relación con la administración y control del espectro radioeléctrico. Así se desprende, no tanto de la atribución de su titularidad que a él hace el artículo 43 de la LGTel03 —y que, como hemos visto, no deja de ser problemática, en términos estrictamente patrimoniales, dado el objeto de esta particularísima porción del demanio, amén de la consolidada jurisprudencia cons-

---

plo, CHINCHILLA MARÍN, C., *La radiotelevisión como servicio público esencial*, ob. cit., pp. 121-127.

[10]　El art. 60.4 distingue expresamente, como novedad frente a la LGTel03, las fases de planificación, gestión y control, identificando la gestión con el "establecimiento, de acuerdo con la planificación previa, de las condiciones técnicas de explotación y otorgamiento de los derechos de uso",

titucional que afirma que la titularidad demanial no es título atributivo de competencias (por todas, STC 149/1991)—, como de la competencia exclusiva del Estado en materia de telecomunicaciones, contenida en el artículo 149.1.21ª de la Constitución y expresamente refrendada, por lo que al espectro radioeléctrico se refiere, por el Tribunal Constitucional en su STC 168/1993, de 27 de mayo, a la que apela, en una lectura estrictamente ceñida, precisamente, a la planificación y gestión del espectro radioeléctrico, la famosa STC 31/2010, de 28 de junio, dictada en relación con el Estatuto catalán[11], y sobre la que vuelve —desde una perspectiva más amplia y con un planteamiento más rotundo— la STC 8/2012, de 18 de enero[12]. A esta última y a las 235/2012, de 13 de diciembre, y 180/2013, de 23 de octubre, se remite últimamente la STC 72/2014, de 8 de mayo, que confirmó la constitucionalidad, desde el punto de vista competencial, de múltiples preceptos de la LGTel03 que habían sido impugnados por la Generalitat de Cataluña, y cuyo FJ 3º in fine ofrece una sistematización de la doctrina sobre el art. 149.1.21ª CE en el que se confirma taxativamente

---

[11] La competencia estatal en relación con el dominio público radioeléctrico fue refrendada por el Tribunal Constitucional en su sentencia 168/1993, de 27 de mayo (FJ 8º *in fine*) al enjuiciar la constitucionalidad de la LOT, cuyo artículo 7.4 no se separaba sustancialmente del vigente 60 de la LGTel14. La afirmación de la competencia estatal en relación con la ordenación del dominio público radioeléctrico deviene de particular importancia en relación con los servicios de difusión que utilicen el espectro radioeléctrico, ya que en estos casos se superpone al título general a favor del Estado en materia de telecomunicaciones el que, en relación con los medios de comunicación social, reconoce competencias al Estado y a las Comunidades Autónomas en función de la técnica bases-desarrollo. Vid. nuestras reflexiones al respecto en CARLÓN RUIZ, M., *Régimen jurídico de las telecomunicaciones, ob. cit.*, pp. 399-405. La STC 31/2010, de 28 de junio, FJ 85 *in fine*, se remite, de hecho, a la STC 168/1993, de la que ofrece una lectura estrecha, según la cual la competencia del Estado *ex* 149.1.21ª CE se ceñiría a la "regulación y gestión del dominio público radioeléctrico", lo que, en todo caso, basta para reafirmar la competencia del Estado en lo que ahora nos ocupa. Y ello en el bien entendido de que el Estatuto catalán no asume ninguna competencia al respecto.

[12] La sentencia declara la nulidad de varios preceptos de la Ley de las Cortes de Castilla-La Mancha 8/2001, de 28 de junio, para la ordenación de las instalaciones de radiocomunicación en Castilla-La Mancha, por invadir la competencia estatal exclusiva para la administración y gestión del espectro radioeléctrico, glosando en su FJ 4 la jurisprudencia en la materia. De esta sentencia se hace eco la STS de 26 de abril de 2012 (Roj: STS 2854/2012) para confirmar la nulidad de varios preceptos del Plan especial de Telefonía Móvil aprobado por el Consell Insular de Menorca. Vid. también la STC 5/2012, de 17 de enero, que resolvió un conflicto de competencias planteado entre el Estado y la Comunidad catalana a vueltas con la Administración competente para sancionar por la utilización clandestina del espectro para la prestación de servicios audiovisuales.

la competencia estatal respecto del espectro radioeléctrico, tanto para la normación, como para la gestión, interpretada en el sentido más amplio, abarcando incluso las competencias para la comprobación de conformidad de los aparatos.

La anterior conclusión no se ve necesariamente contradicha por la previsión introducida por la Disposición adicional segunda de la Ley 7/2010, de 31 de marzo, General de Comunicación audiovisual, a pesar de lo que su título —"Participación de las Comunidades Autónomas en la planificación estatal del espacio radioeléctrico"— podría dar a entender. Y ello por cuanto la Disposición prescribe que "la planificación del espacio radioeléctrico será elaborada con la participación de las Comunidades Autónomas a través de instrumentos de cooperación previstos en la legislación general", para advertir seguidamente que, "a estos efectos, el Gobierno recabará informes de las Comunidades Autónomas a la hora de habilitar bandas, canales y frecuencias para la prestación de servicios de comunicación audiovisual que afecten al territorio de dichas Comunidades Autónomas". De modo que la participación autonómica en la planificación del espectro se ciñe a la emisión de un informe restringido a las bandas canales y frecuencias necesarios para la prestación de servicios de comunicación audiovisual que afecten al propio territorio, algo que encuentra correlación con lo dispuesto, en relación con la elaboración de los Planes Técnicos nacionales de los servicios de radiodifusión y televisión —a los que posteriormente haremos referencia—, en el art. 6 del Reglamento de desarrollo de la LGtel03 en lo relativo al uso del dominio público radioeléctrico, aprobado mediante Real Decreto 863/2008, de 23 de mayo[13]. Informe que —al no articular ninguna competencia autonómica propiamente dicha y, en todo caso, a falta de previsión expresa, a la luz del art. 83 LRJPAC— hay que entender será no vinculante[14]. En estos términos, la previsión estatal recuerda a las

---

[13] Tal y como dispone el apartado 2 del artículo de referencia, el procedimiento para la aprobación del Plan "se iniciará consultando a la Corporación de Radio y Televisión Española (Corporación RTVE), a los Entes públicos de radio y televisión de las Comunidades Autónomas y a los órganos competentes en materia de radio y televisión de las Comunidades Autónomas sobre sus necesidades de frecuencias. Asimismo, se consultará a las asociaciones más representativas de los operadores privados de radio o televisión, según el caso", de modo que, según ha previsto el apartado 3, "los proyectos de los planes técnicos nacionales de radiodifusión sonora y de televisión serán elaborados teniendo en cuenta las necesidades de frecuencias planteadas por las entidades y organismos previamente consultados, con el objetivo de alcanzar una utilización racional, óptima y eficaz del dominio público radioeléctrico".

[14] El texto vigente procede de una enmienda, la 34, presentada en el Congreso por un Diputado del Grupo Mixto (BO de las Cortes Generales, Congreso de los Diputados,

contenidas en los arts. 17 a 22 de la Ley 22/2005, de 29 de diciembre, de Comunicación Audiovisual de Cataluña, que están pendientes de un recurso de inconstitucionalidad[15].

La retención en mano estatal de las competencias, en sentido propio, para la planificación y administración del espectro se traduce, desde un punto de vista orgánico, en que, en el marco de la LGTel14 (art. 69.j), como antes en el de la LGTel03, el grueso de estas funciones han quedado tribuidas —hoy por hoy— a la Secretaría de Estado de Telecomunicaciones y de la Sociedad de la Información (SETSI), integrada en el Ministerio de Industria, Energía y Turisno, una vez que quedara finalmente suprimida, por la Disposición adicional sexta del Decreto-Ley 13/2012, sin haber llegado nunca a constituirse, la Agencia Estatal de Radiocomunicaciones, configurada en el art. 47 de la Ley 32/2003 como organismo autónomo adscrito al Ministerio[16]. En todo caso, la fórmula de la adscripción al Ministerio de la Agencia *non nata* implica que no habrá grandes diferencias en la gestión del espectro, toda vez que aquella fórmula se separaba conscientemente del modelo destacadamente independiente que vino caracterizando, desde su creación en 1996, a la Comisión del Mercado de las Telecomunicaciones (CMT), organismo creado en las primeras fases del proceso de liberalización para garantizar la competencia en materia de telecomunicaciones y que, como tal, acaparó gran parte de las funciones y competencias en la materia hasta su reciente integración en la Comisión Nacional de los Mercados y la Competencia, creada mediante Ley 3/2013, de 4 de junio[17].

IX Legislatura, Serie A: proyectos de Ley, 17 de diciembre de 2009, Núm. 45-6), en cuya redacción original se introducía una expresa caracterización de los informes autonómicos como vinculantes, en concretos supuestos: "3. Los informes emitidos por las Comunidades Autónomas serán vinculantes en caso de que se aprecie un impacto en la preservación del pluralismo lingüístico y cultura, la competencia en la prestación de servicios audiovisuales o la industria audiovisual". La justificación de la enmienda era escueta: "Garantizar la participación de las Comunidades Autónomas en la planificación y gestión del espacio radioeléctrico, para evitar que en virtud de dicho título competencial se vacíen competencias en materia audiovisual de las CCAA".

[15] Se trata del recurso 8112/2006, interpuesto por el Gobierno de la Nación bajo la cobertura del art. 161.2 CE, lo que supuso la suspensión de los preceptos impugnados, una vez el recurso fue admitido, suspensión que fue levantada mediante ATC de 18 de enero de 2007.

[16] Art. 10 del Real Decreto 1823/2011, de 21 de diciembre, por el que se reestructuran los departamentos ministeriales.

[17] La CMT fue creada por Real Decreto-Ley 6/1996, de 7 de junio, de Liberalización de las Telecomunicaciones, como pieza clave en el proceso de liberalización de las telecomunicaciones para materializar el principio de separación de actividades de re-

Sobre la base de lo anterior podemos, ya, plantearnos los problemas relativos a la administración y control del dominio público radioeléctrico, asumiendo que la LGTel14 no ha introducido novedades radicales al respecto[18].

2. Administración y control del dominio público radioeléctrico

A) Planificación

Teniendo en cuenta que el dominio público radioeléctrico se identifica con una particular utilidad física del espacio aéreo, se puede decir que sólo a través de los instrumentos de planificación se da carta de naturaleza a las distintas frecuencias y potencias —en distintas bandas— vinculadas a unas concretas aplicaciones. En esta fase previa de planificación, se trata, pues,

---

gulación y gestión encarnado en el concepto comunitario de "Autoridad Nacional de Reglamentación", sin que, a la vista de lo dispuesto en el art. 68 LGTel14 —como antes en el 46 LGTel03— monopolice tal consideración. De hecho, este extremo se plantea de forma especialmente delicada, particularmente en cuanto al reparto de competencias entre el Ministerio y la nueva Comisión Nacional de los Mercados y de la Competencia, en el seno de la Ley de su creación y, definitivamente, a la luz de las previsiones contenidas en la LGTel14. La nueva Comisión de corte multisectorial e integrador (de la regulación sectorial y la de defensa de la competencia) asume, en los términos de los arts. 6 y 12.1.a) de la Ley, competencias regulatorias en el sector de las comunicaciones electrónicas, a los efectos de lo cual se crea en el seno de la Comisión una Dirección de Telecomunicaciones y del Sector Audiovisual a la que corresponde la instrucción de los correspondientes expedientes; si bien el Ministerio ha asumido competencias que venía ejerciendo la extinta CMT, lo que puede poner en entredicho la fidelidad del modelo con las Directivas en materia de comunicaciones electrónicas, que en su redacción de 2009 han introducido exigencias reforzadas de independencia de las ANRs respecto de algunas funciones regulatorias Al respecto nos permitimos remitirnos a nuestras reflexiones en nuestro estudios específico sobre el reparto competencial en la materia a resultas de la aprobación de la Ley 3/2013, contenido en CARLÓN RUIZ, M. (Dir.), La Comisión Nacional de los Mercados y de la Competencia, Civitas, 2014.

[18] En los términos de la Exposición de Motivos de la Ley, "en relación con la administración del dominio público radioeléctrico, el Título V procede a una clarificación de los principios aplicables, de las actuaciones que abarca dicha administración, de los tipos de uso y de los distintos títulos habilitantes, introduce una simplificación administrativa para el acceso a determinadas bandas de frecuencia, y consolida las últimas reformas en materia de duración, modificación, extinción y revocación de títulos y en relación al mercado secundario del espectro. Como novedad, se introducen medidas destinadas a evitar el uso del espectro por quienes no disponen de título habilitante para ello, garantizando con ello la disponibilidad y uso eficiente de este recurso escaso, en particular mediante su protección activa y la colaboración de los operadores de red".

de prefigurar las concretas aplicaciones de esta utilidad asumiendo la escasez del recurso y la imprescindible optimización de la compatibilidad entre las distintas aplicaciones en función de su utilidad pública, se desarrollen por las Administraciones públicas o por los particulares. De modo que podemos decir —enlazando con nuestras reflexiones sobre la naturaleza de este peculiar recurso— que en estos términos la planificación del espectro radioeléctrico es *constitutiva*, no en el sentido de que genere por sí misma derechos de utilización del espectro a favor de terceros, sino en el de que es a través de la propia planificación como se constituye el bien calificado legalmente como demanial.

Huelga decir que en esta planificación es obligado asumir la dimensión internacional de este recurso, de modo que primará el respeto a los tratados y acuerdos internacionales en los que España sea parte, atendiendo a la normativa aplicable en la Unión Europea —y, en particular, a la Decisión n° 676/2002/CE del Parlamento Europeo y del Consejo, de 7 de marzo de 2002, *sobre un marco regulador de la política del espectro radioeléctrico en la Comunidad Europea*[19]— y a las resoluciones y recomendaciones de la Unión Internacional de Telecomunicaciones y de otros organismos inter-

---

[19] DO n° L 108, de 24 de abril de 2002, pp. 1-6. En los términos de su artículo 1.1., el objetivo de esta Decisión "es establecer en la Comunidad un marco político y jurídico que asegure la coordinación de los planteamientos políticos y, en su caso, las condiciones armonizadas que permitan la disponibilidad y el uso eficiente del espectro radioeléctrico necesario para el establecimiento y funcionamiento del mercado interior en ámbitos de políticas comunitarias como las comunicaciones electrónicas, los transportes, y la investigación y el desarrollo (I+D)". En aplicación de este marco regulador, sucesivas Decisiones de la Comisión han favorecido la armonización de ciertas bandas de frecuencias: así, la Decisión 2005/513/CE, de 11 de julio de 2005, por la que se armoniza la utilización del espectro radioeléctrico en la banda de frecuencias de 5 GHz con vistas a la aplicación de los sistemas de acceso inalámbrico, incluidas las redes radioeléctricas de área local (WAS/RLAN) (DO n° L 187 de 19 de julio de 2005), cuyo objetivo es poner a disposición de las redes locales inalámbricas (comúnmente denominadas "redes Wi-Fi") una porción importante del espectro radioeléctrico en el conjunto de la UE para facilitar que el acceso inalámbrico a Internet sea más rápido y general, y, más recientemente, la Decisión de ejecución de la Comisión 2012/688/UE, de 5 de noviembre de 2012, relativa a la armonización de las bandas de frecuencias de 1 920-1 980 MHz y 2 110-2 170 MHz para los sistemas terrenales capaces de prestar servicios de comunicaciones electrónicas en la Unión (DO L 307/84, de 7.11.2012). Mediante la Decisión 243/2012/UE del Parlamento Europeo y del Consejo, de 14 de marzo de 2012, por la que se establece un programa plurianual de política del espectro radioeléctrico, se definen objetivos de política del espectro que deberán ser aplicados por los Estados miembros, con carácter general, a más tardar, el 1 de julio de 2015. Mediante Decisión de la Comisión de 23 de julio de 2013, se le concedió a España una excepción en la aplicación de este programa en punto al uso de la banda

nacionales. Así lo reclama, en general para la administración del espectro radioeléctrico, el artículo 60.2 LGTel14, de forma más minuciosa que su precedente 43.1 LGTel03, apelando al importante valor social, cultural y económico del espectro[20].

Dentro de este marco internacional, los llamados "planes de utilización del espectro radioeléctrico" serán aprobados por el Gobierno, a propuesta —hoy, tras la desaparición de la Agencia Estatal de Radiocomunicaciones— de la SETSI[21], y sin que, lamentablemente, se exija informe de la nueva Comisión de los Mercados y de la Competencia, a la vista de la dicción del vigente ar. 70.21) LGTel14, a pesar de que el art. 48.3.h), segundo párrafo, LGTel03 —derogado por la Ley de creación de aquélla— lo exigía de la extinta CMT[22]. Estos planes podrán adoptar la forma de Cuadro Nacional de Atribución de Frecuencias (CNAF), de contenido general, o de Planes Técnicos Nacionales de Radiodifusión y Televisión, específicos para los servicios de difusión de radio y televisión. Se trata, en ambos casos, de normas reglamentarias, Estando previsto que el procedimiento de su aprobación, sea determinado por Real Decreto (art. 61.a LGTel14), seguirá siendo, transitoriamente, aplicable el Reglamento aprobado mediante Real Decreto 863/2008, de 23 de mayo —que se remite, en este punto, al

---

790 a 862 MHz por los servicios de difusión, que quedó autorizada hasta el 1 de enero de 2014.

[20] Habrá que tener en cuenta, concretamente, el Convenio Internacional de Telecomunicaciones —en su redacción vigente de 22 de diciembre de 1992, hecha en Ginebra, con sucesivas modificaciones en las Conferencias de Plenipotenciarios de Kyoto (1994), Mineapolis (1998), Marrakech (2002), Antalya (2006) y Guadalajara (2010)—, desarrollado por el Reglamento de Radiocomunicaciones, elaborados ambos en el seno de la Unión Internacional de Telecomunicaciones (UIT). La UIT cuenta con la *Radio Regulations Board* (RRB) —antes conocida como Oficina Internacional de Registro de Frecuencias (IFRB)—, cuya función es registrar las asignaciones de frecuencias a nivel internacional. Más específicamente en el ámbito europeo, serán de referencia las normas y recomendaciones elaboradas por el Comité Europeo de Radiocomunicaciones (CER), creado en el seno de la Conferencia Europea de Administraciones Postales y de Telecomunicaciones (CEPT), y por la Oficina Europea de Radiocomunicaciones (OER). Vid., en general, respecto a estos organismos, nuestras referencias en CARLÓN RUIZ, M., *Régimen jurídico de las telecomunicaciones..., ob. cit.*, pp. 62-66.

[21] Vid. art. 69.f). LGTel14, en fórmula equivalente a la que el art. 47.6.a) de la LGTel03 contenía en relación con la Agencia.

[22] El vigente art. 70.2.l) solo contempla el informe de la actual CNMC "en el proceso de elaboración de normas que afecten a su ámbito de competencias en materia de comunicaciones electrónica", siendo así que la Comisión no tiene atribuida, como sabemos, competencia alguna en relación con el espectro. Frente a ello, el derogado art. 48.3.h) LGTel03 hacía expresa mención a la "planificación y atribución de frencuencias" como supuesto en el que debía recabarse informe de la entonces CMT.

procedimiento general de elaboración de disposiciones de carácter general (arts. 5 y 6)—, asegurando la garantía de los principios de transparencia y de participación de los interesados y ello a pesar de su alto contenido técnico[23], a lo que hay que sumar, en el caso de los Planes Técnicos Nacionales, la participación de las Comunidades Autónomas en los términos ya indicados. Por otra parte, en plena consonancia con su carácter reglamentario, y como planes públicos que son, deben ser objeto de publicación oficial, salvo por lo que respecta a las frecuencias reservadas a la defensa nacional, que serán secretas [art. 44.1.b) LGTel03].

Hace poco más de un año se aprobó un nuevo CNAF —mediante Orden IET/787/2013, de 25 de abril—, que vino a sustituir al de 2010, modificado en 2011[24], y sobre el que operaron, en todo caso, los cambios introducidos por la Ley 2/2011, de 4 de marzo, de Economía Sostenible, que permitió el uso de las bandas de 900 y 1800 MHz, no sólo para los sistemas GSM, sino también para los UMTS (art. 47), y que habilitó más espacio en el espectro para prestar servicios aprovechando la liberación de la banda de frecuencias 790-862 MHz, a los efectos de lo cual se aprobó el Real Decreto 458/2011, de 1 de abril, sobre actuaciones en materia de espectro radioeléctrico para el desarrollo de la sociedad digital.

Por lo que se refiere a los Planes Técnicos de los distintos servicios de difusión, la fragmentación de su régimen jurídico en función de las distintas tecnologías y los distintos ámbitos de prestación y, en particular, la deseada migración de la tecnología analógica a la digital, han propiciado la proliferación de distintos Planes Técnicos[25]: si en 2004 se aprobó el *Plan Técnico*

---

[23]   Particularmente para la aprobación del CNAF se exige, además, que el proyecto se someta a consulta pública (art. 5.3). Asimismo, tal y como se pone de manifiesto en el vigente, ha sido sometido al procedimiento de información en materia de normas y reglamentaciones técnicas y de reglamentos relativos a los servicios de la sociedad de la información, previsto en la Directiva 98/34/CE del Parlamento Europeo y del Consejo de 22 de junio, modificada por la Directiva 98/48/CE de 20 de julio, así como en el Real Decreto 1337/1999, de 31 de julio, que incorpora estas Directivas al ordenamiento jurídico español.

[24]   El CNAF aprobado por la Orden CTE/630/2002, de 14 de marzo de 2002, y modificado por la Orden CTE/2028/2003, de 16 de julio de 2003, conservó su vigencia hasta la aprobación del de 2005, aprobado mediante Orden ITC/1998/2005, de 22 de junio, en los términos de lo previsto en la Disposición transitoria primera, apartado 8.a) de la LGTel03. Sucesivamente fue aprobado un nuevo Cuadro, mediante Orden ITC/332/2010 de 12 de febrero, del Ministerio de Industria, Turismo y Comercio, modificado por el mismo mediante la Orden ITC/658/2011, de 18 de marzo.

[25]   Vid. nuestras reflexiones al respecto en CARLÓN RUIZ, M., *Los servicios de difusión como plataforma de las libertades de expresión e información en la encrucijada entre servicio público*

Nacional de Televisión Local por Ondas[26], el mismo año 2005 se aprobó un nuevo *Plan Técnico Nacional de Televisión Digital*[27], parcialmente derogado y modificado por el Real Decreto 365/2010, de 26 de marzo, por el que se regula la asignación de los múltiples de la Televisión Digital Terrestre tras el cese de las emisiones de televisión terrestre con tecnología analógica[28], mientras que en 2006 se aprobaron el *Plan Técnico Nacional de Radiodifusión Sonora Digital Terrenal*[29] y el *Plan Técnico Nacional de Radiodifusión Sonora en Ondas Métricas con Modulación de Frecuencias*[30].

B) La gestión del dominio público radioeléctrico: atribución de títulos habilitantes para su utilización

Sabemos que en el caso del espectro radioeléctrico el objeto demanial es una concreta utilidad de un determinado recurso. Por ello, en relación con esta particular porción del *dominio público* el régimen de su utilización no es un elemento más del régimen demanial, sino que es su núcleo mismo. El bien existe en cuanto que se utiliza a los fines de la prestación de servicios de telecomunicaciones, de modo que cuando nos referimos a la gestión del dominio público radioeléctrico hacemos referencia al régimen de atribución de frecuencias para las distintas aplicaciones previstas en los instrumentos de planificación[31], incluyendo la determinación de los dis-

---

     y mercado, REDA, n° 134, 2007, pp. 251-284.

[26]   Mediante Real Decreto 439/2004, de 12 de marzo, modificado por el Real Decreto 2268/2004, de 3 de diciembre.

[27]   Mediante el Real Decreto 944/2005, de 29 de julio, se deroga el previo 2169/1998, de 9 de octubre.

[28]   En el caso de la televisión por ondas terrestres de ámbito nacional mediante Real Decreto 1362/1988, de 11 de noviembre, se aprobó el Plan Técnico Nacional de la Televisión Privada, modificado sucesivamente por el Real Decreto 946/2005, de 19 de julio, *por el que se aprueba la incorporación de un nuevo canal analógico*, cuya legalidad fue confirmada por STS de 2 de octubre de 2007 (JUR 2007\329116). Hay que entender, aunque no lo haga expreso, que este Plan ha sido derogado por el Real Decreto 365/2010, de 26 de marzo, que regula la asignación de los múltiples de la Televisión Digital Terrestre tras el cese de las emisiones de televisión terrestre con tecnología analógica, modificado por el 169/2011, de 11 de febrero.

[29]   En rigor, mediante Real Decreto 776/2006, de 23 de junio, se introducen modificaciones en el Plan original, aprobado mediante Real Decreto 1287/1999, de 23 de julio.

[30]   Aprobado mediante Real Decreto 964/2006, de 1 de septiembre.

[31]   El apartado 4 del Anexo II a la LGTel14 define la "atribución de frecuencias" como "la designación de una banda de frecuencias para su uso por uno o más tipos de servicios de radiocomunicación, cuando proceda, en las condiciones que se especifiquen", en

tintos títulos habilitantes, el procedimiento para su otorgamiento y, en su caso, cesión, y las condiciones para su disfrute.

A este respecto no podemos olvidar que, como bien de dominio público, el espectro radioeléctrico puede ser objeto de aprovechamiento por las propias Administraciones Públicas o por los particulares, de modo que debemos partir de esta distinción capital a la hora de analizar el régimen de gestión del dominio público radioeléctrico, a los efectos de lo cual debemos completar las previsiones de la LGTel14 con las del Reglamento relativo al uso del dominio público radioeléctrico aprobado en desarrollo de la LGTel03, ya mencionado, y que ha sido aprobado mediante Real Decreto 863/2008, de 23 de mayo[32], que mantendrá vigencia en los términos, ya descritos, de la Disposición transitoria primera LGTel14.

a) Utilización del dominio público radioeléctrico por las Administraciones Públicas: reservas y "afectaciones" demaniales

A lo largo del articulado de la LGTel14 encontramos dos supuestos en los que se reserva a las Administraciones Públicas determinadas frecuencias del espectro radioeléctrico o de sus ampliaciones, supuestos a los que se une la posibilidad de que éstas obtengan derechos de uso privativo bajo determinadas condiciones. Veámoslos de forma separada:

1) La reserva al Estado de los recursos órbita-espectro

En los términos taxativos del artículo 60.5 LGTel14 —como antes del 43.3 de la LGTel03—, queda reservada al Estado la utilización del dominio público radioeléctrico necesario para la utilización de los recursos órbita-espectro en el ámbito de la soberanía española y mediante satélites de comunicaciones. La utilización del dominio público radioeléctrico mediante redes de satélites se incluye dentro de la gestión, administración y control del espectro de frecuencias, de modo que las correspondientes

---

términos idénticos a los contenidos en el apartado 2bis del Anexo II a la LGTel03, introducido por el Decreto-ley 13/2013.

[32] La Disposición transitoria primera de la LGTel03 mantuvo la vigencia transitoria, que se demoró casi cinco años, de la Orden de 9 de marzo de 2000, por la que se aprobó el reglamento de desarrollo de la LGTel98 en materia de dominio público radioeléctrico, y en la que introdujo modificaciones la DF 1ª del Real Decreto 424/2005, de 15 de abril, *por el que se aprueba el Reglamento sobre las condiciones para la prestación de servicios de comunicaciones electrónicas, el servicio universal y la protección de los usuarios.*

frecuencias pueden ser asignadas a particulares para la explotación de tales redes de satélite, pero el Estado se reserva *ex lege*, en todo caso, el espectro necesario para utilizar los recursos órbita-espectro con pleno sometimiento al Derecho Internacional. Esta reserva no implica, sin embargo, que esta concreta porción del espectro radioeléctrico deba ser gestionada, en todo caso, de forma directa por el propio Estado. La LGTel14 contempla que reglamentariamente puede también preverse su gestión indirecta mediante concesión o mediante conciertos con organismos internacionales, fórmula tradicional de gestión de este recurso hasta la privatización de los principales organismos del sector[33], siendo así que la gestión de la asignación de tales recursos para las comunicaciones por satélite le corresponde, hoy por hoy, a la SETSI [art. 69.j).7 LGTel14, como antes el 47.6.g) LGTel03]. El Reglamento aprobado mediante Real Decreto 863/2008, de 23 de mayo, ha regulado, en sus arts. 30 a 35, los títulos habilitantes para la utilización de este recurso, incluyendo la fórmula de la afectación a favor de Administraciones Públicas, a la que posteriormente haremos referencia.

2) La reserva al Estado del espectro preciso para las necesidades de la defensa nacional

En los instrumentos de planificación del espectro radioeléctrico y, en particular, en el CNAF, deberán incluirse específicamente "las necesidades de espectro radioeléctrico para la defensa nacional", que hay que entender automáticamente reservadas al Estado a tales efectos. Así lo ha previsto el artículo 61.1.a) LGTel14 —como antes el 44.1.b) de la LGTel03—, que se cuida en advertir que los datos correspondientes —como sabemos— serán secretos.

3) La posible "afectación demanial" en favor de Administraciones Públicas

Tal y como se deduce implícitamente de lo dispuesto en el artículo 62.4.b) LGTel14 —como antes en el 45.2.b) de la LGTel03—, cabe atribuir

---

[33]   Este ha sido, en efecto, el caso, tanto del Consorcio Internacional de Telecomunicaciones por Satélite (INTELSAT), como de la Organización Internacional de Telecomunicaciones Marítimas por Satélite (INMARSAT) y, en el ámbito europeo, de la Organización Europea de Telecomunicaciones por Satélite (EUTELSAT).

a las Administraciones Públicas derechos de uso privativo del dominio público radioeléctrico —con los rasgos de exclusividad en los que posteriormente insistermos— para "autoprestación". En tales casos, será preciso un acto expreso de atribución del derecho a su utilización, denominado por la Ley —de forma claramente inapropiada— como "afectación demanial"; "afectación" que será, en todo caso, otorgada por la SETSI por períodos de cinco años prorrogables por periodos idénticos, en regla común a todos los títulos para el uso privativo del dominio público radioeléctrico (art. 64.1 LGTel14)[34].

Plantea ciertas dificultades la concreción de qué deba entenderse por "autoprestación" cuando se trata de Administraciones Públicas. Se trataría, en todo caso, de los supuestos en que las Administraciones públicas y los entes públicos de ellas dependientes requieran que se les atribuyan determinadas frecuencias para su uso directo en la prestación para sí mismas de servicios de comunicaciones electrónicas[35], sin contraprestación económica de terceros. Así pues, la delimitación negativa del tipo de supuestos que quedarían cubiertos por esta "afectación demanial" a favor de Administraciones Públicas vendrá dada por los supuestos en los que las Administraciones Públicas pretendan desarrollar actividades de telecomunicaciones en competencia para las que requieran de determinadas frecuencias. Posibilidad ésta consagrada, en último término, en el artículo 128.2 de la Constitución y que contempla expresamente la LGTel14 en su artículo 9, no sin remitir a lo que disponga un real decreto sobre las "condiciones en que los operadores controlados directa o indirectamente por administraciones públicas deberán llevar a cabo la instalación y explotación de redes públicas o la prestación de servicios de comunicaciones electrónicas en régimen de prestación a terceros y, en especial, los criterios, condiciones y requisitos para que dichos operadores actúen con sujeción al principio de inversor privado"[36]. En previsión que ha sustituido al antiguo artículo 8.4 LGTel03,

---

[34] En puridad, en los términos del art. 64.1 LGTel14, otorgando rango legal a una previsión que aparecía en el art. 24.1 del Reglamento de utilización del dominio público radioeléctrico, el primer período finaliza el 31 de diciembre del año en que el que el título cumpla el quinto de vigencia.

[35] Debemos destacar que la LGTel03 emplea, a los efectos de la regulación de las redes y servicios, el término comunitario de "comunicaciones electrónicas", más estricto que el de "telecomunicaciones", sin que ello tenga, sin embargo, efecto alguno en el tipo de cuestiones que nos estamos planteando.

[36] Extremos en los que se apela a un, más que discutible, ex art. 128.2 CE, principio de subsidiariedad de la iniciativa pública cuando se prescribe que *"en particular, en dicho real decreto se establecerán los supuestos en los que, como excepción a la exigencia de actuación*

que atribuía a la extinta CMT la competencia "para imponer condiciones especiales que garanticen la no distorsión de la libre competencia" a las Administraciones Públicas que actúen, de forma directa o indirecta, como prestadoras de redes o servicios de comunicaciones electrónicas y en función de la cual la Comisión había creado una doctrina consolidada en la materia, decantada incluso en una Circular, la 1/2010, de 15 de junio, por la que se regulan las condiciones de explotación de redes y la prestación de servicios de comunicaciones electrónicas por las Administraciones Públicas.

En todo caso, por lo que a nosotros ahora interesa, en tales supuestos las Administraciones Públicas podrán optar a la asignación del uso privativo de las frecuencias que necesiten en pie de igualdad con los particulares en los términos que explicaremos en el siguiente apartado.

b) Utilización del dominio público radioeléctrico por particulares

En plena coherencia con la clásica dogmática del dominio público, en la LGTel14 —ya de forma explícita frente a su predecesora— se contemplan tres tipos —o niveles— de uso del espectro radioeléctrico, en razón de su menor o mayor intensidad y exclusividad. Se contemplan, en efecto, supuestos de uso común general, de uso común especial especial —no ya, según la formulación de la LGTel03, "uso especial no privativo"— y de uso privativo (art. 62.1 LGTel14)[37]. Asumiendo esta clasificación clásica, pasamos a analizar los distintos supuestos de utilización del dominio público radioeléctrico por particulares —o por Administraciones Públicas que actúen en competencia—, partiendo de un criterio basado en la necesidad o no de título habilitante para tal utilización. Y ello en el bien entendido de que, en sintonía con nuestras reflexiones sobre la peculiaridad de la demanialidad *funcional* de este recurso, en este caso el uso privativo será el principal tipo de uso de este recurso, siendo —en el extremo opuesto— el uso común general el uso residual.

---

con sujeción al principio de inversor privado, los operadores controlados directa o indirectamente por administraciones públicas podrán instalar y explotar redes públicas y prestar servicios de comunicaciones electrónicas en régimen de prestación a terceros que no distorsionen la competencia o cuando se confirme fallo del mercado y no exista interés de concurrencia en el despliegue del sector privado por ausencia o insuficiencia de inversión privada, ajustándose la inversión pública al principio de necesidad, con la finalidad de garantizar la necesaria cohesión territorial y social".

[37] Se trataría, respectivamente, de "uso común", "uso que implica un aprovechamiento especial" y "uso privativo", siguiendo la terminología del artículo 85 de la Ley 33/2003, de 3 de noviembre, de Patrimonio de las Administraciones Públicas (LPPA).

1) Supuestos de utilización sin título habilitante: el uso común

El uso común del dominio público radioeléctrico participa de las características clásicas del uso común general del dominio público: igualdad, libertad y gratuidad. El art. 62.1 LGTel14 —como antes el 45.1 *in fine* LGTel03— declara expresamente su carácter libre, extremo en el que redunda el art. 11.4 del Reglamento aprobado mediante Real Decreto 863/2008.

Siendo esto así, no se puede negar —enlazando con la reflexión que introduce este epígrafe— el carácter residual de esta forma de utilización de un recurso de dominio público cuya demanialidad se deriva, precisamente, tal y como venimos insistiendo, de la asignación privativa de su utilización para una concreta aplicación a salvo de interferencias derivadas de aplicaciones distintas. En este sentido, se podría llegar a decir que el uso común del espectro radioeléctrico matiza la demanialidad del recurso.

La propia naturaleza de los servicios y actividades en los que se concreta es prueba de lo que se dice, ya que en estos supuestos no se requiere protección contra las interferencias para garantizar su prestación, como es el caso de los usos de teleseñalización, alarma y telemando de baja potencia y de las llamadas aplicaciones ICM (Industriales, Científicas y Médicas)[38].

2) La utilización del dominio público radioeléctrico bajo la cobertura de un título habilitante: usos privativos y no privativos. Autorizaciones —generales o individuales— y concesiones

a) Consideraciones generales: procedimientos, condiciones y régimen de transmisibilidad

Determinadas aplicaciones del espectro radioeléctrico implican una utilización más intensa y, en ocasiones, exclusiva, de unas concretas frecuencias. Hablaremos, entonces, de usos especiales no privativos o —cuando

---

[38] En los términos del art. 11 del Reglamento, tendrán la consideración de uso común la utilización de aquellas bandas, subbandas o frecuencias que se señalen en el CNAF con tal uso, "con las características técnicas especificadas en dicho cuadro" y las que se señalen para aplicaciones industriales, científicas y médicas (ICM) (ap. 1), así como los enlaces de comunicaciones mediante ondas electromagnéticas con frecuencias correspondientes al espectro visible (enlaces ópticos) (ap. 2). Según dispone el apartado 3, los servicios que efectúen un uso común del dominio público radioeléctrico no deberán producir interferencias ni para ellos se podrá solicitar protección frente a servicios de comunicaciones electrónicas autorizados.

se incluya el elemento de exclusividad— usos privativos, para los que será imprescindible la previa obtención de un título habilitante. Decae, en ambos casos, el carácter libre y gratuito del uso, si bien la forma del título habilitante será, según los casos, la autorización autorización —individual o general, según novedad introducida por la LGTel14— o la concesión[39], y ello sin perjuicio de la "afectación demanial" —a la que ya nos hemos referido— para el caso de que sus beneficiarios sean Administraciones Públicas a efectos de autoprestación.

Antes de especificar en qué supuestos cabe hablar de uso especial o de uso privativo y cuál es el título habilitante —autorización, individual o general, o concesión— que corresponda en cada caso, debemos comentar algunas cuestiones comunes a sendos supuestos, tanto por lo que se refiere a los procedimientos para su otorgamiento como a las condiciones asociadas a estos títulos y al régimen de su posible transmisión, favorecida por el nuevo marco regulatorio europeo, transpuesto a nuestro ordenamiento de forma adelantada, aun vigente la LGTel03, por el Decreto-Ley 13/2012, que generalizó la aplicación de los principios de neutralidad tecnológica y de los servicios[40], ahora consagrados en el art. 66 LGTel14.

1. En lo que se refiere al procedimiento de otorgamiento de los derechos de uso del dominio público radioeléctrico, la LGTel14 —como antes la LGTel03— no es muy prolija, remitiéndose —como en otras muchas cuestiones— a lo que se determine por Real Decreto (art. 61.c), sin que debamos olvidar que la Ley 33/2003, de 3 de noviembre, de Patrimonio de las Administraciones Públicas (LPAP), será de aplicación supletoria[41]. El art. 61.c) LGTel14 —como antes el apartado c) del art. 44 de la Ley

---

[39] Así lo recuerda el artículo 61.c)LGTel14 —y, correlativamente, el 62.2—, que no menciona los títulos habilitantes para el uso del dominio público radioeléctrico para fines experimentales o eventos de corta duración, las condiciones de cuyo otorgamiento serán determinadas reglamentariamente, tal y como exige el apartado f) del mismo artículo, remisión que hay que entender colmada —transitoriamente— por el art. 44 del Reglamento de utilización del espectro, que reconoce a las autorizaciones otorgadas con esta peculiar finalidad una duración máxima de seis meses

[40] En estos términos se pronuncia el Preámbulo al Decreto-ley, que advierte que "con ello se pretende maximizar el rendimiento de los recursos espectrales asignados a los operadores, lo que redundará en beneficio de la innovación tecnológica y en una mayor oferta de mejores servicios".

[41] Tal y como dispone el apartado 4 del artículo 5 de la LPAP, "los bienes y derechos de dominio público se regirán por las leyes y disposiciones especiales que les sean de aplicación y, a falta de normas especiales, por esta Ley y las disposiciones que la desarrollen o complementen. Las normas generales del derecho administrativo y, en su defecto, las normas del derecho privado, se aplicarán como derecho supletorio".

de 2003, en la redacción dada por el Decreto-Ley 13/2012—, precisa, sin embargo, que los procedimientos "se basarán en criterios objetivos, transparentes, no discriminatorios y proporcionados y tendrán en cuenta, entre otras circunstancias, la tecnología utilizada, el interés de los servicios, las bandas y su grado de aprovechamiento", así como "la valoración económica para el interesado del uso del dominio público, dado que éste es un recurso escaso y, en su caso, las ofertas presentadas por los licitadores". La llamada al reglamento se ha de entender transitoriamente colmada por el Real Decreto 863/2008, cuyas previsiones deben ser completadas, a efectos formales, por la Orden que sustituya a la Orden IET/741/2013, de 25 de abril, por la que se aprueban los modelos de solicitud de títulos habilitantes para el uso del dominio público radioeléctrico[42].

El artículo 62.2 LGTel14 —en términos idénticos a los del previo art. 44.1.d) LGTel03— se limita a establecer como plazo general para el otorgamiento de las autorizaciones y concesiones de dominio público radioeléctrico el de seis semanas desde la entrada de la solicitud en cualquiera de los registros del órgano administrativo competente, salvo en los supuestos en los que sea necesaria la coordinación internacional de frecuencias o afecte a reservas de posiciones orbitales, o —según se hace ahora expreso en la LGTel14— se trate de una concesión con limitación de número, tal y como veremos posteriormente, en cuyo caso el plazo no podrá superar los 8 meses, tal y como precisa el apartado 2 in fine del art. 63 —como antes el mismo art. 44, apartado 2—.

Con todo, no debemos olvidar que la utilización del espectro es *instrumental* para el desarrollo de actividades de telecomunicación, de modo que es necesario tener en cuenta la concatenación entre el procedimiento de otorgamiento de los títulos habilitantes para la utilización del dominio público radioeléctrico y el que se dirija a habilitar para la prestación de servicios o redes de comunicaciones electrónicas. Cuestión respecto de la que es preciso distinguir el caso de los servicios de difusión respecto de la generalidad de los servicios o redes de comunicaciones electrónicas. En el caso de los servicios de radiodifusión y televisión por ondas, el procedimiento de otorgamiento de los títulos para la prestación de los servicios integra los procedimientos de otorgamiento de títulos habilitantes del uso privativo del espectro necesario para su prestación (art. 62.5, segun-

---

[42]   Esta Orden sustituye a la anterior Orden ITC/270/2007, de 1 de febrero, modificada por la Orden ITC/961/2010, de 12 de abril. Téngase en cuenta que, al introducir la LGTel14 una distinción entre autorizaciones generales e individuales, al menos en este aspecto la reforma o sustitución de la Orden se hace imprescindible.

do párrafo, LGTel14)[43], mientras que respecto de la generalidad de los servicios y redes de comunicaciones electrónicas —para cuya habilitación la LGTel03 había incorporado ya un mecanismo de mera notificación, y posterior registro que se mantiene en la LGTel14[44]— el otorgamiento de los títulos habilitantes para el uso común especial o privativo del dominio público radioeléctrico queda totalmente desvinculado de tal procedimiento de notificación y registro, que habrá que considerar, en su caso, previo (art. 6.5 LGTel14).

En todo caso, con carácter previo a la utilización del dominio público radioeléctrico, se exige preceptivamente la inspección o el reconocimiento de las instalaciones —a la que se añade, como novedad introducida por la LGTel14, la exigencia de aprobación del proyecto técnico—. Requisito éste último que puede ser suplido por una mera declaración responsable en el caso de que la naturaleza del servicio, la banda de frecuencias emplea-

---

[43]   El art. 37.3 del Reglamento aprobado mediante Real Decreto 863/2008 prescribe que, con carácter general, para la prestación de servicios de radiodifusión sonora y televisión por ondas terrestres, el derecho de uso de dominio público radioeléctrico se otorgará, de conformidad con lo previsto en los planes técnicos nacionales, por la Administración de las Telecomunicaciones mediante concesión demanial *aneja* a quien disponga del correspondiente título habilitante para la prestación de dichos servicios de difusión. Previsión que encuentra correlación en el art. 24.2 de la Ley 7/2010, de 31 de marzo, General de Comunicación Audiovisual, en el que se advierte que la adjudicación de la licencia —título que, frente a la mera comunicación, se cualifica, precisamente, por ser necesario el uso privativo de ondas terrestres para la prestación del servicio audiovisual de que se trate (apartados 2 y 3 del art. 22)— "lleva *aparejada* la concesión de uso privativo del dominio público radioeléctrico de conformidad con la planificación establecida por el Estado", a los efectos de lo cual se convocará el correspondiente concurso. Y ello sin perjuicio de la previsión contenida en el párrafo tercero del art. 61.c) LGTel14 —incluida ya por el Decreto-ley como apartado 3 del art. 44 LGTel03—, que contempla la posibilidad de que se excepcione la regla del procedimiento abierto para la adjudicación de derechos individuales de utilización de radiofrecuencias a proveedores de servicios de contenidos radiofónicos o televisivos cuando resulte necesario su otorgamiento "para lograr un objetivo de interés general establecido de conformidad con el Derecho de la Unión Europea".

[44]   Conforme a lo previsto en el artículo 6.2 de la LGTel14, "los interesados en la explotación de una determinada red o en la prestación de un determinado servicio de comunicaciones electrónicas deberán, con anterioridad al inicio de la actividad, notificarlo previamente al Registro de operadores en los términos que se determinen mediante real decreto, sometiéndose a las condiciones previstas para el ejercicio de la actividad que pretendan realizar". Este régimen de notificación notificación —que ya estaba previsto en la LGTel03, si bien bajo la competencia de la extinta CMT, no del Ministerio, como ahora determina el art. 7.1 de la misma LGTel14— sustituye al anterior, fijado por la LGTel98, basado en el otorgamiento de licencias individuales y autorizaciones generales.

da, la importancia técnica de las instalaciones o razones de eficacia en la gestión del espectro así lo permitan[45]. La inspección puede seguir siendo sustituida, como en el seno de la LGTel03, por una certificación expedida por técnico competente.

Huelga decir que unos y otros trámites tienen como fin comprobar que las instalaciones radioeléctricas se ajustan a las condiciones previamente autorizadas, con el objetivo último de evitar interferencias.

2. Las condiciones asociadas a estos títulos habilitantes —autorizaciones y concesiones— quedan determinadas reglamentariamente, si bien la Ley recuerda en su artículo 45.3 que deberán ser no discriminatorias, proporcionadas y transparentes y que entre ellas se incluirán las necesarias para garantizar el uso efectivo y eficiente de las frecuencias. Conviene advertir, no obstante, que los propios títulos habilitantes para el uso del dominio público radioeléctrico podrán ser modificados por el Ministro de Ciencia y Tecnología mediante Orden ministerial.

En los términos del art. 64.3 LGTel14 —similares, que no idénticos, a los contenidos en el derogado art. 45.5 LGTel03—, la modificabilidad de autorizaciones y concesiones se justificará "atendiendo principalmente" a las necesidades de la planificación y del uso eficiente y a la disponibilidad del espectro radioeléctrico y debe respetar, en todo caso, los principios de objetividad y de proporcionalidad, en los términos que se establezcan mediante real decreto. Además, advierte la Ley que la correspondiente modificación sólo podrá adoptarse previa audiencia de los interesados y —ahora sólo en el caso de que se trate de títulos otorgados mediante licitación— del Consejo de Consumidores y Usuarios y, en su caso, de las asociaciones más representativas de los restantes usuarios —durante un plazo suficiente, que salvo circunstancias excepcionales no podrá ser inferior a cuatro semanas—, y previo informe, hoy por hoy, de la Comisión Nacional de los Mercados y de la Competencia. En tales casos, la modificación se adoptará mediante Orden que exigirá previo informe de la Comisión Delegada del

---

[45] En los términos del art. 45.4 LGTel03 y 19 del Reglamento, estos condicionantes podían justificar la sustitución de la inspección previa por certificación de técnico competente, siendo así que mediante resolución de la SETSI se debían establecer los supuestos en los que cupiera tal sustitución, lo que se materializó en la Resolución de 31 de enero de 2013, de la Secretaría de Estado de Telecomunicaciones y para la Sociedad de la Información, por la que se determinan los supuestos en que se sustituye la inspección previa al uso del dominio público radioeléctrico, de determinadas estaciones radioeléctricas, por una certificación expedida por técnico competente (BOE nº 35, de 9 de febrero de 2013).

Gobierno para Asuntos Económicos y que establecerá un plazo para que los titulares se adapten a ella.

Nada dice la Ley, sin embargo, acerca de la indemnizabilidad de tales modificaciones, silencio que —para el caso del uso privativo— ha sido suplido por el Reglamento, cuyo art. 26 reconoce un principio de indemnizabilidad que, sin embargo, queda exceptuado —amén de en el evidente supuesto de modificaciones imputables al titular— cuando las modificaciones vengan impuestas por normas internacionales o por el ordenamiento jurídico de la Unión Europea (ap. 1) y cuando, en los casos de renovaciones, las modificaciones resulten necesarias para su adaptación al CNAF (ap. 2)[46].

3. La LGTel03 introdujo como novedad la posibilidad de que los títulos habilitantes para el uso del dominio público radioeléctrico puedan ser objeto de transmisión, posibilidad que se vio reforzada por la reforma introducida por el Decreto-ley 13/2012, en atención a las nuevas tendencias de la política comunitaria en la materia. En ello insiste la nueva LGTel14.

En los términos del nuevo nuevo art. 67 LGTel14 —como antes en los del apartado 6 del art. 45 LGTel03—, no sólo los títulos habilitantes de uso del dominio público radioeléctrico podrán ser transferidos, sino que también los propios derechos de uso del dominio público radioeléctrico podrán ser cedidos, sin transferencia del título —de forma total o parcial, como novedad introducida por la LGTel14[47]—en las condiciones de autorización que se establezcan mediante real decreto, en el que se identificarán igualmente las bandas de frecuencia en las que serán posibles dichas operaciones de transferencia o cesión, particularmente las que se identifiquen en el ámbito de la Unión Europea. Y ello en el bien entendido de que tales transmisiones, con las que se pretende dotar de mayor flexibilidad al régimen de atribución de frecuencias sin perjuicio de la garantía del control público en la gestión de un recurso de carácter demanial, deberán ser autorizadas por la Administración —bajo amenaza de sanción grave, no ya muy grave, en el caso de derechos de uso privativo[48]— y no eximirán, en

---

[46] En términos similares se pronunciaba el art. 22 de la Orden de 9 de marzo de 2000.
[47] Resulta un tanto equívoca la posibilidad de cesión total de los derechos de uso que dejara una suerte de "nuda propiedad" respecto del título.
[48] Efectivamente, el art. 77.7 LGTel14 tipifica como infracción grave "la transmisión total o parcial de concesiones o autorizaciones para el uso privativo del dominio público radioeléctrico, sin cumplir con los requisitos establecidos a tal efecto por la normativa de desarrollo de esta Ley". Supuesto de hecho que el art. 53.d) LGTel03 tipificaba, en términos idénticos, pero como infracción muy grave, y ello en el bien entendido

el caso de cesión —sea total o parcial—, al cedente de las obligaciones que hubiera asumido frente a la Administración, debiendo respetarse, en todo caso, se trate de transmisiones o de cesiones, las condiciones técnicas de uso establecidas en el CNAF o en los Planes Técnicos o las que, en su caso, estén fijadas en las medidas técnicas de aplicación de la Unión Europea[49].

La Ley de Economía Sostenible, en su art. 48, ya había avanzado en la tendencia de favorecer la fórmula de la transmisión de títulos o cesión de derechos al prever que el Gobierno, mediante Real Decreto, aprobaría las previsiones necesarias para la introducción de nuevas bandas de frecuencias en las que se puede efectuar la transferencia de títulos habilitantes o cesión de derechos de uso del dominio público radioeléctrico, en particular las bandas de frecuencias de 900 MHz (880-915 MHz y 925-960 MHz), 1.800 MHz (1.710-1.785 MHz y 1.805 MHz-1.880 MHz) y 2.100 MHz (1.900-2.025 MHz y 2.110-2.200 MHz), utilizadas actualmente para la prestación de los servicios de comunicaciones móviles, y la banda de 3,5 GHz (3, 4-3, 6 GHz), utilizada para la prestación de servicios de acceso inalámbrico. La llamada al reglamento fue completada por el Real Decreto 458/2011, de 1 de abril, sobre actuaciones en materia de espectro radioeléctrico para el desarrollo de la sociedad digital, que introdujo una nueva Disposición adicional cuarta en el Reglamento aprobado mediante Real Decreto 863/2008[50], el cual —en su redacción original— ya había introducido muchas de estas novedades regulatorias: en particular, la posibilidad de trans-

---

de que la cuantía de las sanciones graves ha aumentado en el paso de la LGTel03 a la LGTel14, de un máximo de 500.000 euros a un máximo de 2 millones, por más que en tope máximo de las sanciones por infracciones muy graves siga siendo de 20 millones de euros.

[49] Asimismo, en dicho reglamento se podrán establecer restricciones a la transferencia o arrendamiento de derechos individuales de uso de radiofrecuencias cuando dichos derechos se hubieran obtenido inicialmente de forma gratuita (ap. 3 del mismo art. 67 LGTel14), no ya, como estaba previsto en la LGTel03, fijar los supuestos en que sean transferibles los títulos habilitantes en los casos en que se produzca una subrogación en los derechos y obligaciones del operador.

[50] Según prevé la citada Disposición, "en las bandas de frecuencias de 800 MHz, 900 MHz, 1.800 MHz, 2.100 MHz, 2,6 GHz y 3,5 GHz se podrán efectuar operaciones de transferencia de títulos habilitantes o cesión de derechos de uso del dominio público radioeléctrico en los términos y con los requisitos establecidos en el Título V del Reglamento de desarrollo de la Ley 32/2003, de 3 de noviembre, General de Telecomunicaciones en lo relativo al uso del dominio público radioeléctrico" (ap. 1), en el entendimiento de que "la transferencia de títulos habilitantes o cesión de derechos de uso del dominio público radioeléctrico en estas bandas de frecuencias deberá desarrollarse mediante procedimientos abiertos, transparentes, objetivos y no discriminatorios, y no podrá dar lugar a situaciones anticompetitivas" (ap. 2).

ferencia parcial del título y de cesión de derechos de uso del dominio público radioeléctrico respecto de una parte de las frecuencias o de una parte
del ámbito geográfico, a los efectos de lo cual el Anexo incluye la relación
de servicios con frecuencias reservadas en las bandas indicadas susceptibles
de transferencia parcial o cesión a terceros. El Reglamento establece, además, los derechos de uso que no son susceptibles de transmisión, las causas
de revocación de la autorización de transmisión y la prohibición de realizar
cesiones sucesivas y simultáneas.

Sobre la base de los principios anteriores, comunes a todos los títulos
habilitantes para la utilización del dominio público radioeléctrico por
parte de particulares —o de Administraciones Públicas que pretendan desarrollar actividades de telecomunicaciones en el mercado—, pasamos a
analizar de forma separada los usos especiales y privativos del espectro radioeléctrico, identificando los títulos que habiliten específicamente cada
supuesto y las especialidades de su régimen jurídico.

**b) Uso especial del dominio público radioeléctrico y su habilitación me-
diante autorización**

La LGTel14 concibe el uso especial del dominio público radioeléctrico
como aquel que se lleve a cabo de las bandas habilitadas para su explotación compartida y sin límite de número de operadores o usuarios (art.
62.1). En este punto la LGTel14 introduce una novedad importante frente
a su predecesora, cuyo art. 45.2.a) se limitaba a reconocer un único tipo de
supuestos de uso especial no privativo del dominio público radioeléctrico,
identificados por el carácter no lucrativo de las correspondientes actividades de telecomunicaciones. Concretamente, el citado artículo 45.2.a)
LGTel03 identificaba como tal el uso del espectro por radioaficionados
y otros sin contenido económico —como los de banda ciudadana— para
cuya habilitación requería una autorización administrativa otorgada por la
SETSI. Frente a ello, en el seno de la nueva Ley las novedades no se agotan
en la falta de especificación de los tipos de servicios cubiertos por los usos
especiales —en correlación con el principio de neutralidad tecnológica
y de servicios que formula el art. 66—, sino que añaden la sustitución de
la mencionada autorización, bien por una llamada "autorización general"
(art. 62.3), bien por una "autorización individual" precisamente en los supuestos de usos por radioaficionados "u otros sin contenido económico en
cuya regulación específica así se establezca", en los términos del apartdo
4.a) del mismo art. 62.

Frente a la falta de precisión legal sobre la "autorización individual",
sobre la que luego volveremos, la "autorización general" se identifica en la

Ley con un proceso de mera notificación a la SETSI mediante el procedimiento y con los requisitos que se establezcan mediante Orden ministerial, a salvo la advertencia expresa de que la falta de cumplimiento de alguno de los requisitos de la notificación podrá ser puesta de manifiesto por la Secretaría de Estado, en el plazo de quince días, mediante resolución expresa que afirme no tener por realizada tal notificación.

Nada más concreta, sin embargo, el legislador respecto del régimen jurídico de tales autorizaciones, sin que siquiera remita, como la antecedente LGTel03, a un reglamento la determinación de su duración y las condiciones a ellas asociadas. Reglamento que, en los términos de lo dispuesto en el art. 13 del Reglamento de uso del dominio público radioeléctrico, había de adoptar la forma de Orden ministerial, sin perjuicio de advertir, en todo caso, que las autorizaciones de uso especial[51], tendrán carácter personal y vigencia indefinida salvo renuncia de su titular, sin perjuicio de su obligación de comunicar cada cinco años su intención de continuar en el disfrute de la misma, salvo que mediante la Orden de referencia se suprima dicha carga. Lo que, como veremos inmediatamente, ha ocurrido en relación con los servicios de radioaficionado y banda ciudadana.

Se trata, en estos casos, es evidente, de un uso de mayor intensidad que el común general, pero que no alcanza la nota de exclusividad que caracteriza al uso privativo, siendo así que el CNAF lo califica como "uso compartido sin exclusión de terceros". Lo que, sin perjuicio del principio de igualdad, hace que decaiga la nota de libertad y la LGTel14 exija la previa obtención de una autorización, ahora calificada como "general". Autorización que, en los términos del art. 14 del Reglamento, era revocable, no sólo por causas imputables a su titular —como el mal uso o el incumplimiento de la normativa aplicable—, sino también por la modificación del CNAF que suponga la reclasificación de una banda, subbanda o frecuencia estableciendo su uso privativo, en cuyo caso —según dispone el art. 15 del Reglamento— se establecería un período transitorio de adaptación o amortización de equipos, sin que se genere derecho alguno a indemnización. El paso de la "autorización" a la nueva "autorización general" o "individual" dificulta la aplicación transitoria automática de estos preceptos reglamentarios.

---

[51] Prescribía expresamente el apartado 2 que "dicha autorización se otorgará por orden de presentación de solicitudes sin más limitaciones que las que se deriven de la de policía y buena gestión del dominio público radioeléctrico, sin perjuicio de derechos de terceros usuarios del dominio público".

A la autorización hay que sumar, para el caso del uso del espectro por radioaficionados, un diploma de operador, tal y como dispone la reciente Orden IET/1311/2013, de 9 de julio, por la que se aprueba el Reglamento de uso del dominio público radioeléctrico por radioaficionados[52], que ha introducido algunos cambios en la Orden ITC/4096/2006, de 28 de diciembre, por la que se aprueba el Reglamento de uso del dominio público radioeléctrico de la banda ciudadana CB-27, particularmente a los fines de extender también a estos usos la excepción a la exigencia de comunicación de la voluntad de continuar en el disfrute del espectro transcurrido el primer período de cinco años.

c) Uso privativo del dominio público radioeléctrico: autorizaciones individuales y concesiones como títulos habilitantes

El uso privativo del dominio público radioeléctrico encuentra definición en el seno de la nueva LGTel14 cuando precisa, en el último párrafo de su art. 62.1, que es aquel que se realiza mediante la explotación en exclusiva o por un número limitado de usuarios de determinadas frecuencias en un mismo ámbito físico de aplicación. Siendo esto así, no ha de extrañar que exija —y exigiera, en el seno de la LGTel03— un previo título habilitante, que puede ser una autorización —ahora "individual"— o una concesión[53]. El dato clave que separa los supuestos en los que se exija una u

---

[52]   Esta Orden ha venido a sustituir a la previa Orden ITC/1791/2006, de 5 de junio, por la que se aprueba el Reglamento de uso del dominio público radioeléctrico por radioaficionados, a la que acompañaba la Resolución de la Secretaría de Estado de Telecomunicaciones y para la Sociedad de la Información de 20 de septiembre de 2006 por la que se dictan Instrucciones para desarrollarlo y aplicarlo.

[53]   Y ello sin perjuicio, conviene advertirlo, de otros títulos habilitantes que sean exigibles, en su caso, en aplicación de normativas distintas por la mera instalación de las infraestructuras que utilicen el espectro. Algo que parece especialmente oportuno advertir a la vista de las novedades que, en este punto, introdujo ya la Ley 12/2012, de 26 de diciembre, sobre medidas urgentes de liberalización del comercio y de determinados servicios, a través de cuya dsiposición adicional tercera las estaciones radioeléctricas de menos de 300 metros cuadrados quedaron exentas de la previa licencia municipal. En planteamiento que la LGTel14 (art. 34.6) extiende al despliegue de cualesquiera redes en dominio privado en la medida en que las correspondientes instalaciones constaran en el plan de despliegue previamente autorizado por la Administración en cuestión, con la consecuencia de sustituir las autorizaciones o licencias que correspondieran por declaraciones responsables (siguiendo, en su caso, el modelo que se apruebe en aplicación del art. 35.6). A lo que se suma que las innovaciones técnicas y las adaptaciones tecnológicas en infraestructuras ya ubicadas, incluidas expresamente las estaciones radioeléctricas, no precisará de título o trámite alguno ante la Administración competente en ordenación del territorio, urbanismo o medioambiente (apartado 7 del mismo art. 34).

otra se refiere a que las frecuencias objeto de habilitación se empleen para actividades en autoprestación o en explotación para terceros.

Efectivamente, se requerirá una mera autorización, que la nueva LGTEL14 pasa a calificar como "individual", para habilitar el uso privativo de una porción del dominio público radioeléctrico cuando ésta se utilice para actividades propias del solicitante. Autorización individual que, sin embargo, viene supeditada a la efectiva disponibilidad del espectro, de modo que sólo se cubrirán las necesidades del mismo a efectos de autoprestación cuando la demanda no supere a la oferta (art. 45.2.b LGTel03 y 18, apartados 1.a y 2, del Reglamento de utilización). Estas autorizaciones se otorgarán por períodos de cinco años, prorrogables a petición del titular, siendo el silencio negativo (art. 24.4 del Reglamento).

La **concesión** es, por su parte, el título habilitante exigible para el uso privativo del dominio público radioeléctrico en los supuestos en los que el solicitante pretenda utilizar el espectro en actividades de comunicaciones electrónicas dirigidas a terceros, según se extrae, en su formulación residual, del ahora art. 62.5 LGTel14, como antes del 45.2 LGTel03. De ahí que el mismo precepto —como antes los artículos 43.4.b) y 45.2, segundo párrafo, de la LGTel03, si bien no haciendo ya mención expresa a la acreditación de tal condición— exija que el solicitante de las concesiones ostente la condición de operador, lo que implica que deberá haber notificado previamente, hoy por hoy, al propio Ministerio —y no, como en el seno de la LGTel03, a la Comisión Nacional de los Mercados y de la Competencia, lo que explica la eliminación de la exigencia de acreditación—, su intención de prestar un concreto servicio o explotar una red de comunicaciones[54] —a salvo los supuestos de los seleccionados para la prestación de servicios de comunicaciones electrónicas armonizados en procedimientos de licitación convocados por las instituciones de la Unión Europea[55]—, con la

---

[54]   Conforme al apartado 26 del Anexo a la LGtel14, operador es toda "persona física o jurídica que explota redes públicas de comunicaciones electrónicas o presta servicios de comunicaciones electrónicas disponibles al público y ha notificado al Ministerio de Industria, Energía y Turismo el inicio de su actividad o está inscrita en el Registro de Operadores". En los términos del art. 23.a) del Reglamento aprobado mediante Real Decreto 853/2008, será causa de denegación de la concesión demanial el hecho de que no concurra en el solicitante la condición de operador.

[55]   Efectivamente, tal y como dispone el apartado 7 del mismo art. 62 LGTel14, quienes resultansen seleccionados en tales procedimientos en los que se establezca la reserva a su favor de derechos de uso del dominio público radioeléctrico, se inscribirán de oficio en el Registro de operadores y la SETSI otorgará la concesión demanial a los que, de este modo, adquieren la condición de operador sin previa notificación formal

consecuencia última de que la pérdida de la condición de operador es, con carácter general, causa de pérdida de la concesión de uso del espectro[56].

La anterior exigencia encuentra una excepción en relación con las concesiones de uso privativo del dominio público radioeléctrico reservado para la prestación de servicios audiovisuales, que se concederá aneja al título habilitante audiovisual —a cuya duración misma se ciñe—, siendo así que el concesionario —dice literalmente el mismo art. 62.5— "no tiene por qué ostentar la condición de operador de comunicaciones electrónicas sino la de prestador de servicios audiovisuales".

El art. 62.5 LGTel14 hace ahora expresa la advertencia de que en los solicitantes de concesiones no pueden concurrir las prohibiciones para contratar previstas en el Texto Refundido de la Ley de Contratos del Sector Público, aprobado por Real Decreto Legislativo 3/2011, de 14 de noviembre. Algo que, en todo caso, viene impuesto para la generalidad de las concesiones por la LPAP[57]. Estas concesiones de uso privativo del dominio público radioeléctrico se otorgarán, en principio, directamente por la SETSI. Así lo establece el mismo art. 62 LGTel14, en su apartado 6, que se remite al art. 63 para identificar los supuestos en los que, por otorgarse las concesiones mediante un procedimiento de licitación, la competencia recaiga en el Ministro. En este punto la LGTel14 no se separa de su precedente LGTel03 en la redacción que introdujo en la misma el Decreto-ley 13/2012.

En los casos en los que la garantía del uso eficaz del espectro radioeléctrico exija, a juicio del Ministerio de Industria, Energía y Turismo, limitar

---

al Ministerio. De ahí precisamente que la definición de operador incluida ahora en el apartado 26 del Anexo de la LGTel14 contemple como novedad esta vía de adquisición de condición de la condición de operador, novedad que se suma a la sustitución de la antigua CMT por el Ministerio para conocer de los procedimientos ordinarios de notificción y Registro, cambio que trae causa, en último término, de la creación de la nueva Comisión Nacional de los Mercados y de la Competencia mediante Ley 3/2013, que supuso la reordenación de las competencias sectoriales en términos no poco polémicos, como hemos tenido ocasión de explicar en la obra colectiva por nosotros dirigida CARLÓN RUIZ, M. (Dir.), La Comisión Nacional de los Mercados y de la Competencia, Civitas, 2014.

56   Así lo precisan el art. 27.d) del Reglamento de uso del dominio público radioeléctrico.
57   Conviene recordar a este respecto que el artículo 94 de la LPAP advierte que "en ningún caso podrán ser titulares de concesiones sobre bienes y derechos demaniales las personas en quienes concurra alguna de las prohibiciones de contratar reguladas en el Real Decreto Legislativo 2/2000, de 16 de junio, por el que se aprueba el Texto Refundido de la Ley de Contratos de las Administraciones Públicas". Referencia que hoy por hoy hay que entender se remite al Texto Refundido de la Ley de Contratos del Sector Público, aprobado mediante Real Decreto Legislativo 3/2011, de 14 de noviembre.

el número de concesiones demaniales, las concesiones se otorgarán a través de un procedimiento de licitación, supuesto éste para cuya aplicación se han aumentaron las cautelas a la luz de las modificaciones introducidas en el art. 44.2, primer párrafo, LGTel03, por el Decreto-ley 13/2012, que añadió, además, la posibilidad de decidir bajo los mismos condicionantes la prolongación de los derechos ya existentes en condiciones distintas de las originalmente fijadas. El carácter excepcional con el que se concibió, ya, en la redacción original de la LGTel03, aquella posibilidad se vio, en efecto, reforzado en la nueva redacción de la Ley, que no solo apelaba al objetivo de garantizar el uso eficaz del espectro radioeléctrico, sino que imponía expresamente —como ahora hace el art. 63 LGTel14— que, en la toma de la correspondiente decisión por parte del Ministerio, se tenga en cuenta "la necesidad de conseguir los máximos beneficios para los usuarios y facilitar el desarrollo de la competencia". A tales efectos será crucial el trámite de audiencia a las partes interesadas, incluidas las asociaciones de consumidores y usuarios. En todo caso, la decisión del Ministerio deberá ser publicada, exponiendo los motivos de la misma —según exige la nueva redacción del artículo de referencia— y será revisable por el propio Ministerio, de oficio o a instancia de parte, en la medida en que desaparezcan las causas que la motivaron, tal y como prescribe el artículo 44.2 de la LGTel03, siendo así que el art. 29.4 del Reglamento de utilización, transitoriamente vigente, precisa que deberá hacerse, en todo caso, cada dos años. El mismo precepto se cuida de advertir que la revisión de la limitación no generará derecho de indemnización a favor de los que originalmente hubieran obtenido los títulos licitados, sin perjuicio de su derecho a cancelar las garantías que hubieran llegado a constituir para responder a los compromisos asumidos. La Disposición adicional primera del reglamento, en la redacción dada por el Real Decreto 458/2011, de 1 de abril, sobre actuaciones en materia de espectro radioeléctrico para el desarrollo de la sociedad digital, establece, por sí misma, la relación de bandas de frecuencias —no ya servicios, como en el Reglamento derogado, por efecto del principio de neutralidad tecnológica— en las que queda inicialmente limitado el número de concesiones, aun sin especificar este extremo[58]. Y ello advirtiendo —incluyendo exigencias que no aparecen en el propio art.

---

[58]   Las bandas son las siguientes: a) 790 a 862 MHz. b) 880 a 915 y 925 a 960 MHz. c) 1.710 a 1.785 y 1.805 a 1.880 MHz para redes terrestres. d) 1.900 a 2.025 y 2.110 a 2.200 MHz. e) 2.500 a 2.690 MHz. f) 3,4 a 3,6 GHz. La Disposición adicional cuarta del Reglamento derogado identificaba directamente como servicios respecto de los que se limitaba el número de concesiones para la utilización del espectro: el servicio de telefonía móvil en sus modalidades GSM, DCS1800 y UMTS, el servicio de distribución

29— que su modificación, que podrá ser adoptada por el Ministerio, exigirá previo informe de la —hoy— Comisión Nacional de los Mercados y de la Competencia y previo acuerdo de la Comisión Delegada del Gobierno para Asuntos Económicos.

El procedimiento de licitación subsiguiente deberá respetar los principios de publicidad, concurrencia y no discriminación para todas las partes interesadas, a cuyos efectos el Ministerio aprobará, mediante orden, el pliego de bases —ya sin previo informe de la Comisión Nacional de los Mercados y de la Competencia, lo que es de lamentar[59]— y la convocatoria de licitación correspondiente a la concesión del segmento de dominio público radioeléctrico que se sujeta a limitación, sin que se haga ya, en el seno de la LGTel14, como sí ocurría en el art. 44.2 *in fine* LGTel03, una llamada a los principios establecidos en la legislación patrimonial y de contratos de las Administraciones públicas. En este caso de licitación, el Ministerio deberá resolver sobre el otorgamiento de la concesión demanial en un plazo máximo de ocho meses desde la convocatoria de la licitación, como advierte la LGTel14 en términos idénticos a los previstos en la derogada LGTel03.

Sea cual sea el procedimiento seguido para su otorgamiento, las resoluciones mediante las cuales se otorguen las concesiones de dominio público radioeléctrico se dictarán y publicarán en la forma y plazos concretos que se establecen, transitoriamente, en el Reglamento aprobado mediante Real Decreto 863/2008, por remisión de la Ley[60]. Además, estas concesiones serán objeto de inscripción en un Registro Nacional de Frecuencias, gestionado, hoy, por la SETSI [art. 69.j.3 LGTel14, como el previo 47.6.c) LGTel03, y 7 del Reglamento de utilización del espectro], así como en el nuevo Registro público de concesionarios, creado por aquel Reglamento, cuyo art. 8 especifica los datos que deben constar en el mismo. Este Registro es accesible a través de Internet.

En cuanto a los plazos de duración de los títulos habilitantes para el uso privativo del espectro, el art. 64 de la LGtel14 ha suplido el silencio de la

---

de vídeo vía radio mediante el sistema SDVM y el servicio de comunicaciones móviles en grupos cerrados de usuarios con tecnología digital de ámbito nacional.

[59]   El art. 48.3.h) LGTel03 hacía expresa mención a estos pliegos como objeto de informe de la entonces CMT, si bien la vigente LGTel14, en su art. 70.l), no da margen a interpretar que tal competencia se retenga, tal y como hemos razonado en la obra citada *supra*, relativa a la nueva Comisión Nacional de los Mercados y de las Competencia.

[60]   El vigente art. 62.6 LGTel14 prescribe, igualmente, que la norma reglamentaria que la desarrolle en este punto especificará que concreta información sobre las concesiones se hará pública.

previa LGTel03, elevando a rango de Ley las previsiones hasta ahora contenidas en el Reglamento de utilización del espectro (arts. 24), distinguiendo según tales títulos hayan sido otorgados con o sin limitación. Cuando no exista limitación de número para el otorgamiento de derechos de uso privativo, la duración del título correspondiente se prolongará hasta el 31 de diciembre del año natural en que cumpla su quinto año de vigencia, pudiendo ser renovado por períodos sucesivos de cinco años, siempre en función de las disponibilidades y previsiones de la planificación del dominio público radioeléctrico, según dispone el apartado 1 del artículo de referencia en términos idénticos al precepto reglamentario, si bien añade que mediante real decreto podrán fijarse un período de duración distinto. De otra parte, cuando se trate de derechos de uso privativo con limitación de número (ap. 2), las concesiones tendrán la duración prevista en los correspondientes pliegos de bases, recuperándose el máximo de veinte años, incluyendo prórrogas, que se contenía en el Reglamento derogado[61], y sin que se exija ya un previo informe de la hoy Comisión Nacional de los Mercados y de la Competencia. Incluye, como novedad, la Ley los criterios en función de los cuales se fijará tal duración por referencia, no exhaustiva, a las inversiones que se exijan y los plazos para su amortización, las obligaciones vinculadas a los derechos de uso, como la cobertura mínima que se imponga, y las bandas de frecuencias cuyos derechos de uso se otorguen, en los términos que se concreten mediante real decreto. Se advierte, además, que estos títulos no serán susceptibles de renovación automática.

Todo ello en el bien entendido de que los títulos habilitantes para el servicio de radiodifusión sonora y televisión, tal y como quedó apuntado, tendrán la misma duración que el título para la prestación del servicio al que están anejos.

Finalmente, conviene tener en cuenta que la reserva para uso privativo de cualquier frecuencia del dominio público radioeléctrico a favor de una o varias personas o entidades se gravará con una tasa anual, regulada en el apartado 3 del Anexo I a la LGTel14, como antes lo estaba en la LGTel03[62],

---

[61] El Reglamento derogado contemplaba un plazo máximo de veinte años, renovables con respeto a los criterios ya mencionados.

[62] Así lo preveía también el apartado 3 del Anexo I a la LGTel03. El importe de la tasa — cuya naturaleza de tal ha sido confirmada por la sentencias del Tribunal Supremo de 9 de febrero de 2002 (Aranz. 1929) y de 15 de junio de 2003 (Aranz. 1929)— habrá de ser satisfecho anualmente. Se devengará inicialmente el día del otorgamiento del título habilitante para el uso de demanial y, posteriormente, el día 1 de enero de cada año, en la redacción del apartado 3.5 que fue, en su momento, introducida en el Anexo a la

el incumplimiento de cuyo pago determinará la pérdida del derecho a la ocupación del dominio público radioeléctrico, según ha previsto el art. 64.4.e) LGTel14[63]. Sólo las Administraciones públicas estarán exentas del pago de esta tasa, y aun así no con carácter general: sólo cuando se trate de reservas de frecuencia para la prestación de servicios obligatorios de interés general que tenga exclusivamente por objeto la defensa nacional, la seguridad pública y las emergencias o cualesquiera otros sin contrapartida económica directa o indirecta —como tasas, precios públicos o privados— ni otros ingresos derivados de dicha prestación —tales como los ingresos en concepto de publicidad—, debiendo solicitarlo "fundadamente" al Ministerio de Industria, Energía y Turismo[64]. El importe de esta tasa vendrá fijado tomando en consideración el valor de mercado del uso de la frecuencia reservada y la rentabilidad que de él pudiera obtener el beneficiario (ap. 1)[65], asumiendo como parámetros —en formulación no exhaustiva idéntica a la que ya se contenía en la LGTel03— el grado de utilización y

---

LGTel03 por la Ley 4/2004, de 29 de diciembre, de modificación de tasas y beneficios fiscales de acontecimientos de excepcional interés público.

[63] El propio Anexo, en su apartado 3.6, precisa que el impago del importe de la tasa podrá motivar la suspensión o la pérdida del derecho a la ocupación del dominio público radioeléctrico, a salvo los casos en los que en el procedimiento de impugnación en vía administrativa o contencioso-administrativa interpuesto contra la liquidación de la tasa se hubiese acordado la suspensión del pago.

[64] La redacción vigente del apartado 3.7 del Anexo I a la LGTel14, idéntica a la del correspondiente de la LGTel03, glosado en el texto, proviene de la Ley 56/2007, de 28 de diciembre, de Medidas de Impulso de la Sociedad de la Información. El mismo precepto advierte que tampoco "estarán sujetos al pago los enlaces descendentes de radiodifusión por satélite, tanto sonora como de televisión".

[65] Obsérvese que, sin embargo, no se ha previsto, como en el caso de la numeración, al que nos referiremos posteriormente, que el valor de esta tasa venga determinado por el procedimiento de licitación por el que, en su caso, se hubiera otorgado la concesión de uso privativo del dominio público radioeléctrico. Queda así, descartado, en nuestro ordenamiento, un supuesto de subasta de frecuencias como el que, de hecho, se produjo en otros países de nuestro entorno, en particular en relación con las frecuencias necesarias para la prestación de servicios de telefonía móvil con tecnología UMTS, lo que no impidió al Gobierno —en relación con las concesiones UMTS ya concedidas y ateniéndose precisamente al criterio del valor de mercado del espectro y de su rentabilidad— fijar la tasa del espectro para el año 2001 en un índice que las concesionarias consideraron desproporcionado, dando lugar a múltiples procesos judiciales finalmente resueltos, en sentido desestimatorio por el Tribunal Supremo. Entre las últimas sentencias, vid. dos de 27 de junio de 2013 (Roj: STS 3674 y 3677/2013), que citan la de 12 de abril de 2012. El Tribunal Constitucional dictó dos autos 207 y 225/2005, en los que inadmite —por notoriamente infundadas— sendas cuestiones de inconstitucionalidad que le fueran planteadas por la Audiencia Nacional por entender que la revaloración de la tasa pudiera infringir los arts. 9.3, 31.1 y 38 CE.

congestión de las distintas bandas y en las distintas zonas geográficas; el tipo de servicio para el que se pretende utilizar la reserva, tomando en especial consideración la asunción o no de obligaciones de servicio público, a las que posteriormente haremos referencia; la banda o sub-banda del espectro que se reserve; los equipos y tecnología que se empleen, así como —lo que deviene, probablemente, como el criterio más sensible— el valor económico derivado del uso o aprovechamiento del dominio público reservado[66]. Será la Ley de Presupuestos Generales del Estado de cada año la que cuantifique todos estos parámetros y determine la fórmula para el cálculo del número de unidades de reserva radioeléctrica de los distintos servicios radioeléctricos, así como el importe mínimo a ingresar en concepto de tasa por reserva del dominio público radioeléctrico[67]. En este contexto, la naturaleza de las actividades de comunicaciones electrónicas como servicios de *interés general* que se prestan en régimen de libre competencia se ve especialmente reflejada en el dato de que, como adelantábamos, deberá, también, tomarse en consideración a la hora de fijar el valor de la tasa si el servicio de que se trate lleva aparejadas obligaciones de servicio público[68], mecanismo incorporado en la Ley con carácter suplementario al estatuto ordinario del operador de comunicaciones electrónicas con el objeto de garantizar la existencia de servicios disponibles al público de adecuada calidad en todo el territorio nacional, tratando las circunstancias en las que las necesidades de los usuarios finales no se vean atendidas de manera satisfactoria por el mercado[69]. Este es el criterio que permitirá aplicar, según

---

[66] En los términos del apartado 3.3. el importe a satisfacer en concepto de esta tasa será el resultado de multiplicar la cantidad de unidades de reserva radioeléctrica del dominio público reservado por el valor en euros que se asigne a la unidad. A estos efectos, se entiende por unidad de reserva radioeléctrica un patrón convencional de medida, referido a la ocupación potencial o real, durante el período de un año, de un ancho de banda de un kilohercio sobre un territorio de un kilómetro cuadrado.

[67] La fórmula quedó fijada, para el año 2014, por el art. 83 de la Ley 22/2013, de 23 de diciembre, de Presupuestos Generales del Estado para el año 2014.

[68] En los términos literales del artículo 2.2 de la Ley, "la imposición de obligaciones de servicio público perseguirá la consecución de los objetivos establecidos en el artículo 3 de esta Ley y podrá recaer sobre los operadores que obtengan derechos de ocupación del dominio público o de la propiedad privada, *de derechos de uso del dominio público radioeléctrico*, de derechos de uso de recursos públicos de numeración, direccionamiento o de denominación" —como novedad frente a la precedente Ley— "o que ostenten la condición de operador con poder significativo en un determinado mercado de referencia".

[69] Vid. artículo 20.1 de la LGTel03. Sobre estas obligaciones en general y, en particular, sobre la de servicio universal, se encuentran explicaciones más amplias en CARLÓN RUIZ, M., *El servicio universal de telecomunicaciones*, Thomson-Civitas, Madrid, 2007.

se determine en la Ley de Presupuestos Generales del Estado de cada año, una reducción al 75% para las redes y servicios de comunicaciones electrónicas que lleven aparejadas obligaciones de servicio público[70], o para el dominio público destinado a la prestación de servicios públicos en gestión directa o indirecta mediante concesión administrativa.

El importe de la exacción será ingresado en el Tesoro Público, sin que se haya previsto su afectación a destino específico alguno.

3. Técnicas de protección del dominio público radioeléctrico y frente al dominio público radioeléctrico

La protección del dominio público radioeléctrico tiene como objeto propio la prevención y eliminación de las interferencias, que niegan por sí mismas la utilidad que da carta de naturaleza a esta peculiar porción del demanio. De este modo, se logra, parafraseando los términos del vigente art. 33.1 LGTel14 —idéntico al previo artículo 32 de la Ley de 2003—, el aprovechamiento óptimo de este demanio, se evita su degradación y se mantiene un adecuado nivel de calidad en el funcionamiento de los distintos servicios de radiocomunicaciones.

Por esta razón, se incluyen en el articulado de la Ley General una serie de técnicas cuya finalidad no es otra que proteger la integridad de este demanio a los efectos de posibilitar el aprovechamiento que le es consustancial. Incluye, además, la Ley, una serie de previsiones cuya finalidad es bien distinta: no ya proteger el propio demanio radioeléctrico, sino proteger *frente* al demanio radioeléctrico otros bienes prevalentes y, en particular, la salud pública, protegiendo a los ciudadanos frente a los hipotéticos prejuicios derivados de las emisiones radioeléctricas, asunto que no ha dejado de resultar polémico. Veamos unas y otras técnicas separadamente, sin perjuicio de advertir que su regulación más específica sigue contenida en un único reglamento aprobado en desarrollo de la ya lejana LGTel98: el

---

[70]   En concreto, la Ley se refiere a las obligaciones de servicio contempladas en los artículos 25 —las de servicio universal— y 28, apartados 1 y 2 —las que pueda imponer el Gobierno por necesidades de la defensa nacional, de la seguridad pública o de los servicios que afecten a la seguridad de las personas o a la protección civil; o motivadas por razones de cohesión territorial o de extensión del uso de nuevos servicios y tecnologías, o para facilitar la comunicación entre determinados colectivos que se encuentren en circunstancias especiales, o por necesidad de facilitar la disponibilidad de servicios que comporten la acreditación de fehaciencia del contenido del mensaje remitido o de su remisión o recepción—.

Reglamento aprobado mediante Real Decreto 1066/2001, de 28 de septiembre[71] —si bien modificado en su arts. 8.1 y 9.3 por la Disposición final cuarta del Real Decreto 424/2005—, cuya validez fue confirmada por STS de 19 de abril de 2006[72] y cuya vigencia se mantiene transitoriamente, una vez aprobada la LGTel14, en los términos de la ya citada Disposición transitoria primera de la Ley.

A) Técnicas de protección *del* demanio radioeléctrico: la novedad de la protección *activa*

Para la adecuada utilización del espectro sin causar interferencias, una primera técnica remite a la **determinación de las condiciones de empleo de equipos y aparatos**, cuestión sobre la que se pronuncia hoy por hoy el art. 11 del Reglamento aprobado por Real Decreto 1066/2001. Más concretamente, para un mejor aprovechamiento del espectro radioeléctrico, la Administración puede imponer, en las instalaciones, la utilización de aquellos elementos técnicos que mejoren la compatibilidad radioeléctrica entre estaciones (DA 4 LGTel14, como antes la DA 1.4 LGTel03). En último término, corresponde, hoy por hoy, a la SETSI ejercer la **potestad inspectora** para llevar a cabo la comprobación técnica de las emisiones radioeléctricas para la identificación, localización y eliminación de interferencias perjudiciales, infracciones, irregularidades y perturbaciones de los sistemas de radiocomunicación, amén de la verificación del uso efectivo y eficiente del dominio público radioeléctrico por parte de los titulares de derechos de uso, según dispone el art. 69.5 LGTel14, en redacción similar a la que fue introducida por el Decreto-ley 13/2012 el art. 47.6, apartados e) y f), de la LGTel03. Inspección que tiene, en todo caso, una primera ocasión con carácter previo al otorgamiento de los derechos de uso, como sabemos, y que, en su caso, puede conducir a la propuesta de apertura de un expediente sancionador

Esta atribución a la SETSI de la potestad inspectora sobre el dominio público radioeléctrico encaja en la competencia general atribuida a la Secretaría de Estado para la protección de este demanio, ahora formulada expresamente en el apartado 6 del mismo art. 69 LGTel14, en el que se

---

[71]   Real Decreto por el que se aprueba el Reglamento que establece condiciones de protección del dominio público radioeléctrico, restricciones a las emisiones radioeléctricas y medidas de protección sanitaria frente a emisiones radioeléctricas.

[72]   RJ 2006\2154.

menciona expresamente la posibilidad de "realizar emisiones en aquellas frecuencias y canales radioeléctricos cuyos derechos de uso, en el ámbito territorial correspondiente, no hayan sido otorgados", en expresión que evoca, aunque el precepto no haga remisión expresa a él, lo dispuesto en el art. 65 de la misma LGTel14, en el que se introduce la técnica que se viene en llamar de "protección activa del dominio público radioeléctrico". Se trata, en definitiva, de una nueva facultad atribuida a la SETSI de efectuar, en cualquier momento, emisiones "sin contenidos sustantivos" en dichas frecuencias y canales, de forma independiente a las actuaciones inspectoras y sancionadoras, con objeto de interferir en las emisiones ilegales impidiendo su uso eficaz, a los efectos de lo cual se regulará mediante real decreto el procedimiento correspondiente, en el que se incluirá un trámite de audiencia previa (ap. 2). Sin perjuicio de ello, la técnica que más propiamente garantizará la protección frente a las interferencias pasa por el establecimiento de **servidumbres y limitaciones sobre las propiedades colindantes a las estaciones e instalaciones**, previstas en el artículo 33.1 de la Ley y, por remisión, en su Disposición adicional segunda —como antes lo estaban en el art. 32.1 y la Disposición adicional primera de la LGTel03—.. Y ello a pesar de que no se trata de una regla de aplicación general: estas servidumbres y limitaciones a la propiedad y a la intensidad de campo eléctrico sólo podrán imponerse para la protección radioeléctrica de determinadas instalaciones o para asegurar la prestación de servicios públicos que precisen del espectro, por motivos de seguridad pública o cuando así sea necesario en virtud de acuerdos internacionales.

En tales supuestos, el ámbito de estas restricciones se refiere a la altura máxima de los edificios y a la distancia mínima a la que podrán ubicarse industrias e instalaciones eléctricas de alta tensión y líneas férreas electrificadas o transmisores radioeléctricos. Será una norma reglamentaria la que —sustituyendo al transitoriamente vigente Reglamento aprobado mediante Real Decreto 1066/2001, de 28 de septiembre—, concrete estas servidumbres y limitaciones dentro de unos máximos fijados por la propia Ley[73],

---

[73]   En los términos de lo previsto en el apartado 2 de la Disposición adicional segunda de la LGTel14, idénticos a los de la previa DA Primera.2 de la Ley de 2003, los máximos establecidos son los siguientes: "a) Para distancias inferiores a 1.000 metros, el ángulo sobre la horizontal con el que se observe, desde la parte superior de las antenas receptoras de menor altura de la estación, el punto más elevado de un edificio será como máximo de tres grados. b) La máxima limitación exigible de separación entre una industria o una línea de tendido eléctrico de alta tensión o de ferrocarril y cualquiera de las antenas receptoras de la estación será de 1.000 metros". Se incluyen, además, unas

debiendo establecer el régimen de su indemnizabilidad[74], siempre sin perjuicio de los regímenes específicos en materia de defensa nacional y navegación aérea.

Ello no obstante, se fijan expresamente en la Ley ciertas limitaciones de intensidad de campo eléctrico exigibles a las instalaciones que dispongan de equipos de alta sensibilidad, es decir, las instalaciones dedicadas a la investigación y, en particular, las de radioastronomía y astrofísica (DA 2ª, apartado 3, LGTel14, como antes precisaba la DA 1ª, apartado 3, LGTel03)[75].

Con todo, el cierre del sistema viene dado por la aplicación del **régimen sancionador**, teniendo en cuenta que se han tipificado como infracciones muy graves, graves y leves varias conductas cuyo nexo común es la producción —en potencia o acto— de interferencias[76]. La imposición

---

[74]   limitaciones de distancias y potencias para la instalación de transmisores radioeléctricos en las proximidades de la estación radioeléctrica.

Siguiendo la pauta establecida por el anterior reglamento aprobado mediante Real Decreto 844/1989, que desarrollaba lo dispuesto en la Ley de Ordenación de las Telecomunicaciones, el reglamento transitoriamente vigente, aprobado por Real Decreto 1066/2001, de 28 de septiembre, establece como criterio para determinar la indemnizabilidad o no de las limitaciones y servidumbres el de la singularidad (art. 4.1): la limitación sería no indemnizable por su carácter general, mientras que a las servidumbres se les reconoce contenido expropiatorio por su carácter individualizado. Las dificultades de este planteamiento se han demostrado, en ocasiones, en la práctica.

[75]   Vid., por ejemplo, Orden ITC/3683/2006, de 10 de noviembre, por la que se establecen limitaciones a la propiedad y servidumbres para la protección radioeléctrica de la estación de comprobación técnica de emisiones radioeléctricas de Mijas en el término municipal de Alhaurín El Grande; o la Orden ITC/1679/2009, de 18 de junio, por la que se establecen limitaciones a la propiedad y servidumbres para la protección radioeléctrica de la Estación radioastronómica IRAM-IGN-Observatorio Pico-Veleta, de Monachil (Granada). Puede consultarse el Documento de la SETSI "Anexo informativo sobre servidumbres", de 24 de junio de 2009.

[76]   La LGTel14 ha introducido una reformulación de las tipificaciones de las conductas relacionadas con el dominio público radioeléctrico, que se concreta en la destipificación como tales de varias conductas, así como en la tipificación, en el art. 76.4, de "la utilización del dominio público radioeléctrico, frecuencias o canales radioeléctricos" —en expresión poco acertada— "sin disponer de la concesión de uso privativo del dominio público radioeléctrico a que se refiere el artículo 62, cuando legalmente sea necesario" no ya, con carácter genérico, por falta del título habilitante que en cada caso corresponda, como quedaba tipificada en la LGTel03 (art. 53), si bien se introducen tipos genéricos, pero más imprecisos, relativos a la utilización del dominio, frecuencias o canales "no adecuada al correspondiente plan de utilización del espectro radioeléctrico o al Cuadro Nacional de Atribución de Frecuencias" (ap. 4) o "la realización de emissiones radioeléctricas no autorizadas que vulneren o perjudiquen el desarrollo o implantación de lo establecido en los Planes de utilización del dominio público radioeléctrico o en el Cuadro Nacional de Atribución de Frecuencias" (ap. 6).

de las correspondientes sanciones le corresponderá a la SETSI (art. 84 LGTel14) —no ya al Ministerio de Industria, Energía y Turismo, como en la LGTel03—, y a aquella corresponderá también ejercer la potestad de desahucio administrativo, manifestada en la facultad de desmantelamiento de las instalaciones, tanto como resultado de los procedimientos sancionadores en los que corresponda, como en los supuestos de extinción de la correspondiente autorización o concesión[77]. Y ello en el bien entendido que en el procedimiento sancionador podrán adoptarse de forma cautelarísima o cautelar órdenes de cese de las emisiones radioeléctricas, en los términos de los arts. 81 y 82 LGTel014, respectivamente.

B) Técnicas de protección frente a las emisiones radioeléctricas y sus —hipotéticos— efectos perjudiciales

Conforme al artículo 33.2 LGTel14 —casi idéntico al derogado art. 32.2 de la LGTel03—, podrán imponerse límites a los derechos de uso del dominio público radioeléctrico para la protección de otros bienes jurídicamente protegidos prevalentes o de servicios públicos que puedan verse afectados por la utilización de dicho dominio público. De nuevo, será un Real Decreto el que —en su momento, en sustitución del 1066/2006, transitoriamente vigente— precise el sentido y alcance de tales límites, siempre con pleno respeto a los principios de contradicción —con una llamada,

---

En la LGTel14, como en la LGTel03, se tipifica también como infracción muy grave "la producción deliberada, en España o en los países vecinos —en adveretencia que es novedad en la nueva Ley—, de interferencias definidas como perjudiciales en esta Ley, incluidas las causadas por estaciones radioeléctricas que estén instaladas o en funcionamiento a bordo de un buque, de una aeronave o de cualquier otro objeto flotante o aerotransportado que transmita emisiones desde fuera del territorio español para su posible recepción total o parcial en éste" (ap. 6 del mismo art. 76) y, como novedad radical, la conducta de "no atender el requerimiento de cesación hecho por la Secretaría de Estado de Telecomunicaciones y para la Sociedad de la Información, en los supuestos de producción de interferencias" (ap. 7). Los artículos 77 y 78 tipifican como infracciones graves y leves, respectivamente, conductas similares en función de su menor gravedad.

[77]   Serán aplicables, a falta de regulación específica, los artículos 58 a 60 de la LPAP. Vid., en este sentido, la sentencia del Tribunal Supremo de 23 de junio de 2003 (*Aranz.* 4415), por la que se confirma la legalidad de una resolución del Director General de Telecomunicaciones en la que se declaró extinguida una concesión de dominio público radioeléctrico por caducidad incluyendo una "orden de desmantelamiento de las instalaciones"; así como, en términos semejantes, la de 5 de julio de 2006 (Roj: STS 4290/2006).

ahora expresa, a incluir un trámite de audiencia a los titulares de derechos potencialmente afectados—, transparencia y publicidad.

Esta previsión general encuentra su manifestación más concreta en relación con la protección de la salud pública: inmersos como estamos en la sociedad del riesgo, aunque no existen informes concluyentes al respecto, en la medida en que no se ha podido descartar plenamente que las emisiones radioeléctricas que superen ciertos umbrales de potencia afecten a la salud, el principio de precaución ha inspirado medidas restrictivas que tienen como objetivo último atajar los casos de alarma social generados, en ocasiones bien conocidas, ante la instalación de equipos radioeléctricos en núcleos poblados[78]. De ahí que la la LGTel14 —como antes la LGTel03— remita, en su art. 61.b), a lo que determine un real decreto —en concordancia con lo dispuesto por las Recomendaciones del Consejo de Ministros de la Unión Europea[79]— la regulación del procedimiento de determinación, control e inspección de los niveles —"únicos" hace ahora expreso la Ley— de emisión radioeléctrica tolerable y que no supongan un peligro para la salud pública, que deberán ser respetados en todo caso y momento por las diferentes instalaciones o infraestructuras a instalar y ya instaladas que hagan uso del dominio público radioeléctrico[80], a cuyo respecto será responsable único, hoy por hoy, la SETSI[81]. Este real decreto no hará

---

[78] Aunque no existen estudios taxativos al respecto, no se ha podido descartar plenamente que las emisiones radioeléctricas tengan efectos nocivos para la salud. Ello ha generado supuestos de verdadera alarma social ante la instalación de antenas emisoras en determinadas zonas pobladas y, particularmente, cerca de instalaciones dedicadas a los grupos de población hipotéticamente más vulnerables, como colegios u hospitales.

[79] Sigue siendo de referencia la Recomendación del Consejo de Ministros de Sanidad de la Unión Europea 1999/519/CE, de 12 de julio de 1999, relativa a la exposición del público en general a campos electromagnéticos, que fija unos límites de exposición entre 0 Hz y 300 GHz. Los Comités científicos de la Unión Europea (El CSTEE en 2001 y el Comité Científico de los Riesgos Sanitarios Emergentes y Recientemente Identificados —CCRSERI/SCENIHR— en 2009) han ratificado la vigencia de estos límites, tal y como pone de manifiesto el Informe del Servicio de Asesoramiento Técnico e Información de la FEMP "Límites de exposición a campos electromagnéticos de radiofrecuencia", de marzo de 2012, documento bien ilustrativo.

[80] Advierte, como novedad respecto del precepto equivalente de la Ley derogada, el artículo de referencia, en redacción manifiestamente mejorable, que "en la determinación de estos niveles únicos de emisión radioeléctrica tolerable se tendrá en cuenta tanto criterios técnicos en el uso del dominio público radioeléctrico, como criterios de preservación de la salud de las personas, y en concordancia con lo dispuesto por las recomendaciones de la Comisión Europea".

[81] En los términos literales del artículo 69.j).2 LGTel14, 2, corresponde al Ministerio de Industria, Energía y Turismo "el ejercicio de las funciones atribuidas a la Administra-

sino sustituir al transitoriamente vigente Real Decreto 1066/2001, de 28 de septiembre[82], ya citado, puntualmente modificado por el Real Decreto 424/2005, para precisar que determinados operadores deberán presentar un estudio detallado que indique los niveles de exposición radioeléctrica en áreas cercanas a sus instalaciones en las que puedan permanecer normalmente personas, así como un informe anual que acredite el respeto a los límites de exposición fijados por el propio Reglamento[83].

Los límites que determinados reglamentariamente deberán ser respetados, en todo caso, por el resto de Administraciones públicas, tanto autonómicas como locales, tal y como exige expresamente el citado art. 61.b) LGTel14 —y, antes, el artículo 44.1.a) de la Ley de 2003—[84]. Esta previsión, que se enfatiza en el seno de la nueva Ley con la calificación de "únicos" de los niveles de emisión tolerables, busca frenar la proliferación de normativas infra-estatales aprobadas en relación con una materia de clara competencia estatal, al margen de la incidencia de competencias autonómicas y locales de carácter más o menos tangencial, como puedan ser las relativas a la ordenación del territorio o urbanística y las derivadas de la protección de la salud; algo sobre lo que tuvo ocasión de insistir la extinta CMT[85], el

---

ción General del Estado en materia de autorización e inspección de instalaciones radioeléctricas en relación con los niveles únicos de emisión radioeléctrica permitidos a que se refiere el artículo 61 de esta Ley". Ya no se hace referencia expresamente, como en el precedente art. 47.6.b) de la LGTel03, a la competencia exclusiva del Estado al respecto ex artículo 149.1.21 de la Constitución.

[82] Este reglamento ha sido desarrollado en este punto por la Orden CTE/23/2002, de 11 de enero, por la que se establecen condiciones para la presentación de determinados estudios y certificaciones por operadores de servicios de radiocomunicaciones, que fue parcialmente modificada por la Orden ITC/749/2010, de 17 de marzo, para atender específicamente a una nueva tipología de estaciones radioeléctricas.

[83] Conviene advertir que los operadores se identifican, de forma muy extensiva, con los que exploten redes de difusión de servicios de radio y televisión, los servicios de telefonía en sus distintas modalidades y tecnologías, los servicios de radiobúsqueda, los servicios de comunicaciones móviles en grupos cerrados de usuarios, ciertas redes de servicios por satélite y el servicio de acceso vía radio LMDS. A su favor se ha recogido, en todo caso, una regla garantista: en los casos en que el uso compartido de instalaciones radioeléctricas emisoras pertenecientes a redes públicas de comunicaciones electrónicas incorpore la obligación de reducir los niveles de potencia de emisión, deberán autorizarse más emplazamientos si son necesarios para garantizar la cobertura de la zona de servicio.

[84] En ello redunda el art. 34.4 LGTel14 al referirse a la normativa que afecte al despliegue de las redes públicas de comunicaciones electrónicas y a los instrumentos de planificación

[85] Vid. respecto a esta cuestión cuestión —ya presente en la previa LGTel98— la Resolución de la Comisión del Mercado de las Telecomunicaciones de 24 de enero de 2003,

Tribunal Supremo —cuya sentencia de 11 de febrero de 2013 es muy ilustrativa a este respecto, pues, glosando la jurisprudencia previa, no siempre unívoca, pone de manifiesto lo polémico de la cuestión[86]— y, el propio Tribunal Constitucional en su STC 8/2012, de 18 de enero.

La citada sentencia constitucional, refrendada recientemente por la ya citada STC 72/2014, ofrece unas consideraciones que merecen ser transcritas, cuando afirma que el Estado, por medio del Real Decreto 1066/2001, de 28 de septiembre

> "en el ejercicio de sus competencias en materia de sanidad y telecomunicaciones está configurando un procedimiento para la determinación de los niveles de emisión radioeléctrica tolerable, para su actualización conforme al progreso científico, así como para el control del cumplimiento por los operadores de estos niveles de emisión a través de un sistema de autorización, seguimiento, inspección y control en el que se entrelazan aspectos sanitarios y aspectos de telecomunicaciones (...). En efecto, la regulación de los niveles de emisión persigue una uniformidad que responde a un claro interés general no solo porque los niveles tolerables para la salud han de serlo

---

por la que se dio contestación a la consulta planteada por la Asociación Nacional de Industrias Electrónicas y de Telecomunicaciones sobre diferentes cuestiones relacionadas con la instalación de infraestructuras de telecomunicaciones de telefonía móvil y fija inalámbrica, resumiendo su doctrina anterior; así como el Informe sobre la exposición del público en general a las emisiones radioeléctricas de estaciones de radiocomunicación, elaborado por la Dirección General de Telecomunicaciones y Tecnologías de la Información en abril de 2003, y, más recientemente, las resoluciones de 29 de junio de 2005, que informó al Ayuntamiento de Totana sobre un borrador de Ordenanza municipal, y la de 18 de octubre de 2007, que informó al Ayuntamiento de Torrejón de Ardoz en relación con Plan Especial de Impacto Ambiental de las Antenas de Radiocomunicaciones.

[86] La Sentencia, que fue dictada por el Pleno para resolver las discrepancias que respecto de esta cuestión se habían puesto de manifiesto entre dos Secciones de la Sala, recapitula la jurisprudencia previa sobre la cuestión, empezando con la cita de las sentencias de 24 de enero de 2000 y 18 de junio de 2001, que reconocen un margen de competencia local para introducir condicionantes, que no restricciones absolutas, para la instalación de redes de radiocomunicaciones, siempre a salvo el principio de proporcionalidad; si bien precisa que, una vez aprobado el Real Decreto 1066/2001, los municipios no pueden fijar límites propios a las emisiones, tal y como quedó sentado en las SSTS de 28 de marzo y de 11 de mayo de 2006, y, más cercanamente en el tiempo, y a pesar de alguna sentencia que salvó la legalidad de Ordenanzas que imponían limitaciones a la ubicación de estaciones a determinadas distancias de zonas calificadas de sensibles, en la STS de 22 de marzo de 2011. Es de destacar que a la sentencia acompaña un voto particular, suscrito por dos magistrados. Sobre esta jurisprudencia puede ser de interés consultar el capítulo relativo a "Competencias locales en materia de instalaciones de redes de comunicaciones electrónicas. Ocupación del dominio público y privado y coubicación. Las Redes de Nueva Generación", en SÁNCHEZ BLANCO, M. (Dir.), *Jurisprudencia de telecomunicaciones,, ob. cit.*, pp. 1145-1161.

para todos los ciudadanos por igual, sino también porque los mismos operan como presupuesto del ejercicio de las competencias estatales en materia de telecomunicaciones y, concretamente, del ejercicio de las facultades de autorización, seguimiento e inspección de las instalaciones radioeléctricas. Es más, correlativamente, esos niveles de emisión fijados por el Estado funcionan, también, como un elemento determinante del régimen jurídico de los operadores de instalaciones de radiocomunicación, así como de la funcionalidad del mercado de las telecomunicaciones, asegurando su unidad. En definitiva, a través del Real Decreto 1066/2001, el Estado ha establecido una regulación que ofrece, para todo el ámbito nacional, una solución de equilibrio entre la preservación de la protección de la salud y el interés público al que responde la ordenación del sector de las telecomunicaciones.

(...)

Constatado el carácter básico de la regulación estatal de los niveles tolerables de emisión, es preciso concluir que las Comunidades Autónomas no pueden alterar esos estándares, ni imponer a los operadores una obligación de incorporar nuevas tecnologías para lograr una minimización de las emisiones, no sólo porque ello resulte contrario a las bases establecidas por el Estado en materia sanitaria, sino también porque de esa forma se vulnerarían, en último término, las competencias legítimas del Estado en materia de telecomunicaciones"[87].

Así planteada la concurrencia de intereses y competencias en esta compleja cuestión —y en cuyo alcance nos detendremos desde una perspectiva más general al tratar, al final de este estudio, el problema del despliegue de las redes de comunicaciones—, se hacía palmaria oportunidad de crear un órgano de cooperación como el establecido por la derogada Disposición adicional duodécima de la LGTel03 para impulsar el despliegue de infraestructuras de radiocomunicación —y, en especial las redes de telefonía móvil y fija inalámbrica—. Con la creación de este órgano —del tipo de los previstos en el artículo 5.7 LRJPAC— se buscaba salvaguardar las competencias de todas las Administraciones Públicas con competencias al respecto, garantizando la seguridad de las instalaciones, de los usuarios y del público en general, la máxima calidad del servicio, la protección del medio ambiente y la disciplina urbanística. Ello se reflejaba de forma meridiana en la participación en el mismo de todas las Comunidades Autónomas, no ya en la de las Entidades locales. No se previó, en efecto, seguramente por obvias razones de mera operatividad, la participación directa de todas las entidades locales en dicho órgano de cooperación. Parece, no obstante, excesivamente limitado el mecanismo de participación establecido, conforme al cual *podría* ser invitada a las sesiones del nuevo órgano la Federación Española de Municipios y Provincias (FEMP), por ser la asociación

---

[87]   En estos términos se pronuncia el FJ 6 de la sentencia para concluir en la inconstitucionalidad de uno de los preceptos de la ley castellano-manchega recurrida.

de las entidades locales de ámbito estatal con mayor implantación. Bien es verdad que este organismo ya venía jugando un papel fundamental en esta materia al aprobar el Modelo de Ordenanza Municipal Reguladora de la Instalación y Funcionamiento de Infraestructuras Radioeléctricas, de 4 de junio de 2002[88], en el que es pieza clave el llamado plan de despliegue que deberán presentar los operadores ante la Administración municipal, y cuya conformidad con el ordenamiento ha sido ratificada por el Tribunal Supremo[89]. Su papel cualificado se mantuvo, incluso, una vez constituida, el 15 de julio de 2004, la Comisión Sectorial para el Despliegue de Infraestructuras de Radiocomunicación (CSDIR), creada al amparo de la Disposición de referencia.

Cuando no se había cumplido un año desde su constitución, el 14 de junio de 2005, la CSDIR adoptó una serie de Recomendaciones dirigidas a las Administraciones públicas sobre diferentes aspectos relacionados con la ejecución de las competencias en materia de infraestructuras de red de radiocomunicaciones. En la misma fecha, la FEMP, como representante de la Administración local en el seno de la CSDIR, firmó con la Asociación de Empresas de Electrónica, Tecnologías de la Información y Telecomunicaciones de España (AETIC) y las cuatro operadoras de telefonía móvil existentes entonces (Retevisión Móvil, Movistar España, Vodafone España y Xfera Móviles) un acuerdo de colaboración para el establecimiento consensuado de criterios técnicos, medioambientales y urbanísticos con miras a favorecer el desarrollo armónico de las infraestructuras de redes de radiocomunicación, como resultado del cual se elaboró un Código de Buenas Prácticas que debe servir de guía a las Administraciones públicas y operadores para agilizar la tramitación de las solicitudes y la resolución de los posibles conflictos que pudieran surgir, fomentando el uso compartido de las instalaciones[90].

---

[88]   En los términos literales del Preámbulo de este modelo de ordenanza, con ella se pretende "compatibilizar adecuadamente la necesaria funcionalidad de tales infraestructuras radioeléctricas de telecomunicación y la utilización por los usuarios de los servicios de telecomunicación con los niveles de calidad requeridos, con las exigencias de preservación del paisaje urbano y natural y de minimización de la ocupación y el impacto que su implantación pueda producir".

[89]   Vid. SSTS de 24 de enero de 2000 (*Aranz.* 331) y de 18 de junio de 2001 (*Aranz.* 8744), a las que posteriormente haremos referencia.

[90]   Ambos documentos están contenidos, como anexos, en la Resolución de la CMT de 22 de julio de 2011 por la que se da contestación a la consulta del Servicio de Planeamiento de la Gerencia Municipal de Urbanismo de la ciudad de Córdoba sobre las condiciones técnicas relativas al uso compartido de una estación de telefonía móvil del operador France Telecom España S.A. (DT 2011/786).

La LGTel14 no menciona ya la CSDIR, si bien, en su Disposición adicional décima, crea la llamada Comisión Interministerial sobre radiofrecuencias y salud con la misión de "asesorar e informar a la ciudadanía, al conjunto de las administraciones públicas y a los diversos agentes de la industria sobre las restricciones establecidas a las emisiones radioeléctricas, las medidas de protección sanitaria aprobadas frente a emisiones radioeléctricas y los múltiples y periódicos controles a que son sometidas las instalaciones generadoras de emisiones radioeléctricas, en particular, las relativas a las radiocomunicaciones". De lo que se deduce que su vocación es netamente *tranquilizadora*, impresión en la que abunda la atribución a la misma de la función de realizar y divulgar "estudios e investigaciones sobre las emisiones radioeléctricas y sus efectos y cómo las restricciones a las emisiones, las medidas de protección sanitaria y los controles establecidos preservan la salud de las personas" (sic), sin perjuicio de advertir que, a la vista de dichos estudios e investigaciones, "realizará propuestas y sugerirá líneas de mejora en las medidas y controles a realizar".

Siendo esta la peculiar misión de la Comisión Interministerial, y no la de coordinar las competencias de las distintas Administraciones territoriales para facilitar el despliegue de las redes de radiocomunicaciones —como era la de la CSDIR— nada hay que reprochar a su composición exclusivamente interministerial[91], sin perjuicio de que se haya previsto que la misma esté asistida por un "grupo asesor o colaborador (sic) en materia de radiofrecuencias y salud", en el que participarán Comunidades Autónomas, la asociación de entidades locales de ámbito estatal con mayor implantación, es decir, la FEMP, y un grupo de expertos independientes, sociedades científicas y representantes de los ciudadanos, siendo su objetivo hacer evaluación y seguimiento periódico de la prevención y protección de la salud de la población en relación con las emisiones radioeléctricas, proponiendo estudios de investigación, medidas consensuadas de identificación, elaboración de registros y protocolos de atención al ciudadano.

---

[91]   Por más que la Ley remita a un real decreto la determinación de la composición, organización y funciones de la Comisión, precisa que de la miama formarán parte, "en todo caso", el Ministerio de Industria, Energía y Turismo, el Ministerio de Sanidad, Servicios Sociales e Igualdad, y el Instituto de Salud Carlos III por parte del Ministerio de Economía y Competitividad.

III. RÉGIMEN JURÍDICO-PÚBLICO DE LOS RECURSOS DE NUMERACIÓN Y DE LOS NOMBRES DE DOMINIO

1. Concepto y naturaleza

Para la prestación de redes y servicios de comunicaciones electrónicas disponibles al público resulta imprescindible que tanto los operadores que los prestan como los propios usuarios sean identificables a través de unos códigos. Estos códigos estarán constituidos por combinaciones de recursos alfanuméricos —números, letras o su combinación—, que bajo la forma de números de abonados —geográficos o no—, códigos de operadores o direcciones electrónicas[92], permitirán identificar a los operadores —en las operaciones internas que facilitan los procesos de telecomunicaciones— y a los abonados —con la peculiar consecuencia de que quedan cubiertos por la protección de la legislación de datos personales[93]—, aportando im-

---

[92] AnexoII a la LGTel14, como antes en el de la LGTel03, se contienen definiciones, puramente técnicas, de número y dirección. Según el apartado 12, la dirección es la "cadena o combinación de cifras y símbolos que identifica los puntos de terminación específicos de una conexión y que se utiliza para encaminamiento", en términos idénticos a los expresado en el apartado 7 del Anexo II a la Ley de 2003; mientras que el número es una cadena de cifras decimales "que, entre otros, puede representar un nombre o una dirección", precisa ahora el ap. 23 frente a los términos, más escuetos, del anterior apartado 18. Los apartados 24 y 25 distinguen los conceptos de números "geográficos" y "no geográficos", en términos idénticos a los contenidos en los antiguos apartados 19 y 20, en redacción modificada por el Decreto-ley 13/2012 para cambiar la denominación del plan, haciendo específica mención a la "numeración *telefónica*", de modo que será geográfico "el número identificado en el plan nacional de numeración telefónica que contiene en parte de su estructura un significado geográfico utilizado para el encaminamiento de las llamadas hacia la ubicación física del punto de terminación de la red", mientras que el no geográfico se define, en términos simplemente negativos, como aquél no identificado en el plan nacional de numeración telefónica como geográfico, mencionándose expresamente "los números de teléfonos móviles, los de llamada gratuita y los de tarificación adicional". Son muy ilustrativas a estos efectos las aclaraciones que se contienen en el capítulo correspondiente a "Acceso, interconexión y numeración en redes de comunicaciones electrónicas" contenido en SÁNCHEZ BLANCO, M. (Dir.), Jurisprudencia de telecomunicaciones, Thomson-Reuters Aranzadi, Cizur Menor (Navarra), 2012, pp. 662-664.

[93] Efectivamente, el número de teléfono se considera un dato personal a los efectos de su protección, como lo demuestra el hecho de que, en los términos de lo dispuesto en el artículo 47 de la LGTel14 —como antes en el 38 de la LGTel03—, se reconozca a los abonados el derecho a impedir la presentación de la identificación de su línea en las llamadas que genere o la presentación de la identificación de su línea al usuario que le realice una llamada [ap. 3.m), antes f)], a impedir la presentación de la identificación de la línea de origen en las llamadas entrantes y a rechazar las llamadas entrantes en

portante información para el usuario de los servicios de comunicaciones electrónicas, particularmente en términos tarifarios.

Una consideración separada han de tener los llamados "nombres de dominio", que son los elementos identificativos de las personas físicas o jurídicas que pretendan estar presentes en la Red Internet a través de una combinación alfanumérica[94], y a los que —particularmente respecto de los nombres de dominio de Internet bajo el indicativo del país correspondiente a España (".es")— se refirió por primera vez LGTel03 para remitir a su normativa específica (art. 16.2), en unos términos ahora mantenidos en el art. 19.2 LGTel14.

Y ello es así porque, si bien los *nombres de dominio* son necesarios para identificar a quienes presten o disfruten servicios de la sociedad de la información utilizando como soporte los servicios y redes de comunicaciones electrónicas, los *números* y *direcciones* son por sí mismos recursos imprescindibles para la prestación de estos últimos, porque sólo mediante ellos será posible identificar a los interlocutores de una transmisión de información y, en su caso, a los propios operadores que la hagan posible. De ahí que el actual artículo 19.1 LGTel14, como antes el artículo 16.1 de la LGTel03, con una fórmula un tanto inconcreta, haya previsto que "*se proporcionarán los números, direcciones y nombres que se necesiten*" para permitir la efectiva prestación de los servicios de comunicaciones electrónicas disponibles al público[95].

Se plantea de forma inmediata el problema de la naturaleza jurídica de estos recursos alfa-numéricos imprescindibles para la prestación de los servicios de comunicaciones electrónicas y de los servicios de la sociedad de

---

que dicha línea no aparezca identificada [ap. 3.n), antes g)], así como a que su número telefónico no aparezca en las guías de abonados (art. 48.3, antes ap. 6 del mismo art. 38).

[94]   El apartado 22 del Anexo II a la LGTel14 supera las limitaciones que en la definición de "nombre se contenían" en el precedente apartado 17 del Anexo II a la LGTel03, que se limitaba a definir aquél como una "combinación de caracteres (números, letras o símbolos)", a lo que ahora se añade la precisión de que "se utiliza para identificar abonados, usuarios u otras entidades tales como elementos de red". La jurisprudencia ha tenido ocasión de referirse a este concepto: así, la SAN de 10 de diciembre de 2002 (JUR 2006\282797) y las posteriores de 16 de diciembre de 2003 (JUR 2004\132076) y 14 de septiembre de 2004 (JUR 2005\222571), así como la STSJ de Madrid de 14 de noviembre de 2003 (JUR 2005\389), cuyo FJ 3° resulta ilustrativo, tanto respecto del concepto de dominio como del sistema para su asignación, que describiremos en un apartado sucesivo.

[95]   En rigor, la LGTel03 no incorporaba la referencia a "nombres" en este precepto.

la información que sobre éstos encuentran soporte. Todos ellos se caracterizan por un cierto grado de escasez, intensificada por la multiplicación de servicios y de operadores derivada de la evolución tecnológica y del propio proceso de liberalización de las telecomunicaciones. Son recursos, en cualquier caso, limitados a los efectos de esta utilidad[96] y en los que, además, en algunos supuestos concretos, concurren especiales condiciones que los hacen especialmente valiosos: hay, de hecho, números o nombres de dominio especialmente atractivos desde un punto de vista comercial.

Todo lo anterior invita a someter la administración de números, direcciones y nombres a una fuerte intervención pública, entendiendo aquella expresión en un sentido amplio, incluyendo tanto la fase previa de planificación como la posterior asignación de tales recursos a los distintos operadores y —directa o indirectamente— a los usuarios. No se ha dado, sin embargo, en este caso, el paso hacia la demanialización de los mismos, a diferencia de lo —como nos consta— ha ocurrido con el otro recurso específico de las telecomunicaciones, el dominio público radioeléctrico. Hoy por hoy, la vigente LGTel03, obvia toda calificación de tales recursos, superando la inconcreta calificación de la derogada Ley de 1998, que se refería al llamado "Espacio Público de Numeración"[97], si bien a lo largo de su articulado los califica en más de una ocasión como "públicos", como lo hace el Reglamento sobre mercados de comunicaciones electrónicas, acceso a las redes y numeración, aprobado en desarrollo de aquella por Real Decreto 2296/2004[98], y transitoriamente vigente en los términos de la DT 1ª LGTel14.

---

[96]   La limitación se refiere no tanto a los números en sí, que son infinitos, como a los números *útiles* a los efectos de la prestación de servicios de comunicaciones electrónicas. Códigos excesivamente largos no son operativos, ni desde un punto de vista técnico ni desde la perspectiva del usuario.

[97]   Vid. art. 30 LGT98. No se trataba, bien es verdad, de una categoría dogmática clásica, pero no se puede dudar de la "filiación" demanial o quasi-demanial de una tal categoría. En opinión de FERNANDO PABLO, M. M., *Sobre el dominio público radioeléctrico...*, *ob. cit.*, pp. 113, en este caso nos encontraríamos con un ejemplo de la fórmula que él mismo propone para el espectro radioeléctrico: una reserva de recursos esenciales *ex* artículo 128.2 CE sin necesidad de recurrir a la categoría de la demanialidad, posición que parece apoyar MARTÍNEZ GARCÍA, C., *La intervención administrativa en las telecomunicaciones, ob. cit.*, pp. 322-323, y que no dejamos de considerar un tanto artificiosa.

[98]   Este reglamento, que ha sido modificado en aspectos muy puntuales relativos a la portabilidad por los Reales Decretos 329/2009, de 13 de marzo, y 899/2009, de 22 de mayo, ha venido a sustituir en este punto al transitoriamente vigente durante la cigencia de la LGTe03 —por efecto del apartado 4 de su DT 1ª— Reglamento de procedimiento de asignación y reserva de numeración por la CMT, aprobado mediante Real Decreto 225/1998, de 16 de febrero. Interpuesto recurso contencioso-administrativo

La atribución de carácter demanial a los recursos de numeración presenta, de hecho, dificultades similares a las que en su momento describimos en relación con la calificación del espectro radioeléctrico como dominio público. Si partimos de la consideración clásica del dominio público, estrictamente patrimonialista, no parece posible calificar de tal unos bienes —los recursos alfa-numéricos— que no son verdaderamente apropiables. Este dato no elimina, sin embargo, la importancia de establecer mecanismos para su administración que atiendan a su utilidad pública y que garanticen su uso racional por los particulares —operadores y usuarios—, asumiendo que tal "uso racional", en un contexto liberalizado, debe garantizar, en todo caso, los principios de transparencia, objetividad y no discriminación. Todo lo cual redunda en la importancia de la Administración Pública retenga competencias al respecto.

En el contexto de lo anterior, veamos más concretamente en qué términos ha quedado perfilado en la nueva LGTel14 el régimen de administración de los recursos de numeración, distinguiendo las mencionadas fases de planificación y asignación, régimen en el no se han introducido modificaciones sustantivas de calado respecto de la antecedente LGTel03, pero sí competenciales. Veremos, también, de forma separada, y en aplicación de la legislación específica a la que la propia Ley General se remite, las claves principales del régimen de administración de los nombres de dominio. Y ello no sin antes advertir que ambos regímenes no sólo tendrán incidencia sobre operadores y usuarios, sino también sobre fabricantes y comerciantes, en la medida en que las decisiones adoptadas por la Administración competente en materia de numeración, direccionamiento o nombres —el Ministerio de Industria, Energía y Turismo sustancialmente en solitario, una vez que ha absorbido las competencias que heredó la Comisión Nacional de los Mercados y de la Competencia para la asignación de estos recursos— deben ser aplicadas por ellos en los procesos de producción y comercialización de los equipos y aparatos de telecomunicaciones[99].

---

contra varios preceptos del mismo por la CMT, fue parcialmente estimado por STS de 10 de marzo de 2010 (Roj: STS 1164/2009), que sólo confirmó la ilegalidad del párrafo segundo del artículo 36 y el inciso " del Ministerio de Industria, Turismo y Comercio" del apartado 5.4 del Plan Nacional de Numeración Telefónica incluido como Anexo. En el seno del correspondiente proceso fue planteada cuestión prejudicial ante el TJUE, que la resolvió mediante sentencia el 6 de marzo de 2008.

[99]   El apartado 9 del artículo 19 LGTel14 ha previsto que todos los operadores y, en su caso, los fabricantes y los comerciantes estarán obligados a tomar las medidas necesarias para el cumplimiento de las decisiones que se adopten sobre numeración, direcciones y nombres por él, hoy, Ministerio de Industria, Energía y Turismo, no ya por la Comi-

2. La administración de los recursos de numeración —números, direcciones y nombres de dominio—

A) Planificación

La propia naturaleza de los recursos de numeración —sean números, direcciones o nombres—, condicionada por su carácter escaso, exige su previa planificación a nivel nacional, sin perjuicio de la coordinación con las instancias internacionales competentes[100], incluyendo específicamente la armonización de determinados números o series de números concretos dentro de la Unión Europea, cuando ello promueva al mismo tiempo el funcionamiento del mercado interior y el desarrollo de servicios paneuropeos, tal y como dispuso ya el Decreto-ley 13/2012[101] y ha quedado especificado en el art. 22 para los servicios armonizados europeos de valor social que comienzan por 116[102]. En los llamados "planes nacionales de numeración y direccionamiento" y en los de nombres se deberán tener en cuenta las necesidades de estos recursos para la efectiva prestación de los distintos servicios de comunicaciones electrónicas —y de los servicios de la sociedad de la información— con la finalidad de garantizar su uso más racional, desde la perspectiva de los operadores y de los propios usuarios. En estos términos, los planes y sus disposiciones de desarrollo designarán los servicios para los que puedan utilizarse los distintos recursos, incluyendo los requisitos que se exijan al respecto para su prestación y —como nove-

---

sión, como precisaba el apartado 7 del artículo 16 de la LGTel03 —reiterado en el art. 30 del Reglamento—. No se menciona, sin embargo, a la entidad Red.es, a pesar de que —como veremos— asume importantes competencias en relación con los nombres de dominio.

[100] Estas instancias son, por lo que se refiere a los números y direcciones, la CEPT, el Instituto Europeo de Normas de Telecomunicación (ETSI) y la UIT; y, más concretamente por lo que se refiere a los nombres de dominio, la Corporación de Internet para la Asignación de Nombres y Números (conocida por el acrónimo inglés, ICANN), una corporación internacional sin ánimo de lucro, constituida por entidades públicas y privadas, que ha venido a sustituir a la "Internet Assigned Numbers Authority" (IANA), que venía desarrollando las mismas funciones.

[101] Así lo dispone el apartado 12 del art. 19 en términos idénticos a los ya introducidos en el apartado 8 del art. 16 LGTel03 por el Decreto-ley 13/2012, afirmando literalmente que "el Gobierno apoyará" dicha armonización.

[102] Conforme al cual el Ministerio promoverá el conocimiento por la población de los números armonizados europeos que comienzan por las cifras 116 y fomentará la prestación en España de los servicios de valor social para los que están reservados, poniéndolos a disposición de los interesados en su prestación, con particular atención a las circunstancias discapacidad.

dad introducida por la Ley de 2014— las condiciones asociadas a su uso, "que serán proporcionadas y no discriminatorias". Podrán, además, según novedad introducida ya en la LGTel03 por el Decreto-ley de referencia, incluir los principios de fijación de precios y los precios máximos que puedan aplicarse a los efectos de garantizar la protección de los consumidores.

Los planes tendrán, en todo caso, carácter público, salvo en lo relativo a materias que puedan afectar a la seguridad nacional, tal y como se cuida de advertir, hoy, el art. 20.2 LGTel14 —antes, el artículo 17.2 de la LGTel03 y el 32 del Reglamento—.

La aprobación de los planes de numeración y direccionamiento corresponde, en todo caso, al Gobierno mediante real decreto, dice —ahora— expresamente el apartado 3 del artículo 19 LGTel14 (frente al art. 16.3 de la LGTel03), teniendo en cuenta las decisiones que se adopten en el seno de las organizaciones y los foros internacionales. A él parece corresponder también —según la LGTel14, siguiendo en este punto a la previa LGTel03— la aprobación de los planes de nombres, si bien el apartado siete de la Disposición adicional sexta de la Ley 34/2002, de 11 de julio, de Servicios de la Sociedad de la Información y de Comercio Electrónico (LSSI) prevé que "el Plan Nacional de Nombres de Dominio de Internet se aprobará mediante Orden del Ministro de Ciencia y Tecnología, a propuesta de la entidad pública empresarial Red.es", como —de hecho— viene sucediendo en la práctica.

Esta competencia de propuesta de la entidad Red.es en relación con los planes de nombres de dominio choca por sí misma con la novedad introducida por la LGTel14 consistente en la atribución expresa al Ministerio de Industria, Energía y Turismo de la competencia de elaboración de las propuestas de planes nacionales, sin distinción, para su elevación al Gobierno, así como el desarrollo normativo de estos planes "que podrán establecer condiciones asociadas a la utilización de los distintos recursos públicos de numeración, direccionamiento y denominación, en particular la designación del servicio para el que se utilizarán estos recursos, incluyendo cualquier requisito relacionado con el suministro de dicho servicio" (art. 19.4).

Esta atribución al Ministerio de una competencia de desarrollo de los planes con el mismo alcance de estos enlaza con la previsión —ya contenida en la LGTel03— de la posibilidad de que, en un supuesto de injustificada degradación normativa, los planes sean susceptibles de modificación, en su estructura y su organización, mediante mera Orden Ministerial dictada por el Ministerio de Industria, Energía y Turismo, "a fin de cumplir con las obligaciones y recomendaciones internacionales o para garantizar la disponibilidad suficiente de números, direcciones y nombres" (art. 20.3 LGTel14, como antes el 17.3 LGTel03 y 27.2 del Reglamento)[103].

Es más, estas Órdenes ministeriales —según dispone ahora la LGTel14 elevando a rango de Ley una previsión que, como veremos inmediatamente, aparecía ya en el Reglamento— podrán incluso fijar medidas sobre la utilización de los recursos numéricos y alfanuméricos para la prestación de los servicios, a falta de planes nacionales o de "planes específicos para cada servicio", dice literalmente —y de forma inopinada— el precepto. Tal modificación o sustitución de los planes, que podrá ser adoptada de oficio o a instancia de la entidad encargada de la gestión y control del plan nacional correspondiente, deberá tener en cuenta los intereses de los afectados y, en particular, los gastos que se puedan derivar para los operadores y usuarios como consecuencia de la necesaria adaptación. Una vez adoptadas, las modificaciones deben ser objeto de publicación, con antelación suficiente, antes de su entrada en vigor, con el fin de facilitar su puesta en práctica, respecto de lo que es instrumento imprescindible las instrucciones que dicte el propio Ministerio[104].

En los términos de los arts. 27.3 y 28.32 del Reglamento, estas instrucciones serían de hecho, aplicables de forma inmediata a falta de planes, siendo el Ministerio, igualmente, competente, en todo caso, para aprobar las resoluciones necesarias en desarrollo de los planes y, en particular, como veremos, las de atribución y adjudicación (art. 27.7 del Reglamento)[105].

En el marco de la LGTel03 mantuvieron vigencia los Planes Nacionales de Numeración Telefónica y de Nombres de Dominio aprobados en su momento en sustitución de los que, habiendo sido aprobados en el marco de la LGTel98, estuvieron transitoriamente vigentes[106]: el Plan Nacional de Numeración Telefónica fue aprobado como Anexo al Real Decreto

---

[103] El art. 27.6 del Reglamento advierte que el Ministerio informará a la UIT sobre los aspectos de los planes que puedan afectar a las redes y servicios internacionales.

[104] Vid., por ejemplo, la Orden ITC/308/2008, de 31 de enero, por la que se dictan instrucciones sobre la utilización de recursos públicos de numeración para la prestación de servicios de mensajes cortos de texto y mensajes multimedia, en cuya aplicación se aprobó la Resolución de 21 de noviembre de 2012, de la SETSI, por la que se habilitan recursos públicos de numeración adicionales para la prestación de servicios de tarificación adicional basados en el envío de mensajes cortos de textos y mensajes multimedia.

[105] Advierte el apartado 8 del mismo art. 27 del Reglamento que corresponden, dentro del Ministerio, a la SETSI las competencias en esta materia "salvo en aquellas cuestiones que requieran de una disposición general".

[106] Vid. apartado 4 de la Disposición transitoria primera de la LGTel03.

2296/2004[107] —y modificado posteriormente, en relación con el servicio
de radiobúsqueda, mediante Orden ITC/3991/2006, de 28 de diciembre—, mientras que el nuevo Plan Nacional de Nombres de Dominio de
Internet bajo el código de país correspondiente a España (".es") se aprobó
mediante Orden ITC/1542/2005, de 19 de mayo[108]. A estos planes habrá
que seguir acudiendo en tanto en cuanto no se aprueben unos nuevos en
el marco de la LGTel14.

B) Gestión y control

En aplicación de los Planes, los distintos números, direcciones y nombres deberán ser objeto de *asignación*, en principio, a los operadores o, con
carácter más o menos excepcional, según de qué recursos se trate, a otras
entidades o directamente a los usuarios. Esta fase de aplicación de los planes, que la ley derogada calificaba expresivamente de "gestión y control",
parece corresponder, hoy por hoy, en exclusiva, al Ministerio de Industria,
Energía y Turismo, que en los términos del artículo 19.5 de la LGTel14,
ha quedado apoderado para el otorgamiento de los derechos de uso de
los "recursos públicos regulados en los planes de numeración, direccionamiento y denominación", sin distinción. Esto supone extraer de la órbita

---

[107] Vid. art. 2 del Real Decreto. Este Plan viene a sustituir al anterior, aprobado como
Acuerdo del Consejo de Ministros de 14 de noviembre de 1997, y que fue publicado
por Resolución de la Secretaría General de Comunicaciones de 18 de noviembre de
1997 (BOE de 21 de noviembre de 1997). Según el Plan Nacional de Numeración,
el número nacional tiene una longitud de 9 dígitos, representados por la secuencia
NXYABMCDU, en la que cada letra es una variable que puede ir de 0 a 9. Cada servicio
de telecomunicaciones tiene atribuidos unos dígitos con lo que se distinguen los siguientes tipos de numeración en función de los dígitos por los que comiencen: Números cortos y prefijos, por 0 y 1; Números no geográficos para servicios vocales nómadas,
por 51; Números móviles, por 6; Números personales, por 70; Números geográficos,
por 81 a 88 ó 91 a 98; Acceso a Internet, por 908 (si factura el operador de acceso)
ó 909 (si factura un operador diferente al de acceso); Números de tarifas especiales
(antes referidos como números de inteligencia de red), por 80 y 90. Más concretamente, estos números de inteligencia de red se dividen según comiencen: Cobro re-
vertido automático, por 800 y 900; Tarificación adicional (exclusivo para adultos), por
803; Tarificación adicional (ocio y entretenimiento), por 806; Tarificación adicional
(profesionales), por 807; Tarificación adicional sobre sistemas de datos, por 907; Pago
compartido, por 901; Pago por el llamante sin retribución para el llamado, por 902, y
llamadas masivas, por 905. Posteriormente, mediante Resolución de la SETSI de 4 de
diciembre de 2008, se atribuyó el código telefónico 905 a la prestación de servicios de
tarificación adicional.

[108] El anterior había sido aprobado mediante Orden 662/2003, de 18 de marzo.

de competencias de la Comisión Nacional de los Mercados y de la Competencia la competencia que venía ejerciendo, heredada de la CMT, para la gestión de los Planes Nacionales de Numeración —en un reparto de competencias con el Ministerio que quedó perfilado por la STS de 10 de marzo de 2009[109], y desconocer la previsión del derogado art. 16.4 LGTel03—, que, en relación con los Planes Nacionales de Direccionamiento y, en su caso, de Nombres de dominio, remitía a lo que se dispusiera mediante Real Decreto. Ni antes ni ahora se puede, sin embargo, obviar el papel que en relación con la gestión de los nombres de dominio ".es" le atribuyó a la entidad pública empresarial Red.es la Disposición adicional sexta de la Ley 11/1998, tal y como fue modificada por el artículo 55 de la Ley 14/2000, de 19 de diciembre[110], particularmente en su apartado 4.a)), cuya redac-

---

[109] En los términos de lo dispuesto en el artículo 44.3.b) de la LGTel03, correspondía —por efecto de la Disposición adicional segunda, apartado, 2, de la Ley 3/2013, de creación de la CNMC— a la Comisión, efectivamente, "asignar la numeración a los operadores, para lo que dictará las resoluciones oportunas, en condiciones objetivas, transparentes y no discriminatorias, de acuerdo con lo que reglamentariamente se determine". La Sentencia de referencia, de cuyas peculiares coordenadas dimos cuenta en la nota 101, pretendió clarificar la cuestión competencial en los siguientes términos: "Pueden resumirse, por tanto, las diferentes funciones y sus órganos competentes en el siguiente esquema: a) Al Gobierno le corresponde la aprobación de los planes nacionales de numeración y, en su caso, de direccionamiento y nombres, teniendo en cuenta las decisiones aplicables que se adopten en el seno de las organizaciones y los foros internacionales (art. 16.3 LGT). b) A la CMT le corresponde: 1° La gestión y control de los planes nacionales de numeración y de códigos de puntos de señalización (art. 16.4 LGT); 2° La asignación de la numeración a los operadores en condiciones objetivas, transparentes y no discriminatorias, de acuerdo con lo que reglamentariamente se determine; (art. 48.3 LGT) 3° Velar por la correcta utilización de los recursos públicos de numeración asignados (art. 48.3 LGT); y 4° Autorizar la transmisión de dichos recursos, estableciendo mediante resolución las condiciones de aquélla (art. 48.3 LGT). c) Al MITC le corresponde el resto de las funciones no atribuidas a la CMT, y en especial, podrá modificar la estructura y la organización de los planes nacionales o, en ausencia de éstos, o de planes específicas de cada servicio, establecer medidas sobre la utilización de los recursos numéricos y alfanuméricos necesarios para la prestación de los servicios (art. 46.2 LGT)".

[110] Téngase en cuenta que esta Disposición adicional sexta de la Ley 11/1998 mantuvo su vigencia conforme a lo previsto en el apartado b) de la Disposición derogatoria única de la vigente LGTel03, si bien la Disposición derogatoria única, apartado a), LGTel14 ha derogado expresamente la LGTel98, sin excepciones. Tal y como hace notar la SAN de 10 de diciembre de 2002 (JUR 2006\282797), esta previsión legal tenía como antecedente la Resolución de la Secretaría General de Comunicaciones de 10 de febrero de 2000, que había designado a Red.es a tales efectos en aplicación de lo dispuesto en el art. 27.14 del Real Decreto 1651/1998.

ción ha quedado volcada en el apartado 3.a) de la Disposición adicional décimosexta de la LGTel14, relativa a aquélla entidad[111].

Las peculiaridades de uno y otro supuesto invitan a hacer un análisis separado:

a) Gestión y control de los recursos de numeración: las competencias del Ministerio en los procedimientos de Atribución, Adjudicación y, en especial, Asignación. La portabilidad de los números

Ciñéndonos al régimen de gestión y control de los recursos de numeración —a los que asimilaríamos las direcciones—, debemos destacar que, aunque no las mencione la Ley, existen dos fases previas a la *asignación* de los recursos a los beneficiarios, identificadas por el Plan Nacional de Numeración vigente: la *atribución* y la *adjudicación*. Ambas funciones le venían correspondiendo ya a la SETSI, que dictará resoluciones a tal efecto[112]: mediante la primera, se destinan determinados recursos de numeración para la explotación de uno o varios *servicios* de comunicaciones electrónicas[113]; mediante la segunda, la delimitación de recursos se establece conforme a criterios *geográficos*[114]. Se trata, pues, de acotar la aplicación de los

---

[111]   Conforme al cual la Red.es tendrá, entre otras, la función de "gestión del registro de los nombres y direcciones de dominio de internet bajo el código de país correspondiente a España (.es), de acuerdo con la política de registros que se determine por el Ministerio de Industria, Energía y Turismo y en la normativa correspondiente".

[112]   Conviene advertir que, en los términos de la DT 1ª del Real Decreto 2296/2004, las disposiciones sobre atribución y adjudicación de recursos públicos de numeración aprobadas al amparo de la normativa anterior a la LGTel03 mantenían vigencia en tanto en cuanto no entrasen en contradicción con lo dispuesto en el Reglamento aprobado por el Real Decreto. Con todo, se aprobaron con posterioridad a la entrada en vigor de la LGTel03 nuevas resoluciones, como la de 30 de junio de 2005, por la que se *atribuyen* recursos públicos de numeración al servicio telefónico fijo disponible al público y a los servicios nómadas y se *adjudican* determinados indicativos provinciales.

[113]   Vid., por ejemplo, entre las más recientes, la Resolución de la SETSI de 30 de noviembre de 2011, por la que se modifica la atribución del número 060 al servicio de información de la Administración General del Estado; la de 17 de julio de 2012, por la que se *atribuyen* recursos públicos de numeración adicionales al servicio de consulta telefónica sobre números de abonado, la de 21 de noviembre de 2012, por la que se *atribuye* el número 012 al servicio de información de las Administraciones autonómicas autonómicas y la Resolución de 27 de mayo de 2013, por la que se modifica la atribución de los rangos de numeración para comunicaciones móviles.

[114]   Así, por todas, vid. la Resolución de 1 de febrero de 1999, de la entonces Secretaría General de Comunicaciones, por la que se *adjudican* recursos públicos de numeración a determinadas provincias y, con posterioridad a la aprobación del vigente Plan

Planes —primero en función de tipos de servicios; en atención a criterios geográficos, en la fase subsiguiente—, con la consecuencia inmediata —y de no poca importancia— de permitir a los usuarios asociar los tipos de servicios, los distintos operadores y, en su caso, la ubicación geográfica de sus comunicantes con los códigos y números que se les asignen, lo que les aportará por sí mismo orientación sobre las tarifas y condiciones de la comunicación[115].

A continuación, se abre la fase de *asignación* concreta a operadores —o, en la medida en que se contemple por los Planes, a otras entidades—, quienes —a su vez— los asignarán a sus concretos abonados, salvo los supuestos en los que excepcionalmente se asignen números a los usuarios. Es ésta una fase fundamental ya que, cuando se trata de recursos de numeración —parafraseando la terminología demanial— huelga decir que su uso será, en todo caso, privativo, puesto que de lo que se trata, precisamente, es de identificar a usuarios y operadores con los correspondientes códigos. En todo caso, las competencias al respecto han dejaro de corresponder, como advertíamos, a la Comisión Nacional de los Mercados y de la Competencia —una vez extinguida la CMT—, que, en todo caso, debía someterse a los procedimientos de gestión y control que se establezcan por el Ministerio (art. 27.1 del Reglamento)[116]. Es ahora el propio Ministerio, según vimos, el que otorgará por sí mismo los derechos de uso, según procedimientos

---

Nacional de Numeración Telefónica, la Resolución de 10 de julio de 2007, sobre la integración del municipio de Santa María del Campo Rus en la zona provincia de numeración de Cuenca y, más recientemente, resolución de 25 de enero de 2007, de la SETSI, por la que se adoptan determinadas medidas en relación con la numeración telefónica que afectan a la colonia británica de Gibraltar. Téngase en cuenta que España se divide en 50 zonas telefónicas provinciales, y que mediante Resolución de 5 de abril de 2013, de la SETSI, se modifica la distribución de distritos telefónicos, estableciendo un único distrito, a efectos de tarificación, por cada una de las 50 provincias, cuando antes eran 510.

[115] De hecho, el art. 33.2.c) y d) del Reglamento reconoce entre los aspectos a tener en en cuenta para la planificación de los recursos de numeración, direccionamiento y denominación "una fácil estimación por el usuario del precio de la llamada" y "una fácil identificación por el usuario llamante de los servicios y, en su caso, de las zonas geográficas".

[116] En los términos del 27.3 y 28.2 del Reglamento, a falta de tales procedimientos, la Comisión debía llevar a cabo la gestión de los recursos en aplicación de las instrucciones que el propio Ministerio estableciera, salvo supuestos de urgencia, en cuyo caso podría aplicar criterios propios fijados previo informe del Ministerio. La Orden ITC/308/2008, de 31 de enero, por la que se dictan instrucciones sobre la utilización de recursos públicos de numeración para la prestación de servicios de mensajes cortos de texto y mensajes multimedia, por ejemplo, estableció pautas para la asignación de

que, siendo fijados mediante real decreto, serán abiertos, objetivos, no dis-criminatorios, proporcionados y transparentes, tal y como dispone ahora el mismo apartado 5 del art. 19 LGTel14 en previsión ya introducida en la LGTel03 (art. 16.3) por el Decreto-ley 13/2012. La LGTel03, en su ar-tículo 17.4, estableció como novedad que en el supuesto de números —y también de nombres— de valor económico excepcional, los planes nacio-nales y sus disposiciones de desarrollo podrían establecer procedimientos de selección competitiva o comparativa para su asignación, previsión que ahora el art. 20.4 LGTel14 extiende a los números y nombres "que sean particularmente apropiados para la prestación de determinados servicios de interés general", advirtiendo que dichos procedimientos respetarán los principios de publicidad, concurrencia y no discriminación para todas las partes interesadas.

El mismo art. 19.5 LGTel14 —sin introducir novedades respecto a la redacción dada por el Decreto-ley de referencia al art. 16.3 LGTel03— es-tablece los plazos para la adopción, comunicación y publicación de las asig-naciones: tres semanas desde la recepción de la solicitud completa, salvo cuando se apliquen procedimientos de selección comparativa o competi-tiva, en cuyo caso, el plazo máximo será de seis semanas desde el fin del plazo de recepción de ofertas.

No existe, en ningún caso, un derecho a la asignación de determina-dos recursos numéricos. De hecho, tal y como advierte el legislador, en los procedimientos de asignación el silencio es negativo. Ello no obstante, es claro que el principio de igualdad exige que a todos los operadores se les asignen números de igual calidad, respetándose el principio de paridad de marcación, de modo que el número de cifras a marcar por el usuario sea idéntico con independencia del operador al que su interlocutor esté abonado.

En todo caso, las asignaciones de recursos serán públicas —dejando a salvo las materias en que pueda verse afectada la seguridad nacional—. El reflejo más evidente de este principio es la constitución de un registro pú-blico que pasará a ser gestionado por el Ministerio, no ya por la Comisión Nacional de los Mercados y de la Competencia, Registro al que se puede acceder por procedimientos telemáticos, y en el que se reflejan los datos sobre asignaciones y subasignaciones que se determinen mediante Orden ministerial (art. 63 del Reglamento). Hasta que se apruebe esta Orden,

---

la numeración bajo cuya cobertura la CMT adoptó la Resolución de 13 de agosto de 2008, por la que asignó numeración a cincuenta operadores.

que a día de hoy sigue pendiente, seguirá vigente el Registro público de numeración creado al amparo del derogado Real Decreto 225/1998 (DT 2ª del Real Decreto 2296/2004)[117].

En cuanto al contenido del derecho al uso de los números, el legislador es poco prolijo. Ni la LGTel14 ni la LGTel03 precisan, como la precedente LGTel98 —silencio suplido por el Reglamento— que la utilización de recursos públicos de numeración no implica la adquisición de ningún derecho de propiedad industrial o intelectual[118]. Sí dejan claro, en todo caso, que la asignación de recursos públicos de numeración no supone el otorgamiento de más derechos que el de su uso conforme a lo que se establece en la propia Ley (art. 19.7 LGTel14, como el precedente 16.7 LGTel03), de lo que se extrae la prohibición de transferir los recursos asignados sin expresa autorización de la Administración y la no indemnizabilidad de los cambios en la asignación original, tanto si se derivan de una modificación de los planes como de una resolución —hoy, desde la entrada en vigor de la LGTel14— del Ministerio, en cuanto que gestora de los mismos[119]. Todo lo cual no queda contradicho por el reconocimiento a los usuarios del derecho a la portabilidad, al que posteriormente haremos referencia.

Cuestión de radical importancia es la determinación de las condiciones para el uso de estos recursos, máxime si tenemos en cuenta que el incumplimiento de tales condiciones está tipificado como una infracción —grave, en el seno de la LGTel14 (art. 77.19), si bien lo era muy grave

---

[117] El actual registro está regulado por la Orden de 23 de julio de 1999, del Ministerio de Fomento, por la que se regula el Registro de Asignaciones y Reservas de Recursos Públicos de Numeración.

[118] De forma bien expresiva, el artículo 32 de la derogada Ley 11/1998 advertía en su apartado 2 que "la utilización de recursos públicos de numeración, no implica la adquisición de ningún derecho de propiedad industrial o intelectual". La LGTel03 ya no recoge expresamente una regla similar, pero sí el Reglamento que la desarrolla en esta materia (art. 29.3), de modo que hay que entender que la naturaleza de los derechos de uso de los recursos de numeración ha quedado inalterada.

[119] Ha desaparecido en la vigente Ley, como ya lo hizo de la derogada LGTel03, una regla del tenor de la prevista en el apartado 4 del artículo 30 de la LGTel98, conforme a la cual, "los derechos de numeración otorgados no tendrán la consideración de derechos o intereses patrimoniales legítimos, a efectos de lo previsto en el artículo 1 de la Ley de Expropiación Forzosa", pero se mantiene en el art. 29.4 del Reglamento que la desarrolla. De ello cabe deducir que las caducidades de los derechos a utilizar determinados recursos de numeración derivadas de cambios en el plan no son indemnizables, lo que encaja, en último término, con la naturaleza pública —que no estrictamente demanial— de los recursos de numeración cuya utilización se habilita mediante la asignación.

por la aplicación del art. 53.w) de la LGTel03[120]. La LGTel03 se limitaba a
precisar que tales condiciones deberían respetar los principios de no discriminación, proporcionalidad y transparencia (art. 16.3)[121]. Algo que —
dicho sea de paso— se desprende de forma meridiana de la ya destacada
condición imprescindible de estos recursos en relación con la prestación
de servicios de comunicaciones electrónicas, siendo éstas actividades que
se prestan en régimen de libre competencia, por lo que no ha de resultar
especialmente significativo el silencio que guarda ahora, en este punto, la
LGTel14. En todo caso, de forma más concreta, el art. 38 del Reglamento
ha identificado cuatro condiciones generales aplicables a la asignación de
los recursos públicos de numeración, direccionamiento y denominación:
a). Utilización para el fin especificado en la solicitud salvo autorización
expresa del organismo encargado de la gestión y control; b) Permanencia
bajo el control del operador al que hayan sido asignados; c) Imposibilidad
de sometimiento a transacciones comerciales y, d) Uso eficiente, en todo
caso, dentro de los doce meses siguientes a la asignación[122].

---

[120]   Y ello en el bien entendido de que el tope máximo de la sanción aplicable, fijado en
la LGTel03 en dos millones de euros, no se ha visto reducido. En todo caso, en el seno
de la LGTel03 y en el de la vigente LGTel14, la conducta expresamente tipificada es la
del "incumplimiento de las condiciones determinantes de la adjudicación y asignación
de los recursos de numeración incluidos en los planes de numeración debidamente
aprobados".

[121]   En la redacción dada por el Decreto-ley 13/2012 a este artículo, se predicaba, tanto
de los procedimientos de asignación, como de las condiciones de los derechos de uso,
que debían ser "abiertos y objetivos", si bien estos calificativos no se compadecen propiamente con estas últimas.

[122]   El art. 59 del reglamento especifica las condiciones de utilización en el caso de recursos
de numeración. a) Los recursos públicos de numeración se utilizarán para la prestación de los servicios en las condiciones establecidas en el plan nacional de numeración
telefónica y sus disposiciones de desarrollo. b) Los recursos asignados deberán utilizarse para el fin especificado en la solicitud por el titular de la asignación, salvo que
se autorice expresamente una modificación, de conformidad con lo establecido en el
artículo 62. c) Los recursos asignados deberán permanecer bajo el control del titular
de la asignación. No obstante, este, previa autorización, podrá efectuar subasignaciones siempre que el uso que se vaya a hacer de los recursos haya sido el especificado en
la solicitud. d) Los titulares de las asignaciones de recursos públicos de numeración
deberán llevar, y poner a disposición —hoy— del Ministerio, un registro actualizado
que contenga, de forma detallada, el uso y el grado de utilización de cada bloque
de números. Igualmente, deberán llevar un registro actualizado de los números que
se hayan transferido a otros operadores como consecuencia de una petición de los
usuarios realizada en el ejercicio de su derecho a la conservación de los números de
abonado. e) Los recursos públicos de numeración deberán utilizarse por los titulares
de las asignaciones de forma eficiente y con respeto a la normativa aplicable y, en todo
caso, antes de que transcurran 12 meses desde su asignación.

Más específicamente, los apartados 6 a 11 de la LGTel14 precisan una serie de condiciones aplicables a los operadores o a los usuarios finales, asumido que unos y otros pueden ser beneficiarios directos de la asignación de numeración:

1. Nos consta que a los operadores se les podrán asignar recursos de numeración en la medida en que lo necesiten[123]. Por ello, en el marco de la LGTel03, como ya ocurría en el seno de la LGTel03, sustituido el régimen autorizatorio por uno de mera notificación y registro en lo que se refiere a la habilitación para la prestación de servicios y redes de comunicaciones electrónicas, la asignación de tales recursos vendrá directamente vinculada al tipo de servicios prestados —recordemos el sentido de la propia planificación y de la sucesiva *atribución* de numeración—, sin que quepa ya plantear la posibilidad de reservar recursos en la fase previa a la obtención del título habilitante que correspondiera en cada caso[124].

Las solicitudes de asignación se tramitarán, en principio, en función del criterio estrictamente temporal del orden de presentación, dejando, en todo caso, a salvo la posibilidad excepcional —ya destacada— de articular procedimientos competitivos (arts. 47 y 52 a 58 del Reglamento). Dejando este supuesto aparte, en su asignación, una vez asuma sus competencias al respecto, el Ministerio habrá de aplicar los criterios especificados en el art. 51.2 del Reglamento, que advierte que no se tendrán en cuenta, en ningún caso, posibles criterios de identificación de operadores por razones comer-

---

[123] De ahí que quepa modificar o cancelar una previa asignación "cuando se pruebe que el interesado precisa menos recursos públicos de numeración que los asignados" (art. 62.1.4ª del Reglamento).

[124] En los términos de los artículos 1.2 y 18.1 del Reglamento aprobado mediante Real Decreto 225/1998, aquellos operadores que no dispusieran de título habilitante para la prestación de servicios pero lo hubieran solicitado y reunieran los requisitos necesarios, podrían obtener una reserva de recursos públicos de numeración, asumiendo que tal reserva no presuponía por sí misma el derecho a obtener la correspondiente asignación definitiva. Previsión ésta que no dejó de ser polémica toda vez que la extinta CMT, en múltiples resoluciones, concedió reservas a operadores que ya ostentaban un título habilitante, resoluciones que fueron metódicamente recurridas por TESAU ante la Audiencia Nacional, que dictó sentencias estimatorias que fueron finalmente confirmadas por sucesivas sentencias del TS (vid. STS de 22 de septiembre de 2004 — RJ 2004/6325— y las sentencias que en ellas se citan, entre otras muchas). Con todo, hay que entender inaplicable esta previsión en el marco de la LGTel03, con igual o más razón en el de la LGTel14, ya que conforme a ellas ya no existe propiamente un procedimiento de habilitación para la prestación de servicios o redes de comunicaciones electrónicas, sino un procedimiento de mera notificación sin contenido constitutivo alguno.

ciales. Las solicitudes —como sabemos— se resolverán en el plazo máximo de tres semanas, siendo el silencio negativo.

Sea como fuere, cuando el beneficiario de la asignación de una serie de números sea un operador, se advierte que no podrá discriminar a otros operadores en lo que se refiere a las secuencias de números utilizadas para dar acceso a los servicios de éstos (art. 19.8 LGTel14, como hacía el derogado art. 16.5 LGTel03, y 31.3 del Reglamento). Además, los operadores que exploten redes públicas telefónicas o presten servicios telefónicos disponibles al público deberán cursar las llamadas que se efectúen a los rangos de numeración telefónica nacional y, cuando permitan llamadas internacionales, al Espacio Europeo de Numeración Telefónica —a tarifas similares a las que se aplican a las llamadas con origen o destino en otros países comunitarios, según dispuso ya el Decreto-ley de continua referencia— y a otros rangos de numeración internacional, en los términos que se especifiquen en los Planes Nacionales de Numeración o en sus disposiciones de desarrollo (art. 19.7 LGTel14)[125].

El Reglamento que desarrolló la LGTel03 en este punto ha previsto la posibilidad de que la Comisión autorice la **subasignación** de recursos por parte de operadores beneficiarios de una asignación —exclusivamente los operadores de redes telefónicas públicas y del servicio telefónico disponible al público— a favor de operadores en que no concurra aquella condición (arts. 48 y 49)[126]. Posibilidad que no niega el principio de que los recursos asignados deben permanecer bajo el control del titular de la asignación [art. 59.c) del Reglamento].

El art. 48.4.b) LGTel03 atribuía a la Comisión el control del uso de los recursos asignados y la autorización de su transmisión al prescribir que "la Comisión velará por la correcta utilización de los recursos públicos de numeración asignados" y "autorizará la transmisión de dichos recursos, estableciendo, mediante resolución, las condiciones de aquélla". Nada precisa la vigente LGTel14, en términos similares, respecto del Ministerio al que el art. 69.d), de forma mucho más escueta, atribuye la competencia —como sabemos— para el otorgamiento de los derechos de uso de los recursos pú-

---

[125]   En los términos literales del precepto, idéntico al derogado art. 16.3 LGTel03 en la redacción dada por el Decreto-ley 13/2012, se trata de que los operadores adopten las "medidas oportunas para que sean cursadas cuantas llamadas se efectúen procedentes de y con destino al espacio europeo de numeración telefónica, a tarifas similares a las que se aplican a las llamadas con origen o destino en otros países comunitarios".

[126]   Advierte el art. 49 que, en principio, no cabrá la subasignación de números que pertenezcan a los rangos a tribuidos a los servicios de tarificación adicional.

blicos regulados en los planes y el ejercicio de "las demás competencias que le atribuye el capítulo V del Título II de la presente Ley", que nada especifica al respecto. Debemos deducir, con todo, que a él le corresponderá ejercer las facultades que en punto a ambos extremos venía ejerciendo la Comisión, facultades que le permitían la más flexible y eficiente gestión de estos recursos escasos, como —entre ellas— la facultad de modificación o cancelación de las asignaciones efectuadas, no sólo a petición del interesado o por causas —tasadas— imputables a él[127], sino también "cuando así lo exijan motivos de utilidad pública o interés general, en los que se incluye la necesidad de garantizar una competencia efectiva y justa" (art. 62 del Reglamento). A los efectos de este control, el Reglamento impone a los operadores la obligación de informar, anualmente, al organismo encargado de su gestión —también en el caso de nombres de dominio— sobre una serie de extremos —como el uso dado a los recursos asignados, el porcentaje de recursos utilizados y el grado de coincidencia entre el uso real y las previsiones—, todo lo cual redundará en una mejor planificación de estos recursos (art. 40)[128].

2. La Ley 32/2003 introdujo, como novedad, la posibilidad de que los usuarios finales tengan acceso a los números de forma directa e independiente de los operadores para determinados rangos que se definan en los Planes Nacionales de Numeración o en sus disposiciones de desarrollo (art. 16.7), previsión la LGTel14 extiende a los recursos de direccionamiento y denominación (ap. 10 del art. 19). Se trata, bien es verdad, de una posibilidad limitada, ya que debe haberse previsto concretamente en la normativa de desarrollo de la Ley y, dentro de este marco, sólo podrá materializarse "cuando esté justificado". El art. 47 del Reglamento remite a una Orden Ministerial la concreta regulación de esta posibilidad, siempre sometida a lo que determinen las normas de desarrollo del Plan Nacional de Numeración Telefónica. La STS de 10 de marzo de 2009 confirmó, conforme

---

[127] Este ha sido el caso en la cancelación confirmada en casación mediante STS de 12 de junio de 2014 (ROJ: STS 2501/2014), por cuanto los recursos asignados se venían utilizando para prestar servicios distintos a aquéllos para los que estaban previstos en el plan de numeración.

[128] Tal y como quedó adelantado, el art. 59.d) del Reglamento obliga a los operadores beneficiarios de una asignación a llevar un Registro actualizado del uso y grado de utilización de cada bloque de números en el que se contenga, igualmente, información relativa a la portabilidad. El art. 61, por su parte, establece una obligación similar a la prevista, con carácter general, en el art. 40, pero específica para los casos de asignación de recursos de numeración. La previsión de traslado de la correspondiente información, por parte de la Comisión, al Ministerio, carece de sentido una vez este ha asumido las competencias al respecto.

al régimen derogado que la correspondiente competencia de gestión le correspondía a la Comisión anulando el precepto reglamentario que se la había atribuído ya al Ministerio[129].

3. Aun cuando no se le hayan asignado directamente al abonado derechos de numeración, a él se le reconoce un cierto derecho de preferencia sobre el recurso numérico que se le hubiese asignado, aún por vía indirecta, originalmente. Nos estamos refiriendo al derecho a la conservación de los números telefónicos —conocido técnicamente como "**portabilidad**"—, que supone que los abonados a los servicios telefónicos disponibles al público pueden, si así lo solicitan, conservar los números que les hayan sido originalmente asignados en el momento en que decidan cambiar de lugar, de tipo de servicio o —lo que es más sensible— de operador, sin que se les apliquen al efecto cuotas que puedan tener efectos disuasorios para el uso de dichas facilidades. Precisamente por ello, cabe observar que, por encima del contenido meramente subjetivo de este derecho, de su reconocimiento y efectiva aplicación se deriva una garantía para la efectividad de la libre competencia.

El reconocimiento de este derecho al abonado —que fue reforzado durante la vigencia de la LGTel03 por el Decreto-ley 13/2012, que introdujo un plazo para su materialización de un día laborable que ahora ha quedado reflejado en el art. 47.1.c) LGTel14— implica imponer a los operadores que exploten redes públicas telefónicas o presten servicios telefónicos disponibles al público la obligación de establecer los mecanismos técnicos, administrativos y económicos que garanticen esta portabilidad en el momento en que el abonado lo solicite, atribuyéndose a la Comisión Nacional de los Mercados y la competencia —que retiene de la extinta CMT— para fijarlas —en garantía de los requisitos y condiciones precisados en los arts.

---

[129] Advertía el Tribunal Supremo: "Si la asignación a los operadores es una función de gestión, no se entiende que la asignación a los usuarios finales se desgaje de ella, sin que pueda justificarse la competencia del Ministerio en lo expresado por el Consejo de Estado en su dictamen de que "se trata de repartir un recurso público entre sus beneficiarios últimos, que son los usuarios". La asignación directa a los usuarios constituye una excepción a la general asignación a los operadores, que según último párrafo del apartado 7 del artículo 16 LGT y el art. 37.1 párrafo segundo del Reglamento de Mercado, vendrá determinada por los planes nacionales o sus disposiciones de desarrollo, implicando, por tanto, una faceta más de la gestión del PNN, cuya competencia corresponde a la CMT. Es por ello que este párrafo deba ser anulado, pues incluso iría en contra del criterio sustentado en la Exposición de Motivos de LGT, que pretende el refuerzo de las facultades de este órgano en materia tan ligada a la supervisión y regulación de los mercados, como es la gestión del PNN".

43 a 45 del Reglamento[130], a cuyos efectos el art. 21 de la LGTEl14 le reconoce ahora expresamente la potestad de aprobar circulares, en desarrollo del real decreto y su normativa de desarrollo en que se fijen los supuestos a los que sea aplicable la portabilidad, así como los aspectos técnicos y administrativos necesarios para que esta se lleve a cabo. De hecho la extinta CMT aprobó la Circular 1/2008, de 19 de junio, común para portabilidad fija y móvil, modificada por la 3/2009, de 2 de julio[131], y varias resoluciones[132]—. Siendo así que hoy por hoy, tal y como ha quedado fijado en el art. 46 del Reglamento, la portabilidad sólo es exigible para los supuestos de cambio de operador en relación con los servicios telefónicos fijos, móviles y —como novedad del nuevo Reglamento— los servicios de tarifas especiales y de numeración personal, si bien mediante Orden ministerial podrán regularse otras modalidades.

Es importante precisar, en lo que se refiere al régimen económico de la aplicación de esta técnica, que los costes derivados de la actualización de los elementos de la red y de los sistemas necesarios para hacer posible la conservación de los números en los que incurran los operadores no serán, en ningún caso, indemnizables; los demás costes que se produzcan se repartirán, a través del oportuno acuerdo, entre los operadores afectados por el cambio, siendo competente la CNMC, como lo era la CMT, para resolver los conflictos que pudieran surgir en su aplicación.

4. Conviene finalmente advertir que la asignación por parte del Ministerio la Comisión de bloques de numeración o de números a favor de una o varias personas físicas o jurídicas devengará una tasa anual en cuya regulación la LGTel14 ha introducido más de una novedad (apartado 2 del Anexo I), empezando por su extensión al otorgamiento de derechos de direccionamiento y denominación[133]. El importe de esta tasa será el resul-

---

[130] El art. 44.2, relativo al requisito de simultaneidad, ha quedado redactado por el Real Decreto 329/2009, de 13 de marzo, y el 44.3, primer párrafo, relativo a los plazos, por el Real Decreto 899/2009, de 22 de mayo, por el que se aprueba la Carta de derechos del usuario de los servicios de comunicaciones electrónicas.

[131] Esta Circular sustituye a la previa 2/2004, de 15 de julio.

[132] Vid. Resolución de 7 de julio de 2011 sobre la modificación de la especificación técnica de los procedimientos administrativos para la conservación de numeración en caso de cambio de operador en redes móviles (DT 2009/1660) y Resolución de 26 de abril de 2012 sobre la modificación de la especificación técnica de los procedimientos administrativos para la conservación de numeración fija en caso de cambio de operador (DT 2009/1634).

[133] En los términos del apartado 2.1 del Anexo I de la LGTel14, que no ha introducido modificaciones en este punto respecto de su precedente, la tasa se devengará el 1 de

tado de multiplicar la cantidad de números, direcciones o denominaciones asignados por el valor otorgado a cada cada uno de ellos, en el bien entendido que este valor —que se fijará anualmente en la Ley de Presupuestos Generales del Estado, por más que la propia LGTel14 fije, con carácter general el valor de 0,04 euros[134]— podrá ser diferente, en función del número de dígitos y de los distintos servicios a los que afecte[135], a los efectos de lo cual la propia LGTel14 introduce una tabla de coeficientes[136]. Todo lo cual sin perjuicio de la posibilidad de que se tome en consideración el valor de mercado del uso del número asignado y la rentabilidad que de él pudiera obtener la persona o entidad beneficiaria, en los términos del apartado 2.2 del Anexo I de la LGTel14, en cuyo caso, de forma excepcional y siempre que así se haya previsto en el Plan Nacional de Numeración Telefónica o sus disposiciones de desarrollo, la cuantía anual podrá sustituirse por la que resulte del procedimiento de licitación mediante el que se haya asignado el recurso[137].

El importe de los ingresos obtenidos por esta tasa se ingresará en el Tesoro Público, si bien afectado a la financiación de los gastos que soporte la Administración General del Estado en la gestión, control y ejecución del régimen jurídico establecido en la LGTel14.

b) Gestión y control de los nombres de dominio bajo el código de país correspondiente a España ".es"

Tal y como nos consta, la entidad pública empresarial Red.es es la responsable de la gestión del sistema de asignación de nombres de dominio

---

enero de cada año, excepto la del período inicial, que se devengará en la fecha que se produzca la asignación de bloques de numeración o de números.

[134] Esta cuantía supera a la que transitoriamente, en los términos de lo previsto en la DT 5ª LGTel03, quedó fijada en 0.03 euros, sin que las sucesivas leyes de presupuestos fijaran por sí mismas valores distintos.

[135] A los efectos del cálculo de esta tasa, se entiende que todos los números están formados por nueve dígitos. Cuando se asignen números con menos dígitos, se considerará que se están asignando la totalidad de los números de nueve dígitos que se puedan formar manteniendo como parte inicial de éstos el número asignado.

[136] La LGTE14 fija por sí misma loas tasas correspondientes a códigos de señalización y a indicativos de red. Las nuevas tasas fijadas por la LGTel14 se aplicarán sin carácter retroactivo a partir del 1 de enero de 2015.

[137] En el correspondiente procedimiento de licitación se fijará un valor inicial de referencia y el tiempo de duración de la asignación. Si el valor de adjudicación de la licitación resultase superior a dicho valor de referencia, aquél constituirá el importe de la tasa.

bajo el código de país correspondiente a España ".es". El procedimiento para tal asignación ha quedado, en principio, establecido por la Disposición adicional sexta de la Ley 34/2002, de 11 de julio, de Servicios de la Sociedad de la Información y de Comercio Electrónico (LSSI), en la que la LGTEl14 ha introducido un nuevo apartado Cincobis, y, en su desarrollo, por el propio Plan Nacional de Nombres de Dominio, aprobado —como sabemos— en su versión vigente en 2005, viniendo a sustituir al anterior —de 2003— con el objetivo confesado de flexibilizar las normas de asignación[138]. El Presidente de Red.es aprueba, en este marco, resoluciones para precisar requisitos y procedimientos en relación con el procedimiento de asignación[139]. Competencia que el Presidente ha delegado en el Director general mediante resolución de 21 de octubre de 2005[140], y que este ha ejercido al dictar la Instrucción de 2 de enero de 2010, por la que se desarrollan los procedimientos aplicables a la asignación y a las demás operaciones asociadas al registro de nombres de dominio bajo el ".es", modificada por la de 29 de octubre de 2012 en lo que se refiere al procedimiento de reasignación para nombres de dominio de excepcional interés general[141].

El proceso de *asignación* de nombres de dominio se sigue escalonando en tres niveles. El primer nivel, administrado en el ámbito internacional

---

[138] Tal y como ya tuvimos ocasión de destacar, el vigente Plan, aprobado mediante Orden ITC/1542/2005, deroga el anterior —aprobado mediante Orden 662/2003, de 18 de marzo—, que, a su vez, había derogado expresamente la Orden de 21 de marzo de 2000, modificada por la de 12 de julio de 2001, por la que se regulaba el sistema de asignación de nombres de dominio de Internet bajo el código de país correspondiente a España.

[139] Según dispone el apartado siete de la DA 6ª de la Ley 34/2002, "el Plan se completará con los procedimientos para la asignación y demás operaciones asociadas al registro de nombres de dominio y direcciones de Internet que establezca el Presidente de la entidad pública empresarial Red.es, de acuerdo con lo previsto en la disposición adicional decimoctava de la Ley 14/2000, de Medidas Fiscales, Administrativas y del Orden social, modificada por el art. 70 de la posterior Ley 24/2001". En ello insiste la DF 2ª de la Orden ITC/1542/2005, por la que se aprueba el Plan vigente.

[140] Efectivamente, el Presidente de Red.es, de conformidad con lo dispuesto en el apartado segundo del artículo 7 del Real Decreto 164/2002, de 8 de febrero por el que se aprueba el Estatuto de la entidad pública empresarial Red.es, modificado —en extremos distintos— por el Real Decreto 1433/2008, de 29 de agosto, ha delegado en el Director general de Red.es, mediante Resolución de 21 de octubre de 2005, las facultades de establecimiento de los procedimientos de asignación y demás operaciones asociadas al registro de nombres de dominio y direcciones de Internet bajo el código de país correspondiente a España ".es".

[141] Hay que tener, también, en cuenta la Instrucción sobre caracteres multilingües bajo el ".es", de 1 de junio de 2007.

por el ICANN, se manifiesta en la asignación de códigos de país: en nuestro caso, el código ".es". Ello supone que todos los nombres de dominio terminados en ".es" se identifican con sujetos o actividades desarrolladas en el territorio español —bajo una concepción ampliada a todas las personas físicas o jurídicas o entidades sin personalidad "que tengan intereses o mantengan vínculos con España", según ha venido a precisar el nuevo Plan[142]—, de modo que su asignación corresponde a la autoridad nacional, Red.es. A este organismo corresponde la asignación de códigos de segundo y tercer nivel, es decir, directamente terminados en ".es" o, para el tercer nivel, incorporando un código intermedio que permita dar información más específica sobre el tipo de actividad desarrollada a través del dominio: ".com.es"; ".nom.es"; ".org.es"; ".gob.es" y ".edu.es"[143]. El Plan de 2005 pretende, precisamente, simplificar las reglas de legitimación exigidas para obtener las asignaciones y reducir las demás limitaciones y prohibiciones previstas anteriormente para estas concretas asignaciones.

Y es que el procedimiento de asignación es distinto según se trate de nombres de segundo o tercer nivel, si bien ha desparecido en el nuevo Plan la distinción que en el anterior se establecía entre los primeros según fueran nombres de dominio "especiales" o "regulares", en función de que en ellos concurriera o no "un notable interés público", en cuyo caso la asignación se produciría en los términos y con las condiciones que estimase precisas la entidad pública empresarial Red.es. Y ello sin que quepa descartar, como sabemos, en los términos del art. 20.4 LGTel14, que pudiera acudirse a un procedimiento competitivo para la asignación de nombres

---

[142] Advierte, además, la Exposición de Motivos de la Orden por la que se aprueba el Plan que este concepto debe ser interpretado en sentido amplio, abarcando a todas aquellas entidades domiciliadas, residentes o establecidas en España, a las que quieran dirigir total o parcialmente sus servicios al mercado español, así como a las que quieran ofrecer información, productos o servicios que estén vinculados cultural, histórica o socialmente con España. Vid. apartado sexto del Plan.

[143] El apartado décimo del Plan Nacional de Nombres de Dominio desmenuza el sentido de cada uno de estos indicativos de tercer nivel: bajo el indicativo ".com.es", se identificarían las personas físicas o jurídicas y las entidades sin personalidad que tengan intereses o mantengan vínculos con España; bajo el indicativo ".nom.es", las personas físicas que tengan intereses o mantengan vínculos con España; bajo el indicativo ".org. es", las entidades, instituciones o colectivos con o sin personalidad jurídica y sin ánimo de lucro que tengan intereses o mantengan vínculos con España; bajo el indicativo ".gob.es", las Administraciones Públicas españolas y las entidades de Derecho Público de ellas dependientes, así como cualquiera de sus dependencias, órganos o unidades, y, finalmente, bajo el indicativo ".edu.es", las entidades, instituciones o colectivos con o sin personalidad jurídica, que gocen de reconocimiento oficial y realicen funciones o actividades relacionadas con la enseñanza o la investigación en España.

"con valor económico excepcional o que sean particularmente apropiados para la prestación de determinados servicios de interés general"[144].

Existen, en todo caso, algunos rasgos comunes a la generalidad de los procedimientos. Todos los procedimientos de asignación se desarrollarán por medios telemáticos, pudiendo instarse directamente ante Red.es o —en un nuevo ejemplo del ejercicio de funciones públicas por particulares— a través de los llamados "agentes registradores", que —además de actuar como intermediarios en los procedimientos de asignación—, podrán prestar, en régimen de competencia, servicios auxiliares, una vez hayan sido acreditados por Red.es[145]. Por otra parte, el silencio es positivo —como tiene confirmado la jurisprudencia[146]—, sin perjuicio de la posibilidad de que la entidad pública empresarial Red.es pueda exigir la anticipación o depósito previo del importe total o parcial del precio público por la operación de registro que se fije en aplicación de lo previsto —hoy por hoy— en el apartado 9 de la Disposición adicional décimoséptima de la LGTel14[147]. Precio público que, en plena coherencia con la posibilidad de que la gestión de los nombres sea llevada a cabo por los agentes registradores, ha venido a sustituir a la antigua tasa, cuya cuantía venía fijada por Orden ministerial[148]. Estos precios públicos, como los de renovación o de otras

---

[144]   La Disposición adicional primera de la Orden 662/2003 prescribía, para el caso de nombres de dominio de especial valor de mercado, que el procedimiento de asignación vendría precedido por el procedimiento de licitación respecto del que sería competente el Ministerio de Industria, Turismo y Comercio. Aunque una tal precisión ya no se contiene en el vigente Plan, no debemos olvidar que la LGTel14, como la precedente LGTel03, en su art. 17.4, deja abierta esta posibilidad, siempre a concretar por el correspondiente Plan o su normativa de desarrollo.

[145]   Vid. Apartado cuarto del Plan, según el cual corresponde a Red.es establecer los requisitos que deberán cumplir los "agentes registradores", que actuarán en función de intermediarios entre el interesado y Red.es, con la que firman un contrato, en el que se incluye la obligación de presentar un aval.

[146]   Así lo hace notar la SAN de 17 de febrero de 2004 (JUR 2004\184789) y, estrictamente respecto del sentido positivo del silencio, la STSJ de Madrid de 14 de noviembre de 2003 (JUR 2005\389).

[147]   Las correspondientes previsiones vienen a coincidir, sustancialmente, con las del apartado 10 de la Disposición adicional sexta de la Ley 11/1998 en la redacción dada por la Ley 56/2007, de 28 de diciembre, de Medidas de Impulso de la Sociedad de la Información.

[148]   Esta tasa venía determinada por la Orden PRE/2440/2003, de 29 de agosto, por la que se desarrolla la regulación de la tasa por asignación del recurso limitado de nombres de dominio bajo el código de país correspondiente a España (.es), modificada en su apartado cuarto por la posterior Orden PRE/1641/2005, de 31 de mayo, con el fin de reducir la cuantía de la tasa como consecuencia del aumento de la demanda y, en último término, como una medida de fomento de la sociedad de la información.

operaciones de registro de los nombres de dominio, serán establecidos por Red.es, mediante Instrucción, previa autorización del Ministerio de Industria, Energía y Turismo, fijándose en la misma el procedimiento para su liquidación y pago[149].

En el procedimiento ordinario, en el caso de nombres de dominio de segundo nivel, la asignación se producirá según el orden de entrada de la solicitud, sin que sea —ya—, en principio, necesaria una previa comprobación salvo por lo que se refiere a las normas de sintaxis, los términos prohibidos y, en particular, las limitaciones específicas y los nombres prohibidos o reservados en aplicación del apartado Séptimo del Plan[150]. Y ello puesto que el Plan 2005 ha venido a eliminar muchas de las anteriores restricciones, simplificando muchas de las prohibiciones. De este modo, se permite, por ejemplo, que personas físicas soliciten cualquier tipo de nombre de dominio, sin necesidad de que se corresponda con una combinación de su nombre y apellidos, como hasta ahora, si bien —en este último caso— se exigirá que tengan conexión directa con el solicitante (apartado undécimo.3 del Plan)[151].

Bien es verdad que, en aras a dotar de mayor flexibilidad al proceso de asignación, se puede hacer peligrar el objetivo de lograr una razonable identificación entre la identidad *virtual* y la identidad *real* de todas las personas y entidades que quieran tener presencia en lo que, por extensión, podemos llamar la sociedad de la información. Riesgo que se trata

---

[149] De hecho, en el marco de la LGTel03 se llegó a aprobar la Instrucción del Director General de la entidad pública empresarial Red.es por la que se establecen las tarifas del precio público por asignación, renovación y otras operaciones registrales del recurso limitado de nombres de dominio bajo el código de país correspondiente a España (.es), con entrada en vigor el 15 de enero de 2008.

[150] No podrán asignarse nombres de dominio que coincidan con alguno del primer nivel, ni nombres de segundo nivel "de carácter público" —de uso generalizado en Internet—, ni los que —por referirse a órganos constitucionales, instituciones nacionales o internacionales o topónimos no asignados— queden reservados a juicio del Presidente de Red.es, a los que se refiere la Instrucción de 29 de octubre de 2012 referida más arriba en el texto. La Instrucción del Presidente de 12 de septiembre de 2005 aprobó las listas de nombres prohibidos o reservados para los nombres de segundo nivel. En el Capítulo IV del Plan se recogen, por su parte, las normas de sintaxis y las reglas de prohibieión que son aplicables a los nombres de segundo y tercer nivel.

[151] Se pretende, así, ser más fiel a la previsión contenida en el apartado 4 de la Disposición adicional sexta de la LSSI, según la cual "los nombres de dominio bajo el ".es" se asignarán al primer solicitante que tenga derecho a ello, sin que pueda otorgarse, *con carácter general*, un derecho preferente para la obtención o utilización de un nombre de dominio a los titulares de determinados derechos". Así lo hace notar la Exposición de motivos del nuevo Plan.

de amortiguar por el propio Plan —a los efectos de intentar evitar que se reproduzcan episodios que, en el pasado, ante la falta de regulación de esta materia, permitieron la apropiación de nombres de dominio claramente identificativos de determinadas personas o entidades a favor de terceros alentados por fines económicos o propagandísticos o, simplemente, de nombres excesivamente genéricos[152]— introduciendo un sistema controlado de transmisión de nombres de dominio, a la vez que consolida un sistema de resolución extrajudicial de conflictos de los que conocerá Red. es (apartado decimosegundo y disposición adicional única del Plan)[153]. Y ello sin perjuicio de las medidas de registro escalonado que introduce el Plan para evitar que se produzcan situaciones de abuso en la fase inicial[154].

Los nombres de tercer nivel se asignan también atendiendo al criterio de prioridad en la solicitud, pero con un matiz importante. Sólo en el caso de los indicativos ".gob.es" y ".edu.es" —los que el nuevo Plan califica como "restringidos"—, se procederá a una comprobación previa del cumplimiento de los requisitos exigidos por el propio Plan, que se refieren básicamente al cumplimiento de las normas de sintaxis y a la concurrencia en el solicitante de las circunstancias que justifican tal asignación: tratarse de una Administración Pública en el primer caso, tratarse de una entidad educativa en el segundo. Cuando se trate de códigos hoy llamados "libres" —".com.es", ".nom.es" y ".org.es"— la comprobación del cumplimiento de los requisitos no se producirá con carácter previo a la asignación —salvo en lo que se refiere a las normas de sintaxis— y ello con independencia

---

[152] La litigiosidad derivada de esta tendencia se manifiesta en múltiples sentencias, como la SAN de 10 de diciembre de 2000 (JUR 2006\282797), en la que se confirmó la legalidad de la denegación del nombre de dominio "RDSI.es", por resultar excesivamente genérico, y la de 16 de diciembre de 2003 (JUR 2004\132076), que hizo lo propio respecto del registro "hipoteca.es"; la de 14 de septiembre de 2004 (JUR 2005\222571), en la que se confirma que no puede estimarse como motivo de denegación de una asignación de un acrónimo el que se hubiera concedido previamente un dominio abreviado del nombre concreto —en este caso "cruzroja.es"— y la STSJ de Madrid de 17 de marzo de 2005 (JUR 2005\237), en la que se analiza el requisito de correlación entre la actividad desarrollada por la entidad solicitante y el dominio solicitado "carrefour.es".

[153] El correspondiente procedimiento para la resolución extrajudicial de conflictos ha sido fijado mediante Instrucción del Director General de Red.es de 7 de noviembre de 2005.

[154] Se reconoce prioridad en el registro de asignaciones a las Administraciones Públicas, las oficinas diplomáticas debidamente acreditadas en España, las organizaciones o entidades internacionales con participación española y los titulares de derechos de propiedad industrial. Sólo posteriormente se permite el registro libre a cualesquiera otros sujetos. Vid. DT 1ª del Plan.

de que, de oficio o a instancia de parte, la asignación pueda ser objeto de cancelación en los casos de incurra en alguna de los supuestos de prohibición contenidos en el apartado undécimo.2 del Plan o de incumplimiento de las obligaciones impuestas en el del decimotercero. O, como novedad introducida por la LGTel14 en la LSSI, cuando a través del nombre de dominio se esté ejecutando un delito o falta tipificado penalmente, y así lo acuerde la autoridad judicial, como alternativa a la mera suspensión cautelar[155].

Las asignaciones resultado de tales procedimientos se volcarán en el Registro de nombres de dominio, cuya llevanza corresponde a Red.es. Conviene advertir, en todo caso, que la asignación confiere, simplemente, el *derecho a la utilización* del nombre de dominio de que se trate a efectos de direccionamiento en el sistema de nombres de dominio de Internet[156]. En estos términos, el alcance de la asignación de nombres de dominio no se separa sustancialmente del contenido de la asignación de otros recursos limitados de telecomunicaciones —la propia numeración e, incluso, el espectro radioeléctrico—. Esto se manifiesta especialmente en ciertas previsiones del Plan Nacional, cuando exige que los usuarios de un nombre de dominio informen inmediatamente a la autoridad de asignación de todas las modificaciones que se produzcan en los datos asociados al Registro de nombres de dominio y atribuye a Red.es las facultades de control del cumplimiento de las condiciones que permitieron la asignación y, en último

---

[155]   La LGTel14 ha introducido, en efecto, en la LSSI, mediante su Disposición final segunda, apartado catorce, un nuevo apartado Cincobis en la Disposición adicional sexta de aquélla, en el que se contempla —en términos más que perfectibles— la obligación de la autoridad de asignación de suspender cautelarmente o cancelar, de acuerdo con el correspondiente requerimiento judicial previo, los nombres de dominio mediante los cuales se esté cometiendo un delito o falta tipificado en el Código Penal. Supuesto al que se une el más equívoco de aquél en que las Fuerzas y Cuerpos de Seguridad del Estado le dirijan a la autoridad de asignación requerimiento de suspensión cautelar dictado como diligencia de prevención dentro de las 24 horas siguientes al conocimiento de los hechos. Todo ello en el bien entendido de que "la suspensión consistirá en la imposibilidad de utilizar el nombre de dominio a los efectos del direccionamiento en Internet y la prohibición de modificar la titularidad y los datos registrales del mismo, si bien podrá añadir nuevos datos de contacto", mientras que "la cancelación tendrá los mismos efectos que la suspensión hasta la expiración del período de registro y si el tiempo restante es inferior a un año, por un año adicional, transcurrido el cual el nombre de dominio podrá volver a asignarse".

[156]   Así lo hace notar expresamente la SAN de 10 de diciembre de 2002 (JUR2006\282797), que advierte que el registro de dominio no es constitutivo de derechos a favor del titular al ser un registro de carácter administrativo al que las leyes nacionales no reconocen eficacia constitutiva de derechos.

término, de cancelación. Opción ésta última que puede venir forzada por resolución judicial cuando el titular del nombre haya hecho un uso incorrecto del mismo, particularmente en lo referente al debido respeto de los derechos de propiedad intelectual o industrial, según ha previsto el apartado 4 de la Disposición adicional sexta de la LSSI[157].

IV. EL DESPLIEGUE FÍSICO DE LAS REDES DE TELECOMUNICACIONES: LOS DERECHOS A OCUPAR EL DOMINIO PÚBLICO

1. *Introducción*

Las actividades de telecomunicaciones, como actividades en red, requieren del despliegue físico de infraestructuras sobre el terreno, que puede ser de dominio privado o, por lo que a nosotros más nos interesa en el marco de este estudio, de dominio público. Esta cuestión estaba resuelta, bajo el anterior modelo de servicio público, a través de la incorporación —como contenido del título concesional— del derecho a ocupar el dominio público[158]. El problema se plantea bajo parámetros distintos bajo el modelo liberalizado, no ya tanto porque estas actividades hayan pasado a considerarse servicios de interés económico general —lo que hace desaparecer el título concesional—, sino porque el proceso liberalizador ha llegado a alcanzar a las propias redes de comunicaciones electrónicas, de modo que —superado el modelo de "red abierta" que venía funcionando a los efectos de la liberalización de los servicios— en su momento se optó por liberalizar la actividad de instalación y explotación de redes de telecomunicaciones, con lo que se agrava exponencialmente el problema del despliegue *sobre*

---

[157] En los términos literales del citado precepto, "la responsabilidad del uso correcto de un nombre de dominio de acuerdo con las leyes, así como del respeto a los derechos de propiedad intelectual o industrial, corresponde a la persona u organización para la que se haya registrado dicho nombre de dominio, en los términos previstos en esta Ley. La autoridad de asignación procederá a la cancelación de aquellos nombres de dominio cuyos titulares infrinjan esos derechos o condiciones, siempre que así se ordene en la correspondiente resolución judicial, sin perjuicio de lo que se prevea en aplicación del apartado ocho de esta disposición adicional", referido a la resolución extrajudicial de conflictos.

[158] Sobre el alcance del derecho del concesionario a ocupar el dominio público y la planificación urbanística en el marco de la LOT, se pronuncia la STS de 4 de mayo de 2005 (JUR 2005\4694), con cita de jurisprudencia previa.

el terreno de las redes de comunicaciones —múltiples, al ser una actividad liberalizada—[159]. Siendo así que, tratándose el terreno sobre el que se despliegan —y, en particular, el dominio público— de un recurso escaso que es preciso para desarrollar una actividad en competencia, se debe garantizar el acceso al mismo, por parte de todos los operadores interesados, en condiciones objetivas, transparentes y no discriminatorias.

Las dificultades de ordenación aumentan cuando se repara en el dato de que el dominio público a ocupar puede ser de titularidad del Estado, de las Comunidades Autónomas o —lo que es más común— de las Administraciones Locales, titularidad de la que se deriva de forma inmediata la competencia para su gestión[160]. Además, los tres niveles de Administración territorial y, particularmente Comunidades Autónomas y Municipios, disfrutan de competencias de amplio espectro —ordenación del territorio y urbanismo— que la instalación de redes de comunicaciones no puede obviar y, paralelamente, son competentes para la garantía de numerosos derechos y valores con los que la instalación de redes de comunicaciones electrónicas puede entrar en colisión, como puedan ser el derecho al medio ambiente, el derecho a la salud o la protección del patrimonio histórico-artístico o la salud pública —como ya tuvimos ocasión de destacar en relación con las redes radioeléctricas—[161].

Se plantea, así, un problema de gran complejidad en el que confluyen múltiples intereses públicos y privados y respecto del que la legislación de telecomunicaciones sólo puede reconocer *genéricamente* el derecho a ocupar el dominio público para instalar redes de telecomunicaciones, asumiendo que el *ejercicio* de este derecho pueda quedar limitado o condicio-

---

[159] En su momento cuestionamos el acierto de esta decisión de política regulatoria al recensionar el libro de GONZÁLEZ GARCÍA, J. V., *Infraestructuras de telecomunicaciones y Corporaciones Locales*, Monografía asociada a la revista Aranzadi de urbanismo y edificación nº 7, 2003, recensión publicada en REDA, nº 115, 2003, pp. 699-703.

[160] Es reveladora a estos efectos la Resolución de la CMT de 29 de marzo de 2007, por la que se da contestación a la consulta planteada por la Generalitat Valenciana en relación con las instalaciones de redes de comunicaciones electrónicas en carreteras autonómicas.

[161] Estos derechos y valores en posible conflicto con el ejercicio de los derechos de paso eran calificados en el marco de la Ley 11/998, de forma muy expresiva —y como resultado de la transposición directa de la normativa comunitaria en la materia—, como "requisitos esenciales", entendiendo por tales los motivos de interés público y naturaleza no económica que pudieran conllevar la imposición de condiciones al establecimiento de redes públicas de comunicaciones electrónicas. Esta calificación desapareció de la LGTel03 porque había desaparecido de la normativa comunitaria que transpuso, si bien el concepto se mantiene sustancialmente.

nado por otros valores o derechos de especial interés público, arbitrando en último término mecanismos que garanticen el aprovechamiento de este recurso escaso en condiciones que no desvirtúen el principio de libre competencia ni perjudiquen aquéllos valores de superior rango.

Esta compleja cuestión —expresivamente descrita por el TS en sus sentencias de 3 de abril de 2007[162]— quedó regulada en la LGTel03, en su redacción original, en unos términos que no introducían novedades sustanciales frente a la Ley de 1998, a pesar de que la experiencia en la aplicación de esta Ley demostró sus carencias[163]. El Decreto-ley 13/2012 pretendió reforzar los derechos de los operadores, exigiendo que se garantizasen de modo efectivo sus derechos de ocupación, sin perjuicio de la posibilidad de imponer límites que, en todo caso, deben estar basados en causas objetivas y ser proporcionados y no discriminatorios.

A los principios de esta regulación nos referiremos a continuación, deteniéndonos únicamente en lo que de peculiar tiene esta cuestión desde la perspectiva de la regulación específica de telecomunicaciones y sin entrar, por ello, a analizar en profundidad el régimen general de ocupación de los bienes de dominio público, sean de titularidad estatal, autonómica o local, en el cual aquélla debe, inevitablemente, incardinarse.

2. *El reconocimiento del derecho de ocupación del dominio público como un derecho condicionado en su ejercicio*

A los operadores de redes de comunicaciones electrónicas se les reconoce *genéricamente* el derecho a ocupar el dominio público, pero sólo en determinados casos y con ciertos condicionantes.

Debemos tener en cuenta, en primer lugar, que el derecho a ocupar el dominio público sólo se reconoce a los operadores que pretendan establecer una red *pública* de comunicaciones electrónicas o, lo que es lo

---

[162] RJ 2007\1987 y 2007\1989. Estas sentencias sistematizan la jurisprudencia previa en la materia, lo que hace muy útil su consulta.

[163] Vid., ampliamente, en relación con el régimen establecido a este respecto en la Ley 11/1998, CHINCHILLA MARÍN, C., *El derecho a la ocupación del dominio público y de la propiedad privada necesarios para el establecimiento de redes públicas de telecomunicaciones*, en la obra colectiva por ella dirigida "Telecomunicaciones: estudios sobre dominio público y propiedad privada", Marcial Pons, Madrid, 2000, y GONZÁLEZ GARCÍA, J. V., *Infraestructuras de telecomunicaciones y Corporaciones Locales, ob. cit.* Respecto del régimen vigente es conveniente consultar TORRE MARTÍNEZ, L. de la, *La intervención de los municipios en las telecomunicaciones*, Tirant lo Blanch, Valencia, 2006.

mismo, una red de comunicaciones electrónicas que se utilice, de forma total o principal, para la prestación de servicios de comunicaciones electrónicas disponibles al público, es decir, de servicios abiertos a cualquier usuario que quiera abonarse. En consecuencia, el derecho a la ocupación del dominio público nunca será reconocido a favor de quien quiera establecer una red de comunicaciones electrónicas para ofrecerse servicios a sí mismo o a ciertos grupos cerrados de usuarios con carácter exclusivo o principal, ni queda ya reconocido —conviene advertirlo, pues esto supone un cambio respecto del marco establecido por la LGTel98— respecto de la instalación de cabinas telefónicas[164].

La escasez del recurso y el correlativo carácter privilegiado del derecho a su ocupación se refleja en el dato mencionado. Sólo cuando se trata de instalar redes públicas de comunicaciones electrónicas se entiende que concurre el elemento del *interés general* que cualifica estas actividades para otorgarles un estatuto en el que se identifican —parafraseando la famosa expresión de Rivero— "privilegios en más" y "privilegios en menos": privilegios en más entre los que destaca precisamente el derecho a ocupar el dominio público para instalar la propia red, al que se vincula, como privilegio en menos, la posibilidad de que se le impongan al operador obligaciones de servicio público, a las que ya hemos tenido ocasión de hacer referencia.

Con todo, ni siquiera todos los operadores que pretendan instalar redes *públicas* de comunicaciones electrónicas ven reconocido legalmente, en todo caso, este derecho. Un segundo matiz se impone al limitar el vigente art. 30 LGTel14 el ámbito del derecho a ocupar el dominio público a "la *medida* en que ello sea *necesario* para el establecimiento de la red pública de comunicaciones electrónicas de que se trate"[165]. No se trata, lógicamente, de un derecho materialmente ilimitado, sino constreñido físicamente a las propias necesidades que lo justifican. En ello se refleja, de nuevo, el carácter escaso de un recurso —los terrenos de dominio público— respecto del que debe evitarse reconocer derechos injustificados a unos operadores en

---

[164]   Sobre el cambio producido a este respecto entre la LGTel98 y la LGTel03, es muy ilustrativa la resolución de la CMT de 1 de junio de 2006 por la que se dio contestación a la consulta formulada por "Cabinas Telefónicas del Sur, S.L." en relación con distintas cuestiones sobre la instalación y explotación de cabinas telefónicas en la vía pública.

[165]   Obsérvese, en todo caso, que el derecho a ocupar el dominio privado se reconoce en términos aun más restrictivos: "cuando resulte *estrictamente* necesario para la instalación de la red en la medida prevista en el proyecto técnico presentado y *siempre que no existan otras alternativas económicamente viables*".

detrimento de las necesidades presentes o futuras de otros con los que, no lo olvidemos, entran en competencia.

En este punto no introduce novedad alguna la LGTel14 frente a la LGTel03, cuyo art. 26.1 era muy similar al art. 30 de la Ley vigente, si bien este mismo artículo, a renglón seguido, formula una auténtica declaración de intenciones al prescribir que "los titulares del dominio público garantizarán el acceso de todos los operadores a dicho dominio en condiciones neutrales, objetivas, transparentes, equitativas y no discriminatorias, sin que en ningún caso pueda establecerse derecho preferente o exclusivo alguno de acceso u ocupación de dicho dominio público en beneficio de un operador determinado o de una red concreta de comunicaciones electrónicas" para descartar expresamente la posibilidad de acudir a procedimientos de licitación para permitir la ocupación u otorgar derechos de uso de dominio público para la instalación o explotación de una red.

Esta precisión sirve para poner de manifiesto que, por más que la legislación sectorial de telecomunicaciones reconozca a los operadores de redes públicas de comunicaciones electrónicas un derecho genérico a la ocupación del dominio público necesario para la instalación de su red, el ejercicio de este derecho solo puede ser efectivamente materializado a través del otorgamiento del correspondiente título por parte de las administraciones titulares del demanio que se pretenda ocupar. De hecho, a tal fin, la LGTel03 —no ya la LGTel14— contemplaba la posibilidad de solicitar a la Comisión Nacional de los Mercados y de la Competencia, una vez extinta la CMT, una certificación registral, por parte de aquellos operadores que se encontrasen inscritos en el Registro de Operadores tras haber cumplido el trámite de mera notificación que incorporó como novedad la Ley 32/2003. Y ello precisamente a los efectos de su acreditación ante las Administraciones titulares del demanio que se pretendiera ocupar.

La titularidad sobre el dominio público a ocupar reconoce, en efecto, a favor del Estado, las Comunidades Autónomas y Entidades Locales la competencia para su gestión. Competencia ésta que se superpone a las que ostentan —especialmente Comunidades Autónomas y Entidades Locales— en relación con una serie de materias que pueden incidir también en las condiciones de *ejercicio* del derecho a ocupar el dominio público que la legislación de telecomunicaciones reconoce *genéricamente* a favor de los operadores de redes públicas de comunicaciones electrónicas.

En atención a lo anterior, el legislador de telecomunicaciones se cuida en advertir que el derecho a ocupar el dominio público para el despliegue de las redes públicas de comunicaciones electrónicas debe ser garantizado por la normativa que puedan aprobar cualesquiera Administraciones públicas que afecte a tal despliegue. A estos efectos, el derogado art. 29.1 LGTel03, en la redacción dada por el Decreto-ley 13/2012, se refería, de forma bien elocuente, a la normativa aprobada por Comunidades Autónomas y Entidades locales sobre ordenación urbana o territorial y sobre tributación por ocupación del dominio público o en relación con los valores y derechos que pueden verse afectados por el despliegue de redes públicas de comunicaciones electrónicas y, en particular, el medio ambiente, la salud pública, la seguridad pública y la defensa nacional para precisar que esta misma normativa podría imponer condiciones al *ejercicio* de este derecho de ocupación por los operadores, siempre que vengan justificadas por las razones indicadas y no implicaran restricciones absolutas al derecho reconocido *genéricamente* en la legislación de telecomunicaciones, debiendo estar inspiradas por el principio de proporcionalidad respecto del concreto interés público que se trata de salvaguardar y derivadas, en último término, de la normativa de la Unión Europea, amén de ser transparentes y no discriminatorias. Sobre este planteamiento de principio, en el que ha tenido ocasión de insistir en Tribunal Supremo[166] y la extinta CMT en su abundante doctrina en la materia[167], incide el legislador de 2014 en términos no necesariamente clarificadores.

---

[166]   Vid. ya las tempranas SSTS de 24 de enero de 2000 (RJ 2000/331) y de 18 de junio de 2001 (RJ 2001/8744), en relación con las competencias locales para imponer limitaciones en el ejercicio del derecho de ocupación. En los términos literales de la citada en primer lugar, "el ejercicio de dicha competencia municipal en orden al establecimiento de exigencias esenciales derivadas de los intereses cuya gestión encomienda el ordenamiento a los Ayuntamientos no puede entrar en contradicción con el ordenamiento ni traducirse, por ende, en restricciones absolutas al derecho de los operadores de establecer sus instalaciones, ni en limitaciones que resulten manifiestamente desproporcionadas". Ambas sentencias fueron comentadas en su momento por MARTÍ DEL MORAL, A., *La jurisprudencia del Tribunal Supremo y las competencias de los entes locales relativas a la ordenación de las instalaciones de telecomunicaciones*, REDA, n° 115, 220, pp. 405 y ss. Esta doctrina ha sido sucesivamente confirmada en las SSTS de 15 de diciembre de 2003 (RJ 2004\326), de 4 de mayo de 2005 (RJ 2005\4694) y de 3 de abril de 2007 (RJ 2007\1987), entre otras.

[167]   Vid., entre las más recientes, Resolución de 7 de abril de 2011, por la que se da contestación a la consulta planteada por la entidad Euskaltel, S.A. en relación con determinados límites impuestos por el Ayuntamiento de Vitoria-Gasteiz en relación con los derechos de ocupación del dominio público (RO 2011/155); Resolución de 25 de abril de 2013 por la que se da contestación a la consulta planteada por Redimer Comunicaciones, S.A. sobre la adecuación de las condiciones impuestas por el Excmo. Ayuntamiento de Calasparra para la ocupación del dominio público (RO 2012/2887).

Con el objetivo confeso de facilitar el despliegue de las redes públicas de comunicaciones y con la apelación, un tanto capciosa, al principio de unidad de mercado[168], la LGTel14 ha introducido una Sección específica, la 2ª, en el Capítulo que nos ocupa, referido a los "Derechos de los operadores y despliegue de redes públicas de comunicaciones electrónicas", para tratar específicamente de la "Normativa de las administraciones públicas que afecte al despliegue de redes públicas de comunicaciones electrónicas". Esta Sección redunda en lo previsto en el art. 31, el cual, en términos similares al recién citado art. 29.1 LGTel03, advierte que la normativa dictada por cualquier Administración pública que afecte al despliegue de redes públicas de comunicaciones electrónicas deberá, en todo caso, reconocer el derecho a ocupar el dominio público —o la propiedad privada— precisando, su apartado 2, una serie de "requisitos" que desmenuzaremos al tratar de las autorizaciones para el ejercicio del derecho de ocupación.

Interesa ahora advertir que los arts. 34 a 36 —francamente prolijos y de dudosa sistemática— que integran la Sección de referencia incorporan una serie de previsiones que, sin negar el planteamiento de principio recién apuntado, buscan concretar el objetivo de facilitar e, incluso, incentivar el despliegue de las redes de comunicaciones electrónicas en el marco de la Agenda Digital para Europa. A tal fin, el art. 34, después de formular un deber de colaboración entre "la Administración del Estado y las administraciones públicas" (sic) a fin de hacer efectivo el derecho de los operadores a desplegar sus redes (ap. 1)[169], introduce en su apartado 3 las claves del planteamiento del legislador, que —en vía de principio— nada han cambiado las de su predecesor.

---

[168] Téngase en cuenta que, en rigor, según reconoce el propio art. 20, en su apartado 4, de la Ley 20/2013, de 9 de diciembre, de Garantía de la Unidad de Mercado, "el principio de eficacia en todo el territorio nacional no se aplicará en caso de autorizaciones, declaraciones responsables y comunicaciones vinculadas a una concreta instalación o infraestructura física" y, lo que a nuestros efectos es determinante, "tampoco se aplicará a los actos administrativos relacionados con la ocupación de un determinado dominio público". Sobre el alcance de este principio, que supone la eficacia extraterritorial de los regímenes autonómicos o locales en función del equívoco concepto del "lugar de origen", nos permitimos remitirnos a nuestras reflexiones en CARLÓN RUIZ, M., *Los mecanismos de garantía de la unidad de mercado en el seno de la Ley 20/2013*, en REDA, nº 165, 2014.

[169] El art. 35 apela a los deberes de recíproca información y de colaboración y cooperación mutua entre "el Ministerio de Industria, Energía y Turismo y las administraciones públicas (sic) a través, entre otros, de los mecanismos que identifica, a los que nos referiremos cuando sea oportuno en el texto.

Advierte, en primer lugar, que tanto las normativas que afecten al despliegue de las redes como los instrumentos de planificación, a los que posteriormente nos referiremos específicamente, deberán recoger las disposiciones necesarias para impulsar o facilitar el despliegue de infraestructuras de redes de comunicaciones electrónicas en su ámbito territorial, lo que se concreta, en particular, en un doble frente: la garantía de la libre competencia en la instalación de redes y en la prestación de servicios de comunicaciones electrónicas, de una parte, y la disponibilidad de una oferta suficiente de lugares y espacios físicos en los que los operadores decidan ubicar sus infraestructuras, de otra.

A la consecución del primer objetivo se vincula la precisión, ya contenida en la LGTel03, de que dicha normativa o instrumentos de planificación no podrán establecer restricciones absolutas o desproporcionadas al derecho de ocupación del dominio público y privado de los operadores —ni imponer soluciones tecnológicas concretas, itinerarios o ubicaciones concretas en los que instalar infraestructuras de red de comunicaciones electrónicas, advierte como novedad—. A los efectos de todo lo cual, el apartado 4 del mismo art. 34 apela a los principios de necesidad, proporcionalidad, seguridad jurídica, transparencia, accesibilidad, simplicidad y eficacia y el mismo apartado 3 precisa que, cuando una condición pudiera implicar la imposibilidad de llevar a cabo la ocupación del dominio público —o la propiedad privada—, su establecimiento deberá estar plenamente justificado e ir acompañado de las alternativas necesarias para garantizar el derecho de ocupación de los operadores y su ejercicio en igualdad de condiciones. Sobre ello volveremos sucesivamente.

Mayor novedad implica la llamada a las administraciones públicas a contribuir, en los términos literales del precepto, a "garantizar y hacer real una oferta suficiente de lugares y espacios físicos en los que los operadores decidan ubicar sus infraestructuras identificando dichos lugares y espacios físicos en los que poder cumplir el doble objetivo de que los operadores puedan ubicar sus infraestructuras de redes de comunicaciones electrónicas así como la obtención de un despliegue de las redes ordenado desde el punto de vista territorial". Previsión que enlaza de forma clara con las novedades introducidas en los arts. 36 y 37 —no tanto 38— de la LGTel14, el primero de los cuales exige que los proyectos técnicos de urbanización que se acometan deberán prever la instalación de la infraestructura de obra civil para facilitar el despliegue de redes públicas de comunicaciones electrónicas y, en su caso, los equipos y elementos de red pasivos que se determinen reglamentariamente, que pasarán a integrarse en el dominio público municipal para ser puestos a disposición de los operadores en condiciones de igualdad, transparencia y no discriminación (ap. 1), como ocurrirá con las infraestructuras y recursos asociados que se instalen en las obras civiles financiadas total o parcialmente con recursos públicos (ap. 2). A los arts. 37 y 38 nos referiremos posteriormente al tratar de la compartición de infraestructuras.

A la vista de todo lo anterior, es de lamentar que se haya eliminado en la vigente LGTel14 la previsión contenida —como novedad— en la LGTel03, según la cual la Comisión debía publicar en Internet un resumen de toda la normativa dictada por las distintas Administraciones Públicas que pueda afectar al *ejercicio* del derecho a ocupar el dominio público reconocido a los operadores de redes públicas de comunicaciones electrónicas [arts. 29.2.a) y 31.1 LGTel03][170]. Esta obligación no pudo ser cumplida hasta que se aprobó la Orden ITC/3538/2008, de 28 de noviembre, por la que se aprueba el modelo de comunicación a la Comisión del Mercado de las Telecomunicaciones de la normativa que afecte al derecho de ocupación del dominio público y privado para la instalación de redes públicas de comunicaciones electrónicas, conforme a la cual la información suministrada debía extenderse a dar cuenta de las obligaciones tributarias derivadas del ejercicio del mencionado derecho de ocupación, cuestión no poco polémica como pone de manifiesto la extensa jurisprudencia en la materia[171]. Lo cual redunda en la conveniencia de mantener un tal mecanismo, que,

---

[170] Esta exigencia se recogía en la normativa comunitaria. De este modo se da plena cobertura a una de las condiciones que —en opinión del Tribunal Justicia de las Comunidades Europeas en su sentencia de 12 de junio de 2003, en el asunto Comisión c. Gran Ducado de Luxemburgo— debe comprobarse en relación con la garantía de la adaptación efectiva al Derecho interno del ejercicio efectivo de los derechos de paso: la designación clara de cuál sea en cada caso la autoridad competente parta la concesión de tales derechos de paso. Un comentario a esta sentencia en GONZÁLEZ GARCÍA, J.V., *Instalación de infraestructuras de telecomunicaciones y Derecho Comunitario: comentario a la sentencia del TJCE de 12 de junio de 2003, Comisión c. Luxemburgo*, REDE, n° 10, 2004, pp. 317-335.

[171] Debe ser destacada la consolidada jurisprudencia que se pronunció, para descartarla, sobre la posibilidad de aplicar un canon por derechos de instalación de recursos a los operadores que, sin ser sus propietarios, los utilizan para prestar servicios de telefonía móvil. La STS de 10 de octubre de 2012, dictada en el recurso de casación 4307/2009, fue la primera en pronunciarse al respecto, apoyándose en la contestación que a sendas cuestiones prejudiciales que le fueran planteadas ofreció el Tribunal de Justicia en su sentencia de 12 de julio de de 2012 (asuntos acumulados C-55/11, 57/11 y 58/11), por la que la imposición de un canon en tales condiciones se opone al art. 15 de la Directiva 2201/20/CE. Son múltiples las sentencias que siguen la senda de aquella: entre las últimas, la de 5 de junio de 2013 (Roj: STS 3901/2013) y la de 14 de julio de 2014 (Roj: STS 3015/2014).

sin embargo, ha desaparecido del seno de la LGTel14, cuyo art. 31.2.a) sólo prevé la publicación de las normas en el diario oficial correspondiente — requisito vinculado a su propio carácter normativo, por otra parte— y que "sean accesibles por medios electrónicos"[172]. Y ello sin perjuicio de que el art. 35.8 haya previsto la creación, mediante real decreto, de un punto de información único "a través del cual los operadores de comunicaciones electrónicas accederán por vía electrónica a toda la información relativa sobre (sic) las condiciones y procedimientos aplicables para la instalación y despliegue de redes de comunicaciones electrónicas y sus recursos asociados", dado que, como veremos posteriormente, este "punto" viene a constituirse, más propiamente, como una ventanilla única para tramitar solicitudes de ocupación.

3. La planificación territorial y urbanística como marco para el ejercicio del derecho a ocupar el dominio público: la ampliación del alcance del informe ministerial en el seno de la LGTel14

Para materializar los derechos a la ocupación del dominio público reconocidos en aplicación de la legislación específica de telecomunicaciones, resulta imprescindible incardinar las correspondientes previsiones en los "instrumentos de planificación territorial y urbanística" que se elaboren en cada ámbito territorial, entendida esta expresión en sentido amplio, según ha dejado sentado el Tribunal Supremo en relación con el derogado art. 26.2 LGTel03[173], artículo que ya imponía a los órganos encargados de la redacción de dichos instrumentos de planificación —los competentes en las Comunidades Autónomas y Municipios de que se trate— la obligación de recabar —del ahora— Ministerio de Industria, Energía y Turismo un informe cuyo contenido y alcance ha quedado ampliado en la nueva LGTel14.

En aplicación del derogado art. 26.2 LGTel03, el contenido de este informe debía limitarse a especificar los derechos a ocupar el dominio público efectivamente reconocidos a los distintos operadores; algo sobre lo que advertimos que, asumiendo el sentido propio de la planificación, resultaba limitado, ya que no estaría de más que este informe incluyera ciertas pre-

---

172   El apartado l) de la Disposición adicional 8ª del Proyecto de ley atribuía esta función a la SETSI.
173   Así, en sus Sentencias de 9 de marzo de 2011 (casación 3037/2008) y de 7 de febrero de 2013 (Roj: STS 459/2013), que la cita.

visiones sobre la base de los datos conocidos[174]. En todo caso, en relación con los derechos a ocupar efectivamente reconocidos, el contenido del informe resultaba vinculante para las Administraciones planificadoras, vinculatoriedad en la que insistió la STC 8/2012, por más que —como sabemos— sólo se podrá admitir en cuanto al *qué*, pero no en cuanto al *cómo* del reconocimiento de tales derechos[175].

Este planteamiento es superado por el legislador de 2014 que, amén de aplicar a los instrumentos de planificación las mismas exigencias que, como vimos, el art. 34 impone a cualesquiera normas que afecten al despliegue de redes públicas de comunicaciones, contempla en su art. 35.2 el informe ministerial previo a la aprobación, modificación o revisión de tales instrumentos planificadores con un contenido ampliado, ya que —literalmente— "versará sobre la adecuación de dichos instrumentos de planificación con la presente ley y con la normativa sectorial de telecomunicaciones y sobre las necesidades de redes públicas de comunicaciones en el ámbito territorial al que se refieran", siendo en estos extremos vinculante, hasta el punto de que, de ser negativo, se abrirá un plazo de un mes para la que la autoridades planificadora remita al Ministerio "sus alegaciones al informe, motivadas por razones de medioambiente, salud pública, seguridad pública u ordenación urbanística y territorial", a la vista de las cuales el Ministerio dictará un nuevo informe que, de ser nuevamente desfavorable, impedirá la aprobación del plan en los extremos cuestionados[176].

El carácter vinculante del informe con un alcance tan ampliado se conecta con la previsión del art. 34.2 LGTel14, que precisa que las redes públicas de comunicaciones electrónicas constituyen equipamiento de carácter básico y su previsión en los instrumentos de planificación urbanística tiene

---

[174] La STS de 4 de mayo de 2005 (JUR 2005\4694) ha confirmado la conformidad a Derecho de una previsión contenida en una Ordenanza de Burgos según la cual se impone como deber urbanístico sobre el ejecutante del proceso urbanizador la obligación de instalar los tubos y canalizaciones, incluso en número mayor al que se desprendería de las previsiones contenidas en el informe del Ministerio.

[175] Sólo en estos términos se puede entender cabalmente la exigencia legal de que, en todo caso, los instrumentos de planificación territorial o urbanística garanticen la no discriminación entre los operadores y el mantenimiento de condiciones de competencia efectiva en el sector, exigencia ésta última que —formulada en sus propios términos— parece exceder la virtualidad de tales instrumentos planificadores.

[176] El apartado 3 del mismo art. 34 pospone a lo que determine una Orden ministerial la fijación de la forma en que se solicitarán los informes y la información que deberá ser remitida, a tales efectos, por la autoridad planificadora, pudiendo exigirse su tramitación por vía electrónica.

el carácter de determinaciones estructurante, constituyendo su instalación y despliegue "obras de interés general". En este último extremo incide el apartado 4 del art. 35 de la Ley para contemplar, incluso, la posibilidad de imponer, por el Consejo de Ministros, al planificador la "ubicación o itinerario concreto de una infraestructura de red de comunicaciones electrónicas", lo que puede resultar discutible toda vez que las redes públicas de comunicaciones electrónicas no son, como sabemos, necesariamente de titularidad pública[177].

En todo caso, el informe de referencia no será necesario si el correspondiente proyecto de planificación se acomoda a las recomendaciones que llegue a aprobar el Ministerio, incluyendo, en su caso, modelos de ordenanzas municipales elaborados conjuntamente con la asociación de entidades locales de ámbito estatal de mayor implantación —hoy por hoy, la FEMP—, según dispone el vigente art. 35.7 LGTel14.

4. La habilitación concreta para la ocupación del dominio público: la autorización como título

El derecho a ocupar el dominio público para la instalación de una red pública de comunicaciones electrónicas genéricamente reconocido en los términos de la LGTel14 debe concretarse en relación con una determinada porción del dominio público a través de la obtención del título habilitante que corresponda otorgado por la Administración titular de ese concreto demanio[178]. A ello se refería expresamente el derogado art. 28.1

---

[177]   Tengamos en cuenta, a este respecto, que las Disposiciones adicionales segunda y, particularmente, tercera de la Ley 13/2003, del contrato de concesión de obra pública, contienen una regla equivalente, si bien respecto de las obras públicas —en sentido propio— de interés general. Sobre estas Disposiciones, vid. FERNÁNDEZ FARRERES, G., FERNÁNDEZ FARRERES, G., "Las obras públicas y la ordenación territorial, urbanística y ambiental", en *Cuadernos Digitales de Formación*, 46/2008, CGPJ, Madrid, pp. 143-177.

[178]   Y ello a pesar de que el TJCE, en su sentencia de 12 de junio de 2003, en el asunto Comisión c. Gran Ducado de Luxemburgo, ya citada, parezca querer dar a entender que la exigencia de una concreta autorización para la ocupación del dominio público de que se trata por parte de la Administración que sea su titular va en contra del principio de transparencia que debe inspirar el régimen de los derechos de paso. En nuestra opinión, la normativa de telecomunicaciones no puede superponerse —y negar— el régimen general de ordenación y gestión del dominio público que en cada caso se pretenda ocupar, por lo que coincidimos con el planteamiento general del comentario que a aquella sentencia ha hecho GONZÁLEZ GARCÍA, J. V., *Instalación de infraestructuras de telecomunicaciones..., ob. cit.* pp. 317-335.

LGTel03 bajo el término "autorización", lo que no debía ser entendido en sentido propio, dado que, tratándose, en principio, de un uso privativo del dominio público, debe buscarse en la normativa que sea en cada caso de aplicación en relación con la gestión del concreto dominio público de que se trate especificación del título que corresponda, más propiamente concesional[179].

Y es que, de hecho, las fuentes de la regulación de estas *autorizaciones* son muy diversas, debido a la complejidad de los intereses en presencia. De forma inmediata, estas autorizaciones vendrán reguladas por la legislación de telecomunicaciones, en lo que pueda tener de específica frente a la normativa general relativa a la gestión del dominio público concreto de que se trate y a la regulación dictada por su titular en aspectos relativos a su protección y gestión (así lo hacía expreso el derogado art. 28.1 de la LGTel03); así como por la normativa que aprueben Comunidades Autónomas y Entidades Locales sobre ordenación urbana o territorial. Ello no ha de extrañar si tenemos en cuenta que, no en vano, se trata de una "autorización" que habilita un uso privativo del dominio público concreto que, en términos generales, no se distingue de cualquiera otra mediante la que se habiliten formas de utilización similares del mismo demanio, como puedan ser las que se refieran a la instalación de otro tipo de redes de servicio, como las gasísticas, las eléctricas o las de conducción de aguas.

Además, como nos consta, estas "autorizaciones" vendrán condicionadas, en último término, por la normativa que hayan dictado las Administraciones públicas en relación con los valores y derechos que pueden verse afectados por el despliegue de redes públicas de comunicaciones electrónicas y, en particular, el medio ambiente, la salud pública, la seguridad pública y la defensa nacional[180]. Normativa que, como sabemos, en ningún

---

[179] En este punto coincidimos con GONZÁLEZ GARCÍA, J. V., *Infraestructuras de telecomunicaciones y Corporaciones Locales, ob. cit.,* pp. 99-117, quien defiende que, en la mayoría de los casos, se tratará más propiamente de una concesión que de una autorización, a pesar de que existen resoluciones de la extinta CMT en sentido contrario. Si nos atenemos a las previsiones de la LPAAP, y, en particular, a su art. 86.3, se requeriría, en efecto, una concesión para dar cobertura al "uso privativo de los bienes de dominio público que determine su ocupación con obras o instalaciones fijas".

[180] Vid., al respecto, la doctrina sentada por la CMT en el marco de la Ley 11/1998: entre otras varias, Resolución de la CMT de 1 de marzo de 2001, por la que se informa al Ayuntamiento de Santa Cruz de Tenerife relativo al Proyecto de Ordenanza Municipal reguladora de las condiciones para la instalación y construcción de infraestructuras de telecomunicaciones en su término municipal; la posterior de 5 de julio del mismo año, por la que se contesta a una consulta planteada por el Ayuntamiento de Carreño sobre

caso podrá excluir de forma absoluta ni introducir limitaciones no transparentes, discriminatorias o desproporcionadas en el ejercicio de los derechos de paso sobre el dominio público —como lo serían, de hecho, ciertas
limitaciones de carácter temporal dirigidas a asegurar la intangibilidad de
los pavimentos contenidas en algunas Ordenanzas municipales, anuladas
por ello por el TS[181]—.

Un tal planteamiento, ya presente en la LGT03, se ha visto reforzado en
la LGTel14, cuyo art. 30, ya citado, impone a los titulares del dominio público la obligación de garantizar el acceso de todos los operadores a dicho
dominio en condiciones neutrales, objetivas, transparentes, equitativas y
no discriminatorias, sin que en ningún caso pueda establecerse derecho
preferente o exclusivo alguno de acceso u ocupación de dicho dominio
público en beneficio de un operador determinado o de una red concreta
de comunicaciones electrónicas. A lo que se suma la precisión del art. 34.3,
según la cual no podrán establecerse restricciones absolutas o desproporcionadas al derecho de ocupación del dominio público —y privado— de
los operadores, ni imponer soluciones tecnológicas concretas, itinerarios o
ubicaciones concretas en los que instalar infraestructuras de red de comunicaciones electrónicas, siempre en pleno respeto a los principios de necesidad, proporcionalidad, seguridad jurídica, transparencia, accesibilidad,
simplicidad y eficacia (ap. 4 del mismo artículo).

Tal y como dispone el propio art. 34.3 LGTel14 —en previsión que el Decreto-ley 13/2012 había llegado a introducir en el art art. 29.1 LGTel03—,
en la redacción dada por el Decreto-ley 13/2012, cuando una condición
pudiera implicar la imposibilidad de llevar a cabo la ocupación del dominio público o la propiedad privada, el establecimiento de dicha condición
deberá ir acompañado de las "alternativas necesarias", entre ellas el uso
compartido de infraestructuras, para garantizar el derecho de ocupación
de los operadores y su ejercicio en igualdad de condiciones[182]. Entre estas

---

la implantación de antenas de telefonía móvil en el municipio y diversas cuestiones
relacionadas con la ocupación del dominio público local.

[181]   Este es el caso de la STS de 4 de mayo de 2005 (JUR 2005\4694), que anula por desproporcionada una previsión de la Ordenanza de Burgos que imposibilitaba la instalación
de nuevas infraestructuras de telecomunicaciones en zonas de pavimentos nobles durante un período de carencia de 12 años, sin perjuicio de considerar proporcionada
una regla similar —si bien limitada a 4 años— en las zonas de pavimentos "ordinarios".

[182]   En su Resolución de 7 de abril de 2011, ya citada, la CMT concluye que los límites
impuestos por el Ayuntamiento de Vitoria-Gasteiz en relación con los derechos de ocupación del dominio público no eran conformes con el art. LGTel03, por no garantizar
el principio de igualdad en el ejercicio del derecho.

alternativas necesarias juega un papel clave el régimen de acceso a la infraestructura de obra civil de Telefónica determinado por la Resolución de la CMT de 22 de enero de 2009, por la que se aprueba la definición y el análisis del mercado de acceso (físico) al por mayor a infraestructura de red (incluido el acceso compartido o completamente desagregado) en una ubicación fija y el mercado de acceso de banda ancha al por mayor, la designación de operador con poder significativo de mercado y la imposición de obligaciones específicas (Mercados 4 y 5), y en la que, al concluir que el mercado no es realmente competitivo identifica a Telefónica como operador con PSM imponiéndole, entre otras, las obligaciones de proporcionar acceso a los recursos asociados de infraestructuras de obra civil, a precios regulados en función de los costes; la de transparencia en las condiciones de acceso a las infraestructuras de obra civil y la de no discriminación en las condiciones de acceso a las infraestructuras de obra civil. Obligaciones estas dos últimas que han permitido la configuración de una Oferta de acceso mayorista a las infraestructuras pasivas, es decir, registros y conductos (Oferta Marco) que se encuentran ya a disposición de los operadores alternativos alternativos en su versión revisada en julio de 2012[183].

A la vista de todo lo anterior, resulta no poco discutible la previsión contenida en el apartado 5 del art. 35 LGTel14, que contempla a favor del Ministerio la posibilidad de interferir severamente, a través de la emisión de un informe, en las competencias de las Administraciones competentes para adoptar una medida cautelar o resolver sobre la instalación misma de una infraestructura de red de las identificadas en en el apartado 4 del mismo artículo, al que previamente hicimos referencia, con la única excepción de que se trate de edificaciones del patrimonio histórico-artístico. Nada precisa el precepto sobre el contenido de dicho informe, que será evacuado "tras, en su caso, los intentos que procedan de encontrar una solución negociada" —condicionante sorprendente—, si bien se advierte que, de no solicitarse, o en el caso de que no sea favorable, no se podrá aprobar la medida o resolución.

En todo caso, por exigencia del art. 31.2 LGTel14 —como antes del 29.2 LGTel03 en la redacción dada por el Decreto-ley de continua referencia—, las normas que, en ejercicio de las diversas competencias menciona-

---

[183] Vid. Resolución de 19 de noviembre de 2009 sobre el análisis de la oferta de acceso a conductos y registros de Telefónica de España, S.A., que determina el ámbito territorial dentro del cual las infraestructuras en uso por Telefónica son puestas a disposición de los operadores que tengan intención de desplegar redes de fibra óptica o cable coaxial. Esta Oferta fue objeto de revisión mediante resolución de 5 de julio de 2012.

das, vengan a conformar el régimen jurídico de las autorizaciones para la ocupación del dominio público deben incluir un procedimiento rápido, sencillo, eficiente y no discriminatorio de resolución de las solicitudes de ocupación, que no podrá exceder de seis meses contados a partir de la presentación de la solicitud, salvo en caso de expropiación. Se garantizará, además, la transparencia de los procedimientos y que las normativas aplicables fomenten una competencia leal y efectiva entre los operadores. Y ello asumiendo, como sabemos, que el art. 30 in fine LGTel14 ha descartado expresamente la posibilidad de acudir a procedimientos de licitación para permitir la ocupación u otorgar derechos de uso de dominio público para la instalación o explotación de una red. En aplicación del principio de intervención mínima que inspira el conjunto de la Ley General, se exige, en particular, que todos los requerimientos de información que se hagan a los operadores a los efectos del otorgamiento y control de las citadas autorizaciones sean motivados, tengan una justificación objetiva, sean proporcionados al fin perseguido y se limiten a lo estrictamente necesario[184].

Con todo, la garantía última del principio de no discriminación en el otorgamiento de autorizaciones para ocupar el dominio público viene dada por una regla que fue incorporada expresamente como novedad en la LGTel03 y que se mantiene en la LGTel14 y que pretende responder a la tendencia cada vez más generalizada de las Administraciones Públicas de controlar los procesos de instalación de redes de comunicaciones electrónicas en su propio ámbito liderando —cuando no intentando monopolizar— los procesos de instalación de redes de comunicaciones a pesar de que se trata de una actividad que —no lo olvidemos— está abierta a la competencia. Establece, por ello, el vigente art. 31.3 LGTel14, como lo hacía el 29.3 de la Ley de 2003, en redacción parcialmente modificada por el Decreto-ley 13/2012, una cautela perfectamente lógica en relación con los operadores de redes *públicas* de comunicaciones electrónicas o *servicios de comunicaciones electrónicas disponibles al público* que sean de titularidad o estén controlados de forma directa o indirecta por las Administraciones públicas reguladoras o titulares del dominio público a ocupar[185]: en estos casos, se deberá mantener una separación estructural entre dichos opera-

---

[184] Esta exigencia está en plena sintonía con lo previsto en el artículo 10 de la Ley en relación con el suministro de información a las Autoridades Nacionales de Reglamentación.

[185] En cursiva, los cambios introducidos por el Decreto-ley 13/2012 en la entonces vigente LGTel03, que, por una parte, restringió el ámbito del precepto al limitarlo a las redes públicas, pero, por otra, lo amplióa al incluir a los operadores de *servicios disponibles al público*. Esta es, en todo caso, la redacción que se mantiene en la LGTel14.

dores y los órganos encargados de la regulación y gestión de estos derechos para evitar los riesgos que esta circunstancia podría comportar para la garantía de los principios de objetividad y no discriminación en el ejercicio de estas funciones públicas.

5. *Ubicación compartida y uso compartido de la propiedad pública: el reforzamiento del papel del Ministerio por el legislador de 2014 y la extensión de las competencias de la CNMC para resolver los posibles conflictos*

El carácter escaso del dominio público y algunos de los condicionantes que pueden modular —sin negarlo— el *ejercicio* del derecho a ocuparlo invitan a fomentar fórmulas de ubicación compartida, así como de uso compartido de infraestructuras instaladas en el dominio público[186]. En particular, este es el caso cuando el dominio público que se pretenda ocupar se caracteriza por condiciones medioambientales que reclaman especial protección —incluyendo los valores paisajísticos— o por peculiares condicionantes relacionados con la salud pública, particularmente en el caso —especialmente sensible— de instalación de equipos radioeléctricos en la proximidad de colegios u hospitales, al que hemos tenido ocasión de referirnos al tratar del dominio público radioeléctrico.

La regla de principio es que tales mecanismos de compartición deberán basarse en acuerdos voluntarios entre operadores. El art. 32.1 LGTel14 ha recuperado, a este respecto la previsión que se contenía en la redacción original de la LGTel03, y que fue eliminada por el Decreto-ley 13/2012, que llamaba a las Administraciones Públicas, sin mayor especificación, a fomentar la celebración de acuerdos voluntarios[187]. Planteamiento que no excluye, sin embargo, la posibilidad de que la compartición sea impues-

---

[186] Tal y como pone de manifiesto la STS de 27 de mayo de 2013 (Roj: STS 2692/2013), "una cosa es el uso compartido de emplazamientos, es decir, que sobre un mismo suelo los distintos operadores levantan su estación base con elementos de funcionalidad técnica y/o elementos de la propia infraestructura (cableado, alarmas, etc.) y otra distinta el uso compartido de infraestructuras, cuando se comparten uno o más elementos, equipos, de una determinada estación base de telefonía móvil". Aclaración que es perfectamente extrapolable a todo tipo de redes e infraestructuras.

[187] Literalmente el art. 30.1 LGTel03, en su redacción original, versaba así: "Las Administraciones públicas fomentarán la celebración de acuerdos voluntarios entre operadores para la ubicación compartida y el uso compartido de infraestructuras situadas en bienes de titularidad pública o privada". A lo que la LGTel14 añade: "en particular con vistas al despliegue de elementos de las redes rápidas y ultrarrápidas de comunicaciones electrónicas". Respecto del régimen de la LGTel03 original es conveniente

ta a los operadores, competencia que, tras la aprobación del Decreto-ley 3/2012, quedó depositada en una doble sede: de una parte, sin mayor fundamento o justificación, en reedición de la fórmula contenida en la Ley 11/1998, en el Ministerio (art. 30.1)[188]; y, de otra, tal y como venía ocurriendo, en la Administración competente en materia de medio ambiente, salud pública, seguridad pública u ordenación territorial o urbana, por ser estas las razones tasadas que pueden ser alegadas para justificar la imposición de la compartición de propiedades o infraestructuras (ap. 2 del mismo artículo). Una vez aprobada la LGTel14 sólo el Ministerio podrá imponer ya la compartición.

La LGTel14 se caracteriza, en efecto, también en este punto, por haber reforzado el papel del Ministerio, al que se reconoce como único competente para imponer la compartición. Su artículo 32 contempla la posibilidad de que, en los términos en que mediante real decreto se determine, el Ministerio de Industria, Energía y Turismo, previo trámite de audiencia y de manera motivada, imponga, con carácter general o para casos concretos, la compartición, siendo así que las Administraciones competentes en medio ambiente, salud pública, seguridad pública u ordenación urbana y territorial que consideren que procede la compartición deberán dirigirse al Ministerio, de manera motivada, para que inicie el correspondiente procedimiento. Según advierte el apartado 3 del mismo art. 32 LGTel14 —en términos casi idénticos a los contenidos en el derogado apartado 5 del art. 30 LGTel03, introducido por el Decreto-ley 13/2012— las medidas adoptadas deberán ser objetivas, transparentes, no discriminatorias y proporcionadas y deberán aplicarse, si procede, de forma coordinada con las Administraciones competentes que corresponda.

Una vez impuesta la obligación de compartición, resulta hoy por hoy bien discutible quien podrá, en su caso, imponer los concretas condiciones en las que aquélla deberá concretarse. En el marco del derogado art. 30 LGTel03, se hacía una llamada expresa, prioritaria, a la autonomía de las partes, para prever que, a falta de acuerdo entre los operadores interesados, debía intervenir la CNMC para imponer las concretas condiciones

---

consultar TORRE MARTÍNEZ, L. de la, *La intervención de los municipios en las telecomunicaciones*, Tirant lo Blanch, Valencia, 2006.

[188] En el marco de la derogada LGTel98, ahora derogada, el entonces Ministerio de Ciencia y Tecnología retenía la competencia para la imposición de la compartición. Baste como ejemplo la Orden CTE/2589/2003, de 2 de septiembre, por la que se declara la utilización compartida del dominio público viario de titularidad del municipio de Manuel (Valencia), a efectos de la instalación de redes públicas de telecomunicaciones.

de uso compartido[189], debiendo integrar en su resolución, en todo caso, los contenidos de un previo informe que debía emitir preceptivamente la Administración competente sobre el demanio, siempre y cuando ésta los hubiera identificado como esenciales para la salvaguarda de los intereses públicos cuya tutela tenga encomendados, tal y como disponía el apartado 3 del mismo art. 30 LGTel03. La competencia exclusiva de la extinta CMT a este respecto había sido discutida hasta tiempos muy recientes, siendo así que la propia jurisprudencia del Tribunal Supremo sólo se decantó definitivamente por este criterio a partir de la STC 8/2012, de 18 de enero, que se expresa en términos elocuentes:

> "La legislación estatal incorpora hoy una regulación acorde a la concurrencia competencial, deslindando adecuadamente las esferas de decisión correspondientes a las distintas instancias territoriales y regulando, allí donde es preciso, mecanismos de cooperación, como los informes. Se reconoce que las Administraciones autonómicas y locales pueden, en ejercicio de sus respectivas competencias, imponer a los operadores la coubicación y compartición de infraestructuras, si bien la determinación imperativa de los términos y condiciones del uso compartido corresponde a la Comisión del Mercado de las Telecomunicaciones, con la finalidad de preservar la competencia entre operadores, aunque la Comisión deberá atender a los contenidos de los informes sectoriales que persiguen la salvaguarda de las «exigencias esenciales»".

Muy ilustrativas a este respecto son las SSTS 27 de mayo y 5 de junio de 2013[190].

---

[189] La doctrina sentada por la CMT, en ejercicio de las competencias que, en términos similares, le reconocía la LGTel98 encontró continuación en la que fue sentada en aplicación de la LGTel03: *vid.*, entre las más recientes, la Resolución de 14 de mayo de 2009 relativa al conflicto de compartición entre Telefónica de España, S.A. Unipersonal y Euskaltel, S.A. concerniente a la ocupación de determinadas infraestructuras situadas en varios municipios del ámbito territorial de la Comunidad Autónoma vasca y Resolución de 13 de julio de 2012 por la cual se resuelve el conflicto de compartición presentado por la entidad Telefónica de España, S.A.U. frente a la entidad Lebrija TV, S.L. concerniente a la ocupación de determinadas infraestructuras situadas en el municipio de Lebrija.

[190] Roj: STS 2692/2013 y 2997/2013. En estas sentencias se da cuenta de las distintas etapas habidas en la propia jurisprudencia del Tribunal Supremo acerca del margen de competencia de las Administraciones locales para fijar, por sí mismas, las condiciones de la compartición, llegando a la conclusión final de que, a la luz de la STC 8/2012, "los Ayuntamientos no pueden atribuirse la decisión última, ejecutiva, en materia de compartición de emplazamientos ni de infraestructuras sino la decisión motivada instrumentalizada mediante informes, que determine si, en atención a sus intereses medioambientales o urbanísticos, corresponde y procede la compartición, que se llevará a la CMT para que pondere la afectación que se produce en el mercado y

Estas previsiones han desaparecido de la LGTel14, en cuyo seno solo se le reconocen a la CNMC, de forma expresa, competencias para resolver los "conflictos entre operadores relativos a la determinación de las condiciones concretas para la puesta en práctica de la obligación impuesta por el Ministerio de Industria, Energía y Turismo de la utilización compartida del dominio público o la propiedad privada", en los términos del segundo párrafo del art. 70.2.d). Expresión bien equívoca y que parece asumir —ante la derogación de las minuciosas precisiones del art. 30 LGTel03— que el Ministerio podrá, por sí mismo, al imponer la obligación de compartición, imponer las correspondientes condiciones —lo que parece confirmarse a la vista de que al Ministerio corresponderá sancionar el tipo de infracción grave previsto en el art. 77.21 para sancionar el incumplimiento de las condiciones de compartición[191]—, por más que podría defenderse que la CNMC impondrá tales condiciones cuando surja, articulado como conflicto, el desacuerdo de los operadores para materializar la obligación de compartición impuesta por el Ministerio[192].

Y ello en el bien entendido de que el mismo art. 70.2.d) LGTel14 —en correlación con lo dispuesto en el apartado 3º del art. 12.1.a) de la Ley 3/2013, de 4 de junio, de creación de la Comisión Nacional de los Mercados y de la Competencia— reconoce la competencia de la CNMC para resolver los conflictos que —literalmente— "puedan surgir entre operadores

---

determine los condicionantes de esa compartición recogiendo los informes sectoriales emitidos por otras Administraciones, con lo que, como mecanismo de cooperación, queda garantizada la toma en consideración de todas las competencias concurrentes".

[191] En el cual se tipifica, literalmente, *"el incumplimiento por los operadores de las obligaciones establecidas para la utilización compartida del dominio público o la propiedad privada en que se van a establecer las redes públicas de comunicaciones electrónicas o el uso compartido de las infraestructuras y recursos asociados"*. Tipo que corresponde sancionar al Ministerio, tal y como se desprende de los apartados 1 y 2 del art. 84.

[192] Parece oportuno precisar que el Proyecto de LGTel, en su art. 32.2, asumía, de forma más fiel al precedente art. 30.2 LGTel03, que la Comisión impondría las condiciones de compartición a falta de acuerdo entre los operadores, si bien introducía un muy discutible informe del Ministerio al disponer: "Una vez que por el Ministerio de Industria, Energía y Turismo se imponga la utilización compartida del dominio público o la propiedad privada o la ubicación compartida de infraestructuras y recursos asociados, los operadores interesados determinarán mediante acuerdo las condiciones concretas para su puesta en práctica, resolviendo la Comisión Nacional de los Mercados y la Competencia en caso de conflicto, si bien deberá recabar previamente el informe preceptivo del Ministerio de Industria, Energía y Turismo en todo caso, así como de la Administración competente cuando la utilización o ubicación compartida se haya impuesto por razones de medio ambiente, salud pública, seguridad pública u ordenación urbana y territorial".

relativos a la determinación de las condiciones concretas para la puesta en práctica de la obligación impuesta por el Ministerio de Industria, Energía y Turismo de la utilización compartida del dominio público o la propiedad privada, o de la ubicación compartida de infraestructuras y recursos asociados, de acuerdo con el procedimiento regulado en el artículo 32 de la presente Ley". A los que suma expresamente los conflictos sobre el acceso a infraestructuras de titularidad pública susceptibles de alojar redes públicas de comunicaciones electrónicas (viarias, ferroviarias, puertos, aeropuertos, abastecimiento de agua, saneamiento, transporte y distribución de gas y electricidad)[193] que son objeto de regulación específic como novedad de la Ley, en su art. 37. Como lo es, incorporado en la misma Sección, el caso de los conflictos relativos al acceso a las propias redes de comunicaciones electrónicas titularidad de los órganos o entes gestores de infraestructuras de transporte de competencia estatal, regulados en el artículo 38, perfectamente equiparable, en sustancia, a cualquiera otros conflictos de acceso de los regulados en el art. 15 de la misma Ley.

---

[193] Tal y como especifica el apartado 3 de este art. 37, "por infraestructuras susceptibles de ser utilizadas para el despliegue de redes públicas de comunicaciones electrónicas se entenderán tubos, postes, conductos, cajas. cámaras, armarios, y cualquier otro recurso asociado que pueda ser utilizado para desplegar y albergar cables de comunicaciones electrónicas, equipos, dispositivos, o cualquier otro tipo recurso análogo necesario para el despliegue e instalación de las redes". El apartado 6 atribuye expresamente a la CNMC para resolver de forma vinculante los conflictos que se puedan producir "sobre el acceso y sus condiciones", sobre la base de que las partes fijarán, en principio, libremente los términos que correspondan. La Comisión podrá adoptar, en el seno de los correspondientes procedimientos, medidas cautelares.

Capítulo XXVIII

Los bienes militares y la incidencia de la defensa nacional en las propiedades privadas

DAVID BLANQUER CRIADO
Catedrático de Derecho Administrativo (UJI)
Letrado del Consejo de Estado (excelente)

defensivas para operaciones militares del grupo primero. b) Las zonas próximas de seguridad de las instalaciones defensivas para operaciones militares. c) Las zonas lejanas de seguridad de las instalaciones defensivas para operaciones militares. D) La zona de seguridad de las instalaciones de comunicación (grupo segundo). a) Las instalaciones de comunicación del grupo segundo. b) Las zonas próximas de seguridad de las instalaciones de comunicación. c) Las zonas lejanas de seguridad de las instalaciones de comunicación. E) La zona de seguridad de las instalaciones peligrosas destinadas a la logística de armamento militar (grupo tercero). a) Las instalaciones peligrosas del grupo tercero. b) Las zonas de seguridad de las instalaciones peligrosas destinadas a la logística de armamento militar. F) La zona de seguridad de las sedes institucionales (grupo cuarto). a) Las sedes institucionales del grupo cuarto. b) Las zonas próximas de seguridad de las sedes institucionales. G) La zona de seguridad de las instalaciones destinadas a prácticas militares (grupo quinto). a) Las instalaciones destinadas a prácticas militares del grupo quinto. b) Las zonas próximas de seguridad de las instalaciones destinadas a prácticas militares. c) Las zonas lejanas de seguridad de las instalaciones destinadas a prácticas militares. 5. El estatuto de acceso restringido a la propiedad por parte de extranjeros. A) Concepto. B) Ámbito objetivo; la identificación geográfica de las zonas de acceso restringido. C) Ámbito subjetivo; quiénes tienen la consideración de extranjeros. D) Delimitación del estatuto de la propiedad privada; adquisición de la propiedad o derechos reales en virtud de contrato. E) Otros títulos de adquisición de la propiedad o derechos reales; la herencia y la ocupación.

I. PATRIMONIO Y BIENES MILITARES

El poder implica un dominio sobre una persona o una cosa. Quien tiene el poder dispone de los medios necesarios, para lograr los objetivos que se propone, en relación a la persona o la cosa sometida a su dominio. En las relaciones intersubjetivas, el poder existe cuando una persona impone a otra su voluntad, y de forma efectiva logra condicionar su comportamiento o sus decisiones.

El poder resulta de la disponibilidad de los medios precisos para influir o determinar la conducta de los demás. Cada tipo de poder o de dominio sobre terceros, se caracteriza por utilizar unos medios distintos y peculiares, unos instrumentos que se emplean para lograr los objetivos que persigue quien ostenta el poder, y para materializar en la práctica y hacer efectiva su capacidad de influencia y control. Si el poder es la capacidad de influir de forma efectiva en la conducta de otros, los medios o instrumentos más persuasivos para condicionarla, son los de la fuerza física o ejercicio de la violencia legítima monopolizada por el Estado, y cuyo ejercicio tiene su máxima expresión en las fuerzas armadas (que en la actualidad experimenta un doble proceso de profesionalización de los recursos humanos y de modernización de los recursos materiales).

Convencionalmente se puede utilizar la expresión "bienes militares", para designar a las cosas que son de titularidad estatal, y sobre las que ejerce potestades administrativas el Ministerio de Defensa y las autoridades de las fuerzas armadas. No llegan a constituir un patrimonio unitario que los aglutine, pero esos bienes tienen algunas reglas especiales a las que luego haré referencia.

Un patrimonio es un conjunto de bienes, derechos y obligaciones que se aglutinan porque son de una persona, se agrupan por pertenecer al mismo sujeto titular. El patrimonio es una *"universitas iuris"* o unidad ficticia o ideal, artificialmente creada por el Derecho para unificar el régimen legal de distintas relaciones jurídicas. Toda persona jurídica tiene un patrimonio, pero hay personas jurídicas que tienen varios patrimonios o masas de bienes y derechos. También hay patrimonios que no tienen personalidad jurídica propia y diferenciada (como sucede con los "Patrimonios Municipales del Suelo").

Entre las distintas clases de patrimonios, tienen la consideración de separados, aquellos en los que el factor aglutinante del conjunto de bienes es su destino común y compartido. Es decir, en un patrimonio separado el nexo entre los distintos activos de la masa patrimonial, no es el sujeto titular de los bienes (o la persona que es dueña del conjunto), sino el fin al que están destinados los bienes y derechos (por ejemplo, el Patrimonio Nacional está destinado a las funciones de alta representación que corresponden a la familia real, aunque la Corona no sea la dueña de los bienes de ese Patrimonio).

Ese mismo carácter separado tiene el "Patrimonio Público del Suelo" (PPS) del que puede ser titular un Ayuntamiento, la Administración del Estado o la de una Comunidad Autónoma. Ese patrimonio separado carece de personalidad jurídica propia y distinta a la de la Administración que ostenta su titularidad, y está vinculado a los objetivos predeterminados por la ley, en particular, la promoción de viviendas de protección oficial, para hacer efectivo el derecho anunciado en el artículo 47 de la Constitución.

En el ámbito de la defensa nacional hay varias personas jurídicas de naturaleza administrativa, cada una de ellas con su propio patrimonio, lo que genera una cierta dispersión de los bienes militares y su régimen jurídico. Efectivamente, junto a los bienes de la persona jurídica que es la Administración General del Estado (que se gestionan a través del órgano administrativo que es el Ministerio de Defensa), hay otros bienes militares que tienen titularidades distintas por pertenecer a otros sujetos, como ocurre con los que se adscriben a personas jurídicas administrativas como el "Centro Nacional de Inteligencia" (CNI)[1], al "Instituto de Vivienda, In-

---

[1]   Ley 11/2002, de 6 de mayo (reguladora del Centro Nacional de Inteligencia).

fraestructura y Equipamiento de la Defensa" (INVIED)[2], al "Instituto Nacional de Técnica Aeroespacial Esteban Terradas" (INTAS)[3], al "Servicio Militar de Construcciones"[4], al organismo autónomo "Cría Caballar de las Fuerzas Armadas" (OACC)[5], o al "Canal de Experiencias Hidrodinámicas de El Pardo" (CEHIPAR)[6].

En algunos casos, esa dispersión de bienes es más aparente que real, pues los de esos organismos públicos no son siempre bienes propios de titularidad de esas personas jurídicas instrumentales, sino que con alguna frecuencia se trata de bienes adscritos por la administración territorial matriz. La adscripción es un título jurídico habilitante del uso privativo del dominio público por un tercero, con la particularidad de que el tercero siempre es una Administración Pública distinta a la que ostenta la titularidad del bien demanial. En virtud de la adscripción se cede a un tercero el uso de una cosa, pero se conserva por la Administración la titularidad de la competencia sobre los bienes demaniales, para controlar su uso, o defenderlos en caso de usurpación (artículo 73.3 de la LPAP 33/2003). La adscripción es un fenómeno muy habitual en las relaciones entre una Administración matriz, y sus entidades filiales o instrumentales; la Administración matriz conserva la titularidad del bien (a través del Ministerio de Defensa en el escenario que aquí nos interesa), y sólo asigna a la entidad filial su utilización.

Por otro lado, si adoptamos una perspectiva funcional o finalista, la defensa nacional crea un nexo entre bienes heterogéneos ligados por su común vinculación a un destino que es de interés general o colectivo, que

---

[2] Dos organismos autónomos previamente existentes (como eran el Instituto para la Vivienda de las Fuerzas Armadas, y la Gerencia de Infraestructura y Equipamiento de la Defensa), se fusionaron por la disposición adicional quincuagésima primera de la Ley 26/2009, de 23 de diciembre (de presupuestos Generales del Estado para 2010). Por Real Decreto 1286/2010, de 15 de octubre, se aprueba el Estatuto del organismo autónomo Instituto de Vivienda, Infraestructura y Equipamiento de la Defensa; esa norma ha sido parcialmente modificada por el Real Decreto 1656/2012, de 7 de diciembre.

[3] Mediante Real Decreto 88/2001, de 2 de febrero, se aprueba el Estatuto del Instituto Nacional de Técnica Aeroespacial Esteban Terradas.

[4] El Servicio Militar de Construcciones se crea por la Ley de 2 de marzo de 1943, y su estatuto regulador como organismo autónomo que es, se aprueba mediante Real Decreto 1143/2012, de 27 de julio.

[5] Por Real Decreto 1664/2008, de 17 de octubre, se aprueba el estatuto del organismo autónomo Cría Caballar de las Fuerzas Armadas.

[6] Real Decreto 451/1995, de 24 de marzo (por el que se reorganiza el organismo autónomo Canal de Experiencias Hidrodinámicas de El Pardo, parcialmente modificado por Real Decreto 1636/2009, de 30 de octubre).

cabe describir así: *"La política de defensa tiene por finalidad la protección del conjunto de la sociedad española, de su Constitución, de los valores superiores, principios e instituciones que en ésta se consagran, del Estado social y democrático de derecho, del pleno ejercicio de los derechos y libertades, y de la garantía, independencia e integridad territorial de España. Asimismo, tiene por objetivo contribuir a la preservación de la paz y seguridad internacionales, en el marco de los compromisos contraídos por el Reino de España"* (artículo 2 de la Ley Orgánica 5/2005, de 17 de noviembre).

Aunque en rigor estricto no llega a crearse un patrimonio separado que de forma unitaria aglutine todos los bienes destinados a satisfacer las necesidades de la defensa nacional, hay una cierta tendencia hacia esa figura jurídica, tendencia que se refuerza por su tradicional autarquía; me refiero a una excepción a la regla general del principio de unidad de caja; efectivamente los ingresos obtenidos por el "Instituto de Vivienda, Infraestructura y Equipamiento de la Defensa" (INVIED) se afectan o tienen como destino propio y específico, sufragar la modernización de las fuerzas armadas[7].

El régimen de los bienes públicos vinculados a la defensa nacional tiene bastantes singularidades. Por un lado, cabe destacar unas reglas especiales de protección, tanto a través de las sanciones disciplinarias que se pueden

---

[7]   Conforme a lo establecido en el apartado de la disposición adicional quincuagésima primera de la Ley 26/2009, de 23 de diciembre (de presupuestos Generales del Estado para 2010): *"Los ingresos procedentes de la actividad de este organismo podrán ser aplicados por el mismo a los fines de profesionalización y modernización de la Defensa y del personal al servicio de la misma y a programas específicos de investigación, desarrollo e innovación en este mismo ámbito".*

A tenor de lo dispuesto en el artículo 5.4 del Real Decreto 1286/2010, de 15 de octubre (por el que se aprueba el Estatuto del organismo autónomo Instituto de Vivienda, Infraestructura y Equipamiento de la Defensa): *"Los ingresos procedentes de las actividades del Instituto de Vivienda, Infraestructura y Equipamiento de la Defensa se aplicarán a cubrir las obligaciones derivadas del funcionamiento y de los fines del Instituto previstos en este estatuto, así como en las normas de rango legal que se citan en artículo 1.2. En concreto, se aplicarán a atender la adquisición de infraestructura y equipamiento para su uso por las Fuerzas Armadas, la compensación económica y las ayudas para la adquisición de vivienda de sus miembros, así como a los fines de profesionalización y modernización de la Defensa y del personal al servicio de la misma, y a programas específicos de investigación, desarrollo e innovación en el ámbito de la defensa.*

Asimismo, podrán aplicarse a las necesidades operativas de las Fuerzas Armadas, pudiendo cumplirse tales fines mediante las oportunas transferencias del Instituto de Vivienda, Infraestructura y Equipamiento de la Defensa al Estado".

imponer al personal militar[8], como los castigos de naturaleza penal que se pueden imponer en el ámbito castrense[9].

Al margen de ello, más que reglas especiales, lo que es más frecuente es la dispensa o exención de las reglas generales aplicables a los demás bienes de titularidad pública; lo verdaderamente peculiar no es ese tipo de exención o dispensa, sino que la norma general se remita a normas especiales o sectoriales del ámbito de la defensa, que no existen y tampoco son posteriormente aprobadas. Es más, cuando se crea esa regla especial para la defensa nacional, suele ser en normas infralegales.

Pondré algún ejemplo para ilustrar a las peculiaridades normativas a las que me refiero. En ese sentido, los bienes militares tienen algunas especialidades en materia ambiental. Así por ejemplo, la disposición adicional primera del Texto Refundido de la Ley sobre evaluación de impacto ambiental de proyectos (aprobado por Real Decreto Legislativo 1/2008, de 11 de enero), excluye de su ámbito de aplicación a los proyectos relacionados con la defensa nacional[10]; hay que tener en cuenta que la publicidad de los procedimientos de evaluación puede entrar en conflicto con el sigilo

---

[8]   Conforme a lo establecido en el artículo 8 de la Ley Orgánica 8/1998 (de régimen disciplinario de las fuerzas armadas): *"Son faltas graves: (...)*
15.– Utilizar para usos particulares medios o recursos de carácter oficial o facilitarlos a un tercero, todo ello cuando no constituya delito.
(...) 30.– Destruir, abandonar, deteriorar o sustraer caudales, material o efectos de carácter oficial cuando por su cuantía no constituya delito, adquirir o poseer dicho material o efectos con conocimiento de su ilícita procedencia o facilitarlos a terceros".
A tenor de lo dispuesto en el artículo 7 de esa misma Ley Orgánica: *"Son faltas leves: (...)*
5.– El descuido en la conservación del armamento, material y equipo.
(...) 27.– Deteriorar material o efectos de carácter oficial, de escasa entidad; adquirir o poseer dicho material o efectos con conocimiento de su ilícita procedencia o facilitarlos a terceros.
28.– La sustracción de escasa cuantía y los daños leves en las cosas realizados en acuartelamientos, bases, buques, aeronaves o establecimientos militares, o en acto de servicio, cuando no constituya infracción más grave o delito".
[9]   Los delitos se tipifican en la Ley Orgánica 13/1985, de 9 de diciembre (Código Penal Militar). Entre otros, a los efectos que aquí interesan cabe destacar los siguientes delitos: atentados contra medios o recursos de la defensa nacional en tiempo de guerra (artículo 57); atentados contra medios o recursos de la defensa nacional en tiempo de paz (artículo 58); empleo de elementos del servicio para fines particulares (artículo 190); el incumplimiento de las normas sobre el material inútil (artículo 194); irregularidades en el equipo o materiales bajo custodia (artículo 195); irregularidades en el equipo o materiales al servicio de las fuerzas armadas (artículo 196); adquisición de equipo o materiales de las fuerzas armadas de ilícita procedencia (artículo 197).
[10] Conforme a lo establecido en la disposición adicional primera del Texto Refundido de la Ley sobre evaluación de impacto ambiental de proyectos (aprobado por Real Decreto Legislativo 1/2008, de 11 de enero): *"Esta Ley no será de aplicación a los proyectos*

y el secreto que caracterizan a la actuación de las fuerzas armadas; por otro lado, el resultado de esa evaluación ambiental puede comportar consecuencias negativas en los objetivos de la defensa nacional. Ahora bien, esa exclusión debe ser objeto de una interpretación restrictiva. Declara la Sentencia del Tribunal de Justicia de la Comunidad Europea de 16 de septiembre de 1999:

> *"Dicha disposición excluye pues del ámbito de aplicación de la Directiva y, por tanto, del procedimiento de evaluación previsto en la misma los proyectos que tengan por finalidad garantizar la defensa nacional. Tal exclusión supone pues una excepción a la regla general de evaluación previa de las repercusiones sobre el medio ambiente establecida por la Directiva, y debe por tanto interpretarse restrictivamente. Por consiguiente, sólo los proyectos destinados principalmente a fines de defensa nacional pueden verse exentos de la obligación de evaluación".*

Otro ejemplo de excepción que también debe ser objeto de una interpretación restrictiva es la Ley 37/2003, de 17 de noviembre (del ruido), que no es de aplicación a las actividades militares, que se rigen por su legislación específica [artículo 2.2.b) de la Ley 37/2003][11]. El Real Decreto 1257/2003, de 3 de octubre, regula los procedimientos para la introducción de restricciones operativas relacionadas con el ruido de los aeropuertos, pero únicamente es aplicable a los aviones y aeropuertos civiles.

II. CLASES DE BIENES MILITARES

1. *Bienes militares y bienes vinculados a la defensa nacional*

Los bienes militares pueden ser patrimoniales o de dominio privado de la Administración (y en consecuencia susceptibles de ser enajenados), o de dominio público por estar afectados o vinculados a la defensa nacional (y por ello inalienables, imprescriptibles e inembargables). A ese último respecto, no es inoportuno recordar que el artículo 339.2º del Código Civil de 1889 estableció que son bienes de dominio público: *"las murallas, fortalezas y demás obras de defensa del territorio".*

---

relacionados con los objetivos de la Defensa Nacional cuando tal aplicación pudiera tener repercusiones negativas sobre tales objetivos".

[11] Ver la Sentencia del Tribunal Supremo de 9 de abril de 2003 (ponente Mariano Baena del Alcázar).

Para designar esos activos o cosas de titularidad pública cabe utilizar distintos términos: "bienes militares" o "bienes vinculados a la defensa nacional". Ahora bien, la semántica tiene sus matices; por ejemplo, todos los bienes militares son de titularidad administrativa, pero algunos bienes vinculados a la defensa nacional son de propiedad privada. El primer término designa la titularidad de las competencias administrativas ("bienes militares"), el segundo la función ("bienes destinados a satisfacer las necesidades de la defensa nacional").

Desde esa última perspectiva finalista o funcional, cabe distinguir los bienes públicos y los bienes privados vinculados a la defensa nacional. Efectivamente, hay bienes de titularidad privada que también contribuyen al cumplimiento de esa función, a través de vinculaciones de variable intensidad y alcance. La recta satisfacción de las necesidades de la defensa nacional puede justificar la delimitación del contenido normal del derecho de propiedad privada o la imposición de servidumbres prediales, como se explica con algún detalle en la parte final de este estudio.

Dentro de la categoría de "bienes militares" de titularidad pública, cabe distinguir los que tienen naturaleza inmueble (desde la sede en Madrid del Ministerio de Defensa a las fortificaciones y construcciones defensivas), los bienes muebles (en particular los vehículos y el armamento), y los bienes semovientes (animales).

2. Bienes inmuebles

A) La amplia variedad de inmuebles militares

Los inmuebles públicos destinados a la defensa nacional tienen muy variadas manifestaciones. La descripción de los inmuebles militares puede desarrollarse utilizando el argot o la terminología propia de cada uno de los ejércitos. Por ejemplo, en el Ejército de Tierra se distinguen[12]: *(i)* las bases; *(ii)* los acuartelamientos; y *(iii)* los establecimientos.

---

[12] A tenor de lo dispuesto en el artículo 7 de la Orden 50/2011, de 28 de julio, por la que se aprueban las normas sobre mando y régimen interior de las unidades e instalaciones del Ejército de Tierra (Boletín Oficial de la Defensa número 150, de 2 de agosto de 2011):

"1.– Las unidades se alojan en Bases, Acuartelamientos y Establecimientos, denominadas genéricamente "instalaciones", en cuyos servicios e infraestructuras se apoyan.

2.– Se denomina Base a la propiedad o conjunto de propiedades adscritas al Ejército de Tierra, no necesariamente con continuidad física, que dispone de una unidad de servicios para su sosteni-

Ahora bien, hay otras clasificaciones de los bienes inmuebles militares que a mi juicio son de mayor interés. Desde los supuestos *"prima facie"* más evidentes como las construcciones defensivas o los acuartelamientos militares, a otros más peculiares o insólitos, como los espacios naturales protegidos, o el Palacio de Buenavista situado en la madrileña plaza de La Cibeles, o los bienes de interés cultural (BIC) como la Torre del Oro (en la que la Armada instaló el Museo Naval de Sevilla en el año 1944); también merece destacarse el museo del Ejército, actualmente localizado en el Alcázar de Toledo (en vez de su tradicional localización en las proximidades del museo del Prado, traslado que es opinable desde muchas perspectivas, pero que no es objetable en Derecho)[13].

---

miento. Es utilizada por unidades, de forma permanente o temporal, para alojarse, vivir, realizar instrucción y adiestramiento, así como llevar a cabo tareas logísticas, administrativas, de mando, u otras.

3.– El Acuartelamiento es un recinto militar donde se alojan, en general con carácter permanente, una o varias unidades. Si no está integrado en una Base, contará con una unidad de servicios para su sostenimiento.

4.– Se denomina Establecimiento al conjunto de infraestructuras y locales que está al servicio de uno o varios Centros u Organismos. Si no está integrado en una Base o Acuartelamiento, podrá contar con determinados servicios para su sostenimiento.

5.– En general, las Bases o Acuartelamientos podrán contar con las siguientes zonas: Mando, Vida, Instrucción y Adiestramiento, Logística de las unidades, Mantenimiento de la instalación, Seguridad y Control, y Comunicaciones.

6.– En un lugar preeminente y bien visible de las instalaciones, ondeará la Bandera Nacional, que será izada y arriada, conforme a lo que se establece en estas normas y en las que regulan los actos solemnes y su ceremonial. Así mismo, preferentemente en la entrada principal, figurará el lema "Todo por la Patria", guía constante del militar".

[13] Sentencia del Tribunal Supremo de 30 de octubre de 2012 [recurso de casación 570/2010; ponente Santiago Martínez-Vares García (*Tol 2675250*)]: *"En el presente recurso contencioso-administrativo la representación procesal de la "Asociación de amigos del Museo del Ejército de Madrid" impugna el Real Decreto 636/2010, de 14 de mayo, por el que se reguló el funcionamiento y se estableció la estructura orgánica básica del Museo del Ejército. En concreto, impugna la parte de ese reglamento en la que se acuerda el traslado de dicho museo al Alcázar de Toledo (...) Por otra parte, en este supuesto, la Ley 16/21985, de 25 de junio, del Patrimonio Histórico Español, prevé que los museos se creen mediante Real Decreto (art. 61.2). Por lo que no hay ningún impedimento para que su organización básica y su sede se establezcan mediante una norma del mismo rango, como aquí ha sucedido. Y ninguna norma con rango superior (rango de ley) reserva el Salón de Reinos del Palacio del Buen Retiro, ni ningún otro lugar concreto, al Museo del Ejército. Es por tanto una potestad discrecional del Gobierno al regular la estructura orgánica del museo en cuestión establecer su sede, en el sentido de que puede optar por varias alternativas, todas ellas igualmente válidas y lícitas, siempre, claro está, que no incurra en arbitrariedad o desviación de poder. Y para descartar estas infracciones del ordenamiento basta con remitirnos al Decreto 335/1965, de 5 de febrero (BOE de 27 de febrero), derogado por el Real Decreto ahora recurrido [disposición derogatoria, párrafo d)], por el que se creó el Patronato del Museo del Ejército, y que ya dispuso en su artículo primero que se encomendaba a ese órgano «la*

Otras manifestaciones más o menos singulares de los bienes militares son los campos de golf u otras instalaciones militares, los hoteles (la Residencia Alcázar y la Residencia Don Quijote, ambas en Madrid), o una Iglesia (como la Arzobispal Castrense).

En ese último ejemplo, su primer destino fue el de templo del convento de las Monjas Bernardas Cistercienses Descalzas, fundado en 1615 por Cristóbal de Sandoval y Rojas (duque de Uceda), y situado junto a su palacio (hoy sede del Consejo de Estado y del Mando Regional Centro de las Fuerzas Armadas), en las proximidades del Palacio Real de Madrid. La Iglesia Arzobispal Castrense es uno de los templos característicos del barroco madrileño, adquirido por el Ministerio de Defensa en 1979 y declarado monumento histórico-artístico nacional en 1982.

En ese mismo plano cultural, merecen ser destacados los archivos militares, que atesoran un importante patrimonio documental; los archivos se rigen por lo establecido en la Ley 16/1985, de 25 de junio (de patrimonio histórico español), y su normativa específica[14]. Algo similar ocurre con los centros de documentación y las bibliotecas de defensa, sometidas al régimen general establecido en la Ley 10/2007, de 22 de junio (de la lectura, del libro y de las bibliotecas), y a la reglamentación específica dictada para ellas[15].

Una vez destacada esa amplia variedad de los bienes inmuebles de titularidad pública y vinculados a la defensa nacional, tiene interés detenerse en la descripción de los puertos, aeropuertos y espacios naturales protegidos.

B) El litoral y los puertos militares

Tanto en los territorios peninsulares como en los insulares, la defensa del litoral y el dominio del mar territorial han sido objetivos fundamentales de las fuerzas armadas, por lo que no es de extrañar la importancia de los bienes militares ubicados en porciones de suelo que tienen la naturaleza jurídica de bienes de dominio público marítimo-terrestre. Otros bienes militares quedan fuera de ese dominio público, pero son colindantes y por ello tienen un régimen jurídico singular.

---

    misión de organizar y llevar a cabo el traslado de todos los elementos que constituyen el actual Museo del Ejército a los locales que con este fin se han habilitado en el reconstruido Alcázar de Toledo»".

[14] Por Real Decreto 2598/1998, de 4 de diciembre, se aprueba el Reglamento de los Archivos Militares.

[15] La Orden DEF/92/2008, de 23 de enero, aprueba el Reglamento de Bibliotecas de Defensa.

La regla general es que la utilización de ese dominio público y del mar y su ribera, es libre, pública y gratuita para los usos comunes y acordes con su naturaleza, como pasear, estar, bañarse, navegar, embarcar y desembarcar, varar, pescar, coger plantas y mariscos, y otros actos semejantes que no requieran obras e instalaciones de ningún tipo (artículo 31.1 de la Ley 22/1988, de 28 de julio, de Costas).

Distinta es la reserva en exclusiva a la Administración militar del uso del dominio público, reserva que tiene fundamento en el artículo 47 de la Ley de Costas. Por ello, el artículo 206 del Reglamento atribuye al Ministerio de Defensa la competencia exclusiva y excluyente para otorgar autorizaciones de usos y actividades en los terrenos de dominio público afectos a la Defensa Nacional. El artículo 47.2 de la Ley de Costas establece que la duración de la reserva demanial se limitará al tiempo necesario para el cumplimiento de los fines de competencia estatal (en este caso la satisfacción de las necesidades de la Defensa Nacional).

Para proteger el dominio público marítimo-terrestre, la Ley 22/1988, de 28 de julio (de Costas), impone limitaciones y servidumbres a los terrenos colindantes con el dominio público. La Ley 22/1988 establece servidumbres legales (de protección, de tránsito, de acceso al mar) y limitaciones a la propiedad de los terrenos situados en la zona de influencia (que, como mínimo, tiene una anchura de 500 metros). Pues bien, esas servidumbres y limitaciones no se aplican a los terrenos colindantes con el dominio público marítimo-terrestre que han sido expresamente declarados de interés para la seguridad y la Defensa Nacional (declaración que es regulada por una normativa que será analizada más adelante, la Ley 8/1975, de 12 de marzo, de zonas e instalaciones de interés para la Defensa Nacional, y su Reglamento).

Junto al dominio público natural (las playas y la zona marítimo-terrestre) hay que hacer alusión al dominio público artificial (los puertos). Los puertos, bases, estaciones, arsenales e instalaciones navales de carácter militar están excluidas del ámbito de aplicación de la Ley 27/1992, de 24 de noviembre (de Puertos del Estado y de la Marina Mercante). Así lo establece el artículo 12 de esa Ley, que dispone una reserva en exclusiva a favor de la Administración del Estado de esos espacios de dominio público, correspondiendo al Ministerio de Defensa el ejercicio de las competencias estatales[16].

---

[16]   El régimen de practicaje militar es el contenido en la Orden 8/1998, de 15 de enero. Se entiende por practicaje militar el servicio de asesoramiento a los comandantes, ca-

C) Aeródromos militares y Bases aéreas

La todavía vigente Ley 48/1960, de 21 de julio (de Navegación Aérea, parcialmente modificada por Ley 5/2010, la Ley 1/2011 y por la Ley 38/2011), distingue los "aeropuertos" y los "aeródromos". El aeropuerto tiene unas funciones instrumentales que se añaden a las de la estricta infraestructura en que consiste el aeródromo.

Conforme al artículo 39 de esa Ley 48/1960, se entiende por "aeródromo" la superficie de límites definidos, apta normalmente para la salida y llegada de aeronaves (con inclusión, en su caso, de edificios o instalaciones). Se considera "aeropuerto" todo aeródromo en el que existan, de modo permanente, instalaciones y servicios de carácter público, para asistir de modo regular al tráfico aéreo, permitir el aparcamiento y reparaciones de material aéreo, y recibir o despachar pasajeros o carga.

Aparentemente, la Ley 48/1960 establece que las infraestructuras militares siempre tienen la consideración de aeródromos. Dispone el artículo 41 que los aeródromos exclusivamente destinados a servicios militares, toman esta denominación y se rigen por su reglamentación especial. Cabe añadir que, con arreglo al Reglamento de Circulación Aérea Operativa (aprobado por Real Decreto 1489/1994, de 1 de julio), en las disposiciones relativas a planes de vuelo y mensajes ATS, el término Aeródromo incluye también a emplazamientos que pueden ser utilizados por helicópteros o globos[17].

Otra clasificación de interés es la que distingue entre una "base aérea" y un "aeródromo militar". Conforme a lo dispuesto en el artículo 9 de las Reales Ordenanzas del Ejército del Aire (aprobadas por Real Decreto

---

pitanes o patrones de buques para facilitar la entrada y salida de los puertos militares y las maniobras náuticas dentro de ellos y de los límites geográficos de la zona de practicaje. Es obligatoria la utilización de ese servicio para la entrada y salida de los puertos militares de todos los buques con desplazamiento o arqueo superior respectivamente a 500 toneladas o 500 GT, así como para las maniobras que estos buques precisen para efectuar dentro del puerto militar, a excepción de las espiadas que no exijan el desatraque del buque o la utilización de remolcadores.

Las autoridades navales de los puertos militares pueden establecer excepciones a la obligatoriedad del servicio de practicaje militar en los siguientes casos: *i)* buques cuya base permanente sea el puerto militar en el que se entra, del que se sale o en el que se maniobra; *ii)* fondeo y leva, así como amarre y largado de una boya, en las zonas de espera; *iii)* aquellos otros en que la autoridad naval del puerto ocasionalmente los autorice.

[17] A ese respecto, tienen la consideración de Aeródromos Militares algunos helipuertos como los de El Copero (Sevilla), Bétera (Valencia) o Colmenar Viejo (Madrid).

494/1984, de 22 de febrero), la "base aérea" cumple una doble finalidad: por una parte, permite el despliegue, la instrucción, el adiestramiento y la realización de las acciones aéreas de las Unidades; y por otra, el abastecimiento y mantenimiento de las mismas y la satisfacción de las necesidades de vida de su personal. En cambio, el "aeródromo militar" cumple también esa doble finalidad, pero con carácter restringido en lo que respecta a la capacidad operativa y al mantenimiento del material de las Unidades de las Fuerzas Aéreas[18].

Otro par de conceptos aeroportuarios que también merece ser destacado, es el que distingue las "infraestructuras militares abiertas al tráfico civil", y las "infraestructuras de utilización conjunta". El rasgo que caracteriza a las "infraestructuras militares abiertas al tráfico civil" es que el mando es únicamente militar[19]. Sin perjuicio de ello, "Aeropuertos Españoles y Navegación Aérea" (AENA) designa un delegado y sufraga una parte del coste del mantenimiento de la infraestructura, en función de los servicios recibidos, y de los pesos porcentuales de las aeronaves civiles y militares.

En las "infraestructuras de utilización conjunta", el Jefe de la Base Aérea o Aeródromo Militar, y el Director del Aeropuerto, ejercen ambos el mando o dirección de sus respectivas zonas militares o civiles[20]. Sin perjuicio de ello, cuando así lo acuerde el Gobierno por necesidades de la defensa nacional en situaciones de crisis o guerra, el Jefe de la Base Aérea o Aeródromo Militar lo será de todo el conjunto, y todas las operaciones de las aeronaves se desarrollarán bajo su autoridad. En línea general de principio, la conservación y mantenimiento de las pistas e instalaciones de uso común corresponde a AENA. Ahora bien, cuando las pistas o instalaciones queden afectas al Ministerio de Defensa, éste sólo sufragará una parte del coste del mantenimiento de la infraestructura, en función de los servicios recibidos, y de los pesos porcentuales de las aeronaves civiles y militares.

---

[18]   Según resulta de la Orden 278/1999, de 3 de diciembre, entre otras, son "Bases Aéreas" las de Getafe y Cuatro Vientos (en Madrid ambas), y "Aeródromos Militares" los de Lanzarote y León, o el de Pollensa (en Mallorca).

[19]   Materia regulada por el Real Decreto 1167/1995, de 7 de julio. Las de Talavera la Real (Badajoz), Reus, Matacán (Salamanca), San Javier (Murcia) y Villanubla (Valladolid), son infraestructuras militares abiertas al tráfico civil.

[20]   Entre otras, son infraestructuras de utilización conjunta las de Zaragoza, Málaga o el de Tenerife-Norte (Los Rodeos).

D) Espacios Naturales Protegidos

Los bienes inmuebles militares también pueden tener la consideración de "Espacios Naturales Protegidos", como por ejemplo sucede como el archipiélago de Cabrera en las Islas Baleares, o la Sierra del Retín en la provincia de Cádiz.

Originariamente de propiedad privada hasta el año 1916, el archipiélago de Cabrera es un bien de dominio público declarado Parque Nacional mediante Ley 14/1991, de 29 de abril. En su preámbulo esa norma pone de manifiesto que *"se trata hoy en día de la mayor extensión insular del Mediterráneo que permanece sin urbanizar, constituye el área natural mejor conservada de las Baleares, ya que su afección a la Defensa la ha sustraído íntegramente al uso turístico y es, asimismo, el mayor de los pequeños archipiélagos españoles, tanto por su extensión geográfica como por el número de islas e islotes que lo forman"*.

Se trata de un "Parque Nacional Marítimo-Terrestre", declaración como espacio natural protegido que es simultáneamente compatible con su calificación jurídica como bien de dominio público afecto a la defensa nacional; de ahí que el Tribunal Supremo haya rechazado la reversión instada por quienes en su día fueron expropiados[21], pues un bien de dominio público puede estar simultáneamente afecto a la defensa nacional y a la preservación ambiental, siempre que las afectaciones concurrentes sean compatibles, según precisa el artículo 67 de la LPAP 33/2003.

Como precisa el artículo 1.3 de la Ley 14/1991, *"las actuaciones de adiestramiento que se deriven de dicha afectación tendrán lugar en las modalidades y con las limitaciones que se establezcan en el Plan Especial que a estos efectos se redacte, una vez elaborado el Plan Rector de Uso y Gestión del Parque Nacional"*. La gestión del Parque correspondía a lo que en su día fue el ICONA (Instituto de Conservación de la Naturaleza), cuyas funciones corresponden en la actualidad a una Dirección General del Ministerio de Agricultura, Alimentación y Medio Ambiente; ese órgano ministerial designa al Director del Parque; sin perjuicio de ello, el Ministro de Defensa nombra a un Director Adjunto.

La Orden del Ministerio de la Presidencia de 21 de enero de 2000 establece un régimen de colaboración entre el Ministerio competente en materia de medio ambiente, y el Ministerio de Defensa, respecto a la conservación, restauración y mejora del medio ambiente y los recursos naturales.

---

[21]   Sentencia del Tribunal Supremo de 24 de mayo de 2004 [recurso de casación 7691/1999; ponente Ramón Trillo Torres (*Tol 443620*)].

También hay que mencionar la Directiva 107/1997, de 2 de junio (sobre protección del medio ambiente en el ámbito del Ministerio de Defensa), desarrollada por la Instrucción 30/1998, de 3 de febrero. Como tantas normas de este sector de la Administración militar, se plantea el problema jurídico de su eficacia vinculate general para terceras personas ajenas a la Administración, al no estar publicada la Instrucción en el Boletín Oficial del Estado, sino únicamente en el Boletín Interno del Departamento.

Los espacios naturales protegidos en los que el Ministerio de Defensa tiene competencias son un caso interesante para comprobar los límites de la discrecionalidad administrativa. Hay inmuebles que durante una época han sido utilizados para satisfacer las necesidades de la defensa nacional (por ejemplo, como campo de prácticas de tiro del Ejército del Aire), y casi sin solución de continuidad, a renglón seguido han pasado a ser valorados como espacios naturales protegidos (como sucede con las Islas Columbretes en la Provincia de Castellón)[22]. En esas circunstancias se plantea toda la problemática de la interdicción de la arbitrariedad de los poderes públicos y del control de la discrecionalidad administrativa (en particular, la valoración de los hechos y circunstancias fácticas determinantes del ejercicio de potestades discrecionales). El caso es similar al de Cabañeros, inmueble destinado por la Administración del Estado a campo de tiro de la aviación militar, y poco después declarado por la Junta de Castilla-La Mancha como Parque Natural, que es la calificación que hoy en día merece (Ley 33/1995, de 20 de noviembre). Como señala Tomás-Ramón FERNÁNDEZ[23]:

> *"Lo único que realmente no se entiende de esta singularísima peripecia de Cabañeros es que, supuestos estos datos, que, desde luego, ignoraba el español medio, pero que la poderosa y omnipresente Administración del Estado estaba obligada a conocer, el Ministerio de Defensa eligiera un día este «privilegiado paraje» para dedicarlo a campo de tiro de la aviación militar, es decir, al peor de los destinos imaginables para territorio alguno, supuesto el carácter directa y necesariamente destructivo inherente al uso que tal destino comporta y que lo hace únicamente aceptable para zonas de un valor cero o próximo a cero (...).*
>
> *En el caso de Cabañeros la discrecionalidad de la que gozaba la Administración militar para elegir la ubicación del campo de tiro de la aviación militar era máxima, dada la absoluta ausencia en la Ley de 12 de marzo de 1975 y en su Reglamento de 10 de febrero de 1978 de toda clase de criterios para el establecimiento de las*

---

[22]   Por Ley 30/1987, de 18 de diciembre, se establece la ordenación de las competencias del Estado para la protección del Archipiélago de las Islas Columbretes.

[23]   Tomás-Ramón FERNÁNDEZ, *Grandeza y miseria del Derecho Ambiental*, trabajo publicado en la obra colectiva coordinada por Francisco Sosa Wagner, *El Derecho Administrativo en el umbral del siglo XXI. Homenaje al profesor Dr. D. Ramón Martín Mateo*, Editorial Tirant lo Blanch, Valencia 2000, tomo III, pp. 3432 y 3433.

instalaciones militares. No faltaban razones tampoco en que apoyar la elección de Cabañeros, supuesto que es una zona deshabitada, carente de cultivos y aproximadamente equidistante de las tres bases aéreas principales con las que cuenta la aviación militar (Rota, Albacete y Zaragoza). Hoy sabemos, en cambio, que aquella decisión primera de establecer en Cabañeros un campo de tiro era rigurosamente irracional.

Pues bien, el problema en este y otros casos es contar con un «test» de racionalidad adecuado que permita saberlo antes, es decir, que sea capaz de evitar la catástrofe (que lo hubiera sido, sin duda, la destrucción de Cabañeros, de su flora y de su fauna, hoy protegidas por la declaración de Parque Natural), que sirva, en consecuencia, de guía eficaz para la propia Administración a la hora de tomar sus decisiones y que permita, en fin, a los Tribunales el control jurisdiccional de éstas sobre bases seguras y estrictamente jurídicas, control que, obviamente, no puede consistir en la pura repetición del ejercicio realizado previamente por la Administración, ni, por lo tanto, en la sustitución de la opinión de ésta por la suya, sino en verificar si en el ejercicio de su libertad decisoria la Administración ha observado o no los límites con los que el Derecho acota esa libertad y si, finalmente, la decisión adoptada puede considerarse racionalmente justificada".

Por tanto, factor clave de la validez en Derecho de la decisión estatal de reservar o vincular determinadas zonas o espacios geográficos a las funciones propias de la defensa nacional, es la adecuada y suficiente motivación de las razones que justifican ese tipo de vinculaciones, en atención a las particulares circunstancias de hecho concurrentes en cada caso.

3. Bienes muebles

En el ámbito castrense es muy variado el inventario de cosas o bienes muebles: desde el vestuario y los uniformes militares, a los vehículos o el armamento, sin olvidar las acciones del capital de las sociedades mercantiles vinculadas a la fabricación de material para la defensa nacional.

El régimen general de tenencia y uso de armas, está actualmente dispuesto en la Ley Orgánica 1/1992, de 21 de febrero (de protección de la seguridad ciudadana), y en el Reglamento de Armas (aprobado por Real Decreto 137/1993, de 29 de enero). Ahora bien, esa disposición reglamentaria se modula en el ámbito de las fuerzas armadas por la Orden 81/1993, de 29 de julio[24], donde se regula el régimen de otorgamiento de licencias, autorizaciones y guías, las normas a seguir sobre comunicación de armas

---

[24]   Boletín Oficial del Ministerio de Defensa número 154, de 9 de agosto de 1993. Parcialmente modificada por la Orden 279/2001, de 27 de diciembre (BO M°D número 9, de 14 de enero de 2002).

desaparecidas, los cambios de titularidad de armas, o la entrega y recogida de armas de propiedad particular del personal militar fallecido.

Los vehículos y el armamento militar suscitan problemas relacionados con la normalización, homologación y catalogación de productos industriales, cuyo estudio nos aleja de las materias que aquí deben ser analizadas. Tampoco resulta indicado describir aquí las especialidades en materia de los permisos de conducción de los vehículos de las fuerzas armadas y de la guardia civil (dispuestas en el Real Decreto 1257/1999, de 16 de julio). En cuanto a la circulación de convoyes y columnas militares, transportes especiales de material militar en vehículos pertenecientes al Ministerio de Defensa o al servicio de los cuarteles generales militares internacionales de la OTAN, hay que estar a las reglas especiales contenidas en la sección 2ª del Anexo III del Reglamento General de Circulación (aprobado por Real Decreto 1428/2003, de 21 de noviembre).

También hay una normativa especial o sectorial sobre el régimen de importación o exportación, tanto de material para la defensa nacional, como de productos de doble uso (militar y civil); en esa materia de comercio internacional hay que estar a lo dispuesto en el la Ley 53/2007, de 28 de diciembre, y su reglamento aprobado por Real Decreto 2061/2008, de 12 de diciembre.

Por otro lado, y en una concepción amplia de los bienes muebles militares tienen cabida no sólo los vehículos y el armamento, sino también el llamado patrimonio empresarial, en especial las acciones que en sociedades mercantiles tiene la SEPI ("Sociedad Estatal de Participaciones Industriales"), que en los últimos años se ha ido desmantelando mediante privatizaciones, en ocasiones impuestas por la política de competencia y la prohibición de ayudas de Estado que resulta del Tratado de Funcionamiento de la Unión Europea.

La fabricación de vehículos mecanizados y blindados se desarrollaba por la "Empresa Nacional Santa Bárbara de Industrias Militares" (actualmente denominada "Santa Bárbara Sistemas"), es una compañía que fue privatizada y la totalidad de sus acciones fueron enajenadas en el año 2001 por la SEPI, mediante venta directa a "General Dynamics Corporation". También tiene interés aludir a la participación accionarial en la compañía de nacionalidad holandesa EADS ("European Aeronautic Defence and Space Company N. V."), nacida de la fusión de "Construcciones Aeronáuticas, S.A." (CASA), "Aerospatiale Matra" y "Daimler Chrysler Aerospace".

Un caso especial es el de "Izar Construcciones Navales, S.A.", creada en el año 2000, al fusionarse los astilleros militares (de la "Empresa Nacional

Bazán de Construcciones Navales Militares, S.A.") con los astilleros civiles (de "Astilleros Españoles, S.A."). Ocurre que en el ámbito de la Unión Europea, por la Comisión se consideró que bajo la forma de créditos fiscales "Izar" recibía ayudas de Estado contrarias al entonces vigente Tratado de la Comunidad, por un importe de 18.451 millones de pesetas. Sucede además, que el Reino de España no cumplió la Decisión 2000/131, de 26 de octubre de 1999 (por la que la Comisión ordenaba la devolución de esas ayudas), y de ahí que se condenara al Reino de España por la Sentencia del Tribunal de Justicia de las Comunidades Europeas de 26 de junio de 2003[25]. Al ser condenada la Administración del Estado a recuperar las ayudas otorgadas a esa mercantil de titularidad pública, en el año 2005 la SEPI optó por liquidar "Izar Construcciones Navales, S.A.", previa segregación de la rama militar de "Izar", que sigue existiendo, en la actualidad bajo la denominación de "Navantia", que tiene astilleros en Cádiz, Cartagena, Fene, Ferrol, Puerto Real y San Fernando.

4. Bienes semovientes

Junto a los bienes muebles e inmuebles destinados a la defensa nacional no cabe olvidar a los semovientes, de gran importancia para el transporte o las telecomunicaciones; también cabe destacar que en ocasiones los animales tienen una función simbólica y emocional, como ocurre con el macho cabrío o el mono en la legión.

El caballo fue históricamente el medio de transporte terrestre de los mandos militares. Por ello tiene algún interés recordar aquí a los animales adscritos a un Organismo Autónomo que recibe el nombre de "Fondo de Explotación de los Servicios de Cría Caballar y Remonta" (conocido como el OACC). El Real Decreto 1664/2008, de 17 de octubre, aprueba el estatuto jurídico de ese organismo. El Real Decreto 1133/2002, de 31 de octubre, establece las condiciones zootécnicas y genealógicas de los équidos de

---

[25] Sentencia del Tribunal de Justicia de las Comunidades Europeas de 26 de junio de 2003 (asunto C-404/2000): *"54. El Gobierno español se limitó a afirmar que las autoridades nacionales no habían dispuesto de tiempo necesario para evaluar las repercusiones sociales de la recuperación de la ayuda declarada ilegal, alegando que podría causarse un perjuicio irreparable a los astilleros de titularidad pública, así como a sus trabajadores y que la reciente reestructuración de la Administración del Estado hace necesaria una prórroga del plazo señalado para comunicar las medidas adoptadas para la ejecución de la Decisión 200/131.*
55. A este respecto, según reiterada jurisprudencia, el temor de que puedan surgir dificultades internas no puede justificar que un Estado miembro incumpla las obligaciones que le incumben en virtud del Derecho comunitario".

pura raza y équidos registrados, el régimen jurídico referente a la gestión de los libros genealógicos, procedimientos y criterios de inscripción del ganado equino en los libros de carácter nacional e internacional, y de selección de reproductores.

Por otro lado, hasta hace poco tenía todavía algún sentido mencionar a las palomas mensajeras. Las palomas mensajeras han sido otro ejemplo de bienes militares semovientes (reguladas durante un tiempo por el ya derogado Real Decreto 2571/1983, de 27 de septiembre). Establecía el artículo 3 de ese Reglamento, que la utilización de palomas mensajeras se consideraba de utilidad pública y de interés especial para la defensa nacional. El artículo 23 establecía que las Fuerzas Armadas dispondrán de sus propios palomares militares. Precisaba el artículo 24, que las palomas militares se distinguirán por las letras "FAS", grabadas en sus respectivas anillas. Durante la vigencia de ese reglamento, correspondía al Ministerio de Defensa la autorización de la tenencia y empleo de palomas mensajeras, así como la organización y protección de su uso cuando se relaciona con la defensa nacional. Entre otras actividades, correspondía al Ministerio el fomento de la cría y educación de palomas mensajeras con objeto de disponer de los elementos necesarios para su empleo en tiempos de guerra, estados de alarma, excepción y sitio, así como en situaciones de emergencia, catástrofes, salvamento y otras similares.

Ahora bien, como afirma el preámbulo del Real Decreto 164/2010, de 19 de febrero, *"en la actualidad, las nuevas tecnologías de los sistemas de telecomunicaciones e información cubren eficazmente todas las necesidades de enlace de la Defensa Nacional, lo que ha originado que la posible utilización de las palomas mensajeras como medio de transmisión haya dejado de tener interés para la Defensa Nacional"*.

III. LA TITULARIDAD DE LOS BIENES MILITARES Y LAS COMPETENCIAS AUTONÓMICAS Y LOCALES

Una vez descrita la variada tipología de los bienes militares, en una organización territorial compleja como la establecida por nuestra Constitución, interesa analizar qué competencias corresponden a la Administración del Estado, y cuáles otras a las Comunidades Autónomas o a los Ayuntamientos. Sobre una porción del territorio, pueden concurrir o superponerse competencias de distintas Administraciones Públicas.

La experiencia práctica demuestra que, so pretexto del ejercicio de competencias en materia de urbanismo y medio ambiente, las Comunidades Autónomas y los Ayuntamientos han pretendido condicionar las competencias estatales en materia de defensa nacional. Las Bárdenas Reales[26], el Parque Natural de Anchuras[27], el Espacio Natural de El Garraf[28], el Parque Natural de la Bahía de Cádiz[29], el Parque Natural del Estrecho de Gibraltar[30], o el Parque de Doñana[31], son algunos de los espacios en los que se ha desarrollado esa conflictividad competencial.

Así por ejemplo, en la provincia de Gerona están las Islas Medas, que como las demás de titularidad pública forman parte del dominio público estatal, pero que además están sujetas a las potestades que ejerce la Generalidad de Cataluña en materia de espacios marinos protegidos. En ese escenario de concurrencia de competencias, cabe preguntarse qué ocurre cuando un submarinista de la guardia civil hace explotar una mina que estaba abandonada desde la guerra civil, y como consecuencia de ello produce daños en la fauna y la flora marina que gestiona y conserva la Comunidad Autónoma; ¿tiene legitimación la Generalidad para presentar una reclamación de indemnización de daños y perjuicios?; ¿quién es titular de los bienes dañados?; ¿quién es titular de las competencias ambientales?[32]

Para responder esos interrogantes no está de más dejar aquí reflejo (aunque sea breve y sucinto), de la clásica polémica doctrinal que en el

---

[26]   Sentencia del Tribunal Constitucional 82/2012, de 18 de abril.

[27]   Auto del Tribunal Constitucional 428/1989, de 21 de julio de 1989 (*Tol 238664*), y Sentencia del Tribunal Supremo de 2 de marzo de 1994 [recurso 722/1993; ponente Antonio Martí García (*Tol 1707468*)].

[28]   Sentencia del Tribunal Supremo de 25 de octubre de 2007 [recurso de casación 9657/2003; ponente Rafael Fernández Valverde (*Tol 1221033*)].

[29]   Sentencia del Tribunal Supremo de 23 de marzo de 2012 [recurso de casación 6099/2008; ponente Mariano de Oro-Pulido López (*Tol 2495249*)].

[30]   Sentencia del Tribunal Supremo de 29 de junio de 2012 [recurso de casación 1819/2009; ponente Mariano de Oro-Pulido López (*Tol 2585803*)].

[31]   Sentencia del Tribunal Supremo de 9 de marzo de 2004 [recurso de casación 2833/2001; ponente Segundo Menéndez Pérez (*Tol 615332*)].

[32]   Dictamen del Consejo de Estado de 7 de febrero de 1991 (expediente número 55.672): *"...la atribución de potestades administrativas sobre una materia corresponde a una situación jurídica distinta y que no se vincula necesariamente a la titularidad de los bienes sobre los que tiene lugar el desarrollo de una actividad material. Sin perjuicio de que la Generalidad pueda tener competencias en materia de protección del medio ambiente... no por ello deviene titular del derecho de dominio del marco físico en el que desarrolla esas potestades... cabe concluir que si bien la Generalidad puede tener competencias que recaen sobre las Islas Medas, la titularidad dominical de los bienes que se consideran dañados —según la pretensión deducida— corresponde al Estado, por lo que sólo éste pudiera tener la condición jurídica de lesionado".*

siglo XIX enfrentó a quienes afirmaban que el dominio público es una manifestación del derecho de propiedad (tesis sostenida por HAURIOU), y quienes argumentaban que el efecto de la calificación de un bien como de dominio público es la atribución a la Administración Pública de potestades unilaterales y exorbitantes, que no siempre coinciden con el haz de facultades de que disfruta el propietario de una cosa (tesis defendida por PROUDHON)[33].

En España el criterio académico casi uniforme hasta la década de 1970, fue la concepción del dominio público como propiedad administrativa, pero a partir de algún trabajo de José Luis VILLAR PALASÍ, se fue abriendo camino la concepción del dominio público como un título de atribución de potestades administrativas, tesis que el Tribunal Constitucional ha hecho suya[34]. Esa distinción entre la titularidad "del dominio" y la titularidad "de las competencias" burocráticas sobre un espacio territorial, se hace más tangible y cobra nuevo sentido, en el contexto de una organización territorial compleja en la que cada Administración Pública tiene potestades exorbitantes que en ocasiones se ejercen sobre bienes, que son del dominio de otra Administración[35].

---

[33] Sobre todas estas cuestiones ver el libro de Julio V. GONZÁLEZ GARCÍA, *La titularidad de los bienes de dominio público*, Marcial Pons Ediciones Jurídicas y Sociales, Madrid 1998, en especial pp. 47 y ss.

[34] En ese sentido, la Sentencia del Tribunal Constitucional 227/1988, declara lo siguiente: *"En efecto, la incorporación de un bien al dominio público supone no tanto una forma específica de apropiación por parte de los poderes públicos, sino una técnica dirigida primordialmente a excluir el bien afectado del tráfico jurídico privado, protegiéndolo de esta exclusión mediante una serie de reglas exorbitantes de las que son comunes en dicho tráfico "iure privato". El bien de dominio público es así ante todo "res extracommercium", y su afectación, que tiene esa eficacia esencial, puede perseguir distintos fines: típicamente, asegurar el uso público y su distribución pública mediante concesión de los aprovechamientos privativos, permitir la prestación de un servicio público, fomentar la riqueza nacional (art. 339 del Código Civil)...".*

[35] Como declara la Sentencia del Tribunal Constitucional 149/1991, de 4 de julio (FJ 4): *"En un Estado unitario, en efecto, la titularidad demanial es título suficiente para que la Ley habilite a la Administración una intervención plena en cualquier aspecto relativo al uso y destino del correspondiente bien, regulando, mediante concesiones, autorizaciones y reglamentaciones, las actividades públicas y privadas que se realizan utilizando porciones del dominio público (...) Una vez instaurado el Estado de las autonomías, sin embargo, la potencialidad expansiva del dominio público como título de intervención administrativa se ve drásticamente limitada por el orden constitucional de competencias, y así como una Comunidad Autónoma no puede enajenar un bien inmueble de su exclusiva propiedad sin atenerse a las reglas estatales cuya observancia impone el art. 149.1.18 CE (STC 85/1984), las leyes estatales no pueden otorgar a la Administración del Estado atribuciones sobre las actividades que se desenvuelven en el demanio natural sin respetar los ámbitos materiales que los Estatutos de Autonomía reservan a sus respectivas Administraciones (STC 103/1989, fundamento jurídico 4°).*

Mientras que la propiedad es un derecho tendencialmente exclusivo y excluyente, no sucede lo mismo con las competencias administrativas cuando se trata de un Estado territorialmente complejo, en el que es habitual y frecuente que se produzca una concurrencia de competencias de distintas Administraciones Públicas sobre una misma zona geográfica. El dominio público no es un título jurídico que atribuya competencias; que un bien sea de titularidad estatal y esté gestionado por el Ministerio de Defensa, no significa que la Administración del Estado acapare en exclusiva todas las competencias que se pueden ejercer sobre esa porción del territorio.

Efectivamente, que un bien inmueble sea de dominio público estatal, no significa que sobre ese terreno sólo ostente competencias la Administración General del Estado. Las Comunidades Autónomas y las Entidades Locales también pueden ser titulares de algunas potestades administrativas sobre bienes de dominio público estatal. En ese tipo de escenarios se puede producir una disociación de la titularidad del bien (que corresponde a una Administración Pública) y la titularidad de potestades sobre el bien (que puede estar atribuida a otra Administración Pública distinta). Puede tratarse de potestades normativas de ordenación del uso y aprovechamiento de los bienes demaniales, potestades orientadas a la protección ambiental, o potestades de ordenación de los servicios que se prestan utilizando una infraestructura cuya titularidad corresponde a otra Administración distinta. Por ejemplo, los puertos de interés general como los de Valencia y Barcelona, son de titularidad estatal, pero sobre ellos los Ayuntamientos tienen algunas competencias urbanísticas, pues participan en el planeamiento de esa porción de su término municipal, y otorgan o deniegan licencias[36].

La propiedad pública de un bien es, en efecto, separable del ejercicio de aquellas competencias públicas que lo tienen como soporte natural o físico; ni las normas que distribuyen competencias entre las Comunidades Autónomas y el Estado sobre bienes del dominio público prejuzgan necesariamente que la titularidad de los mismos corresponda a éste o a aquéllas, ni la titularidad estatal del dominio público constitucionalmente establecida predetermina las competencias que sobre él tienen atribuidas el Estado y las Comunidades Autónomas (STC 227/1988, fundamentos jurídicos 14.5 y 15.1). En esta Sentencia y para corroborar esta disociación entre la titularidad de un bien de dominio público y las competencias legislativas o de otro orden que atañen a su utilización, nos apoyamos precisamente en el dato de que distintas Comunidades Autónomas han asumido competencias sobre la ordenación del litoral, aunque la Constitución considera inequívocamente dominio público estatal a la zona marítimo-terrestre y las playas y mencionamos también la atribución a diversas Comunidades de competencias sobre salvamento marítimo y vertidos en aguas territoriales del Estado, así como sobre medios de transporte que discurren sobre infraestructuras de titularidad estatal".

[36] Así se infiere de la Sentencia del Tribunal Constitucional 77/1984, de 3 de julio (FJ 2): *"La atribución de una competencia sobre un ámbito físico determinado no impide necesariamente*

Por otro lado, la simple titularidad estatal de competencias administrativas sobre un determinado bien, no comporta la titularidad de un derecho real, por no existir un dominio directo e inmediato sobre la cosa inmueble. El dueño de una cosa puede pedir una indemnización de daños y perjuicios causados en su propiedad, pero por ejemplo, la Administración que sólo tiene competencias de protección ambiental de la flora y la fauna (como ocurre en el caso de la mina de guerra antes descrito), no tiene legitimación activa para reclamar el resarcimiento de daños y perjuicios sufridos por los bienes en los que ejerce sus potestades (cuando mueren especies animales que son objeto de protección, pero que no son de propiedad de la Administración con competencias ambientales)[37].

---

que se ejerzan otras competencias en ese espacio como ya ha declarado este Tribunal (STC número 113/1983 FJ. 1°). Esa concurrencia es posible cuando recayendo sobre el mismo espacio físico las competencias concurrentes tienen distinto objeto jurídico. Así, en el presente caso, la competencia exclusiva del Estado sobre puertos de interés general tiene por objeto la propia realidad del puerto y la actividad relativa al mismo, pero no cualquier tipo de actividad que afecte al espacio físico que abarca un puerto. La competencia de ordenación del territorio y urbanismo (sin que interese ahora analizar la relación entre ambos conceptos) tiene por objeto la actividad consistente en la delimitación de los diversos usos a que pueda destinarse el suelo o espacio físico territorial.

No cabe excluir, por tanto, que en un caso concreto, puedan concurrir en el espacio físico de un puerto de interés general, en este caso el de Bilbao, el ejercicio de la competencia del Estado en materia de puertos y de la Comunidad Autónoma en materia urbanística. Pero esta concurrencia sólo será posible cuando el ejercicio de la competencia de la Comunidad Autónoma no se interfiera en el ejercicio de la competencia estatal ni lo perturbe".

[37]   No basta la titularidad de una competencia administrativa para ejercer la acción de resarcimiento de daños (dictamen del Consejo de Estado de 7 de febrero de 1991), sino que es necesario ostentar la titularidad de un bien o derecho patrimonial. El Dictamen del Consejo de Estado de 7 de febrero de 1991 (expediente número 55.672), se refiere a la reclamación presentada por la Generalidad de Cataluña, en la que pide a la Administración General del Estado una indemnización por los daños sufridos por la fauna piscícola de las Islas Medas como consecuencia de una intervención de las Fuerzas de Seguridad del Estado.

Un submarinista deportivo descubrió en el lecho marino adyacente a las Islas Medas una mina abandonada, y después de retirarla en la medida de lo posible, un equipo especializado de submarinistas dependiente de la Administración General del Estado procedió a su explosión controlada.

La Generalidad de Cataluña justifica su legitimación para reclamar el resarcimiento de los daños en las potestades que ostenta sobre el fondo marino de las Islas Medas.

Sobre esos antecedentes, el Consejo de Estado expresa las siguientes consideraciones:

"... los daños indemnizables son los causados en bienes o derechos, por lo que, para que procediera considerar la presente reclamación, sería preciso que se hubieran dañado bienes o derechos de la Generalidad de Cataluña (...) la atribución de potestades administrativas sobre una materia corresponde a una situación jurídica distinta y que no se vincula necesariamente a la titularidad de los bienes sobre los que tiene lugar el desarrollo de una actividad material. Sin perjuicio de que la Generalidad pueda tener competencias en materia del protección del medio ambiente, ordenación

Por razón de la finalidad a la que se destinan los bienes militares, una de sus peculiaridades es que las competencias administrativas sobre ellos se concentran en la Administración del Estado, produciéndose un desplazamiento general de las competencias autonómicas y locales. Conforme a lo dispuesto en el artículo 149.1.4ª de la Constitución, el Estado tiene competencia exclusiva en materia de defensa nacional y fuerzas armadas. La singular y delicada trascendencia que para la recta satisfacción de los intereses generales, tienen las necesidades de la defensa nacional, se impone sobre cualquier otro interés público que entre en conflicto con los fines a los que están afectos los bienes militares.

Ahora bien, ello no significa que esos bienes militares queden totalmente fuera de la órbita de las competencias autonómicas y locales; la vinculación con la defensa nacional no determina el acantonamiento jurídico del estatuto de un bien. El punto de partida es que las normas autonómicas o locales en materia urbanística o ambiental que tienen un contenido imperativo, también son vinculantes para la Administración estatal competente en materia de defensa nacional.

En ese sentido, por ejemplo, las determinaciones de los planes urbanísticos también obligan a la Administración estatal cuando ordenan el uso del suelo, y por tanto condicionan futuros desarrollos urbanísticos que para satisfacer las necesidades de la defensa quieran promoverse en bienes militares. Dicho ello, conviene añadir que también en esa materia hay alguna especialidad, pues para realizar construcciones destinadas a la defensa nacional no es estrictamente necesario un proyecto elaborado por un arquitecto (puede bastar el formulado por un ingeniero militar)[38], y además en ese caso cabe entender que tampoco es necesario visar el proyecto técnico en el colegio profesional.

---

del sector pesquero, ordenación territorial del litoral y de las zonas costeras, así como en relación a los vertidos al mar... no por ello deviene titular del derecho de dominio del marco físico en el que se desarrollan esas potestades (...) A la vista de los preceptos transcritos, cabe concluir que si bien la Generalidad puede tener competencias que recaen sobre las Islas Medas, la titularidad dominical de los bienes que se consideran dañados —según la pretensión deducida— corresponde al Estado, por lo que sólo éste pudiera tener la condición jurídica de lesionado".

[38]   A tenor de lo establecido en la disposición adicional tercera de la Ley 38/1999, de 5 de diciembre (de ordenación de la edificación): *"Los miembros de los Cuerpos de Ingenieros de los Ejércitos, cuando intervengan en la realización de edificaciones o instalaciones afectas a la Defensa, se regirán en lo que se refiere a su capacidad profesional por la Ley 17/1999, de 18 de mayo, de Régimen del Personal de las Fuerzas Armadas, y disposiciones reglamentarias de desarrollo".* En la actualidad, habrá que estar a lo dispuesto en la Ley 39/2007, de 19 de noviembre (sobre la carrera militar).

Ahora bien, aunque las instalaciones estatales destinadas a la defensa nacional también están sometidas a las normas autonómicas y locales, las cosas empiezan a cambiar, cuando ya existe una instalación militar, y más tarde se aprueba el instrumento de planeamiento urbanístico o ambiental, pues en esas concretas circunstancias, hay que seguir unas pautas de cooperación interadministrativa.

Ello no obstante, en esas situaciones de concurrencia de distintas competencias sobre una misma porción de suelo o área territorial, el principio de autonomía territorial que resulta del artículo 137 CE, impone la búsqueda de fórmulas de cooperación interadministrativa, que sirvan para articular las competencias concurrentes de las distintas Administraciones territoriales sobre una misma zona geográfica[39]. Una de las técnicas de cooperación más empleadas, es que antes de adoptar una decisión o aprobar un plan urbanístico o de ordenación de los recursos naturales, la Administración competente en materia de urbanismo o medio ambiente debe

---

[39] En una materia distinta a la de la defensa nacional que aquí nos interesa, respecto a la ordenación ambiental de las instalaciones de telefonía móvil y las instalaciones de radiocomunicación, cabe destacar la argumentación desarrollada por la Sentencia del Tribunal Supremo de 22 de marzo de 2011 [recurso de casación 1845/2006; ponente Jesús Ernesto Peces Morate (*Tol 2093532*)]: *"Afirmada, de este modo, por la jurisprudencia la competencia estatal en las materias recogidas en el tan citado artículo 149.1.21 de la Constitución, ello no implica que esa competencia del Estado haya de prevalecer necesaria e incondicionalmente sobre las demás competencias sectoriales autonómicas y locales que inciden en esta materia, básicamente las urbanísticas y ambientales, hasta dejarlas, en la práctica, inoperativas.*
En este y en otros casos, en que el marco competencial diseñado por la Constitución determina la coexistencia de títulos competenciales con incidencia sobre un mismo espacio físico, se hace imprescindible desarrollar técnicas de coordinación, colaboración y cooperación interadministrativas, si bien, cuando los cauces de composición voluntaria se revelan insuficientes, la resolución del conflicto sólo podrá alcanzarse a costa de dar preferencia al titular de la competencia prevalente, que desplazará a los demás títulos competenciales en concurrencia.
Es claro que las competencias autonómicas y locales en materia de ordenación del territorio, ambiente o sanidad no pueden terminar desvirtuando las competencias que la propia Constitución reserva al Estado en el repetido artículo 149.1.21, aunque el uso que éste haga de ellas condicione necesariamente la ordenación del territorio, ya que el Estado no puede verse privado del ejercicio de esa competencias exclusiva por la existencia de las otras competencias, aunque sean también exclusivas, de las Comunidades autónomas y los entes locales, pues ello equivaldría a la negación de la misma competencia que le atribuye la Constitución.
No se puede olvidar que cuando la Constitución atribuye al Estado una competencia exclusiva como la ahora enjuiciada, lo hace bajo la consideración de que la atribución competencial a favor del Estado presupone la concurrencia de un interés general superior al de las competencias autonómicas, aunque, para que el condicionamiento legítimo de las competencias autonómicas no se transforme en usurpación ilegítima, resulta indispensable que el ejercicio de esas competencias estatales se mantenga dentro de sus límites propios, sin utilizarla para proceder, bajo su cobertura, a una regulación general del entero régimen jurídico de la ordenación del territorio".

solicitar un informe a la Administración estatal competente en materia de defensa nacional; la normativa autonómica también puede imponer a las actividades estatales, la obligación de solicitar un informe preceptivo, pero en ese específico caso tiene que ser no vinculante[40], pues en esa materia la Comunidad Autónoma no puede atar o vincular a la Administración estatal competente en materia de defensa nacional.

Ahora bien, si a través de las fórmulas de cooperación interadministrativa, al final no se logra una solución práctica, que a juicio de la Administración estatal sea satisfactoria para los intereses generales en materia de defensa nacional, éstos gozan de primacía sobre los intereses colectivos en materia urbanística o ambiental. En el conflicto entre la Administración estatal y la Comunidad Foral de Navarra sobre un posible espacio natural en las Bárdenas Reales (lugar donde ya hay un campo de prácticas militares), la Sentencia del Tribunal Constitucional 82/2012, de 18 de abril (FJ 4), afirma que *"ninguna duda cabe de que, atendiendo a las circunstancias del caso, es la competencia estatal en materia de defensa nacional la que ha de ser considerada*

---

[40] En esa búsqueda de la articulación de las competencias concurrentes, una Comunidad Autónoma puede imponer al Estado la obligación de realizarle consultas o solicitarle preceptivamente un informe, pero la normativa de la Comunidad Autónoma no puede atribuir eficacia vinculante al informe autonómico; así resulta de lo afirmado en la Sentencia del Tribunal Constitucional 46/2007, de 1 de marzo (FJ 10): *"Como ha declarado reiteradamente este Tribunal (por todas, STC 149/1998, de 2 de julio, F. 4) la competencia exclusiva de las Comunidades Autónomas para la ordenación del territorio no puede llevar a desconocer las competencias del Estado con directa e inmediata proyección en el espacio físico siempre que el ejercicio de esas competencias se mantenga dentro de los límites propios. La consecuencia, en el supuesto de que exista contradicción entre la planificación territorial autonómica y las decisiones adoptadas por el Estado en el ejercicio de esas competencias, y ensayados sin éxito los mecanismos de colaboración y cooperación, será que los instrumentos de ordenación territorial deberán tener en cuenta y aceptar las decisiones estatales.*
(...) Establecido lo anterior hay que precisar que, dada la indudable incidencia que las actuaciones sectoriales del Estado pueden tener sobre la ordenación territorial dispuesta por la Comunidad Autónoma, nada impide que ésta pueda sujetar aquéllas al preceptivo informe. Sin embargo, la norma autonómica que ahora examinamos excede del marco competencial, así como del ámbito de colaboración y cooperación interadministrativa anteriormente descrito, pues el informe de la Comunidad Autónoma se configura no sólo como preceptivo sino, además, como vinculante para el Estado, lo que supone en última instancia la imposición unilateral del criterio autonómico en un ámbito de decisión materialmente compartido por proyectarse sobre un mismo espacio físico.
Por ello, no resulta admisible, desde la perspectiva de la distribución constitucional de competencias, una regulación como la prevista en el precepto balear, puesto que la misma desconoce el carácter prevalente de las competencias estatales en los términos establecidos por este Tribunal (por todas, STC 40/1998, de 19 de febrero, FF. 30 y 40), las cuales, con las salvedades que ya se han expuesto, no pueden quedar subordinadas al parecer autonómico en cuyo territorio inciden".

prevalente, debiendo entonces la concurrente competencia de la Comunidad Foral acomodarse e integrarse con aquélla".

Con fundamento en sus competencias ambientales y so pretexto de la declaración de una zona geográfica como parque natural, una Comunidad Autónoma no puede impedir la pervivencia de un campo militar de tiro que ya está en funcionamiento desde el año 1951. Así lo afirma con total rotundidad la citada STC 82/2012 (FJ 4): *"Con arreglo a tal criterio es evidente que si la Comunidad Foral pretendiera, por la vía de la declaración del espacio en cuestión como parque natural, impedir su utilización para fines vinculados directamente con la defensa nacional, en concreto el uso como polígono de tiro del Ejército del aire, la consecuencia sería la inconstitucionalidad de dicha previsión legal por infracción del orden constitucional de competencias del Estado en esta materia, ya que, impidiendo su ejercicio, estaría privando a éste de las competencias que la Constitución le atribuye".*

Por tanto, las competencias autonómicas en materia de protección de espacios naturales deben ceder, cuando entran en un conflicto irresoluble con las competencias estatales en materia de defensa nacional. En línea general de principio, una Comunidad Autónoma no puede declarar parque natural una porción de terreno que previamente ya ha sido declarada de interés para la defensa nacional, o por lo menos no puede hacerlo con el propósito de desplazar o cerrar la instalación militar. Según declara el Tribunal Constitucional en el Auto de 21 de julio de 1989[41], *"en un supuesto*

---

[41]   Auto del Tribunal Constitucional 428/1989, de 21 de julio de 1989 (*Tol 238664*): *"Conocidos los principales datos normativos del asunto que nos ocupa, lo que se ha de dilucidar es, pues, si la Comunidad Autónoma de Castilla-La Mancha, cuya competencia para declarar una determinada zona de su territorio como parque resulta indudable, puede efectuar tal declaración respecto de una zona previamente declarada por el Gobierno del Reino como de interés para la Defensa Nacional. La respuesta a este interrogante ha de ser, a toda luces, negativa.*
     En un supuesto como éste —y a diferencia de aquellos otros en que sobre un mismo ámbito territorial, personal o material cabe que existan competencias pertenecientes a distintos Entes susceptibles de ejercitarse en régimen de no interferencia o de interferencia modulada por técnicas de coordinación y colaboración— la acción estatal impide de raíz toda posibilidad de una acción autonómica de signo contrario. Aquí, en efecto, el Gobierno, en el marco de la competencia exclusiva que sobre Defensa reconoce al Estado el art. 149.1.4 de la CE y de las facultades que le otorga la Ley 8/1975, ha decidido destinar a polígono de entrenamiento de la Fuerza Aérea una zona del territorio castellano-manchego carente de tutela singular como espacio natural protegido, y es evidente que tal decisión no podría verse contradicha por la Comunidad Autónoma concernida a través de una declaración a posteriori de esa zona como Parque, pues semejante declaración, que equivaldría a la pretensión de sustraer a la zona en cuestión al destino que le fue señalado en el ejercicio legítimo de una competencia estatal, implicaría el desconocimiento de ésta y la vulneración consiguiente del citado precepto constitucional. Es cierto que la Comunidad Autónoma de Castilla-La Mancha posee, según antes dijimos, la competencia de declarar como Parque las

*como éste y a diferencia de aquellos otros en que sobre un mismo ámbito territorial
(...) cabe que existan competencias pertenecientes a distintos Entes susceptibles de
ejercitarse en régimen de no interferencia o de interferencia modulada por técnicas
de coordinación y colaboración, la acción estatal impide de raíz toda posibilidad de
acción autonómica de signo contrario".*

En ese tipo de conflictos de competencias concurrentes sobre un mismo
espacio geográfico, como el choque que se produce entre las competencias
estatales en materia de defensa nacional, y las competencias autonómicas
o locales en materia de urbanismo y medio ambiente, la jurisprudencia
del Tribunal Supremo es coincidente con la del Tribunal Constitucional.
De forma sistemática, el Tribunal Supremo proclama la supremacía de los
intereses colectivos en materia de defensa nacional.

A título de ejemplo, tiene interés recordar aquí la Sentencia del Tribunal Supremo de 15 de abril de 1998[42], relativa al acuerdo adoptado por un
ayuntamiento mediante el que prohíbe cualquier actuación unilateral de
las fuerzas armadas en terrenos municipales, y habilita a la municipalidad
para prohibir maniobras militares u otras actuaciones castrenses. Declara
la sentencia del Tribunal Supremo, que el ayuntamiento no puede invocar
con éxito la autonomía local para prohibir actividades militares. A juicio
de la sentencia, el acuerdo municipal es un acto administrativo dictado por
un órgano manifiestamente incompetente por razón de la materia, pues
la Corporación local vulnera las competencias estatales en materia de defensa nacional (artículo 149.1.4ª CE), y la entonces vigente Ley Orgánica
6/1980, de 1 de julio (de Bases de la Defensa Nacional).

El conflicto entre las competencias estatales en materia de defensa nacional y las competencias municipales en materia de actividades molestas,
nocivas, insalubres, o peligrosas, es abordado por la Sentencia del Tribunal
Supremo de 15 de junio de 1993[43]. El Ayuntamiento de Anchuras (provin-

---

*áreas de su territorio que reúnan las características descritas en el art. 13 de la Ley 4/1989, pero
también lo es que la referida competencia no puede ejercerse de modo que quede menoscabada o
invadida la competencia del Estado para declarar una zona como de interés para la Defensa
Nacional, ya que —reiterando doctrina consolidada de este Tribunal (cfr., v.gr., STC 69/1988,
fundamento jurídico 3º)—, el Estado no ha de verse privado del ejercicio de sus competencias por
la existencia de una competencia autonómica".*

[42]   Sentencia del Tribunal Supremo de 15 de abril de 1998 (*Tol 37255*).
[43]   Sentencia del Tribunal Supremo de 15 de junio de 1993 [recurso 8212/1990; ponente
Jorge Rodríguez-Zapata Pérez (*Tol 181816*)]: *"Del examen del contenido de la Ordenanza
impugnada resulta que la misma considera expresamente como muy peligrosos los polígonos de
tiro y los campos de entrenamiento militar y similares (art. 1 y Disposición Adicional); regula un
procedimiento específico para la obtención de licencia municipal (art. 2) en el que establece requi-*

cia de Ciudad Real) dicta una ordenanza local, norma por la que califica como "peligrosas" y sometidas a control municipal, las actividades que se desarrollan en un polígono militar de tiro. Además, esa ordenanza dispone el procedimiento a seguir para obtener la licencia municipal, y permite que la corporación local, pueda suspender las actividades de esa instalación militar. Pues bien, a juicio de la citada sentencia, la ordenanza local es contraria a la Ley 8/1975, de 12 de marzo (de zonas e instalaciones de interés para la defensa nacional), que atribuye al Estado no sólo la competencia para regular las actividades que se desarrollan en el interior de las instalaciones militares, sino también las que se realizan en terrenos colindantes o próximos situados fuera de la instalación, y que funcionan como una zona de seguridad.

Otro ejemplo reciente de conflicto de competencias concurrentes sobre un mismo espacio territorial, es el relativo a la ordenación ambiental de la bahía de Cádiz y la aprobación de su Plan de Ordenación de los Recursos Naturales (PORN). La norma autonómica pretendía imponer a la Administración estatal competente en materia de defensa nacional, la obligación de realizar una comunicación previa a la Junta de Andalucía, antes de realizar cualquier maniobra de carácter militar. Pues bien, la Sentencia del Tribunal Supremo de 23 de marzo de 2012 anuló las disposiciones autonómicas, por considerar que por esa vía la Comunidad Autónoma controlaba a la Administración estatal en el desarrollo de sus actividades militares, orientadas a la satisfacción de las necesidades de la defensa nacional[44]. Según la citada sentencia, un factor clave a tener en cuenta para

---

sitos y se atribuye potestades muy amplias que alcanzan a la suspensión de la actividad (arts. 3 y 6) y se asegura la inspección en todo momento de las instalaciones por parte de los servicios municipales (art. 5). Es claro que las competencias que el Ayuntamiento pretende atribuirse en la referida Ordenanza contradicen el régimen establecido en la normativa sectorial aplicable a una zona declarada de interés para la Defensa Nacional, según resulta del art. 6 de la Ley 8/1975, de 12 marzo, y —en sus sucesivas redacciones— del Reglamento de ejecución de la citada Ley (RD 689/1978, de 10 febrero), que otorgan competencias a las autoridades militares jurisdiccionales sobre las zonas declaradas de interés para la defensa nacional claramente incompatibles con las atribuidas en la Ordenanza examinada".

[44]   Sentencia del Tribunal Supremo de 23 de marzo de 2012 [recurso de casación 6099/2008; ponente Mariano de Oro-Pulido López (*Tol 2495249*)]: *"Situados en esta perspectiva, y volviendo al examen del caso que ahora nos ocupa, coincidimos con la Sala de instancia en que el precepto impugnado en el proceso y anulado en su sentencia no supera el examen de legalidad, en la medida que a través del mismo la Junta de Andalucía impone unilateralmente al Estado la obligación de comunicar previamente a la Consejería de Medio Ambiente la realización de todo tipo de maniobras de carácter militar y ejercicios de mando, con la única excepción de las actuaciones contempladas en el propio precepto por remisión (técnicamente incorrecta, como*

la resolución de ese tipo de conflictos competenciales entre distintas Administraciones sobre una misma porción de suelo, es la preexistencia de instalaciones militares, y la posterior aprobación autonómica de normas o planes de ordenación[45].

resalta la sentencia de instancia) a la Ley Orgánica 4/1981, de 1 de junio, reguladora de los estados de alarma, de excepción y de sitio.

Resaltemos, ante todo, que el precepto no se limita a establecer un simple deber de comunicación, entendida como mero aviso o puesta en conocimiento, de la realización de ejercicios y maniobras militares, sino que trasciende de esa limitada y aparentemente neutra finalidad para convertirse en un instrumento de intervención y limitación, encuadrable en la tradicionalmente denominada actividad administrativa de policía, que se impone por la Comunidad autónoma al Estado.

(...) Así pues, la regulación autonómica controvertida, por encima de su solo aparentemente inofensiva literalidad, puede erigirse en sistema de control e intervención sobre el desarrollo de la competencia estatal en materia de Defensa nacional y Fuerzas Armadas, y lo hace además mediante una orden de comunicación que prescinde de cualquier mecanismo cooperativo y pretende imponerse unilateralmente por la Comunidad autónoma al Estado.

No nos hallamos, pues, ante un instrumento de articulación coordinada de distintos títulos competenciales, o una forma de materializar el deber de colaboración entre Administraciones impuesto por la Constitución —art. 103— y la Ley 30/1992 de Régimen Jurídico de las Administraciones Públicas —art. 4—; antes al contrario, se trata de un instrumento de intervención y fiscalización impuesto por la Comunidad Autónoma por el que esta pretende controlar el ejercicio por el estado de una de sus competencias más típicamente exclusivas".

45   Sentencia del Tribunal Supremo de 23 de marzo de 2012 [recurso de casación 6099/2008; ponente Mariano de Oro-Pulido López (*Tol 2495249*)]: *"Por último, pero no menos importante, es necesario tener en cuenta que al tiempo de aprobarse la normativa de protección autonómica aquí concernida, ya existían sobre el espacio físico los establecimientos militares que la sentencia de instancia cita (el campo de tiro del Centro de Ensayos de Torregorda y el campo de tiro de armas portátiles de Camposoto). Este dato de la preexistencia de las dependencias militares no puede dejar de ser tomado en consideración, pues, siguiendo la doctrina expresada en el auto del Tribunal Constitucional nº 428/1989, de 21 de julio (referido a la pretensión de declarar un parque natural en una zona destinada a polígono de tiro), es cierto que las Comunidades Autónomas poseen la competencia de declarar espacios protegidos desde la perspectiva medioambiental, pero también lo es que la referida competencia no puede ejercerse de modo que quede menoscabada o invadida la competencia del Estado para declarar una zona como de interés para la Defensa Nacional, ya que el Estado no ha de verse privado del ejercicio de sus competencias por la existencia de una competencia autonómica; de manera que no resulta válido aprovechar o invocar la declaración de un territorio como parque natural por la Comunidad autónoma para inhabilitar la operatividad de una zona previamente declarada de interés para la Defensa por el Gobierno de la Nación, pues en tales casos, apunta el Tribunal Constitucional, "la acción estatal impide de raíz toda posibilidad de una acción autonómica de signo contrario". No quiere decirse con ello que el Estado tenga libertad para desarrollar su competencia en materia de Defensa y Fuerzas Armadas prescindiendo de toda consideración a las competencias autonómicas concurrentes sobre el territorio, simplemente se trata de que la Comunidad autónoma no puede irrogarse competencia para imponer al Estado controles limitativos de su competencia exclusiva en esta materia".*

Esos mismos criterios jurisprudenciales, también se reiteran en la Sentencia del Tribunal Supremo de 29 de junio de 2012, relativa a la declaración del Parque Natural del Estrecho, y la aprobación del Plan de Ordenación de los Recursos Naturales del Frente Litoral Algeciras-Tarifa. En este caso, las disposiciones autonómicas anuladas por la sentencia, habilitaban a la Junta de Andalucía para prohibir maniobras militares, o en otros casos condicionarlas, mediante la imposición de medidas ambientales correctoras[46].

Dicho ello, interesa advertir que la simple existencia de intereses de la defensa nacional, no implica por sí sola que la Administración del Estado asuma todas las competencias sobre una porción territorial. Nada impide que la potestad municipal de planeamiento urbanístico proyecte su eficacia jurídica sobre bienes militares, y que el uso o destino de los inmuebles castrenses esté condicionado por los instrumentos municipales de planeamiento urbanístico. Ahora bien, si a propósito de actuaciones urbanísticas promovidas por la Administración del Estado se produce una colisión entre la autonomía local en materia urbanística y las necesidades de la defensa nacional, y las técnicas de cooperación no sirven para solucionar la confrontación, tienen prioridad los intereses colectivos en materia de defensa nacional.

Con fundamento en lo establecido en el artículo 244 del ya derogado Texto Refundido de la Ley del Suelo de 1992 (TRLS/1992), por razones de

---

[46]   Sentencia del Tribunal Supremo de 29 de junio de 2012 [recurso de casación 1819/2009; ponente Mariano de Oro-Pulido López (*Tol 2585803*)]: *"Situados en esta perspectiva, y volviendo al examen del caso que ahora nos ocupa, coincidimos con la Sala de instancia en que los preceptos declarados nulos en su sentencia no superan el examen de legalidad, en la medida que a través del mismo la Junta de Andalucía impone unilateralmente al Estado unos deberes que van desde la necesidad de informe o autorización de la Administración autonómica con carácter previo a la realización de maniobras militares, hasta la simple y llana prohibición de realización de esa clase de ejercicios, pasando por la imposición de medidas correctoras que condicionan su desarrollo.*

Así pues, estos preceptos trascienden ampliamente de la limitada y aparentemente neutra finalidad de articular un mecanismo cooperativo entre Administraciones territoriales, para convertirse en un instrumento de intervención y limitación, encuadrable en la tradicionalmente denominada actividad administrativa de policía, que se impone por la Comunidad autónoma al Estado, y que llega al extremo de prohibir en ciertos supuestos el desenvolvimiento de la competencia estatal. A través de esta regulación, la Comunidad Autónoma no se limita a articular unos cauces cooperativos inofensivos para esa competencia exclusiva del Estado, sino que yendo mucho más lejos, pretende autoatribuirse una potestad de control sobre el desarrollo de la competencia estatal en materia de Defensa nacional y Fuerzas Armadas, y lo hace además mediante unos sistemas y pautas de intervención que tratan de imponerse unilateralmente por la Comunidad autónoma al Estado".

interés general en materia de defensa nacional, el Estado podía imponerse sobre la autonomía local y regional en materia de ordenación del territorio y uso del suelo[47].

A ese mismo resultado práctico también se llega hoy en día, conforme a lo establecido en la disposición adicional décima del Texto Refundido de la Ley del Suelo (aprobado por Real Decreto-Legislativo 2/2008, de 20 de junio). Una peculiaridad exclusiva de las obras públicas *"directamente"* destinadas a la defensa nacional, es que a diferencia de otras construcciones, en ese caso el ayuntamiento no puede suspender por si mismo su ejecución; lo único que puede hacer el ayuntamiento es solicitar al Ministro competente en materia de vivienda, que previo informe del Ministerio de Defensa, proponga Consejo de Ministros que suspenda la ejecución de las obras[48].

---

[47] Conforme a lo establecido en el artículo 244 del Texto Refundido de la Ley del Suelo de 1992:

"2.– Cuando razones de urgencia o excepcional interés público lo exijan, el Ministro competente por razón de la materia podrá acordar la remisión al Ayuntamiento correspondiente del proyecto de que se trate, para que en el plazo de un mes notifique la conformidad o disconformidad del mismo con el planeamiento urbanístico en vigor. En caso de disconformidad, el expediente se remitirá por el Departamento interesado al Ministro de Obras Públicas y Transportes, quien lo elevará al Consejo de Ministros, previo informe sucesivo del órgano competente de la Comunidad Autónoma, que se deberá emitir en el plazo de un mes, y de la Comisión Central del Territorio y Urbanismo. El Consejo de Ministros decidirá si procede ejecutar el proyecto, y en este caso, ordenará la iniciación del procedimiento de modificación o revisión del planeamiento, conforme a la tramitación establecida en la legislación urbanística.

3.– El Ayuntamiento podrá en todo caso acordar la suspensión de las obras a que se refiere el número 1 de este artículo cuando se pretendiesen llevar a cabo en ausencia o en contradicción con la notificación, de conformidad con el planeamiento y antes de la decisión de ejecutar la obra adoptada por el Consejo de Ministros, comunicando dicha suspensión al órgano redactor del proyecto y al Ministro de Obras Públicas y Transportes, a los efectos prevenidos en el mismo.

4.– Se exceptúan de esta facultad las obras que afecten directamente a la defensa nacional, para cuya suspensión deberá mediar acuerdo del Consejo de Ministros, previa propuesta del Ministro de Obras Públicas y Transportes, a solicitud del Ayuntamiento competente e informe del Ministerio de Defensa".

[48] A tenor de la disposición adicional décima del Texto Refundido de la Ley del Suelo (aprobado por Real Decreto-Legislativo 2/2008, de 20 de junio):

"1.– Cuando la Administración General del Estado o sus Organismos Públicos promuevan actos sujetos a intervención municipal previa y razones de urgencia o excepcional interés público lo exijan, el Ministro competente por razón de la materia podrá acordar la remisión al Ayuntamiento correspondiente del mismo con la ordenación urbanística en vigor.

En caso de disconformidad, el expediente se remitirá por el Departamento interesado al Ministro de Vivienda, quien lo elevará al Consejo de Ministros, previo informe del órgano competente de la Comunidad Autónoma, que se deberá emitir en el plazo de un mes. El Consejo de Ministros decidirá si procede ejecutar el proyecto, y en éste caso, ordenará la iniciación del procedimiento de

Por otro lado, en el procedimiento de elaboración de los instrumentos de planeamiento urbanístico (tanto los municipales como los autonómicos), que incidan sobre terrenos estatales afectos a la defensa nacional, o en edificaciones o instalaciones incluidas en las zonas de protección de instalaciones militares, es trámite preceptivo el previo informe de la Administración General del Estado, que además tiene carácter vinculante (según establecía la ya derogada disposición adicional primera de la Ley 6/1998, de 13 de abril, del régimen del suelo y valoraciones, y hoy establece la disposición adicional segunda del Texto Refundido de la Ley del Suelo, aprobado por Real Decreto Legislativo 2/2008, de 20 de junio)[49]. La omisión de ese informe preceptivo y vinculante contamina la validez el instrumento de planeamiento urbanístico, que por esa circunstancia resulta ser nulo y contrario a Derecho[50].

Pues bien, interesa destacar que el Tribunal Constitucional ha declarado que el carácter vinculante de ese informe estatal, es respetuoso con la distribución territorial de competencias y no vulnera las potestades urbanísticas de las Comunidades Autónomas[51]. En línea general de principio,

---

alteración de la ordenación urbanística que proceda, conforme a la tramitación establecida en la legislación reguladora.
2.– El Ayuntamiento podrá en todo caso acordar la suspensión de las obras a que se refiere el apartado 1 de este artículo cuando se pretendiesen llevar a cabo en ausencia o contradicción con la notificación, de conformidad con la ordenación urbanística y antes de la decisión de ejecutar la obra adoptada por el Consejo de Ministros, comunicando dicha suspensión al órgano redactor del proyecto y al Ministro de Vivienda, a los efectos prevenidos en el mismo.
3.– Se exceptúan de esta facultad las obras que afecten directamente a la defensa nacional, para cuya suspensión deberá mediar acuerdo del Consejo de Ministros, a propuesta del Ministro de Vivienda, previa solicitud del Ayuntamiento competente e informe del Ministerio de Defensa”.

[49] A tenor de lo establecido en la vigente disposición adicional segunda del Texto Refundido de la Ley del Suelo, aprobado por Real Decreto Legislativo 2/2008, de 20 de junio:
“1.– Los instrumentos de ordenación territorial y urbanística, cualquiera que sea su clase y denominación, que incidan sobre terrenos, edificaciones e instalaciones, incluidas sus zonas de protección, afectos a la Defensa Nacional deberán ser sometidos, respecto de esta incidencia, a informe vinculante de la Administración General del Estado con carácter previo a su aprobación.
2.– No obstante lo dispuesto en esta Ley, los bienes afectados al Ministerio de Defensa o al uso de las Fuerzas Armadas y los puestos a disposición de los organismos públicos que dependan de aquél, están vinculados a los fines previstos en su legislación especial”.

[50] Sentencia del Tribunal Supremo de 24 de noviembre de 1992 (recurso 9029/1990; ponente Miguel Pastor López).

[51] La Sentencia del Tribunal Constitucional 164/2001, de 11 de julio. Conforme a lo declarado por esa Sentencia en su fundamento jurídico 48: *“Frente a lo que afirman los recurrentes, la previsión de un informe vinculante de la Administración General del Estado no supone la prevalencia incondicionada del interés público que en cada caso defina el Estado. La*

lo lógico y razonable es solicitar ese informe preceptivo y vinculante en un momento inicial de la elaboración del instrumento de planteamiento urbanístico; ello no obstante, la ley no determina el momento exacto en el que debe formularse la consulta, por lo que el trámite también se cumpliría satisfactoriamente, si el informe se pidiera después de la aprobación inicial, y antes de la aprobación definitiva del instrumento de planeamiento urbanístico. En cualquier caso, tanto la aprobación inicial, como la provisional y la definitiva, deben ser notificadas a la Administración estatal, en cumplimiento de lo establecido en el artículo 189.1 de la Ley de Patrimonio de las Administraciones Públicas 33/2003, de 3 de noviembre[52].

Una de las consecuencias jurídicas que derivan de la eficacia habilitante de ese informe favorable de la Administración General del Estado, es la paralización del procedimiento de elaboración del plan urbanístico mientras no se emita un informe expreso. Por regla general los informes deben emitirse en un plazo de 10 días, y transcurrido ese plazo sin que se haya formulado el informe, el procedimiento puede continuar aunque falte el informe, salvo en el caso particular de que se trate de un *"informe preceptivo que sea determinante de la resolución"* (artículo 83.3 de la Ley 30/1992), en cuyo caso se puede interrumpir el plazo de los sucesivos trámites[53]. En de-

---

disposición cuestionada tan sólo impone el informe vinculante en relación con terrenos, edificaciones e instalaciones ya "afectos a la Defensa Nacional". Esto es, sólo para el ejercicio por el Estado de sus competencias exclusivas sobre Defensa y Fuerzas Armadas (art. 149.1.4 CE). Debemos recordar, además, que en el ejercicio de sus competencias el Estado debe atender a los puntos de vista de las Comunidades Autónomas, según exige el deber de colaboración ínsito en la forma de nuestro Estado (...) Lo expuesto basta para rechazar que la LRSV haya impuesto de forma incondicionada la prevalencia el interés general definido por el Estado frente al interés general cuya definición corresponde a las Comunidades Autónomas. Obviamente, la forma en que en cada caso el Estado emita su informe vinculante es cuestión ajena a este proceso constitucional, siendo así que el simple temor a un uso abusivo de un instrumento de coordinación no justifica una tacha de inconstitucionalidad".

[52] A tenor de lo establecido en el artículo 189 de la Ley 33/2003, de 3 de noviembre (de Patrimonio de las Administraciones Públicas):
"1.– Sin perjuicio de las publicaciones que fueren preceptivas, la aprobación inicial, la provisional y la definitiva de instrumentos de planeamiento urbanístico que afecten a bienes de titularidad pública deberán notificarse a la Administración titular de los mismos. Cuando se trate de bienes de titularidad de la Administración General del Estado, la notificación se efectuará al Delegado de Economía y Hacienda de la provincia en que radique el bien.
2.– Los plazos para formular alegaciones o interponer recursos frente a los actos que deban ser objeto de notificación comenzarán a contarse desde la fecha de la misma.
3.– Corresponderá a los secretarios de los ayuntamientos efectuar las notificaciones previstas en este artículo".
[53] Dictamen del Consejo de Estado de 8 de julio de 1999 (*Tol 218785*): *"Por informes preceptivos, han de entenderse los obligatorios conforme al ordenamiento jurídico. Por otra parte,*

finitiva, uno de los efectos de esa clase de informes, es interrumpir la continuación del procedimiento burocrático, cuando no se emite el informe determinante de la resolución[54].

Teniendo en cuenta la diferencia de intereses generales protegidos en ejercicio de cada competencia administrativa en materia urbanística o de la defensa nacional, en la práctica es posible que el Ayuntamiento otorgue la licencia urbanística, pero la Administración del Estado deniegue la autorización complementaria y especial que se exige cuando los terrenos afectados ha sido formalmente declarados como bienes de interés para la defensa nacional[55]. Es más, si se realiza una construcción al amparo de la

---

han de considerarse informes determinantes del contenido de la resolución los que fijan o permiten fijar su sentido; los que definen el alcance de la resolución, por utilizar la expresión de la acepción sexta y jurídica del verbo "determinar" contenida en el Diccionario de la Lengua Española. Esta especial incidencia en la resolución, comporta que no todos los informes evacuados en el seno de un procedimiento puedan ser calificados de determinantes, pues no todos ellos, aunque ayuden a formar el juicio de la Administración Pública, tienen la eficacia descrita. Sólo tienen tal carácter los que ilustran a los órganos administrativos de tal manera que les llevan a poder resolver con rigor y certeza en un procedimiento; los que les permiten derechamente formarse un juicio recto sobre el fondo del asunto, de tal suerte que, sin ellos, no cabría hacerlo".

54 En relación al procedimiento administrativo de restitución o compensación a los partidos políticos de bienes y derechos incautados en aplicación de la normativa de responsabilidades políticas del período 1936-1939, la Sentencia del Tribunal Supremo de 14 de abril de 2003 (*Tol 276440*), declara que: *"A juicio de esta Sala, los informes, ambos preceptivos, que debían emitir tanto la Abogacía del Estado en el Ministerio de Economía y Hacienda como la Intervención General de la Administración del Estado revisten una importancia singular en el esquema abstracto del procedimiento regulado por el Real Decreto 610/1999 que, por ello, les dedica una mención específica en su artículo 12. Ambos informes son exigidos por el Reglamento con carácter nominativo precisamente a la vista de las complejas circunstancias que presenta el proceso de restitución o compensación de los bienes incautados, proceso cuya complejidad jurídica, monetaria y económica se pone de manifiesto con sólo enumerar los numerosos problemas de los tres órdenes que hemos debido afrontar (...) Además, el hecho de que los dos informes hayan de emitirse una vez finalizada la instrucción y redactadas las correspondientes propuestas de resolución de las solicitudes corrobora la conclusión de que se trata con ellos de ofrecer al órgano finalmente decisor, no ya al que instruye, una opinión cualificada que el Reglamento considera insustituible (de ahí su carácter preceptivo) y, aun no siendo vinculante, de tal relevancia que bien puede calificarse como "determinante" del contenido de la resolución misma".*

55 Sentencia del Tribunal Supremo de 21 de febrero de 2001 [ponente José María Álvarez-Cienfuegos Suárez (*Tol 29559*)]: *"En casos como el presente, la previa licencia de edificación, concedida por la autoridad urbanística, no impide ni condiciona que la Administración Militar en ejercicio de las prerrogativas que le atribuye la Ley 8/1975, de 12 de marzo, para salvaguardar los intereses de la Defensa Nacional y la seguridad y eficacia de sus organizaciones e instalaciones pueda establecer una zona próxima de seguridad, en los términos establecidos en los arts. 3, 7, 8 y 9 de la Ley.*
Desde esta perspectiva, dicho sea con todos los respetos para la entidad recurrente, los razonamientos de la Sentencia de instancia son claros, precisos y conformes con la Doctrina Jurisprudencial,

licencia urbanística municipal, pero se prescinde de la autorización estatal en materia de defensa nacional, hay fundamento legal no sólo para imponer una sanción, sino también para forzar la demolición de lo construido sin el correspondiente título habilitante otorgado por la Administración del Estado[56].

IV. LOS MODOS DE ADQUISICIÓN DE BIENES MILITARES

1. Los distintos modos de adquirir bienes militares

En esta materia no hay diferencias sustanciales entre el elenco de modos de adquisición de bienes que establece el artículo 609 del Código Civil, y las reglas aplicables a los bienes de titularidad administrativa. Es de aplicación a los bienes militares, el artículo 15 de la Ley 33/2003 (del Patrimonio de las Administraciones Públicas, en lo sucesivo LPAP 33/2003), que distingue los siguientes modos de adquisición de bienes y derechos:

(i) por atribución de la ley;

(ii) a título oneroso, con ejercicio o no de la potestad de expropiación;

(iii) por herencia, legado o donación;

---

por lo que, al no poder admitirse la prevalencia de las facultades dominicales derivadas de las licencias urbanísticas, sobre otras autorizaciones, procede la desestimación del motivo".

[56]   Sentencia del Tribunal Supremo de 2 de octubre de 2007 [ponente Antonio Martí García (Tol 1156814)]: "Y procede rechazar tal motivo de casación, pues además de que el recurrente no desvirtúa las valoraciones de la sentencia recurrida ni la doctrina reiterada de esta Sala del Tribunal relativa a que en las zonas de seguridad de los acuartelamientos militares es precisa no solo la licencia de la autoridad municipal sino también y al tiempo la licencia de la autoridad militar, no hay que olvidar, que en el supuesto de autos el antecedente es la resolución que, ante la denegación de licencia para la construcción de viviendas en zona militar, impone la obligación de demoler y la oportuna sanción, y por tanto, no cabe entrar en valoración o discusión alguna, sobre si debió o no otorgar la licencia por parte de la autoridad militar o si la misma era o no procedente, ni sobre si la construcción estaba o no dentro de la zona de seguridad de las instalaciones militares, ni incluso sobre si las autoridades municipales y militares cumplieron o no las obligaciones que denuncia el recurrente, pues dados los términos de la litis y la firmeza de la resolución que deniega la licencia por estar las viviendas dentro de la zona de seguridad de un acuartelamiento que además ha sido confirmada por esta Sala del Tribunal Supremo, en la sentencia más atrás citada de 22-11-2004, aquí lo único que se podría alegar y valorar es si dada la realidad de la construcción dentro de la zona de seguridad de un acuartelamiento militar, la sanción pecuniaria que se le impone al recurrente y la obligación de demoler era o no la adecuada y sobre ese particular no existe la oportuna crítica sobre la tesis de la sentencia recurrida, ni sobre la conformidad a derecho de la resolución que ordena la demolición de obras construidas indebidamente dentro de la zona de seguridad de un acuartelamiento militar".

(iv) por prescripción;

(v) por ocupación.

Una vez realizada esa enumeración general, conviene detenerse en el examen de la expropiación y la donación como modos relevantes de adquisición por la Administración estatal, de bienes destinados a satisfacer las necesidades de la defensa nacional.

Pero antes, tiene interés aludir a una peculiaridad de signo contrario, pues se desplaza un derecho de adquisición preferente, cuando recaiga sobre determinados bienes militares. Esa singularidad resulta de la Ley 22/2006, de 4 de julio (de capitalidad y de régimen especial de Madrid). El artículo 47 de esa Ley confiere al Ayuntamiento de Madrid y a la Comunidad Autónoma un derecho de adquisición preferente cuando la Administración del Estado desafecte y enajene bienes inmuebles situados en su ámbito territorial[57]. Ahora bien, ese derecho de adquisición preferente no se aplica cuando se trate de bienes del Ministerio de Defensa o de sus Organismos Públicos (disposición adicional cuarta de la Ley 22/2006)[58]. Lo mismo ocurre en la Ley 1/2006, de 13 de marzo (por la que se regula el régimen especial del municipio de Barcelona), que también establece el correlativo derecho de adquisición preferente[59], y la misma excepción para

---

[57]   Conforme a lo establecido en el artículo 47 de la Ley 22/2006, de 4 de julio (de capitalidad y de régimen especial de Madrid): *"Cuando se produzca la desafectación de inmuebles radicados en la Ciudad de Madrid, propiedad de la Administración General del Estado, destinados a la prestación de cualquier tipo de servicio público, incluidas las redes de instalaciones y cualquier otra infraestructura, podrá procederse mediante convenio a su enajenación preferente al Ayuntamiento de la Ciudad de Madrid o, a sus entidades de derecho público que tengan atribuidas competencias en materia de vivienda y, en su caso, a la Comunidad de Madrid, siempre que vayan a destinarse a usos dotacionales públicos, a la construcción de viviendas de protección oficial de titularidad pública o al uso como vivienda de titularidad pública para alquiler. En el convenio se establecerán las contraprestaciones que se deriven de la enajenación, sin perjuicio de lo previsto en el artículo 145 de la Ley 33/2003, de 3 de noviembre, de Patrimonio de las Administraciones Públicas".*

[58]   Conforme a lo establecido en la disposición adicional cuarta de la Ley 22/2006, de 4 de julio (de capitalidad y de régimen especial de Madrid): *"La gestión y enajenación de los bienes inmuebles, las instalaciones, las telecomunicaciones y los servicios técnicos del Ministerio de Defensa y sus Organismos públicos, radicados en la ciudad de Madrid, se regirá por su legislación específica".*

[59]   A tenor de lo establecido en el artículo 9 de la Ley 1/2006, de 13 de marzo (por la que se regula el régimen especial del municipio de Barcelona): *"Cuando se produzca la desafectación de inmuebles radicados en el municipio de Barcelona, propiedad de la Administración del Estado, destinados a la prestación de cualquier tipo de servicio público, incluidas las redes de instalaciones y cualquier otra infraestructura, podrá procederse mediante convenio a su enajenación preferente al Ayuntamiento de Barcelona o, en su caso, a las entidades de Derecho público que*

los bienes, instalaciones e infraestructuras del Ministerio de Defensa o sus Organismos Públicos[60].

2. *Adquisición coactiva mediante el ejercicio de la potestad expropiatoria*

A) Legislación aplicable

La todavía vigente Ley de Expropiación Forzosa de 16 de diciembre 1954 (LEF/1954), contempla la existencia de algunas especialidades cuando la privación coactiva de bienes o derechos patrimoniales se realiza para satisfacer necesidades militares (artículos 100 y ss. LEF/1954). Además ordena la elaboración y aprobación de un Reglamento Especial sobre la materia (artículo 107); sucede que ese Reglamento no se ha dictado.

Por otro lado, la disposición final tercera de la Ley de Expropiación Forzosa habilitó al Gobierno para aprobar un Decreto, que determinara qué normas anteriores en el tiempo, todavía conservaban su vigencia. Al amparo de esa previsión se dictó el Decreto de 23 de diciembre de 1955, norma reglamentaria que declaró la subsistencia de algunas normas militares sobre expropiación forzosa anteriores a la LEF/1954[61].

El resultado es que aparentemente, siguen vigentes un elevado número de disposiciones de distinto rango, que van desde la Ley de 15 de mayo de 1902 (sobre expropiaciones en zona militar de costas y fronteras), hasta el Real Decreto de 19 de febrero de 1891 (por el que se dicta el Reglamento para aplicación al ramo de Marina, en tiempos de paz, de la Ley de Expro-

---

tengan atribuidas competencias en materia de vivienda, siempre que vayan a destinarse a usos dotacionales públicos, a la construcción de viviendas de protección oficial de titularidad pública o al uso como vivienda de titularidad pública para alquiler. En el convenio se establecerán las contraprestaciones que se deriven de la enajenación, sin perjuicio de lo previsto en el artículo 145 de la Ley 33/2003, de 3 de noviembre, de Patrimonio de las Administraciones Públicas".

[60] A tenor de lo establecido en la disposición adicional tercera de la Ley 1/2006, de 13 de marzo (por la que se regula el régimen especial del municipio de Barcelona): *"La gestión y enajenación de los bienes inmuebles, las instalaciones, las telecomunicaciones y los servicios técnicos del Ministerio de Defensa y sus organismos públicos, radicados en la ciudad de Barcelona, se regirán por su legislación específica".*

[61] - El artículo 3.2 del Decreto de 23 de diciembre de 1955 establece lo siguiente: *"Hasta tanto no se publiquen los Reglamentos a que se refieren los artículos 100 y 107 de la Ley de Expropiación Forzosa de 16 de diciembre de 1954 se declaran subsistentes con la categoría de normas reglamentarias y en todo aquello que no se oponga a los preceptos de la ley citada, las disposiciones que hasta ahora han regido la expropiación forzosa en los Ministerios del Ejército, Marina y Aire, tanto en tiempo de paz como en guerra, en zonas polémicas, de costas y fronteras y seguridad, y las que regulan las requisiciones".*

piación Forzosa de 10 de enero de 1879). Razones de espacio justifican no detenerse con más amplitud en la descripción completa de esas normas. Baste dejar constancia del abigarrado sistema normativo que regula las expropiaciones por necesidades militares, cuya vigencia es con frecuencia dudosa, como sucede en materia de reversión de los bienes expropiados.

B) Bienes objeto de expropiación

No terminan ahí las dudas que en materia de bienes militares deja planteadas la Ley de Expropiación Forzosa de 16 de diciembre de 1954. Otra cuestión discutible e incierta, se refiere a los bienes que pueden ser expropiados por necesidades militares, ya que el tenor literal del artículo 100 de la LEF/1954, conduce a la aparente conclusión de que sólo se pueden expropiar bienes inmuebles (reservando los bienes muebles a las potestades de requisa temporal).

C) El carácter urgente de la expropiación

Una de las especialidades de la expropiación forzosa por razones militares, es la opción contenida en el artículo 100 de la LEF/1954; conforme a lo establecido en ese precepto, por regla general siempre será urgente la ocupación del bien expropiado. Conforme al citado precepto: *"...las expropiaciones que a tales fines fuere preciso realizar se ajustarán a lo dispuesto en los artículos 52 y 53 de esta Ley"*. Aparentemente no cabe tramitar una expropiación por razones militares por el procedimiento ordinario, y sin necesidad de la urgencia en la ocupación de los bienes.

Es más, con un criterio ciertamente discutible, en relación a la motivación de las concretas circunstancias que en cada caso justifican la urgencia, la jurisprudencia ha declarado que hay que ser más tolerante y menos exigente con el Gobierno, a la hora de valorar la suficiencia de la justificación aducida para legitimar la urgencia; en esa materia, la jurisprudencia acepta como válida una motivación, que sería insuficiente si no estuviera referida a una expropiación por necesidades militares, y se refiriera a otro tipo de materias[62].

---

[62]   Sentencia del Tribunal Supremo de 8 de marzo de 1983 (ponente Pablo García Manzano): *"...lo cierto es que el citado art. 100, cuando se trata de adquisición de inmuebles en zona militar de costas y fronteras para necesidades de la Defensa Nacional, establece una cierta presunción o carácter implícito de la urgencia en la ocupación de los terrenos necesarios para tales fines,*

D) La composición del Jurado Provincial de Expropiación

Conforme a lo establecido en el artículo 100 de la Ley de Expropiación Forzosa de 16 de diciembre de 1954, una de las peculiaridades de las privaciones coactivas de la propiedad por necesidades militares, es la composición del Jurado Provincial de Expropiación; entre los cinco miembros de ese órgano colegiado, el vocal técnico debe ser un militar designado por el Ministerio de Defensa.

Como ha precisado la jurisprudencia, el carácter militar de ese técnico no contamina su imparcialidad y neutralidad, y no afecta a la validez de los actos del órgano colegiado. Es posible que concurra una causa de abstención, pero quien la invoca debe probarla. Se infiere pues la pérdida de neutralidad no deriva de la condición de militar, sino de otras circunstancias[63], en concreto, las expresamente tipificadas en el artículo 28.2 de la LPAC 30/1992.

E) Derecho de reversión

Hasta fechas relativamente recientes en el tiempo, la jurisprudencia declaró que en las privaciones coactivas de bienes para satisfacer necesidades militares, no había derecho de reversión a favor de los expropiados o sus causahabientes. En ese sentido se pronunció en su día la Sentencia del Tribunal Supremo de 30 de noviembre de 1965, con fundamento en el artículo 3 del Reglamento de 12 de noviembre de 1902 (conforme al cual, las expropiaciones *serán en absoluto, esto es (...) estos derechos no revivirán por ningún concepto, sea cualquiera el uso o destino que por de pronto en lo sucesivo se dé al referido inmueble*).

Ahora bien, en la actualidad la jurisprudencia admite la reversión de los bienes expropiados para satisfacer necesidades de la defensa nacional,

---

de tal suerte que la justificación o motivación no puede ser exigida con la misma escrupulosidad que en los supuestos genéricos que directamente se apoyan en el art. 52 de la L. de 16 de diciembre de 1954".

[63] Sentencia del Tribunal Supremo de 28 de enero de 1981 (ponente Fernando de Mateo Lage): *"...parte de unas supuestas parcialidad y falta de conocimientos del funcionario y técnico Vocal del Jurado, que hace derivar de la condición de aquél de funcionario militar designado por el Mº Ejército, con lo que incurre en una petición de principio, ya que, tanto la condición, como la forma de designación de dicho Vocal, son consecuencia de lo dispuesto en el art. 100.2 de la L. Ex. For., en relación con su art. 32.1.b), cuando, como aquí ocurre, las expropiaciones respondan a necesidades militares, por lo que las tachas que le opone la recurrente han de ser probadas, lo que no ha hecho...".*

siempre y cuando concurra alguna de las circunstancias previstas en el artículo 54 de la Ley de Expropiación Forzosa (Sentencias del Tribunal Supremo de 7 de diciembre de 1994, 1 de febrero de 1993, 16 de marzo de 1990).

En alguno de esos casos, la jurisprudencia ha precisado que no cabe obstar u orillar el derecho de reversión a favor del expropiado, invocando como pretexto la importancia de las obras ejecutadas para finalidades de la defensa nacional, o la magnitud de las inversiones ya realizadas. En un caso de expropiación de unos terrenos para la ejecución y puesta en funcionamiento de un polvorín, resultó que aunque se habían ejecutado unas obras de cierta importancia, después de 37 años todavía no se había puesto en marcha el polvorín, y la Administración había cedido en precario a un tercero el uso de los túneles construidos, para el cultivo del champiñón. En esas circunstancias, y no obstante el coste de la construcción de los túneles, el Tribunal Supremo declaró el derecho del interesado a la reversión de los terrenos expropiados[64].

3. Adquisición de bienes militares en virtud de donación

Por agradecimiento a las fuerzas armadas, por emocionada admiración a los valores que representa, o por otras motivaciones, en España existe una cierta tradición de realizar donaciones a la Administración del Estado en beneficio de las fuerzas armadas. La atribución patrimonial gratuita la puede hacer cualquier persona nacional o extranjera, física o jurídica, y también una Administración Pública. Después de la guerra civil concluida

---

[64] Sentencia del Tribunal Supremo de 1 de febrero de 1993 [recurso 1335/1991, ponente Manuel Goded Miranda (*Tol 1685425*)]: *"En el caso enjuiciado las actuaciones de la Administración militar ponen de manifiesto que durante 37 años no se han ejecutado totalmente las obras necesarias para la construcción del polvorín y que, en consecuencia, dicho polvorín, cuyo establecimiento fue el motivo de la expropiación, no ha llegado a instalarse. El instituto de la reversión tiene por finalidad dejar sin efecto la transmisión operada en virtud de la expropiación, cuando el bien expropiado no ha sido destinado, de manera real y efectiva, al fin que determinó la referida expropiación. Ello es lo que ha ocurrido en el supuesto que se examina. No habiéndose establecido el polvorín que dio lugar a la expropiación en un espacio de tiempo de 37 años, procede reconocer el derecho de los propietarios expropiados (o sus causahabientes) a la reversión de los terrenos, sin que a ello sea obstáculo el hecho de haberse realizado importantes obras, que no han sido terminadas, por lo que en definitiva no se ha instalado el polvorín que originó la privación coactiva de la propiedad privada. Tampoco tiene virtualidad para enervar el derecho de reversión el propósito de utilizar las instalaciones ya construidas en el futuro, si resulta conveniente, expresado por la autoridad militar con posterioridad al ejercicio por sus titulares del derecho de reversión".*

en 1939, no fue insólito que algunos Ayuntamientos hicieran donaciones a favor de las fuerzas armadas o de la guardia civil, para así reforzar su seguridad frente a actuaciones como las de los "maquis". Más tarde, algunas corporaciones locales siguieron haciendo donaciones a las fuerzas armadas por otro tipo de motivaciones.

En estricta teoría abstracta, la donación de cosas puede ser pura y simple, pero en la experiencia práctica lo más frecuente es que se imponga una carga modal, pues en esos casos los bienes se atribuyen a la Administración para que los destine a las funciones típicas y características de la defensa nacional. En esas situaciones, lo que importa destacar es que se trata de donaciones modales, en las que el beneficiario tiene que cumplir una carga, consistente en destinar los bienes a los fines que determine la persona que hace la atribución patrimonial. El incumplimiento de la carga modal (porque de forma sobrevenida la Administración quiere usar los mismos bienes, pero para otros fines ajenos a los de la defensa nacional), justifica revocar la donación, pues de lo contrario se produciría un enriquecimiento injusto[65]. Por tanto, es de aplicación lo establecido en el artículo 647 del Código Civil: *"La donación será revocada a instancia del donante, cuando el donatario haya dejado de cumplir alguna de las condiciones que aquél le impuso"*.

En ocasiones lo que se revoca no es la donación, sino la carga modal, que de forma sobrevenida se suprime. En ese caso, puede haber una fase de negociación entre donante y donatario, y de forma sobrevenida la persona que realizó la atribución patrimonial retira el modo, convirtiéndola en una donación pura y simple; así ha sucedido en alguna ocasión con bienes donados por un ayuntamiento[66].

---

[65]   Sentencia del Tribunal Supremo de 28 de abril de 1993 [recurso 10499/1991; ponente José María Sánchez-Andrade y Sal (*Tol 1686082*)]: *"Lo antes relatado evidencia que la cesión de unos terrenos hecha por el Ayuntamiento de Lugo al Ramo de Guerra en el año 1940, cesión ratificada en el año 1954, no fue una donación pura y simple, sino una donación sometida a la exigencia de ser destinados los terrenos que constituían su objeto a los servicios del Ejército, con ello, al mismo tiempo que se contribuía a un fin de interés general, la Comunidad Municipal, indirectamente se veía beneficiada con la instalación de tales servicios, desaparecida la base, causa de la cesión y a cuya vigencia se subordina ésta, no sólo sería injusto, por contradecir el Ordenamiento jurídico, sino incorrecto, implicando un enriquecimiento indebido, que la Administración militar siga detentando unos bienes, pretendiendo en su provecho enajenarlos, cuando éstos fueron adquiridos por el Ayuntamiento de Lugo a costa de grandes sacrificios para destinarlos a un servicio del Ejército Español aprovechándose de los beneficios que éste produciría a la comunidad lucense"*.

[66]   Sentencia del Tribunal Supremo de 15 de noviembre de 2006 [ponente Celsa Pico Lorenzo (*Tol 1018840*)].

Ahora bien, otras veces se conserva el modo que vincula el bien a un específico uso o destino como es la defensa nacional, y pese a incumplir esa carga modal (por haberse desvinculado los bienes de la finalidad militar que fundamentó la donación), la Administración del Estado pretende conservar el bien. Aunque la donación sea antigua y haya transcurrido mucho tiempo desde que la cosa se otorgó a la Administración, no por ello cabe hablar de adquisición del bien por prescripción (a título de ejemplo cabe citar la Sentencia del Tribunal Supremo de 6 de junio de 2001, que se refiere a una donación municipal del año 1889). Al desaparecer de forma sobrevenida la afectación del bien a un uso o destino militar, y producirse el incumplimiento del modo por la Administración estatal, se justifica la reversión de los bienes al Ayuntamiento que los donó (Sentencia del Tribunal Supremo de 28 de abril de 1993).

En las donaciones modales de bienes para destinarlos a la defensa nacional, lo más habitual y frecuente es que el incumplimiento por la Administración de la carga modal, se produzca después de que el donante haya fallecido; pues bien, en ese caso, la legitimación para ejercer la acción procesal e instar la reversión de los bienes, corresponde a sus herederos, o al legatario a quien se atribuya el bien.

Ahora bien, si el incumplimiento del modo se produce durante la vida del donante, y éste no ejerce la acción para revocar la donación y que los bienes reviertan, después sus sucesores ya no podrán ejercerla, pues al estar informado el donante del incumplimiento, y pese a ello haber permanecido pasivo, por la jurisprudencia se considera que el propio donante tolera y acepta el incumplimiento de la carga modal, y desiste de revocar la atribución gratuita de los bienes[67].

---

[67]   Sentencia de la Sala de lo Civil del Tribunal Supremo de 20 de julio de 2007 [ponente Xavier O»Callaghan Muñoz (*Tol 1123956*)]: *"Se ha alegado por las partes demandadas el carácter personalísimo de la acción de revocación de la donación modal por incumplimiento del modo y su intransmisibilidad a los herederos. La jurisprudencia no ha negado el carácter transmisible mortis causa de esta acción, lo que no la niega tampoco el Código civil (a diferencia de la acción de revocación por ingratitud, artículo 653). Lo que ha mantenido es que si el donante no quiso la revocación o no quiso ejercitar la acción pudiendo hacerlo, no pueden ejercitarla sus herederos. Así, la acción es transmisible: ningún precepto dispone lo contrario, pero si el donante no la quiso ejercitar, no pueden tampoco hacerlo sus herederos.*
La jurisprudencia, examinada atentamente, proclama la intransmisibilidad de la acción pero advierte que si el donante no pudo ejercitar la acción, sí pueden hacerlo sus herederos: sentencia de 3 de diciembre de 1928, en que la transmisión no se rechaza si el donante no hubiese podido ejercitar la acción; la de 6 de febrero de 1954, que dice que no es transmisible a los herederos del donante que pudo ejercitarla en vida y no lo hizo; la de 16 de mayo de 1957 que proclama explícitamente la intransmisibilidad de la acción partiendo del supuesto de que el donante haya

4. *La adquisición de bienes mediante la celebración de contratos onerosos*

A) Introducción

La realización de contratas por la Administración en el ámbito de la defensa, es quizá la primera manifestación histórica de la celebración de negocios onerosos en el sector público. Esos contratos tenían por objeto la construcción de murallas y otras obras defensivas, el avituallamiento a la tropa, o el suministro de armamento. Ahora bien, el avituallamiento o el suministro también se podía conseguir en otras épocas históricas mediante órdenes unilaterales, o actuaciones materiales de requisa. Efectivamente, según las cambiantes circunstancias del devenir de la historia, para el logro de un mismo objetivo de interés general, la Administración Pública puede utilizar medios unilaterales o bilaterales. Por ejemplo, los medios de locomoción y transporte que precisa el ejército, pueden adquirirse mediante un contrato de suministro celebrado voluntariamente, o con carácter forzoso en virtud de una requisa unilateral. Lo normal es que en tiempo de paz se utilice el contrato bilateral, y en tiempos de conflagración bélica no es insólito el uso de medios unilaterales de forzoso cumplimiento[68].

Otro ejemplo ilustrativo de lo que aquí se quiere poner de manifiesto, es el de los expedientes de contratación que se sustancian en caso de emergencia, sector de la actividad administrativa en el que ha adquirido gran importancia la "Unidad Militar de Emergencias" (UME)[69]. Cuando

---

podido ejercitarla y no la ejercitó; la de 11 de diciembre de 1975, citando las sentencias anteriores afirma, reiterando la jurisprudencia anterior, que la acción es intransmisible en el supuesto de que el donante habiendo podido ejercitarla, no la hubiere ejercitado.

En definitiva, la transmisión mortis causa de la acción debe admitirse, cuando conste que el donante quería revocar o que no pudo hacerlo. Este último es el caso presente. El donante falleció antes de incumplirse el modo, por lo que no pudo ejercitar la acción y si pueden hacerlo sus herederos, como efectivamente han hecho".

[68] En la época de las guerras carlistas, la Real Orden de 4 de octubre de 1838 estableció la requisa *"en todas las provincias de la monarquía de cuantos caballos domados o cerreros haya útiles para remontar los cuerpos de caballería".* Esa medida de emergencia se justifica ante la perentoria necesidad de transporte, la escasez de recursos de la Hacienda Pública y la lentitud burocrática en la celebración de contratos, ya que el objetivo perseguido *"no se conseguiría con la brevedad que las circunstancias de la guerra demandan, si no se acude a una requisición general de caballos, puesto que el sistema de compras a dinero constante, ni es practicable en el día, ni ha producido en otras ocasiones el efecto que se deseaba".*

[69] Ver el Real Decreto 1097//2011, de 22 de julio (por el que se aprueba el protocolo de actuación de la Unidad Militar de Emergencias). Téngase en cuenta además, el Real Decreto 416/2006, de 11 de abril (que establece el régimen de organización de la UME).

la Administración Pública tenga que actuar de manera inmediata a causa de acontecimientos catastróficos, de situaciones que supongan grave peligro, o de necesidades que afecten a la defensa nacional, se puede seguir la tramitación de emergencia (artículo 113 del TRLCSP 3/2011). En esas circunstancias singulares y excepcionales o de emergencia, sin necesidad de tramitar un expediente burocrático, y sin sujetarse a los procedimientos formales establecidos en la ley, el órgano de contratación puede "ordenar" la ejecución de lo necesario para remediar el acontecimiento producido, satisfacer la necesidad sobrevenida, o contratar libremente su objeto. Adviértase que según la ley, lo que formula la Administración es una *"orden"* [artículo 113.a) del TRLCSP 3/2011], mandato unilateral de obligado cumplimiento, que nos ubica en un contexto muy diferente a la idea de pacto o acuerdo bilateral y voluntario.

Como la función pública de la defensa nacional está íntimamente ligada a la soberanía, es fácilmente comprensible la existencia de singularidades o especialidades normativas en este ámbito de la contratación. Entre otros fines, esas peculiaridades se establecen para lograr los siguientes objetivos:

(i) preservar la autosuficiencia defensiva mediante la autarquía de la industria militar; para no depender de las prestaciones foráneas o extranjeras, se establecen ayudas para potenciar y garantizar la existencia de una industria nacional que preserve la independencia en el abastecimiento;

(ii) mantener los secretos militares y evitar filtraciones de información confidencial sobre cuestiones estratégicas de la defensa, que pudieran debilitar la actuación de las fuerzas armadas frente al enemigo;

(iii) robustecer las garantías del efectivo cumplimiento de los contratos, para evitar el riesgo que para la defensa nacional puede acarrear, un eventual incumplimiento por el adjudicatario de sus compromisos, y en un momento clave o estratégico se interrumpa el suministro, o se deje de prestar un servicio de reparación de complejos equipamientos militares o defensivos, que por ello devengan inútiles.

En la actual situación de España a comienzos del siglo XXI, una parte de la dificultad estriba en buscar un punto de razonable equilibrio, entre los objetivos políticos orientados a salvaguardar la soberanía en cuestiones de defensa nacional, y los objetivos económicos de la Unión Europea respecto a la existencia de un mercado abierto y competitivo, sin ayudas o subvenciones nacionales que distorsionen la pugna de las industrias militares en la captación de clientes estatales. También incide en esa cuestión el objetivo político de la Unión Europea de desarrollar actuaciones estatales armonizadas en materia de defensa y seguridad pública.

Pues bien, para lograr ese conjunto de fines y objetivos, resulta inadecuada e insuficiente la simple aplicación de las normas generales sobre contratación del sector público, antes establecidas en la LCSP 30/2007, y hoy contenidas en el Texto Refundido de la Ley de Contratos del Sector Público (TRLCSP 3/2011). No es suficiente con introducir alguna regla aislada redactada *"ad hoc"* para los ámbitos de la seguridad y la defensa nacional, y tampoco es admisible la simple creación de excepciones que permitan una fuga generalizada de todo control jurídico, y que dejen al margen las reglas de competencia en el mercado interior de la Unión Europea. No cabe aproximarse a esta materia, sin recordar lo establecido en el artículo 346.1 del Tratado de Funcionamiento de la Unión Europea:

> *"Las disposiciones de los Tratados no obstarán a las normas siguientes:*
> *a)* Ningún Estado miembro estará obligado a facilitar información cuya divulgación considere contraria a los intereses esenciales de su seguridad;
> *b) todo Estado miembro podrá adoptar las medidas que estime necesarias para la protección de los intereses esenciales de su seguridad y que se refieran a la producción o al comercio de armas, municiones y material de guerra; estas medidas no deberán alterar las condiciones de competencia en el mercado interior respecto de los productos que no estén destinados a fines específicamente militares".*

Por ello es necesario aprobar una normativa sectorial o especial para esas materias. En ese contexto hay que destacar la Directiva 2009/81/CE, aprobada el 13 de julio de 2009 por el Parlamento Europeo y el Consejo. Para transponer al ordenamiento español esa directiva, nuestras Cortes Generales aprobaron la Ley 24/2011, de 1 de agosto (de contratos del sector público en los ámbitos de la defensa y la seguridad), en lo sucesivo LCDefySeg 24/2011.

Al margen de ello, también hay que mencionar la Directiva 2009/43/CE, del Parlamento Europeo y del Consejo, sobre simplificación de los términos y condiciones de las transferencias intracomunitarias de productos relacionados con la defensa. Finalmente, tiene interés la Comunicación de 5 de diciembre de 2007 (de la Comisión, al Parlamento Europeo, al Consejo, al Comité de Regiones), sobre una estrategia para una industria europea de la defensa más sólida y competitiva.

B) Ámbito subjetivo

A tenor de lo establecido en su artículo 3, la LCDefySeg 24/2011 se aplica a algunas "Administraciones Públicas" y "poderes adjudicadores" estatales o autonómicos, siempre y cuando tengan competencia en materia de defensa nacional y seguridad pública. En ese sentido, por ejemplo, el organismo autónomo "Instituto de Vivienda, Infraestructura y Equipamiento de la Defensa" (INVIED) está sometido a lo establecido en esta Ley 24/2011.

En cambio, aunque toda su actividad o una parte de ella se refieran a la defensa o la seguridad pública, no están sometidos a la LCDefySeg 24/2011, los "otros sujetos del sector público", que como las entidades públicas empresariales (EPE), o las sociedades y fundaciones del sector público, no sean en rigor "poderes adjudicadores". Ello no obstante, esos otros sujetos deben ajustarse a lo establecido en el artículo 192 del TRLCSP 3/2011, por lo que en la adjudicación de contratos onerosos deben someterse a los principios de publicidad, concurrencia, transparencia, confidencialidad, igualdad y no discriminación.

Dicho ello, resulta indicado aclarar que en el específico contexto de la LCDefySeg 24/2011, la palabra "defensa" se aplica al conjunto de las actividades públicas de carácter militar o civil que están reguladas en la Ley Orgánica 5/2005, de 17 de noviembre (de Defensa Nacional), función defensiva que corresponde a la Administración General del Estado y los poderes adjudicadores que de ella dependen[70].

---

[70] A tenor de lo establecido en el artículo 2 de la Ley Orgánica 5/2005, de 17 de noviembre (de Defensa Nacional): *"La política de defensa tiene por finalidad la protección del conjunto de la sociedad española, de su Constitución, de los valores superiores, principios e instituciones que en ésta se consagran, del Estado social y democrático de derecho, del pleno ejercicio de los derechos y libertades, y de la garantía, independencia e integridad territorial de España. Asimismo, tiene por objetivo contribuir a la preservación de la paz y seguridad internacionales, en el marco de los compromisos contraídos por el Reino de España".*
En cuanto a la expresión "seguridad pública", se utiliza para designar al conjunto de actividades no militares desarrolladas por las fuerzas y cuerpos de seguridad estatales o autonómicos, que se dirijan a la protección de las personas y de los bienes, o a la preservación y mantenimiento del orden ciudadano en territorio español. En consecuencia se excluye del ámbito de la LCDefySeg 24/2011, la contratación vinculada al ejercicio de las funciones encomendadas a las policías locales.

C) Ámbito objetivo

Esa LCDefySeg 24/2011 se refiere tanto a contratos de naturaleza administrativa celebrados por una Administración Pública en sentido estricto, como a los contratos sujetos por la Unión Europea a regulación armonizada (SARA), de los que sea parte un poder adjudicador del sector público.

Ahora bien, esa ley no se aplica de forma general o universal a todo negocio jurídico oneroso que tenga alguna conexión con la seguridad y la defensa. En ese sentido, la LCDefySeg 24/2011 no se aplica a los contratos administrativos de gestión de servicios públicos, tampoco los de concesión de obras públicas, pues está fuera de la lógica de la *"auctoritas"* que comportan las funciones de defensa y seguridad pública, que se pueda externalizar a una empresa privada la prestación de servicios a los usuarios (artículo 275.1 del TRLCSP 3/2011), o la explotación de obras de infraestructura como un acuartelamiento militar (artículo 7 del TRLCSP 3/2011).

Por otro lado, las especialidades del contenido de la LCDefySeg 24/2011 únicamente se aplican a los contratos administrativos típicos, como los de obras, suministros y servicios; no se contempla la libre creación de contratos atípicos o especiales. Ello no obstante, se admite la combinación de las prestaciones de distintos contratos típicos, para crear un contrato mixto; ahora bien, ello sólo es posible cuando las prestaciones que se integran en un solo negocio jurídico guarden relación entre sí (artículo 2.4 de la LCDefySeg 24/2011). Los únicos contratos típicos a los que según su artículo 2 se aplica esa LCDefySeg 24/2011, son los siguientes:

(*i*)   el suministro de equipos militares, incluidas las piezas, componentes y subunidades de los mismos;

(*ii*) el suministro de armas y municiones destinadas al uso de las Fuerzas, Cuerpos y Autoridades con competencias en seguridad;

(*iii*) el suministro de equipos sensibles, incluidas las piezas, componentes y subunidades de los mismos;

(*iv*) las obras, los suministros y los servicios directamente relacionados con los equipos, armas, municiones mencionados en los anteriores apartados, para el conjunto de los elementos necesarios a la largo de las posibles etapas sucesivas del ciclo de vida de los productos; se incluyen también los contratos de investigación y desarrollo sobre esos materiales y productos;

(*v*)   las obras y los servicios específicamente militares, u obras y servicios sensibles; y, *(vi)* los contratos de colaboración del sector público con el sector privado.

Es decir, en relación a los negocios jurídicos de naturaleza administrativa que sólo pueden celebrar las "Administraciones Públicas en sentido estricto", todo se concentra en 4 contratos administrativos típicos, como son los de: *(i)* obras; *(ii)* suministros; *(ll)* servicios, y; *(iv)* colaboración del sector público con el sector privado.

Respecto a los contratos sometidos a regulación armonizada (SARA) que pueden celebrar los "poderes adjudicadores", el artículo 5 de la LCDefySeg 24/2011 establece los umbrales cuantitativos, a partir de los cuales resulta esa sujeción o sometimiento a las reglas aprobadas por la Unión Europea:

(i)   los contratos de suministro y servicios cuyo valor estimado (sin incluir el impuesto sobre el valor añadido), sea igual o superior a 400.000 euros;

(ii) los contratos de obras cuyo valor estimado (sin incluir el impuesto sobre el valor añadido), sea igual o superior a 5.000.000 de euros; y;

(iii) todos los contratos de colaboración del sector público con el sector privado.

Mientras que respecto a los contratos sujetos a regulación armonizada el TRLCSP 3/2011 únicamente contiene especialidades aplicables a la preparación y adjudicación del negocio jurídico oneroso, respecto a los contratos de naturaleza administrativa también regula las fases de cumplimiento y extinción del negocio jurídico, atribuyendo a la Administración privilegios y potestades exorbitantes.

Pues bien, en relación a los contratos administrativos sometidos a la LCDefySeg 24/2011, no se contienen en esa ley especialidades respecto al cumplimiento o extinción del negocio jurídico oneroso; por tanto, salvo en lo que atañe a las condiciones especiales de cumplimiento del contrato, en lo demás se siguen aplicando los preceptos del TRLCSP 3/2011 que regulan el cumplimiento y extinción de los contratos de naturaleza administrativa.

Las especialidades de la LCDefySeg 24/2011 se refieren a la preparación y adjudicación del negocio jurídico oneroso, y son aplicables tanto a los contratos administrativos, como a los contratos sujetos a regulación armonizada. Se trata además de especialidades parciales, pues gran parte del contenido del TRLCSP 3/2011 sobre la preparación y adjudicación del contrato, también se aplica a los ámbitos de la defensa y la seguridad pública.

Por otro lado, el artículo 7 de la LCDefySeg 24/2011 concreta cuáles son los negocios jurídicos que, a pesar de referirse a materias que afectan a la defensa nacional y a la seguridad pública, están excluidos de su ámbito objetivo de aplicación; entre otros, cabe destacar aquí los siguientes:

(i) los convenios o tratados internacionales relacionados con el estacionamiento de tropas, como los que legitiman las bases norteamericanas en España;

(ii) los contratos celebrados entre el Gobierno español y el Gobierno de otro Estado, para el suministro de equipo militar, o de material considerado sensible por su elevado nivel de confidencialidad;

(iii) los contratos destinados a actividades de inteligencia (es decir, orientadas a obtener información necesaria para prevenir o evitar riesgos o amenazas), incluidas las actividades de contrainteligencia (que son las que intentan neutralizar las de obtención de información fiable);

(iv) aquellos celebrados en beneficio de tropas españolas destinadas en el extranjero, más concretamente en territorio de un Estado que no sea miembro de la Unión Europea, y el negocio jurídico oneroso celebrado con empresas situadas en la zona de operaciones, tenga por objeto la realización de compras, para atender las necesidades operativas de nuestras tropas.

Dicho ello, conviene añadir una precisión complementaria sobre los contratos que se celebren con otros Gobiernos. En esa específica materia hay que estar a lo establecido en los artículos 6 a 15 de la Ley 12/2012, de 26 de diciembre (de medidas urgentes de liberalización del comercio y de determinados servicios). Esa ley establece la fórmula jurídica que permite una participación más activa del Ministerio de Defensa en la gestión de programas destinados a la exportación, con el objetivo de facilitar o potenciar la competitividad de nuestra base industrial y tecnológica. La puesta en marcha de este mecanismo oscila sobre dos relaciones jurídicas; una horizontal (de Gobierno a Gobierno, entre el Gobierno solicitante y el Gobierno español), y una vertical (entre el Gobierno español, por medio del Ministerio de Defensa, y una o más empresas suministradoras).

D) Normas generales orientadas a preservar la confidencialidad de la información en materia de defensa nacional y seguridad pública

En distintos pasajes, la LCDefySeg 24/2011 se preocupa de salvaguardar los secretos militares expresamente clasificados como tales, y la confidencialidad de la información en materia de defensa nacional y seguridad pública que sea relevante y sensible. Al margen de la eventual imposición de condiciones especiales de ejecución del contrato al amparo de lo previsto en su artículo 21, la existencia de una prohibición de contratar específicamente tipificada para las empresas indiscretas (artículo 12.1.c), o la posible opacidad en la adjudicación del contrato (artículos 33.4 y 35.3), interesa destacar ahora otras medidas que persiguen esa misma finalidad.

A ese respecto, tiene especial importancia la pertenencia de España a la OTAN y otras organizaciones similares. Cuando se trate de contratos públicos que supongan el uso de información clasificada o requieran el acceso a secretos oficiales, debe tenerse en cuenta lo establecido en las disposiciones reglamentarias que dicte la Autoridad Nacional de Seguridad de la información clasificada, originada por las partes del Tratado del Atlántico Norte, por la Unión Europea y por la Unión Europea Occidental. Con independencia de ello, el órgano de contratación deberá designar el específico órgano al que se encomendará el control de la información clasificada, a la que el propio órgano de contratación puede tener acceso (apartado 1 de la disposición adicional quinta de la LCDefySeg 24/2011)[71].

Por otro lado, en el artículo 15.5 se exige a los candidatos una habilitación administrativa *"ad hoc"*, específicamente otorgada a las empresas que quieran participar en los procedimientos de licitación de contratos públicos que supongan el uso de información clasificada, o requieran el acceso a la misma. La competencia para otorgar o denegar esa habilitación, corresponde a autoridad pública mencionada en los apartados 2 y 3 de la disposición adicional quinta de la LCDefySeg 24/2011.

También hay reglas orientadas a proteger la confidencialidad de la información sensible o relevante, cuando por algún licitador o candidato

---

[71]   Sobre informaciones clasificadas, debe tenerse en cuenta lo establecido en la Ley 9/1968, de 5 de abril (de secretos oficiales, parcialmente reformada por la Ley 48/1978, de 7 de octubre). También tiene relevancia la Orden del Ministerio de Defensa 76/2006, de 19 de mayo (por la que se aprueba la política de seguridad de la información del Ministerio de Defensa). Téngase en cuenta también, la Decisión 2011/292/UE, de 31 de marzo (que contiene la normas de seguridad para la protección de la información clasificada de la Unión Europea).

se interponga un recurso, para impugnar las decisiones administrativas adoptadas durante el procedimiento de preparación y adjudicación del contrato. Conforme a lo establecido en el artículo 59.2 de la LCDefySeg 24/2011, para la tramitación y resolución de los recursos que hagan referencia a información clasificada, los departamentos ministeriales implicados autorizarán a los miembros del Tribunal Administrativo Central de Recursos Contractuales, para manejar información clasificada, al objeto de que puedan examinar las impugnaciones que conllevan el uso de tal información. Asimismo, reglamentariamente se establecen las medidas de seguridad específicas relacionadas con el Registro de recursos, la recepción de documentos, y el archivo y la custodia de la documentación.

Por otro lado, y a tenor de lo dispuesto en el artículo 60 de la LCDefySeg 24/2011, el Tribunal Administrativo Central de Recursos Contractuales, debe garantizar un nivel adecuado de confidencialidad de la información (clasificada o no), contenida en la documentación transmitida por las partes, y en todo caso, ese Tribunal debe actuar de conformidad con los intereses de la seguridad o de la defensa en todas las fases del procedimiento impugnatorio. Corresponde a dicho Tribunal decidir cómo garantizar la confidencialidad y el secreto de la información contenida en el expediente administrativo, sin que por ello puedan resultar perjudicados los derechos de los demás interesados a la protección jurídica efectiva, y al derecho de defensa en el procedimiento de recurso.

E) Especialidades en materia de la capacidad de los aspirantes a la adjudicación del contrato; las prohibiciones de contratar

En líneas generales, para participar en el procedimiento selectivo de contratos en los ámbitos de la defensa nacional y la seguridad pública, se aplican las mismas reglas de capacidad y solvencia establecidas con carácter general en el TRLCSP 3/2011.

Ello no obstante, la LCDefySeg 24/2011 introduce algunas especialidades, como la establecida en su artículo 15.5, en el que se exige a los candidatos una habilitación administrativa *"ad hoc"*, específicamente otorgada a las empresas que quieran participar en los procedimientos de licitación de contratos públicos que supongan el uso de información clasificada, o requieran el acceso a la misma.

Por otro lado, la LCDefySeg 24/2011 tipifica unas nuevas prohibiciones de contratar, que se añaden a las establecidas con carácter general en los apartados 1 y 2 del artículo 60 del TRLCSP 3/2011. Las causas específicas que determinan una prohibición de contratar en los ámbitos de la defensa nacional y la seguridad pública son, conforme a lo establecido en el artículo 12 de la LCDefySeg 24/2011:

(i) haber sido condenado el aspirante a la adjudicación mediante sentencia penal firme, por uno o varios delitos de terrorismo, o por delito ligado a las actividades terroristas, incluida cualquier forma de participación en el delito;

(ii) haberse averiguado, sobre la base de cualquier medio de prueba, incluidas las fuentes de datos protegidas, que el empresario no posee la fiabilidad necesaria para excluir los riesgos para la seguridad del Estado o para la defensa;

(iii) haber sido sancionado con carácter firme por alguna infracción grave en materia profesional, entre las cuales se entiende incluida, en todo caso, la vulneración de las obligaciones con respecto a la seguridad de la información, o a la seguridad del suministro con motivo de un contrato anterior.

Al margen de esas prohibiciones de contratar, también hay que destacar una regla especial sobre la capacidad de las personas físicas o jurídicas que sean nacionales de Estados que no formen parte de la Unión Europea. En ese caso, y conforme a lo establecido en el artículo 10.1 de la LCDefySeg 24/2011, esos candidatos deben justificar la existencia de reciprocidad, mediante un informe elaborado por la correspondiente Misión Diplomática Permanente española en aquellos otros Estados. Por tanto, el informe debe declarar si el Estado de procedencia de la empresa extranjera, también admite a su vez y de forma análoga, la participación de empresas españolas en la contratación con la Administración y demás sujetos del sector público de ese otro Estado. Ese informe sobre la existencia de reciprocidad, debe entregarse a la Administración o poder adjudicador que convoca el procedimiento selectivo, junto al resto de la documentación que presente cada candidato.

F) Especialidades en el procedimiento de selección del contratista

En relación a lo establecido en el TRLCSP 3/2011, no hay especialidades en la LCDefySeg 24/2011 que afecten a los contratos menores, o que incidan en el procedimiento abierto y restringido.

Al igual que en el TRLCSP 3/2011, en el ámbito de la LCDefySeg 24/2011 también son "procedimientos especiales" de selección y adjudicación, el de diálogo competitivo, y el procedimiento negociado sin publicidad.

Sin perjuicio de cuestiones formales o de detalle como la distinta duración de los plazos, o algunos trámites concretos, las especialidades más relevantes respecto al procedimiento de selección del contratista incluidas en la LCDefySeg 24/2011, son las referidas al procedimiento negociado con publicidad, y a los acuerdos marco; también hay una regla destacable en materia de invalidez del contrato.

En el ámbito del TRLCSP 3/2011, sólo son "procedimientos normales" de selección del adjudicatario del contrato, los de carácter abierto o restringido. Resulta indicado añadir, que en el TRLCSP 3/2011, el negociado se considera un "procedimiento especial", y además por regla general se tramita sin publicidad, siendo excepcional la exigencia de publicidad.

Pues bien, en el contexto de la LCDefySeg 24/2011, y conforme a lo establecido en su artículo 24, también tiene la consideración de "procedimiento normal", el negociado con publicidad. Es más, la Administración Pública o el poder adjudicador competente, pueden elegir de forma indistinta cualquiera de los tres procedimientos normales, por lo que existe discrecionalidad para optar por el abierto, el restringido, o el negociado con publicidad.

Dicho ello, no está de más añadir que por razón de la materia de que se trata, y teniendo en cuenta las singularidades de la industria militar, no es muy habitual el uso de los rígidos "contratos de adhesión" que siguen a un procedimiento abierto de selección del adjudicatario. En este ámbito específico, lo más normal y frecuente es el "contrato negociado", al que se llega después de un conveniente tira y afloja. A diferencia del procedimiento abierto y del restringido (que después de la licitación desembocan en un contrato de adhesión), ésta es una fórmula para la adjudicación directa del contrato oneroso, que se produce después de una fase de negociación, o tira y afloja sobre las cuestiones económicas y técnicas del contrato. Esas cuestiones que son objeto de negociación con los candidatos, deben establecerse o identificarse en el pliego de cláusulas administrativas particulares. Por tanto, no es en el pliego donde se deja cerrado el estatuto de recíprocos derechos y obligaciones de las partes, sino en el acto de adjudicación en el que se concreta el resultado finalmente alcanzado después de la negociación.

Otra peculiaridad introducida por la LCDefySeg 24/2011, es la de combinar en un mismo procedimiento, las características del negociado con un elemento característico del restringido. Efectivamente, conforme a lo dispuesto en su artículo 43, en el procedimiento negociado con publicidad el órgano de contratación puede establecer en el pliego, que con carácter restringido, sólo podrán presentar oferta o proposición, aquellos empresarios que sean previamente seleccionados, por ajustarse al perfil de solvencia exigido por la Administración o el poder adjudicador. Para ello, el órgano de contratación debe identificar en el pliego los criterios objetivos de solvencia, con arreglo a los cuales serán elegidos los candidatos que serán invitados a formular una oferta o proposición contractual. El pliego también debe fijar el número mínimo de candidatos a los que hay que invitar a participar en la negociación, que no puede ser inferior a 3, siempre que las condiciones de mercado lo permitan.

Finalmente, otra especialidad destacable en materia de los "procedimientos especializados" orientados a racionalizar la celebración de contratos masivos, es que la duración de los acuerdos marco regidos por la LCDefySeg 24/2011, se extiende hasta los 7 años (artículo 53), frente a la duración máxima de 4 años de los acuerdos sometidos a lo establecido en el artículo 196 del TRLCSP 3/2011.

Dicho ello, resulta indicado añadir que en el ámbito de la defensa nacional, es habitual y frecuente que los contratos de servicio de mantenimiento o sostenimiento de material, así como de sistemas operativos complejos y sofisticados, se canalice a través de un acuerdo marco, que en una segunda fase da paso a la firma de los concretos contratos que lo desarrollan.

Finalmente, la ley establece alguna regla sobre la incidencia de las infracciones procedimentales en la invalidez del contrato. Lo normal es que las infracciones graves cometidas en el procedimiento de selección del adjudicatario, contaminen la validez del propio contrato; ahora bien, hay excepciones que se establecen por razones imperiosas, y para proteger los intereses generales en materia de defensa nacional y seguridad pública. Es decir, en ocasiones extremas, y por razones imperiosas, la estricta obediencia al Derecho tiene un valor inferior a la de algunos intereses generales en materia militar.

Aunque durante la tramitación del procedimiento formal de licitación y selección del adjudicatario se cometa alguna de las infracciones tipificadas en el artículo 56 de la LCDefySeg 24/2011 (por ejemplo, haberse omitido la publicación del anuncio en el Diario Oficial de la Unión Europea, o por haberse privado a algún licitador de la posibilidad de interponer un recurso precontractual especial), cabe la posibilidad excepcional de que ese vicio no contamine la validez del contrato. Es decir, no obstante la existencia de una grave ilegalidad, el negocio jurídico oneroso sigue siendo válido.

Conforme a lo establecido en el artículo 57.2 de esa ley: *"En cualquier caso, un contrato podrá no ser declarado nulo cuando las consecuencias de la ineficacia del contrato pusieran seriamente en peligro la existencia misma de un programa de defensa o de seguridad más amplio que sea esencial para los intereses de la seguridad del Estado"*.

En esas peculiares circunstancias, la invalidez o nulidad del contrato se sustituye por otras consecuencias jurídicas diferentes derivadas de la infracción procedimental, como reducir la duración del contrato irregularmente adjudicado, o imponer una multa al poder adjudicador o Administración contratante (artículo 57.3 de la LCDefySeg 24/2011). También procederá imponer la correspondiente sanción disciplinaria, al funcionario responsable de la infracción cometida durante el procedimiento de licitación y selección del adjudicatario del contrato oneroso (artículo 57.4 de la LCDefySeg 24/2011).

G) Especialidades en la adjudicación del contrato

Para salvaguardar los intereses generales en materia de defensa nacional y seguridad pública, se puede orillar la transparencia en la adjudicación de los contratos, admitiéndose por el legislador la opacidad del fundamento de algunas decisiones del sector público.

Conforme a lo establecido en el artículo 35.3 de la LCDefySeg 24/2011, el órgano de contratación puede no publicar determinada información relativa a la adjudicación del contrato, justificándolo debidamente en el expediente, siempre que su divulgación sea contraria al interés público, en particular a los intereses de la defensa o la seguridad interior, o cuando perjudique a intereses comerciales legítimos de los licitadores, o pueda perjudicar la competencia leal entre ellos.

Por otro lado, si concurren esas mismas razones legitimadoras de la opacidad y confidencialidad de la información, por la Administración o el poder adjudicador también se puede ocultar el fundamento de la selección del adjudicatario, y su preferencia en detrimento de los otros competidores en la licitación (artículo 33.4 de la LCDefySeg 24/2011). Es evidente, que en esas circunstancias se merma la viabilidad y la utilidad práctica de las garantías impugnatorias de los demás aspirantes a la adjudicación del contrato, pero así lo han aceptado los representantes parlamentarios de los ciudadanos al aprobar la ley.

H) Especialidades relativas a las condiciones especiales de ejecución del contrato

Con carácter general, el artículo 118 del TRLCSP 3/2011 habilita a las Administraciones Públicas y los poderes adjudicadores, para que en el pliego de cláusulas particulares, incluyan condiciones especiales de ejecución del contrato, que estén ligadas o vinculadas a las prestaciones que sean objeto del negocio jurídico oneroso. Pues bien, a ese respecto, en los ámbitos de la defensa nacional y la seguridad pública cobran una notable relevancia las condiciones especiales de ejecución que se introducen en el pliego para lograr dos objetivos:

(i) la seguridad de la información que se proporciona a licitadores y subcontratistas, para evitar filtraciones que vulneren la confidencialidad; y;

(ii) la seguridad en el efectivo y puntual cumplimiento del suministro que se contrata, para evitar retrasos o interrupciones en la entrega regular y continuada de los bienes que se adquieren.

Dicho ello, conviene destacar que, para reforzar la efectiva observancia de esas condiciones especiales de cumplimiento del contrato, el pliego puede establecer penalidades para castigar al adjudicatario cuando no las atienda u obedezca. En la aplicación práctica de las penalidades contractuales tipificadas en el pliego, debe respetarse el principio de proporcionalidad; en cualquier caso, la cuantía de las penalidades no puede ser superior al 10 por ciento del presupuesto del contrato (artículo 212.1 del TRLCSP 3/2011).

Por otro lado, si el pliego atribuye expresamente carácter esencial a esas condiciones especiales de ejecución del contrato (artículo 118.2 del TRLCSP 3/2011), en ese caso, al tener la obligación carácter esencial, por sí sólo su incumplimiento basta para justificar la resolución del contrato [artículo 223.f) del TRLCSP 3/2011]. No está de más añadir que, el artículo 60.2.a) del TRLCSP tipifica como prohibición de contratar con las Administraciones Públicas en sentido estricto, el haber dado lugar a la resolución del contrato, por culpa del adjudicatario.

Por razones de interés público, merecen especial protección los secretos militares y otras informaciones confidenciales en el ámbito de la defensa nacional y la seguridad pública; se trata de mantener la reserva, y evitar que se produzcan filtraciones de la información que reciben los licitadores y subcontratistas del sector público. De ahí que el artículo 21 de la LCDefySeg 24/2011, establezca que el órgano de contratación tiene que especificar de forma resumida en el anuncio de licitación, y detalladamente en la documentación del contrato, las medidas y exigencias necesarias para garantizar la seguridad de la información. En ese sentido, por ejemplo, el órgano de contratación puede exigir a los licitadores que incluyan en su proposición u oferta:

(i) el compromiso del licitador y de los subcontratistas que en ese momento ya estuvieran identificados, de salvaguardar adecuadamente la confidencialidad de toda la información clasificada que posean, o que llegue a su conocimiento a lo largo de la duración del contrato, e incluso después de su terminación;

(ii) el compromiso del licitador de imponer la anterior obligación, a los subcontratistas que se identifiquen con posterioridad;

(iii) facilitar información suficiente sobre los subcontratistas ya identificados, que permita al órgano de contratación determinar si cada uno de ellos posee efectivamente la capacidad necesaria para salvaguardar adecuadamente la confidencialidad de la información clasificada a la que tengan acceso, o que vayan a generar con motivo de la realización de sus actividades.

Otro objetivo de interés general en materia de defensa nacional, es garantizar la fiable regularidad del adjudicatario en el puntual cumplimiento de sus obligaciones contractuales. Es decir, se trata de evitar que en plena situación de crisis de defensa o seguridad, se produzcan retrasos o interrupciones en el suministro, por faltarle al contratista algún tipo de permiso, o por producirse cambios en el proceso industrial de fabricación. A tal efecto, y conforme a lo establecido en el artículo 22 de la LCDefySeg 24/2011, el órgano de contratación puede especificar sus exigencias en materia de seguridad del suministro, imponiendo que la oferta o propuesta de los licitadores incluya, por ejemplo:

(i) el certificado o la documentación que acredite que el licitador puede cumplir las obligaciones en materia de exportación, traslado y tránsito de mercancías vinculadas al contrato;

(ii) la indicación de las restricciones vinculadas con la revelación, la transferencia o el uso de productos y servicios, o de cualquier resultado de esos productos y servicios, que resulte del control de las exportaciones, o las medidas de seguridad de obligado cumplimiento;

(iii) el certificado o la documentación, acreditativos de que la organización y localización de la cadena de abastecimiento del candidato o licitador, le permitirán cumplir efectivamente con las exigencias del órgano de contratación en materia de seguridad del suministro que figuren en el pliego;

(iv) el compromiso de garantizar que los posibles cambios en la cadena de suministro durante la ejecución del contrato, no afectarán negativamente al cumplimiento de esas exigencias;

(v) el compromiso del candidato o licitador de crear, o de mantener, la capacidad necesaria para hacer frente a cualquier posible aumento de las necesidades del órgano de contratación, como consecuencia de una situación de crisis, de conformidad con los términos y condiciones fijados en el pliego.

Precisa el artículo 22.3 de la LCDefySeg 24/2011, que el eventual incumplimiento por el adjudicatario de las condiciones especiales de ejecución del contrato ligadas a la seguridad del suministro, puede dar lugar a una prohibición de contratar.

A ese respecto, no está de más recordar que, el artículo 60.2.a) del TRLCSP ya tipifica como prohibición de contratar con las Administraciones Públicas en sentido estricto, el haber dado lugar a la resolución del contrato, por culpa del adjudicatario. Por tanto, el artículo 22.3 de la LCDefySeg 24/2011 comporta una extensión, pues también puede acarrear una prohibición de contratar con los poderes adjudicadores, y no sólo con las Administraciones Públicas. Por otro lado, subyace en ese último precepto, una presunción de que cualquier incumplimiento de las obligaciones especiales de ejecución en materia de seguridad del suministro, se considera achacable a la culpa del adjudicatario.

I) Especialidades en materia de subcontratación

Como ya se ha anticipado, para apuntalar la soberanía nacional en cuestiones de defensa y seguridad, es importante potenciar la autarquía industrial, para que haya empresas nacionales que fabriquen y suministren los productos necesarios, o presten los servicios que sean precisos para su conservación y mantenimiento.

Aunque en otro tiempo el Instituto Nacional de Industria (INI) se ocupó de forma muy especial del desarrollo de algunas empresas públicas en el sector militar de la defensa[72], en la actualidad la presencia del sector

---

[72]   Conforme a lo establecido en el artículo 1 de la Ley de 30 de septiembre de 1941: *"Se crea el Instituto Nacional de Industria, Entidad de Derecho público que tiene por finalidad pro-*

público es marginal en el mercado globalizado. Por otro lado, en esos sectores de producción industrial no hay grandes empresas españolas de titularidad privada.

Quedan sin embargo pequeñas y medianas empresas nacionales, y para posibilitar su participación en las grandes contratas que adjudique nuestro sector público, la LCDefySeg 24/2011 establece algunas reglas especiales en materia de subcontratación. Con ello se busca que la PYME española, colabore con grandes compañías multinacionales de los sectores de la defensa y la seguridad.

En legítimo ejercicio de su libertad empresarial (artículo 38 CE), según su conveniencia o interés, el adjudicatario puede optar por subcontratar algunas prestaciones, y en línea general de principio, también puede elegir libremente no realizar ninguna subcontratación, y ejecutar todas las prestaciones con sus propios medios, sin necesidad de utilizar proveedores externos.

Ahora bien, el artículo 61.2 de la LCDefySeg 24/2011 habilita al órgano de contratación, para que motivadamente y explicando el fundamento de esa decisión, pueda imponer al adjudicatario la obligación de subcontratar con terceros una parte importante de la prestación. Aunque en este punto el texto de la ley es confuso y poco claro, cabe entender que lo indicado sería que el órgano de contratación incorporase esa exigencia en el pliego de cláusulas, expresando el porcentaje mínimo del precio de adjudicación del contrato, que necesariamente tiene que transferirse a las otras empresas con quienes se subcontrate[73].

---

pulsar y financiar, en servicio de la Nación, la creación y resurgimiento de nuestras industrias, en especial de las que se propongan como fin principal la resolución de los problemas impuestos por las exigencias de la defensa del país o que se dirijan al desenvolvimiento de nuestra autarquía económica, ofreciendo al ahorro español una inversión segura y atractiva".

[73] Dictamen del Consejo de Estado de 24 de marzo de 2011 (número 209/2011, relativo al anteproyecto de ley de contratos del sector público en los ámbitos de la defensa y la seguridad): *"De otra parte, en cuanto a la formulación de la regla general, se deja en manos del órgano de contratación la posible aplicación de los artículos 63 y 64 de la futura ley, cuando quizá resulte preferible remitir a los pliegos de cláusulas particulares la concreción de esa opción, de modo de los pliegos pudieran imponer la obligación de acudir a dichas normas de procedimiento, o bien autorizar al órgano de contratación para exigir su aplicación, si así lo estimara oportuno. En todo caso, no hay que olvidar, como se apunta en alguno de los escritos de contestación a las observaciones formuladas, que las previsiones contenidas en los artículos 63 y 64 del anteproyecto de Ley constituyen, en última instancia, una "intromisión en el ámbito del derecho privado que no debe hacerse desde una norma que regula cuestiones jurídico públicas" y que, como tal, debe ser objeto de interpretación restrictiva. Y de ahí que, sea cual sea la solución que finalmente acoja el anteproyecto en cuanto a este punto concreto —decisión del órgano de contratación, previsión*

La relación jurídica que se traba entre el adjudicatario del contrato público o principal, y los terceros subcontratistas, es un estricto nexo entre particulares, que se rige por las normas del Derecho Privado en todo lo que atañe a su cumplimiento, modificación, resolución o eventual anulación. Ahora bien, la LCDefySeg 24/2011 establece una profunda infiltración pública en el proceso de selección de los subcontratistas.

Efectivamente, la empresa a la que se ha adjudicado el contrato del sector público en materia de defensa nacional, no siempre puede elegir libremente y a su antojo a los subcontratistas. Con fundamento en el artículo 63 de la LCDefySeg 24/2011, el pliego puede imponerle al adjudicatario que, para seleccionar a los subcontratistas, debe respetar los principios de transparencia, no discriminación e igualdad de trato a todos los que aspiren a obtener la subcontrata. De esa forma, se impone a las grandes multinacionales a quienes se adjudique el contrato público o principal, la obligación jurídica de subcontratar con terceros, y normalmente lo harán con pequeñas y medianas empresas españolas. Otras veces, la Administración o el poder adjudicador pueden optar por prohibir la subcontratación, para así tener un control más férreo y estricto de la información confidencial suministrada al adjudicatario.

Por otro lado, en las circunstancias tipificadas en ese artículo 63, el adjudicatario del contrato público o principal, está obligado a publicar un anuncio de la convocatoria del procedimiento selectivo, para así divulgar esa oportunidad de negocio para cualquier PYME que esté interesada en participar y competir. Añade el artículo 74, que el anuncio también debe incluir los criterios de selección que se aplicarán para adjudicar las subcontratas, con la particularidad de que la fijación de esos criterios debe ser controlada y autorizada por el órgano de contratación del sector público, para asegurar así que los criterios de selección sean objetivos y no discriminatorios.

No acaban ahí las intromisiones del sector público en una relación contractual estrictamente privada, pues aunque el adjudicatario haya cumplido esas reglas y principios en la selección del subcontratista, la Administración o el poder adjudicador pueden rechazarlo. Efectivamente, a tenor de lo dispuesto en el artículo 62 de la LCDefySeg 24/2011, si así se ha previsto

---

en los pliegos—, lo que sí parece conveniente es que la exigencia de adjudicar los subcontratos de conformidad con los mencionados artículos 63 y 64 se encuentre suficientemente motivada, ya sea en el propio pliego (si en él se contempla expresamente), ya sea al decidirlo así el órgano de contratación. Por tanto, debiera incluirse expresamente esa cautela".

en el pliego, cabe rechazar al subcontratista, por considerarse que no tiene las condiciones de aptitud o de solvencia exigidas; como consecuencia de ese poder de veto, quien tiene la última palabra es la Administración o el poder adjudicador. Ahora bien, el veto no puede ser arbitrario (artículo 9.3 CE), por lo que tiene que estar adecuadamente motivado y fundarse en causas objetivas, proporcionales, racionales y razonablemente ponderadas.

V. EL USO Y DESTINO DE LOS BIENES MILITARES

1. La reserva en exclusiva del uso de bienes de dominio público; algo sobre las instalaciones deportivas

La playa, las calles o las carreteras son bienes demaniales que están destinados al uso público general y común. Ahora bien, la titularidad pública de un bien no siempre está vinculada a su uso público por cualquier persona. Un rasgo que caracteriza a los bienes militares es que su uso está reservado en exclusiva[74] a la propia Administración del Estado. Dicho en otros términos, no son bienes de uso público general y libre por cualquier ciudadano; cualquier persona no puede pasear por un acuartelamiento militar, de igual forma que lo haría por algún parque público. En línea general de principio, tampoco se otorgan a los particulares autorizaciones o concesiones demaniales que legitimen el uso y aprovechamiento especial o privativo del dominio público militar. Esa reserva en exclusiva produce

---

[74] El régimen general de las reservas demaniales está previsto en el artículo 104 de la Ley 33/2003, de 3 de noviembre (del Patrimonio de las Administraciones Públicas), conforme al cual:

"1. La Administración General del Estado podrá reservarse el uso exclusivo de bienes de su titularidad destinados al uso general para la realización de fines de su competencia, cuando existan razones de utilidad pública o interés general que lo justifiquen.
2. La duración de la reserva se limitará al tiempo necesario para el cumplimiento de los fines para los que se acordó.
3. La declaración de reserva se efectuará por acuerdo del Consejo de Ministros, que deberá publicarse en el "Boletín Oficial del Estado" e inscribirse en el Registro de la Propiedad.
4. La reserva prevalecerá frente a cualesquiera otros posibles usos de los bienes y llevará implícita la declaración de utilidad pública y la necesidad de ocupación, a efectos expropiatorios, de los derechos preexistentes que resulten incompatibles con ella".
Esa disposición está concebida para bienes que, en principio están destinados al uso general, y que excepcionalmente pasan a tener por destino transitorio el uso exclusivo por la Administración del Estado. Por ello no es de aplicación a los bienes militares, que están reservados en exclusiva de forma permanente y no transitoria.

como efecto que en materia de dominio público militar no existan por lo general relaciones entre la Administración y los ciudadanos[75].

Ello no obstante, hay algunos pocos supuestos aislados en los que se reconoce el uso en exclusiva de bienes militares a quienes no forman parte de las fuerzas armadas, ni tienen una vinculación de servicio directa con el Ministerio de Defensa. Así sucede con el uso de las instalaciones deportivas. Como afirma PRADOS[76], *"la propia función y fines de la organización militar imponen necesariamente ciertas actividades que hoy en día son calificadas como estrictas modalidades deportivas, así deportes como equitación, tiro, esgrima, vela, submarinismo o paracaidismo, por citar sólo algunas de ellas, han sido consideradas históricamente como propias de la actividad militar ordinaria".*

De acuerdo, pero... ¿y el golf? Ciertamente no es fácil ni sencillo vincular la función militar con esa práctica deportiva; ello no obstante, la Administración General del Estado es titular de varios campos de golf que gestiona el Ministerio de Defensa. Tres están en Madrid (Base Aérea de Torrejón —18 hoyos—, Centro Deportivo Barberán —9 hoyos—, y Club Militar La Dehesa —9 hoyos, pendiente de ampliación a 18—). Además de esos hay un campo en Zaragoza (Base Aérea —9 hoyos—) y otro en Cádiz (Base Aérea de Rota —18 hoyos—).

Como en cualquier otra colectividad, la práctica de actividades deportivas puede ser un factor de cohesión social; lo peculiar es la existencia de instalaciones *"ad hoc"* para el personal militar, distintas a las destinadas a los otros servidores públicos y el resto de la ciudadanía[77]. Es cierto que en algunos puestos militares tiene importancia la buena condición física[78], pero

---

[75]   Como declara la Sentencia del Tribunal Constitucional 149/1991, de 4 de julio (FJ 4), *"la reserva de una zona de dominio público... sustrae de manera total o parcial los terrenos afectados del uso común general (y a cualquier otra utilización...)".*

[76]   Santiago PRADOS PRADOS, *Administración militar, educación física y deporte*, Revista Española de Derecho Deportivo número 8 (julio-diciembre 1997), p. 180.

[77]   Según explica el preámbulo de la Orden DEF/792/2003, de 25 de marzo: *"Los Clubes o Centros Deportivos Militares responden a una arraigada tradición en las Fuerzas Armadas y cuya razón de ser obedece a la necesidad de prestar apoyo a la preparación física de los militares y actuar como núcleo de acción social y cultural de éstos y sus familias, fomentando las relaciones sociales, el compañerismo y la amistad dentro de los Ejércitos. La movilidad es una característica o exigencia relevante y necesaria a lo largo de la trayectoria profesional del militar, ante esta situación de frecuentes cambios de destino, los Clubes o Centros Deportivos Militares proporcionan a los militares un aspecto de estabilidad o integración con otros miembros residentes en la nueva localidad".*

[78]   La Ley 77/1961, de 23 de diciembre (de Educación Física) disponía en su artículo 11: *"Las Fuerzas Armadas continuarán dedicando especial atención y dirigirán la educación física y deportiva de su personal respectivo y Centros de ella dependientes no sólo como necesidad inmedia-*

en muchos otros puestos no sucede así; por ello, no es de sorprender que invocar la preparación física como fundamento justificativo de esas instalaciones, es un simple pretexto escasamente convincente para legitimar una situación de privilegio.

La Orden del Ministerio de Defensa de 25 de marzo de 2003, establece el régimen jurídico y de funcionamiento de los centros deportivos y socioculturales militares. El apartado Octavo de esa Orden establece el régimen de uso de las instalaciones: *"En la normativa de desarrollo de la presente Orden Ministerial se establecerán las personas que podrán acceder a la condición de usuario entendiendo por tal, el que tenga derecho al uso y disfrute de las instalaciones y elementos de recreo y deportivos de los que cada Centro disponga, limitando tal consideración a los militares profesionales, sus cónyuges y familiares hasta el grado que se determine"*.

Esa regla tampoco es general o universal, porque con carácter excepcional se establece una admisión selectiva y privilegiada de algunos civiles, ya que conforme a la disposición adicional segunda de esa Orden: *"Los Jefes de los Mandos o Jefatura de Personal de los Ejércitos, en el ámbito de sus respectivas competencias, en atención a los méritos o circunstancias extraordinarias que concurran en el personal civil podrán autorizar la condición de usuario a que hace referencia el apartado Octavo de la presente Orden Ministerial"*.

2. La mayor o menor intensidad de la afectación de los bienes a las necesidades de la defensa nacional

Más que por razón del tipo sujeto o persona administrativa que ostenta su titularidad, los bienes demaniales o de dominio público se definen y distinguen de otros, por su destino o afectación (por estar directamente vinculados a satisfacer al interés general), elemento finalista que impide su apropiación privada, y los excluye del mercado al ser *"res extra commercium"*. La afectación o desafectación de un bien a la satisfacción de las necesida-

---

ta para la formación de los combatientes, sino para que la permanencia en filas de los españoles contribuya a la consecución del mejoramiento de las condiciones físicas de nuestra juventud".
La Ley 13/1980, de 31 de marzo (de la Cultura Física y el Deporte) dedica su artículo 7 a las Fuerzas Armadas, y en su apartado 3 dispone: *"Se fomentará la disponibilidad de medios e instalaciones para la práctica de los deportes que integren la formación profesional de las Fuerzas Armadas y de los Cuerpos de Seguridad Ciudadana. Su financiación correrá a cargo de los Ministerios de Defensa e Interior"*.
La vigente Ley del Deporte de 1990 guarda silencio sobre las Fuerzas Armadas.

des de la defensa nacional, determina la adquisición o pérdida de la condición de bien de dominio público.

La adquisición de la naturaleza demanial como consecuencia de la afectación se infiere del artículo 339.2 del Código Civil, conforme al cual, son bienes de dominio público *"las murallas, fortalezas y demás obras de defensa del territorio"*. En virtud de la afectación, una cosa queda consagrada a un destino de interés general al que debe servir. La afectación es una carga real que vincula la cosa a una determinada finalidad de interés público; se crea un ligamen entre el fin de la cosa y la función a la que debe servir, que por tanto, no puede estar destinada a objetivos desconectados o inconexos con su fin propio.

Para que un bien de dominio público vuelva a estar dentro del comercio de las cosas por convertirse en patrimonial, y por tanto pueda ser enajenado a terceros, es indispensable su previa desafectación. La desafectación o desvinculación de un bien del uso o servicio público al que estaba destinado, produce como efecto el cambio de naturaleza jurídica, pues la cosa pasa a ser, o un bien patrimonial de la Administración, o un bien de propiedad privada. El bien deja de ser de dominio público, y pasa a ser dominio privado de la Administración, o bien patrimonial (volviendo a estar dentro del comercio de las cosas). Otras veces la desafectación comportará la posibilidad de ejercer el derecho de reversión, por quien en su día fue expropiado de un bien, o por sus causahabientes. En ese último caso, la desafectación es el pasaporte formal que permite a las cosas demaniales, atravesar la frontera de los bienes de titularidad pública, para pasarse al lado de los bienes de propiedad privada. La desafectación de los bienes militares está prevista en el artículo 341 del citado Código: *"Los bienes de dominio público, cuando dejen de estar destinados al uso general o a las necesidades de la defensa del territorio, pasan a formar parte de los bienes de propiedad del Estado"*.

Hay bienes militares que en estricto rigor no están directa e inmediatamente vinculados a la recta satisfacción de las necesidades de la defensa nacional. Por ejemplo, los muebles del Ministerio de Defensa tienen la consideración de bienes patrimoniales susceptibles de enajenación. Dejando al margen la distinción entre bienes de dominio público y patrimoniales, se aprecia la existencia de distintos grados de vinculación con las necesidades de la defensa nacional. En el caso de un carro de combate esa vinculación es directa e inmediata. En cambio otros bienes militares tienen una remota conexión con la satisfacción de las necesidades defensivas y en ese sentido cabe hablar de una "escala de demanialidad" (piénsese en un museo que es de titularidad del Ministerio de Defensa o un espacio natural protegido como el de Cabañeros, qué decir de un campo de golf).

Los bienes de titularidad privada también experimentan esa vinculación de intensidad variable con la defensa nacional. Como se explicará
en detalle más adelante, la Ley 8/1975 establece las limitaciones y servidumbres que se imponen a los civiles que son titulares de una propiedad
privada de naturaleza inmueble, y por razón de su distinta intensidad la ley
distingue varios estatutos reales. Si la declaración de «interés para la defensa nacional» es el máximo escalón de protección territorial (el estatuto
real de máxima intervención sobre la propiedad privada), un peldaño por
debajo se encuentran los bienes inmuebles que sean declarados de "interés
militar". De la declaración de "interés para la defensa nacional" se desciende a la simple declaración de "interés militar".

Por otro lado, la simple circunstancia fáctica de que un bien esté geográficamente situado dentro de una instalación de las fuerzas armadas, no
lo transforma en un bien que en rigor estricto está destinado a satisfacer las
necesidades de la defensa nacional. Además de esa localización espacial en
una zona militar, es necesaria la afectación directa e inmediata a los fines
de la defensa nacional. Un bien inmueble puede estar ubicado dentro de
una instalación castrense, pero no tener la consideración jurídica de bien
militar. En el interior de una base militar de gran extensión territorial como la de Rota, hay establecimientos comerciales que no están directa e inmediatamente afectos a la defensa nacional (y en consecuencia no forman
parte del dominio público militar).

Esa precisión tiene una extraordinaria importancia práctica para las Haciendas Locales. En línea general de principio, están exentos del Impuesto
de Bienes Inmuebles (IBI) los que sean propiedad del Estado y estén afectos a la defensa nacional. Conforme a lo establecido en el artículo 62.1.a)
del Texto Refundido de la Ley Reguladora de las Haciendas Locales, aprobado por Real Decreto Legislativo 2/2004, de 5 de marzo, en lo sucesivo
TRLHL 2/2004):

> *"Estarán exentos los siguientes inmuebles:*
> *a) Los que sean propiedad del Estado, de las Comunidades Autónomas o de las*
> *entidades locales que estén directamente afectos a la seguridad ciudadana y a los*
> *servicios educativos y penitenciarios, así como los del Estado afectos a la defensa*
> *nacional".*

Aparentemente y en una lectura precipitada, el significado de ese precepto es claro: no basta cualquier grado de vinculación, es necesaria una
afectación directa a las necesidades de la defensa nacional; ello implicaría
un nexo inmediato y directo que debe ser objeto de una interpretación estricta y rigurosa. Ahora bien, esa lectura del precepto legal es precipitada e

incorrecta, pues mientras que para los bienes ligados a la seguridad ciudadana se exige una afectación directa, respecto a los destinados a la defensa nacional basta la simple afectación, a diferencia de lo que ocurría en la originaria redacción del artículo de la Ley 39/1988, de 28 de diciembre, de Haciendas Locales[79].

Dejando al margen la jurisprudencia anterior dictada cuando la ley exigía una afectación directa a las necesidades de la defensa nacional[80], en la actualidad el Tribunal Supremo mantiene que para decidir si la exención tributaria es aplicable, en cada caso concreto debe utilizarse un criterio amplio y elástico sobre el grado de afectación de los bienes a la defensa nacional (sentencias de 20 de noviembre de 2012[81], y de 27 de mayo de 2011). En ese sentido, por ejemplo, el hecho de que los terrenos de titula-

---

[79]   Conforme a lo establecido en el ya derogado artículo 64.a) de la Ley 39/1988, de 28 de diciembre (de Haciendas Locales): *"Gozarán de exención los siguientes bienes:*
a) Los que sean propiedad del Estado, de las Comunidades Autónomas o de las Entidades locales, y estén directamente afectos a la defensa nacional, seguridad ciudadana y a los servicios educativos y penitenciarios; asimismo, las carreteras, los caminos, los del dominio público marítimo terrestre e hidráulico y las demás vías terrestres que sean de aprovechamiento público y gratuito".

[80]   Sentencia del Tribunal Supremo de 29 de marzo de 2003 [recurso de casación 3973/1998; ponente José Mateo Díaz (*Tol 354626*)]: *"Esta cuestión se ha planteado repetidas veces en esta Sala, habiéndose elaborado una reiterada doctrina en la que se inscribe la tesis del Abogado del Estado.*
Citamos a tal fin las sentencias de 27 septiembre 2001, dictada en Recurso de casación en interés de la Ley núm. 3338/2000, y la de 1 de marzo 2003, recurso de casación 2199/1998.
En ellas hemos insistido en que la exención postulada por la Administración recurrente respecto de este tipo de bienes está en razón a que se encuentran integrados en bienes "afectos directamente" a la Defensa Nacional o a la Seguridad Ciudadana, o a ambas cosas, ratio que no es obstruida por las apreciaciones probatorias de la sentencia recurrida, concretamente las relativas a que en dichos bienes se encuentren viviendas del personal de la unidad militar o de sus servicios.
Frente a esta doctrina no puede prevalecer la interpretación que aflora en la sentencia recurrida, pues sin entrar en modo alguno en la apreciación que hace de la prueba, puede verse que del texto recurrido se extraen consecuencias probatorias que, paradójicamente, conducen a conclusiones bien diferentes a las que ella misma preconiza.
Así cuando afirma que algunas viviendas están ocupadas por familias concretas (lo que no puede ser más lógico), o que existe la "posibilidad" de que algunas estén cedidas a Profesores de un determinado Colegio (sin más especificaciones, y que en todo caso entrañaría una irregularidad que no alteraría la afección de la Fábrica a que pertenecen a la Defensa Nacional) o, finalmente, que no todas se encuentran ocupadas (lo que es indiferente a los fines de la exención).
En consecuencia, procede estimar el motivo, casar la sentencia recurrida y declarar, conforme a la regla 3ª del art. 102.1 y según se solicita por la parte recurrente, el derecho de la Administración General del Estado a la exención de los bienes a que se refieren las liquidaciones giradas por el concepto de IBI, período de 1995".

[81]   Sentencia del Tribunal Supremo de 20 de noviembre de 2012 [recurso de casación en interés de ley 2812/2011; ponente Segundo Menéndez Pérez (*Tol 2707394*)].

ridad estatal del antiguo arsenal de "La Carraca" (situados en el término municipal de San Fernando, provincia de Cádiz), se destinen a su aprovechamiento por una empresa pública orientada al lucro y la obtención de ganancias económicas ("Navantia"), no es un obstáculo que impida aplicar la exención del impuesto de bienes inmuebles[82].

Utilizando ese mismo tipo de criterio elástico o extensivo (que es impropio de una norma que establece una excepción a la regla general que obliga al pago del impuesto), se admite por la jurisprudencia menor, la exención tributaria de un inmueble destinado para el archivo general militar de Ávila, pese a que en ese caso, el vínculo con la defensa nacional no

---

[82]   Sentencia del Tribunal Supremo de 27 de mayo de 2011 [recurso de casación en interés de ley 17/2010; ponente Juan Gonzalo Martínez Micó (*Tol 2154593*)]: *"Piénsese, además, que las instalaciones de NAVANTIA se asientan sobre inmuebles que son propiedad del Estado, afectos al Ministerio de Defensa y cedidos temporalmente a la empresa pública citada como sucesora, a partir de 2005, de la Empresa Nacional Bazán de Construcciones Navales Militares, advirtiéndose que el sujeto pasivo es el Estado y no la empresa de referencia. El hecho imponible del IBI está constituido por la propiedad de los bienes inmuebles. Dichos inmuebles tienen reconocida la exención en el Impuesto sobre Bienes inmuebles dado su carácter de bienes propiedad del Estado de interés militar por estar afectos, bien directa o indirectamente, a la Defensa Nacional.*
La exigencia de que el inmueble propiedad del Estado esté afecto a la Defensa Nacional ha de ser interpretada con criterio amplio. La evolución legislativa nos lleva a entenderlo así pues la afección a los intereses de la Defensa Nacional ya no tiene que producirse "directamente" como imponía el artículo 64.a) de la Ley 39/1988, de 28 de diciembre, reguladora de las Haciendas Locales. La justificación última que abrigó la reforma ya en la Ley 51/2002, de 27 de diciembre —como se señaló en explicación de la enmienda presentada por el Grupo Parlamentario Popular en el Senado— fue "reforzar la seguridad jurídica en el supuesto de exención del Impuesto de Bienes Inmuebles correspondiente a los bienes afectados a un interés público tan relevante y exclusivo del Estado como es la Defensa Nacional"; parece evidente que la intención del legislador no era otra que, de esta manera, evitar que opere la exención del tributo sólo cuando la afectación a la Defensa Nacional del bien inmueble sea directa, y así extenderla —a partir de la entrada en vigor de la reforma— a todos los bienes en que tal afectación exista, independientemente de que esta pueda considerarse de mayor o menor intensidad.
(...) No hay incompatibilidad entre la naturaleza de estos terrenos, propiedad del Estado y de interés para la Defensa Nacional, y la circunstancia de que NAVANTIA realice actividades que por su propia naturaleza persigan un fin lucrativo. Ni la naturaleza jurídica de aquella empresa ni el fin lucrativo que la misma pueda perseguir desvirtúan la naturaleza de aquellos terrenos ni el fin público que los mismos cumplen como afectos, directa o indirectamente, a la Defensa Nacional, sin perjuicio de que su gestión se encomiende a una empresa, sin que esta gestión conlleve ninguna transmisión o cesión de terrenos, que siguen siendo de titularidad estatal, así como tampoco altera el fin, que sigue siendo el alcance o logro de uno de los objetivos del servicio público de la Defensa Nacional. La actuación del Estado por medio de personas interpuestas no deja de ser en cierto modo una ficción jurídica para una mayor agilidad en la gestión de determinados intereses, pero ello no empaña la idea de que tal actividad industrial se encuentra íntimamente conectada con las funciones públicas encomendadas al Ministerio de Defensa por el Ordenamiento Jurídico".

sea muy intenso, según reconoce la Sentencia del Tribunal Superior de Justicia de Castilla y León (con sede en Burgos) de 15 de junio de 2012[83].

Ahora bien, ese criterio es cuanto menos discutible, pues ni todas las actividades desarrolladas en bienes militares tienen siempre un punto de conexión con los intereses generales en materia de defensa nacional, ni todas las actividades vinculadas a la defensa nacional son siempre de carácter militar o de naturaleza administrativa. Hay bienes militares que no están ligados a las misiones propias defensa nacional; es una cuestión opinable o discutible, pero aunque sea militar, un club deportivo no está en rigor afecto a la defensa nacional, ni de forma directa e inmediata, ni de forma indirecta y mediata. No se trata de un problema sobre el mayor o menor grado de afectación, porque en ese caso el destino es deportivo y no hay afectación a la defensa nacional; por tanto, hay conexión con los militares, pero no hay un vínculo con las necesidades de la defensa nacional. No es ese el único caso discutible; como luego se explica, algunas fortalezas militares de titularidad estatal son gestionadas a través de consorcios, y en ellos se desarrollan actividades lúdicas o festivas que son total y absolutamente ajenas a la defensa nacional, como ocurre con la fortaleza de La Mola (en Mahón, isla de Menorca)[84].

En cualquier caso, esa exención tributaria no es aplicable a todos los bienes situados dentro de una base militar. Más que remota, la conexión con la defensa nacional es inexistente y quedan fuera de la interpretación amplia que realiza la jurisprudencia, como ocurre en el ejemplo antes apuntado de un bar situado en el interior de una base militar. Según se infiere de la Sentencia del Tribunal Supremo de 16 de julio de 2002, no es admisible una genérica afectación a la defensa nacional de todos los inmuebles situados dentro del perímetro de la Base militar de Rota. Declara esa Sentencia que *"el hecho de que los bienes e instalaciones destinados a finalidades económicas, comerciales, deportivas o de esparcimiento, por razón de su situación geográfica, estén sometidos a limitaciones al encontrarse próximos a los destinados directamente a la defensa, no tiene por qué conllevar y no conlleva en nuestro ordenamiento jurídico que se les aplique íntegramente el régimen propio de los bienes militares"*[85].

---

83   Sentencia del Tribunal Superior de Justicia de Castilla y León (con sede en Burgos) de 15 de junio de 2012 [recurso de apelación 50/2012; ponente Concepción García Vicario (*Tol 2571520*)].

84   Ver el Dictamen del Consejo de Estado de 12 de enero de 2012 (número 1725/2011).

85   Sentencia del Tribunal Supremo de 16 de julio de 2002 [recurso de casación 8414/1997; ponente Mariano Baena del Alcázar (*Tol 203956*)].

No cabe cerrar este apartado sin añadir una reflexión complementaria; esa ventaja tributaria ligada a la defensa nacional beneficia a toda la colectividad, pero perjudica a los ingresos de un específico ayuntamiento (y por tanto a los vecinos en cuyo término municipal están radicados los bienes destinados a la defensa nacional). Cuando se trata de bases militares o instalaciones de gran extensión superficial, esa exención funciona como un auténtico agujero negro de la hacienda local. Para ponderar o aminorar ese perjuicio, el artículo 9 del TRLHL 2/2004, establece que las propias leyes que creen esos beneficios fiscales, tienen que determinar las fórmulas de compensación que en cada caso procedan[86].

Ahora bien, no hay en rigor un derecho subjetivo de los ayuntamientos a ser indemnizados o compensados por la Administración del Estado por el establecimiento en la ley de la exención de los bienes afectos a la defensa nacional. Es más, la ausencia de esas compensaciones no vulnera la suficiencia presupuestaria y la autonomía financiera de las corporaciones locales[87]; hay derecho subjetivo a la compensación cuando las exenciones son auténticos privilegios conferidos a personas concretas o individuales, pero no hay derecho a la compensación con cargo al Estado cuando la exención es abstracta y genérica a favor de una actividad de interés general[88].

---

[86] Por ejemplo, puede tener algún interés recordar aquí lo establecido en el artículo 100 de la Ley 42/2006, de 28 de diciembre (de presupuestos generales del Estado para 2007): *"Para dar cumplimiento a lo previsto en el artículo 9 del Texto Refundido de la Ley Reguladora de las Haciendas Locales aprobado por Real Decreto Legislativo 2/2004, de 5 de marzo, se dota en la sección 32 del vigente Presupuesto de Gastos del Estado un crédito con la finalidad de compensar los beneficios fiscales en tributos locales de exacción obligatoria que se puedan conceder por el Estado mediante Ley y en los términos previstos en el apartado dos del citado artículo 9.*
Se autoriza al Ministerio de Economía y Hacienda a dictar las normas necesarias para el establecimiento del procedimiento a seguir en cada caso, con el fin de proceder a la compensación, en favor de los municipios, de las deudas tributarias efectivamente condonadas y de las exenciones legalmente concedidas".

[87] Entre otros muchos pronunciamientos, ver las Sentencias del Tribunal Supremo de 6 de mayo de 2013 (recurso de casación 931/2010; ponente Emilio Frías Ponce), y de 19 de noviembre de 2012 (recurso de casación para la unificación de la doctrina 2374/2012; ponente Rafael Fernández Montalvo).

[88] Sentencia del Tribunal Supremo de 13 de octubre de 2009 (recurso de casación 3826/2003; ponente Joaquín Huelin Martínez de Velasco).

VI. LA GESTIÓN DE LOS BIENES MILITARES

1. Introducción

La gestión de los bienes militares y vinculados a la defensa nacional comporta una amplia variedad de actuaciones, que abarcan desde la identificación de las necesidades a satisfacer, hasta la conservación en buen estado de esas cosas. En esa materia hay que estar a lo establecido en la Instrucción del Secretario de Estado sobre la gestión de infraestructuras de la defensa de 16 de septiembre de 2002[89].

Uno de los rasgos peculiares de los bienes militares es la variedad de formulas organizativas empleadas para su gestión, que puede desempeñarse por los órganos centrales del Ministerio de Defensa, o a través de Organismos Autónomos como el "Centro Nacional de Inteligencia" (CNI)[90], el "Instituto de Vivienda, Infraestructura y Equipamiento de la Defensa" (INVIED)[91], el "Instituto Nacional de Técnica Aeroespacial Esteban Terradas" (INTAS)[92], el "Servicio Militar de Construcciones"[93], el organismo autónomo "Cría Caballar de las Fuerzas Armadas" (OACC)[94], o el organismo "Canal de Experiencias Hidrodinámicas de El Pardo" (CEHIPAR)[95].

La Ley 33/2003 (del Patrimonio de las Administraciones Públicas) contiene muy pocas disposiciones específicamente referidas a los bienes militares; únicamente la disposición adicional sexta (relativa al Instituto para

---

[89]   Instrucción del Secretario de Estado de Defensa número 202/2002, de 16 de septiembre (publicada en el Boletín Oficial de Defensa número 198, de 9 de octubre de 2002).

[90]   Ley 11/2002, de 6 de mayo (reguladora del Centro Nacional de Inteligencia).

[91]   Dos organismos autónomos previamente existentes (como eran el Instituto para la Vivienda de las Fuerzas Armadas, y la Gerencia de Infraestructura y Equipamiento de la Defensa), se fusionaron por la disposición adicional quincuagésima primera de la Ley 26/2009, de 23 de diciembre (de presupuestos Generales del Estado para 2010). Por Real Decreto 1286/2010, de 15 de octubre, se aprueba el Estatuto del organismo autónomo Instituto de Vivienda, Infraestructura y Equipamiento de la Defensa; esa norma ha sido parcialmente modificada por el Real Decreto 1656/2012, de 7 de diciembre.

[92]   Mediante Real Decreto 88/2001, de 2 de febrero, se aprueba el Estatuto del Instituto Nacional de Técnica Aeroespacial Esteban Terradas.

[93]   El Servicio Militar de Construcciones se crea por la Ley de 2 de marzo de 1943, y su estatuto regulador como organismo autónomo que es, se aprueba mediante Real Decreto 1143/2012, de 27 de julio.

[94]   Por Real Decreto 1664/2008, de 17 de octubre, se aprueba el estatuto del organismo autónomo Cría Caballar de las Fuerzas Armadas).

[95]   Real Decreto 451/1995, de 24 de marzo (por el que se reorganiza el organismo autónomo Canal de Experiencias Hidrodinámicas de El Pardo, parcialmente modificado por Real Decreto 1636/2009, de 30 de octubre).

la Vivienda de las Fuerzas Armadas), y la disposición adicional séptima (sobre bienes afectados al Ministerio de Defensa y las Fuerzas Armadas). La disposición adicional sexta se limita a hacer una remisión a la legislación sectorial (*"el régimen patrimonial del Instituto para la Vivienda de las Fuerzas Armadas se regirá por su normativa especial, siendo de aplicación supletoria esta ley"*). La disposición adicional séptima hace algo muy similar, aunque establece alguna precisión de relieve. Conforme a la disposición adicional séptima de la Ley 33/2003:

> *"1.– El régimen jurídico patrimonial del organismo autónomo "Gerencia de Infraestructura y Equipamiento de la Defensa" se regirá por su normativa especial de gestión de los bienes inmuebles afectados al Ministerio de Defensa establecido en las normas reguladoras del organismo se extinguirá transcurridos 15 años desde la entrada en vigor de esta ley.*
>
> *2.– La enajenación de bienes muebles y productos de defensa afectados al uso de las Fuerzas Armadas se regirá por su legislación especial, aplicándose supletoriamente las disposiciones de esta ley y sus normas de desarrollo".*

Por la disposición adicional quincuagésima primera de la Ley 26/2009, de 23 de diciembre (de presupuestos Generales del Estado para 2010), se dispuso la fusión del Instituto para la Vivienda de las Fuerzas Armadas (INVIFAS), con otro organismo autónomo denominado Gerencia de Infraestructura y Equipamiento de la Defensa (GIED). Por Real Decreto 1286/2010, de 15 de octubre, se aprueba el Estatuto del organismo autónomo "Instituto de Vivienda, Infraestructura y Equipamiento de la Defensa" (INVIED). Resulta indicado añadir que los ingresos obtenidos por el "Instituto de Vivienda, Infraestructura y Equipamiento de la Defensa" se afectan, o tienen como destino propio y específico, sufragar la modernización de las fuerzas armadas[96], rompiéndose así el principio presupuestario de

---

[96]   Conforme a lo establecido en el apartado de la disposición adicional quincuagésima primera de la Ley 26/2009, de 23 de diciembre (de presupuestos Generales del Estado para 2010): *"Los ingresos procedentes de la actividad de este organismo podrán ser aplicados por el mismo a los fines de profesionalización y modernización de la Defensa y del personal al servicio de la misma y a programas específicos de investigación, desarrollo e innovación en este mismo ámbito".*
A tenor de lo dispuesto en el artículo 5.4 del Real Decreto 1286/2010, de 15 de octubre (por el que se aprueba el Estatuto del organismo autónomo Instituto de Vivienda, Infraestructura y Equipamiento de la Defensa): *"Los ingresos procedentes de las actividades del Instituto de Vivienda, Infraestructura y Equipamiento de la Defensa se aplicarán a cubrir las obligaciones derivadas del funcionamiento y de los fines del Instituto previstos en este estatuto, así como en las normas de rango legal que se citan en artículo 1.2. En concreto, se aplicarán a atender la adquisición de infraestructura y equipamiento para su uso por las Fuerzas Armadas, la compensación económica y las ayudas para la adquisición de vivienda de sus miembros, así*

unidad de caja (a la que fluyen todos los ingresos que obtiene la Administración Pública, con independencia de su origen o fuente de generación).

Una vez hecho este planteamiento general, interesa detenerse ahora en la descripción de las fórmulas de gestión descentralizada de los bienes militares como las fortalezas, las viviendas destinadas a garantizar la movilidad de los miembros de las fuerzas armadas, o las infraestructuras de la defensa nacional.

2. La gestión de algunas fortalezas militares a través de un consorcio

En este punto resulta conveniente recordar una vez más, que conforme a lo establecido en el artículo 339.2° del Código Civil, son bienes de dominio público *"las murallas, fortalezas y demás obras de defensa del territorio"*. Hay castillos o fortalezas de titularidad administrativa, que actualmente siguen afectadas a las funciones de la defensa nacional, pero otros inmuebles han pasado a tener otro tipo de destinos, como por ejemplo sucede en el caso de los paradores de turismo[97].

Hay bienes de dominio público militar, que en rigor no están afectados a los fines de interés general que son propios de la defensa nacional; así sucede con algunas antiguas fortalezas militares, como en el caso del castillo de San Fernando (en Figueras, provincia de Gerona), el fuerte de San Carlos (Palma de Mallorca), la fortaleza Isabel II de La Mola (en Mahón, isla de Menorca), o el Castillo de San Pedro (en Jaca, provincia de Huesca).

Pues bien, en los casos citados, aunque la titularidad de esos inmuebles es conservada por la Administración General del Estado, su gestión y explotación ha sido cedida a consorcios de los que forman parte otras Admi-

---

como a los fines de profesionalización y modernización de la Defensa y del personal al servicio de la misma, y a programas específicos de investigación, desarrollo e innovación en el ámbito de la defensa.

Asimismo, podrán aplicarse a las necesidades operativas de las Fuerzas Armadas, pudiendo cumplirse tales fines mediante las oportunas transferencias del Instituto de Vivienda, Infraestructura y Equipamiento de la Defensa al Estado".

[97]   En cuanto a los bienes con que cuenta el Instituto de Turismo de España (o TURESPAÑA) para el desarrollo de sus funciones (Real Decreto 425/2013, de 14 de junio), debe destacarse que este Organismo Autónomo es titular de bienes de dominio público afectos al servicio público turístico, como son los bienes inmuebles en los que desarrolla su actividad mercantil la empresa Paradores de Turismo de España, Sociedad Anónima (la afectación se dispone en la Orden Ministerial de 30 de noviembre de 1994; el Pliego de concesión del uso y ocupación de los edificios e instalaciones de los Paradores de Turismo a Paradores de Turismo, S.A., es de fecha 31 de marzo de 1997).

nistraciones Públicas. Por ejemplo, para la gestión y explotación de la fortaleza Isabel II de La Mola se constituyó un consorcio del que forman parte
los Ayuntamientos de Mahón y Es Castells, el Consejo Insular de Menorca,
la Administración autonómica de las Islas Baleares, y la Administración
General del Estado (a través del Ministerio de Defensa)[98].

En líneas generales y en pura teoría abstracta, esos inmuebles deben
destinarse a actividades culturales, pero en la experiencia práctica no es
insólito que se utilicen para fines puramente lúdicos (como fiestas veranie-
gas con barra libre de bebidas alcohólicas), que no tienen absolutamente
nada que ver con las necesidades de la defensa nacional. En alguna ocasión
se han producido excesos, como en la fiesta celebrada en la noche del 10
al 11 de agosto de 2007, en la que el aforo permitido era de 700 personas,
pero hubo 3.000 asistentes a la actividad lúdica. En esa fiesta que se desarrolló sin las pertinentes licencias administrativas habilitantes, hubo algún
accidente con resultado de lesiones muy graves, que dio lugar a una reclamación de responsabilidad patrimonial contra el citado consorcio administrativo. En este estudio sobre los bienes militares, lo de menos es cómo
terminó ese asunto de responsabilidad patrimonial de la Administración[99];
lo que importa es destacar el uso impropio e inadecuado de unas instalaciones militares, que aunque ya no estén vinculadas a la defensa nacional,
no deberían utilizarse para ese tipo de actividades festivas.

Es posible que esas situaciones anómalas o irregulares, se produzcan
en la práctica, porque a veces los consorcios no gestionan directamente
los bienes militares que les cede la Administración General del Estado. En
el caso de la fortaleza de La Mola en Mahón, el consorcio público había
externalizado a una empresa privada la gestión del servicio de visitas guia-
das, vigilancia y otras prestaciones; a su vez, esa empresa subcontrató con
otra la organización de la fiesta de referencia. Pues bien, mientras que hay
"gestión directa" cuando se celebra un convenio interadministrativo para
que el bien lo explote un consorcio exclusivamente compuesto por Administraciones Públicas, pasamos a la "gestión indirecta" cuando esa labor
corresponde a una empresa privada o de capital mixto.

Si el resultado práctico final es que el bien militar sea gestionado de
manera indirecta por una empresa privada, es absurdo y carece de todo

---

[98]   El convenio suscrito para constituir dicho consorcio se publicó en el Boletín Oficial de
       la Comunidad Autónoma de las Islas Baleares de 29 de octubre de 1998.
[99]   En cualquier caso, es de gran interés el Dictamen del Consejo de Estado de 12 de ene-
       ro de 2012 (número 1725/2011).

sentido constituir un consorcio abierto a la participación autonómica y local, pues su participación no aporta nada a los intereses generales. Por tanto, lo razonable sería, o bien que el Ministerio de Defensa otorgara la gestión y explotación a una empresa privada a través de un procedimiento competitivo, o bien que se utilice la vía del consorcio interadministrativo, pero estableciendo en el convenio una cláusula que expresamente prohíba la gestión indirecta a través de empresas privadas.

3. Las viviendas militares y la movilidad geográfica de los miembros de las fuerzas armadas

A) Algo sobre la movilidad geográfica del personal militar

La plena disponibilidad para su trabajo de los miembros de las fuerzas armadas allí donde se precise o sea más adecuada la prestación de sus servicios profesionales, genera necesidades de alojamiento que no se suscitan en otras ramas del personal de la Administración Pública. Otro factor determinante de la movilidad de los recursos humanos, es la formación continuada y la permanente búsqueda de una mejor cualificación profesional, lo que determina el desplazamiento temporal de los militares a los lugares donde se desarrolla la enseñanza y se adquiere esa formación.

El modelo diseñado para las fuerzas armadas del futuro por la Ley 17/1999, de 18 de mayo, mantiene la obligatoria movilidad geográfica del personal de los Ejércitos y de la Armada, con la finalidad de asegurar que las unidades militares dispongan en todo tiempo de los profesionales adecuados, y que éstos puedan desarrollar trayectorias enriquecedoras del propio perfil profesional para responder a las demandas de la organización castrense. Consecuentemente, el objetivo esencial sigue siendo facilitar la movilidad geográfica del militar en servicio activo, atendiendo a sus necesidades de vivienda por cambio de destino y localidad.

Esa materia está regulada por la Ley 26/1999, de 9 de julio (de medidas de apoyo a la movilidad geográfica de los miembros de las Fuerzas Armadas, en la que se plasma la política de viviendas militares adaptada a las nuevas circunstancias estratégicas de la Defensa Nacional), que comporta un cambio de orientación respecto al *"statu quo"* previamente existente (que estaba orientado a generar un importante parque inmobiliario de viviendas militares, facilitando a los profesionales de las fuerzas armadas el acceso a la propiedad de esas viviendas).

Ahora la prestación no es *"in natura"*, sino económica o dineraria, pues la Ley 26/1999 reconoce al militar que cambie de destino y localidad, el derecho subjetivo a percibir una compensación económica durante un período de hasta 3 años, o en casos singulares y con carácter residual, facilitándole en arrendamiento una vivienda militar[100].

Con arreglo a la normativa vigente, el sistema de apoyo a la movilidad geográfica se centra en la regulación de ayudas económicas, para facilitar a los miembros de las fuerzas armadas el acceso a la propiedad de vivienda[101]; ese régimen es de aplicación al importante número de militares que en estos momentos no son usuarios de una vivienda militar. Sin perjuicio

---

[100]   Cuando cambien de destino que suponga cambio de localidad o área geográfica respecto de la del primer o anterior destino, pueden celebrar el contrato de arrendamiento especial los militares de carrera de las Fuerzas Armadas y los militares de tropa y marinería que tengan una relación de servicios de carácter permanente, que se encuentren en la situación de servicio activo o en la de reserva con destino. Ese arrendamiento no se rige por la Ley de Arrendamientos Urbanos; se trata de un arrendamiento especial de carácter administrativo por su vinculación directa e inmediata con la satisfacción de intereses generales. No son enajenables y se explotarán mediante arrendamiento las viviendas militares localizadas dentro de las bases, acuartelamientos, edificios o establecimientos militares, las que por su ubicación supongan un riesgo para la seguridad y aquellas que se encuentren en zonas específicas como Ceuta y Melilla.
La adjudicación del uso de una vivienda se realiza en aplicación de un baremo, que tiene en cuenta la antigüedad en el servicio y el número de hijos. Las viviendas militares con una superficie útil inferior a 120 metros cuadrados, deben ser ofrecidas a todos los solicitantes, y las que tengan una superficie igual o superior a 120 metros cuadrados, sólo se pueden ofrecer a los solicitantes cuya unidad familiar conste de 7 o más miembros.
Una de las peculiaridades de ese contrato administrativo es el precio o canon arrendaticio, que no puede superar el 50 por 100 del precio medio del mercado de viviendas de alquiler de viviendas en la localidad de que se trate. El titular del contrato que haya adquirido el derecho al uso de una vivienda militar puede mantenerlo con carácter vitalicio. En caso de fallecimiento pueden ser beneficiarios del derecho de uso, también con carácter vitalicio y sin posibilidad de transmitir esa condición a terceros, el cónyuge que conviviera con el titular al tiempo del fallecimiento (o la persona que tenga una análoga relación de afectividad que el cónyuge), los hijos del titular con una minusvalía igual o superior al 65 por 100. Los demás hijos pueden mantener el derecho de uso durante un período de 2 años, o hasta que alcancen la edad de 25 años (si esta fecha fuese posterior al mencionado período).
[101]   En cuanto a la enajenación de todas aquellas viviendas militares que no se destinen a su cesión en régimen de arrendamiento especial, las viviendas ocupadas serán enajenadas por adjudicación directa a sus titulares o, en su defecto, a los beneficiarios que tengan reconocido el derecho de uso con carácter vitalicio. A esos efectos y para la determinación del precio final de venta, intervendrán, al menos, dos entidades de tasación. Al importe resultante de hallar la media aritmética de las tasaciones utilizadas

de las subvenciones consistentes en la entrega de una cantidad de dinero, el artículo 11 de la Ley 26/1999 abre también la alternativa de la ayuda que se puede materializar mediante la enajenación de suelo a las cooperativas, cuyo fin primordial sea la construcción de viviendas en propiedad para los miembros de las fuerzas armadas.

B) El contrato especial de arrendamiento

A diferencia de lo que ocurría en otros tiempos, en la actualidad ese arrendamiento especial de inmuebles, únicamente cabe respecto a las viviendas que estén situadas en el interior de las instalaciones militares[102]. Entre ellas, cabe destacar los llamados "pabellones de cargo", que es el domicilio oficial o de representación social que se atribuye a quienes ostenten determinados cargos de responsabilidad[103]. Salvo dispensa excepcional, el uso y ocupación de esos pabellones es obligatorio. Los pabellones de cargo tienen algunas reglas especiales respecto a la distribución de los gastos que

---

se le aplicará una deducción del 50 por 100, al tener en cuenta la ponderación del derecho de ocupación vitalicio reconocido a los usuarios.

Las viviendas desocupadas pueden ser enajenadas por el procedimiento de concurso entre personal al servicio del Ministerio de Defensa, fijándose el precio de licitación de igual forma que para las ocupadas. Caso de no ser adjudicadas por este procedimiento, se puede acudir a la subasta o a su enajenación por contratación directa.

Los locales comerciales y demás inmuebles que se encuentren arrendados, de acuerdo con la normativa en vigor, pueden ser enajenados a sus legítimos arrendatarios por contratación directa, en su valor real de mercado, fijado de igual forma que el de las viviendas ocupadas, sin aplicación de deducción alguna. El resto de locales, así como los arrendados que no hayan sido adquiridos por el procedimiento señalado, y demás inmuebles, podrán ser enajenados por subasta o contratación directa.

[102] A tenor de lo establecido en el artículo 5.1 de la Ley 26/1999: "*Se facilitarán en arrendamiento especial, las viviendas militares localizadas dentro de bases, acuartelamientos, edificios o establecimientos militares, las que por su ubicación supongan un riesgo para la seguridad de los mismos y aquellas otras que se encuentren en zonas específicas en las que resulte necesario disponer de viviendas para el personal destinado en las mismas, en especial en Ceuta y Melilla, donde, no obstante, podrán declararse enajenables las que no sean útiles para atender las necesidades de vivienda de las Fuerzas Armadas*".

[103] Conforme a lo establecido en el apartado primero de la Orden DEF/3242/2005, de 10 de octubre: "*Tendrán la consideración de pabellones de cargo los inmuebles que se destinen para su utilización como domicilio oficial, y en su caso de representación social, por autoridades militares del Ministerio de Defensa, atendiendo a la necesidad de una presencia continuada en el interior o en las proximidades de la instalación militar donde se realicen las funciones y a criterios de destacada responsabilidad*".

generan[104]. También hay reglas especiales respecto a la distribución de los gastos de conservación y reparaciones en las demás viviendas militares[105].

---

[104]   Conforme a lo establecido en el apartado séptimo de la Orden DEF/3242/2005, de 10 de octubre:

"1.– Correrán por cuenta del Invifas los gastos derivados del mantenimiento, conservación y rehabilitación de los pabellones de cargo, con excepción de lo que se establece en la disposición adicional   Primera de esta Orden Ministerial.

También serán de cuenta del Invifas los gastos de agua, luz, gas, comunidad e impuestos, de los pabellones de cargo que no estén ubicados en el interior de bases, acuartelamientos, edificios o establecimientos militares.

2.– Correrán por cuenta del Estado Mayor de la Defensa, Subsecretaría de Defensa, Ejército de Tierra, Armada y Ejército del Aire, respecto a los pabellones de cargo de su ámbito competencial:

a) La dotación, reposición y reparación del mobiliario, medios informáticos, telemáticos, telefónicos y enseres.

b) Los gastos de agua, luz, gas, comunidad e impuestos, de los ubicados dentro de bases, acuartelamientos, edificios o establecimientos militares.

3.– Correrán por cuenta de los titulares de los pabellones de cargo:

a) Los gastos que determinen, en su ámbito competencial, las autoridades citadas en el apartado Tercero.1 de esta Orden Ministerial, derivados del uso de medios informáticos, telemáticos y telefónicos.

b) Los gastos derivados de la reparación de desperfectos, deterioros y averías producidas en los pabellones de cargo, zonas comunes del inmueble, mobiliario, medios informáticos, telemáticos, telefónicos y enseres, por mal uso, descuido o negligencia".

[105]   A tenor de lo establecido en el artículo 21 del Estatuto del Instituto de Vivienda, Infraestructura y Equipamiento de la Defensa (aprobado por Real Decreto 1286/2010, de 15 de octubre):

"1.– Serán de cuenta del Instituto de Vivienda, Infraestructura y Equipamiento de la Defensa los gastos derivados de las viviendas militares por los siguientes conceptos:

a) La conservación y mantenimiento general de ascensores, patios, jardines, portales, escaleras y demás zonas y elementos de uso común de los edificios.

b) Las reparaciones que resulten necesarias en las viviendas y edificios por averías en las conducciones de agua, electricidad, gas, calefacción, ventilación, salida de humos, etc., salvo las pequeñas reparaciones que exija el desgaste por el uso ordinario de la vivienda.

c) Las reparaciones de aquellos elementos constructivos que afecten a la estabilidad y estanqueidad del inmueble.

d) Los suministros ordinarios de agua y fluido eléctrico para servicios comunes.

2.– Serán de cuenta de los usuarios de las viviendas militares los gastos no recogidos en el apartado anterior y, en particular, los derivados de los siguientes conceptos:

a) Los suministros, servicios y consumos individualizados o susceptibles de medición por contador y los tributos que los graven. En los inmuebles en que no exista contador individualizado la imputación se hará mediante prorrateo, en función de la superficie de la vivienda o zona de que se trate, para los gastos de calefacción o limpieza, y en función del número de personas que habitan la vivienda en los consumos directos para el caso del suministro del agua.

b) Los servicios de limpieza de zonas comunes interiores.

c) Los desperfectos, deterioros y averías producidas en las viviendas y zonas comunes del inmueble por mal uso, descuido o negligencia de los usuarios y, en todo caso, los que se constaten fuera del deterioro normal al abandonar la vivienda una vez efectuada la correspondiente comprobación.

En esos casos se trata de un arrendamiento especial, en ese sentido, la propia Ley de Arrendamientos Urbanos 29/1994 establece de forma expresa que el arrendamiento de viviendas militares queda excluido de su ámbito de aplicación[106]. No es un negocio jurídico oneroso regido por el Derecho Privado, sino un contrato de naturaleza administrativa, tal y como ya había declarado la jurisprudencia[107], y ahora lo establece el artículo 5.1 de la Ley 26/1999. Es un arrendamiento especial, porque está sometido a las reglas especiales establecidas en la propia Ley 26/1999, que se refieren al derecho de uso de las viviendas en alquiler (artículo 6), régimen de adjudicación de las viviendas (artículo 8), al canon arrendaticio (artículo 7), las causas determinantes de la pérdida del derecho al uso de la vivienda (artículo 9), y las causas de resolución de ese contrato especial (artículo 10).

A efectos teóricos o académicos, tiene algún interés destacar la singularidad de esa figura jurídica del arrendamiento, pues en ese caso el uso temporal de bienes de dominio público no se fundamenta en una concesión administrativa, es decir, no es un acto jurídico unilateral de la Administración. Aunque la concesión demanial parece ser el título jurídico habilitante que es técnicamente correcto, en este caso se trata de un arrendamiento,

---

El procedimiento y criterios para la imputación de estos gastos se hará efectiva con carácter general, mediante resolución del Director Gerente del organismo, que podrá establecer una cantidad fija para su cobro cuando la cuantía de los gastos repercutibles representen un importe inferior al 20 por 100 del canon correspondiente.

3.– No obstante lo establecido en el apartado 1 de este artículo, una vez constituida la comunidad de propietarios de un determinado inmueble, se estará a las normas de constitución de la misma, así como a los acuerdos que se adopten en las juntas que se celebren, y el Instituto asumirá los gastos que le correspondan según su cuota de participación como propietario.

En este caso, la imputación de los gastos repercutibles a los usuarios de las viviendas militares, se hará de acuerdo con lo que resulte de la administración de las diferentes comunidades de propietarios en las que se integre el Instituto de Vivienda, Infraestructura y Equipamiento de la Defensa.

4.– En el caso de que habiten en la vivienda personas con minusvalía, le será de aplicación lo dispuesto en el artículo 24 de la Ley 29/1994, de 24 de noviembre, de Arrendamientos Urbanos".

[106] A tenor de lo dispuesto en el artículo 5.b) de la Ley de Arrendamientos Urbanos 29/1994, de 24 de noviembre: *"Quedan excluidos del ámbito de aplicación de esta Ley: (...) b) El uso de las viviendas militares, cualquiera que fuese su calificación y régimen, que se regirán por lo dispuesto en su legislación específica".*

[107] Sentencia del Tribunal Supremo de 13 de julio de 1999 (*Tol 1719274*): *"a) Las distintas manifestaciones de uso de viviendas militares cuya cesión se regula en el Real Decreto 1751/1990, como bien sostiene la Abogacía del Estado, tiene su causa en la mejor prestación de los servicios militares. Por ello, la consideración que merecen es la de arrendamientos especiales de carácter administrativo, y, en modo alguno, la de arrendamientos regidos por el Derecho Privado. B) Esa consideración es asimismo extensible a los garajes y a esos "servicios repercutibles", al ser unos y otros algo anejo o accesorio a la vivienda militar".*

y por tanto, aunque sea un negocio jurídico de adhesión, se trata de un auténtico contrato bilateral de carácter oneroso.

Ese tipo de contrato administrativo tan peculiar, está expresamente previsto en el artículo 89 de la Ley 33/2003, de 3 de noviembre (de Patrimonio de las Administraciones Públicas). Aunque como título jurídico legitimador del uso temporal de bienes de dominio público no sea muy habitual y frecuente, el arrendamiento puede utilizarse cuando se trata de la ocupación por particulares de una porción reducida de su superficie (tanto para la prestación de servicios dirigidos a los empleados públicos que trabajan en el edificio, o al público visitante, como para la explotación marginal de los espacios que no sean necesarios o imprescindibles para el desarrollo de la actividad burocrática). Por ejemplo, así puede ocurrir con la cafetería de un ministerio, el servicio de reprografía abierto al público que va a hacer gestiones, o con el cajero automático situado en la sede de ese mismo departamento ministerial.

El título jurídico habilitante de esas ocupaciones realizadas por terceros, puede ser tanto una concesión, una autorización demanial, como un contrato administrativo especial y atípico, según establece el citado artículo 89 de la LPAP 33/2003[108]. Pues bien, eso mismo es lo que también sucede en el caso del alquiler de unos bienes demaniales, como son las viviendas situadas en el interior de un recinto militar.

C) La enajenación de viviendas

La Ley 26/1999, de 9 de julio, lleva a cabo una racionalización del parque de viviendas, y da normas para la enajenación de éstas y demás inmuebles que ya no sean de interés para la defensa. En cuanto al importante parque inmobiliario existente en el momento de aprobarse la Ley 26/1999

---

[108] Conforme a lo establecido en el artículo 89 de la Ley 33/2003, de 3 de noviembre (de Patrimonio de las Administraciones Públicas): *"La ocupación por terceros de espacios en los edificios administrativos del patrimonio del Estado podrá admitirse, con carácter excepcional, cuando se efectúe para dar soporte a servicios dirigidos al personal destinado en ellos o al público visitante, como cafeterías, oficinas bancarias, cajeros automáticos, oficinas postales u otros análogos, o para la explotación marginal de espacios no necesarios para los servicios administrativos. Esta ocupación no podrá entorpecer o menoscabar la utilización del inmueble por los órganos o unidades alojados en él, y habrá de estar amparada por la correspondiente autorización, si se efectúa con bienes muebles o instalaciones desmontables, o concesión, si se produce por medio de instalaciones fijas, o por un contrato que permita la ocupación, formalizado de acuerdo con lo previsto en el Real Decreto Legislativo 2/2000, de 16 de junio, por el que se aprueba el Texto Refundido de la Ley de Contratos de las Administraciones Públicas".*

(que según su exposición de motivos se elevaba a 47.000 viviendas aproximadamente), son declaradas enajenables por la propia ley.

Ello no obstante, se reconoce un derecho vitalicio a seguir usándolas, a quienes por tenerlas arrendadas, las ocupaban al producirse la entrada en vigor de esa ley; ese derecho no se restringe a quienes tengan la condición de militares, pues también se extiende a su cónyuge y familiares[109].

---

[109]   El desarrollo reglamentario de los requisitos de parentesco o la forma de pago del precio de la venta fue impugnado, pero al interponer el recurso se olvidó que la función jurisdiccional de los jueces y magistrados integrantes del poder judicial es única y exclusivamente la realización del Derecho; deben hacer "juicios de legalidad", pero carecen de competencia para hacer "juicios de oportunidad" sobre lo que más conviene al interés general (pues en ese caso estarían sustituyendo a la Administración en el ejercicio de sus funciones). En ese sentido por ejemplo, la pretensión procesal de quien impugna un reglamento aprobado por la Administración, no puede ser que el tribunal cambie el texto de algunos preceptos, e introduzca una nueva redacción que el recurrente estima más conveniente y oportuna para la satisfacción de sus intereses particulares.
Sentencia del Tribunal Supremo de 24 de febrero de 2003 [recurso 1021/2000; ponente Pablo Lucas Murillo de la Cueva (*Tol 265404*)]: *"Don José C. M. en su calidad de Presidente de la Hermandad de Militares en Situación Ajena al Servicio Activo ha interpuesto el presente recurso contencioso-administrativo. En él se discrepa de la regulación que el Real Decreto 991/2000, de 2 de junio, por el que se desarrolla la Ley 26/1999, sobre la Movilidad Geográfica de los Miembros de las Fuerzas Armadas, ha establecido respecto del derecho de uso de las viviendas militares en caso de fallecimiento de su titular (1), sobre la forma de determinar el precio por el que se han de vender (2) y a propósito de la forma de abonarlo por quienes satisfagan el canon previsto por el uso de esas viviendas (3).*
En cuanto a lo primero, sostiene que han de eliminarse las restricciones ahora impuestas por el artículo 9.2 de ese Real Decreto a los causahabientes y, en particular, a los hijos mayores o de edad avanzada que convivieran con el titular fallecido, de manera que se supriman las restricciones que ese precepto les impone al permitirles disfrutar de la vivienda solamente durante dos años o hasta que cumplan veinticinco. A propósito de lo segundo, quiere que la determinación del precio de las viviendas militares se haga de una vez y al principio, con motivo de la primera oferta, para evitar que el precio de las que se vendan después sea notablemente más alto. Y, en cuanto a lo tercero, reclama que desde que se produzca la oferta, las cantidades pagadas en concepto de canon por el uso de esas viviendas sean consideradas pagos fraccionados a cuenta.
(...) El presente recurso pretende cosas distintas de las que, conforme a la Ley de la Jurisdicción, pueden los Tribunales del orden contencioso-administrativo resolver. Basta repasar los términos en los que se expresa el suplico de la demanda para apreciarlo. En efecto, no se pide que declaremos contrarios a Derecho alguno o algunos de los preceptos del reglamento contra el que aquél va dirigido, sino que impongamos una determinada redacción de uno de los artículos del Real Decreto 991/2000 y que requiramos al Ministerio de Defensa para que proceda de una determinada manera a la hora de fijar el precio de venta de las viviendas militares y en el momento de percibirlo. Sucede que el artículo 71.2 prohíbe a los órganos jurisdiccionales determinar la forma en que han de quedar redactados los preceptos de una disposición general en sustitución de los que anularen y que el artículo 31 contrae las pretensiones de las partes respecto de las disposiciones que impugnen a la declaración de disconformidad con el ordenamiento jurídico y, en su caso, anulación. Y, en el

Además, se atribuye a esas mismas personas un derecho de adquisición preferente, si en lugar de mantenerse en la condición de inquilinos, optan por acceder a la propiedad de la vivienda[110]. En ese caso, el precio de venta se fija de acuerdo con el valor real de mercado en el momento de su ofrecimiento, aplicándose una deducción en los términos establecidos en la ley[111]. Las viviendas así adquiridas no pueden ser objeto de enajenación hasta que hayan transcurrido 3 años desde la fecha de compra, salvo fallecimiento del adquirente.

En cuanto a las viviendas que al aprobarse la ley no estuvieran previamente ocupadas, el criterio es enajenarlas a través de un concurso; en el baremo se prioriza que el militar esté en situación de servicio activo, y que haya desalojado la vivienda que ocupaba, para optar a la propiedad de otra distinta. La circunstancia de que para venderlas no se optara por una subasta al mejor postor, es ciertamente discutible desde diversas perspectivas, pero lo cierto es que los representantes parlamentarios de los ciudadanos establecieron en la ley la adjudicación por concurso, como ha precisado el Tribunal Supremo al desestimar algún recurso[112]. Con carácter supletorio,

---

mismo sentido, el artículo 71.1 a) establece que la Sentencia estimatoria declarará no ser conforme a Derecho y, en su caso, anulará total o parcialmente la disposición impugnada".

[110] Disposición adicional segunda.1.a) de la Ley 26/1999, de 9 de julio (de medidas de apoyo a la movilidad geográfica de miembros de las fuerzas armadas).

[111] Disposición adicional segunda.1.b) de la Ley 26/1999, de 9 de julio (de medidas de apoyo a la movilidad geográfica de miembros de las fuerzas armadas).

[112] Sentencia del Tribunal Supremo de 29 de junio de 2006 [recurso 9329/2003; ponente Mariano Baena del Alcázar (Tol 984929)]: "Pues bien, resulta que si se aplica el procedimiento de subasta como pretende el recurrente, obviamente las viviendas han de adjudicarse al que abone un precio mayor. Ello estaría plenamente justificado si nos encontrásemos ante bienes del patrimonio del Estado, puesto que se trata de que obtenga ventaja y no sufra menoscabo la hacienda pública Pero, tratándose de bienes de un organismo que junto a su finalidad de apoyo al Ejército tiene otras finalidades de carácter social, la enajenación de las viviendas por el procedimiento de concurso permite ponderar adecuadamente las circunstancias que se dan en las personas que optan por la adjudicación, aunque el precio de la vivienda sea también un factor a tener en cuenta,
Ello es lo sucedido en el caso de autos y, siempre partiendo de que ha de primar la especialidad del fin del organismo autónomo INVIFAS, la Sección entiende que no fue disconforme a derecho que se realizara la adjudicación por el procedimiento de concurso, por lo que debe desestimarse la pretensión del actor y con ella el recurso contencioso-administrativo interpuesto ante el Tribunal Superior de Justicia. La solución de que se enajenen las viviendas militares vacías por concurso es por otra parte la que se encuentra actualmente vigente en nuestro ordenamiento jurídico, a tenor del criterio que hemos mantenido hasta ahora, el cual fue sin duda el que llevó al legislador a esta solución, que se contiene en el apartado f) de numero 1 de la Disposición Adicional segunda de la Ley 26/1999, de 9 de julio. Dicho precepto, no solo establece que pueden enajenarse las viviendas por concurso sino también que se asignaran de acuerdo con los baremos y procedimientos que se

se establece que las viviendas que no hayan sido adjudicadas mediante concurso, se ponen a la venta mediante pública subasta[113].

Paso previo a la enajenación de las viviendas, es su regularización jurídica, pues muchas de ellas no constaban en el Registro de la Propiedad; por ello, el INVIFAS tuvo que acometer una prolija labor de liberación de cargas registrales, segregaciones y divisiones horizontales, que en la actualidad sigue desarrollando el actual "Instituto de Vivienda, Infraestructura y Equipamiento de la Defensa" (INVIED).

4. La gestión de las infraestructuras y equipamientos de la defensa nacional

La ya extinguida "Gerencia de Infraestructuras y Equipamientos de la Defensa" (GIED)[114], era una personificación creada por la Administración del Estado, para la ejecución fiduciaria de obras de infraestructura y la adquisición de armamento militar. Dicho en otros términos, era un instrumento para gestionar bienes y ejecutar obras[115]; después de su fusión con el INVIFAS, ha dado paso al actual "Instituto de Vivienda, Infraestructura y Equipamiento de la Defensa" (INVIED)[116].

---

determinen. Si bien esta norma no estaba en vigor en las fechas de autos, ha venido a positivar después en nuestro ordenamiento jurídico la solución más conforme a la finalidad específica el organismo autónomo creado para la gestión y administración de las viviendas militares".

[113] Disposición adicional segunda.1.h) de la Ley 26/1999, de 9 de julio (de medidas de apoyo a la movilidad geográfica de miembros de las fuerzas armadas).

[114] La adaptación de la GEID a la Ley de Organización y Funcionamiento de la Administración General del Estado (LOFAGE) está dispuesta en el artículo 71 de la Ley 50/1998, de 30 de diciembre. Por otro lado, el Estatuto del GEID se aprobó por Real Decreto 1687/2000, de 6 de octubre.

[115] A los efectos que aquí interesan, de las funciones de la *"Gerencia de Infraestructuras y Equipamientos de la Defensa"* cabe destacar las siguientes: *i)* La administración y disposición de su patrimonio propio. *ii)* La adquisición de infraestructura, armamento y material para su uso por las Fuerzas Armadas. *iii)* La enajenación de los bienes muebles e inmuebles que sean puestos a su disposición por el Ministerio de Defensa para su administración y disposición a título. *iv)* Desarrollar las directrices de Defensa en materia de patrimonio contribuyendo a la elaboración y realización de los planes de infraestructura de las Fuerzas Armadas. Asimismo podrá proponer modificaciones a los planes urbanísticos colaborando con los Ayuntamientos en la planificación urbanística, para que los mismos se coordinen con los planes de infraestructura de las Fuerzas Armadas.

[116] Dos organismos autónomos previamente existentes (como eran el Instituto para la Vivienda de las Fuerzas Armadas, y la Gerencia de Infraestructura y Equipamiento de la Defensa), se fusionaron por la disposición adicional quincuagésima primera de la Ley 26/2009, de 23 de diciembre (de presupuestos Generales del Estado para 2010). Por

Especial atención merece la gestión de los bienes que son de titularidad del Ministerio de Defensa pero que están fiduciariamente puestos a disposición del "Instituto de Vivienda, Infraestructura y Equipamiento de la Defensa" (INVIED), en principio para su enajenación o desamortización. Junto con el Administrador de Infraestructuras Ferroviarias (ADIF), el Ministerio de Defensa es uno de los mayores terratenientes que hay en España. Con el cambio de la estrategia de la defensa nacional, pierde sentido la conservación de la titularidad estatal, ya que muchos de esos bienes inmuebles están situados en espacios urbanos céntricos o muy próximos de grandes ciudades, por lo que ya no satisfacen adecuadamente las necesidades de la defensa nacional, pero tienen un importante valor urbanístico en el mercado inmobiliario.

Lo mismo ocurre con los bienes muebles, pues también corresponde al INVIED, enajenar los bienes muebles, armamento, material, equipamiento y otros productos destinados a la defensa, que no siendo de utilidad para el Ministerio de Defensa, se pongan a disposición de ese organismo público. Dicho ello conviene precisar que el citado Instituto no monopoliza esa actividad, que comparte con la "Junta de Enajenación de Bienes Muebles y Productos de Defensa", que es un simple órgano administrativo del ministerio orientado a agilizar la enajenación de armamento y equipos, o bienes consumibles, que hayan sido solicitados como consecuencia de los compromisos adquiridos con países aliados, en operaciones humanitarias, de mantenimiento de la paz, y en situaciones de emergencia[117].

Mediante la creación en su día de la "Gerencia de Infraestructuras y Equipamientos de la Defensa" (el actual INVIED) se buscaba un doble objetivo de interés general: *(i)* por un lado enajenar los bienes inmuebles que ya no son necesarios para la defensa nacional (liquidación del dominio público inútil); *(ii)* por otro obtener recursos para financiar el nuevo despliegue territorial de las Fuerzas Armadas en emplazamientos estratégicamente adecuados a las actuales necesidades de la Defensa (y para ello se quiebra el principio de unidad de caja de la Hacienda Pública).

Los recursos obtenidos por el Instituto con la enajenación de bienes del Ministerio, no se integran en la hacienda pública estatal, sino que quedan vinculados a la financiación de la reestructuración geográfica de las fuerzas

---

Real Decreto 1286/2010, de 15 de octubre, se aprueba el Estatuto del organismo autónomo Instituto de Vivienda, Infraestructura y Equipamiento de la Defensa; esa norma ha sido parcialmente modificada por el Real Decreto 1656/2012, de 7 de diciembre.

[117] El Real Decreto 1638/1999, de 22 de octubre, regula la enajenación de bienes muebles y productos de defensa en el Ministerio de Defensa.

armadas y para atender a las necesidades de la defensa nacional. Es decir, no estamos ante una desamortización de bienes militares para captar los recursos económicos necesarios para satisfacer las necesidades generales de la Administración Civil.

Los bienes puestos a disposición del INVIED por el Ministerio de Defensa, y los recursos obtenidos por su enajenación, funcionan de forma similar a un patrimonio separado de la caja común de la Tesorería del Estado. Es una especie de patrimonio fiduciario adscrito o vinculado a una finalidad concreta y específica (la satisfacción de las necesidades de la defensa nacional), por lo que los bienes y recursos financieros que lo integran no pueden ser destinados a otra finalidad distinta (aunque también sea de interés general y de competencia estatal)[118]. Es decir, se trata de una institución jurídica muy similar a la de los Patrimonios Municipales del Suelo[119].

La premisa para transmitir los bienes puestos a disposición del Instituto por el Ministerio de Defensa, es privarles de su condición de bienes de dominio público, para una vez convertidos en bienes patrimoniales o de dominio privado de la Administración, a continuación encomendar al INVIED la gestión de enajenarlos a terceros. Ese Instituto es un organismo autónomo, una personificación fiduciaria que no adquiere la titularidad de los bienes inmuebles, el Ministerio de Defensa no transmite la titularidad de esos bienes al INVIED, sino que se trata de una especie de encomienda de gestión o de gestión de negocios ajenos.

Una vez declarada su innecesariedad para fines militares (y la consiguiente disponibilidad para fines civiles), los bienes serán desafectados por el Ministro de Defensa, y puestos a disposición del INVIED, que procederá

---

[118]   La Sentencia del Tribunal Supremo de 22 de julio de 2003 se refiere a la enajenación del inmueble donde estaba situado un casino militar; sucede que la Asociación de antiguos socios solicitó la creación de un Club militar de carácter social, cultural y deportivo, solicitud que fue denegada por el Ministerio de Defensa. Declara la Sentencia que *"los recursos obtenidos de la misma quedaron, por disposición legal, afectos al cumplimiento de los fines encomendados a la Gerencia de Infraestructura de la Defensa (...) No es dable, por tanto, que tales recursos, obtenidos de la venta de un bien perteneciente al dominio público estatal, se inviertan en la construcción de un nuevo edificio destinado a albergar un Centro Cultural mediante la negociación entre la Administración Militar y la Asociación demandante"*.

[119]   Así lo declara la Sentencia del Tribunal Supremo de 2 de noviembre de 1995 (referencia Aranzadi 8060): "...se ha venido así aceptando pacíficamente que el Patrimonio Municipal del Suelo constituye un "patrimonio separado" (lo que hoy está expresamente dicho en el artículo 276.2 del Texto Refundido de la Ley del Suelo de 26 de junio de 1992). La Ley ha querido y quiere que el Patrimonio municipal del Suelo funcione como un patrimonio separado, es decir, un conjunto de bienes afectos al cumplimiento de un fin determinado".

a la depuración física y jurídica de las cosas que proyecta enajenar, ejerciendo las facultades de investigación, deslinde y regularización registral, conforme a lo dispuesto en la Ley del Patrimonio de las Administraciones Públicas 33/2003, siendo competente para dictar las correspondientes resoluciones que agotarán la vía administrativa[120].

En una primera fase de actuación, se trata de valorar si conviene conservar la titularidad pública o enajenar los bienes al sector privado. Una vez realizada esa auditoría legal, y antes de proceder a la enajenación de los bienes inmuebles, el Instituto comunicará al Ministerio de Hacienda el propósito de transmitirlos a terceros. El Ministerio de Hacienda puede optar entre aceptar la enajenación, o afectar los inmuebles a cualquier otro servicio de la Administración del Estado o de sus organismos públicos, previa compensación presupuestaria a favor de la INVIED, por el valor de la tasación del bien. Transcurridos 3 meses desde la comunicación al Ministerio de Hacienda, sin haber recibido contestación, se entiende que ese Departamento ministerial opta por mantener los bienes en el Patrimonio del Estado.

Una vez adoptada la decisión de no conservar la titularidad estatal de los bienes, en una segunda fase se tramita por el INVIED un procedimiento administrativo de contratación para seleccionar a quién se transmite el bien[121]. El procedimiento habitual de enajenación es el de pública subasta. Previa tasación pericial, también cabe la permuta, siempre que de la tasación realizada, resulte que la diferencia de valor de los bienes que se permutan no sea superior al 50 por 100 del que lo tenga mayor[122].

---

[120]   Dicha competencia se extenderá también a cuantas actuaciones se promuevan de oficio o a instancia de los interesados en razón de los derechos que pudieran derivarse de la desafectación del fin para el que los bienes hubieran sido, en su día, expropiados o donados. La referida puesta a disposición no perjudicará los posibles derechos de terceros sobre dichos bienes, que serán ejercidos ante la GIED, que quedará subrogada a todos los efectos en los derechos y obligaciones que correspondían al Estado.

[121]   Los convenios o contratos relativos a los citados bienes que realice la Gerencia de Infraestructura quedan sometidos al principio de libertad de pactos siempre que no sean contrarios a derecho, al interés público, o a los principios de buena administración. En los contratos o convenios pueden incluirse cláusulas y estipulaciones que permitan la participación de la Gerencia en la plusvalía conseguida por los compradores o los cesionarios de dichos recursos y, especialmente, en las plusvalías que se generen como consecuencia de la acción urbanística.

[122]   Se consideran disponibles, a efecto de su enajenación onerosa por la Gerencia, los bienes inmuebles que, en sustitución de otros inicialmente desafectados y puestos a disposición de la Gerencia, se obtengan como consecuencia de la formalización de permutas, reparcelaciones efectuadas en ejecución del planeamiento urbanístico, o

Nuestro Derecho positivo es suspicaz con las permutas que puedan realizar las Administraciones Públicas, pues con alguna frecuencia esa operación encubre algún tipo de corruptela o irregularidad. Para que sea jurídicamente viable o válido en Derecho un contrato de permuta celebrado por la Administración Pública respecto a un bien patrimonial, es imprescindible en primer lugar, justificar que para la Administración es necesario adquirir el bien de que se trate, y en segundo lugar argumentar también, por qué es más que conveniente, incluso necesario, que la operación se instrumente precisamente como una permuta, por no bastar otro tipo de negocio jurídico para la adecuada satisfacción del interés general.

La permuta es un contrato típico, pero cuando se utiliza por la Administración para adquirir una cosa a cambio de transmitir un bien patrimonial a la otra parte, la permuta es un negocio jurídico que para la ley es excepcional, requiriéndose una especial motivación, para justificar adecuadamente por qué razón se utiliza esa peculiar fórmula, y no otra más habitual como es la compraventa, o incluso por qué no se ejerce la potestad expropiatoria para adquirir coactivamente un bien, que resulta ser tan relevante para la adecuada satisfacción del interés general.

En ese contexto de excepcionalidad, la permuta debe referirse a un bien que, por sus muy singulares circunstancias de localización y cualidades o características, no sea posible sustituirlo por otras cosas análogas, parecidas o similares. A efectos de la satisfacción del interés general, debe ser un bien que no se pueda reemplazar por otros aparentemente parecidos o similares, porque las otras cosas no servirían para satisfacer adecuadamente, y en la misma medida, el interés general de que se trate. Por las singularidades del bien que la Administración Pública vaya a adquirir, debe existir un fundamento objetivo y razonable que legitime esa operación excepcional, y para ello, debe argumentarse por qué esa fórmula de la permuta es necesaria, por ser insatisfactorias las otras alternativas, como la compraventa, o en su caso que la expropiación forzosa. Para que sea satisfactoria la justificación sobre el descarte de las otras opciones alternativas a la permuta, no basta con exponer motivos de "conveniencia" o de simple "utilidad", sino que deben argumentarse las razones de la "necesidad" de utilizar precisamente la permuta, y no otras fórmulas diferentes[123].

---

como consecuencia de la ejecución de convenios y operaciones patrimoniales que la Gerencia pueda realizar para mejorar la rentabilidad de los inmuebles que tenga que enajenar.

[123] La Sentencia del Tribunal Supremo de 8 de mayo de 2003 (*Tol 276216*), desestima el recurso de casación interpuesto contra una Sentencia del Tribunal Superior de Justicia

Ello no obstante, no toda la jurisprudencia sigue uniformemente ese criterio tan estricto sobre el juicio de "necesidad", para admitir la validez de la permuta y su conformidad a Derecho; hay otra línea jurisprudencial, que también impone una cierta dosis de exigencia (pues rechaza los motivos superfluos, y pide algo más que simples o genéricas razones de conveniencia), pero que no llega a exigir que se justifique que la permuta era absolutamente necesaria, por no existir ninguna otra alternativa razonable[124]. Pese a que la línea mayoritaria de la jurisprudencia exige a la

_____

de Andalucía. Pues bien, según declaró la Sentencia del TSJ que es confirmada por el Tribunal Supremo: *"La "necesidad" de la permuta integra un concepto jurídico indeterminado que (...) se concreta en la valoración de dos extremos diferentes que atañen a la necesidad de la adquisición de determinados bienes y además a que para tal adquisición, desde el punto de vista del interés público, resulte indicada la permuta (...) Pues bien, el raquítico expediente administrativo tramitado (...) En efecto, no hay alusión alguna sobre la necesidad de la enajenación de la parcela de propiedad municipal para la construcción de la estación de autobuses. Una cosa es que fuera necesario construir una estación de autobuses y otra, bien distinta, es que para conseguir tal objetivo fuera preciso enajenar la parcela en cuestión, con mayor razón, cuando por certificación del Interventor del Ayuntamiento demandado ha quedado acreditado que en la fecha del acuerdo plenario existía consignación presupuestaria suficiente en la partida inversiones en infraestructura Uso General para acometer la construcción de la nueva estación de autobuses de Marbella".*
Sentencia del Tribunal Supremo de 31 de enero de 2000 (*Tol 1719847*): *"(...) en ningún momento, de ninguna forma, ni siquiera esquemática, existen informes, dictámenes, discusiones o ponencias acerca de la necesidad de efectuar la permuta (...) En el caso que se enjuicia ha existido un expediente para autorizar la permuta del Cine Oslo por solares de propiedad municipal, pero en dicho expediente, como acertadamente destaca la sentencia de instancia, no se ha acreditado la necesidad de tal permuta. En el expediente se justifica la conveniencia, o, si se quiere, la necesidad de adquirir el Cine Oslo para dedicarlo a una instalación deportiva. En este sentido consta informe del Gerente del Patronato Municipal de Deportes. Pero lo que falta de manera absoluta son los informes y consideraciones técnicas, económicas y jurídicas, que justifiquen la necesidad de efectuar esa adquisición mediante permuta, sistema excepcional de enajenación de los bienes municipales que los excluye de la subasta. Si se consideraba necesaria la adquisición del Cine Oslo pudo llevarse a cabo por los procedimientos de compra o expropiación forzosa. Pero acudir al régimen excepcional de la permuta requería, por mandato del artículo 112.2, acreditar la necesidad de utilizar esta forma excepcional de enajenar los solares municipales".*
[124]   Sentencia del Tribunal Supremo de 10 de diciembre de 2004 (*Tol 528708*): *"Puede afirmarse que la doctrina de esta Sala sobre la materia tiene su origen en la Sentencia de 1 de julio de 1988 que, remitiéndose a declaraciones de la jurisprudencia civil, establece que a estos efectos "por necesario ha de entenderse no lo forzoso, obligado o impuesto por causas ineludibles, sino lo opuesto a lo superfluo y en grado superior a lo conveniente para conseguir un fin útil al interés público". A esta doctrina se atiene rigurosamente nuestra Sentencia de 18 de octubre de 1990. Otras resoluciones judiciales posteriores mantienen soluciones distintas según las circunstancias de los casos de autos. Así la Sentencia de 31 de enero de 2000 no considera acreditada la necesidad de la permuta, pues aunque en el caso de autos existía un informe sobre la conveniencia de la adquisición para dedicar un local a instalación deportiva, faltaron los informes y considera-*

Administración justificar adecuadamente por qué razón descarta las otras alternativas y opta por la permuta, hay algunos pronunciamientos que no son tan rigurosos, y admiten la validez y la "necesidad" de la permuta, aunque el mismo bien pudiera haberse adquirido mediante otra fórmula jurídica. Desde esta segunda perspectiva jurisprudencial, basta con que se justifique: *(i)* por qué resulta necesario adquirir un determinado bien; y *(ii)* por qué la fórmula de la permuta resulta adecuada para satisfacer al interés general[125].

---

ciones técnicos, económicos y jurídicos que justificasen la necesidad de emplear la permuta. Una Sentencia posterior, la de 24 de abril de 2001, declara que deben precisarse las concretas razones que hagan aparecer la permuta, no ya como una conveniencia sino como una necesidad, expresándose la causa por la que tales bienes han de ser adquiridos por permuta y no por otros medios. La Sentencia de 16 de julio de 2001 declara por el contrario que la conveniencia se desprende de que la parcela de propiedad municipal no es de utilidad para el uso o servicio público, por lo que era conveniente realizar la enajenación mediante permuta. Por último la Sentencia de 2 de julio de 2002 declara que en aquel supuesto no faltaban las consideraciones técnicas, económicas y jurídicas que justificaban la necesidad de la permuta, y la Sentencia de 8 de mayo de 2003 se remite directamente a la doctrina de la ya citada de 1 de julio de 1988".

[125] Sentencia del Tribunal Supremo de 16 de junio de 2001 (*Tol 102425*): *"Por tanto, el Ayuntamiento de La Rinconada tenía necesidad de adquirir viviendas de promoción pública, para satisfacer una necesidad ineludible de los vecinos del Municipio. No podía hacer frente a la construcción de esas viviendas con sus medios económicos propios, por lo que utilizó el procedimiento excepcional de obtener dichas viviendas, en número de 48, por el sistema de permutar una parcela de su patrimonio, que no era de utilidad para uso o servicio público alguno o tenía una utilización socio-económica adecuada a su aprovechamiento urbanístico. Lógicamente, la misma finalidad perseguida con la permuta podía conseguirse enajenando en subasta pública la parcela de propiedad municipal y pagando con el precio obtenido el importe de las obras de construcción de las 48 viviendas de promoción pública. Sin embargo, esta es una afirmación que puede predicarse de la mayor parte de los casos en que los Ayuntamientos propongan la permuta de un bien de su propiedad por otro perteneciente a un tercero, que también podría adquirirse por su precio, obtenido de la subasta del bien de pertenencia municipal. Lo que el artículo 112.2 del Reglamento de Bienes de las Entidades Locales impone es que se justifique que es necesario adquirir unos bienes determinados, en este caso las 48 viviendas de promoción pública, que, como hemos visto, contribuían a satisfacer una necesidad pública del Municipio; y que se acredite asimismo que, desde el punto de vista del interés público, resulta indicada la permuta. En el supuesto de autos esta conveniencia se desprende de que la parcela propiedad municipal objeto de la permuta no es de utilidad al uso o servicio público, o está destinada a una finalidad que deba considerarse superior a su enajenación mediante permuta para dar satisfacción a la aludida necesidad pública. En consecuencia, en el expediente administrativo se encontraba suficientemente acreditada la necesidad de la permuta".*

5. Algo sobre los proyectos inmobiliarios en bienes de militares

Ahora quiero referirme a la iniciativa urbanística de la Administración estatal, para llevar a cabo proyectos inmobiliarios sobre bienes de su titularidad. A ese respecto, hay que prestar atención a la Ley 33/2003, de 3 de noviembre, del Patrimonio de las Administraciones Públicas (en lo sucesivo, LPAP 33/2003), que regula dos tipos de negocios jurídicos bilaterales de contenido inmobiliario y urbanístico, que están excluidos del ámbito de aplicación de la normativa general sobre contratos del sector público (Texto Refundido 3/2011, de 14 de noviembre, o TRLCSP 3/2011): se trata de los "convenios de colaboración", y de los "protocolos de intenciones".

Como consecuencia de esa exclusión del ámbito objetivo del TRLCSP 3/2011, a diferencia de lo que ocurre con los "contratos» onerosos regulados en esa norma con rango de ley, los "convenios de colaboración" y los "protocolos de intenciones" se formalizan documentalmente sin necesidad de sustanciar un previo procedimiento competitivo para seleccionar al adjudicatario[126].

---

[126] Cuando las partes de un convenio de colaboración son dos Administraciones, no hay un criterio claro para determinar cuál de ellas puede ser considerada adjudicataria del negocio jurídico, a quién atribuir el papel de sujeto del sector público que lo otorga. Tampoco hay un criterio objetivo para discernir a cuál de ellas habría que exigir una determinada solvencia técnica o financiera, o quién está obligado a constituir garantías; de ahí que el negocio jurídico bilateral se excluya del ámbito de aplicación del Texto Refundido de la Ley de Contratos del Sector Público (aprobado por Real Decreto Legislativo 3/2011, de 13 de noviembre). De ahí lo establecido en el artículo 4.1.c) del citado TRLCSP 3/2011: *"Están excluidos del ámbito de la presente Ley los siguientes negocios y relaciones jurídicas: (...) c) Los convenios de colaboración que celebre la Administración General del Estado con las entidades gestoras y servicios comunes de la Seguridad Social, las Universidades Públicas, las Comunidades Autónomas, las Entidades locales, organismos autónomos y restantes entidades públicas, o los que celebren estos organismos y entidades entre sí, salvo que, por su naturaleza, tengan la consideración de contratos sujetos a esta Ley"*.
A ese respecto, tiene algún interés recordar aquí el Informe de la Junta Consultiva de Contratación Administrativa de 12 de noviembre de 1999 (número 42/99): *"Los convenios recogidos actualmente en el artículo 3.1.c) de la Ley de Contratos de las Administraciones Públicas constituyen el modo normal de relacionarse las Administraciones Públicas, los Organismos autónomos y demás entidades públicas sujetas en su actividad contractual al régimen de dicha Ley, ya que al no poder precisarse cuál de las partes actúa como órgano de contratación y cuál como contratista, unido a la dificultad de aplicar a la Administración, organismo o ente que haya de considerarse que actúa como contratista preceptos concretos de la Ley (solvencia, clasificación, garantías, etc...) resulta obligado canalizar estas actuaciones por la vía del convenio de colaboración y no por la vía del contrato. Así resulta de los propios términos literales del artículo 3.1.c) de la Ley de Contratos de las Administraciones Públicas que, sin restricción alguna, considera excluidos de su aplicación a los convenios de colaboración que celebre la Administración*

Una vez hecha esa precisión, resulta indicado describir sucintamente el escenario al que se refiere la LPAP 33/2003. El punto de partida son los bienes patrimoniales o de dominio privado de la Administración estatal, que por su propia naturaleza están dentro del comercio de las cosas. En cambio, quedan fuera los bienes de dominio público, que son inalienables, inembargables e imprescriptibles (artículo 132.1 CE).

En la experiencia práctica, los protocolos y convenios urbanísticos a los que ahora se hace referencia, tiene especial trascendencia cuando esas figuras se aplican a bienes que en otro tiempo fueron de dominio público, pero que al ser desafectados, pasaron a tener la naturaleza jurídica de los bienes patrimoniales o de dominio privado de la Administración (artículo 191 de la LPAP 33/2003). Por ejemplo, eso es lo que sucede con líneas ferroviarias ya abandonadas, o con cuarteles o aeródromos militares que perdieron su justificación geoestratégica, y que han sido desafectados, creándose así grandes bolsas de suelo en localizaciones idóneas para su desarrollo inmobiliario.

Pues bien, como cualquier otro propietario de bienes inmuebles que están en el mercado, la Administración también se interesa por la potencialidad urbanística de esos activos de su patrimonio. Lo peculiar es que en vez de someterse como cualquier otro operador jurídico al contenido de los planes urbanísticos, se atribuye a la "Administración propietaria del bien", el privilegio de llegar a acuerdos con la "Administración titular de la potestad" de planeamiento urbanístico. Por ejemplo, cabe citar el convenio celebrado entre el Ministerio de Defensa y el Ayuntamiento de Madrid en el año 2009, que presta cobertura a la llamada "operación Campamento" (en la actualidad ya abandonada), que abarcaba una superficie aproximada de más de dos millones de metros cuadrados, de la que resultaba una aportación de más de 364.000 metros cuadrados para zonas verdes, 90.000 metros cuadrados para equipamientos deportivos, y 147.000 metros cuadrados destinados a servicios públicos.

Para ordenar sus relaciones patrimoniales y urbanísticas, en vez de someterse como cualquier otro propietario de suelo al planeamiento urbanístico, la Administración del Estado puede suscribir un convenio con otras Administraciones Públicas y en especial los ayuntamientos (artículo 186 de la LPAP 33/2003), en cuya celebración se disfruta de un amplio

---

General del Estado con la Seguridad Social, las Comunidades Autónomas, las Entidades locales, sus respectivos Organismos autónomos y las restantes entidades públicas o cualquiera de ellas entre sí".

margen de libertad para redactar las estipulaciones y fijar el contenido del negocio jurídico (artículo 187 de esa misma LPAP 33/2003). Con arreglo a lo establecido en ese artículo 187:

> *"1.– Los convenios a que se refiere el artículo anterior podrán contener cuantas estipulaciones se estimen necesarias o convenientes para la ordenación de las relaciones patrimoniales y urbanísticas entre las partes intervinientes, siempre que no sean contrarias al interés público, al ordenamiento jurídico, o a los principios de buena administración.*
>
> *2.– Los convenios podrán limitarse a recoger compromisos de actuación futura de las partes, revistiendo el carácter de acuerdos marco o protocolos generales, o prever la realización de operaciones concretas y determinadas, en cuyo caso podrán ser inmediatamente ejecutivos y obligatorios para las partes.*
>
> *3.– Cuando se trate de convenios de carácter inmediatamente ejecutivo y obligatorio, la totalidad de las operaciones contempladas en el mismo se consideran integradas en un único negocio complejo. Su conclusión requerirá el previo informe de la Abogacía del Estado y el cumplimiento de los trámites establecidos en la Ley 30/1992, de 26 de noviembre, de Régimen Jurídico de la Administraciones Públicas y del Procedimiento Administrativo Común y en el Real Decreto Legislativo 1091/1988, de 23 de septiembre, por el que se aprueba el Texto Refundido de la Ley General Presupuestaria, y los restantes requisitos procedimentales previstos en las operaciones patrimoniales que contemplen. Una vez firmados, constituirán título suficiente para inscribir en el Registro de la Propiedad u otros registros las operaciones contempladas en los mismos".*

Aunque caben otras interpretaciones, bajo ese precepto se esconde la fábula o el mito del "especulador bueno" y altruista, o de la Administración como "especuladora bondadosa" en el sector inmobiliario. A diferencia de quienes son ávidos y desaprensivos especuladores para satisfacer egoístamente sus intereses individuales o particulares, cuando es la Administración quien actúa en el sector inmobiliario como propietaria de bienes raíces, lo hace con generoso desprendimiento, y con el único y exclusivo propósito altruista, de satisfacer adecuadamente los intereses generales (sobre todo en materia de vivienda protegida), para así lograr el mayor bienestar posible, para el mayor número de ciudadanos.

Por ello, el legislador considera que se justifica el privilegio de que la Administración propietaria del suelo, puede llegar a acuerdos con la Administración titular de la potestad de planeamiento urbanístico, en lugar de someterse, como cualquier otra persona, a la norma que es de aplicación general[127]. El fundamento justificativo del privilegio es discutible en tér-

---

[127] Alejandro HUERGO LORA, *Relaciones interadministrativas*, trabajo publicado en el libro colectivo dirigido por Carmen Chinchilla Marín, *Comentarios a la Ley 33/2003, del Patrimonio de las Administraciones Públicas*, Editorial Civitas, Madrid 2004, p. 821: *"El*

minos políticos y sociales, pero desde una perspectiva jurídica, es evidente que nuestro Derecho positivo acoge esa posibilidad de negociar y llegar a acuerdos interadministrativos, para crear disposiciones singulares y *"ad hoc"* mediante el ejercicio de la libertad de pactos que reconoce la ley. El convenio puede orientarse a maximizar la efectividad del derecho constitucional a una vivienda digna y adecuada (artículo 47 CE), pero también puede perseguir otros objetivos menos altruistas y más interesados patrimonialmente para la hacienda pública.

Hay que añadir que, en alguna medida, el artículo 183 de la LPAP 33/2003 exige "lealtad institucional" a la Administración municipal titular de la potestad de planeamiento[128], para cooperar activa y positivamente, y así facilitar la viabilidad del proyecto inmobiliario de la Administración estatal propietaria del inmueble.

A cambio de recalificar los terrenos y de incrementar el aprovechamiento urbanístico de los bienes patrimoniales de la Administración estatal, gracias al convenio o al protocolo que se suscriba, el Ayuntamiento titular de la potestad de planeamiento urbanístico obtiene mayores aportaciones que las que la ley impone con carácter general a cualquier propietario; por ejemplo, la Administración del Estado propietaria de los inmuebles, cede más terreno para zonas verdes, o asume el compromiso de promover un determinado número de viviendas de protección oficial. En la experiencia práctica, no es insólito que la recalificación urbanística se combine con permutas inmobiliarias u otras operaciones, que se aglutinan unitariamente en el mismo convenio o protocolo de intenciones.

---

hecho de que el propietario de un bien (patrimonial) sea una Administración Pública no le otorga a ésta, en general, a mi juicio, derecho a recibir un tratamiento mejor que el que corresponda a los particulares, y el principio de lealtad institucional no constituye ningún fundamento jurídico que permita alterar esa conclusión. Ni la Administración estatal o autonómica pueden pretender eximirse del planeamiento municipal en sus bienes patrimoniales (otra cosa son los bienes necesarios para el ejercicio de sus competencias, como es el caso de las carreteras o los cuarteles, respecto a los cuales el planeamiento urbanístico municipal cede), ni los Ayuntamientos pueden pretender hacer política de vivienda (o de otro tipo) a costa de las Administraciones que sean titulares de terrenos en su término municipal contra su voluntad; su capacidad de decisión sobre los terrenos en cuestión debe ser la misma, ni más ni menos, que si estuviera en manos de particulares".

[128] A tenor de lo establecido en el artículo 183 de la Ley 33/2003 (del Patrimonio de las Administraciones Públicas): *"Las Administraciones públicas ajustarán sus relaciones recíprocas en materia patrimonial al principio de lealtad institucional, observando las obligaciones de información mutua, cooperación, asistencia y respeto de las respectivas competencias, y ponderando en su ejercicio la totalidad de los intereses públicos implicados".*

Dicho ello, no está de más destacar que el antes transcrito artículo 187 de la LPAP 33/2003, distingue dos figuras o tipos de negocio jurídico: los "convenios", y los "acuerdos marco" o "protocolos". Pues bien, en línea general de principio, los "convenios" tienen por objeto actividades de gestión urbanística o de ejecución del planeamiento ya aprobado (con frecuencia combinando unitariamente una amplia diversidad de prestaciones heterogéneas)[129], a diferencia de los "acuerdos marco" o "protocolos", referidos a la elaboración y aprobación del planeamiento urbanístico, o sus modificaciones.

El ejercicio de una potestad exorbitante como la del planeamiento urbanístico es unilateral, y no puede ser objeto de pactos vinculantes con otras personas; de ahí que se celebren simples "protocolos" o "acuerdos marco", que son meros acuerdos de intenciones, cuyo exacto cumplimiento no es jurídicamente exigible en sus propios términos y mediante algún tipo de tutela forzosa o ejecutiva, sin perjuicio de que se pacte alguna consecuencia compensatoria o sustitutoria, para el caso de un eventual incumplimiento.

No cabe cerrar este apartado, sin hacer referencia a los obstáculos que algunas leyes autonómicas ponen para llegar a ese tipo de acuerdos y protocolos. Efectivamente, hay leyes autonómicas de urbanismo que vinculan los bienes que hayan sido desafectados de la defensa nacional, a determinados usos dotacionales, y en particular a la promoción de viviendas de protección oficial o a otros usos de interés social parecidos o similares. Es decir, los bienes que antes estaban destinados a la defensa nacional y resultan desafectados, pasan a tener las vinculaciones finalistas propias de los patrimonios públicos del suelo, lo que impide a la Administración del Estado especular en el mercado inmobiliario con el desarrollo de otro

---

[129]   Alejandro HUERGO LORA, *Relaciones interadministrativas*, trabajo publicado en el libro colectivo dirigido por Carmen Chinchilla Marín, *Comentarios a la Ley 33/2003, del Patrimonio de las Administraciones Públicas*, Editorial Civitas, Madrid 2004, p. 841: *"También es necesario tener en cuenta la regla del art. 187.3, según la cual "cuando se trata de convenios de carácter inmediatamente ejecutivo y obligatorio, la totalidad de las operaciones contempladas en el mismo se consideran integradas en un único negocio complejo". Una de las funciones de los convenios es enlazar distintas prestaciones o actuaciones (que, en una actuación administrativa unilateral, quedarían separadas), de forma que cada una de ellas se lleve a cabo porque va a realizarse también la otra, o, al menos, en vista de ella (que no es lo mismo que a cambio de ella). Cada una de las actuaciones administrativas previstas en el convenio se justifica (o, por el contrario, queda descalificada jurídicamente) no por su contenido estricto, sino también por las demás actuaciones o prestaciones comprometidas".*

tipo de proyectos más lucrativos. Así ocurre en Castilla-La Mancha[130], Extremadura[131] o la Comunidad Valenciana[132]; aunque en línea general de principio Galicia sigue esa misma orientación, abre la posibilidad alternativa de celebrar un convenio urbanístico entre el Ministerio de Defensa, la Consejería autonómica competente en la materia, y el Ayuntamiento en cuyo término estén radicados los bienes inmuebles[133]. Aunque hay críticas a la constitucionalidad de esas disposiciones autonómicas (formuladas tanto por el Consejo de Estado[134], como por algún sector de la doctri-

---

[130]   Artículo 77.a) del Texto Refundido de la Ley de Urbanismo de Castilla-La Mancha (aprobado por Decreto Legislativo 1/2010, de 18 de mayo): *"Integran los patrimonios públicos de suelo:*
a) Los bienes patrimoniales de la Administración a los que una disposición legal o reglamentaria o el planeamiento territorial o urbanístico asigne expresamente tal destino, vincule a la construcción o rehabilitación de viviendas con sujeción a algún régimen de protección pública o atribuya cualquier otro uso de interés social".

[131]   Artículo 80.4 de la Ley 15/2001, de 14 de diciembre (de suelo y ordenación territorial de Extremadura): *"Los planes de ordenación urbanística calificarán como suelo dotacional las parcelas cuyo destino efectivo precedente haya sido el uso docente o sanitario, elementos funcionales de las redes de infraestructura general, e instalaciones adscritas a la Defensa Nacional, salvo que, previo informe de la Consejería o Administración Pública competente por razón de la materia, se justifique la innecesariedad del destino del suelo a tal fin, en cuyo caso se destinará éste a usos públicos o, excepcionalmente, a viviendas de promoción pública".*

[132]   A tenor de lo establecido en el artículo 94.5 de la Ley 16/2005, de 30 de diciembre (urbanística valenciana): *"Los planes calificarán como suelo dotacional a las parcelas cuyo destino efectivo precedente haya sido el uso público docente o sanitario y aquellas de titularidad pública de cualquier administración cuyo destino precedente haya sido también dotacional, incluidos los elementos funcionales de las redes de infraestructura general y instalaciones adscritas a la defensa; excepto cuando, con un informe previo de la consellería competente por razón de la materia y de la administración titular del terreno dotacional se justifique la innecesariedad de destinar el suelo a dichas finalidades; destinándose preferentemente, en este caso, a viviendas sujetas a algún régimen de gestión pública o a otros usos públicos o de interés social".*

[133]   Artículo 47.5 de la Ley 9/2002, de 30 de diciembre (de suelo y urbanismo de Galicia): *"El plan general calificará como suelo dotacional los terrenos que hayan sido destinados efectivamente a usos docentes o sanitarios públicos, elementos funcionales de las infraestructuras de transportes e instalaciones adscritas a la defensa nacional. No obstante lo anterior, mediante convenio entre la administración titular del bien, la consejería competente en materia de urbanismo y ordenación del territorio y el ayuntamiento, podrán ser destinados por el plan general a otros usos distintos y atribuirse a las personas propietarias el 100% del aprovechamiento tipo, de conformidad con lo establecido en la presente Ley, con la finalidad de facilitar la financiación de infraestructuras públicas".*

[134]   Dictamen del Consejo de Estado de 5 de junio de 2003 (número 1152/2003, relativo a la adecuación al orden de competencias derivado de la Constitución y del Estatuto de Autonomía de la Comunidad Autónoma de Castilla-La Mancha, de la Ley 25/2002, del 9 de diciembre de Presupuestos Generales): *"Es posible concebir que el precepto impugnado interfiera en las competencias del Estado relativas a la desafectación de sus bienes al uso público*

na[135]), lo cierto es que por el momento esas leyes no han sido anuladas por el Tribunal Constitucional.

---

al que estaban destinados por el hecho de la referida previsión legal autonómica, que puedan justificar la impugnación de este artículo, sobre todo si se tiene en cuenta que el artículo 68.b).1 de la Ley 2/1998, de 4 de junio, de Ordenación del Territorio y de la Actividad Urbanística de Castilla-La Mancha, en la redacción dada por la Ley 1/2003, de 17 de enero, establece que las cesiones de terrenos destinados a dotaciones públicas y patrimonios públicos del suelo comprenden la superficie total de los viales, parques y jardines públicos, zonas deportivas y de recreo y expansión públicos, equipamientos culturales y docentes públicos y los precisos para el funcionamiento de los restantes servicios públicos previstos, y que, cuando la superficie total de los terrenos destinados a dotaciones y servicios públicos de carácter urbanístico previamente existentes sea igual o superior a la que resulte de la ejecución del planeamiento territorial y urbanístico, se entenderá sustituida una por otra, percibiendo la Administración el exceso, si lo hubiera y en la proporción que corresponda, en terrenos con aprovechamiento lucrativo. La calificación urbanística del inmueble se realiza en función del propietario del bien impidiendo el adecuado reparto de la carga urbanística. (…) La cuestión radica en que en este caso la determinación del destino de los bienes no se hace depender de una previa apreciación de su necesidad por los municipios, sino que se impone por la Ley atendiendo exclusivamente al titular anterior de los bienes. Por ello, resulta necesario que el Tribunal Constitucional examine la adecuación al orden constitucional de competencias de la disposición de la Ley 25/2002, de 19 de diciembre, de Castilla-La Mancha, objeto de impugnación".

Dictamen del Consejo de Estado de 5 de septiembre de 2002 (número 990/2002, relativo a la decuación al orden de competencias derivado de la Constitución y E. de Autonomía de Extremadura de la Ley 15/2001, de 14 de diciembre, del Suelo y Ordenación Territorial de Extremadura): *"Es posible concebir alguna interferencia en las competencias del Estado relativas a la desafectación de sus bienes al uso público al que estaban destinados por el hecho de la referida previsión legal autonómica, que pueda justificar la impugnación de este artículo, si bien existen en la Ley 15/2001 técnicas al servicio del principio de equidistribución, como la delimitación de áreas de reparto, la fijación del aprovechamiento medio o las transferencias de aprovechamiento, por lo que la vulneración del referido principio dependerá en gran medida de la interpretación y aplicación que de los distintos preceptos de la Ley impugnada se haga en cada caso concreto.*

Debe tenerse en cuenta que disposiciones de finalidad similar pero de ámbito más reducido ("los Planes calificarán como suelo dotacional las parcelas cuyo destino efectivo precedente haya sido el uso docente o sanitario, salvo que, previo informe de la Consejería competente por razón de la materia se justifique la innecesariedad del destino del suelo a tal fin, en cuyo caso se destinará éste a otros usos públicos o de interés social") se contienen en los artículos 55.7 de la Ley 6/1994, de 15 de noviembre, de la actividad urbanística de la Comunidad Valenciana, y 39.6 de la Ley 2/1998, de 4 de junio, de Castilla-La Mancha, que no han sido objeto de impugnación".

[135] José María BAUTISTA SAMANIEGO, Urbanismo y defensa nacional, Editorial Montecorvo, Madrid 2008, pp. 83 y ss.

VII. LA DEFENSA NACIONAL Y LAS LIMITACIONES A LA PROPIEDAD PRIVADA

1. *El estatuto constitucional de la propiedad privada y la recta satisfacción de las necesidades de la Defensa Nacional*

Las necesidades de la defensa nacional no sólo determinan la singular configuración del dominio público militar, sino que también inciden en propiedades privadas de quienes no tienen ninguna vinculación directa e inmediata con las fuerzas armadas; así sucede cuando se trata de propiedades privadas colindantes con bienes militares o cercanas a ellas.

Las necesidades militares de la defensa nacional condicionan el estatuto jurídico de bienes que son de propiedad privada y de titularidad civil, pero son colindantes o próximas a algún bien de dominio público militar. Dicho ello, conviene aclarar que en este apartado utilizo una noción muy amplia de la "propiedad privada", en la que también tienen cabida los bienes patrimoniales o de dominio privado de una Administración Pública, pues las restricciones y limitaciones que aquí se exponen, también pueden recaer sobre bienes patrimoniales de titularidad municipal o de otras Administraciones Públicas.

Como es sabido, la propiedad inmobiliaria ha experimentado en el curso de los siglos XIX y XX una capital transformación; si en origen era un "derecho subjetivo", con el tiempo ha devenido una "función social". La configuración de la propiedad como un derecho subjetivo es clara en el Código Civil de 1889: *"La propiedad es el derecho a gozar y disponer de una cosa, sin más limitaciones que las establecidas en las leyes"* (artículo 348). Según se infiere de ese precepto, el Código de la burguesía liberal de finales del siglo XIX, admite que la propiedad no es un derecho absoluto, sino que está sujeto a las limitaciones establecidas en las leyes. Ese mismo Código establece algunas, como la que resulta del artículo 589 del Código Civil: *"no se podrá edificar ni hacer plantaciones cerca de las plazas fuertes o fortalezas sin sujetarse a las condiciones exigidas por las leyes, ordenanzas y reglamentos particulares de la materia"*.

La lacónica previsión contenida en el artículo 589 del Código Civil de 1889, está hoy en día desarrollada por la Ley 8/1975, de 12 de marzo (de zonas e instalaciones de interés para la Defensa Nacional), y su Reglamento ejecutivo (aprobado por Real Decreto 689/1978, de 10 de febrero). También es de aplicación lo dispuesto en el Decreto de Costas y Fronteras de 15 de febrero de 1933 (que con arreglo a la disposición transitoria segunda de la Ley 8/1975 sigue estando en vigor). En definitiva, la configuración del derecho de propiedad privada con fundamento en las necesidades de la defensa nacional, resulta de lo dispuesto en normas preconstitucionales. Aunque la Ley 8/1975 ha sido parcialmente reformada cuando ya estaba en vigor la Constitución de 1978 (mediante Ley 37/1988, de 28 de diciembre, y Ley 31/1990, de 27 de diciembre), no resulta ni inconveniente ni inoportuno reseñar esa circunstancia histórica.

Con arreglo a lo dispuesto en el artículo 128.1 de la Constitución: *"Toda la riqueza del país, en sus distintas formas y sea cual fuere su titularidad está subordinada al interés general"*. Adviértase que el valor prioritario es la recta satisfacción de los intereses generales (por ejemplo los de la defensa nacional), objetivo al que queda subordinada la propiedad, cualquiera que sea el sujeto que ostente la titularidad. La vinculación de toda la riqueza de España a la satisfacción de los intereses generales explica y justifica la función social de la propiedad. La Constitución ha dispuesto expresamente, que la propiedad está vinculada al cumplimiento de funciones sociales, que legítimamente pueden llegar a justificar la privación coactiva de la propiedad privada mediante el ejercicio de la potestad de expropiación forzosa (artículo 33 CE).

Hoy en día ya no hay un único régimen jurídico válido para todos los bienes objeto de propiedad privada. Ya no existe un estatuto permanente y uniforme de la propiedad, sino que el régimen jurídico varía con el transcurso del tiempo y la naturaleza de los bienes sobre los que se proyecta. En la actualidad, la propiedad privada no es un derecho inviolable y sagrado; su contenido es el que disponga el legislador en ejercicio de su libertad de configuración del estatuto de los derechos reales.

Esa legislación (que puede ser urbanística, de protección del patrimonio histórico, o relativa a la defensa nacional) define las facultades dominicales que corresponden al propietario a cada clase de bienes. Como ya se ha anticipado, una de las funciones sociales que debe satisfacer la propiedad privada es la vinculada a la satisfacción de las necesidades de la defensa nacional, necesidades que delimitarán el contenido normal del derecho de propiedad privada. Conforme a lo establecido en el artículo 30 de la Ley Orgánica 5/2005, de 17 de noviembre (reguladora de la Defensa Nacional):

> *"En las zonas del territorio nacional consideradas de interés para la defensa, en las que se encuentren constituidas o se constituyan zonas de seguridad de instalaciones militares o civiles, declaradas de interés militar, así como en aquellas en que las exigencias de la defensa o del interés del Estado lo aconsejen, podrán limitarse los derechos sobre los bienes de propiedad de nacionales y extranjeros situados en aquellas, de acuerdo con lo que se determine por ley".*

Pues bien, ese tipo de restricciones y limitaciones a la propiedad privada son respetuosas con la Constitución (artículo 33 CE), y no lesionan el contenido esencial del derecho subjetivo a la propiedad (artículo 53.1 CE)[136]. La Ley 8/1975, de 12 de marzo (de zonas e instalaciones de interés para la Defensa Nacional), y su Reglamento ejecutivo (aprobado por Real Decreto 689/1978, de 10 de febrero) distinguen tres estatutos distintos de la propiedad privada, cada uno de ellos identificado con distintos tipos de intereses que son relevantes para la defensa nacional:

(i) el estatuto de los bienes de interés para la defensa nacional;

(ii) el estatuto de los bienes situados en la zona de seguridad de las instalaciones militares o de las instalaciones civiles declaradas de interés militar;

(iii) el estatuto de acceso restringido a la propiedad por parte de extranjeros.

Antes de entrar en el examen individualizado de cada uno de esos estatutos jurídico-reales, interesa poner de manifiesto que no se trata de compartimentos estancos o recíprocamente autónomos. Como declara la Sentencia del Tribunal Supremo de 2 de marzo de 1994 (ponente Antonio Martí García), *"estas clases de zonas son compatibles entre sí, de modo que por razón de su naturaleza y situación, determinadas extensiones del territorio nacional podrán quedar incluidas simultáneamente en zonas de distinta clase".*

También resulta indicado aclarar que, salvo en el caso de los extranjeros que no sean ciudadanos de la Unión Europea, se trata de limitaciones *"ob*

---

[136] Sentencia del Tribunal Supremo de 2 de febrero de 2004 [recurso de casación 1090/2001; ponente Rafael Fernández Montalvo (*Tol 345182*)]: *"Por consiguiente, frente al criterio de la recurrente, ha de concluirse que el reconocimiento constitucional de la propiedad no se opone al establecimiento legal de límites, ni al ejercicio de la consecuente potestad por parte de la Administración, siempre que se efectúe con sujeción a la finalidad para la que fue otorgada y de acuerdo con los pertinentes criterios técnicos. Y, en concreto, es correcto el criterio de la Sala de instancia cuando señala que el régimen de autorización de usos en los predios afectos a zonas militares, como es el supuesto de que se trata, implica una limitación del derecho de propiedad cuya compatibilidad ha sido declarada por este Alto Tribunal en sentencia de 28 de enero de 1997: no cabe entender que la exigencia de la autorización para realizar obras, trabajos e instalaciones, o actividades en una "zona próxima de seguridad" como se dispone en el artículo 9º de la Ley 8/1975, y 12 de su Reglamento infrinja el meritado artículo 33 de la Constitución, ni dé lugar a la expropiación e indemnización, la limitación que integra el derecho de una propiedad en función de su situación. Y, en el mismo sentido, nos pronunciamos en sentencia de 29 de noviembre de 1996, en relación con la necesidad de autorización para construir cuando está en juego una limitación del uso de batería artillera o peligro para las personas de acuerdo con el artículo 11 de la reiterada Ley 8/1975, de 12 de marzo".*

rem", que se imponen por razón de las circunstancias geográficas objetivas del bien de que se trate, y al margen del sujeto o persona que ostente su ti-tularidad. En ese sentido, las limitaciones por razón de la defensa nacional no desaparecen por el hecho de que la Administración Pública desafecte una finca y la venda a un particular, quien seguirá estando obligado a so-portar las mismas limitaciones que ya venían afectando al bien inmueble[137].

2. Una precisión conceptual: la delimitación del contenido normal de la pro-piedad, la imposición administrativa de servidumbres prediales

La recta satisfacción de las necesidades de la defensa nacional exige con frecuencia limitaciones y restricciones de los bienes de algunos pocos ciu-dadanos, en beneficio de la seguridad de toda la ciudadanía[138]. Con incon-

---

[137]   Sentencia del Tribunal Supremo de 21 de septiembre de 2005 [ponente Rodolfo Soto Vázquez (*Tol 718774*)]: *"Existe una evidente confusión entre lo que significa la desafectación del carácter público del dominio y la potestad de fijar zonas de seguridad inmediatas a las cons-trucciones a que se refiere la Ley 8/75.*
Que un terreno haya sido desafectado de su carácter público y enajenado en pública subasta no priva de virtualidad a las limitaciones legales impuestas por la Ley 8/75, de cuya oportunidad actual podrá disentir la actora si le place, pese a lo cual continúa vigente y viene siendo aplica-da por la Jurisprudencia de esta Sala con reiteración (Sentencias 29 de noviembre de 1996 y 2 de febrero de 2004, entre otras muchas). Parece olvidar la parte recurrente que el preámbulo de dicha disposición comienza precisamente refiriéndose al carácter limitativo que ha de atribuirse a la misma con respecto a la propiedad privada, lo que no significa (Sentencias de esta Sala ya citadas) que esa limitación entre en colisión con el derecho constitucional de propiedad en tanto que la limitación opere dentro de los límites de la función social que está llamada a desempeñar. Consecuentemente, que la parcela cuestionada hubiese sido enajenada por el Ministerio de Defen-sa no priva de virtualidad operativa a las disposiciones limitativas derivadas de la Ley 8/75 y sus normas complementarias, cuyo sentido y alcance es de obligatoria efectividad en el territorio nacional y que, por otra parte, la demandante conocía perfectamente al dirigirse al Ministerio de Defensa en solicitud de la autorización, aunque otra cosa pretenda alegar ahora".
[138]   Sentencia del Tribunal Supremo de 15 de julio de 2004 [ponente Agustín Puente Prie-to (*Tol 484201*)]: *"De la simple lectura de las limitaciones al pleno disfrute de los terrenos sitos en las llamadas zonas próximas y lejanas de seguridad y de las autorizaciones para determinadas actividades, contenidas fundamentalmente en los artículos 8 a 12 de la Ley 8/1975 y 18 a 22 del Reglamento de 10 de febrero de 1978, se deduce la posibilidad —no perentoria necesidad como declaramos en esa sentencia— de producir daños y perjuicios en el normal uso y explotación de tales terrenos. Pero esos daños y perjuicios traen su causa de la conveniencia de salvaguardar los intereses de la defensa nacional y la seguridad y eficacia de sus organizaciones e instalaciones, tal como expresa el artículo 1º de la Ley 8/1975, intereses que afectan y protegen la seguridad de toda la colectividad nacional. Por ello la consecuencia de tales daños y perjuicios no puede recaer única y exclusivamente en el titular de los terrenos afectados por la zona de seguridad, porque este administrado no tiene la obligación de soportar de modo único, sino toda la colectividad nacional*

testable sentido común, declara la Sentencia del Tribunal Supremo de 2 de marzo de 1994: *"en algún lugar se han de instalar los polígonos de entrenamiento al igual que otras instalaciones del Estado "[139].*

Pues bien, en este apartado interesa plantear si en esas circunstancias de restricción del derecho de propiedad privada por razones de la defensa nacional, existe derecho a percibir una indemnización por los daños y perjuicios sufridos por esas limitaciones y restricciones. Con arreglo a lo establecido en el artículo 28 de la Ley 8/1975:

> *"Los perjuicios que se originen a los particulares como consecuencia de las servidumbres o limitaciones derivadas de la presente Ley serán indemnizables conforme a lo previsto en la Ley de Expropiación Forzosa, y de la de Régimen Jurídico de la Administración del Estado. En todo caso, el particular afectado podrá hacer uso de las facultades que le confiere el artículo 23 de la vigente Ley de Expropiación Forzosa.*
>
> *Las obligaciones, servidumbres y limitaciones de todo orden que, como consecuencia de la propia Ley, resulten para las obras y servicios públicos, serán objeto de la adecuada compensación en los términos que establezca el Consejo de Ministros".*

Ese precepto legal ha sido desarrollado por el artículo 88 del Reglamento (aprobado por Real Decreto 689/1978, de 10 de febrero):

> *"De conformidad con lo dispuesto en el artículo 28, párr. 1º de la Ley, serán indemnizables a los particulares los perjuicios que se les originen en los siguientes casos:*
>
> *a) Cuando el Decreto por el que se declare una zona de interés para la Defensa Nacional y fije las servidumbres y demás limitaciones y prohibiciones que en ella se establezcan, haga éstas incompatibles con la normal utilización de la propiedad inmueble en el momento de la promulgación, según lo previsto en el artículo 5 de este Reglamento.*
>
> *b) Cuando los perjuicios aludidos sean motivados por las limitaciones de la propiedad privada inherentes, conforme al capítulo II, título II de este Reglamento, a la fijación de las zonas de seguridad de las nuevas instalaciones militares, a la alteración de las zonas de las ya existentes o a la declaración de interés militar de determinadas instalaciones civiles o sus modificaciones.*
>
> *c) Cuando en algunas de las zonas de acceso restringido a la propiedad por parte de los extranjeros se den los supuestos previstos en los artículos 44.1, 45 y 46.2 de este Reglamento y se acuerde proceder en la forma prevista en el artículo 44.2 del mismo".*

---

que resulta beneficiada de ese plus de seguridad proporcionado con esas limitaciones en función de los superiores intereses del país, y de aquí que tales perjuicios han de ser indemnizables".

[139] Sentencia del Tribunal Supremo de 2 de marzo de 1994 [recurso 722/1993; ponente Antonio Martí García (*Tol 1707468*)].

Para interpretar y aplicar adecuadamente esos preceptos legales y reglamentarios, interesa hacer un breve excurso académico, para destacar ahora los rasgos característicos de dos conceptos o institutos jurídicos distintos:

(i) la definición del contenido normal del derecho de propiedad; y,

(ii) la imposición de servidumbres administrativas.

Los planes urbanísticos zonifican los usos a los que pueden destinarse
los edificios (por ejemplo reservándolos a usos industriales o residenciales,
o destinándolos a la satisfacción de las necesidades de la defensa nacional). Esos planes urbanísticos son normas administrativas que definen el
contenido normal del derecho de propiedad, y aunque pueda perturbar
o perjudicar al titular de un inmueble, esa delimitación general no es indemnizable.

En cambio, no hay definición del contenido normal de la propiedad
privada, cuando se impone una "servidumbre forzosa" a las fincas colindantes en atención a las necesidades de la defensa nacional. De la imposición de esa servidumbre predial resulta una obligación de no hacer o de
soportar, impuesta a los propietarios de los terrenos colindantes con una
instalación o acuartelamiento militar.

La definición del contenido normal de la propiedad se distingue por
su carácter general, a diferencia de la servidumbre que tiene carácter singular. Mientras que el contenido normal de la propiedad resulta directamente de las normas jurídicas, la servidumbre forzosa requiere un previo
acto administrativo de constitución del gravamen. La servidumbre no resulta directamente de la ley general, sino que requiere un específico acto
administrativo de eficacia constitutiva, acto consistente en la delimitación
perimetral de la zona de seguridad de la instalación militar. Importa destacar que ese acto constitutivo lo dicta unilateralmente la Administración en
ejercicio de las potestades exorbitantes típicas de la policía demanial, que
tiene atribuidas para garantizar la satisfacción de los intereses generales.

La "definición del contenido normal" de la propiedad no tiene como
función la transferencia a un tercero de una utilidad o aprovechamiento
de contenido económico del suelo, y por eso no hay derecho a indemnización. No hay ni enriquecimiento de un beneficiario ni empobrecimiento
del titular del derecho cuyo contenido es objeto de definición.

En cambio, en la "servidumbre forzosa" hay un predio dominante (la
instalación militar) y un predio sirviente (el bien inmueble colindante de
titularidad privada). Se trata de auténticas servidumbres prediales; no está
de más recordar aquí que conforme a lo establecido en el artículo 530 del

Código Civil: *"La servidumbre es un gravamen impuesto sobre un inmueble en beneficio de otro perteneciente a distinto dueño. El inmueble a cuyo favor está constituida la servidumbre, se llama predio sirviente; el que la sufre, precio dominante".*

Hay que destacar que la imposición de servidumbres forzosas al titular de un inmueble (como las que sufren los vecinos de un aeropuerto militar), equivale a la amputación coactiva de alguna de las facultades que forman parte del contenido esencial del derecho de propiedad[140], ya que esa carga reak que es la servidumbre, consiste en la obligación jurídica de soportar la perturbación causada por ruidos molestos, o por decirlo en otros términos, es la privación singular del goce pacífico y tranquilo de la vivienda. No es la definición del perfil interno o contenido normal del derecho, sino la externa imposición de un límite singular. Ese sacrificio individual de una parte del contenido esencial de la propiedad privada, fundamenta el derecho a percibir una indemnización por la carga real impuesta, ya que implica un sacrificio especial que no se impone por igual a todos los ciudadanos[141], pero que beneficia por igual a todas las personas,

---

[140]   Juan Antonio CARRILLO DONAIRE, *Las servidumbres administrativas (delimitación conceptual, naturaleza, clases y régimen jurídico)*, Editorial Lex Nova, Valladolid 2003, pp. 68 y ss.; también pp. 92 y ss.

[141]   La jurisprudencia ha razonado cuál es la fundamentación jurídica del derecho al resarcimiento económico. En ese sentido, la Sentencia del Tribunal Supremo de 22 de septiembre de 1990 [ponente Juan Manuel Sanz Bayón (*Tol 2418286*)], declara lo siguiente: *"Es incuestionable que de la simple lectura de las limitaciones al pleno disfrute de los terrenos sitos en las llamadas zonas próxima y lejana de seguridad y de las autorizaciones para determinadas actividades, contenidas fundamentalmente en los arts. 8 a 12 de la Ley 8/75 y 18 a 22 del Reglamento de 10 de febrero de 1978, se deduce la posibilidad —no perentoria necesidad— de producir daños y perjuicios en el normal uso y explotación de tales terrenos. Pero esos daños y perjuicios traen su causa de la conveniencia de salvaguardar los intereses de la defensa nacional y la seguridad y eficacia de sus organizaciones e instalaciones, tal como expresa el art. 1º de la Ley 8/75, intereses que afectan y protegen la seguridad de toda la colectividad nacional. Por ello la consecuencia de tales daños o perjuicios no puede recaer única y exclusivamente en el titular o titulares de los terrenos afectados por las zonas de seguridad, porque este administrado no tiene la obligación de soportarlos de modo único, sino toda la colectividad nacional que resulta beneficiada de ese plus de seguridad proporcionado con esas limitaciones en función de los superiores intereses del país, y de aquí que tales perjuicios han de ser indemnizables conforme a lo previsto en la L. E. F. y en la de Régimen Jurídico de la Administración del Estado, prorrateada dicha indemnización entre todos los beneficiados por las repetidas medidas de seguridad, pudiendo en todo caso el directamente afectado hacer uso de las facultades que le confiere el art. 23 de la L. E. F., previa la correspondiente concreta acreditación de los daños o perjuicios producidos. Y por tanto, el contenido indemnizatorio habrá de comprender cualquier forma de privación de derechos o intereses patrimoniales legítimos, tal como especifica el art. 1º de la L. E. F. en relación con los arts. 24 y ss., o incluso a la expropiación de la totalidad de la finca cuando concurrieren los requisitos del art. 23 de la misma Ley, como bien afirma la sentencia apelada".*

pues la colectividad se beneficia o saca provecho de esa actividad administrativa orientada a la defensa nacional; por ello, la colectividad también debe asumir las consecuencias económicas desfavorables, y lo hace con cargo al presupuesto público de la Administración competente en materia de defensa nacional[142].

Al existir un beneficiario concreto y determinado de la imposición de esas cargas (la Administración del Estado que es la competente en materia de defensa nacional), hay derecho a la indemnización del titular de la propiedad, cuando hay imposición singular de una servidumbre forzosa. Hay o debe haber una correlación o equilibrio entre la entidad o importancia del gravamen real que soporta el titular del predio sirviente, y la dosis utilidad o aprovechamiento de que se beneficia el titular del predio dominante[143].

Conviene precisar que la indemnización puede ser a título de servidumbre o a título de responsabilidad patrimonial. Se trata de indemnización por servidumbre forzosa, cuando la perturbación es continuada o tendencialmente permanente. Se trata de responsabilidad patrimonial cuando la

---

[142] Sentencia del Tribunal Supremo de 15 de julio de 2004 [recurso de casación 7054/1999; ponente Agustín Puente Prieto (*Tol 484201*)]: *"De la simple lectura de las limitaciones al pleno disfrute de los terrenos sitos en las llamadas zonas próximas y lejanas de seguridad y de las autorizaciones para determinadas actividades, contenidas fundamentalmente en los artículos 8 a 12 de la Ley 8/1975 y 18 a 22 del Reglamento de 10 de febrero de 1978, se deduce la posibilidad —no perentoria necesidad como declaramos en esa sentencia— de producir daños y perjuicios en el normal uso y explotación de tales terrenos. Pero esos daños y perjuicios traen su causa de la conveniencia de salvaguardar los intereses de la defensa nacional y la seguridad y eficacia de sus organizaciones e instalaciones, tal como expresa el artículo 1º de la Ley 8/1975, intereses que afectan y protegen la seguridad de toda la colectividad nacional. Por ello la consecuencia de tales daños y perjuicios no puede recaer única y exclusivamente en el titular de los terrenos afectados por la zona de seguridad, porque este administrado no tiene la obligación de soportar de modo único, sino toda la colectividad nacional que resulta beneficiada de ese plus de seguridad proporcionado con esas limitaciones en función de los superiores intereses del país, y de aquí que tales perjuicios han de ser indemnizables"*.

[143] A juicio de CARRILLO DONAIRE: *"...puede formularse un principio valorativo aplicable con carácter general a todos los supuestos de constitución de servidumbres administrativas, según el cual la valoración de las mismas ha de orientarse a atribuir al propietario del fundo sirviente un valor proporcional a la cuota ideal extraída al derecho de propiedad por la pérdida del uso exclusivo. Poco más puede precisarse en orden a establecer una regla o criterio general de valoración de las servidumbres. En todo caso, este principio de proporcionalidad orientado a determinar la valoración alícuota del gravamen es el que inspira el método seguido por los Tribunales para calcular la indemnización por la constitución de servidumbres administrativas, y que consiste en aplicar un porcentaje sobre el valor que obtendría el bien en caso de expropiación total"*. (Juan Antonio CARRILLO DONAIRE, Las servidumbres administrativas (delimitación conceptual, naturaleza, clases y régimen jurídico), Editorial Lex Nova, Valladolid 2003, p. 223).

perturbación es temporal y existe título legítimo para imponer la obligación de tolerar temporalmente las limitaciones que a la propiedad imponen las necesidades de la defensa nacional. Como consecuencia de la imposición de una servidumbre administrativa, se paga una cantidad a título de expropiación forzosa y no en concepto de responsabilidad patrimonial. No hay una perturbación temporal que cesa, sino un gravamen tendencialmente perpetuo o de duración continuada. En rigor no hay indemnización por los daños y perjuicios causados por una actividad molesta que cesa o termina y no se prolonga en el tiempo.

Dicho ello interesa reiterar que la mutilación de alguna de las facultades que forman parte del contenido esencial de un derecho subjetivo, es una operación jurídica distinta a la definición de su contenido normal[144]. Ahora bien, no es fácil establecer dónde termina la definición del contenido normal del derecho de propiedad, y dónde empieza el sacrificio del contenido esencial. Ese deslinde conceptual está lleno de penumbras. Ocurre con frecuencia, que de forma abstracta es casi imposible establecer una delimitación mínimamente cierta y objetiva de ese contenido mínimo, por lo que sólo es posible señalar su alcance y extensión, cuando entra en conflicto con otros derechos o bienes constitucionalmente protegidos.

Algunas veces, la incidencia de las restricciones impuestas a las propiedades privadas colindantes con el dominio público militar, pueden ser de tal magnitud y relevancia, como para justificar el ejercicio por la Administración estatal de la potestad expropiatoria, por comportar de hecho una privación singular y coactiva de la propiedad, al quedar ésta vacía y sin contenido económico real. Es más, en ese tipo de circunstancias, si las restricciones al uso privado sólo se imponen sobre una parte de una finca, pero el aprovechamiento de la porción restante resultare antieconómica, el propietario tiene derecho subjetivo a instar que se le expropie la totalidad de la superficie de la finca (con fundamento en lo establecido en los artículo 23 de la LEF/1954, y en el artículo 28 de la Ley 8/1975)[145].

---

[144] Como declara la Sentencia del Tribunal Constitucional 227/1988, de 29 de noviembre (FJ 11): *"...es obvio que la delimitación legal del contenido de los derechos patrimoniales o la introducción de nuevas limitaciones no puede desconocer su contenido esencial, pues en tal caso no cabría hablar de una regulación general del derecho, sino de una privación o supresión del mismo que, aunque predicada por la norma de manera generalizada, se traduciría en un despojo de situaciones jurídicas individualizadas no toleradas por la norma constitucional salvo que medie la indemnización correspondiente".*

[145] Sentencia del Tribunal Supremo de 15 de julio de 2004 [recurso de casación 7054/1999; ponente Agustín Puente Prieto (*Tol 484201*)]: *"Es evidente que, como ha entendido esta Sala en Sentencia de 13 de marzo de 1992, lo que quieren decir los preceptos de*

3. Las zonas de interés para la defensa nacional: el estatuto de los bienes de interés para la defensa nacional

A) Concepto

Se denominan "zonas de interés para la defensa nacional", las extensiones de terreno, mar o espacio aéreo que así se declaren, en atención a que constituyan o puedan constituir una base permanente, o un apoyo eficaz de las acciones ofensivas o defensivas necesarias para tal fin (artículo 2 de la Ley 8/1975).

En algunas ocasiones, esa calificación es difícilmente cuestionable, como por ejemplo sucede en el caso del campo de entrenamiento de las Bárdenas Reales[146], o el asentamiento de vigilancia aérea de la isla de El Hierro[147]; otras en cambio, son cuanto menos discutibles, como la finca

---

la Ley y Reglamento que regulan las zonas e instalaciones de interés para la defensa nacional, y concretamente el artículo 28 de la Ley y el 89 del Reglamento que facultan a los propietarios para hacer uso de lo previsto en el artículo 23 de la Ley de Expropiación Forzosa, es que, producida la concreción específica limitativa por vía reglamentaria o el acto denegatorio de la Administración, impidiendo al titular del predio afectado por las limitaciones impuestas llevar a cabo unas determinadas actuaciones, éste puede o bien exigir una indemnización que le compense del perjuicio irrogado, o bien solicitar la expropiación del terreno si considera que la norma limitativa reglamentaria, o la negativa de la Administración, implica, por la naturaleza de las actuaciones pretendidas, resultar antieconómica la utilización o aprovechamiento del terreno solicitando la expropiación total de la finca como medio de compensar a la propiedad por la inaprovechabilidad de los terrenos".
Sentencia del Tribunal Supremo de 13 de marzo de 1992 [recurso 1478/1989; ponente Francisco José Hernando Santiago (*Tol 1680052*)]: *"Sólo en aplicación del criterio expuesto cobra sentido la indemnización y el ejercicio de las facultades reconocidas por el art. 23 de la Ley de Expropiación, que el art. 28 de la Ley 8/1975 y el art. 89.2 de su Reglamento conceden a los propietarios de terrenos afectos por las Zonas de Seguridad de establecimientos o instalaciones militares. Lo que quieren decir los preceptos de la Ley y Reglamento citados cuando facultan a los propietarios para hacer uso de lo prevenido en el art. 23 de la Ley de Expropiación Forzosa, es que producida la concreción específica limitativa por vía reglamentaria o el acto denegatorio de la Administración, impidiendo al titular del predio afectado por las limitaciones impuestas llevar a cabo unas determinadas actuaciones, éste puede: a) exigir una indemnización que le compense el perjuicio irrogado y b) solicitar la expropiación del terreno si considera que la norma limitativa reglamentaria, o la negativa de la Administración, implica, por la naturaleza de las actuaciones pretendidas, resultar antieconómica la utilización o aprovechamiento del terreno, solicitando la expropiación total de la finca, como medio de compensar a la propiedad por la inaprovechabilidad de los terrenos".*

[146]   Real Decreto 1943/2000, de 1 de diciembre.
[147]   Real Decreto 192/2002, de 15 de febrero.

Quintos de Mora en los Yébenes (Toledo)[148], o la zona de Campamento de Madrid[149] (a cuya operación urbanística ya se ha hecho referencia).

B) La declaración por el Gobierno de la Nación del interés para la Defensa

La identificación de las porciones de terreno que quedan sujetas a este estatuto inmobiliario, y el alcance de la delimitación del derecho de propiedad privada, se dispone mediante Real Decreto aprobado por el Gobierno de la Nación (a iniciativa del Ministerio de Defensa). En cualquier caso, la decisión tiene que estar suficiente y adecuadamente motivada a la vista de las particulares circunstancias de hecho concurrentes[150]. Ese Real Decreto es un acto administrativo general que tiene dos funciones:

(i) delimitar el espacio territorial sujeto al estatuto especial de los derechos reales;

---

[148]   Real Decreto 446/1983, de 23 de febrero.

[149]   Real Decreto 193/2002, de 15 de febrero.

[150]   Sentencia del Tribunal Supremo de 2 de marzo de 1994 [recurso 722/1993; ponente Antonio Martí García (*Tol 1707468*)]: *"Pues bien sentado lo anterior, y dado que en el caso de autos, la Administración, a pesar de que por tratarse de materia "clasificada", se ha reservado documentación y razones, ha explicitado los motivos o datos que le han llevado a la elevación del término municipal de Anchuras, como lugar idóneo para el emplazamiento del polígono de entrenamiento, corresponde ahora analizar, si hay congruencia o no entre los motivos expuestos y el emplazamiento elegido, y a este respecto, como la documentación aportada por la Administración, refiere, que, se han valorado o tenido en cuenta: a) equidistancia de las unidades aéreas de combate situadas en el centro y sur de la península, b) dimensiones del polígono, c) régimen de utilización, d) armamento previsiblemente utilizable, e) condiciones geográficas y de comunicación, f) fotografía, densidad de población, g) que a partir de esas premisas generales se hizo una preselección de veintiséis zonas que reunían en una primera aproximación, las condiciones predeterminadas de instalación, h) que un segundo paso descartó catorce de ellas por razón de proximidad a grandes núcleos de población, i) que las doce restantes fueron analizadas individualmente, y j) que, se concluyó estimando que la que después fue declarada de interés para la Defensa Nacional, reunía los caracteres técnicos definidos, presentaba, la menor densidad de población, con tendencia encauzada a su descenso; la mayor concentración de propiedades; la proximidad de terrenos de dominio público y el menor impacto ambiental. A partir de esos datos, hay que estimar, al menos en principio, que la solución adoptada, la elección del municipio de Anchuras, estaba ciertamente justificada, y que era todo congruente con las necesidades de la Administración y con los motivos o razones que objetivamente se habían señalado al efecto, y por ello, para poder estimar, como los recurrentes pretenden que la elección fue inadecuada, será preciso acreditar, bien, que esos motivos no son los adecuados, o que en el caso de autos no concurren, en contra los adecuados, o que en el caso de autos no concurren, en contra de lo que la Administración ha afirmado".*

(ii) concretar las facultades dominicales objeto de delimitación legal (estableciendo las prohibiciones, limitaciones y condiciones que correspondan).

Para que se adopte esa medida gubernamental, y se declare una zona geográfica de interés para la defensa nacional, no es necesario que la Administración del Estado ya sea titular de algunos de los bienes situados en la zona; tampoco que ya exista alguna instalación militar; basta con que la instalación esté proyectada, dejando abierta la posibilidad de adquirir los terrenos en los que se ubicará la futura instalación militar, mediante el ejercicio de la potestad expropiatoria, o por otros cauces válidos en Derecho[151].

Una de las consecuencias jurídicas que derivan de la declaración del interés para la defensa nacional de una zona geográfica, es la atribución de competencias administrativas de las autoridades dependientes del Ministerio de Defensa (que pasan a asumir la competencia para tramitar y

---

[151]   Sentencia del Tribunal Supremo de 2 de marzo de 1994 [recurso 722/1993; ponente Antonio Martí García (*Tol 1707468*)]: *"A lo anterior en nada obsta, el que se alegue, que la Administración no tiene allí, en la zona o espacio definido, ninguna instalación, ni propiedad, pues el artículo 2º de la Ley citada 8/1975, expresamente dispone, el definir las zonas de interés para la Defensa Nacional, que lo son, las extensiones de terrenos, mar o espacio aéreo que así se declaren en atención a que constituyan o puedan constituir una base permanente o un apoyo eficaz..., esto es, tanto se refiere la Ley, a las instalaciones o propiedades que ya tenga o ya existan, como a las que vaya a instalar, que es el caso de autos, en el que se proyecta la construcción de un polígono de entrenamiento ex novo. Y sin que tampoco afecte a la validez de la norma, la falta de mención o previsión específica, respecto a los terrenos o propiedades, en los que se hayan de construir las instalaciones militares necesarias, y que por ello resultarán incompatibles con el uso privado de los mismos, pues aparte, de que no constan alegaciones o peticiones con este extremo relacionadas, es lo cierto, que se está en el inicio de la actividad, y para esta situación o momento inicial, lo obligado y procedente era, la declaración de zona de interés para la defensa, a la que genéricamente afectan todas las limitaciones señaladas, para más tarde o después, seguir el trámite, adquiriendo en su caso las propiedades necesarias, como se refiere en los antecedentes que obran y como en realidad ha sucedido, al señalarse distintas adquisiciones de terrenos en la zona afectada por parte de la Administración, y sin olvidar, de una parte, que en todo caso los intereses de los propietarios cuyos terrenos, por estar destinados a instalaciones, fuesen incompatibles con el uso privado, están o estarían debidamente garantizados, por el Ordenamiento, Constitución, Ley de Expropiación Forzosa, por la propia Ley 8/1975, entre otros, artículo 28 y el Reglamento aprobado por Decreto 689/1978, de 10 febrero, entre otros, artículo 88, e incluso por la propia norma impugnada que reconoce genéricamente la posibilidad de indemnización, y de otra, que esos intereses o derechos privados, aunque puedan y deban en su caso ser expropiados o indemnizados, no pueden ciertamente impedir que la Administración en el ejercicio de las facultades y potestades constitucionalmente reconocidas, inicie los trámites para la construcción de un polígono de entrenamiento, en el caso de que éste sea necesario para las Fuerzas Armadas y la Defensa Nacional".*

resolver los procedimientos orientados a otorgar o denegar autorizaciones en esa porción del territorio, con el consiguiente desapoderamiento de las autoridades municipales y autonómicas)[152]. Efectivamente, cuando se trate de obras públicas que afecten directamente a la defensa nacional, la disposición adicional undécima de la Ley 53/2002 exonera de previa licencia y demás actos de control preventivo municipal, a las obras de construcción, reparación y conservación (así como las agrupaciones y segregaciones de fincas) que se lleven a cabo en zonas geográficas que hayan sido formalmente declaradas de interés para la defensa nacional[153].

Finalmente, la experiencia práctica nos demuestra que no es impertinente o inoportuno recordar, que las decisiones gubernamentales sobre ese tipo de bienes privados, en algunas ocasiones son muy importantes y tienen una indiscutible incidencia en la defensa nacional; se trata de cuestiones que pueden ser delicadas o relevantes para la adecuada protección territorial de la soberanía nacional, pero ello no comporta que estemos ante "actos políticos" que no puedan ser controlados por los tribunales de la jurisdicción contencioso-administrativa. En contra de la admisión de ese control por los tribunales, se podría argumentar que se trata de un acto político del Gobierno que escapa a la fiscalización judicial, o que es una materia clasificada como secreta por afectar a la seguridad del Estado.

Ello no obstante, aunque los dicte el Gobierno, son actos administrativos susceptibles de control por los tribunales, pues lo contrario comportaría

---

[152]   Cuando las resoluciones administrativas que se adopten por las autoridades dependientes del Ministerio de Defensa denieguen la autorización (y ésta tenga por objeto la ejecución de obras o la prestación de servicios públicos), la Administración Pública que ha visto denegada su solicitud puede interponer un recurso de alzada extraordinario ante el propio Gobierno de la Nación.

[153]   Conforme a lo establecido en la disposición adicional novena de la Ley 53/2002, de 30 de diciembre (de medidas fiscales, administrativas y del orden social, en la redacción que resulta después del artículo 85 de la Ley 62/2003, de 30 de diciembre): *"Las obras de nueva construcción, reparación y conservación, así como las agrupaciones y segregaciones de fincas, llevadas a cabo en zonas declaradas de interés para la defensa nacional o en las instalaciones militares señaladas en el artículo 8 del Real Decreto 689/78, de 10 de febrero, por el que se aprueba el Reglamento de la Ley 8/75, de 12 de marzo, de Zonas e Instalaciones de Interés para la Defensa Nacional y calificadas como obras públicas que afecten directamente a la defensa nacional no estará sometida a la obtención de licencias y demás actos de control preventivo municipal, sin perjuicio de agotar antes, en cuanto a estos últimos, los mecanismos de cooperación entre Administraciones públicas.*
El Ministro de Defensa, a propuesta de los Jefes de Estado Mayor señalará aquellas obras de nueva construcción, reparación y conservación que afecten directamente a la defensa nacional y que serán calificadas como de interés general".

una vulneración del derecho a la tutela judicial efectiva (artículo 24 CE)[154]. La jurisprudencia ha declarado que el Real Decreto es un acto administrativo y no una norma o disposición administrativa de carácter general[155], y también ha precisado que ese acto gubernamental puede ser controlado por la jurisdicción contencioso-administrativa, no siendo técnicamente riguroso y acertado, el criterio de calificar esa decisión gubernamental como un acto político[156].

---

[154] Sentencia del Tribunal Supremo de 3 de marzo de 1986 [ponente José María Reyes Monterreal (*Tol 2318807*)]: *"No existía impedimento alguno para que la Sala competente, teniendo por legitimado al Ayuntamiento actor resolviera sobre el fondo del proceso, porque en las resoluciones combatidas no concurrían los inescindibles requisitos subjetivo y objetivo que caracterizan a todo acto político, lo uno porque éste tiene que producirse por el Consejo de Ministros, como genuino Órgano del Gobierno en su unidad conjunta, según sentencias de 29 de octubre de 1962, 21 de diciembre de 1964 y 6 de noviembre de 1984, sin que lo sean los producidos por un escalón administrativo inferior —sentencia de 15 de marzo de 1965—, y lo otro porque el acto ha de referirse a una cualificada materia o finalidad específicamente determinada por el artículo 2 de la Ley Reguladora de la Jurisdicción, pese al carácter no limitativo o de ejemplo que le atribuyen las sentencias de 23 de junio de 1966, 23 de enero de 1967 y 27 de mayo de 1975, siendo de observar que las disposiciones en cuestión dimanaron de un Departamento ministerial, sin que afectasen a la defensa nacional en el sentido estricto que es el aquí aplicable como siempre que se trata de una norma limitativa del derecho a la tutela jurisdiccional, pues una cosa es que la delimitación de polígonos que se impugna pueda tener interés para el Ejército y otra —como explica la sentencia de 3 de enero de 1979— que sea posible elevarlo de rango «hasta el punto de entender que su conservación o desaparición afecte o menoscabe la defensa nacional», no teniendo tampoco —añade— «relación alguna con el mando u organización militar»".*

[155] Sentencia del Tribunal Supremo de 3 de enero de 1979 (ponente José Luis Martín Herrero*): "...lo impugnado no es una disposición de carácter general que contenga normas creadoras de derecho objetivo y que está necesitado de un acto posterior de sujeción individual, sino que es un acto o resolución concreta de la autoridad administrativa dirigida a una o unas personas determinables".*

[156] Sentencia del Tribunal Supremo de 3 de enero de 1979 (ponente José Luis Martín Herrero): *"...no todo acto del Gobierno puede ser calificado como "acto político"... el acto que... se dicta para delimitar la superficie de unos campos o polígonos de tiro, porque los actos políticos son aquéllos mediante los que los órganos superiores del Estado mediante una actuación unitaria ejercen la función política que les ha sido atribuida o confiada y que es perfectamente diferenciable de la función administrativa en cuyo ejercicio se ha dictado el acto impugnado, y aun siendo evidente el interés que para el Ejército tiene la utilización de los terrenos para la práctica de tiro, no es posible elevar de rango ese interés hasta el punto de entender que su conservación o desaparición afecta o menoscaba la defensa nacional, y como tampoco tiene relación alguna con el mando o la organización militar, no puede ser calificado el acto como político (por no serlo ni por su finalidad ni por su contenido) aunque proceda del Gobierno".*
En el mismo sentido se pronuncia también la Sentencia del Tribunal Supremo de 3 de marzo de 1986 (ponente José María Reyes Monterreal).

C) Delimitación territorial del estatuto

El Real Decreto que apruebe el Gobierno de la Nación *"determinará la zona afectada"* (artículo 5 de la Ley 8/1975)[157]. No se dispone de forma expresa cuál es el grado de detalle al que debe descender el Real Decreto para delimitar geográficamente la porción de terreno a la que se extiende la declaración de interés para la defensa nacional, pero debe ser suficiente, como para permitir con la debida certidumbre y seguridad jurídica, la identificación de los inmuebles incluidos y los excluidos[158].

D) Facultades dominicales objeto de delimitación legal

El objetivo que se persigue al declarar que unos bienes son de interés para la defensa nacional, es modular las facultades dominicales del titular del inmueble. La finalidad no es necesariamente privarle del derecho de propiedad privada mediante el ejercicio de la potestad expropiatoria. Puede bastar con limitar algunas facultades, e imponer una servidumbre administrativa, o cualquier otro derecho real limitado. La modulación de las facultades dominicales puede consistir en una prohibición o en una simple limitación (por ejemplo sujetando su ejercicio a ciertas condiciones o requisitos orientados a la satisfacción de las necesidades de la defensa nacional)[159].

---

[157] Las zonas de interés para la Defensa Nacional pueden materializarse tanto en el litoral (una porción del mar), como en el espacio aéreo o en la superficie de terreno insular o peninsular. El artículo 2 de la Ley 8/1975 se refiere a *"extensiones de terreno, mar o espacio aéreo"*.

[158] Sentencia del Tribunal Supremo de 3 de enero de 1979 (ponente José Luis Martín Herrero): *"...ya que impone una serie de limitaciones en una zona suficientemente precisada, al hacer referencia a unas "líneas de tiro" y a unos "grados" a partir de determinados puntos geográficos, que indudablemente podrá ser aún más concretada en cuanto a los accidentes geográficos que marquen sus límites exactos, pero que contiene ya suficientes precisiones para saber que dentro del perímetro se incluyen las fincas de los actores"*.

[159] Interesa resaltar el distinto tratamiento otorgado a las zonas de interés para la Defensa Nacional y las zonas de interés militar. En el primer caso, la determinación concreta de las facultades dominicales objeto de delimitación se remite al Real Decreto que dicta el Gobierno para cada específica zona de interés para la Defensa Nacional. En cambio, cuando se trata de la delimitación del estatuto del propietario de bienes inmuebles situados en la zona de seguridad de las instalaciones de interés militar, la determinación de las facultades de uso que se prohíben o se autorizan, y la fijación de las condiciones de uso resultan directamente de la propia Ley 8/1975, y sobre todo de su Reglamento del año 1978.

En el caso concreto del Real Decreto 811/1988, de 20 de julio, que declara de interés para la defensa nacional una zona de la población de Anchuras (provincia de Ciudad Real), las limitaciones y controles administrativos fueron los siguientes: *(i)* necesidad de obtener autorización para todo tipo de construcciones o edificaciones; *(ii)* necesidad de obtener autorización para transmitir la propiedad a un tercero; *(iii)* necesidad de obtener autorización para constituir hipotecas, modificarlas o transmitirlas. Pues bien, ese régimen de control burocrático fue considerado válido y conforme a Derecho, por la Sentencia del Tribunal Supremo de 2 de marzo de 1994[160].

En alguna ocasión aislada, el Tribunal Supremo ha destacado que en relación a los bienes de interés para la defensa nacional, el contenido de la ley es muy vago y difuso, pues la norma parlamentaria no concreta las específicas medidas que la Administración puede adoptar, o las restricciones que el propietario tiene que soportar[161]. Efectivamente, conforme a lo esta-

---

[160]   Sentencia del Tribunal Supremo de 2 de marzo de 1994 [recurso 722/1993; ponente Antonio Martí García (*Tol 1707468*)]: *"(...) se puede y debe entender que las citadas limitaciones, están expresamente previstas en el artículo 5 de la Ley 8/1975, pues el precepto habla expresamente de limitaciones, prohibiciones, en relación con la utilización de la propiedad inmueble y por tal utilización, no se puede estrictamente entender, como se pretende, la sola utilización física o material del terreno; primero, porque dada la finalidad de la norma hay que posibilitar la interpretación que permita las máximas garantías a las necesidades de la Defensa Nacional, segundo, porque por utilización, que significa según el Diccionario de la Real Academia, acción y efecto de utilizar, que equivale a aprovecharse de una cosa, genérica y usualmente, se puede entender tanto el uso material como la cesión, tanto se aprovecha una cosa por su fruto como por el precio de su venta, y tercero, porque la utilización no la refiere la norma al terreno, sino a la propiedad inmueble, que es un concepto jurídico, y siendo una facultad del propietario, la de disponer de la cosa, artículo 348 del Código Civil, es claro también que la utilización de la propiedad, que refiere la norma, puede obviamente referirse a la posibilidad de disposición de esa propiedad, a su tráfico jurídico, que es lo que el Real Decreto impugnado hace, sin que por último, resulte ocioso también referir, que el derecho a la propiedad privada, según el artículo 33 de la Constitución, puede resultar restringido o limitado en razón de la función social, aunque con la correspondiente indemnización en caso de privación, previos los requisitos que el propio precepto establece, y en el caso de autos se cumplen las exigencias de la Constitución, por tratarse de limitaciones que son exigidas por necesidades de la Defensa Nacional, que están adoptadas al amparo de la Ley que las posibilita y se han previsto las posibilidades de indemnización"*.

[161]   Sentencia del Tribunal Supremo de 2 de marzo de 1994 [recurso 722/1993; ponente Antonio Martí García (*Tol 1707468*)]: *"En efecto, el análisis de la Ley 8/1975, permite advertir, que de las tres clasificaciones que autoriza, la primera, la de interés para la Defensa Nacional, es la más importante y la que mayor grado de control e intervención exige, y si mientras para ella no concreta medidas precisas y habla sólo de las prohibiciones, limitaciones o condiciones que se establezcan, y para las dos siguientes zonas, establece algunas medidas concretas, es claro, que esas prohibiciones, limitaciones o condiciones genéricas, que la Ley autoriza, para la zona primera, la clasificada como de interés para la Defensa Nacional, pueden ser las reconocidas y establecidas*

blecido en el segundo párrafo del artículo 5 de la Ley 8/1975: *"Dicho Decreto determinará la zona afectada y fijará las prohibiciones, limitaciones y condiciones que en ella se establezcan, referentes a la utilización de la propiedad inmueble y del espacio marítimo y aéreo que comprenda, respetando los intereses públicos y privados, siempre que sean compatibles con la Defensa Nacional (...)".*

Pues bien, a ese respecto cabría plantear si tan escasa densidad normativa es aceptable, pues en apariencia deja a la Administración un libérrimo espacio de discrecionalidad para adoptar cualquier tipo de medida desfavorable para el propietario de los terrenos que se declaran de interés para la defensa nacional. Tal y como tempranamente afirmó la Sentencia del Tribunal Constitucional 37/1981, la situación del ciudadano es incierta cuando la ley atribuye a la Administración una dosis de discrecionalidad tan amplia y elástica, que la decisión burocrática es absolutamente imprevisible para el interesado. En esas circunstancias de opacidad derivada de la ausencia de límites normativos expresos, el tribunal de justicia que eventualmente conozca de un recurso, no podrá fiscalizar si la decisión administrativa es el resultado de una arbitrariedad ilegítima, o de una válida y legítima discrecionalidad que se ajusta a Derecho. En esas concretas circunstancias de falta de suficiente densidad normativa de la ley en la atribución de una potestad discrecional cuyo ejercicio no se somete a límites expresos, el interesado no tiene un patrón jurídico o unidad de medida, que le permita valorar con alguna objetividad, si la decisión administrativa es válida en Derecho y se ajusta al marco de la ley. Efectivamente, ante la ausencia de márgenes o límites del perímetro de la discrecionalidad administrativa, la atribución de la potestad es tan abierta y difusa, que no hay marco jurídico que ni siquiera permita al propio tribunal, encuadrar y limitar con certidumbre su válido ejercicio[162].

---

para las otras dos zonas, que se pueden estimar como accesorias o complementarias de la primera (...) porque dada la finalidad de la norma hay que posibilitar la interpretación que permita las máximas garantías a las necesidades de la Defensa Nacional (...)".

[162] Sentencia del Tribunal Constitucional 37/1981, de 16 de noviembre: *"Es claro que esta amplísima discrecionalidad de un órgano administrativo (tanto mayor cuanto que la ley impugnada no contiene norma alguna en orden a determinar cuál será el criterio a seguir para asignar las cargas a los transportistas que acudan al Centro, pues no puede considerarse tal la referencia que el art. 32 hace al "turno riguroso", invalidada por la salvedad que le sigue: "Sin perjuicio de los criterios que se establezcan en la reglamentación correspondientes") para desechar las objeciones legítimas, basadas en razones técnicas o económicas, anula la libertad de opción del cargador y, en consecuencia, afecta a las condiciones básicas de ejercicio de su actividad colocándolo en una situación sustancialmente distinta de aquella en que se encontraría si la llevara a cabo, en cualquier otra parte de España".*

El Tribunal Europeo de Derechos Humanos ha destacado la importancia de la densidad normativa o la calidad de las leyes, cuando se trata de restringir derechos constitucionales, o de admitir sobre ellos injerencias de la Administración Pública. En esa materia no basta con que exista una ley, sino que además ésta tiene que satisfacer unos estándares cualitativos sobre la claridad y la precisión del contenido de la norma parlamentaria que legitima la injerencia pública o administrativa, para que así, y por su suficiente grado de detalle circunstanciado, la ley aporte bastante seguridad jurídica, y permita al destinatario de la norma una previsión suficientemente cierta y precisa sobre la dosis de restricción de sus derechos que tiene que soportar, y las garantías que se le ofrecen por el ordenamiento[163]. Según afirma la Sentencia del Tribunal Europeo de Derechos Humanos de 24 de abril de 1990:

> *"Las palabras «prevista por la ley», en el sentido del artículo 8, exigen ante todo que la medida impugnada tenga algún fundamento en el Derecho interno; pero también se refieren a la calidad de la norma de que se trate: debe ser accesible a la persona afectada, que ha de prever sus consecuencias, y compatible con la preeminencia del Derecho".*

Nuestro Tribunal Constitucional se ha hecho eco de esa doctrina del TEDH sobre la calidad de las leyes, y afirma que para garantizar la seguridad jurídica de los ciudadanos (cuando éstos sufren una restricción de sus derechos y libertades), el legislador debe realizar el *"máximo esfuerzo posible"* para fijar con suficiente claridad el contenido de la norma limitativa del estatuto de los ciudadanos[164].

---

[163] Sentencias del Tribunal Europeo de Derechos Humanos de 17 de enero de 2006 (caso Goussev y Marenk contra Finlandia), 30 de julio de 1998 (caso Valenzuela), 25 de marzo de 1998 (caso Kopp), 15 de noviembre de 2006 (caso Domenichini contra Italia), 24 de abril de 1990 (caso Kruslin contra Francia). En igual sentido se pronuncia también la Decisión del Tribunal Europeo de Derechos Humanos de 3 de mayo de 2001 (caso Rafael Reina Muñoz contra España).

[164] Entre otros pronunciamientos en ese sentido, cabe recordar aquí las Sentencias del Tribunal Constitucional 34/2010, de 19 de julio (FJ 5), 70/2009, de 23 de marzo (FJ 3 y 4), 70/2002, de 3 de abril (FJ 10), 49/1999, de 5 de abril (FJ 4 y 5), 36/1991 (FJ 5), y 62/1982 (FJ 7).

Aunque referida a la Administración sanitaria, por su relevancia a los efectos que aquí interesan sobre la protección de la intimidad económica y al suministro de datos a la Administración, tiene interés reproducir un fragmento a la Sentencia del Tribunal Constitucional 70/2009, de 23 de marzo (FJ 4): *"En relación con el acceso por parte de la Administración a los datos de la historia clínica de los ciudadanos, la mencionada Ley de Galicia disponía, en la versión entonces vigente (anterior a la reforma introducida por la Ley 3/2005, de 7 de marzo, que dicho acceso sólo está permitido a los "órganos competentes para tramitar y*

Adviértase que cuando se alude a la calidad de las leyes, no se hace referencia a su calidad técnica o rigor dogmático y conceptual. Lo que se enjuicia en ese contexto no es la esmerada formación académica de los representantes parlamentarios de los ciudadanos, sino la calidad democrática de las normas que aprueban. Lo que se pondera es el respeto a las minorías parlamentarias y a la división de poderes entre el legislativo y el ejecutivo.

Además de ese, otro índice para medir esa calidad de las leyes es la dosis de certidumbre y seguridad jurídica que aportan. Hoy en día, la densidad normativa de las leyes debe ser suficiente para satisfacer adecuadamente el *"canon de la previsibilidad"* al que se refiere la STC 168/2001, de 16 de julio (FJ 6). Como a renglón seguido precisa esa misma Sentencia del Tribunal Constitucional: *"una norma es previsible cuando está redactada con la suficiente precisión que permite al individuo regular su conducta conforme a ella y predecir las consecuencias de la misma; de modo que la ley debe definir las modalidades y extensión del ejercicio del poder otorgado con la claridad suficiente para aportar al individuo una protección adecuada contra la arbitrariedad".*

En el marco constitucional de un Estado social y democrático de Derecho que opta por la fórmula política del parlamentarismo, la protección de la seguridad jurídica de los ciudadanos (de los empresarios o de cualquier otra persona), exige que la atribución legislativa de las potestades administrativas no sólo sea expresa, sino también tiene que ser lo suficientemente concreta y detallada, como para ser clara y transparentemente previsible,

---

resolver los procedimientos de responsabilidad patrimonial por el funcionamiento de la Administración sanitaria, así como la inspección sanitaria en el ejercicio de sus funciones" (art. 19.2), y "para la obtención de información estadística sanitaria, para las actividades relacionadas con el control y evaluación de la calidad de la asistencia prestada, las encuestas oficiales, los programas oficiales de docencia e investigación" (art. 19.4). Añade la Ley 3/2001 que el "acceso por otras personas distintas al paciente a la información contenida en la historia clínica habrá de estar justificado por la atención sanitaria de éste", de modo que "cualesquiera otras razones de carácter excepcional [de acceso a la historia] deberán responder a un interés legítimo susceptible de protección y estar convenientemente motivadas" (art. 19.4).

La regulación legal reproducida no resulta suficiente para afirmar la constitucionalidad de la medida restrictiva de la intimidad porque falta en sus preceptos una determinación suficiente de los supuestos y los requisitos de la restricción. Ciertamente los preceptos citados se refieren al acceso posible a datos médicos de los administrados por parte de "la inspección sanitaria en el ejercicio de sus funciones" y, en el apartado invocado por la Sentencia, excepcionalmente, en otros supuestos en atención a "intereses legítimos". Sin embargo, es patente que estas previsiones normativas no alcanzan a constituir una regulación legal suficiente de la restricción discutida de la intimidad, en la medida en que no precisan mínimamente qué funciones son las referidas, cuáles son esos supuestos excepcionales que permiten la intervención, qué intereses legítimos son los que la justifican ni, más allá de la motivación, de qué otros requisitos ha de rodearse la actuación administrativa".

pues la certidumbre del ciudadano siempre resulta debilitada cuando el contenido de los preceptos no es transparente, y se admite la atribución implícita y genérica de poderes exorbitantes a la Administración Pública.

Desde la perspectiva de la seguridad jurídica de los ciudadanos, no es satisfactoria una ley que de forma muy abierta e indefinida, incluya un amplio listado de variadas técnicas administrativas de control o fiscalización que la burocracia pueda utilizar indistintamente. No es de recibo que sin concreción alguna, la ley deje a la plena discrecionalidad administrativa, la libre elección de la concreta técnica que se vaya a utilizar ante cada supuesto de hecho, o el tipo de medida burocrática que se puede emplear para la recta satisfacción de los intereses generales.

En cualquier caso, hay que admitir que esos estándares de densidad normativa no son retroactivamente exigibles a leyes preconstitucionales. Es decir, la escasa densidad normativa del artículo 5 de la Ley 8/1975 no contamina su validez; el precepto legal genera incertidumbre, pero al ser preconstitucional es conforme a Derecho.

4. Las zonas de seguridad: el estatuto de los bienes de interés militar situados en la zona de seguridad de las instalaciones militares o de las instalaciones civiles declaradas de interés militar

A) Concepto de zona de seguridad; los 5 grupos; instalaciones civiles y militares

Si la declaración de interés para la defensa nacional de una zona geográfica es el máximo escalón de protección territorial (el estatuto real de máxima intervención sobre la propiedad privada), un peldaño por debajo se encuentran los bienes inmuebles que sean declarados de interés militar. De la declaración de "interés para la defensa nacional", se desciende a la simple declaración de "interés militar".

Se denominan zonas de seguridad de las instalaciones militares (o de las instalaciones industriales civiles declaradas de interés militar), las colindantes y las situadas a su alrededor, que quedan sometidas a limitaciones para asegurar la actuación eficaz de los medios defensivos de que disponga la instalación castrense, así como el aislamiento conveniente para garantizar su seguridad y, en su caso, la de las propiedades próximas, cuando aquéllas entrañen peligrosidad para ellas (artículo 3 de la Ley 8/1975). Según declara la Sentencia del Tribunal Supremo de 21 de febrero de 2001[165]:

> *"Las Zonas de Seguridad situadas en las inmediaciones de las instalaciones militares y de las civiles declaradas de interés militar, en los términos que se desprenden de la Ley 8/1975, constituyen una limitación legítima a las facultades dominicales de los propietarios afectados, cuya justificación se encuentra en la necesidad de garantizar la seguridad y eficacia de las instalaciones y organizaciones militares.*
>
> Se trata por tanto, como en toda potestad administrativa atribuida por la Ley, de conocer cuáles son los intereses públicos que subyacen en tales prerrogativas con objeto de hacerlas, en cada caso concreto, conciliables o no con los intereses de los afectados.
>
> *Del análisis de la Ley y de su Reglamento de aplicación se deduce que los fines perseguidos por estas Zonas de seguridad se pueden resumir en garantizar tres objetivos: la actuación eficaz de los medios —en este caso parece referirse a las Unidades Militares—, el aislamiento conveniente para su seguridad y la eventual peligrosidad de los edificios próximos".*

No obstante esos objetivos generales vinculados a la defensa nacional, avanzando un paso más se concretan con mayor detalle las concretas finalidades militares perseguidas en cada caso. En atención a las funciones que tienen cada una de ellas, dentro de las zonas de seguridad de las instalaciones militares, se distinguen 5 grupos de bienes inmuebles:

(i) destinados a instalaciones defensivas para operaciones militares;

(ii) destinados a las comunicaciones;

(iii) instalaciones peligrosas destinadas a la logística de armamento militar;

(iv) destinados a sedes institucionales; y,

(v) destinados a las prácticas militares.

Dentro de cada una de esas 5 zonas de seguridad o de protección, se contempla la existencia de una franja de terreno de mayor seguridad (la llamada "zona próxima") o de menor seguridad militar (la llamada "zona lejana"). En ambos casos de proximidad o lejanía, hay limitaciones al uso del suelo por su propietario, y también controles burocráticos, que con frecuencia se realizan a cabo exigiendo al propietario una previa autorización administrativa, antes de iniciar el uso o la transformación del suelo.

---

[165] Sentencia del Tribunal Supremo de 21 de febrero de 2001 [recurso de casación 3874/1995; ponente José María Álvarez-Cienfuegos Suárez (*Tol 29558*)].

Esa autorización de índole militar no sustituye ni desplaza a otros controles burocráticos similares. Ocurre con frecuencia que, para realizar una sola actividad, puede ser necesaria la obtención de varias autorizaciones distintas, cada una de ellas orientada a salvaguardar un interés general diferente. En línea general de principio, cada licencia o autorización administrativa sirve para comprobar si una actividad privada cumple los requisitos normativamente exigidos, y para verificar que es inocua y no perjudica al concreto interés general protegido por la norma que exige ese específico título habilitante otorgado por la Administración.

En ese sentido, por ejemplo, obtener la licencia urbanística municipal, no libera al propietario del suelo de lograr también la autorización militar[166]; lo mismo sucede también al revés, pues además de obtener la autorización militar, también hay que lograr la correspondiente licencia urbanística[167]. Conviene no olvidar la intersección en una misma actividad de distintos sectores del ordenamiento administrativo, y la recíproca autonomía de las distintas licencias y autorizaciones, pues cada una sirve para salvaguardar un interés público diferente. En ese sentido, cabe recordar lo establecido en el artículo 84.3 de la LBRL 7/1985: *"Las licencias o autoriza-*

---

[166] Sentencia del Tribunal Supremo de 21 de febrero de 2001 [recurso de casación 3874/1995; ponente José María Álvarez-Cienfuegos Suárez (*Tol 29558*)]: *"(...) cuando para la realización de una determinada actividad se necesita la concurrencia de permisos o autorizaciones de varias entidades u organismos, cada uno con privativas y específicas competencias en razón de las finalidades de interés público que respectivamente tutelan y tales permisos se tramitan con independencia, es necesario que todos ellos concurran para que la actividad pueda desarrollarse legalmente, siendo obligación de cada entidad u órgano velar por el cumplimiento de la exigencia que a él le atañe.*

En casos como el presente, la previa licencia de edificación, concedida por la autoridad urbanística, no impide ni condiciona que la Administración Militar en ejercicio de las prerrogativas que le atribuye la Ley 8/1975, de 12 de marzo, para salvaguardar los intereses de la Defensa Nacional y la seguridad y eficacia de sus organizaciones e instalaciones pueda establecer una zona próxima de seguridad, en los términos establecidos en los arts. 3, 7, 8 y 9 de la Ley".

[167] Sentencia del Tribunal Supremo de 22 de noviembre de 2004 [recurso de casación 7172/2002; ponente Rodolfo Soto Vázquez (*Tol 526631*)]: *"La Ley 8/75 y las disposiciones reglamentarias que la desarrollan someten a previa autorización del Ministerio de Defensa todo tipo de construcciones a realizar en la llamada zona de seguridad próxima. Como ya ha quedado expresado en el cuarto fundamento jurídico de esta resolución, la calificación urbanística de los terrenos y la circunstancia de haberse obtenido la correspondiente licencia municipal de construcción no constituyen causas que exoneren de la necesidad de obtener la aludida autorización, al hallarnos ante un supuesto de concurrencia de potestades administrativas que exige la coexistencia de actos de permisividad procedentes de distintas autoridades".*

En ese mismo sentido, también se pronuncia la Sentencia del Tribunal Supremo de 2 de febrero de 2004 [recurso de casación 1090/2001; ponente Rafael Fernández Montalvo (*Tol 345182*)].

ciones otorgadas por otras Administraciones Públicas no eximen a sus titulares de obtener las correspondientes licencias de las Entidades locales, respetándose en todo caso lo dispuesto en las correspondientes leyes sectoriales".

La denegación de la autorización militar tiene que estar adecuadamente motivada en función de los específicos intereses públicos de la defensa nacional, expresando circunstanciadamente las razones que la justifican, en atención a los hechos concurrentes en cada caso concreto[168]. Cuando se trata de una zona lejana de seguridad de seguridad de una instalación militar, y se pide permiso para realizar una edificación o una plantación arbórea, la autorización puede denegarse *"sólo cuando aquellas actuaciones impliquen perjuicio para el empleo óptimo de los medios integrados en la instalación militar de que se trate, o queden expuestas a sufrir por dicho empleo daños susceptibles de indemnización"* (según declara la Sentencia del Tribunal Supremo de 2 de febrero de 2004)[169].

En caso de que la solicitud de la autorización no sea expresamente contestada por la Administración, en esta específica materia de las zonas de seguridad de instalaciones militares, hay una regla especial de silencio administrativo negativo, por lo que la autorización debe entenderse denegada, conforme a lo establecido en el apartado D) del Anexo del Real Decreto 1778/1994, de 5 de agosto. Así lo confirma la Sentencia del Tribunal Supremo de 16 de febrero de 2010[170].

---

[168] Sentencia del Tribunal Supremo de 21 de febrero de 2001 [recurso de casación 3874/1995; ponente José María Álvarez-Cienfuegos Suárez (*Tol 29558*)]: *"Las Zonas de Seguridad situadas en las inmediaciones de las instalaciones militares y de las civiles declaradas de interés militar, en los términos que se desprenden de la Ley 8/1975, constituyen una limitación legítima a las facultades dominicales de los propietarios afectados, cuya justificación se encuentra en la necesidad de garantizar la seguridad y eficacia de las instalaciones y organizaciones militares.*

Se trata por tanto, como en toda potestad administrativa atribuida por la Ley, de conocer cuáles son los intereses públicos que subyacen en tales prerrogativas con objeto de hacerlas, en cada caso concreto, conciliables o no con los intereses de los afectados.

Del análisis de la Ley y de su Reglamento de aplicación se deduce que los fines perseguidos por estas Zonas de seguridad se pueden resumir en garantizar tres objetivos: la actuación eficaz de los medios —en este caso parece referirse a las Unidades Militares—, el aislamiento conveniente para su seguridad y la eventual peligrosidad de los edificios próximos.

Sobre estas tres premisas que, como acertadamente razona la actora, habrán de acreditarse de forma motivada y explícita, en cada caso concreto, dado el carácter restrictivo de derechos que implica su ejercicio, deben examinarse las alegaciones del Recurso y los razonamientos de la Sentencia".

[169] Sentencia del Tribunal Supremo de 2 de febrero de 2004 [recurso de casación 1090/2001; ponente Rafael Fernández Montalvo (*Tol 345182*)].

[170] Sentencia del Tribunal Supremo de 16 de febrero de 2010 [recurso de casación 5539/2007; ponente Celsa Pico Lorenzo (*Tol 1792826*)].

Por otro lado, hay que destacar que la titularidad del inmueble que tiene interés para la defensa nacional, puede corresponder no sólo a las autoridades militares, sino también a las civiles. La declaración del interés militar de una instalación civil es competencia del Gobierno[171]. El Real Decreto que aprueba el Gobierno debe determinar a qué Ejército se adscribe la instalación civil, y también debe concretar en cuál de los 5 grupos queda incluido el bien inmueble. Cuando se trata de instalaciones civiles de interés militar, está prevista la asignación de un destacamento de las fuerzas armadas para su protección.

Una de las cuestiones de mayor relevancia en esta materia, es la articulación del planeamiento urbanístico con la imposición de limitaciones por razones de defensa nacional. Como ya se ha anticipado, en la actualidad, esa articulación se instrumenta mediante un informe preceptivo y vinculante. En el procedimiento de elaboración de los instrumentos de planeamiento urbanístico, que incidan sobre terrenos afectos a la defensa nacional, o en edificaciones o instalaciones incluidas en las zonas de protección de instalaciones militares, es trámite preceptivo el previo informe de la Administración General del Estado, informe que tiene carácter vinculante (según establece la disposición adicional segunda del Texto Refundido de la Ley del Suelo, aprobado por Real Decreto Legislativo 2/2008, de 20 de junio)[172].

Antes de que la ya derogada Ley del Régimen del Suelo y Valoraciones de 1998 impusiera la eficacia vinculante de ese informe, sólo había un trá-

---

[171] Entre otras, son instalaciones civiles que han sido formalmente declaradas de interés militar: *(i)* las de la empresa "Explosivos Alaveses, SA", situados en Nanclares de Oca, provincia de Álava (Real Decreto 633/1979, de 20 de marzo); *(ii)* las de la empresa "Esperanza y Compañía" en Marquina (provincia de Vizcaya (Real Decreto 632/1979, de 20 de marzo); *(iii)* las fábricas cedidas a la empresa Santa Bárbara (Real Decreto 852/1979, de 4 de abril); *(iv)* las instalaciones en Paracuellos del Jarama y Madrid del "Centro de Estudios Técnicos de Materiales Especiales" (Real Decreto 2812/1979, de 10 de diciembre).

[172] A tenor de lo establecido en la vigente disposición adicional segunda del Texto Refundido de la Ley del Suelo, aprobado por Real Decreto Legislativo 2/2008, de 20 de junio:
"1.– Los instrumentos de ordenación territorial y urbanística, cualquiera que sea su clase y denominación, que incidan sobre terrenos, edificaciones e instalaciones, incluidas sus zonas de protección, afectos a la Defensa Nacional deberán ser sometidos, respecto de esta incidencia, a informe vinculante de la Administración General del Estado con carácter previo a su aprobación.
2.– No obstante lo dispuesto en esta Ley, los bienes afectados al Ministerio de Defensa o al uso de las Fuerzas Armadas y los puestos a disposición de los organismos públicos que dependan de aquél, están vinculados a los fines previstos en su legislación especial".

mite de alegaciones por la Administración del Estado[173]. Los problemas prácticos se planteaban cuando (pese a las alegaciones del Ministerio de Defensa en contra de lo proyectado), se aprobaba un plan urbanístico que atribuía aprovechamientos y permitía usos contrarios a las exigencias de la defensa nacional. En esas circunstancias, la aprobación del plan urbanístico no transformaba en automático el otorgamiento de la autorización por razones de defensa militar. Si por la Administración del Estado se habían formalizado alegaciones en contra de su aprobación, el plan urbanístico no producía un efecto vinculante, que forzase el obligatorio otorgamiento de la autorización de usos en la zona de interés militar. En cambio, si la Administración del Estado no había presentado alegaciones críticas, existía fundamento para considerar que implícitamente había aceptado los criterios de la Administración urbanística actuante[174].

---

[173] Sentencia del Tribunal Supremo de 13 de junio de 1990 (ponente Jaime Barrio Iglesias): *"Finalmente, ni la Ley 8/1975, de 12 de marzo, sobre zonas e instalaciones de interés para la Defensa Nacional, ni el Reglamento para su aplicación aprobado por Real Decreto 689/1978, de 10 de febrero, disponen en pasaje alguno que para la redacción de un Plan General de Ordenación Urbana haya de obtenerse la autorización del Ministerio de Defensa cuando el mismo afecte a zonas de interés para la Defensa Nacional, de seguridad de las instalaciones militares, o de las instalaciones civiles declaradas de interés militar, y de acceso restringido a la propiedad por parte de extranjeros; lo único que conforme a tales disposiciones está sometido a previa autorización son los proyectos de obras, trabajos e instalaciones, lo que se corresponde, no con la aprobación de un Plan General, sino con la ejecución del mismo"*.

[174] Sentencia del Tribunal Supremo de 30 de noviembre de 1993 [ponente Antonio Bruguera Manté (*Tol 1683758*)]: *"Para llegar a esta conclusión esta Sala no hace sino reiterar la doctrina ya sentada por nuestras SS. 3-1-1979 y 3-3-1986, la primera de las cuales invalidó, por las mismas actuales razones, el Decreto de 16-1-1975, núm. 70, que estableció las zonas de seguridad de los Polígonos de Experiencia "Costilla" y "González Hontoria" en el mismo Municipio de San Fernando, y la segunda anuló las Ordenes del Ministerio de Defensa núms. 37 y 38 de 1982, de 19 febrero, que regulaban la dependencia jurisdiccional y administrativa de los mismos Polígonos y señalaban la Zona de Seguridad de sus instalaciones militares; habiendo declarado este Tribunal al resolverse aquellos recursos y aceptar los fundamentos de la sentencia apelada (que) "...consta en autos que por Orden Ministerial de 30-7-1979, fue aprobado y entró en vigor el Plan General de Ordenación Urbana de San Fernando (Cádiz), por lo que resulta evidente que de nuevo nos encontramos ante el mismo problema contemplado y resuelto por la Sentencia del Tribunal supremo de la Sala 3ª de 3-1-1979 en relación con el Decreto de 16-1-1975, núm. 70, al que le es aplicable el art. 45 de la Ley sobre Régimen del Suelo y Ordenación Urbana de 12-5-1956 reformado por los arts. 10 y 57 del Texto Refundido de 9-4-1976 que establecen la primacía de los Planes de Urbanismo y su función de coordinación vinculante de todas las competencias administrativas sobre el territorio, de tal suerte que los particulares, al igual que la Administración, quedarán obligados al cumplimiento de sus disposiciones sobre ordenación urbana, y si bien la formación de Planes no limita las facultades que correspondan a los distintos Departamentos Ministeriales, ello nada significa para el supuesto de autos, pues si la Administración militar entendía que la competencia de su Ministerio venía afectada por el Plan General de Ordenación,*

Por ello, a pesar del otorgamiento de la licencia urbanística por la autoridad municipal competente, podía existir fundamento válido en Derecho para que la Administración estatal denegase la autorización de usos en la zona de interés militar[175], pues las competencias de la Administración ur-

---

pudo oponerse a él en el momento de la información pública, lo que no hizo, debiendo por tanto estar a las consecuencias de esa falta de oposición del Plan, que dota a éste de la fuerza y eficacia de las normas de su clase". Y añadía este Tribunal Supremo en su fundamentos propios que: "... se suscita aquí idéntica cuestión a la ya resuelta, a propósito de disposiciones de igual naturaleza, por la S. 3-1-1979, la cual declaró la disconformidad jurídica de aquéllas, como en esta ocasión también fue declarada por la que ahora se revisa, que ha de ser confirmada por sus propios fundamentos respaldados por la obligatoriedad que el planeamiento urbanístico vigente tiene no sólo para los administrados sino también para la Administración en todos sus estamentos, sin que frente a ello pueda alegarse que el art. 57 del Texto Refundido de la Ley sobre Régimen del Suelo y Ordenación Urbana, que así lo dispone, deje a salvo las facultades que correspondan a los distintos Departamentos Ministeriales para el ejercicio de sus competencias, según la legislación aplicable por razón de la materia, porque ello es siempre que se actúe «de acuerdo con las previsiones del Plan», lo que no supone más que el explícito reconocimiento de la excepcional exigencia en algunos casos de autorizaciones concurrentes para el material ejercicio de una actuación en aquella esfera por parte de los administrados, en todos los supuestos conforme al Plan, según se infiere de las Sentencias de este Alto Tribunal de 8-10-1973, 2-3-1978, 9-3-1983 y 15 enero y 27 febrero 1985, simple concurrencia que, como va dicho, no legitima el desconocimiento de las previsiones de aquél, ni excluye su consiguiente y absoluto respeto, cuya preexistencia, en este caso, en relación con la fecha de las resoluciones impugnadas, requería que, con anterioridad a ésta, cuando el planeamiento se encontraba en fase de elaboración, si la Administración militar entendía que la competencia de su Ministerio venía afectada por aquél pudo y debió oponerse a éste en el momento de la información pública, y, no habiéndolo hecho, ha de estar a las consecuencias de su falta de oposición, sobre todo cuando así había sido considerado por la S. 3-1-1979, anulatoria de una decisión idéntica a la actual por referida a la propia zona de seguridad a que los presentes autos se contraen...".

[175] Sentencia del Tribunal Supremo de 22 de noviembre de 2004 [ponente Rodolfo Soto Vázquez (*Tol 526631*)]: *"Tampoco se explica con una mínima concreción las razones en que se funda la recurrente para impugnar las conclusiones de la sentencia recurrida en cuanto a la conformidad con el Derecho del acto recurrido, ni se razona ni argumenta el cómo o de qué manera han sido infringidos por la sentencia de instancia el auténtico aluvión de disposiciones legales que se citan, sin comentario alguno en relación con lo acordado en la misma, más allá de la referencia que se hace a los efectos de los Planes de Urbanización, y a la supuesta prevalencia de las licencias otorgadas con arreglo a los mismos sobre cualquier otra autorización que pudiese ser necesaria.*

Este último argumento ya ha quedado desestimado, como también han de serlo las alegaciones referentes a los perjuicios que se le irrogan a la entidad demandante, o a terceras personas, como consecuencia de la aplicación de la Ley 8/75 y sus disposiciones complementarias, o a la falta de publicidad que se imputa a la calificación como zona próxima de seguridad de la parcela de terreno objeto de litigio. El derecho que pueda asistir a los posibles perjudicados para obtener una indemnización por tales conceptos, o para recibir el justiprecio correspondiente a los terrenos afectados no es el tema de este procedimiento, ni puede pretender compensarse con el otorgamiento de una autorización improcedente".

banística actuante no podían vaciar de contenido las competencias de la Administración del Estado en materia de defensa nacional.

Ahora bien, esa solución práctica era manifiestamente insatisfactoria para la seguridad del tráfico inmobiliario, pues quien adquiría un inmueble confiado en la publicidad del plan urbanístico, no tenía acceso a las alegaciones críticas de la Administración del Estado. De ahí el acierto de imponer la eficacia vinculante del informe desfavorable de la Administración del Estado respecto al instrumento de planteamiento que se proyecte aprobar (según establece la disposición adicional segunda del Texto Refundido de la Ley del Suelo, aprobado por Real Decreto Legislativo 2/2008, de 20 de junio).

B) La declaración por el Gobierno de la Nación del interés militar

Está reservada al Gobierno de la Nación la competencia para declarar qué porciones de terreno tienen "interés militar", y por consiguiente justifican la delimitación administrativa de las facultades del derecho de propiedad privada de bienes inmuebles.

Mientras que la competencia para declarar el interés militar corresponde al Gobierno, la competencia para delimitar la extensión de la zona de seguridad corresponde al Ministerio de Defensa (artículo 8 de la Ley 8/1975)[176].

Para cada instalación que sea declarada de interés militar, corresponde también al Ministerio de Defensa la determinación de los obstáculos o instalaciones que deban ser eliminados o modificados por cuenta de la Administración del Estado (mediante la indemnización que corresponda aplicando la Ley de Expropiación Forzosa de 16 de diciembre de 1954). Es más, si las particulares circunstancias de hecho así lo exigieren, puede aplicarse el procedimiento de urgencia, que para la rápida ocupación de los bienes establece el artículo 52 de la Ley de Expropiación Forzosa de 16 de diciembre de 1954.

---

[176] El Ministerio de Defensa está obligado a comunicar a los Ayuntamientos donde radiquen las instalaciones de interés militar, así como las limitaciones inherentes a las zonas de seguridad, para que el Ayuntamiento las traslade a los propietarios afectados, debiendo hacer la notificación personal a los titulares de las obras o servicios públicos existentes en la zona de seguridad.

C) La zona de seguridad de las instalaciones directamente destinadas a la ejecución de operaciones militares (grupo primero)

a) Las instalaciones defensivas para operaciones militares del grupo primero

Se incluyen entre las instalaciones defensivas del grupo primero, las bases terrestres, navales y aéreas; las estaciones navales, puertos, dársenas y aeródromos militares. También los acuartelamientos permanentes para unidades de las fuerzas armadas, las academias y centros de enseñanza e instrucción, y en general todas las instalaciones castrenses directamente relacionadas con la ejecución de operaciones militares para la defensa nacional.

En el grupo primero, la "zona próxima" de seguridad tiene por función garantizar en todas las direcciones el aislamiento y la defensa inmediata de las instalaciones militares, y asegurar el empleo eficaz de sus medios (en particular de armamento), sobre los sectores de actuación que tuvieren encomendados. La "zona lejana" de seguridad tiene por finalidad asegurar la actuación eficaz de los medios defensivos instalados.

b) Las zonas próximas de seguridad de las instalaciones defensivas para operaciones militares

1) Delimitación espacial de la zona próxima de seguridad del grupo primero

Respecto a la extensión territorial de las zonas próximas de seguridad a las instalaciones de interés militar, la Ley 8/1975 establece una regla general y una excepción[177].

Conforme a la regla general, las zonas próximas de seguridad tienen una anchura de 300 metros (medidos desde el límite exterior o líneas principales que definen el perímetro más avanzado de la instalación militar),

---

[177] Corresponde al Ministerio de Defensa la delimitación de la zona lejana de seguridad. Para ello hay que instruir un procedimiento administrativo, y en el expediente debe incorporarse un Informe del Estado Mayor del Ejército afectado o de la Armada, y una propuesta razonada de la autoridad militar periférica de la que dependa la instalación. Si en el perímetro de la zona lejana de seguridad hay bienes inmuebles adscritos a otros Ministerios, el Departamento de Defensa se lo comunicará, para que puedan formular las alegaciones que tengan por convenientes dentro del plazo de 1 mes.

salvo en el caso de las baterías de costa, donde la anchura debe ser de 400 metros[178].

Conforme a la regla excepcional, la franja de 300 metros de seguridad puede ser ampliada o reducida. Cuando por la índole de la instalación esa anchura de 300 metros se considere insuficiente a los fines de seguridad o resulte excesiva (especialmente en los casos en que las instalaciones estén ubicadas en el interior de las poblaciones o zonas urbanizadas), podrá ser ampliada o reducida hasta el límite estrictamente indispensable. Factor clave de la validez en Derecho de esas decisiones administrativas, es la razonable proporcionalidad de la medida, y la adecuada motivación de las particulares circunstancias justificativas de la ampliación o reducción de la franja de seguridad[179].

2) Facultades dominicales objeto de delimitación legal en las zonas próximas de seguridad del grupo primero

Para que el propietario del suelo pueda realizar obras, trabajos, instalaciones o actividades de cualquier clase en la zona próxima de seguridad de una instalación militar, es preceptiva la previa obtención de una autorización administrativa. Ello no obstante, no se exige la previa autorización militar cuando se trate de obras de mera conservación de las edificaciones

---

[178]   En los puertos militares, la zona próxima de seguridad comprende, no sólo su interior y el canal de acceso, sino también un sector marítimo que, con un radio mínimo de 1 milla, abarque el frente y ambos costados (computándose esta distancia a partir de los puntos más avanzados de su obra de infraestructura, boca o balizamiento).

[179]   Sentencia del Tribunal Supremo de 23 de septiembre de 2008 [recurso de casación 7077/2005; ponente Antonio Martí García (*Tol 1378434*)]: *"Pues no cabe apreciar ninguna de las infracciones denunciadas, ya que el objeto del proceso era determinar la legalidad de la Orden que señala la Zona de Seguridad del Establecimiento del Militar el Picacho, y dado que en relación con ello el artículo 8 de la Ley 8/75 y el artículo 10 del Real Decreto 689/78 disponen la anchura de 300 metros, como norma general, contados desde el límite exterior o líneas principales que definen el perímetro más avanzado de la instalación, y el artículo 11 agrega, que "cuando por la índole de la instalación las anchuras establecidas en el artículo anterior se consideren insuficientes a los fines de la seguridad que persiguen, podrán ampliarse o reducirse hasta el límite estrictamente indispensable, según convenga, para cada caso concreto", es claro que la mayor o menor anchura de la zona de seguridad no es por sí solo elemento o dato suficiente para declarar la nulidad de la zona de seguridad delimitada, máxime cuando la sentencia recurrida expresamente declara que es ajustada a derecho porque lo que se pretende es que la instalación militar tenga el aislamiento para su seguridad así como para protegerla de cualquiera que pudiera afectarle, y además la zona de seguridad, como más atrás se ha expuesto, puede afectar a terrenos propiedad de terceros, artículo 1 de la Ley 8/75".*

o instalaciones ya existentes (o previamente autorizadas)[180]. El artículo 9 de la Ley 8/1975 facilita que la autorización sea denegada. La autorización únicamente se otorga cuando de forma suficiente se haya acreditado que, *"inequívocamente"*, la actividad o la obra no obstaculiza las finalidades militares propias de la zona próxima de seguridad de la instalación castrense[181].

c) Las zonas lejanas de seguridad de las instalaciones defensivas para operaciones militares

1) Delimitación espacial de las zonas lejanas de seguridad

La extensión geográfica de las zonas lejanas de seguridad es vicaria de las funciones militares que tiene encomendada esta porción del territorio. Conforme a lo establecido en el artículo 10 de la Ley 8/1975, la zona lejana de seguridad tiene por finalidad asegurar el empleo óptimo de las armas o elementos que constituyen la instalación, teniendo en cuenta las características del terreno y las de los medios en ella integrados. Su amplitud debe ser la mínima indispensable para cumplir con esas funciones[182].

---

[180] En línea general de principio, la competencia para otorgarla o denegarla corresponde al Ministro de Defensa. Pero la competencia pasa a atribuirse a los órganos territoriales o periféricos dependientes del Ministerio de Defensa, cuando se trata de aprovechamientos agrícolas o forestales (así como las excavaciones o movimientos de tierras y construcción de cercas o setos, casetas o barracones de carácter temporal e instalaciones de líneas telegráficas, telefónicas y de transporte de energía eléctrica).

[181] Cuando quien solicita la autorización previa es una Administración Pública (y la solicitud se refiera a la ejecución de obras o la prestación de servicios públicos), si es denegatoria la resolución que se adopte por las autoridades dependientes del Ministerio de Defensa, la Administración Pública que ha visto denegada su solicitud puede interponer un recurso de alzada extraordinario ante el propio Gobierno de la Nación.

[182] Corresponde al Ministerio de Defensa la delimitación de la zona lejana de seguridad. Para ello hay que instruir un procedimiento administrativo, y en el expediente debe incorporarse un Informe del Estado Mayor del Ejército afectado o de la Armada, y una propuesta razonada de la autoridad militar periférica de la que dependa la instalación. Si en el perímetro de la zona lejana de seguridad hay bienes inmuebles adscritos a otros Ministerios, el Departamento de Defensa se lo comunicará, para que puedan formular las alegaciones que tengan por convenientes dentro del plazo de 1 mes.

2) Facultades dominicales objeto de delimitación legal en las zonas lejanas de seguridad

En la zona lejana de seguridad sólo es necesaria la autorización previa del Ministro de Defensa para realizar plantaciones arbóreas o arbustivas y levantar edificaciones o instalaciones análogas de superficie[183]. La autorización sólo puede denegarse cuando las instalaciones, edificaciones o plantaciones impliquen perjuicio para el empleo óptimo de los medios integrados en la instalación militar de que se trate, o queden expuestas a sufrir, por dicho empleo, daños merecedores de indemnización[184].

La negativa a otorgar la autorización debe estar suficiente y adecuadamente motivada, no bastando con la genérica alegación de la importancia de la "defensa nacional" para la recta satisfacción de los intereses generales, pues al fin y al cabo, es un concepto jurídico indeterminado, por lo que su invocación siempre debe estar ligada a las particulares circunstancias de hecho concurrentes en cada caso, lo que exige una motivación circunstanciada y ajustada a tales hechos. En algún caso relativo a Ceuta, el Tribunal Supremo ha anulado el acto administrativo por el que se deniega la autorización, por considerar insatisfactoria la motivación, y por existir hechos probados que justificaban el otorgamiento del título jurídico habilitante[185].

---

[183]   Nada impide que el Ministro delegue a las autoridades militares periféricas o territoriales el otorgamiento de esas autorizaciones.

[184]   Cuando quien solicita la autorización previa es una Administración Pública (y la solicitud se refiera a la ejecución de obras o la prestación de servicios públicos), si es denegatoria la resolución que se adopte por las autoridades dependientes del Ministerio de Defensa, la Administración Pública que ha visto denegada su solicitud puede interponer un recurso de alzada extraordinario ante el propio Gobierno de la Nación.

[185]   Sentencia del Tribunal Supremo de 21 de febrero de 2001 [recurso de casación 3874/1995; ponente José María Álvarez-Cienfuegos Suárez (*Tol 29558*)]: "*Como podrá apreciarse, con el máximo respeto hacia las atribuciones reconocidas por la Ley a la Administración Militar para salvaguardar los intereses de la Defensa Nacional y la seguridad y eficacia de sus instalaciones, la Jurisdicción puede y debe examinar, en función del control de los hechos determinantes de cada decisión y de los conceptos jurídicos indeterminados que subyacen en la propia Ley y su Reglamento de desarrollo, como se han aplicado en cada caso concreto.*
Para ello y a la hora de examinar la conformación de la voluntad administrativa, además de valorar lo hasta ahora expuesto, como criterio de la Administración, debe tenerse en cuenta, también como elementos objetivos integradores del acto, los aspectos circunstanciales invocados por la recurrente siempre que estén debidamente documentados.
En este sentido, partiendo de la premisa que estamos en presencia de un terreno calificado dentro del Plan General de Ordenación Urbana de Ceuta como edificable, la prueba pericial obrante en el Recurso, reflejo notarial de una realidad existente, pone de manifiesto que (... la cota de coronación del edificio está por debajo de la cota de arranque del Acuartelamiento del Regimiento Acorazado de Caballería... un observador, desde el punto más alto del edificio, no puede divisar

D) La zona de seguridad de las instalaciones de comunicación (grupo segundo)

a) Las instalaciones de comunicación del grupo segundo

Se incluyen entre las instalaciones de comunicación del grupo segundo de las instalaciones de interés militar: los centros y líneas de transmisiones e instalaciones radioeléctricas[186].

---

el cuartel... entre el citado cuartel y el edificio de Luvalsa a una cota más alta que éste, existen dos chalets particulares...), del reportaje fotográfico debidamente documentado se desprende que el edificio se encuentra al borde de la playa, sobre el paseo marítimo en la carretera de Ceuta a Benzú, no tiene vistas sobre las instalaciones militares, existiendo otras edificaciones por encima del edificio de la actora, el cual se encuentra adherido a un terraplén, no suponiendo su construcción una alteración apreciable del terreno.

(...) Ello permite a este Tribunal, ya como Juzgador de instancia, valorar, tanto la prueba documental obrante en las actuaciones, así como la pericial, debidamente practicada por un Arquitecto y contrastarla en su función revisora con las razones aportadas por la Administración para denegar la autorización.

En estos términos se aprecia cómo los conceptos jurídicos indeterminados que han de concretarse en cada situación individualizada para justificar la potestad de limitación de las facultades dominicales que la Ley atribuye a la Autoridad Militar, en este caso, se circunscriben a afirmar que los terrenos se encuentran dentro de la Zona de Seguridad Militar del Acuartelamiento Montesa núm. 3, aprobada por DO 145/1981, que afecta a la seguridad, la presencia incontrolada de las personas que habiten el edificio, a pesar de que el edificio en sí mismo es un elemento pasivo.

Estas razones, contrastadas con lo ya expuesto, no pueden justificar, a juicio de la Sala el ejercicio de unas potestades, ciertamente poderosas, como las reconocidas en los arts. 3, 8 y 9 de la Ley 8/1975, pues no suponiendo un obstáculo el edificio —ni por razones de vistas y fuego—, al que se califica de elemento pasivo, los eventuales ocupantes, sobre los que, en su caso, la Administración puede desplegar otro tipo de controles que no sean los urbanísticos, se integran en una zona urbanizada, el paseo marítimo, plenamente incorporada en la vida de la ciudad y en la que concurren razonablemente, a la vista de los edificios existentes, personas procedentes de otros barrios y edificaciones.

Se acredita, pues, de lo razonado y de la prueba practicada que, en este caso, no se afectan los fines concretos y precisos que justifican la existencia de la Zona de seguridad.

Por lo que al no ser posible una denegación de plano o inespecíficamente motivada, desde la perspectiva de los intereses generales que justifican la limitación impuesta, procede la estimación del Recurso Contencioso-Administrativo".

[186]   Tienen la consideración de instalaciones radioeléctricas el conjunto de equipos radioeléctricos (emisores, receptores, reflectores y otros equipos), sus antenas, líneas de transmisión y alimentación y sistemas de tierra. Igual consideración merecen las instalaciones para la transferencia de información o datos. También tienen esa misma consideración los edificios y las construcciones que contienen, sustentan o protegen las instalaciones radioeléctricas.

b) Las zonas próximas de seguridad de las instalaciones de comunicación

Para la delimitación espacial de la zona próxima de seguridad de las instalaciones de comunicación (grupo segundo), se aplican las mismas normas y criterios que rigen para las instalaciones defensivas destinadas a operaciones militares (grupo primero). Además hay que tener en cuenta que en la zona próxima de seguridad de instalaciones de comunicación, no se autorizará al propietario la realización de edificaciones o instalaciones, ni plantaciones que sobrepasen la limitación de altura que se haya establecido para cada instalación de comunicación militar. Por otro lado, no pueden establecerse a una distancia inferior a 25 metros, líneas de transporte de energía eléctrica con trazado paralelo al de las telefónicas o telegráficas militares.

c) Las zonas lejanas de seguridad de las instalaciones de comunicación

Las instalaciones radioeléctricas cuentan con una zona lejana de seguridad, que recibe la denominación de "seguridad radioeléctrica". En las zonas de seguridad radioeléctrica está prohibida la erección de obstáculos que puedan interceptar los haces de emisión o recepción de las comunicaciones, así como la instalación de aparatos capaces de detectar o interferir dichas comunicaciones.

Dentro de la "zona de seguridad radioeléctrica" es necesaria la autorización del Ministerio de Defensa para la instalación fija o móvil de cualquier tipo de emisor radioeléctrico, así como todo dispositivo que pueda dar origen a radiaciones electromagnéticas, perturbadoras del normal funcionamiento de la instalación radioeléctrica militar[187].

---

[187] No es inoportuno ni inconveniente recordar aquí lo establecido en el artículo 13 de la Ley 1/2006, de 13 de marzo (por la que se regula el régimen especial del municipio de Barcelona): *"El Ayuntamiento de Barcelona participará en la ordenación del proceso de despliegue de la red de telecomunicaciones en su término municipal, y determinará las áreas más óptimas de emplazamiento, concretando los puntos idóneos de ubicación mediante un estudio de detalle, previo acuerdo con los operadores. La instalación de antenas de cualquier tipo estará sujeta a licencia urbanística municipal. La concesión de dichas licencias se ajustará a lo previsto por el planeamiento urbanístico y las ordenanzas municipales. El establecimiento de redes civiles en zonas previamente definidas como de seguridad radioeléctrica requerirá autorización previa del Ministerio de Defensa".*

E) La zona de seguridad de las instalaciones peligrosas destinadas a la logística de armamento militar (grupo tercero)

a) Las instalaciones peligrosas del grupo tercero

Son instalaciones logísticas del grupo tercero: los talleres y depósitos de municiones, explosivos, combustibles, gases y productos tóxicos, así como los polígonos de experimentación y, en general, cuantos edificios, instalaciones y canalizaciones puedan considerarse peligrosos por las materias que en ellos se manipulen, almacenen o transporten.

Como es evidente, la función que cumple esa zona de seguridad es garantizar su necesario aislamiento contra riesgos exteriores, y salvaguardar a personas y bienes situados en las zonas limítrofes de la instalación castrense.

b) Las zonas de seguridad de las instalaciones peligrosas destinadas a la logística de armamento militar

1) Delimitación espacial de las zonas de seguridad de instalaciones peligrosas

Para describir la delimitación espacial de la zona de seguridad de las instalaciones peligrosas, hay que distinguir unas reglas generales y otras particulares. Conforme a las reglas generales, la zona de seguridad de las instalaciones peligrosas destinadas a la logística de armamento militar se delimitan con los mismos criterios y extensión que los establecidos para el grupo primero (es decir, zonas de seguridad para instalaciones defensivas destinadas a la ejecución de operaciones militares). Las reglas especiales se establecen para determinadas instalaciones peligrosas[188].

---

[188] La extensión superficial de la zona de seguridad de los talleres y depósitos de municiones de gran calibre (o de gran cantidad de municiones de alto explosivo, y los gases o productos químicos de carácter tóxico, así como los polígonos de experimentación), será proporcionada a la capacidad y peligrosidad de la instalación. Su amplitud debe graduarse siempre previo estudio e informe de los órganos técnicos competentes.
La extensión territorial de la zona de seguridad de las instalaciones destinada a almacenamiento o bombeo de combustible, puede aumentarse en aquellos lugares en que, por la configuración del terreno, el combustible derramado por avería o destrucción de algún depósito, tubería o cualquier otro elemento de la instalación, pueda impedir la necesaria circulación que su defensa exija, o causar daños en propiedades próximas.

2) Facultades dominicales objeto de delimitación legal en las zonas de seguridad de instalaciones peligrosas

Para que el propietario del suelo pueda realizar obras, trabajos, instalaciones o actividades del cualquier clase en la zona de seguridad de las instalaciones peligrosas destinadas a la logística de armamento militar, es preceptiva la previa obtención de una autorización administrativa. Ello no obstante, no se exige la previa autorización cuando se trate de obras de mera conservación de las edificaciones o instalaciones ya existentes (o previamente autorizadas)[189].

F) La zona de seguridad de las sedes institucionales (grupo cuarto)

a) *Las sedes institucionales del grupo cuarto*

Son sedes institucionales del grupo cuarto las edificaciones ocupadas por el Ministerio de Defensa, las Capitanías y Comandancias Generales, las Delegaciones de Defensa, y cualesquiera otras que sirvan de sede a órganos de mando militares, establecimientos y almacenes de carácter no peligroso, prisiones militares, y en general, las instalaciones no incluidas en los otros grupos que estén destinadas al alojamiento, preparación o mantenimiento de las Fuerzas Armadas.

Cuando se trate de canalizaciones (tanto si están enterradas como si son de superficie), la anchura mínima de la zona de seguridad es de 5 metros (a cada lado de los límites de la canalización).

[189] En línea general de principio, la competencia para otorgarla o denegarla corresponde al Ministro de Defensa. Pero la competencia pasa a atribuirse a las los órganos territoriales o periféricos dependientes del Ministerio de Defensa, cuando se trata de aprovechamientos agrícolas o forestales (así como las excavaciones o movimientos de tierras y construcción de cercas o setos, casetas o barracones de carácter temporal e instalaciones de líneas telegráficas, telefónicas y de transporte de energía eléctrica).

b) Las zonas próximas de seguridad de las sedes institucionales

1) Delimitación espacial de las zonas de seguridad de las sedes institucionales

Por regla general, las sedes institucionales deben estar rodeadas de una zona de seguridad de 12 metros de anchura (zona que debe abarcar los viales que circunden la sede institucional)[190].

2) Facultades dominicales objeto de delimitación legal en las zonas de seguridad de las sedes institucionales

Las limitaciones son iguales a las que rigen en el grupo primero de las zonas de seguridad; es decir para hacer construcciones, además de la licencia urbanística, se exige también una autorización *"ad hoc"*, que tiene por finalidad salvaguardar la seguridad de esas instalaciones militares.

El otorgamiento o denegación de la autorización administrativa de las edificaciones que se proyecte construir, depende del riesgo objetivo que para la seguridad comporte la ubicación de las construcciones. Ahora bien, el otorgamiento o denegación del título autorizatorio, no depende del simple hecho de la existencia o no de perspectiva que permita visualizar quién entra o sale del acuartelamiento, o lo que sucede en el interior del acuartelamiento militar, sino de la localización del edificio dentro de la zona de seguridad, aunque no haya perspectiva visual alguna desde las construcciones que se proyecta realizar[191]. Cuando la simple localización del edificio

---

[190] Junto a esa regla general hay otras especiales. En los establecimientos penitenciarios militares, la anchura mínima de la zona de seguridad es de 40 metros. Esa misma distancia es la que se requiere para los edificios donde estén ubicados el Ministerio de Defensa, las Capitanías y Comandancias Generales, las Delegaciones Territoriales de Defensa, y en general, de los edificios que sirvan de sede a órganos de mando militares.

Tanto en el caso general como en los especiales, la anchura de la zona de seguridad de las sedes institucionales se puede ampliar o reducir en los mismos términos que cuando se trata de las zonas de seguridad del grupo primero (instalaciones defensivas para operaciones militares). Cuando la sede institucional esté ubicada en el interior de una población o de una zona urbanizada (también cuando se encuentre en una zona portuaria), hay que tener en cuenta si la amplitud de los viales circundantes y la separación entre éstos y la instalación, permiten dichas modificaciones.

[191] Sentencia del Tribunal Supremo de 22 de noviembre de 2004 [ponente Rodolfo Soto Vázquez (*Tol 526631*)]: *"En los que la recurrente denomina "fundamentos del motivo" se reitera, como base de la incongruencia y ausencia de fundamentación de la sentencia, que se omite*

no comporta por sí sola un riesgo para la seguridad, la autorización no puede denegarse so pretexto de que su construcción implicará la presencia incontrolada de personas ajenas a las fuerzas armadas[192].

---

todo razonamiento sobre la abundante prueba documental y la pericial aportada, según las cuales se demuestra que desde las viviendas construidas por P., S.L. no se puede otear o ver quien entra o sale, ni menos todavía el interior de los acuartelamientos cuya zona de seguridad próxima se dice quebrantada, al contrario de lo que ocurre con otras viviendas ya construidas con anterioridad en las inmediaciones (...) Tampoco incurre la sentencia en la contradicción que se alega, porque no es la dirección de la que puede provenir la inmisión en la seguridad de la instalación lo decisivo para la sentencia recurrida, sino la simple circunstancia de hallarse dentro o fuera de la zona de seguridad. La sentencia parte del hecho, que considera probado, de que las viviendas a construir se hallan dentro de la misma zona próxima de seguridad reflejada en la Orden mencionada, afectando a los límites que la configuran, contrariamente a lo que ocurre con otras edificaciones de orientación similar. Esa es la única razón que implica la desestimación de la demanda; no la mayor o menor proximidad o la visibilidad más o menos efectiva que sobre la zona delimitada pueda atribuírseles".

[192] Sentencia del Tribunal Supremo de 21 de febrero de 2001 [ponente José María Álvarez-Cienfuegos Suárez (*Tol 29559*)]: *"En estos términos se aprecia como los conceptos jurídicos indeterminados que han de concretarse en cada situación individualizada para justificar la potestad de limitación de las facultades dominicales que la Ley atribuye a la Autoridad Militar, en este caso, se circunscriben a afirmar que los terrenos se encuentran dentro de la Zona de Seguridad Militar del Acuartelamiento Montesa nº 3, aprobada por DO 145/1981, que afecta a la seguridad, la presencia incontrolada de las personas que habiten el edificio, a pesar de que el edificio en sí mismo es un elemento pasivo.*

Estas razones, contrastadas con lo ya expuesto, no pueden justificar, a juicio de la Sala el ejercicio de unas potestades, ciertamente poderosas, como las reconocidas en los arts. 3, 8 y 9 de la Ley 8/1975, pues no suponiendo un obstáculo el edificio — ni por razones de vistas y fuego—, al que se califica de elemento pasivo, los eventuales ocupantes, sobre los que, en su caso, la Administración puede desplegar otro tipo de controles que no sean los urbanísticos, se integran en una zona urbanizada, el paseo marítimo, plenamente incorporada en la vida de la ciudad y en la que concurren razonablemente, a la vista de los edificios existentes, personas procedentes de otros barrios y edificaciones.

Se acredita, pues, de lo razonado y de la prueba practicada que, en este caso, no se afectan los fines concretos y precisos que justifican la existencia de la Zona de seguridad.

Por lo que al no ser posible una denegación de plano o inespecíficamente motivada, desde la perspectiva de los intereses generales que justifican la limitación impuesta, procede la estimación del Recurso Contencioso Administrativo".

G) La zona de seguridad de las instalaciones destinadas a prácticas militares (grupo quinto)

a) Las instalaciones destinadas a prácticas militares del grupo quinto

Son instalaciones del grupo quinto destinadas a prácticas militares: los campos de instrucción y maniobras, y los polígonos o campos de tiro o bombardeo.

b) Las zonas próximas de seguridad de las instalaciones destinadas a prácticas militares

En línea general de principio, en las instalaciones comprendidas en el grupo quinto, no se exige la existencia de zona próxima de seguridad. Excepcionalmente y en caso necesario, el Ministerio de Defensa debe adquirir el uso o el dominio de las franjas de terreno circundante, que sean indispensables para evitar que la utilización de aquellas instalaciones pueda causar perjuicios a los bienes radicados en las zonas limítrofes.

Una aplicación estricta de ese régimen, puede conducir a resultados injustos y contrarios a las más elementales reglas de equidad. Como la regla es que no existe zona próxima de seguridad (y la excepción sólo se aplica cuando sea estrictamente necesario), en la mayoría de las ocasiones quienes sean propietarios de fincas o inmuebles situados a menos de 2.000 metros de las instalaciones destinadas a campos de tiro o bombardeo, tendrán que soportar todas las molestias y perturbaciones que generan esas actividades, pero aparentemente no tendrán derecho a ser expropiados. Esa apariencia resulta de la literalidad del Reglamento, y exige ser corregida mediante dos precisiones.

En primer lugar, la necesidad de la privación coactiva puede ser contemplada desde la perspectiva de los intereses militares de la instalación de prácticas, pero la necesidad también debe ser valorada desde la perspectiva de la persona civil que es titular de los inmuebles colindantes o próximos. Con fundamento en lo dispuesto en el artículo 23 de la Ley de Expropiación Forzosa de 1954, cabe exigir la expropiación cuando resulte antieconómica la conservación de los terrenos de propiedad privada ubicados a menos de 2.000 metros de los campos de tiro o de maniobra.

En segundo lugar, adviértase que aunque aparentemente no tengan derecho a ser expropiados, tienen pleno derecho a ser indemnizados de los daños y perjuicios que sufran como consecuencia del desarrollo de prácticas de tiro. El artículo 88.b) del Reglamento de 10 de febrero de 1978 no puede ser interpretado para llegar a la conclusión de que ese precepto excluye la indemnización de esas molestias y perturbaciones[193]. Es incuestionable que esos daños y perjuicios son dignos de resarcimiento económico, siempre y cuando concurran los requisitos exigidos por los artículos 139 y ss. de la Ley 30/1992, de 26 de noviembre (de régimen jurídico de las Administraciones Públicas y del Procedimiento Administrativo Común).

c) Las zonas lejanas de seguridad de las instalaciones destinadas a prácticas militares

Las instalaciones destinadas a prácticas militares siempre deben tener una zona de seguridad lejana de una extensión de 2.000 metros de anchura en torno al campo militar (desde su perímetro exterior). En esa porción del territorio queda prohibida la instalación de industrias o actividades molestas, insalubres, nocivas o peligrosas. Ello no obstante, el Ministro de Defensa (o por delegación la autoridad militar regional correspondiente), puede autorizar el establecimiento de tales industrias, condicionando la autorización a la inclusión de dispositivos de corrección de sus humos, emanaciones y similares, de forma que garanticen que no perjudicarán gravemente la salud ni impedirán la visibilidad y demás condiciones de actuación eficaz en el campo militar de que se trate.

Interesa destacar, que el Consejo de Estado entiende que no hay derecho a percibir una indemnización de daños y perjuicios por la simple declaración de una zona como lejana de seguridad de un campo de tiro. Aunque la simple declaración de la zona de seguridad no genera por si

---

[193]   Con arreglo a lo dispuesto en el artículo 88 del Reglamento aprobado por Real Decreto 689/1978, de 10 de febrero: *"De conformidad con lo dispuesto en el artículo 28, párr. 1º de la Ley, serán indemnizables a los particulares los perjuicios que se les originen en los siguientes casos:*

a) Cuando el Decreto por el que se declare una zona de interés para la Defensa Nacional y fije las servidumbres y demás limitaciones y prohibiciones que en ella se establezcan, haga éstas incompatibles con la normal utilización de la propiedad inmueble en el momento de la promulgación, según lo previsto en el artículo 5 de este Reglamento.

b) Cuando los perjuicios aludidos sean motivados por las limitaciones de la propiedad privada inherentes, conforme al capítulo II, título II de ese Reglamento, a la fijación de las zonas de seguridad de nuevas instalaciones militares, a la alteración de las zonas de las ya existentes o a la declaración de interés militar de determinadas instalaciones civiles o sus modificaciones.

c) Cuando en alguna de las zonas de acceso restringido a la propiedad por parte de extranjeros se den los supuestos previstos en los artículos 44.1, 45 y 46.2 de este Reglamento y se acuerde proceder en la forma prevista en el artículo 44.2 del mismo".

sola derecho a percibir un resarcimiento, esa declaración unida a la denegación de la autorización para desarrollar determinadas actividades privadas, puede poner de manifiesto la legitimidad del derecho a percibir la indemnización (así lo precisa el Consejo de Estado)[194]. Esa línea general de principio ha sido seguida posteriormente por el Tribunal Supremo[195], que considera que el interesado puede optar entre dos alternativas[196]: *(i)* bien solicitar una indemnización de daños y perjuicios; *(ii)* bien solicitar

---

[194]   Dictamen del Consejo de Estado de 1 de junio de 1988 (expediente números 50.932 y 49.903): *"Por consiguiente, la simple declaración de una zona como "lejana de seguridad" no es por sí misma título jurídico bastante para solicitar una indemnización; ésta sólo será procedente cuando se pretenda realizar una actividad lícita sujeta a autorización y ésta sea denegada, determinando así una limitación efectiva y concreta de la situación patrimonial particular. En efecto, lo que resulta indemnizable es el cercenamiento de los derechos o intereses como consecuencia de una concreta prohibición de su ejercicio normal que derivaría de la denegación de la correspondiente autorización. Particular manifestación de esta justificación sería, por ejemplo, la denegación de la autorización para, en el suelo urbanístico apto, desarrollar las actividades permitidas por el planeamiento en vigor o una prohibición concreta de semejante naturaleza".*

[195]   Sentencia del Tribunal Supremo de 13 de marzo de 1992 (ponente Francisco José Hernando Santiago): *"...no parece que pueda sostenerse... que la afección de unos terrenos en la Zona de Seguridad de una instalación militar den derecho a su expropiación habida consideración que las genéricas limitaciones o servidumbres que la Ley y el Reglamento establecen no constituyen, por razón de la afectación, una privación singularizada del derecho de propiedad sino una restricción del ejercicio de los derechos y facultades dominicales, o un acto de gravamen, que sólo se pone de relieve y pueden conllevar la correspondiente indemnización, y, en su caso a su expropiación, cuando el ejercicio de los derechos inherentes a la cualidad de propietario se vean efectivamente restringidos, bien porque el propio Decreto por el que se declare una determinada zona de interés para la Defensa Nacional, fije las servidumbres y demás limitaciones y prohibiciones que en ella se establezcan..., bien por una decisión negativa de la autorización previa que prevén los arts. 12 y 14.2 del Reglamento y la propiedad no pueda efectuar en los terrenos comprendidos en la Zona de Seguridad una determinada actuación concreta. Queremos con ello indicar que sólo si el interesado entiende que las previsiones reglamentarias en concreto, o la negativa a su pretensión, supone, en uno y otro caso, una lesión patrimonial que hace a los terrenos inaprovechables para la prevista actuación, pueden llegar a representar la apertura para la propiedad del ejercicio de la facultad que confiere el art. 23 de la Ley de Expropiación Forzosa, que la Ley (art. 28) y el Reglamento (art. 89.2) le reconocen".*

[196]   Sentencia del Tribunal Supremo de 13 de marzo de 1992 (ponente Francisco José Hernando Santiago): *"Lo que quieren decir los preceptos de la Ley y Reglamento citados cuando facultan a los propietarios para hacer uso de lo prevenido en el art. 23 de la Ley de Expropiación Forzosa, es que producida la concreción específica limitativa por vía reglamentaria o el acto denegatorio de la Administración, impidiendo al titular del predio afectado por las limitaciones impuestas llevar a cabo unas determinadas actuaciones, éste puede: a) exigir una indemnización que le compense el perjuicio irrogado, y b) solicitar la expropiación del terreno si considera que la norma limitativa reglamentaria, o la negativa de la Administración implica, por la naturaleza de las actuaciones pretendidas, resultar antieconómica la utilización o el aprovechamiento del terreno, solicitando la expropiación total de la finca, como medio de compensar a la propiedad por la inaprovechabilidad de los terrenos".*

la expropiación de la porción de terreno que resulta antieconómica como consecuencia de no otorgarse la autorización administrativa[197].

5. *El estatuto de acceso restringido a la propiedad por parte de extranjeros*

A) Concepto

Por razones vinculadas a la soberanía y la defensa nacional, en los espacios geográficos próximos a las fronteras y en los espacios insulares, se delimitan unas zonas en las que los extranjeros tienen restringido el acceso a la propiedad. Se denominan zonas de acceso restringido a la propiedad por parte de extranjeros aquéllas en que por exigencias de la defensa nacional (o del libre ejercicio de las potestades soberanas del Estado), resulte conveniente prohibir, limitar o condicionar la adquisición de la propiedad y demás derechos reales por personas físicas o jurídicas de nacionalidad o bajo control extranjero (artículo 4 de la Ley 8/1975). Por su parte, el artículo 32 del Reglamento (aprobado por Real Decreto 689/1978, de 10 de febrero) establece que son zonas de acceso restringido a la propiedad por parte de extranjeros:

- *(i)* los territorios insulares (la totalidad de islas e islotes de soberanía nacional);
- *(ii)* algunos territorios peninsulares (situados en Galicia, Cádiz, estrecho de Gibraltar, Cartagena o en las zonas fronterizas con Francia y Portugal); y,
- *(iii)* los territorios españoles del norte de África.

El artículo 42 del citado Reglamento de 10 de febrero de 1978 crea un "Censo de Propiedades Extranjeras", registro que tiene por finalidad facilitar a la propia Administración los datos e informaciones necesarias para garantizar el efectivo cumplimiento de la normativa sobre zonas de acceso

---

[197] Sentencia del Tribunal Supremo de 27 de noviembre de 2000 (ponente Francisco González Navarro): *"...el artículo 23 contempla una de las dos opciones que la legislación vigente ofrece al expropiado para estos casos: solicitar el abono del demérito o pedir la expropiación de la totalidad de la finca. En el primer caso, le bastará con acreditar que la finca ha sufrido, efectivamente, una depreciación, mientras que en el segundo deberá acreditar que la parte de la finca no expropiada es inaprovechable por resultar su explotación antieconómica. Si se aceptara la tesis del Abogado del Estado una y otra facultad —cobro por demérito y expropiación total—, quedarían refundidas, dándose el absurdo de que quien invocare demérito tendría que probar que la explotación de la finca es antieconómica, circunstancias una y otra que pueden coincidir pero no necesariamente".*

restringido a la propiedad por extranjeros que no sean ciudadanos de la Unión Europea.

B) Ámbito objetivo; la identificación geográfica de las zonas de acceso restringido

La delimitación geográfica de las zonas de acceso restringido a extranjeros que no sean ciudadanos de la Unión Europea, se fija mediante Real Decreto aprobado por el Gobierno de la Nación, por iniciativa del Ministerio de Defensa. Aunque por regla general las zonas de acceso restringido están en espacios geográficos próximos a las fronteras, la ley habilita al Gobierno para, mediante real decreto, disponer la aplicación de las limitaciones propias de las zonas de acceso restringido a poblaciones no fronterizas (o a sus zonas de ensanche), o fijar un límite máximo de superficie por adquirente.

Dicho ello, importa destacar que la Ley 8/1975 respeta los derechos adquiridos y el *"statu quo"* creado antes de su entrada en vigor. El régimen de limitaciones de acceso a la propiedad dispuesto por la Ley 8/1975, no se aplica con carácter retroactivo a las situaciones que ya estaban consolidadas en el momento de entrar en vigor esa Ley. Establece el artículo 23, que si en alguna de las zonas de acceso restringido a la propiedad se hubiere rebasado ya la proporción del 15 por 100, no se modificará el estado jurídico y de hecho de las propiedades que ya fueran de titularidad extranjera (sin perjuicio de que siempre que se rebase el porcentaje aplicable, existe causa de utilidad pública que legitima la expropiación forzosa de los bienes inmuebles que rebasen ese dintel máximo).

C) Ámbito subjetivo; quiénes tienen la consideración de extranjeros

Las limitaciones de acceso a la propiedad no rigen para las personas físicas que sean nacionales de un Estado miembro de la Unión Europea (disposición adicional de la Ley 8/1975, añadida por el artículo 106.2 de la Ley 31/1990, de 27 de diciembre)[198].

---

[198] Sentencia del Tribunal Supremo de 11 de junio de 1992 (recurso 396/1989; ponente José María Sánchez-Andrade y Sal): *"(...) es lo cierto, que desde que España se incorporó a la CEE, la normativa comunitaria es de directa aplicación en nuestra Nación, primando sobre cualquier norma de Derecho interior que pudiera contradecirla, y concretamente sobre la Ley 8/1975 y su Reglamento, cuyas disposiciones es de entender derogadas en cuanto establecen una discriminación para la adquisición de propiedad inmobiliaria entre españoles y extranjeros en determinadas zonas del Territorio Nacional, como hace notar la Secretaría de Estado para las*

Si de las personas físicas pasamos a las personas jurídicas, sí que están sujetas a esas limitaciones las sociedades de nacionalidad española, cuando su capital pertenezca a personas físicas o jurídicas extranjeras, en proporción superior al 50 por 100 del capital social (salvo cuando se trate de nacionales de Estados miembros de la Unión Europea).

Aunque no se alcance ese porcentaje de participación en el capital social, también estarán sujetas a las limitaciones establecidas por la ley, las sociedades españolas cuando los socios extranjeros no comunitarios tengan una situación de dominio o prevalencia en la empresa, derivada de cualquier circunstancia que permita comprobar la existencia de una influencia decisiva de los mismos en la gestión de la sociedad.

D) Delimitación del estatuto de la propiedad privada; adquisición de la propiedad o derechos reales en virtud de contrato

Es obligatoria la inscripción en el Registro de la Propiedad, de los actos y contratos por los que se adquiere el derecho de la propiedad o derechos reales sobre bienes inmuebles situados en zonas de acceso restringido para extranjeros. El incumplimiento de esa obligación determina la nulidad de pleno derecho de los actos y contratos (efecto de nulidad que debe ser advertido por el notario que autorice la escritura pública que documente el contrato).

Por otro lado, el artículo 20 de la Ley 8/1975 establece que para autorizar el otorgamiento de la escritura pública de transmisión de dominio (o de adquisición de derechos reales), y para su posterior inscripción en el Registro de la Propiedad, los notarios y los registradores deben exigir que se les acredite la obtención de una autorización militar.

Comunidades Europeas en informe de fecha 29-7-1986, contestando consulta formulada por la Dirección General de Política de Defensa, por ello, amén de otras razones, no se podía sancionar al señor W. R. por contravenir determinados preceptos de la Ley 8/1975 y de su Reglamento, referentes a zonas de acceso restringido a la propiedad por parte de extranjeros, las cuales vienen definidas en el artículo cuarto de la Ley 8/1975 como "aquellas en que por exigencias de la defensa nacional o del libre ejercicio de las potestades soberanas del Estado, resulte conveniente prohibir, limitar o condicionar la adquisición de la propiedad y demás derechos reales por personas físicas o jurídicas de nacionalidad o bajo control extranjero", zona en la que no se impone limitación alguna en relación con la adquisición de propiedad de fincas rústicas o urbanas, o la construcción en ellas de obras o edificaciones a los españoles, implicando por tanto una discriminación si éstas se imponen a los extranjeros".

Con el objetivo de verificar las circunstancias de hecho y garantizar el respeto del porcentaje máximo de superficie, en las zonas de acceso restringido a la propiedad por parte de extranjeros, la adquisición de cualquier clase de construcciones (así como de fincas rústicas o urbanas), exige la previa obtención de una autorización administrativa que otorgan o deniegan las autoridades militares. Igual autorización administrativa se exige para la constitución, transmisión y modificación de hipotecas, censos, servidumbres y demás derechos reales en favor de extranjeros. También para la construcción de obras o edificaciones de cualquier clase, así como para la adquisición de derechos sobre autorizaciones otorgadas y no ejecutadas.

Para decidir si otorga o deniega la autorización, la Administración militar tiene un amplio margen de apreciación de las circunstancias concurrentes en cada caso. Para que la decisión administrativa sea válida en Derecho, tiene que estar suficiente y adecuadamente motivada. Dice el artículo 26 de la Ley 8/1975, que el otorgamiento o la denegación se hará siempre de acuerdo con la finalidad que justifica las limitaciones y restricciones.

Por regla general, la extensión total de los bienes inmuebles pertenecientes a personas físicas o jurídicas extranjeras no puede exceder del 15 por 100 de la superficie de las zonas de acceso restringido para extranjeros. Para calcular ese porcentaje, hay que tener en cuenta no sólo el derecho de propiedad sobre los inmuebles, sino también los derechos reales que los graven.

En las zonas insulares ese porcentaje se calcula por islas (y dentro de cada una de ellas por términos municipales). En los territorios fronterizos o de litoral, para el cálculo del porcentaje se computarán separadamente la franja de costa o frontera, en una profundidad de 1 kilómetro y la del interior del término. En los edificios en régimen de propiedad horizontal, el máximo de superficie computable es la correspondiente a la totalidad del solar o terreno en el que esté situado el edificio, aunque la suma de la superficie de los distintos pisos o apartamentos independientes propiedad de extranjeros, supere a la superficie de dicho solar o terreno[199]. En zonas que no sean fronterizas o sus zonas urbanizadas no se computan los inmue-

---

[199] Junto a esa regla general hay otras reglas especiales en las que se reduce el porcentaje por debajo del 15 por 100. Así, en todas las islas e islotes que tengan una superficie inferior a los 82,8 kilómetros cuadrados que tiene Formentera, se establece una prohibición de adquisición al reducirse al 0 por 100 el porcentaje máximo. Distinta es la situación en la zona del estrecho de Gibraltar, donde el porcentaje máximo de adquisición es del 10 por 100. También tiene interés mencionar el caso de los territorios no insulares del norte de África el porcentaje máximo es del 5 por 100.

bles situados en centros urbanos pese a pertenecer a extranjeros, siempre que se cumplan ciertos requisitos. Para ello se requiere que el Ministerio de Defensa informe favorablemente el plan urbanístico, que los inmuebles consten en el plan, y que el instrumento de ordenación urbanística se apruebe.

E) Otros títulos de adquisición de la propiedad o derechos reales; la herencia y la ocupación

Cuando la adquisición de fincas o la constitución de derechos reales sobre ellas se adquieran por extranjeros por título hereditario, los interesados deben solicitar la autorización militar dentro de un plazo máximo de 3 meses, o proceder a la enajenación de los bienes inmuebles en el plazo de 1 año (contados ambos plazos desde que el adquirente pudo ejercitar legalmente sus facultades como titular del dominio o del derecho real de que se trate). Si se incumplen esos plazos o se deniega la autorización militar, existe justa causa para proceder a la privación coactiva de esos bienes, mediante el ejercicio de la potestad expropiatoria y mediante el pago del correspondiente justiprecio.

En cuanto a la prescripción como título de adquisición de derechos, el artículo 27 de la Ley 8/1975 establece que por prescripción los extranjeros no pueden adquirir la propiedad o derechos reales sobre bienes inmuebles situados en la zona de acceso restringido.

BIBLIOGRAFÍA

BAUTISTA SAMANIEGO, José María, *Urbanismo y defensa nacional*, Editorial Montecorvo, Madrid 2008.
FERNÁNDEZ-PIÑEYRO Y HERNÁNDEZ, Emilio, *Régimen jurídico de los bienes inmuebles militares*, Marcial Pons Ediciones Jurídicas, Madrid 1995.
GARCÍA-MORENO RODRÍGUEZ, Fernando, *Instrumentos de planificación territorial y urbanística "versus" zonas afectas a la Defensa Nacional: regulación y problemática jurídica*, Revista de Derecho Urbanístico y Medio Ambiente número 203 (2003), pp. 61 a 97.
HERNÁNDEZ SAN JUAN, Isabel, *Declaración de zonas de interés para la defensa. Ordenación del territorio. Urbanismo. Medio Ambiente*, trabajo publicado en el libro colectivo dirigido por Luciano Parejo Alfonso y Alberto Palomar Olmeda, "Derecho de los bienes públicos", Editorial Aranzadi, Cizur Menor 2009, tomo III, pp. 747 a 831.
MAS HERNÁNDEZ, Rafael, *La presencia militar en las ciudades. Orígenes y desarrollo del espacio urbano militar en España*, Los Libros de la Catarata, Madrid 2003.
PEÑARRUBIA IZA, Joaquín María, *Actuaciones sectoriales del Estado sobre el territorio por razón del artículo 149.1.4 de la Constitución*, Revista de Derecho Urbanístico número 145 (1995).

RODRÍGUEZ-VILLASANTE Y PRIETO, José Luis, *El Derecho urbanístico militar, gestión y protección de los recursos inmobiliarios de la Defensa Nacional*, Revista Española de Derecho Militar número 44-50 (1987), pp. 11 y ss.

SÁINZ MORENO, Fernando, *La delimitación de los polígonos militares de experiencia de tiro: ¿acto político o acto administrativo? La relación de causalidad entre un acto anulado y el daño por este causado*, Revista Española de Derecho Administrativo número 20 (enero-marzo 1979), pp. 116 a 123.

TORRES ROJAS, Miguel, *Zonas de acceso restringido a la propiedad de extranjeros en interés de la Defensa Nacional. Legislación. Jurisprudencia. Reforma*, Revista Española de Derecho Militar número 52 (julio-diciembre 1988), pp. 27 y ss.

TORRES ROJAS, Miguel, *Zonas de acceso restringido a la propiedad de extranjeros en interés de la Defensa Nacional*, Revista Española de Derecho Militar número 54 (julio-diciembre 1989), tomo I, pp. 41 y ss.

VIDA FERNÁNDEZ, José, *Los bienes de la defensa*, trabajo publicado en el libro colectivo dirigido por Luciano Parejo Alfonso y Alberto Palomar Olmeda, "Derecho de los bienes públicos", Editorial Aranzadi, Cizur Menor 2009, tomo II, pp. 217 a 293.